Soı

Sur la route

Contents

On the road :

Sommario

Durante il viaggio

DISTANCES ENTRE PRINCIPALES VILLES

DISTANCES BETWEEN MAJOR TOWNS

DISTANZE TRA LE PRINCIPALI CITTÀ

ENTFERNUNGEN ZWISCHEN DEN GRÖSSEREN STÄDTEN

DISTANCIAS ENTRE LAS CIUDADES PRINCIPALES

Marseille – Strasbourg 796 km

	Amiens	Bâle	Bayonne	Besançon	Bordeaux	Brest	Caen	Calais	Clermont-Ferrand	Dijon	Genève	Grenoble	Le Havre	Lille	Limoges	Lyon	Le Mans	Marseille	Metz	Montpellier	Mulhouse	Nancy	Nantes	Nice	Orléans	Paris	Perpignan	Reims	Rennes	Rouen	Saint-Étienne	Strasbourg	Toulon	Toulouse
Bâle	568																																	
Bayonne	917	1020																																
Besançon	559	148	881																															
Bordeaux	725	828	183	689																														
Brest	611	1095	815	957	623																													
Caen	237	781	770	642	578	374																												
Calais	155	693	1061	604	869	716	342																											
Clermont-Ferrand	534	475	554	337	370	751	554	678																										
Dijon	459	241	826	103	634	856	542	603	282																									
Genève	660	259	931	177	695	1057	743	804	325	198																								
Grenoble	711	403	814	290	655	1108	794	855	285	295	144																							
Le Havre	179	744	841	605	649	481	107	284	580	505	706	757																						
Lille	115	620	988	531	796	814	342	112	605	530	731	782	284																					
Limoges	543	610	413	471	221	596	437	687	178	416	503	463	549	614																				
Lyon	607	387	812	248	547	1004	690	751	177	191	159	104	653	678	355																			
Le Mans	349	701	619	562	427	403	151	413	381	462	663	714	222	420	286	610																		
Marseille	922	693	682	564	647	1320	1005	1066	457	507	434	281	968	993	635	315	925																	
Metz	345	267	1094	256	902	920	567	469	545	263	423	559	530	396	680	455	526	770																
Montpellier	905	676	518	547	484	1093	988	1049	364	490	417	300	951	976	432	298	718	168	753															
Mulhouse	527	35	1008	137	816	1083	769	651	463	229	294	438	732	578	598	375	689	690	241	673														
Nancy	362	209	1029	198	837	885	540	486	494	212	365	508	503	413	629	404	491	719	56	702	186													
Nantes	524	842	519	703	327	296	284	668	452	603	804	737	379	595	302	624	178	961	701	797	830	666												
Nice	1077	736	837	719	803	1475	1160	1221	612	662	477	334	1123	1148	790	470	1080	187	925	323	845	874	1116											
Orléans	276	536	649	397	457	546	255	420	298	297	498	549	282	347	266	445	137	760	400	743	524	380	300	915										
Paris	148	551	771	413	579	597	240	292	388	312	513	564	203	219	397	460	202	776	331	759	539	304	378	931	130									
Perpignan	1053	824	482	695	448	1057	1012	1197	465	638	565	448	1099	1124	512	446	861	316	901	152	821	850	761	471	778	907								
Reims	156	412	906	323	714	732	379	281	488	284	469	579	342	208	532	475	337	791	188	774	370	205	513	946	265	142	922							
Rennes	414	846	627	708	435	245	176	518	529	607	808	859	283	565	374	755	154	1071	671	905	834	636	108	1226	297	348	869	483						
Rouen	113	680	814	541	622	498	124	218	516	441	642	693	87	218	485	589	195	904	419	887	668	439	373	1059	218	139	1035	230	300					
Saint-Étienne	659	439	700	300	516	897	742	803	146	243	222	139	705	730	324	55	506	308	507	291	427	456	598	463	383	512	439	527	660	641				
Strasbourg	502	145	1113	242	921	1078	725	627	569	335	404	548	688	554	703	480	683	796	163	779	113	148	859	951	558	488	927	346	829	576	532			
Toulon	983	754	743	625	709	1381	1066	1127	518	568	495	334	1029	1054	696	376	986	64	831	229	751	780	1022	154	821	837	377	852	1132	965	369	857		
Toulouse	851	912	298	783	244	853	808	995	384	726	653	536	879	922	308	534	657	404	989	240	909	938	557	559	574	705	204	840	665	793	527	1015	465	
Tours	380	654	537	515	345	485	233	524	299	415	616	533	304	451	204	429	82	736	557	636	642	492	195	891	112	234	779	369	236	277	424	715	797	575

1

PRINCIPALES ROUTES

N 4 — Numéro de route

17 — Distances partielles

Distances entre principales villes, voir tableau p. 7

MOTEL: sur autoroute, sur route, voir au texte de la localité.

HAUPTVERKEHRSSTRASSEN

N 4 — Straßennummer

17 — Teilentfernungen

Entfernungen zwischen Großstädten, siehe Tabelle S. 7

MOTEL: an der Autobahn, an sonstigen Straßen, siehe Text der betreffenden Ortschaft.

MAIN ROADS

N 4 — Road number

17 — Intermediary distances

Distances between major towns, see table p. 7

MOTEL: on motorways, on other roads, see text under town heading

CARRETERAS PRINCIPALES

N 4 — Numéro de la carretera

17 — Distancias parciales

Distancias entre las ciudades principales, ver cuardo p. 7

MOTEL: de Autopista, de carretera, ver al texto de la localidad

PRINCIPALI STRADE

N 4 — Numero della strada

17 — Distanze parziali

Distanze fra le principali città, vedere tabella p. 7

MOTEL: sulle autostrade, sulle strade, vedere al testo della località.

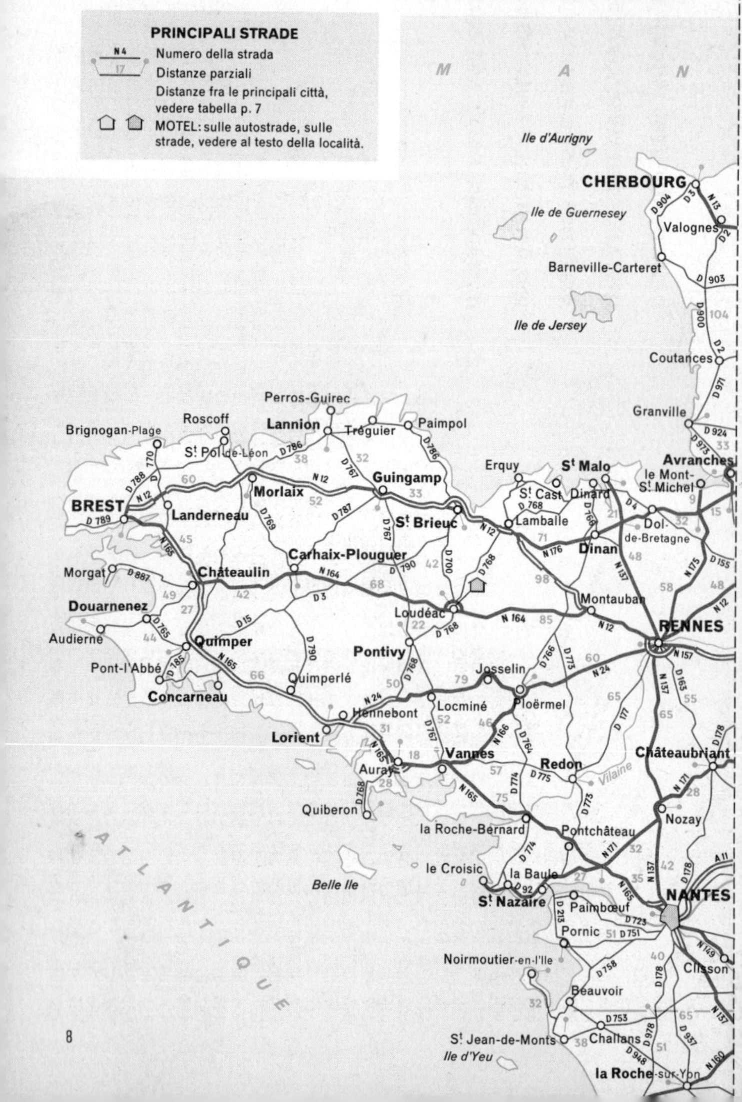

M A N

Ile d'Aurigny
CHERBOURG
Ile de Guernesey
Valognes
Barneville-Carteret
Ile de Jersey
Coutances
Granville
Avranches
le Mont-St Michel
Perros-Guirec
Roscoff
Lannion
Tréguier
Paimpol
Brignogan-Plage
St Pol-de-Léon
Guingamp
Erquy
St Malo
Morlaix
St Cast
Dinard
BREST
Landerneau
St Brieuc
Lamballe
Dol-de-Bretagne
Dinan
Carhaix-Plouguer
Morgat
Châteaulin
Loudéac
Montauban
RENNES
Douarnenez
Audierne
Quimper
Pontivy
Pont-l'Abbé
Quimperlé
Josselin
Concarneau
Ploërmel
Hennebont
Locminé
Lorient
Vannes
Redon
Châteaubriant
Auray
Vilaine
Quiberon
la Roche-Bernard
Nozay
Pontchâteau
le Croisic
la Baule
Belle Ile
St Nazaire
NANTES
Paimbœuf
Pornic
Noirmoutier-en-l'Ile
Clisson
Beauvoir
St Jean-de-Monts
Challans
Ile d'Yeu
la Roche-sur-Yon
ATLANTIQUE

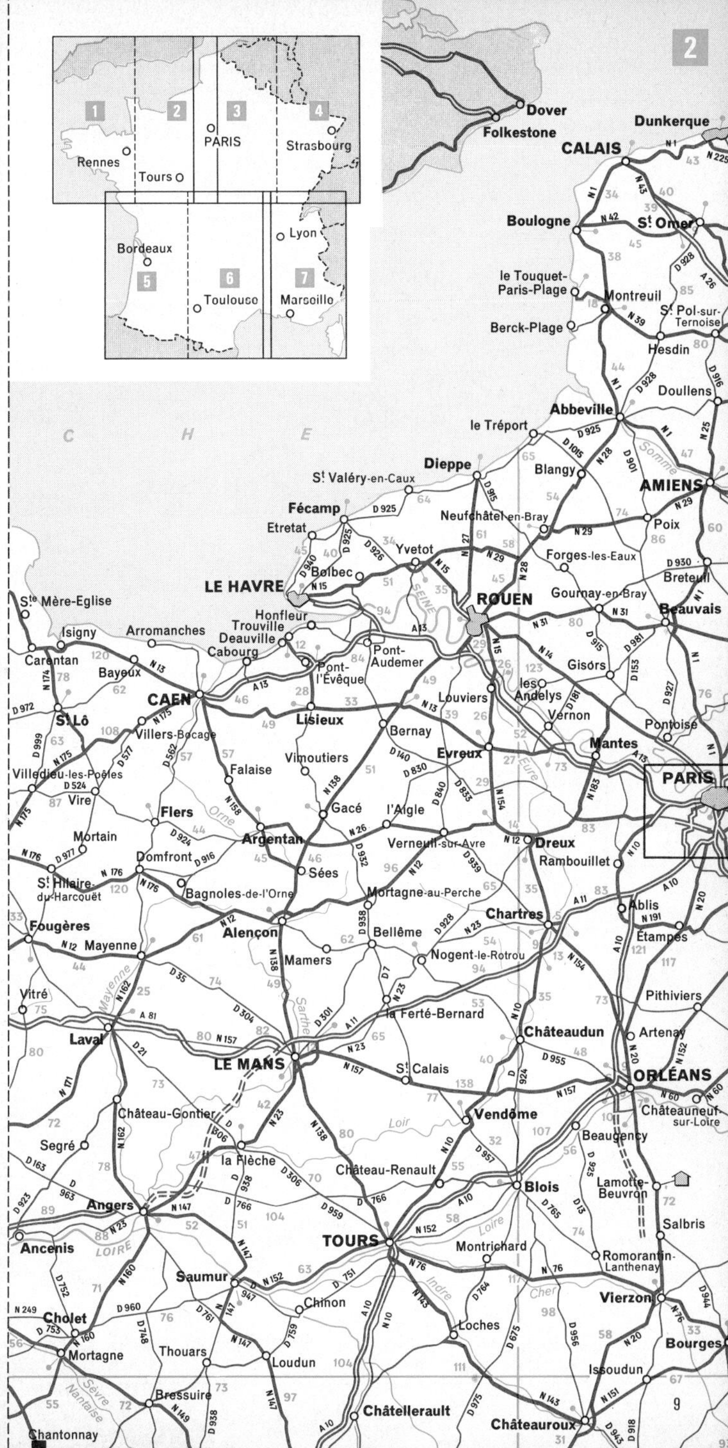
2
1
2
3
4
5
6
7
Rennes
Tours
PARIS
Strasbourg
Bordeaux
Toulouse
Lyon
Marseille
Dover
Folkestone
Dunkerque
CALAIS
Boulogne
St. Omer
le Touquet-Paris-Plage
Montreuil
St. Pol-sur-Ternoise
Berck-Plage
Hesdin
Doullens
Abbeville
le Tréport
Somme
Dieppe
Blangy
AMIENS
St. Valéry-en-Caux
Fécamp
Neufchâtel-en-Bray
Poix
Etretat
Yvetot
Forges-les-Eaux
Breteuil
LE HAVRE
Bolbec
SEINE
ROUEN
Gournay-en-Bray
Beauvais
Ste. Mère-Eglise
Honfleur
Trouville
Deauville
Cabourg
Isigny
Arromanches
Carentan
Bayeux
Pont-l'Evêque
Pont-Audemer
Gisors
les Andelys
CAEN
Lisieux
Louviers
St. Lô
Villers-Bocage
Bernay
Vernon
Pontoise
Mantes
Villedieu-les-Poêles
Vimoutiers
Evreux
Falaise
Eure
PARIS
Vire
Orne
Flers
Gacé
l'Aigle
Mortain
Argentan
Verneuil-sur-Avre
Dreux
Domfront
Sées
Rambouillet
St. Hilaire-du-Harcouët
Bagnoles-de-l'Orne
Mortagne-au-Perche
Chartres
Ablis
Fougères
Alençon
Bellême
Étampes
Mayenne
Mamers
Nogent-le-Rotrou
Vitré
Sarthe
la Ferté-Bernard
Pithiviers
Laval
Châteaudun
Artenay
LE MANS
St. Calais
ORLÉANS
Château-Gontier
Vendôme
Châteauneuf-sur-Loire
Loir
Beaugency
Segré
la Flèche
Château-Renault
Lamotte-Beuvron
Angers
Blois
Salbris
Ancenis
LOIRE
TOURS
Loire
Montrichard
Romorantin-Lanthenay
Saumur
Indre
Cher
Chinon
Vierzon
Cholet
Loches
Bourges
Mortagne
Thouars
Loudun
Issoudun
Sèvre Nantaise
Bressuire
Châtellerault
Châteauroux
Chantonnay
9

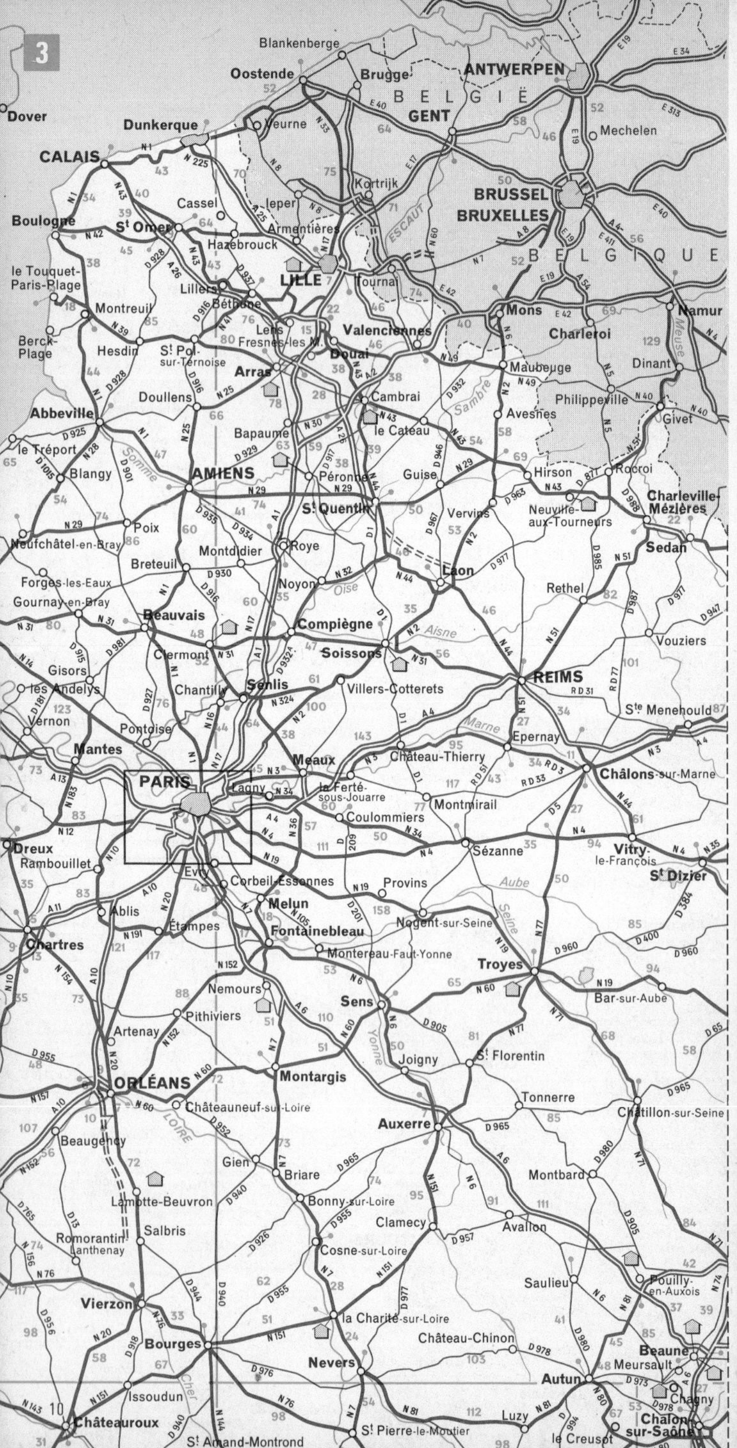
3
Dover
Blankenberge
Oostende
Brugge
ANTWERPEN
BELGIË
GENT
Mechelen
Dunkerque
Veurne
CALAIS
Kortrijk
BRUSSEL
BRUXELLES
Boulogne
Cassel
Ieper
St Omer
Hazebrouck
Armentières
ESCAUT
BELGIQUE
le Touquet-Paris-Plage
LILLE
Tournai
Lillers
Béthune
Montreuil
Mons
Namur
Lens
Valenciennes
Charleroi
Berck-Plage
Hesdin
St Pol-sur-Ternoise
Fresnes-les M.
Douai
Meuse
Arras
Maubeuge
Dinant
Doullens
Cambrai
Philippeville
Abbeville
Sambre
Avesnes
Givet
le Tréport
Bapaume
le Cateau
Blangy
Somme
Péronne
Guise
Hirson
Rocroi
AMIENS
St Quentin
Vervins
Neuville-aux-Tourneurs
Charleville-Mézières
Poix
Neufchâtel-en-Bray
Montdidier
Roye
Sedan
Breteuil
Noyon
Laon
Forges-les-Eaux
Oise
Rethel
Gournay-en-Bray
Beauvais
Compiègne
Aisne
Vouziers
Clermont
Soissons
Gisors
les Andelys
Chantilly
Senlis
Villers-Cotterets
REIMS
Vernon
Pontoise
Ste Menehould
Marne
Epernay
Mantes
Meaux
Château-Thierry
PARIS
Lagny
la Ferté-sous-Jouarre
Châlons-sur-Marne
Montmirail
Coulommiers
Dreux
Sézanne
Vitry-le-François
Rambouillet
Evry
Corbeil-Essonnes
St Dizier
Provins
Melun
Aube
Ablis
Seine
Étampes
Nogent-sur-Seine
Chartres
Fontainebleau
Montereau-Faut-Yonne
Troyes
Nemours
Bar-sur-Aube
Sens
Pithiviers
Artenay
Yonne
Joigny
St Florentin
Montargis
ORLÉANS
Châteauneuf-sur-Loire
Tonnerre
LOIRE
Châtillon-sur-Seine
Auxerre
Beaugency
Gien
Briare
Montbard
Lamotte-Beuvron
Bonny-sur-Loire
Clamecy
Avallon
Salbris
Romorantin-Lanthenay
Cosne-sur-Loire
Saulieu
Pouilly-en-Auxois
Vierzon
la Charité-sur-Loire
Château-Chinon
Beaune
Bourges
Nevers
Meursault
Autun
Chagny
Cher
Issoudun
Luzy
Châteauroux
St Pierre-le-Moutier
le Creusot
Chalon-sur-Saône
St Amand-Montrond

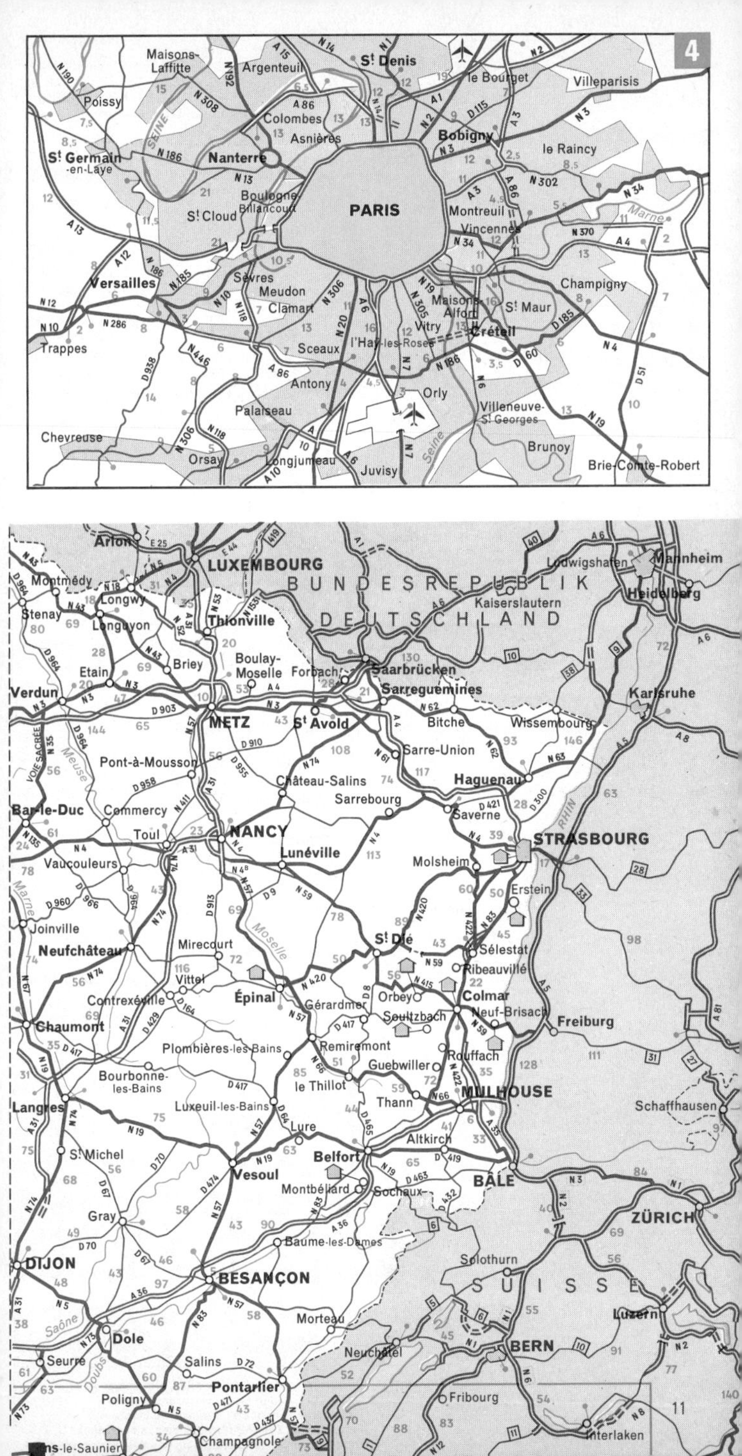

4
Maisons-Laffitte
Argenteuil
St Denis
le Bourget
Villeparisis
Poissy
Colombes
Asnières
Bobigny
le Raincy
St Germain-en-Laye
Nanterre
SEINE
Boulogne-Billancourt
PARIS
Montreuil
Vincennes
St Cloud
Marne
Versailles
Sèvres
Meudon
Clamart
Maisons-Alfort
St Maur
Champigny
Vitry
Créteil
Trappes
Sceaux
l'Haÿ-les-Roses
Antony
Orly
Palaiseau
Villeneuve-St Georges
Chevreuse
Brunoy
Orsay
Longjumeau
Juvisy
Seine
Brie-Comte-Robert
Arlon
LUXEMBOURG
BUNDESREPUBLIK DEUTSCHLAND
Ludwigshafen
Mannheim
Heidelberg
Montmédy
Longwy
Kaiserslautern
Stenay
Longuyon
Thionville
Etain
Briey
Boulay-Moselle
Forbach
Saarbrücken
Verdun
Sarreguemines
Karlsruhe
METZ
St Avold
Bitche
Wissembourg
VOIE SACRÉE
Meuse
Pont-à-Mousson
Sarre-Union
Château-Salins
Haguenau
RHIN
Sarrebourg
Bar-le-Duc
Commercy
Saverne
Toul
NANCY
STRASBOURG
Lunéville
Vaucouleurs
Molsheim
Erstein
Marne
Joinville
Moselle
St Dié
Sélestat
Neufchâteau
Mirecourt
Ribeauvillé
Vittel
Épinal
Orbey
Colmar
Contrexéville
Gérardmer
Neuf-Brisach
Chaumont
Soultzbach
Freiburg
Plombières-les-Bains
Remiremont
Rouffach
Guebwiller
Bourbonne-les-Bains
le Thillot
MULHOUSE
Langres
Luxeuil-les-Bains
Thann
Schaffhausen
Lure
Altkirch
St Michel
Belfort
Vesoul
BÂLE
Montbéliard
Sochaux
ZÜRICH
Gray
Baume-les-Dames
DIJON
Solothurn
BESANÇON
SUISSE
Luzern
Saône
Dole
Morteau
Neuchâtel
BERN
Seurre
Doubs
Salins
Pontarlier
Fribourg
Poligny
Interlaken
Champagnole
11

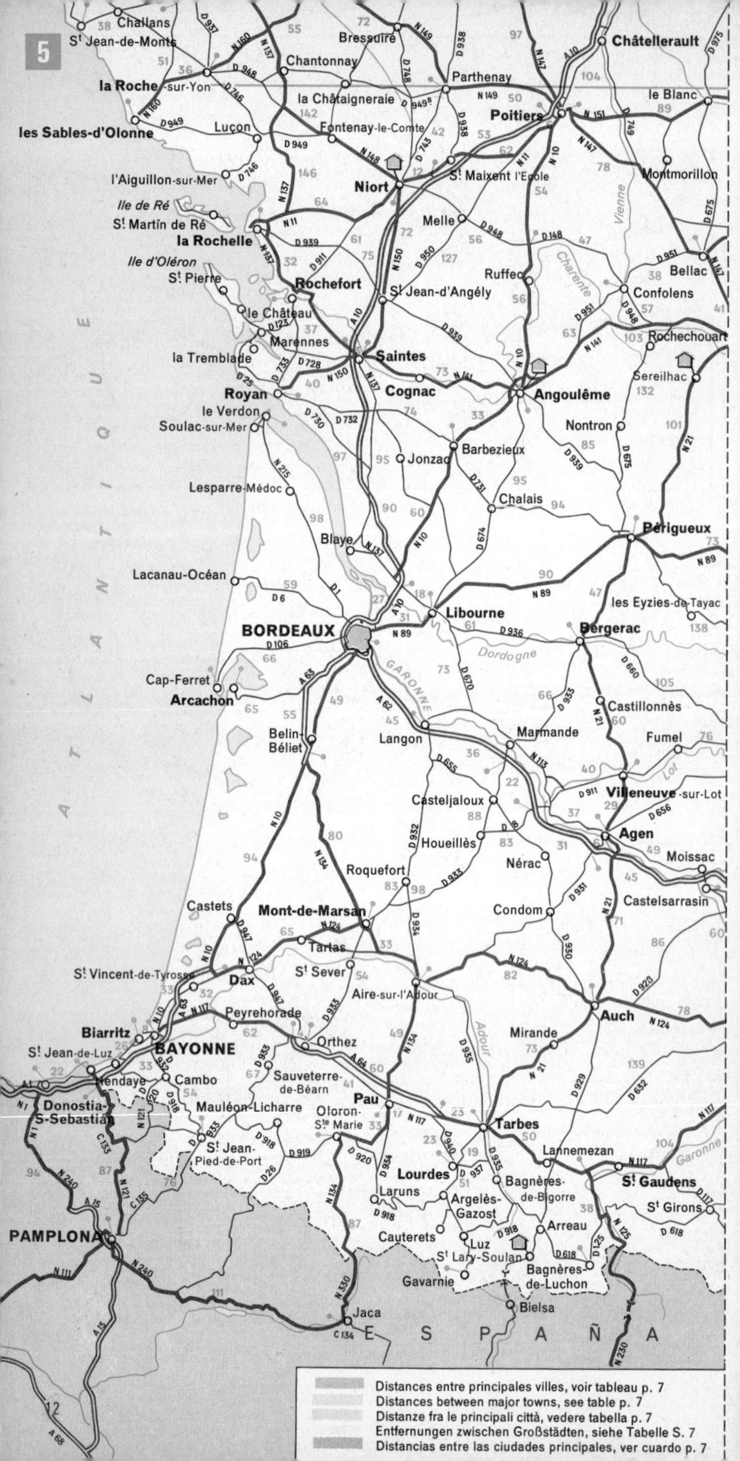
5
Distances entre principales villes, voir tableau p. 7
Distances between major towns, see table p. 7
Distanze fra le principali città, vedere tabella p. 7
Entfernungen zwischen Großstädten, siehe Tabelle S. 7
Distancias entre las ciudades principales, ver cuardo p. 7

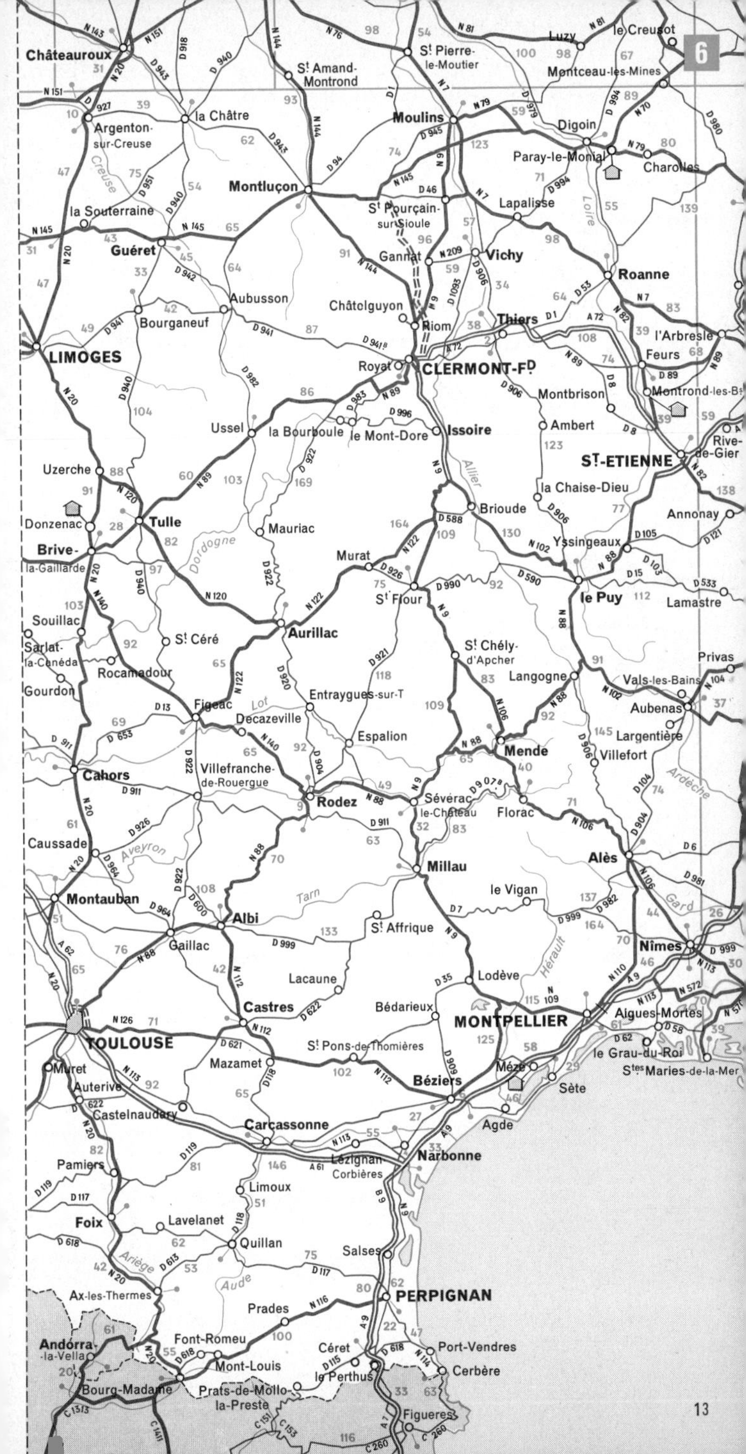
6
Châteauroux
St Pierre-le-Moutier
Luzy
le Creusot
Montceau-les-Mines
St Amand-Montrond
Argenton-sur-Creuse
la Châtre
Moulins
Digoin
Paray-le-Monial
Charolles
Creuse
Montluçon
St Pourçain-sur-Sioule
Lapalisse
Loire
la Souterraine
Guéret
Gannat
Vichy
Roanne
Aubusson
Châtelguyon
Bourganeuf
Riom
Thiers
l'Arbresle
LIMOGES
Royat
CLERMONT-FD
Feurs
Montbrison
Montrond-les-Bs
Ussel
la Bourboule
le Mont-Dore
Issoire
Ambert
Rive-de-Gier
Uzerche
Allier
ST-ETIENNE
la Chaise-Dieu
Donzenac
Tulle
Brioude
Annonay
Brive-la-Gaillarde
Mauriac
Dordogne
Yssingeaux
Murat
St Flour
le Puy
Lamastre
Souillac
Aurillac
St Céré
Sarlat-la-Canéda
St Chély-d'Apcher
Privas
Rocamadour
Langogne
Vals-les-Bains
Gourdon
Figeac
Lot
Entraygues-sur-T
Aubenas
Decazeville
Espalion
Largentière
Mende
Villefort
Cahors
Villefranche-de-Rouergue
Ardèche
Rodez
Sévérac-le-Château
Florac
Caussade
Aveyron
Millau
Alès
le Vigan
Gard
Montauban
Tarn
Albi
St Affrique
Gaillac
Nîmes
Lacaune
Lodève
Hérault
Castres
Bédarieux
MONTPELLIER
Aigues-Mortes
TOULOUSE
St Pons-de-Thomières
le Grau-du-Roi
Stes Maries-de-la-Mer
Muret
Mazamet
Béziers
Mèze
Sète
Auterive
Castelnaudary
Agde
Carcassonne
Narbonne
Lézignan-Corbières
Pamiers
Limoux
Foix
Lavelanet
Quillan
Salses
Ariège
Aude
Ax-les-Thermes
PERPIGNAN
Prades
Font-Romeu
Andorra-la-Vella
Mont-Louis
Céret
Port-Vendres
le Perthus
Cerbère
Bourg-Madame
Prats-de-Mollo-la-Preste
Figueres

7
Poligny
Champagnole
Lons-le-Saunier
Louhans
Tournus
Morez
Lausanne
Fribourg
Interlaken
SUISSE
Montreux
LAC LÉMAN
Evian-les-Bains
Thonon
Gex
Mâcon
St Genis-Pouilly
GENÈVE
Annemasse
Sion
Brig
Rhône
Bourg-en-Bresse
Nantua
Bonneville
Martigny
Pont-d'Ain
St Julien
Cluses
Bellegarde
sur-Valserine
Chamonix
Villefranche-sur-S
Annecy
Megève
les Houches
Tunnel du Grand St Bernard
Tunnel du Mont Blanc
l'Arbresle
LYON
Belley
Aix-les-Bains
Albertville
Aosta
Bourgoin-Jallieu
Chambéry
Bourg-St Maurice
la Tour-du-Pin
les Abrets
Moutiers
Rive-de-Gier
Vienne
Voiron
Val-d'Isère
St Etienne-de St Geoirs
St Jean-de-Maurienne
Lanslebourg-Mont-Cenis
Annonay
St Marcellin
GRENOBLE
Tunnel du Fréjus
TORINO
Susa
Tournon
Romans-sur-Isère
le Bourg-d'Oisans
Lamastre
Vizille
la Mure
Briançon
Valence
Aiguilles
Clelles
Pô
Privas
Crest
Die
Guillestre
Drôme
ITALIA
Gap
Embrun
Montélimar
Aspres-sur-Buech
Cuneo
Barcelonnette
Serres
Pierrelatte
Nyons
St Etienne-de-Tinée
Durance
Colmars
Pont-St Esprit
Sisteron
Tende
Orange
Digne
Var
Carpentras
Puget-Théniers
Forcalquier
Sospel
Avignon
Barrême
Castellane
Menton
Monte-Carlo
Monaco
Cavaillon
Apt
NICE
Manosque
Verdon
St Remy-de-Provence
Grasse
Antibes
Arles
Salernes
Cannes
Salon-de-Provence
Aix-en-P.
Draguignan
Fréjus
St Raphaël
Fos-sur-Mer
Brignoles
le Luc
Ste Maxime
Martigues
Aubagne
MARSEILLE
St Tropez
le Beausset
le Castelet
la Ciotat
le Lavandou
Hyères
TOULON
Iles d'Hyères
Bastia
Calvi
Corte
Ajaccio
Sartène
Bonifacio
MÉDITERRANÉE

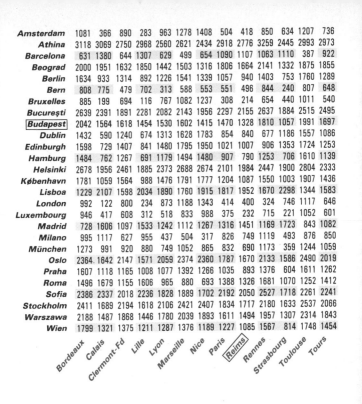

	Bordeaux	Calais	Clermont-Fd	Lille	Lyon	Marseille	Nice	Paris	Reims	Rennes	Strasbourg	Toulouse	Tours
Amsterdam	1081	366	890	283	963	1278	1408	504	418	850	634	1207	736
Athina	3118	3069	2750	2968	2560	2621	2434	2918	2776	3259	2445	2993	2973
Barcelona	631	1380	644	1307	629	499	654	1090	1107	1063	1110	387	922
Beograd	2000	1951	1632	1850	1442	1503	1316	1806	1664	2141	1332	1875	1855
Berlin	1634	933	1314	892	1226	1541	1339	1057	940	1403	753	1760	1289
Bern	808	775	479	702	313	588	553	551	496	844	240	807	648
Bruxelles	885	199	694	116	767	1082	1237	308	214	654	440	1011	540
București	2639	2391	1891	2281	2082	2143	1956	2297	2155	2637	1884	2515	2495
Budapest	2042	1564	1618	1454	1530	1602	1415	1470	1328	1810	1057	1991	1697
Dublin	1432	590	1240	674	1313	1628	1783	854	840	677	1186	1557	1086
Edinburgh	1598	729	1407	841	1480	1795	1950	1021	1007	906	1353	1724	1253
Hamburg	1484	762	1267	691	1179	1494	1480	907	790	1253	706	1610	1139
Helsinki	2678	1956	2461	1885	2373	2688	2674	2101	1984	2447	1900	2804	2333
København	1781	1059	1564	988	1476	1791	1777	1204	1087	1550	1003	1907	1436
Lisboa	1229	2107	1598	2034	1890	1760	1915	1817	1952	1670	2298	1344	1583
London	992	122	800	234	873	1188	1343	414	400	324	746	1117	646
Luxembourg	946	417	608	312	518	833	988	375	232	715	221	1052	601
Madrid	728	1606	1097	1533	1242	1112	1267	1316	1451	1169	1723	843	1082
Milano	995	1117	627	955	437	504	317	826	749	1119	493	876	850
München	1273	991	920	880	749	1052	865	832	690	1173	359	1244	1059
Oslo	2364	1642	2147	1571	2059	2374	2360	1787	1670	2133	1586	2490	2019
Praha	1607	1118	1165	1008	1077	1392	1266	1035	893	1376	604	1611	1262
Roma	1496	1679	1155	1606	965	880	693	1388	1326	1681	1070	1252	1412
Sofia	2386	2337	2018	2236	1828	1889	1702	2192	2050	2527	1718	2261	2241
Stockholm	2411	1689	2194	1618	2106	2421	2407	1834	1717	2180	1633	2537	2066
Warszawa	2188	1487	1868	1446	1780	2039	1893	1611	1494	1957	1307	2314	1843
Wien	1799	1321	1375	1211	1287	1376	1189	1227	1085	1567	814	1748	1454

Exemple Esempio Ejemplo
Example Beispiel

Budapest - Reims

1328 km

Découvrez le guide...

et sachez l'utiliser pour en tirer le meilleur profit. Le Guide Michelin n'est pas seulement une liste de bonnes tables ou d'hôtels, c'est aussi une multitude d'informations pour faciliter vos voyages.

La clé du Guide

Elle vous est donnée par les pages explicatives ci-après.

Sachez qu'un même symbole, qu'un même caractère, en rouge ou en noir, en maigre ou en gras, n'a pas tout à fait la même signification.

La sélection des hôtels et des restaurants

Ce Guide n'est pas un répertoire complet des ressources hôtelières, il en présente seulement une sélection volontairement limitée. Cette sélection est établie après visites et enquêtes effectuées régulièrement sur place. C'est lors de ces visites que les avis et observations de nos lecteurs sont examinés.

Les plans de ville

Ils indiquent avec précision les rues piétonnes et commerçantes, les voies de traversée ou de contournement de l'agglomération, la localisation : des hôtels (sur de grandes artères ou à l'écart), de la poste, de l'office de tourisme, des grands monuments, des principaux sites, etc...

Pour votre véhicule

Au texte de la plupart des localités figure une liste de représentants des grandes marques automobiles avec leur adresse et leur numéro d'appel téléphonique. En route, vous pouvez ainsi faire entretenir ou dépanner votre voiture, si nécessaire.

Sur tous ces points et aussi sur beaucoup d'autres, nous souhaitons vivement connaître votre avis. N'hésitez pas à nous écrire, nous vous répondrons.

Merci par avance.

Services de Tourisme Michelin
46, avenue de Breteuil, 75341 PARIS CEDEX 07

Bibendum vous souhaite d'agréables voyages.

Le choix d'un hôtel, d'un restaurant

Notre classement est établi à l'usage de l'automobiliste de passage. Dans chaque catégorie les établissements sont cités par ordre de préférence.

CLASSE ET CONFORT

🏨🏨🏨🏨🏨	Grand luxe et tradition	✗✗✗✗✗
🏨🏨🏨🏨	Grand confort	✗✗✗✗
🏨🏨🏨	Très confortable	✗✗✗
🏨🏨	De bon confort	✗✗
🏨	Assez confortable	✗
	Simple mais convenable	
M	Dans sa catégorie, hôtel d'équipement moderne	
sans rest	L'hôtel n'a pas de restaurant	
	Le restaurant possède des chambres	avec ch

L'INSTALLATION

Les hôtels des catégories 🏨🏨🏨🏨🏨, 🏨🏨🏨🏨 et 🏨🏨🏨 possèdent tout le confort et assurent en général le change, les symboles de détail n'apparaissent donc pas dans le texte de ces hôtels.

Dans les autres catégories, nous indiquons les éléments de confort existants mais certaines chambres peuvent ne pas en être pourvues.

30 ch	Nombre de chambres
	Ascenseur - Air conditionné
TV	Télévision dans la chambre
wc	Salle de bains et wc privés, Salle de bains privée sans wc
wc	Douche et wc privés, Douche privée sans wc
	Téléphone dans la chambre relié par standard
☎	Téléphone dans la chambre, direct avec l'extérieur (cadran)
♿	Chambres accessibles aux handicapés physiques
	Repas servis au jardin ou en terrasse
	Piscine : de plein air ou couverte
	Plage aménagée - Jardin de repos
	Tennis à l'hôtel
25 à 150	Salles de conférences : capacité des salles
	Garage gratuit (une nuit) aux porteurs du Guide de l'année
	Garage payant
P	Parc à voitures réservé à la clientèle
	Accès interdit aux chiens :
	dans tout l'établissement
rest	au restaurant seulement
ch	dans les chambres seulement
mai-oct.	Période d'ouverture, communiquée par l'hôtelier
sais.	Ouverture probable en saison mais dates non précisées
	Les établissements ouverts toute l'année sont ceux pour lesquels aucune mention n'est indiquée.

L'AGRÉMENT

Le séjour dans certains hôtels se révèle parfois particulièrement agréable ou reposant.

Cela peut tenir d'une part au caractère de l'édifice, au décor original, au site, à l'accueil et aux services qui sont proposés, d'autre part à la tranquillité des lieux.

De tels établissements se distinguent dans le guide par les symboles rouges indiqués ci-après.

🏨🏨🏨 à 🏨	Hôtels agréables
XXXXX à X	Restaurants agréables
« Parc fleuri »	Élément particulièrement agréable
🐦	Hôtel très tranquille ou isolé et tranquille
🐦	Hôtel tranquille
< mer	Vue exceptionnelle
<	Vue intéressante ou étendue

Consultez les cartes p. 56 à 63, elles faciliteront vos recherches.
Nous ne prétendons pas avoir signalé tous les hôtels agréables, ni tous ceux qui sont tranquilles ou isolés et tranquilles.

Nos enquêtes continuent. Vous pouvez les faciliter en nous faisant connaître vos observations et vos découvertes.

LA TABLE

Les étoiles : voir les cartes p. 64 à 71.

En France, de nombreux hôtels et restaurants offrent de bons repas et de bons vins.

Certains établissements méritent toutefois d'être signalés à votre attention pour la qualité de leur cuisine. C'est le but des étoiles de bonne table.

Nous indiquons pour ces établissements trois spécialités culinaires et des vins locaux. Essayez-les, à la fois pour votre satisfaction et pour encourager le chef dans son effort.

✿ 574 **Une très bonne table dans sa catégorie**

L'étoile marque une bonne étape sur votre itinéraire.

Mais ne comparez pas l'étoile d'un établissement de luxe à prix élevés avec celle d'une petite maison où à prix raisonnables, on sert également une cuisine de qualité.

✿✿ 84 **Table excellente, mérite un détour**

Spécialités et vins de choix... Attendez-vous à une dépense en rapport.

✿✿✿ 20 **Une des meilleures tables, vaut le voyage**

Table merveilleuse, grands vins, service impeccable, cadre élégant... Prix en conséquence.

R **Les repas soignés à prix modérés**

Tout en appréciant les bonnes tables à étoiles, vous souhaitez parfois trouver sur votre itinéraire, des restaurants plus simples à prix modérés. Nous avons pensé qu'il vous intéresserait de connaître des maisons qui proposent, pour un rapport qualité-prix particulièrement favorable un repas soigné, souvent de type régional.

Consultez les cartes p. 74 à 80 et

ouvrez votre guide au nom de la localité choisie. La maison que vous cherchez se signale à votre attention par la lettre **R** en rouge, ex. : **R** 70.

Les vins et les mets : voir p. 72 et 73

LES PRIX

Les prix que nous indiquons dans ce guide ont été établis en septembre 1985. Ils sont susceptibles d'être modifiés si le coût de la vie subit des variations importantes. Ils doivent, en tout cas, être considérés comme des prix de base.

Entrez à l'hôtel le Guide à la main, vous montrerez ainsi qu'il vous conduit là en confiance.

Les hôtels et restaurants figurent en gros caractères lorsque les hôteliers nous ont donné tous leurs prix et se sont engagés à les appliquer aux touristes de passage porteurs de notre guide.

Prévenez-nous de toute majoration paraissant injustifiée. Si aucun prix n'est indiqué, nous vous conseillons de demander les conditions.

Repas

◆	Établissement proposant un menu simple à **moins de 60 F**
SC	Établissement pratiquant le service compris ou prix nets
R 45/95	**Repas à prix fixe** minimum 45 et maximum 95
40/85	Repas à prix fixe minimum 40 non servi les dimanches et jours de fête
R 70	Repas soigné à **prix modérés**
bc	Boisson comprise
♁	vin de table en carafe à prix modéré
R carte 80 à 135	**Repas à la carte** — Le premier prix correspond à un repas normal comprenant : hors-d'œuvre, plat garni et dessert Le 2e prix concerne un repas plus complet (avec spécialité) comprenant : deux plats, fromage et dessert *sauf indication spéciale* bc, *la boisson est facturée en supplément aux prix fixes et à la carte*
☕ 18	Prix du petit déjeuner servi dans la chambre
☕ 16	Prix du petit déjeuner non servi dans la chambre

Chambres

ch 90/180	Prix minimum 90 pour une chambre d'une personne et prix maximum 180 pour la plus belle chambre occupée par deux personnes
ch ☕	Le prix du petit déjeuner est inclus dans le prix de la chambre

Pension

P 125/285	Prix minimum et maximum de la pension complète par personne et par jour, en saison (voir détails p. 21)
AE ⓓ E VISA	Principales **cartes de crédit** acceptées par l'établissement : American Express — Diners Club — Eurocard — Visa (carte bleue).

QUELQUES PRÉCISIONS UTILES

Petit déjeuner. — Quelques établissements n'acceptent pas de servir le petit déjeuner en chambre, le signe tasse en noir marque cette restriction.
Le prix du petit déjeuner est parfois inclus dans le prix de la chambre mais cette formule ne peut pas être imposée.

Le dîner à l'hôtel. — Les hôteliers sont tenus de vous loger sans que vous ayez obligation de dîner chez eux. Cependant, en saison, l'hôtelier peut louer de préférence une chambre au touriste prenant un repas.

La pension. — Nous n'indiquons que des prix de haute saison, en pension complète (deux repas, chambre, petit déjeuner). Il s'agit de prix par jour et par personne, ils sont donnés à titre indicatif et il est indispensable de s'entendre par avance avec l'hôtelier pour conclure un arrangement définitif.
Il est presque toujours possible d'obtenir sur demande des conditions de demi-pension.
Hors saison, c'est-à-dire avant le 1er juillet, après la mi-septembre et en dehors des périodes de fêtes, des tarifs spéciaux sont pratiqués, réclamez-les lors de votre réservation.
Dans les stations de sports d'hiver, les prix pratiqués en été sont généralement moins élevés qu'en saison d'hiver.

Nota : Une personne seule occupant une chambre de deux personnes, se voit parfois appliquer une majoration.

La mention "SC" (service compris). — Aucune majoration pour le Service ne doit figurer sur votre note. Les taxes sont toujours incluses dans le prix que nous vous indiquons, sauf éventuellement la taxe de séjour.

Les arrhes. — Certains hôteliers demandent le versement d'arrhes. Il s'agit d'un dépôt-garantie qui engage l'hôtelier comme le client. Bien faire préciser les dispositions de cette garantie.
Sauf arrangement spécial, leur montant correspond généralement à trois nuitées (chambre sans pension) ou à quatre journées en pension complète. Demandez à l'hôtelier de vous fournir dans sa lettre d'accord toutes précisions utiles sur la réservation et les conditions de séjour.

LA VOITURE, LES PNEUS

Garagistes, réparateurs, fournisseurs de pneus Michelin

RENAULT — Concessionnaire (ou succursale) de la marque Renault.
PEUGEOT — Agent de la marque Peugeot.
Gar. de la Côte — Garagiste qui ne représente pas de marque de voiture.
Spécialistes du pneu.

Établissements généralement fermés samedi ou parfois lundi.
Dans nos agences, nous nous faisons un plaisir de donner à nos clients tous conseils pour la meilleure utilisation de leurs pneus.

Dépannage

N **La nuit** — Cette lettre désigne des garagistes qui assurent, la nuit, les réparations courantes.

Le dimanche — Il existe dans toutes les régions un service de dépannage le dimanche. La Police, la Gendarmerie peuvent en général indiquer, le garagiste de service le plus proche ou le numéro téléphonique d'appel du groupement départemental d'assistance routière.

Pour visiter une ville et ses environs

LES CURIOSITÉS

	Intérêt
★★★	Vaut le voyage
★★	Mérite un détour
★	Intéressant
	Situation
Voir	Dans la ville
Env.	Aux environs de la ville
N, S, E, O	La curiosité est située : au Nord, au Sud, à l'Est, à l'Ouest
②, ④	On s'y rend par la sortie ② ou ④ repérée par le même signe sur le plan du Guide et sur la carte
2 km	Distance en kilomètres
	Les musées sont généralement fermés le mardi

LES VILLES

63300	Numéro de code postal de la localité (les deux premiers chiffres correspondent au numéro du département)
✉ **57130** Ars	Numéro de code postal et nom du bureau distributeur du courrier
☎	Indicatif téléphonique de zone
P	Préfecture
SP	Sous-préfecture
80 ⑤	Numéro de la Carte Michelin et numéro du pli
G. Jura	Voir le Guide Vert Michelin Jura
1 057 h.	Population
alt. 175	Altitude de la localité
Stat. therm.	Station thermale
Sports d'hiver	Sports d'hiver
1 200/1 900	Altitude de la station et altitude maximum atteinte par les remontées mécaniques
2	Nombre de téléphériques ou télécabines
14	Nombre de remonte-pentes et télésièges
	Ski de fond
BY **B**	Lettres repérant un emplacement sur le plan
9	Golf et nombre de trous
	Panorama, point de vue
	Aéroport
	Localité desservie par train-auto. Renseignements au numéro de téléphone indiqué
	Transports maritimes
	Transports maritimes pour passagers seulement
	Information touristique
A.C.	Automobile Club

LES PLANS

Hôtels - Restaurants

e Symbole et lettre les identifiant

Curiosités

Bâtiment intéressant et entrée principale

Édifice religieux intéressant :
Catholique - Protestant

B Lettre identifiant une curiosité

Voirie

Autoroute, double chaussée de type autoroutier
échangeur : complet, partiel, numéro

Grande voie de circulation

Sens unique - Rue impraticable

Rue piétonne - Tramway

Pasteur P Rue commerçante - Parc de stationnement

Porte - Passage sous voûte - Tunnel

Gare et voie ferrée

B Bac pour autos - Pont mobile

Signes divers

Information touristique

Mosquée - Synagogue

Tour - Ruines - Moulin à vent

Hôpital - Marché couvert - Château d'eau

Jardin, parc, bois - Cimetière - Calvaire

Stade - Golf - Patinoire

Piscine de plein air, couverte

Aéroport - Hippodrome - Vue - Panorama

Funiculaire - Téléphérique, télécabine

Monument, statue - Fontaine - Usine

Port de plaisance - Phare

Transport par bateau :
passagers et voitures, passagers seulement

Bâtiment public repéré par une lettre :

A C Chambre d'agriculture - Chambre de commerce

G H J Gendarmerie - Hôtel de ville - Palais de justice

M P T Musée - Préfecture, sous-préfecture - Théâtre

U Université, grande école

POL. Police (commissariat central)

3 Repère commun aux plans et aux cartes Michelin détaillées

Bureau principal de poste restante, téléphone

Caserne - Table d'orientation

Tour ou pylône de télécommunications

Station de métro - Gare routière

4m2 15T 15 Passage bas (inf. à 4 m 30) - Pont à charge limitée (inf. à 16 t.)

Garage : Peugeot, Talbot, Citroën - Renault (Alpine)

Discover the guide...

To make the most of the guide, know how to use it. The Michelin Guide offers in addition to the selection of hotels and restaurants a wide range of information to help you on your travels.

The key to the guide

...is the explanatory chapters which follow.

Remember that the same symbol and character whether in red or black or in bold or light type, have different meanings.

The selection of hotels and restaurants

This book is not an exhaustive list of all hotels but a selection which has been limited on purpose. The final choice is based on regular on the spot enquiries and visits. These visits are the occasion for examining attentively the comments and opinions of our readers.

Town plans

These indicate with precision pedestrian and shopping streets ; major through routes in built up areas ; exact locations of hotels whether they be on main or side streets ; post offices ; tourist information centres ; the principal historic buildings and other tourist sights.

For your car

Each entry includes a list of agents for the main car manufacturers with their addresses and telephone numbers. Therefore even while travelling you can have your car serviced or repaired.

Your views or comments concerning the above subjects or any others, are always welcome. Your letter will be answered.

Thank you in advance.

Services de Tourisme Michelin
46, av. de Breteuil, F-75341 PARIS CEDEX 07

Bibendum wishes you a pleasant journey.

Choosing your hotel or restaurant

We have classified the hotels and restaurants with the travelling motorist in mind. In each category they have been listed in order of preference.

CLASS, STANDARD OF COMFORT

	Luxury in the traditional style	XXXXX
	Top class comfort	XXXX
	Very comfortable	XXX
	Good average	XX
	Quite comfortable	X
	Modest comfort	
M	In its class, hotel with modern amenities	
sans rest	The hotel has no restaurant	
	The restaurant has bedrooms	avec ch

HOTEL FACILITIES

Hotels in categories , , , usually have every comfort and exchange facilities ; details are not repeated under each hotel.

In other categories, we indicate the facilities available, however, they may not be found in each room.

30 ch	Number of rooms
	Lift (elevator) - Air conditioning
TV	Television in room
wc	Private bathroom with toilet, private bathroom without toilet
wc	Private shower with toilet, private shower without toilet
	Telephone in room : outside calls connected by the operator
	Telephone in room : direct dialling for outside calls
	Rooms accessible to the physically handicapped
	Meals served in garden or on terrace
	Outdoor or indoor swimming pool
	Beach with bathing facilities - Garden
	Hotel tennis court
25 à 150	Equipped conference hall (minimum and maximum capacity)
	Free garage (one night) for those having the current Michelin Guide.
	Charge made for garage
P	Car park for customers only
	Dogs are not allowed : in any part of the hotel
rest	in the restaurant
ch	in the bedrooms
mai-oct.	Dates when open, as indicated by the hotelier
sais.	Probably open for the season - precise dates not available.
	Where no date or season is shown, establishments are open all year round.

AMENITY

Your stay in certain hotels will sometimes be particularly agreeable or restful.

Such a quality may derive from the hotel's fortunate setting, its decor, welcoming atmosphere and service.

Such establishments are distinguished in the Guide by the red symbols shown below.

🏨🏨 to 🏨	Pleasant hotels
XXXXX to X	Pleasant restaurants
« Parc fleuri »	Particularly attractive feature
🐴	Very quiet or quiet secluded hotel
🐴	Quiet hotel
⋞ mer	Exceptional view
⋞	Interesting or extensive view

By consulting the maps on pp. 56 to 63 you will find it easier to locate them.

We do not claim to have indicated all the pleasant, very quiet or quiet, secluded hotels which exist.

Our enquiries continue. You can help by letting us know your opinions and discoveries.

CUISINE

The stars : refer to the maps on pp. 64 to 71.

In France, a large number of hotels and restaurants offer good food and fine wines.

Certain establishments merit being brought to your particular attention for the quality of their cooking. That is the aim of the stars for good food.

In the text of these establishments we show some of the culinary specialities, to a maximum of three and some of local wines, that we recommend you to try.

✿ 574 **An especially good restaurant in its class**

The star indicates a good place to stop on your journey.

But beware of comparing the star given to a « de luxe » establishment with accordingly high prices, with that of a simpler one, where for a lesser sum one can still eat a meal of quality.

✿✿ 84 **Excellent cooking, worth a detour**

Specialities and wines of first class quality... do not expect such meals to be cheap.

✿✿✿ 20 **Exceptional cuisine, worth a special journey**

Superb food, fine wines, faultless service, elegant surroundings. One will pay accordingly !

R **Good food at moderate prices**

Apart from those establishments with stars we have felt that you might be interested in knowing of other establishments which offer good value for money with a high standard of cooking, often of regional dishes.

Refer to the map on pp. 74 to 80 and turn to the appropriate pages in the text. The establishments in this category are shown with the word **R** in red, e. g. **R** 70.

Food and Wines : see pp. 72 and 73.

PRICES

Valid for late 1985 the rates shown may be revised if the cost of living changes to any great extent. In any event they should be regarded as basic charges.

Your recommendation is self-evident if you always walk into a hotel, Guide in hand.

Hotels and restaurants whose names appear in bold type have supplied us with their charges in detail and undertaken to abide by them if the traveller is in possession of this year's Guide.

If you think you have been overcharged, let us know.
Where no rates are shown it is best to enquire about terms in advance.

Meals

◆	Establishment serving a plain menu **for less than 60 F**
SC	Establishment where service is included or prices quoted are nett
R 45/95	**Set meals** — Lowest 45 and highest 95 prices for set meals
40/85	The cheapest set meal 40 is not served on Sundays or holidays
R 70	Good meals **at moderate prices**
bc	Drink included
🍷	Table wine available by the carafe at a moderate price
R carte 80 à 135	**« A la carte » meals** — The first figure is for a plain meal and includes hors-d'œuvre, main dish of the day with vegetables and dessert. The second figure is for a fuller meal (with « spécialité » and includes 2 main courses, cheese, dessert
	Except where specifically stated bc. *drinks are payable in addition to the fixed and « à la carte » prices*
☕ 18	Price of continental breakfast served in the bedroom
☕ 16	Price of continental breakfast served in the dining room

Rooms

ch 90/180	Lower price 90 for a comfortable single and highest price 180 for the best double room
ch ☕	Breakfast is included in the price of the room

Full-Board

P 125/285	Lowest and highest prices per person, per day in the season (see page 29)
AE ⓓ E VISA	**Credit cards** — Principal credit cards accepted by establishments : American Express — Diners Club — Eurocard (Access - Master-Card) — Visa (Barclaycard).

A FEW USEFUL DETAILS

Breakfast. — Some establishments will not serve breakfast in the room. The black symbol for breakfast ☕ indicates this restriction.
The price of breakfast is sometimes included in the room charge. But the customer is not obliged to take breakfast or be charged for it.

Dinner at the hotel. — Hoteliers are required by law to offer accommodation without obliging you to take dinner in their restaurant. However, in the season the hotelier may give preference to tourist taking dinner in the hotel.

Full Board. — We indicate only high season prices for full board, which comprises bedroom, breakfast and two meals. These rates are per day and per person and are intended for guidance only. It is essential to agree terms with the hotelier before making a firm reservation.
It is nearly always possible to obtain half board terms on request.
Out of season, that is to say before the 1st July, after mid-September and excluding other holiday periods, special rates usually operate. Ask for details when you make your reservation.
In winter sports resorts rates charged in summer are generally lower than in winter.

N.B. - Rooms are charged on a unit basis ; a single person occupying a double room may therefore pay an increased board charge.

The letters "SC" — These indicate an establishment where no service charge should be added to your bill. Taxes are always included in prices quoted in the Guide except for local lodging taxes where these are applicable.

Deposits. — Certain hoteliers require the payment of a deposit. This constitutes a mutual guarantee of good faith.
Apart from any special arrangement the amount is generally approximately the charge for 3 nights in the case of bed and breakfast or 4 days in the case of full board.
Ask the hotelier to provide you, in his letter of confirmation, with all terms and conditions applicable to your reservation.

CAR, TYRES

Car dealers, repairers and Michelin tyre suppliers

RENAULT	Renault main agent.
PEUGEOT	Peugeot dealer.
Gar. de la Côte	General repair garage.
◍	Tyre specialist.

These workshops are usually closed on Saturdays and occasionally on Mondays.
The Staff at our Depots will be pleased to give advice on the best way to look after your tyres.

Breakdown service

N **At night** — Symbol indicating garage offering night breakdown service.

On Sunday — Each town has a breakdown service available on Sunday. In any event, the Gendarmerie, Police, etc., will usually be able to give the address of the garage on duty.

Seeing a town and its surroundings

SIGHTS

Star-rating

★★★	Worth a journey
★★	Worth a detour
★	Interesting

Finding the sights

Voir	Sights in town
Env.	On the outskirts
N, S, E, O	The sight lies north, south, east or west of the town
②, ④	Sign on town plan and on the Michelin road map indicating the road leading to a place of interest
2 km	Distance in kilometres
	Museums and art galleries are generally closed on Tuesdays.

TOWNS

63300	Local postal number (the first two numbers represent the department number)
✉ **57130** Ars	Postal number and name of the post office serving the town
☎	Telephone dialling code
P	Prefecture
SP	Sub-prefecture
80 ⑤	Number of the appropriate sheet and section of the Michelin road map
G. Jura	See the Michelin Green Guide Jura
1 057 h.	Population
alt. 175	Altitude (in metres)
Stat. therm.	Spa
Sports d'hiver	Winter sports
1 200/1 900	Altitude (in metres) of resort and highest point reached by lifts
2	Number of cable-cars
14	Number of ski and chair-lifts
	Cross country skiing
BX **B**	Letters giving the location of a place on the town plan
9	Golf course and number of holes
✻ <	Panoramic view. Viewpoint
	Airport
	Places with a motorail connection. Further information from phone no. listed
	Shipping line
	Passenger transport only
	Tourist Information Centre
A.C.	Automobile Club

TOWN PLANS

Symbol	Meaning
	Hotels — Restaurants
e	Symbol and reference letter locating hotels and restaurants
	Sights
	Place of interest and its main entrance
	Interesting place of worship : Catholic - Protestant
B	Reference letter locating a sight
	Roads
	Motorway, dual carriageway
	Interchange : complete, limited, number
	Major through route
	One-way street - Unsuitable for traffic
	Pedestrian street - Tramway
Pasteur	Shopping street - Car park
	Gateway - Street passing under arch - Tunnel
	Station and railway
	Car ferry - Lever bridge
	Various signs
	Tourist Information Centre
	Mosque - Synagogue
	Tower - Ruins - Windmill
	Hospital - Covered market - Water tower
	Garden, park, wood - Cemetery - Cross
	Stadium - Golf course - Skating rink
	Outdoor or indoor swimming pool
	Airport - Racecourse - View - Panorama
	Funicular - Cable-car
	Monument, statue - Fountain - Factory
	Pleasure boat harbour - Lighthouse
	Ferry services : passengers and cars, passengers only
	Public buildings located by letter :
A C	Chamber of Agriculture - Chamber of Commerce
G H J	Gendarmerie - Town Hall - Law Courts
M P T	Museum - Prefecture or sub-prefecture - Theatre
U	University, College
POL.	Police (in large towns police headquarters)
3	Reference number common to town plans and large scale Michelin maps
	Main post office with poste restante, telephone
	Barracks - Viewing table
	Communications tower or mast
	Underground station - Coach station
4m2 15T 15	Low headroom (14 ft. max.) - Bridge with load limit (under 16 t)
	Garage : Peugeot, Talbot, Citroën - Renault (Alpine)

Scoprite la guida...

e sappiatela utilizzare per trarre il miglior vantaggio. La Guida Michelin è un elenco dei migliori alberghi e ristoranti, naturalmente. Ma anche una serie di utili informazioni per i Vostri viaggi !

La « chiave »

Leggete le pagine che seguono e comprenderete !

Sapete che uno stesso simbolo o una stessa parola in rosso o in nero, in carattere magro o grasso, non ha lo stesso significato ?

La selezione degli alberghi e ristoranti

Attenzione ! La guida non elenca tutte le risorse alberghiere. E' il risultato di una selezione, volontariamente limitata, stabilita in seguito a visite ed inchieste effettuate sul posto. E, durante queste visite, amici lettori, vengono tenute in evidenza le Vs. critiche ed i Vs. apprezzamenti !

Le piante di città

Indicano con precisione : strade pedonali e commerciali, il modo migliore per attraversare od aggirare il centro, l'esatta ubicazione degli alberghi e ristoranti citati, della posta centrale, dell'ufficio informazioni turistiche, dei monumenti più importanti e poi altre e altre ancora utili informazioni per Voi !

Per la Vs. automobile

Indirizzo e telefono delle principali marche automobilistiche vengono segnalati nel testo di ogni località. Così, in caso di necessità, saprete dove trovare il « medico » per la Vs. vettura.

Su tutti questi punti e su altri ancora, gradiremmo conoscere il Vs. parere. Scriveteci e non mancheremo di risponderVi !

Services de Tourisme Michelin
46, av. de Breteuil, F-75341 PARIS CEDEX 07

Grazie e buon viaggio.

La scelta di un albergo, di un ristorante

La nostra classificazione è stabilita ad uso dell'automobilista di passaggio. In ogni categoria, gli esercizi vengono citati in ordine di preferenza.

CLASSE E CONFORT

	Gran lusso e tradizione	
	Gran confort	
	Molto confortevole	
	Di buon confort	
	Abbastanza confortevole	
	Semplice, ma conveniente	
M	Nella sua categoria, albergo con attrezzatura moderna	
sans rest	L'albergo non ha ristorante	
	Il ristorante dispone di camere	avec ch

INSTALLAZIONI

I offrono ogni confort, per questi alberghi non specifichiamo quindi il dettaglio delle installazioni.

Nelle altre categorie indichiamo gli elementi di confort esistenti ; alcune camere possono talvota esserne sprovviste.

30 ch	Numero di camere
	Ascensore - Aria condizionata
TV	Televisione in camera
wc	Bagno e wc privati, bagno privato senza wc
wc	Doccia e wc privati, doccia privata senza wc
	Telefono in camera collegato con il centralino
	Telefono in camera comunicante direttamente con l'esterno
	Camere d'agevole accesso per i minorati fisici
	Pasti serviti in giardino o in terrazza
	Piscina : all'aperto, coperta
	Spiaggia attrezzata - Giardino da riposo
	Tennis appartenente all'albergo
25 à 150	Sale per conferenze : capienza minima e massima delle sale
	Garage gratuito (una notte) per chi presenta la guida dell'anno
	Garage a pagamento
P	Parcheggio
	E'vietato l'accesso ai cani : ovunque
rest	soltanto al ristorante
ch	soltanto nelle camere
mai-oct.	Periodo di apertura comunicato dall'Albergatore
sais.	Possibile apertura in stagione, ma periodo non precisato.
	Gli esercizi senza tali indicazioni sono aperti tutto l'anno.

AMENITÀ

Il soggiorno in alcuni alberghi si rivela talvolta particolarmente ameno o riposante.

Ciò può dipendere dalle caratteristiche dell'edificio, dalle decorazioni non comuni, dalla sua posizione, dall'accoglienza e dal servizio offerti sia dalla tranquillità dei luoghi.

Questi esercizi sono così contraddistinti :

🏨 a 🏨	Alberghi ameni
✕✕✕✕✕ a ✕	Ristoranti ameni
« Parc fleuri »	Un particolare piacevole
🐴	Albergo molto tranquillo o isolato e tranquillo
🐴	Albergo tranquillo
⋲ mer	Vista eccezionale
⋲	Vista interessante o estesa

Consultate le carte da p. 56 a 63.

Non abbiamo la pretesa di aver segnalato tutti gli alberghi ameni, nè tutti quelli molto tranquilli o isolati e tranquilli.

Le nostre ricerche continuano. Le potrete agevolare facendoci conoscere le vostre osservazioni e le vostre scoperte.

LA TAVOLA

Le Stelle — Vedere le carte da p. 64 a p. 71.

In Francia numerosi alberghi e ristoranti offrono buoni pasti e buoni vini.

Tuttavia alcuni esercizi meritano di essere segnalati alla Vostra attenzione per la qualità della loro cucina : è questo lo scopo delle « stelle di ottima tavola ».

Per questi esercizi indichiamo tre specialità culinarie e vini locali. Provateli, tanto per vostra soddisfazione quanto per incoraggiare l'abilità del cuoco.

✿ **Un'ottima tavola nella sua categoria.**

574 La stella indica una tappa gastronomica sul Vostro itinerario.

Non mettete però a confronto la stella di un esercizio di lusso, dai prezzi elevati, con quella di un piccolo esercizio dove, a prezzi ragionevoli, viene offerta una cucina di qualità.

✿✿ **Tavola eccellente : merita una deviazione.**

84 Specialità e vini scelti... AspettateVi una spesa in proporzione.

✿✿✿ **Una delle migliori tavole : vale il viaggio.**

20 Tavole meravigliose

Grandi vini, servizio impeccabile, ambientazione accurata, ... Prezzi conformi.

R **Pasti accurati a prezzi contenuti**

Oltre alle ottime tavole contrassegnate con stelle, abbiamo pensato potesse interessarVi conoscere degli esercizi che, per un rapporto qualità-prezzo particolarmente favorevole, offrono un pasto accurato spesso a carattere tipicamente regionale.

Consultate le carte da p. 74 a p. 80

e aprite la Vostra guida in corrispondenza della località prescelta.

L'esercizio che cercate richiamerà la vostra attenzione grazie alla lettera **R** evidenziata in rosso. Es. **R** 70

I buoni vini : vedere p. 72/73.

I PREZZI

Questi prezzi, redatti alla fine dell'anno 1985, possono venire modificati qualora il costo della vita subisca notevoli variazioni. Essi debbono comunque essere considerati come prezzi base.

Entrate nell'albergo o nel ristorante con la guida alla mano dimostrando in tal modo la fiducia in chi vi ha indirizzato.

Gli alberghi e ristoranti figurano in carattere grassetto quando gli albergatori ci hanno comunicato tutti i loro prezzi e si sono impegnati ad applicarli ai turisti di passaggio in possesso della nostra pubblicazione.

Segnalateci eventuali maggiorazioni che Vi sembrano ingiustificate. Quando i prezzi non sono indicati, Vi consigliamo di chiedere preventivamente le condizioni.

Pasti

◆	Esercizio che presenta un menu semplice per **meno di 60 F**
SC	Esercizio che pratica il servizio compreso o prezzi netti
R 45/95	**Prezzo fisso** minimo 45 e massimo 95
40/85	Prezzo fisso minimo 40, non applicato la domenica e nei giorni festivi
R 70	Pasto accurato a **prezzo contenuto**
bc	Bevanda compresa
🍶	Vino da tavola in caraffa a prezzo modico
R carte 80 à 135	**Alla carta** — Il primo prezzo corrisponde ad un pasto semplice comprendente : antipasto, piatto con contorno, dessert Il secondo prezzo corrisponde ad un pasto più completo (con specialità) comprendente : due piatti, formaggio e dessert. *« Salvo speciale indicazione* bc, *le bevande non sono comprese nei prezzi, sia fissi che alla carta ».*
☕ 18	Prezzo della prima colazione servita in camera
☕ 16	Prezzo della prima colazione non servita in camera

Camere

ch 90/180	Prezzo minimo 90 per una camera singola e prezzo massimo 180 per la camera più bella per due persone
ch ☕	Il prezzo della prima colazione è compreso nel prezzo della camera

Pensione

P 125/285	Prezzo minimo e massimo della pensione completa per persona e per giorno, in alta stagione (vedere dettagli a p. 37)
AE ⓓ E VISA	**Carte di credito :** principali carte di credito accettate da un albergo o ristorante : American Express — Diners Club — Eurocard (Mastercard) — Visa (Bank Americard).

QUALCHE CHIARIMENTO UTILE

Prima colazione. — Alcuni esercizi non servono la prima colazione in camera : in tal caso il simbolo della tazzina viene stampato in nero ☕. Il prezzo della prima colazione alle volte è incluso nel prezzo della camera, ma questa formula non può essere imposta.

La cena in albergo. — Gli albergatori sono tenuti ad alloggiarvi senza che siate obbligati a pranzare presso l'albergo. Tuttavia, in stagione, l'albergatore puó preferire dare una camera al turista che consuma un pasto.

La pensione. — Indichiamo soltanto i prezzi di pensione completa (camera, prima colazione e due pasti), per giorno e per persona, praticati in alta stagione. Poichè tali prezzi vengono dati a titolo indicativo è indispensabile prendere accordi preventivamente con l'albergatore per stabilire le condizioni definitive.
E' quasi sempre possibile su richiesta, ottenere condizioni di mezza-pensione.
In bassa stagione, da metà settembre a fine giugno con l'esclusione dei periodi festivi, vengono praticati prezzi speciali : richiedeteli al momento della prenotazione.
Nelle stazioni di sport invernali i prezzi praticati in estate sono generalmente meno elevati che durante la stagione invernale.
Nota : per le persone sole che occupano una camera doppia il prezzo indicato può essere suscettibile di maggiorazione.

La menzione "SC" (servizio compreso). — Nessuna maggiorazione per il servizio dovrà quindi figurare sul conto. Le tasse, salvo eventualmente la tassa di soggiorno, sono sempre comprese nei prezzi da noi indicati.

Le caparre. — Alle volte alcuni albergatori chiedono il versamento di una caparra. É un deposito-garanzia che impegna tanto l'albergatore che il cliente. Salvo accordi speciali, l'importo corrisponde generalmente al prezzo di tre notti (camera senza pensione) o di quattro giornate di pensione completa. Chiedete all'albergatore di fornirVi, nella sua lettera di conferma, ogni dettaglio sulla prenotazione e sulle condizioni di soggiorno, nonchè di precisarVi le norme riguardanti la reciproca garanzia di tale caparra.

L'AUTOMOBILE, I PNEUMATICI

Garagisti riparatori, rivenditori di pneumatici Michelin

RENAULT	Concessionario (o Succursale) della Renault.
PEUGEOT	Agente della marca Peugeot.
Gar. de la Côte	Garagista non rappresentante di marche vettura.
ⓜ	Specialista in pneumatici.

Questi esercizi sono generalmente chiusi il sabato o talvolta il lunedi.
Le nostre Succursali sono in grado di dare ai nostri clienti tutti i consigli relativi per la migliore utilizzazione dei pneumatici.

Servizio riparazioni d'emergenza

N **Notturno** — Questa lettera indica garagisti che assicurano durante la notte il servizio di normali riparazioni.

Domenicale — Esiste anche di domenica un servizio di riparazione. La polizia e la « gendarmerie » sono generalmente in grado di precisare l'officina in servizio più vicina o il numero telefonico del gruppo dipartimentale di assistenza stradale.

Per visitare una città ed i suoi dintorni

LE CURIOSITÀ

	Grado d'interesse
★★★	Vale il viaggio
★★	Merita una deviazione
★	Interessante
	Situazione
Voir	Nella città
Env.	Nei dintorni della città
N, S, E, O	La curiosità è situata : a Nord, a Sud, a Est, a Ovest
②, ④	Ci si va dall'uscita ② o ④ indicata con lo stesso segno sulla pianta della guida e sulla carta stradale
2 km	Distanza chilometrica
	I musei sono generalmente chiusi il martedì.

LE CITTÀ

63300	Codice di avviamento postale (le prime due cifre corrispondono al numero del dipartimento)
✉ **57130** Ars	Numero di codice e sede dell'Ufficio postale
⊘	Prefisso telefonico interurbano
P	Prefettura
SP	Sottoprefettura
80 ⑤	Numero della carta Michelin e numero della piega
G. Jura	Vedere la guida Verde Michelin Jura
1 057 h.	Popolazione
alt. 175	Altitudine
Stat. therm.	Stazione termale
Sports d'hiver	Sport invernali
1 200/1 900	Altitudine della località e altitudine massima raggiungibile dalle risalite meccaniche
2	Numero di funivie o cabinovie
14	Numero di sciovie, seggiovie
	Sci di fondo
BX **B**	Lettere indicanti l'ubicazione sulla pianta
9	Golf e numero di buche
✻ ⋖	Panorama, vista
	Aeroporto
	Località con servizio auto su treno. Informarsi al numero di telefono indicato
	Trasporti marittimi
	Trasporti marittimi (solo passeggeri)
i	Ufficio informazioni turistiche
A.C.	Automobile Club

Per visitare una città ed i suoi dintorni

LE PIANTE

Alberghi — Ristoranti

e Simbolo e lettera di riferimento

Curiosità

Edificio interessante ed entrata principale

Costruzione religiosa interessante :
Cattolica - Protestante

B Lettera che identifica una curiosità

Viabilità

Autostrada, doppia carreggiata tipo autostrada
svincolo : completo, parziale, numero

Grande via di circolazione

Senso unico - Via impraticabile

Via pedonale - Tranvia

Pasteur Via commerciale - Parcheggio

Porta - Sottopassaggio - Galleria

Stazione e ferrovia

Battello per auto - Ponte mobile

Simboli vari

Ufficio informazioni turistiche

Moschea - Sinagoga

Torre - Ruderi - Mulino a vento

Ospedale - Mercato coperto - Torre idrica

Giardino, parco, bosco - Cimitero - Calvario

Stadio - Golf - Pista di pattinaggio

Piscina : all'aperto, coperta

Aeroporto - Ippodromo - Vista - Panorama

Funicolare - Funivia, Cabinovia

Monumento, statua - Fontana - Fabbrica

Porto per imbarcazioni da diporto - Faro

Trasporto con traghetto :
passeggeri ed autovetture, solo passeggeri

Edificio pubblico indicato con lettera :
A C Camera di Agricoltura - Camera di Commercio
G H J Gendarmeria - Municipio - Palazzo di giustizia
M P T Museo - Prefettura, Sottoprefettura - Teatro
U Università, grande scuola
POL. Polizia (Questura, nelle grandi città)

3 Simbolo di riferimento comune alle piante ed alle carte Michelin particolareggiate

Ufficio centrale di fermo posta, telefono

Caserma - Tavola d'orientamento

Torre o pilone per telecomunicazione

Stazione della Metropolitana - Autostazione

4m2 15T 15 Sottopassaggio (altezza inferiore a m 4,30) - Ponte a portata limitata (inf. a 16 t)

Garage : Peugeot, Talbot, Citroën - Renault (Alpine)

Der Michelin-Führer...

Er ist nicht nur ein Verzeichnis guter Restaurants und Hotels, sondern gibt zusätzlich eine Fülle nützlicher Tips für die Reise. Nutzen Sie die zahlreichen Informationen, die er bietet.

Zum Gebrauch dieses Führers

Die Erläuterungen stehen auf den folgenden Seiten.

Beachten Sie dabei, daß das gleiche Zeichen rot oder schwarz, fett oder dünn gedruckt verschiedene Bedeutungen hat.

Zur Auswahl der Hotels und Restaurants

Der Rote Michelin-Führer ist kein vollständiges Verzeichnis aller Hotels und Restaurants. Er bringt nur eine bewußt getroffene, begrenzte Auswahl. Diese basiert auf regelmäßigen Überprüfungen durch unsere Inspektoren an Ort und Stelle. Bei der Beurteilung werden auch die zahlreichen Hinweise unserer Leser berücksichtigt.

Zu den Stadtplänen

Sie informieren über Fußgänger- und Geschäftsstraßen, Durchgangs- oder Umgehungsstraßen, Lage von Hotels und Restaurants (an Hauptverkehrsstraßen oder in ruhiger Gegend), wo sich die Post, das Verkehrsamt, die wichtigsten öffentlichen Gebäude und Sehenswürdigkeiten u. dgl. befinden.

Hinweise für den Autofahrer

In jedem Ortstext sind Adresse und Telefonnummer der Vertragshändler der großen Automobilfirmen angegeben. So können Sie Ihren Wagen im Bedarfsfall unterwegs warten oder reparieren lassen.

Ihre Meinung zu den Angaben des Führers, Ihre Kritik, Ihre Verbesserungsvorschläge interessieren uns sehr. Zögern Sie daher nicht, uns diese mitzuteilen... wir antworten bestimmt.

Services de Tourisme Michelin
46, avenue de Breteuil, F-75341 PARIS CEDEX 07

Vielen Dank im voraus und angenehme Reise !

Wahl eines Hotels, eines Restaurants

Unsere Auswahl ist für Durchreisende gedacht. In jeder Kategorie drückt die Reihenfolge der Betriebe eine weitere Rangordnung aus.

KLASSENEINTEILUNG UND KOMFORT

⌂⌂⌂⌂⌂	Großer Luxus und Tradition	XXXXX
⌂⌂⌂⌂	Großer Komfort	XXXX
⌂⌂⌂	Sehr komfortabel	XXX
⌂⌂	Mit gutem Komfort	XX
⌂	Mit ausreichendem Komfort	X
⌂	Bürgerlich	
[M]	Moderne Einrichtung	
sans rest	Hotel ohne Restaurant	
	Restaurant vermietet auch Zimmer	avec ch

EINRICHTUNG

Für die ⌂⌂⌂⌂⌂, ⌂⌂⌂⌂, ⌂⌂⌂ geben wir keine Einzelheiten über die Einrichtung an, da diese Hotels jeden Komfort besitzen.

In den Häusern der übrigen Kategorien nennen wir die vorhandenen Einrichtungen. Diese können in einigen Zimmern fehlen.

30 ch	Anzahl der Zimmer
	Fahrstuhl - Klimaanlage
TV	Fernsehen im Zimmer
wc	Privatbad mit wc, Privatbad ohne wc
wc	Privatdusche mit wc, Privatdusche ohne wc
	Zimmertelefon mit Außenverbindung über Telefonzentrale
	Zimmertelefon mit direkter Außenverbindung
	Für Körperbehinderte leicht zugängliche Zimmer
	Garten-, Terrassenrestaurant
	Freibad, Hallenbad
	Strandbad - Liegewiese, Garten
	Hoteleigener Tennisplatz
25 à 150	Konferenzräume (Mindest- und Höchstkapazität)
	Garage kostenlos (nur für eine Nacht) für die Besitzer des Michelin-Führers des Jahres
	Garage wird berechnet
P	Parkplatz reserviert für Gäste
	Das Mitführen von Hunden ist unerwünscht :
	im ganzen Haus
rest	nur im Restaurant
ch	nur im Hotelzimmer
mai-oct.	Öffnungszeit, vom Hotelier mitgeteilt
sais.	Unbestimmte Öffnungszeit eines Saisonhotels
	Die Häuser, für die wir keinerlei Schließungszeiten angeben, sind das ganze Jahr hindurch geöffnet.

ANNEHMLICHKEITEN

In manchen Hotels ist der Aufenthalt wegen der schönen, ruhigen Lage, der nicht alltäglichen Einrichtung und Atmosphäre und dem gebotenen Service besonders angenehm und erholsam.

Solche Häuser und ihre besonderen Annehmlichkeiten sind im Führer durch folgende Symbole gekennzeichnet :

🏨 ... 🏠	Angenehme Hotels
XXXXX ... X	Angenehme Restaurants
« Parc fleuri »	Besondere Annehmlichkeit
🐴	Sehr ruhiges, oder abgelegenes und ruhiges Hotel
🐴	Ruhiges Hotel
≤ mer	Reizvolle Aussicht
≤	Interessante oder weite Sicht

Die Übersichtskarten S. 56 bis 63 helfen Ihnen bei der Suche nach besonders ausgezeichneten Häusern.

Wir wissen, daß diese Auswahl noch nicht vollständig ist, sind aber laufend bemüht, weitere solche Häuser für Sie zu entdekken ; dabei sind uns Ihre Erfahrungen und Hinweise eine wertvolle Hilfe.

KÜCHE

Die Sterne : siehe Karten S. 64 bis 71.

Zahlreiche Hotels und Restaurants in Frankreich bieten gute Mahlzeiten und gute Weine an.

Aufgrund der Qualität ihrer Küche verdienen einige jedoch Ihre besondere Beachtung. Auf diese Häuser hinzuweisen, ist das Ziel der « Sterne für gute Küche ».

Bei den mit « Stern » ausgezeichneten Betrieben nennen wir drei kulinarische Spezialitäten und regionale Weine, die Sie probieren sollten.

✿ 574 **Eine sehr gute Küche : verdient Ihre besondere Beachtung.**

Der Stern bedeutet eine angenehme Unterbrechung Ihrer Reise. Vergleichen Sie aber bitte nicht den Stern eines sehr teuren Luxusrestaurants mit dem Stern eines kleineren oder mittleren Hauses, wo man Ihnen zu einem annehmbaren Preis eine ebenfalls vorzügliche Mahlzeit reicht.

✿✿ 84 **Eine hervorragende Küche : verdient einen Umweg.**

Ausgesuchte Menus und Weine... angemessene Preise.

✿✿✿ 20 **Eine der besten Küchen : eine Reise wert.**

Ein denkwürdiges Essen, edle Weine, tadelloser Service, gepflegte Atmosphäre... entsprechende Preise.

R **Sorgfältig zubereitete, preiswerte Mahlzeiten.**

Wir glauben, daß es für Sie interessant ist, außer den Stern-Restaurants auch solche Häuser zu kennen, die ein besonders preisgünstiges, gutes, vorzugsweise landesübliches Essen bieten.

Orte mit solchen Häusern finden Sie auf den Karten S. 74 bis 80. Im Text sind die betreffenden Häuser durch den roten Buchstaben **R** gekennzeichnet, z.B. : **R** 70.

Gute Weine : Siehe S. 72/73.

Wahl eines Hotels, eines Restaurants

PREISE

Die in diesem Führer genannten Preise wurden uns Ende September 1985 angegeben. Sie sind als Richtpreise zu betrachten und können sich in Anpassung an die allgemeinen Lebenshaltungskosten ändern.

Halten Sie beim Betreten des Hotels den Führer in der Hand. Sie zeigen damit, daß Sie aufgrund dieser Empfehlung gekommen sind.

Die Namen der Hotels und Restaurants, die ihre Preise genannt haben, sind fettgedruckt. Gleichzeitig haben sich diese Häuser verpflichtet, die angegebenen Preise den Benutzern des Michelin-Führers zu berechnen.

Informieren Sie uns bitte über jede unangemessen erscheinende Preiserhöhung. Wenn keine Preise angegeben sind, raten wir Ihnen, sich beim Hotelier danach zu erkundigen.

Mahlzeiten

◆	Restaurant, das ein einfaches **Menu unter 60 F** anbietet
SC	Bedienung inbegriffen
R 45/95	**Feste Menupreise** — Mindestpreis 45 F, Höchstpreis 95 F
40/85	Mindestpreis 40 F für ein Menu, das an Sonn- und Feiertagen nicht angeboten wird
R 70	Sorgfältig zubereitete, **preiswerte** Mahlzeiten
bc	Getränke inbegriffen
♁	Preiswerter Tischwein in Karaffen
R carte 80 à 135	**Mahlzeiten « à la carte »** — Der erste Preis entspricht einer einfachen Mahlzeit und umfaßt Vorspeise, Tagesgericht mit Beilage, Nachtisch. Der zweite Preis entspricht einer reichlicheren Mahlzeit (mit Spezialgericht) bestehend aus : zwei Hauptgängen, Käse, Nachtisch
	Wenn bc *nicht vermerkt ist, sind die Getränke in den Preisen nicht inbegriffen*
☕ 18	Frühstückspreis (im Zimmer serviert)
☕ 16	Preis des Frühstücks, im Frühstücksraum serviert

Zimmer

ch 90/180	Mindestpreis 90 F für ein Einzelzimmer und Höchstpreis 180 F für zwei Personen
ch ☕	Übernachtung mit Frühstück

Pension

P 125/285	Mindestpreis und Höchstpreis für Vollpension pro Person und Tag während der Hauptsaison (s. S. 45)
AE ⓓ E VISA	**Kreditkarten :** von den Hotels und Restaurants angenommene Kreditkarten : American Express — Diners Club — Eurocard (Mastercard) — Visa (carte bleue).

EINIGE NÜTZLICHE HINWEISE

Frühstück. — In einigen Hotels wird das Frühstück nicht im Zimmer serviert : das schwarze Zeichen ☕ weist auf diese Einschränkung hin. Der Frühstückspreis ist meistens nicht im Zimmerpreis inbegriffen. Die Einnahme des Frühstücks sollte jedoch nicht aufgedrängt werden.

Abendessen im Hotel. — Nach den Bestimmungen muß der Hotelier Sie beherbergen, ohne daß Sie gezwungen wären, das Abendessen im Hotel einzunehmen. Jedoch kann der Hotelier in der Hauptreisezeit ein Zimmer bevorzugt an den Touristen vermieten, der auch eine Mahlzeit einnimmt.

Pension. — Wir geben nur die Vollpensionspreise (Zimmer, Frühstück, 2 Mahlzeiten) in der Hochsaison an. Die Preise gelten pro Person und Tag und sind als Richtpreise anzusehen. Wir raten Ihnen dringend, sich vor Antritt der Reise mit dem Hotelier über den Endpreis zu verständigen. Halbpension wird von den meisten Häusern angeboten - Preise auf Anfrage. In der Vor- und Nachsaison, d.h. vor dem 1. Juli und ab Mitte September (ausgenommen Feiertagswochen) werden häufig günstige Sonderpreise oder -arrangements angeboten. Fragen Sie bei der Zimmerbestellung danach.
In den Wintersportorten sind die Preise im Sommer meistens niedriger als im Winter.

Anmerkung : Für Personen, die ein Doppelzimmer allein belegen, werden die angegebenen Preise manchmal erhöht.

Das Zeichen « SC ». — Es besagt « Bedienung inbegriffen » und bedeutet, daß kein Aufschlag für Bedienung bei der Abrechnung erhoben werden darf. Die im Führer angegebenen Preise verstehen sich inklusiv Mehrwertsteuer, mit Ausnahme einer eventuellen Kurtaxe.

Anzahlung. — Einige Hoteliers verlangen eine Anzahlung. Diese ist als Garantie sowohl für den Hotelier als auch für den Gast anzusehen. Sofern keine besonderen Vereinbarungen getroffen werden, entspricht die Anzahlung gewöhnlich dem Preis von drei Übernachtungen (Zimmer ohne Pension) oder von vier Tagen bei Vollpension. Bitten Sie den Hotelier, daß er Ihnen in seinem Bestätigungsschreiben alle seine Bedingungen mitteilt.

DAS AUTO, DIE REIFEN

Reparaturwerkstätten, Lieferanten von Michelin-Reifen

RENAULT	Renault-Zweigstelle (oder Niederlassung)
PEUGEOT	Peugeot-Vertragswerkstatt
Gar. de la Côte	Unabhängige Reparaturwerkstatt
◍	Reifenhändler

Im allgemeinen sind diese Werkstätten am Samstag und eventuell am Montag geschlossen
In unseren Depots geben wir unseren Kunden gerne Auskunft über alle Reifenfragen.

Reparaturdienst

N **Nachts** — Dieser Buchstabe weist auf Autoreparaturwerkstätten hin, die auch nachts Reparaturen ausführen.

Sonntags — An Sonntagen ist in jeder französischen Stadt eine Reparaturwerkstatt geöffnet. Notfalls kann die Gendarmerie oder die Polizei die entsprechende Werkstatt angeben.

HAUPTSEHENSWÜRDIGKEITEN

	Bewertung
★★★	Eine Reise wert
★★	Verdient einen Umweg
★	Sehenswert
	Lage
Voir	In der Stadt
Env.	In der Umgebung der Stadt
N, S, E, O	Im Norden (N), Süden (S), Osten (E), Westen (O) der Stadt.
②, ④	Zu erreichen über Ausfallstraße ②, ④, die auf dem Stadtplan und auf der Michelin-Karte durch das gleiche Zeichen gekennzeichnet ist
2 km	Entfernung in Kilometern
	Museen sind im allgemeinen dienstags geschlossen.

STÄDTE

63300	Zuständige Postleitzahl (die zwei ersten Zahlen sind ebenfalls Nummer des Departements)
✉ **57130** Ars	Postleitzahl und Name des Verteilerpostamtes
☎	Ortsnetzkennzahl - Vorwahlnummer
P	Präfektur
SP	Unterpräfektur
80 ⑤	Nummer der Michelin-Karte und Faltseite
G. Jura	Siehe Grünen Michelin-Reiseführer Jura
1 057 h.	Einwohnerzahl
alt. 175	Höhe
Stat. therm.	Thermalbad
Sports d'hiver	Wintersport
1 200/1 900	Höhe des Wintersportortes und Maximal-Höhe, die mit Kabinenbahn oder Lift erreicht werden kann
2	Anzahl der Kabinenbahnen
14	Anzahl der Schlepp- oder Sessellifts
	Langlaufloipen
BY **B**	Markierung auf dem Stadtplan
9	Golfplatz und Lochzahl
	Rundblick - Aussichtspunkt
	Flughafen
	Ladestelle für Autoreisezüge - Nähere Auskunft unter der angegebenen Telefonnummer
	Autofähre
	Personenfähre
	Informationsstelle
A.C.	Automobil Club

STADTPLÄNE

Hotels — Restaurants

e Symbol und Referenzbuchstabe

Sehenswürdigkeiten

Sehenswertes Gebäude mit Haupteingang

Sehenswerte katholische bzw. evangelische Kirche

B Referenzbuchstabe einer Sehenswürdigkeit

Straßen

Autobahn, Schnellstraße

4 Anschlußstelle : Autobahneinfahrt und/oder -ausfahrt, Nummer

Hauptverkehrsstraße

Einbahnstraße - nicht befahrbare Straße

Fußgängerzone - Straßenbahn

Pasteur P Einkaufsstraße - Parkplatz

Tor - Passage - Tunnel

Bahnhof und Bahnlinie

B Autofähre - Bewegliche Brücke

Sonstige Zeichen

Informationsstelle -

Moschee - Synagoge

Turm - Ruine - Windmühle

Krankenhaus - Markthalle - Wasserturm

Garten, Park, Wäldchen - Friedhof - Bildstock

Stadion - Golfplatz - Eisbahn

Freibad - Hallenbad

Flughafen - Pferderennbahn - Aussicht - Rundblick

Standseilbahn - Seilschwebebahn

Denkmal, Statue - Brunnen - Fabrik

Jachthafen - Leuchtturm

Schiffsverbindungen : Autofähre - Personenfähre

Öffentliches Gebäude, durch einen Buchstaben gekennzeichnet :

- A C Landwirtschaftskammer - Handelskammer
- G H J Gendarmerie - Rathaus - Gerichtsgebäude
- M P T Museum - Präfektur, Unterpräfektur - Theater
- U Universität, Hochschule
- POL. Polizei (in größeren Städten Polizeipräsidium)

3 Straßenkennzeichnung (identisch auf Michelin-Stadtplänen und - Abschnittskarten)

Hauptpostamt (postlagernde Sendungen), Telefon

Kaserne - Orientierungstafel

Funk-, Fernsehturm

U-Bahnstation - Autobusbahnhof

4^m2 15T 15 Unterführung (Höhe bis 4,30 m) - Brücke mit beschränkter Belastung (unter 16 t)

Reparaturwerkstätten : Peugeot, Talbot, Citroën - Renault (Alpine)

Conozca la guía...

Si sabe utilizarla, le sacará mucho partido. La Guía Michelin no es sólo una lista de buenos restaurantes y hoteles, también es una multitud de informaciones de gran utilidad en sus viajes.

La clave de la Guía

La tiene Vd. en las páginas explicativas siguientes.

Sabrá que un mismo símbolo, que un mismo tipo de letra, en rojo o en negro, en fino o en grueso, no tienen el mismo significado, en absoluto.

La selección de los hoteles y restaurantes

Esta Guía no es una relación completa de los recursos hoteleros de Francia sólo presenta una selección voluntariamente limitada. Ésta se establece mediante visitas y encuestas efectuadas regularmente sobre el propio terreno. Es en estas visitas donde se examinan las opiniones y observaciones de nuestros lectores.

Los planos de la ciudad

Indican con precisión : las calles peatonales y comerciales, cómo atravesar o rodear la ciudad, dónde se sitúan los hoteles (en las grandes arterias o en los alrededores), dónde se encuentran correos, la oficina de turismo, los grandes monumentos, los lugares destacados, etc.

Para su vehículo

En el texto de diversas localidades hemos indicado los representantes de las grandes marcas de automóviles, con su dirección y número de teléfono. Así, en ruta, Vd. puede hacer revisar o reparar su coche, si fuera necesario.

Sobre todos estos puntos y también sobre muchos otros, nos gustaría conocer su opinión. No dude en escribirnos. Nosotros le responderemos.

Gracias anticipadas.

Services de Tourisme Michelin
46, avenue de Breteuil, F-75341 PARIS CEDEX 07

Michelin le desea viajes felices.

La elección de un hotel, de un restaurante

Nuestra clasificación ha sido establecida para uso de los automovilistas de paso. Dentro de cada categoría se citan los establecimientos por orden de preferencia.

CLASE Y CONFORT

🏨🏨🏨🏨🏨	Gran lujo y tradición	XXXXX
🏨🏨🏨🏨	Gran Confort	XXXX
🏨🏨🏨	Muy confortable	XXX
🏨🏨	Bastante confortable	XX
🏨	Confortable	X
🏠	Sencillo pero decoroso	
M	Dentro de su categoría, hotel con instalaciones modernas	
sans rest	El hotel no dispone de restaurante	
	El restaurante tiene habitaciones	avec ch

LA INSTALACIÓN

Los hoteles de 🏨🏨🏨🏨🏨, 🏨🏨🏨🏨, 🏨🏨🏨 poseen toda clase de confort y hacen cambio de divisas. Por eso no detallamos en el texto del hotel los símbolos de sus instalaciones.

En las otras categorías, los elementos de confort indicados no existen, con frecuencia, más que en algunas habitaciones.

30 ch	Número de habitaciones
	Ascensor - Aire acondicionado
TV	Televisión en la habitación
wc	Baño privado con wc, baño privado sin wc
wc	Ducha privada con wc, ducha privada sin wc
☎	Teléfono en la habitación por centralita
☎	Teléfono en la habitación directo con el exterior
♿	Habitaciones para minusválidos
	Comidas servidas en el jardín o en terraza
	Piscina al aire libre o cubierta
	Playa equipada - Jardín
	Tenis en el hotel
25 à 150	Salones de reuniones : capacidad
	Garaje gratuito (una noche solamente) a los portadores de la Guía del año
	Garaje de pago
P	Aparcamiento reservado a la clientela
	Prohibidos los perros :
	en todo el establecimiento
rest	en el restaurante solamente
ch	en las habitaciones solamente
mai-oct.	Período de apertura comunicado por el hotel
sais.	Apertura probable en temporada, sin precisar
	Ninguna mención para los establecimientos abiertos todo el año

EL ATRACTIVO

La estancia en determinados hoteles es, a veces, especialmente agradable o tranquila.

Esto puede deberse a las características del edificio, a la decoración original, al emplazamiento y los servicios ofrecidos, o también a la tranquilidad del lugar.

Estos establecimientos se distinguen en la guía por los símbolos en rojo que indicamos a continuación.

🏨🏨🏨 a 🏠	Hoteles agradables
XXXXX a X	Restaurantes agradables
« Parque »	Elemento particularmente agradable
🐦	Hotel muy tranquilo, o aislado y tranquilo
🐦	Hotel tranquilo
≮ mar	Vista excepcional
≮	Vista interesante o extensa

Consulte los mapas de las pág. 56 a 63, le será más fácil descubrirlos.

No pretendemos haber indicado todos los hoteles agradables, ni siquiera todos los tranquilos o los aislados y tranquilos.

Nuestras averiguaciones continúan. Vd puede ayudarnos enviándonos sus observaciones y sus descubrimientos.

LA MESA

La estrellas : ver mapa p. 64 a 71.

En Francia, muchos hoteles y restaurantes ofrecen una buena cocina y buenos vinos.

Entre los numerosos establecimientos recomendados en esta Guía, algunos merecen ser señalados a su atención por la calidad de su cocina. Por eso les otorgamos unas estrellas de buena mesa.

Indicamos casi siempre, para estos establecimientos, tres especialidades gastronómicas. Pruébelas, a la vez para su placer y también para animar al jefe de cocina en sus esfuerzos.

✿ 574 **Una muy buena mesa en su categoría**

La estrella indica una buena etapa en su itinerario.

Pero no compare la estrella de un establecimiento de lujo, de precios altos, con la estrella de un establecimiento más sencillo, en el que, a precios razonables, se sirve también una cocina de calidad.

✿✿ 84 **Mesa excelente, merece un rodeo**

Especialidades y vinos selectos... Cuente con un gasto en proporción.

✿✿✿ 20 **Una de las mejores mesas, justifica el viaje**

Mesa exquisita, grandes vinos, servicio impecable, marco elegante... Precios en consecuencia.

R **Comidas esmeradas a precios moderados**

Aparte de los establecimientos con estrellas, hemos pensado que puede interesarle conocer otros restaurantes que ofrecen, con una buena relación calidad-precio, una comida esmerada, generalmente de tipo regional.

Consulte los mapas de las págs. 74 a 80.

En ellos figuran las localidades que tienen establecimientos con precios moderados. Estos restaurantes están señalados en el texto con una **R** de color rojo. Ej. : **R** 70.

Los vinos y los platos : ver págs. 72 y 73.

LOS PRECIOS

Los precios que indicamos en esta guía, fueron calculados en septiembre 1985. Pueden sufrir modificaciones si el costo de la vida varía sensiblemente. Por ello deben siempre ser considerados como precios base.

Entre en el hotel o el restaurante con su guía en la mano, demostrando así que ésta le conduce allí con confianza.

Los hoteles y restaurantes figuran con caracteres gruesos cuando los hoteleros nos han señalado todos sus precios, comprometiéndose a respetarlos ante los turistas de paso, portadores de nuestra Guía.

Infórmenos de todo recargo que pueda parecerle injustificado. Cuando no figura ningun precio, le aconsejamos se ponga de acuerdo con el hotelero sobre las condiciones.

Comidas

◆	El establecimiento sirve una comida simple por menos de **60 F**
SC	Establecimiento con servicio incluido o precios netos
R 45/95	**Comidas a precio fijo** mínimo 45 y máximo 95
40/85	La comida a precio fijo mínimo 40 no se sirve los domingos y festivos
R 70	Comida esmerada a **precios moderados**
bc	Bebida incluida
♁	Jarra de vino de la casa a precio moderado
R carte 80 à 135	**Comidas a la carta** — El primer precio corresponde a una comida sencilla, pero esmerada, comprendiendo : entrada, plato fuerte del día, postre El segundo precio se refiere a una comida más completa (con especialidad) comprediendo : dos platos, queso y postre *Salvo mención especial* bc, *la bebida se cobra en suplemento a los precios fijos y a la carta*
☕ 18	Precio del desayuno servido en la habitación
☕ 16	Precio del desayuno sin servirse en la habitación

Habitaciones

ch 90/180	Precio mínimo 90 de una habitación individual y precio máximo 180 de la mejor habitación ocupada por dos personas
ch ☕	El precio del desayuno está incluido en el precio de la habitación

Pensión

P 125/285	Precio mínimo y máximo de la pensión completa por persona y por día, en plena temporada (ver p. 53)
AE ⓓ E VISA	Principales **tarjetas de crédito** aceptadas por el establecimiento : American Express — Diners Club — Eurocard — Visa.

ALGUNAS INFORMACIONES ÚTILES

Desayuno. — Algunos establecimientos no sirven el desayuno en la habitación ; una taza en color negro ☕ indica esta restricción.
El precio del desayuno está incluido a veces en el precio de la habitación, pero no puede ser obligatorio.

Cenar en el hotel. — Los hoteleros tienen la obligación de alojarle sin exigirle que utilice los servicios del restaurante. Sin embargo, en temporada, el hotelero puede preferentemente alojar al turista que cena en el hotel.

La pensión. — Indicamos solamente el precio de la pensión completa (habitación, desayuno y dos comidas) por día y persona en temporada alta. Estos precios se dan a título indicativo y conviene concretarlos de antemano con el hotelero.
Casi siempre se pueden obtener, previa petición, unas condiciones de media pensión.
Fuera de temporada, es decir antes del 1° de julio, después de mediados de septiembre y fuera de los períodos festivos, hay unas tarifas especiales ; reclámelas al hacer su reserva. En las estaciones de deportes de invierno, los precios de verano suelen ser inferiores a los de invierno.

Nota : Una habitación doble ocupada por una sola persona puede sufrir un incremento sobre el precio de la habitación individual.

La mención "SC" (servicio incluido). — Indica que en la factura no puede figurar ningún recargo en concepto de servicio. Los impuestos están incluidos en los precios que les indicamos excepto, eventualmente, un impuesto de estancia.

La señal. — Algunos hoteleros piden una señal al reservar. Se trata de un depósito-garantía que compromete tanto al hotelero como al cliente. Conviene precisar con detalle las cláusulas de esta garantía.
Salvo condición especial, el importe corresponde generalmente al precio de tres noches en caso de habitación y desayuno, y de 4 días en caso de pensión completa, según duración de la estancia. Pida al hotelero confirmación escrita de las condiciones de estancia así como todos los detalles útiles.

EL COCHE, LOS NEUMÁTICOS

Talleres de reparación, proveedores de neumáticos Michelin

RENAULT Concesionario (o sucursal) de la marca Renault.
PEUGEOT Agente de la marca Peugeot.
Gar. de la Côte Taller que no representa ninguna marca de coche.
Ⓜ Especialistas en neumáticos.

Establecimientos generalmente cerrados el sábado o a veces el lunes. Nuestras sucursales tienen mucho gusto en dar a nuestros clientes todos los consejos necesarios para la mejor utilización de sus neumáticos.

Servicio de reparación

N **De noche** — Esta letra designa los talleres que atienden durante la noche las reparaciones corrientes.

El domingo — En todas las localidades existe un servicio de reparación que atiende los domingos.
En general, la Policía, la "Gendarmería", pueden indicar el taller en servicio más próximo.

Para visitar una población y sus alrededores

LAS CURIOSIDADES

	Grado de interés
★★★	Justifica el viaje
★★	Merece un rodeo
★	Interesante
	Situación de las curiosidades
Voir	En la población
Env.	En los alrededores de la población
N, S, E, O	La curiosidad está situada al norte, al sur, al este, al oeste
②, ④	Salir por la salida ② o ④, localizada por el mismo signo en el plano de la Guía y en el mapa
2 km	Distancia en kilómetros
	Los museos cierran generalmente los martes

LAS POBLACIONES

63300	Código postal de la localidad ; los dos primeros números corresponden al número del Departamento (Provincia)
✉ **57130** Ars	Código postal y Oficina de Correos distribuidora
⊛	Indicativo telefónico del Departamento
P	Capital de Provincia (Prefectura)
SP	Subprefectura
80 ⑤	Mapa Michelin y pliego
G. Jura	Ver la Guía Verde Michelin Jura
1 057 h.	Población
alt. 175	Altitud de la localidad
Stat. therm.	Termas
Sports d'hiver	Deportes de invierno
1 200/1 900	Altitud de la estación y altitud maxima alcanzada por los remontes mecánicos
2	Número de teleféricos o telecabinas
14	Número de telesquis o telesillas
	Esquí de fondo
BY **B**	Letras para localizar un emplazamiento en el plano
9	Golf y número de hoyos
	Panorama, vista
	Aeropuerto
	Localidad con servicio Auto-Expreso. Información en el número indicado.
	Transportes marítimos
	Transportes marítimos de pasajeros solamente
i	Información turística
A.C.	Automóvil Club

Para visitar una población y sus alrededores

LOS PLANOS

Hoteles — Restaurantes

Hotel, restaurante. Letra de identificación

Curiosidades

Edificio interesante y entrada principal

Edificio religioso interesante :
Católico - Protestante

Letra que identifica una curiosidad

Características de las calles

Autopista, autovía
acceso, completo, parcial, número

Vía importante de circulación

Sentido único - Calle impracticable

Calle peatonal - Tranvía

Pasteur — Calle comercial - Aparcamiento

Puerta - Pasaje cubierto - Túnel

Estación y línea férrea

Barcaza para coches - Puente móvil

Signos diversos

Oficina de Información de Turismo

Mezquita - Sinagoga

Torre - Ruinas - Molino de viento

Hospital - Mercado cubierto - Depósito de agua

Jardín, parque, bosque - Cementerio - Crucero

Estadio - Golf - Pista de patinaje

Piscina al aire libre, cubierta

Aeropuerto - Hipódromo - Vista - Panorama

Funicular - Teleférico, telecabina

Monumento, estatua - Fuente - Fábrica

Puerto deportivo - Faro

Transporte por barco :
pasajeros y vehículos, pasajeros solamente

Edificio público localizado con letra :
A C — Cámara de Agricultura - Cámara de Comercio
G H J — Guardia civil - Ayuntamiento - Palacio de Justicia
M P T — Museo - Gobierno civil - Teatro
U — Universidad, Escuela Superior
POL. — Policía (en las grandes ciudades : Jefatura)

(3) — Referencia común a los planos y a los mapas detallados Michelin

Oficina central de lista de correos, teléfonos

Cuartel - Mesa de orientación

Torreta o poste de telecomunicación

Boca de metro - Estación de autobuses

4m2 — 15T (15) — Pasaje bajo (inf. a 4 m 30) - Puente de carga limitada (inf. a 16 t.)

Garaje : Peugeot, Talbot, Citroën - Renault (Alpine)

1

L'AGRÉMENT — ANNEHMLICHKEIT — AMENITY — EL ATRACTIVO — AMENITÀ

le texte text il testo Ortstext el texto	la carte map la carta Karte el mapa
(rocking horse)	◇
.... ch	◈
... ch+	◆

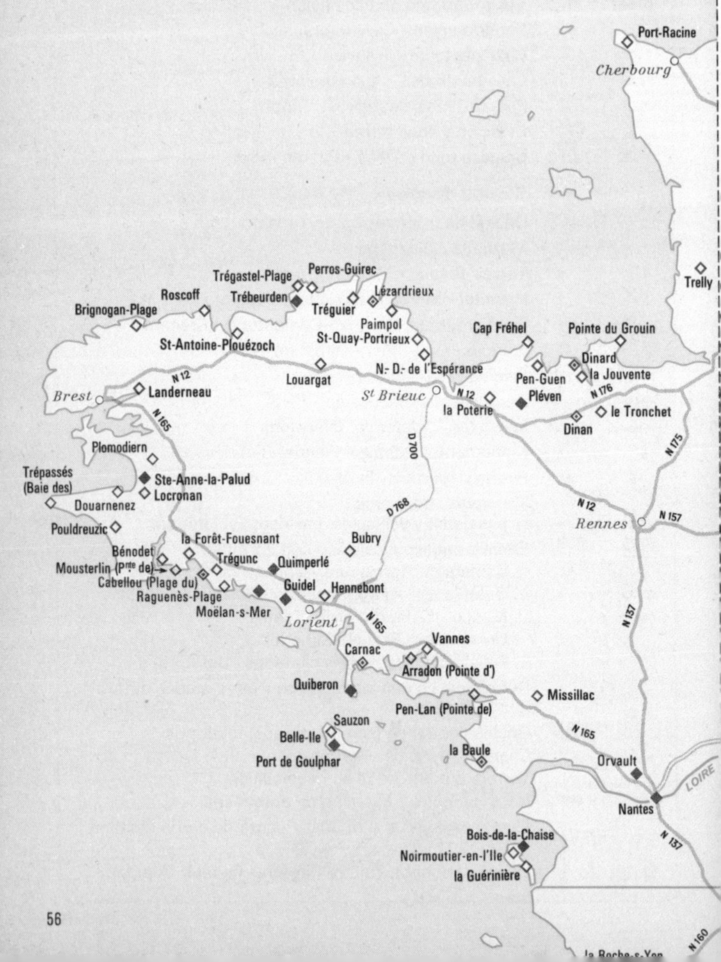

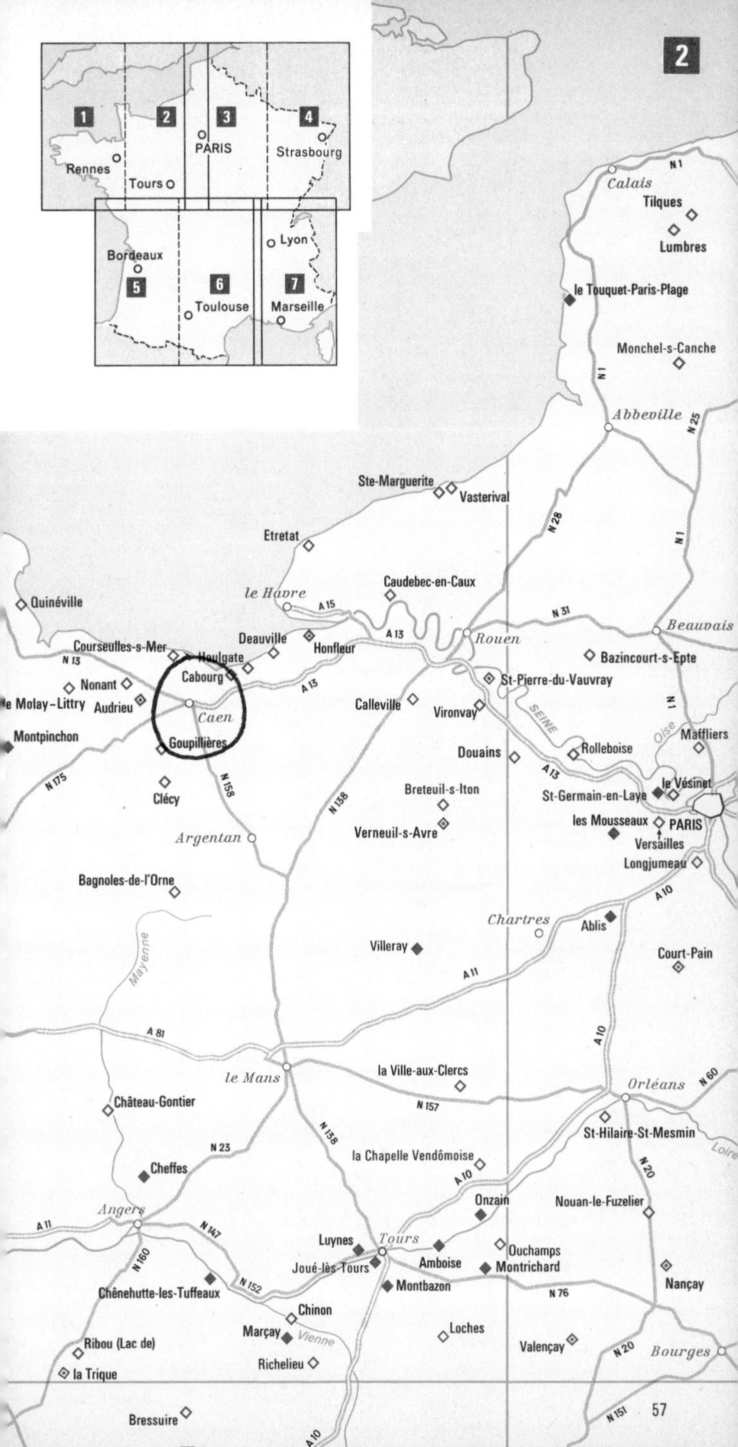
2
1
2
3
4
PARIS
Strasbourg
Rennes
Tours
Bordeaux
Lyon
5
6
7
Toulouse
Marseille
Calais
N1
Tilques
Lumbres
le Touquet-Paris-Plage
Monchel-s-Canche
Abbeville
N25
Ste-Marguerite
Vasterival
N28
Etretat
Caudebec-en-Caux
le Havre
A15
Quinéville
N31
Beauvais
Deauville
Honfleur
A13
Rouen
Courseulles-s-Mer
Houlgate
Bazincourt-s-Epte
N13
Cabourg
St-Pierre-du-Vauvray
Nonant
A13
le Molay-Littry
Audrieu
Calleville
Vironvay
Caen
SEINE
Montpinchon
Goupillières
Maffliers
Oise
Rolleboise
Douains
N175
N158
A13
le Vésinet
Clécy
Breteuil-s-Iton
St-Germain-en-Laye
N138
les Mousseaux
PARIS
Verneuil-s-Avre
Argentan
Versailles
Longjumeau
Bagnoles-de-l'Orne
A10
Chartres
Ablis
Mayenne
Villeray
Court-Pain
A11
A81
A10
le Mans
la Ville-aux-Clercs
Orléans
N60
Château-Gontier
N157
St-Hilaire-St-Mesmin
N138
Loire
N23
la Chapelle Vendômoise
N20
Cheffes
A10
Onzain
Nouan-le-Fuzelier
Angers
A11
N147
Luynes
Tours
Amboise
Ouchamps
N160
Joué-lès-Tours
Montrichard
Nançay
Chênehutte-les-Tuffeaux
N152
Montbazon
N76
Chinon
Marçay
Vienne
Loches
Valençay
N20
Bourges
Ribou (Lac de)
la Trique
Richelieu
Bressuire
N151
A10

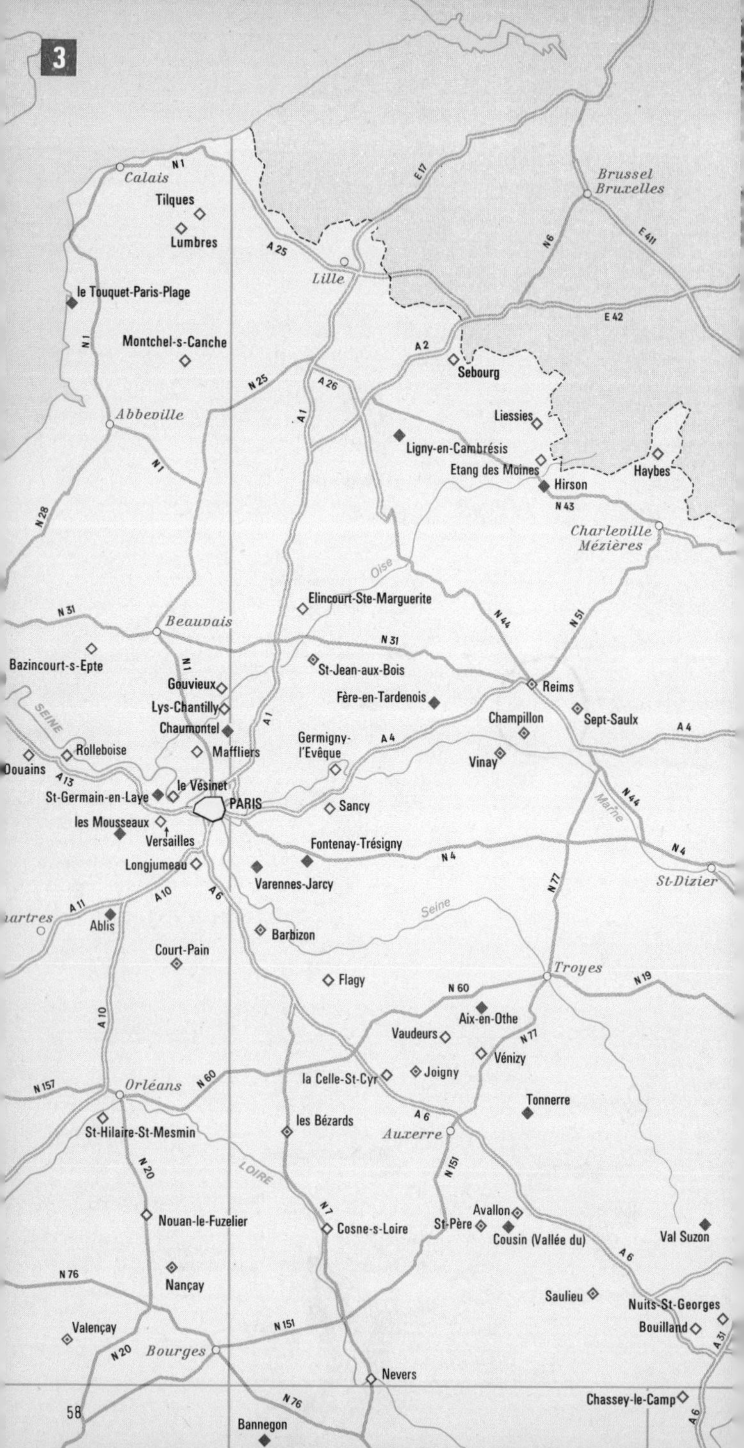
3
Calais
Tilques
Lumbres
le Touquet-Paris-Plage
Montchel-s-Canche
Abbeville
Brussel
Bruxelles
Lille
Sebourg
Liessies
Ligny-en-Cambrésis
Etang des Moines
Hirson
Haybes
Charleville
Mézières
Oise
Elincourt-Ste-Marguerite
Beauvais
Bazincourt-s-Epte
St-Jean-aux-Bois
Gouvieux
Lys-Chantilly
Fère-en-Tardenois
Reims
Sept-Saulx
Champillon
Chaumontel
SEINE
Rolleboise
Maffliers
Germigny-
l'Evêque
Vinay
Douains
le Vésinet
St-Germain-en-Laye
PARIS
Sancy
les Mousseaux
Versailles
Fontenay-Trésigny
Marne
Longjumeau
Varennes-Jarcy
St-Dizier
Seine
Chartres
Ablis
Barbizon
Court-Pain
Troyes
Flagy
Aix-en-Othe
Vaudeurs
Vénizy
Joigny
la Celle-St-Cyr
Orléans
Tonnerre
les Bézards
St-Hilaire-St-Mesmin
Auxerre
LOIRE
Avallon
Nouan-le-Fuzelier
Cosne-s-Loire
St-Père
Cousin (Vallée du)
Val Suzon
Nançay
Saulieu
Nuits-St-Georges
Valençay
Bouilland
Bourges
Nevers
Chassey-le-Camp
Bannegon
N 1
E 17
A 25
E 411
N 6
E 42
A 2
A 26
A 1
N 25
N 28
N 43
N 44
N 51
N 31
A 4
A 13
A 11
A 10
A 6
N 4
N 77
N 60
N 19
N 157
N 20
N 7
N 151
N 76
A 31

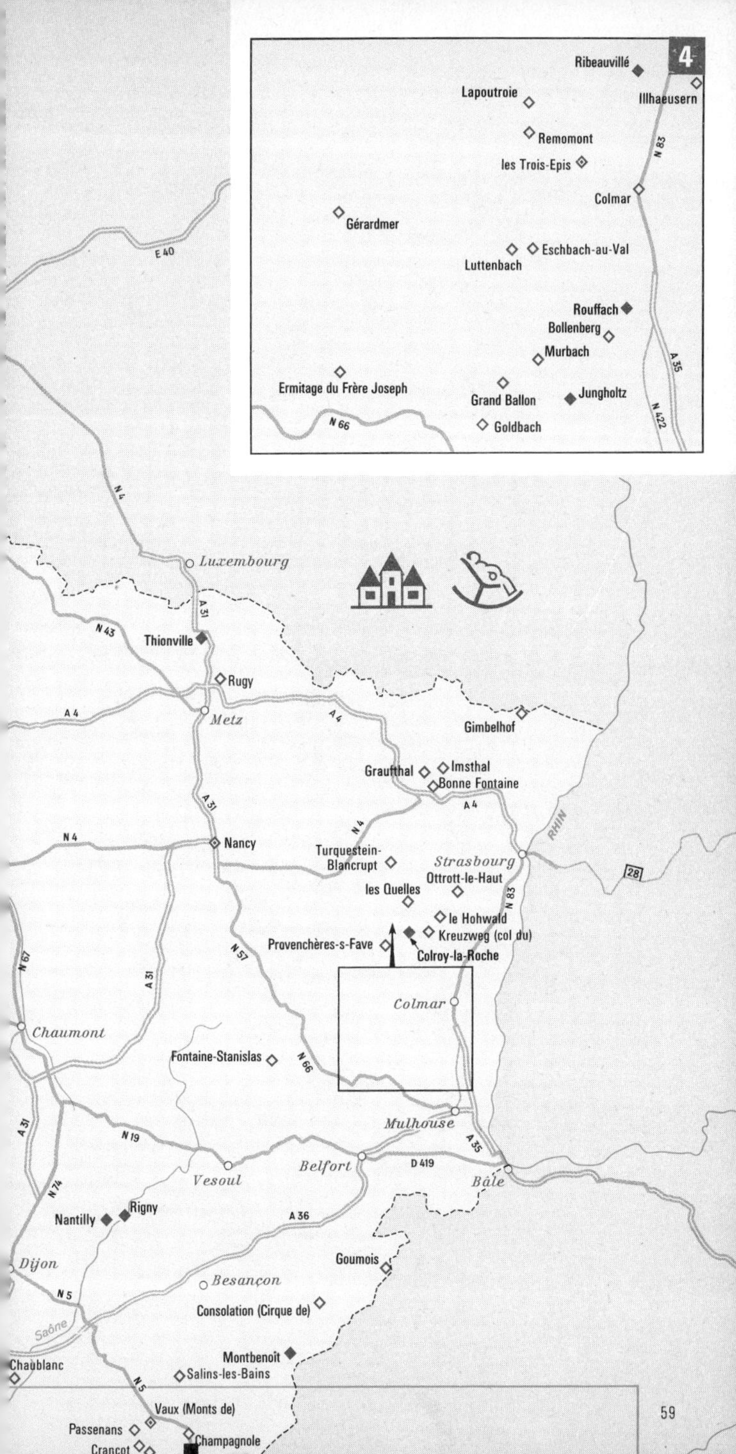
4
Ribeauvillé
Lapoutroie
Illhaeusern
Remomont
les Trois-Epis
N 83
Colmar
Gérardmer
Eschbach-au-Val
Luttenbach
Rouffach
Bollenberg
Murbach
A 35
Ermitage du Frère Joseph
Grand Ballon
Jungholtz
N 422
N 66
Goldbach
E 40
N 4
Luxembourg
A 31
N 43
Thionville
Rugy
A 4
Metz
A 4
Gimbelhof
Graufthal
Imsthal
Bonne Fontaine
A 4
A 31
N 4
RHIN
N 4
Nancy
Turquestein-Blancrupt
Strasbourg
28
Ottrott-le-Haut
les Quelles
N 83
le Hohwald
Kreuzweg (col du)
Provenchères-s-Fave
Colroy-la-Roche
N 57
N 67
A 31
Colmar
Chaumont
Fontaine-Stanislas
N 66
Mulhouse
A 35
A 31
N 19
Belfort
D 419
Vesoul
Bâle
N 74
Rigny
Nantilly
A 36
Goumois
Dijon
Besançon
N 5
Consolation (Cirque de)
Saône
Montbenoît
Chaublanc
Salins-les-Bains
N 5
Vaux (Monts de)
Passenans
Champagnole
Crancot

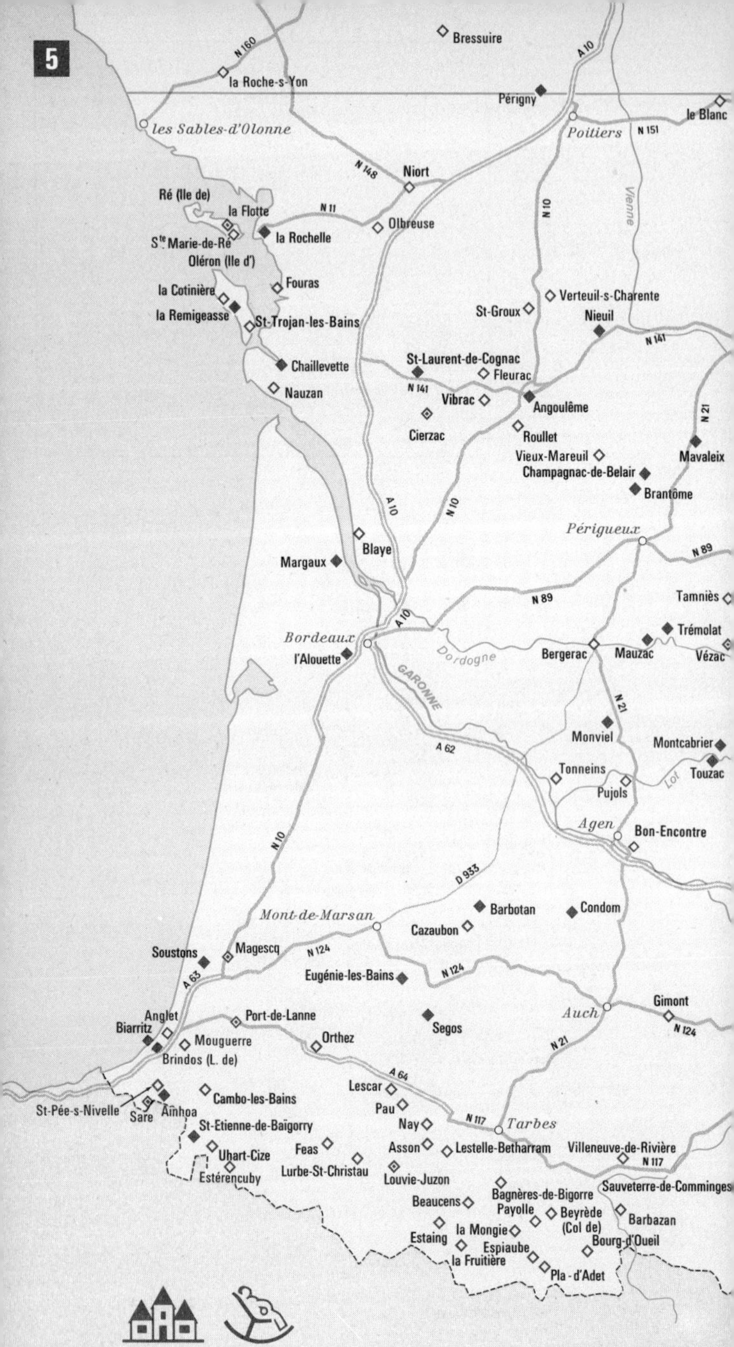

5

N 160
Bressuire
la Roche-s-Yon
A 10
Périgny
le Blanc
les Sables-d'Olonne
Poitiers
N 151
N 148
Niort
Ré (Ile de)
N 11
la Flotte
Olbreuse
N 10
Vienne
la Rochelle
Ste Marie-de-Ré
Oléron (Ile d')
Fouras
la Cotinière
Verteuil-s-Charente
la Remigeasse
St-Trojan-les-Bains
St-Groux
Nieuil
N 141
Chaillevette
St-Laurent-de-Cognac
Fleurac
N 141
Nauzan
Vibrac
Angoulême
N 21
Cierzac
Roullet
Mavaleix
Vieux-Mareuil
Champagnac-de-Belair
Brantôme
A 10
N 10
Périgueux
Blaye
N 89
Margaux
N 89
Tamniès
A 10
Trémolat
Bordeaux
Mauzac
l'Alouette
Dordogne
Bergerac
Vézac
GARONNE
N 21
Monviel
Montcabrier
A 62
Tonneins
Touzac
Lot
Pujols
Agen
Bon-Encontre
N 10
D 933
Barbotan
Condom
Mont-de-Marsan
Cazaubon
Soustons
Magescq
N 124
A 63
Eugénie-les-Bains
N 124
Auch
Gimont
Anglet
Port-de-Lanne
Segos
N 124
Biarritz
Mouguerre
Orthez
Brindos (L. de)
N 21
A 64
Lescar
Cambo-les-Bains
St-Pée-s-Nivelle
Aïnhoa
Pau
Sare
N 117
Tarbes
St-Etienne-de-Baïgorry
Nay
Feas
Asson
Lestelle-Betharram
Villeneuve-de-Rivière
Uhart-Cize
N 117
Lurbe-St-Christau
Estérencuby
Louvie-Juzon
Sauveterre-de-Comminges
Bagnères-de-Bigorre
Beaucens
Payolle
Beyrède (Col de)
Barbazan
Estaing
la Mongie
Bourg-d'Oueil
Espiaube
la Fruitière
Pla-d'Adet

6
Nevers
N 76
Bannegon
N 7
D 927
St-Chartier
Tronçais
Moulins
Coulandon
D 945
D 943
N 79
N 20
Montluçon
N 145
N 9
N 7
St-Georges-la-Pouge
Chouvigny (Gorges de)
Pont du Dognon
St-Martin-du-Fault
Brignac
Limoges
D 941
A 72
Feytiat
Vassivière (Lac de)
Clermont-Fd
Bort-l'Etang
D 89
la Roche-l'Abeille
la Bourboule
A 47
la Chapelle
St-Etienne
Pontempeyrat
N 89
Clergoux
N 102
N 82
Dordogne
Loire
N 88
Varetz
N 20
Aubazines
Pont-du-Chambon
le Theil
le Chambon-s-Lignon
Brive-la-Gaillarde
le Puy
Lamastre
Curebourse (Col de)
D 921
Sarlat
Lacave
Alvignac
Gramat
N 102
Rocamadour
N 9
Nasbinals
Fontaine de la Pescalerie
Neyrac-les-Bns
Aubenas
Conques
Valgorge
Mercuès
D 104
N 140
Ruoms
Caillac
la Garde-Guerin
St-Cirq-Lapopie
les Vans
la Caze (Château de)
Baraqueville
Rodez
la Malène
Courry
Najac
la Favède
la Muse
le Rozier
St-Jean-du-Gard
Castelpers
Meyruès
Alès
Aguessac
Générargues
Viaur (Viaduc du)
Cordes
Millau
Aulas
Anduze
Arpaillargues
N 20
N 9
Castillon-du-Gard
Albi
St-Martin-de-Londres
Nimes
A 6
N 88
Vacquiers
N 110
Montaigut
St-Lieux-lès-Lavaur
Clapiers
St-Jean-de-la-Blaquière
N 109
Tournefeuille
A 9
Toulouse
Mourèze
Montpellier
Bout-du-Pont-de-Larn
Olargues
Vieille-Toulouse
Mazamet
St-Pons
N 125
Saintes-Maries de la Mer
les Cammazes
A 61
Villemagne
Garonne
Peyriac-Minervois
A 9
Carcassonne
Ornaisons
N 20
Unac
Perpignan
Molitg-les-Bains
El Serrat
St-Cyprien
A 9
Vernet-les-Bains
St-Pierre-dels-Forcats
Sahorre
Argelès-s-Mer
Céret
le Boulou
Eyne
Super Eyne
Maureillas-las-Illas
Sant-Julià-de-Lòria
Llo
la Preste
Amélie-les-Bains-Palalda
N 152
A 7

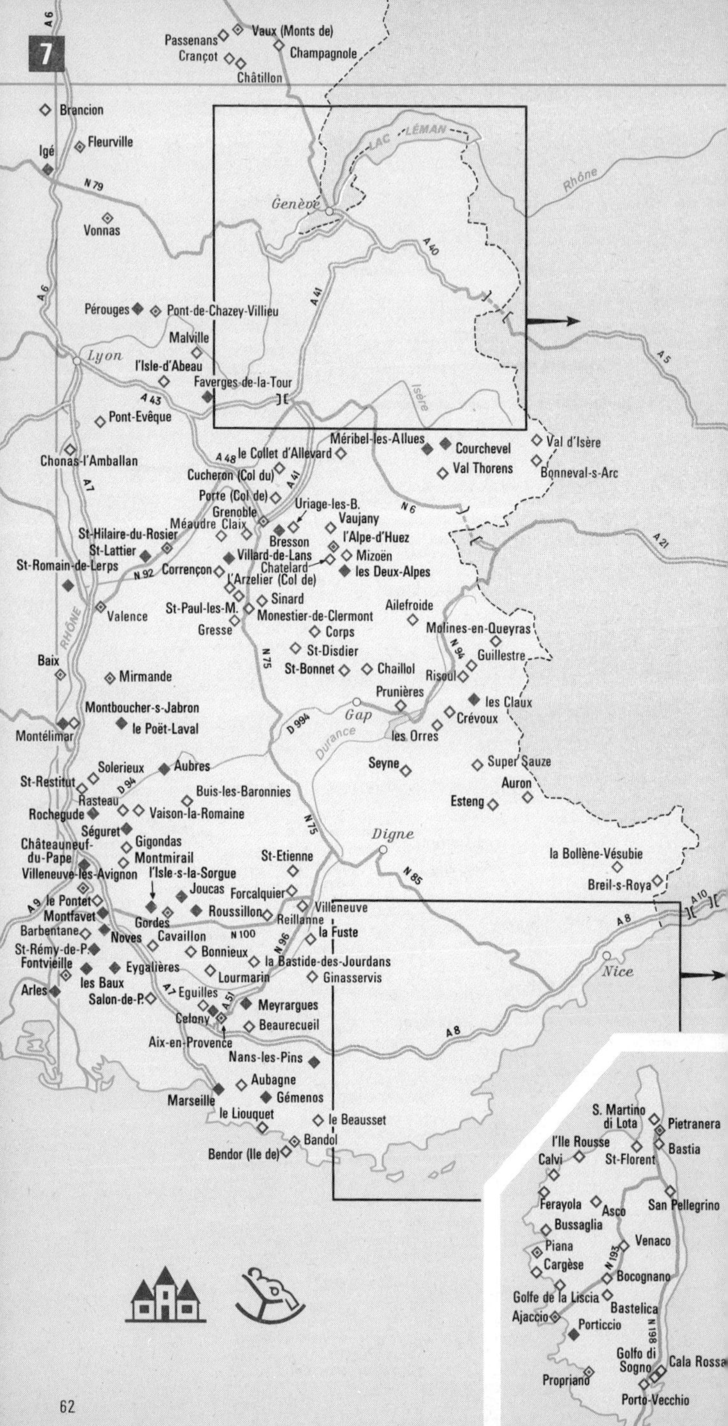
7
A 6
Passenans
Vaux (Monts de)
Champagnole
Crançot
Châtillon
Brancion
Fleurville
Igé
N 79
Vonnas
LAC LÉMAN
Rhône
Genève
A 40
A 41
Pérouges
Pont-de-Chazey-Villieu
Malville
Lyon
l'Isle-d'Abeau
Faverges-de-la-Tour
A 43
Isère
A 5
Pont-Evêque
Méribel-les-Allues
Courchevel
Val d'Isère
Chonas-l'Amballan
A 48
le Collet d'Allevard
Val Thorens
Bonneval-s-Arc
Cucheron (Col du)
A 7
Porte (Col de)
Uriage-les-B.
N 6
Grenoble
Vaujany
Méaudre
Claix
St-Hilaire-du-Rosier
Bresson
l'Alpe-d'Huez
A 21
St-Lattier
Villard-de-Lans
Mizoën
St-Romain-de-Lerps
N 92
Corrençon
Chatelard
les Deux-Alpes
l'Arzelier (Col de)
Sinard
RHÔNE
Valence
St-Paul-les-M.
Monestier-de-Clermont
Ailefroide
Gresse
Corps
Molines-en-Queyras
N 75
St-Disdier
N 94
Guillestre
Baix
St-Bonnet
Chaillol
Risoul
Mirmande
Prunières
les Claux
Montboucher-s-Jabron
Gap
Crévoux
D 994
Montélimar
le Poët-Laval
Durance
les Orres
Seyne
Super Sauze
Solerieux
Aubres
Auron
St-Restitut
D 94
Rasteau
Buis-les-Baronnies
Esteng
Rochegude
Vaison-la-Romaine
Séguret
N 75
Digne
Châteauneuf-du-Pape
Gigondas
Montmirail
St-Etienne
la Bollène-Vésubie
Villeneuve-les-Avignon
l'Isle-s-la-Sorgue
N 85
Breil-s-Roya
Joucas
Forcalquier
A 9
le Pontet
Roussillon
Villeneuve
A 10
Montfavet
Gordes
Reillanne
A 8
Barbentane
Noves
Cavaillon
N 100
N 96
la Fuste
St-Rémy-de-P.
Bonnieux
Nice
Fontvieille
Eygalières
la Bastide-des-Jourdans
Lourmarin
Ginasservis
Arles
les Baux
A 7
Eguilles
Salon-de-P.
A 51
Meyrargues
Celony
Beaurecueil
A 8
Aix-en-Provence
Nans-les-Pins
Aubagne
Marseille
Gémenos
le Liouquet
le Beausset
Bandol
Bendor (Ile de)
S. Martino di Lota
Pietranera
l'Ile Rousse
Bastia
Calvi
St-Florent
Ferayola
Asco
San Pellegrino
Bussaglia
Venaco
Piana
N 193
Cargèse
Bocognano
Golfe de la Liscia
Bastelica
Ajaccio
Porticcio
N 198
Golfo di Sogno
Cala Rossa
Propriano
Porto-Vecchio

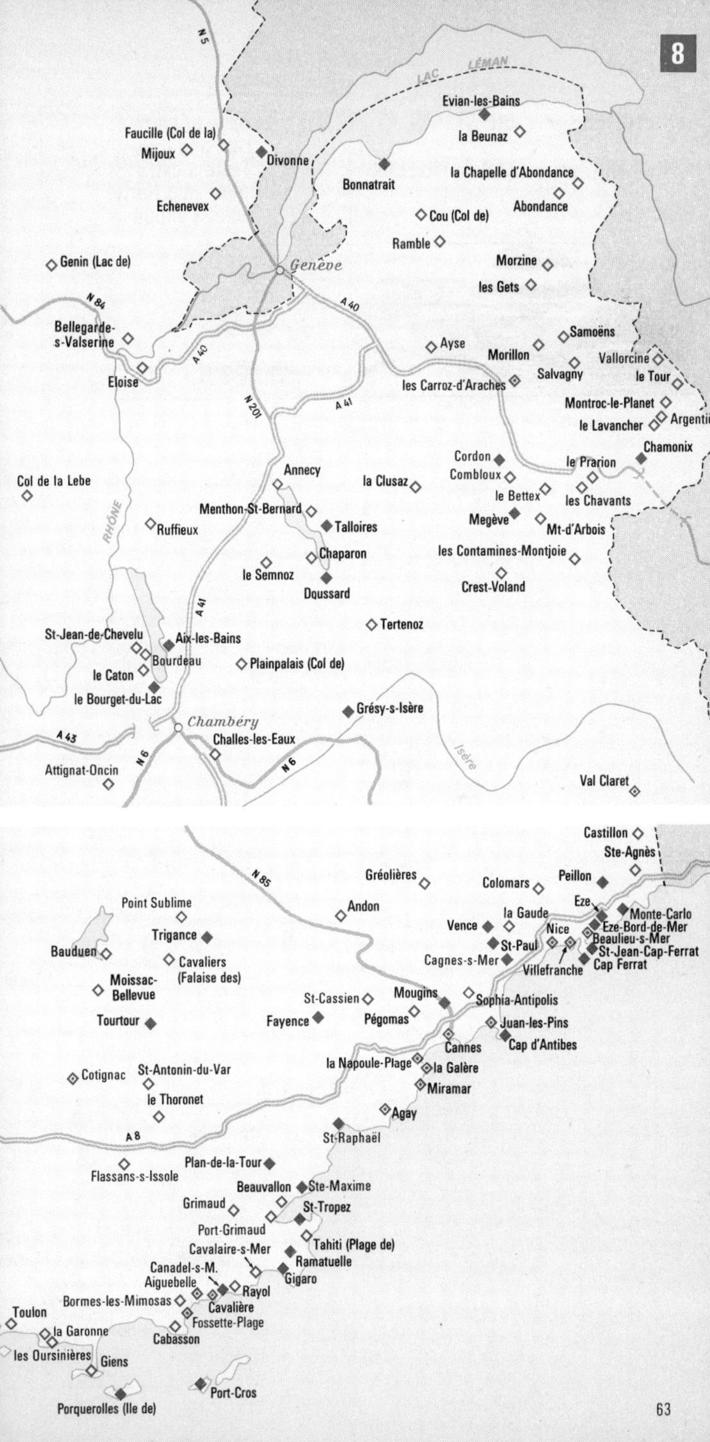
8
LAC LÉMAN
N 5
Faucille (Col de la)
Mijoux
Divonne
Evian-les-Bains
la Beunaz
Bonnatrait
la Chapelle d'Abondance
Abondance
Echenevex
Cou (Col de)
Ramble
Genin (Lac de)
Genève
Morzine
les Gets
N 84
A 40
Bellegarde-s-Valserine
Eloise
A 40
Ayse
Samoëns
Morillon
Salvagny
Vallorcine
le Tour
les Carroz-d'Araches
N 201
A 41
Montroc-le-Planet
le Lavancher
Argentière
Chamonix
Cordon
Combloux
le Prarion
Annecy
la Clusaz
le Bettex
les Chavants
Col de la Lebe
Menthon-St-Bernard
Megève
Mt-d'Arbois
RHÔNE
Ruffieux
Talloires
Chaparon
les Contamines-Montjoie
le Semnoz
Crest-Voland
Doussard
A 41
Tertenoz
St-Jean-de-Chevelu
Aix-les-Bains
Bourdeau
Plainpalais (Col de)
le Caton
le Bourget-du-Lac
Grésy-s-Isère
Chambéry
A 43
Challes-les-Eaux
N 6
N 6
Isère
Attignat-Oncin
Val Claret
Castillon
Ste-Agnès
N 85
Gréolières
Colomars
Peillon
Point Sublime
Andon
Eze
Monte-Carlo
la Gaude
Vence
Nice
Eze-Bord-de-Mer
Trigance
Beaulieu-s-Mer
St-Paul
St-Jean-Cap-Ferrat
Bauduen
Cavaliers (Falaise des)
Cagnes-s-Mer
Villefranche
Cap Ferrat
Moissac-Bellevue
St-Cassien
Mougins
Sophia-Antipolis
Tourtour
Fayence
Pégomas
Juan-les-Pins
Cannes
Cap d'Antibes
la Napoule-Plage
la Galère
Cotignac
St-Antonin-du-Var
Miramar
le Thoronet
Agay
A 8
St-Raphaël
Plan-de-la-Tour
Flassans-s-Issole
Beauvallon
Ste-Maxime
Grimaud
St-Tropez
Port-Grimaud
Tahiti (Plage de)
Cavalaire-s-Mer
Ramatuelle
Canadel-s-M.
Gigaro
Aiguebelle
Rayol
Bormes-les-Mimosas
Cavalière
Toulon
Fossette-Plage
la Garonne
Cabasson
les Oursinières
Giens
Port-Cros
Porquerolles (Ile de)

1

LES ÉTOILES **DIE STERNE**

THE STARS **LAS ESTRELLAS**

LE STELLE

Texte et carte
Text and map
Testo e carta
Ortstext und Karte
Texto y mapa

✲

✲✲

✲✲✲

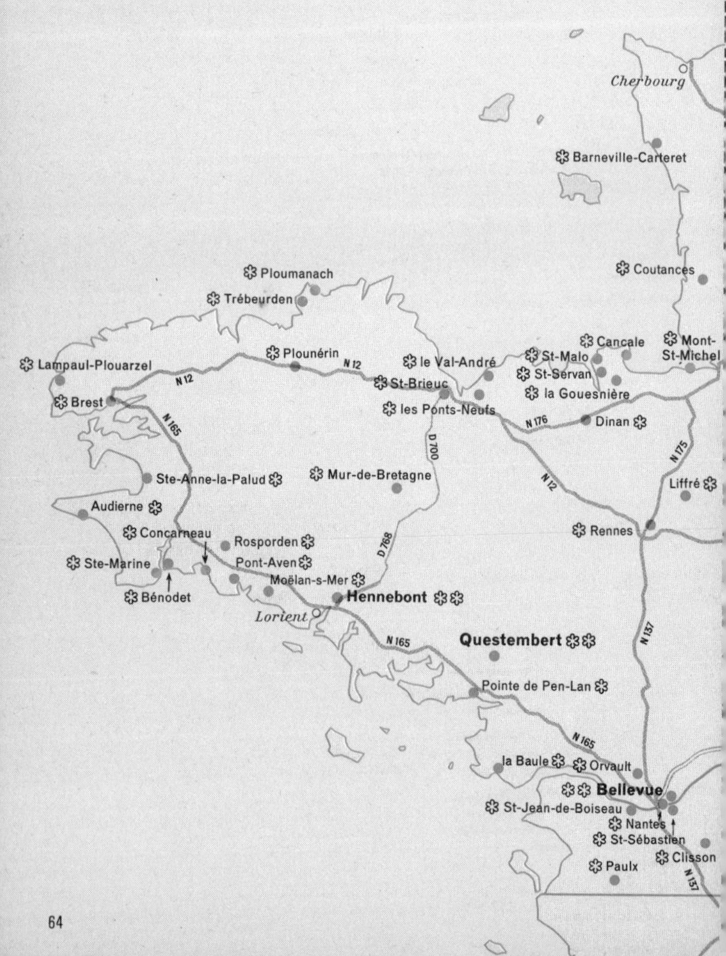

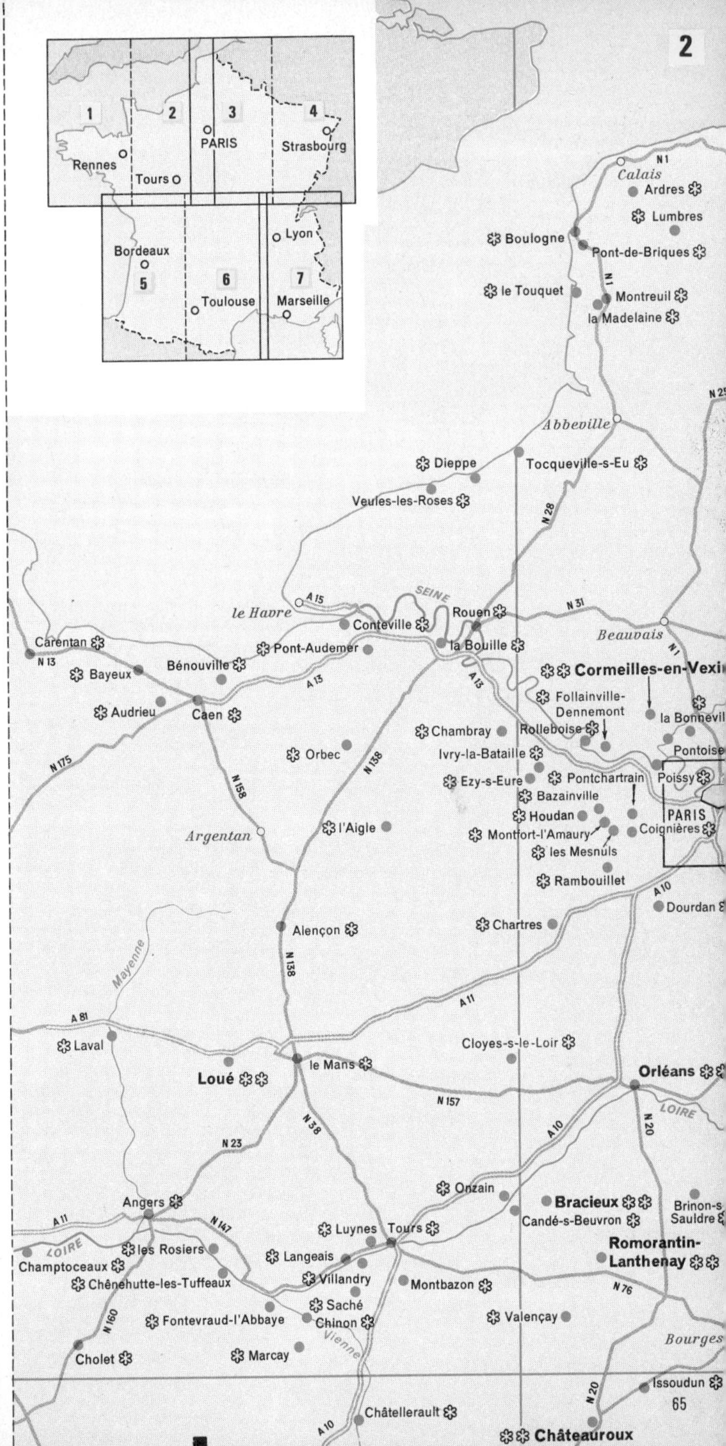

2
1
2
3
4
PARIS
Strasbourg
Rennes
Tours
Bordeaux
5
6
7
Lyon
Toulouse
Marseille
N 1
Calais
Ardres
Lumbres
Boulogne
Pont-de-Briques
N 1
le Touquet
Montreuil
la Madelaine
Abbeville
Dieppe
Tocqueville-s-Eu
Veules-les-Roses
N 28
SEINE
A 15
le Havre
Rouen
N 31
Conteville
Beauvais
Carentan
la Bouille
N 1
N 13
Pont-Audemer
Bénouville
Bayeux
A 13
A 13
Cormeilles-en-Vexi
Audrieu
Caen
Follainville-
Dennemont
la Bonnevil
Chambray
Rolleboise
N 175
Orbec
Pontoise
Ivry-la-Bataille
N 138
Ezy-s-Eure
Pontchartrain
Poissy
N 158
Bazainville
PARIS
Houdan
Coignières
Argentan
l'Aigle
Montfort-l'Amaury
les Mesnuls
Rambouillet
A 10
Dourdan
Chartres
Alençon
Mayenne
N 138
A 11
A 81
Laval
Cloyes-s-le-Loir
le Mans
Loué
Orléans
N 157
LOIRE
N 38
A 10
N 20
N 23
Onzain
Bracieux
Brinon-s-
Sauldre
Angers
Candé-s-Beuvron
A 11
N 147
Luynes
Tours
LOIRE
les Rosiers
Romorantin-
Lanthenay
Champtoceaux
Langeais
Villandry
Chênehutte-les-Tuffeaux
Montbazon
N 76
Saché
Fontevraud-l'Abbaye
Chinon
Valençay
N 160
Vienne
Bourges
Cholet
Marcay
Issoudun
N 20
Châtellerault
A 10
Châteauroux

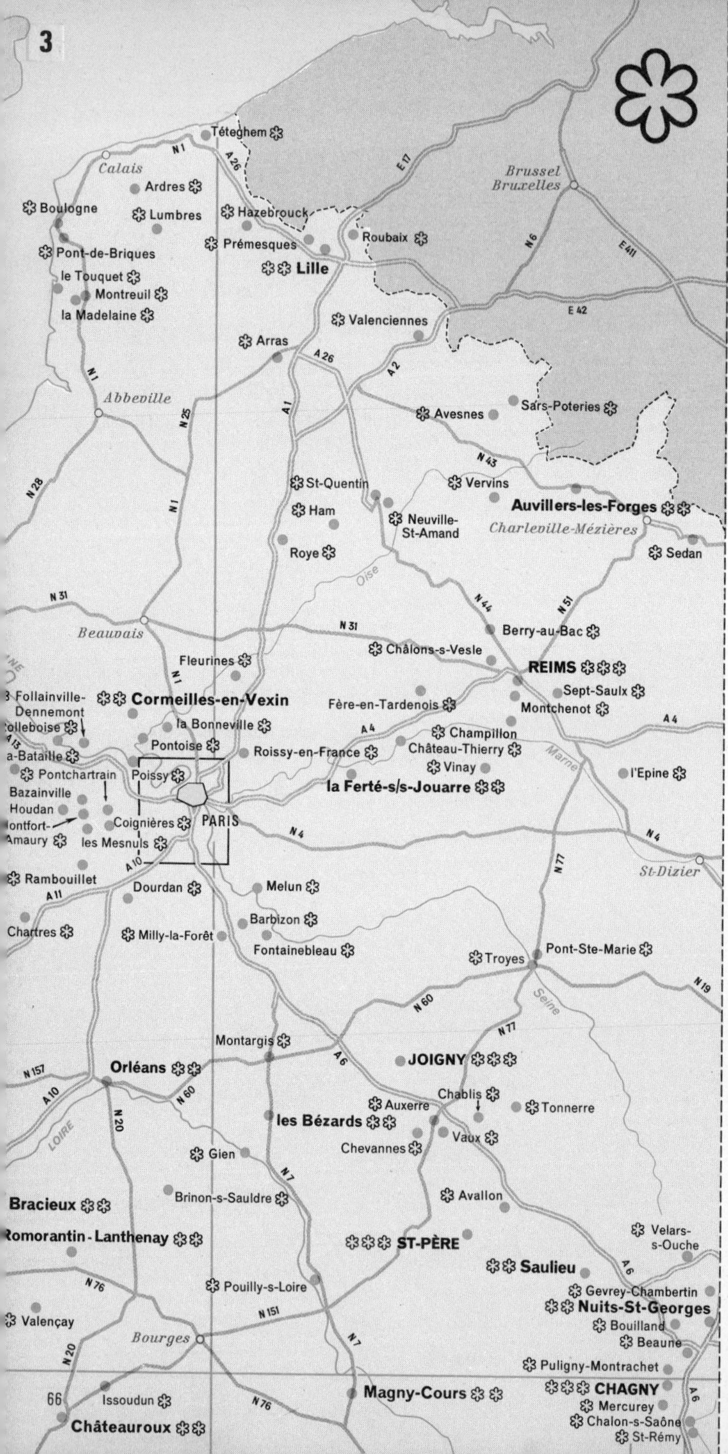

3
Téteghem
Calais
Ardres
Boulogne
Lumbres
Hazebrouck
Roubaix
Brussel
Bruxelles
Prémesques
Pont-de-Briques
Lille
le Touquet
Montreuil
la Madelaine
Valenciennes
Arras
Abbeville
Avesnes
Sars-Poteries
St-Quentin
Vervins
Ham
Neuville-St-Amand
Auvillers-les-Forges
Charleville-Mézières
Roye
Sedan
Oise
Beauvais
Berry-au-Bac
Châlons-s-Vesle
Fleurines
REIMS
Follainville-Dennemont
Cormeilles-en-Vexin
Sept-Saulx
Fère-en-Tardenois
Montchenot
Rolleboise
la Bonneville
Champillon
Pontoise
la-Bataille
Roissy-en-France
Château-Thierry
Marne
Pontchartrain
Poissy
Vinay
l'Epine
la Ferté-s/s-Jouarre
Bazainville
Houdan
Montfort-Amaury
Coignières
PARIS
les Mesnuls
St-Dizier
Rambouillet
Dourdan
Melun
Barbizon
Chartres
Milly-la-Forêt
Fontainebleau
Pont-Ste-Marie
Troyes
Seine
Montargis
JOIGNY
Orléans
Chablis
Auxerre
Tonnerre
les Bézards
Vaux
Chevannes
LOIRE
Gien
Avallon
Brinon-s-Sauldre
Bracieux
Velars-s-Ouche
Romorantin-Lanthenay
ST-PÈRE
Saulieu
Gevrey-Chambertin
Pouilly-s-Loire
Nuits-St-Georges
Valençay
Bouilland
Bourges
Beaune
Puligny-Montrachet
CHAGNY
Magny-Cours
Issoudun
Mercurey
Châteauroux
Chalon-s-Saône
St-Rémy
N 1
A 26
E 17
N 6
E 411
E 42
A 2
A 1
N 25
N 28
N 43
N 31
N 44
N 51
A 4
A 13
N 4
N 77
A 10
A 11
N 60
N 19
A 6
N 157
N 20
N 7
N 76
N 151
66

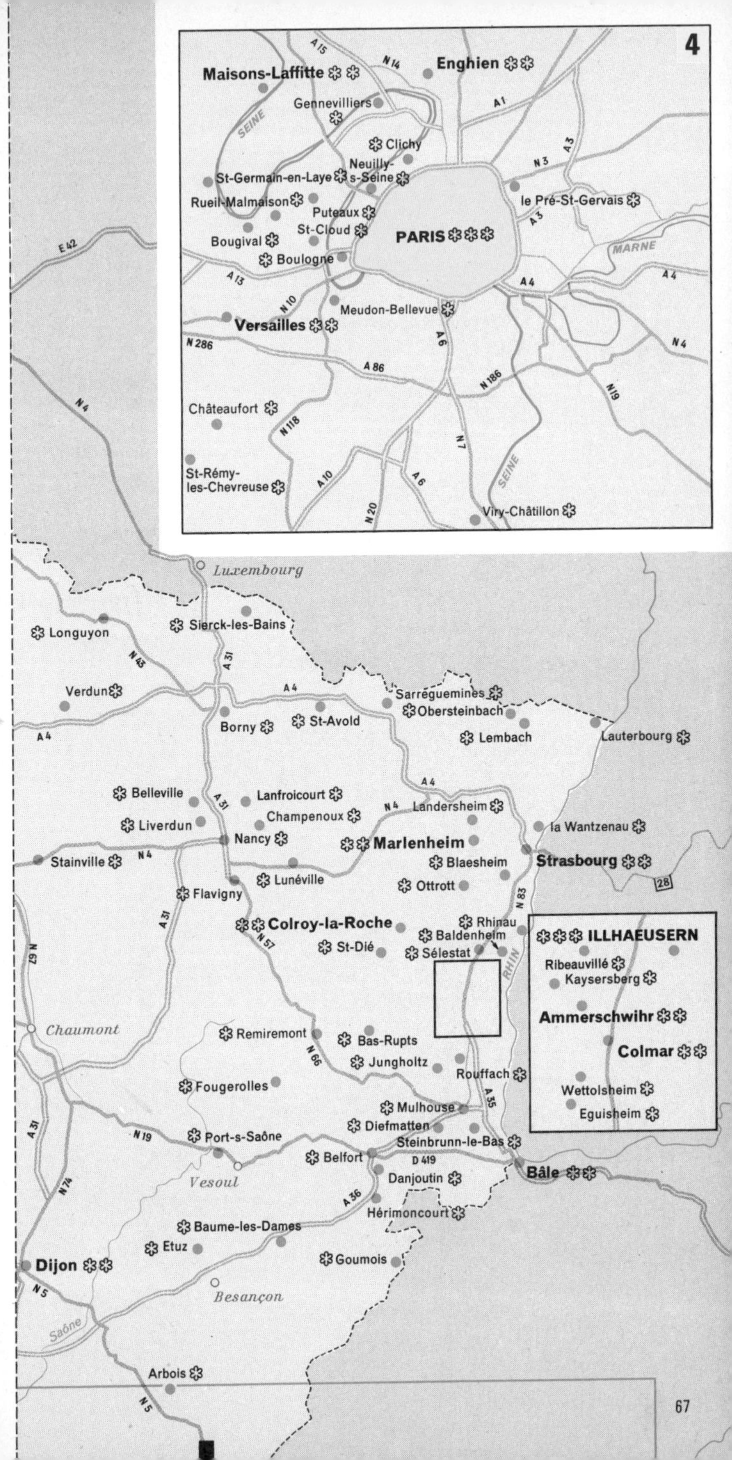

4
Maisons-Laffitte
Enghien
Gennevilliers
Clichy
Neuilly-s-Seine
St-Germain-en-Laye
Rueil-Malmaison
Puteaux
le Pré-St-Gervais
St-Cloud
PARIS
Bougival
Boulogne
MARNE
SEINE
Meudon-Bellevue
Versailles
Châteaufort
St-Rémy-les-Chevreuse
Viry-Châtillon
Luxembourg
Longuyon
Sierck-les-Bains
Verdun
Sarreguemines
Obersteinbach
Borny
St-Avold
Lembach
Lauterbourg
Belleville
Lanfroicourt
Landersheim
Liverdun
Champenoux
la Wantzenau
Nancy
Marlenheim
Stainville
Blaesheim
Strasbourg
Lunéville
Ottrott
Flavigny
Rhinau
Colroy-la-Roche
Baldenheim
ILLHAEUSERN
St-Dié
Sélestat
Ribeauvillé
Kaysersberg
Ammerschwihr
Colmar
Chaumont
Remiremont
Bas-Rupts
Jungholtz
Rouffach
Wettolsheim
Fougerolles
Eguisheim
Mulhouse
Diefmatten
Port-s-Saône
Steinbrunn-le-Bas
Belfort
Bâle
Danjoutin
Vesoul
Hérimoncourt
Baume-les-Dames
Etuz
Goumois
Dijon
Besançon
Saône
Arbois
RHIN

5

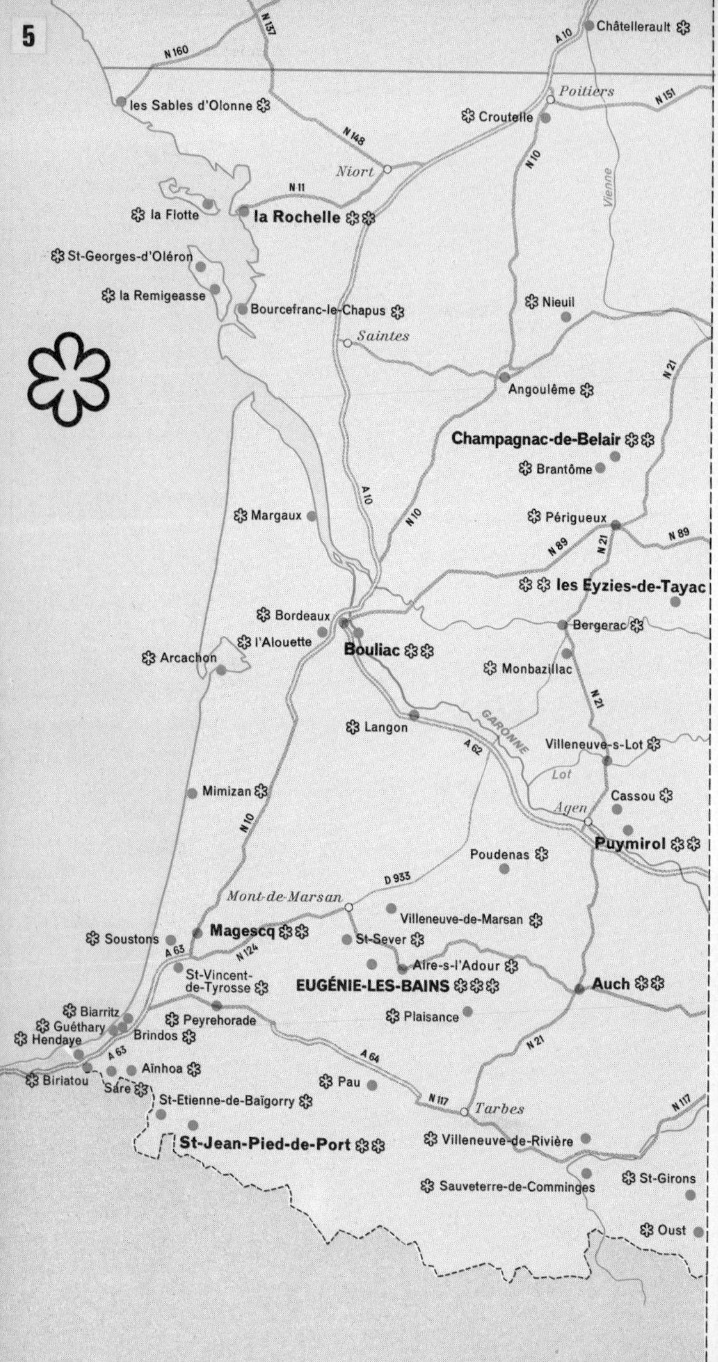

N 160
N 137
A 10
Châtellerault
Poitiers
N 151
les Sables d'Olonne
Croutelle
N 148
N 10
Niort
Vienne
N 11
la Flotte
la Rochelle
St-Georges-d'Oléron
la Remigeasse
Bourcefranc-le-Chapus
Nieuil
Saintes
N 21
Angoulême
Champagnac-de-Belair
Brantôme
A 10
N 10
Margaux
Périgueux
N 89
N 21
N 89
les Eyzies-de-Tayac
Bordeaux
Bergerac
l'Alouette
Bouliac
Arcachon
Monbazillac
N 21
GARONNE
Langon
A 62
Villeneuve-s-Lot
Lot
Mimizan
Cassou
Agen
N 10
Puymirol
Poudenas
D 933
Mont-de-Marsan
Villeneuve-de-Marsan
Soustons
Magescq
St-Sever
A 63
N 124
Aire-s-l'Adour
St-Vincent-de-Tyrosse
EUGÉNIE-LES-BAINS
Auch
Biarritz
Peyrehorade
Plaisance
Guéthary
Hendaye
Brindos
N 21
A 63
A 64
Aïnhoa
Biriatou
Pau
Sare
St-Etienne-de-Baïgorry
N 117
Tarbes
N 117
St-Jean-Pied-de-Port
Villeneuve-de-Rivière
Sauveterre-de-Comminges
St-Girons
Oust

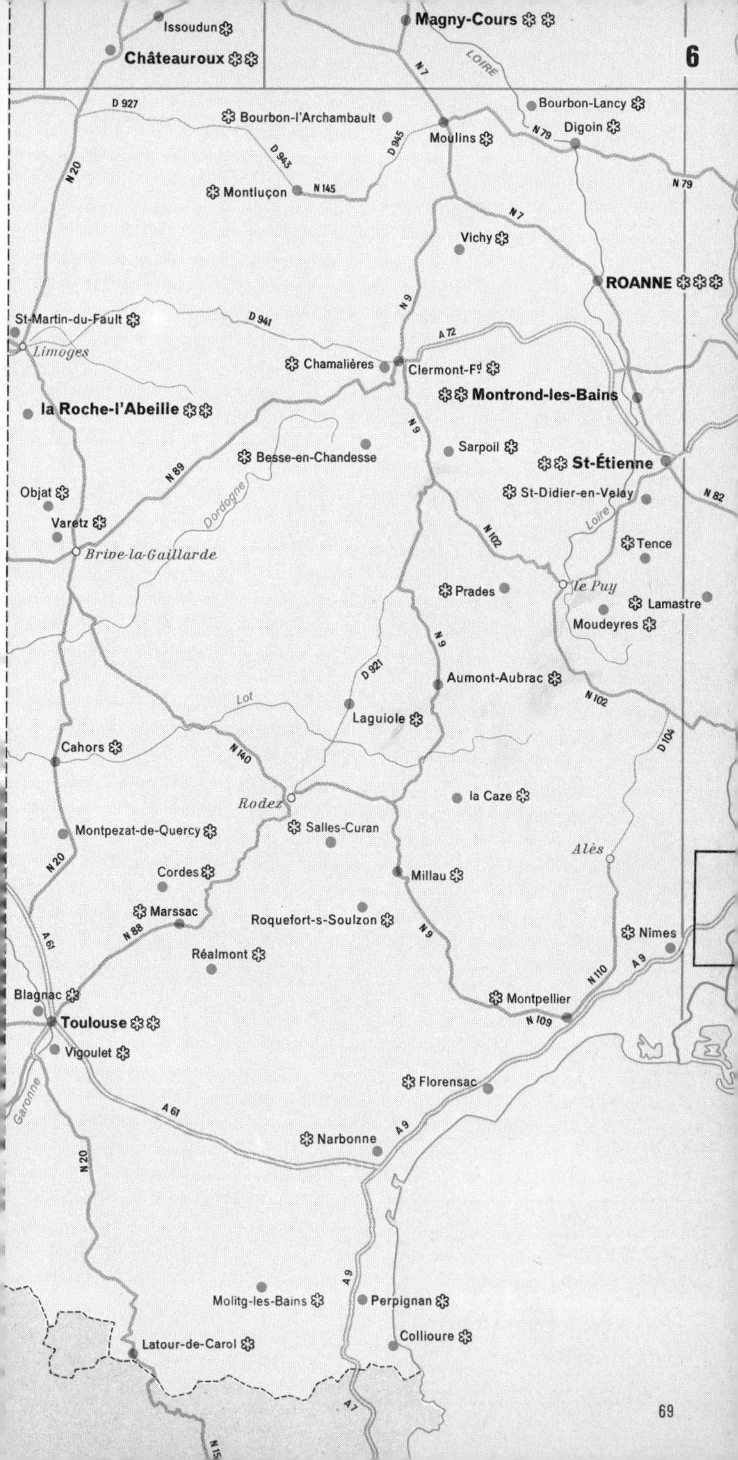
6
Issoudun
Châteauroux
Magny-Cours
LOIRE
N 7
Bourbon-Lancy
D 927
Bourbon-l'Archambault
Moulins
N 79
Digoin
N 20
D 943
D 945
Montluçon
N 145
N 79
N 7
Vichy
ROANNE
St-Martin-du-Fault
D 941
N 9
A 72
Limoges
Chamalières
Clermont-Fd
Montrond-les-Bains
la Roche-l'Abeille
N 9
Sarpoil
Besse-en-Chandesse
St-Étienne
N 89
Dordogne
St-Didier-en-Velay
N 82
Objat
Loire
Varetz
N 102
Tence
Brive-la-Gaillarde
le Puy
Prades
Lamastre
Moudeyres
N 9
D 921
Aumont-Aubrac
Lot
N 102
Laguiole
D 104
Cahors
N 140
Rodez
la Caze
Salles-Curan
Montpezat-de-Quercy
Alès
N 20
Cordes
Millau
Marssac
Roquefort-s-Soulzon
N 88
N 9
A 61
Nimes
Réalmont
A 9
N 110
Blagnac
Montpellier
Toulouse
N 109
Vigoulet
Florensac
Garonne
A 61
Narbonne
A 9
N 20
A 9
Molitg-les-Bains
Perpignan
Latour-de-Carol
Collioure
A 7
N 15

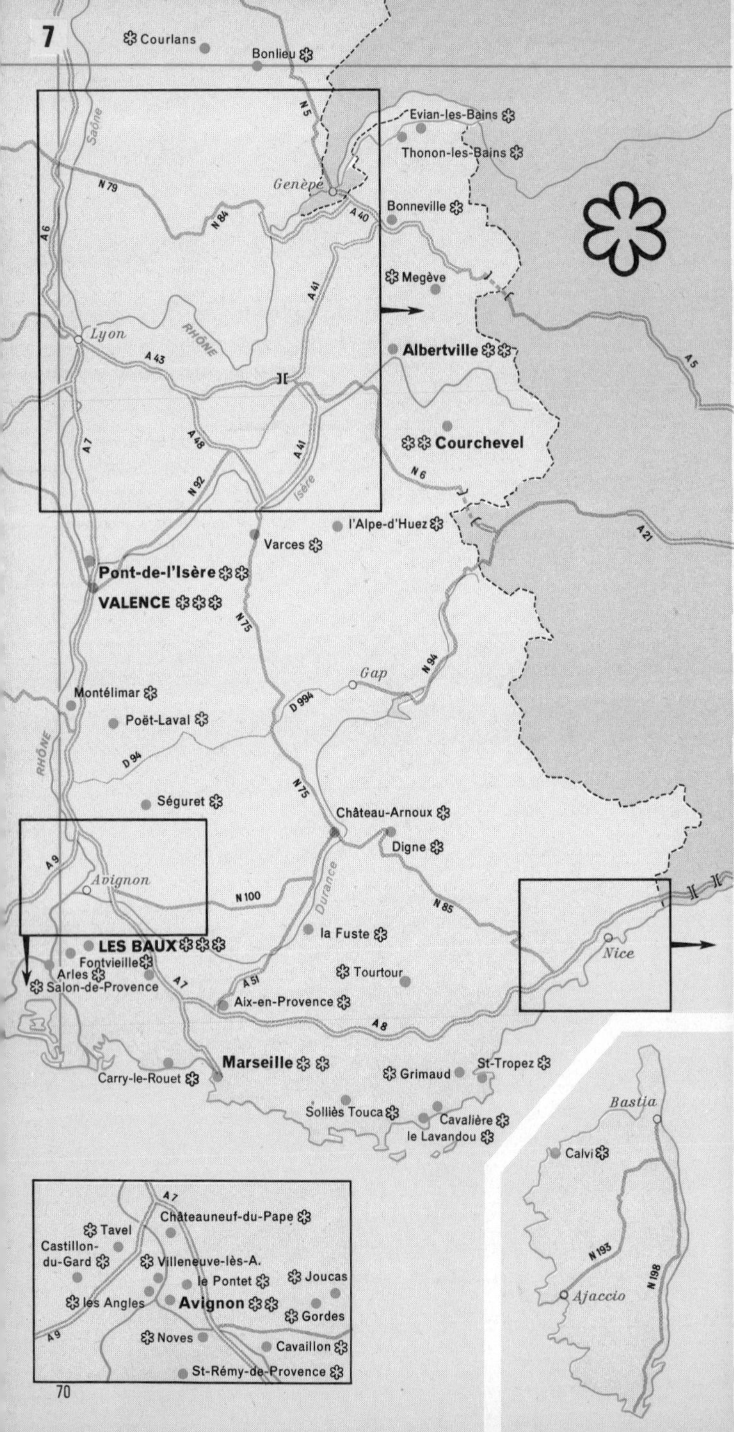
7
Courlans
Bonlieu
Saône
N 5
Evian-les-Bains
Thonon-les-Bains
Genève
N 79
N 84
A 40
Bonneville
A 6
Megève
A 41
Lyon
RHÔNE
Albertville
A 43
A 5
A 7
A 48
Courchevel
N 6
A 41
N 92
Isère
l'Alpe-d'Huez
A 21
Varces
Pont-de-l'Isère
VALENCE
N 75
N 94
Gap
D 994
Montélimar
Poët-Laval
RHÔNE
D 94
N 75
Séguret
Château-Arnoux
Digne
A 9
Avignon
N 100
Durance
N 85
la Fuste
Nice
LES BAUX
Fontvieille
Arles
Salon-de-Provence
A 7
A 51
Tourtour
Aix-en-Provence
A 8
Marseille
St-Tropez
Grimaud
Carry-le-Rouet
Sollliès Touca
Cavalière
le Lavandou
Bastia
Calvi
N 193
N 198
Ajaccio
A 7
Châteauneuf-du-Pape
Tavel
Castillon-du-Gard
Villeneuve-lès-A.
le Pontet
Joucas
les Angles
Avignon
Gordes
A 9
Noves
Cavaillon
St-Rémy-de-Provence

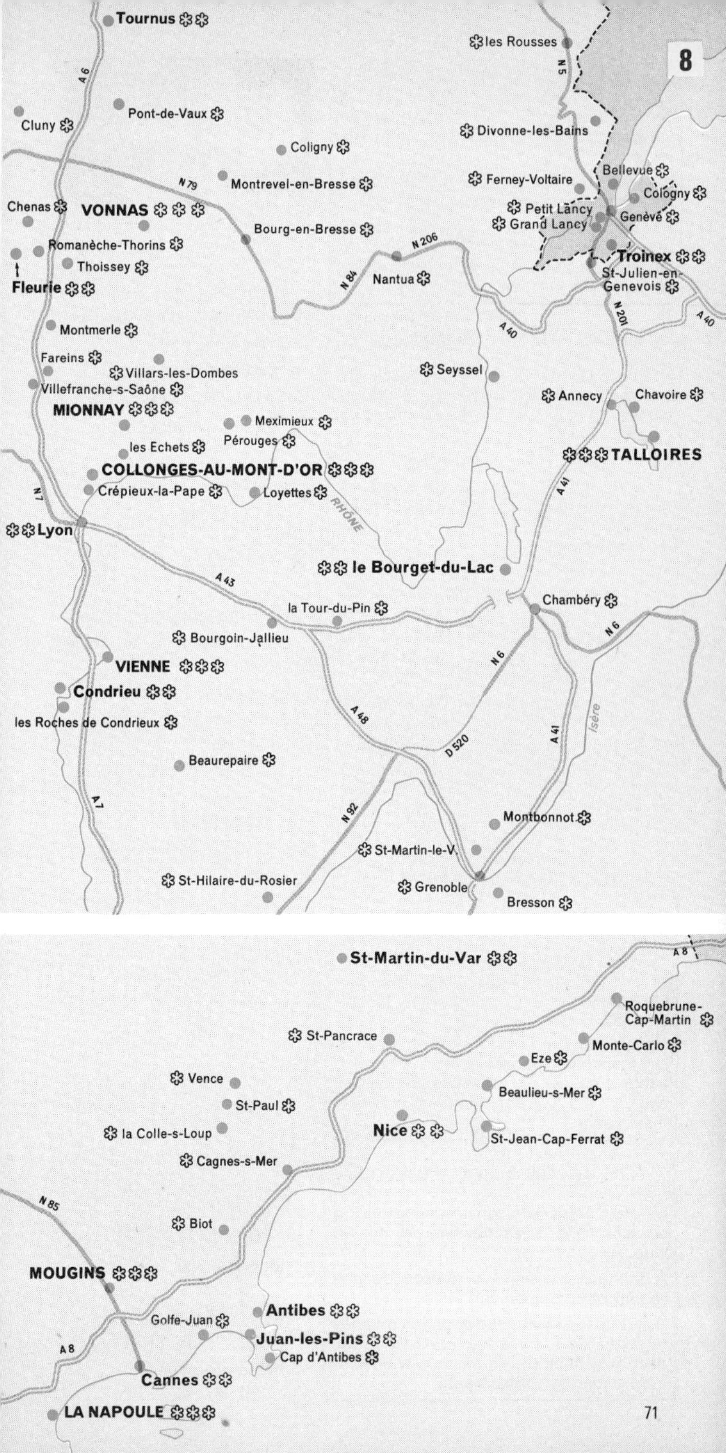
8
Tournus
A 6
Cluny
Pont-de-Vaux
Coligny
N 79
Montrevel-en-Bresse
Chenas
VONNAS
Bourg-en-Bresse
Romanèche-Thorins
Thoissey
Fleurie
N 84
N 206
Nantua
Montmerle
Fareins
Villars-les-Dombes
Villefranche-s-Saône
MIONNAY
Meximieux
Pérouges
les Echets
COLLONGES-AU-MONT-D'OR
Crépieux-la-Pape
Loyettes
RHÔNE
N 7
Lyon
les Rousses
N 5
Divonne-les-Bains
Ferney-Voltaire
Bellevue
Cologny
Petit Lancy
Grand Lancy
Genève
Troinex
St-Julien-en-Genevois
N 201
A 40
A 40
Seyssel
Annecy
Chavoire
TALLOIRES
A 41
le Bourget-du-Lac
A 43
la Tour-du-Pin
Chambéry
N 6
N 6
Bourgoin-Jallieu
VIENNE
Condrieu
les Roches de Condrieux
A 48
D 520
A 41
Isère
Beaurepaire
A 7
N 92
Montbonnot
St-Martin-le-V.
St-Hilaire-du-Rosier
Grenoble
Bresson
St-Martin-du-Var
A 8
Roquebrune-Cap-Martin
St-Pancrace
Monte-Carlo
Eze
Vence
Beaulieu-s-Mer
St-Paul
Nice
la Colle-s-Loup
St-Jean-Cap-Ferrat
Cagnes-s-Mer
N 85
Biot
MOUGINS
Antibes
Golfe-Juan
Juan-les-Pins
A 8
Cap d'Antibes
Cannes
LA NAPOULE

LES VINS et LES METS

Un mets préparé avec une sauce au vin s'accommode, si possible, du même vin.

Vins et fromages d'une même région s'associent souvent avec succès.

En dehors des grands crus, il existe en maintes régions de France des vins locaux qui, bus sur place, vous réserveront d'heureuses surprises.

FOOD and WINE

Dishes prepared with a wine sauce are best accompanied by the same kind of wine.

Wines and cheeses from the same region usually go very well together.

In addition to the fine wines there are many French wines, best drunk in their region of origin and which you will find extremely pleasant.

I VINI e le VIVANDE

Un piatto preparato con una salsa al vino si accorda, se possibile, con lo stesso vino.

Vini e formaggi di una stessa regione si associano molte volte con successo.

Al di fuori dei grandi vini, esistono in molte regioni francesi dei vini locali che, bevuti sul posto, Vi riserveranno piacevoli sorprese.

WELCHER WEIN ZU WELCHER SPEISE

Wenn die Sauce eines Gerichts mit Wein zubereitet ist, so wählt man nach Möglichkeit diesen als Tischwein.

Weine und Käse aus der gleichen Region harmonieren oft geschmacklich besonders gut.

Neben den Spitzengewächsen gibt es in manchen französischen Regionen Landweine, die Sie am Anbauort trinken sollten. Sie werden angenehm überrascht sein.

LOS VINOS Y LOS PLATOS

Un plato preparado con una salsa de vino se acompaña, si es posible, del mismo vino.

A menudo los vinos y quesos de una región se combinan con éxito.

Aparte de los vinos famosos, en muchas regiones de Francia hay unos vinos del país que, bebidos allí mismo, le pueden sorprender agradablemente.

- **Les meilleures années**
- **The best vintages**
- **Le migliori annate**
- **Die besten Jahrgänge**
- **Las mejores añadas**

1 Alsace

1981 82 83

2 Bordeaux

blancs
(white) (bianchi) (weiße) (blancos)
1970 71 75 78 79 81 82 83

rouges
(claret) (rossi) (rote) (tintos)
1961 66 67 74 75 76 78 79 81 82 83

3 Bourgogne

Burgundy - Burgunder

blancs
(white) (bianchi) (weiße) (blancos)
1978 79 81 82 83

rouges
(red) (rossi) (rote) (tintos)
1971 76 78 79 80 81 82 83

4 Champagne

1975 76 79 81

5 Côtes du Rhône

1976 78 79 81 82 83

6 Vins de la Loire

Muscadet
1984 85

Anjou - Touraine
1976 78 79 81 82 83

Pouilly - Sancerre
1982 83 85

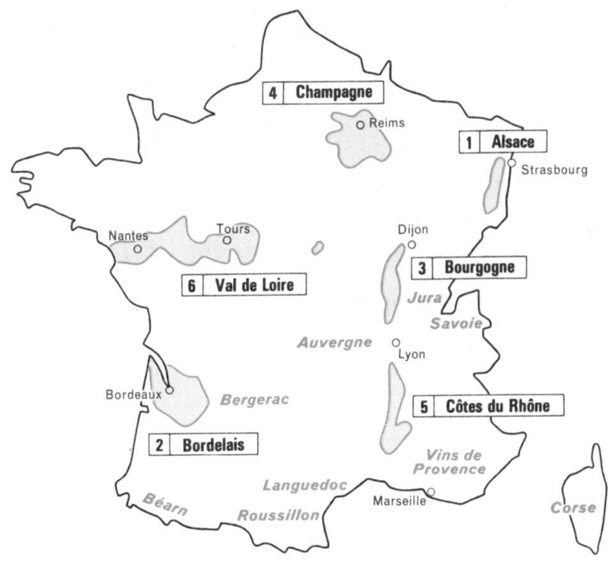

- *Quelques suggestions de vins selon les mets...*
- *A few hints on selecting the right wine with the right dish...*
- *Qualche suggerimento sul consumo dei vini...*
- *Einige Vorschläge zur Wahl der Weine...*
- *Algunas sugerencias de vinos según los distintos platos...*

Vins blancs secs Dry white wines Vini bianchi secchi Herber Weißwein Vinos blancos secos	
1	Sylvaner, Riesling, Pinot
2	Graves secs
3	Chablis, Meursault, Pouilly-Fuissé, Viré
4	Brut ou sec
5	St-Péray, Hermitage, Provence
6	Muscadet, Pouilly-s-L, Sancerre, Vouvray sec

Vins rouges légers Light red wines Vini rossi leggeri Leichter Rotwein Vinos tintos suaves	
1	Pinot noir, Riesling (blanc)
2	Graves, Médoc
3	Côte de Beaune, Mercurey, Beaujolais...
4	Brut ou sec (blanc)
5	Tavel (rosé), Côtes de Provence
6	Bourgueil, Chinon

Vins rouges corsés Full bodied red wines Vini rossi robusti Kräftiger Rotwein Vinos tintos con cuerpo	
1	Gewurztraminer (blanc pour fromages)
2	Pomerol, St-Émilion
3	Chambertin, Côte-de-Nuits, Pommard...
4	Brut (blanc)
5	Châteauneuf-du-Pape, Cornas, Côte-Rôtie
6	

Vins de dessert Sweet wines Vini da dessert Süßer Wein Vinos de postre	
1	Muscat, Gewurztraminer (vins secs)
2	Sauternes, Monbazillac
4	Demi-sec
5	Beaumes-de-Venise
6	Anjou
-	Rivesaltes

1

REPAS SOIGNÉS A PRIX MODÉRÉS

GOOD FOOD AT MODERATE PRICES

PASTI ACCURATI A PREZZI CONTENUTI

SORGFÄLTIG ZUBEREITETE PREISWERTE MAHLZEITEN

COMIDAS ESMERADAS A PRECIOS MODERADOS

R 70

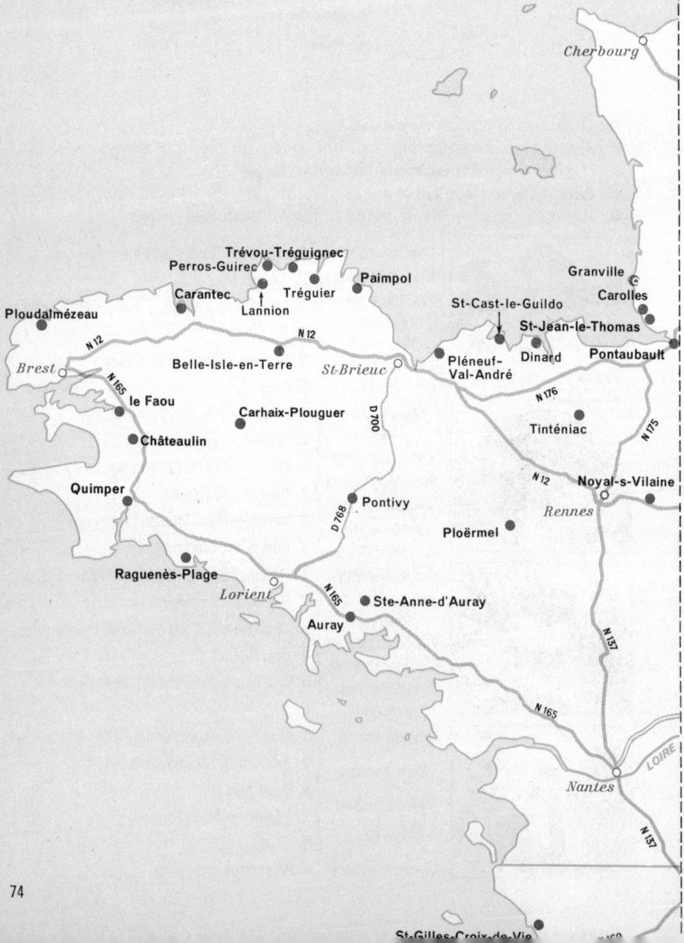

Cherbourg
Trévou-Tréguignec
Perros-Guirec
Paimpol
Granville
Carantec
Tréguier
Carolles
Lannion
St-Cast-le-Guildo
Ploudalmézeau
St-Jean-le-Thomas
N 12
N 12
Pontaubault
Dinard
Brest
Belle-Isle-en-Terre
St-Brieuc
Pléneuf-Val-André
N 165
N 176
le Faou
Carhaix-Plouguer
D 700
Tinténiac
N 175
Châteaulin
N 12
Noyal-s-Vilaine
Quimper
Pontivy
Rennes
D 768
Ploërmel
Raguenès-Plage
Lorient
N 165
Ste-Anne-d'Auray
Auray
N 137
N 165
LOIRE
Nantes
N 137
St-Gilles-Croix-de-Vie

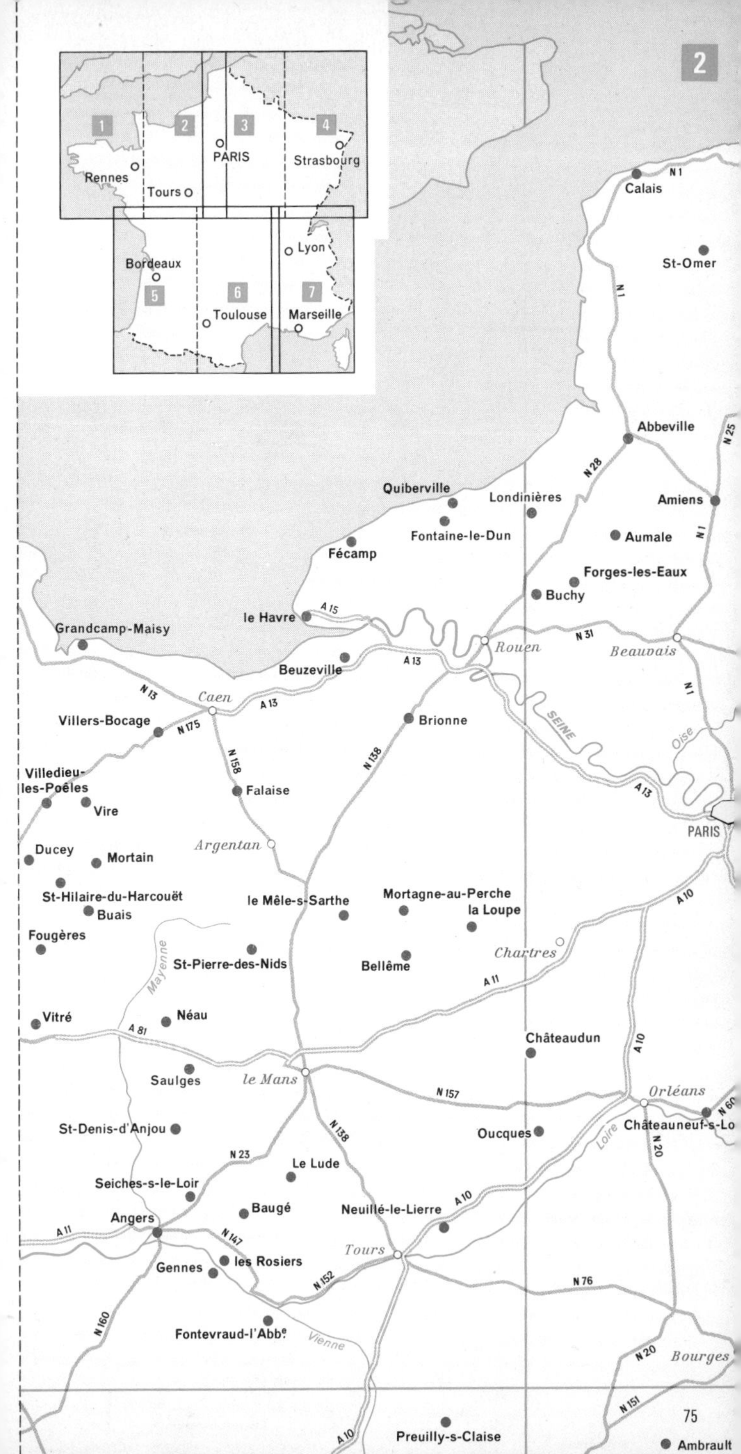

2
1
2
3
4
5
6
7
PARIS
Strasbourg
Rennes
Tours
Bordeaux
Lyon
Toulouse
Marseille
Calais
St-Omer
Abbeville
Amiens
Quiberville
Londinières
Fontaine-le-Dun
Aumale
Fécamp
Forges-les-Eaux
Buchy
le Havre
Grandcamp-Maisy
Rouen
Beauvais
Beuzeville
Caen
Villers-Bocage
Brionne
SEINE
Oise
Villedieu-les-Poêles
Vire
Falaise
Argentan
Ducey
Mortain
St-Hilaire-du-Harcouët
Buais
le Mêle-s-Sarthe
Mortagne-au-Perche
la Loupe
Fougères
Chartres
St-Pierre-des-Nids
Bellême
Mayenne
Vitré
Néau
Châteaudun
Saulges
le Mans
Orléans
Châteauneuf-s-Lo
St-Denis-d'Anjou
Oucques
Loire
Le Lude
Seiches-s-le-Loir
Baugé
Neuillé-le-Lierre
Angers
Tours
Gennes
les Rosiers
Fontevraud-l'Abb^e
Vienne
Bourges
Preuilly-s-Claise
Ambrault
N 1
N 25
N 28
N 31
N 13
N 175
N 158
N 138
N 60
N 157
N 20
N 23
N 147
N 152
N 76
N 160
N 151
A 15
A 13
A 11
A 81
A 10

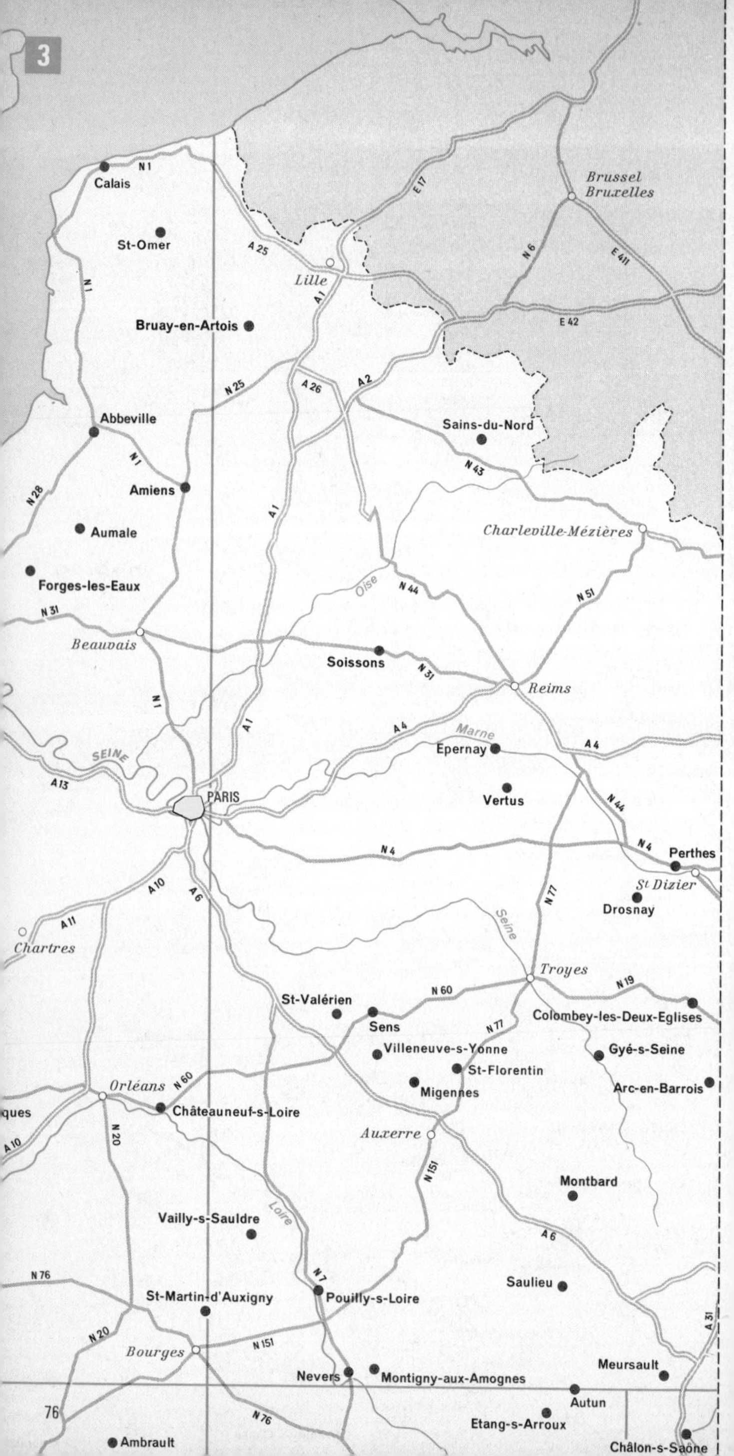
3
Calais
N 1
St-Omer
Brussel
Bruxelles
Lille
A 25
E 17
N 6
E 411
Bruay-en-Artois
E 42
N 25
A 26
A 2
A 1
Abbeville
Sains-du-Nord
N 43
Amiens
N 28
Aumale
Charleville-Mézières
Forges-les-Eaux
Oise
N 44
N 51
N 31
Beauvais
Soissons
Reims
SEINE
A 13
A 4
Marne
Epernay
PARIS
Vertus
N 4
Perthes
St Dizier
Drosnay
A 10
A 6
N 77
A 11
Chartres
Seine
Troyes
N 60
N 19
St-Valérien
Sens
Colombey-les-Deux-Eglises
Villeneuve-s-Yonne
Gyé-s-Seine
St-Florentin
Migennes
Arc-en-Barrois
Orléans
Châteauneuf-s-Loire
ques
Auxerre
N 20
N 151
Montbard
Vailly-s-Sauldre
Loire
N 76
N 7
Saulieu
St-Martin-d'Auxigny
Pouilly-s-Loire
A 31
Bourges
Meursault
Nevers
Montigny-aux-Amognes
Autun
76
Etang-s-Arroux
Ambrault
Châlon-s-Saône

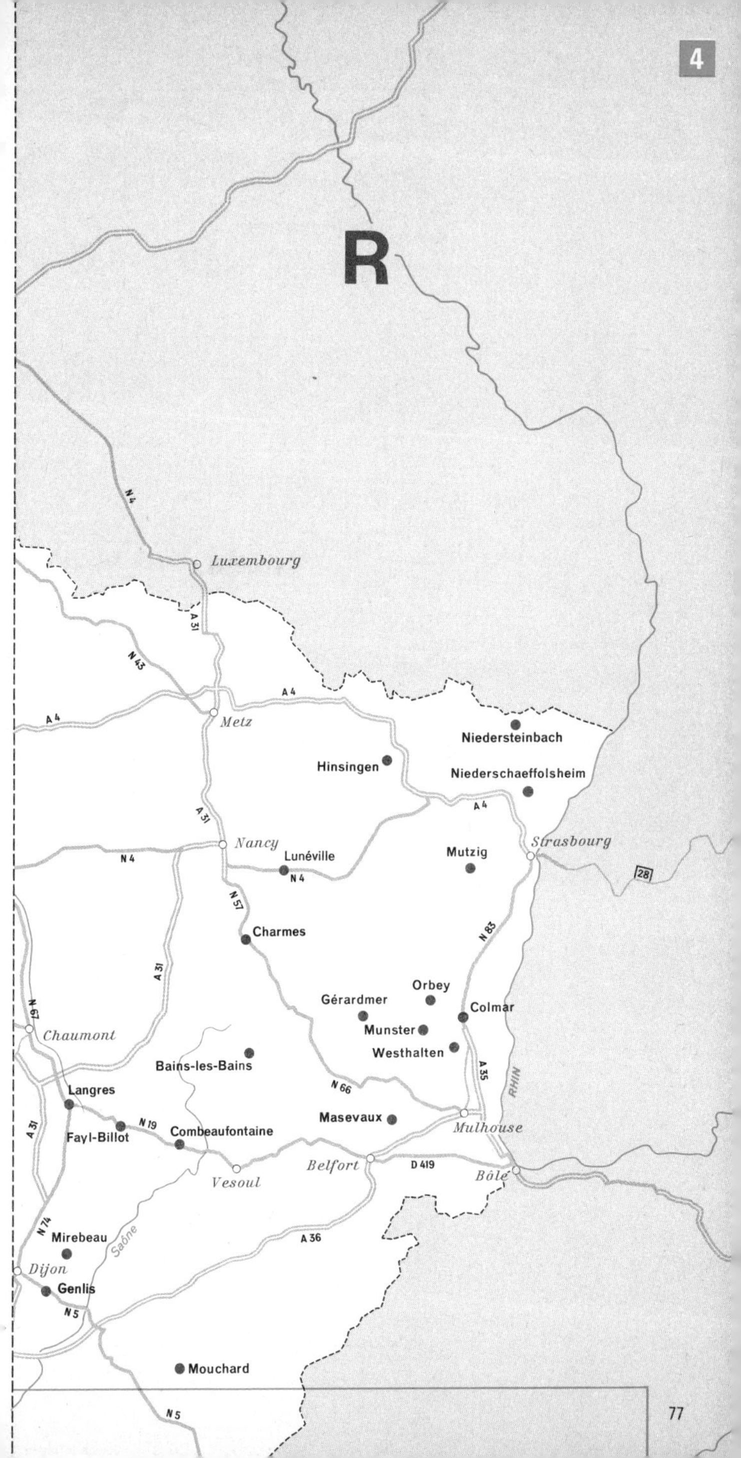
R
Luxembourg
A 31
N 43
N 4
A 4
Metz
Niedersteinbach
Hinsingen
Niederschaeffolsheim
Nancy
Lunéville
Strasbourg
Mutzig
28
N 57
Charmes
N 83
A 31
Orbey
Gérardmer
Colmar
Munster
Westhalten
N 67
Chaumont
Bains-les-Bains
A 35
RHIN
N 66
Langres
Masevaux
Mulhouse
N 19
Fayl-Billot
Combeaufontaine
Belfort
D 419
Bôle
Vesoul
N 74
Mirebeau
Saône
A 36
Dijon
Genlis
N 5
Mouchard

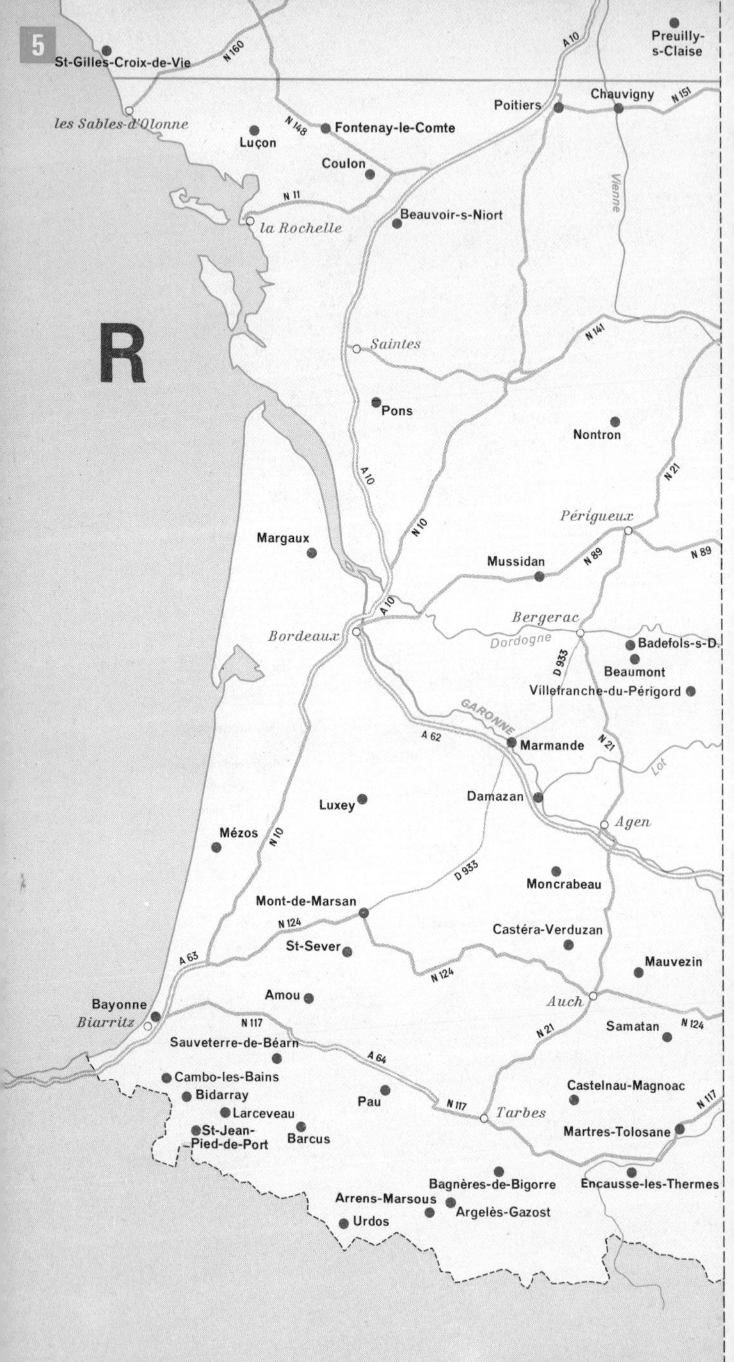

5
R
St-Gilles-Croix-de-Vie
N 160
A 10
Preuilly-s-Claise
les Sables-d'Olonne
Luçon
N 148
Fontenay-le-Comte
Poitiers
Chauvigny
N 151
Coulon
N 11
la Rochelle
Beauvoir-s-Niort
Vienne
Saintes
N 141
Pons
Nontron
A 10
N 10
N 21
Périgueux
Margaux
Mussidan
N 89
N 89
A 10
Bordeaux
Bergerac
Dordogne
D 933
Badefols-s-D.
Beaumont
Villefranche-du-Périgord
GARONNE
A 62
Marmande
N 21
Lot
Luxey
Damazan
Agen
Mézos
N 10
D 933
Moncrabeau
Mont-de-Marsan
N 124
Castéra-Verduzan
St-Sever
A 63
N 124
Mauvezin
Amou
Auch
Bayonne
Biarritz
N 117
N 21
Samatan
N 124
Sauveterre-de-Béarn
A 64
Cambo-les-Bains
Castelnau-Magnoac
Bidarray
Pau
N 117
Tarbes
N 117
Larceveau
St-Jean-Pied-de-Port
Barcus
Martres-Tolosane
Bagnères-de-Bigorre
Encausse-les-Thermes
Arrens-Marsous
Argelès-Gazost
Urdos

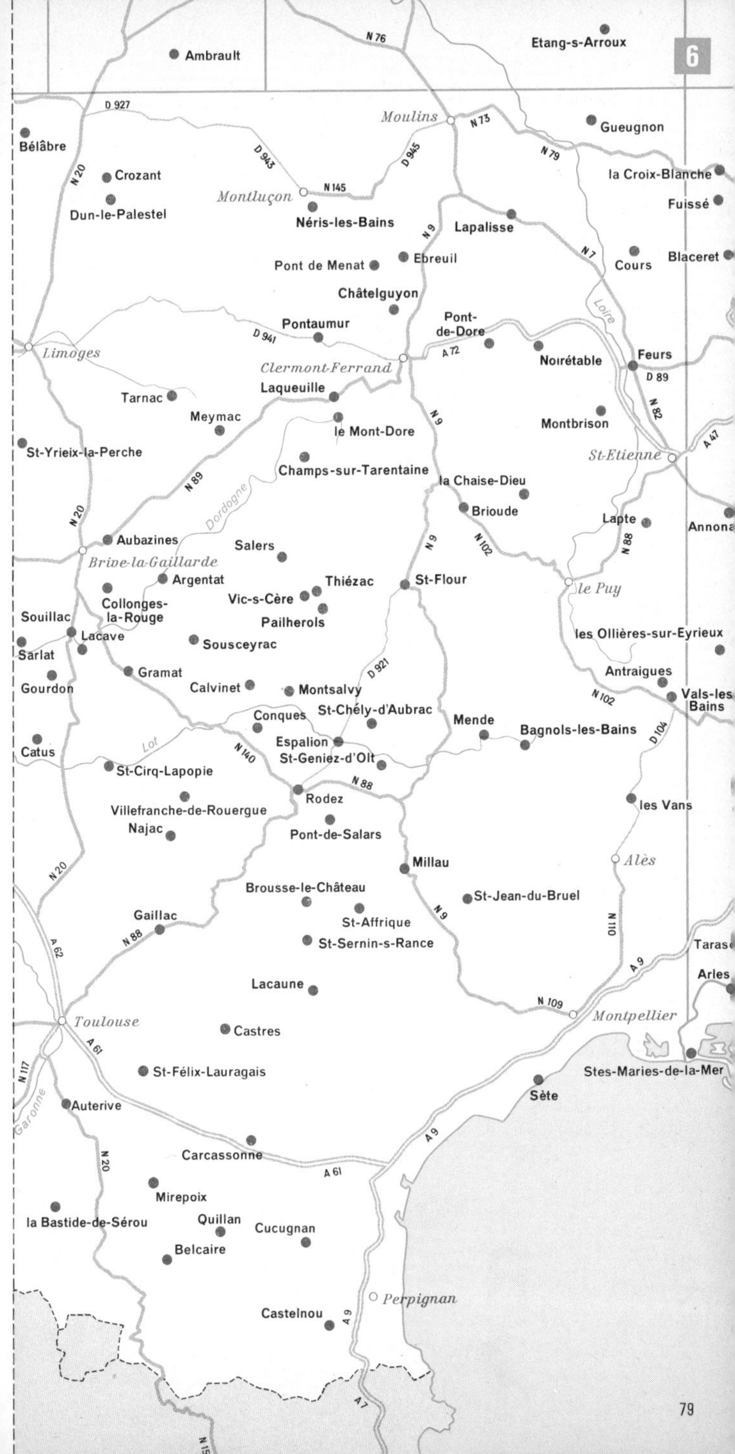
6
Ambrault
Etang-s-Arroux
N 76
D 927
Moulins
N 73
Gueugnon
Bélâbre
D 943
D 945
N 79
N 20
Crozant
la Croix-Blanche
Montluçon
N 145
Fuissé
Dun-le-Palestel
Néris-les-Bains
Lapalisse
N 9
Pont de Menat
Ebreuil
N 7
Cours
Blaceret
Châtelguyon
Loire
Pontaumur
Pont-
de-Dore
D 941
Limoges
A 72
Noirétable
Feurs
Clermont-Ferrand
D 89
Tarnac
Laqueuille
N 82
Meymac
le Mont-Dore
N 9
Montbrison
St-Yrieix-la-Perche
A 47
St-Etienne
Champs-sur-Tarentaine
la Chaise-Dieu
N 89
Dordogne
Brioude
N 20
Lapte
N 88
Aubazines
Salers
N 9
N 102
Brive-la-Gaillarde
Argentat
Thiézac
St-Flour
le Puy
Collonges-
la-Rouge
Vic-s-Cère
Souillac
Pailherols
Lacave
les Ollières-sur-Eyrieux
Sousceyrac
Sarlat
Gramat
D 921
Antraigues
Gourdon
Calvinet
Montsalvy
N 102
Vals-les
Bains
Conques
St-Chély-d'Aubrac
Mende
Espalion
Bagnols-les-Bains
Catus
Lot
N 140
D 104
St-Geniez-d'Olt
St-Cirq-Lapopie
N 88
Rodez
les Vans
Villefranche-de-Rouergue
Pont-de-Salars
Najac
Millau
Alès
N 20
Brousse-le-Château
St-Jean-du-Bruel
N 9
St-Affrique
N 110
Gaillac
N 88
St-Sernin-s-Rance
A 62
A 9
Lacaune
Arles
N 109
Toulouse
Montpellier
Castres
A 61
St-Félix-Lauragais
N 117
Stes-Maries-de-la-Mer
Sète
Auterive
Garonne
A 9
N 20
Carcassonne
A 61
Mirepoix
la Bastide-de-Sérou
Quillan
Cucugnan
Belcaire
Perpignan
Castelnou
A 9
A 7
N 15

7
N 5
Châtillon
Pont-de-Poitte
Cuiseaux
Croix-
anche
Fleurville
Mâcon
Fuissé
N 79
LAC LÉMAN
Bons-en-Chablais
Rhône
Genève
N 84
aceret
Cluses
A 40
Chasselay
A 6
Lyon
A 41
Brédannaz
Faverges
RHÔNE
A 5
A 43
A 43
Chambéry
le Mottier
A 7
A 48
N 6
Courchevel
St-Marcellin
Allemond
nnonay
St-Vallier
Grenoble
A 21
Isère
St-Péray
Valence
N 94
les Ollières-sur-Eyrieux
Corps
Die
Crest
N 75
A 7
Valréas
D 994
Serres
RHÔNE
D 94
Buis-les-Baronnies
Digne
A 9
Avignon
N 85
Levens
Contes
A 10
N 100
N 96
Durance
St-Jeannet
A 8
Tarascon
Nice
Rognes
Arles
A 7
A 51
Montferrat
Aix-en-Provence
St-Antonin-du-Var
Stes-Maries-de-la-Mer
A 8
St-Raphaël
Marseille
Bastia
l'Ile Rousse
N 193
R
Ajaccio
N 198

LOCALITÉS
par ordre alphabétique

PLACES
in alphabetical order

LOCALITÀ
in ordine alfabetico

Alphabetisches

LOCALIDADES
por orden alfabético

ABBEVILLE 80100 Somme **52** ⑥⑦ **G. Flandres, Artois, Picardie – 25 998 h.**

Voir Château de Bagatelle* BZ – **Façade* de l'église St-Vulfran** AZ **E** – **Musée Boucher de Perthes *** BY **M.**

Env. St-Riquier : intérieur de l'église* 9 km par ② – Vallée de la Somme* par ⑤.**

Syndicat d'Initiative 26 pl. Libération ✆ 22 24 27 92 - A.C. 85 r. Saint-Gilles ✆ 22 24 30 69.

Paris 162 ④ – ♦Amiens 45 ③ – Arras 76 ② – Beauvais 87 ④ – Béthune 84 ② – Boulogne-sur-Mer 81 ① – Dieppe 64 ⑥ – ♦Le Havre 163 ⑤ – ♦Rouen 96 ⑤ – St-Omer 86 ①.

Plan page suivante

France, 19 pl. Pilori ✆ **22 24 00 42, Télex 150871** – wc wc – 35. AE ① E VISA. rest — BY **a**
SC : **R** *(fermé 15 déc. au 15 janv.)* 60 bc/130 – 19 – **77 ch** 107/206.

Ibis, par ③ : **2 km** ✆ **22 24 80 80, Télex 145045** – wc – 50. E VISA
SC : **R** carte environ 85 – 24 – **45 ch** 191/207.

Aub. de la Corne, 32 chaussée du Bois ✆ **22 24 06 34** – AE ① E VISA — BY **e**
fermé 15 au 30 juin, 1er au 15 mars, dim. soir et lundi – **SC : R** 75/200.

Au Châteaubriant, 1 pl. Hôtel de Ville ✆ **22 24 08 23** – E VISA — BYZ **z**
fermé 8 au 31 juil., dim. soir et lundi sauf fériés – **SC : R** 130 bc/51.

L'Escale en Picardie, 15 r. Teinturiers ✆ **22 24 21 51, poissons et coquillages** – AE ① E VISA. — AY **s**
fermé 3 sept. au 5 oct., vacances de fév., dim. soir, soirs de fêtes et lundi – **SC : R** 55/250.

Condé avec ch, **14 pl. Libération** ✆ **22 24 06 33** – ch — BZ **u**
fermé 17 août au 9 sept., 24 déc. au 3 janv. et dim. – **SC : R** 49/85 – 13,50 – **8 ch** 65/97.

à Épagnette par ④ : **3 km** – ✉ **80580** Pont-Rémy :

La Picardière, ✆ **22 24 15 28,** – . AE ① E VISA
fermé mardi soir et merc. – **SC : R** 134 bc/48 .

CITROEN S.N.G.R., 214 bd République ✆ 22 24 30 80 N
FORD Abbeville-Autom., 29 Chaussée Hocquet ✆ 22 24 08 54
PEUGEOT-TALBOT Les Gds Gar. de l'Avenir, 8 bd République ✆ 22 24 77 55
RENAULT Palais Autom., Zone Ind., rte Doullens par ② ✆ 22 24 29 80

V.A.G. S.A.D.R.A., 53 av. R.-Schuman, Zone Ind. ✆ 22 24 34 81

Abbeville Pneus, 214 bd de la République ✆ 22 24 20 42
Lagrange-Pneus, 76 rte Doullens ✆ 22 24 14 72

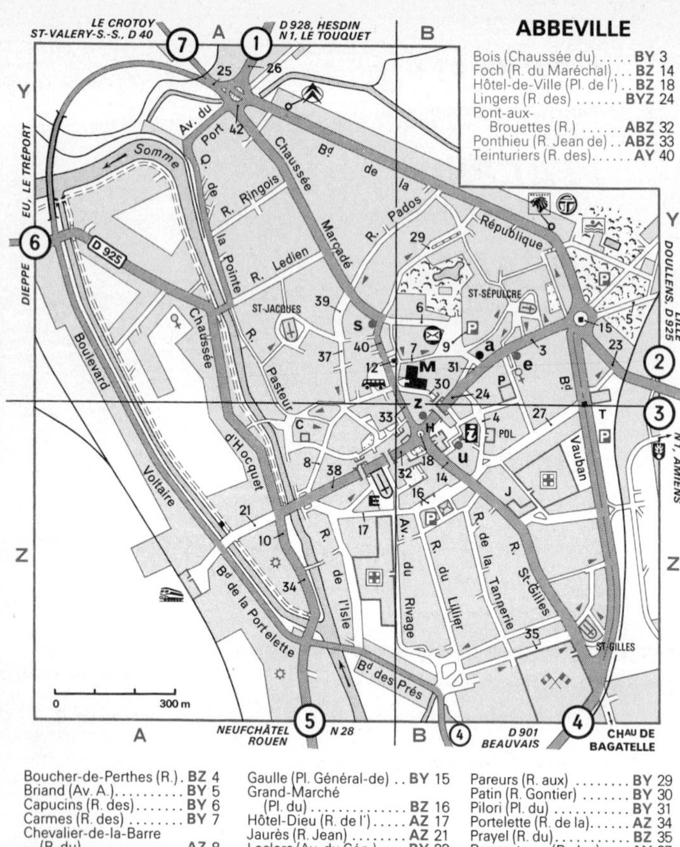

Boucher-de-Perthes (R.) . BZ 4
Briand (Av. A.) . . . . BY 5
Capucins (R. des) . . . . BY 6
Carmes (R. des) . . . . BY 7
Chevalier-de-la-Barre (R. du) . . . . AZ 8
Clemenceau (Pl.) . . . . BY 9
Cordeliers (R. des) . . . . . . AZ 10
Courbet (Pl. Amiral) . . . . . AY 12
Gaulle (Pl. Général-de) . . BY 15
Grand-Marché (Pl. du) . . . . BZ 16
Hôtel-Dieu (R. de l') . . . . . AZ 17
Jaurès (R. Jean) . . . . AZ 21
Leclerc (Av. du Gén.) . . . . BY 23
Menchecourt (R. de) . . . . AY 25
Mennesson (R. Jean) . . . AY 26
Millevoye (R.) . . . . BZ 27
Pareurs (R. aux) . . . . BY 29
Patin (R. Gontier) . . . . BY 30
Pilori (Pl. du) . . . . BY 31
Portelette (R. de la) . . . . . . AZ 34
Prayel (R. du) . . . . BZ 35
Rapporteurs (R. des) . . . . AY 37
St-Vulfran (R.) . . . . AZ 38
Sauvage (R. P.) . . . . AY 39
Verdun (Pl. de) . . . . AY 42

L'ABER-WRAC'H 29 Finistère 58 ④ **G. Bretagne** – alt. 53 – ✉ **29214** Lannilis.

Paris 605 – ♦Brest 28 – Landerneau 35 – Landivisiau 44 – Morlaix 68 – Quimper 96.

Baie des Anges sans rest, ✆ 98 04 90 04 – wc ☎ Ⓟ
SC : ☕ 20 – **17 ch** 140/250.

ABLIS **78660** Yvelines 60 ⑨, 196 ㊵ – 1 367 h. alt. 178.

Paris 63 – Chartres 31 – Étampes 30 – Mantes 64 – ♦Orléans 76 – Rambouillet 14 – Versailles 45.

✕ **Croix Blanche,** ✆ (1) 30 59 10 31 – AE ⓓ VISA
fermé 15 sept. au 2 oct., fév., mardi soir et merc. – SC : **R** 50/150.

à l'Ouest : 6 km par D 168 – ✉ **28700** Auneau :

Château d'Esclimont ⛰, ✆ 37 31 15 15, Télex 780560, ←, « parc, étang, forêt », 🎾 – 📺 ☎ Ⓟ – 50. VISA. rest
SC : **R** 210/390 – ☕ 50 – **48 ch** 490/1 000, 6 appartements – P 695/950.

ABONDANCE **74360** H.-Savoie 70 ⑱ **G. Alpes** – 1 240 h. alt. 930 – Sports d'hiver : 1 000/1 650 m 1 14 .

Voir Fresques★ du cloître.

Office de Tourisme à la Mairie ✆ 50 73 02 90.

Paris 582 – Annecy 102 – Évian-les-Bains 28 – Morzine 39 – Thonon-les-Bains 28.

Bel Air , à Richebourg NE : 3 km ℘ 50 73 01 71, ← – wc wc .
25 mai-15 sept. et 20 déc.-15 avril – SC : **R** *(fermé merc. hors sais.)* 70/100 – 20 – **23 ch** 110/150 – P 168/180.

Les Touristes, ℘ 50 73 02 15, – wc .
15 juin-15 sept. et 19 déc.-15 avril – SC : **R** 60/100 – 18 – **28 ch** 105/205 – P 170/240.

CITROEN Trincaz, à Richebourg ℘ 50 73 03 16 RENAULT Gar. des Alpes, ℘ 50 73 01 41

ABREST 03 Allier 73 ⑤ – rattaché à Vichy.

Les ABRETS 38490 Isère 74 ⑭ – 2 795 h. alt. 399.
Paris 499 – Aix-les-B. 41 – Belley 33 – Chambéry 35 – •Grenoble 49 – La Tour-du-Pin 12 – Voiron 22.

Host. Abrésienne, rte Grenoble ℘ 76 32 04 28 – . E VISA
fermé 29 sept. au 18 oct. et mardi – SC : **R** 46/110 – 15 – **22 ch** 64/110 – P 150/170.

Belle Étoile avec ch, ℘ 76 32 04 97 – wc . AE E VISA
fermé nov., dim. soir et lundi sauf juin à août – **R** 57/103 – 16 – **15 ch** 71/120 – P 167/191.

FORD Gar. Central, ℘ 76 32 04 31
OPEL, PEUGEOT-TALBOT Gar. Moderne, ℘ 76 32 04 13
PEUGEOT, TALBOT Bosse-Platière, ℘ 76 32 06 77

ACQUIGNY 27 Eure 55 ⑰ – rattaché à Louviers.

ADÉ 65 H.-Pyr. 85 ⑧ – rattaché à Lourdes.

Les ADRETS-DE-L'ESTÉREL 83 Var 84 ⑧, 195 ㉝ – 689 h. – ✉ **83600** Fréjus.
Env. Mt Vinaigre ✵★★★ S : 8 km puis 30 mn, G. Côte d'Azur.
Paris 886 – Cannes 28 – Draguignan 45 – Grasse 37 – Mandelieu 17 – St-Raphaël 21.

Le Logis des Manons avec ch, ℘ 94 40 90 95, ← – wc
hôtel: 1er juin-15 sept. ; rest.: fermé oct., 1er au 10 mars et le soir du 15 sept. au 1er juin – SC : **R** 105 – 20 – **6 ch** 126 – P 210.

AGAY 83 Var 84 ⑧, 195 ㉝㉞ **G. Côte d'Azur** – alt. 5 à 200 – ✉ **83700** St-Raphaël.
Office de Tourisme bd Mer N 98 (fermé matin hors sais.) ℘ 94 82 01 85.
Paris 883 – Cannes 31 – Draguignan 43 – •Nice 63 – St-Raphaël 9.

Sol e Mar M, **au Dramont SO : 2 km** ℘ **94 95 25 60,** ← **Ile d'Or et cap du Dramont,** –
fin mars-15 oct. – SC : **R** 95/150 – 25 – **47 ch** 300/400 – P 350/410.

France-Soleil sans rest, ℘ 94 82 01 93, ←, – wc . AE.
Pâques-oct. – SC : 19 – **18 ch** 248/330.

Beau Site, à Camp Long SO : 1 km par N 98 ℘ 94 82 00 45 – wc wc . E VISA. rest
fermé 15 janv. au 28 fév. – SC : **R** (dîner seul.) 85 – 20 – **24 ch** 150/250.

Aub. de la Rade, bd Bord de Mer ℘ 94 82 00 37, ←
1er avril-30 sept. – SC : **R** 64/102.

AGDE 34300 Hérault 83 ⑮⑯ **G. Causses** – 13 235 h.
Voir Ancienne cathédrale St-Étienne★ E.
Office de Tourisme r. Louis Bages ℘ 67 94 29 68.
Paris 809 ④ – Béziers 22 ③ – Lodève 60 ④ – Millau 121 ④ – •Montpellier 58 ④ – Sète 23 ②.

Plan page suivante

Bon Repos sans rest, 15 r. Rabelais **(e)** ℘ 67 94 16 26 – wc. E
SC : 18 – **15 ch** 70/180.

Aub. de la Grange avec ch, rte de la Tamarissière **(s)** ℘ 67 94 20 66 – . VISA
fermé janv. à mars et mardi sauf juil.-août – SC : **R** 78/135 – 25 – **9 ch** 120/125 – P 165/175.

à La Tamarissière SO : 4 km par D 32E – ✉ **34300** Agde :

La Tamarissière, ℘ 67 94 20 87, Télex 490225, , – TV wc . AE E VISA
15 mars-15 déc. et fermé dim. soir et lundi sauf du 15 juin au 15 sept. – SC : **R** 79/181 – 40 – **30 ch** 190/315 – P 275/350.

au Cap d'Agde SE : 5 km par D 32E – ✉ **34300** Agde :

Golfe et rest. Lassevaine M Ile des Loisirs ℘ 67 26 87 08, Télex 480709, , – ch TV – 200. AE VISA
1er avril-31 oct. – SC : **R** 140/220 – 31 – **50 ch** 220/440.

tourner →

AGDE

Gambetta (Pl.) 22
Montesquieu (R.) 33
Roger (R. Jean) 42

Bages (R. Louis) 2
Barris (R. des) 3
Berthelot (R.) 4
Blanchard (R.) 5
Calade (Quai de la) 8
Chapître (Quai du) 9
Chasselière (R. A.) 10
Claude-Bernard (R.) ... 15
Denfert-Rochereau (R.) 16
Égalité (R. de l') 17
Ferry (R. Jules) 18
Grand-Rue 23
J.-J. Rousseau (R.) 24
Marine (Pl. de la) 28
Marseillan (Av. de) 29
Mirabeau (R.) 30
Molière (R.) 32
Muratet (R. Honoré) ... 34
Poissonnerie (R. de la). 35
Portalet (R. du) 36
Renan (R. Ernest) 39
République (R. de la) .. 40
Richelieu (R.) 41
Terrisse (R. Claude) ... 45
Vias (Av. de) 46
Victor-Hugo (Av.) 47

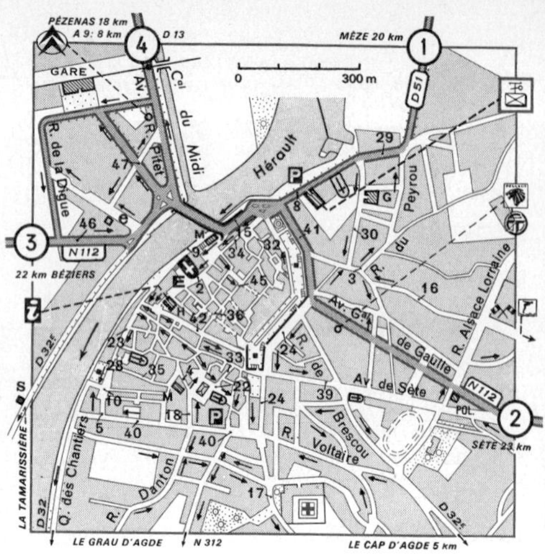

🏨 **Matago** Ⓜ, r. Trésor Royal ✆ 67 26 00 05, Télex 480979, ≤, 🍽, 🏊 – |‡| cuisinette 📺 🅿 – 🏛 50. AE ⓓ E. ✂ rest
15 avril-15 sept. – SC : **R** carte 130 à 195 – ☕ 28 – **90 ch** 245/355.

🏨 **St-Clair** Ⓜ, ✆ 67 26 36 44, Télex 480464, 🏊 – |‡| 📺 ☎ 🚗 🅿 – 🏛 30 à 100. E VISA
mars-oct. – **R** voir rest. **Les Trois Sergents** ci-après – ☕ 27 – **82 ch** 365/370 – P 399.

🏨 **Les Pins** Ⓜ 🐦 sans rest, Mont-St-Martin ✆ 67 26 00 11, Télex 480942, 🏊 – 📺 🛁wc ☎ ♿ 🅿 – 🏛 25. AE ⓓ
15 fév.-15 nov. – SC : ☕ 25 – **40 ch** 315/350.

🏨 **Gde Conque** 🐦 sans rest, ✆ 67 26 11 42, ≤ le large – |‡| 🛁wc 🚿wc ☎ 🅿. VISA
1er avril-31 oct. – SC : ☕ 22 – **30 ch** 180/280.

XXX **Les Trois Sergents,** ✆ 67 26 73 13, 🍽 – AE VISA
fermé déc.-janv., dim. soir et lundi d'oct. à juin – **R** 70/190.

XX **Le Boucanier,** Tour de la Vigie ✆ 67 26 23 76 – VISA
1er avril-30 sept. et fermé lundi sauf le soir en juil.-août – **R** 90/120.

CITROEN Auto-Agde, 9 rte Bessan ✆ 67 94 24 84
PEUGEOT-TALBOT Gar. Four, 12 av. Gén.-de-Gaulle ✆ 67 94 11 41
RENAULT Briffa, av. Béziers à Vias ✆ 67 94 00 75 N
Ⓜ Gautrand-Pneus, 10 r. du Mont-St-Loup ✆ 67 94 30 60

AGEN 🅿 **47000** L.-et-G. **79** ⑮ **G. Périgord** – 32 893 h. alt. 48 – **Voir Musée**** AYZ **M.**

⛳9 **Bon Encontre** ✆ **53 66 65 13 par** ③.

✈ **d'Agen-la Garenne** ✆ **53 96 21 77 par** ⑤ **: 3 km.**

🛈 Office de Tourisme 107 bd Carnot ✆ 53 47 36 09.

Paris 642 ⑤ – Albi 147 ⑤ – Auch 71 ④ – •Bayonne 209 ⑥ – •Bordeaux 140 ⑤ – Brive-la-Gaillarde 173 ① – Pau 157 ⑥ – Périgueux 136 ① – Tarbes 144 ④ – •Toulouse 116 ⑤.

Plan page ci-contre

🏨 **Résidence Jacobins** 🐦 sans rest, 1 ter pl. Jacobins ✆ 53 47 03 31, « Décorée avec recherche, meubles anciens » – 🛁wc 🚿wc ☎ ♿ 🅿 AZ **f**
SC : ☕ 25 – **15 ch** 150/330.

🏨 **Atlantic H.** Ⓜ sans rest, 133 av. J.-Jaurès par ③ ✆ 53 96 16 56 – |‡| 🛁wc 🚿wc ☎ 🚗 🅿. AE ⓓ E VISA
fermé août – SC : ☕ 21 – **30 ch** 105/200.

🏨 **Bordeaux,** 8 pl. Jasmin ✆ 53 47 25 66 – 🛁wc 🚿wc ☎. VISA. ✂ AY **u**
SC : **R** snack 61/129 🍷 – ☕ 17 – **23 ch** 111/212 – P 220/245.

🏨 **Régina** sans rest, 139 bd Carnot ✆ 53 47 07 97 – |‡| 🛁wc 🚿 ☎ 🚗. VISA BY **e**
fermé 20 déc. au 10 janv. – ☕ 18 – **32 ch** 70/190.

🏨 **Ibis** Ⓜ, 105 bd Carnot ✆ 53 47 31 23, Télex 541331 – |‡| 🛁wc ☎ – 🏛 50. E VISA
✦ SC : **R** *(fermé dim.)* 55 🍷 – ☕ 19,50 – **39 ch** 167/192. BZ **a**

🏨 **Quercy,** 10 r. Gde-Horloge ✆ 53 66 35 49 – 🛁 🚿wc ☎. VISA. ✂ ch AY **r**
✦ *fermé 4 au 28 août* – SC : **R** *(fermé dim.)* 55/104 🍷 – ☕ 18 – **12 ch** 95/160.

AGEN

Président-Carnot (Bd)... **BYZ**
République (Bd de la)... **ABY**

Barbusse (Av. H.)........ **BY** 2
Cornières (R.)........... **AY** 3
Desmoulins (R. C.)....... **BY** 4
Dolet (R. E.)............ **AZ** 5
Durand (Pl. J.-B.)....... **AY** 6

Esquirol (Pl.)........... **AZ** 7
Fallières (Pl. A.)....... **AZ** 8
Garonne (R.)............. **AY** 9
Héros-de-la-Résistance
(R. des)................. **BY** 10
Jacobins (⇒)............. **AZ**
Lattre de Tassigny
(R. Maréchal de)......... **AZ** 20
Leclerc
(Av. du Maréchal)........ **AZ** 21
Lomet (R.)............... **AZ** 22

Montesquieu (R.)......... **AYZ** 23
Rabelais (Pl.)........... **BY** 24
Richard-Cœur-de-Lion
(R.)..................... **AZ** 26
Sacré-Cœur (⇒)........... **BZ**
St-Caprais (⇒)........... **BY**
St-Hilaire (⇒)........... **AY**
Washington (Cours)....... **BZ** 28
9e-de Ligne (Cours du)... **AZ** 29
14-Juillet (Cours du).... **BY** 30
14-Juillet (Pl. du)...... **BY** 32

à Galimas par ① : 11 km – ✉ **47340** Laroque Timbaut :

La Sauvagère Ⓜ, ✆ 53 68 81 21, ⊼ – TV ⇔wc ⋒wc ☎ Ⓟ. AE ⓓ E VISA
fermé 20 déc. au 10 janv., dim. soir et lundi midi hors sais.,– **R** 70/150 – ⊐ 28 – **12 ch** 180/270 – P 310/330.

à Bon-Encontre par ③ : 5 km – ✉ **47240** Bon-Encontre :

Château St-Marcel ⑤, ✆ 53 96 61 30, ≤, parc, ⊼ – ☎ Ⓟ – ⚲ 30 à 40. AE ⓓ E VISA. ⚘ rest
SC : **R** 75/180 – ⊐ 25 – **11 ch** 200/290 – P 300/405.

Sxandra Ⓜ sans rest, N 113 ✆ 53 96 37 02, Télex 560800 – TV ⋒wc ☎ Ⓟ – ⚲ 30. VISA
SC : ⊐ 24 – **38 ch** 155/220.

Parc Ⓜ sans rest, r. République ✆ 53 96 17 75 – TV ⇔wc ⋒wc ☎ Ⓟ. VISA
fermé 26 oct. au 6 nov. – SC : ⊐ 18 – **10 ch** 116/180.

à Cassou par ③ et D 269 : 11 km – ✉ **47240** Bon Encontre :

XX ✿ **La Table de Cœur,** ✆ 53 96 10 73, ⊼ – Ⓟ. ⓓ
fermé dim. soir et lundi – SC : **R** (nombre de couverts limité, prévenir) 145/245
Spéc. Tagliatelles fraîches à la julienne de truffes, Tahitienne de saumon aux écrevisses (juil. à déc.), Tourte feuilletée de lapereau. **Vins** Côtes de Buzet, Côtes de Duras.

à Layrac par ④ et D 305 : 9 km – ✉ **47390** Layrac :

XX **La Terrasse** avec ch, ✆ **53 87 01 69**, ☂, ⛱ – ⫿. AE E VISA. ✳ ch
fermé 1er au 15 oct., dim. soir et lundi – SC : **R** 65/160 – ☕ 15 – **7 ch** 120 – P 165.

à l'Aéroport par ⑤ : 3 km – ✉ **47000** Agen :

XX **Aéroport,** ✆ 53 96 38 95, ≤ – ▤ Ⓟ. AE ⓓ E VISA
fermé août, dim. soir et sam. – SC : **R** 130/250.

par ⑦ rte de Marmande :

XX **Host. La Rigalette** ⛰ avec ch, 2 km sur D 302 ✉ 47000 Agen ✆ 53 47 37 44, ≤, ☂, « Parc fleuri » – ⛀wc ⫿ ☎ Ⓟ – 🔬 30. AE ⓓ VISA
fermé 18 au 31 déc., dim. soir d'oct. à avril et lundi – SC : **R** 110/180 – ☕ 18 – **7 ch** 100/150.

XX **La Corne d'Or** Ⓜ avec ch, 1,5 km N 113 ✉ 47450 Colayrac ✆ 53 47 02 76, ≤ – ▤ rest ⛀wc ☎ Ⓟ – 🔬 40. AE ⓓ VISA
fermé 15 juil. au 15 août, 22 au 28 déc., dim. soir et sam. – SC : **R** 90/200 ⅓ – ☕ 25 – **14 ch** 167/210.

Voir aussi à *Puymirol* par ③ : 16 km

MICHELIN, Agence régionale, 4 r. Denis Papin, Z.I. Jean Malèze à Bon Encontre par ③ ✆ 53 96 28 47

AUSTIN, JAGUAR, ROVER, TRIUMPH Tastets, 182 bd Liberté ✆ 53 47 10 63
FORD France-Auto, av. de Colmar ✆ 53 98 25 52
OPEL Palissy Garage, av. Colmar ✆ 53 98 17 77
PEUGEOT, TALBOT Palais de l'Automobile, rue Boillot par ② ✆ 53 47 12 21 N
RENAULT S.A.V.R.A., 84 av. J.-Jaurès par ③ ✆ 53 66 81 75
RENAULT SERVAUTO, 14 bd Liberté ✆ 53 96 87 90

Ⓜ Lacan, 95 av. Michelet ✆ 53 96 24 00

Périphérie et environs

BMW, Gar. Chollet, rte de Toulouse à Boé ✆ 53 96 29 55
CITROEN S.A.G.G., bd Ed.-Lacour prolongé, Boé par ④ ✆ 53 96 47 03 N
FIAT Pradat-Auto, bd Ed.-Lacour prolongé, Boé ✆ 53 96 43 78
MERCEDES-BENZ Gar. T.V.I. , rte Toulouse, Bon Encontre ✆ 53 96 22 25
V.A.G. SAGAUTO, N 21, Foulayronnes ✆ 53 95 82 00

Ⓜ Dalomis, N 113 à Las Pradines ✆ 53 96 39 83
Faure-Pneu, Zone Ind. J.-Malèze, Bon Encontre ✆ 53 96 08 63
Pneu-Service, Zone Ind. J.-Malèze, Bon Encontre ✆ 53 96 38 13
Solapneu, rte Layrac, Boé ✆ 53 96 46 43
Techni-Pneus Lafon N 113, Bon Encontre ✆ 53 98 28 18

AGOS 65 H.-Pyr. **85** ⑰⑱ – rattaché à Argelès-Gazost.

AGUESSAC 12520 Aveyron **80** ⑭ – 615 h. alt. 372.

Paris 622 – Florac 76 – Millau 7 – Rodez 66 – Sévérac-le-Château 25.

🏨 **Les Artys** ⛰, 2 km par D 907 ✆ 65 59 85 42, ≤, ☂, parc, ⛱ – ⛀wc ☎ Ⓟ. AE ⓓ VISA
15 avril-30 sept. – SC : **R** 68 ⅓ – ☕ 20 – **25 ch** 155/200 – P 215/235.

🏨 **Le Rascalat,** NO : 2 km N 9 ✆ 65 59 80 43, ☂, ⛱ – ⫿ Ⓟ. AE VISA
fermé 1er au 20 janv., sam. soir et dim. du 15 sept. au 15 juin – SC : **R** 57/100 ⅓ – ☕ 17 – **22 ch** 79/142 – P 170/202.

⌂ **Ballon Rond,** ✆ 65 59 80 18, ⛱ – Ⓟ
1er avril-30 sept. et fermé lundi du 1er avril au 1er juin – SC : **R** 58/100 ⅓ – ☕ 18 – **20 ch** 85/105 – P 180/190.

AHETZE 64 Pyr.-Atl. **78** ⑱ – rattaché à Bidart.

L'AIGLE 61300 Orne **60** ⑤ **G. Normandie** – 10 182 h. alt. 209.

ℹ Syndicat d'Initiative pl. F. de Beina (juil.-sept.) ✆ 33 24 12 40.

Paris 139 ③ – Alençon 59 ⑤ – Chartres 79 ③ – Dreux 58 ③ – Évreux 55 ② – Lisieux 56 ①.

Plan page ci-contre

🏨 ✿ **Dauphin** (Bernard), pl. Halle ✆ **33 24 43 12, Télex 170979,** « Belle décoration intérieure » – TV ☎ – 🔬 30 à 50. AE ⓓ E VISA B **a**
SC : **R** 98/207 – ☕ 27 – **24 ch** 177/340 – P 380/503
Spéc. Langouste au Porto, Filets de sole normande, Aiguillettes de canard.

XX **Aub. de la Jardinière,** à Anglures sur N 26 par ③ ✆ **33 24 26 65**
fermé du 15 déc. au 8 janv., mardi soir et merc. – SC : **R** 62/120.

par ③ : 3,5 km – ✉ **61300** L'Aigle :

XX **Aub. St-Michel,** ✆ 33 24 20 12, ☂ – Ⓟ. E VISA
fermé 5 au 15 janv., merc. soir et jeudi – SC : **R** 58/104.

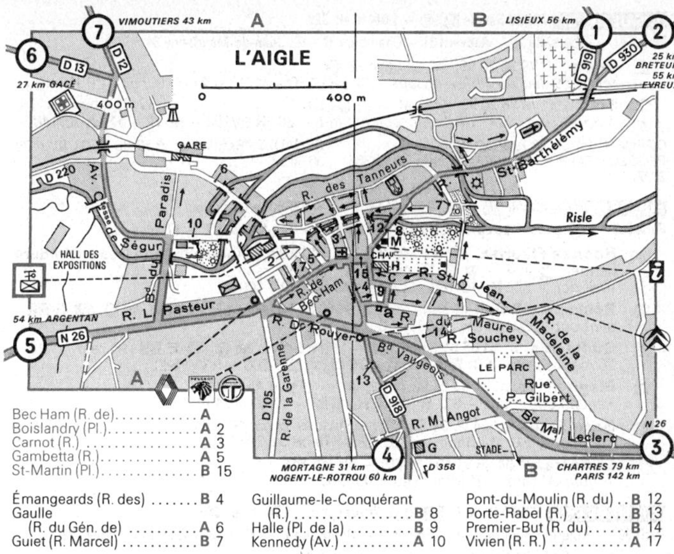

Bec Ham (R. de) . . . . A
Boislandry (Pl.) . . . . A 2
Carnot (R.) . . . . A 3
Gambetta (R.) . . . . A 5
St-Martin (Pl.) . . . . B 15

Émangeards (R. des) . . . . B 4
Gaulle (R. du Gén. de) . . . . A 6
Guiet (R. Marcel) . . . . B 7
Guillaume-le-Conquérant (R.) . . . . B 8
Halle (Pl. de la) . . . . B 9
Kennedy (Av.) . . . . A 10
Pont-du-Moulin (R. du) . . B 12
Porte-Rabel (R.) . . . . B 13
Premier-But (R. du) . . . . . B 14
Vivien (R. R.) . . . . A 17

à Chandai **par ③ : 8,5 km – ✉ 61300** L'Aigle :

XX **Le Trou Normand,** N 26 ☎ **33 24 08 54 – AE E VISA**
fermé janv., dim. soir et lundi – **SC : R** 80/168.

CITROEN Escalmel, 1 r. Dr-Rouyer ☎ 33 24 24 66 **N** ☎ 33 24 51 50
FIAT-LANCIA-AUTOBIANCHI Bongiovanni, rte de Paris, à St-Sulpice-sur-Risle ☎ 33 24 06 87
PEUGEOT-TALBOT Centre Autom., Aiglon, rte de Paris par ③ à St-Sulpice sur Risle ☎ 33 24 14 66
PEUGEOT-TALBOT Dufay, 12 r. Dr-Rouyer ☎ 33 24 12 32

RENAULT Pavard, rte de Paris par ③ ☎ 33 24 18 99
RENAULT Gar. Dano, 4 r. L.-Pasteur ☎ 33 24 00 34
V.A.G. Poirier, rte de Paris à St-Michel-Tubœuf ☎ 33 24 02 43

Lallemand-Pneus, Anglures ☎ 33 24 48 24

AIGOUAL (Mont) **30 Gard 80 ⑯ G. Causses – alt. 1 567 – Voir Observatoire ✱★★★.**
Accès par le col de la Séreyrède <★.

AIGUEBELETTE (Lac d') ★ **73 Savoie 74 ⑮ G. Alpes – Voir Site★ de la Combe.**
D'Aiguebelette-le-Lac : Paris 520 – Belley 36 – Chambéry 21 – ♦Grenoble 59 – Voiron 42.

à la Combe – **✉ 73610** Lépin-le-Lac :

X **de la Combe " chez Michelon "** [calme] avec ch, ☎ **79 36 05 02,** <, [terrasse] – [wc] **P. VISA.** [chiens] ch
fermé 27 oct. au 24 nov., lundi soir et mardi hors sais. – **SC : R** 72/130 – [petit déj.] 16,50 – **10 ch** 85/175.

à Lépin-le-Lac – 191 h. – **✉ 73610** Lépin-le-Lac :

[hôtel] **Clos Savoyard** [calme], ☎ **79 36 00 15,** <, [jardin] – **P. AE.** [chiens] rest
1er juin-10 sept. – **SC : R** 73/165 – [petit déj.] 18 – **18 ch** 84/105 – P 155.

à Novalaise-Lac – 1 017 h. alt. 427 – **✉ 73470** Novalaise :

[hôtel] [◆] **Novalaise-Plage** [calme], ☎ **79 36 02 19,** <, [terrasse], [plage] – [bains wc] [wc] [tél.] **P.** [chiens] rest
15 mars-1er nov. ; fermé lundi soir et mardi hors sais. – **SC : R** 55/250 – [petit déj.] 20 – **17 ch** 110/240 – P 220/260.

à St-Alban-de-Montbel – 226 h. alt. 440 – **✉ 73610** Lépin-le-Lac :

[hôtel] **St-Alban-Plage** [calme] sans rest., **NE : 1,5 km D 921** ☎ **79 36 02 05,** <, [plage], [jardin] – [bains wc] [wc] [tél.] **P** – [salle] 30. [chiens]
Pâques-oct. – **SC :** [petit déj.] 17 – **16 ch** 115/260.

à Attignat-Oncin **S : 7 km par D 39 – ✉ 73610** Lépin-le-Lac :

XX **Mont-Grêle** [calme] avec ch, ☎ **79 36 64 01,** <, [jardin] – [bains wc] [tél.] **P.** [chiens] ch
5 mars-30 nov. et fermé lundi soir et mardi sauf hôtel en juil.-août – **SC : R** 66/185 [vin] – [petit déj.] 17 – **11 ch** 99/200 – P 160/230.

AIGUEBELLE 73220 Savoie 74 ⑰ – 1 044 h. alt. 323.

Paris 561 – Albertville 26 – Allevard 31 – Chambéry 37 – St-Jean-de-Maurienne 34.

Poste, ☎ 79 36 20 05, – wc ☎ P
fermé 20 déc. au 1er fév. et sam. – SC : **R** 50/80 – 13 – **21 ch** 80/150 – P 150/160.

Soleil, ☎ 79 36 20 29, , – P.
fermé 15 oct. au 1er déc., dim. soir et lundi – SC : **R** 50/150 – 12 – **17 ch** 70/140.

CITROEN Pitton, ☎ 79 36 20 16
PEUGEOT-TALBOT Sambuis-Jacinto, ☎ 79 36 20 56
RENAULT Battistella, ☎ 79 36 31 31 N ☎ 79 36 34 28

AIGUEBELLE 83 Var 84 ⑰ G. Côte d'Azur – ✉ 83980 Le Lavandou.

Paris 882 – Hyères 28 – Le Lavandou 5,5 – St-Tropez 34 – Ste-Maxime 38 – •Toulon 46.

Roches Fleuries, ☎ 94 71 05 07, Télex 403997, « Agréables terrasses en bordure de mer, » ≤ – ☎ P. AE E VISA. rest
avril-oct. – SC : **R** 110/180 – 33 – **48 ch** 550/1 000.

Résidence Soleil M sans rest, ☎ 94 05 84 18, ≤ – wc wc ☎ P. E VISA
avril-oct. – SC : **24 ch** 330/350.

Gd Pavois, ☎ 94 05 81 38, ≤, – wc wc ☎ P. E VISA. rest
25 mars-5 oct. – SC : **R** 75/100 – **29 ch** 280/300 – P 330/380.

Plage sans rest, ☎ 94 05 80 74, ≤, – wc wc ☎
Pâques-début oct. – SC : **R** (dîner seul.) 83 – 19 – **51 ch** 286.

Beau Soleil, ☎ 94 05 84 55, – wc ☎ P. E. rest
avril-oct. – SC : **R** (dîner seul) 82/120 – **18 ch** 229/270.

XXX **La Serre,** ☎ 94 05 81 49, ≤, – AE VISA
1er juin-30 sept. – **R** (dîner seul.) 180/280.

AIGUEPERSE 63260 P.-de-D. 73 ④ G. Auvergne – 2 740 h. alt. 355.

Paris 357 – •Clermont-Ferrand 31 – Gannat 9 – Montluçon 74 – Riom 16 – Thiers 44 – Vichy 28.

Marché, ☎ 73 63 61 96 – wc ☎. E VISA
fermé oct. et merc. soir – SC : **R** 50/120 – 21 – **20 ch** 70/150 – P 140/190.

AIGUES-MORTES 30220 Gard 83 ⑧ G. Provence (plan) – 4 475 h.

Voir Remparts** et tour de Constance** : ** – Tour Carbonnière * NE : 3,5 km.

Office de Tourisme pl. St-Louis ☎ 66 53 73 00.

Paris 749 – Arles 47 – •Montpellier 29 – Nîmes 41 – Sète 63.

Host. Remparts , pl. A.-France ☎ 66 53 82 77, , « Demeure ancienne aménagée » – ☎ P. AE E VISA
fermé début nov. au 20 déc. et 4 au 20 janv. – SC : **R** *(1er mars-10 nov. et fermé lundi sauf juil., août, sept. et fériés)* 107/200 – **19 ch** 249/420.

Victoria , pl. A.-France ☎ 66 53 64 55, – TV wc wc ☎ P. VISA
SC : **R** 95 – **15 ch** 280/450.

St-Louis , r. Amiral-Courbet ☎ 66 53 72 68, – wc wc ☎
fermé janv. et fév. – SC : **R** *(fermé merc. hors sais.)* 80/180 – 25 – **23 ch** 188/214 – P 369/408.

XX **Arcades,** 23 bd Gambetta ☎ 66 53 81 13, . AE
fermé 13 nov. au 12 déc., lundi sauf juil.-août et fériés – SC : **R** 85/150.

XX **Camargue,** r. République ☎ 66 53 86 88, , ambiance typiquement locale le soir – AE E VISA
fermé 5 janv. au 5 fév. et lundi sauf en juil.-août – **R** (dîner seul.) 85/130 .

CITROEN Gar. de la Gare, rte de Nîmes ☎ 66 53 61 92
RENAULT Gar. Guyon-autom., ☎ 66 51 81 10 N

AIGUILLON 47190 L.-et-G. 79 ⑭ – 4 239 h. alt. 35.

Paris 627 – Agen 30 – Houeillès 31 – Marmande 28 – Nérac 26 – Villeneuve-sur-Lot 33.

Les Cygnes, rte Villeneuve ☎ 53 79 60 02, ≤, , « Parc et étang » – wc wc ☎ P – 20. AE E VISA. rest
fermé 27 août au 4 sept., 21 déc. au 12 janv. et sam. sauf du 14 juil. au 20 août – SC : **R** 59/155 – 20 – **17 ch** 130/215 – P 190/225.

L'AIGUILLON-SUR-MER 85460 Vendée 71 ⑪ G. Côte de l'Atlantique – 2 152 h.

Paris 496 – Luçon 21 – La Rochelle 50 – La Roche-sur-Yon 53 – La Tranche-sur-Mer 11.

à la Faute-sur-Mer O : 0,5 km – ✉ 85460 Aiguillon-sur-Mer

Les Chouans M sans rest., ☎ 51 56 45 56 – wc wc ☎. VISA
fermé 15 oct. au 15 déc. et lundi hors sais. – SC : 16 – **22 ch** 135/200.

AIGUINES 83 Var 84 ⑥ G. Côte d'Azur – 161 h. alt. 823 – ✉ 83630 Aups.

Voir Cirque de Vaumale ≤** E : 4 km – Col d'Illoire ≤* E : 2 km.

Paris 836 – Castellane 57 – Digne 65 – Draguignan 59 – Manosque 67 – Moustiers-Ste-Marie 17.

X **Altitude 823** avec ch, ☎ 94 70 21 09, ≤
20 mars-8 nov. – SC : **R** 55/135 – 18 – **11 ch** 60/95 – P 170/195.

AIGURANDE 36140 Indre 68 ⑲ – 2 182 h. alt. 425.
Paris 316 – Argenton-sur-C. 33 – Châteauroux 48 – La Châtre 26 – Guéret 35 – La Souterraine 40.

Berry, ✆ 54 30 30 38, – wc wc
fermé oct. et vend. du 15 nov. à Pâques – SC : **R** 70/200 – 25 – **10 ch** 90/200 – P 250/280.

Relais de la Marche avec ch, ✆ 54 30 31 58 – . E VISA
fermé nov. et lundi hors sais. – SC : **R** 65/130 – 20 – **7 ch** 68/85 – P 200.

LANCIA, AUTOBIANCHI Guillebaud, ✆ 54 30 31 12 N
PEUGEOT-TALBOT Buvat, ✆ 54 30 33 15 N
RENAULT Gar. Dumontet, av. Georges Sand ✆ 54 30 30 30
Yvernault ✆ 54 30 30 59
Tisseron, ✆ 54 30 30 54

AILEFROIDE 05 H.-Alpes 77 ⑰ – rattaché à Pelvoux (Commune de).

AIME 73210 Savoie 74 ⑱ **G. Alpes** – 1 795 h. alt. 690.
Voir Ancienne basilique St-Martin★.
Office de Tourisme av. Tarentaise ✆ 79 09 79 79 Télex 980973.
Paris 612 – Albertville 38 – Bourg-St-Maurice 13 – Chambéry 85 – Moutiers 11.

Palambo M sans rest, ✆ **79 55 67 55** – wc wc
SC : 21 – **20 ch** 135/200.

L'Atre, N 90 ✆ **79 09 75 93,**
fermé 10 au 25 juin, 1er au 21 oct. et lundi – SC : **R** carte 90 à 150.

Le Cormet M sans rest, **N 90** ✆ **79 09 71 14** – wc
fermé 15 au 30 juin et dim. soir en juin et oct. – SC : 18 – **18 ch** 135/160.

CITROEN Gar. Vagneur, ✆ 79 09 70 36
PEUGEOT-TALBOT Silvestre, ✆ 79 09 70 58
RENAULT Villien, ✆ 79 09 71 25

AINAY-LE-VIEIL 18 Cher 69 ⑪ **G. Périgord** – 182 h. alt. 160 – ✉ **18200** St-Amand-Montrond.
Voir Château ★.
Paris 292 – La Châtre 50 – Montluçon 42 – Moulins 73 – St-Amand-Montrond 11.

Crémaillère, ✆ **48 63 50 14,** – VISA.
fermé 15 janv. au 15 fév. et vend. d'oct. à avril – SC : **R** 60/150 – 20 – **8 ch** 90/140 – P 200.

AINCILLE 64 Pyr.-Atl. 85 ③ – rattaché à St-Jean-Pied-de-Port.

AINGERAY 54 M.-et-M. 62 ④ – rattaché à Liverdun.

AINHOA 64 Pyr.-Atl. 85 ② **G. Pyrénées** – 544 h. alt. 124 – ✉ **64250** Cambo-les-Bains.
Voir Rue principale★.
Paris 797 – Bayonne 26 – Cambo-les-Bains 11 – Pau 124 – St-Jean-de-Luz 23.

Argi-Eder M , ✆ **59 29 91 04, Télex 570067,** <, « **Jardin** », , – rest TV – 35. AE E VISA. ch
fermé 15 nov. au 23 mars, dim. soir (sauf Pâques et Pentecôte) et merc. hors sais. – SC : **R** (dim. prévenir) 125/275 – 28 – **30 ch** 410/430, 6 appartements 430/450 – P 430/465.

Ithurria (Isabal), ✆ **59 29 92 11,** « **Maison basque du 17e s., jardin** » – rest – 25. AE VISA
15 mars-15 nov. et fermé mardi soir et merc. sauf vacances scolaires – SC : **R** (dim. prévenir) 120/200 – 22 – **27 ch** 220/300 – P 300/340
Spéc. Foie gras des Landes, Darne de louvine grillée au beurre blanc, Ragoût de queues de langoustines aux pâtes fraîches. **Vins** Jurançon, Madiran.

Ohantzea, ✆ **59 29 90 50,** <, « **Maison basque du 17e s.** », – wc . E VISA
1er mai-15 nov. et fermé dim. soir et lundi – SC : **R** 66/174 – 15 – **10 ch** 116/189 – P 168/205.

à Dancharia S : 3 km – ✉ **64250** Cambo-les-Bains :

Ur Hegian, ✆ **59 29 91 16,** – . E VISA. rest
hôtel : 15 mars-15 nov. et fermé merc. hors sais. ; rest. : fermé nov. et merc. hors sais. – SC : **R** 60/80 – 18 – **22 ch** 100/140 – P 180/190.

AIRAINES 80270 Somme 52 ⑦ **G. Flandres, Artois, Picardie** – 2 385 h. alt. 49.
Paris 141 – Abbeville 21 – Amiens 28 – Beauvais 66 – Le Tréport 47.

Relais Forestier "Pont d'Hure", à Allery O : 5 km sur rte d'Oisemont ✆ **22 29 42 10,** < – – 35
fermé 1er au 15 janv., mardi et le soir sauf sam. – SC : **R** 65/140.

RENAULT Gar. Mille, 33 av. Gén.-Leclerc ✆ 22 29 40 71 N

Les AIRES 34 Hérault 83 ④ – rattaché à Lamalou-les-Bains.

AIRE-SUR-L'ADOUR 40800 Landes 82
①② G. Pyrénées – 7 216 h. alt. 80.

Voir Sarcophage de Ste-Quitterie★ dans l'église Ste-Quitterie B.

Office de Tourisme pl. de Gaulle ℘ 58 76 64 70.

Paris 721 ⑤ – Auch 82 ② – Condom 67 ② – Dax 76 ⑤ – Mont-de-Marsan 31 ⑤ – Orthez 59 ④ – Pau 49 ③ – Tarbes 69 ②.

Dupouy, 22 r. 13-juin (s) ℘ 58 76 71 76 – ⋒ ☎ P – 25. E VISA
fermé lundi – SC : **R** 41/150 – 14,50 – **14 ch** 64/142 – P 121/154.

Commerce avec ch, 3 r. Labeyrie (a) ℘ 58 76 60 06, – wc ⋒ ☎ – 25. E. ch
fermé 3 au 25 janv., hôtel : dim. ; rest. dim. soir et lundi – SC : **R** 55/160 – 15 – **19 ch** 70/160 – P 160/220.

à Segos (32 Gers) par ③, N 134 rte Pau et D 260 : 9 km – ✉ 32400 Riscle

Domaine de Bassibé (Capelle) , ℘ 62 09 46 71, <, parc, , – ☎ P – 40. AE E VISA. rest
Pâques-30 nov. – **R** 200 – 43 – **6 ch** 400/450, 3 appartements 600 – P 400/550
Spéc. Soupe en croûte aux cèpes, Colin rôti en crépinette, Foie de canard grillé. **Vins** Côtes de St-Mont, Pacherenc.

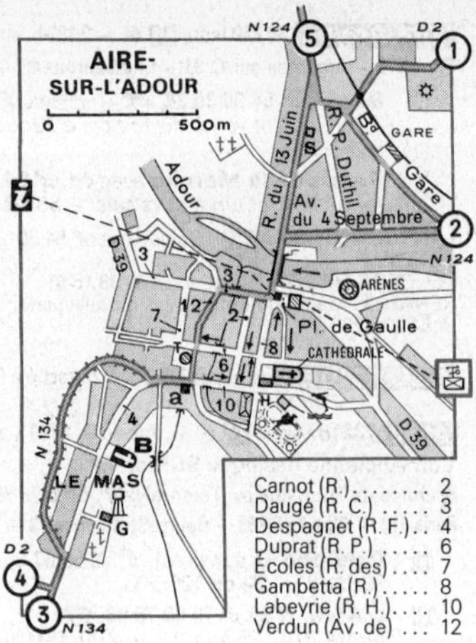

AIRE-SUR-L'ADOUR
0 500 m
N 124, D 2, Gare, R. P. Duthil, R. du 13 Juin, Av. du 4 Septembre, Adour, D 39, Arènes, Pl. de Gaulle, Cathédrale, N 134, Le Mas, N 124, N 134

Carnot (R.) 2
Daugé (R. C.) 3
Despagnet (R. F.) .. 4
Duprat (R. P.) 6
Écoles (R. des) 7
Gambetta (R.) 8
Labeyrie (R. H.) ... 10
Verdun (Av. de) ... 12

FORD Gar. Daudon-Sadra, 52 av. du 4-Septembre ℘ 62 76 60 64
MERCEDES, V.A.G. Perron, rte de Pau ℘ 62 76 61 62
PEUGEOT, TALBOT Labarthe, Zone Ind. Cap de la Coste, N 124 par ⑤ ℘ 62 76 71 95
RENAULT S.A.E.M.A., rte Bordeaux par ⑤ ℘ 62 76 60 01

AIRE-SUR-LA-LYS 62120 P.-de-C. 51 ⑭ G. Flandres, Artois, Picardie – 10 012 h. alt. 22.

Voir Bailliage★ B – Collégiale St-Pierre★ E.

Office de Tourisme à l'Hôtel-de-Ville ℘ 21 39 07 22.

Paris 236 ② – Arras 56 ② – Béthune 25 ② – Boulogne 60 ③ – ♦Lille 57 ① – Montreuil 55 ③.

AIRE-SUR-LA-LYS

Arras (R. d') 4
Bourg (R. du) 7
Grand'Place
St-Omer (R. de)....... 28
Vignette (R.) 37

Armes (Pl. d') 3
Béguines (Pl des) 6
Carnot (Av.) 8
Château (Pl. du) 10
Château (R. du) 12
Clemenceau (Bd) 13
Doyen (R. du) 16
Fort Gassion (R. du) 17
Gaulle (Bd de) 18
Jehan-d'Aire (Pl.) 21
Leclerc (R. du Mar.) 23
Mardyck (R. de) 24
Notre-Dame (Pl.) 25
Paris (R. de) 26
St-Martin (R. de) 27
St-Pierre (Pl.) 29
St-Pierre (R.) 31
Tour Blanche (R. de la) 33
Vauban (Av.) 35

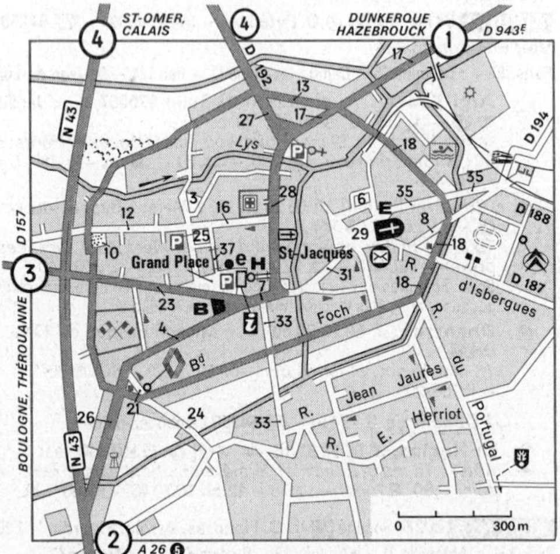

St-Omer, Calais, Dunkerque, Hazebrouck, D 943, D 192, N 43, Lys, D 194, D 188, D 187, D 157, Boulogne, Thérouanne, Grand Place, St-Jacques, R. d'Isbergues, Foch, R. Jean Jaurès, R. du Portugal, R. E. Herriot, A 26, Béthune
0 300 m

Europ H. sans rest, 14 Gde-Place (e) ℘ 21 39 04 32 – ⋒ P. AE E VISA.
SC : 14 – **16 ch** 55/80.

Host. Trois Mousquetaires avec ch, Château de la Redoute (a) ℘ 21 39 01 11, « Parc » – wc ⋒wc ☎ P – 30. AE VISA
fermé 15 janv. au 15 fév., dim. soir et lundi – **R** 66/125 – 24 – **11 ch** 160/250.

CITROEN Warmé, 14 r. Lyderic ✆ 21 39 00 31
PEUGEOT-TALBOT Aire Autom RN 43, St-Martin par ④ ✆ 21 39 00 76
RENAULT Gar. Delgery, 5 pl. Jéhan d'Aire ✆ 21 39 02 98
Auto-Pneu, 1 r. Alsace-Lorraine ✆ 21 39 07 08

AISEY-SUR-SEINE 21 Côte-d'Or 65 ⑧ – 147 h. alt. 256 – ✉ 21400 Châtillon-sur-Seine.

Paris 245 – Châtillon-sur-Seine 16 – •Dijon 68 – Montbard 28.

Roy, ✆ 80 93 21 63, – wc wc – 50
fermé déc. et mardi – SC : **R** 42/86 – 15,50 – **10 ch** 73/160 – P 200/220.

AIX (Ile d') ★ 17123 Char.-Mar. 71 ⑬ G. Côte de l'Atlantique – 173 h.

Accès par transports maritimes :

depuis la **Pointe de la Fumée** (2,5 km NO de Fouras). En 1985 : en saison, 8 services quotidiens, hors saison, 4 services quotidiens. Traversée 25 mn – 37 F (AR) - ✆ 46 42 61 48 (La Rochelle).

depuis **La Rochelle**. En 1985 : en saison, 10 services quotidiens - Traversée 1 h 15 mn – 68 F (AR) - ✆ 46 42 61 48 (La Rochelle).

depuis **Boyardville** (Ile d'Oléron). En 1985 : de juin à sept., 4 services quotidiens-Traversée 20 mn – 40 F (AR) - ✆ 46 42 61 48 (La Rochelle).

AIX-EN-OTHE 10160 Aube 61 ⑮ G. Champagne, Ardennes – 2 349 h. alt. 132.

Voir Jubé★ dans l'église de Villemaur-sur-Vanne N : 4,5 km.

Paris 144 – Nogent-sur-Seine 38 – St-Florentin 33 – Sens 40 – Troyes 31.

Aub. Scierie, à la Vove S : 1,5 km ✆ 25 46 71 26, ←, « Parc et rivière », – wc wc . AE E VISA
fermé 17 fév. au 3 mars, lundi soir et mardi du 1er oct. au 15 mai – SC : **R** 107/180 – 38 – **10 ch** 200/245 – P 335.

PEUGEOT, TALBOT Gar. Léon, ✆ 25 46 70 44
RENAULT Gar. Carton, ✆ 25 46 70 13 N

AIX-EN-PROVENCE 13100 B.-du-R. 84 ③, 93 ⑬ G. Provence – 124 550 h. alt. 177 – Stat. therm. – Casino AY.

Voir Le Vieil Aix★★ BXY : Cours Mirabeau★★ BY, Cathédrale St-Sauveur BX **R** (Triptyque du Buisson Ardent★★, baptistère★ et vantaux★ du portail, – Musée des Tapisseries★ BX **M1**, Cloître St-Sauveur★ BX **N**, Cour★ de l'Hôtel de Ville BY **H** – Fontaine des Quatre-Dauphins★ BY **S** – Eglise St-Jean de Malte : Nef★ CY **V** – Musée Granet★ CY **M3** – Vierge★ et triptyque de l'Annonciation★ dans l'église Ste-Marie-Madeleine CY **Y** – Fondation Vasarely★ AV **M** O : 4 km.

18 d'Aix-Marseille ✆ 42 24 20 41 par ④ et D 9 : 8,5 km.

Office de Tourisme, pl. Gén.-de-Gaulle ✆ 42 26 02 93, Télex 430466.

Paris 756 ⑤ – Avignon 80 ⑤ – •Marseille 31 ④ – •Nice 175 ② – Nîmes 105 ⑤ – •Toulon 81 ②.

Plan page suivante

Paul Cézanne M sans rest, 40 av. Victor-Hugo ✆ 42 26 34 73, « Bel aménagement intérieur » – . AE — BZ **h**
fermé 21 déc. au 18 janv. – SC : 38 – **44 ch** 350/750.

P.L.M. "Le Pigonnet", 5 av. Pigonnet ✉ 13090 ✆ 42 59 02 90, Télex 410629, , « Parc fleuri », – – 80. AE E VISA — AV **t**
SC : **R** *(fermé dim. soir du 1er nov. au 31 mars)* 140/160 – 40 – **48 ch** 300/490 – P 485/675.

Thermes Sextius, 2 bd J.-Jaurès ✆ 42 26 01 18, « Parc », , – – 30. AE E VISA. rest — AX **s**
SC : **R** 120/150 – 35 – **64 ch** 150/350 – P 350/600.

Gd H. Nègre Coste sans rest, 33 cours Mirabeau ✆ 42 27 74 22, Télex 440184 – . AE E VISA — BY **m**
SC : 30 – **36 ch** 230/370.

Augustins M sans rest, 3 r. Masse ✆ 42 27 28 59, Télex 441052, « Ancien couvent » – . AE E VISA. — BY **k**
SC : 30 – **29 ch** 290/590.

St-Christophe sans rest, 2 av. Victor-Hugo ✆ 42 26 01 24 – wc wc . — BY **a**
fermé janv. – SC : 20 – **54 ch** 175/230.

Résidence Rotonde M sans rest, 15 av. Belges ✆ 42 26 29 88 – wc wc . AE E VISA — AZ **u**
fermé 20 déc. au 15 janv. – SC : 20 – **42 ch** 145/260.

Caravelle sans rest, 29 bd Roi-René ✆ 42 62 53 05, Télex 401015 – wc wc . E VISA — CZ **z**
SC : 20 – **30 ch** 135/220.

tourner →

AIX-EN-PROVENCE

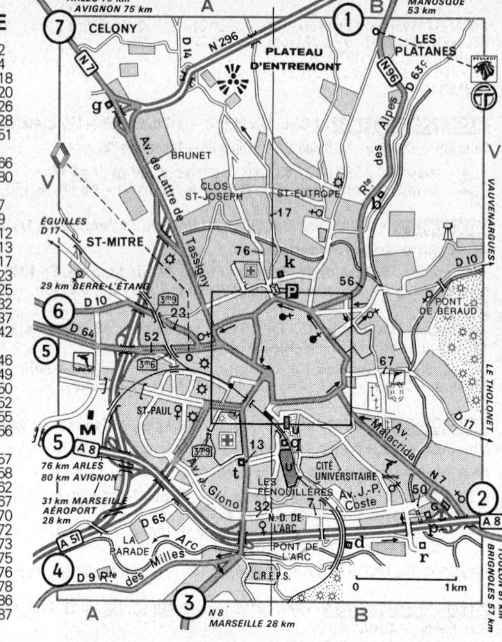

300 m
Bd A. Briand
Av. Pasteur
Pl. Bellegarde
Bd F. et E. Zola
Av. H. Pontier
Bd J. Jaurès
R. de la Molle
Etabt Thermal
R. Marie et Pierre Curie
LE VIEIL AIX
Pl. des Cardeurs
R. Célony
R. Mignet
Bd St-Louis
ÉCOLE NAT. SUP. DES ARTS ET MÉTIERS
ST-JEAN BAPTISTE
Crs Sextius
Pl. des Tanneurs
R. Foch
R. Aude
R. Portalis
Bd Carnot
Bd de la République
ST-ESPRIT
Pl. J. d'Arc
Pl. Miollis
Pl. B. Niollon
CASINO
Pl. Gal de Gaulle
COURS MIRABEAU
Pl. Forbin
PALAIS DES CONGRÈS
Rue Cardinale
SYNAGOGUE
Av. des Belges
Av. V. Hugo
Bd du Roi René
Crs Gambetta
Av. de l'Europe
HÔP. PSYCHIATRIQUE
GARE
CITÉ UNIVERSITAIRE

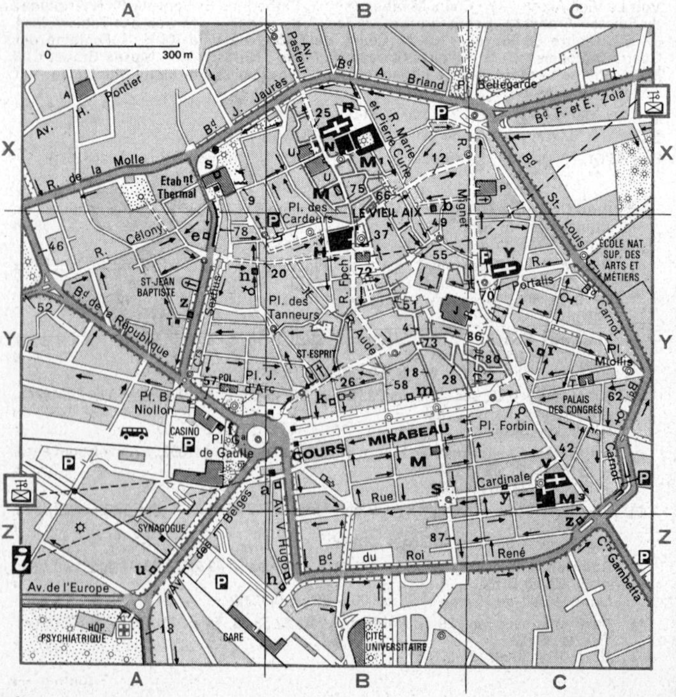

Globe sans rest, 74 cours Sextius ✆ 42 26 03 58 – wc wc AY **e**
fermé 23 déc.-début fév. – SC : 16 – **45 ch** 140/210.

Le Moulin M sans rest, 1 av. Schumann (près nouvelles facultés) ✉ 13090 ✆ 42 59 41 68 – cuisinette TV wc wc P. AE VISA BV **q**
fermé 15 déc. au 10 janv. – SC : 20 – **37 ch** 116/222.

Cardinal sans rest, 24 r. Cardinale ✆ 42 38 32 30 – wc wc. AE CY **y**
SC : 16 – **18 ch** 115/200.

Moderne sans rest, 34 av. Victor-Hugo ✆ 42 26 05 16 – wc wc. AE VISA. BZ **h**
SC : 21 – **22 ch** 143/223.

XXX **Vendôme,** 2 bis av. Napoléon Bonaparte ✆ 42 26 01 00, – P. AE E VISA
fermé mardi soir et merc. sauf juil.-août – SC : **R** 170/280. AY **f**

XXX ❀ **Clos de la Violette** (Banzo), 10 av. Violette ✆ 42 23 30 71 – . VISA.
fermé lundi midi et dim. – SC : **R** (nombre de couverts limité - prévenir) 220/280
Spéc. Aumonières de poissons aux fleurs de courgettes, Crépinette d'agneau à la crème d'ail, Desserts. Vins Côteaux d'Aix. BV **k**

XX **Abbaye des Cordeliers,** 21 r. Lieutaud ✆ 42 27 29 47, – AE E VISA
fermé 1er oct. au 1er nov., merc. midi et mardi du 1er avril au 30 sept., lundi soir et mardi hors sais. – SC : **R** (nombre de couverts limité-prévenir) 90/160 . AY **n**

XX **Le Clam's,** 22 cours Sextius ✆ 42 27 64 78, produits de la mer – AE VISA AY **z**
fermé juil.-août et merc. – **R** 150.

X **Poivre et Sel,** 9 r. Constantin ✆ 42 21 40 73 – . AE VISA BX **b**
fermé mardi du 15 sept. au 15 juin – SC : **R** 108/180.

au Nord :

Le Prieuré sans rest, par ① : 3 km rte Sisteron ✆ 42 21 05 23, ← – wc P. BV **b**
SC : 17,50 – **30 ch** 100/215.

au Sud-Est 3 km ou par sortie d'autoroute Aix-Est :

Novotel Aix Est M, Résidence Beaumanoir ✆ 42 27 47 50, Télex 400244, – TV P – 200. AE E VISA BV **p**
R snack carte environ 100 – 32 – **102 ch** 289/325.

Novotel Aix Sud M, ✆ 42 27 90 49, Télex 420517, , – TV P – 200. AE E VISA BV **d**
R carte environ 100 – 32 – **80 ch** 289/325.

Ibis M, ✆ 42 27 98 20, Télex 420519 – rest wc P – 70. E VISA
SC : **R** carte environ 85 – 24 – **83 ch** 205/250. BV **r**

à Celony 3 km sur N 7 – ✉ 13090 Aix-en-Provence :

Mas d'Entremont M , ✆ 42 23 45 32, ←, « Demeure provençale avec terrasses dans un parc, », – TV P – 80 AV **g**
15 mars-1er nov. – SC : **R** *(fermé dim. soir et lundi midi sauf fériés)* 150 – 35 – **9 ch** 330, 7 bungalows 400 – P 500/535.

au Canet de Meyreuil SE : 8 km sur N7 – ✉ 13590 Meyreuil :

X Aub. Provençale avec ch, ✆ 42 58 36 47 – P – **10 ch**.

à Éguilles par D 17 AV : 11 km – 4 473 h. – ✉ 13510 Éguilles :

Aub. du Belvédère , ✆ 42 92 52 92, ←, , « Jardin en terrasse », – wc wc P – 30 à 60. E VISA
SC : **R** 85/178 – 23 – **30 ch** 188/303 – P 294/407.

Voir aussi ressources hôtelières de ***Beaurecueil*** par ② et D 58 : 10 km, de ***Roquefavour*** par ⑤ et D 64 : 12 km, de ***Châteauneuf-le-Rouge*** par ② N 7 : 13 km et de ***Meyrargues*** par ① : 16 km.

ALFA-ROMEO SOCODIA, av. du Club Hippique, D 65 ✆ 42 59 01 32
BMW Gar. Continental, 8 av. De-Lattre-de-Tassigny ✆ 42 23 24 33
FORD NOVO, Zéda-la Pioline, les Milles ✆ 42 20 17 17 et 39 bd A.-Briand ✆ 42 23 16 20
HONDA Cogédis, av. Club Hippique ✆ 42 20 15 35
INNOCENTI-MAZDA Auto-Bellegarde, 23 av. Ste-Victoire ✆ 42 23 05 51
MERCEDES MASA, 40 r. Irma Moreau ✆ 42 64 45 45
PEUGEOT-TALBOT Gds Gar. de Provence, Zéda-La Pioline, rte des Milles AV ✆ 42 20 01 45
PEUGEOT-TALBOT Gar. Josserand, rte des Alpes ✆ 42 21 17 55
RENAULT Verdun-Aix, 5 rte Galice ✆ 42 64 47 47
TOYOTA Gar. Bondil, av. Club Hippique ✆ 42 59 59 34
V.A.G. Gar. Ste-Eutrope, Zéda-la Pioline, les Milles ✆ 42 20 14 08
VOLVO Gar. Briand, N 7, La Calade, Puyricard ✆ 42 21 60 37

Cambi-Pneus, 9 r. Signoret ✆ 42 23 06 77
Josserand-Pneus, rte des Alpes ✆ 42 21 17 55
Jules-Pneus, Pont de l'Arc, rte des Milles ✆ 42 27 67 02
Omnica, 19 av. H.-Pontier ✆ 42 23 52 73
Le Pneu-François, 40 av. P.-Brossolette ✆ 42 27 78 90 r. Albert Decanis, les Milles ✆ 42 24 25 41
Pyrame, 66 cours Gambetta ✆ 42 62 49 16 et r. André Ampère, Zone Ind. les Milles ✆ 42 39 91 48
Rome-Pneu, 13 bd J.-Jaurès ✆ 42 23 16 54
Roques, 31 cours Gambetta ✆ 42 62 42 81
Station Pneumatic, 31 bd A.-Briand ✆ 42 23 32 28
Sornin, 7 cours Gambetta ✆ 42 21 29 93

AIXE-SUR-VIENNE 87700 H.-Vienne 72 ⑰ G. Périgord – 5 650 h. alt. 230.

Paris 410 – Angoulême 96 – ♦Limoges 13 – Nontron 56 – Périgueux 88 – St-Junien 29 – Uzerche 65.

XX **Aub. des Deux Ponts,** av. Gare ✆ 55 70 10 22 – E VISA. ✻
fermé 25 au 31 août, 24 fév. au 2 mars, dim. soir et lundi – SC : **R** 50/200 ♂.

PEUGEOT, TALBOT Ribet, 33 av. de la Gare ✆ 55 70 21 62
PEUGEOT-TALBOT Villelongue, 27 av. Pasteur ✆ 55 70 21 58 N
RENAULT Boissou, 45 av. Pasteur ✆ 55 70 20 59

AIX-LES-BAINS 73100 Savoie 74 ⑮ G. Alpes – 22 534 h. alt. 260 – Stat. therm. : Aix-les-Bains et Marlioz – Casinos Palais de Savoie BYZ, Nouveau Casino BY.

Voir Boulevard du Lac★ AY – Escalier★ de l'Hôtel de Ville CYZ H – Musée du Docteur Faure★ CY M1.

Env. Le tour du lac du Bourget★★ 51 km par ④, en bateau★ : 4 h – Abbaye de Hautecombe★★ (Chant Grégorien), en bateau : 2 h – Renseignements sur excursions en bateau : Cie Aixoise de Navigation, – Grand Port ✆ 79 35 05 19 – ←★★ sur lac du Bourget, à la Chambotte par ① : 14 km.

18 ✆ 79 61 23 35 par ③ : 3 km.

✈ de Chambéry-Aix-les-Bains : ✆ 79 54 46 06, au Bourget-du-Lac par ④ : 8 km.

ℹ Office de Tourisme et Accueil de France (Informations et réservations d'hôtels, pas plus de 5 jours à l'avance) pl. M.-Mollard ✆ 79 35 05 92, Télex 980015 – MINITEL-Informations Télématique ✆ 79 88 11 12.

Paris 522 ④ – Annecy 34 ① – Bourg-en-Bresse 109 ④ – Chambéry 16 ④ – ♦Lyon 104 ④.

Plan pages suivantes

Ariana et rest. Adélaïde M ⛰, av. de Marlioz à Marlioz, par ③ : 1,5 km ✆ 79 88 08 00, Télex 980266, ←, ⛱, « parc », ⛱ – ⛫ ▤ ch TV ☎ ♿ P – 🏛 45 à 90. AE ⓓ E VISA
SC : **R** 110/250 – ☕ 35 – **60 ch** 270/600 – P 380/600.

Le Manoir ⛰, 37 r. Georges-1er ✆ 79 61 44 00, Télex 980793, ⛱ – ⛫ TV ☎ 🚗 P – 🏛 80. ⓓ E VISA. ✻ rest CZ **w**
fermé 24 déc. au 24 janv. – SC : **R** 100/165 – ☕ 27 – **72 ch** 198/350 – P 230/370.

Cloche, 9 bd Wilson ✆ 79 35 01 06 – ⛫ cuisinette. AE ⓓ. ✻ rest BY **b**
20 avril-1er oct. – SC : **R** 76/80 – ☕ 25 – **59 ch** 240/330 – P 255/340.

Iles Britanniques ⛰, pl. Établissement Thermal ✆ 79 61 03 77, ←, « Jardins fleuris » – ⛫ ☎ P. AE. ✻ rest CY **s**
15 avril-15 oct. – SC : **R** 98 – **88 ch** ☕ 340/410 – P 281/396.

International Rivollier, 18 av. Ch.-de-Gaulle ✆ 79 35 21 00 – ⛫ ▤ rest ☎. AE ⓓ E VISA. ✻ rest BZ **e**
SC : **R** 99/192 – ☕ 26 – **55 ch** 160/350, 7 appartements – P 235/335.

Vendôme M, 12 av. Marlioz ✆ 79 61 23 16 – ⛫ TV ⛀wc ⛆wc ☎ P. ⓓ. ✻ rest
1er fév.-31 oct. – SC : **R** 70/150 ♂ – ☕ 25 – **32 ch** 190/280 – P 230/365. CZ **a**

Paix, 11 r. Lamartine ✆ 79 35 02 10, ⛱ – ⛫ ⛆wc ☎ 🚗 P. ⓓ VISA. ✻ rest
10 mars-10 nov. – SC : **R** 70/75 – ☕ 20 – **70 ch** 100/190 – P 220/250. CY **d**

La Régence, 33 bd Wilson ✆ 79 35 02 26 – ⛫ ⛀wc ⛆wc ☎ 🚗. E. ✻ BZ **e**
fermé 1er mars au 1er avril – SC : **R** *(fermé merc.)* 65/115 ♂ – ☕ 20 – **32 ch** 150/230 – P 220/250.

Métropole sans rest, 23 r. Casino ✆ 79 35 17 53 – ⛫ ⛀wc ☎. ✻ CY **x**
20 mars-31 oct. – SC : **80 ch** ☕ 116/212.

Aub. de la Baye ⛰, chemin du Tir aux Pigeons (par bd. des Anglais CY) ✆ 79 88 07 01, ⛱, ✕ – ⛫ ⛀wc ⛆wc ☎ P – 🏛 50. VISA. ✻ rest
SC : **R** 75 – ☕ 21 – **34 ch** 175/278 – P 250/280.

Eglantiers, 20 bd Berthollet ✆ 79 61 43 21, ⛱ – ⛫ ⛀wc ⛆wc ☎ P – 🏛 30. AE ⓓ E VISA. ✻ rest CY **f**
fermé 15 janv. au 15 mars – SC : **R** *(fermé merc.)* 72/200 – ☕ 25 – **23 ch** 172/204 – P 264/275.

Revotel sans rest, 40 r. Genève ✆ 79 35 03 37 – ⛫ TV ⛀wc ⛆wc ☎. ✻ CY **v**
fermé 5 déc. au 22 janv. – SC : ☕ 17 – **18 ch** 130/160.

Parc, 28 r. Chambéry ✆ 79 61 29 11 – ⛫ ⛀wc ☎ 🚗. ✻ rest CZ **n**
20 avril-23 oct. – SC : **R** 75/85 – ☕ 21 – **50 ch** 120/250 – P 200/250.

Beaulieu, 29 av. Ch.-de-Gaulle ✆ 79 35 01 02, ⛱ – ⛫ ⛀wc ⛆wc ☎. AE ⓓ E VISA. ✻ rest BZ **r**
2 avril-15 déc. – SC : **R** *(fermé dim. soir)* 70/200 – ☕ 20 – **31 ch** 170/200 – P 220/280.

Soleil Couchant, 130 av. St-Simond ✆ 79 35 05 83, ⛱, ⛱ – ⛀wc ⛆wc ☎ P. ⓓ VISA BY **z**
5 mai-10 oct. – SC : **R** 62/170 – ☕ 18,50 – **32 ch** 110/200 – P 185/235.

Azur sans rest, 18 av. Victoria ✆ 79 35 00 96, ⛱ – ⛀ ⛆wc ☎ P. AE ⓓ VISA
fermé 15 déc. au 6 fév. – SC : ☕ 18 – **16 ch** 100/200. BY **a**

Dauphinois, 14 av. Tresserve ✆ 79 61 22 56, – ▯wc ☎ Ⓟ. AE ⓓ E VISA. CZ **d**
fermé dim. soir et lundi du 1er nov. au 31 mars sauf fériés – SC : **R** 80/175 – ☐ 18 – **84 ch** 135/225 – P 195/265.

Cécil H. sans rest, 20 av. Victoria ✆ 79 35 04 12 – TV ▯wc ⋒wc ☎. BY **a**
fermé vacances de fév. – SC : ☐ 16,50 – **21 ch** 115/175.

Gallia-Beauséjour, 24 bd Berthollet ✆ 79 61 21 09, – ▯wc ⋒wc ☎. CY **j**
15 avril-1er nov. – SC : **R** *(fermé dim.)* 75/85 – ☐ 20 – **44 ch** 80/200 – P 186/256.

Nice-Savoie sans rest, 11 r. Isaline ✆ 79 61 04 00, – cuisinette ⋒wc ☎. CZ **u**
10 mars-7 nov. – SC : ☐ 14 – **35 ch** 108/161.

Croix du Sud sans rest, 3 r. Dr-Duvernay ✆ 79 35 05 87 – ▯wc ☎ BZ **f**
début avril-fin oct. – SC : ☐ 17 – **16 ch** 103/163.

Central, 6 r. H.-Murger ✆ 79 35 21 19 – ☎ BY **s**
1er mars-15 nov. – SC : **R** 45/70 – ☐ 14 – **20 ch** 70/95 – P 135/140.

Palma sans rest, 19 bis square A.-Boucher ✆ 79 35 01 10 – ⋒ ☎. E VISA BY **n**
28 avril-fin oct. – SC : ☐ 16 – **16 ch** 75/135.

Platanes avec ch, Petit Port ✆ 79 61 40 54, – ▯wc ⋒wc ☎ Ⓟ. AE ⓓ E VISA AY **b**
mars-fin oct. et fermé mardi – SC : **R** (dim. prévenir) 65/170 – ☐ 18,50 – **19 ch** 152/215 – P 220/288.

Brasserie Poste, 32 av. Victoria ✆ 79 35 00 65 – VISA. BY **t**
fermé 11 nov. au 11 déc. et lundi – SC : **R** 55/110.

à Gresy-sur-Aix par ① : 5 km – ✉ **73100** Aix-les-Bains :

Le Pont Neuf, ✆ 79 35 12 04 – Ⓟ. AE ⓓ
fermé 9 au 31 août, vacances de fév., dim. soir et sam. – SC : **R** 49/124.

par la sortie ② :

à Pugny-Chatenod 4,5 km – ✉ **73100** Aix-Les-Bains :

Clairefontaine, ✆ 79 61 47 09, ←, – ⋒wc ☎ Ⓟ. E VISA. rest
25 mars-15 oct. – SC : **R** 65/145 – ☐ 18,50 – **19 ch** 100/195 – P 165/242.

par la sortie ③ :

avenue du golf : 3 km :

Campanile , ✆ 79 61 30 66, Télex 980090, – TV ▯wc ☎ Ⓟ. VISA
SC : **R** 61 bc/82 bc – ☐ 23 – **43 ch** 181/202.

à Viviers-du-Lac : 4 km : – ✉ **73420** Viviers-du-Lac :

Chambaix H. Ⓜ sans rest, D 991 ✆ 79 61 31 11, – ▯wc ⋒wc ☎ Ⓟ. AE E VISA
fermé 10 oct. au 5 nov. et 20 déc. au 5 janv. – ☐ 18 – **29 ch** 160/200.

par la sortie ④ :

sur N 201 : 5 km – ✉ **73420** Viviers-du-Lac :

Week-end avec ch, ✆ 79 54 40 22, ←, – rest ▯wc ⋒ ☎
fermé 1er au 31 janv. et lundi hors sais. – SC : **R** 62/180 – ☐ 17 – **16 ch** 92/158 – P 196/200.

par la sortie ⑤ :

au Grand Port : 3 km – ✉ **73100** Aix-les-Bains :

La Pastorale Ⓜ , 221 av. Grand Port ✆ 79 35 25 36, « Jardin » – ☎ Ⓟ – 40. AE
fermé 1er fév. au 31 mars – SC : **R** *(fermé dim. soir et lundi)* 75/145 – **30 ch** ☐ 195/255 – P 240/265.

Lille avec ch, ✆ 79 35 04 22, ←, – TV ▯wc ☎ Ⓟ – 25. AE ⓓ VISA
fermé 1er janv. au 1er mars – **R** *(fermé merc.)* (dim. et fêtes - prévenir) 110/270 – ☐ 26 – **18 ch** 200/240.

Davat avec ch, à 100 m Grand Port ✆ 79 35 09 63, « Cadre de verdure, jardin fleuri » – ▯wc ⋒ ☎ Ⓟ
25 mars-2 nov. et fermé lundi soir (sauf hôtel) et mardi – SC : **R** (dim. prévenir) 78/200 – **20 ch** ☐ 180/245 – P 250/275.

à Brison-les-Oliviers : 9 km D 991 – ✉ **73100** Aix-les-Bains :

Bocquin, ✆ 79 54 21 81, – Ⓟ
Pâques-1er nov. et fermé mardi – SC : **R** 79/140.

Voir aussi ressources hôtelières et curiosités du *Revard (Mont)* par ② et D 913 : 21 km. *Albens* par ① : 11 km, *St-Félix* par ① et N 201 : 14 km.

AIX-LES-BAINS

Bains (R. des) . . . . CY 2
Carnot (Pl.) . . . . CY 6
Casino (R. du) . . . . CY 8
Chambéry (R. de) . . . . . CZ 9
Davat (R.) . . . . CY 15
Temple-de-Diane (Sq) CY 39

Berthollet (Bd) . . . . CY 3
Boucher (Sq. Alfred) . . BY 5
Clemenceau (Pl. G.) . . BY 12
Dacquin (R.) . . . . CY 13
Fleurs (Av. des) . . . . . . CY 16
Garrod (R. Sir-A.) . . . . . BZ 18
Gaulle (Av. Ch.-de) . . . BZ 19
Georges-1er (R.) . . . . . . CZ 21
Lamartine (R.) . . . . CY 22
Liège (R. de) . . . . CZ 24
Lord-Revelstoke (Av.) . CZ 25
Mollard (Pl. M.) . . . . . . CZ 27
Prés-Riants (R. des) . . . BY 28
République (R.) . . . . . . BY 30
Revard (Pl. du) . . . . CZ 31
Roosevelt (Av. F.) . . . . . BY 33
Seyssel (R. C.-de) . . . . . CY 34
Solms (Av. Marie-de) BYZ 36
Temple (R. du) . . . . BY 37
Victoria (Av.) . . . . BY 42
Zander
(R. de l'Institut) . . . . CZ 44

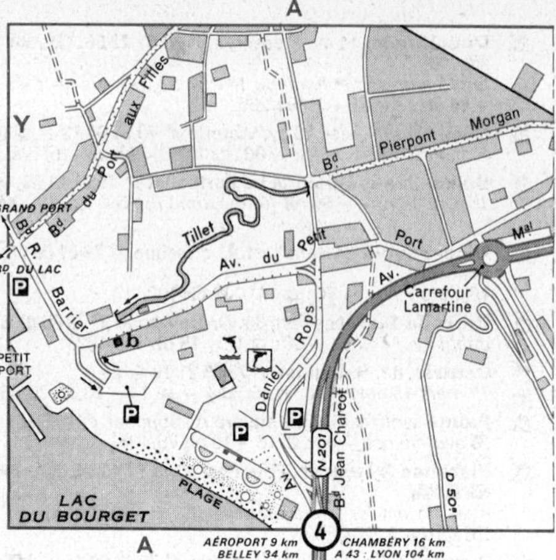

AUSTIN ROVER, HONDA, VOLVO De Alessandri, 44 r. Vaugelas ✆ 79 35 14 12
BMW Gar. du Parc, bd F.-Roosevelt ✆ 79 35 22 60
CITROEN Gar. Domenge, r. A.-Garrod ✆ 79 35 07 89
DATSUN Gar. St-Christophe, 31 bd Lepic ✆ 79 61 29 45
FORD Seigle, 41 av. Marlioz ✆ 79 61 09 55
LANCIA-AUTOBIANCHI Coudurier-Curioz, 104 av. de Marlioz ✆ 79 35 39 82

PEUGEOT-TALBOT Gar. du Golf, D 991 à Drumettaz par ③ ✆ 79 61 12 88
RENAULT Celta, entrée autoroute à Grésy-sur-Aix par ① ✆ 79 35 44 77
RENAULT Perrel, 11 sq. A.-Boucher ✆ 79 35 01 66
V.A.G. S.A.S., Z.A.C. à Grésy sur Aix ✆ 79 35 47 18

Bollon-Pneu, 11 av. de Marlioz, ✆ 79 61 45 35
Tout le pneu, 1 r. de France ✆ 79 35 10 79

AJACCIO P **2A Corse-du-Sud 90 ⑰ – voir à Corse.**

ALBAN 81250 Tarn 80 ⑫ G. Causses – 1 068 h. alt. 614.

Paris 729 – Albi 29 – Castres 54 – Lacaune 39 – Réalmont 32 – Rodez 85 – St-Affrique 53.

Bon Accueil, ✆ **63 55 81 03,** – wc wc ☎. AE E VISA. ch
fermé lundi sauf juil. et août – SC : **R** 68/150 – ☕ 16 – **15 ch** 85/165 – P 165/190.

RENAULT Saunal, 6 r. de Ladrech ✆ 63 55 82 32

ALBENS 73410 Savoie 74 ⑮ – 2 105 h. alt. 353.

Paris 533 – Aix-les-Bains 11 – Annecy 22 – Bellegarde-sur-Valserine 44 – Chambéry 27 – Rumilly 9.

Auberge Fleurie avec ch, ✆ **79 63 00 18** – wc P. AE ⓓ E VISA
fermé 1er au 30 nov., dim. soir (sauf août) et lundi – **R** 51/160 – ☕ 21 – **9 ch** 112/147 – P 128/148.

CITROEN Gar. Gare, ✆ 79 63 00 22

PEUGEOT-TALBOT Gar. du Centre, ✆ 79 63 00 83 N

ALBERTVILLE SP **73200 Savoie 74 ⑰ G. Alpes – 17 537 h. alt. 345 – Voir à Conflans : Bourg★, Porte de Savoie ←★ B – Env. Route du fort du Mont ←★★ E : 11 km.**

Syndicat d'Initiative pl. Gare ✆ 79 32 04 22.

Paris 573 ③ – Annecy 45 ① – Chambéry 49 ③ – Chamonix 67 ① – ♦Grenoble 86 ③.

Plan pages suivantes

✿✿ **Million,** 8 pl. Liberté **(a)** ✆ **79 32 25 15,** – ☎ . AE ⓓ VISA. rest
fermé 24 avril au 12 mai, 25 sept. au 10 oct. – SC : **R** *(fermé lundi sauf le soir du 14 juil. au 1er sept. et dim. soir)* 150/390 et carte – ☕ 35 – **29 ch** 150/300
Spéc. Ravioli à la nage de langoustine, Pétales de pigeonneau, Desserts. **Vins** Chignin, Arbin.

La Berjann M, 33 rte Tours **(s)** ✆ **79 32 47 88,** ←, , « **Belle décoration intérieure** », – wc wc ☎ P. ch
SC : **R** *(fermé dim. soir d'oct. à fin juin)* 60/150 – ☕ 22 – **11 ch** 145/190 – P 220/240.

Roma M, Rte de Chambéry par ③ : 1 km ✆ **79 37 15 56, Télex 980140,** ←, , , , – TV wc ☎ P – 70 à 140. AE ⓓ E VISA
SC : **R** 70/220 – ☕ 21 – **40 ch** 175/220 – P 316.

Costaroche, 1 chemin Pierre-du-Roy **(e)** ✆ **79 32 02 02,** – wc wc ☎ P.
– *fermé dim. soir et lundi midi d'oct. à juin* – SC : **R** 64/116 – ☕ 18,50 – **20 ch** 111/149 – P 198/265.

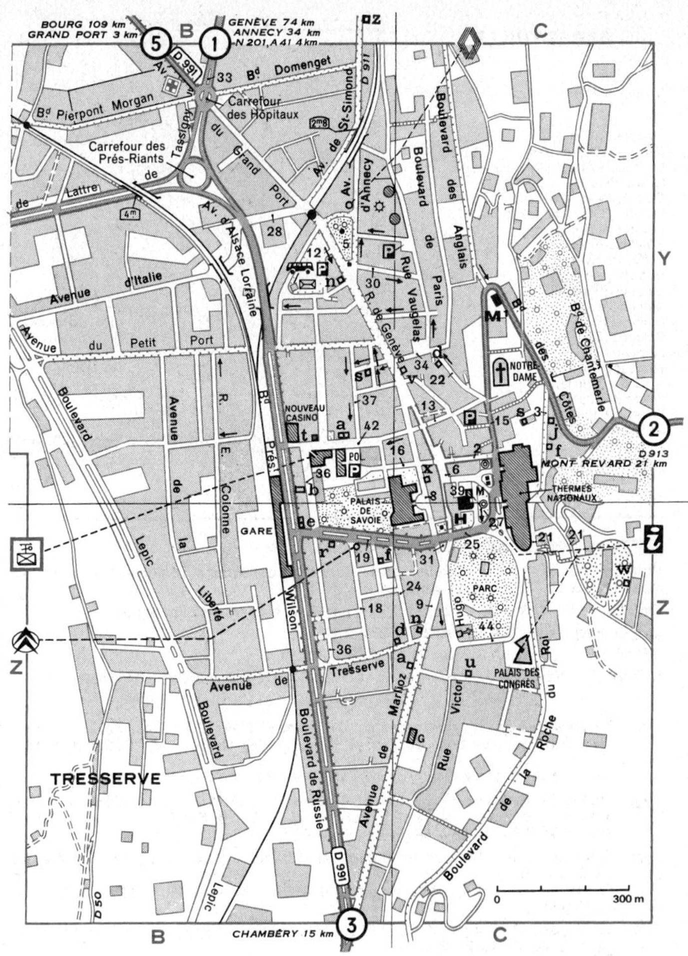

☛ *Les localités dont les noms sont soulignés de rouge sur les* ***cartes Michelin*** *à 1/200 000 sont citées dans ce guide. Utilisez une carte récente pour profiter de ce renseignement régulièrement mis à jour.*

XXX **Chez Uginet,** Pont des Adoubes **(d)** ✆ **79 32 00 50,** ‹, 🏞 – **P**. AE ⓓ VISA
fermé 25 juin au 5 juil., 12 nov. au 5 déc. et mardi – **SC : R** 120/250.

XX **Ligismond,** à Conflans, sur la place **(u)** ✉ **73200 Albertville** ✆ **79 32 53 50,** 🏞 – AE ⓓ VISA
fermé 1er au 10 nov. et lundi – **SC : R** 78/170.

BMW Portier, rte de Moutiers ✆ 79 32 23 32 **N**
CITROEN Gar. Pierre du Roy, 9 rte de Grignon, pt. Albertin par D 925 ✆ 79 32 47 37 **N**
CITROEN Gar. Hôte, 48 av. Chasseurs-Alpins ✆ 79 32 00 94 **N**
FIAT, LANCIA-AUTOBIANCHI S.A.V.A., rte de Moutiers ✆ 79 32 06 82
FORD Tarentaise-Auto, 1 rte de Grignon, carr. Pierre du Roy ✆ 79 32 04 98
OPEL Gar. Gare, 25 av. Victor-Hugo ✆ 79 32 02 28

PEUGEOT-TALBOT Arly-Auto, 113 r. Pasteur ✆ 79 32 23 75
RENAULT S.A.G.A.M., N 90 ✆ 79 32 45 70
V.A.G. Gar. des Quatre Vallées, 32 av. J.-Jaurès ✆ 79 32 31 97
Gar. des Alpes, 5 av. Gén.-de-Gaulle ✆ 79 32 23 09

Ⓜ Piot-Pneu, Zone Ind. du Chiriac, r. A.-Croizat ✆ 79 32 56 15
Tessaro-Pneus, Zone Ind. du Chiriac, 156 r. L.-Armand ✆ 79 32 04 60

ALBERTVILLE

République (R. de la)	26
Aberut (R. de l')	2
Adoubes (Pont des)	3
Allobroges (Quai des)	5
Chasseurs Alpins (Av. des)	6
Chautemps (R. F.)	7
Docteur-Mathias (R. du)	9
Dubois (R. Commandant)	12
Gambetta (R.)	13
Hôtel-de-Ville (Cours de l')	14
Hugues (Montée A.)	16
Mirantin (Pont du)	17
Moulin (Av. J.)	18
Mugnier (R. J.)	19
Pargoud (R.)	20
Pérouse (R. G.)	21
Pierre du Roy (Chemin de la)	23
Porraz (R. Jacques)	24
St-Jean-Baptiste (⊞)	28
St-Sigismond (⊞)	29
Tarentaise (Av. de)	32
Victor-Hugo (Av.)	34
8 Mai 1945 (Av. du)	35

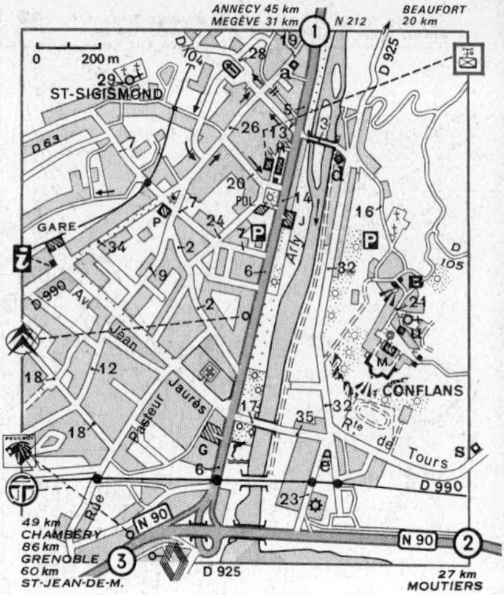

ALBI Ⓟ **81000** Tarn **82** ⑩ **G. Causses** – **48 341 h. alt. 174.**

Voir Cathédrale*** AY – **Palais de la Berbie*** : **collections Toulouse-Lautrec**** du **musée*** AXY **M** – **Pont du 22-Août** ≤* BX.

Env. Église St-Michel de Lescure* 5,5 km par ① – **Autodrome 2 km par** ⑤.

✈ **Le Séquestre : T.A.T.** ☎ **63 54 45 28 par** ⑤.

ℹ Office de Tourisme et A.C. Palais Berbie ☎ 63 54 22 30.

Paris 699 ⑤ – **Béziers 144** ④ – ♦**Clermont-Ferrand 304** ① – ♦**St-Étienne 339** ① – ♦**Toulouse 76** ⑤.

Plan page ci-contre

La Réserve Ⓜ, rte Cordes par ⑥ : 3 km ☎ **63 60 79 79, Télex 520850,** ≤, **« Dans un parc au bord du Tarn »**, – TV ☎ Ⓟ – 80. AE ⓓ E VISA. rest
avril-oct. – **SC** : **R** 130/240 – ☕ 45 – **20 ch** 360/630 – P 450/600.

Host. St-Antoine Ⓜ, **17 r. St-Antoine** ☎ **63 54 04 04, Télex 520850, « Jardin, meubles anciens »** – ch TV ☎ Ⓟ – 50. AE ⓓ E VISA — BY **d**
SC : **R** 100/250 – ☕ 38 – **56 ch** 330/550 – P 360/520.

Chiffre Ⓜ, **50 r. Séré-de-Rivières** ☎ **63 54 04 60** – rest TV Ⓟ – 400. AE ⓓ E VISA. rest — BY **b**
SC : **R** *(fermé dim. du 1er nov. au 31 mars)* 70/180 – ☕ 24 – **39 ch** 160/310 – P 310/420.

Le Vigan, 16 pl. Vigan ☎ **63 54 01 23, Télex 530328** – TV wc wc ☎ – 40 à 200. AE ⓓ E VISA — BY **n**
SC : **R** *(fermé 20 au 31 déc.)* 59/190 – ☕ 19,50 – **37 ch** 139/280.

Modern' Pujol et rest. Michel André, 22 av. Col. Teyssier ☎ **63 54 02 92** – rest TV wc wc ☎. AE ⓓ VISA. ch — BY **s**
fermé 21 juin au 15 juil. et vacances de fév. – **SC** : **R** *(fermé vend. soir et sam.)* 120/175 – ☕ 20 – **21 ch** 160/230 – P 250/320.

Cantepau sans rest, **9 r. Cantepau** ☎ **63 60 75 80** – wc wc ☎ — BX **a**
SC : ☕ 16 – **34 ch** 98/175.

George V sans rest, **29 av. Mar.-Joffre** ☎ **63 54 24 16** – wc — AZ **e**
fermé 7 au 14 oct. – ☕ 16,50 – **9 ch** 91/147.

Parking sans rest, **31 pl. Fernand-Pelloutier** ☎ **63 54 09 07** – — BY **h**
SC : ☕ 13,50 – **15 ch** 90.

XX **Relais Gascon et Aub. Landaise** avec ch, **1 r. Balzac** ☎ **63 54 26 51** – TV wc . AE ⓓ E VISA — BY **e**
fermé 15 janv. au 15 fév., dim. soir et lundi d'oct. à avril – **SC** : **R** 58/125 – ☕ 20 – **15 ch** 113/157 – P 240/270.

Marssac-sur-Tarn par ⑤ : 10 km – ✉ **81150** Marssac-sur-Tarn :

XXX ✿ **Francis Cardaillac,** ☎ **63 55 41 90,** ≤, parc, – Ⓟ. AE ⓓ E VISA
fermé 1er au 21 janv., dim. soir et lundi – **SC** : **R** (nombre de couverts limité - prévenir) 110/280
Spéc. Saucisson tiède de lapin, Dos de brochet fourré d'estofinado, Petits gris à la vinaigrette d'estragon. **Vins** Gaillac.

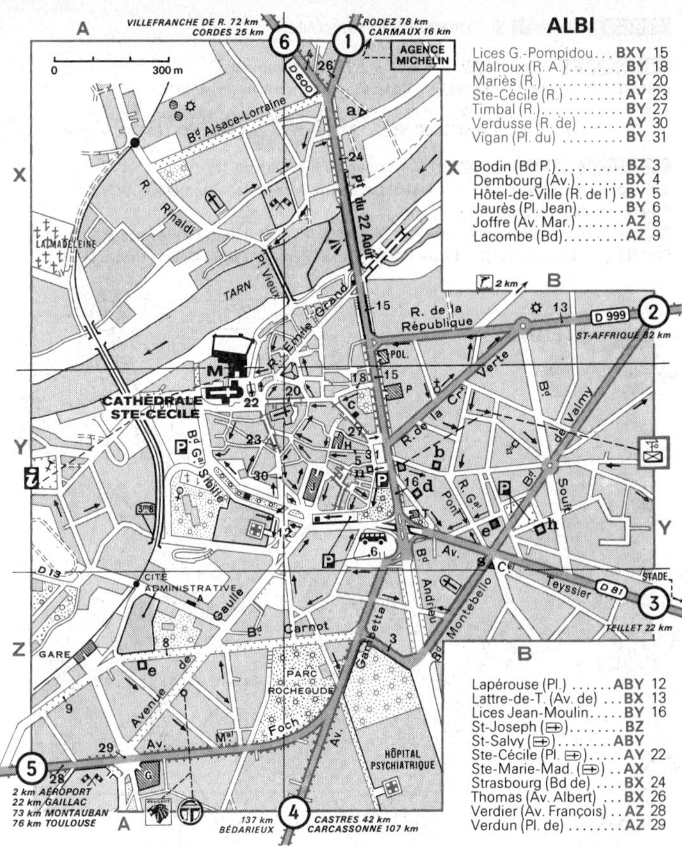

MICHELIN, Agence, bd Mar.-Lannes par ① ℘ **63 60 78 04**

ALFA-ROMEO-SEAT Mauriés, 101 av. Gambetta ℘ 63 54 06 75
AUTOBIANCHI, LANCIA Autom. Service allée du Camping ℘ 63 46 06 22
CITROEN Gar. Marlaud, rte Rodez, Lescure par ① ℘ 63 60 70 84
DATSUN, NISSAN A.C.A., 174 av. de-Lattre-de-Tassigny ℘ 63 60 35 00
FIAT, MERCEDES S.A.T.A., rte de Castres ℘ 63 54 03 02
HONDA Gar. Auriol, 14 av. Gambetta ℘ 63 54 06 51
LADA, SKODA, VOLVO Gar. Grimal, 128 av. A.-Thomas ℘ 63 60 72 05
PEUGEOT-TALBOT Samad, 43 av. de-Gaulle ℘ 63 54 21 89
RENAULT Ets Puech, 179 av. Gambetta par ④ ℘ 63 54 68 00
V.A.G. Courant, rte de Castres, Ranteil ℘ 63 54 36 44

Ⓜ Bellet Pneus, rte Castres ℘ 63 54 23 47
Escoffier-Pneus, 101 av. F.-Verdier ℘ 63 54 04 99

ALBIEZ-LE-JEUNE 73 Savoie 77 ⑦ – 78 h. alt. 1 350 – ✉ **73300** St-Jean-de-Maurienne.
Paris 611 – Chambéry 87 – St-Jean-de-Maurienne 16 – St-Michel-de-Maurienne 26.

✗ **L'Escale** 🐌 avec ch, ℘ **79 64 20 00,** ≤ – 🚿
fermé 15 au 30 avril, 31 oct. au 30 nov. et merc. hors sais. – SC : **R** 62/120 – ☕ 20 – **12 ch** 100 – P 180.

ALBIEZ-LE-VIEUX 73 Savoie 77 ⑦ – 275 h. alt. 1 522 – ✉ **73300** St-Jean-de-Maurienne.
Voir Col du Mollard ≤★ **S : 3 km, G. Alpes .**
Paris 611 – Chambéry 87 – St-Jean-de-Maurienne 16 – St-Sorlin-d'Arves 15.

🏨 **La Rua** 🐌, ℘ **79 59 30 76,** ≤ – 🛁wc 🚿wc ☎ Ⓟ. 🚫 rest
fermé 15 avril au 15 mai et nov. – SC : **R** 52/130 – ☕ 19 – **22 ch** 105/170 – P 180/238.

ALBIGNY 74 H.-Savoie 74 ⑥ – rattaché à Annecy.

ALBON 26 Drôme 77 ⑩ – rattaché à St-Rambert-d'Albon.

Les ALBRES 12 Aveyron 80 ① – 389 h – ✉ 12220 Montbazens.
Paris 598 – Decazeville 12 – Figeac 19 – Rodez 48 – Villefranche-de-Rouergue 35.

Frechet, Les Albres ☎ 65 80 66 10, – wc wc . rest
fermé du 15 au 29 sept. – SC : **R** 38/120 – 16 – **18 ch** 100/144 – P 183/190.

ALENÇON P 61000 Orne 60 ③ G. Normandie – 32 526 h. alt. 135.
Voir Église N.-Dame★ BY E – Musée des Beaux-Arts et de la Dentelle★ AY H.
Env. Forêt de Perseigne★ 9 km par ③.
Office de Tourisme pl. Lamagdelaine ☎ 33 26 11 36 – A.C.O. 2 cours Clemenceau ☎ 33 26 51 75.
Paris 191 ② – Chartres 116 ③ – Évreux 114 ② – Laval 92 ⑤ – ♦Le Mans 49 ④ – ♦Rouen 146 ①.

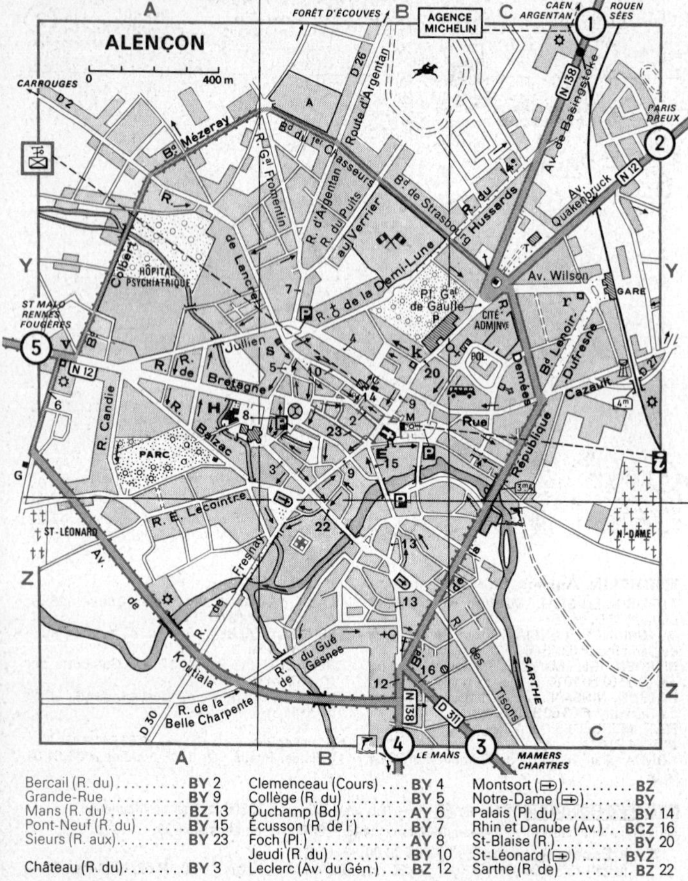

Gd Cerf, 21 r. St-Blaise ☎ 33 26 00 51, – wc wc ☎ – 25. AE ⓓ E VISA BY **k**
fermé 15 au 21 juil., 15 déc. au 15 janv. et dim. du 1er oct. au 1er avril – SC : **R** 58/180 – 19 – **33 ch** 110/280 – P 235/385.

Chapeau Rouge sans rest, 1 bd Duchamp ☎ 33 26 20 23 – wc ☎ P AY **v**
SC : 16 – **16 ch** 90/190.

Gare, 50 av. Wilson ☎ 33 29 03 93 – wc wc ☎ P. AE ⓓ E VISA CY **r**
fermé 20 déc. au 6 janv. – SC : **R** *(fermé dim. sauf le soir en juil., août et sam. soir de janv. au 15 mai)* 43/92 – 17,50 – **22 ch** 95/260.

XXX ✿ **Petit Vatel** (Lerat), 72 pl. Cdt-Desmeulles ℘ 33 26 23 78 – AE ⓓ E VISA
fermé 15 août au 1er sept., vacances de fév., dim. soir et merc. – SC : **R** 95/185
Spéc. Cocktail de saumon fumé et jambon de canard, Coquilles St-Jacques au coulis de poireaux (oct. à fév.), Chariot de glaces et sorbets. BY **s**

au Londeau par ② – ✉ **61000** Alençon :

Campanile, rte Paris ℘ 33 29 53 85, Télex 171908 – TV ⇔wc ☎ ℗ – 🏛 35. VISA
SC : **R** 61 bc/82 bc – ☕ 23 – **35 ch** 168/189.

par ④ : 4 km sur N 138 :

Host. du Château de Maleffre, ✉ 72610 Saint-Paterne ℘ 33 31 82 78, ≤, parc – ⇔ ⋔ ℗. E VISA. ✱ rest
fermé vacances de Noël – SC : **R** *(fermé vend., sam., dim. et fériés)* (dîner pour résidents seul.) 110 bc – ☕ 18 – **13 ch** 80/250.

Voir aussi ressources hôtelières de *St-Denis-sur-Sarthon* par ⑤ : 12 km.

MICHELIN, Agence, r. Lazare Carnot ZI Nord à Damigni par ① ℘ 33 29 13 26

AUSTIN, ROVER Gar. de Bretagne, 141 r. de Bretagne ℘ 33 26 08 27
BMW, OPEL Gar. de l'Europe, 160 av. Gén.-Leclerc ℘ 33 26 37 04
CITROEN Roques, N 138 rte du Mans par ④ ℘ 33 26 50 50 N
FIAT, LANCIA-AUTOBIANCHI Kosellek, 45 av. de Quakenbruck ℘ 33 29 40 67
FORD Legrand-Autos, 132 av. de Quakenbruck par ② ℘ 33 29 45 61
MERCEDES-SEAT Achille-Auto, rte de Bretagne à Condé-sur-Sarthe ℘ 33 26 50 12
PEUGEOT, TALBOT Gds Gar. de l'Orne, 111 av. de Basingstoke par ① ℘ 33 29 22 22 N
RENAULT SODIAC, N 12, rte de Paris à Cerisé par ② ℘ 33 29 20 22
RENAULT Chantepie, 37 r. Marchant-Saillant par R. Cazault CY ℘ 33 29 21 60
TOYOTA Baroche, 93 et 136 av. Rhin et Danube ℘ 33 29 60 86
V.A.G Gar. Poirier, 36 r. Ampère Z.I Nord ℘ 33 31 10 74
VOLVO Gar. Guérin, 21 r. Demées, ℘ 33 29 06 15

⊛ Alençon-Pneus, 71 av. de Basingstoke ℘ 33 29 16 22

Pour une demande de renseignements ou de réservation auprès d'un hôtelier, il est d'usage de joindre un timbre-réponse.

ALÈS

Avéjan (R. d') . . . . B
Docteur-Serres (R.) . . . . . . B
Edgar-Quinet (R.) . . . . B
Louis-Blanc (Bd) . . . . B
St-Vincent (R.) . . . . B 15
Taisson (R.) . . . . B 19
Albert-1er (R.) . . . . A 2
Audibert (R. Cdt) . . . . A 3
Barbusse (Pl. Henri) . . . . . . B 4
Canal (R. du) . . . . B 5
Gaulle (Av. Gén. de) . . . . . . B 7
Hôtel-de-Ville (Pl. de l') . . . A 8
Leclerc (Pl. Gén.) . . . . B 9
Martyrs-de-la-Résistance (Pl.) . . . . B 10
Michelet (R.) . . . . B 12
Péri (Pl. Gabriel) . . . . B 13
Rollin (R.) . . . . A 14
Sémard (Pl. Pierre) . . . . B 16
Soleil (R. du Faubourg-du) . . . B 17
Stalingrad (Av. de) . . . . B 18
Talabot (Bd) . . . . B 20
Vauban (Bd) . . . . A 22

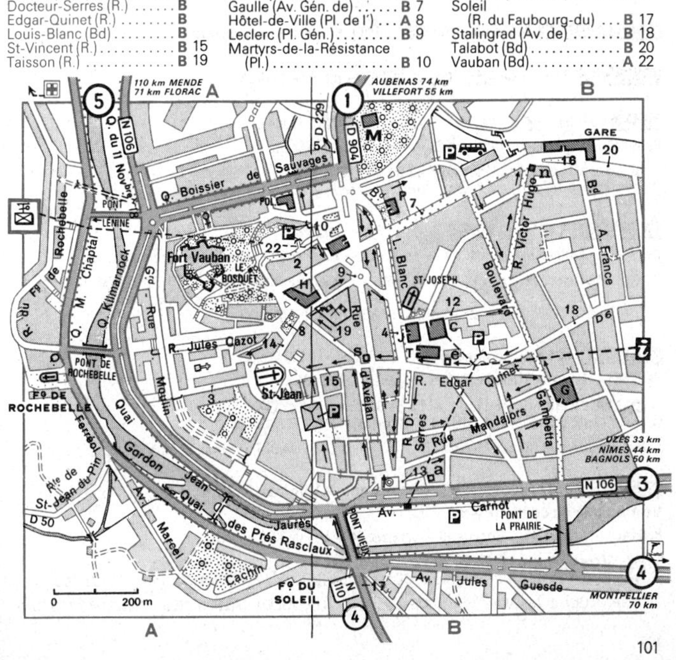

ALÈS <SP> 30100 Gard 80 ⑰⑱ G. Causses – 44 343 h. alt. 140.

Office de Tourisme 2 r. Michelet (Chambre de Commerce) ✆ 66 52 21 15, Télex 490855 et pl. G.-Péri (1er juin-30. sept.) ✆ 66 52 32 15 - A.C. quai Jean-Jaurès ✆ 66 30 44 40.

Paris 707 ② – Albi 231 ④ – Avignon 71 ③ – ♦Montpellier 70 ④ – Nîmes 44 ③ – Valence 147 ②.

Plan page précédente

Mercure M, r. E.-Quinet ✆ **66 52 27 07, Télex 480830** – ... 30 à 100. AE ⓓ E VISA — B e
R carte environ 120 – 27 – **75 ch** 198/270.

Gd Hôtel, 17 bis pl. G.-Péri ✆ **66 52 19 01** – wc wc . E — B a
SC : **R** *(fermé déc., janv., sam. soir et dim. hors sais.)* 62 – 20 – **42 ch** 105/260.

Orly sans rest, **10 r. Avéjan** ✆ **66 52 43 27** – wc . AE ⓓ E VISA. — B s
SC : 22 – **44 ch** 150/185.

Parc avec ch, **174 rte Nîmes par ③ : 2 km** ✆ **66 30 62 33,** , – wc Ⓟ – 50 à 70. ch
SC : **R** 67/118 – 18 – **6 ch** 150/200 – P 213 bc/268 bc.

Le Riche, 42 pl. Sémard ✆ **66 86 00 33, salle 1900** – E VISA. — B n
fermé juil. – SC : **R** 58/176.

rte de Nîmes par ③ **4 km sur N 106** – **30560** St-Hilaire-de-Brethmas :

L'Écusson M sans rest, ✆ **66 30 10 52,** – wc Ⓟ
20 – **26 ch** 125/200.

Aub. St-Hilaire, ✆ **66 30 11 42** – Ⓟ. VISA.
fermé 20 janv. au 10 fév., 25 août au 8 sept., dim. soir et lundi sauf fériés – SC : **R** 98/178.

ALFA-ROMEO- **LANCIA-AUTOBIANCHI** Gar. Grégori, 30 bd Gambetta ✆ 66 30 07 66
BMW-FIAT Cévennes-Autom., rte d'Aubenas à St Martin de Valgalgues ✆ 66 30 22 46
CITROEN Alès-Auto, 78 rte de Bagnols par ② ✆ 66 86 42 40
DATSUN-NISSAN-LADA-SKODA Gar. Chauvet, 92 bis rte Alsace ✆ 66 30 13 80
FORD Morel, 15 av. Gibertine ✆ 66 86 44 73
LANCIA-AUTOBIANCHI Gar. Juveau, 2 bd L.-Blanc ✆ 66 52 39 31
PEUGEOT-TALBOT Guiraud, 1165 rte d'Uzès par ③ ✆ 66 86 41 87
OPEL-GM Gar. SOGIR, rte de Nîmes à St-Hilaire de Brethmas ✆ 66 61 32 97
RENAULT Auto-Christol, Rte de Montpellier à St. Christol les Alès par N 110 B ✆ 66 52 86 44 N ✆ 66 60 79 41
RENAULT Sud-Auto, rte de Nîmes par ③ ✆ 66 86 49 64
V.A.G. Provence-Auto, Km 3, rte de Nîmes à St-Hilaire de Brethmas ✆ 66 30 81 23

Ayme-Pneus, Imp. Rameau, zone Ind. Croupillac ✆ 66 30 22 10
Beltran-Pneus, 6 r. J.-Louche ✆ 66 30 07 58
Escoffier-Pneus, 8 pl. Barbusse ✆ 66 52 38 72 et Zone Ind. de Bruèges ✆ 66 55 68 41
Pneus-Rouveyran, 35 av. Marcel Cachin, prés Rasclaux ✆ 66 52 51 83

ALFORTVILLE 94 Val-de-Marne 61 ①, 101 ㉖ – voir à Paris, Environs.

ALISSAS 07 Ardèche 76 ⑲, 77 ⑪, 93 ⑳ – rattaché à Privas.

ALIX 69 Rhône 73 ⑨, 74 ① – 776 h. – **69380** Lozanne.

Paris 446 – L'Arbresle 11 – ♦Lyon 28 – Villefranche-sur-Saône 12.

Le Vieux Moulin, ✆ **78 43 91 66,** – Ⓟ
fermé 16 août au 7 sept., lundi et mardi – SC : **R** 65/220.

ALLANCHE 15160 Cantal 76 ③④ – 1 383 h. alt. 985.

Paris 484 – Aurillac 74 – Brioude 48 – Issoire 64 – Massiac 26 – Murat 23 – St-Flour 36.

Modern'H., ✆ **71 20 40 06,** – wc wc Ⓟ. AE ⓓ E VISA. rest
fermé 11 au 24 oct., 3 nov. au 10 déc., 3 au 31 janv. et dim. hors vacances scolaires – SC : **R** 47/133 – 21 – **35 ch** 83/165 – P 145/206.

ALLASSAC 19240 Corrèze 75 ⑧ G. Périgord – 3 560 h. alt. 170.

Paris 484 – Brive-la-Gaillarde 16 – ♦Limoges 84 – Tulle 34.

Midi, av. Victor-Hugo ✆ **55 84 90 35** – wc. VISA
SC : **R** 55/75 – 16,50 – **10 ch** 90/120 – P 130/155.

CITROEN Bouillaguet, ✆ 55 84 90 22
RENAULT Vignal, ✆ 55 84 91 22

ALLÈGRE 43270 H.-Loire 76 ⑥ G. Auvergne – 1 375 h. alt. 1 021.

Voir Ruines du château ✱★.

Paris 482 – Ambert 48 – Brioude 40 – Langeac 34 – Le Puy 28.

Voyageurs, ✆ **71 00 70 12** – wc Ⓟ
fermé 25 déc. au 1er mars – SC : **R** 40/51 – 17 – **27 ch** 67/140 – P 129/160.

CITROEN Gar. J.-M.-Allès, ✆ 71 00 70 50
PEUGEOT-TALBOT Gar. Marrel, ✆ 71 00 70 62 N

ALLEMOND 38114 Isère 77 ⑥ – 1 207 h. alt. 820.

Voir Traverse d'Allemond ※ O : 4 km, G. Alpes.**

Paris 608 – Le Bourg-d'Oisans 11 – ♦Grenoble 45 – St-Jean-de-Maurienne 54 – Vizille 29.

- **Giniès** ⑤, ✆ 76 80 70 03, ≤, ⛱, ⛱ – ⋒ ☎ Ⓟ. ✻ rest
  SC : **R** *(Pâques, 2 mai-20 sept. et vacances fév.)* 70/135 ⅓ – ▭ 20 – **18 ch** 95/130 – P 170/220.

ALLÉRIOT 71 S.-et-L. 69 ⑩, 70 ② – rattaché à Chalon-sur-Saône.

ALLERY 80 Somme 52 ⑦ – rattaché à Airaines.

ALLEVARD 38580 Isère 74 ⑯, 77 ⑥ **G. Alpes** – 2 391 h. alt. 475 – Stat. therm. (16 mai-24 sept.).

Voir Route du Collet par ② – O : Route de Brame-Farine*.**

ℹ Office de Tourisme pl. Résistance ✆ 76 45 10 11.

Paris 559 ① – Albertville 47 ① – Chambéry 35 ① – ♦Grenoble 38 ③ – St-Jean-de-Maurienne 65 ①.

ALLEVARD

Baroz (R.) 2
Bir-Hakeim (R. de) 3
Breda (R. du) 4
Charamil (R.) 5
Chenal (R.) 6
Davallet (Av.) 7
Docteur-Chataing (R.) 8
Docteur-Mansord (R.) 9
Docteur-Niepce (R.) 10
Ferry (Bd Jules) 14
Gerin (Av. Louis) 15
Grand-Pont (R. du) 19
Libération (R. de la) 21
Louaraz (Av.) 23
Ponsard (R.) 24
Rambaud (Pl. P.) 25
Résistance (Pl. de la) 27
Savoie (Av. de) 28
Stalingrad (R. de) 29
Tallard (R. E.) 31
Verdun (Pl. de) 32

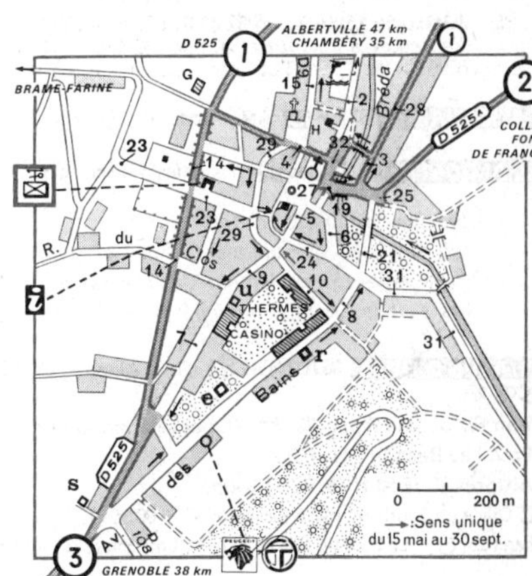

- **Ermitage** ⑤, **(e)** ✆ 76 97 51 41, parc, ✂ – ▮ ⇔wc ☎ Ⓟ. ✻ rest
  16 mai-23 sept. – SC : **R** 78/150 – **46 ch** ▭ 85/239 – P 193/276.
- **Parc** ⑤ sans rest, **(u)** ✆ 76 97 54 22, ≤ parc, ✂ – ▮ TV ⇔wc ☎ Ⓟ
  15 mai-25 sept. – SC : **50 ch** ▭ 115/220.
- **Les Pervenches** ⑤, **(s)** ✆ 76 97 50 73, ≤, parc, ⛱, ✂ – ⇔wc ⋒wc ☎ ♿ Ⓟ. E VISA. ✻ rest
  3 mai-25 sept., 1er fév.-10 avril et fermé jeudi midi et merc. hors sais. sauf vacances scolaires – SC : **R** 76/126 – ▭ 21 – **30 ch** 147/208 – P 230/257.
- **Continental, (r)** ✆ 76 45 03 25, ⛱ – ▮ ⋒wc ☎ 🚗 Ⓟ. ✻ rest
  15 mai-29 sept. et 20 déc.-20 avril – SC : **R** 60/67 – ▭ 18,50 – **40 ch** 98/175 – P 165/221.

à Pinsot S : 7 km par D 525 A – ✉ **38580** Allevard :

- **Pic Belle Étoile,** ✆ 76 97 53 62, ≤, ⛱, ✂ – ▮ ⇔wc ⋒wc ☎ Ⓟ. E VISA. ✻ rest
  11 mai-12 oct., 10 nov.-10 avril et fermé merc. et dim. soir du 1er oct. au 31 déc. – SC : **R** 75/165 – ▭ 19 – **34 ch** 156/225 – P 264/308.

au Collet d'Allevard par ② : 10 km – alt. 1 450 – Sports d'hiver : 1 475/2 100 m ⛷15 – ✉ **38580** Allevard.

ℹ Office de Tourisme (juil.-août et 15 déc.-15 avril) ✆ 76 45 01 88.

- **Plein Ciel** ⑤, ✆ 76 97 52 30, ≤ massif de Chartreuse – ⋒wc ☎ Ⓟ
  22 ch.

PEUGEOT-TALBOT Gar. Tissot, ✆ 76 97 50 62 RENAULT Gar. des Alpes, ✆ 76 97 51 26

ALLIGNY-EN-MORVAN 58 Nièvre 65 ⑰ – 709 h. alt. 454 – ✉ **58230** Montsauche.

Paris 261 – Autun 32 – Château-Chinon 34 – Clamecy 79 – Nevers 100 – Saulieu 11.

- **Aub. du Morvan** avec ch, ✆ 86 76 13 90 – ⋒. ✻ ch
  fermé 11 nov. au 20 déc., 6 janv. au 15 fév., le soir (sauf sam.) et jeudi hors sais. – **R** 49/132 – ▭ 18 – **5 ch** 87/116 – P 150.

ALLONZIER-LA-CAILLE 74 H.-Savoie 74 ⑥ – 661 h. alt. 643 – ✉ 74350 Cruseilles.

Voir Ponts de la Caille★ N : 1,5 km, G. Alpes.

Paris 539 – Annecy 13 – Bellegarde-sur-Valserine 49 – Bonneville 31 – ♦Genève 30.

Manoir 🐎, ☏ 50 46 81 82, ≤, – TV wc wc ☎ P – 40. AE ⓓ E VISA
fermé 1er nov. au 20 déc. et lundi hors sais. – SC : **R** 75/190 – ☕ 25 – **18 ch** 150/200 – P 240/260.

ALLOS 04260 Alpes-de-H.-P. 81 ⑧ G. Alpes – 681 h. alt. 1 425 – Sports d'hiver à La Foux : 1 800/2 600 m 2 17 et au Seignus.

Env. ✳★★ du col d'Allos NO : 15 km.

ℹ Office de Tourisme au Seignus ☏ 92 83 02 81, Télex 405945 et à la Foux ☏ 92 83 80 70, Télex 430684.

Paris 772 – Barcelonnette 36 – Colmars 8 – Digne 79.

au Seignus O : 2 km par D 26 – alt. 1 500 – Sports d'hiver : 1 500/2 425 m 11 – ✉ 04260 Allos :

Altitude 1500 🐎, ☏ 92 83 01 07, ≤ – P. ✱
Pentecôte à fin août et 20 déc.-20 avril – **R** (nombre de couverts limité - prévenir) 60/95 – ☕ 19 – **16 ch** (pens. seul.) – P 165.

ALMANARRE 83 Var 84 ⑮⑯ – rattaché à Hyères.

L'ALOUETTE 33 Gironde 71 ⑨ – rattaché à Bordeaux.

Si vous cherchez un hôtel tranquille,
ne consultez pas uniquement les cartes p. 46 à 53,
mais regardez également dans le texte
les établissements indiqués avec le signe 🐎.

L'ALPE D'HUEZ 38750 Isère 77 ⑥ G. Alpes – alt. 1 860 – Sports d'hiver : 1 860/3 350 m 5 49, ⛷.

Voir Pic du Lac Blanc ✳★★★ NE par téléphérique B.

Env. Lac Besson★ N : 5,5 km.

Altiport ☏ 76 80 41 15, SE : 1,5 km.

ℹ Office de Tourisme Place Paganon ☏ 76 80 35 41, Télex 320892.

Paris 624 ① – Le Bourg-d'Oisans 14 ① – Briançon 79 ① – ♦Grenoble 62 ①.

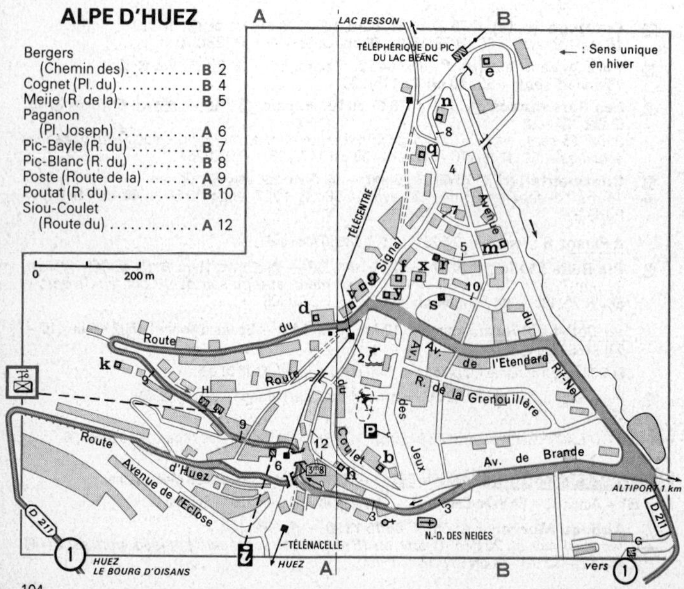

Ours Blanc M 🐦, ✆ 76 80 31 11, Télex 320807, ≤ massif de l'Oisans – ☎ 🚗 P. AE ① E VISA. ✻ rest B **b**
18 déc.-15 avril – SC : **R** *(dîner seul.)* 150/205 – **31 ch** (1/2 pens. seul.) – ½ p 425/650.

Petit Prince 🐦, rte poste ✆ 76 80 33 51, ≤ massif de l'Oisans, 🏠 – |♦| ☎ P – 🏔 25. AE ①. ✻ rest A **k**
Noël-Pâques – SC : **R** 135/165 – ☕ 35 – **40 ch** 320/480 – P 340/495.

Les Gdes Rousses, ✆ 76 80 33 11, Télex 308437, ≤ massif de l'Oisans, 🏊, ✂ – |♦| TV ☎ 🚗 P – 🏔 30. AE VISA A **d**
20 juin-10 sept. et 10 déc.-1er mai – SC : **R** 125 – ☕ 28 – **45 ch** 402 – P 398/446.

Vallée Blanche, ✆ 76 80 30 51, ≤ massif de l'Oisans, 🏠 – |♦| TV ☎ P – 🏔 40. ① VISA. ✻ rest B **h**
15 déc.-30 avril – SC : **R** 125/150 – ☕ 28 – **42 ch** (pens. seul.) – P 390/615.

✻ **Au Chamois d'Or** (Seigle) 🐦, ✆ 76 80 31 32, ≤ pistes et montagnes, 🏠 – |♦| ☎ P. ✻ B **e**
15 déc.-24 avril – SC : **R** 95/130 – ☕ 28 – **40 ch** 115/390 – P 300/480
Spéc. Huîtres chaudes aux épinards, Emincé de blanc de Bresse en papillote, Gratin et parfait glacé de framboises. **Vins** Chénas, Crépy.

Hermitage, ✆ 76 80 35 43, ≤ – |♦| ☎ P – 🏔 35. ✻ rest B **f**
juil.-août (sans rest.) et 5 déc.-2 mai (pension seul.) – SC : **R** 85/140 – ☕ 32 – **37 ch** 330/380, 3 appartements 420 – P 340/430.

Le Dôme M, ✆ 76 80 32 11, ≤ massif de l'Oisans, 🏠 – |♦| TV ☎ 🚗 P. AE ① E VISA. ✻ rest B **q**
1er juil.-24 août et déc.-avril – SC : **R** 115/150 – ☕ 38 – **18 ch** 330/440 – P 400/465.

Le Chaix M, ✆ 76 80 30 22, ≤ massif de l'Oisans – |♦| 🛁wc ☎ P B **m**
sais. – **27 ch.**

Le Christina 🐦, ✆ 76 80 33 32, ≤ massif de l'Oisans, ✂ – |♦| 🛁wc 🚿wc ☎ P
sais. – **28 ch.** B **n**

Belle Aurore, ✆ 76 80 33 17, ≤ – 🛁wc 🚿 ☎. ✻ rest B **g**
20 déc.-20 avril – SC : **R** 130/160 – **37 ch** ☕ 285/450 – P 340/440.

La Dauphinoise, ✆ 76 80 32 61, ≤ – |♦| 🛁wc 🚿wc ☎ P. ✻ rest B **x**
15 déc.-20 avril – SC : **R** 70/100 – ☕ 25 – **27 ch** 200/300.

Les Bruyères, ✆ 76 80 32 74, ≤ – 🛁wc 🚿wc ☎ P. VISA. ✻ rest B **y**
1er juil.-31 août et 10 déc. au 1er avril – SC : **R** 70/100 – ☕ 25 – **20 ch** 220/300 – P 290/320.

Alp'Azur sans rest, ✆ 76 80 34 02, ≤ – 🛁wc 🚿wc ☎. E VISA B **v**
fermé 10 mai au 30 juin – SC : ☕ 24 – **20 ch** 155/250.

XX **L'Outa** avec ch, ✆ 76 80 34 56, ≤, 🏠, 🌳 – 🛁wc 🚿wc ☎. ① E VISA. ✻ rest
1er juil.-31 août et 21 déc.-1er mai – SC : **R** 67/97 – **11 ch** ☕ 270 – P 296. B **s**

XX **La Cordée,** ✆ 76 80 35 39, 🏠 – AE VISA B **r**
1er juil.-1er sept. et 1er nov.-1er mai – SC : **R** 120/160 et dîner à la carte.

à Huez par ① : 4 km par D 211 – alt. 1 495 – ✉ **38750** Alpe d'Huez :

Gai Vallon, ✆ 76 80 30 52, ≤ – 🚿 P. ✻ rest
fermé 1er mai au 15 juin et week-ends d'oct. à mi-déc. – SC : **R** 65/85 – ☕ 20 – **12 ch** 85/100 – P 165.

TOYOTA Gar. de l'Alpe, ✆ 76 80 45 06

ALTENSTADT **67** B.-Rhin **57** ⑲ – rattaché à Wissembourg.

ALTKIRCH SP **68130** H.-Rhin **66** ⑨ **G. Alsace et Lorraine** – 6 129 h. alt. 312.
Paris 531 – •Bâle 33 – Belfort 34 – Montbéliard 48 – •Mulhouse 20 – Thann 29.

à Wittersdorf E : 3 km par D 419 – ✉ **68130** Altkirch :

Kuentz-Bix M, ✆ 89 40 95 01 – TV 🛁wc 🚿wc ☎ P. ① E VISA. ✻
R *(fermé fév. et lundi)* 65/135 🍷 – ☕ 25 – **18 ch** 150/180 – P 280/460.

sur D 419 O : 3,5 km – ✉ **68130** Altkirch :

Aub. Sundgovienne, ✆ 89 40 97 18, 🏠, 🌳 – |♦| 🛁wc 🚿wc ☎ P. AE ① E VISA. ✻ ch
fermé 23 déc. au 1er fév., mardi midi (sauf hôtel) et lundi sauf fériés – SC : **R** 49/106 🍷 – ☕ 15 – **31 ch** 63/180 – P 160/225.

à Hirtzbach S : 4 km – ✉ **68118** Hirtzbach :

XX **Ottié-Baur** avec ch, à la bifurcation de D 432 et D 17 ✆ 89 40 93 22, 🌳 – 🛁wc 🚿wc ☎ 🚗 P. E. ✻ ch
fermé 23 juin au 17 juil., 18 au 29 oct., vacances de fév., lundi soir (sauf août) et mardi – **R** 48/160 🍷 – ☕ 17 – **13 ch** 60/160 – P 190/230.

PEUGEOT, TALBOT Maute gar. du Centre, 21 r. de l'Ill ✆ 89 40 01 15

RENAULT Gar. Fritsch, 29 r. du 3e Zouaves ✆ 89 40 01 07

ALVIGNAC 46 Lot **75** ⑲ **G. Périgord** – 566 h. alt. 390 – ✉ **46500** Gramat.

Syndicat d'Initiative (juil.-août) ✆ 65 33 66 42.

Paris 540 – Brive-la-Gaillarde 52 – Cahors 64 – Figeac 43 – Gourdon 41 – Rocamadour 9 – Tulle 78.

Palladium (Hôtel d'Application Hôtelière) ✆ 65 33 60 23, ≤, – wc wc ⓟ. AE ⓓ VISA
28 avril-30 sept. – SC : **R** 68/152 – 20 – **25 ch** 210/260 – P 340/380.

Nouvel H., ✆ 65 33 60 30, – wc wc ⓟ
1er mars-15 déc. et fermé vend. soir, dim. soir et sam. du 15 oct. à Pâques – SC : **R** 45/130 – 13,50 – **13 ch** 68/135 – P 125/170.

Aub. Madeleine, ✆ 65 33 61 47,
Pâques-fin sept. – SC : **R** 45/100.

AMANCY-VOZERIER 74 H.-Savoie **74** ⑦ – rattaché à la Roche-sur-Foron.

AMBÉRIEU-EN-BUGEY 01500 Ain **74** ③ – 10 470 h. alt. 250.

Voir SE : Cluse de l'Albarine★, G. Jura.

Syndicat d'Initiative ✆ 74 38 18 17.

Paris 457 – Belley 45 – Bourg-en-Bresse 30 – ♦Lyon 53 – Nantua 44 – La Tour-du-Pin 54.

Savoie M, N : 2 km sur rte Bourg-en-Bresse ✆ **74 38 06 90, Télex 305857** – wc ⓟ – 60. AE ⓓ E VISA
SC : **R** 84/180 – 23 – **42 ch** 186/226.

CITROEN Gar. de la Gare, 85 av. R.-Salengro ✆ 74 38 00 15
PEUGEOT-TALBOT Gar. Pussier, 193 r. A.-Bérard ✆ 74 38 20 36
RENAULT Arpin-Gonnet, 25 r. A.-Bérard ✆ 74 38 00 60
V.A.G., Gar. Chapelle, 16 r. de la Résistance ✆ 74 38 21 84
Comptoir Départemental Pneu, 64 r. A.-Bérard ✆ 74 34 62 66

AMBÉRIEUX-EN-DOMBES 01 Ain **74** ①② – 848 h. alt. 300 – ✉ **01330** Villars-les-Dombes.

Paris 431 – Bourg-en-Bresse 39 – ♦Lyon 34 – Mâcon 53 – Villefranche-sur-Saône 16.

Aub. des Bichonnières , rte d'Ars sur Formans ✆ **74 00 82 07, « ancienne ferme bressanne »,** – wc ⓟ. VISA.
fermé lundi – SC : **R** 80/205 – 21 – **13 ch** 154/206.

PEUGEOT-TALBOT Butillon, ✆ 74 00 84 02 N
RENAULT Vacheresse, ✆ 74 00 83 46 N

AMBERT 63600 P.-de-D. **73** ⑯ **G. Auvergne** – 8 026 h. alt. 537.

Voir Église St-Jean★ E.

Syndicat d'Initiative 4 pl. Hôtel de Ville ✆ 73 82 01 55, Télex 990643 et pl. G.-Courtial (1er juil.-15 sept.) ✆ 73 82 14 15.

Paris 434 ① – Brioude 73 ③ – ♦Clermont-Fd 89 ④ – Montbrison 46 ② – Le Puy 72 ③ – Thiers 54 ①.

Livradois, 1 pl. Livradois **(d)** ✆ 73 82 10 01 – wc. AE ⓓ E VISA
fermé 15 au 30 nov., 5 au 15 janv., dim. soir et lundi d'oct. au 30 mai – SC : **R** 95/230 – 16,50 – **14 ch** 70/195.

Chaumière, 41 av. Mar.-Foch **(e)** ✆ 73 82 14 94, – wc wc ⓟ. AE ⓓ E VISA
fermé 1er au 29 mars, 1er au 8 sept., dim. sauf juil.-août et sam. – SC : **R** *(fermé sam. et dim. soir)* 55/140 – 14 – **15 ch** 68/170 – P 150/190.

La Dore, 58 av. Mar.-Foch **(a)** ✆ 73 82 00 58 – wc . ⓓ E VISA
fermé janv. et lundi – SC : **R** 38/120 – 13,50 – **12 ch** 68/149 – P 110/153.

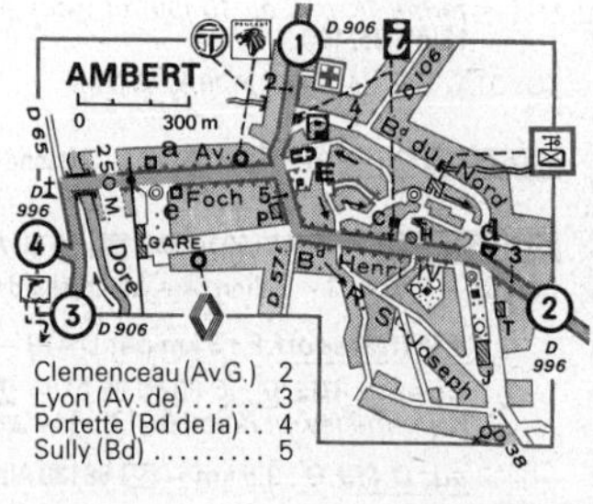

CITROEN Rigaud, rte de Clermont par ① ✆ 73 82 01 57
FORD Colomb, Rte de Clermont ✆ 73 82 01 28
PEUGEOT-TALBOT Mavel, 22 av. Mar.-Foch ✆ 73 82 00 50 N
RENAULT Chanoine, 33 av. 11-novembre ✆ 73 82 08 56 N
Arcis-Pneus, 34 av. de la Dore ✆ 73 82 02 69

AMBIALET 81 Tarn **80** ⑫ **G. Causses** – 405 h. alt. 200 – ✉ **81340** Valence-d'Albigeois.

Voir Site ★.

Paris 722 – Albi 23 – Castres 54 – Lacaune 53 – Rodez 72 – St-Affrique 67.

Pont, ✆ 63 55 32 07, ≤, parc, – rest wc ⓟ. AE ⓓ
1er mars-1er déc. – SC : **R** 65/150 – 17 – **13 ch** 115/146 – P 164/197.

AMBOISE 37400 I.-et-L. 64 ⑯ G. Châteaux de la Loire – 11 415 h. alt. 57.

Voir Château★★ B : ≤★★ **de la Terrasse,** ≤★★ **de la tour des Minimes – Clos-Lucé**★ B M1 – **Pagode de Chanteloup**★ 3 km par ④.

Office de Tourisme quai Gén.-de-Gaulle ☎ 47 57 09 28.

Paris 221 ① – Blois 35 ① – Loches 34 ④ – ♦Tours 25 ⑤ – Vierzon 91 ③.

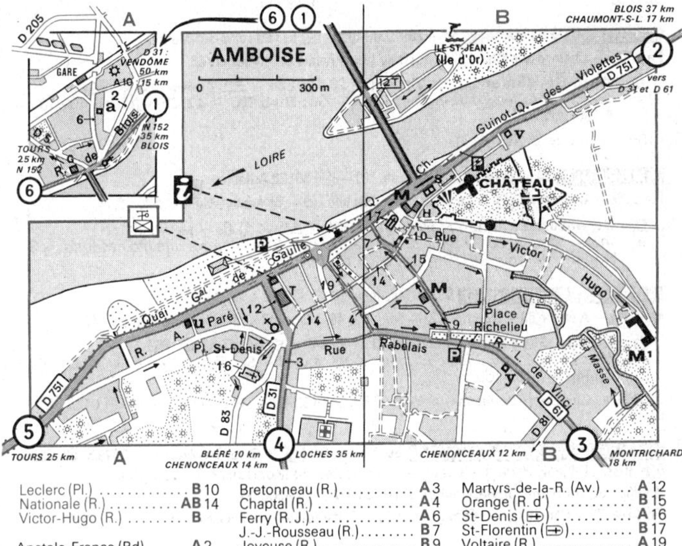

Leclerc (Pl.) .... B 10
Nationale (R.) .... AB 14
Victor-Hugo (R.) .... B

Anatole-France (Bd) .... A 2

Bretonneau (R.) .... A 3
Chaptal (R.) .... A 4
Ferry (R. J.) .... A 6
J.-J.-Rousseau (R.) .... B 7
Joyeuse (R.) .... B 9

Martyrs-de-la-R. (Av.) .... A 12
Orange (R. d') .... B 15
St-Denis (⊞) .... A 16
St-Florentin (⊞) .... B 17
Voltaire (R.) .... A 19

Le Choiseul, 36 quai Ch.-Guinot ☎ 47 30 45 45, Télex 725068, parc – ☎ P – 50. VISA — B **v**
fermé 6 janv. au 16 mars – SC : **R** 200/250 – ☐ 48 – **20 ch** 605/770 – P 725/805.

Novotel M ⛰, S : 2 km par rte de Chenonceaux ☎ 47 57 42 07, Télex 751203, ≤, ⛱, ⛱, ⛱, ✂ – ▤ TV ☎ ♿ P – 200. AE ◑ E VISA
R snack carte environ 100 🍷 – ☐ 34 – **82 ch** 294/336.

Belle Vue sans rest, 12 quai Ch.-Guinot ☎ 47 57 02 26 – ▤ TV ⌂wc ⌂wc ☎. VISA. ✗ — B **s**
15 mars-15 nov. et fermé dim. soir hors sais. – SC : ☐ 20 – **34 ch** 128/210.

Chanteloup sans rest, rte de Bléré par ④ : 1,5 km ☎ 47 57 10 90 – ▤ ⌂wc ⌂wc ☎ P. ✗
1er avril-15 nov. – SC : ☐ 26 – **25 ch** 210/320.

Lion d'Or, 17 quai Ch.-Guinot ☎ 47 57 00 23 – ⌂wc ⌂wc ☎ 🚗. VISA. ✗ rest
15 mars-1er nov. – SC : **R** 105/175 – ☐ 22 – **22 ch** 107/205 – P 280/328. — B **s**

Parc, 8 r. L.-de-Vinci ☎ 47 57 06 93, ⛱, ⛱ – ⌂wc ⌂wc ☎ P. E VISA. ✗
1er mars-31 oct. – SC : **R** 110 – ☐ 26 – **20 ch** 160/300. — B **y**

La Brèche, 26 r. J.-Ferry ☎ 47 57 00 79, ⛱, ⛱ – ⌂wc ⌂ 🚗. AE ◑ E VISA ✗ — A **a**
fermé 1er déc. au 10 janv., sam. soir et dim. d'oct. à Pâques – SC : **R** 60/98 🍷 – ☐ 22 – **15 ch** 100/200 – P 225/250.

✕✕ **Auberge du Mail** avec ch, 32 quai Gén.-de-Gaulle ☎ 47 57 60 39 – ⌂wc ☎. AE VISA. ✗ ch — A **u**
1er avril-3 nov. et fermé mardi – **R** 95/175 – ☐ 22 – **15 ch** 180/250 – P 290/380.

au Nord-Est – ✉ 37400 Amboise :

Château de Pray ⛰, par ② : 2,5 km ☎ 47 57 23 67, ≤, ⛱, « Terrasse dominant la vallée, parc » – ⌂wc ⌂ ☎ 🚗 P. AE ◑ E VISA. ✗ rest
fermé 1er janv. au 10 fév. – SC : **R** 132/165 – ☐ 132 – **16 ch** 230/352 – P 390/400.

✕✕ **La Bonne Étape,** par ② : 2 km ☎ 47 57 08 09 – P. AE E VISA
fermé vacances de Noël, fév. et mardi – SC : **R** 77/160.

à Négron par ⑥ : 3 km – ✉ 37400 Amboise :

Petit Lussault sans rest, N 152 ☎ 47 57 30 30, ⛱, ✂ – ⌂wc ⌂wc ☎ P
15 mars-15 oct. et fermé dim. soir hors sais. – SC : ☐ 18 – **21 ch** 120/190.

FIAT, LANCIA-AUTOBIANCHI, V.A.G. Gar. du Relais des Châteaux, rte Chenonceaux ✆ 47 57 07 64
FORD Gar. A.-France, 41 r. de Blois ✆ 47 57 11 30
OPEL Gar. Moderne Sport, 12 r. de Blois ✆ 47 57 11 32
PEUGEOT-TALBOT C.G.F., 108 r. St-Denis par D 83 ✆ 47 57 42 82
RENAULT S.A.V.E.A., rte de Bléré par ④ ✆ 47 57 06 54

Nourry Pneus, 25 quai Gén.-de-Gaulle ✆ 47 57 44 71

AMBONNAY 51 Marne 56 ⑰ – 801 h. alt. 102 – ✉ 51150 Tours-sur-Marne.
Paris 161 – Châlons-sur-Marne 22 – Épernay 19 – ♦Reims 29 – Vouziers 66.

Aub. St-Vincent, r. St-Vincent ✆ **26 57 01 98** – E. ✻ ch
fermé janv., fév., dim. soir et lundi – **SC : R** 65/160 – 15 – **11 ch** 100/130 – P 180/250.

CITROEN Croizy, ✆ 26 57 01 71

AMBRAULT 36 Indre 68 ⑨ – 642 h. alt. 180 – ✉ 36120 Ardentes.
Paris 266 – Châteauroux 24 – La Châtre 24 – Issoudun 20 – St-Amand-Montrond 46.

XX **Commerce** avec ch, ✆ **54 49 01 07**, – wc Ⓟ – 30. ✻
fermé 17 mars au 23 avril, 29 sept. au 20 oct., 2 au 14 janv., dim. soir et lundi – **SC : R** (dim. prévenir) 60/130 – 20 – **7 ch** 75/110.

AMBRIÈRES-LE-GRAND 53300 Mayenne 59 ⑳ – 2 241 h. alt. 115.
Paris 251 – Alençon 60 – Domfront 23 – Fougères 46 – Laval 42 – St-Hilaire-du-Harcouët 49.

Gué de Gênes, rte Lassay ✆ **43 04 95 44** – wc Ⓟ. VISA
fermé 19 déc. au 9 janv. et merc. d'oct. à avril – **SC : R** 45/89 – 12,50 – **8 ch** 60/140 – P 135/160.

CITROEN Gar. Bigot-Duchesne, ✆ 43 04 95 57 N
RENAULT Gar. Anne, ✆ 43 04 91 04 N

AMÉLIE-LES-BAINS-PALALDA 66110 Pyr.-Or. 86 ⑱⑲ G. Pyrénées – 3 779 h. alt. 230 – Stat. therm. (14 janv.-20 déc.) – Casino – Voir Vallée du Mondony★ S : voir plan.
Office de Tourisme, pl. République ✆ 68 39 01 98, Télex 500711.
Paris 944 ② – Céret 8 ② – ♦Perpignan 38 ② – Prats-de-Mollo-la-Preste 23 ③ – Quillan 105 ②.

AMÉLIE-LES-BAINS PALALDA

Vallespir (Av. du) 18

Bosch (Quai) 2
Castellane (R.) 3
Corniche (Route de la) 4
Docteur-Bouix (Av. du) 6
Leclerc (Av. Général) 7
Palmiers (Av. des) 9
République (Pl. de la) 13
Thermes (R. des) 15
8-Mai (Av. du) 19

Une voiture bien équipée possède à son bord des **cartes Michelin** à jour.

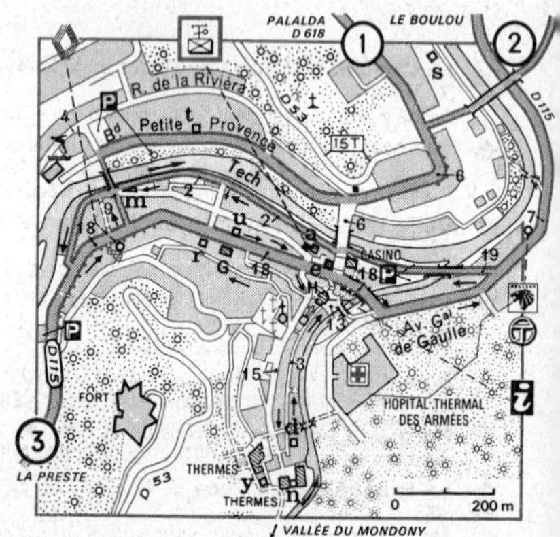

Gd H. Reine-Amélie Ⓜ, bd Petite-Provence **(t)** ✆ **68 39 04 38**, ← – Ⓟ. AE E
SC : R 110/170 – 23 – **69 ch** 250/290 – P 250/330.

Gd H. Thermes ⛱, pl. Mar.-Joffre **(n)** ✆ **68 39 01 00**, ←, – Ⓟ. E. ✻ rest
fermé 20 déc. au 10 janv. – **SC : R** 120 – 24 – **83 ch** 165/355 – P 310/415.

Le Catalogne ⛱, Route Vieux Pont **(s)** ✆ **68 39 02 26**, ←, – Ⓟ. VISA ✻ rest
1er avril-30 oct. – **SC : R** 90/173 – 23 – **38 ch** 195 – P 250/320.

Palmarium H. Ⓜ, av. Vallespir **(u)** ✆ **68 39 19 38** – wc wc
fermé 15 déc. au 23 janv. – **SC : R** 66/130 – 18 – **63 ch** 184/240 – P 194/270.

Martinet ⛱, r. Hermabessière **(d)** ✆ **68 39 00 64**, ← – wc wc. VISA ✻ rest
fermé 22 déc. au 1er fév. – **SC : R** 70/90 – 22 – **40 ch** 160/200 – P 210/250.

Gorges , pl. Arago **(y)** 68 39 29 02 – wc wc
fermé 22 déc. au 1er mars – SC : **R** 75/120 – 15 – **38 ch** 75/180 – P 160/210.

Host. Toque Blanche, av. Vallespir **(r)** 68 39 00 57 – wc wc . rest
fermé 14 déc. au 20 janv. – SC : **R** 51/120 – 13 – **43 ch** 81/135 – P 136/200.

Castel Émeraude , par rte de la Corniche - ouest du plan 68 39 02 83, ≤, – wc wc . VISA. ch
fermé déc. et janv. – SC : **R** 59/163 – 20 – **31 ch** 157/210 – P 210/230.

Ensoleillade et Rive sans rest, **70 r. J. Coste (m)** 68 39 06 20, – cuisinette wc
1er avril-30 nov. – SC : 16 – **19 ch** 142/162.

Central avec ch, av. Vallespir **(e)** 68 39 05 49 – wc . VISA
fermé 20 déc. au 1er fév. – SC : **R** 55/90 – 13,50 – **21 ch** 68/135 – P 123/168.

Le Bogavante, quai G.-Bosch **(a)** 68 39 08 57 – AE E VISA
fermé 15 nov. au 10 déc., 1er au 15 mars et lundi – SC : **R** 50/120 .

FIAT Gar. de l'Estanyol, 68 83 98 35
PEUGEOT-TALBOT Gar. Cédo, 68 39 29 05
RENAULT Gar. du Vallespir, 68 39 05 05

L'AMÉLIE-SUR-MER 33 Gironde **71** ⑯ – rattaché à Soulac-sur-Mer.

AMIENS P 80000 Somme **52** ⑧ G. Flandres, Artois, Picardie – 136 358 h. alt. 27.

Voir Cathédrale*** CY – Hortillonnages* DY – Hôtel de Berny* CY **M1** – Musée de Picardie** BZ.

18 22 91 02 04 par ② : 7 km.

22 92 50 50.

Office de Tourisme r. J.-Catelas 22 91 79 28 A.C. 15 r. M.-Sangnier 22 91 64 73.

Paris 148 ③ – ♦Lille 115 ② – ♦Reims 156 ③ – ♦Rouen 113 ⑤ – St-Quentin 74 ③.

Plan pages suivantes

Univers sans rest, 2 r. Noyon 22 91 52 51, Télex 145070 – TV – 60. AE E VISA CZ **a**
SC : 27 – **41 ch** 255/300.

Carlton-Belfort, 42 r. Noyon 22 92 26 44 – TV wc wc . AE E VISA. CZ **d**
SC : **R** *(fermé dim. en juil. et août)* 107/160 – 26 – **36 ch** 190/300 – P 380/510.

Normandie sans rest, 1 bis r. Lamartine 22 91 74 99 – wc CY **f**
SC : 16,50 – **26 ch** 92/198.

Ibis, 4 r. Mar.-De-Lattre-de-Tassigny 22 92 57 33, Télex 140765 – TV wc – 25. E VISA BY **e**
SC : **R** carte environ 85 – 20 – **94 ch** 174/224.

Paix sans rest, 8 r. République 22 91 39 21 – wc . BY **r**
fermé 15 déc. au 25 janv. – SC : 15 – **26 ch** 84/145.

Le Rallye, 24 r. Otages 22 91 76 03 – wc wc – 60 CZ **s**
fermé dim. – SC : **R** *(fermé août, dim. et lundi)* 65/160 – 15,50 – **20 ch** 75/150 – P 210/400.

Joséphine, 20 r. Sire-Firmin-Leroux 22 91 47 38 – VISA CY **h**
fermé 4 août au 2 sept., dim. soir et lundi – **R** 82/200.

Le Mermoz, 7 r. J.-Mermoz 22 91 50 63 – AE VISA CY **b**
fermé 18 juil. au 14 août, dim. soir et sam. – SC : **R** 100/110.

à Dury par ④ : 6 km – ✉ **80480** Saleux :

Bonne Auberge, rte Nationale 22 95 03 33 – . AE E VISA
fermé dim. soir et lundi sauf juil.-août – SC : **R** 65/210 .

Brillat Savarin, 78 rte Nationale 22 95 00 09.

à Dreuil-lès-Amiens par ⑥ : 5 km – ✉ **80730** Dreuil-lès-Amiens :

Le Cottage, 22 43 15 85 – E VISA
fermé 15 août à début sept., dim. soir et lundi – **R** 97/125 .

à Longueau par ③ : 6 km – 5 319 h. – ✉ **80330** Longueau :

La Potinière, 22 46 22 83 – E VISA
fermé août, 24 fév. au 3 mars, dim. soir, jeudi soir et lundi – SC : **R** 70/140.

par ③ : 7 km – ✉ **80440** Boves :

Novotel M , 22 46 22 22, Télex 140731, , , – TV – 25 à 50. AE E VISA
R snack carte environ 100 – 32 – **92 ch** 267/294.

MICHELIN, Agence régionale, 212 av. de la Défense-Passive, D 929 à Rivery par ② 22 92 47 28

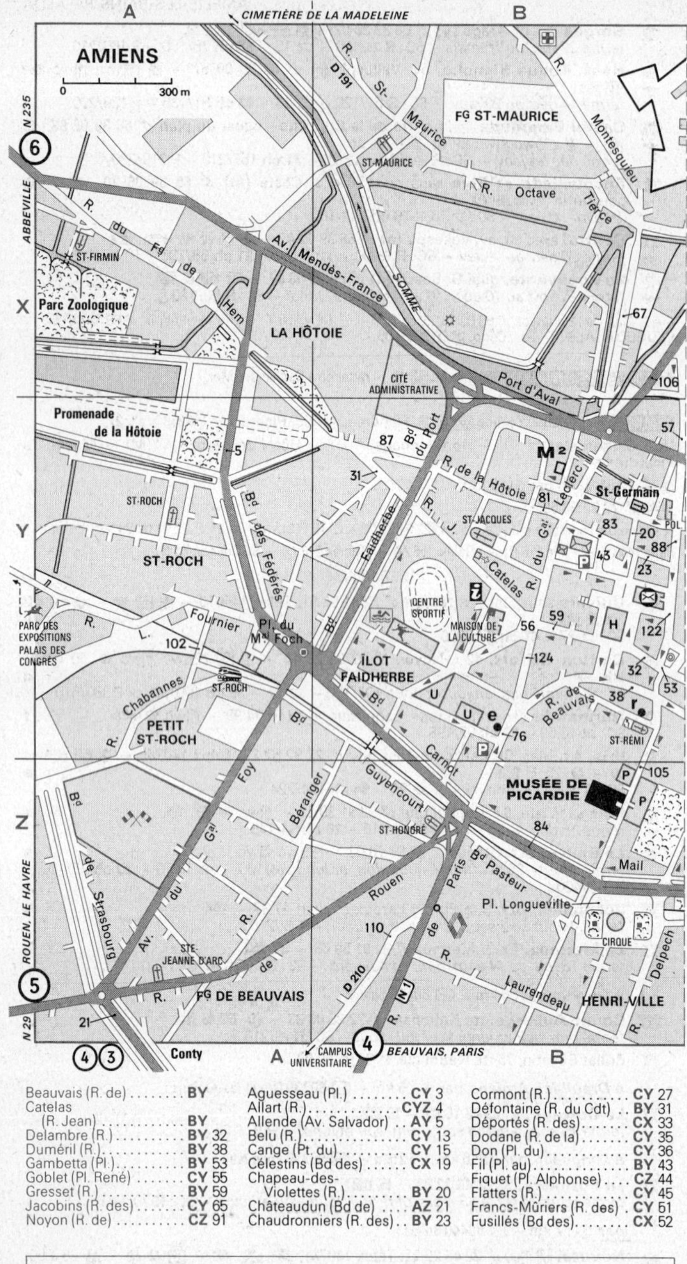
AMIENS
0
300 m
A
B
X
Y
Z
CIMETIÈRE DE LA MADELEINE
ABBEVILLE
N 235
6
5
4
3
ROUEN, LE HAVRE
N 29
Conty
CAMPUS UNIVERSITAIRE
BEAUVAIS, PARIS
Fg ST-MAURICE
ST-MAURICE
R. St-Maurice
D 191
R. Montesquieu
R. Octave Tierce
ST-FIRMIN
R. du Fg de Hem
Parc Zoologique
Av. Mendès-France
SOMME
LA HÔTOIE
67
106
CITÉ ADMINISTRATIVE
Port d'Aval
57
Promenade de la Hôtoie
5
87
Bd du Port
31
M²
R. de la Hôtoie
R. du Gal Leclerc
St-Germain
81
ST-ROCH
Bd des Fédérés
Faidherbe
R. J. Catelas
ST-JACQUES
83
20
POL
88
43
23
ST-ROCH
CENTRE SPORTIF
MAISON DE LA CULTURE
56
59
H
122
PARC DES EXPOSITIONS PALAIS DES CONGRÈS
R. L. Fournier
102
Pl. du Mal Foch
ÎLOT FAIDHERBE
124
32
53
R. Chabannes
ST-ROCH
Bd
U
U
e
R. de Beauvais
38
r
PETIT ST-ROCH
Bd Carnot
76
ST-RÉMI
Foy
Béranger
Guyencourt
105
MUSÉE DE PICARDIE
P
Bd de Strasbourg
ST-HONORÉ
84
Bd Pasteur
Mail
Av. du Gal
R. de Rouen
R. de Paris
Pl. Longueville
110
CIRQUE
Delpech
STE-JEANNE D'ARC
R. Fg DE BEAUVAIS
D 210
N 1
R. Laurendeau
HENRI-VILLE
21

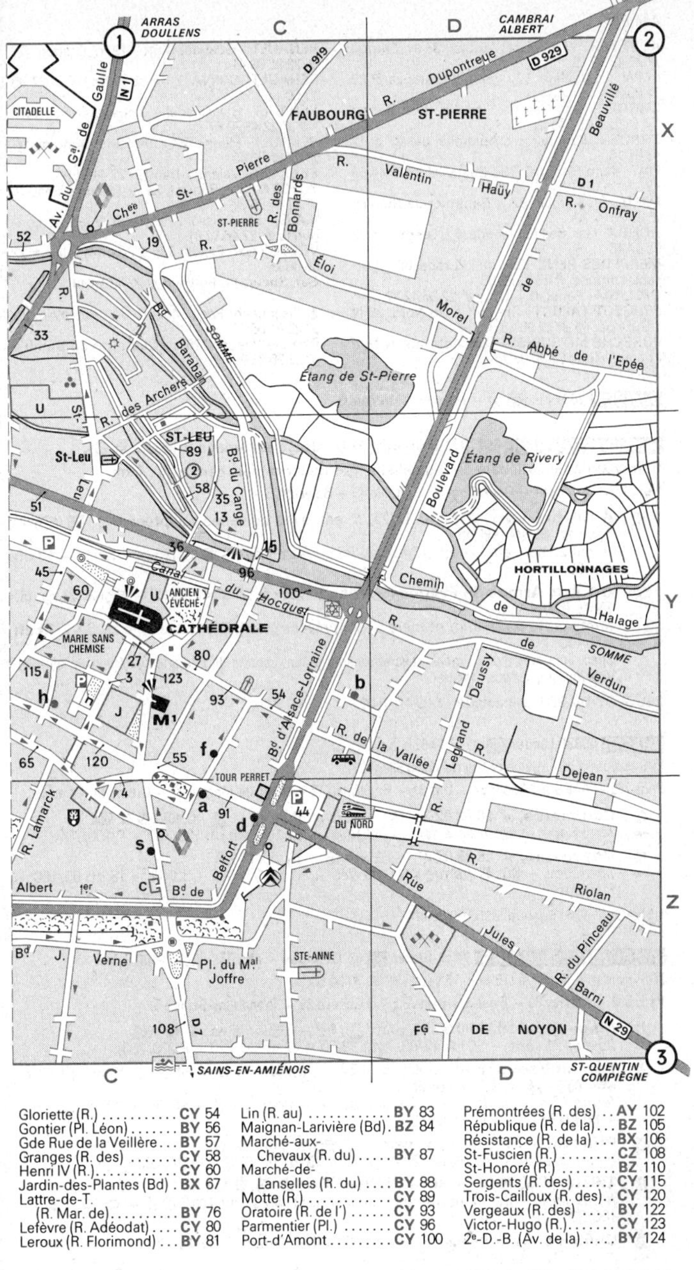

Campers...
Use the current Michelin Guide
Camping Caravaning France.

AUSTIN-ROVER Fiszel Autom., 33 av. Europe ✆ 22 43 58 15
BMW La Veillère, 12 r. de la Résistance ✆ 22 91 80 26
CITROEN Gds Gar. de Picardie, 3 bd Belfort CZ ✆ 22 91 57 45 N
CITROEN Fournier, r. d'Australie, par ⑥ ✆ 22 43 01 16
FIAT Auto Picardie, 7 bd Beauville ✆ 22 44 53 12
FORD Éts Leroux, 92 r. Gaulthier-de-Rumilly ✆ 22 95 37 20
HONDA Gar. de l'Esplanade, 6 r. Lenotre ✆ 22 95 07 45
MERCEDES-BENZ Gar. de l'Europe, 85 bd Alsace-Lorraine ✆ 22 91 28 63
OPEL-GM Renel, N 1, Dury ✆ 22 95 42 42
PEUGEOT-TALBOT Ste Ind. Auto Nord, 35 N 1 Dury par ④ ✆ 22 95 08 37
PORSCHE-MITSUBISHI Les Aubivats, N 25 à Poulainville ✆ 22 95 07 45
RENAULT Gueudet Auto, 19 r. Otages CZ ✆ 22 92 09 41
RENAULT SARVA, 7 rte de Paris BZ ✆ 22 95 17 60
RENAULT Gar. Citadelle, 3 chaussée St-Pierre CX ✆ 22 43 70 87
RENAULT Fleury, 654 r. de Paris, Dury par ④ ✆ 22 95 36 49
SEAT 126 r. Valentin-Haüy ✆ 22 44 55 94
TOYOTA Gar. Pruvost, 23 av. Défense-Passive ✆ 22 44 86 20
V.A.G. Éts Cresson, rte de St-Quentin, Longueau ✆ 22 46 12 91
VOLVO Gar. Picard, 235 r. Jean-Moulin ✆ 22 95 66 26
Gar. Sueur, 1 r. Fg-Hem ✆ 22 43 14 44

Fischbach Pneu, 40 bd du Port-d'Amont ✆ 22 91 66 50
Picardie-Pneus, 126 r. Gaulthier-de-Rumilly ✆ 22 95 33 89

AMILLY **45 Loiret 65 ② – rattaché à Montargis.**

AMMERSCHWIHR **68770 H.-Rhin 62 ⑱⑲ G. Alsace et Lorraine – 1 639 h. alt. 230.**

Voir Nécropole nationale de Sigolsheim ✻★ du terre-plein central N : 4 km.

Paris 437 – Colmar 7 – Gérardmer 55 – St-Dié 49 – Sélestat 25.

A l'Arbre Vert, ✆ **89 47 12 23, « rest. avec boiseries sculptées »** – TV wc wc ☎. E VISA. ch
fermé 20 nov. au 10 déc., 10 fév. au 25 mars et mardi – **R** 65/185 – 17 – **13 ch** 90/185.

XXX ✿✿ **Aux Armes de France** (Gaertner) avec ch, ✆ **89 47 10 12** – wc ☎ P. AE ⓓ E VISA. ch
fermé janv., jeudi midi et merc. – **R** (prévenir) 250/330 et carte – 30 – **10 ch** 180/400
Spéc. Foie gras d'oie, Timbale d'écrevisses au gratin, Canette de Barbarie aux épices et au miel.
Vins Riesling, Gewurztraminer.

PEUGEOT-TALBOT Hiltenfinck, ✆ 89 47 13 00

AMOU **40330 Landes 78 ⑦ – 1 462 h. alt. 41.**

Syndicat d'Initiative à la Mairie ✆ 58 89 00 22.

Paris 762 – Aire-sur-l'Adour 52 – Dax 31 – Hagetmau 18 – Mont-de-Marsan 47 – Orthez 14 – Pau 49.

Commerce, ✆ **58 89 02 28,** – wc ☎ P – 40. AE ⓓ E VISA
fermé nov. et lundi hors sais. – **R** 50/140 – 16 – **20 ch** 100/160 – P 180/200.

Voyageurs, ✆ **58 89 02 31** – wc P – 50. E VISA
fermé fév. – SC : **R** *(fermé sam. de déc. à avril)* 46/125 – 11 – **15 ch** 65/150 – P 120/155.

RENAULT Gar. Basque, ✆ 58 89 00 40

AMPHION-LES-BAINS **74 H.-Savoie 70 ⑰ G. Alpes – alt. 375 – ✉ 74500 Évian.**

Syndicat d'Initiative (15 juin-15 sept.) ✆ 50 70 00 63.

Paris 552 – Annecy 80 – Évian-les-Bains 3,5 – ♦Genève 39 – Thonon-les-Bains 5,5.

Plage , ✆ **50 70 00 06,** <, parc, , – wc wc ☎ P. VISA
25 mai-21 sept. – SC : **R** 72/93 – 18,50 – **37 ch** 90/220 – P 200/260.

Parc et Beauséjour, ✆ **50 75 14 52,** <, parc, , , – wc ☎ P – 30 à 100. ⓓ E
fermé 12 nov. au 15 janv., dim. soir et lundi d'oct. à avril – SC : **R** 58/128 – 18,50 – **50 ch** 85/210 – P 185/240.

Princes, ✆ **50 75 02 94,** <, parc – wc wc ☎ P
5 mai-20 sept. – SC : **R** 65/120 – 20 – **35 ch** 150/220 – P 210/260.

Tilleul, ✆ **50 70 00 39,** – wc wc ☎ P. E VISA
fermé janv. – SC : **R** *(fermé dim. soir et lundi hors sais.)* 60/170 – 19 – **25 ch** 100/220 – P 200/250.

Chablais , **à Publier S : 1 km ✉ 74500 Évian** ✆ **50 75 28 06,** <, , – wc wc ☎ P. E VISA. rest
fermé 15 oct. au 2 nov., 24 déc. au 3 janv. et dim. d'oct. à mai – SC : **R** 60/108 – 18 – **25 ch** 85/180 – P 130/185.

XX **Le Relais** avec ch, ✆ **50 70 00 21,** <, – wc. AE ⓓ E VISA
fermé déc., janv., lundi soir et mardi sauf juil. et août – SC : **R** 70/170 – 17 – **5 ch** 80/131 – P 153/186.

ANCENIS 44150 Loire-Atl. 63 ⑱ **G. Châteaux de la Loire** – 7 263 h. alt. 13.

Office de Tourisme pl. Pont ☎ 40 83 07 44.

Paris 343 ① – Angers 54 ① – Châteaubriant 48 ① – Cholet 46 ③ – Laval 95 ① – ♦Nantes 38 ④ – Niort 158 ③ – La Rochelle 162 ③ – La Roche-sur-Yon 87 ③ – Vannes 142 ④.

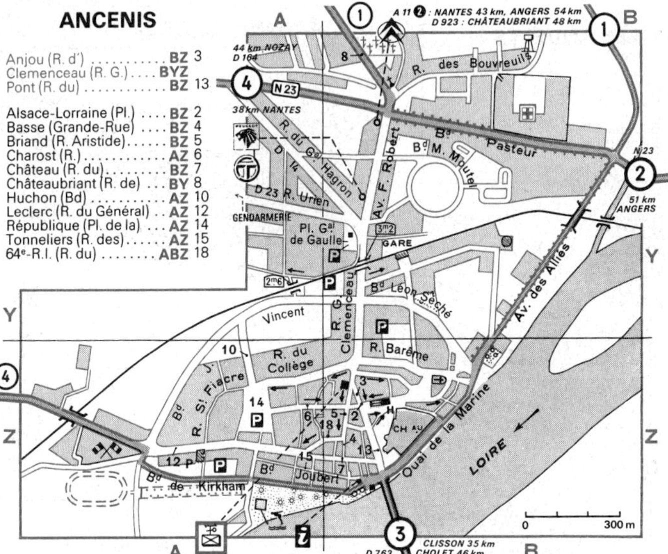

Val de Loire M, Le Jarier d'Ancenis par ② : 2 km ☎ 40 96 00 03, Télex 711592 – wc ☎ & P – 80. E VISA
SC : **R** *(fermé sam.)* 49/134 – 17,50 – **30 ch** 148/194 – P 192/254.

CITROEN Gar. Moderne, 339 av. F.-Robert ☎ 40 83 28 06
PEUGEOT-TALBOT Ancenis-Autos, 145 av. F.-Robert ☎ 40 96 21 11
RENAULT Gar. Leroux, Zone Ind. rte Châteaubriant BY ☎ 40 83 23 20
Clinique du Pneu, 151 r. de Barème ☎ 40 83 27 73

Les ANCIZES-COMPS 63770 P.-de-D. 73 ③ **G. Auvergne** – 1 985 h. alt. 710.

Office de Tourisme (juil.-août) ☎ 73 86 80 14.

Paris 395 – Aubusson 61 – ♦Clermont-Ferrand 50 – Montluçon 70 – Vichy 67 – Ussel 78.

Vieille Ferme, ☎ 73 86 81 25, – wc P. VISA
fermé sam. du 1er nov. au 1er avril – SC : **R** 40/120 – 15 – **14 ch** 69/125 – P 125/155.

PEUGEOT-TALBOT Brousse, ☎ 73 86 80 37

ANCY-LE-FRANC 89160 Yonne 65 ⑦ **G. Bourgogne** – 1 063 h. alt. 193.

Voir Château★★.

Paris 217 – Auxerre 54 – Châtillon-sur-Seine 38 – Montbard 27 – Tonnerre 19.

PEUGEOT-TALBOT Gar. Piat, ☎ 86 75 12 21
RENAULT Mignard, ☎ 86 75 15 29

ANDARD 49 M.-et-L. 64 ⑪ – 1 758 h. alt. 24 – ✉ 49800 Trelazé.

Paris 286 – Angers 14 – Baugé 26 – La Flèche 46 – Saumur 41 – Seiches-sur-le-Loir 18.

Le Dauphin, ☎ 41 80 41 59 – P
fermé 4 au 25 août, 22 janv. au 5 fév., dim. soir, lundi soir et mardi – SC : **R** 37/100.

ANDELOT-EN-MONTAGNE 39 Jura 70 ⑤ – 555 h. alt. 604 – ✉ 39110 Salins-les-Bains.

Voir Forêt de la Joux★★ : sapin Président★ E : 4 km, G. Jura.

Paris 411 – Arbois 19 – Champagnole 16 – Lons-le-Saunier 50 – Pontarlier 38 – Salins-les-Bains 14.

Bourgeois, ☎ 84 51 43 77 – wc.
fermé 10 nov. au 10 déc. – SC : **R** 45/80 – 14 – **15 ch** 60/115 – P 125/150.

Les ANDELYS ⟨SP⟩ **27700** Eure **55** ⑰, **196** ① G. **Normandie** – 8 214 h. alt. 23.

Voir Ruines du Château Gaillard★★ ABZ – Église N.-Dame★ CX **B**.

🅸 Office de Tourisme r. Philippe-Auguste (1er avril-1er nov.) ✆ 32 54 41 93 et à l'Hôtel de Ville ✆ 32 54 04 16.

Paris 92 ③ – Beauvais 63 ③ – Évreux 36 ④ – Gisors 31 ③ – Mantes-la-Jolie 52 ④ – ♦Rouen 40 ①.

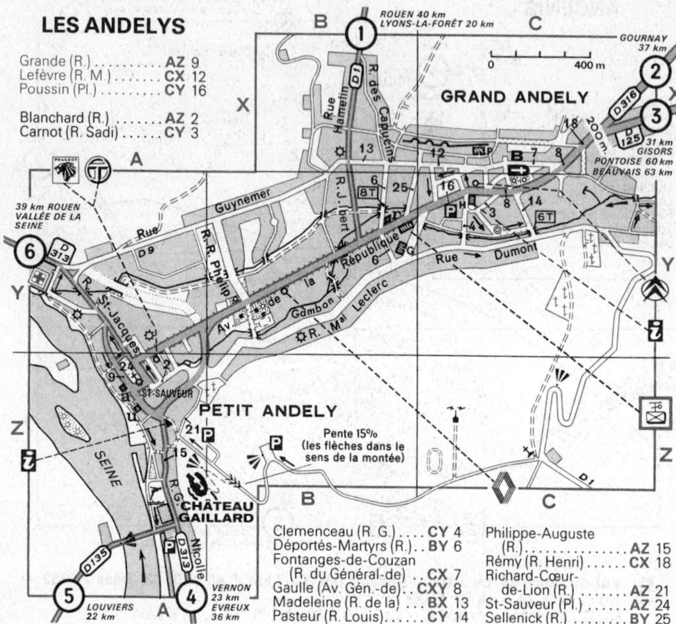

XXX **Marguerite de Bourgogne,** à Vezillon par ④ : 0,5 km ✆ 32 54 47 19, – **P**. AE VISA.
fermé en août, vacances de fév., lundi et mardi – **R** carte 165 à 215.

XX **Chaîne d'Or** avec ch, **27 r. Grande** ✆ **32 54 00 31**, ← – wc wc ☎ **P**. VISA. AZ **a**
fermé 1er janv. au 2 fév., dim. soir du 15 oct. au 15 mars et lundi – SC : **R** 60/165 – 23 – **12 ch** 98/280.

X **Normandie** avec ch, **1 r. Grande** ✆ **32 54 10 52** – **P**. VISA AZ **u**
fermé 4 déc. au 4 janv., merc. soir et jeudi – SC : **R** 53/160 – 15 – **11 ch** 69/169.

X **Paris** avec ch, **10 av. République** ✆ **32 54 00 33**, – **P**. VISA BY **r**
fermé fév., 22 déc. au 3 janv., merc. en sais., dim. hors sais. – SC : **R** 44/119 – 14 – **8 ch** 77/123.

AUSTIN ROVER Gar. J.F.C., 44 av. République ✆ 32 54 12 80
CITROEN SEAC, 30 av. Gén. de Gaulle ✆ 32 54 04 40
MAZDA, Gouedard, 27 r. Rémy ✆ 32 54 11 36 **N** ✆ 32 54 34 05
PEUGEOT, TALBOT Giroux, 75 av. République ✆ 32 54 21 49 **N**
RENAULT Boclet, 47 av. République ✆ 32 54 11 35 **N**
V.A.G. Vexin Autom., Zone Ind. 12 r. Hamelin ✆ 32 54 14 35

ANDERNOS-LES-BAINS **33510** Gironde **78** ① G. **Côte de l'Atlantique** – 5 985 h. – Casino.

🅸 Office de Tourisme 33 av. Gén.-de-Gaulle ✆ 56 82 02 95.

Paris 627 – Arcachon 40 – ♦Bayonne 172 – ♦Bordeaux 46 – Dax 137 – Mont-de-Marsan 118.

Aub. Le Coulin, 3 av. d'Arès ✆ **56 82 04 35** – **P**. VISA. ch
fermé 2 janv. au 4 fév. et lundi hors sais. – SC : **R** 44/120 – 20 – **11 ch** 140/225.

CITROEN Millot, 108 av. Bordeaux ✆ 56 82 13 05
RENAULT Arc-Auto, 68 bis r. Gén.-de-Gaulle à Arès ✆ 56 60 15 20 **N** ✆ 56 22 41 10
RENAULT Gar. Beaudoin, 144 bd République ✆ 56 82 00 88

ANDLAU 67 B.-Rhin 62 ⑨ G. Alsace et Lorraine – 1 760 h. alt. 246 – ✉ 67140 Barr.

Voir Église★ : porche★★.

Paris 436 – Erstein 23 – Le Hohwald 8 – Molsheim 22 – Sélestat 18 – ♦Strasbourg 39.

Kastelberg ⑤, ☎ 88 08 97 83 – ⇔wc ⋒wc ☎ Ⓟ – 🏛 30
SC : **R** (dîner seul.) 80/100 🍷 – ☐ 20 – **28 ch** 165/220.

XX **Boeuf Rouge,** ☎ 88 08 96 26 – AE ⓓ E VISA
fermé janv., merc. soir et jeudi – SC : **R** carte 120 à 200 🍷.

XX **Au Canon** avec ch, ☎ 88 08 95 08, 🌳 – ⇔wc Ⓟ. E. ⛌ ch
fermé 15 au 30 nov., fév., lundi soir hors sais. et mardi – SC : **R** carte 115 à 185 🍷 – ☐ 19,50 – **10 ch** 80/144 – P 215/267.

ANDOLSHEIM 68 H.-Rhin 62 ⑲ – rattaché à Colmar.

ANDON 06 Alpes-Mar. 84 ⑧, 195 ㉓ – 249 h. alt. 1 182 – Sports d'hiver : station de l'Audibergue 1 182/1 600 m ⛷6 – ✉ 06750 Caille.

Paris 832 – Castellane 36 – Draguignan 74 – Grasse 34 – ♦Nice 73 – St-Raphaël 76 – Vence 46.

Aub. d'Andon ⑤, ☎ 93 60 45 11, ←, 🌳 – ⇔ ⋒ 🚗 Ⓟ – 🏛 40
sais. – **15 ch**.

ANDORRE (Principauté d') ★★ 86 ⑭⑮, 43 ⑥⑦ G. Pyrénées – 41 627 h. – ☎ 62 : interurbain avec la France.

Andorre-la-Vieille (Andorra La Vella) capitale de la Principauté **G. Pyrénées (plan)** – alt. 1 029.

Env. NE : Vallée du Valira del Orient★ – N : Vallée du Valira del Nord★.

🅘 Office de Tourisme r. Dr-Villanova ☎ 20.2.14 – A.C.A. 4 r. Babot Camp ☎ 20.8.90.

Paris 895 – Barcelona 220 – Carcassonne 165 – Foix 103 – ♦Perpignan 166 – ♦Toulouse 185.

Andorra Center Ⓜ, 7 r. Dr Nequi ☎ 24.9.99, 🏊 – 🛗 ▤ rest 📺 ☎ 🚗 – 🏛 40 à 150. AE ⓓ E VISA. ⛌ rest
SC : **R** 72/82 – ☐ 25 – **140 ch** 243/356, 10 appartements 445.

Andorra Palace, Prat de la Creu ☎ 21.0.72, Télex 208, ←, 🏊, 🎾 – 🛗 📺 ☎ ♿ 🚗 Ⓟ – 🏛 100. AE ⓓ E VISA. ⛌ rest
R 116 – ☐ 32 – **140 ch** 273/432 – P 445/560.

Eden Roc Ⓜ, av. Dr-F.-Mitjavila ☎ 21.0.00 – 🛗 📺 ☎ Ⓟ. AE ⓓ E VISA. ⛌
SC : **R** 110 – ☐ 25 – **55 ch** 365 – P 250/365.

Président Ⓜ, 40 av. Santa Coloma ☎ 22.9.22, Télex 233, ←, 🏊 – 🛗 cuisinette 📺 ☎ 🚗. ⓓ E VISA. ⛌ rest
SC : **R** 88 – ☐ 23 – **104 ch** 295/350 – P 293/351.

Mercure Ⓜ, 58 av. Méritxell ☎ 20.7.73, Télex 208, 🏊, 🎾 – 🛗 📺 ☎ 🚗 Ⓟ – 🏛 35. AE ⓓ E VISA. ⛌ rest
R carte environ 120 – ☐ 32 – **70 ch** 253/311.

Flora Ⓜ sans rest, 23 Antic Carrer Major ☎ 21.5.08, Télex 209, 🏊, 🎾 – 🛗 📺 🚗. AE E VISA
SC : **45 ch** ☐ 168/279.

Sasplusgas ⑤, av. del Co Princep Iglesias ☎ 20.3.11, ← – 🛗 ⇔wc ☎ 🚗. E VISA. ⛌ rest
R *(fermé dim.)* 70/110 🍷 – **26 ch** ☐ 165/285 – P 270/310.

Isard, 32 av. Méritxell ☎ 20.0.92 – 🛗 ▤ rest 📺 ⇔wc ⋒wc ☎ 🚗. AE ⓓ E VISA. ⛌ rest
SC : **R** 67 – ☐ 20 – **55 ch** 164/209 – P 216/251.

Florida sans rest, 11 r. Llacuna ☎ 20.1.05 – 🛗 ⇔wc ⋒wc ☎. ⓓ E VISA
SC : **35 ch** ☐ 90/150.

Cassany, 28 av. Méritxell ☎ 20.6.36 – 🛗 ⇔wc ⋒wc ☎. AE E VISA. ⛌ rest
SC : **R** *(fermé mardi hors sais.)* 58/90 – **53 ch** ☐ 125/195 – P 170/200.

Consul, 5 pl. Rebes ☎ 20.1.96 – 🛗 ⇔wc ⋒wc ☎. AE ⓓ E VISA
fermé 10 janv. au 10 fév. – **R** *(fermé lundi sauf Pâques, de juil. à sept. et Noël)* 65/95 – **27 ch** ☐ 140/190 – P 195/255.

XX **Moli Dels Fanals,** Prada Casadet ☎ 21.3.81 – Ⓟ. AE ⓓ E VISA
fermé 20 juin au 20 juil. et lundi – **R** 63/132.

ALFA-ROMEO, PORSCHE-MITSUBISHI Automobiles Sud-América, 94 av. Meritxell ☎ 20.6.26
AUTOBIANCHI-LANCIA Autom. Jordi, 107 av. Santa Coloma ☎ 20.3.83
DATSUN-LADA-MISSAN-ROVER-SKODA Gar. Autom. Sport, 12 Virgen del Pilar ☎ 20.1.44
FERRARI Auto-Rallye, 51 av. Tarragona ☎ 20.1.28
FIAT-SEAT 5 Avda D.F. Mitjavila ☎ 20.4.71
FORD Autos-Servei, 3, av. Princep Benlloch ☎ 20.0.23
HONDA 89 av. Princep Benlloch ☎ 21.2.95
OPEL-G.M. Motorauto, 52 av. Santa Coloma ☎ 20.6.22
PEUGEOT-TALBOT Gar. International, av. Tarragona ☎ 21.6.69
TOYOTA Carret. La Comella ☎ 24.4.13
TOYOTA av. Dr.-Vilanova ☎ 22.3.71
V.A.G. 100 av. Méritxell ☎ 21.3.74

Arinsal – alt. 1 445 – Sports d'hiver : 1 550/2 600 m ≴12 – ✉ La Massana.
Andorre-la-Vieille 9.

Solana Ⓜ, ✆ 35.1.27, ≤, ✂ – 🛗 ⇔wc ⋒wc ☎ 🚗. AE ⓞ E VISA. ✻ rest
fermé 15 oct. au 15 nov. et 10 au 20 mai – SC : **R** 50/80 – ☕ 20 – **40 ch** 85/150 – P 150/175.

Poblado, ✆ 35.1.22, ≤ – ⇔wc ⋒wc ☎ 🚗 Ⓟ. E VISA. ✻ rest
fermé oct. et nov. – **R** 42/47 – ☕ 14 – **30 ch** 85/110 – P 115/135.

Residencia Janet ⛰ sans rest, à Erts S : 1,5 km ✆ 35.0.88, ≤ – ⇔wc ⋒wc. ✻
fermé 15 oct. au 1er déc. – SC : ☕ 15 – **20 ch** 60/130.

Canillo – alt. 1 531 – ✉ Canillo.
Voir Crucifixion★ dans l'église de Sant Joan de Caselles NE : 1 km.
Andorre-la-Vieille 11.

Bonavida Ⓜ ⛰, ✆ 51.3.00, ≤, ⛱ – 🛗 ⇔wc ☎ 🚗. AE ⓞ E VISA. ✻
fermé 1er oct. au 30 nov. – SC : **R** 40/120 – **40 ch** ☕ 150/250 – P 200/230.

Pélissé Ⓜ, rte Pas de la Case : 1 km ✆ 51.2.05, ≤ – 🛗 ⇔wc ☎ Ⓟ. ⓞ E VISA
fermé 15 mai au 6 juin et 15 oct. au 6 nov. – SC : **R** 40/58 – ☕ 18 – **37 ch** 140 – P 175/195.

Encamp – alt. 1 313.
Voir Les Bons : site★ N : 1 km.
Andorre-la-Vieille 6.

Univers, ✆ 31.0.05 – 🛗 ⇔wc ⋒wc ☎ Ⓟ. ⓞ E VISA. ✻
fermé 1er nov. au 1er déc. – SC : **R** 55/60 – ☕ 11 – **41 ch** 80/120 – P 145.

Les Escaldes – alt. 1 105 – ✉ Andorre-la-Vieille.
Andorre-la-Vieille 1.

Roc Blanc, (centre thermal), 5 pl. dels Co-Princeps ✆ 21.4.86, Télex 224, ▣ – 🛗 TV 🚗 – 🎤 500. AE ⓞ E VISA. ✻ rest
R 80/145 -**l'Entrecôte** (snack) **R** 70 – ☕ 35 – **240 ch** 290/390 – P 435/530.

Delfos Ⓜ ⛰, av. del Fener ✆ 24.6.42, Télex 242 – 🛗 ▤ rest TV 🚗 – 🎤 100 à 200. AE ⓞ E VISA. ✻ rest
SC : **R** 76/83 – ☕ 26 – **200 ch** 157/243 – P 219/241.

Comtes d'Urgell, 29 av. de les Escoles à Engordany ✆ 20.6.21, Télex 226 – 🛗 ⇔wc ⋒wc ☎ 🚗. AE ⓞ E VISA. ✻ rest
SC : **R** 65/73 – ☕ 20 – **200 ch** 130/195 – P 173/189.

Espel Ⓜ, 1 pl. Creu Blanca à Engordany ✆ 20.9.44 – 🛗 ⇔wc ☎ 🚗. ✻
fermé nov. – SC : **R** 48 bc/58 bc – **102 ch** ☕ 165/175 – P 130/140.

Les Closes Ⓜ sans rest., 93 av. Carlemany ✆ 28.3.93 – 🛗 ⇔wc ☎ 🚗. AE ⓞ E VISA. ✻
SC : – **44 ch** ☕ 168.

La Grandalla, 14 av. Carlemany ✆ 21.1.25 – 🛗 ⇔wc ⋒wc ☎. AE E VISA. ✻ rest
fermé 8 janv. au 8 fév. – **R** 48 – ☕ 12 – **43 ch** 120/140 – P 125/160.

Le 1900, 11 Carrer de la Unio ✆ 26.7.16 – AE ⓞ E VISA
fermé 1er juil. au 1er août et lundi – SC : **R** 180/300.

AUSTIN-MG, CITROEN, JAGUAR, ROVER, TRIUMPH Garage Central, 34 bis av. Carlemany ✆ 20.5.01

INNOCENTI-MAZDA Gar. Cosmos, 10 Av. de les Escoles ✆ 21.2.66

La Massana – alt. 1 241 – ✉ La Massana.
Andorre-la-Vieille 5.

Rutllan Ⓜ, ✆ 35.0.00, ≤, 🏊, 🌳, ✂ – 🛗 TV ⇔wc ☎ 🚗 Ⓟ. AE ⓞ E VISA. ✻ rest
SC : **R** 70/100 – ☕ 25 – **70 ch** 175/200 – P 175/200.

La Borda de l'Avi, rte Arinsal ✆ 35.1.54 – Ⓟ. AE ⓞ E VISA
SC : **R** carte 115 à 190.

Ordino – alt. 1 304.
Andorre-la-Vieille 7.

Coma Ⓜ ⛰, ✆ 35.1.16, ≤, 🏊, 🌳, ✂ – 🛗 🚗 Ⓟ. E VISA. ✻
fermé 30 sept. au 15 déc. – SC : **R** 65 – **48 ch** ☕ 160/228 – P 204.

Pas-de-la-Case – alt. 2 091 – Sports d'hiver : 2 200/2 407 m ≴8.
Voir Port d'Envalira ✲ O : 4 km.**
Andorre-la-Vieille 30.

Sporting Ⓜ, ✆ 55.4.55, Télex 255, ≤ – |♦| TV ☎ ⇔. AE ⓓ E VISA. ✻ rest
15 déc.-20 avril – SC : **R** 60 – **76 ch** ⊏ 375/490 – P 340/425.

dels Isards, ✆ 55.1.55, Télex 289, ≤ – ⋔wc ☎ Ⓟ. AE ⓓ E VISA. ✻ rest
SC : **R** 35/80 – **39 ch** ⊏ 160/210 – P 200/250.

Santa-Coloma – alt. 970 – ✉ Andorre-la-Vieille.
Andorre-la-Vieille 3.

Cerqueda ⛰, ✆ 20.2.35, ≤, ⛱, ⛲ – |♦| ⌂wc ☎ Ⓟ. AE ⓓ E VISA. ✻ rest
fermé 7 janv. au 7 mars – SC : **R** 65/70 – ⊏ 16 – **75 ch** 97/184 – P 173/189.

La Roureda ⛰, ✆ 20.6.81, ≤, ⛱, ⛲ – ⋔ ☎ Ⓟ. ✻
1er juin-30 sept. – SC : **R** 50 bc – ⊏ 14 – **36 ch** 140 – P 150/160.

ALFA-ROMEO-SEAT Europe-Auto, 72 av. de Enclar ✆ 21.6.32

RENAULT Renault Servei, 140 av. d'Enclar ✆ 20.6.72

Sant-Julia-de-Loria – alt. 909.
Andorre-la-Vieille 7.

Sant Eloi Ⓜ, ✆ 41.1.00, Télex 239, ≤ – |♦| ☎ ⇔ – 🎤 100. ⓓ E VISA. ✻ rest
SC : **R** 77 – ⊏ 19 – **88 ch** 200/253.

Pol Ⓜ, ✆ 41.1.22, Télex 272, ⛱ – |♦| TV ☎ Ⓟ. E VISA. ✻
SC : **R** 58/74 – ⊏ 19 – **85 ch** 143/164 – P 180/216.

Barcelona, N : 1 km ✆ 41.1.77 – ⌂wc ⋔wc ☎ Ⓟ. E VISA. ✻ rest
fermé 10 janv. au 15 fév. – SC : **R** 50/65 – ⊏ 18 – **50 ch** 120/210 – P 170/200.

Coma Bella ⛰, SE : 7 km par VO ✆ 41.2.20, ≤, « dans la forêt de la Rabassa », alt. 1 300, parc – ⋔wc Ⓟ. E VISA
fermé 15 nov. au 20 déc. et 8 au 30 janv. – SC : **R** 48 ♨ – ⊏ 12 – **28 ch** 148/185 – P 128/158.

BMW-MERCEDES Automobiles Pyrénées, Prat de la Tresa ✆ 41.9.64

VOLVO Auto-Diesel, 59 av. Virgen de Canolich ✆ 41.1.43

El Serrat – alt. 1 539 – ✉ Ordino.
Andorre-la-Vieille 16.

Del Serrat ⛰, ✆ 35.2.96, ≤ – ⋔wc ☎ Ⓟ. AE E VISA. ✻
fermé 5 au 30 nov. – SC : **R** 47 – ⊏ 15 – **20 ch** 210 – P 147.

Soldeu – alt. 1 826 – Sports d'hiver : 1 700/2 560 m ≴16 – ✉ Soldeu.
Andorre-la-Vieille 19.

Del Tarter Ⓜ, O : 3 km ✆ 51.1.65, ≤ – |♦| ⌂wc ⋔wc ☎ ⇔ Ⓟ. ⓓ E VISA. ✻
fermé 15 oct. au 1er déc. – SC : **R** 45/65 – ⊏ 18 – **38 ch** 100/174 – P 175/225.

✗✗ **La Borda Del Rector,** NO : 1 km ✆ 51.0.30 – Ⓟ.

ANDRÉZIEUX-BOUTHÉON 42160 Loire 73 ⑱ – 8 957 h. alt. 378.
Env. **Lac de Grangent** S : 9 km, G. Vallée du Rhône.**
Paris 510 – ♦Lyon 76 – Montbrison 19 – Roanne 66 – ♦St-Étienne 17.

Novotel Ⓜ ⛰, Z.I. Centre-Vie ✆ 77 36 55 63, Télex 900722, ⛱, ⛱ – |♦| ▤ TV ☎ ♿ Ⓟ – 🎤 20 à 200. AE ⓓ E VISA
R snack carte environ 100 ♨ – ⊏ 30 – **98 ch** 286.

AUSTIN, ROVER G.A.M.M.A., 2 r. Lamartine ✆ 77 55 03 05

ANDUZE 30140 Gard 80 ⑰ **G. Causses** – 2 787 h. alt. 131.
ℹ Syndicat d'Initiative plan de Brie (15 juin-15 sept. et Pâques-15 juin matin seul.) ✆ 66 61 98 17.
Paris 720 – Alès 13 – Florac 67 – Lodève 86 – ♦Montpellier 67 – Nîmes 47 – Le Vigan 52.

au NO 3 km par D 927 – ✉ **30140** Anduze :

Porte des Cévennes Ⓜ ⛰, ✆ 66 61 99 44, ≤, ⛱, ⛲ – ⌂wc ⋔wc ☎ Ⓟ. AE E. ✻
1er avril-31 oct. – SC : **R** *(fermé dim. midi)* 43/103 – ⊏ 17 – **18 ch** 157/170 – P 210/220.

à Générargues : NO 5,5 km par D 129 et D 50 – ✉ **30140** Anduze :

Trois Barbus ⛰, ✆ 66 61 72 12, ≤, ⛱, ⛱ – Ⓟ – 🎤 40. AE ⓓ E VISA. ✻ rest
15 mars-2 nov. – SC : **R** *(fermé lundi sauf juil.-août)* 110/190 – ⊏ 27 – **36 ch** 150/310.

à Mialet NO : 10 km par D 50 – ✉ **30140** Anduze.

Voir Le Mas Soubeyran : musée du Désert★ (souvenirs protestants 17e-18e s.) S : 3 km – **Env.** Grotte de Trabuc★ : les Cent mille soldats★★ (concrétions) E : 6 km.

Grottes de Trabuc ⛰, sur D 50 ✆ 66 85 02 81, ≤, – ⋒wc Ⓟ. ✂ rest
19 mars-7 oct. et fermé mardi – SC : **R** 55/85 – ☕ 13 – **8 ch** 72/135 – P 138/160.

Aub. du Fer à Cheval, ✆ 66 85 02 80. VISA
22 mars-30 sept., week-end en oct. et nov., 19 déc.-2 janv., fermé dim. soir (sauf juil.-août) et lundi – SC : 60/107.

à Tornac SO : 6 km par D 982 – ✉ **30140** Anduze :

Le Ranquet, ✆ 66 77 51 63, – Ⓟ. AE ⓓ VISA. ✂
fermé 10 janv. à fin mars, et merc. sauf juil.-août – **R** 75/180.

ANET 28260 E.-et-L. 55 ⑰, 196 ⑬ **G. Environs de Paris** – 2 431 h. alt. 71 – **Voir** Château★.
Paris 79 – Chartres 51 – Dreux 16 – Évreux 37 – Mantes-la-Jolie 28 – Versailles 59.

Aub. de la Rose avec ch, ✆ 37 41 90 64 – ⋒ ☎. ✂
fermé 28 juil. au 20 août, vacances de fév., dim. soir, jeudi soir et lundi – SC : **R** 72/155 – ☕ 19 – **6 ch** 100 – P 200.

Manoir d'Anet, ✆ 37 41 91 05,
vacances de nov., fermé 28 janv. au 28 fév., mardi et merc. – SC : **R** 75/135.

à Ézy-sur-Eure (27 Eure) NO : 2 km – ✉ **27530** Ézy

✿ **Maître Corbeau,** rte Ivry ✆ 37 64 73 29, – Ⓟ. AE ⓓ VISA
fermé 6 janv. au 5 fév., mardi soir et merc. – SC : **R** (dim. et fêtes - prévenir) 165/195
Spéc. Flan de foie de volaille, Suprêmes de turbot rôtis, Crème au caramel au coulis de fraises (mai à sept.).

PEUGEOT-TALBOT Lepert, ✆ 37 41 91 02
RENAULT Bonnin, ✆ 37 41 90 51
RENAULT Ezy Auto, à Ezy-sur-Eure (27 Eure) ✆ 37 64 74 33

ANGERS Ⓟ **49000** M.-et-L. 63 ⑳ **G. Châteaux de la Loire** – 141 143 h. alt. 47.

Voir Château★★★ AYZ : tenture de l'Apocalypse★★★, tenture de la Passion★, tapisseries★ du Logis du Gouverneur – Vieille ville★★ : cathédrale★★ BY, galerie romane★★ de la Préfecture★ BZ **P**, galerie David d'Angers★ BZ **E**, – Maison d'Adam★ BYZ **K**, Logis Barrault★ BZ **B**, hôtel Pincé★ BY **M2** – Musée Lurçat★★ dans l'anc. hôpital St-Jean★ ABX – Choeur★★ de l'église St-Serge★ CY **R** – La Doutre★.

⛳ de St-Jean-des-Mauvrets ✆ 41 91 92 15 par ④ : 8 km.

ℹ Office de Tourisme et Accueil de France (Informations et réservations d'hôtels, pas plus de 5 jours à l'avance) pl. Kennedy ✆ 41 88 69 93 et pl. Gare St-Laud ✆ 41 87 72 50, Télex 720930 – A.C.O. 21 bd Foch ✆ 41 88 40 22.

Paris 289 ① – ♦Caen 218 ⑥ – Cholet 61 ④ – Laval 74 ⑥ – ♦Le Mans 89 ① – ♦Nantes 89 ⑤ – ♦Orléans 211 ① – Poitiers 136 ④ – ♦Rennes 119 ⑥ – Saumur 52 ② – ♦Tours 106 ①.

Plan pages suivantes

Mercure Ⓜ ⛰, pl. Mendès-France (Centre des Congrès) ✆ 41 60 34 81, Télex 722139 – ☰ TV ☎ ♿ . AE ⓓ E VISA — CY **a**
R carte environ 120 🍷 – ☕ 36 – **86 ch** 351/387.

Anjou et rest. Salamandre, 1 bd Mar.-Foch ✆ 41 88 24 82, Télex 720521 – TV ☎ . AE ⓓ E. ✂ rest — CZ **h**
SC : **R** *(fermé dim.)* 80/150 – ☕ 30 – **51 ch** 255/350.

Concorde Ⓜ, 18 bd Mar.-Foch ✆ 41 87 37 20, Télex 720923 – TV ☎ ♿ – 25 à 400. AE ⓓ E VISA — BZ **u**
SC : **R** (brasserie) carte 90 à 135 🍷 – ☕ 36 – **73 ch** 310/380.

France et rest. Plantagenets Ⓜ, 8 pl. Gare ✆ 41 88 49 42, Télex 720895 – ☰ rest TV ⛀wc ⋒wc ☎. AE ⓓ E VISA — BZ **t**
SC : **R** *(fermé dim. midi et sam.)* carte 90 à 140 🍷 – ☕ 26 – **57 ch** 200/340.

Progrès Ⓜ sans rest, 26 r. D.-Papin ✆ 41 88 10 14, Télex 720982 – TV ⛀wc ⋒wc ☎. AE ⓓ E VISA — AZ **x**
SC : ☕ 24 – **41 ch** 220/250.

Champagne Ⓜ sans rest, 34 r. Denis Papin ✆ 41 88 78 06 – TV ⛀wc ⋒wc ☎. AE ⓓ VISA — AZ **x**
fermé 21 déc. au 3 janv. – SC : ☕ 18 – **30 ch** 125/245.

Europe Ⓜ sans rest, 3 r. Château-Gontier ✆ 41 88 67 45 – TV ⛀wc ⋒wc ☎. ⓓ VISA — BZ **a**
SC : ☕ 18 – **29 ch** 113/200.

Iéna sans rest, 27 r. Marceau ✆ 41 87 52 40 – TV ⛀wc ⋒wc ☎ — AZ **n**
22 ch.

Univers sans rest, 16 r. Gare ✉ 49100 ✆ 41 88 43 58 – TV ⛀wc ⋒wc ☎. AE ⓓ E VISA — BZ **m**
SC : ☕ 16,50 – **45 ch** 109/197.

Royal sans rest, 8 bis pl. Visitation ✆ 41 88 30 25 – ⛀wc ⋒wc ☎. VISA. ✂
fermé 4 au 24 août – SC : ☕ 15,50 – **40 ch** 75/152. — BZ **k**

Croix de Guerre ⚘, 23 r. Château-Gontier ✆ 41 88 66 59 – wc wc ☎. AE VISA BZ s
SC : **R** 68/148 – ☕ 18 – **29 ch** 88/178 – P 230/332.

Mail ⚘ sans rest, 8 r. Ursules ✆ 41 88 56 22 – TV wc wc ☎. VISA CY b
SC : ☕ 18 – **25 ch** 140/210.

Boule d'Or, 27 bd Carnot ✆ 41 43 76 56 – wc wc ☎. AE VISA CY d
SC : **R** 70/150 ⅓ – ☕ 15,50 – **33 ch** 85/138.

Roi René sans rest, 16 r. Marceau ✆ 41 88 88 62 – wc wc ☎. AZ p
fermé août – SC : ☕ 18 – **25 ch** 93/194.

St-Jacques, 83 r. St-Jacques ✆ 41 48 51 05 – wc wc ☎. AE VISA
SC : **R** *(fermé 15 août au 10 sept. et dim.)* 50/140 ⅓ – ☕ 17 – **19 ch** 90/240. CV r

Jeanne de Laval sans rest, 34 bd Roi-René ✆ 41 88 51 95 – wc wc ☎ – 30 à 80. VISA BZ f
fermé 1er au 15 août – SC : ☕ 15 – **17 ch** 76/169.

St Raphaël ⚘ sans rest, 13 r. de l'Esvière ✆ 41 87 55 58 – TV wc wc ☎. VISA AZ d
fermé 1er au 15 août – SC : ☕ 18 – **10 ch** 141/171.

XXX **Le Quéré,** 9 pl. Ralliement ✆ 41 87 64 94 – . AE VISA BY e
fermé 1er au 21 juil., vacances de fév., vend. soir et sam. – SC : **R** 140.

XX ✿ **Le Toussaint** (Bignon), 7 r. Toussaint ✆ 41 87 46 20 – AE VISA. BZ v
fermé 3 au 26 août, 21 déc. au 2 janv., vacances de fév., dim. et lundi – SC : **R** (nombre de couverts limité, prévenir) 150/200
Spéc. Foie gras de canard, Poissons au beurre blanc, Chariot de desserts. **Vins** St-Aubin-de-Luigné, Savennières.

XX ✿ **Le Logis** (Guinet), 17 r. St-Laud ✆ 41 87 44 15, produits de la mer – AE E VISA
fermé 13 juil. au 13 août, sam. soir et dim. – SC : **R** 95/250 BY u
Spéc. Terrine de St-Pierre, Lotte au vinaigre de framboises, Feuilleté de crevettes. **Vins** Savennières blanc, Parnay blanc.

XX **Le Vert d'eau,** 9 bd G.-Dumesnil ✆ 41 48 52 86 – . AE E VISA AY s
fermé 4 août au 1er sept., dim. soir et lundi – SC : **R** 72/190.

XX **Petit St-Germain,** 3 r. St-Laud ✆ 41 87 52 67 – AE E VISA BY g
fermé 10 août au 3 sept., dim. et lundi – SC : **R** 72/110.

XX **L'Entr'acte,** 9 r. L.-de-Romain ✆ 41 87 71 82 – VISA BY r
fermé 14 juil. au 30 août, dim. soir et sam. – SC : **R** 85/180.

X **L'Entrecôte,** av. Joxé (M.I.N.) par av. Besnardière ✆ 41 43 71 77 – VISA CV z
fermé août, sam. et dim. – SC : **R** (déj. seul.) 56/82 ⅓.

rte de Nantes sortie Lac de Maine O : 2 km – ✉ **49000** Angers :

Lac de Maine M, ✆ 41 48 02 12, Télex 721111 – rest TV wc ☎ – 140. AE E VISA BV n
fermé 23 déc. au 2 janv. – SC : **R** *(fermé dim.)* 67/110 ⅓ – ☕ 25 – **80 ch** 190/260.

au NO : 4 km – ✉ **49240** Avrillé :

X **Aub. de la Haye,** parc de la Haye ✆ 41 69 33 58, « Jardin fleuri » – . AE VISA BV q
fermé 18 au 31 août, vacances de fév., dim. soir et lundi – SC : **R** 70/150.

au NE : 6 km rte de Paris – ✉ **49480** St-Sylvain-d'Anjou :

XXX **Aub. d'Éventard** avec ch, ✆ 41 43 74 25 – wc wc ☎. AE E VISA.
fermé 5 au 23 sept., 2 au 24 janv., dim. soir et lundi – SC : **R** 90/240 – ☕ 19 – **10 ch** 90/250. DV f

à Erigné par ④ : 12 km – ✉ **49130** Les Ponts de Cé :

XXX **Host. Château,** ✆ 41 57 71 95, – . VISA
fermé juil., dim. soir, mardi soir et merc. – SC : **R** 100 bc/185.

MICHELIN, Agence, 18 bd G.-Ramon, Z.I. St-Serge CV ✆ **41 43 65 52**

BLF Gar. Rallye-Service, 4 bis r. St-Maurille ✆ 41 88 03 39 N ✆ 41 66 82 66
BMW S.A.G.A., 5 av. Besnardière ✆ 41 43 72 88
CITROEN Succursale, 3 r. Vaucanson, Zone Ind. St-Serge, Face carrefour CV ✆ 41 43 16 24 N ✆ 41 66 82 66
FIAT-LADA-SKODA S.A.D.R.A., 150 bd de Lattre-de-Tassigny ✆ 41 44 48 48
FORD Gar. Clénet, 170 av. De-Lattre-de-Tassigny ✆ 41 44 44 44 N ✆ 41 34 53 46
HONDA Anjou-Autom., 4 av. Pasteur ✆ 41 87 69 57
MERCEDES-BENZ-HONDA Gar. Bretagne, 4 bd Carnot ✆ 41 88 51 51 N ✆ 41 66 82 66
PEUGEOT-TALBOT S.I.A.A., 9 quai F.-Faure, Zone Ind. St-Serge CV ✆ 41 43 23 55
PEUGEOT Messié, 21 pl. Lafayette CX ✆ 41 88 42 20
RENAULT G.A.M.A., 17 quai F.-Faure CV ✆ 41 43 15 31 N ✆ 41 34 53 46
RENAULT Succursale, bd Bon-Pasteur AY ✆ 41 48 35 34
VAG Gar. Pioger-Boucher, 160 av. de Lattre-de-Tassigny ✆ 41 66 56 77

Cailleau, 9 r. Thiers ✆ 41 88 73 20
Perry-Pneus, 4 av. Besnardières ✆ 41 43 67 49
Perry-Pneus, 30 r. Auguste Gautier ✆ 41 88 70 19
Rodier-Pneu, 7 bd de la Romanerie ✆ 41 43 95 14

ANGERS

Alsace (R. d') . . . **BZ**
Beaurepaire (R.) . . . . **AY**
Bressigny (R.) . . **CZ**
Chaperonnière (R.) . . . . **BY** 13
Foch (Bd Mar.) . **BZ**
Laiterie (Pl.) . . . . **AY** 36
Lenepveu (R.) . . **BY** 38
Lices (R. des) . . . **BZ** 42
Lionnaise (R.) . . **AX**
Plantagenet (R.) **BY** 49
Ralliement (Pl.) . **BY** 55
Roë (R. de la) . . **BY** 61
St-Aubin (R.) . . . **BZ** 63
St-Julien (R.) . . . **BZ** 67
Voltaire (R.) . . . . **BZ** 78

Académie (Pl.) . . **AZ** 2
Anjou (R. d') . . . **BZ**
Arago (Bd) . . . . . **BX**
Arbrissel (Bd) . . . **CX**
Arnauld (Bd H.) **AY**
Ayrault (Bd) . . . . **BY**
Barra (R.) . . . . . . **CV** 3
Baumette (Pr.) . **CX** 4

Bazin (Quai R.) . **BY**
Beaussier (Bd) . **BV** 5
Bedier (Bd J.) . . **CX** 6
Bessonneau (Bd) . . . . **CY**
Bichat (R.) . . . . . **AX** 7
Blancheraie (Av.) . . . . **AZ**
Blanchoin (Bd) . **CX**
Boisnet (R.) . . . . **BY**
Bon-Pasteur (Bd du) . . . . . **CV** 8
Bout-du-Monde (Prom. du) . . . **BY** 10
Birgé (Bd G.) . . . **DV**
Capucins (Ch.) . . **CV**
Carmes (Q. des) **AY**
Carnot (Bd) . . . . . **CY**
Chalouère (R.) . . **DV** 14
Chaumin (Bd E.) **CX** 16
Clemenceau (Bd) . . . . **CV**
David-d'Angers (R.) . . . . **BY** 21
Daviers (Bd) . . . **AX**
Denis-Papin (R.) . . . . **BZ** 22
Descazeaux (Bd) . . . . **AY**

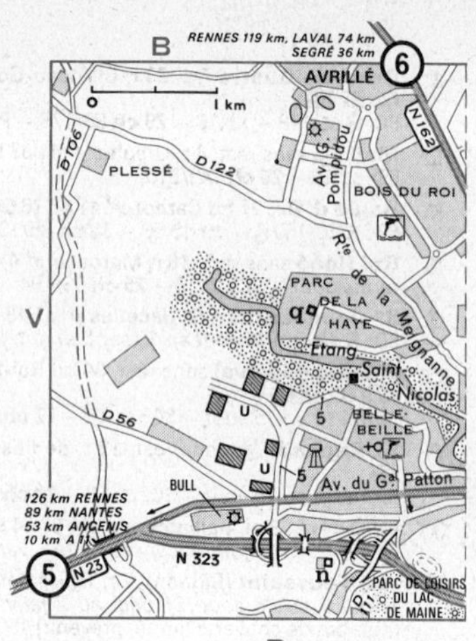

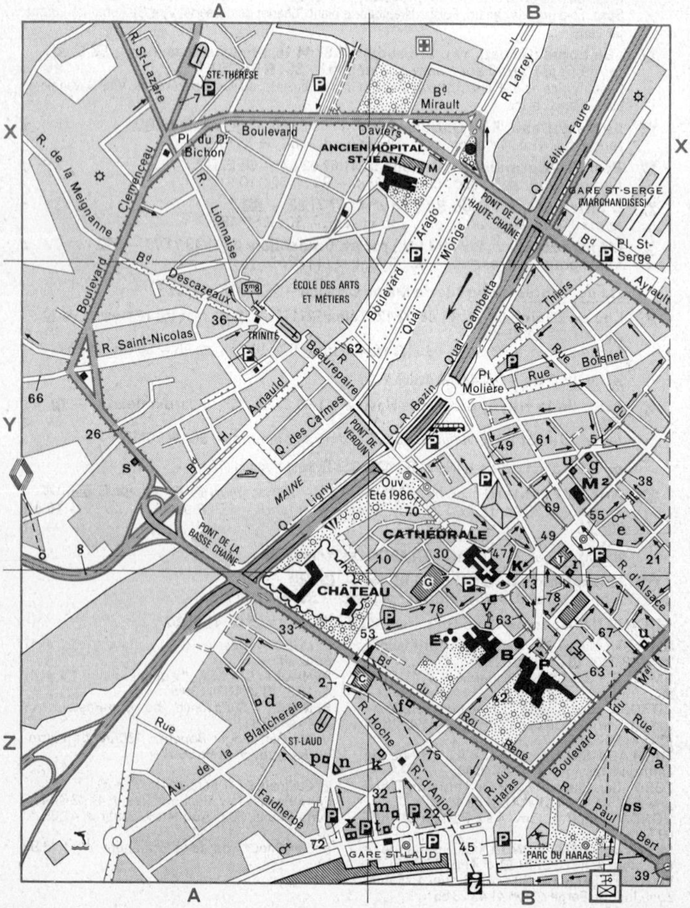

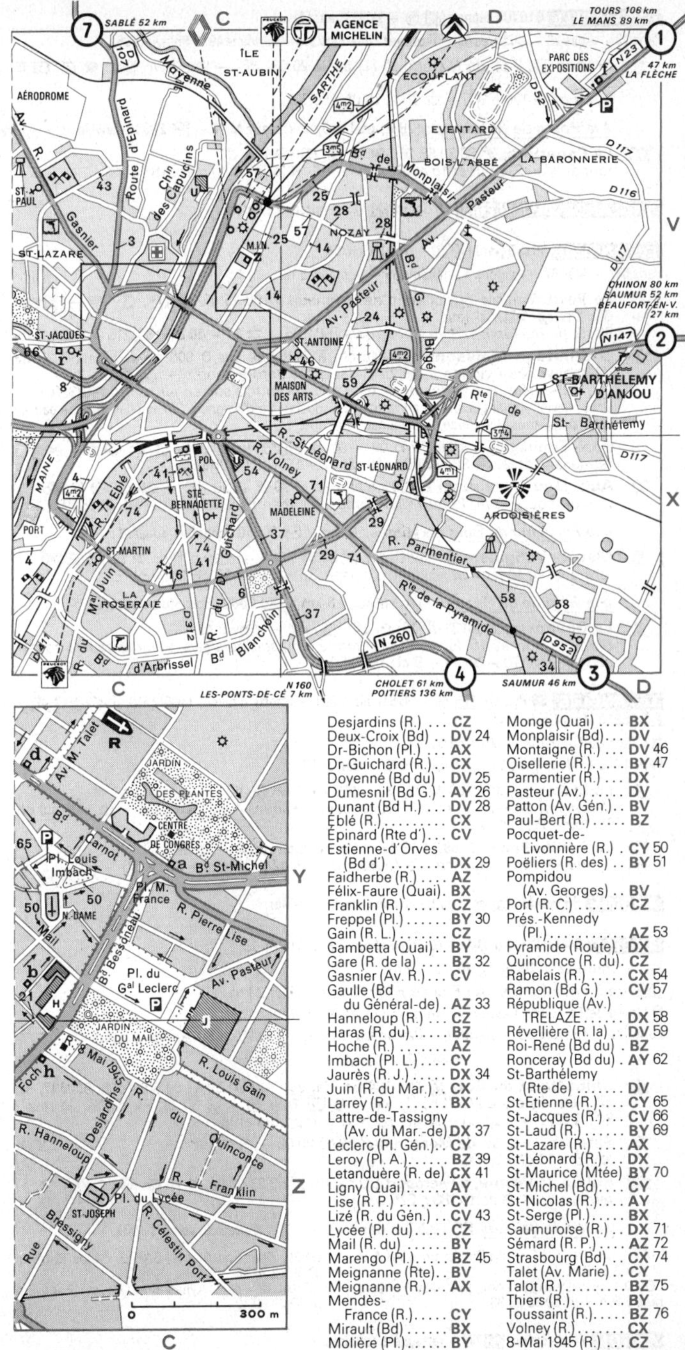
SABLÉ 52 km
AGENCE MICHELIN
TOURS 106 km
LE MANS 89 km
47 km LA FLÈCHE
PARC DES EXPOSITIONS
ÎLE ST-AUBIN
SARTHE
Moyenne
ECOUFLANT
AÉRODROME
EVENTARD
BOIS-L'ABBÉ
LA BARONNERIE
Bd de Monplaisir
Av. Pasteur
Route d'Epinard
Chin des Capucins
Av. R. Gasnier
ST-PAUL
ST-LAZARE
NOZAY
M.I.N.
Bd G. Birgé
CHINON 80 km
SAUMUR 52 km
BEAUFORT-EN-V. 27 km
ST-JACQUES
ST-ANTOINE
MAISON DES ARTS
ST-BARTHÉLEMY D'ANJOU
Rte de St-Barthélemy
R. St-Léonard
ST-LÉONARD
R. Volney
POL
STE-BERNADETTE
MADELEINE
ARDOISIÈRES
MAINE
PORT
R. Eblé
ST-MARTIN
LA ROSERAIE
Mal Juin
R. du D. Guichard
R. Parmentier
Rte de la Pyramide
N 260
D 952
R. Blancheion
Bd d'Arbrissel
D 312
D 411
N 160
LES-PONTS-DE-CÉ 7 km
CHOLET 61 km
POITIERS 136 km
SAUMUR 46 km
Av. M. Talet
JARDIN DES PLANTES
CENTRE DE CONGRÈS
Bd Carnot
Pl. Louis Imbach
Bd St-Michel
Pl. M. France
R. Pierre Lise
N.-DAME
Mail
Bd Bessonneau
Pl. du Gal Leclerc
Av. Pasteur
JARDIN DU MAIL
R. Louis Gain
8 Mai 1945
Foch
Desjardins
R. du Quinconce
R. Hanneloup
R. Franklin
Pl. du Lycée
ST-JOSEPH
Bressigny
R. Célestin Port
Rue
0
300 m

ANGERVILLE 91670 Essonne 60 ⑲ – 2 638 h. alt. 141.

Paris 70 – Ablis 29 – Chartres 45 – Étampes 18 – Évry 57 – ♦Orléans 49 – Pithiviers 26.

France [M], 2 pl. du Marché ✆ (1) 64 95 20 03, – wc wc ☎ Ⓟ. AE E VISA
SC : **R** carte 120 à 165 – ☕ 25 – **16 ch** 180/270.

à la Poste de Boisseaux (28 E.-et-L.) S : 7 km sur N 20 – ✉ **28310** Janville

XXX **La Panetière,** ✆ 38 39 58 26, – Ⓟ. AE VISA
fermé 1er au 21 août et 15 au 31 janv. – SC : **R** (déj. seul.) carte 185 à 230.

ANGLARDS-DE-SALERS 15 Cantal 76 ② – rattaché à Salers.

Les ANGLES 30133 Gard 81 ⑪ – 5 570 h. alt. 66.

Paris 687 – Alès 67 – Avignon 4 – Nîmes 39 – Remoulins 18.

Le Petit Manoir, chemin de la Pinède ✆ 90 25 03 36, – wc wc ☎ Ⓟ. VISA. rest
SC : **R** *(fermé lundi sauf le soir en sais.)* 60/135 – ☕ 17 – **40 ch** 130/215 – P 210/245.

XXX ❀ **Ermitage-Meissonnier** avec ch, à Bellevue sur D 900 rte Nîmes ✉ 30133 Villeneuve-lès-Avignon ✆ 90 25 41 68, « Jardin fleuri » – Ⓟ. AE VISA
SC : **R** *(fermé dim. soir de nov. à mars et lundi sauf le soir en juil.-août)* 140/320
Spéc. Ravioli de langouste en minestrone, Bisquebouille d'Avignon, Profiterolles de lapereau au miel. Vins Crozes-Hermitage, Châteauneuf-du-Pape.

Host. Ermitage [M], ✆ 90 25 41 02 – ch wc wc ☎ Ⓟ. AE VISA
fermé janv.et fév. – SC : ☕ 40 – **16 ch** 172/280 – P 500/560.

XX **Aub. Dou Terraie,** sur D 900 rte Nîmes ✆ 90 25 49 26, – Ⓟ. AE E VISA
fermé 1er au 15 juin, 1er au 7 janv., lundi soir, mardi soir et merc. – SC : **R** 95/165 ♨.

à la Fontaine du Buis rte Nîmes : 6 km – ✉ **30650** Rochefort-du-Gard :

Mas de Valiguière sans rest, ✆ 90 31 73 04 – wc wc ☎ Ⓟ. AE E VISA
fermé 1er au 15 janv. et jeudi hors sais. – SC : ☕ 16 – **10 ch** 122/189.

à la Bégude de Saze par rte Nîmes : 8 km – ✉ **30650** Rochefort-du-Gard :

La Gélinotte, ✆ 90 31 72 13, ≤, – wc Ⓟ
fermé 1er nov. au 15 déc. – SC : **R** *(fermé dim. soir hors sais. et lundi sauf le soir en sais.)* 82 bc/170 – ☕ 21 – **9 ch** 190/250.

Les ANGLES 66 Pyr.-Or. 86 ⑯ – 475 h. alt. 1 600 – Sports d'hiver : 1 600/2 400 m 2 17 – ✉ **66210** Mont-Louis.

Office de Tourisme ✆ 68 04 42 04.

Paris 1 002 – Mont-Louis 13 – ♦Perpignan 92 – Quillan 59.

Le Llaret, ✆ 68 04 42 02, ≤ – wc Ⓟ. AE
début juin-fin sept. et mi déc.-vacances de Pâques – SC : **R** 73/150 – ☕ 14 – **28 ch** 92/150 – P 197/222.

XX **La Ramballade,** ✆ 68 04 43 48, « Cadre rustique » – AE VISA
1er juil.-30 sept., vacances de Toussaint et 15 déc.-30 avril – SC : **R** 55.

ANGLES 85 Vendée 71 ㉑ – rattaché à la Tranche-sur-Mer.

ANGLET 64600 Pyr.-Atl. 78 ⑱ G. Pyrénées – 30 364 h. alt. 28.

18 de Chiberta ✆ 59 63 83 20, N : 5 km.

de Biarritz-Parme : Air France ✆ 59 23 93 82, SO : 2 km.

Office de Tourisme 1 av. Chambre-d'Amour ✆ 59 03 77 01.

Paris 777 – ♦Bayonne 3 – Biarritz 4 – Cambo-les-Bains 19 – Pau 110 – St-Jean-de-Luz 19.

Plan : voir Biarritz-Anglet-Bayonne

Chiberta et du Golf [M], 104 bd Plages - AX ✆ 59 63 88 30, Télex 550637, ≤, « en lisière du Golf », – ☎ Ⓟ – 80. AE E VISA. rest
SC : **R** 80/174 – ☕ 33 – **75 ch** 325/458, 5 appartements 760.

Fine sans rest, av. de Montbrun ✆ 59 63 00 09 – BX **b**
☕ 15 – **11 ch** 80/100.

XXX **Relais de Parme,** à l'aéroport SO : 2 km ✆ 59 23 93 84, ≤ – Ⓟ. AE VISA.
fermé sam. – **R** carte 180 à 225. BX

au lac de Brindos SO : 3,5 km par N 10 – XXXX ❀ avec ch, voir à Biarritz.

FIAT-LANCIA Gd Gar. du Palais, bd du B.A.B. ✆ 59 63 89 85
FORD Auto-Durruty, Zone Ind. des Pontots, bd du B.A.B. ✆ 59 52 33 33
OPEL Gar. Lafontaine, BAB 2, Z.I les Pontots ✆ 59 52 26 46
RENAULT Gar. Aylies Fres, 54 av. Espagne ✆ 59 03 98 13

ANGON 74 H.-Savoie 74 ⑥ – rattaché à Talloires.

ANGOULÊME 🅿 **16000** Charente **72** ⑬⑭ **G. Côte de l'Atlantique** – **50 151 h. alt. 72.**

Voir Site★ – Promenade des Remparts★★ YZ – **Cathédrale★ : façade★★** Y **F.**

de l'Hirondelle ✆ **45 61 16 94, S : 2 km** - X.

Office de Tourisme à l'Hôtel de Ville ✆ 45 95 16 84, Télex 791605 - A.C. 10 r. Prudent ✆ 45 95 16 14.

Paris 444 ① – **Agen 198** ③ – **♦Bordeaux 116** ⑤ – **Châteauroux 209** ② – **♦Limoges 103** ② – **Niort 108** ① – **Périgueux 85** ③ – **Poitiers 110** ① – **La Rochelle 141** ⑥ – **Royan 108** ⑥.

ANGOULÊME

Louvel (Pl. F.) .... Y 31
Marengo (R.) ...... YZ 33
Monlogis (R.) .... X 34
Paris (R. de) .... Y
Périgueux (R. de) .... Z 38
Postes (R. des) ...... Y 39
St-Martial (R.) .... Z 45
Saintes (R. de) ...... X 48

Aguesseau (Rampe) . Y 2
Barthou (R. L.) .... Y 3
Bouillaud (Pl.) .... Z 5
Briand (Bd A.) .... Y 6
Bury (Bd de) .... X 7
Chabasse (Bd) ...... X 8
Champs-de-Mars (Pl.) Y 9
Churchill (Bd W.) .... Z 10
Cloche-Verte (R.) .... Y 12
Denis-Papin (R.) ..... Y 16
Desaix (Bd) .... Z 20
Fne-du-Lizier (R.) .... Y 23
Fougerat (R.) .... Y 24
Gambetta (Av.) ...... Y 25
Gaulle (R. Gén.-de) .. Y 26
Halles (Pl. des) ...... Y 27
Juin (Av. Mar.) ...... X 28
La Rochefoucauld (R.) .... Y 29
Lattre-de-T. (Av. de) . X 30
Montbron (Route) ... X 35
Pasteur (Bd) .... Y 37
République (Bd) ..... X 40
St-André (R.) .... Y 42
St-Antoine (R.) ...... X 44
St-Roch (R.) .... Y 47
Tour-Garnier (R.) .... X 52
8-Mai-1945 (Bd du) .. X 55

AGENCE MICHELIN
D 939 – POITIERS N 10 – LIMOGES – N 141 – ST-JEAN D'ANGÉLY – N 141 SAINTES – ST-CYBARD – LA BUSSATTE – ST AUSONE – N 10 BORDEAUX – D 674 MONTMOREAU – D 939 NONTRON PÉRIGUEUX – 0 500 m

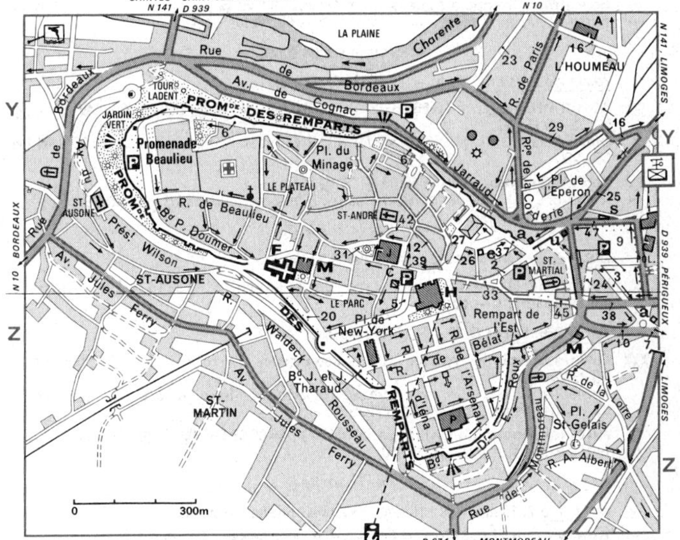

⚘ **Host. du Moulin du Maine Brun** 🐎, par traversée de ville et sortie ⑥ rte Cognac : 10 km, ✉ 16290 Hiersac ✆ 45 96 92 62, Télex 791053, ≤, ⛱, « Élégante installation avec beau mobilier, 🏊 », 🌳 – 📺 ☎ 🅿 – 🏛 30 à 250. AE ⓓ VISA
fermé 1er nov. au 15 déc., dim. soir et lundi du 15 déc. au 31 mars – SC : **R** 145/260 – ☕ 35 – **20 ch** 395/450 – P 500/530
Spéc. Gâteau de moules, Filet de boeuf grillé charentaise, Gourmandises du moulin.

Gd H. France, 1 pl. Halles ✆ 45 95 47 95, 🌳 – 🛗 🚗 🅿 – 🏛 60. AE ⓓ E VISA. ⛔ rest — Y **e**
SC : **R** *(fermé 20 déc. au 10 janv., dim. midi et sam.)* 105 – **61 ch** ☕ 120/390 – P 250/330.

Novotel M, par ① : 6 km sur N 10 près échangeur Nord, ✉ 16430 Champniers ✆ 45 68 53 22, Télex 790153, ⛱, 🏊, 🌳 – 🛗 ▤ 📺 ☎ ♿ 🅿 – 🏛 50. AE ⓓ E VISA
R snack carte environ 100 🍷 – ☕ 32 – **100 ch** 283/309.

tourner →

St-Antoine M, 31 r. St-Antoine ☎ 45 68 38 21, Télex 790909, – wc ☎ P – 40. AE E VISA — X f
SC : **R** *(fermé dim. soir)* 51/112 – 18,50 – **32 ch** 107/241 – P 228/327.

Trois Piliers sans rest, 3 bd Bury ☎ 45 92 42 11 – wc – 60
SC : 20 – **50 ch** 150/200 – P 220. — Z a

Épi d'Or sans rest, 66 bd René-Chabasse ☎ 45 95 67 64 – wc ☎ P. AE E VISA — X v
SC : 20 – **30 ch** 180/240.

Les Valois sans rest, 32 r. Pisany ☎ 45 68 22 40 – wc wc ☎ – 25. VISA
SC : 17 – **20 ch** 100/170. — X t

Coq d'Or sans rest, 98 r. Périgueux ☎ 45 95 02 45 – wc wc. E VISA
SC : 14,50 – **25 ch** 81/139. — X r

Pyrénées sans rest, 80 r. St-Roch ☎ 45 95 20 45, – wc ☎. E — Y s
fermé août – SC : 14 – **20 ch** 80/140.

H. Terminus sans rest, pl. Gare ☎ 45 92 39 00 – wc. VISA — X n
SC : 17 – **38 ch** 94/152.

XXX ❀ **La Chamade,** 13 rampe d'Aguesseau ☎ 45 38 41 33 – AE E VISA — Y a
fermé 5 au 31 août, vacances de fév., lundi midi et dim. – SC : **R** 140/250
Spéc. Civet de langoustines et huîtres au foie gras et pleurotes, Mosaïque de saumon fumé au gingembre, Aiguillettes de canard en venaison.

XX **Le Chandelier,** 7 r. de Saintes, à St Cybard ✉ 16000 Angoulême ☎ 45 95 51 05 – AE E VISA
fermé sam. midi – SC : **R** 85/250.

X **Le Palma,** 4 rampe d'Aguesseau ☎ 45 95 22 89. AE E VISA — Y u
fermé 11 juil. au 3 août, vend. soir et dim. – SC : **R** 36/100 ₰.

***Par la sortie* ① :**

route de Poitiers : 7 km – ✉ **16430** Champniers :

Motel PM 16 M, ☎ 45 68 03 22, Télex 790345, – wc wc ☎ P – 50. AE E VISA
prévenir sam. et dim. d'oct. à avril – SC : **R** voir rest. Feu de Bois – 18,50 – **41 ch** 180/230.

XX **Le Feu de Bois,** ☎ 45 68 69 96 – P
fermé 12 au 31 janv., lundi non fériés (sauf le soir en juil.-août) – SC : **R** 49/150 ₰.

***Par la sortie* ③ :**

à Soyaux : 4 km – 11 070 h. – ✉ **16800** Soyaux :

X La Cigogne, (à la Mairie, prendre r. A.-Briand et 1 km) ☎ 45 95 16 74, , « Terrasse sur campagne » – P.

par D 939, D 4 et D 25 – ✉ **16410** Dignac :

XXX **Orée des Bois** M avec ch, à **Maison Neuve, 17 km** ☎ 45 24 94 38, , – wc wc P
fermé 2 au 15 nov., dim. soir hors sais. et lundi sauf le soir en été – SC : **R** 95/139 – 16,50 – **11 ch** 98/175 – P 210/225.

XX **Aub. du Moulin de Baillarge,** à 14 km ☎ 45 60 65 09, – P. VISA
fermé sam. midi – SC : **R** 85/210.

***Par la sortie* ⑤ :**

à Nersac N 10 et D 699 : 10 km – ✉ **16440** Roullet-St-Estèphe :

XX **Aub. Pont de la Meure,** rte Hiersac ☎ 45 90 60 48 – AE E VISA
fermé août, vend. soir et sam. – SC : **R** 75/118.

à Roullet : 14 km – ✉ **16440** Roullet :

XXX **Vieille Étable** M avec ch, **rte Mouthiers** ☎ **45 66 31 75, parc,** , , – wc wc ☎ P – 25 à 60. AE E VISA. rest
fermé 15 fév. au 3 mars – SC : **R** 60/185 – 21 – **13 ch** 195 – P 340.

MICHELIN, Agence, r. Salvador-Allende, Zone Ind. n°3, Isle d'Espagnac, par av. Mar. Juin X ☎ 45 68 09 66

ALFA-ROMEO Frayssinhes, 57 r. Broquisse ☎ 45 61 24 28
BMW Laujac Autom., 52 r. Bordeaux ☎ 45 92 08 50
RENAULT Succursale, 11 rte Paris X ☎ 45 68 90 66
SEAT Gar. Richeboeuf, Zone Ind. N° 3, La Madeleine ☎ 45 68 70 55
V.A.G. Gar. Magne, 313 r. Périgueux ☎ 45 95 05 33
V.A.G. Gar. D.A.E. rte Périgueux, Soyaux ☎ 45 92 88 91
VOLVO Gar. Bris, 340 rte de Bordeaux ☎ 45 91 59 60

Piot-Pneu, L'Houmeau ☎ 45 92 06 04
Piot-Pneu, 8 bd République ☎ 45 95 05 01
Rogeon-Pneus, Zone Ind. de Rabion ☎ 45 91 35 36

Périphérie et environs

CITROEN SOCHAC, Zone Ind., Gond-Pontouvre par av. Mar.-Juin X ✆ 45 68 90 77 N
CITROEN SAMA, Zone d'Emploi, Puymoyen par ④ ✆ 45 61 23 92
FORD Mathieux Autom., rte de Paris, Gond-Pontouvre ✆ 45 68 02 55
MERCEDES-BENZ SAFI-16, Zone Ind., n°3, Gond-Pontouvre ✆ 45 68 00 11
OPEL-GM Angoulême-Nord-Auto, rte de Paris à Champniers ✆ 45 68 74 33

PEUGEOT Perga, Zone Ind. à l'Isle-d'Espagnac par ② ✆ 45 68 78 33
PEUGEOT-TALBOT Fetiveau, 250 av. République à l'Isle-d'Espagnac par ② ✆ 45 68 73 58
PEUGEOT, TALBOT Prud'homme, Zone d'Emploi, Puymoyen par ④ ✆ 45 61 25 19
Picoty, rte N 10, Gond-Pontouvre ✆ 45 68 60 55 N

ANIANE 34 Hérault 83 ⑥ – rattaché à Gignac.

ANNEBAULT 14 Calvados 54 ⑰ – 259 h. – ✉ 14430 Dozulé.

Paris 207 – Cabourg 15 – ♦Caen 35 – Pont-L'Evêque 12.

XX **Aub. Le Cardinal** avec ch, ✆ **31 64 81 96,** – P. VISA. ch
fermé 15 janv. au 15 fév., mardi soir et merc. – SC : **R** 70/195 – ☕ 15 – **7 ch** 110/160.

In this guide,

*a symbol or a character, printed in red or black in light or **bold** type, does not have the same meaning.*

Please read the explanatory pages carefully (pp. 22 to 29).

ANNECY P 74000 H.-Savoie 74 ⑥ **G. Alpes** – 51 593 h. alt. 448.

Voir Avenue d'Albigny★★ CXY – Le Vieil Annecy★ : Descente de Croix★ dans l'église St-Maurice BY **B**, Pont sur le Thiou ≤★ BY **N** – Château ★ BY – Jardin public★ CY – Forêt du Crêt du Maure★ : ≤★★ 3 km par ④.

Env. Tour du lac★★★ 39 km (ou en bateau 1 h 30) – Gorges du Fier★★ et collections★ du château de Montrottier : 11 km par ⑦.

du lac d'Annecy ✆ 50 60 12 89 par ② : 10 km.

d'Annecy-Meythet : T.A.T. ✆ 50 22 08 29 par ⑦ et D 14 : 4 km.

Office de Tourisme clos Bonlieu 1 r. Jean-Jaurès ✆ 50 45 00 33 - A.C. 15 r. Préfecture ✆ 50 45 09 12.

Paris 533 ⑦ – Aix-les-Bains 34 ⑥ – ♦Genève 43 ① – ♦Lyon 137 ⑥ – ♦St-Étienne 182 ⑥.

Plan page suivante

Carlton sans rest, **5 r. Glières ✆ 50 45 47 75** – ☎. AE VISA — AY **g**
SC : ☕ 25 – **50 ch** 200/300.

Splendid H. sans rest, **4 quai E.-Chappuis ✆ 50 45 20 00, Télex 385233** – TV ☎. VISA — BY **s**
SC : ☕ 25 – **50 ch** 150/320.

Faisan Doré, 34 av. Albigny ✆ 50 23 02 46 – wc wc ☎ – 35 — CV **e**
SC : **R** *(fermé 1er nov. à fin janv. et dim. hors sais.)* 80/160 – ☕ 28 – **46 ch** 180/300 – P 320/340.

Crystal H. sans rest, **20 r. L.-Chaumontel ✆ 50 57 33 90** – TV wc wc ☎ P. VISA — AX **e**
SC : ☕ 19,50 – **22 ch** 178/200.

Réserve, 21 av. Albigny ✆ 50 23 50 24, ≤, « Jardin » – TV wc wc ☎ P. E VISA — CV **v**
fermé 23 juin au 5 juil. et 20 déc. au 19 janv. – SC : **R** 80/180 – ☕ 22 – **12 ch** 200/280 – P 290/310.

Semnoz sans rest, **1 fg Balmettes ✆ 50 45 04 12** – wc wc ☎. AE E VISA.
fermé 20 déc. au 15 janv., sam. et dim. en hiver – SC : ☕ 21 – **24 ch** 190/240. — AY **b**

Ibis M, **12 r. Gare ✆ 50 45 43 21, Télex 385585** – TV wc ☎ – 35. E VISA
SC : **R** carte environ 85 – ☕ 20 – **83 ch** 183/245. — AY **a**

Parmelan, 41 av. Romains ✆ 50 57 14 89, – wc ☎ P.
Pâques-1er oct. – SC : **R** (dîner seul.) 56/84 – ☕ 19 – **30 ch** 95/190. — BU **d**

Parc sans rest, **43 chemin des Fins, vers le parc des sports ✆ 50 57 02 98,** – wc wc ☎ P. VISA — BU **r**
fermé 22 au 30 juin et 1er déc. au 5 janv. – SC : ☕ 18 – **24 ch** 84/139.

Paris sans rest, **15 bd J.-Replat ✆ 50 57 35 98** – wc ☎. AE. — AX **y**
fermé 15 oct. au 15 nov. – SC : ☕ 15,50 – **12 ch** 85/160.

Coin Fleuri sans rest, **3 r. Filaterie ✆ 50 45 27 30** – wc wc ☎ — BY **t**
SC : ☕ 20 – **14 ch** 95/170.

d'Aléry sans rest, **5 av. d'Aléry ✆ 50 45 24 75** – wc ☎. E VISA — AY **k**
SC : ☕ 15,50 – **18 ch** 100/203.

ANNECY

Lac (R. du) .... BY 31
Pâquier (R. du) .... BY 44
République (R. de la) .... BY 56
Royale (R.) .... AY 58
Ste-Claire (Fg et R.) .... BY 64

Bel-Air (Ch. du) .... BU 3
Bordeaux (R. Henri) ...... CU 5
Cesière (R. de la) .... BV 6
Chappuis (Quai E.) .... BY 7
Corniche (Bd de la) ...... CV 12
Crêt-du-Maure
(Av. du) .... BV 13
Crête (R. de la) .... BU 14
Fins (Ch. des) .... BU 20
Gaulle (Pl. du Gén. de) .. CU 22
Grenette (R.) .... BY 23
Hôtel-de-Ville (Pl.) ..... BY 27
J.-J.-Rousseau (R.) ...... BY 30
Leclerc (R. du Mar.) ..... BU 35
Libération (Pl. de la) ... BY 36
Loverchy (Av. de) .... BV 38
Novel (Av. de) .... CU 40
N.-D.-de-Liesse (⊞) ...... BY 42
Petit-Port (Av. du) ...... CV 46
Poste (R. de la) .... AY 50
Président-Faure (Av.) .... BXY 51
Prés-Riants (R. des) ..... BCU 52
Repos (R. du) .... AY 53
République (Av. de la) ... BV 54
Romains (Av. des) .... BU 57
St-François (⊞ et Pl.) ... BY 60
St-François-de-Sales (R.) AY 61
St-Joseph (⊞) .... BU 62
St-Maurice (⊞) .... BY B
St-Pierre (⊞) .... BY 63
Stade (Av. du) .... BU 65
Theuriet (R. André) ...... CV 67
Vaillat (R. Léandre) ..... CU 68
11e-Bat.-de-Chasseurs-
Alpins (R.) .... BU 71

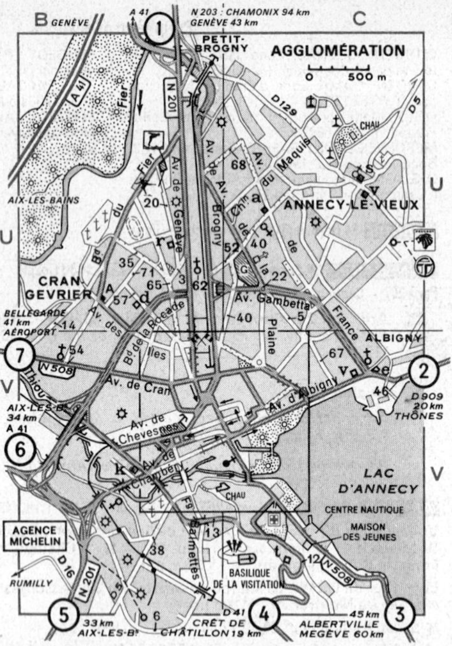

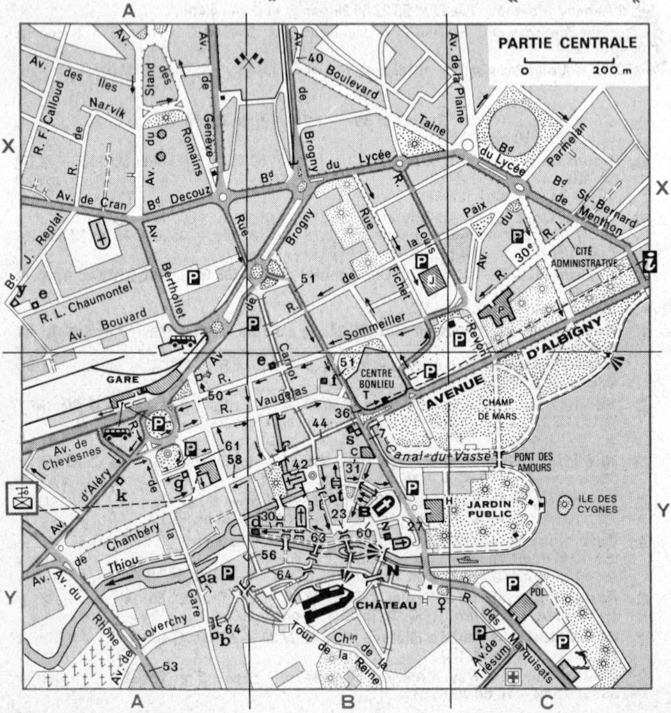

AGGLOMÉRATION

0 500 m

AGENCE MICHELIN

PARTIE CENTRALE

0 200 m

XXX ⊛ **Aub. de l'Éridan** (Veyrat Durebex), 7 av. de Chavoires, Petit Port ✆ 50 66 22 04, ≤, 🏡 – 🅟. AE ⓓ E VISA
fermé 16 août au 7 sept., 24 au 28 déc., fév., dim. soir et merc. – SC : **R** carte 250 à 370
Spéc. Escalope de foie chaud au caramel de framboises, Bar poché au caviar, Consommé de pigeon. **Vins** Pinot de Savoie, Chignin.

XXX **Salino,** 13 r. J.-Mermoz à Annecy-le-Vieux par av. France et rte Thônes ✆ 50 23 07 90, ≤, 🏡 – AE ⓓ E VISA CU **v**
fermé 17 juin au 9 juil., 12 au 19 fév., dim. soir et merc. – SC : **R** 130/250.

XX ⊛ **Auberge de Savoie** (Collon), 1 pl. St-François (tranfert prévu mi-juin à l'Aub. de Létraz à Sévrier) ✆ 50 45 03 05 – ▤. AE ⓓ BY **z**
fermé mi-juin à mi-juil., mardi soir d'oct. à juin et merc. – SC : **R** 140/230, dîner à la carte
Spéc. Terrine chaude de brochet, Aiguillettes de canard aux coings, Nougat glacé. **Vins** Roussette de Seyssel, Crépy.

XX **Amandier,** 6 av. Mandallaz ✆ 50 51 74 50 – AE ⓓ E VISA BV **k**
fermé 28 juil. au 17 août, vacances de fév. et dim. sauf fêtes – SC : **R** 115/220.

XX **Le Pré de la Danse,** 16 r. J.-Mermoz à Annecy-le-Vieux, par av. France et rte Thônes ✆ 50 23 70 41 – 🅟. ⓓ E VISA CU **s**
fermé 2 au 24 juin, lundi et sam. midi – SC : **R** 88/178.

XX **Aub. Pré Carré,** impasse Pré Carré 10 r. Vaugelas ✆ 50 51 17 65 – AE E VISA. ✻
fermé lundi midi et dim. sauf fêtes – SC : **R** 70/185. BY **f**

XX **Le 1930,** 2 r. Louis-Armand ✆ 50 23 05 41, 🏡 – VISA CU **a**
fermé 21 juil. au 18 août, 14 au 19 janv., dim. soir et lundi – SC : **R** 120/260 🍷.

XX **Aub. du Lyonnais** avec ch, 9 r. République ✆ 50 51 26 10, 🏡 – ⋒wc ☎. AE VISA
fermé 13 juin au 1er juil., 12 déc. au 1er fév., mardi soir et merc. – SC : **R** 74/175 – ☕ 19 – **8 ch** 94/199. BY **d**

XX **Buffet Gare T.G.V.,** ✆ 50 45 42 24 – AE VISA AY
◆ SC : **R** 60/140 🍷.

X **Garcin,** (1er étage), 11 r. Pâquier ✆ 50 45 20 94 – AE ⓓ E VISA BY **s**
fermé 16 juin au 10 juil., vacances de fév., mardi soir et merc. – SC : **R** 75/160 🍷.

X **Fer à Cheval,** 21 r. Sommeiller ✆ 50 45 13 35 – AE BY **e**
fermé 1er au 7 mai, sept., dim. soir et lundi – SC : **R** (nombre de couverts limité-prévenir) 62/80 🍷.

à Albigny par ② : 1,5 km – alt. 448 – ✉ **74000** Annecy :

🏠 **Muses,** 61 r. Centrale ✆ 50 23 29 26, 🏡 – ⋒ ☎ 🅟. VISA. ✻ rest
◆ SC : **R** *(fermé nov. à avril, dim. soir et lundi du 15 sept. au 31 mai)* 51/131 – ☕ 19 – **30 ch** 74/125 – P 162/195.

rte d'Aix-les-Bains par ⑤ : 3 km – ✉ **74600** Seynod :

🏨 **Mercure** Ⓜ, ✆ 50 51 03 47, Télex 385303, 🏡, 🏊 – ▤ rest 📺 ☎ ♿ 🅟 – 🏛 80. AE ⓓ E VISA
R carte 100 à 150 🍷 – ☕ 25 – **69 ch** 259/347.

rte du Semnoz par ④ – ✉ **74000** Annecy :

XX **Belvédère** 🐌 avec ch, 2 km ✆ 50 45 04 90, ≤ Annecy et lac, 🌳 – ⋒ ☎ 🅟. VISA. ✻ CV **t**
hôtel: 15 mai-5 oct., rest.: fermé vacances de Pâques, nov., dim. soir et lundi – SC : **R** 140/250 – ☕ 17 – **10 ch** 110/140 – P 205/225.

X **Super Panorama** 🐌 avec ch, 3,5 km ✆ 50 45 34 86, ≤ lac et montagne, 🏡, 🌳 – ✻ rest
fermé 6 janv. au 15 fév., lundi soir et mardi – SC : **R** 80/100 🍷 – ☕ 28 – **5 ch** 150.

à Pont de Brogny par ① : 4 km rte Genève – ✉ **74370** Pringy :

XX **Fier** avec ch, ✆ 50 46 11 10, 🏡, 🌳 – ⋒ 🅟
fermé 29 oct. au 20 nov., mardi soir et merc. sauf juil.-août – SC : **R** 93/175 – ☕ 18,50 – **10 ch** 78/165 – P 165/190.

à Chavoire par ② : 4,5 km – alt. 480 – ✉ **74290** Veyrier-du-Lac :

XXX ⊛ **Pavillon Ermitage** (Tuccinardi) avec ch, ✆ 50 60 11 09, 🏡, « Jardin fleuri et belle vue sur le lac » – ⇔wc ☎ 🚗. AE ⓓ VISA
début mars-fin oct. – SC : **R** (nombre de couverts limité - prévenir) 150/260 – ☕ 30 – **11 ch** 230/380 – P 300/400
Spéc. Omble chevalier (mars-oct.), Soufflé de brochet, Poularde de Bresse. **Vins** Crépy, Seyssel.

à St-Martin-Bellevue N : 11 km par ①, N 203, D 14 – ✉ **74370** Pringy :

🏨 **Beau Séjour** 🐌, à la gare : 1 km ✆ 50 60 30 32, ≤, 🌳 – |♦| ⇔wc ⋒ ☎ 🅟 – 🏛 40. VISA. ✻ rest
15 mars-15 déc. et fermé dim. soir et lundi midi hors sais. – SC : **R** 79/145 – ☕ 23 – **35 ch** 175/225 – P 200/250.

Voir aussi ressources hôtelières des localités citées autour du Lac **74** ⑥⑯.

MICHELIN, Agence régionale, Z.I. de Vovray, 5 r. de Sansy, Seynod V ✆ **50 51 59 70**

FIAT, LANCIA-AUTOBIANCHI Gar. Pont-Neuf, 1 av. Pont-Neuf ☎ 50 51 40 30
INNOCENTI, MAZDA, VOLVO Cochet, 59 av. de Genève ☎ 50 57 02 45

Blanc, 3 r. Rumilly ☎ 50 51 13 02
Bruyère, 18 ch. des Fins ☎ 50 57 16 68
Dupanloup, 119 av. Genève ☎ 50 57 03 81
Frasson, 2 bis av. du Stade ☎ 50 57 16 88

Périphérie et environs

AUSTIN ROVER Gar. Ducros, 72 av. d'aix, Seynod ☎ 50 45 42 65
BMW Aravis Automobile, 100 av. d'Aix les Bains à Seynod ☎ 50 45 32 36
CITROEN Dieu, rte d'Aix, Seynod par ⑤ ☎ 50 51 54 15
FORD S.A.A.E.M. 140 av. d'Aix, Seynod ☎ 50 69 15 04
MERCEDES-BENZ SEVI 74, ZAE de Césardes ch. de la Croix-Seynod ☎ 50 51 59 83
OPEL Gar. du Parmelan, av. Petit-Port, Annecy-le-Vieux ☎ 50 23 12 85

PEUGEOT-TALBOT Gar. Central, 28 av. des Carrés, Annecy-le-Vieux ☎ 50 23 23 13
RENAULT Savoie-Automobile, av d'Aix, Seynod par ⑤ ☎ 50 45 82 13
V.A.G. SAT, Z.I. des Césardes, rte des Creuses à Seynod ☎ 50 69 06 79

Auto Diffusion Service, 5 r. Zanaroli à Seynod ☎ 50 51 49 76
Piot-Pneu, 6 r. de la Césière, Zone Ind. de Vovray à Seynod ☎ 50 51 72 85

ANNEMASSE 74100 H.-Savoie 74 ⑥ G. Alpes – 26 438 h. alt. 433.

Country Club du Bossey ☎ 50 43 75 25 par ⑦.

Office de Tourisme r. de la Gare ☎ 50 92 53 03.

Paris 521 ⑥ – Annecy 51 ① – Bonneville 22 ① – ♦Genève 8 ⑥ – St-Julien-en-Genevois 15 ⑥.

ANNEMASSE

Commerce (R. du) 5
Gare (R. de la) 12

Briand (Av. Aristide) 2
Chablais (R. du) 3
Clos-Fleury (R. du) 4
David (R. Fernand) 6
Deffaugt (Pl. J.) 7
Faucigny (R. du) 9
Genève (R. de) 13
Libération (Pl. de la) 15
Pasteur (Av.) 16
St-André (⊞) 18
St-Joseph (⊞) 19
Vaillat (R. L.) 21

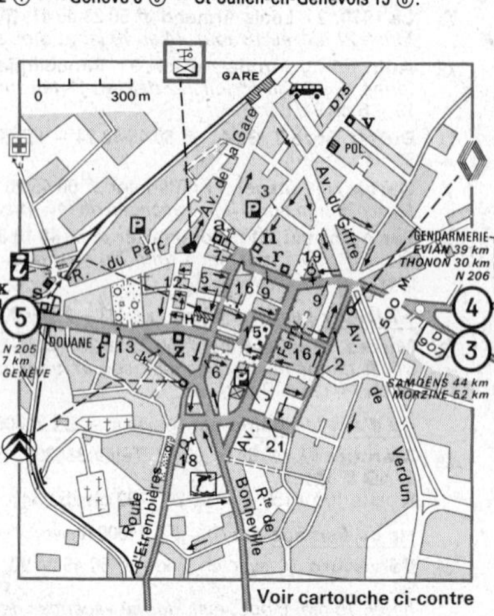

Mercure Ⓜ, à Gaillard, r. des Jardins **(e)** ✉ 74240 Gaillard ☎ 50 92 05 25, Télex 385815, – ▮ ▤ rest ▢ ☎ ♿ ⓟ – 25 à 100. AE ⓓ E VISA
R carte environ 120 – ☕ 30 – **78 ch** 270/325.

Genève et rest. La Scala Ⓜ, rte de Genève ☎ 50 38 70 66, Télex 385472 – ▮ ▢ ☎ ⓟ – 60 – **100 ch.**

Helvetia et rest. Guillaume Tell Ⓜ, 4 rte Genève **(x)** ☎ 50 38 59 80, Télex 385925 – ▮ ▢ ☎ ⓟ – 100. AE ⓓ E VISA
SC : **R** *(fermé dim. et fêtes)* 60/130 – ☕ 25 – **65 ch** 190/255.

Parc Ⓜ sans rest, 19 r. Genève **(t)** ☎ 50 38 44 60, Télex 309034 – ▮ ▢ ☎. AE ⓓ E VISA
fermé 23 déc. au 2 janv. – SC : ☕ 27 – **30 ch** 175/275.

Hague sans rest, 42 r. Genève **(s)** ☎ 50 38 47 14 – ▮ ▤ ▢ ⌂wc ☎ ⓟ. AE ⓓ E VISA
fermé 23 déc. au 10 janv. – SC : ☕ 21 – **22 ch** 175/212.

National Ⓜ sans rest, pl. J.-Deffaugt **(n)** ☎ 50 92 06 44 – ▮ ▢ ⌂wc ⌂wc ☎ ⓟ. AE ⓓ E VISA
SC : ☕ 20 – **45 ch** 165/210.

Central H. Ⓜ sans rest, pl. Hôtel de Ville **(z)** ☎ 50 38 27 06 – ▮ ▢ ⌂wc ⌂wc ☎. AE ⓓ E VISA
SC : ☕ 25 – **28 ch** 125/260.

Pax H. sans rest, 22 av. Gare **(a)** ☎ 50 38 25 46 – ▮ ⌂wc ⌂wc ☎
SC : ☕ 20 – **44 ch** 113/183.

Eden sans rest, 11 r. Faucigny **(r)** ✆ **50 92 21 57** – wc wc. VISA
fermé 1er au 7 mai, 1er au 9 nov. – SC : 19 – **14 ch** 131/207.

Savoie sans rest, 52 r. Chablais **(v)** ✆ **50 37 05 06** – . E
SC : 18 – **32 ch** 95/190.

XXX **Le Château** avec ch, à Gaillard 47 r. Vignes ✉ **74240 Gaillard** ✆ **50 38 65 38**, – . E VISA
fermé dim. soir et lundi – SC : **R** 120/240 – 30 – **8 ch** 260/360.

XXX **Entre Nous,** 2 r. Zone à Ambilly **(s)** ✆ **50 38 35 85**, – AE VISA
fermé 25 août au 15 sept., vacances de fév., dim. soir et lundi – **R** 120/240.

au Pas de l'Échelle par ⑦ : 4 km – ✉ **74100** Annemasse :

Tilleuls sans rest, N 206 ✆ **50 37 61 79** – .
fermé août, sam. et dim. – SC : 15 – **12 ch** 75/110.

Pittet, rte téléphérique ✆ **50 37 61 42**, , – . AE.
fermé sept. et sam. – SC : **R** 85/100 – 18 – **14 ch** 90/95 – P 180/190.

AUSTIN, ROVER, TRIUMPH Gar. Maurice, 13 r. du Faucigny ✆ 50 92 21 96
BMW, DATSUN Borgel, r. de Montréal, Zone Ind., Ville-la-Grand ✆ 50 37 07 60 N ✆ 50 92 08 03
CITROEN SADAL, rte de Taninges à Vetraz-Monthoux par ③ ✆ 50 37 42 45
CITROEN Gar. de Savoie, 4 r. Étrembières ✆ 50 92 11 75
FIAT, LANCIA-AUTOBIANCHI Gar. du Chablais, Zone Ind. Mont-Blanc, r. de la Résistance ✆ 50 37 30 37
FORD Gar. de la rte blanche, 90 rte de Bonneville ✆ 50 37 10 54
HONDA, TOYOTA Degenève, 63 rte Genève à Gaillard ✆ 50 38 09 55
OPEL Gar. Bel, 29 r. de la République à Ville-la-Grand ✆ 50 92 10 48
RENAULT Ets Berra, 1 r. A.-Briand ✆ 50 37 25 30
RENAULT S.A.D.I.A., Pont d'Étrembières ✆ 50 92 05 11
V.A.G. Gar. International, r. de la Résistance, Zone Ind. ✆ 50 37 13 43

Blanc, 3 av. du Giffre ✆ 50 37 78 04
Piot-Pneu, 75 rte des Vallées ✆ 50 37 27 11

ANNONAY 07100 Ardèche 77 ① G. Vallée du Rhône – 20 085 h. alt. 357.

Office de Tourisme pl. des Cordeliers ✆ 75 33 24 51.

Paris 532 ① – ♦Grenoble 103 ① – ♦St-Étienne 43 ④ – Tournon 35 ① – Valence 53 ① – Vienne 43 ① – Yssingeaux 58 ③.

Midi sans rest, 17 pl. Cordeliers **(n)** ✆ **75 33 23 77** – wc . AE E VISA
fermé 20 déc. au 20 janv. et dim. en hiver – SC : 18 – **40 ch** 78/173.

XX **Château,** 2 Montée du Château **(a)** ✆ **75 32 19 78** – AE VISA
fermé 8 au 31 janv., dim. soir et lundi – SC : **R** 73/170.

XX **L'Escabelle,** av. Europe **(t)** ✆ **75 33 09 10** – AE E VISA
fermé 5 au 19 août et dim. – SC : **R** 60/125.

XX **Le Bilboquet,** 2 pl. Cordeliers **(s)** ✆ **75 33 30 20** – AE E VISA
fermé lundi sauf en août – SC : **R** 58/168.

XX **Marc et Christine,** face gare **(e)** ✆ **75 33 46 97**
fermé dim. soir et lundi sauf fériés – SC : **R** 90/230.

à Davezieux par ① : 4,5 km sur D 82 – ✉ **07100** Annonay :

Don Quichotte et Siesta M, rte Valence ✆ **75 33 11 99**, <, , – rest wc wc – 80. AE VISA
SC : **R** *(fermé sam. du 1er oct. au 30 mars)* 80/148 – **56 ch** 125/240 – P 293/330.

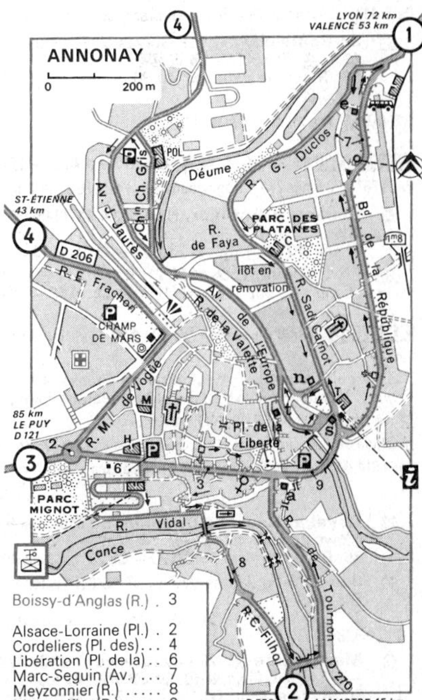

tourner →

ANNONAY

ALFA-ROMEO, SEAT Gar. Tartavel, Davezieux ℘ 75 33 26 07
CITROEN Gar. Pyramide, 17 av. M.-Seguin ℘ 75 33 31 91
CITROEN Gar. du Vivarais, Zone Ind. La Lombardière, Davezieux par ① ℘ 75 33 26 32 🅽 ℘ 75 33 42 27
FIAT Gar. Dhennin, 47 bd République ℘ 75 33 24 43
FORD Caule, rte de Lyon, Davezieux ℘ 75 33 22 98
PEUGEOT-TALBOT Desruol, N 82, St-Clair par ① ℘ 75 33 10 98

V.A.G. Siterre, 33 bd République ℘ 75 33 42 10
Gar. Boyer, 4 bd de la République ℘ 75 32 19 95
Gar. Segard, Dép 519 à Chabetout ℘ 75 33 40 11
Eyraud, 45 bd de la République ℘ 75 33 42 19
Jurdit, 47 r. G.-Duclos ℘ 75 33 27 49

CONSTRUCTEUR : Renault Véhicules Industriels, Rte de Roanne ℘ **75 33 11 11**

ANNOT **04240** Alpes-de-H.-P. **81** ⑱, **195** ⑫ **G. Côte d'Azur – 1 062 h. alt. 700.**

Voir Vieille ville★ – Clue de Rouaine★ S : 4 km.

Syndicat d'Initiative pl. Revelly ℘ 92 83 22 09.

Paris 812 – Castellane 32 – Digne 70 – Manosque 111.

Avenue, ℘ 92 83 22 07 – wc ☎. rest
26 mars-4 nov. – SC : **R** 51/90 – 13 – **14 ch** 96/130 – P 140/185.

Gd H. Grac, ℘ 92 83 20 02, – wc wc. AE
1er avril-31 oct. – SC : **R** 60/130 – 18 – **23 ch** 90/240 – P 170/240.

aux Scaffarels SE : 2 km – alt. 655 – ✉ **04240** Annot :

Honnoraty, ℘ 92 83 22 03 – wc. rest
15 fév.-15 déc. – SC : **R** 55/90 – 12 – **12 ch** 85/120 – P 125/162.

ANOST **71550** S.-et-L. **69** ⑦ **G. Bourgogne – 848 h. alt. 550.**

Voir ★ de Notre-Dame de l'Aillant : 30 mn.

Paris 274 – Autun 24 – Château-Chinon 20 – Mâcon 136 – Montsauche 17.

La Galvache, ℘ 85 82 70 88. VISA
fermé mardi soir et merc. sauf juil.-août – SC : **R** 48/145.

ANSE **69480** Rhône **74** ① – **3 745 h. alt. 176.**

Paris 437 – L'Arbresle 19 – Bourg-en-Bresse 56 – ♦Lyon 26 – Mâcon 47 – Villefranche-sur-Saône 6.

St-Romain rte Graves ℘ **74 68 05 89, Télex 380514,** – wc ☎ – 30 à 60. AE E VISA
SC : **R** *(fermé dim. soir du 30 nov. au 30 avril)* 60/168 – 18 – **23 ch** 154/194 – P 259/280.

RENAULT Blanc, ℘ 74 67 01 71

ANTHÉOR **83** Var **84** ⑧, **195** ㉞ **G. Côte d'Azur** – ✉ **83700** St-Raphaël.

Paris 887 – Cannes 27 – Draguignan 47 – ♦Nice 59 – St-Raphaël 13.

Réserve d'Anthéor, N 98 ℘ **94 44 80 05,** ←, – wc wc. AE E VISA
1er fév.-10 oct. – SC : **R** 73/135 – 16 – **13 ch** 140/225 – P 220/260.

Flots Bleus, ℘ 94 44 80 21, ←, – wc
16 mars-15 oct. – SC : **R** 68/90 – 15,50 – **19 ch** 102/150 – P 247/270.

ANTIBES **06600** Alpes-Mar. **84** ⑨, **195** ㉟㊵ **G. Côte d'Azur – 63 248 h. – Casino "la Siesta" sur D 41.**

Voir Vieille ville★ X : **Av. Amiral-de-Grasse** ←★ **– Château Grimaldi (Déposition de Croix★, Musée Picasso★)** X **B – Marineland★ 4 km par N 7.**

de Biot ℘ **93 65 08 48, NO : 4 Km.**

Office de Tourisme 11 pl. Gén.-de-Gaulle ℘ 93 33 95 64, Télex 970103.

Paris 914 ② – Aix-en-Provence 158 ② – Cannes 11 ③ – ♦Nice 22 ①.

Plan page ci-contre

Royal et Rest. Le Dauphin, bd Mar.-Leclerc ℘ **93 34 03 09,** ←, – wc wc ☎. AE VISA. rest X **q**
SC : **R** *(fermé merc.)* 110/120 – 31 – **43 ch** 198/380 – P 302/404.

Josse, 8 bd James Wyllie ℘ **93 61 47 24,** ←, – ch wc ☎. AE VISA. Z **f**
1er fév.-15 nov. – SC : **R** *(fermé merc. sauf juil.-août)* 80/100 – 28 – **24 ch** 328/395.

Mas Djoliba, 29 av. Provence ℘ **93 34 02 48, Télex 461686,** « Jardin », – wc wc ☎. AE VISA. rest Y **h**
SC : **R** (dîner seul.) 60/100 – 28 – **14 ch** 240/420.

ANTIBES

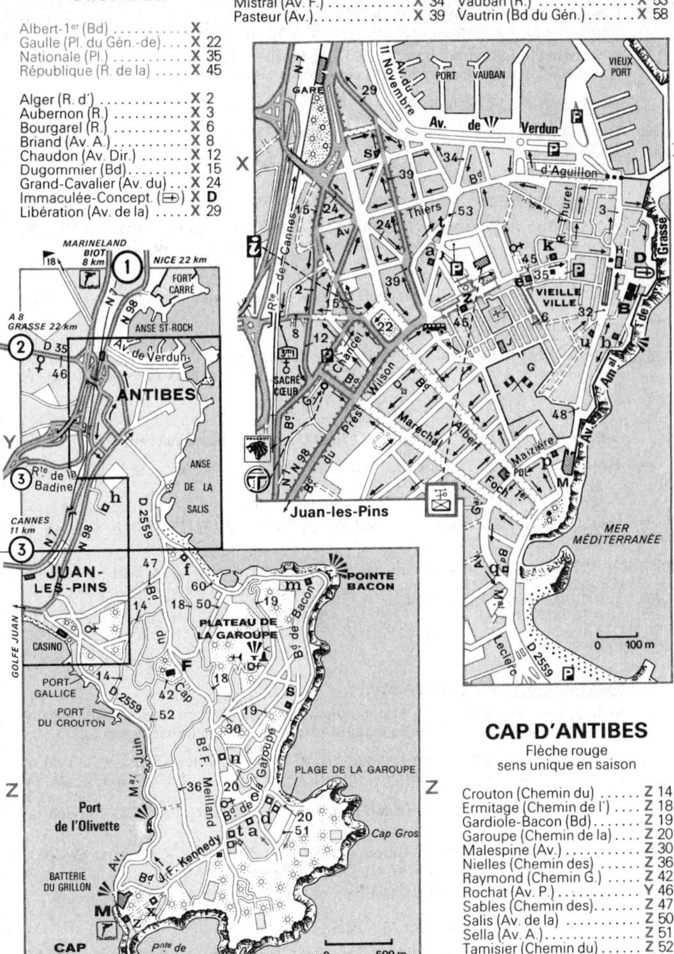

CAP D'ANTIBES

Flèche rouge
sens unique en saison

XXX **Les Vieux Murs,** av. Amiral-de-Grasse ℘ 93 34 06 73, ⛱ – AE VISA — X **b**
fermé 12 nov. au 20 déc. et merc. – SC : **R** carte 210 à 305.

XXX ✿ **L'Écurie Royale** (Xhauflair), 33 r. Vauban ℘ 93 34 76 20 – ▤. E VISA — X **t**
fermé 24 nov. au 30 déc., dim. soir et mardi midi d'oct. à mai et lundi – SC : **R** (du 1er juin au 30 sept. dîner seul.) 140/200.

XXX **La Marguerite,** 11 r. Sadi Carnot ℘ 93 34 08 27 – ▤. VISA — X **s**
fermé 10 avril au 7 mai, dim. soir hors sais., mardi midi en sais. et lundi – SC : **R** 138/220.

XX **Aub. Provençale** avec ch, pl. Nationale ℘ 93 34 13 24, ⛱ – ▤ rest TV ⌂wc ☎. AE ⓓ E VISA — X **k**
fermé 20 avril au 6 mai, fin nov. au 15 déc. et lundi – SC : **R** 65/180 – **6 ch** ☕ 150/300.

XX **Du Bastion,** 1 av. Gén.-Maizière ℘ 93 34 13 88, ⛱ – AE ⓓ VISA — X **p**
fermé 15 déc. au 1er fév., dim. soir et mardi hors sais. – SC : **R** 95/155.

XX Le Caméo avec ch, pl. Nationale ℘ 93 34 24 17, ⛱ – ▤ rest ⌂wc ⋔ ☎ — X **e**
10 ch.

XX **La Calèche,** 25 r. Vauban ℘ 93 34 40 44, cuisine nord-africaine, ⛱ – AE VISA
fermé lundi – **R** (dîner seul.) carte environ 105. — X **a**

X **l'Armoise,** 2 r. Touraque ✆ 93 74 37 05 – VISA — X u
fermé mi-nov. à mi-déc., mardi soir et merc. – SC : **R** 120/150.

X **L'Oursin,** 16 r. République ✆ 93 34 13 46, Produits de la mer – — X z
fermé août, mardi soir et merc. – **R** carte environ 90.

par ① et N 7 – ✉ **06600** Antibes :

Bleu Marine M sans rest, r. des 4 Chemins ✆ **93 74 84 84**, ← – TV wc ☎ P. AE E VISA
fermé 1er déc. au 15 janv. – SC : 21 – **18 ch** 210/240.

N : 4 km Quartier de la Brague – ✉ **06600** Antibes :

XXXXX ✿✿ **La Bonne Auberge** (Rostang), sur N 7 ✆ 93 33 36 65, Télex 470989, « Agréable salle à manger provençale et terrasse fleurie » – P. AE VISA
fermé 15 nov. au 15 déc., 1er au 8 mars, lundi (sauf fêtes) et lundi midi en juil.-août – **R** 320/420 et carte
Spéc. Minute de loup grillé, Daurade royale, Aile de volaille aux dés de tomates. **Vins** Coteaux d'Aix.

par ② 4,5 km – ✉ **06600** Antibes :

Fimotel Neptune Antibes M, 2599 rte de Grasse (sortie péage Antibes) ✆ 93 74 46 36, Télex 461181, – TV wc ☎ P – 100. AE E VISA
SC : **R** 55 bc/200 bc – 22,50 – **75 ch** 218/262.

à Sophia Antipolis NO : 9 km par D 35 et D 103 – ✉ **06560** Valbonne :

Novotel M, ✆ 93 33 38 00, Télex 970914, – TV ☎ P – 200. AE E VISA
R carte environ 100 – 37 – **97 ch** 346/417.

Ibis M, ✆ 93 33 50 60, Télex 461363, – TV wc ☎ P – 40
99 ch.

CITROEN Gar. Riviera, Bretelle Autoroute par ② ✆ 93 33 04 90 N ✆ 93 33 92 98
OPEL Gar. Dugommier, 172 rte de Nice, la Fontonne ✆ 93 74 59 99
PEUGEOT-TALBOT Cheringou, angle bd Foch et N7 ✆ 93 34 04 22

V.A.G. Sport-Auto-Route, Sortie Autoroute, Péage d'Antibes ✆ 93 33 28 59

Massa-Pneus, 127 rte de Grasse ✆ 93 74 27 01

Cap d'Antibes – ✉ 06600 Antibes.

Voir Le tour du Cap** YZ – Plateau de la Garoupe ** Z – Jardin Thuret* Z F – ←* Pointe Bacon Z – ←* de la plate-forme du bastion (musée naval) Z.

du Cap d'Antibes, bd Kennedy ✆ 93 61 39 01, Télex 470763, ← littoral et le large, « Gd parc fleuri face à la mer », – ☎ – 140 — Z x
avril-fin oct. – **R** voir **Pavillon Eden Roc** – 80 – **100 ch** 1 100/2 150, 10 appartements.

Levant M sans rest, à la Garoupe ✆ 93 61 41 33, ←, – wc ☎ P. — Z e
20 mars-20 oct. – SC : 28 – **27 ch** 410/480.

La Gardiole, chemin La Garoupe ✆ 93 61 35 03, – wc wc ☎. AE E VISA — Z n
1er fév.-2 nov. – **R** 95/160 – 25 – **20 ch** 170/350 – P 310/350.

Motel Axa sans rest, bd de la Garoupe ✆ 93 61 36 51, « jardin fleuri », – cuisinette wc ☎ P — Z a
SC : 30 – **20 ch** 450.

Résidence Beau Site sans rest, 141 bd Kennedy ✆ 93 61 53 43, – wc wc ☎ P — Z t
23 mars-25 sept. – SC : 22 – **26 ch** 280.

Miramar sans rest, chemin Plage ✆ 93 61 52 58 – wc ☎ — Z d
fermé 15 nov. au 30 déc. – SC : 24 – **13 ch** 330/350.

XXXX **Pavillon Eden Roc,** bd Kennedy ✆ 93 61 39 01, ← littoral et les îles, « Isolé sur un roc, en bordure de mer, » – P. — Z z
avril-fin oct. – **R** carte 320 à 400.

XXX ✿ **Bacon,** bd Bacon ✆ 93 61 50 02, ← baie des Anges, – P. AE — Z m
fermé 15 nov. au 31 janv., dim. soir et lundi – **R** 250/330 dîner à la carte
Spéc. Consommé de rougets, Bouillabaisse, Salade de poissons crus au citron. **Vins** La Londe des Maures, Gassin.

XXX **Le Cabestan,** bd Garoupe ✆ 93 61 77 70, ←, – P. AE E — Z s
mars-2 nov. et fermé mardi (sauf le soir en juil.-août), lundi midi en juil.-août et lundi soir hors sais. – SC : **R** 158/285.

Voir aussi ressources hôtelières de ***Juan-les-Pins***

ANTICHAN-DE-FRONTIGNES 31 H.-Gar. 86 ① – 75 h. alt. 580 – ✉ 31510 Barbazan.

Paris 860 – Bagnères-de-L. 25 – Lannemezan 34 – St-Girons 60 – ♦Toulouse 110.

La Palombière ⟡, carrefour D 9 et D 618 ✆ 61 79 67 01, ←, 🌳, 🍴 – 🛁 ⊞ Ⓟ
avril-fin oct., vacances de Noël et fermé merc. hors sais. – SC : **R** 48/110 – ☕ 17 – **11 ch** 110/240 – P 168/186.

ANTRAIGUES 07530 Ardèche 76 ⑲ **G. Vallée du Rhône** – 523 h. alt. 471.

Paris 643 – Aubenas 14 – Lamastre 58 – Langogne 66 – Privas 42 – Le Puy 79.

✗ **La Remise,** au pont de l'Huile ✆ 75 38 70 74, Authentique cadre rustique Ⓟ. ✱
fermé nov., dim. soir et vend. sauf juil.-août – **R** 75/130.

AOSTE 38 Isère 74 ⑭ – 1 537 h. alt. 225 – ✉ 38490 Les Abrets.

Paris 498 – Belley 26 – Chambéry 33 – ♦Grenoble 54 – ♦Lyon 69.

à la Gare de l'Est NE : 2 km sur N 516 – ✉ 38490 Les Abrets :

Bellet, N 516 ✆ 76 31 60 04, 🌳, « Jardin fleuri » – 🛁wc ⊞wc ☎ 🚗 Ⓟ. AE E VISA. ✱ ch
fermé janv., dim. soir et lundi – SC : **R** 68/190 – ☕ 19 – **20 ch** 120/200 – P 205/225.

✗✗ **Vieille Maison** avec ch, rte St-Didier ✆ 76 31 60 15, 🌳, 🍴, 🎾 – 🛁wc ☎. AE E VISA
fermé 25 août au 19 sept., 23 déc. au 1er janv. et merc. – SC : **R** 70/190 – ☕ 15 – **12 ch** 88/160.

RENAULT Ponson, à St Genix sur Guiers (Savoie) ✆ 76 31 63 35

APPOIGNY 89380 Yonne 65 ⑤ **G. Bourgogne** – 2 625 h. alt. 110.

Paris 163 – Auxerre 9,5 – Joigny 17 – St-Florentin 30.

✗✗✗ **Relais St-Fiacre,** ✆ 86 53 21 80, 🏊 – Ⓟ. AE ⓓ VISA
fermé 6 au 27 janv., dim. soir et lundi – SC : **R** 95 bc/270 bc.

✗✗ **Aub. Les Rouliers,** ✆ 86 53 20 09 – Ⓟ. E VISA
fermé 26 juin au 9 juil., 24 sept. au 8 oct., 26 fév. au 13 mars, mardi soir et merc. – SC : **R** 58/140.

RENAULT Gar. Lacour, ✆ 86 53 22 43

APT ⟨SP⟩ 84400 Vaucluse 81 ⑭ **G. Provence** – 11 560 h. alt. 221.

ℹ Office de Tourisme av. Ph. de Girard ✆ 90 74 03 18.

Paris 730 ③ – Aix-en-P. 55 ② – Avignon 52 ③ – Carpentras 49 ③ – Cavaillon 31 ③ – Digne 91 ①.

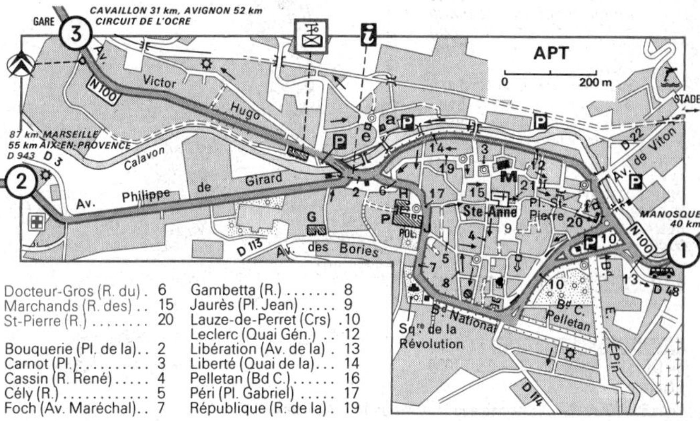

Aptois H. sans rest, 6 cours Lauze-de-Perret **(f)** ✆ 90 74 02 02 – 🛗 🛁wc ☎. ✱
fermé 15 fév. au 15 mars – SC : ☕ 16,50 – **26 ch** 75/170.

Ste Anne sans rest, 28 pl. Balet **(e)** ✆ 90 74 00 80 – 🛁wc ⊞wc ☎
☕ 16,50 – **8 ch** 115/155.

✗✗ **Luberon** avec ch, 17 quai Léon-Sagy **(a)** ✆ 90 74 12 50, 🌳 – TV 🛁wc ☎. VISA
fermé 30 juin au 7 juil., 15 déc. au 15 janv. et hôtel lundi du 1er oct. au 31 mars – SC : **R** *(fermé dim. soir du 1er oct. au 31 mars et lundi sauf le soir du 1er juin au 30 sept.)* 95/190 – ☕ 22 – **9 ch** 145/200.

par ③ N 100 : 7 km – ✉ 84400 Apt :

✗ **La Grasille,** ✆ 90 74 25 40, 🌳 – ▤ Ⓟ. ⓓ VISA
fermé 2 au 21 juin, 17 déc. au 10 janv., mardi soir hors sais. et merc. – SC : **R** Grill 64/84 ⟡.

à St-Martin-de-Castillon par ① – ✉ 84750 Viens :

XX **La Source,** rte Viens : 12 km ☏ 90 75 21 58, terrasse, « Volière » – Ⓟ. VISA
fermé 15 nov. au 1er mars, dim. soir et lundi – SC : **R** carte 130 à 195.

XX **Aub. du Boisset,** à la Bégude, 12 km ☏ 90 75 20 10, terrasse – Ⓟ. VISA
15 fév.-15 nov. et fermé merc. midi et mardi – SC : **R** 120/170.

CITROEN Aymard, 53 av. Victor-Hugo ☏ 90 74 04 39
FORD Germain, 56 av. Victor-Hugo ☏ 90 74 10 17 N ☏ 90 74 15 02
PEUGEOT-TALBOT Splendid Gar., Quartier Lançon, N 100, rte Avignon par ③ ☏ 90 74 02 11

RENAULT D.A.V., quartier Lançon, N 100 par ③ ☏ 90 74 18 41

Apta-Pneus, quartier Lançon, N 100 ☏ 90 74 07 78
Pneus-Sce, 64 av. Victor-Hugo ☏ 90 74 31 04

ARAVIS (Col des) 74 H.-Savoie 74 ⑦ G. Alpes – alt. 1 498 – ✉ 74220 La Clusaz.

Voir ≤★★.

Paris 572 – Albertville 32 – Annecy 39 – Bonneville 34 – La Clusaz 7,5 – Megève 21.

X **Rhododendrons,** ☏ 50 02 41 50, ≤, terrasse
15 mai-25 sept. – SC : **R** 50/100.

ARBOIS 39600 Jura 70 ④ G. Jura – 4 167 h. alt. 291.

Voir Maison paternelle de Pasteur★ E – Reculée des Planches★★ et grottes des Planches★ 4,5 km par ② – Env. Cirque du Fer à Cheval★★ 7 km par ③ puis 15 mn.

Office de Tourisme à l'Hôtel de Ville (1er mai-11 oct.) ☏ 84 66 07 45.

Paris 399 ⑤ – ♦Besançon 49 ① – Dole 35 ⑤ – Lons-le-Saunier 38 ④ – Salins-les-Bains 14 ①.

Messageries sans rest., 2 r. Courcelles **(z)** ☏ 84 66 15 45 – wc ☎ – 60. VISA
1er mars-30 nov. – SC : 23 – **26 ch** 90/195.

XX ✿ **de Paris** (Jeunet) avec ch, r. de l'Hôtel de Ville **(r)** ☏ 84 66 05 67, – wc wc ☎ – 50. AE ⓓ E VISA
15 mars-15 nov. – SC : **R** *(fermé lundi soir et mardi sauf vacances scolaires)* 90/300 – 26 – **18 ch** 130/275
Spéc. Mousseline de brochet à la bisque d'écrevisses (juin-nov.), Poularde au vin jaune et morilles. **Vins** Arbois, Pupillin.

CITROEN Gar. des Sports, ☏ 84 66 13 63
PEUGEOT-TALBOT Ganeval, ☏ 84 66 02 78
RENAULT Dupré, par D 246 ☏ 84 66 05 70

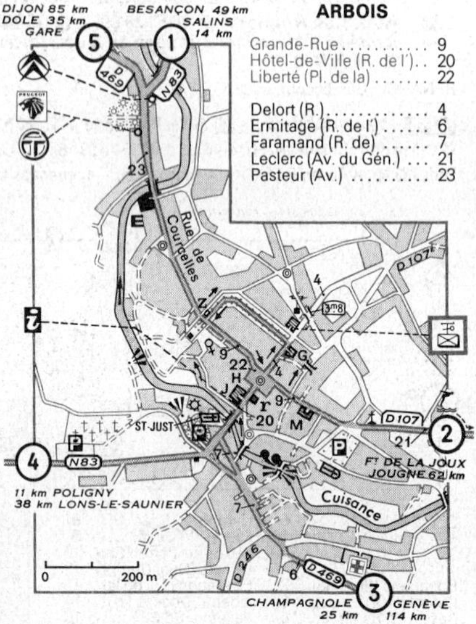

ARBOIS

Grande-Rue	9
Hôtel-de-Ville (R. de l')	20
Liberté (Pl. de la)	22
Delort (R.)	4
Ermitage (R. de l')	6
Faramand (R. de)	7
Leclerc (Av. du Gén.)	21
Pasteur (Av.)	23

DIJON 85 km DOLE 35 km GARE
BESANÇON 49 km SALINS 14 km
Rue de Courcelles
ST-JUST
Cuisance
FT DE LA JOUX JOUGNE 62 km
11 km POLIGNY 38 km LONS-LE-SAUNIER
CHAMPAGNOLE 25 km
GENÈVE 114 km
0 200 m

ARBONNE 64 Pyr.-Atl. 78 ⑪⑱ – rattaché à Biarritz.

ARBONNE-LA-FORÊT 77 S.-et-M. 61 ① – 496 h alt. 73 – ✉ 77630 Barbizon.

Paris 56 – Évry 30 – Fontainebleau 11 – Melun 16 – Nemours 24.

XX **Aub. du Petit Corne Biche,** ☏ (1) 60 66 26 34, terrasse – VISA
fermé 15 août au 7 sept., 17 au 27 fév., mardi et merc. – SC : **R** 73/106.

L'ARBRESLE 69210 Rhône 73 ⑲ G. Vallée du Rhône – 4 909 h. alt. 231.

Voir Couvent d'Éveux★ SE : 2 km.

Paris 454 – Feurs 43 – ♦Lyon 27 – Montbrison 57 – Roanne 59.

XX **Le Vieux Four,** NO : 6 km par N 7 ☏ 74 01 02 67, terrasse – Ⓟ. AE E VISA
fermé janv., merc. soir de nov. à Pâques et jeudi – SC : **R** 59/155 ♁.

CITROEN Gar. Gabriel Péri, ☏ 74 01 32 91
PEUGEOT, TALBOT Barberet et Roux, ☏ 74 01 03 36
PEUGEOT-TALBOT Gar. Ville, ☏ 74 01 00 09
RENAULT Gar. du Stade, ☏ 74 01 45 34

ARBUSIGNY 74 H.-Savoie 74 06 alt. 834 – rattaché à La Roche-sur-Foron.

ARCACHON 33120 Gironde 78 ② ⑫ G. Côte de l'Atlantique – 13 664 h. – Casino.

Voir Boulevard de la Mer* AX.

18 ✆ 56 54 44 00 par ② : 4 km.

Office de Tourisme pl. F. Roosevelt ✆ 56 83 01 69, Télex 570503.

Paris 652 ① – Agen 193 ① – Auch 256 ① – •Bayonne 162 ① – Biarritz 172 ① – •Bordeaux 64 ① – Dax 125 ① – Mont-de-Marsan 126 ① – Pau 206 ① – Royan 165 ① – Villeneuve-sur-Lot 196 ①.

Plan pages suivantes

Arc Hôtel M, 89 bd Plage ✆ 56 83 06 85, ←, – wc ☎ P. AE E VISA. DY **b**
SC : **R** voir rest **Le Mareyeur** – 40 – **30 ch** 210/640, 3 appartements.

Point France M sans rest, 1 r. Grenier ✆ 56 83 46 74 – TV ☎. AE E VISA DY **q**
1er mars-15 nov. – SC : 25 – **34 ch** 260/420.

Gd H. Richelieu sans rest, 185 bd Plage ✆ 56 83 16 50, Télex 540043, ← – TV ☎ P – 25. AE VISA CY **n**
16 mars-30 oct. – SC : **43 ch** 200/440.

Les Ormes M, 1 r. Hovy ✆ 56 83 09 27, ←, – wc wc ☎ P – 50. VISA EY **d**
SC : **R** 76/186 – 32 – **24 ch** 420/472 – P 378/420.

Les Vagues, 9 bd Océan ✆ 56 83 03 75, ← – wc ☎ P. AE VISA. rest BY **b**
1er avril-30 oct. – SC : **R** (dîner seul.) 125 – 30 – **21 ch** 216/405.

Lamartine M sans rest., 28 av. Lamartine ✆ 56 83 95 77, Télex 550422 – wc ☎ P. AE VISA. DY **r**
1er mars-31 oct. – 20 – **30 ch** 205/280.

Le Nautic M sans rest, 20 bd Plage ✆ 56 83 01 48 – TV wc wc ☎ P. AE VISA EZ **y**
SC : 18 – **36 ch** 160/265.

Mimosas M sans rest, 77 bis av. République ✆ 56 83 45 86 – wc wc ☎ P
SC : 19 – **21 ch** 170/280. DZ **f**

Le Novel M sans rest, 24 av. Gén.-de-Gaulle ✆ 56 83 40 11 – wc wc ☎. VISA DZ **g**
SC : 17 – **20 ch** 210/260.

Roc Hôtel et Moderne, 200 bd Plage ✆ 56 83 07 43, – wc
1er avril-15 oct. – SC : **R** 65/100 – 24 – **54 ch** 190/350. DY **e**

Marinette sans rest, 15 allées J.-M. de Hérédia ✆ 56 83 06 67, – wc wc CZ **k**
25 mars-15 oct. – SC : 16,50 – **24 ch** 190/300.

Plage, 10 av. N.-Deganne ✆ 56 83 06 23, – wc. E VISA DY **s**
SC : **R** *(fermé vend.)* 53/100 – 17 – **24 ch** 102/215 – P 160/225.

XXXX ✿ **Le Mareyeur** (Perre), 89 bd Plage ✆ 56 83 35 45, ← – P. AE E VISA.
22 mars-28 sept. et fermé dim. soir (sauf juil.-août) et lundi sauf fêtes – SC : **R** (nombre de couverts limité - prévenir) carte 280 à 390 DY **a**
Spéc. Homard au beurre de crevettes, Foie gras de canard chaud, Soufflés légers aux fruits rouges.

XX **Gérard Tissier,** 222 bd Plage ✆ 56 83 41 82 – AE E VISA. DY **n**
fermé 20 nov. au 20 déc. et lundi (sauf le soir en sais.) – SC : **R** carte 155 à 255.

XX **Chez Boron,** 15 r. Prof.-Jolyet ✆ 56 83 29 96, Produits de la mer – AE E VISA
fermé 1er au 15 déc., 15 au 28 fév. et merc. hors sais. – SC : **R** carte 130 à 180. DY **v**

X **Bayonne** avec ch, 9 cours Lamarque ✆ 56 83 33 82 – wc ☎. AE VISA CY **u**
Pâques-1er oct. – SC : **R** *(fermé lundi en avril et mai)* 60/90 – 16 – **18 ch** 125/213 – P 170/206.

aux Abatilles SO : 2 km – ✉ **33120** Arcachon :

Parc M sans rest, 5 av. Parc ✆ 56 83 10 58 – P – 80. ABX **s**
15 mai-1er oct. – SC : 32 – **30 ch** 300/350.

au Moulleau SO : 5 km – ✉ **33120** Arcachon :

Les Buissonnets, 12 r. L. Garros ✆ 56 22 00 83, – wc wc. AY **f**
fermé oct. – SC : **R** 66/190 – 16 – **8 ch** 145/250 – P 215/230.

XX La Villa, 164 bd Côte d'Argent ✆ 56 22 00 68 – P AX **k**
sais.

CITROEN Dagut, 19 bd Gén.-Leclerc ✆ 56 54 86 01 N ✆ 56 83 46 86
FORD Intégral Station, 59 cours Lamarque ✆ 56 83 40 96

MERCEDES-BENZ, V.A.G. Dupin, 61 bd Mestrezat ✆ 56 83 13 28
PEUGEOT, TALBOT Gleizes, 36 bd Côte-d'Argent ✆ 56 83 06 43

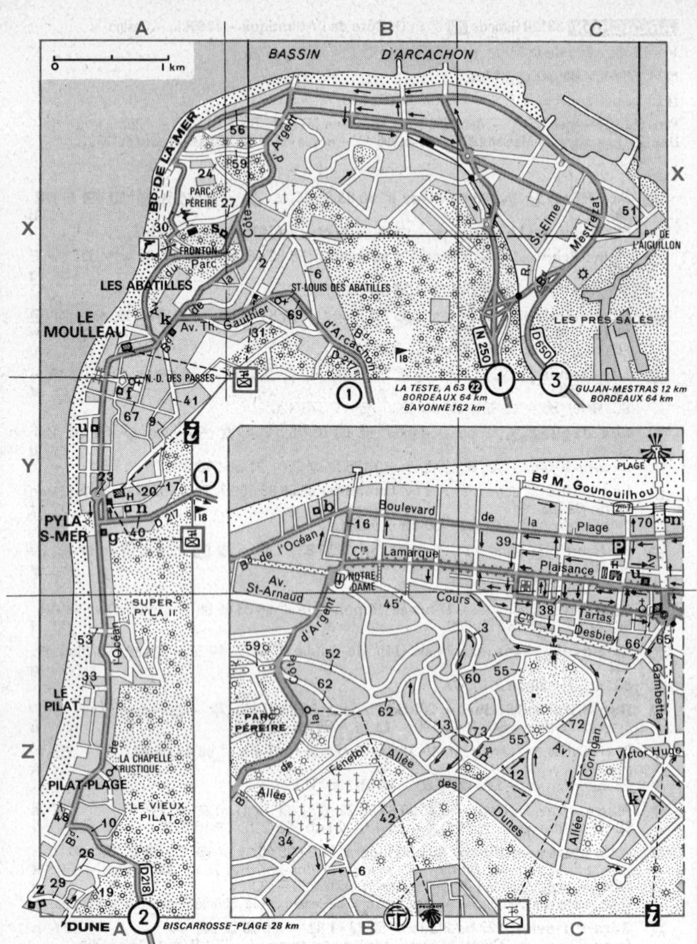

Évitez de fumer au cours du repas :
vous altérez votre goût et vous gênez vos voisins.

ARCANGUES 64 Pyr.-Atl. 78 ⑱ – rattaché à Biarritz.

ARC-EN-BARROIS 52210 H.-Marne 66 ② **G. Champagne, Ardennes** – 835 h. alt. 270.
Syndicat d'Initiative ✆ 25 02 52 17.
Paris 267 – Bar-sur-Aube 48 – Châtillon-sur-Seine 42 – Chaumont 24 – Langres 30.

Parc, ✆ 25 02 53 07 – wc wc – 80. VISA
fermé 10 fév. au 20 mars, dim. soir et lundi hors sais. – SC : **R** 40/100 – 15 – **19 ch** 62/140 – P 135/190.

ARCENS 07 Ardèche 76 ⑱ – 484 h. alt. 610 – ✉ **07310** St-Martin-de-Valamas.
Paris 600 – Le Cheylard 16 – Privas 64 – St-Agrève 22.

Chalet des Cévennes, ✆ 75 30 41 90, ←, – wc . AE E. ch
fermé oct. – SC : **R** 55/120 – 14 – **18 ch** 80/120 – P 150/160.

de l'Eysse, ✆ 75 30 43 85 – wc wc . E
fermé 1er au 10 nov., 15 janv. au 15 fév. et merc. de sept. à mars – **R** 45/110 – 15 – **12 ch** 90/140 – P 150/180.

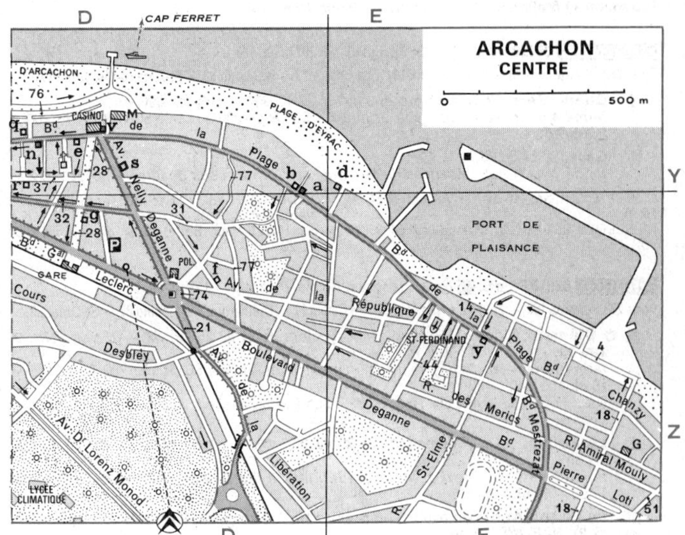

ARCIS-SUR-AUBE 10700 Aube 61 ⑦ G. Champagne, Ardennes – 3 258 h. alt. 92.

Paris 156 – Châlons-sur-Marne 50 – Nogent-sur-Seine 54 – Troyes 27.

✗ **Saint-Hubert,** quai Marine près du Pont ☏ 25 37 86 93 – E VISA
fermé 5 au 29 août, 22 au 31 déc., vend. soir et sam. sauf du 23 juin au 4 août – SC : **R** 43/88 ⅉ.

CITROEN Allais, ☏ 25 37 84 82 V.A.G. Gar. Leroy, ☏ 25 37 84 52 N

L'ARCOUEST (Pointe de) 22 C.-du-N. 59 ② – rattaché à Paimpol.

Les ARCS 73 Savoie 74 ⑱ G. Alpes – alt. 1 600 – Sports d'hiver : 1 600/3 200 m ⛡2 ⛷50 ⛸ – ✉ 73700 Bourg-St-Maurice.

Voir Arc 1800 ✻★★ – Arc 1600 ≤★.

⛳18 de Chantel ☏ 79 07 48 00, NO : 5 km.

ℹ Office de Tourisme (14 déc.-12 avril) ☏ 79 07 48 00.

Paris 637 – Bourg-St-Maurice 12 – Chambéry 113 – Val-d'Isère 43.

Golf M ⛰, S : 4 km - alt. 1 800 - ☏ 79 07 25 17, Télex 980404, ≤ montagnes, ⛱, ⛱, ✗ – |‡| ☎ ℗ – 🏠 400. AE VISA. ✗ rest
15 juin-15 sept. et 10 déc.-25 avril – SC : **R** 90 ⅉ – **280 ch** ▭ 495/870 – P 505/570.

Les ARCS 83460 Var 84 ⑦ **G. Côte d'Azur** – 3 915 h. alt. 74.

Voir Polyptyque★ dans l'église – Chapelle Ste-Roseline★ NE : 4 km.

Syndicat d'Initiative (juin-août) pl. Gén.-de-gaulle ✆ 94 73 37 30.

Paris 850 – Brignoles 41 – Cannes 61 – Draguignan 10 – St-Raphaël 29 – Ste-Maxime 32.

XX **Logis du Guetteur** avec ch, NE par D 57 ✆ **94 73 30 82,** « Pittoresque installation dans un vieux fort » – wc P. AE E VISA
fermé 15 nov. au 15 déc. – SC : **R** *(fermé vend.)* 55/190 – 24 – **10 ch** 139 – P 190.

CITROEN Gar. Audibert ✆ 94 73 31 41
RENAULT Gar. des 4 chemins ✆ 94 47 40 43 N

ARCY-SUR-CURE 89 Yonne 65 ⑤ **G. Bourgogne** – 527 h. alt. 133 – ✉ **89270** Vermenton.

Paris 197 – Auxerre 31 – Avallon 19 – Vézelay 20.

X **Grottes** avec ch, N 6 ✆ **86 40 91 47,** – wc P. AE
fermé 10 au 31 janv. et merc. d'oct. à mai – SC : **R** 46/110 – 19,50 – **7 ch** 83/157 – P 185/258.

RENAULT Gar. Teissier, ✆ 86 40 90 42 N ✆ 86 40 91 95

L'ARDÈCHE (Gorges de) ★★★ 07 Ardèche 80 ⑨ **G. Vallée du Rhône.**

Ressources hôtelières : Voir *à Bidon* et *Vallon Pont d'Arc.*

ARDENTES 36120 Indre 68 ⑨ **G. Périgord** – 3 287 h. alt. 163.

Paris 278 – Argenton 38 – Châteauroux 14 – La Châtre 22 – Issoudun 33 – St-Amand-Montrond 57.

Chêne Vert, 22 av. de Verdun ✆ **54 36 22 40,** – . AE VISA
fermé 4 au 24 août, dim. soir et lundi – SC : **R** 65/200 – 19,50 – **9 ch** 75/160 – P 205/270.

XX **Gare,** ✆ **54 36 20 24** – P
fermé 7 au 31 juil., vacances de fév., dim. soir, lundi et soir de fêtes – SC : **R** 76/120.

CITROEN Godiard, 46 av. de Verdun ✆ 54 36 20 26
MERCEDES-BENZ Gar. Marteau, ✆ 54 36 22 95
PEUGEOT-TALBOT Gar. Bucheron, 33 av. de Verdun ✆ 54 36 21 40
RENAULT Gar. Berry, 30 av. de verdun ✆ 54 36 22 47

ARDRES 62610 P.-de-C. 51 ② **G. Flandres, Artois, Picardie** – 3 390 h. alt. 11.

Paris 275 – Arras 100 – Boulogne-sur-Mer 37 – ♦Calais 17 – Dunkerque 41 – ♦Lille 87 – St-Omer 23.

✿ **Clément** (Coolen), Espl. Mar.-Leclerc ✆ **21 82 25 25,** – wc wc P – 50. AE E VISA. ch
fermé 15 janv. au 15 fév., mardi midi en hiver et lundi – SC : **R** 100/280 – 25 – **18 ch** 150/240
Spéc. Ragoût de la mer aux légumes frais, Suprême de volaille à la fondue de poireaux, Crêpe surprise.

Le Relais, bd C.-Senlecq ✆ **21 35 42 00,** – wc wc P. AE E VISA. ch
fermé 2 janv. au 7 fév. et mardi (sauf hôtel de fév. à oct.) – SC : **R** 62/170 – 17,50 – **11 ch** 150/220.

XX **La Bonne Auberge** avec ch, **à Brêmes O : 1,5 km sur D 231** ✆ **21 35 41 09,** – P. AE E VISA. ch
fermé 3 déc. au 3 janv., dim. soir et lundi sauf du 31 mai au 22 sept. – SC : **R** 53/121 – 13,50 – **8 ch** 74/93 – P 160/200.

CITROEN Gar. Carpentier, 55 r. Cdt Quéval ✆ 21 35 42 16

ARFEUILLES 03640 Allier 73 ⑥ – 881 h. alt. 424.

Paris 357 – Lapalisse 15 – Moulins 65 – Roanne 38 – Thiers 59 – Vichy 41.

Nord, ✆ **70 55 50 22,** – P
fermé 11 nov. au 2 déc., vacances de fév. et dim. soir de sept. à avril – SC : **R** 55/120 – 15,50 – **9 ch** 60/160 – P 160/180.

ARGEIN 09 Ariège 86 ② – 193 h. alt. 560 – ✉ **09800** Castillon-en-Couserans.

Paris 821 – Foix 60 – St-Girons 16.

Host. la Terrasse, ✆ **61 96 70 11,** – wc wc . AE
1er mars-30 oct. – SC : **R** 54/130 – 13 – **10 ch** 118/160 – P 190.

ARGELÈS-GAZOST 65400 H.-Pyr. 85 ⑰ **G. Pyrénées** – 3 456 h. alt. 463 – Stat. therm. (1er juin-30 sept.).

Voir Route du Hautacam★ à l'Est par D 100 Y.

Office de Tourisme grande Terrasse ✆ 62 97 00 25.

Paris 815 ① – Lourdes 13 ① – Tarbes 32 ①.

Miramont, r. Pasteur ✆ 62 97 01 26, « jardin fleuri » – wc wc ☎ P. rest
fermé 25 oct. au 20 déc. – SC : **R** *(fermé lundi du 15 janv. au 1er mai sauf vacances scolaires)* (nombre de couverts limité - prévenir) 50/130 – 14,50 – **29 ch** 150/175 – P 165/195. Z **n**

Les Cimes , 1 pl. Ourout ✆ 62 97 00 10, – wc wc ☎ P. E. rest Z **a**
fermé 15 oct. au 18 déc. – SC : **R** 42/126 – 17 – **27 ch** 115/160 – P 150/185.

Bernède, r. Mar.-Foch ✆ 62 97 06 64, Télex 531040, – TV wc wc ☎ P. AE E VISA. rest
fermé 15 oct. au 20 déc. et lundi (sauf hôtel) – **R** 57/175 – 19 – **43 ch** 180/200 – P 190/199. Y **s**

Mon Cottage , r. Yser ✆ 62 97 07 92, – wc wc P. Z **e**
1er avril-1er oct. et vacances de fév. – SC : **R** 55 – 14,50 – **24 ch** 110/140 – P 165.

Primerose, r. Yser ✆ 62 97 06 72, – wc wc ☎ P Z **f**
1er juin-30 sept. – SC : **R** 81/106 – 16 – **26 ch** 85/150 – P 146/197.

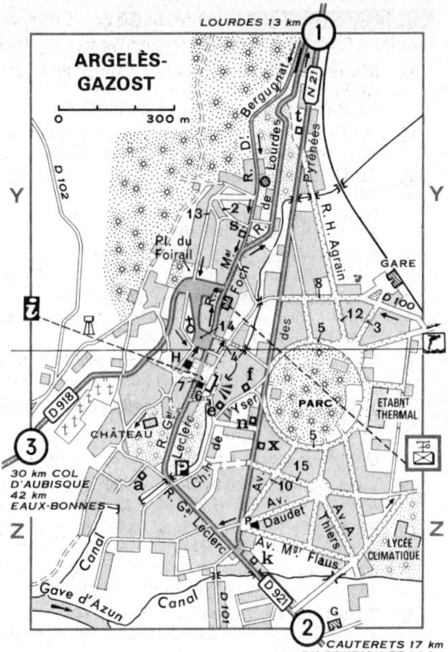

ARGELÈS-GAZOST

Barère-de-Vieuzac (R.)	Y 2	Russel (R. du Cte-H.)	Z 10
Dambé (Av. Jules)	Y 3	Sassère (R. Hector)	Y 12
Digoy (R. Capitaine)	YZ 4	Sorbé-Bualé (R.)	Y 13
Hébrard (Av. Adrien)	YZ 5	Victoire (Pl. de la)	Y 14
La Terrasse	Z 6	Victor-Hugo (Av.)	Z 15
Mairie (Pl. de la)	Z 7		
Marne (Av. de la)	Y 8		

Gabizos, N 21 ✆ 62 97 01 36, , – wc wc ☎ P Z **x**
Pâques, 15 mai-10 oct. et vacances de fév. – SC : **R** 42/74 – 16 – **26 ch** 68/158 – P 147/180.

L'Aubisque sans rest., rte Pierrefitte ✆ 62 97 00 05 – wc P Z **k**
1er juin-30 sept. et vacances de fév. – SC : 15 – **12 ch** 109/129.

Printania, N 21 ✆ 62 97 06 57, – wc ☎ P. E. rest Y **t**
SC : **R** 48/68 – 13 – **21 ch** 60/130 – P 130/150.

Bon Repos, rte du Stade ✆ 62 97 01 49, – wc P. VISA. rest
Pâques, fin mai-début oct., vacances de Noël et de fév. – SC : **R** 50/80 – 14 – **20 ch** 70/150 – P 135/155.

Brasero (grill), rte Lourdes par ① ✆ 62 97 05 12 – P
1er avril-30 sept. et week-ends de nov. ; en oct. : ouvert le dim. et le soir en sem. – SC : **R** 45.

à St-Savin S : 3 km par D 101 - Z – alt. 580 – ✉ **65400** Argelès-Gazost.

Voir Site★ de la Chapelle de Piétat S : 1 km.

Panoramic, ✆ 62 97 08 22, ≤ vallée, , – wc wc ☎. AE VISA. rest
1er avril-10 oct. – SC : **R** 56/110 – 16 – **22 ch** 90/170 – P 160/195.

Viscos, ✆ 62 97 02 28 – wc wc ☎ P. AE E VISA
fermé 13 au 26 avril, 15 nov. au 25 déc., et lundi sauf juil.-août – SC : **R** 98/110 – 16 – **16 ch** 170 – P 192/203.

à Agos par ① : 5 km – ✉ **65400** Argelès-Gazost :

Chez Pierre d'Agos, ✆ 62 97 05 07, , – wc wc ☎ P
fermé 2 au 20 déc. – SC : **R** 39/90 – 12,50 – **53 ch** 119/138 – P 130/167.

à Beaucens SE : 5 km par D 100 - Y - et D 13 – Stat. therm. (1er juin-30 sept.) – ✉ **65400** Argelès-Gazost :

Thermal , ✆ 62 97 04 21, ≤, « Parc » – wc wc ☎ P. rest
1er juin-1er oct. – SC : **R** 55/105 – 15 – **32 ch** 102/180 – P 160/200.

Une réservation confirmée par écrit est toujours plus sûre.

ARGELÈS-SUR-MER 66700 Pyr.-Or. 86 ⑳ – 5 753 h. alt. 15 – Casino à Argelès-Plage.
Paris 930 – Céret 26 – ♦Perpignan 21 – Port-Vendres 10 – Prades 58.

Mouettes M, rte Collioure : 3 km ✆ 68 81 21 69, ≤, 🏖, 🏊, 🎾 – 📺 ⇔wc ☎ P. AE ⊕ VISA
SC : **R** 90/150 🍷 – ☕ 21 – **24 ch** 199/315.

Golfe sans rest, rte Collioure : 3 km ✆ 68 81 14 73, ≤ – ⇔wc ⋒wc ☎ P. ❋
Pâques-15 oct. – SC : ☕ 16 – **30 ch** 170/195.

Gd H. Commerce, rte Nationale ✆ 68 81 00 33 – |♦| ⇔wc ⋒wc ☎ P. AE ⊕ VISA
fermé 1er janv. au 5 fév. – SC : **R** *(fermé dim. soir et lundi d'oct. au 31 mars)* 47/121 🍷 – ☕ 16 – **40 ch** 102/168 – P 155/210.
Annexe le Parc M ⛰, ✆ 68 81 05 52, 🏊, 🌳 – ⇔wc ⋒wc. AE ⊕ VISA
1er juin-30 sept. – SC : ☕ 16 – **23 ch** 180/198 – P 214/230.

Soubirana, rte Nationale ✆ 68 81 01 44 – ⇔wc
fermé 10 nov. au 15 déc. – SC : **R** *(fermé dim. soir et merc. sauf juil.-août)* 45/150 🍷 – ☕ 17 – **19 ch** 70/130 – P 160/190.

Le Cottage ⛰, r. A.-Rimbaud ✆ 68 81 07 33 – ⋒wc ☎ P. ⊕ VISA
avril-oct. – SC : **R** (dîner seul.) carte environ 100 🍷 – ☕ 17,50 – **14 ch** 84/173.

à Argelès-Plage E : 2,5 km **G. Pyrénées** – ✉ **66700** Argelès-sur-Mer.
Voir SE : Côte Vermeille★★.
🅸 Office de Tourisme pl. Arènes ✆ 68 81 15 85, Télex 500911.

Lido, bd Mer ✆ 68 81 10 32, ≤, 🏖, 🏊, 🌳 – |♦| ☎ P. VISA. ❋ rest
20 mai-2 oct. – SC : **R** 95/130 – ☕ 26 – **61 ch** 250/300 – P 280/360.

Plage des Pins M, ✆ 68 81 09 05, ≤, 🏊 – |♦| P. ⊕. ❋
31 mai-30 sept. – SC : **R** 87/110 – ☕ 25 – **49 ch** 267/313 – P 291/315.

Marbella sans rest, ✆ 68 81 12 24 – |♦| ⇔wc ⋒wc ☎
15 juin-15 sept. – SC : ☕ 13,50 – **38 ch** 176/200.

Solarium, av. Vallespir ✆ 68 81 10 74 – ⇔wc ⋒wc ☎. ❋
1er mai-30 sept. – SC : **R** (dîner seul.) 65 – ☕ 15 – **18 ch** 70/215.

à Racou-Plage SE : 3 km – ✉ **66700** Argelès-sur-Mer :

Val Marie, ✆ 68 81 11 27, 🌳 – ⇔wc ⋒wc, sans 🅿
25 avril-15 oct. – SC : **R** Grill 40/75 🍷 – ☕ 14,50 – **28 ch** 80/168.

CITROEN Gar. des Albères, 96 rte Nationale ✆ 68 81 00 89
PEUGEOT TALBOT Venzal, Zone Ind. rte St-André ✆ 68 81 06 86
RENAULT Cadmas, 3 bis rte Collioure ✆ 68 81 12 29

ARGENTAN 61200 Orne 60 ②③ **G. Normandie** – 18 002 h. alt. 160.
Voir Église St-Germain★ F.
🅸 Office de Tourisme pl. Marché ✆ 33 67 12 48.
Paris 193 ② – Alençon 45 ③ – ♦Caen 57 ⑥ – Chartres 133 ② – Dreux 112 ② – Évreux 117 ② – Flers 44 ④ – Laval 108 ④ – Lisieux 58 ① – ♦Rouen 127 ②.

ARGENTAN

Briand (R. Aristide) 4
Henri-IV (Pl.) 16

Beigle (R. du) 2
Boschet (R. P.) 3
Carnot (Bd) 5
Chaussée (R. de la) 9
Collège (R. du) 10
Forêt-Normande (Av. de la) 12
Gaulle (Bd Général-de) 13
Griffon (R. du) 14
Leclerc (Pl. Général) 18
Neuve (R.) 19
Panthou (R. E.) 22
Paty (R. du) 24
Poterie (R. de la) 25
République (R. de la) 26
St-Germain (R. et ⛪) 27
St-Martin (R. et ⛪) 28
Victor-Hugo (Bd) 29
Vieilles-Halles (R. des) 31
Vimal-du-Bouchet (Pl.) 32
2e-D.-B. (Av. de la) 33
104e-d'Infanterie (R. du) 36

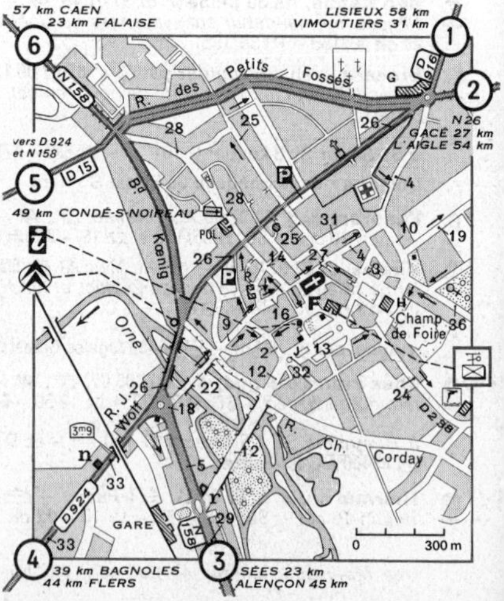

Pour bien lire les plans de villes, voir signes et abréviations p. 23

France, 8 bd Carnot **(r)** 33 67 03 65, – wc . E VISA. ch
fermé 1er au 10 sept., 15 fév. au 15 mars et dim. soir – SC : **R** 53/143 – 15 – **12 ch** 70/195 – P 185/353.

Renaissance avec ch, 20 av. 2e-Division-Blindée **(n)** 33 36 14 20 – wc wc – 30. AE VISA
fermé dim. sauf fériés – SC : **R** 107/140 - brasserie **La Marmite R** 50/72 – 17 – **15 ch** 85/198 – P 167/211.

à Fontenai-sur-Orne par ④ : 4,5 km – **61200** Argentan :

Faisan Doré, 33 67 18 11, – wc – 100. E VISA
fermé 1er au 18 août et dim. soir – SC : **R** 50/101 – 22 – **20 ch** 154/220.

CITROEN Brunet, 21 r. République 33 67 14 66
FORD Ghislain, 59 r. République 33 67 02 66
RENAULT SVDVA, Bd Victor Hugo par ③ 33 67 09 87
Fischer-Pneus, rte de Paris à Urou et Crennes 33 36 08 36
Marsat-Argentan-Pneus, 30 av. de la 2e D.B. 33 67 26 79

ARGENTAT 19400 Corrèze 75 ⑩ **G. Périgord** – 3 424 h. alt. 188.

Voir Site★.

Office de Tourisme av. Pasteur (15 juin-15 sept.) 55 28 16 05 et à la Mairie (hors sais.) 55 28 10 91.

Paris 514 – Aurillac 54 – Brive-la-Gaillarde 44 – Mauriac 51 – St-Céré 42 – Tulle 30.

Gilbert, r. Vachal 55 28 01 62, – wc wc . AE VISA
1er mars-30 nov. – SC : **R** *(fermé sam. sauf 15 juin au 15 sept.)* 60/160 – 18 – **30 ch** 80/220 – P 170/230.

Fouillade, pl. Gambetta 55 28 10 17, – wc
fermé 3 nov. au 9 déc. – SC : **R** *(fermé lundi du 1er oct. à fin mai sauf vacances scolaires et fêtes)* 50/102 – 15 – **30 ch** 75/145 – P 150/175.

CITROEN Frizon, 25 av. des Xaintries 55 28 10 79
FORD Joassim, 2 r. Pierre et Marie Curie 55 28 00 17 N
RENAULT Gar. Gambetta, 14 pl. Gambetta 55 28 00 58
Corrèze-Pneus, 30 av. d'Aurillac 55 28 14 31

ARGENTEUIL 95 Val-d'Oise 55 ⑳, 101 ⑭ – voir à Paris, Environs.

ARGENTIÈRE 74 H.-Savoie 74 ⑨ **G. Alpes** – alt. 1 253 – Sports d'hiver : 1 200/3 300 m 3 2 – **74400** Chamonix-Mont-Blanc.

Voir SE : Aiguille des Grands Montets ★★ par téléphérique – Trélechamp ★★ N : 2,5 km.

Paris 604 – Annecy 104 – Chamonix 8 – Vallorcine 7,5.

Grands Montets M sans rest, près téléphérique de Lognan 50 54 06 66, , – wc . E VISA
fermé mai et 1er oct. au 20 déc. – SC : – **40 ch** 376.

Bellevue sans rest., 50 54 00 03, , – cuisinette wc . AE VISA
20 juin-30 sept. et 14 déc.-15 mai – 21 – **17 ch** 200/357.

Bois Rose, 50 54 05 55, – AE E VISA
fermé janv. et mardi du 1er mai au 15 juin et du 15 sept. au 15 déc. – SC : **R** 45/120.

Dahu avec ch, 50 54 01 55, , – wc . AE E VISA
15 juin-15 oct. et 10 déc.-15 mai – SC : **R** *(fermé lundi et merc. en sept.-oct.)* 62/90 – 20 – **22 ch** 85/180.

à Montroc-Le Planet NE : 2 km par N 506 et VO – alt. 1 384 – **74400** Chamonix-Mont-Blanc :

Becs Rouges , 50 54 01 00, vallée et montagnes, – wc wc . AE VISA
20 juin-15 sept. et 15 déc.-30 avril – SC : **R** 85/140 – 25 – **24 ch** 120/280 – P 257/332.

PEUGEOT-TALBOT Gar. des Drus, 50 54 04 30

ARGENTON-L'ÉGLISE 79290 Deux-Sèvres 68 ① – 1 278 h. alt. 58.

Paris 327 – Angers 60 – Bressuire 36 – Cholet 54 – Niort 89 – Thouars 8,5.

Host. du Moulin avec ch, O : 1 km sur D 61 49 67 02 53, , parc, – wc wc – 45. AE E VISA.
fermé 15 janv. au 28 fév., dim. soir et lundi – SC : **R** 64/190 – 12 – **4 ch** 78/98 – P 170/190.

ARGENTON-SUR-CREUSE 36200 Indre 68 ⑰⑱ G. Périgord – 6 141 h. alt. 108.

Voir Vieux pont ←★ K – ←★ de la terrasse de la chapelle N.-D.-des-Bancs E – Vallée de la Creuse★ SE par D 48 – Église★ de St-Marcel 2 km par ⑤.

Office de Tourisme Hall de l'Hotel de Ville (fermé matin hors sais.) ✆ 54 24 05 30.

Paris 302 ① – Châteauroux 31 ① – Guéret 67 ③ – ♦Limoges 94 ④ – Montluçon 101 ② – Poitiers 99 ⑤ – ♦Tours 125 ⑤.

Manoir de Boisvillers sans rest, 11 r. Moulin-de-Bord **(e)** ✆ 54 24 13 88, – wc ⑪ ⑬ **P**. VISA
SC : 15,50 – **15 ch** 85/185.

Cheval Noir, 27 r. Auclert-Descottes **(n)** ✆ 54 24 00 06, Télex 751183 – wc ⑪wc **P**. VISA
fermé janv. et dim. hors sais. – SC : **R** 65/150 – 20 – **33 ch** 95/240.

France, 8 r. J.-J.-Rousseau **(a)** ✆ 54 24 03 31 – ⑪wc **P**. AE ⓓ E VISA
fermé 15 nov. au 15 déc., dim. (sauf hôtel) en sais. et sam. hors sais. – SC : **R** 51/96 ⅓ – 15 – **24 ch** 80/161 – P 155/217.

Chez Maître Jean, 67 av. Rollinat **(u)** ✆ 54 24 02 09 – **P**. E VISA.
fermé 15 au 30 oct., 1er au 15 fév. et merc. – SC : **R** 47/105 ⅓.

à St-Marcel par ① : 2 km – ✉ **36200** Argenton-sur-Creuse

Le Prieuré, ✆ 54 24 05 19, ←, – wc ⑪wc **P**. E VISA.
fermé fév. et lundi – SC : **R** 50/110 ⅓ – 16 – **12 ch** 100/150.

ARGENTON-SUR-CREUSE

Chap. N.-D. (R. de la) 2
Châteauneuf (R.) 3
Coursière (R. de la) 4
Grande (Rue) 6
Ledru-Rollin (R.) 7
Raspail (R.) 9
République (Pl. de la) ... 12
Rochers-St-Jean (R.) ... 13
Rousseau (R. Jean-J.) .. 15
Sand (R. George) 17

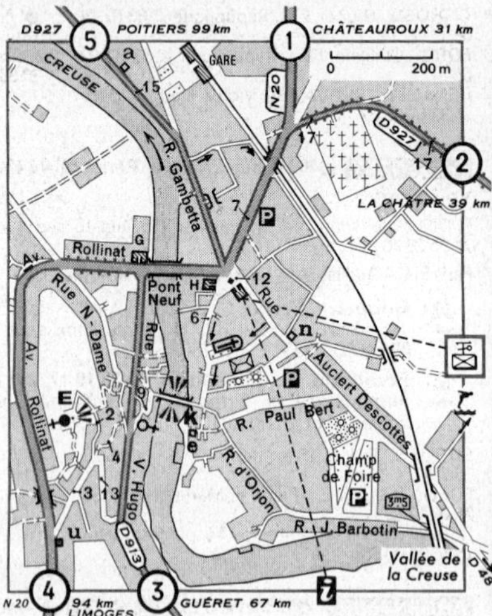

CITROEN Gar. Dieu, Z.I - Rte de Limoges par ④ ✆ 54 24 00 82
CITROEN, LANCIA-AUTOBIANCHI Gar. Besson, N 20 à Tendu par ① ✆ 54 24 12 26
PEUGEOT-TALBOT Chavegrand, rte de Limoges par ④ ✆ 54 24 04 32 N
RENAULT Berthiol, rte de Limoges, par ④ ✆ 54 24 06 24
Gar. Allignet, 15 bis bd Georges Sand ✆ 54 24 07 01 N ✆ 54 24 24 95

Gebhard-Pneu, rte de Limoges, N 20 ✆ 54 24 13 08

ARGENT-SUR-SAULDRE 18410 Cher 65 ⑪ G. Châteaux de la Loire – 2 687 h. alt. 171.

Syndicat d'Initiative (1er juin-15 sept.) ✆ 48 73 61 61 et à l'Hôtel de Ville ✆ 48 73 60 12.

Paris 173 – Bourges 56 – Cosne-sur-Loire 46 – Gien 20 – ♦Orléans 59 – Salbris 42 – Vierzon 53.

Relais de la Poste avec ch, ✆ **48 73 60 25** – wc ⑪ . E VISA
fermé 15 au 31 janv. et lundi sauf juil., août et sept. – SC : **R** 69/126 – 19 – **8 ch** 190/200 – P 230/250.

PEUGEOT Gge Dabert, ✆ 48 73 63 06
RENAULT Carlot, ✆ 48 73 61 83

ARINSAL Principauté d'Andorre 86 ⑭, 43 ⑥ – voir à Andorre.

ARINTHOD 39240 Jura 70 ⑭ G. Jura – 1 135 h. alt. 445.

Voir Église★ de St-Hymetière S : 4 km.

Paris 429 – Bourg-en-Bresse 50 – Lons-le-Saunier 37 – Nantua 37 – St-Amour 35.

Tour, ✆ 84 48 00 05 – wc ⑪wc . ch
SC : **R** 44/90 – 12 – **14 ch** 65/150 – P 160/180.

ARLEMPDES 43 H.-Loire 76 ⑰ G. Vallée du Rhône – 182 h. alt. 840 – ✉ **43490** Costaros.

Voir ←★★ du château.

Paris 533 – Aubenas 76 – Langogne 28 – Le Puy 28.

Manoir , ✆ **71 57 17 14,** ← – ⑪. ch
1er mars-début nov. – SC : **R** 56/250 ⅓ – 16 – **16 ch** 70/120 – P 140/150.

ARLES 13200 B.-du-R. 83 ⑩ G. Provence – 50 772 h. alt. 9.

Voir Arènes★★ YZ – Théâtre antique★★ Z – Cloître St-Trophime★★ et église★ Z : portail★★ – les Alyscamps★ X – Palais Constantin★ Y **F** – Musées : Art chrétien★★ et galerie souterraine★ Z **M1**, Arlaten★Z **M3**, Art paien★ Z **M2**, Réattu★ Y **M4** – Ruines de l'abbaye de Montmajour ★ 5 km par ①.

Office de Tourisme Esplanade des Lices ☎ 90 96 29 35, Télex 440096 - A.C. 12 r. Liberté ☎ 90 96 40 28.

Paris 727 ① – Aix-en-Provence 76 ② – Avignon 37 ① – Béziers 136 ⑤ – Cavaillon 44 ① – ♦Marseille 95 ② – ♦Montpellier 73 ⑤ – Nîmes 30 ⑥ – Salon-de-Provence 41 ② – Sète 103 ⑤.

Plan page suivante

Jules César, bd Lices ☎ 90 93 43 20, Télex 400239, « Ancien couvent avec son cloître, jardins intérieurs » – TV ☎ – 50 à 100. AE ⓓ E VISA Z **b**
fermé début nov. au 22 déc. – **R** voir rest. **Lou Marquès** – 46 – **55 ch** 300/750.

D'Arlatan sans rest, 26 r. Sauvage (près pl. Forum) ☎ 90 93 56 66, Télex 441203, « Demeure du 15e s., beau mobilier, patio et jardin » – ☎ – 125. AE ⓓ Y **f**
SC : 30 – **46 ch** 236/395.

Mireille M, 2 pl. St-Pierre ☎ 90 93 70 74, Télex 440308, – wc ☎. AE ⓓ E VISA. rest Y **h**
1er mars-15 nov. – SC : **R** 79/120 – 27 – **35 ch** 165/320 – P 266/349.

Forum sans rest, 10 pl. Forum ☎ 90 93 48 95, – wc ☎. Z **z**
15 fév.-15 nov. – SC : 22 – **43 ch** 105/275.

St-Trophime sans rest, 16 r. Calade ☎ 90 96 88 38 – wc wc ☎ Z **x**
1er mars-15 nov. – SC : 16 – **22 ch** 180/210.

Mirador sans rest, 3 r. Voltaire ☎ 90 96 28 05 – wc wc ☎ Y **n**
fermé fév. – SC : 16 – **15 ch** 115/180.

Calendal sans rest, 22 pl. Pomme ☎ 90 96 11 89, « Jardin ombragé » – wc wc ☎. ⓓ E VISA. Z **s**
1er mars-15 nov. – SC : 17 – **27 ch** 120/220.

Le Cloître sans rest, 18 r. Cloître ☎ 90 96 29 50 – wc wc ☎. VISA. Z **a**
15 mars-15 nov. – SC : 15 – **33 ch** 130/190.

La Roseraie sans rest, à Pont-de-Crau E : 2 km par N 453 - X ☎ 90 96 06 58, « jardin exotique » – wc ☎ P.
15 mars-15 oct. – SC : 19 – **11 ch** 150/210.

Lou Gardianoun, 15 r. Noguier ☎ 90 93 66 28 – wc wc ☎. AE VISA.
1er mars-30 nov. – SC : **R** *(fermé lundi midi)* 52/150 – 21 – **20 ch** 125/210. Y **e**

Constantin sans rest, 59 bd Craponne ☎ 90 96 04 05 – wc wc ☎ Z **k**
15 mars-15 nov. – SC : 15,50 – **15 ch** 88/180.

XXX ❀ **Lou Marquès,** bd Lices ☎ 90 93 43 20, – AE ⓓ E VISA Z **b**
fermé début nov. au 22 déc. – **R** 150/230
Spéc. Raie en raito, Magret de canard aux picholines, Gratin d'orange. **Vins** Côteaux des Baux, Palette.

XX **Vaccarès,** pl. Forum (1er étage) ☎ 90 96 06 17, Z **y**
fermé 20 déc. au 20 janv., dim. et lundi sauf fêtes – SC : **R** 155.

XX **La Paillote** 28 r. Dr.-Fanton ☎ 90 96 33 15 – ⓓ E VISA Y **a**
fermé 1er au 15 juin, 15 fév. au 10 mars, jeudi midi et merc. – SC : **R** 110/150.

X **Host. des Arènes,** 62 r. Refuge ☎ 90 96 13 05, – E VISA Y **v**
fermé 20 au 30 juin, 16 déc. au 31 janv., mardi soir hors sais. et merc. – SC : **R** 50/82.

à l'Est : 7,5 km par N 453 et chemin privé - X – ✉ 13200 Arles :

Aub. la Fenière M, ☎ 90 98 47 44, Télex 441237, ←, parc – ch ☎ P – 25. AE ⓓ E VISA. rest
SC : **R** *(fermé 1er nov. au 20 déc. et le midi du 1er juin au 1er nov.)* 118/165 – 31 – **25 ch** 200/445.

Voir aussi ressources hôtelières de *Fontvieille* par ① : 9,5 km

BMW Gar. de la Verrerie, 10 av. Dr.-Morel, Trinquetaille ☎ 90 96 19 59
CITROEN Trébon Autos, 35 av. de la Libération par ① ☎ 90 96 42 83
PEUGEOT-TALBOT Roux, 3 av. Victor-Hugo ☎ 90 93 98 59
RENAULT Arles Autom. Services, 84 av. Stalingrad ☎ 90 96 82 82
RENAULT Lacoste, 27 av. Sadi-Carnot ☎ 90 96 37 76
TOYOTA Provem, Gar. du Lion, 10 r. Verrerie, Trinquetaille ☎ 90 93 53 55
V.A.G. Gar. de l'Avenir, 5 av. de la Libération, rte Tarascon ☎ 90 96 98 10

Ayme-Pneus, Zone Ind. Nord, rue Cotton ☎ 90 93 56 95
Gay-Pneus, av. Pont-Crau, N 113 ☎ 90 93 60 13
Jauffret-Pneus, 22 bd Victor Hugo ☎ 90 93 50 14
Vulcania, 8 bd Victor-Hugo ☎ 90 96 02 03

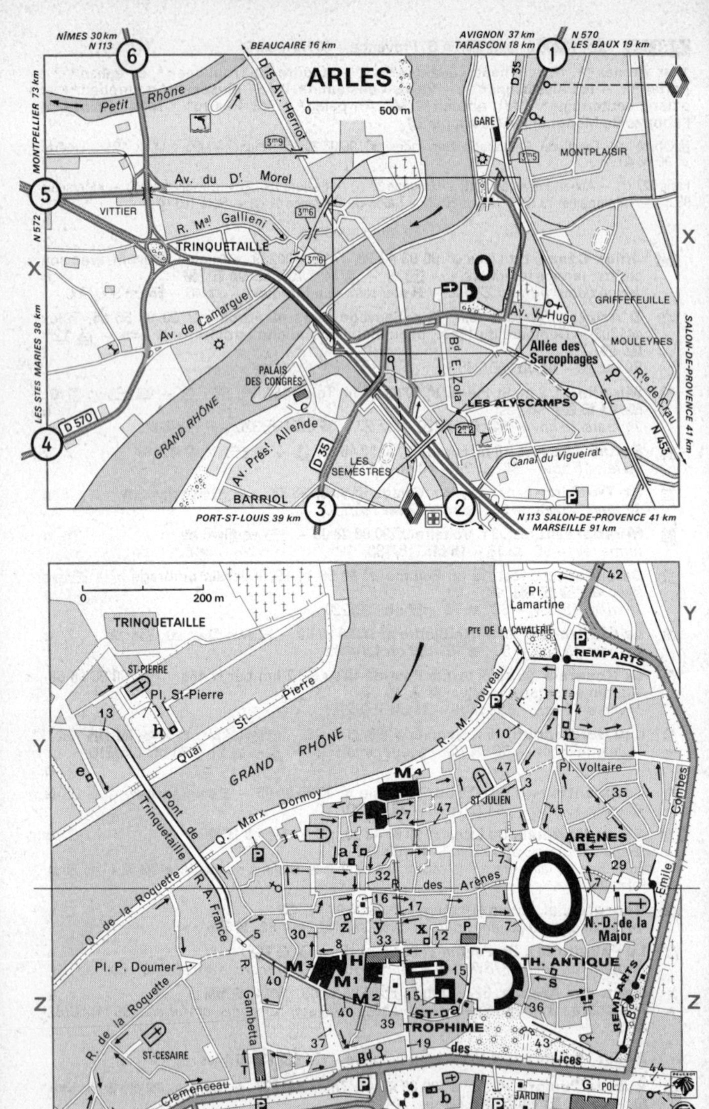

ARLES
0 500 m
NÎMES 30 km N 113
BEAUCAIRE 16 km
AVIGNON 37 km TARASCON 18 km
N 570 LES BAUX 19 km
MONTPELLIER 73 km
N 572
LES STES MARIES 38 km
SALON-DE-PROVENCE 41 km
PORT-ST-LOUIS 39 km
N 113 SALON-DE-PROVENCE 41 km MARSEILLE 91 km
Petit Rhône
D 15 Av. Herriot
GARE
D 35
MONTPLAISIR
Av. du Dr Morel
VITTIER
R. Mal Gallieni
TRINQUETAILLE
Av. de Camargue
GRIFFEUILLE
Av. V.-Hugo
MOULEYRES
Allée des Sarcophages
Rte de Crau
N 453
PALAIS DES CONGRÈS
Bd E. Zola
LES ALYSCAMPS
GRAND RHÔNE
D 570
Av. Prést Allende
D 35
LES SEMESTRES
Canal du Vigueirat
BARRIOL
0 200 m
TRINQUETAILLE
ST-PIERRE
Pl. St-Pierre
Quai St-Pierre
GRAND RHÔNE
R. M. Jouveau
Pl. Lamartine
PTE DE LA CAVALERIE
REMPARTS
Pl. Voltaire
ST-JULIEN
ARÈNES
Q. Marx Dormoy
Pont de Trinquetaille
R. A. France
Q. de la Roquette
R. des Arènes
N.-D.-de la Major
TH. ANTIQUE
Pl. P. Doumer
R. Gambetta
R. de la Roquette
ST-CESAIRE
ST-TROPHIME
Bd des Lices
Bd G. Clemenceau
Parmentier
R. E. Fassin
JARDIN D'HIVER
Canal de Craponne
Pl. de la Croisière
Av. Sadi Carnot
Av. du Gal Leclerc
Bd E. Zola
Émile Combes

ARLES-SUR-TECH 66150 Pyr.-Or. 86 ⑱ **G. Pyrénées** – 2 921 h. alt. 270.

Syndicat d'Initiative Gare routière ✆ 68 39 11 99.

Paris 948 – Amélie-les-Bains-Palalda 4 – ♦Perpignan 42 – Prats-de-Mollo-la-Preste 19.

Glycines, r. Joc-de-Pilota ✆ 68 39 10 09, – wc ⊕. E VISA
fermé 15 déc. à fin janv. – SC : **R** *(fermé lundi)* 58/100 – ☕ 22 – **34 ch** 99/170 – P 176/230.

à Can Partère SO : 5 km sur D 115 – ✉ 66150 Arles-sur-Tech :

XX **Aub. du Vallespir** avec ch, ✆ 68 39 12 73, <, – TV wc wc ⊕. VISA. ch
fermé nov. et lundi hors sais. – SC : **R** 70/165 – ☕ 25 – **8 ch** 80/150 – P 170/230.

ARMBOUTS-CAPPEL 59 Nord 51 ③ – rattaché à Dunkerque.

ARMENTIÈRES 59280 Nord 51 ⑮ **G. Flandres, Artois, Picardie** – 25 992 h. alt. 19.

Syndicat d'Initiative à l'Hôtel de Ville (sais.) ✆ 20 77 78 66 - A.C. 26 pl. St-Vaast ✆ 20 77 10 12.

Paris 235 ③ – Dunkerque 59 ⑥ – Kortrijk 36 ② – Lens 41 ③ – ♦Lille 19 ③ – St-Omer 50 ⑥.

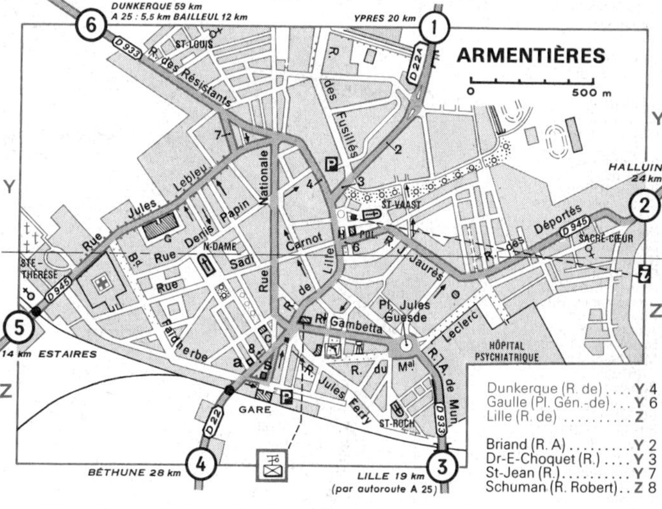

Albert sans rest, 28 r. Robert Schuman ✆ 20 77 31 02 – wc wc . VISA.
SC : ☕ 22 – **19 ch** 85/200. Z **a**

XX **La Petite auberge,** 4 bd Faidherbe ✆ 20 77 09 66. AE ⓓ E VISA Z **s**
fermé 15 août au 15 sept. et mardi – **R** 91/156.

DATSUN-NISSAN Gar. Duretz, 1 r. J.-Ferry ✆ 20 77 09 52
RENAULT Gar. de la Lys, 1797 r. d'Armentières, Nieppe par ⑥ ✆ 20 77 20 13 N
V.A.G. Gar. Delabie, 37 r. J.-Ferry ✆ 20 77 09 57

Crépy-Pneus, 5 r. Mar.-Foch ✆ 20 77 10 88
Hennette, rte Nationale à Ennetières-Wez-Macquart ✆ 20 35 85 28

ARMOY 74 H.-Savoie 70 ⑰ – rattaché à Thonon-les-Bains.

ARNAC-POMPADOUR 19230 Corrèze 75 ⑧ **G. Périgord** – 1 474 h. alt. 421.

Syndicat d'Initiative conciergerie du Château (fermé nov.).

Paris 456 – Brive-la-Gaillarde 52 – ♦Limoges 59 – Périgueux 68 – St-Yrieix 24 – Uzerche 25.

Aub. de la Marquise , à la gare ✆ 55 73 33 98, – TV wc wc ⊕. AE ⓓ VISA. ch
8 juin-5 oct. et fermé mardi en sept. – SC : **R** 105/300 – ☕ 22 – **12 ch** 175/195 – P 200/225.

CITROEN Nouaille, à Pompadour ✆ 55 73 30 18 N
FORD Coulaud, 17 Av. du Midi ✆ 55 73 37 42

RENAULT Debernard, à Pompadour ✆ 55 73 30 57

ARNAGE 72 Sarthe 64 ③ – rattaché au Mans.

ARNAY-LE-DUC 21230 Côte-d'Or 65 ⑱ G. Bourgogne – 2 431 h. alt. 374.

Paris 287 – Autun 28 – Beaune 34 – Chagny 40 – ◆Dijon 57 – Montbard 71 – Saulieu 28.

Poste sans rest, ✆ 80 90 00 76 – wc wc ☎ .
juin-fin sept. – SC : ☕ 18 – **14 ch** 120/200.

XXX **Chez Camille** avec ch, ✆ 80 90 01 38 – wc ☎. AE ⓓ E VISA
fermé 6 au 26 janv. – **R** 92 bc/121 bc – ☕ 30 – **11 ch** 250.

X **Terminus,** N 6 ✆ 80 90 00 33 – Ⓟ. E VISA
fermé 6 janv. au 6 fév. et merc. hors sais. – SC : **R** 58/160 – ☕ 14 – **12 ch** 60/100 – P 160/180.

PEUGEOT, TALBOT Gar. de L'Arquebuse, ✆ 80 90 05 16 N
RENAULT Gar. Contant, ✆ 80 90 07 09

V.A.G Binet, à St-Prix ✆ 80 90 10 07 N ✆ 80 90 04 92

ARRAS

Ernestale (R.) .... BZ 13
Gambetta (R.) .... BZ
Ronville (R.) .... CZ 26
St-Aubert (R.) .... BY
Théâtre (Pl. du) .... BZ 33

Adam (R. Paul) .... AY 2
Agaches (R. des) .... BY 3
Albert-1er-de-Belg. (Rue) .... BY 4
Ancien-Rivage (Pl. de l') .... BY 5
Barbot (R. Gén.) .... BY 6
Carabiniers d'Artois (R. des) .... AY 8
Cardinal (R. du) .... CZ 9
Delansorne (R. D.) .... BZ 10
Doumer (R. Paul) .... BY 12
Ferry (R. Jules) .... AY 15
Foch (R. Maréchal) .... CZ 16
Gouvernance (R.) .... BY 18
Guy Mollet (Pl.) .... CY 19
Jongleurs (R. des) .... BZ 21
Madeleine (Pl. de la) .... BY 22
Marché-au-Filé (R. du) .... BY 24
Robespierre (R.) .... BZ 25
Ste-Claire (R.) .... AZ 28
Ste-Croix (R.) .... CY 29
Strasbourg (Bd de) .... CZ 30
Taillerie (R. de la) .... CY 31
Teinturiers (R. des) .... BY 32
Verdun (Cours de) .... AZ 35
Victor-Hugo (Pl.) .... AZ 36
Wacquez-Glasson (Rue) .... CZ 38
29-Juillet (R. du) .... BY 39

Welcome to France !
Remember,
keep to the right.

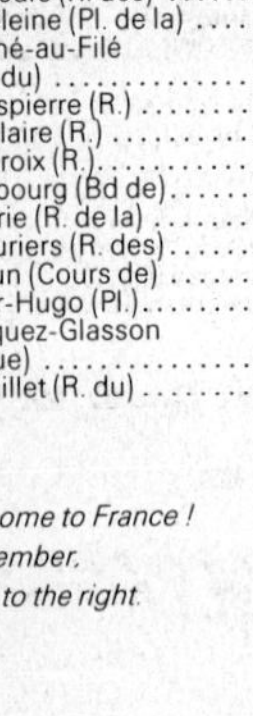

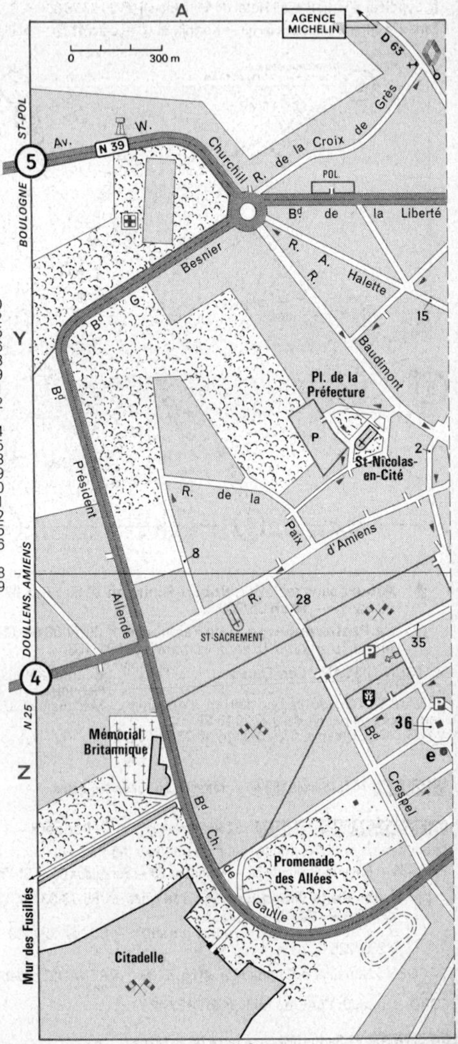

ARPAILLARGUES 30 Gard 80 ⑲ – rattaché à Uzès.

ARPAJON-SUR-CÈRE 15 Cantal 76 ⑫ – rattaché à Aurillac.

ARQUES-LA-BATAILLE 76880 S.-Mar. 52 ④ **G. Normandie** – 2 742 h. alt. 14.
Voir Ruines du château★.
Paris 162 – Dieppe 7 – Neufchâtel-en-Bray 28 – ♦ Rouen 60.

XX **Host. Manoir d'Archelles,** sur D 1 ✆ 35 85 50 16 – Ⓟ. AE E VISA. ✂ rest
fermé 21 sept. au 13 oct., dim. soir et lundi – SC : **R** 50/160.

CITROEN Féron, ✆ 35 85 50 41

ARRADON 56 Morbihan 63 ③ – rattaché à Vannes.

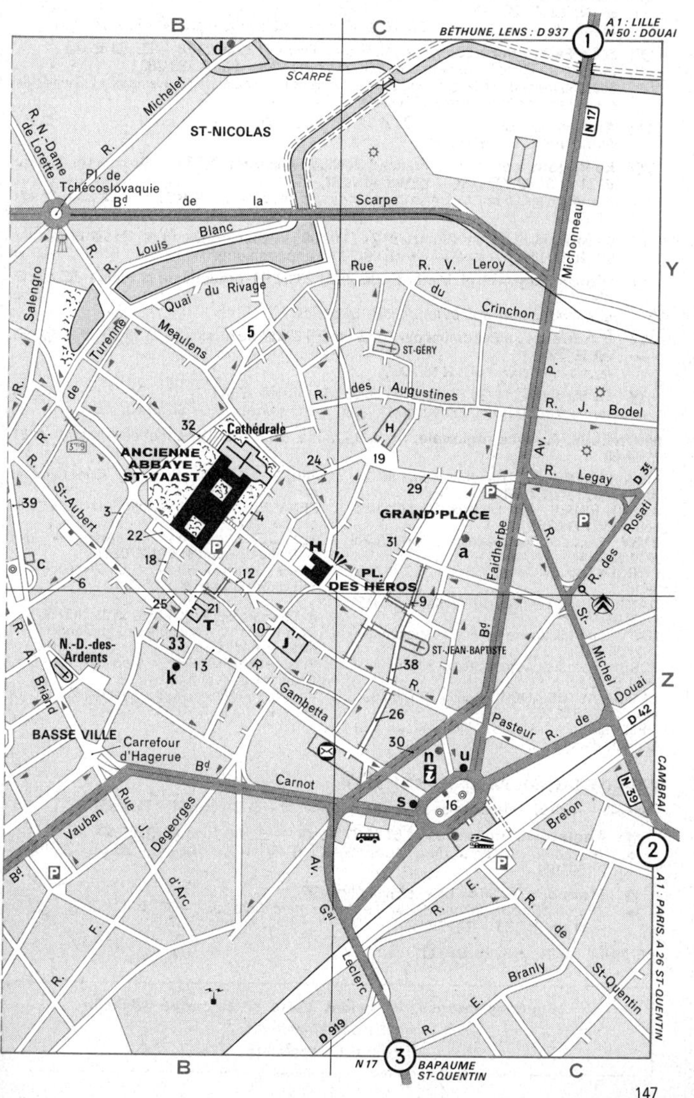

ARRAS P 62000 P.-de-C. 53 ② G. Flandres, Artois, Picardie – 45 364 h. alt. 72.

Voir Grand'Place** CY et Place des Héros** CY – Hôtel de Ville et beffroi* BY H – Ancienne abbaye St-Vaast* : musée* BY.

Office de Tourisme 7 pl. Mar. Foch ✆ 21 51 26 95 - A.C. bd Carnot ✆ 21 71 06 39.

Paris 178 ② – •Amiens 65 ④ – •Caen 296 ④ – •Calais 112 ① – Charleville-Mézières 158 ② – Douai 26 ① – •Le Havre 238 ④ – •Lille 52 ① – •Rouen 172 ④ – St-Quentin 74 ② – Troyes 305 ②.

Plan pages précédentes

Univers ⑤, 3 pl. Croix-Rouge ✆ 21 71 34 01 – ♿ 🚗 Ⓟ – 🏛 200. AE E VISA. 🚫 rest BZ **k**
R *(fermé dim. en août)* 65/150 – ☕ 26 – **36 ch** 140/280 – P 290/385.

Moderne sans rest, 1 bd Faidherbe ✆ 21 23 39 57 – 🛗 TV 🛁wc ☎. AE ⓓ E VISA CZ **u**
fermé 24 au 31 déc. – SC : ☕ 20 – **55 ch** 180/250.

Astoria et rest. Carnot, 12 pl. Foch ✆ 21 71 08 14, Télex 160768 – 🛁wc 🚿wc ☎. AE ⓓ E VISA. 🚫 CZ **s**
fermé 24 déc. au 2 janv. – SC : **R** 79/95 carte dim. soir 🍷 – ☕ 19 – **31 ch** 118/212.

XXX ❀ **La Faisanderie** (Dargent), 45 Grand' Place ✆ 21 48 20 76 – AE ⓓ E VISA
fermé 5 au 26 août, vacances de fév., dim. et lundi – SC : **R** 180/280 CY
Spéc. Soupière de St-Jacques au beurre blanc de céleri (sept. à avril), Gibier (saison), Soufflés de citrons verts et salade de fraises à l'orange.

XXX **Ambassadeur** (Buffet Gare), ✆ 21 23 29 80 – AE ⓓ E VISA. 🚫 CZ
fermé dim. soir – **R** 90/150.

XXX **Le Régent** avec ch, r. A.-France à St Nicolas-lès-Arras ✉ 62223 St-Laurent-Blangy ✆ 21 71 51 09, 🌳, 🍴 – 🛁wc 🚿wc ☎. VISA BY **d**
fermé 1er au 26 août, dim. soir et lundi sauf fériés – SC : **R** 80/300 – ☕ 22 – **11 ch** 135/280.

XX **Chanzy** avec ch, 8 r. Chanzy ✆ 21 71 02 02 – ▤ rest 🛁wc 🚿 ☎. AE ⓓ E VISA
SC : **R** 80/140 🍷 – ☕ 20 – **19 ch** 90/220, 4 appartements 350. CZ **n**

XX **Victor Hugo,** 11 pl. Victor Hugo ✆ 21 23 34 96, produits de la mer – AE ⓓ E VISA AZ **e**
fermé août, dim. soir et lundi – **R** 156 bc/280.

XX **L'Auberge,** à Beaurains par ③ : 3 km ✉ 62217 Beaurains ✆ 21 71 59 30 – Ⓟ. AE ⓓ E VISA
fermé dim. soir – SC : **R** 55/200 🍷.

XX **La Rapière,** 44 Gd'Place ✆ 21 55 09 92 – AE ⓓ E VISA CY **a**
fermé 3 au 31 août, 25 déc. au 1er janv., merc. soir et dim. – SC : **R** 53/110 🍷.

MICHELIN, Agence régionale, rte de Béthune, D 63, Ste-Catherine-lès-Arras AY ✆ 21 71 12 08

ALFA-ROMEO Gar. Hanot-Mariani, 95 av. W.-Churchill ✆ 21 71 54 41
AUSTIN-ROVER Gar. Leclercq, 38 bd Strasbourg ✆ 21 71 62 33
BMW Centre Autom. Artésien, Port Fluvial ✆ 21 58 11 44
CITROEN SO. CA. AR., 2 r. des Rosati ✆ 21 55 39 10
DATSUN Gar. Kennedy, 22 av. Kennedy ✆ 21 51 06 98
FIAT Gar. Michonneau, 6 av. Michonneau ✆ 21 55 37 52
FORD Liévinoise Autom., 16 av. Michonneau ✆ 21 55 42 42
LANCIA-AUTOBIANCHI Specq, 21 r. du Saumon ✆ 21 73 59 20
OPEL-GM Gar. Méral av. d'Immercourt à St-Laurent-Blangy ✆ 21 73 18 24
PEUGEOT TALBOT Cyr-Leroy, 75 rte Cambrai par ② ✆ 21 73 26 26
RENAULT Arras Sud-Autom., 134 rte de Cambrai par ② ✆ 21 55 46 15
RENAULT Nouv. Gar. de l'Artois, 40 voie N.-Dame-de-Lorette ✆ 21 23 02 56
V.A.G. Willerval, 13 bis r. G.-Clemenceau à St-Laurent-Blangy ✆ 21 55 30 75

Ⓜ Chamart, 245 av. Kennedy ✆ 21 71 31 95
Delit-Pneus, av. Michonneau prolongée, St-Nicolas ✆ 21 55 38 25
Pneus et Services DK, 7 r. Croix-de-Grès à Ste-Catherine ✆ 21 51 52 50
Pneus et Services DK, 8 r. Diderot ✆ 21 51 74 84

ARREAU 65240 H.-Pyr. 85 ⑲ – 816 h. alt. 704.

Paris 848 – Auch 90 – Bagnères-de-Luchon 32 – Lourdes 60 – St-Gaudens 54 – Tarbes 57.

Angleterre, rte Luchon ✆ 62 98 63 30, 🍴 – 🛁wc 🚿wc ☎ Ⓟ. E. 🚫
1er juin-10 oct. et 26 déc.-Pâques – SC : **R** 45/140 🍷 – ☕ 14 – **20 ch** 122/180 – P 169/189.

France, ✆ 62 98 61 12 – 🛁wc 🚿wc. 🚫
1er juin-30 sept., 25 déc.-30 avril et fermé merc. hors sais. – SC : **R** 57/100 🍷 – ☕ 15 – **17 ch** 76/185 – P 175/228.

RENAULT Buetas ✆ 62 98 60 67 N

ARRENS-MARSOUS 65 H.-Pyr. 85 ⑰ **G. Pyrénées** – 827 h. alt. 878 – ✉ **65400** Argelès-Gazost – ℹ Syndicat d'Initiative (fermé oct.) ✆ 62 97 02 63.

Paris 827 – Argelès-Gazost 12 – Laruns 36 – Lourdes 25 – Tarbes 45.

- **Au Relais des Cols,** NE : 3,5 km par D 918 ✆ 62 97 05 53, ≤, – wc P. rest
  Pâques, 1er mai-30 sept. et vacances de fév. – SC : **R** 57/150 – 14 – **17 ch** 80/130 – P 135/165.
- **Host. Val d'Azun** sans rest, ✆ 62 97 00 55 –
  juin-oct. – SC : 13 – **14 ch** 72/98.

ARROMANCHES-LES-BAINS 14117 Calvados 54 ⑮ **G. Normandie** – 395 h. alt. 15.

Voir Musée du débarquement – La Côte du Bessin★ O.

ℹ Syndicat d'Initiative r. Mar.-Joffre (juin-sept.) ✆ 31 22 36 45.

Paris 271 – Bayeux 10 – ♦Caen 29 – St-Lô 45.

- **Marine,** ✆ 31 22 34 19, ≤ – wc wc P. AE VISA
  1er mars-15 nov. – SC : **R** 58/95 – 17 – **20 ch** 115/185.

ARS-EN-RÉ 17 Char.-Mar. 71 ⑫ – voir à Ré (île de).

ARSONVAL 10 Aube 61 ⑱ – rattaché à Bar-sur-Aube.

ARS-SUR-FORMANS 01 Ain 74 ① **G. Vallée du Rhône** – 719 h. alt. 250 – ✉ **01480** Jassans-Riottier.

Paris 439 – Bourg-en-Bresse 41 – ♦Lyon 36 – Mâcon 46 – Villefranche-sur-Saône 9.

- **Régina,** ✆ 74 00 73 67 – wc P. ch
  15 mars-15 nov. – SC : **R** 55/130 – 17 – **31 ch** 85/160 – P 170/210.
- **Gd H. Basilique,** ✆ 74 00 73 76, – wc wc P
  23 mars-25 oct. – SC : **R** 42/95 – 17 – **60 ch** 70/150 – P 170/260.

ARTEMARE 01 Ain 74 ④ – 914 h. alt. 258 – ✉ **01510** Virieu-le-Grand.

Voir Cascade de Cerveyrieu★ NO : 3 km, G. Jura.

Paris 488 – Aix-les-Bains 34 – Belley 17 – Bourg-en-Bresse 75 – ♦Genève 71 – Nantua 47.

- **Host. du Valromey,** ✆ 79 87 30 10, – TV wc wc P – 25. AE VISA
  fermé 1er déc. au 2 janv. – **R** *(fermé lundi du 1er sept. du 30 juin)* 45/180 – 18 – **25 ch** 165/180 – P 220/240.

à Luthézieu NO : 8 km par D 31 et D 8 – ✉ **01260** Champagne :

- **Vieux Tilleul** , ✆ 79 87 64 51, ≤, – P. ch
  fermé janv., mardi soir et merc. sauf en été – SC : **R** 54/188 – 16 – **11 ch** 100/125 – P 147/165.

CITROEN Mochon, ✆ 79 87 30 14 N
PEUGEOT-TALBOT Gar. Pochet, ✆ 79 87 32 67 N
RENAULT Boléa, ✆ 79 87 30 43

ARTIGUELOUVE 64 Pyr.-Atl. 85 ⑥ – 822 h. alt. 156 – ✉ **64230** Lescar.

Paris 772 – ♦Bayonne 104 – Orthez 40 – Pau 10.

- **Chez Mariette,** ✆ 59 83 05 08 – P. AE VISA
  fermé merc. sauf juil.-août et dim. soir – SC : **R** 82/150.
- **Aub. Semmarty,** sur D 146 ✆ 59 83 00 12, P
  fermé juil., dim. soir et lundi – SC : **R** 56/120.

ARTZENHEIM 68 H.-Rhin 62 ⑲ – 557 h. alt. 182 – ✉ **68320** Muntzenheim.

Paris 451 – Colmar 16 – ♦Mulhouse 50 – Sélestat 20 – ♦Strasbourg 67.

- **Aub. d'Artzenheim** avec ch, ✆ 89 71 60 51, « Joli décor d'auberge, jardin » – wc wc P – 50. AE E VISA. ch
  fermé 15 fév. au 15 mars – SC : **R** *(fermé lundi soir et mardi)* 128/185 – 18,50 – **10 ch** 85/145.

ARUDY 64260 Pyr. Atl. 85 ⑥ **G. Pyrénées** – 2 705 h. alt. 410.

Paris 796 – Argelès-Gazost 56 – Lourdes 43 – Oloron-Ste-Marie 18 – Pau 26.

- **France,** pl. Hôtel de Ville ✆ 59 05 60 16, – wc wc P. E.
  fermé mai, sam. hors sais. et vacances scolaires – SC : **R** 48 bc/82 – 14,50 – **21 ch** 63/120 – P 140/170.

ARVERT 17530 Char.-Mar. 71 ⑭ – 2 543 h. alt. 23.

Paris 511 – Marennes 13 – Rochefort 35 – La Rochelle 67 – Royan 21 – Saintes 45.

- **Villa Fantaisie** , ✆ 46 36 40 09, ≤, parc – wc wc P. AE E VISA
  fermé 2 janv. au 28 fév., dim. soir et lundi hors sais. – SC : **R** 90/160 – 25 – **23 ch** 220/300 – P 240/320.

ARVILLARD 73 Savoie 74 ⑯ – 787 h. alt. 480 – ✉ 73110 La Rochette.
Paris 559 – Albertville 41 – Allevard 8 – Chambéry 34 – St-Jean-de-Maurienne 59.

Les Iris, ☎ 79 25 51 29, ←, – wc ☎ P. E VISA
SC : **R** 46/108 – 11,50 – **27 ch** 51/129 – P 134/173.

ARZ (Ile d') 56840 Morbihan 63 ⑬ G. **Bretagne** – 277 h.
Accès par transports maritimes.
depuis **Vannes.** En 1985 : de Pâques au 30 sept. 2 à 3 services quotidiens - Traversée 30 mn – 23,20 F (AR) - Renseignements : Vedettes Vertes ☎ 97 63 79 99.
depuis **Conleau.** En 1985 : du 15 juin au 15 sept. 14 services quotidiens, hors saison 10 services quotidiens - Traversée 15 mn – 13 F (AR).

L'Escale avec ch, au débarcadère ☎ 97 44 32 15, ← – ch
fin mars-fin sept. – SC : **R** 48/88 – 18 – **11 ch** 77/132 – P 152/188.

L'ARZELIER (Col de) 38 Isère 77 ④ – rattaché à Château-Bernard.

ASCAIN 64310 Pyr.-Atl. 85 ② G. **Pyrénées** – 2 159 h. alt. 30.
Syndicat d'Initiative à la Mairie ☎ 59 54 00 84.
Paris 798 – Cambo-les-Bains 26 – Hendaye 21 – Pau 135 – St-Jean-de-Luz 7.

La Hacienda M, NO : 2 km sur rte St-Jean-de-Luz ☎ 59 54 02 47, ←, parc, – P – 40. VISA. rest
hôtel: 1er juin-30 sept. ; rest.: 28 juin-31 août – SC : **R** 90/180 – 29 – **26 ch** 270/325.

Rhûne, (Annexe : , parc - 15 ch wc ☎), ☎ 59 54 00 04, ←, – wc wc ☎ P. rest
15 avril-3 nov. – SC : **R** 68/100 – 23 – **45 ch** 200/270.

Basque, ☎ 59 54 00 12, – wc wc ☎ P. rest
Pâques-fin sept. – SC : **R** (dîner seul.) 80 – 22 – **40 ch** 170/230.

Parc (ex. Trinquet-Larralde), ☎ 59 54 00 10, – wc wc ☎. VISA. rest
fermé 1er au 15 déc., 10 au 31 janv. – SC : **R** *(fermé lundi d'oct. à Pâques)* 68/165 – 25 – **30 ch** 130/240 – P 190/240.

au col de St-Ignace SE : 3,5 km – ✉ **64310** Ascain :

Les Trois Fontaines, ☎ 59 54 20 80, – P
fermé fév. et merc. hors sais. – SC : **R** 46/85.

ASCARAT 64 Pyr.-Atl. 85 ③ – rattaché à St-Jean-Pied-de-Port.

ASNIÈRES-SUR-SEINE 92 Hauts-de-Seine 55 ⑳, 101 ⑮ – voir à Paris, Environs.

ASPIN (Col d') 65 H.-Pyr. 85 ⑲ G. **Pyrénées** – alt. 1 489.
Voir ***.
Paris 836 – Arreau 13 – Bagnères-de-Bigorre 25.

ASPRES-SUR-BUËCH 05140 H.-Alpes 81 ⑤ G. **Alpes** – 773 h. alt. 764.
Paris 658 – Gap 35 – ♦Grenoble 96 – Sisteron 45 – Valence 125.

Parc, ☎ 92 58 60 01, – wc wc ☎ P. AE O E VISA
28 mars-30 sept. et fermé mardi (sauf hôtel en juil.-août) – SC : **R** 60/160 – 17 – **20 ch** 85/165.

ASSEVILLERS (Aire d') 80 Somme 53 ⑫ – voir à Péronne.

ASSY (Plateau d') 74480 H.-Savoie 74 ⑧ G. **Alpes** – alt. 1 000.
Voir Église★ : décoration★★ – Pavillon de Charousse ★★ O : 2,5 km puis 30 mn – Lac Vert★ NE : 5 km.
Env. Plaine-Joux ←★★ NE : 5,5 km.
Office de Tourisme av. J.-Arnaud ☎ 50 58 80 52.
Paris 581 – Annecy 80 – Bonneville 41 – Chamonix 32 – Megève 25 – Sallanches 12.

Tourisme sans rest., ☎ 50 58 80 54, ←, – wc ☎ P
fermé 15 au 30 mai, 20 oct. au 10 nov. – SC : 17 – **15 ch** 57/160.

Chamois d'Or, à Bay SO : 4 km par D 43 ✉ 74190 Le Fayet ☎ 50 58 82 48, ← massif du Mt-Blanc, – wc ☎ P.
fermé 15 oct. au 15 déc. (sauf week-end du 15 nov. au 15 déc.), dim. soir et lundi – SC : **R** 60/130 – 16,50 – **16 ch** 102/150 – P 160/180.

PEUGEOT-TALBOT Gar. Legon, à Passy ☎ 50 78 33 74
RENAULT Ducoudray, à Chedde Nord ☎ 50 78 33 77
RENAULT Gar. du Plateau, ☎ 50 58 80 63

ATTIGNAT 01 Ain 70 ⑫⑬ – 1 682 h. alt. 223 – ✉ **01340** Montrevel-en-Bresse.

Paris 402 – Bourg-en-Bresse 11 – Lons-le-Saunier 65 – Louhans 44 – Mâcon 37 – Tournus 43.

XX **Relais Bressan,** D 975 ✆ **74 30 92 24,** 🌳 – Ⓟ
fermé 20 mai au 9 juin, 13 au 20 janv., lundi (sauf fériés et vacances scolaires) et mardi – SC : **R** 50/98.

RENAULT Gar. des Prés, ✆ 74 30 92 28

ATTIGNAT-ONCIN 73 Savoie 74 ⑮ – rattaché à Aiguebelette (Lac d').

AUBAGNE **13400** B.-du-R. 84 ⑬⑭ **G. Provence** – 38 571 h. alt. 102.

Voir Musée de la Légion Étrangère★.

ℹ Syndicat d'Initiative, esplanade Gén.-de-Gaulle ✆ 42 03 49 98.

Paris 791 – Aix-en-Provence 36 – Cannes 141 – Draguignan 101 – ♦Marseille 17 – ♦Toulon 47.

🏨 **Host. Manon des Sources** 🐦, NO par D44 : 3 km (rte d'Éoures) ✆ **42 03 10 31,** ⋞, parc, 🌳, 🏊, 🎾 – 📺 ⛀wc ⋒ ☎ Ⓟ – 🏛 40. AE ⓓ VISA. ⚘ rest
SC : **R** 150/200 – ☕ 25 – **20 ch** 150/300 – P 430/650.

à St-Pierre N : 5 km N 96 – ✉ **13400** Aubagne :

XX La Source avec ch, ✆ **42 82 11 01, parc,** 🌳 – ⛀wc ⋒ ☎ Ⓟ – **10 ch**.

Voir aussi ressources hôtelières de ***Gémenos*** E : 5,5 km

MICHELIN, Agence Zone Ind. de St-Mître ✆ **42 03 60 81**

BMW Gar. Bernabeu, Zone Ind. les Paluds n° 2 ✆ 42 70 03 06
CITROEN Parascandola, C.D. 2, Camp Major ✆ 42 03 47 14
FORD Gar. Gargalian, 31 av. des Goums ✆ 42 03 04 99
PEUGEOT-TALBOT Gar. Richelme, rte La Ciotat ✆ 42 82 13 10
RENAULT D.A.T.A.C, N 8, Zone Ind. de St-Mître ✆ 42 03 60 50

⊕ Chivalier, Zone Ind. St-Mitre ✆ 42 03 29 33
Omnica, N 8, Quartier des Fyols ✆ 42 82 16 02

AUBAZINES 19 Corrèze 75 ⑨ **G. Périgord** – 673 h. alt. 345 – ✉ **19190** Beynat.

Voir Église★ : tombeau de St-Étienne★★ – Puy de Pauliac ⋞★ NE : 3,5 km puis 15 mn.

⛳ du Coiroux ✆ 55 27 21 96, E : 4 km.

Paris 502 – Aurillac 86 – Brive-la-Gaillarde 14 – St-Céré 53 – Tulle 19.

🏠 **de la Tour,** ✆ 55 25 71 17 – ⛀wc ☎. VISA
fermé 15 janv. au 15 fév. – SC : **R** (dim. prévenir) 60/160 🍷 – ☕ 18 – **20 ch** 135/160 – P 150/200.

🏠 **St-Étienne,** ✆ 55 25 71 01, 🌳 – ⛀wc ⋒wc Ⓟ – 🏛 40. VISA
1er mars-15 nov. – SC : **R** 60/110 🍷 – ☕ 15 – **32 ch** 70/150 – P 160/200.

🏠 **Saut de la Bergère** 🐦, E : 2 km par D 48 ✆ **55 25 74 09** – Ⓟ. VISA. ⚘ rest
fermé 1er déc. au 28 fév. et merc. hors saison – SC : **R** *(fermé merc.)* 42/95 – ☕ 15 – **10 ch** 75/105 – P 170/190.

AUBENAS **07200** Ardèche 76 ⑲ **G. Vallée du Rhône** – 13 134 h. alt. 300.

Voir Site★.

ℹ Office de Tourisme 4 bd Gambetta ✆ 75 35 24 87.

Paris 630 ② – Alès 74 ④ – Mende 112 ④ – Montélimar 43 ③ – Privas 30 ② – Le Puy 91 ①.

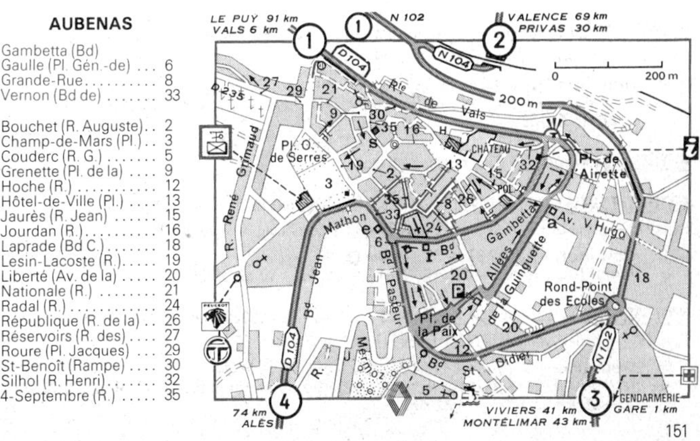

La Pinède ⛰, NO : 1,5 km par D 235 ✆ 75 35 25 88, ≤ vallée, parc, ✂ – ⊟wc ⋒wc ☎ Ⓟ – 🏄 40. VISA. ✂
fermé 15 déc. au 20 janv. – SC : **R** *(fermé lundi)* 61/135 – ☕ 21 – **32 ch** 175/215 – P 210/255.

Le Cévenol sans rest, 77 bd Gambetta **(r)** ✆ 75 35 00 10 – |≑| ⊟wc ⋒wc ☎ Ⓟ. ✂
SC : ☕ 17,50 – **45 ch** 165/215.

L'Orangerie sans rest., 7 allées de la Guinguette **(a)** ✆ 75 35 30 42 – ⊟wc ⋒ ☎ Ⓟ. AE. ✂
SC : ☕ 17 – **16 ch** 140/225.

Provence sans rest, 5 bd Vernon **(e)** ✆ 75 35 28 43 – |≑| ⊟ ⋒ ☎. E VISA
SC : ☕ 16 – **22 ch** 111/181.

XX **Le Fournil,** 34 r. 4-Septembre **(s)** ✆ 75 93 58 68 – ✂
fermé 3 juin au 3 juil., janv., mardi du 1er oct. au 3 juin et merc. – SC : **R** 80/160.

ALFA-ROMEO, AUSTIN-ROVER Nave, 7 bd St-Didier ✆ 75 35 26 76
CITROEN Bonnet Autom., rte de Montélimar par ③ ✆ 75 35 05 77 N
FIAT, LANCIA Gounon, 22 bd St-Didier ✆ 75 35 08 21
OPEL Ets Issartel, La Croisette ✆ 75 35 02 90
PEUGEOT, TALBOT Gd Gar., r. Dr.-Pargoire ✆ 75 93 67 55 N
RENAULT Chanéac, 4 bd St-Didier ✆ 75 93 70 88
VOLVO Coudène, 28 rte de Vals ✆ 75 35 22 05
Ⓜ Maison du Pneu Grange Fils, 36 rte de Vals ✆ 75 35 20 53
R.I.P.A., rte de Vals ✆ 75 35 40 66

AUBIGNEY 70 H.-Saône 66 ⑬⑭ – rattaché à Gray.

AUBIGNY-SUR-NÈRE 18700 Cher 65 ⑪
G. Châteaux de la Loire – 5 693 h. alt. 168.

Voir Maisons anciennes★ B.

ℹ Syndicat d'Initiative à l'Hôtel de Ville ✆ 48 58 00 09 et r. Dames.

Paris 182 ① – Bourges 46 ③ – Cosne 41 ② – Gien 30 ① – ♦Orléans 75 ⑥ – Salbris 32 ⑤ – Vierzon 43 ④.

Dames (R. des) . 6
Prieuré (R. du) . . 8
Beaumont (R. Pont) 2
Cambournac (R.) 3
Cygne (R. du) . . . 5
Leclerc (Av.) 7

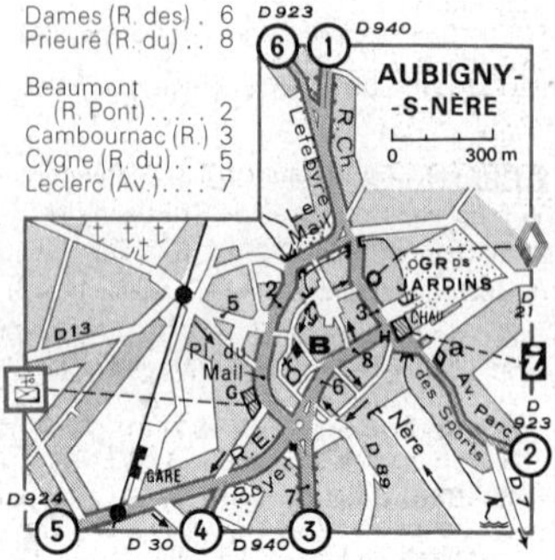

La Chaumière, 1 pl. Paul-Lasnier **(a)** ✆ 48 58 04 01 – ⊟wc ⋒wc ☎. AE ⓓ VISA
SC : **R** 65/220 ₰ – ☕ 18 – **16 ch** 66/210 – P 215/350.

à Ste Montaine O : 9 km par D 13 – ✉ **18700** Aubigny-sur-Nère :

Le Cheval Blanc ⛰, ✆ 48 58 06 92 – ⋒wc Ⓟ. E. ✂ ch
fermé 1er au 22 sept., 23 déc. au 2 janv., dim. soir et lundi midi hors sais. – SC : **R** 50/110 ₰ – ☕ 17 – **18 ch** 80/175 – P 180/230.

CITROEN Guérard, par ③ ✆ 48 58 00 64
FORD Vercingétorix-Autos, ✆ 48 58 00 43
PEUGEOT-TALBOT Bouchet, par ③ ✆ 48 58 05 30 N
RENAULT Petat, ✆ 48 58 00 26 N

AUBRAC 12 Aveyron 76 ⑭ **G. Auvergne** – alt. 1 300 – ✉ **12470** St-Chély-d'Aubrac.

Paris 564 – Mende 67 – Rodez 59 – St-Flour 67.

Moderne ⛰, ✆ 65 44 28 42 – ⊟wc ⋒wc ☎ Ⓟ. ✂
18 mai au 4 oct., 1er fév. au 1er mars et vacances de Pâques – SC : **R** 46/100 – ☕ 18 – **27 ch** 88/169 – P 180/224.

AUBRES 26 Drôme 81 ③ – rattaché à Nyons.

AUBREVILLE 55 Meuse 56 ⑳ – 359 h. alt. 186 – ✉ **55120** Clermont-en-Argonne.

Paris 241 – Bar-le-Duc 54 – Dun-sur-Meuse 35 – Ste-Menehould 20 – Verdun 27.

Commerce, ✆ 29 87 40 35 – 🚗 Ⓟ. ✂ rest
fermé 1er au 15 oct. – SC : **R** 43/70 ₰ – ☕ 13 – **10 ch** 58/85 – P 144.

AUBRIVES 08 Ardennes 53 ⑧⑨ – 1 022 h. alt. 106 – ✉ **08320** Vireux-Molhain.

Paris 261 – Charleville-Mézières 49 – Fumay 17 – Givet 7 – Rocroi 35.

XX **Debette** avec ch, ✆ 24 41 64 72, ✂ – ⊟wc ⋒. E VISA
fermé 20 déc. au 10 janv., dim. soir (sauf hôtel) et lundi midi – SC : **R** 45/120 ₰ – ☕ 20 – **20 ch** 85/160 – P 190/200.

AUBUSSON <SP> 23200 Creuse 73 ① G. Périgord – 6 153 h. alt. 430.

Voir Exposition tapis et tapisseries★ à l'Hôtel de Ville H – Salle de tapisserie contemporaine★ dans le centre culturel Jean Lurçat F.

Syndicat d'Initiative r. Vieille ✆ 55 66 32 12.

Paris 381 ① – ♦Clermont-Ferrand 90 ④ – Guéret 43 ① – ♦Limoges 88 ⑤ – Montluçon 63 ① – Tulle 110 ④ – Ussel 59 ④.

AUBUSSON

Chapitre (R. du) 2
Chateaufavier (R.) 3
Dayras (Pl. M.) 4
Déportés (R. des) 5
Espagne (Pl. Général) 6
Fusillés (R. des) 7
Iles (Quai des) 9
Lissiers (R. des) 10
Lurçat (Pl. J.) 12
Marché (Pl. du) 13
République (Av.) 16
St-Jean (R.) 18
Sandeau (R. J.) 19
Vaveix (R.) 22

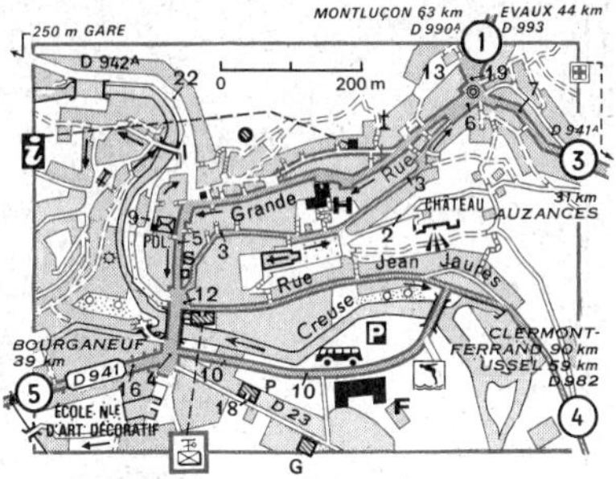

France, 6 r. Déportés **(s)** ✆ 55 66 10 22 – TV wc wc ☎ . E VISA
fermé dim. soir et lundi du 1er sept. au 30 avril sauf fêtes – SC : **R** 56/198 – 17 – **24 ch** 140/255 – P 220/320.

à la Seiglière par ④ : 3 km – ✉ **23200** Aubusson :

Seiglière Ⓜ, ✆ 55 66 37 22, Télex 590073, ≤, , , – wc Ⓟ – 60. AE VISA.
fermé 15 déc. au 15 fév. – SC : **R** 80/180 – 18,50 – **40 ch** 161/190 – P 250/310.

à Moutier-Rozeille par ④ : 5,5 km sur D 982 – ✉ **23200** Aubusson :

Petit Vatel avec ch, ✆ 55 66 13 15 – wc Ⓟ.
fermé 20 déc. au 31 janv., vend. soir, dim. soir et sam. hors sais. – SC : **R** 50/180 – 18 – **12 ch** 68/175 – P 170/270.

à Fourneaux par ① : 12,5 km – ✉ **23220** Aubusson :

Tuileries Ⓜ, ✆ 55 66 28 09, – wc ☎ Ⓟ – 30 à 200. AE E VISA. rest
1er mai-31 oct. – SC : **R** 46/144 – 32 – **24 ch** 190/250 – P 260/320.

PEUGEOT-TALBOT Hirlemann, à Moutier Rozeille par ④ ✆ 55 66 29 33
PEUGEOT-TALBOT Barraud, Pont d'Alleyrat par ⑥ ✆ 55 66 19 91

RENAULT Gar. Aubussonnais, rte de Clermont par ③ ✆ 55 66 14 54 N ✆ 55 66 38 38
Loulergue, 14 bis rte Clermont ✆ 55 66 10 50

AUBUSSON D'AUVERGNE 63 P.-de-D. 73 ⑯ – 194 h. alt. 418 – ✉ **63120** Courpière.

Paris 405 – Ambert 39 – ♦ Clermont-Ferrand 59 – Thiers 24.

Au Bon Coin avec ch, ✆ 73 53 07 82 – wc. E VISA.
fermé 15 janv. au 1er fév. et lundi hors sais. – SC : **R** 48/180 – 14 – **7 ch** 68/120 – P 130/160.

AUCH P 32000 Gers 82 ⑤ G. Pyrénées – 25 543 h. alt. 136.

Voir Cathédrale★ : stalles★★★, vitraux★★ AZ.

Office de Tourisme et A.C. pl. Cathédrale ✆ 62 05 22 89.

Paris 768 ① – Agen 71 ① – ♦Bayonne 218 ④ – ♦Bordeaux 203 ① – Lourdes 92 ④ – Montauban 86 ② – Mont-de-Marsan 104 ⑤ – Pau 104 ④ – St-Gaudens 76 ④ – Tarbes 73 ④ – ♦Toulouse 78 ②.

Plan page suivante

✿✿ **France** (Daguin), pl. Libération ✆ 62 05 00 44, Télex 520474, « Belle décoration intérieure » – TV ☎ – 30. AE E VISA AZ **a**
SC : **R** *(fermé janv., dim. soir et lundi sauf fêtes)* (dim. prévenir) 250/380 et carte, rest Le **Neuvième R** 130 - **Côté Jardin** *(1er mai-15 oct.)* **R** 160 bc – 50 – **30 ch** 230/660 – P 550/650
Spéc. Foies gras, Magret fumé sur vinaigrette, Desserts. Vins Colombard, Madiran.

Relais de Gascogne, 5 av. Marne ✆ 62 05 26 81 – wc ☎ . E BY **s**
fermé 20 déc. au 10 janv. – SC : **R** 70/200 – 25 – **34 ch** 85/265 – P 260/395.

Claude Laffitte, 38 r. Dessoles ✆ 62 05 04 18 – AE E VISA AY **e**
fermé du 1er au 7 juin, 1er au 7 nov., lundi (sauf du 1er juil. au 30 sept.) et dim. soir – SC : **R** 100/300.

à Robinson par ④ : 2 km – ✉ **32000** Auch :

Robinson sans rest, rte Tarbes ✆ 62 05 02 83 – wc wc Ⓟ. E
SC : 19 – **26 ch** 115/190.

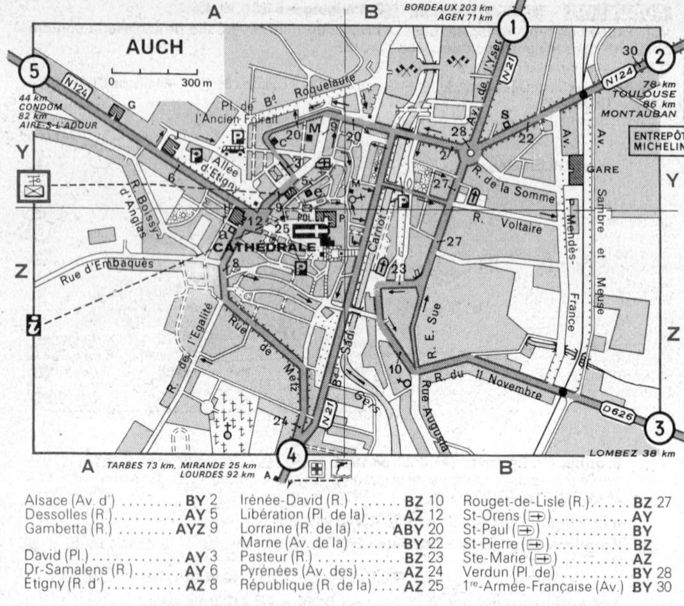

Alsace (Av. d') .... BY 2
Dessolles (R.).......... AY 5
Gambetta (R.) .... AYZ 9

David (Pl.)............. AY 3
Dr-Samalens (R.)....... AY 6
Étigny (R. d')........... AZ 8
Irénée-David (R.) .... BZ 10
Libération (Pl. de la)..... AZ 12
Lorraine (R. de la) ..... ABY 20
Marne (Av. de la) .... BY 22
Pasteur (R.) .... BZ 23
Pyrénées (Av. des)...... AZ 24
République (R. de la).... AZ 25
Rouget-de-Lisle (R.)...... BZ 27
St-Orens (⊞)........... AY
St-Paul (⊞) .... BY
St-Pierre (⊞) .... BZ
Ste-Marie (⊞) .... AZ
Verdun (Pl. de) .... BY 28
1ʳᵉ-Armée-Française (Av.) BY 30

à Ste-Christie au Nord par ①, N 21 et D 172 : 12 km – ✉ 32290 Montestruc :

XX **Relais du Cardeneau,** ✆ 62 65 51 80 – Ⓟ. AE ⓓ VISA
fermé lundi d'oct. à mai – SC : **R** 60/250.

MICHELIN, Entrepôt, Z.I. Est, chemin d'Engachies par ② ✆ 62 63 13 19

ALFA-ROMEO, FIAT Beaulieu-Auto-Sce, rte Tarbes ✆ 62 05 57 45
FORD Lamazouère, 52 av. des Pyrénées ✆ 62 05 63 07
PEUGEOT, TALBOT Téchené, rte Toulouse par ② ✆ 62 63 15 44
RENAULT S.A.D.A.G., rte Toulouse par ② ✆ 62 63 11 33
V.A.G. Gd Gar. Auscitain, 50 av. de la Marne ✆ 62 63 01 77

Rivière, 193 r. Victor-Hugo ✆ 62 05 64 21
Solapneu, Zone Ind. Nord, rte Agen ✆ 62 63 14 41

AUDIERNE 29113 Finistère 58 ⑬ **G. Bretagne** – 3 094 h.
Voir Site★ – Chapelle de St-Tugen★ O : 4,5 km.
Office de Tourisme pl. Liberté (fermé oct.) ✆ 98 70 12 20.
Paris 588 – Douarnenez 22 – Pointe du Raz 15 – Pont-l'Abbé 32 – Quimper 35.

Le Goyen (Bosser) M, sur le port ✆ 98 70 08 88, ≤ – |‡| TV ☎ Ⓟ – 30. ✂
fermé mi-nov. à mi-déc., 5 au 31 janv. et lundi hors sais. sauf fériés – SC : **R** 105/285 – ☕ 35 – **29 ch** 205/235, 5 appartements 385
Spéc. Salade de pigeonneau au foie gras frais, Homard grillé à la crème d'estragon, Poêlée de bananes au beurre d'orange et julienne d'ananas.

Roi Gradlon, sur la plage ✆ 98 70 04 51, ≤ – wc wc ☎ Ⓟ. VISA. ✂ rest
1ᵉʳ mars-1ᵉʳ déc. et fermé lundi hors sais. – SC : **R** 60/220 – ☕ 22 – **20 ch** 150/195 – P 240/270.

Cornouaille sans rest, face au port ✆ 98 70 09 13, ≤ – wc ☎. ✂
début juil.-20 sept. – SC : ☕ 22 – **10 ch** 115/250.

AUDINCOURT 25400 Doubs 66 ⑧⑱ **G. Jura** – 17 580 h. alt. 322.
Voir Église du Sacré-Coeur★ CY B – Syndicat d'Initiative 73 Grande Rue ✆ 81 35 52 01.
Paris 483 – ♦Bâle 66 – Baume-les-D. 45 – Belfort 21 – ♦Besançon 79 – Montbéliard 6 – Morteau 70.

Voir plan de Montbéliard agglomération

à Taillecourt N : 1,5 km rte de Sochaux – ✉ 25400 Audincourt :

XX **Aub. La Gogoline,** ✆ 81 94 54 82, ☀ – Ⓟ. AE ⓓ E VISA — CY **k**
fermé 1ᵉʳ au 21 sept., vacances de fév., sam. midi, dim. soir et lundi midi – SC : **R** 94/220.

XX **Cigogne d'Alsace,** ✆ 81 94 54 49 – Ⓟ. VISA — CY **a**
fermé 2 au 31 août, 24 fév. au 3 mars, dim. soir et lundi – SC : **R** 57/200 ♁.

FORD Gar de l'Est, Z.I. à Exincourt ✆ 81 94 51 11
V.A.G. S.M.D. Autom, Zone Ind. des Arbletiers ✆ 81 35 59 68
Equipneu, Zone Ind. des Arbletiers, r. de Belfort ✆ 81 35 56 32
Pneus et Services D.K 33 r. Audincourt, Exincourt ✆ 81 94 51 36

AUDRESSELLES 62 P.-de-C. 51 ① – 538 h. alt. 10 – ✉ **62164** Ambleteuse.
Paris 309 – Boulogne-sur-Mer 13 – ♦Calais 29 – St-Omer 59.

Le Champenois, ✆ 21 32 94 68 – P. E VISA.
15 mars-15 oct. et fermé merc. – SC : **R** 47/120 ₰.

AUDRIEU 14 Calvados 55 ⑪ – rattaché à Bayeux.

AUDUN-LE-TICHE 57390 Moselle 57 ③ – 6 391 h. alt. 317.
Paris 331 – Longwy 23 – Luxembourg 23 – ♦Metz 57 – Thionville 28 – Verdun 62.

Poste, 59 r. Mar.-Foch ✆ 82 52 10 40 – wc P. AE E VISA
SC : **R** 55/120 ₰ – 20 – **15 ch** 80/160 – P 175/195.

CITROEN Doll, 610 r. S. Allende ✆ 82 83 23 96
PEUGEOT-TALBOT Blasi, 467 r. Clemenceau ✆ 82 83 21 63 N
RENAULT Rea, r. du Moulin ✆ 82 83 21 72 N ✆ 82 89 19 94

AULAS 30 Gard 80 ⑯ – rattaché au Vigan.

AULNAY 17 Char.-Mar. 72 ② **G. Côte de l'Atlantique** – 1 505 h. alt. 89.
Voir Église St-Pierre★★.
Paris 425 – Poitiers 83 – St-Jean-d'Angély 18.

AULNAY-SOUS-BOIS 93 Seine-St-Denis 56 ⑪, 101 ⑰ – voir à Paris, Environs.

AULT 80460 Somme 52 ⑤ **G. Flandres, Artois, Picardie** – 2 058 h. alt. 21.
Paris 170 – Abbeville 30 – ♦Amiens 75 – Blangy-sur-Bresle 27 – Dieppe 38 – Le Tréport 11.

Malvina, à Onival ✉ 80460 Ault ✆ 22 60 40 43 – wc P. E VISA
fermé oct. et 15 au 31 janv. – SC : **R** *(fermé vend. soir, dim. soir et lundi midi hors vacances scolaires)* 55/62 ₰ – 15 – **28 ch** 55/150 – P 155/200.

CITROEN Gar. Grandsert, ✆ 22 60 40 14 N
Gar. du Centre, 67 r. de St-Valery ✆ 22 60 40 77 ✆ 22 60 46 15

AULUS-LES-BAINS 09 Ariège 86 ③④ **G. Pyrénées** – 208 h. alt. 762 – ✉ **09140** Seix.
Syndicat d'Initiative (15 juin-30 sept.) ✆ 61 96 01 79 et à l'Hôtel de Ville ✆ 61 96 00 87.
Paris 838 – Foix 77 – Oust 16 – St-Girons 33.

Beauséjour, ✆ 61 96 00 06, ←, – wc wc. rest
1er juil.-15 sept. – SC : **R** 80/90 – 20 – **30 ch** 110/175 – P 170/230.

France, ✆ 61 96 00 90, ←, – wc P. AE. rest
fermé 10 oct. au 10 déc. – SC : **R** 50/120 – 12 – **30 ch** 50/130 – P 130/170.

AUMALE 76390 S.-Mar. 52 ⑯ **G. Normandie** – 3 023 h. alt. 131.
Paris 124 ② – ♦Amiens 45 ② – Beauvais 48 ③ – Dieppe 62 ⑤ – Gournay-en-Bray 38 ③ – ♦Rouen 71 ⑤.

AUMALE

Marchés (Pl. des)	16
Abbaye-d'Auchy (R. de l')	2
Bailliage (R. du)	3
Birmandreis (R. de)	5
Centrale (R.)	6
Foch (Av. Maréchal)	7
Fontaines (Bd des)	8
Gare (Av. de la)	9
Gare (R. de la)	10
Hamel (R. du)	12
Libération (Pl. de la)	13
Louis-Philippe (R.)	14
Nationale (R.)	18
Normandie (R. de)	19
Picardie (R. de)	22
St-Lazare (R.)	24
St-Pierre (R.)	25
Tanneurs (R. des)	27

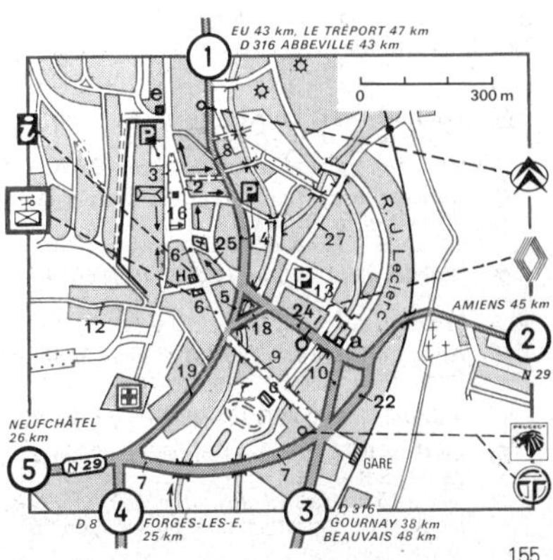

Dauphin, 27 r. St-Lazare **(a)** ✆ 35 93 41 92 – wc. AE VISA
fermé 15 déc. au 25 janv., sam. soir du 15 sept. au 30 juin et dim. sauf fériés – SC : **R** 52/250 – 16 – **10 ch** 96/130.

Mouton gras, 2 r. de Verdun **(e)** ✆ 35 93 41 32, « Maison normande fin 17e s. bel intérieur », – . AE VISA
fermé 18 août au 10 sept., lundi soir et mardi – SC : **R** 90.

CITROEN Legrand, ✆ 35 93 42 04
PEUGEOT-TALBOT Gar. Fertun, ✆ 35 93 41 21
RENAULT Ducrocq, ✆ 35 93 41 17

AUMONT-AUBRAC 48130 Lozère 76 ⑮ – 1 049 h. alt. 1 043.
Paris 533 – Espalion 58 – Marvejols 23 – Mende 42 – Le Puy 91 – St-Chély-d'Apcher 10.

Chez Camillou M, N 9 ✆ 66 42 80 22 – wc – 80. AE E VISA
fermé 1er nov. au 15 déc. – SC : **R** 55/135 – 22 – **41 ch** 165/185 – P 220/275.

Gd H. Prouheze, ✆ 66 42 80 07, – TV wc wc – 25. AE E VISA
1er fév.-31 oct. et fermé dim. soir et lundi sauf vacances scolaires – SC : **R** 70/290 – 25 – **30 ch** 180/300 – P 245/275
Spéc. Cassolette d'escargots aux cèpes, Écrevisses poêlées au beurre de persillade (juin à nov.), Émincé de rognon de veau à la vinaigrette tiède d'échalotes.

Gar. Benoit, ✆ 66 42 80 17

AUNAY-SUR-ODON 14260 Calvados 54 ⑮ **G. Normandie** – 3 039 h. alt. 188.
Voir Village★.
Syndicat d'Initiative pl. Hôtel de Ville ✆ 31 77 60 32.
Paris 275 – ◆Caen 29 – Falaise 40 – Flers 36 – St-Lô 39 – Vire 32.

St-Michel avec ch, r. Caen ✆ 31 77 63 16 – . E VISA
fermé 12 au 30 nov. et lundi sauf juil.-août – SC : **R** 57/140 – 15,50 – **7 ch** 69 – P 167.

FORD Jourdan, ✆ 31 77 62 10
PEUGEOT Gar. de l'Odon, ✆ 31 77 62 88
✆ 31 77 76 31
RENAULT Aunay-Gar., ✆ 31 77 63 48

AUPS 83630 Var 84 ⑥ **G. Côte d'Azur** – 1 652 h. alt. 505.
Office de Tourisme, pl. Mairie (juil.-août) ✆ 94 70 00 80.
Paris 821 – Aix-en-Provence 93 – Castellane 72 – Digne 84 – Draguignan 29 – Manosque 60.

à Moissac-Bellevue NO : 7 km par D 9 – ✉ **83630** Aups :

Le Calalou M, ✆ 94 70 17 91, Télex 461885, ←, , , , – wc wc . AE E
15 mars-15 déc. et fermé dim. soir (sauf hôtel) et lundi du 1er oct. au 1er avril – SC : **R** 93/137 – 33 – **39 ch** 264/385 – P 407/467.

RENAULT Gar. Louis, ✆ 94 70 00 54

AURAY 56400 Morbihan 63 ② **G. Bretagne** – 10 185 h. alt. 36.
Voir Quartier St-Goustan★ – Promenade du Loch ←★ – Église St-Gildas★ B – Ste-Avoye : Jubé★ et charpente★ de l'église 4 km par ①.
18 de St-Laurent-Ploëmel ✆ 97 56 85 18, par ③ : 11 km.
✆ 97 42 50 50.
Office de Tourisme pl. République ✆ 97 24 09 75.
Paris 474 ① – Lorient 36 ④ – Pontivy 48 ⑤ – Quimper 97 ④ – Vannes 18 ①.

Plan page ci-contre

Loch et rest. La Sterne M, quartier Petite Forêt ✆ 97 56 48 33, – TV wc – 50. E VISA.
SC : **R** *(fermé lundi midi hors sais.)* 62/170 – 18,50 – **30 ch** 195/224.

Le Branhoc M sans rest, 1,5 km par rte du Bono ✆ 97 56 41 55, – wc wc . AE E VISA
SC : 18 – **15 ch** 165/200.

Mairie, 24 pl. Mairie **(r)** ✆ 97 24 04 65 – wc wc . ch
fermé fin sept. à début nov., sam. soir et dim. hors sais. – SC : **R** 55/120 – 18 – **21 ch** 94/199.

Aub. La Plaine, r. Lait **(a)** ✆ 97 24 09 40 – AE
fermé 1er au 20 mars, 6 au 25 oct. et mardi – SC : **R** 50/108.

à Baden par ① et D 101 : 9 km – ✉ **56870** Baden :

Le Gavrinis M, à Toul-Broche E : 2 km ✆ 97 57 00 82, – wc wc – 30. E VISA
fermé 15 nov. au 15 janv., dim. soir hors sais. et lundi (sauf hôtel en sais.) – SC : **R** (nombre de couverts limité, prévenir) 65/150 – 20 – **19 ch** 180/210.

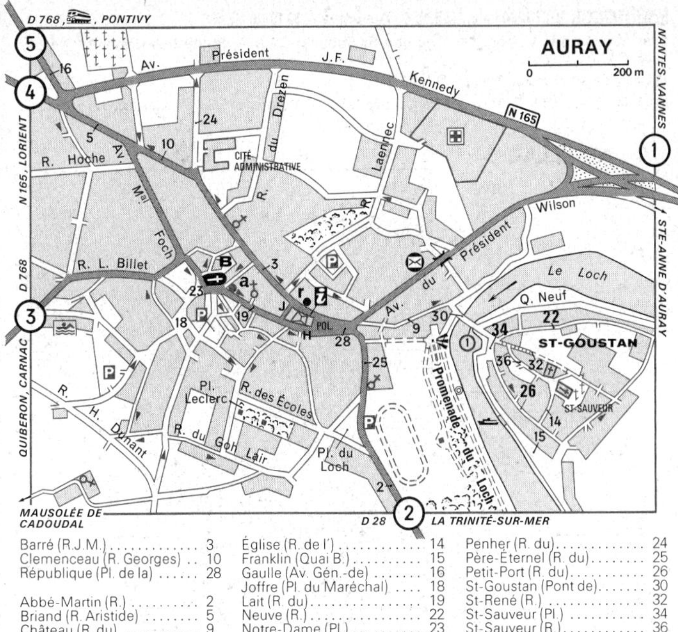

Barré (R.J.M.) 3
Clemenceau (R. Georges) .. 10
République (Pl. de la) 28

Abbé-Martin (R.) 2
Briand (R. Aristide) 5
Château (R. du) 9
Église (R. de l') 14
Franklin (Quai B.) 15
Gaulle (Av. Gén.-de) 16
Joffre (Pl. du Maréchal) 18
Lait (R. du) 19
Neuve (R.) 22
Notre-Dame (Pl.) 23
Penher (R. du) 24
Père-Éternel (R. du) 25
Petit-Port (R. du) 26
St-Goustan (Pont de) 30
St-René (R.) 32
St-Sauveur (Pl.) 34
St-Sauveur (R.) 36

CITROEN Olliveaud, rte de Ste-Anne-d'Auray, Kerfontaine par ① ☏ 97 24 01 71 **N** ☏ 97 55 04 34
PEUGEOT-TALBOT Gar. Laine, rte Lorient, par ④ ☏ 97 24 05 14 **N** ☏ 97 55 04 34

RENAULT S.C.A.D.A., Rte de Ste Anne d'Auray par ① ☏ 97 24 05 94
V.A.G. Kermorvant, rte de Quiberon, Zone Ind. ☏ 97 24 11 73

Auray-Pneus, r. de la Paix ☏ 97 56 50 55

AUREC-SUR-LOIRE 43110 H.-Loire **76** ⑧ – 4 563 h. alt. 432 – (Loire).

Office de Tourisme 17 r. du Monument (1er juil.-10 sept.) ☏ 77 35 42 65.

Paris 532 – Firminy 11 – Montbrison 42 – Le Puy 60 – ♦St-Étienne 21 – Yssingeaux 33.

à Semène NE : 3 km par D 46 – ✉ **43110** Aurec-sur-Loire :

XX **Coste** avec ch., ☏ **77 35 40 15**, – **P**
fermé août, vacances de fév., dim. soir et lundi – SC : **R** 37/124 – 13 – **7 ch** 70 – P 125.

PEUGEOT-TALBOT Verot, 15 av. de Firminy ☏ 77 35 41 03 **N**

RENAULT Parrat, Rte de Firminy ☏ 77 35 40 01 **N**

AUREL 84 Vaucluse **81** ⑭ – rattaché à Sault.

AURIBEAU-SUR-SIAGNE 06810 Alpes-Mar. **84** ⑧, **195** ㉔ **G. Côte d'Azur** – 1 154 h. alt. 72.

Paris 903 – Cannes 14 – Draguignan 62 – Grasse 8,5 – ♦ Nice 46 – St-Raphaël 40.

XX **La Vignette Haute,** ☏ 93 42 20 01, « Bergerie ancienne aménagée » – **P**. AE ① VISA
fermé nov. à mi-déc., fév. à mi-mars et lundi sauf juil.-août – **R** *(en semaine dîner seul.)* 240 bc/300 bc.

X **Aub. Nossi-Bé** avec ch, au village ☏ **93 42 20 20,** – wc . **E**
fermé 1er nov. au 22 déc., mardi soir hors sais. et merc. sauf le soir en sais. – SC : **R** 120 – **6 ch** 190.

AURIGNAC 31420 H.-Gar. **82** ⑯ **G. Pyrénées** – 1 128 h. alt. 394 – **Voir** Donjon ✻★.

Syndicat d'Initiative à la Mairie ☏ 61 90 90 08.

Paris 781 – Auch 69 – Pamiers 83 – St-Gaudens 22 – St-Girons 45 – ♦ Toulouse 76.

Cerf Blanc Ⓜ, r. St-Michel ☏ **61 90 95 76,** – rest TV wc ☎ **P**. AE ① VISA
fermé 27 oct. au 10 nov., 1er au 21 fév. et lundi – SC : **R** 60/165 – 18 – **11 ch** 106/200 – P 185/230.

AURILLAC P 15000 Cantal 76 ⑫ **G. Auvergne** – 33 197 h. alt. 631.

Voir Maison des Volcans** (Château St-Étienne) CX **D** – Route des Crêtes** NE par D 35, CX.

Office de Tourisme pl. Square ☎ 71 48 46 58.

Paris 567 ② – Brive-la-G. 97 ④ – ♦Clermont-Fd 164 ② – Montauban 179 ③ – Montluçon 217 ④.

Carmes (R. des) . . . . **BYZ**
Duclaux (R. Émile) . . . . **BY** 13
Frères (R. des) . . . . **CY** 22
Gambetta (Av.) . . . . **CY** 23
Palais-de-Justice (Pl. du) . . . **BY** 29
République (Av. de la) . . . . . **BY**

Angoulême (Cours d') . . . . . **CY** 2
Briand (Av. A.) . . . . **CYZ** 3
Champeil (R. J.-B.) . . . . **CY** 6
Consulat (R. du) . . . . **CY** 8
Coste (R. de la) . . . . **BX** 9
Doumer (R. Paul) . . . . . . **BCZ** 12
Fargues (R. des) . . . . **CX** 18
Ferry (R. Jules) . . . . **BZ** 19
Gerbert (Pl.) . . . . **CY** 24
Marchande (R.) . . . . **CX** 25
Maynard (R. F.) . . . . **AZ** 26
Monastère (R. du) . . . . . . **CX** 27
Monthyon (Cours) . . . . . . **CY** 28
N.-D.-aux-Neiges (⊞) . . **BY**
Prés.-Delzons (R. du) . . . . **BY** 32
Pupilles-de-la-Nation (Av.) . . . . **BZ** 33
Sacré-Cœur (⊞) . . . . **AZ**
St-Géraud (⊞) . . . . **CX**
St-Jacques (R.) . . . . **CX** 34
Veyre (Av. J.-B.) . . . . **CX** 36
4-Septembre (Av. du) . . . **AZ** 37

La Thomasse M sans rest, r. Dr.-Mallet ☎ 71 48 26 47, – TV ☎ P – 25. AE ① E VISA — AZ **d**
SC : 28 – **22 ch** 240/350.

Gd. H. St-Pierre, Prom. du Gravier ☎ 71 48 00 24, Télex 393160 – P. AE ① E VISA — CY **a**
SC : **R** *(fermé dim. soir et lundi midi de nov. à fin mai)* 65/200 – 29 – **30 ch** 135/340 – P 250/350.

Bordeaux M sans rest, 2 av. République ☎ 71 48 01 84, Télex 990316 – TV wc wc ☎ – 25 à 40. AE ① E VISA — BY **r**
fermé 20 déc. au 10 janv. – SC : 25 – **37 ch** 190/280.

La Ferraudie M sans rest, 15 r. Bel Air ☎ 71 48 72 42 – TV wc ☎ P. ① E VISA — AZ **b**
SC : 20 – **22 ch** 175/270.

Relax H. M, 113 av. Gén.-Leclerc par rte de Rodez ③ ☎ 71 63 60 00, – wc wc ☎ P. E VISA. rest
SC : **R** *(fermé vend. soir et dim.)* 46/76 – 19 – **28 ch** 165/230 – P 220/230.

Renaissance, pl. Square ☎ 71 48 09 80 – wc ☎. E VISA. ch — BY **k**
fermé 20 déc. au 15 janv., 1er au 14 juil. et dim. – SC : **R** 60/90 – 18 – **25 ch** 110/200.

Voyageurs, 4 pl. P.-Sémard ☎ 71 48 01 44 – wc wc ☎. AE VISA. ch — AZ **n**
fermé dim. – SC : **R** 40/60 – 17,50 – **30 ch** 117/200 – P 200/250.

Univers, 2 pl. P.-Sémard ✆ 71 48 24 57, – ▤ ⋒wc ☎ Ⓟ. E. ✻ AZ e
SC : **R** 51/97 ⅓ – ☐ 24 – **43 ch** 110/225.

Terminus sans rest, 8 r. Gare ✆ 71 48 01 17 – ⌂wc ⋒wc ☎ ⇔. E VISA AZ s
SC : ☐ 18 – **22 ch** 80/220.

Reine Margot, 19 r. G.-de-Veyre ✆ 71 48 26 46 – E VISA BYZ u
fermé lundi – **R** 50/200.

à Arpajon-sur-Cère par ③ et 2 km sur D 920 – 4 951 h – ✉ **15130** Arpajon-sur-Cère :

Les Provinciales Ⓜ sans rest, pl. du Foirail ✆ 71 64 29 50, – TV ⌂wc ☎ ♿ Ⓟ. E VISA
SC : ☐ 17,50 – **20 ch** 150/180.

Les Quatre Chemins par ④ : 3,5 km – alt. 632 – ✉ **15000** Aurillac :

La Crémaillère, rte Tulle ✆ 71 48 10 70 – Ⓟ. AE VISA. ✻
fermé dim. du 1er sept. au 30 juin – SC : **R** 61/147 ⅓.

MICHELIN, Entrepôt, 21 r. d'Estaing ABZ ✆ **71 48 32 23**

ALFA-ROMEO, HONDA Tachet, 24 av. Cdt-H.-Monraisse ✆ 71 63 76 15
BMW Auvergne Auto, Av. G.-Pompidou ✆ 71 48 22 23 N ✆ 71 48 26 48
CITROEN Donnadieu, bd du Vialenc, Zone Ind. de Lescudilier par r. F.-Maynard AZ ✆ 71 63 53 80
CITROEN Daix, Av. G.-Pompidou ✆ 71 64 14 82
DATSUN Coste, 12 r. F.-Meynard ✆ 71 48 26 48 N
FIAT Gar. Moderne Ladoux, 29 r. P.-Doumer ✆ 71 48 37 86
FORD Gar. Dalbouze, Bd du Vialenc ✆ 71 64 14 43
MERCEDES-V.A.G. Automobile Sce, av. G. Pompidou ✆ 71 63 41 83
OPEL-LADA, Vidal, 47 av. Pupilles-de-la-Nation ✆ 71 48 01 51
PEUGEOT-TALBOT Socauto, av. G.-Pompidou, Zone Ind.-de Sistrières par ③ ✆ 71 63 66 00
PEUGEOT-TALBOT Gar. du Centre, 46 av. Pupilles-de-la-Nation ✆ 71 48 08 84
PEUGEOT Socauto, à Jussac par ④ ✆ 71 46 60 55
RENAULT Malroux, 100 av. Ch.-de-Gaulle par r. F.-Maynard AZ ✆ 71 63 76 22
RENAULT Gar. Moderne, 9 av. des Raux à Jussac par ③ ✆ 71 46 65 23 N ✆ 71 46 64 13

Ⓜ Cantal-Pneu, 8 r. Gutenberg, Zone Ind. de Lescudillier ✆ 71 63 57 30
Collange, 30 r. P.-Doumer ✆ 71 48 09 01
Estager-Pneu, rte Conthe ✆ 71 63 40 60
Ladoux-France-Pneus, 1 bd Verdun ✆ 71 48 17 01
Laval, av. Gén.-Leclerc ✆ 71 63 61 42
Maisonobe, 14 pl. du Square ✆ 71 48 03 03

AURIOL 13390 B.-du-R. 84 ⑭ – 5 222 h. alt. 192.

Paris 784 – Aix-en-Provence 27 – Brignoles 38 – ♦Marseille 28 – ♦Toulon 56.

Commerce ⛰, ✆ 42 04 70 25, – ⋒ Ⓟ. ✻
fermé fév., dim. soir et merc. sauf juil. et août – SC : **R** 70/95 – ☐ 16 – **11 ch** 80/98 – P 140.

AURON 06 Alpes-Mar. 81 ⑨, 195 ④ G. Côte d'Azur – alt. 1 608 – Sports d'hiver : 1 600/2 450 m ⛷2 ⛷23 – ✉ 06660 St-Étienne-de-Tinée.

Voir Décor peint★ de la chapelle St-Érige – SO : Las Donnas ≤★★ par téléphérique.

ℹ Office de Tourisme Immeuble la Ruade ✆ 93 23 02 66, Télex 470300.

Paris 801 – Barcelonnette 65 – Cannes 117 – ♦Nice 98 – St-Étienne-de-Tinée 7.

Pilon ⛰, ✆ 93 23 00 15, ≤, patinoire, ⛱ (été) – ▤ Ⓟ. AE ⓓ E VISA. ✻ rest
30 juin-2 sept. et 20 déc.-15 avril – SC : **R** (hiver : dîner seul. ; été : déjeuner-grill à la piscine) carte environ 145 – ☐ 26 – **26 ch** 240/450, 4 appartements 730.

Savoie, ✆ 93 23 02 51, ≤, – ▤ ⌂wc ☎ ⇔ – 🏛 60. AE. ✻ rest
1er juil.-7 sept. et 20 déc.-12 avril – SC : **R** 103/140 – ☐ 24 – **22 ch** 240/310 – P 350/385.

Las Donnas ⛰, ✆ 93 23 00 03, ≤ – ⌂wc ☎ – 🏛 50. ✻
10 juil.-1er sept. et 20 déc.-15 avril – SC : **R** 65/90 – ☐ 15,50 – **48 ch** 155/250 – P 190/285.

AUROUX 48 Lozère 76 ⑯ – 438 h. alt. 1 000 – ✉ 48600 Grandrieu.

Paris 559 – Langogne 15 – Mende 50 – Le Puy 54.

France, D 988 ✆ 66 69 55 02, ≤ – ⌂ ⋒. ✻ ch
fermé 15 déc. au 15 janv. – SC : **R** 45/85 – ☐ 11,50 – **23 ch** 57/110 – P 130/150.

AUSSOIS 73 Savoie 77 ⑧ G. Alpes – 501 h. alt. 1 489 – Sports d'hiver : 1 500/2 750 m ⛷11 – ✉ 73500 Modane.

Voir Site★ – Monolithe de Sardières★ NE : 3 km.

ℹ Office de Tourisme ✆ 79 20 30 80.

Paris 631 – Chambéry 108 – Lanslebourg-Mont-Cenis 16 – Modane 7 – St-Jean-de-Maurienne 38.

Le Choucas, ✆ 79 20 32 77, ←, 🌳 – 🛁wc ☎. VISA. ✂ rest
1er juin-30 sept. et 1er déc.-30 avril – SC : **R** 60/70 – ☕ 17,50 – **28 ch** 118/141 – P 199.

Soleil, ✆ 79 20 32 42 – 🛁wc 🚿wc ☎ Ⓟ. ✂ rest
10 juin-15 oct. et 10 déc.-15 mai – SC : **R** 52/65 – ☕ 17 – **30 ch** 75/145 – P 180/185.

Les Mottets, ✆ 79 20 36 86, ← – 🛁wc 🚿wc ☎ Ⓟ. ◑. ✂ ch
SC : **R** 59/65 – ☕ 18 – **34 ch** 105/145 – P 195/203.

AUTERIVE 31190 H.-Gar. 82 ⑱ – 5 436 h. alt. 186.

Paris 736 – Carcassonne 87 – Castres 82 – Muret 20 – St-Gaudens 74 – •Toulouse 33.

Pyrénées, rte Espagne ✆ 61 50 61 43 – 🚿 🚗. E
fermé 31 mars au 7 avril, 24 oct. au 26 nov. et lundi – SC : **R** 54/165 🍷 – ☕ 16 – **16 ch** 60/100 – P 140/160.

CITROEN Gimbrède N 20 ✆ 61 50 61 48

AUTIGNY-LE-GRAND 52 H.-Marne 62 ① – rattaché à Joinville.

AUTOROUTES Consultez l'**Atlas Michelin des autoroutes de France,**.

Motels sur autoroute, voir à : Beaune, Mâcon, Nemours, Péronne, Salon-de-Provence.

AUTRANS 38880 Isère 77 ④ – 1 595 h. alt. 1 050 – Sports d'hiver : 1 050/1 709 m ⛷14, ⛷.

ℹ Syndicat d'Initiative pl. Mairie ✆ 76 95 30 70.

Paris 588 – •Grenoble 36 – Romans-sur-Isère 58 – St-Marcellin 45 – Villard-de-Lans 15.

La Buffe, ✆ 76 95 33 26, ← – 🛁wc 🚿wc ☎ Ⓟ. E VISA
fermé 15 avril au 25 mai et 8 au 30 sept. – SC : **R** 87/128 – ☕ 20 – **18 ch** 186/200 – P 205/276.

Poste, ✆ 76 95 31 03, 🌳, 🏊, 🌲 – 🛁wc 🚿 ☎. ◑ E VISA. ✂ rest
fermé 25 avril au 15 mai et 15 oct. au 10 déc. – SC : **R** 55/170 – ☕ 19,50 – **30 ch** 130/165 – P 205/220.

Ma Chaumière, ✆ 76 95 30 12 – 🛁wc ☎. E VISA. ✂ ch
15 juin-20 sept. et 1er déc.-30 avril – SC : **R** 60/78 – ☕ 18 – **20 ch** 87/164 – P 195/220.

Feu de Bois, ✆ 76 95 33 32, ←, 🌳, 🌲 – Ⓟ. E
1er juil.-15 oct. et 15 déc.-30 mai – SC : **R** 65/90 🍷 – ☕ 19 – **13 ch** 110/160 – P 175/230.

à Méaudre S : 5,5 km – ✉ **38112** Méaudre :

Prairie 🐌, ✆ 76 95 22 55, ←, 🌲 – 🛁wc ☎ Ⓟ
fermé 15 avril au 10 mai et 10 nov. au 15 déc. – SC : **R** 55/150 🍷 – ☕ 20 – **25 ch** 150/160 – P 210.

PEUGEOT Gouy et Velay, ✆ 76 95 30 04 N

RENAULT Joubert, ✆ 76 95 30 22 N ✆ 76 95 36 20

AUTRY-LE-CHÂTEL 45 Loiret 65 ② – 944 h. alt. 195 – ✉ **45500** Gien.

Paris 163 – Bonny-sur-Loire 23 – Bourges 71 – Gien 11 – •Orléans 75.

Commerce avec ch, ✆ 38 36 81 40 – 🚗. E VISA
fermé fév. et mardi – SC : **R** 52 (sauf sam.)/120 – ☕ 12 – **10 ch** 65 – P 150.

AUTUN SP 71400 S.-et-L. 69 ⑦ **G. Bourgogne** – 16 320 h. alt. 306.

Voir Cathédrale** : tympan*** BZ – Porte St-André* BY – Grilles* du lycée Bonaparte AZ **B** – Manuscrits* (bibliothèque de l'Hôtel de Ville) BZ **H** – Musée Rolin* : statuaire romane**, Nativité** du Maître de Moulins et vierge** BZ **M1**.

Env. Château de Sully** 15 km par ③ – Croix de la Libération ←* SO : 6 km par D 120 BZ.

ℹ Office de Tourisme avec A.C. 3 av. Ch. de Gaulle ✆ 85 52 20 34.

Paris 291 ① – Auxerre 128 ① – Avallon 80 ① – Chalon-sur-Saône 53 ④ – •Dijon 85 ② – •Lyon 186 ④ – Mâcon 119 ④ – Moulins 98 ⑤ – Nevers 103 ⑥ – Roanne 122 ⑤ – Vichy 138 ⑤.

Plan page ci-contre

Moderne et Tête Noire, 3 r. Arquebuse ✆ 85 52 25 39 – 🛁wc 🚿wc ☎ 🚗. E VISA BZ **r**
fermé 3 au 28 mars, 20 au 30 oct. et sam. (sauf hôtel en sais.) – SC : **R** 55/110 🍷 – ☕ 15 – **20 ch** 78/190.

Arcades sans rest, 22 av. République ✆ 85 52 30 03 – 🛁wc 🚿wc ☎. E AY **u**
20 mars-20 nov. et fermé dim. hors sais. – SC : ☕ 18 – **38 ch** 85/210.

France sans rest, 18 av. République ✆ 85 52 14 00 – 🛁wc 🚿 AY **z**
SC : ☕ 14 – **23 ch** 63/152.

Commerce Touring H., 20 av. République ✆ 85 52 17 90 – 🛁 🚿wc. E AY **u**
fermé oct. – SC : **R** *(fermé lundi)* 44/95 🍷 – ☕ 14,50 – **23 ch** 76/145.

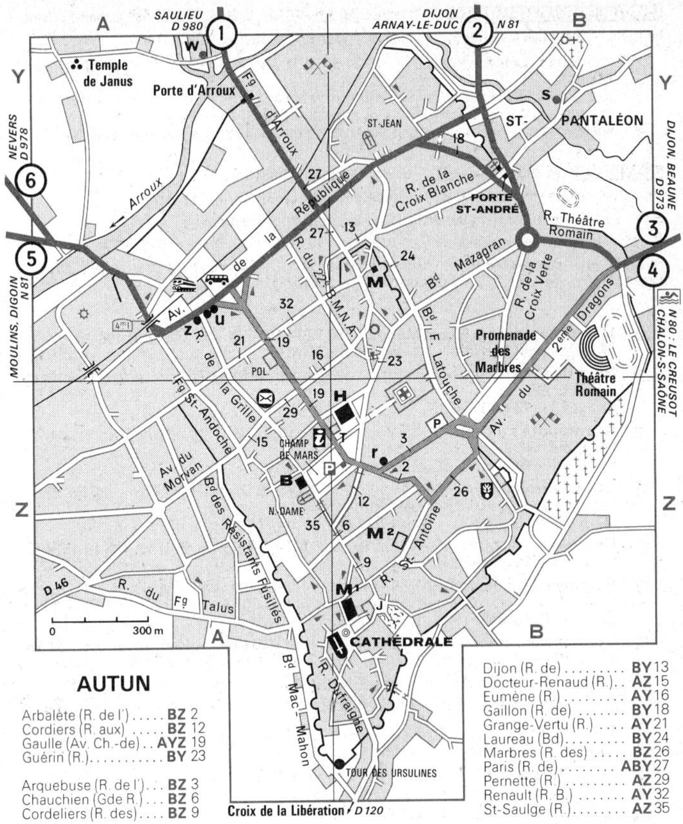

XXX **Host. Vieux Moulin** avec ch, porte Arroux D 980 ✆ 85 52 10 90, ☂, « Joli jardin au bord de l'eau » – wc wc ☎ **P**. AE ① VISA — AY **w**
1er mars-15 déc. et fermé dim. soir et lundi hors sais. – SC : **R** 110/185 – ☕ 19 – **18 ch** 90/220.

X **Chalet Bleu,** à St-Pantaléon par Porte St-André ✉ 71400 Autun ✆ 85 52 25 16
fermé 4 juin au 4 juil., dim. soir et mardi – SC : **R** 50/130 ♨. — BY **s**

par ⑥ *:* 3 km – ✉ **71400** Autun :

XX **Clef des Champs,** face aérodrome ✆ 85 52 12 30, ☂ – **P**. E
fermé 29 juin au 7 juil., 15 janv. au 15 fév., dim. soir et lundi – SC : **R** (nombre de couverts limité-prévenir) 95/195.

ALFA-ROMEO, MERCEDES, TOYOTA, SEAT Deplanque, Zone Ind., rte d'Arnay RN 494 ✆ 85 52 20 02
BMW Bosset, 28 r. B.-Renault ✆ 85 52 30 21
CITROEN Auto-Gar. Lemaître, 56 rte d'Arnay, Zone Ind. par ② ✆ 85 52 15 32 **N**
FIAT, MERCEDES Dupard, 8 av. République ✆ 85 52 31 84

PEUGEOT, TALBOT S.A.V.A., Zone Ind., rte d'Arnay par ② ✆ 85 52 13 10
Agostini, carr. de la Légion ✆ 85 52 29 38

Ⓜ Gouillardon-Gaudry, rte Étang-s-Arroux, La Verrerie ✆ 85 52 16 62
Tout pour le pneu, bd de l'Industrie ✆ 85 52 20 79

AUVERS 77 S.-et M. **61** ⑪ – rattaché à Milly-la-Forêt (Essonne).

AUVERS-SUR-OISE 95430 Val-d'Oise **55** ⑳, **196** ⑥ G. Environs de Paris – 5 722 h. alt. 71.

i Office de Tourisme Parc Van Gogh (fermé matin) ✆ (1) 30 36 10 06.

Paris 41 – Beauvais 47 – Chantilly 29 – L'Isle-Adam 7 – Pontoise 6,5 – Taverny 6.

XX **Host. du Nord,** r. Gén.-de-Gaulle ✆ (1) 30 36 70 74, ☂, ☂. VISA
fermé août et lundi – SC : **R** (déj. seul sauf sam.) 50, carte le dim.

AUVILLERS-LES-FORGES 08 Ardennes 53 ⑰ – 800 h. alt. 210 – ✉ **08260** Maubert-Fontaine.
Paris 214 – Charleville-Mézières 31 – Hirson 24 – Laon 69 – Rethel 56 – Rocroi 14.

XXX ✿✿ **Host. Lenoir** avec ch, ☎ 24 54 30 11, – wc wc ☎ P. AE ⓓ E VISA
fermé janv., fév. et vend. – SC : **R** (nombre de couverts limité - prévenir) 195 bc/274 et carte – 25 – **18 ch** 131/290, 3 appartements 374
Spéc. Mousse de pigeon au foie gras, Noisettes d'agneau aux morilles, Pâtisseries et sorbets.

AUXERRE P 89000 Yonne 65 ⑤ **G. Bourgogne** – 40 698 h. alt. 127.
Voir Cathédrale** : trésor* BY – Ancienne abbaye St-Germain* BY.
Env. Gy-l'Évêque : Christ aux Orties* de la chapelle 9,5 km par ③.
Office de Tourisme 2 quai République ☎ 86 52 06 19 - A.C. 9 r. E. Dolet ☎ 86 52 11 74.
Paris 166 ⑤ – Bourges 140 ④ – Chalon-sur-Saône 174 ② – Chaumont 142 ② – •Dijon 149 ② – •Lyon 297 ② – Nevers 112 ③ – •Orléans 150 ⑤ – Sens 57 ⑤ – Troyes 81 ①.

Plan page ci-contre

H. Le Maxime M, 2 quai Marine ☎ 86 52 14 19 – . AE ⓓ E VISA.
SC : **R** voir rest **Maxime** – 28 – **25 ch** 247/375. BY e

Parc des Maréchaux sans rest, 6 av. Foch ☎ 86 51 43 77, parc – wc ☎ P. AE ⓓ E VISA AZ u
SC : 20 – **22 ch** 170/225.

Normandie sans rest, 41 bd Vauban ☎ 86 52 57 80 – TV wc wc ☎ . AE ⓓ E VISA. AY b
SC : 16 – **48 ch** 160/190.

Les Clairions M, av. Worms par ⑤ ☎ 86 46 85 64, Télex 800039 – TV wc wc ☎ P – 100. AE E VISA. rest
SC : **R** 75/168 – 21 – **61 ch** 180/240 – P 295/320.

Cygne sans rest, 14 r. 24-Août ☎ 86 52 26 51 – TV wc wc ☎ P. E VISA
SC : 19 – **24 ch** 137/224. AZ r

Seignelay, 2 r. Pont ☎ 86 52 03 48 – wc wc ☎ – 60 BZ n
fermé 10 janv. au 10 fév. et lundi d'oct. à juil. – SC : **R** 55/130 – 18 – **24 ch** 72/190 – P 203/318.

Commerce sans rest, 5 r. R.-Schaeffer ☎ 86 52 03 16 – wc ☎ . ⓓ VISA
fermé 15 au 31 déc. et dim. soir hors sais. – SC : 16 – **20 ch** 86/175. AZ s

XX ✿ **Jardin Gourmand** (Boussereau), 56 bd Vauban ☎ 86 51 53 52, AY d
fermé 19 août au 11 sept., 16 au 31 déc., dim. soir d'oct. à avril et lundi – SC : **R** 95/245
Spéc. Foie gras de canard, Ecrevisses au Ste-Croix du Mont (juin à oct.), Colvert au vinaigre de cassis (juil. à déc.). **Vins** Chablis, Irancy.

XX **Rest. Maxime,** 5 quai Marine ☎ 86 52 14 19 – AE ⓓ E VISA BY e
fermé vacances de fév., sam. midi et jeudi – SC : **R** 100/185.

XX La Marmite, 34 r. Pont ☎ 86 51 08 83 BZ f

X **La Grilladerie,** 45 bis bd Vauban ☎ 86 46 95 70 – . AE VISA AY r
fermé 1er au 18 juin, 20 déc. au 5 janv., lundi midi et dim. – SC : **R** 69.

à Vaux SE : 6 km par D 163 – ✉ **89290** Champs-sur-Yonne :

XX ✿ **La Petite Auberge** (Barnabet), ☎ 86 53 80 08 – P. VISA.
fermé 1er au 15 juil., 24 déc. au 15 janv., dim. soir, lundi et fériés – SC : **R** 110/200
Spéc. Gelée d'écrevisses au foie gras, Bar à la nage, Ris de veau braisés. **Vins** Irancy, Coulanges-la-Vineuse.

près échangeur Auxerre-Nord : 7 km par ⑤ – ✉ **89380** Appoigny :

Mercure M , ☎ 86 53 25 00, Télex 800095, , , – TV wc ☎ P – 80. AE ⓓ E VISA
R carte environ 120 – 30 – **82 ch** 270/340.

à l'Aérodrome : 7 km par ⑤ et D 31 – ✉ **89000** Auxerre :

Les Bruyères M , ☎ 86 53 07 22, Télex 351831 – TV wc ☎ P – 150. AE E VISA. rest
1er mars-30 oct. – SC : **R** 75/168 – 21 – **38 ch** 180/240 – P 295/320.

à Champs-sur-Yonne par ② et N 6 : 11 km – ✉ **89290** Champs-sur-Yonne :

XX **Les Rosiers,** ☎ 86 53 31 11,
fermé 15 déc. au 15 janv., mardi soir, dim. soir et merc. – SC : **R** 61/85.

à Chevannes par ③ et D1 : 8 km – ✉ **89240** Pourrain :

XX ✿ **La Chamaille** (Siri), ☎ 86 41 24 80, – P. AE ⓓ VISA
fermé 1er au 12 sept., 22 au 26 déc., fév., mardi, dim. et fériés le soir et merc. – SC : **R** (nombre de couverts limité - prévenir) 108/175
Spéc. Huîtres tièdes, Saumon à la menthe et oignons confits, Filet de chevreuil Bavaroise (nov.-janv.). **Vins** Coulanges-la-Vineuse, Irancy.

AUXERRE

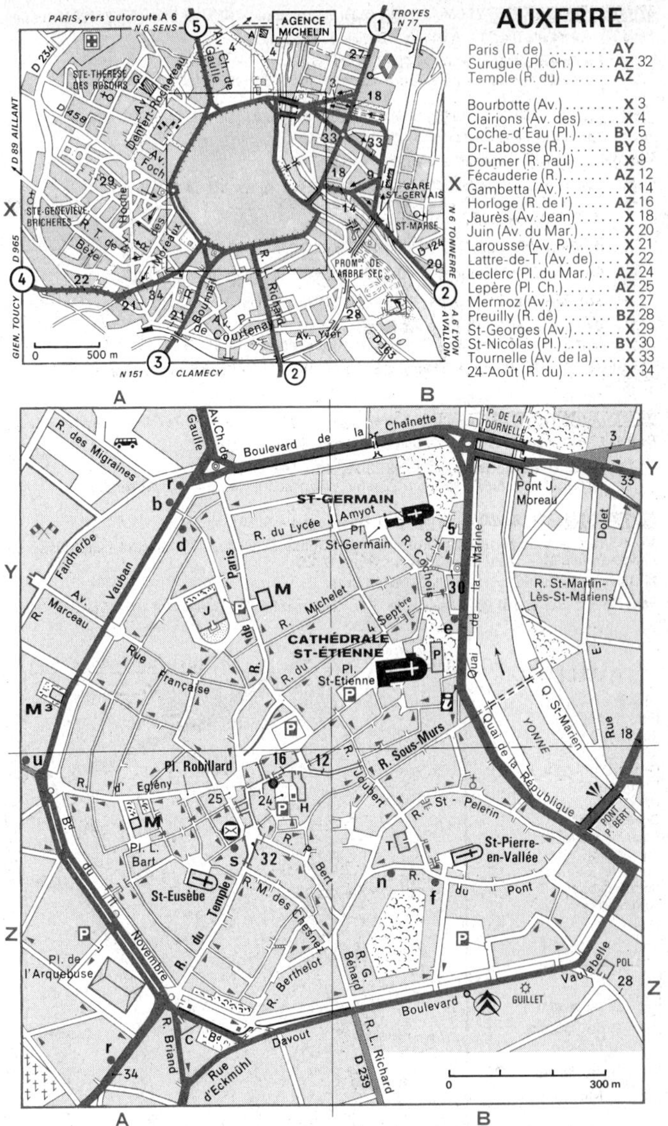

Paris (R. de) . . . . AY
Surugue (Pl. Ch.) . . . . . AZ 32
Temple (R. du) . . . . AZ

Bourbotte (Av.) . . . . X 3
Clairions (Av. des) . . . . . X 4
Coche-d'Eau (Pl.) . . . . . BY 5
Dr-Labosse (R.) . . . . . BY 8
Doumer (R. Paul) . . . . . . X 9
Fécauderie (R.) . . . . AZ 12
Gambetta (Av.) . . . . X 14
Horloge (R. de l') . . . . . AZ 16
Jaurès (Av. Jean) . . . . . . X 18
Juin (Av. du Mar.) . . . . . X 20
Larousse (Av. P.) . . . . . . X 21
Lattre-de-T. (Av. de) . . . . X 22
Leclerc (Pl. du Mar.) . . AZ 24
Lepère (Pl. Ch.) . . . . AZ 25
Mermoz (Av.) . . . . X 27
Preuilly (R. de) . . . . BZ 28
St-Georges (Av.) . . . . X 29
St-Nicolas (Pl.) . . . . BY 30
Tournelle (Av. de la) . . . . X 33
24-Août (R. du) . . . . X 34

MICHELIN, Agence, r. Rozanoff, Z.A.C. des Pieds de Rats, X ✆ **86 46 98 66**

CITROEN Auxerre Autos, 18 bd Vaulabelle ✆ 86 51 59 33
FORD Gd Gar. Gambetta, 8 av. Gambetta ✆ 86 46 97 18
MERCEDES-BENZ Europe-Auto, 11 av. Charles-de-Gaulle ✆ 86 46 90 23
NISSAN-DATSUN Carette, 34 av. Charles-de-Gaulle ✆ 86 46 96 38
RENAULT SODIVA, 2 av. J.-Mermoz ✆ 86 46 75 75

V.A.G. Jeannin, 40-47 av. Charles-de-Gaulle ✆ 86 46 95 86

Ⓜ Auxerre-Pneus, 7 av. Marceau ✆ 86 52 09 22
Pneu-Centre, rte de Troyes ✆ 86 46 58 94
SARL Lenoir Josiane, 20 r. de Grisy à St-Bris le Vineux ✆ 86 53 35 36
S.O.V.I.C., 14 allée Frères Lumière ✆ 86 46 93 57

AUXEY-DURESSES 21 Côte-d'Or 69 ⑨ **G. Bourgogne** – 345 h. alt. 260 – ✉ **21190** Meursault.

Paris 321 – Arnay-le-Duc 30 – Autun 40 – Beaune 8 – Chagny 12.

XX **La Crémaillère,** ☎ 80 21 22 60 – ⓟ. ✻
fermé 1er fév. au 15 mars, lundi soir et mardi – SC : **R** 75/130.

AUXONNE 21130 Côte-d'Or 66 ⑬ **G. Bourgogne** – 7 868 h. alt. 188.

🅘 Office de Tourisme Porte de Comté ☎ 80 37 34 46.

Paris 344 – ✦Dijon 32 – Dole 16 – Gray 36 – Vesoul 80.

Corbeau, 1 r. Berbis ☎ 80 31 11 88 – wc ⋒ ☎. AE ⓓ E VISA. ✻ ch
fermé 21 déc. au 27 janv., dim. soir du 1er sept. au 31 mai et lundi (sauf hôtel) – SC : **R** 58/140 – ☕ 16,50 – **10 ch** 130/190.

à Villers-les-Pots NO : 5 km par N 5 et D 976 – ✉ **21130** Auxonne :

Aub. du Cheval Rouge, ☎ 80 37 34 11, ⌂ – ⋒wc ☎ ⓟ – **10 ch**.

aux Maillys S : 8 km par D 20 – ✉ **21130** Auxonne :

X **Virion,** ☎ 80 39 13 40 – ⓓ E VISA
fermé 6 au 12 oct., fév., dim. soir hors sais. et lundi – SC : **R** 70 bc/140 bc.

PEUGEOT, TALBOT Bourg. à Tillenay ☎ 80 36 35 53 RENAULT Cône, rte de Dole ☎ 80 37 32 20

AUZOUVILLE-SUR-SAANE 76 S.-Mar. 52 ⑭ – 164 h. alt. 73 – ✉ **76730** Bacqueville-en-Caux.

Paris 183 – Dieppe 28 – Fontaine-Le-Dun 14 – ✦Rouen 44 – Yvetot 25.

XXX **Aub. Orée du Bois,** ☎ 35 83 23 71, ⌂ – ⓟ. AE E
fermé 24 nov. au 2 déc., 3 au 27 janv., merc. soir et jeudi – SC : **R** 160/300.

AVALLON ⟨SP⟩ 89200 Yonne 65 ⑯ **G. Bourgogne** – 9 186 h. alt. 254.

Voir Site★ – Ville fortifiée★ : Portails★ de l'église St-Lazare – Miserere★ du musée de l'Avallonnais M – Vallée du Cousin★ S par D 427.

🅘 Office de Tourisme 6 r. Bocquillot ☎ 86 34 14 19.

Paris 215 ③ – Auxerre 51 ⑥ – Beaune 107 ③ – Chaumont 133 ② – Nevers 101 ④ – Troyes 103 ①.

AVALLON

Gde-Rue A.-Briand 13
Paris (R. de)
Vauban (Pl.)

Belgrand (R.) 2
Bocquillot (R.) 3
Capucins (Prom. des) .. 5
Collège (R. du) 6
Fontaine-Neuve (R.) ... 8
Fort-Mahon (R.) 9
Gaulle (Pl. Gén. de) 12
Porte-Auxerroise (R.) .. 14
Terreaux (Prom. des) .. 16

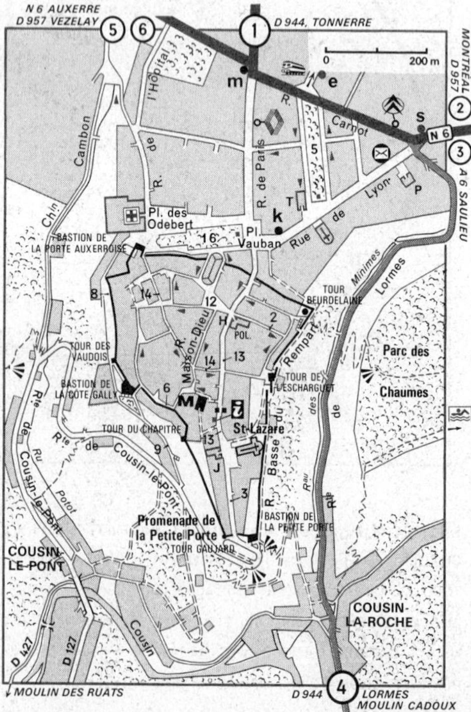

⌂⌂⌂ ❀ **Hostellerie de la Poste** ⟡, 13 pl. Vauban **(k)** ✆ 86 34 06 12, Télex 351806, ☂, ⌘ – TV ☎ ⇔. AE ◐ VISA
15 mars-15 nov. – **R** carte 250 à 360 – ☕ 50 – **24 ch** 280/650, 6 appartements 650/800
Spéc. Amusettes de l'hostellerie, Matelote de sandre à l'Epineuil, Poussin sauté aux effluves de moutarde et citron vert. **Vins** Chablis, Epineuil.

⌂⌂ **Moulin des Ruats** ⟡, dans la vallée du Cousin par ⑤ et D 427 : 4,5 km ✆ 86 34 07 14, ≤, ☂, « Frais jardin au bord de l'eau » – ☎ P. AE ◐ E VISA. ✻ rest
3 mars-30 oct. et fermé mardi midi et lundi – **R** 158 – ☕ 32 – **20 ch** 95/300.

⌂⌂ **Relais Fleuri** M ⟡, rte de Saulieu N 6, 5 km par ③ ✉ 89200 Avallon ✆ 86 34 02 85, Télex 800084, ⛱, ⌘ – TV ☎ ♿ P – 🏛 40. AE ◐ E VISA
SC : **R** 84/140 – ☕ 25 – **48 ch** 240/260.

⌂ **Moulin des Templiers** ⟡ sans rest, dans la vallée du Cousin par ⑤ et D 427 : 4 km ✆ 86 34 10 80, ≤, « Jardin au bord de l'eau » – ⋒wc ☏ P
1er avril-1er nov. et fermé sam. – SC : ☕ 23 – **14 ch** 160/230.

⌂ **Vauban** sans rest, 53 r. Paris **(m)** ✆ 86 34 36 99, parc – |♦| TV ⊟wc ☎ ♿ P
fermé 16 nov. au 8 déc. – SC : ☕ 19,50 – **26 ch** 205/280.

XXX ❀ **Morvan** (Breton), 7 rte Paris par ⑥ ✆ 86 34 18 20, ☂, parc – P. AE ◐ E VISA
fermé 17 au 30 nov., 6 au 31 janv., le soir hors sais. sauf sam., dim. soir et lundi sauf fériés – SC : **R** 110/170
Spéc. Le Rougeot (filets de canard sauvage fumés), Boudins aux fruits de mer, Escalope fourrée au ris de veau à l'oseille. **Vins** Chablis, Côtes de Beaune.

XX **Les Capucins** avec ch, 6 av. P.-Doumer **(e)** ✆ 86 34 06 52, ⌘ – ⊟wc ☎ P. VISA
fermé 20 déc. au 25 janv., mardi soir hors sais. et merc. – SC : **R** 130/175 ♁ – ☕ 16 – **8 ch** 200/260.

X **Cheval Blanc,** 55 r. Lyon **(s)** ✆ 86 34 12 05 – P. VISA
◆ *fermé 10 au 20 mars, 12 nov. au 10 déc. et lundi sauf fêtes* – SC : **R** 45/118 ♁.

à Pontaubert par ⑤ : 5 km – ✉ **89200** Avallon :

XX **Les Fleurs** avec ch, ✆ 86 34 13 81, ☂, ⌘ – ⊟wc ⋒wc ☎ P. VISA
fermé 16 au 26 oct., fév., jeudi midi (hors sais.) et merc. – SC : **R** 80/130 – ☕ 15,50 – **8 ch** 145/230.

à Valloux par ⑥ : 6 km sur N6 – ✉ **89200** Avallon :

XX **Chenêts,** ✆ 86 34 23 34 – E VISA
◆ *fermé 15 au 28 juin, 12 nov. au 12 déc., 5 au 20 janv., lundi soir et mardi sauf juil.-août* – SC : **R** 59/166 ♁.

CITROEN Ets Michot, 10 r. Carnot ✆ 86 34 01 23
PEUGEOT-TALBOT Ets Fichot, rte de Paris par ⑥ ✆ 86 34 15 85
RENAULT Gueneau, 26 r. Paris ✆ 86 34 19 27
V.A.G Jeannin, 2 rte de Paris ✆ 86 34 13 03
◉ Comptoir du Pneu, Zone Ind. r. de l'Etang ✆ 86 34 16 19
Ets Laurent, 10 rte Paris ✆ 86 34 04 77

AVEN ARMAND *** **48** Lozère **80** ⑤ **G. Causses.**

Les AVENIÈRES **38630** Isère **74** ⑭ – 3 495 h. alt. 281.

Paris 491 – Belley 24 – Chambéry 40 – ♦Grenoble 65 – ♦Lyon 76 – La Tour du Pin 17.

⌂ **Relais Vieilles Postes** ⟡, Les Nappes : 2 km par D 40B ✆ 74 33 62 99, ☂, ⌘, ✂ – ⊟wc ⋒wc ☎ ♿ P. AE ◐ E VISA. ✻ rest
fermé 1er au 8 avril, 1er au 25 déc., lundi (sauf hôtel) et dim. soir sauf juil.-août – SC : **R** 98/250 – ☕ 20 – **17 ch** 155/210.

⌂ **Bourjaillat,** ✆ 74 33 60 87 – TV ⊟wc ⋒wc ☏ ⇔ P. E VISA
◆ *fermé 20 déc. au 20 janv.* – SC : **R** *(fermé vend. soir sauf août)* 38/100 ♁ – ☕ 20 – **10 ch** 100/160 – P 150/160.

CITROEN Gar. du Champ de Mars, ✆ 74 33 64 55
PEUGEOT-TALBOT Grégot, ✆ 74 33 60 10
RENAULT Gar. du Parc, ✆ 74 88 61 30 N ✆ 74 33 61 30

AVENTIGNAN **65** H.-Pyr. **85** ⑳ – rattaché à Montréjeau.

AVESNES-SUR-HELPE ⟨SP⟩ **59440** Nord **53** ⑥ **G. Flandres, Artois, Picardie** – 6 502 h. alt. 152.

Voir L'Avesnois** E par D 133.

Paris 206 ③ – Charleroi 52 ① – St-Quentin 66 ③ – Valenciennes 49 ⑤ – Vervins 33 ③.

Plan page suivante

XXX ❀ **Crémaillère** (Lelaurain), 26 pl. Gén.-Leclerc **(a)** ✆ 27 61 02 30 – AE ◐ E VISA
fermé 1er au 16 juil., 3 au 24 janv., lundi soir et mardi – SC : **R** carte 125 à 220 ♁
Spéc. Panaché de saumon et turbot aux poireaux (avril à fin sept.), Jambonnette de poularde à la vapeur de sauge, Gourmandise d'oranges au Grand Marnier.

tourner →

AVESNES-SUR-HELPE

Albret (R. d') 2
Aulnoye (R. d') 3
Berlaimont (R. de) 4
Cambrésienne (R.) 6
Crapauds (Ch. des) 7
Foch (Av. du Maréchal) 8
France (R. de) 12
Gossuin (R.) 13
Guillemin (Pl.) 15
Jessé-de-Forest (Av.) 16
Lagrange (R. Léo) 19
Leclerc (Pl. du Général) 20
Loucheur (Av. Louis) 21
Mons (R. de) 23
Pasqual (R. Léon) 24
Poudrière (R. de la) 25
Prisse-d'Avenne (R.) 27
Ste Croix (R.) 28
Stroh (Av.) 29
Villien (R.) 32
84e-Régt-d'Infanterie (Av. du) 33

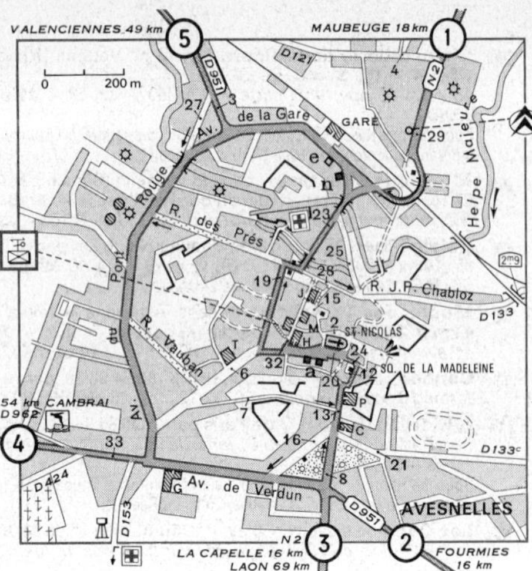

XX **Carillon,** 12 pl. Gén.-Leclerc **(a)** ☎ 27 61 17 80 – AE ◑ E VISA
fermé 15 au 30 déc., mardi soir et merc. – SC : **R** 44/180 ♁.

XX **Terminus** avec ch, 15 av. Gare **(e)** ☎ 27 61 17 79 – ⇔wc ☎ **P**. AE ◑ E VISA
fermé dim. soir et vend. – SC : **R** 56/170 ♁ – ☐ 20 – **20 ch** 80/190 – P 220/280.

XX **La Grignotière,** 5 av. Gare **(n)** ☎ 27 61 10 70 – AE ◑ VISA
fermé 25 juin au 12 juil., mardi soir et lundi – SC : **R** 54/165 ♁.

Voir aussi ressources hôtelières de ***Dourlers*** par ① : 6,5 km

CITROEN Deshayes frères et Courtois, 15 av. Stroh ☎ 27 61 00 08
PEUGEOT-TALBOT Ets Depret, 39 rte de Sains, Avesnelles par ② ☎ 27 61 15 70

RENAULT Gar. Moderne, rte de Maubeuge par ① ☎ 27 61 09 73 N

AVIGNON P 84000 Vaucluse 81 ⑪⑫ G. Provence – 91 474 h. alt. 23.

Voir Palais des Papes★★★ BY – **Rocher des Doms ≤★★** BY – **Pont St-Bénézet★★** ABY – **Remparts★** ACYZ – **Vieux hôtels★ (rue Roi-René)** BZ **K** – **Coupole★ de la cathédrale** BY – **Façade★ de l'hôtel des Monnaies** BY **B** – **Vantaux★ de l'église St-Pierre** BY – **Retable★ et fresques★ de l'église St-Didier** BYZ – **Musées : Petit Palais★★** BY, **Calvet★** AZ **M2**, **Lapidaire★** BZ **M3**, **Louis Vouland (collection★ de faiences)** AY **M4**.

✈ **d'Avignon-Caumont : Air Jet ☎ 90 88 43 49 par ④ et N 7 : 8 km.**

🚗 **☎ 90 82 50 50.**

ℹ Office de Tourisme et Accueil de France (Informations et réservations d'hôtels, pas plus de 5 jours à l'avance), 41 cours Jean-Jaurès ☎ 90 82 65 11, Télex 432877 - A.C. 2 r. République ☎ 90 86 28 71.

Paris 686 ② – Aix-en-Pr. 80 ④ – Arles 37 ⑤ – ♦Marseille 100 ④ – Nîmes 43 ⑥ – Valence 126 ②.

Plans pages suivantes

🏨 **Europe et rest. Vieille Fontaine,** 12 pl. Crillon ☎ 90 82 66 92, Télex 431965, ☂, « Belle demeure du 16e s. » – ⇅ ▤ TV ☎ 🚗 – 🏛 25 à 200. AE ◑ VISA
SC : **R** *(fermé 18 au 24 août, 1er au 7 nov., 2 au 22 janv., lundi midi et dim.)* 160/220 – ☐ 40 – **48 ch** 390/690, 5 appartements 690. AY **d**

🏨 **Sofitel Pont d'Avignon** M ♘ sans rest., Quartier Balance ☎ 90 85 91 23, Télex 431215, ☂ – ⇅ ▤ TV ☎ 🚗 – 🏛 80 à 200. AE ◑ E VISA BY **r**
SC : ☐ 31 – **83 ch** 300/370.

🏨 **Mercure** M, rte de Marseille : 3 km ☎ 90 88 91 10, Télex 431994, ☂, 🏊 – ⇅ ▤ TV ☎ ♿ – 🏛 25 à 250. AE ◑ E VISA X **m**
R carte environ 120 ♁ – ☐ 31 – **105 ch** 265/360.

🏨 **Novotel** M, rte de Marseille : 4 km ☎ 90 87 62 36, Télex 432878, ☂, 🏊, 🌳 – ▤ ch TV ☎ ♿ **P** – 🏛 25 à 200. AE ◑ E VISA X **n**
R carte environ 100 ♁ – ☐ 34 – **79 ch** 299/325.

🏨 **Cité des Papes** M sans rest, 1 r. J.-Vilar ☎ 90 86 22 45, Télex 432734 – ⇅ ▤ TV ☎. AE ◑ VISA BY **b**
fermé 18 déc. au 22 janv. – SC : ☐ 25 – **63 ch** 255/300.

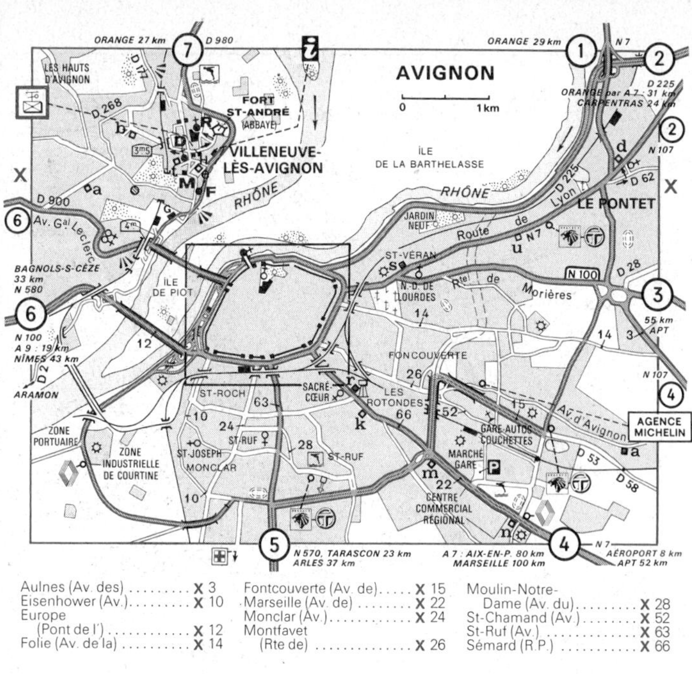

Aulnes (Av. des) . . . . X 3
Eisenhower (Av.) . . . . X 10
Europe
(Pont de l') . . . . X 12
Folie (Av. de la) . . . . X 14
Fontcouverte (Av. de) . . . . . X 15
Marseille (Av. de) . . . . X 22
Monclar (Av.) . . . . X 24
Montfavet
(Rte de) . . . . X 26
Moulin-Notre-
Dame (Av. du) . . . . X 28
St-Chamand (Av.) . . . . X 52
St-Ruf (Av.) . . . . X 63
Sémard (R.P.) . . . . X 66

Bristol-Terminus sans rest, 44 cours J.-Jaurès ✆ 90 82 21 21, Télex 432730 – wc wc – 30. AE E VISA — BZ **m**
fermé fév. – SC : 23 – **91 ch** 120/260.

Midi sans rest, 53 r. République ✆ 90 82 15 56, Télex 431074 – TV wc wc . AE E VISA — BZ **g**
fermé 10 déc. au 25 janv. – SC : **57 ch** 200/300.

Angleterre sans rest, 29 bd Raspail ✆ 90 86 34 31 – wc wc – 30. — AZ **a**
fermé 15 déc. au 15 janv. – SC : 16 – **40 ch** 130/250.

St-George sans rest, rte de Marseille : 1 km ✆ 90 88 54 34 – . AE — X **k**
SC : 16 – **21 ch** 113/130.

XXX ✿✿ **Hiely,** 5 r. République, entresol ✆ 90 86 17 07 – . AE — BY **n**
fermé 16 juin au 3 juil., 24 déc. au 15 janv., lundi sauf 1er juil. au 15 août et mardi – SC : **R** (nombre de couverts limité - prévenir) 220/240
Spéc. Gratin de moules aux épinards, Mousseline de brochet et ragoût de homard, Tourte de caille au foie gras. **Vins** Tavel, Châteauneuf-du-Pape.

XXX ✿ **Brunel,** 46 r. Balance ✆ 90 85 24 83, – . VISA — BY **e**
fermé 17 fév. au 11 mars, lundi (sauf avril à sept.) et dim. – SC : **R** 230/295
Spéc. Huîtres chaudes au curry, Ravioli de palourdes au safran, Desserts. **Vins** Côtes du Rhône.

XXX ✿ **Auberge de France** (Tassan), 28 pl. Horloge ✆ 90 82 58 86 – AE E VISA
fermé 17 juin au 4 juil., 9 janv. au 1er fév., merc. soir et jeudi – SC : **R** 200 — BY **b**
Spéc. Truffes fraîches (déc. à mai), Agneau, Chariot de pâtisseries. **Vins** Cairanne, Châteauneuf-du-Pape.

XX **Le Vernet,** 58 r. J.-Vernet ✆ 90 86 64 53, , « Jardin » – AE . — AZ **e**
fermé 1er nov. au 25 déc., sam. midi et dim. sauf du 1er mai au 31 août – SC : **R** 115/195.

XX **Trois Clefs,** 26 r. Trois Faucons ✆ 90 86 51 53 – . AE VISA. — BZ **f**
fermé 17 au 30 nov., 24 fév. au 3 mars et dim. sauf avril et juil. – SC : **R** 95/190.

XX **Au Pied de Bœuf,** 49 rte Marseille ✆ 90 82 16 52 – . VISA — X **r**
fermé sam. midi et dim. – SC : **R** 98/128 .

XX **Les Mayenques,** 41 bis rte Lyon ✆ 90 82 45 98, – . AE E VISA — X **s**
fermé 6 au 16 janv. et merc. – SC : **R** 90 (sauf fêtes)/170.

XX **Salon de la Fourchette,** 7 r. Racine ✆ 90 82 56 01 — BY **k**
fermé 15 au 30 juin, mardi soir et merc. soir de nov. à fév., dim. et lundi – SC : **R** (nombre de couverts limité - prévenir) 85/100 .

XX **St Didier,** 41 r. Saraillerie ✆ 90 86 16 50 – AE VISA — BZ **a**
fermé mai, 21 août au 2 sept., lundi et mardi hors sais. – SC : **R** 137/220.

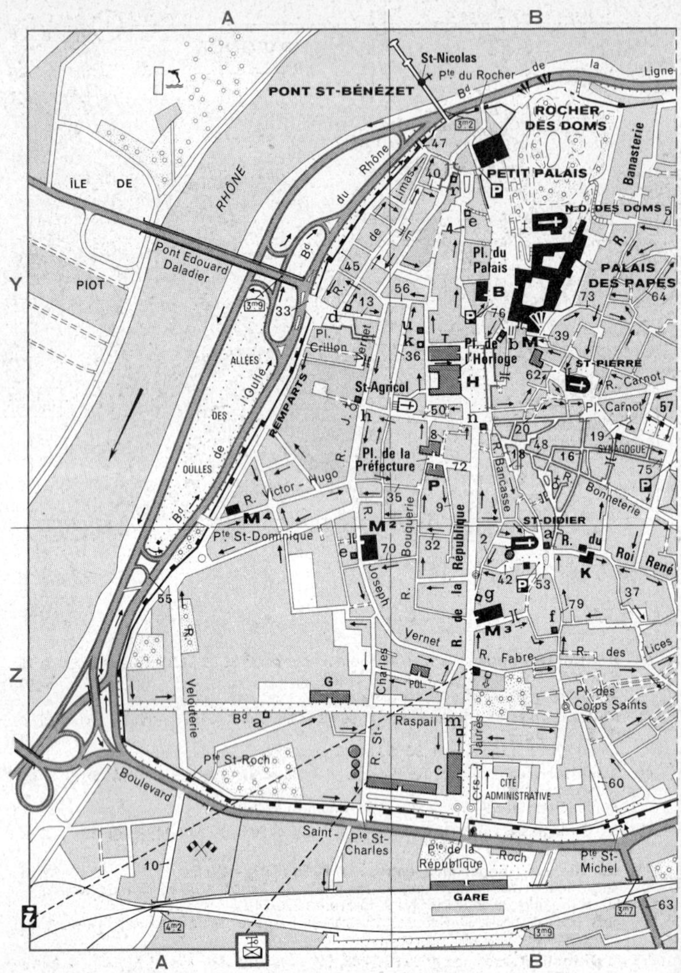

✕ **La Fourchette II,** 17 r. Racine ✆ 90 85 20 93 – ▤ BY **u**
fermé 10 au 25 juin, sam. et dim. – SC : **R** 85/100.

✕ **La Férigoulo,** 30 r. J.-Vernet ✆ 90 82 10 28 – ▤. AE ⓓ E AY **h**
fermé 1er au 21 juin, 1er au 15 nov., lundi midi et dim. d'oct. à juin – SC : **R** 75/205 ♁.

au Pontet NE : 5 km par N 7 – 13 137 h. – ✉ **84130** Le Pontet :

Les Agassins Ⓜ ♘, rte Lyon ✆ 90 32 42 91, ⛱, ⛱, ⛱ – ▤ ▤ TV ☎ P – ♙ 30. ⓓ VISA. ⛌ rest X **u**
fermé 1er janv. au 28 fév. – SC : **R** *(fermé dim. sauf de juin à sept.)* 155/200 – ☕ 36 – **26 ch** 297/505 – P 530/590.

✿ **Aub. de Cassagne** Ⓜ ♘, rte de Védene D 62 près échangeur Avignon Nord - X - ✆ 90 31 04 18, Télex 432997, ⛱, « Beau jardin, ⛱ » – TV ⛱wc ⛱wc ☎ P
SC : **R** 128/296 – ☕ 28 – **14 ch** 280/350 – P 440/490
Spéc. Escalope de foie gras poêlée, Tresses de saumon et langoustines au safran, Émincé de lapereau et agneau. **Vins** Châteauneuf-du-Pape, Tavel.

Christina Ⓜ sans rest, **34** av. G.-Goutarel ✆ 90 31 13 62 – ▤ ▤ ⛱wc ⛱wc ☎ P. ⛌ X **d**
1er avril-30 sept. – SC : ☕ 13,50 – **46 ch** 160/190.

AVIGNON

Fourbisseurs (R. des) . . . . BY 16
Jaurès (Cours J.) . . . BZ
Marchands (R. des) BY 20
République (R.) . . . BYZ
St-Agricol (R. et ⊞) . . . . . . BY 50
Vernet (R. J.) . . . . . . AY
Vieux-Sextier (R. du) BY 75

Aubanel (R. Théodore) . . . BZ 2
Balance (R. de la) . . BY 4
Bertrand (R.) . . . . BY 5
Campane (R.) . . . . . CY 6
Collège-du-Roure (R. du) . . . . BY 8
Dorée (R.) . . . . BY 9
Eisenhower (Av.) . . . AZ 10
Folco-de-Baroncelli (R.) . . . AY 13
Four-de-la-Terre (R. du) . . . . CZ 17
Galante (R.) . . . . BY 18
Jérusalem (Pl.) . . . . . BY 19
Masse (R. de la) . . . . CZ 23
N.-D.-des-Doms (⊞) . . . . BY
Ortolans (R. des) . . . BZ 32
Oulle (Pte de l') . . . . AY 33
Petite-Calade (R. de la) . . . . BY 35
Petite-Fusterie (R. de la) . . . . AY 36
Pétramale (R.) . . . . . BZ 37
Peyrollerie (R.) . . . . . BY 39
Pont (R. du) . . . . BY 40
Prévot (R.) . . . . BZ 42
Rascas (R. de) . . . . . CY 43
Rempart-du-Rhône (R. du) . . . . AY 45
Rempart-St-Michel (R. du) . . . . CZ 46
Rhône (Pte du) . . . . . BY 47
Rouge (R.) . . . . BY 48
St-Didier (R. et ⊞) BYZ 53
St-Dominique (Bd) . AZ 55
St-Étienne (R.) . . . ABY 56
St-Jean-le-Vieux (Pl.) . . . . BY 57
St-Jean-le-Vieux (R.) . . . . . CY 59
St-Michel (R.) . . . . . . BZ 60
St-Pierre (Pl. et ⊞) . BY 62
St-Ruf (Av.) . . . . BZ 63
St-Symphorien (⊞) CY
Ste-Catherine (R.) . . BY 64
Sources (Av. des) . . CZ 67
Vernet (R. Horace) . ABZ 70
Viala (R. Jean) . . . . . BY 72
Vice-Légat (R. du) . . BY 73
Vilar (R. Jean) . . . . . BY 76
Visitation (⊞) . . . . . CY
3 - Faucons (R. des) . BZ 79
3 - Pilats (R. des) . . . CY 80

à Montfavet E : 5,5 km par av. Avignon - X – ✉ **84140** Montfavet :

Les Frênes Ⓜ ⛭, av. Vertes-Rives ✆ 90 31 17 93, Télex 431164, ⛱, « Mobilier ancien, parc, ⛲ » – |⇕| ▤ ch ▣ ☎ **P** – ⛺ 35. AE ⓓ E VISA. ⛌ rest
hôtel: 1er mars-fin oct. ; rest.: 1er avril-fin oct. – SC : **R** 180/300 – ☕ 50 – **16 ch** 404/867.

Ferme St-Pierre, av. Avignon ✆ 90 87 12 86, ⛱ – **P**. AE ⓓ E VISA X **a**
fermé 10 août au 1er sept., du 21 au 29 déc., sam. et dim. – SC : **R** 82 🌡.

à l'Échangeur A 7 Avignon Nord : 7 km par ② – ✉ **84700** Sorgues :

Novotel Ⓜ ⛭, ✆ 90 31 16 43, Télex 432869, ⛱, ⛲, ⛰, ⛌ – |⇕| ▤ ▣ ☎ ♿ **P** – ⛺ 40 à 200 – rest. **Le Majoral** – **98 ch**.

à Morières-les-Avignon par ③ : 9 km – ✉ **84310** Morières-les-Avignon :

Le Paradou, N 100 ✆ 90 22 35 85, ⛱, ⛲, ⛰, ⛌ – ▣ ⛀wc ⛆wc ☎ **P** – ⛺ 25. AE ⓓ E VISA
SC : **R** *(fermé dim. soir du 1er nov. au 31 mars)* 82/130 – ☕ 20 – **31 ch** 180/200 – P 260/360.

Voir aussi ressources hôtelières de ***Villeneuve-les-Avignon*** X : 2 km, ***Les Angles*** par ⑥ : 4 km, ***Barbentane*** par ⑤ et D 35 : 11 km, ***Noves par*** ④ ***: 13 km.***

MICHELIN, Agence régionale, 109 av. de Montfavet X ✆ 90 88 11 10

ALFA-ROMEO Sud-Autom., 30 bd St-Roch ℘ 90 86 28 33
AUSTIN-ROVER Auto-Service, 4 bd Limbert, 1 rte de Montfavet ℘ 90 86 39 58
BMW Gar. Davoust, 77 av. de Marseille ℘ 90 88 27 00
CITROEN Sté Comm. Citroen, Route de Marseille, N 7 par ④ ℘ 90 87 05 45 **N** ℘ 90 31 25 78
DATSUN-NISSAN Gar. Danse, Zone Ind. de Courtine, r. Petit Mas ℘ 90 86 48 37
FIAT, LANCIA, AUTOBIANCHI Gar. Royal, 46 bd St-Roch ℘ 90 82 44 15
FORD Gar. Scandolera, N 7, 1 bis rte Morières ℘ 90 82 16 76
MERCEDES-BENZ Autom. Avignonnaise, Centre Commercial Cap Sud, rte de Marseille ℘ 90 88 01 35
OPEL S.A.R.V.I.A., 124 av. de Marseille ℘ 90 88 50 47
PEUGEOT-TALBOT Vaucluse-Auto, 35 av. Fontcouverte, Zone Ind. ℘ 90 88 07 61 **N** ℘ 90 32 22 38 et 68 rte d'Avignon au Pontet
PEUGEOT-TALBOT Gar. de l'Abbaye 4 et 6 av. Reine Jeanne ℘ 90 82 15 51
RENAULT A.S.A., rte de Marseille, N 7 ℘ 90 87 08 51
RENAULT Autom. des Remparts, SAR, 14 bd St-Michel ℘ 90 85 34 55 et Z.I. Courtine, av. Aulanière ℘ 90 31 25 78
V.A.G. E.G.S.A., Centre des Affaires Cap Sud ℘ 90 87 63 22 et N 7, Zone Portuaire au Pontet ℘ 90 32 20 33

Ayme-Pneus, 32 bd St-Michel ℘ 90 82 71 38 et av. de l'étang, Zone Ind. Foncouverte ℘ 90 87 65 37
Dibon-Pneus, 1 rte de Marseille ℘ 90 86 31 65 et Le Pigeonnier, N 7 au Pontet ℘ 90 31 14 13
Maison du Pneu, 25 et 27 bd Limbert ℘ 90 86 00 80
Michel-Pneus, 7 bis quai St-Lazare ℘ 90 82 47 10
Page-Pneus, 37 ter bd Sixte-Isnard ℘ 90 82 06 85
Perrot-Pneus, 110 rte Tarascon ℘ 90 82 03 70 et Zone Ind. de Courtine, av. Gigognan ℘ 90 86 22 21
Pla-Pneus, 103 bd 1re-D.-B. ℘ 90 88 58 00

AVON 77 S.-et-M. **61** ⑫ – rattaché à Fontainebleau.

AVORIAZ 74 H.-Savoie **74** ⑧ – rattaché à Morzine.

AVRANCHES <SP> 50300 Manche **59** ⑧ **G. Normandie** – 10 419 h. alt. 10 à 103.
Voir Manuscrits★★ du Mont-St-Michel (musée de l'Avranchin) M – Jardin des Plantes : ✳★ E – La "plate-forme" ✳★ K – **i** Office de Tourisme r. Gén.-de-Gaulle ℘ 33 58 00 22.
Paris 343 ① – Alençon 127 ③ – ♦Caen 101 ① – Cherbourg 120 ① – Dinan 67 ③ – Flers 68 ① – Fougères 40 ③ – ♦Rennes 75 ③ – St-Lô 56 ① – St-Malo 65 ③ – Vire 50 ①.

AVRANCHES

Constitution (R. de la) 9
Littré (Pl.) 19

Abrincates (Bd des) 2
Angot (Pl.) 3
Belle-étoile (R.) 4
Bindel (R. du Commandant) 5
Bremesnil (R.) 6
Carnot (Pl.) 7
Chapeliers (R. des) 8
Écoles (R. des) 10
Estouteville (Pl. d') 12
Gauchet (Bd Amiral) 13
Gaulle (R. du Général-de) 14
Gué-de-l'Épine (R. du) 15
Halles (Pl. des) 16
Jozeau-Marigné (Bd) 17
Liberté (R. de la) 18
Millet (R. Louis) 20
Mortain (R. de) 21
Patton (R. et Pl. du Général) 22
Pot-d'étain (R. du) 24
Primaux (R. Paul) 25
Puits-Hamel (R. du) 27
St-Gaudens (R.) 28
St-Gervais (R.) 29
Scelles (Pl. G.) 32
Valhubert (R.) 33

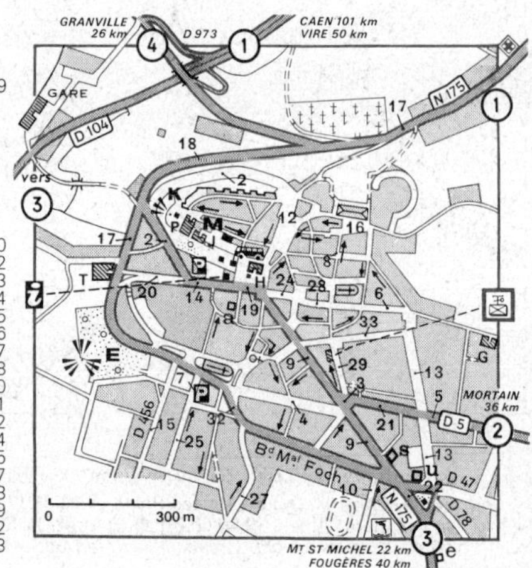

🏠 **Croix d'Or** 🐎, 83 r. Constitution **(s)** ℘ 33 58 04 88, **« Décor rustique normand, jardin »** – wc wc 🅟. VISA. rest
15 mars-15 nov. – SC : **R** 75/200 – 23 – **30 ch** 75/300.

🏠 **Les Abrincates** M sans rest, 37 bd Luxembourg **(e)** ℘ 33 58 66 64 – TV wc wc ☎ 🅟. AE VISA.
fermé 17 déc. au 13 janv. et dim. hors saison – SC : 22 – **27 ch** 180/230.

🏠 **Le Pratel** sans rest, 24 r. Vanniers par ③ ℘ 33 68 35 41, – wc wc 🅟
SC : 20 – **7 ch** 200/220.

🏠 **Auberge St-Michel,** 7 pl. Gén.-Patton **(u)** ℘ 33 58 01 91, – wc wc 🅟. E VISA
15 mars au 15 nov. et fermé hôtel : dim. soir et lundi du 15 sept. au 15 juin, rest. : lundi midi – SC : **R** 59/87 – 16 – **22 ch** 82/171 – P 261/353.

🏠 **Central** sans rest, 2 r. Jardin des Plantes **(a)** ℘ 33 58 16 59 – wc . VISA.
fermé 27 sept. au 13 oct., 23 au 31 janv. et sam. soir – 14 – **12 ch** 60/149.

à St-Quentin-sur-le-Homme SE : 5 km par D 78 – ✉ 50220 Ducey :

XX **Gué du Holme,** ☎ 33 58 18 87, 🛋 – VISA
fermé 1er au 15 juil., 23 déc. au 10 janv., dim. soir et lundi sauf fériés – SC : **R** 68/175.

CITROEN Manche-Auto, bd Luxembourg, Val-St-Père par ③ ☎ 33 58 23 15 🅽 ☎ 33 70 84 24
FIAT Mauviel, 1 r. Valhubert ☎ 33 58 01 74 🅽
OPEL Verdier, Z.I., St-Martin-des-Champs ☎ 33 58 12 41
PEUGEOT-TALBOT Pavie, D 911, Marcey-les-Grèves par ④ ☎ 33 58 04 22
RENAULT Poulain, r. Cdt-Bindel par ② ☎ 33 58 09 00 🅽 ☎ 33 58 27 14
V.A.G. Avranches-Autom., rte St-Quentin, St-Martin-des-Champs ☎ 33 58 14 96

Ⓜ Vallée-Pneus, 17 bd du Luxembourg ☎ 33 58 04 24

AVRILLÉ 85 Vendée 67 ⑬ – 940 h. alt. 20 – ✉ 85440 Talmont-St-Hilaire.
Paris 448 – Luçon 25 – La Rochelle 76 – La Roche-sur-Yon 26 – Les Sables-d'Olonne 24.

XX **Relais de la Dinanderie,** av. de La Rochelle ☎ 51 22 32 15 – AE ⓓ E VISA
fermé 22 sept. au 15 oct., fév., dim. soir et lundi sauf juil.-août – SC : **R** 58/230.

X **Le Menhir,** av. des Sables ☎ 51 22 32 18 – AE E VISA
fermé janv.-fév., dim. soir et lundi du 1er oct. au 30 avril – SC : **R** 40/130.

RENAULT Gar. Bérieau, ☎ 51 22 32 08

AX-LES-THERMES 09110 Ariège 86 ⑮ **G. Pyrénées** – 1 510 h. alt. 720 – Stat. therm. (3 mars-29 nov.) – Sports d'hiver au Saquet par route du plateau de Bonascre★ (8 km) et télécabine : 1 400 /2 400 m 1 16 – Casino – **Voir Vallée d'Orlu★** au SE.
Office de Tourisme ☎ 61 64 20 64, Télex 530806.
Paris 826 – Andorre-la-Vieille 61 – Carcassonne 104 – Foix 42 – Prades 112 – Quillan 53.

Royal Thermal Ⓜ, ☎ 61 64 22 51 – |‡| ⇔wc ☎ Ⓟ – 100. AE ⓓ E VISA. ✻ rest
SC : **R** 84/147 – ☕ 24 – **60 ch** 160/290, 8 appartements 236/470 – P 218/265.

Le Teich ⛰, ☎ 61 64 22 99, parc – |‡| ⇔wc ☎ Ⓟ. AE ⓓ VISA. ✻ rest
fermé 1er au 16 déc. et 5 au 26 janv. – SC : **R** 70/90 – ☕ 20 – **50 ch** 100/240 – P 205/270.

Roy René, ☎ 61 64 22 28 – |‡| ⇔wc ⋔wc ☎ Ⓟ. AE E VISA. ✻ rest
1er fév.-1er nov. – SC : **R** 50/130 – **29 ch** ☕ 143/219 – P 190/250.

Terminus, ☎ 61 64 20 55 – ⇔wc ⋔wc ☎. AE E VISA
fermé oct., dim. soir et lundi sauf vacances scolaires – SC : **R** 55/75 🍷 – ☕ 17 – **23 ch** 100/170 – P 168/195.

Chalet ⛰, ☎ 61 64 24 31 – ⇔wc ☎
fermé 11 nov. au 20 déc. et 3 au 30 janv. – SC : **R** 50/107 – ☕ 17 – **10 ch** 163/195 – P 182/212.

au Castelet NO : 4 km – alt. 660 – ✉ 09110 Ax-les-Thermes :

Le Castelet ⛰, ☎ 61 64 24 52, ←, 🌳, 🛋 – ⇔wc ⋔wc ☎ 🚗 Ⓟ. AE VISA. ✻ rest
10 mai-10 oct. – SC : **R** 81/140 – ☕ 16 – **28 ch** 169/231 – P 156/215.

à Unac NO : 9 km par N 20 et D 2 – ✉ 09250 Luzenac :

XX **L'Oustal** ⛰ avec ch, ☎ 61 64 48 44, ←, « Auberge rustique », 🛋
fermé 11 nov. au 15 déc., 6 janv. au 6 fév. et lundi hors sais. – SC : **R** 110/165 – ☕ 14 – **6 ch** 97/125.

Garage Chague, ☎ 61 64 21 66

AYGUADE-CEINTURON 83 Var 84 ⑯ – rattaché à Hyères.

AYTRÉ 17 Char.-Mar. 71 ⑫ – rattaché à la Rochelle.

AYZE 74 H.-Savoie 74 ⑦ – rattaché à Bonneville.

AZAY-LE-RIDEAU 37190 I.-et-L. 64 ⑭ **G. Châteaux de la Loire** (plan) – 2 915 h. alt. 44.
Voir Château★★★ (spectacle son et lumière★★) – Façade★ de l'église St-Symphorien.
Syndicat d'Initiative 26 r. Gambetta (15 mars-30 sept.) ☎ 47 43 34 40 et à la Mairie ☎ 47 43 32 11.
Paris 258 – Châtellerault 60 – Chinon 21 – Loches 54 – Saumur 46 – ♦Tours 28.

Gd Monarque, pl. République ☎ 47 45 40 08, 🌳, 🛋 – ⇔wc ⋔ ☎ Ⓟ. AE E VISA
SC : **R** *(1er mars-15 nov.)* 105/215 🍷 – ☕ 24 – **30 ch** 95/320 – P 300/390.

Balzac, r. A.-Riché ☎ 47 45 42 08 – ⋔wc Ⓟ. AE VISA. ✻ ch
hôtel : 23 mars-20 sept. – SC : **R** *(fermé 20 sept. au 20 oct., vend. soir, sam. et dim.)* 50/75 🍷 – ☕ 16,50 – **11 ch** 135/225.

Biencourt sans rest, r. Balzac ☎ 47 45 20 75 – ⋔wc ☎. ✻
fermé mardi soir du 15 nov. au 15 mars – SC : ☕ 18 – **8 ch** 137/174.

à Saché SE : 7 km par D 17 – ✉ 37190 Azay-le-Rideau :

XX ✿ **Aub. du XIIe siècle** (Niqueux), ✆ 47 26 86 58, « Cadre médiéval », – AE ⓓ VISA
fermé 25 janv. au 28 fév. et mardi – SC : **R** carte 160 à 225
Spéc. Salade tiède de lotte aux épinards crus, Matelote au Chinon, Emincé de poularde crème champignons. **Vins** Chinon, Touraine-Azay-le-Rideau.

CITROEN Gar. Central, ✆ 47 45 40 26
RENAULT Relais des Loges, N 751, La Loge ✆ 47 43 36 89 N ✆ 47 96 70 24
Gar. Martin, à la chapelle St-Blaise ✆ 47 45 42 02

AZÉ 71 S.-et-L. 70 ⑪ **G. Bourgogne** – 649 h. alt. 249 – ✉ **71260** Lugny.

Paris 388 – Cluny 12 – •Lyon 90 – Mâcon 19 – Tournus 25.

X **A la Fortune du Pot,** ✆ 85 33 31 37,
fermé 15 déc. au 16 janv. et jeudi – SC : **R** 70/80.

AZERAILLES 54 M.-et-M. 62 ⑥ – 798 h. alt. 259 – ✉ **54120** Baccarat.

Paris 358 – Épinal 47 – Lunéville 19 – •Nancy 54 – St-Dié 31 – Sarrebourg 42.

X **Gare** avec ch, r. Gare ✆ 83 75 15 17, – ⓟ. E VISA
fermé fév., dim. soir et lundi – SC : **R** 43/95 – 13 – **8 ch** 65/115 – P 135/165.

Le BABORY 43 H.-Loire 76 ④ – rattaché à Blesle.

BACCARAT 54120 M.-et-M. 62 ⑦ **G. Alsace et Lorraine** – 5 437 h. alt. 274.

Syndicat d'Initiative les Arcades (15 mai-15 nov.) ✆ 83 75 13 37 et à la Mairie ✆ 83 75 10 46.

Paris 363 – Épinal 41 – Lunéville 25 – •Nancy 60 – St-Dié 25 – Sarrebourg 42.

Renaissance, 31 r. Cristalleries ✆ 83 75 11 31 – wc ☎. AE ⓓ E VISA
fermé 15 janv. au 15 fév. – SC : **R** *(fermé vend. soir hors sais.)* 43/115 – 16 – **19 ch** 77/160 – P 170/260.

BADEFOLS-SUR-DORDOGNE 24 Dordogne 75 ⑮⑯ **G. Périgord** – 150 h. alt. 50 – ✉ **24150** Lalinde.

Env. Cloître** et église* de Cadouin SE : 7,5 km.

Paris 553 – Bergerac 27 – Périgueux 63 – Sarlat-la-Canéda 47.

Lou Cantou, ✆ 53 22 50 36 – wc ☎ ⓟ
1er avril-30 sept. – SC : **R** 50 bc/120 bc – 12 – **12 ch** 92/176 – P 148/170.

BADEN 56 Morbihan 63 ② – rattaché à Auray.

BAGNÈRES-DE-BIGORRE 65200 H.-Pyr. 85 ⑱ **G. Pyrénées** – 9 850 h. alt. 556 – Stat. therm. (7 mai-20 oct.) – Casino AZ.

Voir Parc thermal de Salut* par D 153 AZ – Grotte de Médous** par ② : 2,5 km – Vallée de Lesponne* 4,5 km par ②.

Office de Tourisme pl. Lafayette ✆ 62 95 01 62.

Paris 811 ③ – Lourdes 22 ③ – St-Gaudens 57 ① – Tarbes 21 ③.

Plan page ci-contre

La Résidence, Parc Thermal de Salut ✆ 62 95 03 97, ←, – wc wc ☎ ⓟ. VISA. par av. P.-Noguès AZ
1er avril-15 oct., vacances de fév. et de Pâques – SC : **R** 66/102 – 25 – **40 ch** 240/250 – P 290/315.

Trianon, pl. Thermes ✆ 62 95 09 34, parc, – wc wc ☎ ⓟ. rest ABZ **s**
1er mai-21 oct. – SC : **R** 58/120 – 17 – **31 ch** 77/200 – P 200/225.

Host. d'Asté, par ② : 4 km ✆ 62 95 20 27, ←, – wc wc ☎ ⓟ – 50. VISA.
fermé 20 avril au 15 mai et 2 nov. au 8 déc. – SC : **R** *(fermé merc. sauf vacances scolaires)* 76 (dim. seul.)/94 – 16 – **23 ch** 90/184 – P 167/214.

Gd H. Angleterre sans rest, pl. La-Fayette ✆ 62 95 22 24 – wc wc ☎ BZ **v**
fermé 20 avril au 11 mai – SC : 15,50 – **34 ch** 76/145.

Lutétia, 13 pl. G.-Clemenceau ✆ 62 95 00 45, – wc wc ☎. AE. AY **a**
fermé 20 oct. au 20 déc. – SC : **R** carte environ 100 – 18 – **27 ch** 90/165 – P 180/230.

St-Vincent, 31 r. Mar.-Foch ✆ 62 95 01 66 – wc wc ☎. VISA BY **e**
fermé oct. et lundi sauf vacances scolaires – SC : **R** 47/90 – 13 – **22 ch** 127/150 – P 160/195.

Glycines sans rest, 12 pl. Thermes ✆ 62 95 28 11 – wc wc ☎ AZ **t**
Pâques-fin oct. – SC : 18 – **15 ch** 90/145.

XX **Le Bigourdan,** 14 r. V.-Hugo ✆ 62 95 20 20. AE ABZ **k**
fermé 15 au 30 juin et merc. – SC : **R** 43 bc/93.

BAGNÈRES-DE-BIGORRE

Coustous (Allées des) . . . . BZ 7
Foch (R. Maréchal) . . . . BY 8
Lafayette (Pl.) . . . . ABY 22
Strasbourg (Pl. de) . . . . . BZ 32
Thermes (R. des) . . . . . . AZ 34
Victor-Hugo (R.) . . . . AZ 35

Alsace-Lorraine (R. d') . AZ 2
Arras (R. du Pont d') . . . . . . AZ 3
Belgique (Av. de) . . . . . . AY 4
Clemenceau (Pl. G.) . . . . AY 5
Costallat (R.) . . . . BY 6
Fontaine-Ferrugineuse (Av.) . . AY 9
Frossard (R. Émilien) . . . BZ 12
Gambetta (R.) . . . . AY 13
Gaulle (Av. Gén. de) . . . . BY 14
Horloge (R. de l') . . . . . . AZ 16
Joffre (Av. Maréchal) . . AY 17
Jubinal (Pl. A.) . . . . BZ 20
Leclerc (Av. Général) . . . AY 23
Lorry (R. de) . . . . BZ 25
Pasteur (R.) . . . . BY 26
Pyrénées (R. des) . . . . . . BZ 27
République (R. de la) . . . . AY 28
Salles (R. de) . . . . AZ 30
Thermes (Pl. des) . . . . AZ 33
Vigneaux (R. des) . . . . . . BY 37
Vigneaux (Sq. des) . . . . . BY 38
3-Frères-Duthu (R.) . . . . BZ 39

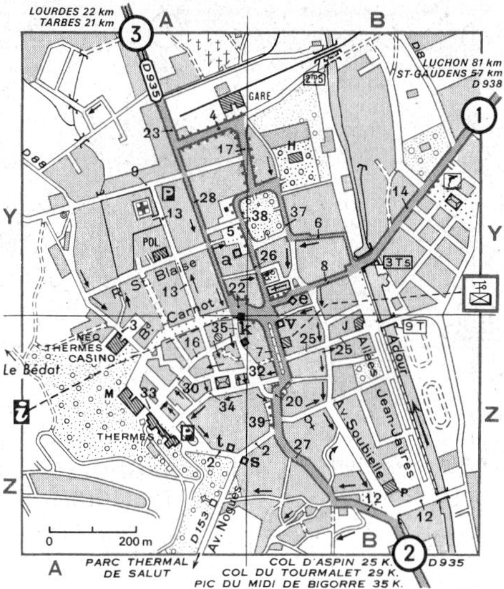

CITROEN Fourcade, rte des Cols par ② ✆ 62 95 26 68
FIAT Gar. Garcia, 1 r. J.-Meynier ✆ 62 95 26 03
PEUGEOT, TALBOT Laloubère, rte Tarbes par ③ ✆ 62 95 26 84 N

RENAULT Gar. Dubau, 38 av. Gen.-Leclerc par ③ ✆ 62 95 46 64

BAGNÈRES-DE-LUCHON 31 H.-Gar. 85 ⑳ – voir à Luchon.

BAGNEUX 49 M.-et-L. 64 ⑫ – rattaché à Saumur.

BAGNOLES-DE-L'ORNE 61140 Orne 60 ① **G. Normandie** – 783 h. alt. 194 – Stat. therm. (28 avril-30 sept.) – Casino BX – **Voir Site★** – **Lac★** BX – **Parc★** BCY.

d'Andaine ✆ 33 37 81 42 par ③ : 3 km.

Office de Tourisme pl. Gare (1er mars-30 sept.) ✆ 33 37 85 66.

Paris 239 ① – Alençon 48 ② – Argentan 39 ① – Domfront 19 ③ – Falaise 45 ① – Flers 27 ④.

Plan page suivante

Capricorne M, allée Montjoie ✆ 33 37 96 99 – TV ☎. AE ⓓ E VISA.
Pâques-1er oct. – SC : **R** (dîner seul. pour résidents) carte environ 120 – ☕ 20 – **21 ch** 270/340, 3 appartements 400. BX **v**

Lutetia-Reine Astrid, bd Paul Chalvet ✆ 33 37 94 77, – wc wc ☎ Ⓟ – 25. AE ⓓ VISA. rest CY **n**
Pâques-début oct. – **R** 88/225 – ☕ 23 – **33 ch** 161/271 – P 290/354.

Beaumont, 26 bd Le Meunier-de-la-Raillère ✆ 33 37 91 77, – wc wc ☎ Ⓟ – 25. rest BCY **f**
26 avril-30 sept. – SC : **R** 90/230 – ☕ 23 – **38 ch** 170/280.

Le Gd Veneur, pl. République ✆ 33 37 86 79 – wc ☎ Ⓟ BXY **r**
25 avril-30 sept. – SC : **R** 70/160 – ☕ 19 – **23 ch** 130/235 – P 255.

Bois Joli, av. P.-du-Rozier ✆ 33 37 92 77, Télex 171782, – TV wc wc ☎ Ⓟ. AE ⓓ E VISA. BX **w**
1er avril-15 oct. – SC : **R** *(fermé dim. soir et merc.)* 100/170 – ☕ 26 – **20 ch** 175/320 – P 310/390.

Ermitage sans rest, 24 bd P.-Chalvet ✆ 33 37 96 22, – wc wc ☎ Ⓟ. VISA CY **p**
avril-oct. – SC : ☕ 19 – **39 ch** 155/245.

Gayot, pl. République ✆ 33 37 90 22 – wc ☎. AE ⓓ E VISA CX **e**
1er avril-20 oct. – SC : **R** 68/160 – ☕ 20 – **18 ch** 150/220 – P 285/325.

Camélias, av. Chât.-de-Couterne ✆ 33 37 93 11, – wc wc ☎ Ⓟ. rest BZ **t**
28 avril-30 sept. – SC : **R** 80 – ☕ 20 – **35 ch** 180/220 – P 188/220.

Terrasse sans rest, pl. République ✆ 33 37 92 39 – wc ☎ Ⓟ. E VISA.
SC : ☕ 15,50 – **30 ch** 63/200. BX **s**

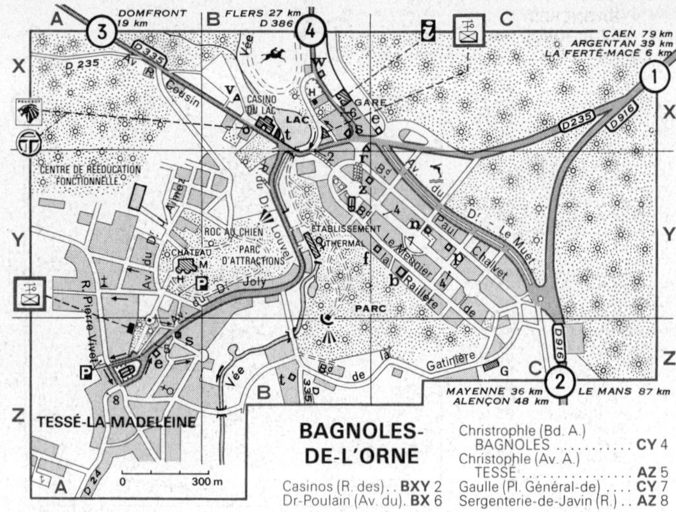

BAGNOLES-DE-L'ORNE

Casinos (R. des) . . BXY 2
Dr-Poulain (Av. du) . BX 6
Christrophle (Bd. A.) BAGNOLES . . . . CY 4
Christophle (Av. A.) TESSE . . . . AZ 5
Gaulle (Pl. Général-de) . . . . CY 7
Sergenterie-de-Javin (R.) . . AZ 8

Christol et du Dante, bd P.-Chalvet 33 37 80 31, – BY **z**
26 avril-30 sept. – SC: **R** (pour résidents seul.) 53/73 – 15 – **26 ch** 67/120 – P 146/170.

Capucines, bd Le Meunier-de-la-Raillère 33 37 82 59, – CY **b**
25 avril-1er oct. – SC: **R** (pour résidents seul.) 50/80 – 20 – **18 ch** 90/200 – P 175/220.

Café de Paris, av. R.-Cousin 33 37 81 76, – AE E VISA. BX **t**
1er avril-30 sept., fermé lundi (sauf fériés) – SC: **R** 80/170.

par ③ et D 235 : 3 km – 61140 Bagnoles-de-l'Orne :

Manoir du Lys, 33 37 80 69, parc, – – 25. AE E VISA. rest
15 mars-16 nov., week-end du 16 nov. au 31 déc. et fermé lundi d'oct. à juin – SC: **R** 86/170 – 32 – **11 ch** 270/400 – P 480/600.

à Tessé-la-Madeleine – 61140 Bagnoles-de-l'Orne :

Nouvel H., av. A.-Christophle 33 37 81 22, – wc wc . rest
fin avril-fin sept. – SC: **R** 65/90 – 16 – **30 ch** 130/206 – P 215/275. AZ **e**

Celtic avec ch, av. A.-Christophle 33 37 92 11, – wc wc . AE E VISA. AZ **s**
fermé déc. et janv. – SC: **R** 75/165 – 18 – **20 ch** 75/280 – P 210/330.

PEUGEOT-TALBOT Constant, 8 av. R.-Cousin 33 37 83 11

BAGNOLET 93 Seine-St-Denis 56 ⑪, 101 ⑯ – voir à Paris, Environs.

BAGNOLS 63810 P.-de-D. 73 ⑫ – 891 h. alt. 850.
Paris 451 – ♦Clermont-Ferrand 68 – Condat 30 – Mauriac 49 – Le Mont-Dore 25 – Ussel 64.

Voyageurs, 73 22 20 12 – . VISA
vacances de Pâques, 1er mai-15 sept. et 10 fév.-10 mars – SC: **R** 55/110 – 15 – **20 ch** 72/155 – P 130/160.

CITROEN Gar. Moulie, 73 22 20 59 N

BAGNOLS-LES-BAINS 48190 Lozère 80 ⑥ G. Causses – 240 h. alt. 913 – Stat. therm. (fin avril-fin oct.).
Paris 592 – Langogne 53 – Mende 21 – Villefort 38.

Modern'H. et Malmont, 66 47 60 04, – wc . E
fermé 28 oct. au 31 janv. – SC: **R** 43/100 – 16 – **28 ch** 102/160 – P 165/210.

Pont, 66 47 60 03, , – cuisinette wc wc . VISA
1er fév.-20 oct. – SC: **R** 45/85 – 18 – **28 ch** 115/160 – P 150 bc/230 bc.

Commerce, 66 47 60 07, – . E VISA. rest
1er avril-31 oct. et fermé dim. soir et lundi en avril et oct. – SC: **R** 55/85 – 18 – **28 ch** 75/140 – P 165/230.

BAGNOLS-SUR-CÈZE 30200 Gard 80 ⑩ G. Vallée du Rhône (plan) – 17 777 h. alt. 51.

Voir Musée d'Art moderne★.

Env. Belvédère★★ du Centre d'Énergie Atomique de Marcoule SE : 9,5 km.

Office de Tourisme esplanade Mont-Cotton (en hiver, fermé matin) ✆ 66 89 54 61.

Paris 657 – Alès 50 – Avignon 33 – Nîmes 48 – Orange 29 – Pont-St-Esprit 11.

Mas de Ventadous Ⓜ, 69 rte Avignon ✆ 66 89 61 26, Télex 490949, parc, – cuisinette wc – 50. AE E VISA rest
fermé 15 déc. au 6 janv. – SC : **R** 88 – 25 – **22 ch** 220/260.

Florence, 16 pl. Bertin-Boissin ✆ 66 89 58 24, cuisine italienne – VISA
fermé 29 avril au 5 mai, oct., dim. soir et lundi – SC : **R** 59/84 ♨.

rte de Pont-St-Esprit N : 5,5 km par N 86 – ✉ **30200** Bagnols-sur-Cèze :

Valaurie Ⓜ sans rest, ✆ 66 89 66 22, ≤, – wc . E VISA.
fermé 15 déc. au 15 janv. – SC : 20 – **22 ch** 170/190.

à Connaux S : 8,5 km sur N 86 – ✉ **30330** Connaux :

Bernon, ✆ 66 82 00 32, – wc . E
fermé dim. – SC : **R** 70 ♨ – 14 – **10 ch** 75/200.

Maître Itier, ✆ 66 82 00 24 – . AE.
fermé 15 au 30 juin, 1er au 15 fév., dim. soir et lundi – SC : **R** (dîner prévenir) 89/280 ♨.

CITROEN Jeolas, rte d'Avignon ✆ 66 89 60 43
FIAT Électro-Diesel, 29 rte Nîmes ✆ 66 89 61 20
OPEL Electronic-Auto, 731 rte d'Avignon ✆ 66 89 56 07
PEUGEOT-TALBOT Pailhon, rte Nîmes ✆ 66 89 54 95
RENAULT Gar. Stolard, 252 av. Alphonse Daudet ✆ 66 89 56 36
V.A.G. Gar. Paulus et fils, 37 av. Léon-Blum ✆ 66 89 60 30

Piot-Pneu, 39 av. du Pont ✆ 66 89 54 19

BAILLEUL 59270 Nord 51 ⑤ G. Flandres, Artois, Picardie – 13 412 h. alt. 44.

Voir ★ du beffroi.

Syndicat d'Initiative à l'Hôtel de Ville ✆ 28 49 18 11.

Paris 246 – Armentières 12 – Béthune 30 – Dunkerque 44 – Ieper 19 – Lille 30 – St-Omer 36.

Pomme d'Or avec ch, 27 r. Ypres ✆ 28 49 11 01 – wc. E VISA. ch
fermé août, lundi soir et mardi soir – SC : **R** 60/180 - **Brasserie R** carte environ 75 ♨ – 15 – **4 ch** 75/215.

au Mont-Noir N : 7 km par D 10 et D 318 – ✉ **59299** Boeschepe :

Mont-Noir avec ch, ✆ 28 42 51 33, ≤ campagne belge, – . AE E VISA
fermé début janv. à début fév. et vend. sauf août – SC : **R** 65/150 – 16 – **7 ch** 80/180 – P 134/150.

Renova Pneu Rte d'Hazebrouck ✆ 28 49 28 44

BAIN-DE-BRETAGNE 35470 I.-et-V. 63 ⑥⑦ – 5 316 h. alt. 103.

Paris 356 – Châteaubriant 29 – ♦Nantes 75 – Ploërmel 61 – Redon 44 – ♦Rennes 32 – Vitré 50.

des Quatre Vents, rte Rennes ✆ 99 43 71 49 – wc . E VISA
fermé 22 déc. au 16 janv. – SC : **R** 45/140 – 17 – **20 ch** 148/187 – P 170/190.

BAINS-LES-BAINS 88240 Vosges 62 ⑮ G. Alsace et Lorraine – 1 792 h. alt. 308 – Stat. therm. (15 avril-15 oct.).

Office de Tourisme pl. Bain-Romain ✆ 29 36 31 75.

Paris 383 ④ – Épinal 30 ① – Luxeuil-les-Bains 29 ② – ♦Nancy 101 ① – Neufchâteau 71 ④ – Vesoul 50 ② – Vittel 42 ④.

BAINS-LES-BAINS

Hôtel-de-Ville (R. de l') 6
Chavanne (Av. du Lieutenant-Colonel) 2
Demazure (Av.) 3
Docteur-Bailly (Av. du) 4
Docteur-Mathieu (Av. du) 5
Leclerc (R. du Général) 7
Poirot (R. Marie) 10
Verdun (R. de) 12
2e-D.-B. (Pl. de la) 14

Les plans de villes sont orientés le Nord en haut.

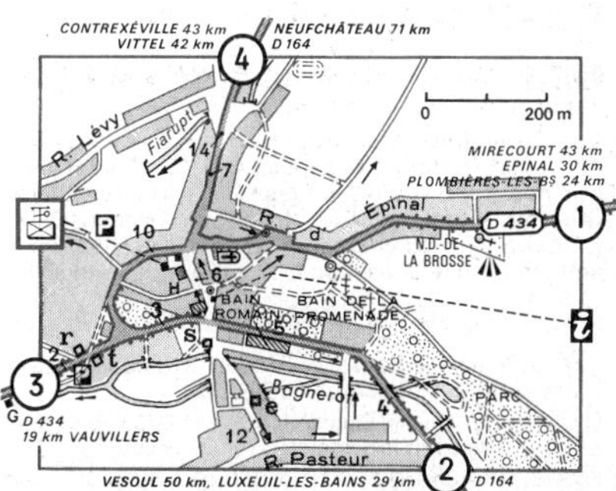

Promenade, (r) ✆ 29 36 30 06, – wc ☎ P.
mars-nov. et fermé dim. soir et lundi hors sais. – SC : **R** 56/142 ₰ – ☕ 15,50 – **34 ch** 130/158 – P 189/215.

Poste, r. de Verdun **(e)** ✆ 29 36 31 01 – wc ☎ P.
fermé sam. et dim. du 1er oct. à Pâques – SC : **R** 56/120 ₰ – ☕ 19 – **30 ch** 89/155 – P 161/232.

Les Ombrées, 13 r. Million, au Sud par r. Verdun, ✆ 29 36 31 85, – wc wc ☎ P. E.
mi-avril-fin sept. – SC : **R** 65/88 ₰ – ☕ 21 – **19 ch** 87/160 – P 165/240.

Nouvel H., (t) ✆ 29 36 32 40, – wc ☎ P. E
18 avril-15 oct. – SC : **R** 55/126 ₰ – ☕ 19 – **29 ch** 64/170 – P 165/235.

Sources, (s) ✆ 29 36 30 23 – E.
15 avril-30 sept. – SC : **R** 54/70 ₰ – ☕ 15 – **40 ch** 59/90 – P 128/155.

BAIX 07 Ardèche 77 ⑪ – 1 017 h. alt. 86 – ✉ **07210** Chomerac.

Paris 592 – Crest 28 – Montélimar 20 – Privas 20 – Valence 32.

La Cardinale et sa Résidence, ✆ 75 85 80 40, ≤, , « Ancienne demeure seigneuriale » – TV P. AE ⓓ VISA. rest
5 mars-3 nov. et fermé jeudi hors sais. – SC : **R** 160/260 – ☕ 45 – **5 ch** 595/690.

La Résidence, à 2 km, parc, – wc P. AE ⓓ VISA. rest
5 mars-3 nov. et fermé jeudi hors sais. – SC : **R** voir La Cardinale – ☕ 45 – **5 ch** 650/680, 5 appartements 800.

Aub. des Quatre Vents M, rte Chomérac, NO : 2 km ✆ 75 85 84 49, – wc ☎ P
16 ch.

Do not look for pleasant and quiet hotels at random, consult the maps on pages 56 to 63.

BALARUC-LES-BAINS **34540** Hérault 83 ⑯ **G. Causses** – 4 369 h. alt. 4 – Stat. therm. (24 fév.-20 déc.).

Office de Tourisme av. Thermes (fermé mi-déc. à mi-janv.) ✆ 67 48 50 07.

Paris 784 – Agde 32 – Béziers 48 – Frontignan 8 – Lodève 66 – ♦Montpellier 29 – Sète 7.

Gd H. Azur sans rest, av. Port ✆ **67 48 50 26** – wc wc ☎.
1er mars-15 nov. – SC : ☕ 17 – **16 ch** 128/175.

Pins sans rest, ✆ **67 48 50 15**, – wc ☎ P
15 mars-15 déc. – SC : ☕ 19 – **20 ch** 95/134.

Martinez et Moderne avec ch, ✆ **67 48 50 22**, – wc ☎. ch
fermé 15 janv. au 15 mars, dim. soir et lundi du 1er déc. au 1er avril – SC : **R** 70/220 – ☕ 20 – **30 ch** 80/140.

BALBIGNY **42510** Loire 73 ⑱ – 2 469 h. alt. 334.

Syndicat d'Initiative ✆ 77 28 14 12.

Paris 420 – L'Arbresle 52 – Roanne 30 – ♦St-Étienne 47 – Thiers 62 – Villefranche-sur-Saône 63.

Paix, ✆ 77 28 11 49. VISA
fermé 15 au 31 janv. et merc. – SC : **R** 50/135.

Villard, ✆ 77 28 10 20

BALDENHEIM **67** B.-Rhin 62 ⑲ – rattaché à Sélestat.

BALDERSHEIM **68** H.-Rhin 66 ⑩ – rattaché à Mulhouse.

BÂLE (BASEL) **4000** Suisse 66 ⑩, 216 ④ **G. Suisse** – 180 463 h. alt. 273 – et les environs : de France 19-41-61, de Suisse 061.

Voir Cathédrale (Münster)★★ : ≤★ CY – Jardin zoologique (Zoologischer Garten)★★★ AZ – Port (Hafen)★, Exposition★ T – Fontaine du Marché aux poissons (Fischmarktbrunnen)★ BY – Vieilles rues★ BY – Oberer Rheinweg ≤★ CY – Musées : Beaux-Arts (Kunstmuseum)★★★ CY, Historique (Historisches Museum)★ CY , d'Ethnographie (Museum für Völkerkunde)★ CY **M1** , Kirschgarten (Haus zum Kirschgarten)★ CZ , d'Art antique (Antikenmuseum)★ CY – ★ de la tour de la Batterie (wasserturm) 3,5 km par ⑥ U.

18 privé ✆ 89 68 50 91 à Hagenthal-le-Bas (68-France) SO : 10 km.

de Bâle-Mulhouse ✆ 57.31.11 à Bâle (Suisse) par la Zollfreie Strasse 8 km T et à Saint-Louis (68-France) ✆ 89 69 00 00.

Office de Tourisme, Blumenrain 2 ✆ 25.50.50, Télex 63318 – A.C. Suisse, Birsigstr. 4 ✆ 23.39.33 – T.C.S., Petrihof, Steinentorstr. 13 ✆ 23.19.55.

Paris 551 ⑧ – Bern 95 ⑤ – Freiburg 71 ① – ♦Lyon 387 ⑧ – ♦Mulhouse 35 ⑧ – ♦Strasbourg 145 ①.

BASEL

Aeschenvorstadt . . . . . . CYZ
Barfüsserpl. . . . . BY 3
Centralbahnpl. . . . . CZ 10
Clarapl. . . . . CY
Eisengasse . . . . BY 15
Falknerstr. . . . . BY 16
Freie Str. . . . . CY
Gerbergasse . . . . BY
Greifengasse . . . . CY
Marktpl. . . . . BY
Steinenvorstadt . . . . BY

Augustinergasse . . . . CY 2
Bäumlihofstr. . . . . T 5
Bottmingerstr. . . . . U 6
Bruderholzallee . . . . U 7
Brunngässlein . . . . CY 9
Centralbahnstr. . . . . CZ 12
Dreirosenbrücke . . . . T 14
Fischmarktpl. . . . . BY 18
Flughafenstr. . . . . T 19
Gemsberg . . . . BY 20
Grenzacherstr. . . . . T 21
Gundeldingerrain . . . . U 22
Gundeldinger Str. . . . . U 23
Holeestr. . . . . U 24
Horburgstr. . . . . T 26
Hüningerstr. . . . . T 27
Innere
Margarethenstr. . . . . . . BZ 29
Kannenfeldstr. . . . . AX 30
Kohlenberg . . . . BY 31
Laupenring . . . . U 32
Leonhardsgraben . . . . BY 33
Lindenhofstr. . . . . CZ 35
Marktgasse . . . . BY 36
Münchensteinerstr. . . . . . . U 37
Münsterpl. . . . . CY 38
Neubadstr. . . . . U 39
St-Alban Graben . . . . CY 40
St-Jakobs Str. . . . . U 41
Schneidergasse . . . . BY 42
Spalenvorstadt . . . . BY 43
Stadthausgasse . . . . BY 45
Thiersteinerallee . . . . U 46
Unterer Batterieweg . . . . . . U 48
Wettsteinstr. . . . . CY 49
Wittlingerstr. . . . . T 51

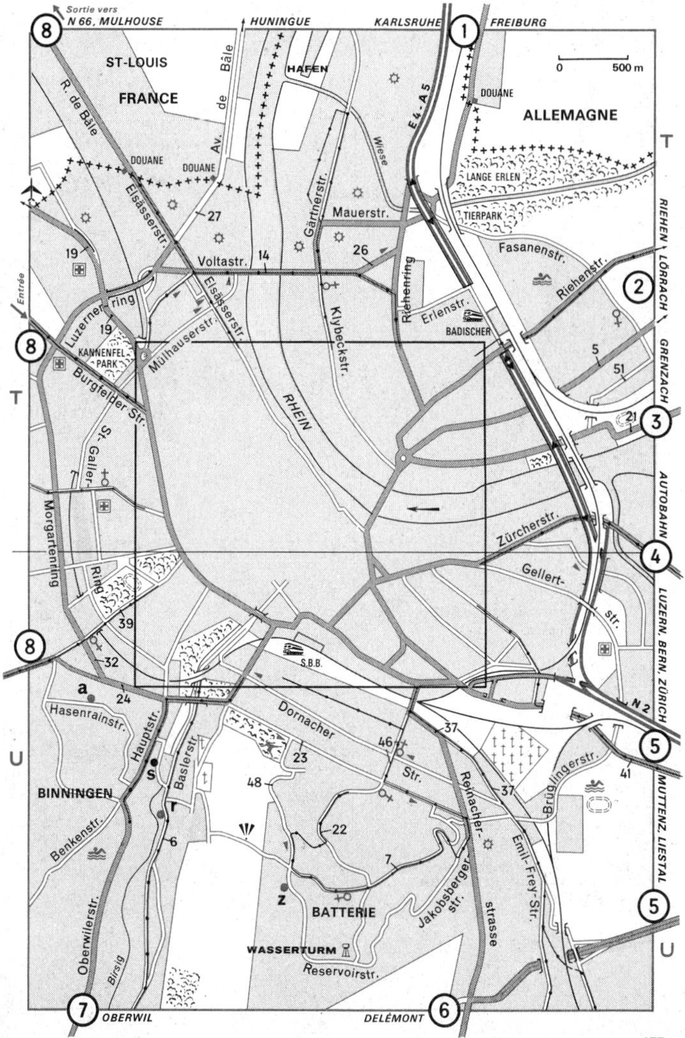

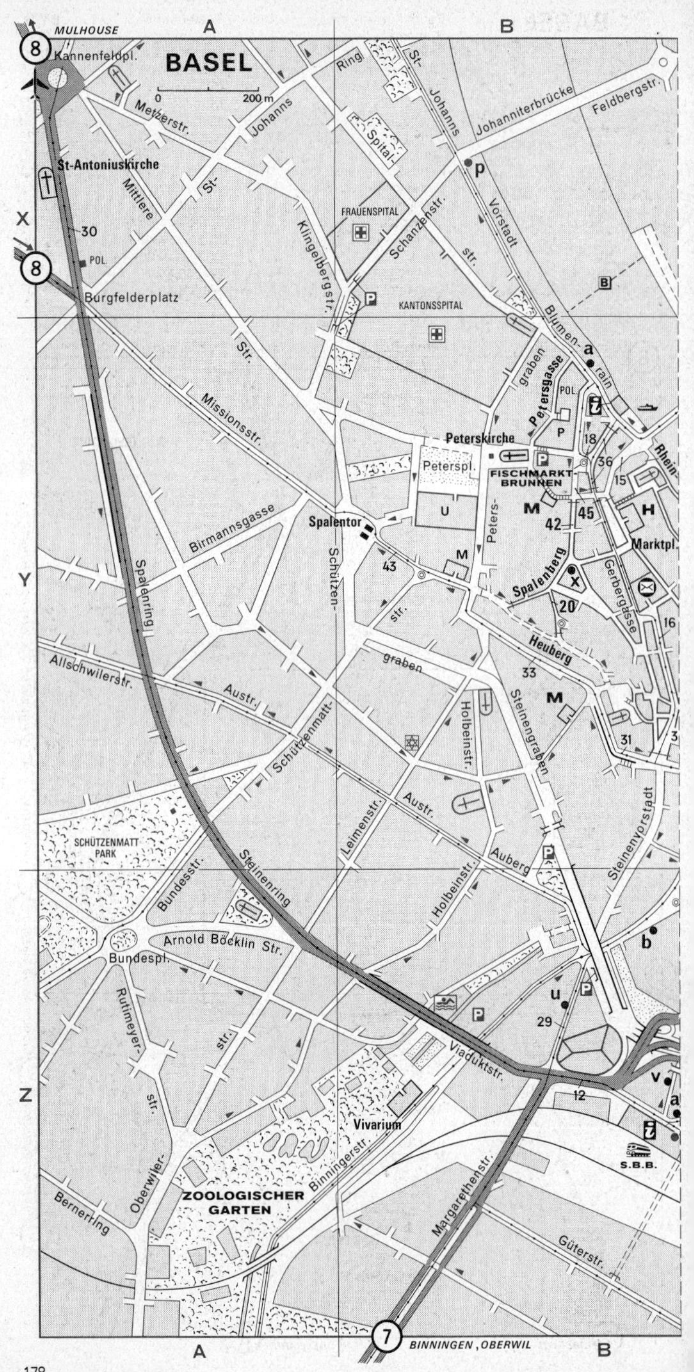
BASEL
MULHOUSE
BINNINGEN, OBERWIL
Kannenfeldpl.
St-Antoniuskirche
Burgfelderplatz
Metzerstr.
Johanniterbrücke
Feldbergstr.
FRAUENSPITAL
KANTONSSPITAL
Peterskirche
Peterspl.
FISCHMARKT-BRUNNEN
Spalentor
Spalenberg
Heuberg
Marktpl.
Gerbergasse
Missionsstr.
Birmannsgasse
Spalenring
Allschwilerstr.
Austr.
Schützenmatt-str.
SCHÜTZENMATT PARK
Steinenring
Bundesstr.
Bundespl.
Arnold Böcklin Str.
Rutimeyer-str.
Oberwiler-str.
Bernerring
ZOOLOGISCHER GARTEN
Vivarium
Binningerstr.
Margarethenstr.
Güterstr.
Viaduktstr.
Steinenvorstadt
Steinengraben
Holbeinstr.
Leimenstr.
Auberg
S.B.B.

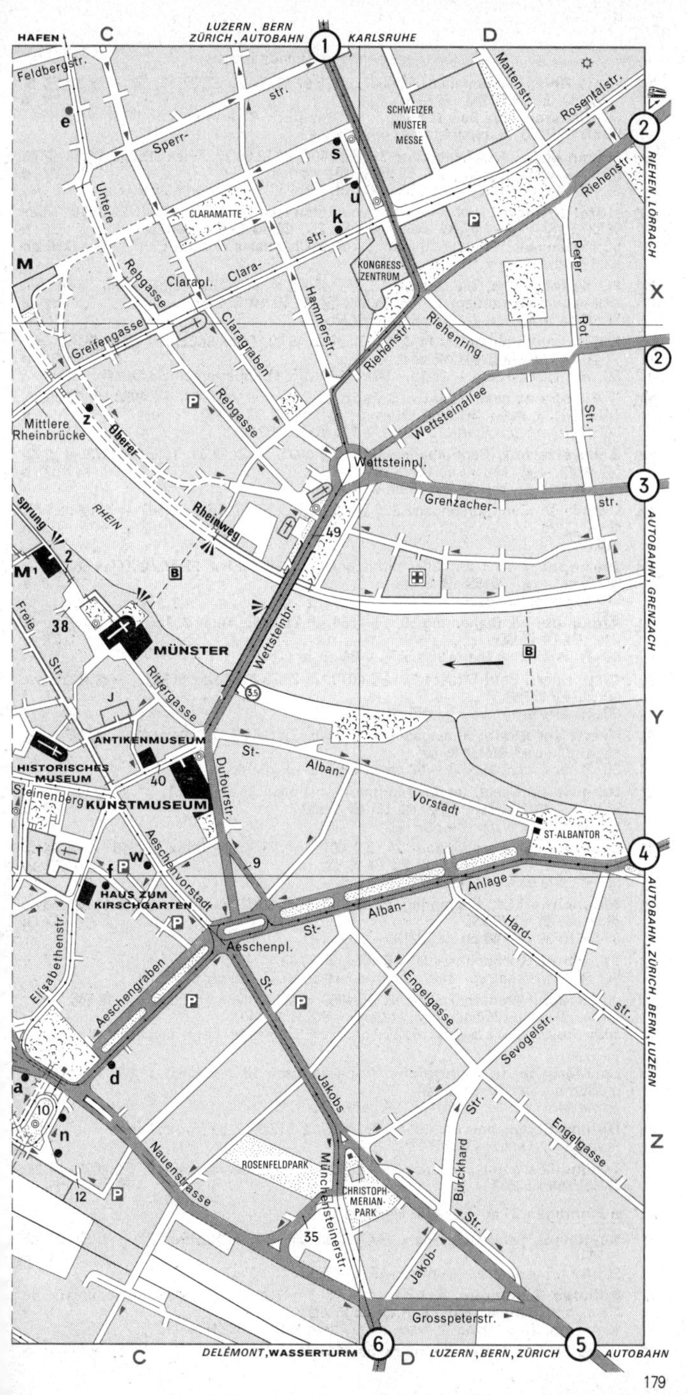
HAFEN
LUZERN, BERN
ZÜRICH, AUTOBAHN
KARLSRUHE
SCHWEIZER
MUSTER
MESSE
CLARAMATTE
KONGRESS-
ZENTRUM
RIEHEN, LÖRRACH
Mittlere
Rheinbrücke
Wettsteinpl.
Grenzacher-
AUTOBAHN, GRENZACH
MÜNSTER
ANTIKENMUSEUM
HISTORISCHES
MUSEUM
KUNSTMUSEUM
ST-ALBANTOR
HAUS ZUM
KIRSCHGARTEN
Aeschenpl.
AUTOBAHN, ZÜRICH, BERN, LUZERN
ROSENFELDPARK
CHRISTOPH-
MERIAN-
PARK
Grosspeterstr.
DELÉMONT, WASSERTURM
LUZERN, BERN, ZÜRICH
AUTOBAHN

Les prix sont donnés en francs suisses

Trois Rois, Blumenrain 8, ✉ 4001, ☎ 25.52.52, Télex 62937, ←, 🏛 – ⧉ ▤ TV ☎ – 🅰 80. AE ⓓ E VISA. ✻ rest BY **a**
SC : **Rôtisserie des Rois R** 85 🍷 - rest **Rhy-Deck R** carte environ 50 🍷 – ☕ 12 – **90 ch** 150/355, 13 appartements 460/710.

Hilton Ⓜ 🐦, Aeschengraben 31, ✉ 4002, ☎ 22.66.22, Télex 965555, 🏊 – ⧉ ▤ TV ☎ ♿ 🚗 – 🅰 50 à 300. AE ⓓ E VISA. ✻ rest CZ **d**
SC : **R** carte 60 à 80 🍷 – ☕ 9,50 – **217 ch** 125/250, 10 appartements.

Hôtel International Ⓜ 🐦, Steinentorstrasse 25, ✉ 4001, ☎ 22.18.70, Télex 962370, 🏊 – ⧉ ▤ TV ☎ 🚗 – 🅰 25 à 250. AE ⓓ E VISA. ✻ rest BZ **b**
SC : **Steinenpick R** carte 30 à 65 🍷 - **Rôt. Charolaise R** carte 60 à 90 🍷 – **210 ch** ☕ 190/260, 5 appartements 250/500.

H. Basel Ⓜ 🐦, Münzgasse 12, ✉ 4001, ☎ 25.24.23, Télex 64199, « Élégant aménagement intérieur » – ⧉ ▤ rest TV ☎. AE ⓓ E VISA BY **x**
SC : **R** carte 40 à 58 🍷 – **72 ch** ☕ 105/225.

Euler, Centralbahnplatz 14, ✉ 4051 ☎ 23.45.00, Télex 962215 – ⧉ ▤ TV ☎ 🚗 – 🅰 120. AE ⓓ E VISA. ✻ rest BZ **a**
SC : **R** carte 60 à 95 🍷 – ☕ 10 – **53 ch** 130/265, 11 appartements 330/500.

✿ **Europe et rest. Quatre Saisons** Ⓜ, Clarastrasse 43, ✉ 4058, ☎ 26.80.80, Télex 64103, 🌳 – ⧉ ▤ TV ☎ 🚗 – 🅰 180. AE ⓓ E VISA. ✻ rest CX **k**
SC : **R** *(fermé dim.)* carte 75 à 95 🍷 – **170 ch** ☕ 102/190.

Schweizerhof, Centralbahnplatz 1, ✉ 4002, ☎ 22.28.33, Télex 962373 – ⧉ ▤ TV ☎ Ⓟ – 🅰 30 à 90. AE ⓓ E VISA CZ **n**
SC : **R** carte environ 65 🍷 – **75 ch** ☕ 100/180.

Victoria Ⓜ, Centralbahnplatz 3, ✉ 4002, ☎ 22.55.66, Télex 62362 – ⧉ ▤ rest TV ☎ – 🅰 25 CZ **n**
115 ch.

Métropol Ⓜ sans rest, Elisabethenanlage 5, ✉ 4051 ☎ 22.77.21, Télex 962268 – ⧉ TV ☎ – 🅰 120. AE ⓓ E VISA CZ **a**
SC : **46 ch** ☕ 93/137.

Alexander Ⓜ, Riehenring 85, ✉ 4058, ☎ 26.70.00, Télex 63325 – ⧉ TV ⎍wc ☎ 🚗. AE ⓓ E VISA CX **s**
SC : **R** *(fermé dim.)* carte 35 à 55 🍷 – **64 ch** ☕ 60/150.

City, Henric Petri-Strasse 12, ✉ 4010, ☎ 23.78.11, Télex 962427 – ⧉ ▤ 🛁wc ☎. AE ⓓ E VISA CZ **f**
SC : **R** carte environ 50 🍷 – **85 ch** ☕ 70/150.

Krafft am Rhein, Rheingasse 12, ✉ 4058, ☎ 26.88.77, Télex 64360, ←, 🏛 – ⧉ 🛁wc ⎍wc ☎. AE ⓓ E VISA CY **z**
SC : **R** carte environ 55 🍷 – **52 ch** ☕ 52/140 – P 95/140.

Bernina sans rest, Innere Margarethenstrasse 14, ✉ 4051, ☎ 23.73.00, Télex 963813 – ⧉ TV 🛁wc ⎍wc ☎. AE ⓓ E VISA BZ **u**
SC : **35 ch** ☕ 65/200 – P 100/120.

Drachen, Aeschenvorstadt 24, ✉ 4010, ☎ 23.90.90, Télex 962346 – ⧉ ▤ ch 🛁wc ⎍wc ☎ 🚗 – 🅰 40. AE ⓓ E VISA CY **w**
SC : **R** carte 50 à 75 🍷 – **41 ch** ☕ 88/168 – P 120/150.

Muenchnerhof, Riehenring 75, ✉ 4058 ☎ 26.77.80, Télex 64476 – ⧉ 🛁wc ⎍wc ☎. AE ⓓ E VISA CX **u**
SC : **R** 10/30 🍷 – **40 ch** ☕ 70/180 – P 80/120.

Flügelrad, Küchengasse 20, ✉ 4051, ☎ 23.42.41 – ⎍wc BZ **v**
SC : **R** *(fermé sam. soir et dim.)* carte environ 40 🍷 – **30 ch** ☕ 40/130.

XXXX ✿✿ **Stucki,** Bruderholzallee 42, ✉ 4059, ☎ 35.82.22, « Terrasse » – E VISA
fermé 20 juil. au 10 août, dim. et lundi – SC : **R** 85/140 U **z**
Spéc. Homard grillé à la sauge, Rognon de veau rôti, Tarte fine chaude aux quetsches (15 juil. au 15 oct.).

XX **La Marmite du Beaujolais,** Klybeckstrasse 15, ✉ 4057, ☎ 33.03.54, Cadre moderne – ▤. AE ⓓ E VISA CX **e**
fermé sam., dim. et fêtes – SC : **R** carte 40 à 60 🍷.

XX **Donati,** St-Johannsvorstadt 48, ✉ 4056, ☎ 57.09.19, cuisine italienne BX **p**
fermé juil. et lundi – SC : **R** 23/27 🍷.

X Taverne l'Escargot (sous-sol Gare SBB), **Centralbahnstrasse 10,** ✉ 4002, ☎ 22.53.33, Télex 62538 – ▤ BZ

à Binningen 2 km – ✉ **4102** Binningen :

Schlüssel, Schlüsselgasse 1 ☎ 47.25.66, 🏛, 🌳 – ⧉ 🛁wc ⎍wc ☎ Ⓟ. AE ⓓ E VISA U **s**
SC : **R** *(fermé dim.)* carte environ 45 🍷 – **32 ch** ☕ 50/90.

XXX **Schloss Binningen,** Schlossgasse 5 ☎ 47.20.55, 🏛, « Gentilhommière du 16e s., bel intérieur, jardin » – Ⓟ. AE E VISA U **r**
fermé 6 au 21 juil., 8 au 17 mars, dim. soir et lundi – SC : **R** 80/110 🍷.

XXX Holee-Schloss, Hasenrainstrasse 59 ☎ 47.24.30, ← – ▤ U **a**

à Riehen par ② : 5 km – ✉ **4125** Riehen :

🏨 **Ascot** Ⓜ, Baselstrasse 67 ✆ 67.39.51, Télex 62424, « Bel aménagement intérieur » – 🛗 ▤ rest 📺 🛁wc 🚿wc ☎ 🚗. AE ⓓ E VISA
SC : **R** carte environ 55 🍷 – **22 ch** ☕ 84/180 – P 134/168.

à l'Aéroport de Bâle-Mulhouse par ⑧ : 8 km :

XX **Airport rest,** 5e étage de l'aérogare, ≤.
Secteur Suisse, ✉ 4030 Bâle ✆ 57.32.32 – ▤. AE ⓓ E VISA
SC : **R** carte 45 à 60 🍷.
Secteur Français, ✉ 68300 St-Louis ✆ 89 69 77 48 St-Louis – ▤. AE ⓓ E VISA
SC : **R** 45/145 FF 🍷.

à Hofstetten par ⑦ : 12,5 km – ✉ **4114** Hofstetten :

X **Landgasthof ''Rössli''** avec ch, ✆ 75.10.47, 🏖 – Ⓟ. AE ⓓ VISA
fermé 10 janv. au 15 fév. et merc. – SC : **R** carte environ 50 🍷 – **7 ch** ☕ 30/60.

Voir aussi ressources hôtelières de *St-Louis* (France) NO : 5 km

BALLEROY 14490 Calvados 54 ⑭ **G. Normandie** – 780 h – **Voir Château**★.
Paris 278 – Bayeux 15 – Caen 37 – St-Lô 21 – Vire 46.

XX **Manoir de la Drôme,** ✆ 31 21 60 94 – Ⓟ. E VISA
fermé 15 janv. au 15 fév. et merc. soir – SC : **R** 89/136.

CITROEN Gar. du Bessin, ✆ 31 21 60 11 N ✆ 31 21 67 42

BALLON DE GUEBWILLER 68 H.-Rhin 62 ⑱ – voir à Grand Ballon.

La BALME-DE-SILLINGY 74330 H.-Savoie 74 ⑥ – 1 996 h. alt. 487.
Paris 522 – Annecy 10 – Bellegarde-sur-Valserine 31 – Belley 59 – Frangy 15 – ♦Genève 45.

🏨 **Les Rochers,** N 508 ✆ 50 68 70 07, ≤ – 🛁wc 🚿wc ☎ Ⓟ – 🏛 50 à 70. AE E VISA. 🚫 ch
fermé nov., dim. soir et lundi sauf juil.-août – SC : **R** 68/195 – ☕ 20 – **25 ch** 95/170 – P 180/220.
Annexe La Chrissandière 🐌, ≤, « Jardin fleuri, 🏊 » – 🛁wc ☎ Ⓟ AE E VISA. 🚫
fermé nov., dim. soir et lundi sauf juil.-août – SC : **R** voir H. **des Rochers** – ☕ 20 – **10 ch** 220 – P 230/240.

BANDOL 83150 Var 84 ⑭ **G. Côte d'Azur** – 6 713 h. – Casino.
Voir Allées Jean-Moulin★.
ℹ Office de Tourisme Allées Vivien ✆ 94 29 41 35, Télex 400383.
Paris 824 ① – Aix-en-Provence 68 ② – ♦Marseille 51 ② – ♦Toulon 17 ②.

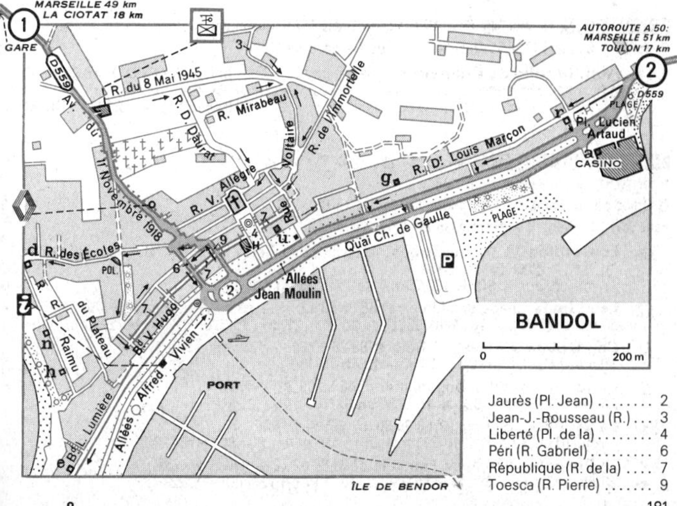

Jaurès (Pl. Jean)	2
Jean-J.-Rousseau (R.)	3
Liberté (Pl. de la)	4
Péri (R. Gabriel)	6
République (R. de la)	7
Toesca (R. Pierre)	9

Ile Rousse M, bd L.-Lumière **(e)** 94 29 46 86, Télex 400372, <, – TV – 100
Les Oliviers R – **La Goélette** à la plage *(sais.)* **R** – **53 ch**.

Le Provençal, r. Écoles **(d)** 94 29 52 11, Télex 400308 – TV wc wc. AE E VISA.
SC : **R** 115 – 19 – **22 ch** 220 – P 291.

La Ker Mocotte M, r. Raimu **(n)** 94 29 46 53, <, « Terrasses surplombant la mer », – TV wc wc – 40. ch
18 fév.-20 oct. – SC : **R** (dîner pour résidents seul.) 98/231 – 22 – **19 ch** 193/253 – P 265/296.

Baie M sans rest, 62 r. Dr L.-Marçon **(r)** 94 29 40 82 – TV wc. E VISA
fermé janv. – SC : 22 – **14 ch** 210.

Splendid H., sur plage Rènecros par r. Ecoles 94 29 41 61, – TV wc wc. AE VISA.
fermé 15 fév. au 21 mars – SC : **R** (dîner seul.) 92 – 18,50 – **22 ch** 185/205.

Golf H. sans rest, sur plage Rènecros par bd L.-Lumière 94 29 45 83, <, – wc wc.
Pâques-mi-oct. – SC : 19 – **24 ch** 206/308.

Les Galets, par ② : 0,5 km 94 29 43 46, <, – wc. VISA.
25 mars-31 oct. – SC : **R** *(1er juin-30 sept.)* 85/120 – 18 – **22 ch** 70/178 – P 223/277.

Coin d'Azur, r. Raimu **(h)** 94 29 40 93, <, – wc.
25 mars-30 sept. – SC : **R** (résidents seul.) 63 – 16,50 – **21 ch** 79/134 – P 177/208.

XXX **Réserve** avec ch, rte de Sanary par ② 94 29 42 71, <, – wc. VISA. ch
fermé 26 mai au 5 juin et 1er déc. au 15 janv. – SC : **R** *(fermé dim. soir sauf juil.-août et lundi)* (nombre de couverts limité - prévenir) carte 195 à 260 – 22 – **16 ch** 107/285 – P 280/367.

XXX **Aub. du Port,** 9 allées J.-Moulin **(u)** 94 29 42 63, – AE E VISA
fermé 5 au 31 janv., dim. soir et lundi en hiver sauf vacances scolaires – SC : **R** 180 bc/230 bc.

XX Le Lotus, pl. L.-Artaud **(a)** 94 29 49 03, <, Cuisine française, chinoise, et vietnamienne – .

X Grotte Provençale, 21 r. Dr-L.-Marçon **(g)** 94 29 41 52 – .

dans l'Ile de Bendor★ – **83150** Bandol.
Accès par vedette 7 mn - En 1985 : voyageurs 12 F (AR) - 94 29 44 34 (Bandol).

Le Delos (annexe : Le Palais - 36 ch), 94 29 42 33, < baie de Bandol, – 25 à 200. AE E VISA.
fermé 10 janv. au 10 fév. – SC : **R** 140/150 – **55 ch** 290/600.

RENAULT Gar. Pieraccini, 6 av. du 11-Novembre 94 29 40 24

BANGOR 56 Morbihan 63 ⑪ – voir à Belle-Ile.

BANNEGON 18 Cher 69 ② – 297 h. alt. 180 – **18210** Charenton-du-Cher.
Paris 268 – Bourges 42 – St-Amand-Montrond 24 – Sancoins 18.

XX **Aub. Moulin de Chaméron** avec ch, SE : 3 km par D 76 et VO 48 60 75 80, « Moulin du 18e s. », – wc wc. VISA. rest
15 mars-2 nov. et fermé jeudi hors sais. – SC : **R** 100/250 – 27 – **10 ch** 160/265.

BANYULS-SUR-MER 66650 Pyr.-Or. 86 ⑳ **G. Pyrénées** – 4 250 h.
Voir ✻★★ du cap Réderis E : 2 km.
Office de Tourisme av. République (saison) 68 88 31 58.
Paris 941 – Cerbère 10 – ♦Perpignan 37 – Port-Vendres 6.

Le Catalan M, rte Cerbère 68 88 02 80, Télex 500557, < Banyuls et la côte, – . AE
1er mai-20 oct. – SC : **R** 130/310 – 27 – **36 ch** 280/380 – P 370/460.

Les Elmes, plage des Elmes 68 88 03 12, < – ch wc. E VISA.
20 mars-30 oct. – SC : **R** 65/120 – 26 – **21 ch** 185/320 – P 240 bc/290 bc.

Cap Doune sans rest, pl. Reig 68 88 30 56 – wc, sans .
18 mai-fin sept. – SC : 18,50 – **12 ch** 75/150.

Canal sans rest, 9 r. Dugommier 68 88 00 75 – wc
Pâques-30 sept. – SC : 15 – **30 ch** 92/160.

XXX **Le Sardinal,** pl. Reig 68 88 30 07, – E VISA
fermé 16 au 30 oct., 2 au 29 janv., dim. soir et lundi – SC : **R** 65/200.

X **La Pergola** avec ch, av. Fontaulé 68 88 02 10 – wc. VISA
23 mars-3 nov. – SC : **R** 58/103 – 18 – **17 ch** 124/192 – P 229/295.

BAPAUME 62450 P.-de-C. 53 ⑫ – 4 085 h. alt. 121.

Paris 155 – •Amiens 47 – Arras 27 – Cambrai 29 – Douai 42 – Doullens 49 – St-Quentin 48.

Paix, av. A.-Guidet ✆ 21 07 11 03 – wc . P. AE E VISA. ch
fermé 1er au 15 août, 20 déc. au 4 janv. et sam. – SC : **R** 54/130 – 15 – **16 ch** 76/155 – P 180/250.

CITROEN Zuliani-Roose, 42 fg d'Arras ✆ 21 58 90 22

PEUGEOT-TALBOT Greselle-Desvignes, 38 r. de Péronne ✆ 21 07 14 13

BAPEAUME 76 S.-Mar. 55 ⑥ – rattaché à Rouen.

La BARAQUE 63 P.-de-D. 73 ⑭ – rattaché à Clermont-Ferrand.

BARAQUEVILLE 12160 Aveyron 80 ② – 2 225 h. alt. 791.

Paris 642 – Albi 59 – Millau 74 – Rodez 19 – Villefranche-de-Rouergue 43.

Segala Plein Ciel, rte Albi ✆ **65 69 03 45**, <, , , – wc P – 350. E VISA. ch
fermé vend. soir, dim. soir et lundi hors sais. – SC : **R** 55/155 – 22 – **45 ch** 154/200 – P 260/310.

PEUGEOT-TALBOT Sacrispeyre, ✆ 65 69 00 43 N

BARBAZAN 31510 H.-Garonne 86 ① – 386 h. alt. 450.

Paris 848 – Bagnères-de-Luchon 31 – Lannemezan 24 – St-Gaudens 13 – Tarbes 59 – •Toulouse 103.

Host. de l'Aristou, rte Sauveterre ✆ **61 88 30 67** – TV wc P – 50. AE E VISA
SC : **R** 79/172 – 25 – **8 ch** 130/260 – P 280/400.

au Nord : 3 km par D33 – ✉ **31510** Barbazan :

Panoramique M, N : 3 km par D 33 ✆ **61 88 35 23**, – TV wc P – 40. AE VISA
fermé 4 au 30 nov. – SC : **R** *(fermé sam.)* 80/125 – 22 – **20 ch** 180/200 – P 380/490 (pour 2 pers.).

A l'hôtel : la tranquillité est l'affaire de tous, donc de chacun.

La BARBEN 13 B.-du-R. 84 ② – rattaché à Salon-de-Provence.

BARBENTANE 13570 B.-du-R. 83 ⑩ **G. Provence** – 3 249 h. alt. 52.

Voir Décoration intérieure★ du château – Abbaye St-Michel-de-Frigolet : boiseries★ de la chapelle N.-D.-du-Bon-Remède S : 5 km.

Syndicat d'Initiative à la Mairie ✆ 90 95 50 39.

Paris 695 – Avignon 9,5 – Arles 33 – •Marseille 105 – Nîmes 40 – Tarascon 15.

Castel Mouisson M sans rest, quartier Castel-Mouisson ✆ **90 95 51 17**, , , – wc P.
15 mars-15 oct. – SC : 20 – **17 ch** 180/192.

St-Jean, ✆ **90 95 50 44** – rest TV wc P. VISA
fermé 15 janv. au 15 fév. et lundi – SC : **R** 50/150 – 15 – **14 ch** 105/165 – P 190.

BARBERAZ 73 Savoie 74 ⑮ – rattaché à Chambéry.

BARBEREY-ST-SULPICE 10 Aube 61 ⑯ – rattaché à Troyes.

BARBEZIEUX 16300 Charente 72 ⑫ **G. Côte de l'Atlantique** – 5 067 h. alt. 79.

Syndicat d'Initiative 3 bd Chanzy (1er juil.-31 août) ✆ 45 78 02 54 et à la Mairie ✆ 45 78 20 22.

Paris 477 ① – Angoulême 33 ① – •Bordeaux 83 ⑤ – Cognac 34 ⑦ – Jonzac 23 ⑥ – Libourne 67 ⑤.

Plan page suivante

La Boule d'Or, 9 bd Gambetta ✆ **45 78 22 72**, , – wc wc P – 30 à 60. AE E VISA Z **a**
SC : **R** 44/150 – 19,50 – **28 ch** 82/150 – P 230/289.

La Venta M, à Bois-Vert par ⑤ : 11 km sur N 10 ✉ **16360 Baignes-Ste-Radegonde** ✆ **45 78 40 95**, , , – wc wc P – 30. E VISA
fermé vend. soir et sam. midi du 15 avril au 15 oct. – SC : **R** 45/130 – 13 – **23 ch** 85/120 – P 182/209.

Vieille Auberge avec ch, **5 ter bd Gambetta** ✆ **45 78 02 61**, – . VISA
fermé 1er au 15 avril, 28 oct. au 18 nov., dim. soir et lundi hors saison – SC : **R** 44/170 – 14,50 – **6 ch** 60/85 – P 160. Z **e**

RENAULT Cholet, ✆ 45 78 11 66 N ✆ 45 78 57 95

V.A.G. Puyravaud, ✆ 45 78 12 13

Charente-Pneus, St-Hilaire ✆ 45 78 03 58

BARBEZIEUX

Pour un bon usage des plans de villes, voir les signes conventionnels p. 23.

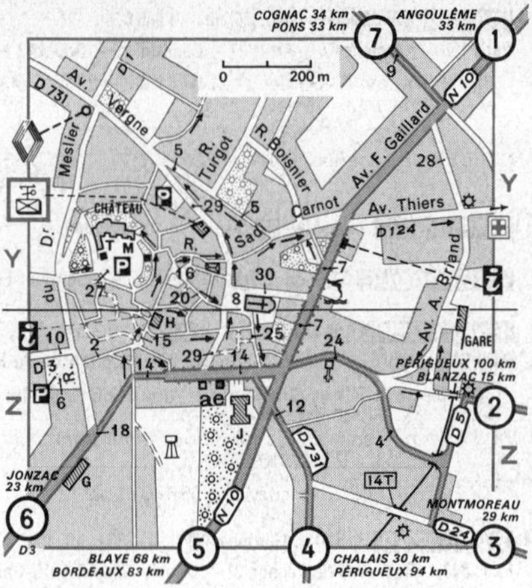

COGNAC 34 km PONS 33 km — ANGOULÊME 33 km — PÉRIGUEUX 100 km BLANZAC 15 km — MONTMOREAU 29 km — CHALAIS 30 km PÉRIGUEUX 94 km — BLAYE 68 km BORDEAUX 83 km — JONZAC 23 km

---

BARBIZON 77630 S.-et-M. 61 ①②, 196 ㊺ G. Environs de Paris – 1 273 h. alt. 80.

Voir Gorges d'Apremont★ : Grand Belvédère★ E : 4 km puis 15 mn.

Office de Tourisme 41 r. Grande ☎ (1) 60 66 41 87.

Paris 55 – Étampes 39 – Fontainebleau 9,5 – Melun 11 – Pithiviers 47.

Bas-Bréau M, ☎ (1) 60 66 40 05, Télex 690953, « Jardin fleuri », parc, – TV ☎ – 30. AE E VISA
fermé début janv. à mi fév. – **R** carte 310 à 460 – 60 – **12 ch** 700/1 050, 7 appartements
Spéc. Canard sauvage aux fines épices (mi-juil. à fin-déc.), Grouse d'Écosse rôti aux champignons sauvages (mi-août à fin sept.).

XXX **Host. Clé d'Or** avec ch, ☎ (1) 60 66 40 96, – wc wc ☎ – 30. AE E VISA
fermé 15 nov. au 15 déc., dim. soir et lundi sauf fériés – SC : **R** 135 bc, carte le dim. – 26 – **15 ch** 170/330.

XXX **Les Pléiades** avec ch, ☎ (1) 60 66 40 25, ←, – TV wc ☎ – 25. AE E VISA
fermé 3 au 24 fév. et dim. soir – SC : **R** 125/225 – 25 – **15 ch** 250/290, 3 appartements 320/340 – P 310/380.

X **Le Relais de Barbizon,** ☎ (1) 60 66 40 28, – VISA
fermé 18 au 31 août, 23 déc. au 12 janv., mardi et merc. – SC : **R** 86/117.

sur la N 7, à l'orée de la forêt E : 1,5 km – 77630 Barbizon :

XXX **Grand Veneur,** ☎ (1) 60 66 40 44, « Salle rustique avec grande broche devant un feu de bois » – . AE VISA
fermé 23 juil. au 22 août, merc. soir et jeudi – **R** carte 195 à 255.

BARBOTAN-LES-THERMES 32 Gers 79 ⑫ G. Côte de l'Atlantique – alt. 136 – Stat. therm. (1er fév.-23 déc.) – 32150 Cazaubon.

Office de Tourisme pl. Armagnac ☎ 62 69 52 13.

Paris 713 – Aire-sur-l'Adour 36 – Auch 72 – Condom 36 – Marmande 70 – Nérac 43.

La Bastide Gasconne M, ☎ 62 69 52 09, Télex 521009, – cuisinette – 25. AE. rest
1er avril-31 oct. – **R** 185/300 – 36 – **47 ch** 260/440 – P 365/895.

Château de Bégué, SO : 2 km par D 656 32150 Cazaubon ☎ 62 69 50 08, ←, « Petit manoir dans un parc », – cuisinette wc wc ☎ . VISA. rest
mai-oct. – SC : **R** 115/121 – 25 – **32 ch** 190/302 – P 311/392.

Cante Grit, ☎ 62 69 52 12, – wc wc ☎ . AE VISA. rest
15 avril-31 oct. – SC : **R** 79 – 28 – **23 ch** 181/258 – P 313/363.

Paix, ☎ 62 69 52 06, – wc ☎ . VISA. rest
6 avril-23 nov. – SC : **R** 80/130 – 20 – **32 ch** 225/280 – P 345/390.

Beauséjour, ☎ 62 69 52 01, ←, – wc ☎ .
mi-avril-fin oct. – SC : **R** 80/100 – 20 – **30 ch** 160/260 – P 260/380.

Roseraie, ☎ 62 69 53 26, – wc ☎ . rest
début avril-fin oct. – SC : **R** 76/130 – 23 – **33 ch** 79/220 – P 210/310.

à Cazaubon SO : 3 km par D 626 – ✉ **32150** Cazaubon :

Château Bellevue ⑤, ✆ 62 09 51 95, Télex 521429, ≤, « dans un parc », ⛱ – |⇕| ☎ Ⓟ – 🏛 60. AE ⓓ
1er mars-30 nov. – SC : **R** 107/206 – ☕ 28 – **26 ch** 187/340 – P 306/340.

Le BARCARÈS 66420 Pyr.-Or. 86 ⑩ – 2 221 h. – Casino à Port-Barcarès.
Office de Tourisme Front de Mer ✆ 68 86 16 56.
Paris 895 – Narbonne 64 – ♦Perpignan 21 – Quillan 84.

à Port-Barcarès – G. Pyrénées.

Lydia Playa, ✆ 68 86 25 25, Télex 500837, ≤, 🏖, ⛱, 🏊, 🎾 – |⇕| ▤ TV ☎ Ⓟ – 🏛 40 à 200. AE ⓓ VISA. ✻ rest
7 juin-30 sept. – SC : **R** 90 bc – **191 ch** ☕ 437/558 – P 448/604.

XX **Don Quichotte,** ✆ 68 86 06 57 – ▤ Ⓟ
fermé oct., nov., 3 au 17 mars et merc. – SC : **R** 92/150.

Gar. Tébar, N 9, Port-Barcarès ✆ 68 86 06 66 N

BARCELONNETTE ◇ 04400 Alpes-de-H.-P. 81 ⑧ G. Alpes – 3 314 h. alt. 1 132 – Sports d'hiver au Sauze SE : 4 km, à Super-Sauze SE : 10 km et à Pra-Loup SO : 8,5 km.
Office de Tourisme pl. Manuel ✆ 92 81 04 71.
Paris 736 – Briançon 84 – Cannes 221 – Cuneo 100 – Digne 87 – Gap 69 – ♦Nice 210.

La Grande Épervière, rte de Gap ✆ 92 81 00 70, ≤, 🌳 – ⛀wc ☎ – **10 ch**.

Gaudissart, pl. A.-Gassier ✆ 92 81 00 45, 🏖, 🌳 – ⛆ ☎. ✻ rest
1er mai-15 oct. et fermé dim. soir et lundi midi – SC : **R** 63/150 – ☕ 17 – **10 ch** 100/120.

XX **Le Passe-Montagne,** SO : 3 km rte Cayolle ✆ 92 81 08 58, 🏖 – Ⓟ. AE ⓓ. ✻
fermé 15 nov. au 15 déc. et merc. hors sais. – SC : **R** 82.

XX La Mangeoire, pl. 4-Vents (près Église) ✆ 92 81 01 61 – Ⓟ.

X **L'Aupillon** ⑤ avec ch, rte de St-Pons ✆ 92 81 01 09, 🏖, 🌳 – Ⓟ. VISA. ✻ rest
fermé nov. – SC : **R** *(fermé mardi soir hors sais.)* 56/90 🍷 – ☕ 17 – **7 ch** 110 – P 187.

au Sauze SE : 4 km par D 900 et D 209 – alt. 1 380 – Sports d'hiver : 1 400/2 400 m ⛷23 ⛸ – ✉ **04400** Barcelonnette

Alp'H. M ⑤, ✆ 92 81 05 04, Télex 420437, ≤, 🏖, ⛱, 🌳 – |⇕| cuisinette TV ☎ 🚗 Ⓟ – 🏛 50. AE ⓓ VISA
15 juin-30 oct. et 15 déc.-30 avril – SC : **R** 52/93 – ☕ 26 – **24 ch** 270/305, 11 appartements – P 305/350.

L'Équipe ⑤, ✆ 92 81 05 12, ≤ – ⛆wc ☎ 🚗 Ⓟ. VISA. ✻ rest
20 juin-15 sept. et 15 déc.-15 avril – SC : **R** 78/90 – ☕ 19 – **24 ch** 120/176 – P 189/230.

Soleil des Neiges, ✆ 92 81 05 01, ≤, 🏖, 🌳 – ⛀wc ⛆wc ☎ Ⓟ. AE ⓓ. ✻ rest
26 juin-22 sept., 20 déc.-15 avril et vacances de nov. – SC : **R** 80/160 – ☕ 22 – **34 ch** 100/230 – P 210/310.

Les Flocons, ✆ 92 81 05 03, ≤ – ⛆wc Ⓟ. AE VISA
15 juin-15 sept. et 15 déc.-30 avril – SC : **R** 60/120 – ☕ 20 – **20 ch** 130/150 – P 200/230.

Séolanes ⑤, ✆ 92 81 05 10, ≤ – ⛀wc ⛆wc ☎ Ⓟ. ✻ rest
30 juin-3 sept. et Noël-Pâques – SC : **R** (résidents seul.) – ☕ 16,50 – **16 ch** 84/182 – P 148/224.

à Super-Sauze S : 10 km par D 9 et D 9A – alt. 1 700 – Sports d'hiver : voir au Sauze – ✉ **04400** Barcelonnette :

Pyjama M ⑤ sans rest, ✆ 92 81 12 00, ≤ – TV ⛀wc ☎ Ⓟ. ⓓ
1er juil.-1er sept. et 10 déc.-1er mai – SC : ☕ 28 – **10 ch** 195/260.

OP Traken ⑤, ✆ 92 81 05 22, ≤, 🏖 – ⛀wc ⛆wc ☎. ⓓ
1er juil.-31 août et 10 déc.-15 avril – SC : **R** 75/95 – ☕ 25 – **12 ch** 110/220 – P 225/285.

Ourson ⑤, ✆ 92 81 05 21, ≤, 🏖 – ⛀wc ⛆wc ☎ Ⓟ. ✻ rest
1er juil.-31 août et 15 déc.-20 avril – SC : **R** 55/80 – ☕ 21 – **20 ch** 151/176 – P 190/212.

à Pra-Loup SO : 8,5 km par D 902 et D 109 – alt. 1 600 – Sports d'hiver : 1 600/2 500 m ⛷4 ⛷48 – ✉ **04400** Barcelonnette.
Office de Tourisme La Maison de Pra-Loup ✆ 92 84 10 04, Télex 420269.

Les Airelles ⑤ sans rest, ✆ 92 84 13 24, ≤ – ⛀wc ☎ Ⓟ. ✻
10 juil.-31 août et 10 déc.-25 avril – SC : ☕ 24 – **20 ch** 245/270.

Le Prieuré ⑤, à Molanès ✆ 92 84 11 43, 🏖 – ⛀wc ⛆wc. VISA. ✻ ch
1er juil.-5 sept. et 15 déc.-15 avril – SC : **R** (en hiver dîner seul.) 68 🍷 – ☕ 23 – **14 ch** 168/209.

CITROEN Gar. de la Gravette, ✆ 92 81 01 66 ▣ ✆ 92 81 17 52
FIAT Gar. S.A.T.A., ✆ 92 81 00 11
PEUGEOT-TALBOT Gar. de l'Ubaye, ✆ 92 81 02 45 ▣
RENAULT Gar. Bertholet, 15 av. 3 frères Arnaud ✆ 92 81 00 25 ▣

BARCUS 64 Pyr. Atl. 85 ⑤ – 916 h. alt. 210 – ✉ **64130** Mauléon-Soule.
Paris 824 – Mauléon-Licharre 15 – Oloron-Ste-Marie 16 – Pau 49 – St-Jean-Pied-de-Port 55.

XX **Chilo** avec ch, ✆ 59 28 90 79, – ⊟ ⋒ Ⓟ
fermé mi-sept. à mi-oct. et lundi – **R** 65/80 ⅄ – ☕ 10 – **13 ch** 60/120 – P 220/300.

BARÈGES 65 H.-Pyr. 85 ⑱ **G. Pyrénées** – 344 h. alt. 1 250 – Stat. therm. (mi mai-mi oct.) – Sports d'hiver : 1 250/2 350 m ⛷1 ⛷22 ⛷ – ✉ **65120** Luz-St-Sauveur.
ℹ Syndicat d'Initiative ✆ 62 92 68 19, Télex 521995.
Paris 840 – Arreau 54 – Bagnères-de-Bigorre 40 – Lourdes 38 – Luz-St-Sauveur 7 – Tarbes 58.

Europe, ✆ 62 92 68 04, – |⇕| ⊟wc ⋒wc ☎. VISA. ✗ rest
8 juin-23 sept. et 20 déc.-5 avril – SC : **R** 46/150 – ☕ 17,50 – **53 ch** 116/176.

Richelieu, ✆ 62 92 68 11 – |⇕| ⊟wc ⋒wc. AE VISA
5 juin-25 sept. et 15 déc.-10 avril – SC : **R** 45/120 – ☕ 17 – **36 ch** 200 – P 180/220.

BAREMBACH 67 B.-Rhin 62 ⑧ – 849 h. alt. 350 – ✉ **67130** Schirmeck.
Paris 414 – Lunéville 68 – Molsheim 28 – St Dié 42 – Sélestat 45 – ♦ Strasbourg 49.

Relais du Château ⛰, 5 r. Mar.-de-Lattre-de-Tassigny ✆ 88 97 97 50, – TV ⊟wc ☎ Ⓟ – 🅰 40. AE ⓓ E VISA. ✗ rest
fermé 15 au 30 nov. et 1er au 15 mars – SC : **R** *(fermé jeudi de nov. à avril)* 90/245 ⅄ – ☕ 30 – **15 ch** 155/380 – P 300/360.

BARENTIN 76360 S.-Mar. 55 ⑥ **G. Normandie** – 12 776 h. alt. 75.
Paris 156 – Dieppe 49 – Duclair 10 – ♦Rouen 17 – Yerville 15 – Yvetot 19.

XX **Aub. Gd St-Pierre,** 19 av. Victor-Hugo ✆ 35 91 03 37 – Ⓟ. VISA
fermé 4 au 25 août, vacances de fév., dim. soir et lundi – SC : **R** 66/140.

PEUGEOT-TALBOT Barbier, 32 av. V.-Hugo ✆ 35 91 22 64
RENAULT Roussel, r. A.-Briand ✆ 35 91 10 52
RENAULT Sellier, av. E.-Zola ✆ 35 91 11 60

BARFLEUR 50760 Manche 54 ③ **G. Normandie** – 630 h.
Voir Phare de la Pointe de Barfleur★ : ✻★★ N : 4 km.
Env. La Pernelle ✻★★ S :6,5 km.
ℹ Office de Tourisme (juil.-août) ✆ 33 54 02 48 et à l'Hôtel de Ville ✆ 33 54 04 49.
Paris 358 – ♦Caen 117 – Carentan 48 – Cherbourg 27 – St-Lô 76 – Valognes 25.

Phare, ✆ 33 54 02 07, – ⊟wc ⋒wc ☎ Ⓟ. E VISA. ✗ rest
fin mars-début nov. ; fermé dim. soir et lundi sauf juil.-août – SC : **R** 90/170 – ☕ 19 – **20 ch** 80/180 – P 200/240.

CITROEN Pesnelle, à Anneville en Saire ✆ 33 54 00 77
RENAULT Gonzalve, à Montfarville ✆ 33 54 04 21

BARGEMON 83 Var 84 ⑦ **G. Côte d'Azur** – 1 110 h. alt. 465 – ✉ **83830** Callas.
Paris 881 – Castellane 43 – Comps-sur-Artuby 20 – Draguignan 21 – Grasse 44.

XX **Aub. Pierrot,** ✆ 94 76 62 19, – ⓓ VISA
fermé fév. et lundi hors sais. – SC : **R** (nombre de couverts limité - prévenir) 60/150.

X **Maître Blanc,** ✆ 94 76 60 24 ▤. ⓓ E VISA
fermé déc., janv. et merc. – **R** (dîner seul. de juil. au 15 sept.) 52/97.

BARJAC 48 Lozère 80 ⑤ – 544 h. alt. 666 – ✉ **48000** Mende.
Paris 571 – Mende 14 – Millau 83 – Rodez 95 – St-Flour 83.

Midi, ✆ 66 47 01 02 – ⋒wc ☎ Ⓟ. VISA
SC : **R** 35/80 ⅄ – ☕ 11,50 – **21 ch** 69/130 – P 127/155.

BARJOLS 83670 Var 84 ⑤ **G. Côte d'Azur** – 2 016 h. alt. 288.
ℹ Syndicat d'Initiative bd Grisolle (1er juil.-15 sept.) ✆ 94 77 20 01.
Paris 813 – Aix-en-Provence 64 – Brignoles 22 – Digne 86 – Draguignan 45 – Manosque 51.

Pont d'Or, rte St-Maximin ✆ 94 77 05 23 – ⋒wc 🚗. VISA. ✗ rest
fermé 1er déc. au 15 janv. – SC : **R** *(fermé dim. soir et lundi du 1er oct. au 31 mai)* 55/125 – ☕ 17 – **15 ch** 70/130 – P 175/195.

CITROEN Inaudi, ✆ 94 77 06 13
RENAULT Penal, ✆ 94 77 00 51

BAR-LE-DUC Ⓟ 55000 Meuse 62 ① G. Champagne, Ardennes – 20 029 h. alt. 184.

Voir Ville haute★ : "le Squelette" (statue)★★ dans l'église St-Étienne AZ.

F9 de Combles-en-Barrois ✆ 29 45 16 03 par ④ : 5 km.

i Office de Tourisme 12 r. Lapique ✆ 29 79 11 13 - A.C. 14 r. A.-Maginot ✆ 29 79 03 76.

Paris 218 ④ – Châlons-sur-Marne 70 ④ – Charleville-Mézières 140 ④ – Épinal 141 ② – ♦Metz 98 ① – ♦Nancy 83 ② – Neufchâteau 73 ② – ♦Reims 122 ④ – St-Dizier 24 ③ – Verdun 56 ①.

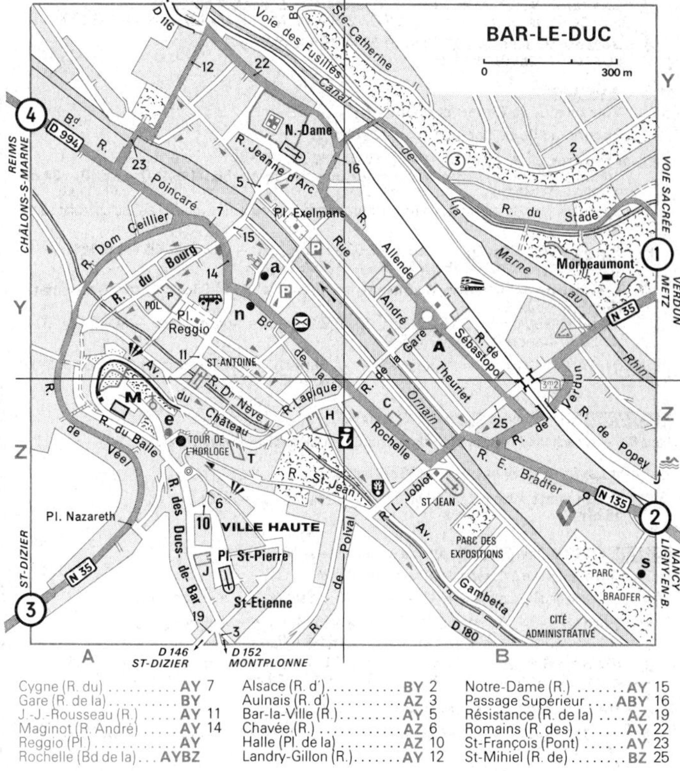

Cygne (R. du) .... AY 7
Gare (R. de la) .... BY
J.-J.-Rousseau (R.) ..... AY 11
Maginot (R. André) ..... AY 14
Reggio (Pl.) .... AY
Rochelle (Bd de la) ... AYBZ

Alsace (R. d') .... BY 2
Aulnais (R. d') .... AZ 3
Bar-la-Ville (R.) .... AY 5
Chavée (R.) .... AZ 6
Halle (Pl. de la) .... AZ 10
Landry-Gillon (R.) .... AY 12

Notre-Dame (R.) .... AY 15
Passage Supérieur .... ABY 16
Résistance (R. de la) .... AZ 19
Romains (R. des) .... AY 22
St-François (Pont) ...... AY 23
St-Mihiel (R. de) .... BZ 25

Duc H. Ⓜ, parc Bradfer ✆ 29 79 32 66 – ▯ TV ☎ Ⓟ – 60. ⓓ E VISA. ✂
SC : **R** 58/150 – ☐ 20 – **26 ch** 218/238. BZ **s**

Gd H. Metz et Commerce, 17 bd La Rochelle ✆ 29 79 02 56, – ⌂wc ⋒wc ☏. E VISA AY **n**
fermé dim. soir d'oct. à mars – SC : **R** 52/160 – ☐ 15,50 – **51 ch** 75/150.

Exelmans sans rest, 5 r. du Gué ✆ 29 76 21 06 – ⋒ ☏. ✂ AY **a**
fermé 1er au 15 janv. – SC : ☐ 11,50 – **14 ch** 47/71.

Meuse Gourmande, 1 r. François de Guise (Ville Haute) ✆ 29 79 28 40, – AE E VISA AZ **e**
fermé 1er au 21 janv., 1er au 15 juil., dim. soir et lundi – SC : **R** (nombre de couverts limité, prévenir) 67/98.

à Trémont-sur-Saulx par ③ et D 3 : 9,5 km – ✉ **55000** Bar-le-Duc :

Aub. de la Source Ⓜ, ✆ 29 75 45 22, – TV ⌂wc ☎ Ⓟ. E. ✂ rest
fermé 4 au 25 août, 10 au 24 fév., dim. soir et lundi – SC : **R** 55/160 – ☐ 17 – **16 ch** 140/180 – P 235/300.

CITROEN Gd Gar. Lorrain, rte de Reims à Fains-Veel par ④ ✆ 29 45 30 22
FIAT LANCIA-AUTOBIANCHI Gar. Marinoni, 38 r. J.-d'Arc ✆ 29 76 22 65
PEUGEOT-TALBOT Gar. Billet, 83 r. Bradfer, par ② ✆ 29 79 01 30
RENAULT Gar. Central, Parc Bradfer ✆ 29 79 40 66

Ⓜ Barrois-Pneus, 31 r. Bradfer ✆ 29 79 13 01

BARNEVILLE 14 Calvados 55 ③ – rattaché à Honfleur.

BARNEVILLE-CARTERET 50270 Manche 54 ① **G. Normandie** (plan) – 2 327 h. alt. 43.
Syndicat d'Initiative pl. Dr Aunet (sais.) ✆ 33 04 90 58.
Paris 353 – ♦Caen 113 – Carentan 43 – Cherbourg 37 – Coutances 48 – St-Lô 63.

à Barneville-Plage.

Voir Décoration romane★ de l'église.

Les Isles ⛫, ✆ 33 04 90 76, ≤, « jardin » – wc ☎. AE ⓓ E
fermé 15 nov. au 15 janv. – SC : **R** 67/208 – ☕ 18 – **34 ch** 107/239 – P 193/257.

Jersey ⛫ sans rest, ✆ 33 04 91 23 – wc wc ☎
SC : ☕ 15 – **20 ch** 110/140.

à Carteret.

Voir Le tour du Cap★★ et phare ≤★.

Excurs. à l'île de Jersey★ (voir à Jersey).

❀ **Marine,** ✆ 33 53 83 31, ≤ – wc ☎ P. ⓓ VISA
1er mars-15 nov. et fermé lundi en oct., nov. et mars – SC : **R** 75/250 – ☕ 18 – **34 ch** 90/250 – P 240/290
Spéc. Foie gras de canard au naturel, Médaillons de lotte au beurre rouge, Pavé au chocolat sauce pistache.

Plage et du Cap ⛫, le Cap ✆ 33 53 86 96, ≤, – wc ☎. AE ⓓ E VISA
R 54/225 – ☕ 20 – **15 ch** 72/214 – P 278/318.

XX **L'Hermitage-Maison Duhamel,** sur le port ✆ 33 04 96 29, ≤, – cuisinette TV wc. ⓓ E
fermé 1er au 20 déc., 2 au 30 janv., 10 au 28 fév., dim. soir et merc. – SC : **R** 68/280 – ☕ 20 – 4 appartements 250/350.

PEUGEOT, TALBOT Gar. de la Poste, ✆ 33 54 85 62 N

RENAULT Gar. Leboisselier Quesnot, ✆ 33 50 80 14 N ✆ 33 54 83 56

Le BARP 33114 Gironde 78 ② – 2 238 h. alt. 72.
Paris 624 – Arcachon 42 – Belin 13 – ♦Bordeaux 32 – Langon 58 – Villandraut 43.

à Lavignolle S : 4 km – ✉ **33770** Salles :

XX Chez Lisette avec ch, ✆ 56 88 62 01 – wc ☎ P
15 ch.

BARR 67140 B.-Rhin 62 ⑨ **G. Alsace et Lorraine** – 4 615 h. alt. 201.
Syndicat d'Initiative à l' Hôtel de Ville ✆ 88 08 94 24.
Paris 494 – Colmar 39 – Le Hohwald 12 – Saverne 45 – Sélestat 17 – ♦Strasbourg 35.

Manoir sans rest, 11 r. St-Marc ✆ 88 08 03 40 – wc wc ☎ P.
fermé 10 nov. au 28 fév. – SC : ☕ 20 – **18 ch** 130/260.

Maison Rouge, av. Gare ✆ 88 08 90 40 – wc wc ☎ – 30. VISA
fermé fév. et lundi – SC : **R** 35/250 – ☕ 16 – **13 ch** 95/160 – P 190/210.

rte Ste-Odile : 2 km par D 854 – ✉ **67140** Barr :

du Château d'Andlau ⛫ sans rest, ✆ 88 08 96 78, – wc wc ☎ P. VISA.
SC : ☕ 17 – **26 ch** 100/205.

FORD Dallemagne, à Gertwiller ✆ 88 08 91 61

PEUGEOT-TALBOT Gar. Karrer, ✆ 88 08 94 48

BARRAGE voir au nom propre du barrage.

Les BARRAQUES-EN-VERCORS 26 Drôme 77 ③④ – alt. 676 – ✉ **26420** La Chapelle-en-Vercors.

Env. NO : Gorges des Grands-Goulets★★★, **G. Alpes.**

Paris 600 – Die 45 – Romans-sur-Isère 40 – St-Marcellin 27 – Valence 58 – Villard-de-Lans 23.

Grands Goulets ⛫, ✆ 75 48 22 45, – wc wc ☎ P. VISA.
rest
1er mai-30 sept. – SC : **R** 54/110 – ☕ 17,50 – **30 ch** 85/220 – P 164/230.

BARRÊME 04330 Alpes-de-H.-P. 81 ⑰ **G. Côte d'Azur** – 421 h. alt. 720.

Voir Senez : tapisseries★ dans l'ancienne cathédrale SE : 5 km.

Paris 772 – Castellane 24 – Colmars 41 – Digne 30 – Manosque 71 – Puget-Théniers 58.

Alpes H., ✆ 92 34 20 09, – P
fermé mardi, merc. et jeudi de nov. à fév. sauf fériés – SC : **R** 53/93 – ☕ 13,50 – **11 ch** 61/75 – P 115/127.

CITROEN Gar. Aune, ✆ 92 34 20 17

BARSAC 33 Gironde 79 ①② G. Côte de l'Atlantique – 2 085 h. alt. 10 – ✉ 33720 Podensac.

Paris 617 – ♦Bordeaux 38 – Langon 8 – Libourne 45 – Marmande 45.

XXX **Host. du Château de Rolland** avec ch, ✆ 56 27 15 75, 🍽, parc, « Belle demeure dans les vignes » – TV ⌂wc ☎ P – 🏛 35. AE ⦿ VISA
fermé 10 nov. au 8 déc. – SC : **R** *(fermé merc. d'oct. à Pâques)* 95/220 – ☕ 30 – **7 ch** 280/350.

BAR-SUR-AUBE ⟨SP⟩ 10200 Aube 61 ⑲ G. Champagne, Ardennes – 7 146 h. alt. 165.

ℹ Syndicat d'Initiative à l'Hôtel de Ville ✆ 25 27 04 21.

Paris 212 ③ – Châtillon-sur-Seine 59 ② – Chaumont 42 ② – Troyes 52 ③ – Vitry-le-François 66 ③.

Armand (R.) 2
Aubertin (Pl.) 4
Chenot (R.) 6
Belfort (Fg de) 8
Beugnot (R.) 9
Beurnonville (R. Gén.) .. 12
Bourbon (R.) 14
Brossolette (R. Pierre) .. 15
Carnot (Pl.) 16
Collège (R. du) 18
Croix-du-Temple (R.) ... 20
Danton (R.) 22
Gaillard (R. du Château). 26
Gaulle (R. du Gén. de) .. 27
Jaurès (Pl. Jean) 28
Leclerc (Av. du Gén.) ... 29
Masson-de-Morfontaine (R.) 30
Mathaux (Promenade) .. 32
Payn (R. B.) 34
Romagon (R.) 36
St-Jean (R.) 38
St-Maclou (R.) 39
St-Pierre (R.) 40
Sommerard (R. du) 42
Thiers (R.) 44
Vouillemont (R. du Gén.) 46

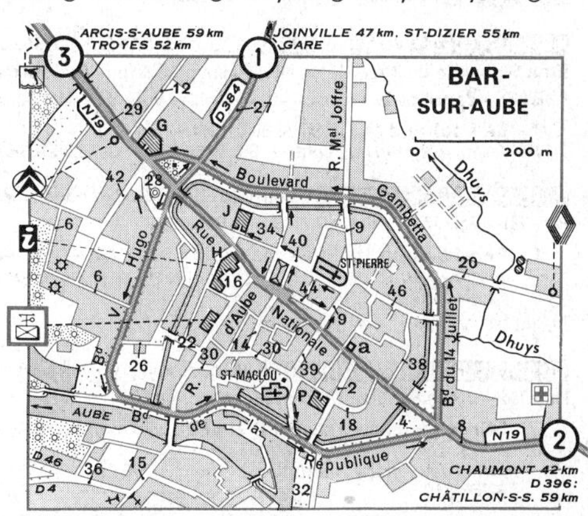

🏨 **Commerce** M, 38 r. Nationale (a) ✆ 25 27 08 76 – ⌂wc ⌂wc ☎ 🚗. AE ⦿ E VISA
fermé début janv. à début fév. – SC : **R** 65/145 – ☕ 20 – **16 ch** 85/220 – P 290/350.

à Arsonval par ③ : 6 km – ✉ 10200 Bar-sur-Aube :

XX **La Chaumière,** ✆ 25 26 11 02, 🍽 – P. AE E VISA
fermé 6 déc. au 14 janv. et lundi – SC : **R** 45/125.

à Dolancourt par ③ : 9 km – ✉ 10200 Bar-sur-Aube :

🏨 **Moulin du Landion** 🔇, ✆ 25 26 12 17, ≤, 🌳 – ⌂wc ☎ P – 🏛 30. ⦿ E VISA. ✗ rest
fermé 18 nov. au 4 janv. – SC : **R** 90/170 – ☕ 25 – **16 ch** 185/220 – P 305/400.

CITROEN Lhenry, 11 av. Gén.-Leclerc ✆ 25 27 01 23
PEUGEOT-TALBOT Vauthier, N 19 par ② ✆ 25 27 15 03
RENAULT Maigrot, 23 r. Croix-du-Temple ✆ 25 27 01 29
Gar. Roussel, 2 fg Belfort ✆ 25 27 14 00

BAR-SUR-SEINE 10110 Aube 61 ⑰⑱ G. Champagne, Ardennes – 3 851 h. alt. 152.

Voir Intérieur★ de l'église St-Étienne.

Paris 195 – Bar-sur-Aube 38 – Châtillon-sur-Seine 35 – St-Florentin 57 – Tonnerre 49 – Troyes 33.

🏨 **Barséquanais,** 6 av. Gén.-Leclerc ✆ 25 29 82 75 – ⌂wc ⌂wc P
fermé 25 déc. au 25 janv., dim. soir (sauf rest) de sept. à juin et lundi midi – **R** 45/75 🍷 – ☕ 13 – **24 ch** 70/180 – P 156/186.

🏨 **Commerce,** pl. République ✆ 25 29 86 36 – ⌂ ☎ 🚗. E VISA. ✗ ch
fermé 20 sept. au 15 oct., 1er au 15 mars, lundi (sauf le soir en juil.-août) et dim. soir – SC : **R** 50/92 🍷 – ☕ 14,50 – **12 ch** 66/134 – P 160/200.

CITROEN Éts Lhenry, ✆ 25 29 80 20
RENAULT Jollois, ✆ 25 29 87 45 N

BARTENHEIM 68870 H.-Rhin 66 ⑩ – 2 452 h. alt. 261.

Paris 552 – Altkirch 21 – ♦Bâle 15 – Belfort 55 – Colmar 63 – ♦Mulhouse 24.

XX **Aub. d'Alsace,** à la Gare E : 1 km ✆ 89 68 31 26, 🍽 – P. VISA
fermé 17 juin au 11 juil., merc. soir et jeudi – SC : **R** 70/180.

BASEL Suisse 66 ⑩, 216 ④ – voir à Bâle.

BAS-RUPTS 88 Vosges 62 ⑰ – rattaché à Gérardmer.

BASSE-GOULAINE 44 Loire-Atl. 67 ③④ – rattaché à Nantes.

BASSES-HUTTES 68 H.-Rhin 62 ⑱ – rattaché à Orbey.

BASSOUES 32 Gers 82 ③④ **G. Pyrénées** – 503 h. alt. 225 – ✉ **32320** Montesquiou.

Voir Donjon*.

Paris 769 – Aire-sur-l'Adour 48 – Auch 35 – Tarbes 54.

- ✗ **Host. du Donjon** avec ch, ✆ **62 64 90 04**, – *fermé 15 au 31 mars* – SC : **R** *(fermé lundi hors sais.)* 40 bc/170 – 15 – **7 ch** 72/96 – P 120/170.

BASTIA P 2B H.-Corse 90 ③ – voir à Corse.

La BASTIDE 83 Var 84 ⑦, 195 ㉒ – 115 h. alt. 1 000 – ✉ **83840** Comps-sur-Artuby.

Env. Signal de Lachens ** NE : 10 km puis 30 mn, **G. Côte d'Azur.**

Paris 820 – Castellane 24 – Comps-sur-Artuby 12 – Draguignan 44 – Grasse 49.

- **de Lachens** ✆ **94 76 80 01**, – *fermé déc., janv. et vend.* – SC : **R** 55/100 – 13,50 – **14 ch** 78/135 – P 165/190.

La BASTIDE-DE-SÉROU **09240** Ariège 86 ④ **G. Pyrénées** – 962 h. alt. 410.

Paris 781 – Foix 17 – Le Mas-d'Azil 18 – St-Girons 27.

- ✗ **Ferré** avec ch, rte St-Girons ✆ **61 64 50 26**, – . ch – *fermé 12 au 25 nov., 2 au 18 janv. et lundi sauf juil.-août* – SC : **R** 40/160 – 10 – **10 ch** 65/83.

RENAULT Montané, ✆ 61 64 50 06 N

La BASTIDE-DES-JOURDANS 84 Vaucluse 84 ④ – 724 h. alt. 420 – ✉ **84240** La Tour.

Paris 766 – Aix-en-Provence 37 – Apt 39 – Manosque 16.

- ✗✗ **Mirvy** M avec ch, par D 27 et VO : 2 km ✆ **90 77 83 23**, ≤, parc, – TV wc P. VISA *fermé fév., mars, mardi soir et merc.* – SC : **R** 103/276 – 23 – **3 ch** 230/365 – P 265/310.

BATILLY-EN-PUISAYE 45 Loiret 65 ②③ – 123 h. alt. 180 – ✉ **45420** Bonny-sur-Loire.

Paris 169 – Auxerre 64 – Gien 22 – Montargis 54 – ♦Orléans 86.

- ✗ **Aub. de Batilly** avec ch, ✆ **38 31 96 12** – wc – *fermé 15 août à début sept.* – SC : **R** 52/100 – 10 – **9 ch** 70/120 – P 160/180.

BATZ (Ile de) **29253** Finistère 58 ⑥ **G. Bretagne** – 744 h.

Accès par transports maritimes.

depuis **Roscoff.** En 1985 : du 1er juil. au 15 sept., 14 services quotidiens et du 16 sept. au 30 juin, 8 services quotidiens - Traversée 15 mn - 17 F (AR). Renseignements ✆ 98 61 79 66.

BATZ-SUR-MER **44740** Loire-Atl. 63 ⑭ **G. Bretagne** – 2 591 h alt. 10.

Voir ** de l'église* – Chapelle N.-D. du Mûrier* – Rochers* du sentier des douaniers – La Côte Sauvage*.

Paris 453 – La Baule 7 – ♦Nantes 81 – Redon 60 – Vannes 71.

- ✗✗ **L'Atlantide,** 59 bd de Mer ✆ **40 23 92 20**, ≤ mer – P. VISA *25 mars-25 nov.* – SC : **R** 86/130.

PEUGEOT Gar. Lebeau, ✆ 40 23 93 16

Les BAUDIÈRES 89 Yonne 65 ⑤ – ✉ **89550** Hery.

Paris 177 – Auxerre 17 – Chablis 20 – Joigny 22 – St-Florentin 15 – Tonnerre 36.

- ✗✗ **Soleil Levant** avec ch, ✆ **86 40 11 51** – P. AE VISA *fermé fév. et lundi* – SC : **R** 65/165 – 24 – **8 ch** 102/115 – P 165.

BAUDUEN 83 Var 84 ⑥ – 184 h. alt. 483 – ✉ **83630** Aups.

Paris 836 – Draguignan 45 – Moustiers-Ste-Marie 33.

- **Aub. du Lac** ✆ **94 70 08 04**, ≤ lac – wc. *28 mars-11 nov.* – SC : **R** 65/140 – 18 – **10 ch** 180/220 – P 240/300.

BAUGÉ **49150** M.-et-L. 64 ⑫ **G. Châteaux de la Loire** (plan) – 3 906 h. alt. 56.

Voir Croix d'Anjou** dans la chapelle des Filles du Coeur de Marie – Pharmacie* de l'hôpital St-Joseph – Le Vieil-Baugé : choeur* de l'église SO : 2 km par D 61 – Forêt de Chandelais* SE : 3 km – Pontigné : peintures murales* dans l'église E : 5 km par D 141.

Syndicat d'Initiative (15 juin-15 sept.) ✆ 41 89 18 07 et à l'Hôtel de Ville 41 89 12 12.

Paris 260 – Angers 38 – La Flèche 18 – ♦Le Mans 60 – Saumur 33 – ♦Tours 68.

Boule d'Or, 4 r. Cygne ✆ 41 89 82 12 – wc. ch
fermé 15 janv. au 15 fév., dim. soir et lundi – SC : R 55/145 – 16 – **14 ch** 80/175 – P 236/350.

CITROEN-VOLVO Michaud, ✆ 41 89 18 12
PEUGEOT-TALBOT Gar. Conrardy, ✆ 41 89 20 62
RENAULT Kisseleff, ✆ 41 89 10 46 ✆ 41 89 26 20

La BAULE 44500 Loire-Atl. 63 ⑭ **G. Bretagne** – 14 688 h. – Casino BZ.

Voir Front de mer – Parc des Dryades*** FZ – **La Baule-les-Pins**** EFZ.

18 ✆ **40 60 77 84 par ② : 7 km.**

de St-Nazaire-Montoir-La Baule ✆ 40 90 15 89 par ③ : 24 km.

Office de Tourisme et Accueil de France (Informations et réservations d'hôtels, pas plus de 5 jours à l'avance), 8 pl. Victoire ✆ 40 24 34 44, Télex 710050 et 5 pl. Palmiers (juil.-août) ✆ 40 60 22 13.

Paris 446 ② – ♦Nantes 74 ② – ♦Rennes 136 ② – St-Nazaire 17 ③ – Vannes 71 ①.

Plan page suivante

Hermitage, espl. F.-André ✆ **40 60 37 00, Télex 710510,** ←, – rest 30. AE E VISA. rest BZ **h**
mi-avril à mi-oct. – SC : **R** 240 **les Evens R** carte environ 280 - **Plage** *(juil.-août)* **R** carte environ 250 (déj. seul.) – 40 – **230 ch** 970/1 600, 9 appartements – P 880/2 300.

Royal, espl. F.-André ✆ **40 60 33 06,** ←, parc, – 100. AE E VISA. rest BZ **t**
Pâques-mi oct. – SC : **R** 180 – 40 – **110 ch** 350/920 – P 620/760.

✿ **Castel Marie-Louise**, espl. Casino ✆ **40 60 20 60, Télex 700408,** ←, « parc » – 35. AE E VISA. rest BZ **g**
R (en saison - prévenir) 200/300 – 55 – **31 ch** 550/1 160 – P 650/930
Spéc. Salade de coquillages et poisson fumé, Assiette de petite pêche bretonne, Homard grillé Marie-Louise.

Bellevue-Plage M, 27 bd Océan ✆ **40 60 28 55, Télex 710459,** ← – rest . AE VISA. rest EZ **r**
20 mars-10 oct. – SC : **R** *(fermé lundi sauf du 10 juin au 15 sept.)* 90/130 – 25 – **34 ch** 300/400 – P 400/460.

Alexandra, 3 bd R.-Dubois ✆ **94 60 30 06,** ← – . AE E VISA. rest
1er avril-30 sept. – SC : **R** 140/198 – 24 – **36 ch** 230/340 – P 370/420. DZ **u**

Majestic sans rest, **esplanade F.-André** ✆ **40 60 24 86,** ← – . AE VISA
15 avril-30 sept. – SC : **61 ch** 380/445, 6 appartements 650/700. BZ **e**

La Palmeraie, 7 allée Cormorans ✆ **40 60 24 41,** « **Cour fleurie** » – wc wc . AE E VISA. rest CZ **n**
27 mars-1er oct. – SC : **R** 85/100 – 20 – **23 ch** 190/250 – P 210/275.

Concorde sans rest, **1 av. Concorde** ✆ **40 60 23 09** – wc wc .
22 mars-30 sept. – SC : 20 – **47 ch** 245/300. CZ **f**

Christina, 26 bd Hennecart ✆ **40 60 22 44,** ←, – rest wc wc . E VISA. DZ **d**
SC : **R** *(1er juin-30 sept.)* 110/180 – 23 – **36 ch** 130/290, (en sais. pension seul.) – P 310/360.

Les Alizés M, 10 av. de Rhuys ✆ **40 60 34 86,** – wc . AE E VISA. rest FZ **e**
SC : **R** *(1er juil.-31 août)* 105/195 – 27 – **30 ch** 345/405 – P 430/440.

Les Dunes et rest. Le Maréchal, 277 av. De-Lattre-de-Tassigny ✆ **40 24 53 70** – rest wc wc . DY **v**
fermé fév. – SC : **R** *(fermé lundi du 1er oct. au 30 mars)* 69/108 – 20 – **38 ch** 217/280 – P 258/290.

Alcyon sans rest, **19 av. Pétrels** ✆ **40 60 19 37** – wc wc . AE VISA
fermé janv. – SC : 22 – **32 ch** 225/280. CY **s**

Helios, 7 bd Dr. René Dubois ✆ **40 60 22 38,** ← – wc wc . AE VISA. rest DZ **a**
28 mars-30 sept. – SC : **R** 70/175 – 18 – **32 ch** 200/260 – P 240/300.

Delice H. M sans rest, **19 av. Marie-Louise** ✆ **40 60 23 17** – wc
1er juin-21 sept. – SC : 19 – **14 ch** 200/260. BZ **s**

Bretagne, pl. Gén.-Leclerc ✆ **40 60 21 92** – wc wc DZ **b**
fermé 15 déc. au 15 janv. – **R** *(fermé merc. soir et jeudi du 1er oct. au 1er fév.)* 66/180 – 16 – **25 ch** 122/216 – P 222/269.

Flepen sans rest, **145 av. De-Lattre-de-Tassigny** ✆ **40 60 29 30** – wc wc . AE E VISA BZ **p**
20 mars-15 oct. – SC : 28 – **24 ch** 135/300.

La Closerie sans rest, **173 av. De-Lattre-de-Tassigny** ✆ **40 60 22 71** – wc wc . CY **y**
avril-oct. – SC : 17 – **15 ch** 175/225.

tourner →

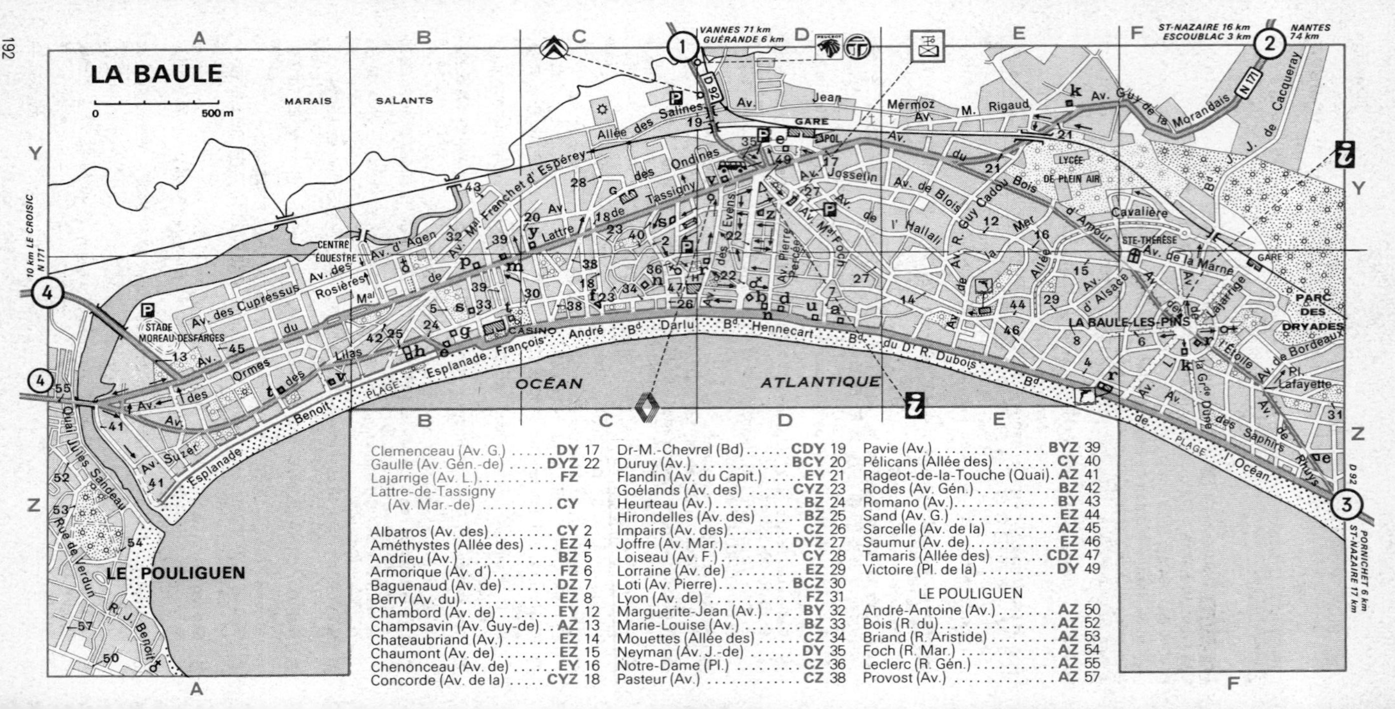

Clemenceau (Av. G.) ...... DY 17
Gaulle (Av. Gén.-de) ..... DYZ 22
Lajarrige (Av. L.) .... FZ
Lattre-de-Tassigny (Av. Mar.-de) .... CY

Albatros (Av. des) .... CY 2
Améthystes (Allée des) .... EZ 4
Andrieu (Av.) .... BZ 5
Armorique (Av. d') .... FZ 6
Baguenaud (Av. de) .... DZ 7
Berry (Av. du) .... EZ 8
Chambord (Av. de) .... EY 12
Champsavin (Av. Guy-de) .. AZ 13
Chateaubriand (Av.) ...... EZ 14
Chaumont (Av. de) .... EZ 15
Chenonceau (Av. de) ...... EY 16
Concorde (Av. de la) ..... CYZ 18
Dr-M.-Chevrel (Bd) ...... CDY 19
Duruy (Av.) .... BCY 20
Flandin (Av. du Capit.) ..... EY 21
Goélands (Av. des) ...... CYZ 23
Heurteau (Av.) .... BZ 24
Hirondelles (Av. des) ...... BZ 25
Impairs (Av. des) ...... CZ 26
Joffre (Av. Mar.) .... DYZ 27
Loiseau (Av. F.) .... CY 28
Lorraine (Av. de) .... EZ 29
Loti (Av. Pierre) .... BCZ 30
Lyon (Av. de) .... FZ 31
Marguerite-Jean (Av.) ...... BY 32
Marie-Louise (Av.) .... BZ 33
Mouettes (Allée des) ...... CZ 34
Neyman (Av. J.-de) ...... DY 35
Notre-Dame (Pl.) .... CZ 36
Pasteur (Av.) .... CZ 38
Pavie (Av.) .... BYZ 39
Pélicans (Allée des) .... CY 40
Rageot-de-la-Touche (Quai). AZ 41
Rodes (Av. Gén.) .... BZ 42
Romano (Av.) .... BY 43
Sand (Av. G.) .... EZ 44
Sarcelle (Av. de la) .... AZ 45
Saumur (Av. de) .... EZ 46
Tamaris (Allée des) ...... CDZ 47
Victoire (Pl. de la) .... DY 49

LE POULIGUEN

André-Antoine (Av.) .... AZ 50
Bois (R. du) .... AZ 52
Briand (R. Aristide) .... AZ 53
Foch (R. Mar.) .... AZ 54
Leclerc (R. Gén.) .... AZ 55
Provost (Av.) .... AZ 57

Lutétia, 13 av. Evens ✆ 40 60 25 81 – wc wc. AE VISA. rest DZ r
fermé 15 nov. au 31 janv. – **R** 60/130 – 20 – **15 ch** 150/240 – P 268/280.

Mariza, 22 bd Hennecart ✆ 40 60 20 21, ← – wc. AE VISA. rest
2 fév.-13 avril et 1er mai-2 nov. – SC : **R** *(fermé jeudi hors sais.)* 95/190 – 17 – **24 ch** 110/240 – P 230/310. DZ n

Le Paris, 138 av. Ondines ✆ 40 60 30 53 – wc. AE VISA. DY e
fermé oct., 24 déc. au 2 janv., vacances de fév., sam. et dim. d'oct. à Pâques – SC : **R** 70/130 – 18,50 – **16 ch** 98/148 – P 200/228.

Ty-Gwenn sans rest, 25 av. Gde-Dune ✆ 40 60 37 07 – wc FZ k
fermé nov. et déc. – SC : 18,50 – **16 ch** 111/220.

XXX **L'Espadon,** 2 av. Plage (5e étage) ✆ 40 60 05 63, ← baie et côte – AE VISA
fermé 17 nov. au 12 déc., 5 au 16 janv., dim. soir et lundi hors sais. – **R** (en saison nombre de couverts limité - prévenir) carte 220 à 310. AZ v

XXX **Henri,** 161 av. De-Lattre-de-Tassigny ✆ 40 60 23 65 – . AE E VISA BZ m
SC : **R** 76/175.

XX **La Pergola,** 147 av. des Lilas ✆ 40 24 57 61, – AE VISA AZ t
fermé janvier et merc. – SC : **R** carte 160 à 240.

XX **Chalet Suisse,** 114 av. Gén.-de-Gaulle ✆ 40 60 23 41 – VISA DY z
fermé 17 nov. au 7 déc., mardi soir, dim. soir et merc. – SC : **R** 47/185.

XX **Helvetia Grill,** 65 av. M. Rigaud ✆ 40 60 25 18, – VISA. EY k
fermé oct., Noël, vacances de fév., mardi soir et merc. sauf juil.-août – SC : **R** carte 70 à 140.

X **L'Ankou,** 38 av. Étoile ✆ 40 60 22 47. AE VISA FZ r
fermé janv., mardi midi et lundi – **R** carte 135 à 200.

Voir aussi ressources hôtelières à ***Pornichet*** et au ***Pouliguen***

BMW, LANCIA-AUTOBIANCHI Gilot, 4 pl. La Fayette ✆ 40 60 28 06 N ✆ 40 24 12 86
CITROEN Salines-Automobiles pl. des salines ✆ 40 60 20 71
PEUGEOT-TALBOT Le Déan, rte Guérande ✆ 40 24 08 57
RENAULT Richard, 206 av. De-Lattre-de-Tassigny ✆ 40 60 20 30

Le Pneu Baulois, 79 av. Mar.-De-Lattre-De-Tassigny ✆ 40 24 22 46

BAUME-LES-DAMES 25110 Doubs 66 ⑯ G. Jura – 5 696 h. alt. 291.

Office de Tourisme promenade du Breuil (juil.-août) ✆ 81 84 01 41 et à la Mairie ✆ 81 84 07 13.

Paris 446 – Belfort 63 – •Besançon 29 – Lure 45 – Montbéliard 47 – Pontarlier 62 – Vesoul 48.

Central sans rest, 3 r. Courvoisier ✆ 81 84 09 64 – wc wc. VISA.
fermé 10 au 31 janv. et dim. du 1er nov. au 31 mars – SC : 16 – **12 ch** 75/160.

XXX ✿ **Château d'As** (Aubrée) avec ch, ✆ 81 84 00 66, ← – wc wc. AE VISA
fermé 15 déc. au 15 fév., dim. soir et lundi sauf fériés – SC : **R** (dim. et fêtes prévenir) 135/260 – 25 – **10 ch** 130/200
Spéc. Foie gras frais en terrine, Soufflé de saumon, Goujonnette de sole. **Vins** Marsannay, Arbois.

à Sechin O : 6,5 km sur N 83 – ✉ 25110 Baume-les-Dames :

Hôtel 73 M sans rest, ✆ 81 84 10 57 – wc wc
fermé 20 déc. au 2 fév. – SC : 16,50 – **19 ch** 160/180.

à Pont-les-Moulins S : 6 km sur D 492 – ✉ 25110 Baume-les-Dames :

Levant, rte Pontarlier ✆ 81 84 09 99 – TV wc wc. AE E VISA
1er mars-1er nov. – SC : **R** 73/182 – 18 – **15 ch** 108/210 – P 305.

à Hyèvre-Paroisse E : 7 km sur N 83 – ✉ 25110 Baume-les-Dames :

Ziss et rest. Crémaillère, ✆ 81 84 07 88 – wc. AE VISA
fermé 6 au 29 oct., 24 déc. au 7 janv. et sam. sauf le soir du 1er avril au 30 sept. – SC : **R** 50/130 – 22 – **21 ch** 180/220 – P 240/260.

RENAULT Gar. Central, 10 av. Gén.-Leclerc ✆ 81 84 02 45
Gar. Droz, 2 av. Gén.-Leclerc ✆ 81 84 05 48
Gar. Routhier, à Pont les Moulins ✆ 81 84 02 15

BAUME-LES-MESSIEURS 39 Jura 70 ④ G. Jura – 174 h. alt. 320.

Voir Retable à volets★ dans l'église – Belvédère des Roches de Baume ←★★★ sur cirque★★★ et grottes★ de Baume S : 3,5 km.

Paris 399 – Champagnole 27 – Dole 54 – Lons-le-Saunier 17 – Poligny 30.

X **Grottes,** aux Grottes S : 3 km ✉ 39210 Voiteur ✆ 84 44 61 59, ←, –
1er avril-30 sept. et fermé merc. sauf juil.-août – SC : **R** (déj. seul.) 52/120.

Les BAUX-DE-PROVENCE 13 B.-du-R. 84 ① G. Provence (plan) – 433 h. alt. 280 – ✉ 13520 Maussane-les-Alpilles.

Voir Site*** – Château ☼** – Monument Charloun Rieu ≤** – Place St-Vincent* – Rue du Trencat* – Tour Paravelle ≤* – Fête des Bergers (Noël, messe de minuit)** – Cathédrale d'Images* N : 1 km par D 27 – ☼*** sur chaîne des Alpilles N : 2,5 km par D 27.

ℹ Office de Tourisme Impasse du Château (Pâques-oct.) ✆ 90 97 34 39.

Paris 716 – Arles 19 – ♦Marseille 86 – Nîmes 44 – St-Rémy-de-Provence 9,5 – Salon-de-Provence 32.

au Village :

Host. de la Reine Jeanne ⛰, ✆ 90 97 32 06, ≤ – wc fl. VISA
fermé 15 nov. au 1er fév. – **R** 67/105 – ☕ 21 – **12 ch** 122/200.

dans le Vallon :

XXXXX ✿✿✿ **Oustaù de Baumanière** (Thuilier) M ⛰ avec ch, ✆ 90 54 33 07, Télex 420203, ≤ « Demeures anciennes aménagées avec élégance, terrasses fleuries, ☂, tennis, piscine, club hippique », jardin – ch TV wc ☎ garage P. AE ① E VISA
fermé 15 janv. au 1er mars, jeudi midi et merc. du 31 oct. au 31 mars – **R** carte 260 à 395 – ☕ 65 – **14 ch** 725, 11 appartements 1 000
Spéc. Soufflé de homard, Filets de rougets au vin rouge, Noisettes d'agneau Beaumanière. **Vins** Gigondas, Coteaux des Baux.

XXX ✿ **La Riboto de Taven,** ✆ 90 97 34 23, ☂, « Terrasse ombragée et jardin fleuri au pied des rochers » – P. AE ① VISA
fermé 6 janv. au 25 fév., dim. soir hors sais. et lundi – SC : **R** carte 245 à 340
Spéc. Gratin de homard, Filet de loup à l'huile d'olive et gros sel, Carré d'agneau des Alpilles à la sauge. **Vins** Côteaux des Baux.

XXX ✿ **La Cabro d'Or** M ⛰ avec ch, ✆ 90 54 33 21, Télex 401810, ≤, ☂, « Terrasses ombragées, pièce d'eau », piscine, jardin, tennis – TV wc ☎ P – 🏛 80. AE ① E VISA
fermé 15 nov. au 20 déc., mardi midi et lundi du 15 oct. au 31 mars – SC : **R** 200/235 – ☕ 45 – **22 ch** 380/600 – P 650/750
Spéc. Salade du pêcheur, Filet de loup en papillote, Noisettes d'agneau. **Vins** Coteaux des Baux, Gigondas.

à l'Est sur D 27 A :

Mas d'Aigret ⛰, ✆ 90 97 33 54, ≤, piscine, jardin – wc ☎ P. AE ① E VISA. ✻ rest
fermé 3 janv. au 15 mars – SC : **R** *(fermé jeudi hors sais.)* 90/130 – ☕ 25 – **17 ch** 190/370.

au Sud-Ouest sur D 78 F :

La Benvengudo ⛰, ✆ 90 54 32 54, ≤, « Jardin fleuri », piscine, jardin, tennis – wc flwc ☎ P. ✻ rest
1er fév.-1er nov. – SC : **R** *(fermé dim.)* (dîner seul.) 130/180 – ☕ 35 – **18 ch** 275/360.

Voir aussi ressources hôtelières de ***Maussane-les-Alpilles*** S : 5 km

BAVAY 59570 Nord 53 ⑤ G. Flandres, Artois, Picardie – 4 431 h. alt. 123.

ℹ au Musée Archéologique ✆ 27 63 13 95.

Paris 227 – Avesnes 24 – Le Cateau 29 – Lille 76 – Maubeuge 14 – Mons 24 – Valenciennes 23.

X **Carrefour de Paris,** porte Gommeries ✆ 27 63 12 58 – P. AE E VISA
fermé 4 au 25 août, vacances de fév., merc. soir et lundi – SC : **R** 80/300 🍷.

CITROEN Gar. de La Chaussée, ✆ 27 63 11 30
RENAULT Gar. Dal, N 49 ✆ 27 63 17 08
V.A.G. Gar. Claeys, 10 r. des Clouteries ✆ 27 63 11 47 N

BAY 74 H.-Savoie 74 ⑧ – rattaché à Assy.

BAYEUX ⟨SP⟩ 14400 Calvados 54 ⑮ G. Normandie – 15 237 h. alt. 50.

Voir Tapisserie de la reine Mathilde*** BCZ M[1] – Cathédrale** BZ B.

Env. Brécy : portail* et jardins* du château SE : 10 km par D 126 CZ – Port* de Port-en-Bessin NO : 9 km par ⑦.

ℹ Office de Tourisme 1 r. Cuisiniers ✆ 31 92 16 26, Télex 171704.

Paris 268 ② – ♦Caen 28 ② – Cherbourg 91 ⑥ – Flers 68 ③ – St-Lô 35 ④ – Vire 59 ③.

Plan page ci-contre

✿ **Lion d'Or** ⛰, 71 r. St-Jean ✆ 31 92 06 90, « Ancien relais de poste », – TV wc flwc ☎ P. AE ① VISA. ✻ ch CZ **e**
fermé 20 déc. au 20 janv. – SC : **R** 72/190 – ☕ 24 – **30 ch** 125/280 – P 245/420
Spéc. Andouille chaude Bovary, Médaillon de lotte Caprice, Grenadin au pommeau.

Argouges ⛰ sans rest, 21 r. St-Patrice ✆ 31 92 88 86, jardin – TV wc flwc ☎ P. AE ① E VISA AY **s**
SC : ☕ 19 – **23 ch** 160/260.

Luxembourg, 25 r. Bouchers ✆ 31 92 00 04, Télex 171663 – wc flwc ☎ P. AE VISA. ✻ ch BY **a**
SC : **R** 75/220 – ☕ 24 – **31 ch** 190/250 – P 250/400.

BAYEUX

St-Jean (R.) .... **CZ**	Bienvenu (R. du) .... **BZ** 3	Foch (R. Mar.) .... **BY** 20
St-Malo (R.) .... **BY**	Bois (Pl. au) .... **BZ** 4	Gaulle (Pl. du Gén.-de) .. **AZ** 22
St-Martin (R.) .... **BY** 26	Cabourg (R. de) .... **BY** 5	Nesmond (R. de) .... **BZ** 23
St-Patrice (R. et Pl.) ..... **AY** 28	Cave (R. de la) .... **CZ** 6	Pigache (R. de la) .... **CY** 24
	Chanoines (R. des) ..... **BZ** 7	Poterie (R. de la) .... **AZ** 25
	Chartier (R. Alain) .... **AY** 8	Tardif (R.) .... **BZ** 29
	Conseil (R.) .... **AY** 10	Terres (R. des) .... **AZ** 30
Aprigny (R. d') .... **BY** 2	Cuisiniers (R. des) ...... **BY** 13	6-Juin (Bd du) .... **AY** 31

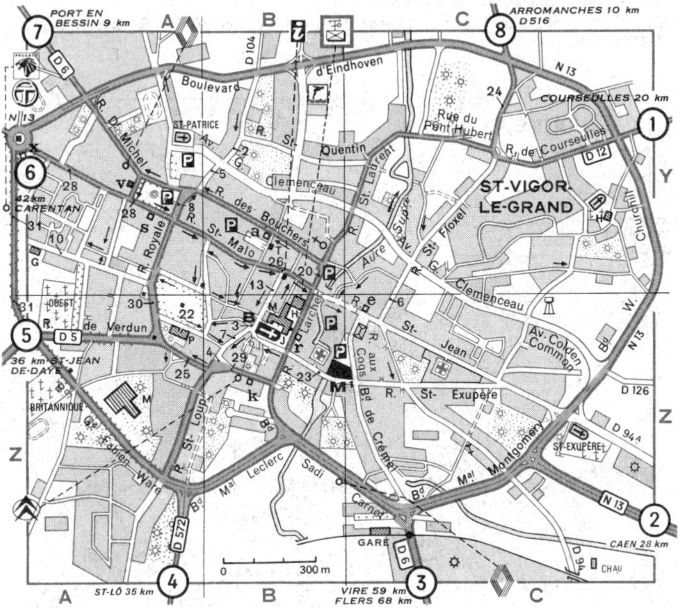

Pacary, 117 r. St-Patrice ✆ 31 92 16 11, Télex 170176, 🏊, 🌳 – 📺 🛁wc ☎ **P** – 🏊 200. VISA — AY **x**
SC : **R** 60/120 – ☕ 22 – **65 ch** 199/275 – P 286/366.

Bayeux 🐎 sans rest, 9 r. Tardif ✆ 31 92 70 08 – 🛁wc 🚿wc ♿ — BZ **k**
1er avril-1er nov. – SC : ☕ 20 – **30 ch** 180/270.

Reine Mathilde sans rest, 23 r. Larcher ✆ 31 92 08 13 – 🚿wc. **E** VISA. 🐕 — BZ **r**
fermé 20 déc. au 20 janv. – SC : ☕ 18 – **16 ch** 115/210.

Gourmets, pl. St-Patrice ✆ 31 92 02 02. **E** — AY **v**
fermé 15 oct. au 1er nov., 17 fév. au 8 mars, merc. soir et jeudi – SC : **R** 35/80 🌡.

à Audrieu par ② et D 158 : 13 km – ✉ **14250** Tilly-sur-Seulles :

✿ **Relais Château d'Audrieu** Ⓜ 🐎, ✆ 31 80 21 52, Télex 171777, ≤, « Château du 18e, parc », 🏊 – ☎ **P**. VISA. 🐕 rest
fermé 1er déc. au 28 fév. – SC : **R** *(fermé jeudi midi et merc.)* 220/350 – ☕ 48 – **24 ch** 582/884, 6 appartements 1 260 – P 730/1 035
Spéc. Boudin blanc de pieds de veau, Baluchons de langoustines, Grenadin de mignon de porc.

CITROEN St-Patrice-Auto, rte de Cherbourg à Vaucelles par ⑥ ✆ 31 92 18 35 **N** ✆ 31 21 60 11
CITROEN Gar. Danjou, 13 r. Tardif ✆ 31 92 07 31 **N** ✆ 31 92 13 51
DATSUN, LADA, OPEL, SKODA Gar. Bodin, 26 pl. au Bois ✆ 31 92 02 51 **N**
PEUGEOT, TALBOT Fortin, bd du 6-Juin ✆ 31 92 09 77

RENAULT Gd Gar. de la Gare, 16 bd Carnot ✆ 31 92 00 70 **N**
RENAULT Gar. James, 3 r. Dr-Michel ✆ 31 92 02 94
Villeroy, à Tour en Bessin ✆ 31 92 40 46 **N**

Ⓜ Bayeux Pneus, ZI rte de Caen ✆ 31 92 01 61
Schmitt-Pneus, bd Eindhoven ✆ 31 92 02 98

BAYONNE <SP> **64100** Pyr.-Atl. **78** ⑱ **G. Pyrénées** – **42 970** h. alt. 5.

Voir Cathédrale★ AY, **et cloître★** AY **B** – **Musées : Bonnat★★** BY **M1**, **basque★★** BY **M2** – **Grandes fêtes★** (fin juil.-début août).

Env. Route Impériale des Cimes★ au Sud-Est par ③ – **Croix de Mouguerre** ※★ **SE : 5,5 km par D 52** BY – **voir plan de Biarritz** BX.

de Biarritz-Parme : Air-France ☎ **59 23 93 82, SO : 5 km par N 10** AZ.

Office de Tourisme pl. Liberté ☎ 59 59 31 31.

Paris 771 ⑦ – **♦Bordeaux 183** ⑦ – **Pamplona 118** ⑤ – **♦Perpignan 482** ② – **S.-Sebastiàn 54** ⑤ – **♦Toulouse 298** ②.

Accès et sorties : voir à Biarritz

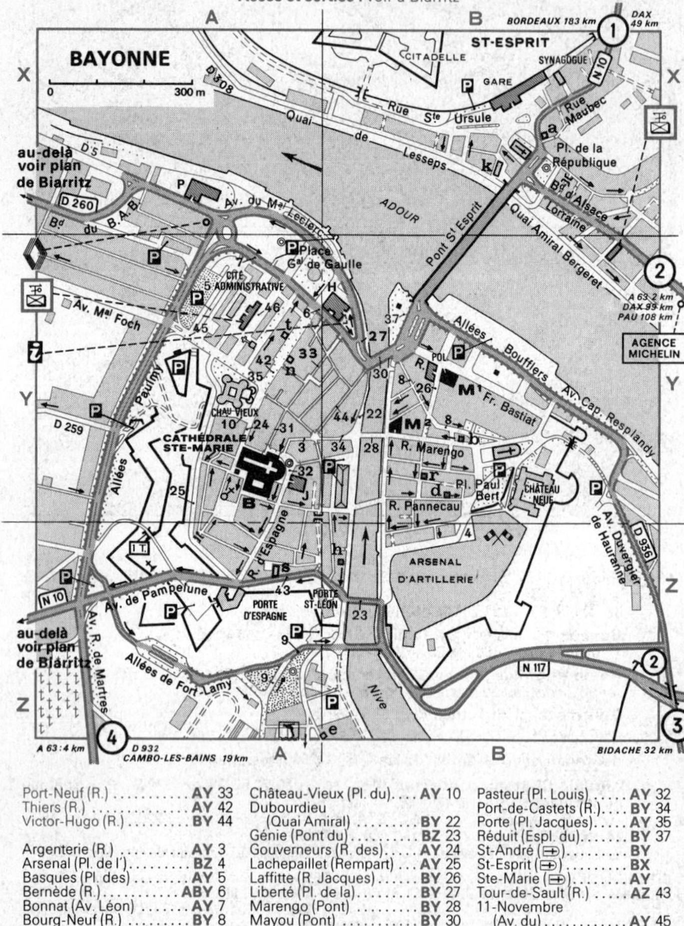

Port-Neuf (R.) .... **AY** 33	Château-Vieux (Pl. du) .... **AY** 10	Pasteur (Pl. Louis) ..... **AY** 32
Thiers (R.) .... **AY** 42	Dubourdieu (Quai Amiral) .... **BY** 22	Port-de-Castets (R.) .... **BY** 34
Victor-Hugo (R.) .... **BY** 44	Génie (Pont du) .... **BZ** 23	Porte (Pl. Jacques) ..... **AY** 35
	Gouverneurs (R. des) ..... **AY** 24	Réduit (Espl. du) .... **BY** 37
Argenterie (R.) .... **AY** 3	Lachepaillet (Rempart) ... **AY** 25	St-André (⊞) .... **BY**
Arsenal (Pl. de l') .... **BZ** 4	Laffitte (R. Jacques) ...... **BY** 26	St-Esprit (⊞) .... **BX**
Basques (Pl. des) .... **AY** 5	Liberté (Pl. de la) .... **BY** 27	Ste-Marie (⊞) .... **AY**
Bernède (R.) .... **ABY** 6	Marengo (Pont) .... **BY** 28	Tour-de-Sault (R.) ..... **AZ** 43
Bonnat (Av. Léon) .... **AY** 7	Mayou (Pont) .... **BY** 30	11-Novembre (Av. du) .... **AY** 45
Bourg-Neuf (R.) .... **BY** 8	Monnaie (R. de la) .... **AY** 31	49e (R. du) .... **AY** 46
Chanoine-Lamarque (Av.) **AZ** 9		

Agora Ⓜ, av. J.-Rostand ☎ 59 63 30 90, Télex 550621 – |‡| ▤ rest TV ☎ Ⓟ – 180. AE ① E VISA — ABZ **e**
SC : **La Grande Assiette R** 77 bc – ☕ 25 – **105 ch** 195/275.

Capagorry sans rest, 14 r. Thiers ☎ 59 25 48 22, Télex 540376 – |‡| TV ☎. AE ① E VISA — AY **t**
SC : ☕ 21 – **48 ch** 150/275.

Aux Deux Rivières sans rest, 21 r. Thiers ☎ 59 59 14 61, Télex 570794 – |‡| TV ☎. AE ① E VISA — AY **n**
SC : ☕ 22 – **63 ch** 130/272.

Basses-Pyrénées, 14 r. Tour-de-Sault ✆ 59 59 00 29, Télex 541535 – 🛗 ⇔wc ⋒wc ☎ Ⓟ. AE ⓓ E VISA AZ **s**
SC : **R** *(fermé dim. soir et lundi midi)* 50/80 – ☑ 18,50 – **48 ch** 94/174.

Loustau, 1 pl. République ✆ 59 55 16 74, ← – 🛗 ⇔wc ⋒wc ☎. VISA BX **k**
fermé 20 déc. au 20 janv. – SC : **R** *(fermé dim. hors sais. sauf fêtes)* 53/115 – ☑ 16,50 – **48 ch** 70/155 – P 165/250.

Côte Basque sans rest, pl. République ✆ 59 55 10 21 – 🛗 ⇔wc ⋒wc ☎. AE ⓓ E BX **a**
☑ 17 – **44 ch** 88/176.

Mendi Alde sans rest, rte Cambo-les-Bains par ④ : 3,4 km ✆ 59 63 58 44, ⛶ – ⇔wc ☎ Ⓟ plan Biarritz BX **f**
9 ch.

Beluga, 15 r. Tonneliers ✆ 59 25 52 13 – ▤ BY **r**
fermé janv. et dim. – SC : **R** carte 145 à 190.

La Tanière, 53 av. Cap. Resplandy par allées Boufflers (bords de l'Adour) ✆ 59 25 53 42. AE ⓓ VISA plan Biarritz CX **v**
fermé 16 juin au 3 juil., 17 fév. au 6 mars, lundi soir et mardi hors sais. sauf fêtes – SC : **R** 120.

Aub. Cheval blanc, 68 r. Bourgneuf ✆ 59 59 01 33 – AE ⓓ E VISA BY **b**
fermé 19 janv. au 21 mars et lundi sauf du 1er juil. au 15 sept. – **R** 75/205.

Chez Jacques, 17 Quai Jauréguiberry ✆ 59 25 66 33 – E VISA BZ **h**
fermé lundi – SC : **R** 50/150.

Euzkalduna, 61 r. Pannecau ✆ 59 59 28 02 BY **d**
fermé 1er au 15 juin, 15 oct. au 2 nov., dim. soir et lundi – SC : **R** carte environ 120.

à Mouguerre par ③ et D 936 : 7,5 km – ✉ **64990** St-Pierre-d'Irube :

Kuluska ⛰, ✆ 59 31 83 60, ⛶ – ⇔wc ☎ Ⓟ. ✻
fermé 1er au 8 nov., 1er au 8 fév., vend. soir et dim. soir hors sais. – **R** 50/200 – ☑ 22 – **10 ch** 140/180 – P 260/290.

MICHELIN, Agence, 50-52 bd Alsace-Lorraine BY ✆ 59 55 13 73

AUSTIN, ROVER Marmande, av. Mar.-Juin ✆ 59 55 05 61
BMW Gar. Durruty, Z.I. St-Étienne ✆ 59 55 88 77 N ✆ 59 24 04 98
CITROEN Gar. Côte Basque, 44 av. de Bayonne, Anglet N10 AZ ✆ 59 63 04 04 N
FERRARI, JAGUAR, FIAT Daverat, 7 quai Lesseps ✆ 59 55 07 48
LANCIA-AUTOBIANCHI Gar. Armada, 32 av. Dubrocq ✆ 59 59 02 64 N
PEUGEOT-TALBOT Gambade, av. Mar.-Soult, N 10 AZ ✆ 59 52 45 45
RENAULT Sté Basque Autom., allées Paulmy ✆ 59 59 35 35
VOLVO Le Crom, 30 av. Dubrocq ✆ 59 59 25 57

Central-Pneu, 35 allées Marines ✆ 59 59 18 26
Comptoir du Pneu, 4 av. Mar.-Foch ✆ 59 59 11 73
Sud-Ouest Sécurité, 34-36 bd Alsace Lorraine ✆ 59 55 04 72 N ✆ 59 23 68 68

BAZAINVILLE 78 Yvelines 60 ⑧, 196 ⑮ – rattaché à Houdan.

BAZAS 33430 Gironde 79 ② G. Côte de l'Atlantique – 5 190 h. alt. 79.

Voir Cathédrale★.

Paris 638 – Agen 85 – ♦Bordeaux 59 – Marmande 42 – Mont-de-Marsan 68 – Nérac 60.

Host. St-Sauveur sans rest, cours Gén.-de-Gaulle ✆ 56 25 12 18 – ⇔ ☎. VISA
fermé 1er au 15 juin et dim. d'oct. à juin – SC : ☑ 17 – **10 ch** 90/150.

France avec ch, cours Gén.-de-Gaulle ✆ 56 25 02 37, 🍽 – ▤ rest ⋒wc ☎. E VISA
fermé janv. – SC : **R** 50 bc/185 🍷 – ☑ 15 – **13 ch** 108/250.

PEUGEOT-TALBOT Doux et Trouillot, rte Bordeaux ✆ 56 25 00 73 N

BAZINCOURT-SUR-EPTE 27 Eure 55 ⑧⑨ – rattaché à Gisors.

BAZOUGES-SUR-LE-LOIR 72 Sarthe 64 ② G. Châteaux de la Loire – 1 313 h. alt. 28 – ✉ 72200 La Flèche.

Voir Pont ←★.

Paris 249 – Angers 40 – La Flèche 7 – ♦Le Mans 49.

Croissant, N 23 ✆ 43 45 32 08
fermé janv., dim. soir et lundi – SC : **R** 80/110 🍷.

BEAUCAIRE 30300 Gard 80 ⑪ **G. Provence** – 13 015 h. alt. 18.

Voir Château★ : ※★★ Y – Abbaye de St-Roman ≤★ 4,5 km par ⑤.

Office de Tourisme 6 r. Hôtel de Ville ☎ 66 59 26 57.

Paris 707 ⑥ – Alès 67 ⑥ – Arles 20 ③ – Avignon 25 ① – Nîmes 24 ⑤ – St-Rémy-de-Pr. 17 ②.

BEAUCAIRE

Ledru-Rollin (R.) . Z 17
Nationale (R.) . . . . Z

Barbès (R.) . . . . . . Z 2
Bijoutiers (R. des) . . . . . YZ 3
Charlier (R.) . . . . . Y 4
Château (R. du) . . Y 5
Clemenceau (Pl. Georges) . . Z 6
Danton (R.) . . . . YZ 7
Denfert-Rochereau (R.) Z 8
Écluse (R. de l') . . Z 9
Foch (Bd Maréchal) YZ 12
Gambetta (Cours) . . . . Z 13
Hôtel-de-Ville (R. de l') . . . . . . Z 14
Jaurès (Pl. Jean) . . . . . Y 15
Jean-Jacques-Rousseau (R.) . Y 16
N.-D.-des-Pommiers (⊕) Y
Pascal (R. Roger) . . . . . Z 21
République (Pl. de la) . . . . . Y 22
République (R. de la) . . . . . . Y 23
St-Paul (⊕) . . . . . Z
Victor-Hugo (R.) . Y 25

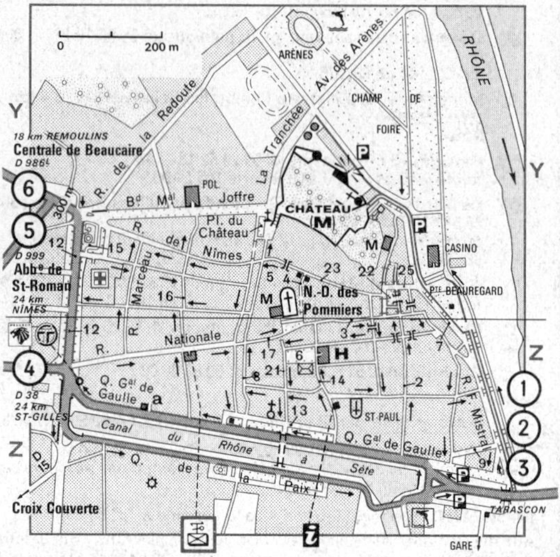

Vignes Blanches, rte Nîmes par ⑤ ☎ 66 59 13 12, Télex 480690, ≤, ⛱ – |‡| ⇔wc ⋒wc ☎ ⓟ – 🏟 50. VISA. ※ rest
1er avril-15 oct. – SC : **R** 88/109 – ☕ 21 – **61 ch** 216/304.

Les Doctrinaires, quai Gén.-de-Gaulle et 32 r. Nationale ☎ 66 59 41 32 – |‡| ⇔wc ☎ ⓟ – 🏟 50. E VISA Z **a**
SC : **R** 82/125 – ☕ 25 – **34 ch** 215/250 – P 275/300.

Robinson ⛰, rte du Pont-du-Gard par ⑥ : 2 km ✉ 30300 Beaucaire ☎ 66 59 21 32, ⛱, 🌳, 🎾 – ⇔wc ⋒ ☎ ⓟ
fermé fév. – SC : **R** 46 bc/112 – ☕ 16 – **30 ch** 115/200 – P 190/240.

PEUGEOT-TALBOT Soullier, 1 quai De-Gaulle ☎ 66 59 13 63

Ⓜ Ayme-Pneus, 28 quai De-Gaulle ☎ 66 59 23 98

BEAUCENS 65 H.-Pyr. 85 ⑱ – rattaché à Argelès-Gazost.

BEAUCHAMPS 50 Manche 59 ⑧ – 299 h. alt. 115 – ✉ 50320 La Haye Pesnel.

Paris 329 – Avranches 20 – Granville 17 – Villedieu-les-Poêles 11.

✕✕ **Les Quatre Saisons,** Le Scion ☎ 33 61 30 47, 🌳 – ⓟ. AE ⓓ E VISA
fermé 20 sept. au 4 oct., 1er au 15 mars et jeudi du 1er janv. au 30 avril – SC : **R** (week-end prévenir) 47/95.

PEUGEOT-TALBOT Garage Fizel, ☎ 33 61 30 20

BEAUFORT 73270 Savoie 74 ⑰⑱ **G. Alpes** – 1 976 h. alt. 743.

Office de Tourisme pl. Mairie ☎ 79 38 37 57.

Paris 593 – Albertville 20 – Chambéry 69 – Megève 41.

de la Roche, ☎ 79 31 20 16, ≤, 🌳
fermé nov. – SC : **R** 48/128 – ☕ 17 – **17 ch** 69/111 – P 170.

Gd Mont, ☎ 79 31 20 18 – E VISA
fermé 30 sept. au 5 nov., vend. soir et sam. midi hors sais. – SC : **R** 48/86 🍷 – ☕ 18,50 – **15 ch** 71/84 – P 155/165.

BEAUGENCY 45190 Loiret 64 ⑧ **G. Châteaux de la Loire** – 7 339 h. alt. 106.

Voir Église N.-Dame ★ BZ E – Donjon★ BZ B – Tentures★ dans l'hôtel de ville BZ H – Musée de l'Orléanais★ dans le château BZ F.

Office de Tourisme 28 pl. Martroi (1er mars-31 oct.) ☎ 38 44 54 42.

Paris 151 ① – Blois 31 ④ – Châteaudun 41 ⑥ – ◆Orléans 25 ① – Vendôme 48 ⑤ – Vierzon 84 ②.

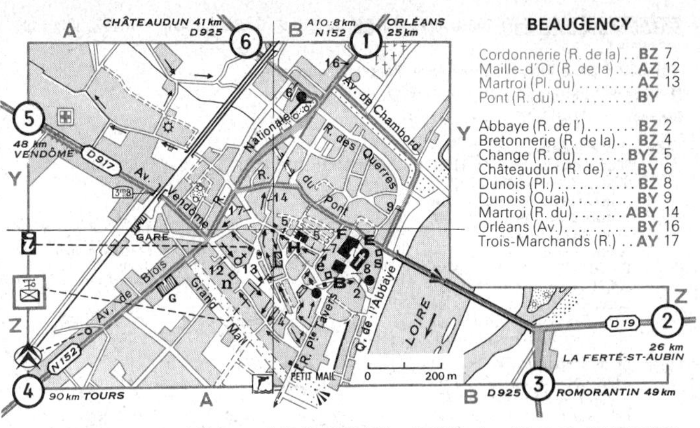

L'Abbaye, quai Abbaye ✆ 38 44 67 35, Télex 780038, ← – TV ☎ P. AE ① E VISA
SC : **R** 164 et carte – **13 ch** ☕ 380/510, 5 appartements 600. BZ **s**

Écu de Bretagne, pl. Martroi ✆ 38 44 67 60 – wc wc ☎ P. AE ① E VISA
fermé 25 janv. au 28 fév. – SC : **R** 80/180 – ☕ 18 – **26 ch** 80/230. AZ **n**

Sologne sans rest, pl. St-Firmin ✆ 38 44 50 27 – wc wc ☎. ✻ BZ **e**
fermé 15 déc. au 1er fév. et dim. soir du 1er nov. au 1er mars – SC : ☕ 15 – **16 ch** 83/230.

à Tavers par ④ : 3 km – ✉ **45190** Beaugency :

La Tonnellerie ⛰, ✆ 38 44 68 15, 🌳, « Jardin fleuri, 🏊 » – ▯ wc wc ☎ P. ① E VISA. ✻ rest
30 avril-5 oct. et fermé merc. midi et mardi en mai – SC : **R** 148/192 – ☕ 35 – **24 ch** 375/430 – P 390/470.

CITROEN Asklund 30 av. de Blois ✆ 38 44 52 33
PEUGEOT Mahu, 49 av. de Blois par ④ ✆ 38 44 53 20
RENAULT Gar. de la Mardelle, Zone Ind., 63 av. d'Orléans par ① ✆ 38 44 50 40

BEAUJEU **69430** Rhône **73** ⑨ **G. Vallée du Rhône** – 2 013 h. alt. 293.

ℹ Syndicat d'Initiative square Grandhan (Pâques-mi-déc.) ✆ 74 69 22 88.

Paris 369 – Bourg-en-Bresse 54 – ♦Lyon 59 – Mâcon 39 – Roanne 64 – Villefranche-sur-Saône 26.

Anne de Beaujeu avec ch, ✆ 74 04 87 58, 🌳 – wc P
fermé 16 au 23 juin, 15 déc. au 20 janv., dim. soir et lundi – SC : **R** 61/160 ꟾ – ☕ 15 – **7 ch** 80/145 – P 210/250.

CITROEN Gar. du Centre, ✆ 74 04 87 64
PEUGEOT-TALBOT Gar. Desplace, ✆ 74 69 21 56
RENAULT Gar. du Midi, ✆ 74 04 80 78
V.A.G. Gar. Daniel, ✆ 74 04 87 14

BEAULAC 33 Gironde **79** ② – alt. 66 – ✉ **33430** Bazas.

Paris 645 – ♦Bordeaux 66 – Langon 23 – Marmande 50 – Mont-de-Marsan 60 – Nérac 68.

Mallet avec ch, ✆ 56 25 40 77, 🌳 – wc P. ① VISA. ✻ rest
SC : **R** *(fermé mardi)* 58/150 – ☕ 18 – **11 ch** 68/135 – P 195/245.

BEAULIEU-EN-ARGONNE 55 Meuse **56** ⑳ **G. Champagne, Ardennes** – 46 h. alt. 273 – ✉ **55250** Seuil d'Argonne – **Voir Pressoir★ dans l'anc. abbaye.**

Paris 244 – Bar-le-Duc 36 – Futeau 10 – Ste-Menehould 23 – Verdun 50.

Host. Abbaye ⛰, ✆ 29 70 72 81, ←, 🌳 – wc. ✻ ch
fermé 15 déc. au 1er fév. et dim. soir du 1er oct. au 1er avril – SC : **R** 60/130 ꟾ – ☕ 17 – **10 ch** 70/115 – P 150/180.

BEAULIEU-SUR-DORDOGNE **19120** Corrèze **75** ⑲ **G. Périgord** – 1 603 h. alt. 144.

Voir Église ★ : portail méridional ★★ et vierge romane ★ du trésor.

ℹ Syndicat d'Initiative pl. Marbot (1er juin-30 sept.) ✆ 55 91 09 94.

Paris 524 – Aurillac 65 – Brive-la-Gaillarde 47 – Figeac 60 – Sarlat-la-Canéda 76 – Tulle 40.

Le Turenne, ✆ 55 91 10 16 – wc wc ☎ 🚗. AE ① E VISA
1er mai-30 sept. – SC : **R** (dim. prévenir) 75/180 – ☕ 24 – **21 ch** 165/235.

Central H. Fournié, ✆ 55 91 01 34, 🌳 – wc wc ☎ P
15 mars-1er déc. – SC : **R** 47/150 ꟾ – ☕ 16 – **33 ch** 90/180 – P 160/200.

RENAULT Lavastroux, ✆ 55 91 12 82

BEAULIEU-SUR-MER 06310 Alpes-Mar. 84 ⑩, 195 ㉗ **G. Côte d'Azur** – 4 302 h. alt. 1 à 100 – Casino.

Voir Site★ de la Villa Kerylos★ M – Baie des Fourmis★.

Office de Tourisme pl. Gare ✆ 93 01 02 21.

Paris 941 ④ – Menton 20 ③ – ♦Nice 10 ④.

BEAULIEU-SUR-MER

Marinoni (Bd)	19	Gaulle (Pl. Ch. de)	12
		Gauthier (Bd Eug.)	13
Albert-1er (Av.)	2	Hellènes (Av. des)	14
Blundell Maple (Av.)	3	Joffre (Bd Mar.)	15
Cavell (Av. E.)	4	Leclerc (Bd Mar.)	18
Clemenceau (Pl. et R.)	5	May (Av. F.)	21
Doumer (R. P.)	6	Orangers (Montée des)	22
		St-Jean (Pont)	25
		Yougoslavie (R. de)	27

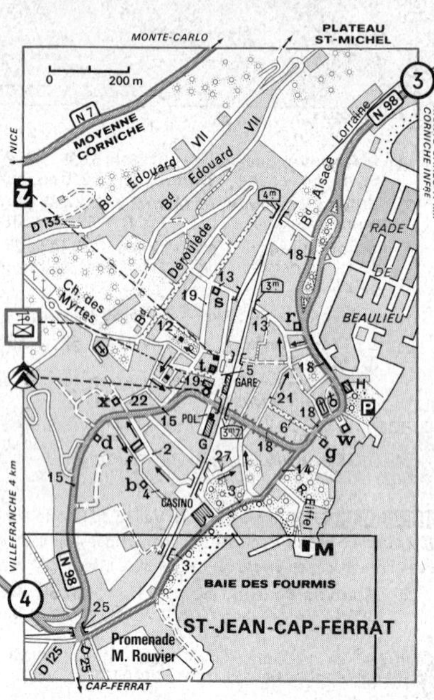

🏨🏨🏨🏨🏨 ❀ **La Réserve** M ⛰, bd Mar.-Leclerc **(w)** ✆ 93 01 00 01, Télex 470301, ←, 🏖, « Intérieur luxueux en bordure de mer, 🏊 », 🌳 – 🛗 ▤ ch ☎ 🚗 – *fermé 1er déc. au 9 janv.* – **R** 300/370 – ☕ 55 – **50 ch** 680/1 710, 3 appartements
Spéc. Brouillade aux fruits de mer, Loup Réserve, Soufflé aux framboises. **Vins** Gassin, Bandol.

🏨🏨🏨🏨 ❀ **Métropole** M ⛰, bd Mar.-Leclerc **(g)** ✆ 93 01 00 08, Télex 470304, ←, 🏖, « Vaste terrasse sur mer, parc, 🏊, 🌳 » – 🛗 ▤ 📺 ☎ 🅟 – *fermé 31 oct. au 20 déc.* – SC : **R** 350/390 – ☕ 70 – **50 ch** 720/1880, 3 appartements – P 1255/1610
Spéc. Feuilleté de homard aux blettes, Filet de daurade grillé, Beignets de fraises au coulis de framboises. **Vins** Bellet, Côtes de Provence.

🏨🏨🏨 **Carlton** M ⛰, 7 av. E.-Cavell **(b)** ✆ 93 01 14 70, Télex 970421, ←, 🏖, 🏊, 🌳 – 🛗 ▤ ☎ 🅟 – 🏛 30. AE ⓓ E VISA. 🐕 rest
fermé 1er nov. au 27 déc. – SC : **R** 165 – ☕ 45 – **33 ch** 500/850, 6 appartements – P 610/690.

🏨🏨🏨 **La Résidence** M ⛰ sans rest, 9 bis av. Albert-1er **(f)** ✆ 93 01 06 02, 🌳 – 🛗 ▤ 📺 ☎ ♿ 🅟 – 🏛 40. AE VISA
1er fév.-30 sept. – SC : ☕ 36 – **21 ch** 340/615.

🏨🏨 **Frisia** sans rest, bd Mar.-Leclerc **(r)** ✆ 93 01 01 04, ← – 🛗 🛁wc ☎. AE ⓓ VISA
fermé 31 oct. au 20 déc. – SC : **35 ch** ☕ 380/430.

🏨🏨 **Comté de Nice** M sans rest, 25 bd Marinoni **(s)** ✆ 93 01 19 70 – 🛗 🛁wc 🚿wc ☎ 🚗. AE ⓓ VISA. 🐕
fermé 31 oct. au 10 déc. – SC : ☕ 18 – **33 ch** 250/270.

🏨 **Le Havre Bleu** sans rest, 29 bd Mar. Joffre **(d)** ✆ 93 01 01 40 – 🛁wc 🚿wc ☎ 🅟. 🐕
1er fév.-31 oct. – SC : ☕ 15 – **18 ch** 145/197.

✕ **Les Agaves,** 4 r. Mar.-Foch **(t)** ✆ 93 01 12 09 – VISA
fermé 25 oct. au 28 nov., vacances de fév., dim. soir du 1er sept. au 30 juin et merc. – SC : **R** (nombre de couverts limité - prévenir) 90/160.

Voir aussi ressources hôtelières de : ***St-Jean-Cap-Ferrat et Villefranche***

CITROEN Gar. de la Poste, ✆ 93 01 00 13

BEAUMESNIL 27410 Eure 55 ⑮ **G. Normandie** – 526 h.

Voir Château★.

Paris 141 – Bernay 13 – Dreux 68 – Evreux 39 – ♦Rouen 62.

✕✕ **L'Étape Louis XIII,** ✆ 32 44 44 72, 🏖 – 🅟. AE VISA
fermé fév., dim. soir et lundi – SC : **R** 75/200.

BEAUMETTES 84 Vaucluse 81 ⑬ – 206 h. alt. 126 – ✉ 84220 Gordes.

Paris 713 – Apt 17 – Avignon 35 – Carpentras 32 – Cavaillon 14.

Host. Moulin Blanc ⛰, E : 0,5 km par N 100 ✆ 90 72 34 50, ≤, parc, – TV ☎ P. AE ① E VISA
fermé janv. et fév. – SC : **R** *(fermé mardi midi et lundi)* carte 150 à 220 – ☐ 39 – **14 ch** 314/403 – P 562/638.

BEAUMONT 24440 Dordogne 75 ⑮ **G. Périgord** – 1 302 h. alt. 160.

Syndicat d'Initiative à la Mairie ✆ 53 22 30 24.

Paris 559 – Bergerac 29 – Fumel 50 – Périgueux 68 – Sarlat-la-Canéda 53 – Villeneuve-sur-Lot 47.

XX **Voyageurs** avec ch, ✆ **53 22 30 11** – ⇔wc
fermé janv., fév., oct., nov. et lundi – **R** (dim. prévenir) 60/95 – ☐ 12 – **10 ch** 60/180.

RENAULT Delpech, ✆ 53 22 30 16

BEAUMONT-DE-LOMAGNE 82500 T.-et-G. 82 ⑥ **G. Pyrénées** – 3 949 h. alt. 102.

Paris 713 – Agen 58 – Auch 52 – Castelsarrasin 25 – Condom 61 – Montauban 36 – ♦Toulouse 57.

Commerce, r. Mar.-Foch ✆ **63 02 31 02** – ⌂wc ⇔. ① E VISA. ✱ ch
fermé 20 déc. au 15 janv., dim. soir et lundi – SC : **R** 39/140 – ☐ 13,50 – **14 ch** 60/130 – P 118/138.

PEUGEOT, TALBOT Gar. Oustric, ✆ 63 02 41 18 N ✆ 63 02 25 58

BEAUMONT-EN-AUGE 14950 Calvados 55 ③ **G. Normandie** – 397 h. alt. 95.

Paris 202 – ♦Caen 40 – Lisieux 20 – Pont-l'Évêque 6 – Trouville-Deauville 12.

XX **Aub. de l'Abbaye,** ✆ **31 64 82 31**
fermé janv., mardi et merc. sauf août – SC : **R** 135/220.

RENAULT Voidet, ✆ 31 64 84 91

BEAUMONT-LE-ROGER 27170 Eure 55 ⑮ **G. Normandie** – 2 738 h. alt. 91.

Syndicat d'Initiative à l'Hôtel de Ville ✆ 32 45 23 88.

Paris 134 – L'Aigle 41 – Bernay 17 – Évreux 32 – Louviers 35 – ♦Rouen 51 – Verneuil 51.

XX **Le Paris sur Risle,** r. St-Nicolas ✆ **32 45 22 23** – P. AE VISA
fermé 19 août au 8 sept., dim. soir et lundi – SC : **R** 65 bc/130.

PEUGEOT-TALBOT Lecour, ✆ 32 45 20 73
PEUGEOT-TALBOT Gar. du Centre, ✆ 32 45 20 49
RENAULT J.P.C., ✆ 32 45 22 16 N

BEAUMONT-SUR-OISE 95260 Val-d'Oise 55 ⑳, 196 ⑦ – 8 312 h. alt. 41.

Voir Forêt de Carnelle★ SE : 2 km par D 85, G. Environs de Paris.

Paris 39 – Beauvais 38 – Chantilly 17 – Pontoise 19 – Villiers-le-Bel 21.

X **Aub. Beaumontoise,** 2 av. Carnot ✆ **(1) 34 70 01 83** – AE ① E VISA
fermé vend. soir, sam. midi et dim. soir – **R** 75/250.

CITROEN Ets Lagabrielle, rte de Clermont à Persan ✆ (1) 30 34 13 27 N ✆ (1) 34 70 51 09
RENAULT Trubert, r. Corentin-Quideau à Persan ✆ (1) 34 70 92 20

BEAUMONT-SUR-SARTHE 72170 Sarthe 60 ⑬ – 1 938 h. alt. 85.

Paris 222 – Alençon 23 – La Ferté-Bernard 47 – Mamers 26 – ♦Le Mans 26 – Mayenne 62.

XX **Chemin de Fer** avec ch, à la Gare E : 1,5 km par D 26 ✆ **43 97 00 05**, – ⇔wc ⌂wc ☎ ⇔. E VISA
fermé 15 au 30 oct., 8 fév. au 4 mars, dim. soir et lundi hors sais. – SC : **R** 48/145 – ☐ 16 – **16 ch** 70/149 – P 123/184.

CITROEN Gar. Llobet, ✆ 43 97 03 23 N
PEUGEOT, TALBOT Gar. Noyer, ✆ 43 97 01 14
PEUGEOT, TALBOT Thureau, à la Croix Margot-Juillé ✆ 43 97 00 33 N
RENAULT Gar. du Centre, ✆ 43 97 00 03

BEAUMONT-SUR-VESLE 51 Marne 56 ⑰ – 480 h. alt. 100 – ✉ 51400 Mourmelon.

Voir Faux de Verzy★ S : 3,5 km, G. Champagne, Ardennes.

Paris 157 – Châlons-sur-Marne 28 – Épernay 34 – ♦Reims 16 – Ste-Menehould 62.

La Maison du Champagne, ✆ **26 61 62 45**, – ⇔wc ☎ ⇔ P. AE ① E VISA. ✱ ch
fermé 25 sept. au 10 oct., 1er au 15 fév., dim. soir et lundi – SC : **R** (dim. et fêtes - prévenir) 46/120 – ☐ 14,50 – **10 ch** 72/123 – P 180/200.

RENAULT Lacondemine, ✆ 26 61 60 59

BEAUNE 21200 Côte-d'Or 69 ⑨ G. Bourgogne – 21 127 h. alt. 218.

Voir **Hôtel-Dieu★★ et polyptyque du Jugement dernier★★★ (musée★)** AZ – **Collégiale N.-Dame★ : tapisseries★★** AY **D** – **Hôtel de la Rochepot★** AY **B** – **Remparts★** AZ – **Musée du vin de Bourgogne★** AYZ **M1.**

Office de Tourisme et A.C. face Hôtel-Dieu ✆ 80 22 24 51.

Paris 313 ③ – Autun 48 ④ – Auxerre 151 ③ – Chalon-sur-Saône 30 ③ – ♦Dijon 45 ③ – Dole 68 ③.

BEAUNE

Carnot (R.) .... **AZ** 3
Lorraine (R. de) .... **AY**

Alsace (R. d') .... **AZ** 2
Carnot (Pl.) .... **AZ** 4
Château (R. du) .... **BY** 6
Fleury (Pl.) .... **AZ** 7
Fraysse (R.E.) .... **AZ** 8
Halle (Pl. de la) .... **AZ** 10
Maufoux (R.) .... **AZ** 12
Monge (Pl.) .... **AY** 13
Monge (R.) .... **AZ** 14
Perpreuil (Bd) .... **AZ** 16
Poterne (R.) .... **AZ** 17
Rousseau-Deslandes (R.) .... **BY** 18
St-Nicolas (R. du fg.) .... **AY** 20
Tonneliers (R. des) .... **AY** 22

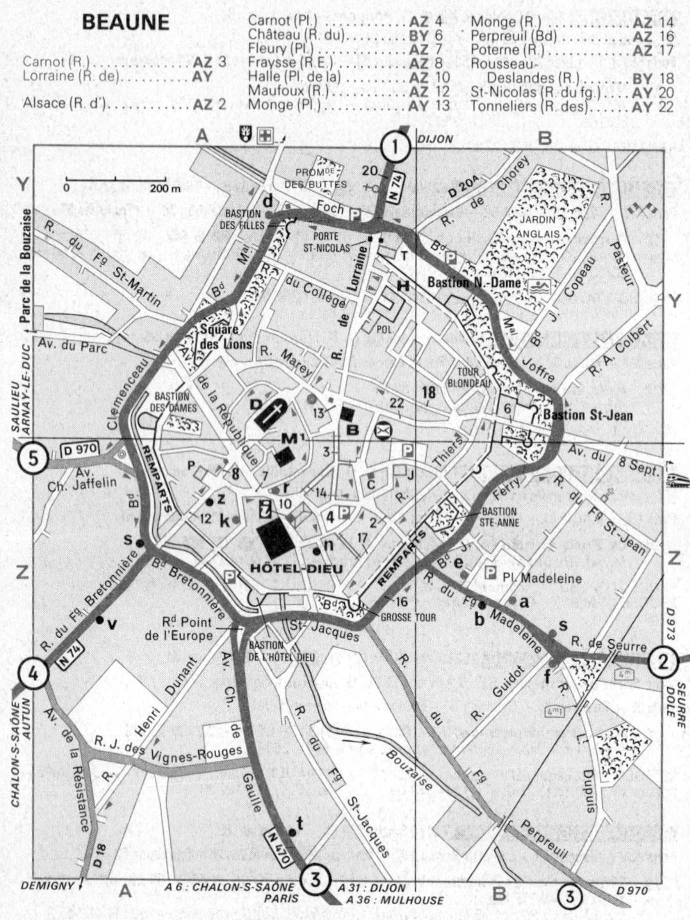

Poste, 1 bd Clemenceau ✆ 80 22 08 11, – ☎ Ⓟ. AE ① E VISA — AZ **s**
27 mars-17 nov. – SC : **R** 300 – **25 ch** 620/755, 4 appartements 1 135.

Le Cep sans rest., 27 r. Maufoux ✆ 80 22 35 48, Télex 351256, « Ameublement de style » – ☎. AE ① E VISA — AZ **z**
22 mars-fin nov. – SC : 35 – **21 ch** 400/650.

La Closerie M sans rest, par ④ rte Autun N 74 ✆ 80 22 15 07, Télex 351213, – wc ☎ Ⓟ. AE ① E VISA
fermé 25 déc. à fin janv. et dim. hors sais. – SC : 20 – **30 ch** 250/260.

Bourgogne M, av. Gén.-de-Gaulle ✆ 80 22 22 00, Télex 350666, – wc ☎ Ⓟ – 120 à 180. AE ① E VISA — AZ **t**
fermé 31 déc. au 31 janv., dim. et lundi du 18 nov. au 1er avril – SC : **R** 85/138 – 32 – **120 ch** 203/223.

Samotel M, par ④ rte Autun N 74 ✆ 80 22 35 55, Télex 350596, ←, – wc ☎ Ⓟ – 50. AE ① E VISA
fermé 20 nov. au 20 déc. – **R** 68/95 – 22 – **62 ch** 244/318, 4 appartements 318.

Grillon, 21 rte Seurre par ② ✆ 80 22 44 25, – wc wc ☎ P. AE ⓓ VISA
fermé 15 janv. au 15 fév. – SC : **R** *(fermé merc.)* (dîner seul) 65/95 – ☐ 16,50 – **18 ch** 140/210.

Central H., 2 r. V.-Millot ✆ 80 24 77 24 – wc ☎. VISA AZ **n**
21 mars-17 nov. et fermé merc. hors sais. – SC : **R** 110/220 – ☐ 27 – **22 ch** 110/300.

La Cloche, 42 fg Madeleine ✆ 80 22 22 75 – rest wc wc ☎ P – 30 à 60. AE VISA BZ **b**
fermé 27/5 au 4/6, 25/11 au 5/1, lundi soir et mardi du 15/10 au 31/5, merc. midi et mardi du 1er/6 au 15/10 – SC : **R** 85/180 – ☐ 21 – **16 ch** 105/195.

Le Home sans rest, 138 rte Dijon par ① ✆ 80 22 16 43, – wc wc ☎ P
SC : ☐ 16,50 – **20 ch** 140/250.

Host. de Bretonnière sans rest, 43 fg Bretonnière ✆ 80 22 15 77, – wc wc ☎ P AZ **v**
☐ 19 – **22 ch** 94/210.

XXX ✿ **J. Lainé,** 10-12 bd Foch ✆ 80 24 76 10, – P. AE ⓓ E VISA AY **d**
SC : **R** 83/200.

XXX **Aub. St-Vincent,** pl. Halle ✆ 80 22 42 34 – . AE ⓓ E VISA AZ **r**
fermé déc. et dim. soir hors sais. – SC : **R** 98/170.

XX **l'Écusson,** pl. Malmédy ✆ 80 22 83 08, – AE ⓓ VISA BZ **f**
fermé 15 fév. au 15 mars et merc. – SC : **R** 74/216.

XX ✿ **Relais de Saulx** (Monnoir), 6 r. Very ✆ 80 22 01 35. AZ **k**
fermé 18 au 23 juin, 1er au 15 sept., 15 fév. au 15 mars, dim. soir et lundi – SC : **R** (nombre de couverts limité - prévenir) 70/230
Spéc. Blanc de turbot, Volaille de bresse, Chariot de desserts.

XX ✿ **Rôtisserie La Paix** (Dauphin), 47 fg Madeleine ✆ 80 22 33 33, – AE ⓓ E VISA BZ **s**
fermé 4 au 18 mars, dim. soir et lundi – SC : **R** 85/175
Spéc. Ravioli de langoustines aux truffes, Escargots rôtis sur paillasson. **Vins** Bourgogne Aligoté, Chenôve.

XX **Aub. Bourguignonne** avec ch, 4 pl. Madeleine ✆ 80 22 23 53 – rest wc ☎. AE VISA BZ **a**
fermé 22 déc. au 21 janv., 4 au 12 juin et lundi sauf fériés – SC : **R** 78/166 – ☐ 14,50 – **8 ch** 184/192.

X **Chez Maxime,** 3 pl. Madeleine ✆ 80 22 17 82, – E VISA BZ **e**
fermé 5 au 31 janv. et lundi – SC : **R** 48/95.

par ① (Beaune Nord) :

XXX ✿ **Ermitage de Corton** (Parra) avec ch, rte de Dijon : 4 km ✆ 80 22 05 28, ←, – TV wc ☎ P. AE ⓓ E VISA
fermé mi-janv. aux vacances de fév. – **R** *(fermé dim. soir et lundi)* (nombre de couverts limité - prévenir) 100/410 – ☐ 50, 5 appartements 1 500
Spéc. Timbale d'escargots au foie gras, Petite soupe d'escargots, Pièce de boeuf à la lie de Corton. **Vins** Chorey-lès-Beaune, Savigny-lès-Beaune.

XX **Bareuzai,** rte de Dijon : 3,5 km ✆ 80 22 02 90, ←, – P. AE
fermé 1er janv. au 15 fév. – SC : **R** 53/170.

à Levernois SE : 5 km par rte Verdun sur le Doubs D 970 et D 111 - BZ – ✉ **21200** Beaune :

Parc sans rest, ✆ 80 22 22 51, parc – wc wc ☎ P. E
fermé 2 au 18 mars et 18 nov. au 6 déc. – SC : ☐ 19,50 – **20 ch** 109/160.

par ③ : 7 km sur Autoroute A6 – ✉ **21200** Beaune :

Motel Relais P.L.M. M, ✆ 80 21 46 12, Télex 350627 – rest TV wc ☎ P. AE ⓓ E VISA
SC : rest d'autoroute sur place dont **La Bourguignotte R** 126/151 – ☐ 30 – **150 ch** 238/252 – P 269/329.

BMW Savy 21, r. J.-Germain ZI à Savigny les Beaune ✆ 80 22 88 69
CITROEN Gar. Champion, 1 rte Pommard, par ④ ✆ 80 22 28 14 N
CITROEN Gar. Chaffraix, 47 r. fg St-Nicolas par ① ✆ 80 22 17 55
FIAT Bolatre, 40 fg Bretonnière ✆ 80 22 31 30 N ✆ 80 22 28 03
FORD Gar. Moreau, 135 bis rte de Dijon ✆ 80 22 27 00 N
PEUGEOT, TALBOT Champion, 42 rte de Pommard par ④ ✆ 80 22 12 30 N
RENAULT Beaune-Auto, 78 rte de Pommard par ④ ✆ 80 22 25 48 N ✆ 80 22 87 04
TOYOTA Gar. Nello Cheli, Zone Ind. de Vignolles-les-Barbizottes ✆ 80 24 76 60

Gouillardon Gaudry, 4 r. Lt Dupuis ✆ 80 22 14 21
Techni-Pneu, 4 bd Bretonnière ✆ 80 22 80 10

BEAUNE-LE-FROID 63 P.-de-D. 73 ⑬ – rattaché à Murol.

BEAUPRÉAU 49600 M.-et-L. 67 ⑤ G. Châteaux de la Loire – 6 195 h. alt. 86.

Paris 340 – Ancenis 28 – Angers 51 – Châteaubriant 74 – Cholet 18 – ♦Nantes 48 – Saumur 74.

France, pl. Gén.-Leclerc ✆ 41 55 00 26 – wc wc ☎ Ⓟ. AE VISA
fermé 10 au 20 août, vacances de fév., sam. soir (sauf hôtel) et dim. – SC : **R** 46/135 – 16,50 – **13 ch** 95/180 – P 160/190.

CITROEN Pineau, les Ponts ✆ 41 55 00 15 N ✆ 41 55 00 03
FIAT Gar. Rouillière, 1 r. St-Martin ✆ 41 55 00 48
RENAULT Gar. Humeau, 32 r. Mar.-Foch ✆ 41 55 00 58

BEAURAINS 62 P.-de-C. 53 ② – rattaché à Arras.

BEAURAINVILLE 62990 P.-de-C. 51 ⑫ – 1 977 h. alt. 14.

Paris 202 – Arras 72 – Hesdin 14 – Montreuil 12 – St-Omer 53.

Val de Canche avec ch, ✆ 21 90 32 22, – Ⓟ. VISA
fermé 15 au 30 oct., 24 déc. au 2 janv., dim. soir et lundi (sauf fêtes pour hôtel) – SC : **R** 50/120 – 18 – **10 ch** 100/178 – P 170/210.

V.A.G. Gar. Flament, ✆ 21 90 30 33

BEAURECUEIL 13 B.-du-R. 84 ③ – 458 h. alt. 254 – ✉ 13100 Aix-en-Provence.

Paris 767 – Aix-en-Provence 10 – Aubagne 31 – Brignoles 53 – ♦Marseille 41.

Mas de la Bertrande , D 58 ✆ 42 28 90 09, , , – wc ☎ Ⓟ – 25. AE VISA
fermé 15 au 28 fév., lundi sauf hôtel et dim. soir – SC : **R** 155/205 – 30 – **9 ch** 260/360.

Relais Ste-Victoire avec ch, D 46 ✆ 42 28 94 98, ≤, , , – rest TV wc wc ☎ Ⓟ – 30. AE E VISA
fermé vacances de nov., fév., dim. soir et lundi – SC : **R** (week-end prévenir) 140/300 – 30 – **5 ch** 190/200, 3 appartements 280.

BEAUREGARD 01 Ain 74 ① – rattaché à Villefranche-sur-Saône.

BEAUREPAIRE 38270 Isère 77 ② – 3 840 h. alt. 257.

Paris 520 – Annonay 39 – ♦Grenoble 64 – Romans 39 – ♦St-Étienne 78 – Tournon 55 – Vienne 30.

Fiard (Zorelle) avec ch, r. République ✆ 74 84 62 02 – wc . AE E VISA
fermé 2 janv. au 28 fév. et dim. soir hors sais. – SC : **R** 90/250 – 22 – **21 ch** 110/220
Spéc. Palette de poissons aux trois sauces, Jambonnette de pintade aux morilles, Nougat glacé aux fruits confits. **Vins** St-Joseph, Hermitage.

CITROEN Gar. des Alpes, ✆ 74 84 60 13
FORD Gar. Dumoulin, ✆ 74 84 61 22
PEUGEOT, TALBOT Boyet, ✆ 74 84 61 37
PEUGEOT, TALBOT Gar. Perriat, ✆ 74 84 60 65
RENAULT Gar. des Terreaux, ✆ 74 84 61 50 N

BEAUREPAIRE-EN-BRESSE 71 S.-et-L. 70 ⑬ – rattaché à Louhans.

BEAUSOLEIL 06 Alpes-Mar. 84 ⑩, 195 ㉗ – rattaché à Monaco.

Le BEAUSSET 83330 Var 84 ⑭ – 5 329 h. alt. 180.

Voir ≤★ de la chapelle N.-D. du Beausset-Vieux S : 4 km, G. Côte d'Azur.

Syndicat d'Initiative pl. Charles de Gaulle ✆ 94 90 55 10.

Paris 819 – Aix-en-Provence 64 – ♦Marseille 47 – ♦Toulon 17.

Motel la Cigalière M , N : 1,5 km par N 8 et VO ✆ 94 98 64 63, ≤, , , – cuisinette wc wc Ⓟ
fermé 15 au 28 fév. et merc. du 30 sept. au 15 mai – SC : **R** (dîner seul.) 75/100 – 21 – **13 ch** 215/250, 5 studios 384.

L'Estagnon, ✆ 94 98 62 62 – AE
fermé nov. et lundi – SC : **R** 95/120.

La Miquelette, S : 2 km par N8 et VO ✆ 94 90 50 79, ≤, – Ⓟ. AE E VISA
fermé début janv. à début mars, le midi sauf sam. et dim. en juil.-août, dim. soir et lundi de sept. à fin juin – SC : **R** carte 115 à 170.

au Nord : 3,5 km par N 8 et V0 – ✉ 83330 Le Beausset :

Aub. Couchoua, ✆ 94 98 72 24, – Ⓟ.
fermé 1er au 15 mars, 1er au 15 oct., dim. soir et merc. – SC : **R** (grillades) (en août dîner seul.) 85.

RENAULT Central-Gar., ✆ 94 98 70 10 N
Michel Pneum., ✆ 94 90 44 70

BEAUVAIS 🅿 **60000** Oise **55** ⑨⑩ **G. Flandres, Artois, Picardie – 54 147 h. alt. 64.**

Voir Cathédrale★★★ : horloge astronomique★ – Église St-Étienne★ : vitraux★★ et arbre de Jessé★★★ – Musée départemental de l'Oise★ dans l'ancien palais épiscopal M.

de Beauvais-Tillé ✆ 44 45 01 06 par ② : 4 km.

Office de Tourisme 6 r. Malherbe ✆ 44 45 08 18 et r. St-Pierre (1er avril-30 sept.) ✆ 44 45 25 26.

Paris 75 ④ – ♦Amiens 60 ① – Arras 125 ② – Boulogne-sur-Mer 168 ① – Compiègne 57 ③ – Dieppe 104 ⑦ – Évreux 98 ⑥ – ♦Reims 150 ③ – ♦Rouen 80 ⑦ – St-Quentin 118 ② – Troyes 231 ③.

BEAUVAIS

Carnot (R.)
Gambetta (R.)
Hachette (Pl. J.) 10
Madeleine (R. de la)
Malherbe (R. de) 18
St-Pierre (R.) 24

Beauregard (R.) 2
Brière (Bd J.) 3
Dr-Gérard (R.) 5
Dr-Lamotte (Bd du) 6
Grenier-à-Sel (R.) 8
Guéhengnies (R. de) 9
Halles (Pl. des) 12
Leclerc (R. Gén.) 13
Lignières (R. J. de) 15

Loisel (Bd A.) 16
Nully-d'Hécourt (R.) 19
République (Av. de la) 20
St-André (Bd) 22
St-Laurent (R.) 23
St-Vincent-de-Beauvais (R.) 26
Scellier (Cours) 27
Taillerie (R. de la) 29
Tapisserie (R. de la) 30

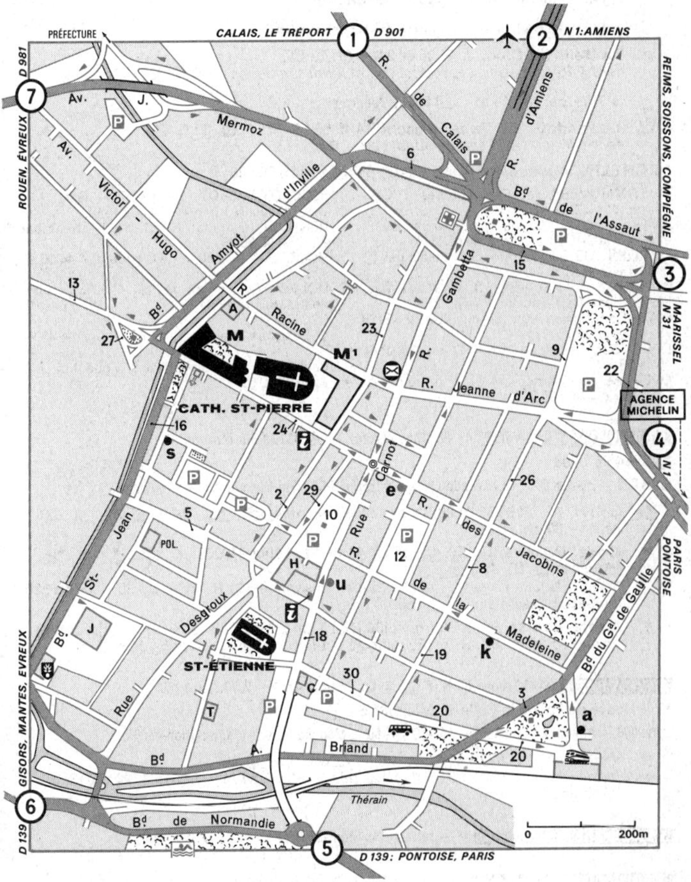

Chenal M sans rest, **63 bd Gén.-de-Gaulle (a)** ✆ **44 45 03 55, Télex 145223** – TV wc wc ☎. AE ⓓ E VISA
SC : ☕ 28 – **29 ch** 240/300.

Palais sans rest, **9 r. St-Nicolas (s)** ✆ **44 45 12 58** – wc wc ☎. AE VISA.
SC : ☕ 17 – **14 ch** 111/178.

tourner →

La Résidence sans rest, 24 r. Louis-Borel par ② et r. D.-Maillart 44 48 30 98 – wc .
fermé 10 au 20 août, 24 déc. au 2 janv. et dim. – SC : 14 – **24 ch** 77/144.

Bristol sans rest, 60 r. Madeleine **(k)** 44 45 01 31 –
fermé 23 déc. au 5 janv. et dim. du 1er nov. au 15 mars – SC : 16 – **19 ch** 75/185.

A la Côtelette, 8 r. Jacobins **(e)** 44 45 04 42, – AE E VISA
fermé dim. soir et lundi sauf fériés – **R** 75/115.

Relais de la Folie, par ② : 1 km face aéroport 44 48 09 58 – . VISA
fermé lundi soir – SC : **R** 76 bc/142 .

Marignan, 1 r. Malherbe **(u)** 44 48 15 15 – E VISA
fermé 1er au 21 fév., dim. soir et lundi – **R** 53/169.

par ③ 3 km, quartier St-Lazare – 60000 Beauvais :

Mercure, av. Montaigne 44 02 03 36, Télex 150210, , , – rest
 – 150. AE E VISA
R carte environ 120 – 28 – **60 ch** 278/289.

par ④ rte de Rouen : 3,5 km – 60000 Beauvais :

La Belle du Coin, 44 45 07 24 – . AE VISA
fermé 16 août au 1er sept., dim. soir et lundi sauf fériés – SC : **R** 90.

à Tillé par ② : 4 km – 60000 Beauvais :

Le Pradou, 45 r. Ile de France 44 45 66 14, – . AE E VISA
fermé fév., 1er au 7 sept. et lundi soir – **R** 62/113.

MICHELIN, Agence, av. Blaise-Pascal par ④ 44 02 01 36

AUSTIN-ROVER Gar. Paris-Londres, r. Gay-Lussac 44 02 21 42
BMW, TOYOTA Gar. du Franc-Marché, av. P. et M. Curie ZAC St-Lazare 44 05 15 25
CITROEN Gd Gar. Paintré, 63 r. Calais par ① 44 45 62 37 N 44 48 05 22
CITROEN Gar. St-Just, 23 r. St-Just-des-Marais par r. Gén.-Leclerc 44 45 23 68
FIAT Gar. Piscine, 99 r. d'Amiens 44 45 18 75
FORD Gar. Verbregue, 11 r. N.-D.-du-Thil 44 45 15 18
OPEL Beauvais-Autos, Z.A.C. St Lazare r. P. et M. Curie 44 02 05 21
PEUGEOT-TALBOT Le Nouveau Gar., 2 r. Gay-Lussac, N 1 par ④ 44 02 15 81
RENAULT Gueudet, N 181, rte d'Amiens par ② 44 48 25 78
V.A.G. S.A.G.A. 60, r. de Clermont 44 05 45 47
VOLVO Autom. du Marais, 202 r. St-Just-des-Marais 44 84 78 78

Beauvais Pneum., 5 r. du 51-R.I. 44 45 91 23
Cacaux, 21 av. Blaise-Pascal, Zone Ind. n°2 44 02 00 60

BEAUVALLON 83 Var 84 ⑰ G. Côte d'Azur – 83120 Ste-Maxime.

9 94 96 16 98.

Paris 873 – Hyères 50 – Le Lavandou 38 – St-Tropez 9,5 – Ste-Maxime 4,5 – ♦Toulon 69.

Golf H. , 94 96 06 09, Télex 470480, <, parc, , , – – 200 sais. – **80 ch**.

Host. Beauvallon M , 94 43 81 11, Télex 970238, <, , , , – wc . AE. rest
hôtel : Pâques-fin sept. ; rest. : 15 mai-15 sept. – SC : **R** 135 – 38 – **27 ch** 500, (en sais. pension seul.) – P 535.

Marie-Louise , à Guerrevieille NE : 1 km 94 96 06 05, <, – wc
15 fév.-15 oct. – SC : **R** 75/120 – 25 – **14 ch** 225, (en sais. pension seul.).

BEAUVEZER 04440 Alpes-de-H.-P. 81 ⑧ G. Côte d'Azur – 237 h. alt. 1 150.

Voir Route du col de la Colle St-Michel★ S.

Paris 808 – Annot 32 – Castellane 44 – Digne 66 – Manosque 107 – Puget-Théniers 54.

Verdon , 92 83 44 44, <, – wc wc .
fermé 11 au 19 mai et 31 oct. au 22 déc. – SC : **R** 58/99 – 15 – **26 ch** 73/161 – P 166/262.

BEAUVOIR 50 Manche 59 ⑦ – rattaché au Mont-St-Michel.

BEAUVOIR-SUR-MER 85230 Vendée 67 ①② – 3 165 h. alt. 20.

Office de Tourisme pl. Mairie (15 juin-15 sept.) 51 68 71 13.

Paris 437 – Challans 16 – ♦Nantes 60 – Noirmoutier-en-l'Ile 22 – Pornic 32 – La Roche-sur-Yon 54.

Touristes, rte du Gois 51 68 70 19 – wc – 80. AE E VISA
fermé 24 nov. au 14 déc. et 3 janv. au 1er fév. – SC : **R** *(fermé lundi d'oct. à avril)* 48/158 – 17 – **19 ch** 79/163 – P 173/228.

RENAULT Boutolleau, 51 68 70 28

BEAUVOIR-SUR-NIORT 79360 Deux-Sèvres 72 ① – 759 h. alt. 66.
Paris 417 – Niort 17 – La Rochelle 57 – St-Jean-d'Angély 28.

Aub. des Voyageurs, 49 09 70 16 – AE ◐ E VISA
fermé vacances de fév. et merc. – SC : R 47/210.

à Virollet SE : 7 km par D 1 – ✉ 79360 Beauvoir-sur-Niort :

Aub. des Cèdres avec ch, 49 09 60 53 – ⓟ – 30
fermé 15 au 31 oct., 1er au 15 fév., dim. soir et lundi – SC : R 52/124 – 15 – **4 ch** 69/115 – P 150/154.

RENAULT Gar. Savin, 49 09 70 12

Le BEC-HELLOUIN 27 Eure 55 ⑮ **G. Normandie** – 476 h. alt. 70 – ✉ **27800** Brionne.
Voir Abbaye**.
Paris 149 – Bernay 21 – Évreux 47 – Pont-Audemer 24 – Pont-l'Évêque 45 – ♦Rouen 42.

Aub. de l'Abbaye avec ch, 32 44 86 02, – wc ⓟ. VISA
fermé 12 janv. au 27 fév., lundi soir et mardi hors sais. – SC : R (dim. prévenir) 100/200 – 25 – **8 ch** 200/240.

BÉDARIEUX 34600 Hérault 83 ④ – 6 525 h. alt. 196.
Syndicat d'Initiative 77 r. St-Alexandre 67 95 08 79.
Paris 831 – Béziers 35 – Lacaune 55 – Lodève 29 – ♦Montpellier 71 – Pézenas 33 – St-Affrique 80.

Moderne sans rest, **64 av. J.-Jaurès** 67 95 01 52 – wc wc. AE ◐ E VISA
fermé 5 déc. au 20 janv. – SC : 20 – **28 ch** 80/180.

CITROEN Gar. Pascal, 5 av. Cot 67 95 03 57
RENAULT Gar. Sandoval, 42 av. Jean-Jaurès 67 95 00 30
V.A.G Vulc. Bédaricienne, 50 bis av. J.-Jaurès 67 95 08 00

BÉDÉE 35 I.-et-V. 59 ⑯ – 2 726 h. alt. 85 – ✉ **35160** Montfort.
Paris 373 – Dinan 35 – Loudéac 63 – Montfort 4,5 – ♦Rennes 22.

Commerce, pl. Église 99 07 00 37 – . E VISA. ch
fermé 1er au 19 août et 22 au 31 déc. – SC : R *(fermé dim. soir et vend.)* 45/85 – 16 – **22 ch** 84/104.

BÉDOIN 84410 Vaucluse 81 ⑬ **G. Provence** – 1 842 h. alt. 310.
Voir Le Paty ≤* NO : 4,5 km.
Office de Tourisme pl. Marché (Pâques-sept.) 90 65 63 95.
Paris 693 – Avignon 39 – Carpentras 15 – Nyons 38 – Sault 35 – Vaison-la-Romaine 22.

L'Escapade, 90 65 60 21
fermé 1er au 8 sept., 1er nov. au 31 janv. et merc. – SC : R 60/100 – 19 – **11 ch** 88/120.

L'Oustau d'Anaïs, rte de Carpentras 90 65 67 43 – ⓟ. AE VISA
fermé 22 sept. au 1er oct., lundi soir et mardi – SC : R (d'oct. au 15 mars - prévenir) 85/250.

BÉGAAR 40 Landes 78 ⑥ – rattaché à Tartas.

BEG-MEIL 29 Finistère 58 ⑮ **G. Bretagne** – ✉ **29170** Fouesnant.
de Quimper et de Cornouaille 98 56 97 09, NE : 9,5 km.
Office de Tourisme (10 juin-15 sept.) 98 94 97 47.
Paris 552 – Carhaix-Plouguer 75 – Concarneau 19 – Pont-l'Abbé 25 – Quimper 21 – Quimperlé 44.

Thalamot , 98 94 97 38, – wc wc. AE E VISA.
1er mai-début oct. – SC : R 72/185 – 20 – **34 ch** 120/240 – P 204/315.

La BÉGUDE DE SAZE 30 Gard 81 ⑪ – rattaché aux Angles.

BÉLÂBRE 36370 Indre 68 ⑯ – 1 068 h. alt. 92.
Paris 312 – Argenton-sur-Creuse 36 – Bellac 55 – Le Blanc 13 – Châteauroux 57 – Montmorillon 28.

L'Écu avec ch., 54 37 60 82 – wc wc. AE ◐ E VISA
fermé 15 sept. au 6 oct., 1er au 16 janv., dim. soir et lundi – SC : R (dim. prévenir) 100/250 – 18 – **7 ch** 125/200 – P 200/250.

CITROEN Nibodeau, 54 37 62 44

BELCAIRE 11 Aude 86 ⑥ – 421 h. alt. 1 002 – ✉ **11340** Espezel.
Voir Forêts** de la Plaine et Comus NO, **G. Pyrénées.**
Paris 827 – Ax-les-Thermes 26 – Carcassonne 77 – Quillan 27.

Bayle avec ch, 68 20 31 05, – ⓟ. E.
fermé nov., vend. soir et sam. midi hors sais. – SC : R 47/140 – 13,50 – **16 ch** 65/120 – P 135/160.

BELFORT P 90000 Ter.-de-Belf. 66 ⑧ G. Jura – 52 739 h. alt. 358.

Voir Le Lion★ BZ – **Citadelle★ : ※★ de la terrasse du fort** BZ.

✈ de Belfort-Fontaine : T.A.T. ✆ 84 21 35 35 par ③ : 14 km.

ℹ Office de Tourisme pl. Dr Corbis ✆ 84 28 12 23 - A.C. 7 Quai Vauban ✆ 84 28 00 30.

Paris 501 ④ – ♦Bâle 67 ③ – ♦Besançon 98 ④ – Colmar 74 ③ – ♦Dijon 191 ④ – Épinal 97 ⑥ – ♦Genève 244 ④ – ♦Mulhouse 42 ③ – ♦Nancy 163 ⑥ – Troyes 277 ⑥ – Vesoul 64 ⑥.

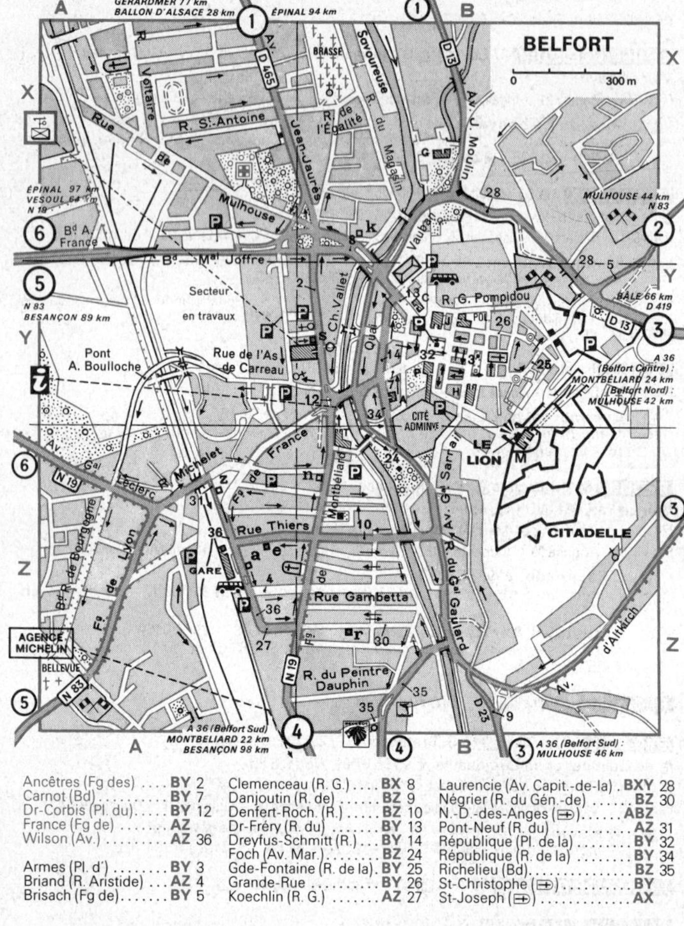

Ancêtres (Fg des) .... BY 2
Carnot (Bd) .... BY 7
Dr-Corbis (Pl. du) ..... BY 12
France (Fg de) .... AZ
Wilson (Av.) .... AZ 36

Armes (Pl. d') .... BY 3
Briand (R. Aristide) ... AZ 4
Brisach (Fg de) .... BY 5

Clemenceau (R. G.) .... BX 8
Danjoutin (R. de) ...... BZ 9
Denfert-Roch. (R.) ..... BZ 10
Dr-Fréry (R. du) .... BY 13
Dreyfus-Schmitt (R.) ... BY 14
Foch (Av. Mar.) .... BZ 24
Gde-Fontaine (R. de la). BY 25
Grande-Rue .... BY 26
Koechlin (R. G.) .... AZ 27

Laurencie (Av. Capit.-de-la) . BXY 28
Négrier (R. du Gén.-de) ...... BZ 30
N.-D.-des-Anges (⊞) ...... ABZ
Pont-Neuf (R. du) .... AZ 31
République (Pl. de la) .... BY 32
République (R. de la) .... BY 34
Richelieu (Bd) .... BZ 35
St-Christophe (⊞) .... BY
St-Joseph (⊞) .... AX

Gd H. du Lion, 2 r. G.-Clemenceau ✆ **84 21 17 00, Télex 360914** – |♦| TV ☎ P – 150. AE O E VISA BX **k**
SC : **Le Vauban** *(fermé dim. midi et sam. du 1er nov. au 31 mars)* **R** carte environ 130 – ☕ 30 – **82 ch** 217/303.

Modern H. M sans rest, **9 av. Wilson** ✆ **84 21 59 45** – |♦| wc ⋒wc ☎ ⇔ P. AE VISA AZ **a**
fermé 19 déc. au 4 janv. et dim. de nov. à fin mars – SC : ☕ 17,50 – **46 ch** 103/210.

Capucins, 20 fg Montbéliard ✆ **84 28 04 60** – |♦| wc ⋒wc ☎. VISA BZ **n**
fermé 20 déc. au 11 janv., sam. et dim. hors sais. – SC : **R** 60/120 ⚲ – ☕ 19 – **35 ch** 113/250.

Américain sans rest, **2 r. Pont-Neuf** ✆ **84 21 57 01** – wc ⋒wc ☎. AE O E VISA AZ **z**
SC : ☕ 16 – **40 ch** 85/190.

XXX ✿ **Host. du Château Servin** avec ch, 9 r. Gén.-Négrier ✆ **84 21 41 85**, – rest wc. AE VISA. ch BZ **r**
fermé 4 au 29 août, 24 fév. au 9 mars et vend. – **SC : R** (nombre de couverts limité - prévenir) carte 265 à 330 – 40 – **10 ch** 290/420
Spéc. Salade tiède "Dominique", Langouste en papillote, Foie gras de canard poêlé au vinaigre de framboises.

XX ✿ **Le Sabot d'Annie** (Barbier), D 13 entrée Offemont -BX- N : 3 km ✉ 90300 Valdoie ✆ 84 26 01 71 – AE VISA
fermé 2 au 24 août, 2 au 10 janv., vacances de fév., sam. et dim. – **SC : R** 150 carte 160 à 245
Spéc. Salade de langoustines au beurre d'orange, Filet de turbot au jus de fenouil, Pithiviers de ris de veau. **Vins** Pinot noir.

XX **Ristorante Gianni,** 33 Fg Ancêtres ✆ **84 28 09 50, cuisine italienne** – . E VISA BY **s**
fermé vacances de Pâques, 15 au 30 août, vacances de nov. et de fév., dim. soir et lundi, dim. midi en juil.-août – **SC : R** 135/275.

XX **Buffet Gare,** av. Wilson ✆ **84 21 57 20** – VISA AZ
SC : R 76/128 ♁.

X **Thiers** avec ch, 9 r. Thiers ✆ **84 28 10 24** – wc. E VISA AZ **e**
fermé 22 déc. au 5 janv., dim. (sauf le midi hors sais.), sam. soir et fériés le soir – **SC : R** 52/201 ♁ – 15,50 – **20 ch** 70/141.

à Danjoutin par ④ : 3 km – 3 451 h. – ✉ **90400** Danjoutin :

Mercure Belfort-Danjoutin M, ✆ **84 21 55 01, Télex 360801,** – rest TV – 100. AE E VISA
R carte environ 120 ♁ – 27 – **80 ch** 260/280.

XXX ✿ **Pot d'Étain** (Clévenot), ✆ **84 28 31 95** – . VISA
fermé 7 au 28 juil., sam. midi, dim. soir et lundi – **SC : R** 160/220
Spéc. Fricassée de lotte et homard, Lièvre à la Royale (1er oct. au 15 déc.), Chariot de desserts. **Vins** Riesling, Pinot noir.

par ④ : 3,5 km – ✉ **90400** Danjoutin :

XX **Le Relais Comtois,** sur N 19 ✆ **84 28 31 17,** –
fermé 4 au 26 août, dim. soir et lundi sauf fériés – **SC : R** 61/127 ♁.

à Valdoie par ① : 5 km – 4 572 h. – ✉ **90300** Valdoie :

XX **Hubert Grillet,** D 465 ✆ **84 26 18 49, « Cadre de verdure »,** – . E VISA
fermé 1er au 20 juil., 15 au 30 janv., dim. soir et lundi – **SC : R** 91/210.

par ② : 4 km sur N 83, rte de Colmar – ✉ **90000** Belfort :

X **La Petite Auberge,** ✆ **84 29 82 91** –
fermé fév., dim. soir, mardi soir et lundi – **SC : R** 49/116 ♁.

à l'échangeur de Bessoncourt par ③ : 7 km – ✉ **90160** Bessoncourt :

Campanile ✆ **84 29 94 42** – TV wc. VISA
SC : R 61 bc/82 bc – 23 – **46 ch** 181/202.

MICHELIN, Agence, Z.I. Danjoutin par ④ ✆ **84 28 21 89**

ALFA-ROMEO, FERRARI Centre Autom., 37 av. J.-Jaurès ✆ 84 21 61 77
OPEL Diffusion Autom. Belfortaine, 33 r. de Mulhouse ✆ 84 21 41 89
PEUGEOT S.I.A. de Belfort, 10 r. du Rhône ✆ 84 21 53 23

RENAULT Gd Gar. Belfortain, bd H.-Dunant par bd Richelieu BZ ✆ 84 21 46 90 N

Chapuis-Pneus, 58 r. de la 1ère Armée ✆ 84 26 42 00
Salomon, 23 r. Brasse ✆ 84 21 60 50

Périphérie et environs

BMW Gar. Richelieu, Zone Ind. de Bavilliers ✆ 84 22 23 16
CITROEN Rabier Z.I., Danjoutin par ④ ✆ 84 21 22 08
FIAT Autom. Valdoyenne, 37 r. de Turenne, Valdoie ✆ 84 21 40 73
MERCEDES-BENZ Gar. Monin, 29 av. d'Alsace, Les Écarts de Denney ✆ 84 29 81 02

Equipneu Service, Z.I.-de Bavilliers ✆ 84 22 25 08
Pneus et Services D.K., 1 rte Montbéliard, Andelnans ✆ 84 28 03 55

BELIN-BÉLIET 33830 Gironde 78 ③ – 2 439 h. alt. 44.

Paris 637 – Arcachon 44 – ♦Bayonne 133 – ♦Bordeaux 45 – Dax 96 – Mont-de-Marsan 78.

Aliénor d'Aquitaine ✆ **56 88 01 23, « Intérieur rustique »,** – wc wc.
1er mars-1er déc. – **SC : R** (dîner pour résidents seul.) 60 bc – 16,50 – **12 ch** 143/165.

Host. des Pins, ✆ **56 88 00 23,** – wc. VISA
fermé 15 oct. au 7 nov., 5 au 20 janv. et merc. – **SC : R** 48/160 – 18 – **12 ch** 86/172 – P 173/260.

CITROEN Gar. Souleyreau, ✆ 56 88 00 63

RENAULT Gar. Dubourg ✆ 56 88 00 84

BELLAC 87300 H.-Vienne 72 ⑦ **G. Périgord** – 5 465 h. alt. 242.
Office de Tourisme 1 bis r. L.-Jouvet ✆ 55 68 12 79.
Paris 381 – Angoulême 99 – Châteauroux 110 – Guéret 74 – ♦Limoges 41 – Poitiers 78.

Châtaigniers M, O : 2 km rte Poitiers ✆ 55 68 14 82, – wc wc. AE E VISA
fermé nov., vend. soir et sam. de déc. à Pâques – SC : **R** 73/180 – 22 – **27 ch** 146/240.

CITROEN Lachaise, 7 r. F.-Foureau ✆ 55 68 07 13
FORD Gar. Boos, à Mézières-sur-Issoire ✆ 55 68 30 28
PEUGEOT, TALBOT Nogaret, rte de poitiers ✆ 55 68 00 10
RENAULT Ducoing, 19 r. Jean-Jaurès ✆ 55 68 00 14

BELLEGARDE 45270 Loiret 65 ① **G. Châteaux de la Loire** – 1 582 h. alt. 114.
Voir Château★.
Paris 110 – Gien 40 – Montargis 23 – Nemours 39 – ♦Orléans 48 – Pithiviers 27.

Agriculture, ✆ 38 90 10 48 – wc
fermé 29 sept. au 23 oct., vacances de fév. et mardi – SC : **R** 43/105 – 14 – **18 ch** 48/120.

BELLEGARDE-SUR-VALSERINE 01200 Ain 74 ⑤ **G. Jura** – 11 787 h. alt. 350.
Voir Perte de la Valserine★30 mn – **Env.** La Valserine★★ par ④ – Défilé de l'Écluse★★ par ② :10 km – Barrage de Génissiat★★16 km par ③.
Syndicat d'Initiative 32 r. République ✆ 50 48 48 68.
Paris 492 ④ – Aix-les-Bains 57 ③ – Annecy 41 ③ – Bourg-en-Bresse 81 ④ – ♦Genève 41 ③ – ♦Lyon 121 ④ – St-Claude 46 ④.

La Belle Époque, 10 pl. Gambetta **(b)** ✆ 50 48 14 46 – wc wc. AE E VISA
fermé 8 juil. au 24 août., 12 au 30 nov., dim. soir et mardi hors sais. – SC : **R** 108/195 – 21 – **10 ch** 130/200.

Central-Colonne, 1 r. Bertola **(e)** ✆ 50 48 10 45 – wc. AE E VISA
fermé 15 oct. au 15 nov. – SC : **R** *(fermé dim. soir et lundi)* 58/150 – 17 – **30 ch** 90/180.

à Lancrans par ① : 3 km – alt. 500 – ✉ 01200 Bellegarde-sur-Valserine :

Sorgia ✆ 50 48 15 81, – wc wc
fermé 13 sept. au 10 oct., 4 au 15 janv., lundi (sauf hôtel) et dim. soir – SC : **R** 50/140 – 13,50 – **20 ch** 70/140 – P 190/240.

par ④ : 4 km par N 84 – ✉ 01200 Bellegarde-sur-Valserine :

Campanile, ✆ 50 48 14 10, ≤ – wc. VISA
SC : **R** 61 bc/82 bc – 23 – **42 ch** 168/189.

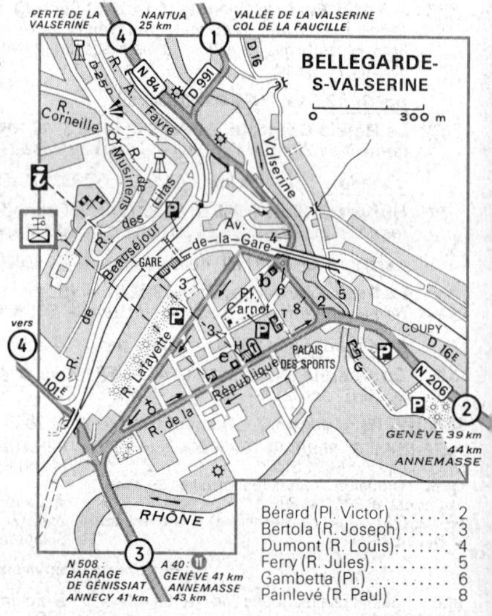

à Ochiaz O : par D 101 : 5 km – ✉ 01200 Bellegarde-sur-Valserine :

Aub. de la Fontaine avec ch, ✆ 50 48 00 66, – wc. AE E VISA
fermé 1er au 8 sept., janv., dim. soir et lundi – SC : **R** 95/230 – 16,50 – **7 ch** 101/130.

à Éloise (74 H.-Savoie) par ③ : 5 km – ✉ 01200 Bellegarde-sur-Valserine (01 Ain)

Le Fartoret ✆ 50 48 07 18, ≤, parc, – wc wc – 60. E VISA
fermé 25 déc. au 3 janv. – SC : **R** 65/160 – 22 – **40 ch** 152/260 – P 240/290.

route du Plateau de Retord O : 12 km par Ochiaz D 101 – ✉ 01200 Bellegarde-sur-Valserine :

Aub. Le Catray avec ch, ✆ 50 48 02 25, ≤, – E
fermé 31 août au 19 sept., lundi soir (sauf hôtel) et mardi hors vacances scolaires – SC : **R** 55/135 – 13 – **9 ch** 95 – P 161/206.

RENAULT Gar. de la Michaille, r. Mar.-Leclerc par D101 E, Zone artisanale Musinens ✆ 50 48 27 21
VOLVO Bailly, 20 rte de Vouvray ✆ 50 48 38 31

Gar. Carrier, rte Genève à Coupy ✆ 50 48 48 07

Norsa-Peu, av. Mar.-Leclerc, Zone Ind. Musinens ✆ 50 48 20 37

BELLE-ILE-EN-MER ★★ **56** Morbihan **63** ⑪⑫ **G. Bretagne** (plan).

Accès : Transports maritimes, pour Le Palais (en été réservation indispensable pour le passage des véhicules).

depuis Quiberon (Port-Maria). En 1985 : de juil. à sept. : 10 services quotidiens (en hiver : 2 à 8 services quotidiens) - Traversée 45 mn – Voyageurs 61 F (AR), autos aller 125 à 296 F. Renseignements : Cie Morbihannaise de Navigation ✆ 97 31 80 01 (Le Palais).

L'Apothicairerie (Grotte de) ★★ – NO de l'Ile.

Bangor – ✉ **56360** Le Palais.

XX **La Forge,** sur D 190, rte de Port-Goulphar ✆ **97 31 51 76,** – **P**. AE E VISA
30 mars-11 nov. – **R** 85/220.

Port-Donnant.
Voir Site★★.

Port-Goulphar – ✉ **56360** Le Palais.
Voir Site★ – Aiguilles de Port-Coton★★ NO : 1 km – Grand Phare : ☀★★ N : 2,5 km.

Castel Clara M, ✆ **97 31 84 21, Télex 730750,** ≤ **crique et falaises,** – TV ☎ **P** – 35 à 70. AE VISA. rest
mi-mars-fin oct. – SC : **R** 175/240 – ☕ 39 – **45 ch** 540/710 – P 480/600.

Manoir de Goulphar , ✆ **97 31 83 95,** ≤ **crique et falaises,** – TV wc ☎ **P** – **52 ch**.

Poulains (Pointe des) ★
Voir ☀★.

Sauzon – 563 h. – ✉ **56360** Le Palais.
Voir Site★.

Le Cardinal M, **à la pointe du Cardinal** ✆ **97 31 61 60,** ≤ – **P** – 50 à 100. rest
15 juin-30 sept. – SC : **R** 98/130 – ☕ 20 – **85 ch** 128/370 – P 260/340.

BELLE-ISLE-EN-TERRE **22810** C.-du-Nord **59** ① **G. Bretagne** – 1 216 h. alt. 99.
Voir Loc-Envel : **jubé★ et voûte ★ de l'église S : 4 km.**
Syndicat d'Initiative à la Mairie (15 juin-15 sept.) ✆ 96 43 30 38.
Paris 503 – Guingamp 20 – Lannion 28 – Morlaix 36 – St-Brieuc 51.

XX **Relais de l'Argoat** avec ch, ✆ **96 43 00 34** – wc ☎ **P** – 50. E VISA.
fermé fév. – SC : **R** *(fermé lundi)* 55/170 – ☕ 22 – **10 ch** 120/155 – P 200/240.

RENAULT Le Quenven, r. du Guic ✆ 96 43 30 45 N

BELLÊME **61130** Orne **60** ⑭⑮ **G. Normandie** (plan) – 1 849 h. alt. 225.
Voir N : **Forêt★.**
Paris 168 – Alençon 41 – Chartres 75 – La Ferté-Bernard 23 – ◆Le Mans 54 – Mortagne-au-Perche 17.

XX **Paix,** ✆ **33 73 03 32** – VISA
fermé 15 janv. au 15 fév., dim. soir et lundi – SC : **R** 55/163 ♨.

PEUGEOT-TALBOT Bonhomme, Rte du Mans ✆ 33 73 10 37 N
RENAULT Gar. Hiron, ✆ 33 73 12 31

Fauconnier, ✆ 33 73 04 31

BELLENTRE **73** Savoie **74** ⑱ – 631 h. alt. 765 – Sports d'hiver : 1 250/2 400 m 1 14 – ✉ **73210** Aime.
Paris 617 – Albertville 46 – Bourg-St-Maurice 8 – La Plagne 25.

Bellecôte M, **à Montchavin SE : 8 km** ✆ **79 07 13 99, Télex 980265,** ≤ – wc ☎. AE E VISA
1er juil.-31 août et 20 déc.-20 avril – SC : **R** 55/185 ♨ – **26 ch** ☕ 260/320 – P 370.

BELLERIVE-SUR-ALLIER **03** Allier **73** ⑤ – rattaché à Vichy.

BELLES-HUTTES **88** Vosges **62** ⑰ – rattaché à La Bresse.

BELLEVAUX 74470 H.-Savoie 70 ⑰ **G. Alpes** – 1 086 h. alt. 907 – **Voir Site★.**

Syndicat d'Initiative (en sais., après-midi seul) ☎ 50 73 71 53.

Paris 560 – Annecy 72 – Bonneville 33 – ♦Genève 43 – Thonon-les-Bains 24

La Cascade, ☎ 50 73 70 22, – Ⓟ. rest
1er juin-20 sept. et 15 déc.-20 avril – SC : **R** 48/70 – 16 – **26 ch** 68/100 – P 148/168.

à Hirmentaz SO : 7 km par D 26 et D 32 – ✉ 74470 Bellevaux :

Panoramic Ⓜ, ☎ 50 73 70 34, ←, – wc Ⓟ.
1er juil.-31 août et 20 déc.-20 avril – SC : **R** 80 – 18 – **29 ch** 150/160 – P 180/220.

Christania Ⓜ, ☎ 50 73 70 77, ←, – wc ☎ Ⓟ.
1er juil.-1er sept. et 15 déc.-20 avril – SC : **R** 75/100 – 22 – **29 ch** 140/160 – P 180/240.

Excelsa, ☎ 50 73 73 22, – wc ☎ Ⓟ.
25 juin-5 sept. et 20 déc.-20 avril – SC : **R** 60/80 – 29 – **21 ch** 126/168 – P 180/210.

BELLEVILLE 54940 M.-et-M. 57 ⑬ – 1 165 h. alt. 191.

Paris 355 – ♦Metz 40 – ♦Nancy 20 – Pont-à-Mousson 13 – Toul 28.

XXX ✿ **Bistroquet (Mme Ponsard),** ☎ 83 24 90 12 – rest Ⓟ. AE E VISA
fermé 3 août au 1er sept., sam. midi, dim. soir et lundi – **R** (nombre de couverts limité - prévenir) carte 190 à 290
Spéc. Foie gras d'oie frais, Rognon de veau au Bouzy, Tarte chaude aux poires.

BELLEVILLE 69220 Rhône 74 ① **G. Vallée du Rhône** – 6 580 h. alt. 190 – Maison du Beaujolais (fermé janv., merc. soir et jeudi) à St-Jean-d'Ardières sur N 6 : 1,5 km ☎ 74 66 16 46 : dégustations de vins et spécialités beaujolaises.

Paris 417 – Bourg-en-Bresse 39 – ♦Lyon 45 – Mâcon 25 – Villefranche-sur-Saône 18.

La Route des Vins (ex Gare) sans rest, 1 pl. Gare ☎ 74 66 34 68 – wc wc ☎ Ⓟ. AE VISA
fermé mi déc. à mi janv. – SC : 23 – **31 ch** 81/228.

XX **Beaujolais,** 40 r. Foch ☎ 74 66 05 31 – E.
fermé 1er au 28 déc., mardi soir et merc. – SC : **R** 69/180.

à Taponas NE : 3 km – ✉ 69220 Belleville :

Aub. des Sablons Ⓜ, ☎ 74 66 34 80 – wc ☎ Ⓟ. VISA
fermé 15 déc. au 15 janv. – SC : **R** *(fermé mardi hors sais.)* 58/130 – 20 – **15 ch** 150/180.

PEUGEOT-TALBOT Gerin, 171 r. République ☎ 74 66 08 46
RENAULT Dépérier, 172 r. République ☎ 74 66 17 15
V.A.G. Girardier, N 6, à St-Jean d'Ardières ☎ 74 66 39 69

BELLEVUE 44 Loire-Atl. 67 ③④ – rattaché à Nantes.

BELLEVUE 92 Hauts-de-Seine 60 ⑩, 101 ㉔ – voir à Paris, Environs (Meudon).

BENDOR (Ile de) 83 Var 84 ⑭ – rattaché à Bandol.

BENESSE-MAREMNE 40 Landes 78 ⑰ – 1 175 h. – ✉ 40230 St-Vincent-de-Tyrosse.

Paris 750 – ♦Bayonne 21 – Capbreton 5,5 – Mont-de-Marsan 78 – St-Vincent-de-Tyrosse 6.

Centre, N 10 ☎ 58 72 54 16, . AE VISA. ch
fermé oct., nov. et sam. du 15 sept. au 15 juin – SC : **R** 39/95 – 17 – **13 ch** 85/170 – P 125/170.

BÉNODET 29118 Finistère 58 ⑮ **G. Bretagne** (plan) – 2 286 h. – Casino – **Voir Phare** ✲★ – Pont de Cornouaille ←★ NO : 1 km – **Excurs.** L' Odet★★ en bateau (1 h 30).

de Quimper et Cornouaille ☎ 98 56 97 09, NE : 12 km.

Pont de Cornouaille - Péage (1985) : auto 3,50 à 5 F (conducteur compris), motos 1,20 F, camion 6 F.

Office de Tourisme 51 av. Plage (fermé oct.) ☎ 98 57 00 14.

Paris 555 – Concarneau 22 – Fouesnant 9 – Pont-l'Abbé 12 – Quimper 16 – Quimperlé 48.

Gwel-Kaër Ⓜ, av. Plage ☎ 98 57 04 38, ← – Ⓟ. VISA.
fermé 2 au 31 janv., dim. soir et lundi hors sais. sauf vacances scolaires et fériés – SC : **R** 70/250 – 25 – **24 ch** 160/365 – P 265/365.

Ker Moor, av. Plage ☎ 98 57 04 48, ←, « parc », – ☎ Ⓟ. E. rest
Pâques-30 sept. – SC : **R** 95/180 – 28 – **65 ch** 250/320 – P 360/380.

Kastel Moor, av. Plage ☎ 98 57 05 01, ←, – ☎ Ⓟ – 25 à 80. E
Pâques-30 sept. – SC : **R** voir **Ker Moor** – 28 – **23 ch** 250/330 – P 360/380.

Menez-Frost sans rest, près poste ☎ 98 57 03 09, – ☎ Ⓟ
– *Pâques-1er oct.* – SC : 24 – **51 ch** 220/350.

🏨 **Ker Vennaik** Ⓜ, av. Plage ✆ 98 57 15 40 – ⇔wc ⋒wc ☎ ♿ ⇔ Ⓟ. AE ⓓ
fermé janv. – SC : **R** voir **H. Poste** – ☕ 21 – **17 ch** 230/270 – P 280/290.

🏨 **Le Minaret** ⚘, ✆ 98 57 03 13, ≤, ⛱ – |⇕| ⇔wc ⋒wc ☎ Ⓟ. E. ✗ rest
27 mars-30 sept. – SC : **R** 60/155 – ☕ 18 – **21 ch** 180/330.

🏨 **Ancre de Marine,** au Port ✆ 98 57 05 29 – ⇔wc ⋒ ☎. E VISA. ✗
début mars-début nov. – SC : **R** *(fermé lundi sauf juil.-août)* 80/170 – ☕ 25 – **25 ch** 150/260.

🏨 **Poste,** r. Église ✆ 98 57 01 09 – ⇔wc ⋒wc ☎. AE ⓓ
fermé janv. – SC : **R** *(fermé lundi hors sais.)* 80/160 🍷 – ☕ 21 – **21 ch** 140/280 – P 220/280.

🏨 **Armoric H.** sans rest, 3 r. Penfoul ✆ 98 57 04 03, ⛱ – ⇔wc ☎ Ⓟ
1er mai-15 sept. – SC : ☕ 18 – **38 ch** 135/220.

XX ✿ **Ferme du Letty** (Guilbaut), au Letty SE : 2 km par D 44 et VO ✆ 98 57 01 27 – Ⓟ. E. ✗
fermé jeudi midi et merc. – SC : **R** carte 135 à 200
Spéc. Feuilleté de tourteau aux girolles, Saumon soufflé, Chariot de gourmandises.

route de Quimper NE : 2,5 km par D 34 et VO – ✉ **29118** Benodet :

🏨 **Domaine de Kereven** ⚘, ✆ 98 57 02 46, ⛱ – ⇔wc ⋒wc ☎ Ⓟ. ✗
15 mai-30 sept. – SC : **R** (dîner seul.) 75 🍷 – ☕ 22 – **16 ch** 205/260.

BENON 17 Char.-Mar. 71 ② – rattaché à La Laigne.

BÉNONCES 01 Ain 74 ⑭ – 274 h. alt. 484 – ✉ **01470** Serrières-de-Briord.

Paris 469 – Belley 28 – Bourg-en-Bresse 55 – ♦Lyon 66 – Nantua 69 – La Tour du Pin 38.

XX **Aub. Terrasse** avec ch, ✆ 74 36 73 56, ⛱, ⛱ – ⇔wc ☎. E VISA
fermé 2 janv. au 22 mars – SC : **R** *(fermé lundi)* 69/168 🍷 – ☕ 16 – **7 ch** 108/195 – P 182/243.

BÉNOUVILLE 14 Calvados 55 ② – rattaché à Caen.

BERCK-PLAGE 62600 P.-de-C. 51 ⑪ G. Flandres, Artois, Picardie – 15 671 h.

Voir Phare ☀★ B – Parc d'attractions de Bagatelle★ 5 km par ①.

⛳18 de Nampont St-Martin ✆ 22 29 92 90 par ③ : 15 km.

ℹ Office de Tourisme 5 av. F.-Tattegrain ✆ 21 09 50 00.

Paris 207 ③ – Abbeville 46 ③ – Arras 99 ② – Boulogne-sur-Mer 42 ① – Montreuil 17 ② – St-Omer 73 ② – Le Touquet-Paris-Plage 18 ①.

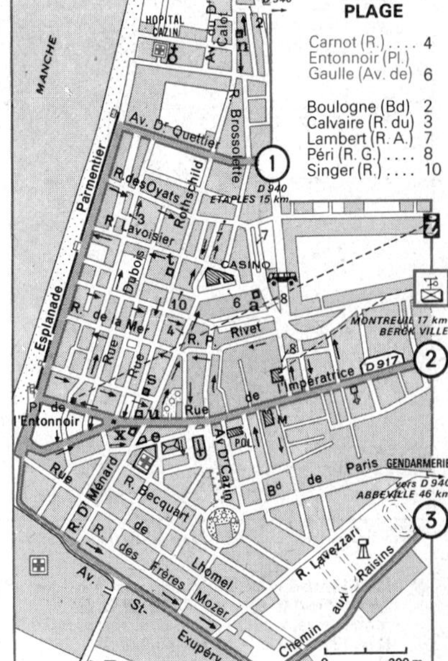

🏨 **Le Homard Bleu,** 48 pl. Entonnoir **(x)** ✆ 21 09 04 65 – ⇔wc ⋒wc ☎
R 50/90 – ☕ 15 – **19 ch** 90/190 – P 190/255.

🏨 **Marquenterre,** 31 av. F.-Tattegrain **(u)** ✆ 21 09 12 13, ⛱, ⛱ – ⇔ ☎. AE E VISA
fermé 15 déc. au 15 janv. – SC : **R** 56/135 🍷 – ☕ 16 – **12 ch** 95/160 – P 185/235.

🏨 **Renaissance,** 57 r. Rothschild **(t)** ✆ 21 09 05 44 – ⇔wc ⋒ ☎. VISA
fermé 1er déc. au 31 janv. – SC : **R** 56/140 🍷 – ☕ 18 – **16 ch** 90/240 – P 170/230.

🏨 **Florida,** 3 r. Ancien-Calvaire **(e)** ✆ 21 09 15 21 – ⇔wc ⋒wc ☎. ✗
SC : **R** 85/95 – ☕ 18 – **12 ch** 125/255 – P 245.

🏨 **Terrasse et Terminus** sans rest, pl. Gare routière **(a)** ✆ 21 09 09 88 – ⋒. ✗
SC : ☕ 19 – **31 ch** 100/220.

XX **Banque** avec ch, **43 r. Division-Leclerc (s)** ✆ **21 09 01 09** – ⊟. ✱ ch – **14 ch.**

X **Le Mauritius,** 6 r. du Dr Calot **(n)** ✆ **21 09 18 61**
fermé 22 sept. au 22 oct., dim. soir et lundi sauf juil. et août – **R** 47/68 ♁.

CITROEN Artois-Autom., Zone Ind., rte Abbeville par ③ ✆ 21 09 26 42 🅽 ✆ 21 84 30 39
PEUGEOT-TALBOT Damour, Zone Ind. rte Abbeville par ③ ✆ 21 09 43 50

RENAULT Campion-Berck, pl. Fontaine par ② ✆ 21 09 04 11

BERGERAC ⟨SP⟩ 24100 Dordogne 75 ⑭⑮ G. Périgord – 27 704 h. alt. 37.

Voir Musée du Tabac★ AZ **M.**

Office de Tourisme 97 r. Neuve d'Argenson ✆ 53 57 03.11.

Paris 553 ⑥ – **Agen 89** ③ – **Angoulême 109** ⑥ – **♦Bordeaux 87** ⑤ – **Pau 214** ④ – **Périgueux 47** ①.

Grand'Rue	**AYZ**
Lattre-de-Tassigny (Pl. de)	**AY** 5
Résistance (R. de la)	**AY** 12
Ste-Catherine (R.)	**AY** 14
Candillac (R.)	**AZ** 3
Ferry (Pl. J.)	**AY** 4
Maine-de-Biran (Bd)	**BY** 6
Michelet (R.)	**BZ** 7
Mounet-Sully (R.)	**AY** 8
Notre-Dame (⊞)	**AY**
Pont (Pl. du)	**AZ** 9
Prof.-Calmette (Bd du)	**BZ** 10
St-Jacques (⊞)	**AZ**
108e-R.-I. (Av. du)	**BY** 16

🏨 **La Flambée,** rte Périgueux par ① : 3 km ✆ **53 57 52 33, parc,** ☂, ⛱, ✕ – ⊟wc ⋒wc ☎ Ⓟ – 🚶 70. AE ⓪ E VISA
fermé 1er janv. au 31 mars, dim. soir et lundi midi sauf du 10 juin au 30 sept. – **SC : R** 84/190 – ☕ 21 – **21 ch** 145/220.

🏨 **France** sans rest, **18 pl. Gambetta** ✆ **53 57 11 61,** ⛟ – TV ⊟wc ⋒wc ☎. E VISA
SC : ☕ 17 – **20 ch** 130/175. AY **u**

🏨 **Commerce** M, **36 pl. Gambetta** ✆ **53 27 30 50, Télex 541888** – ⊡ TV ⊟wc ⋒wc ☎ – 🚶 50. AE ⓪ E VISA AY **f**
fermé 16 au 31 mars – **SC : R** *(fermé dim. soir du 15 oct. au 30 avril)* 69/210 – ☕ 20 – **30 ch** 180/234.

Bordeaux, 38 pl. Gambetta ✆ 53 57 12 83 – rest wc wc – 40. AE E VISA AY f
fermé janv. – SC : **R** *(fermé sam. d'oct. à mars)* 70/190 – 19 – **42 ch** 160/210 – P 260/280.

Europ-H. sans rest, 20 r. Petit-Sol ✆ 53 57 06 54 – wc wc AY v
SC : 16 – **22 ch** 115/183.

XXX **Le Cyrano** (Turon) avec ch, 2 bd Montaigne ✆ 53 57 02 76 – wc wc AE VISA AY s
fermé 26 juin au 11 juil., 2 au 27 déc., dim. soir sauf juil.-août et lundi – SC : **R** 65/150 – 18,50 – **11 ch** 140/165
Spéc. Salade de foie de canard confit, Langoustines au Monbazillac et gingembre, Suprême de pigeonneau. **Vins** Bergerac, Pécharmant.

par ① : 12 km par N 21, D 107 et VO – ✉ **24140** Villamblard :

Manoir Gd Vignoble, ✆ 53 24 23 18, Télex 541629, – wc – 40. AE VISA. rest
fermé 6 janv. au 2 fév. – SC : **R** 140/180 – 35 – **26 ch** 405/455 – P 455/480.

à St-Nexans par ③ et D 19 : 6 km – ✉ **24520** Mouleydier :

XX **La Vieille Grange,** ✆ 53 24 32 21 – AE E VISA
fermé 22 sept. au 11 oct., 25 janv. au 14 fév. et jeudi sauf août – SC : **R** 70/165.

par ④ sur D 933 : 6 km – ✉ **24240** Sigoulès :

XX **Relais de la Diligence** avec ch, ✆ 53 58 30 48, ≤ vignoble, – wc E VISA
fermé 23 juin au 10 juil., 15 au 24 fév., mardi soir et merc. sauf du 10 juil. au 15 sept. – SC : **R** 70/250 – 16 – **8 ch** 140/200.

à Monbazillac S : 7 km par D 13 – ✉ **24240** Sigoulès.
Voir Château★ :.

XX **Closerie St-Jacques,** ✆ 53 58 37 77, – AE E VISA
1er mars-10 nov. et fermé lundi et mardi – SC : **R** 155/270
Spéc. Escalope de foie de canard poêlée, Petite marmite de cuisses de grenouilles et noisettes de lapereau, Petit chou farci au sandre. **Vins** Monbazillac, Pécharmant.

ALFA-ROMEO, AUSTIN, MERCEDES-BENZ, ROVER Parisot, 1 bd Dr-Roux ✆ 53 27 22 11
CITROEN Cazes et Barthet, 31 r. Candillac ✆ 53 57 73 77
FIAT, LANCIA-AUTOBIANCHI Gar. de Naillac, 39 av. Bordeaux ✆ 53 57 36 08
FORD Centre Autom. Pecou, rte Périgueux ✆ 53 57 27 41
HONDA, LADA, SKODA, TOYOTA Gar. Guérault, 32 av. du 108e R.I. ✆ 53 57 31 11
PEUGEOT-TALBOT Géraud, 117 r. Clairat par ② ✆ 53 57 62 72
RENAULT Bergerac-Autos, N 21 rte de Périgueux par ① ✆ 53 57 42 11
V.A.G. Gar. Wilson, 26 av. Wilson ✆ 53 27 20 08

Martial, pl. Clairat ✆ 53 57 19 97
S.I.A.B. PNEUS, 112 av. Pasteur ✆ 53 57 46 77
B. Soubzmaigne et Peyrichou, pl. Deux-Conils, ✆ 53 57 05 21
P. Soubzmaigne, rte Eymet ✆ 53 57 19 54

BERGÈRES-LÈS-VERTUS 51 Marne 56 ⑯ – rattaché à Vertus.

BERGHEIM 68750 H.-Rhin 62 ⑲ G. Alsace et Lorraine – 1 774 h. alt. 235.

Voir Cimetière militaire allemand ★.

Paris 433 – Colmar 16 – Ribeauvillé 3,5 – Selestat 9.

X **Winstub du Sommelier,** ✆ 89 73 69 99, restaurant à vins.

RENAULT Gar. Beysang, ✆ 53 73 63 33

BERGUES 59380 Nord 51 ④ G. Flandres, Artois, Picardie – 4 743 h.

Voir Couronne d'Hondschoote★.

Office de Tourisme Beffroi (1er juil.-15 sept.) et à la Mairie ✆ 28 68 60 44.

Paris 281 – Bourbourg 18 – Dunkerque 8 – Hazebrouck 34 – ♦Lille 65 – St-Omer 31.

Tonnelier, près église ✆ 28 68 70 05 wc – 25. ch
fermé 21 août au 9 sept., 1er au 19 janv. et vend. sauf fériés – **R** 46/145 – 14,50 – **12 ch** 72/185 – P 180/260.

Commerce sans rest, près église ✆ 28 68 60 37 –
fermé 27 juin au 14 juil. et 20 déc. au 4 janv. – SC : 15 – **18 ch** 69/175.

XX **Cornet d'Or,** 26 r. Espagnole ✆ 28 68 66 27 – VISA
fermé 15 juin au 7 juil. et lundi – SC : **R** 100/180.

PEUGEOT-TALBOT Gar. Moderne Desmidt, à Esquelbecq ✆ 28 65 61 44
RENAULT Houtland Autom, à Wormhout ✆ 28 62 99 00
VOLVO Gar. Maecker, à Socx ✆ 28 68 63 50 ✆ 28 68 61 44

BERNAY ⟨SP⟩ 27300 Eure 55 ⑮ G. Normandie – 10 952 h. alt. 108.

Voir Boulevard des Monts★ ABX.

Syndicat d'Initiative à l'Hôtel de Ville ✆ 32 43 32 08.

Paris 150 ② – Argentan 69 ⑤ – Évreux 48 ② – ♦Le Havre 86 ② – Louviers 51 ② – ♦Rouen 58 ②.

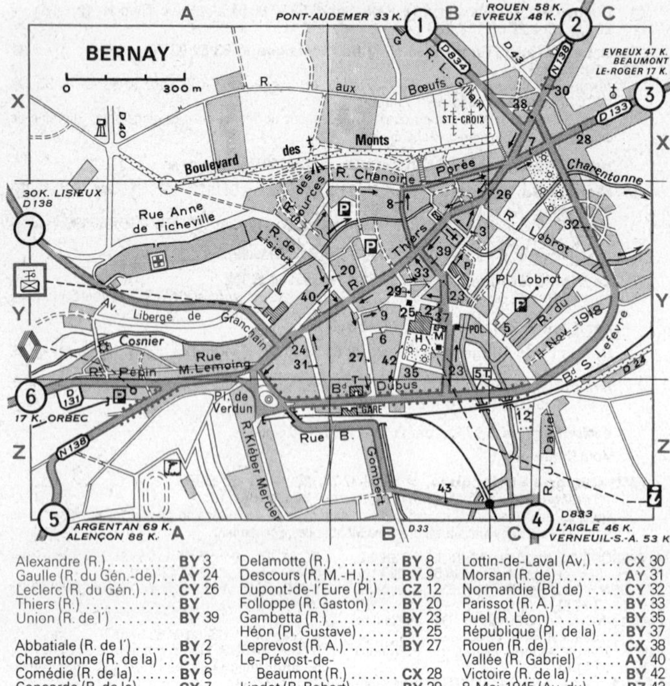

Alexandre (R.) . . . . BY 3
Gaulle (R. du Gén.-de) . . . AY 24
Leclerc (R. du Gén.) . . . . . CY 26
Thiers (R.) . . . . BY
Union (R. de l') . . . . BY 39

Abbatiale (R. de l') . . . . . . BY 2
Charentonne (R. de la) . . CY 5
Comédie (R. de la) . . . . . . BY 6
Concorde (R. de la) . . . . . CX 7

Delamotte (R.) . . . . BY 8
Descours (R. M.-H.) . . . . . BY 9
Dupont-de-l'Eure (Pl.) . . . CZ 12
Folloppe (R. Gaston) . . . . BY 20
Gambetta (R.) . . . . BY 23
Héon (Pl. Gustave) . . . . . . BY 25
Leprevost (R. A.) . . . . BY 27
Le-Prévost-de-Beaumont (R.) . . . . CX 28
Lindet (R. Robert) . . . . BY 29

Lottin-de-Laval (Av.) . . . . CX 30
Morsan (R. de) . . . . AY 31
Normandie (Bd de) . . . . . CY 32
Parissot (R. A.) . . . . BY 33
Puel (R. Léon) . . . . BY 35
République (Pl. de la) . . . BY 37
Rouen (R. de) . . . . CX 38
Vallée (R. Gabriel) . . . . . . AY 40
Victoire (R. de la) . . . . BY 42
8-Mai-1945 (Av. du) . . . . . BZ 43

XX **Trois Vals,** rte Rouen par ② : 1 km ✆ 32 43 21 54 – E VISA.
fermé 10 août au 10 sept., mardi soir et merc. – SC : **R** 90/150.

à Courbépine NO : 8 km par D 834 et D 42 – ✉ 27300 Bernay :

X **Le Bougainville,** ✆ 32 43 41 62, parc – **P**
fin mars-début oct. – SC : **R** 70/170.

CITROEN **MAZDA** Levard, rte de Rouen à Menneval par ② ✆ 32 43 44 43
FORD Gar. Négrie, rte de Conches ✆ 32 43 03 42
LANCIA-AUTOBIANCHI-NISSAN-DATSUN Edouin, carr. Malbrouck, N 13 à Carsix ✆ 32 46 23 59
MERCEDES Blondel, carr. Malbrouck, N 13 à Carsix ✆ 32 46 23 16 N

OPEL Gar. Robillard, rte de Broglie, Zone Ind. ✆ 32 43 09 99
PEUGEOT Lefèvre, N 138, rte de Broglie, Zone Ind. par ⑤ ✆ 32 43 34 28
RENAULT Modern Gar. Bernayen, 26 r. G.-Pépin ✆ 32 43 01 17

Subé-Pneurama, 5 r. L.-Gillain ✆ 32 43 37 78

BERNEX 74 H.-Savoie 70 ⑱ G. Alpes – 638 h. alt. 1 000 – Sports d'hiver : 1 000/1 600 m ≴15 – ✉ 74500 Évian-les-Bains.

Syndicat d'Initiative ✆ 50 73 60 72.

Paris 569 – Annecy 91 – Évian-les-Bains 14 – Morzine 36 – Thonon-les-Bains 16.

Chez Tante Marie ✆ 50 73 60 35, <, – wc ☎ **P**. ch
fermé 15 oct. au 1er déc. – SC : **R** 62/130 – 21 – **25 ch** 160/200 – P 180/230.

à La Beunaz NO : 1,5 km par D 52 – alt. 1 000 – ✉ 74500 Évian-les-Bains :

Bois Joli ✆ 50 73 60 11, <, – wc wc **P**. rest
fermé 15 nov. au 15 déc. et 3 au 18 mars – SC : **R** *(fermé mardi sauf juil.-août)* 80/130 – 25 – **24 ch** 240/250 – P 240/250.

X **Relais Savoyard** avec ch, ✆ 50 73 60 14, <, – wc **P**
fermé 15 oct. au 15 déc. – SC : **R** 65/90 – 19 – **13 ch** 100/175 – P 160/195.

BERRY-AU-BAC 02 Aisne 56 ⑥ – 388 h. alt. 56 – ✉ **02190** Guignicourt.

Paris 162 – Laon 27 – •Reims 20 – Rethel 44 – Soissons 47 – Vouziers 64.

XXX ❀ **Rest. Cote 108** (Courville), ✆ 23 79 95 04, – Ⓟ. AE ⓓ VISA
fermé 14 au 18 juil., 22 déc. au 27 janv., dim. soir et lundi – **R** (dim. prévenir) 105/280
Spéc. Duo d'huîtres et St-Jacques(15 oct.-15 avril), St-Pierre grillé, Filet d'agneau à l'ail doux. **Vins** Coteaux Champenois.

BERTHOLÈNE 12 Aveyron 80 ③ – 782 h. alt. 592 – ✉ **12310** Laissac.

Paris 603 – Espalion 26 – Pont-de-Salars 21 – Rodez 22 – Sévérac-le-Château 27.

Bancarel, ✆ 65 69 62 10, – ⋔. Ⓟ. AE ⓓ E VISA
fermé 1er au 15 oct. – SC : **R** 43/80 ⅋ – 14 – **13 ch** 71/95 – P 123/130.

BERVEN 29 Finistère 58 ⑤ **G. Bretagne** – ✉ **29225** Plouzevedé.

Voir Église★ : clôture★ du choeur.

Paris 560 – •Brest 43 – Landivisiau 14 – Morlaix 24 – St-Pol de Léon 14.

XX **Voyageurs** avec ch, ✆ 98 69 98 17 – Ⓟ.
fermé 15 sept. au 15 oct., dim. soir et lundi sauf hôtel – SC : **R** 39/130 ⅋ – 15 – **6 ch** 65/75.

BESANÇON Ⓟ **25000** Doubs 66 ⑮ **G. Jura** – 119 687 h. alt. 242 – Casino BY.

Voir Site★ – Citadelle★★ BZ : ≤★★ des chemins de ronde, musée d'Histoire naturelle★, musée Populaire comtois★, musée de la Résistance et de la Déportation★, Section d'Agriculture★ – Vieille ville★ BZ : Palais Granvelle★ **D**, Vierge aux Saints★ et Rose de Saint-Jean★ (Cathédrale), Horloge astronomique★ **F** – Préfecture★ AZ **P** – Bibliothèque municipale★ BZ **B** – Promenade Micaud★ BY – Grille★ de l'Hôpital St-Jacques AZ – Musée des Beaux-Arts★ : section d'horlogerie★ AY **M1** – Fort Chaudanne ≤★ S : 2 km puis 15 mn X **E**.

Env. N.-D.-de-la-Libération ≤★ SE : 5,5 km X **K** – Belvédère de Montfaucon ≤★ 8 km par ②.

18 ✆ 81 55 73 54 par ② : 13 km.

Office de Tourisme et Accueil de France (Informations, change et réservations d'hôtels, pas plus de 5 jours à l'avance) 2 pl. 1re Armée Française ✆ 81 80 92 55, A.C. 7 av. Élisée-Cusenier ✆ 81 81 26 11.

Paris 413 ⑥ – •Bâle 148 ⑥ – Bern 157 ② – •Clermont-Ferrand 337 ⑥ – •Dijon 103 ⑥ – •Genève 177 ② – •Grenoble 290 ③ – •Lyon 248 ⑥ – •Nancy 198 ⑥ – •Reims 323 ⑤ – •Strasbourg 242 ⑥.

Plan page suivante

Frantel Ⓜ, av. E.-Droz ✆ 81 80 14 44, Télex 360268 – rest ☎ Ⓟ – 220. AE ⓓ E VISA — BY **d**
SC : rest. **Le Vesontio** *(fermé 21 déc. au 1er janv., sam. midi et dim.)* **R** carte 150 à 205 – 33 – **95 ch** 275/445.

Novotel Ⓜ, r. Trey ✆ 81 50 14 66, Télex 360009, – ☎ Ⓟ – 25 à 200. AE ⓓ E VISA — X **e**
R snack carte environ 100 ⅋ – 32 – **107 ch** 283/313.

Nord sans rest, 8 r. Moncey ✆ 81 81 34 56 – wc ⋔wc ☎. AE ⓓ E VISA — BZ **r**
SC : 15,50 – **44 ch** 90/171.

Ibis, 4 av. Carnot ✆ 81 80 33 11, Télex 361276 – wc ☎ Ⓟ – 50. E VISA — BY **a**
SC : **R** carte environ 85 ⅋ – 20 – **66 ch** 210/240.

Gambetta sans rest, 13 r. Gambetta ✆ 81 82 02 33 – wc ⋔wc . AE ⓓ E VISA — BY **z**
SC : 15,50 – **26 ch** 95/210.

Regina sans rest, 91 Gde-Rue ✆ 81 81 50 22 – ⋔wc ☎. VISA — BZ **v**
fermé 22 déc. au 12 janv. – SC : 16 – **20 ch** 90/165.

XXX **Le Chaland,** promenade Micaud, près pont Brégille ✆ 81 80 61 61, « bateau restaurant » – AE E VISA — BY **s**
fermé 10 au 17 août, vacances de fév., sam. midi et dim. – SC : **R** 280/320.

XX **Poker d'As,** 14 square St-Amour ✆ 81 81 42 49, Sculptures sur bois – AE ⓓ VISA
fermé 5 juil. au 5 août, 23 déc. au 2 janv., dim. soir et lundi – SC : **R** 65/200 ⅋. — BY **u**

XX **Tour de la Pelote,** 39 quai Strasbourg ✆ 81 82 14 58, « Tour du 16e s. » – AE ⓓ E — AY
fermé 27 juil. au 18 août, 22 déc. au 5 janv. et lundi – SC : **R** 100 bc/150 bc.

XX **Le Chaudanne,** 95 r. Dole ✆ 81 52 06 13 – Ⓟ — X **f**
fermé vacances de Noël, de fév., sam. et dim. – SC : **R** (déj. seul.) 52/110 ⅋.

X **Carnot** avec ch, 8 av. Carnot ✆ 81 88 06 23 – VISA. — BY **t**
fermé 8 au 31 août et dim. – **R** 40/85 ⅋ – 18 – **11 ch** 75/135 – P 160/190.

tourner →

BESANÇON

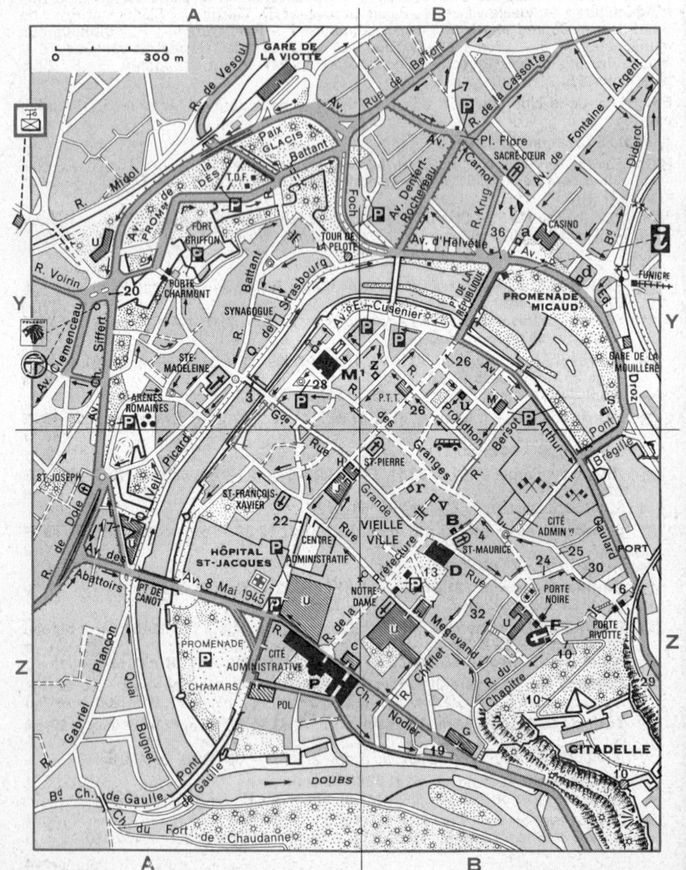

GARE DE LA VIOTTE
300 m
R. de Vesoul
Rue de Belfort
R. de la Cassotte
Pl. Flore
SACRÉ-CŒUR
Av. de Fontaine Argent
Diderot
Paix GLACIS
Battant
T.D.F.
PROMde DES
R. Midol
FORT GRIFFON
Foch
Av. Denfert-Rochereau
Carnot
R. Krug
CASINO
Av. d'Helvétie
TOUR DE LA PELOTE
R. Voirin
PORTE CHARMONT
PONT DE LA RÉPUBLIQUE
PROMENADE MICAUD
FUNICRE
SYNAGOGUE
Strasbourg
Av. E. Cusenier
Av. Clemenceau
Ch. Siffert
STE-MADELEINE
GARE DE LA MOUILLÈRE
Droz
ARÈNES ROMAINES
P.T.T.
Proudhon
Bersot
Arthur
Gde Rue
R. des Granges
Pont Brégille
ST-JOSEPH
Picard
ST-PIERRE
ST-FRANÇOIS-XAVIER
Grande Rue
VIEILLE VILLE
CITÉ ADMINve
Gaulard
R. de Dole
Av. des Abattoirs
HÔPITAL ST-JACQUES
CENTRE ADMINISTRATIF
ST-MAURICE
PORT
Av. 8 Mai 1945
PT DE CANOT
NOTRE-DAME
R. de la Préfecture
PORTE NOIRE
PORTE RIVOTTE
PROMENADE CHAMARS
CITÉ ADMINISTRATIVE
Megevand
Chifflet
R. du Chapitre
Plançon
Quai
Gabriel
Bugnet
POL.
Ch. Nodier
CITADELLE
DOUBS
Bd Ch. de Gaulle
Pont de Gaulle
Ch. du Fort de Chaudanne

à École Valentin par ⑥ : 5 km – ✉ **25480** Miserey Salines :

XX **Valentin,** 19 rte Épinal ☎ 81 80 03 90, ⌂, ⌂ – **P**. AE ⓓ VISA
fermé 28 juil. au 10 août, vacances de fév., dim. soir et lundi – SC : **R** 85/236.

à Château-Farine par ④ et N 73 : 6 km – ✉ **25000** Besançon :

Mercure M, ☎ 81 52 04 00, Télex 360167, ⌂, ⌂ – |‡| ▤ rest TV ⌂wc ☎ ♿ **P**
– ⌂ 40 à 120. AE ⓓ E VISA
R carte environ 120 ⌂ – ⌂ 30 – **59 ch** 314.

à Chalezeule par ① et D 217 : 7 km – ✉ **25220** Chalezeule :

Trois Iles ⌂ sans rest, ☎ 81 88 00 66, ⌂ – ⌂wc ⌂wc ☎ **P**
SC : ⌂ 18 – **16 ch** 150/204.

Montfaucon par ② N 57 et D 104 : 9 km – ✉ **25660** Saône :

XX **La Cheminée,** rte du Belvédère ☎ 81 81 17 48, ← – **P**
fermé janv., fév., dim. soir et lundi – SC : **R** 86/130.

à Pugey par ③ et D 473 : 10 km – ✉ **25720** Beure :

Champ Fleuri ⌂, ☎ 81 57 21 54 – ⌂wc ⌂ ☎ **P**. VISA
fermé 22 déc. au 4 janv. – SC : **R** *(fermé dim. soir)* 44/125 ⌂ – ⌂ 14,50 – **35 ch** 80/176 – P 155/209.

Voir aussi ressources hôtelières de *Etuz* par ⑥ et D 1 : 16 km.

MICHELIN, Agence régionale, rte de Besançon à Thise par Roche-lès-Beaupré X ☎ 81 80 24 53

ALFA-ROMEO-SEAT Tarallo, Z.I. de Thise à Thise ☎ 81 80 68 31
BMW, OPEL Bever, 4 r. Pergaud ☎ 81 52 46 41
CITROEN Succursale, 228 rte Dole par ④ ☎ 81 51 16 66
CITROEN Cassard, 123 r. de Vesoul, ☎ 81 50 45 24
CITROEN Gar. des Maisonnettes, à Ecole-Valentin par ⑥ ☎ 81 55 32 43
CITROEN Gar. Petitjean, 124 r. de Belfort ☎ 81 80 11 90
DATSUN-NISSAN Mécanique, Loisirs, Autos, 72 r. de Belfort ☎ 81 88 29 23
FORD Est-Auto, 18 av. Carnot ☎ 81 80 85 11
MERCEDES-BENZ C.M.B., r. Th.-Edison, Zone Ind. Tilleroyes ☎ 81 50 47 34
PEUGEOT-TALBOT Sté Ind. Autom. Besançon Est, rte de Belfort à Chalezeule ☎ 81 80 41 02
PEUGEOT-TALBOT Sté Ind, Autom. Besançon ouest, bd Kennedy, Zone Ind. Trépillot ☎ 81 53 30 55
PEUGEOT, TALBOT Gar. Cretin, 1 av. G.-Clemenceau ☎ 81 81 29 66
PEUGEOT-TALBOT Gar. Girard, 129 r. de Dole ☎ 81 52 05 39
RENAULT Succursale, bd Kennedy ☎ 81 53 81 15
RENAULT Gar. Betteto, 148 r. Belfort ☎ 81 80 41 70
RENAULT Masson, 91 r. de Dole ☎ 81 52 05 22
RENAULT Gar. Salmer, 5 r. des Grands-Bas ☎ 81 50 26 19
V.A.G Gar. Simonin, 20 av. Fontaine Argent ☎ 81 80 89 33
VOLVO J.C.L. Autos, Chemin des Graviers Blancs ☎ 81 53 74 44

⌂ Eco-Pneu rte de Vesoul à Ecole-Valentin ☎ 81 53 32 44
Eco-Pneu, 27 av. Carnot ☎ 81 88 36 59
La Maison du Pneu, Mariotte, 10 r. de Dole ☎ 81 81 23 89
Pneus et Services D.K., 8 bd L.-Blum ☎ 81 50 29 30 et 6 r. Weiss ☎ 81 50 05 54

BESSANS 73 Savoie 77 ⑨ **G. Alpes** – 273 h. alt. 1 700 – Sports d'hiver : 1 700/2 200 m ⌂4, ⌂ – ✉ **73480** Lanslebourg-Mont-Cenis.

Voir Peintures* de la chapelle St-Antoine.

i Syndicat d'Initiative ☎ 79 05 96 56.

Paris 659 – Chambéry 136 – Lanslebourg-Mont-Cenis 12 – Val-d'Isère 37.

Vanoise ⌂, ☎ 79 05 96 79, ← – ⌂wc ⌂wc ☎ **P**. ⌂
1er juil.-15 sept. et 15 déc.-30 avril – SC : **R** 45/130 – ⌂ 18 – **29 ch** 85/215 – P 185/225.

Mont-Iseran, ☎ 79 05 95 97, ← – ⌂ ⌂ **P**. ⌂ rest
25 juin-1er oct. et 20 déc.-26 avril – SC : **R** 51/85 – ⌂ 16,50 – **20 ch** 123/162 – P 144/165.

Le BESSAT 42 Loire 76 ⑨ – 214 h. alt. 1 160 – Sports d'hiver : 1 100/1 500 m ⌂ 3 ⌂ – ✉ **42660** St-Genest-Malifaux.

Paris 519 – Annonay 30 – Bourg-Argental 15 – St-Chamond 19 – ♦St-Étienne 18 – Yssingeaux 64.

France, ☎ 77 20 40 99, ⌂ – ⌂wc ⌂wc ☎ – ⌂ 30. ⌂
fermé 1er au 15 avril, 1er au 30 sept., dim. soir et lundi – SC : **R** 38/100 ⌂ – ⌂ 15 – **30 ch** 80/150 – P 145/155.

Lion d'Or — **Si le nom d'un hôtel figure en petits caractères demandez, à l'arrivée, les conditions à l'hôtelier.**

BESSE-EN-CHANDESSE 63610 P.-de-D. 73 ⑬⑭ G. Auvergne (plan) – 1 742 h. alt. 1 050 – Sports d'hiver à Super Besse – **Voir Église St-André★ – Rue de la Boucherie★ – Porte de ville★ – Env. Lac Pavin ★★ par D978 : 4 km – Vallée de Chaudefour★★ NO : 11 km – Puy de Montchal ※★★ S : 4 km.**

Office de Tourisme pl. Gd-Mèze ✆ 73 79 52 84.

Paris 440 – ♦Clermont-Ferrand 51 – Condat 28 – Issoire 35 – Le Mont-Dore 25.

Mouflons (Sachapt) M, rte Super-Besse ✆ 73 79 51 31, ≤, – P. AE VISA. rest
1er juin-28 sept. – SC : **R** 80/200 – 25 – **50 ch** 210/240 – P 255/310
Spéc. Saumon de fontaine aux champignons sylvestres, Pigeonneau au Chanturgue, Millefeuille crème pralinée. Vins Corent, Chanturgue.

Charmilles M sans rest, rte Super-Besse ✆ 73 79 50 79 – wc wc P. AE
15 juin-15 sept. et vacances de fév. – SC : 15 – **20 ch** 140/170.

Levant, ✆ 73 79 50 17, – wc . rest
15 juin-20 sept. et 20 déc.-5 avril – SC : **R** 58/100 – 15 – **18 ch** 130/150 – P 145/190.

Le Clos, rte Mt-Dore ✆ 73 79 52 77, – P
1er juin-30 sept. et 20 déc.-10 avril – SC : **R** 51/80 – 16,50 – **25 ch** 108/145 – P 190/220.

à Super-Besse O : 7 km – alt. 1 350 – Sports d'hiver : 1 350/1 850 m 1 19, –
63610 Besse-en-Chandesse :

Gergovia, ✆ 73 79 60 15, Télex 394021, ≤ P
30 juin-1er sept. et 20 déc.-7 avril – SC : **R** 65/105 – 17 – **49 ch** 125/220 – P 300/460.

Chamois, ✆ 73 79 60 60, ≤ – wc wc P. E VISA
1er juil.-31 août et 15 déc.-15 avril – SC : **R** 54/97 – 16 – **15 ch** 145/172 – P 188/212.

CITROEN Chareyre, à St-Pierre-Colamine ✆ 73 96 77 19
LADA-PEUGEOT-TOYOTA Gar. Fabre, ✆ 73 79 51 10
RENAULT Gar. des Lacs, ✆ 73 79 50 07

BESSENAY 69690 Rhône 73 ⑲ – 1 617 h. alt. 390.

Paris 465 – ♦Lyon 36 – Montbrison 51 – ♦St-Étienne 63.

Aub. de la Brevenne avec ch, ✆ 74 70 80 01, – P. AE E VISA. ch
fermé dim. et lundi – SC : **R** 78/165 – 18 – **7 ch** 65/95.

BESSINES-SUR-GARTEMPE 87250 H.-Vienne 72 ⑧ – 2 593 h. alt. 344.

Paris 361 – Argenton-sur-Creuse 58 – Bellac 32 – Guéret 48 – ♦Limoges 37 – La Souterraine 21.

Vallée, N 20 ✆ 55 76 01 66 – wc wc P. E VISA
fermé fév. et dim. soir – SC : **R** 39/137 – 16 – **20 ch** 70/142 – P 146/239.

Centre, ✆ 55 76 03 17 – P. rest
fermé oct. et dim. hors sais. – SC : **R** 43/90 – 16 – **13 ch** 80/160 – P 160/190.

Bellevue, N 20 ✆ 55 76 01 99 – P. E VISA
fermé 10 fév. au 10 mars et lundi de sept. à fin juin sauf fêtes – SC : **R** 37/100.

FIAT Manin, N 20 à Razès ✆ 55 71 00 33
RENAULT Gar. Desmoulins, ✆ 55 76 05 23

BÉTHARRAM (Grottes de) ★★ 64 Pyr.-Atl. 85 ⑰ G. Pyrénées.
Ressources hôtelières : voir à Lestelle-Bétharram.

BÉTHUNE SP 62400 P.-de-C. 51 ⑭ G. Flandres, Artois, Picardie – 26 105 h. alt. 25.

Office de Tourisme et A.C. 34 Grand'Place ✆ 21 68 26 29.

Paris 213 ② – ♦Amiens 87 ④ – Arras 33 ④ – Boulogne 91 ⑤ – Douai 41 ② – Dunkerque 67 ⑥.

Plan page ci-contre

France II M, à Beuvry par ② : 4 km rte Lille 62660 Beuvry ✆ 21 57 34 34, Télex 110691, , parc – TV wc P – 120. AE E VISA
SC : **R** 84/156 – 20 – **54 ch** 241/264.

Bernard et Gare, pl. Gare ✆ 21 57 20 02 – wc wc . E VISA Z z
SC : **R** *(fermé dim. et fériés le soir)* 58/120 – 14 – **30 ch** 64/145.

BMW Gar. Cornuel, rte de Lille à Beuvry ✆ 21 56 17 40
CITROEN SO.CA.BE., 1220 av. Winston-Churchill par ③ ✆ 21 57 65 70 N ✆ 21 57 16 83
FIAT Gar. du Beffroi, 66 r. Sadi Carnot ✆ 21 01 38 99
FORD St.-Vaast Autom., ZI rte d'Armentières ✆ 21 56 19 19
HONDA, MERCEDES Cappelle, 92 av. du 8 Mai 1945 ✆ 21 57 22 08
OPEL Plantaz-Dubois, 189 bd Kitchener ✆ 21 57 65 88
PEUGEOT-TALBOT Mizon, 329 av. Kennedy ✆ 21 57 12 05 N ✆ 21 56 16 83
PEUGEOT-TALBOT Bondu, 136 rte Nationale, Beuvry par ② ✆ 21 57 38 85
RENAULT Dist.-Autom.-Béthunoise, 255 r. Jean-Moulin ✆ 21 57 24 30
TOYOTA Ets Duhem, 4 av. Winston-Churchill ✆ 21 57 20 60
V.A.G. Gar. Roger, N 41, Labuissière ✆ 21 53 57 30

La Maison du Pneu, 371 r. d'Aire ✆ 21 57 02 10

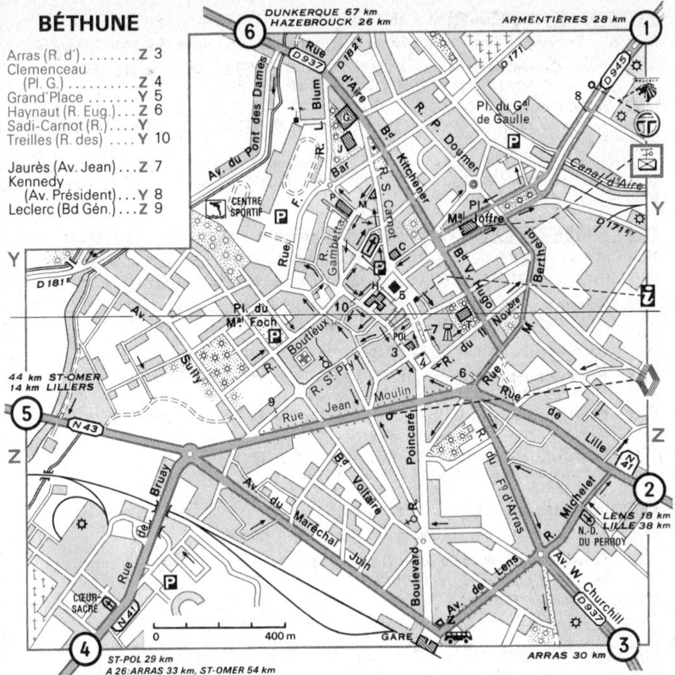

BETON-BAZOCHES 77 S.-et-M. 61 ④ – 538 h. alt. 135 – ✉ **77320** La Ferté-Gaucher.

Paris 77 – Coulommiers 20 – Melun 54 – Provins 21 – Sézanne 36.

XX **Aub. St-Christophe,** N 4 ☎ (1) 64 01 01 09 – 🅟
fermé 15 juin au 15 juil., mardi soir et merc. – SC : **R** 45/110 ♨.

BETTEX 74 H.-Savoie 74 ⑧ – rattaché à St-Gervais.

BEUIL 06 Alpes-Mar. 81 ⑨, 195 ④ **G. Côte d'Azur** – 387 h. alt. 1 450 – Sports d'hiver : 1 450/2 000 m ⛷23, ⛷ – ✉ **06470** Guillaumes.

Voir Site★ – Route de la Vionène★ E.

Paris 860 – Barcelonnette 83 – Digne 115 – ♦Nice 79 – Puget-Théniers 30 – St-Martin-Vésubie 53.

L'Escapade, ☎ 93 02 31 27, ≤ – wc wc ☎. E VISA
fermé mardi et merc. en mai, juin, oct. et nov. – SC : **R** 60/90 – ☕ 17 – **11 ch** 140/160 – P 200/220.

X **Bellevue** avec ch, ☎ 93 02 30 04, ≤, –
20 juin-20 sept. et 15 déc.-30 avril – SC : **R** 58/81 ♨ – ☕ 15 – **6 ch** 87/123 – P 148/184.

La BEUNAZ 74 H.-Savoie 70 ⑱ – rattaché à Bernex.

BEUVEILLE 54 M.-et-M. 57 ② – rattaché à Longuyon.

BEUVRON-EN-AUGE 14 Calvados 54 ⑰ **G. Normandie** – 276 h. – ✉ **14430** Dozulé.

Voir ☀★ de l'église de Clermont-en-Auge NE : 3 km.

Paris 224 – Cabourg 15 – ♦Caen 31 – Lisieux 28 – Pont-L'Evêque 32.

XX **Pavé d'Auge,** ☎ 31 79 26 71, « Halles anciennes » – AE ⓓ VISA
fermé lundi soir et mardi – SC : **R** 110/185 ♨.

X **Aub. Boule d'Or,** ☎ 31 79 25 26 – E VISA
fermé déc., janv., le soir du 15 oct. au 15 mars, mardi soir et merc. – SC : **R** (prévenir) 72/110.

BEUZEVILLE 27210 Eure 55 ④ – 2 536 h. alt. 125.

Paris 184 – Bernay 40 – Deauville 24 – Évreux 79 – Honfleur 15 – ♦Le Havre 48 – Pont-l'Évêque 14.

Petit Castel M sans rest, ✆ 32 57 76 08, – TV wc ☎. E VISA.
fermé 15 déc. au 15 janv. – SC : 18 – **16 ch** 187/250.

Aub. Cochon d'Or avec ch, ✆ 32 57 70 46 – . E VISA.
fermé 15 déc. au 15 janv. et lundi – SC : **R** 55/155 – 18 – **7 ch** 93/150 – P 200/260.

CITROEN Perrin, ✆ 32 57 70 52
PEUGEOT Bouloché, à Boulleville ✆ 32 41 21 31 N ✆ 32 41 17 95
PEUGEOT Gar. Normandy, ✆ 32 57 70 94
RENAULT Coquerel, ✆ 32 57 70 26 N

BEYNAC et CAZENAC 24 Dordogne 75 ⑰ G. Périgord – 460 h. alt. 60 – ✉ **24220** St-Cyprien.

Voir Château : site★★, ※★★ – Château de Castelnaud★ : site★★, ※★★★ S : 4 km.

Paris 551 – Bergerac 63 – Fumel 64 – Gourdon 33 – Périgueux 64 – Sarlat-la-Canéda 11.

Bonnet, ✆ 53 29 50 01, <, – wc wc ☎ P.
23 mars-15 oct. – SC : **R** 78/160 – 22 – **22 ch** 130/200 – P 242/265.

à Vézac SE : 2 km – ✉ **24220** St-Cyprien :

Rochecourbe sans rest, ✆ 53 29 50 79, <, – wc ☎ P. AE
15 avril-31 oct. – SC : 25 – **7 ch** 200/335.

Oustal de Vézac M sans rest, ✆ 53 29 54 21, <, – wc ☎ P. AE VISA
23 mars-3 nov. – SC : 24 – **20 ch** 220/250.

Le Souqual, ✆ 53 29 50 59, , « Jardin » – P. VISA
15 mars-5 nov. et fermé mardi – SC : **R** 60/210 .

BEYNAT 19190 Corrèze 75 ⑨ – 1 117 h. alt. 480.

Paris 509 – Argentat 24 – Brive-la-Gaillarde 20 – Figeac 90 – Tulle 25.

Touristes, ✆ 55 85 50 20 – P. VISA. rest
SC : **R** 55/75 – 13 – **13 ch** 88 – P 130/140.

CITROEN Saulle, ✆ 55 85 50 52
RENAULT Gar. de la Mairie, ✆ 55 85 50 12 N ✆ 55 85 56 64

BEYRÈDE (Col de) 65 H.-Pyr. 85 ⑲ – alt. 1 417 – ✉ **65200** Bagnères-de-Bigorre.

Paris 850 – Auch 92 – Bagnères-de-Bigorre 23 – Lannemezan 29 – St-Gaudens 56 – Tarbes 59.

Relais du Col avec ch, ✆ 62 91 83 70, – P
15 juin-30 oct. – SC : **R** 55/75 – 16 – **5 ch** 95 – P 160.

Les BÉZARDS 45 Loiret 65 ② – alt. 163 – ✉ **45290** Nogent-sur-Vernisson.

Paris 136 – Auxerre 76 – Cosne-sur-Loire 50 – Gien 16 – Joigny 58 – Montargis 23 – ♦Orléans 69.

✿✿ **Auberge des Templiers** M , ✆ 38 31 80 01, Télex 780998, <, , « Bel ensemble hôtelier dans un parc », , – TV ☎ P – 30. AE E VISA
fermé mi-janv. à mi-fév. – **R** 250/380 et carte – 50 – **22 ch** 550/850, 8 appartements
Spéc. Mousse blonde de foies de volaille aux raisins, Saumon aux deux céleris (janv. à juin), Gibier de Sologne (oct. à mars). Vins Sancerre, Pouilly-Fumé.

Host. du Château des Bézards , ✆ 38 31 80 03, Télex 780335, <, , « Parc », , , – ☎ P – 40 à 60. AE E VISA
SC : **R** 100/175 – 36 – **38 ch** 245/415, 5 appartements 720 – P 500/750.

BÉZAUDUN-LES-ALPES 06 Alpes-Mar. 81 ⑳, 195 ㉕ – 80 h. alt. 800 – ✉ **06510** Carros.

Paris 952 – Castellane 65 – Grasse 42 – ♦Nice 46 – St-Martin-Vésubie 59 – Vence 24.

Les Lavandes avec ch, ✆ 93 59 11 08, < –
du 1er sept. au 31 mai rest. seul. et fermé jeudi – **R** 90 – 20 – **9 ch** (pens. seul.) – P 180.

BÉZIERS SP 34500 Hérault 83 ⑮ G. Causses – 78 477 h. alt. 70.

Voir Anc. cathédrale St-Nazaire★ AY E : terrasse <★.

✈ de Béziers-Vias ; ✆ 67 94 00 65 par ③ : 18 km.

Office de Tourisme 27 r. Quatre-Septembre ✆ 67 49 24 19.

Paris 822 ③ – ♦Clermont-Fd 374 ③ – ♦Marseille 231 ③ – ♦Montpellier 67 ③ – ♦Perpignan 93 ⑤.

Plan page ci-contre

Nord sans rest, 15 pl. Jaurès ✆ 67 28 34 09 – TV ☎ – 60. BZ **z**
SC : 18 – **45 ch** 170/300.

Europe sans rest, 87 av. Prés.-Wilson ✆ 67 76 08 97, Télex 490064 – TV ☎ P – 30. AE E VISA CZ **b**
SC : 25 – **30 ch** 185/380.

BÉZIERS

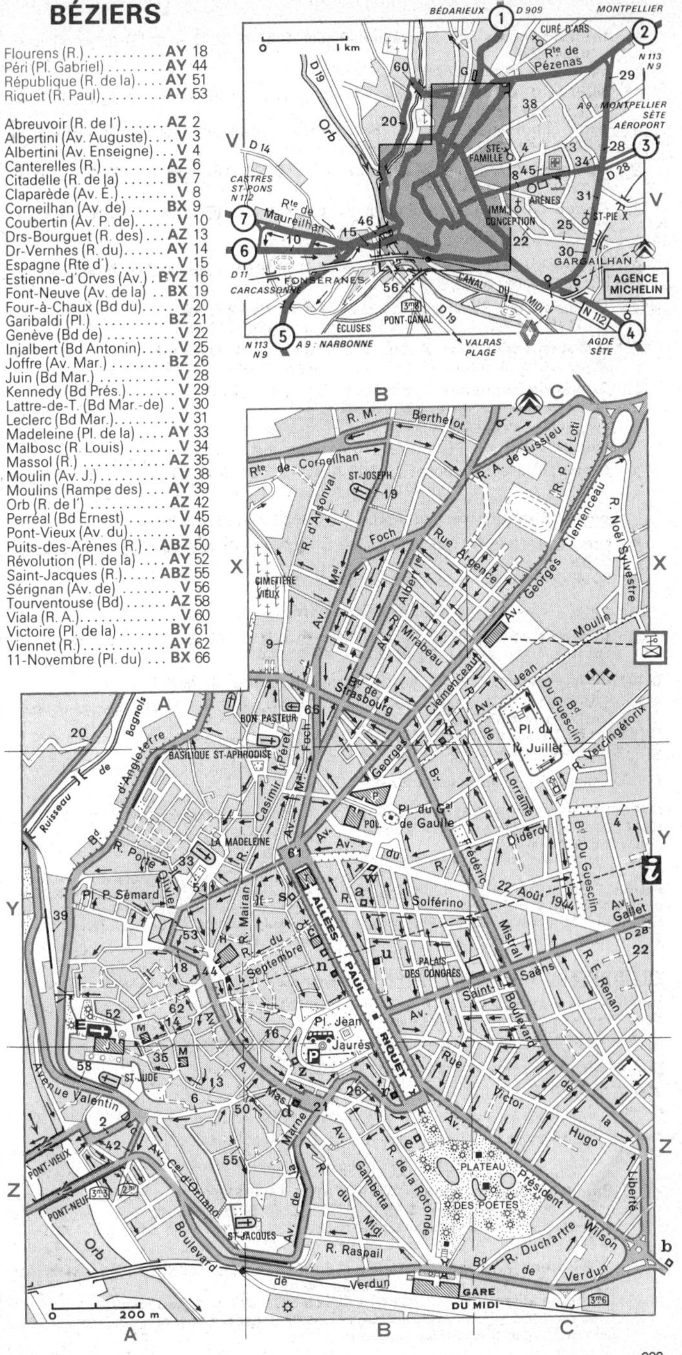

Flourens (R.) . . . . AY 18
Péri (Pl. Gabriel) . . . . AY 44
République (R. de la) . . . . AY 51
Riquet (R. Paul) . . . . AY 53

Abreuvoir (R. de l') . . . . . . AZ 2
Albertini (Av. Auguste) . . . . V 3
Albertini (Av. Enseigne) . . . V 4
Canterelles (R.) . . . . AZ 6
Citadelle (R. de la) . . . . . . BY 7
Claparède (Av. E.) . . . . V 8
Corneilhan (Av. de) . . . . . BX 9
Coubertin (Av. P. de) . . . . . . V 10
Drs-Bourguet (R. des) . . . AZ 13
Dr-Vernhes (R. du) . . . . . . AY 14
Espagne (Rte d') . . . . V 15
Estienne-d'Orves (Av.) . BYZ 16
Font-Neuve (Av. de la) . . BX 19
Four-à-Chaux (Bd du) . . . . . V 20
Garibaldi (Pl.) . . . . BZ 21
Genève (Bd de) . . . . V 22
Injalbert (Bd Antonin) . . . . . V 25
Joffre (Av. Mar.) . . . . BZ 26
Juin (Bd Mar.) . . . . V 28
Kennedy (Bd Prés.) . . . . V 29
Lattre-de-T. (Bd Mar.-de) . V 30
Leclerc (Bd Mar.) . . . . V 31
Madeleine (Pl. de la) . . . . AY 33
Malbosc (R. Louis) . . . . V 34
Massol (R.) . . . . AZ 35
Moulin (Av. J.) . . . . V 38
Moulins (Rampe des) . . . AY 39
Orb (R. de l') . . . . AZ 42
Perréal (Bd Ernest) . . . . V 45
Pont-Vieux (Av. du) . . . . V 46
Puits-des-Arènes (R.) . . ABZ 50
Révolution (Pl. de la) . . . . AY 52
Saint-Jacques (R.) . . . . . ABZ 55
Sérignan (Av. de) . . . . V 56
Tourventouse (Bd) . . . . . . AZ 58
Viala (R. A.) . . . . V 60
Victoire (Pl. de la) . . . . . . BY 61
Viennet (R.) . . . . AY 62
11-Novembre (Pl. du) . . . BX 66
BÉDARIEUX
D 909
MONTPELLIER
CURÉ D'ARS
Rte de Pézenas
A 9 : MONTPELLIER SÈTE AÉROPORT
CASTRES ST-PONS N 112
Rte de Maureilhan
STE-FAMILLE
ARÈNES
IMM. CONCEPTION
ST-PIE X
GARGAILHAN
AGENCE MICHELIN
D 11 CARCASSONNE
FONSERANES
CANAL DU MIDI
ÉCLUSES
PONT-CANAL
N 113 N 9
A 9 : NARBONNE
VALRAS PLAGE
AGDE SÈTE
1 km
Orb
ST-JOSEPH
CIMETIÈRE VIEUX
Bd de Strasbourg
BON PASTEUR
BASILIQUE ST-APHRODISE
LA MADELEINE
Pl. du Gal de Gaulle
Pl. du 14 Juillet
Av. Georges Clemenceau
R. Noël Sylvestre
Av. Jean Moulin
Bd Du Guesclin
R. Vercingétorix
Av. du 22 Août 1944
Av. L. Gallet
R. Solférino
ALLÉES PAUL RIQUET
PALAIS DES CONGRÈS
Pl. Jean Jaurès
Av. Saint-Saëns
Boulevard Mistral
Rue Victor Hugo
R. E. Renan
Av. Président Wilson
Liberté
PLATEAU DES POÈTES
R. Duchartre
Bd de Verdun
GARE DU MIDI
R. Raspail
Av. Gambetta
Av. du Midi
R. de la Rotonde
Av. de la Marne
ST-JACQUES
ST-JUDE
PONT-VIEUX
PONT-NEUF
Av. Cel d'Ornano
Avenue Valentin Duc
Ruisseau de Bagnols
Bd d'Angleterre
Pl. P. Sémard
R. Porte Olivier
R. du 4 Septembre
Boulevard de Verdun
200 m

Imperator sans rest, 28 allées P.-Riquet ✆ 67 49 02 25 – |♦| TV ⌂wc ⋒wc ☎ ⇔. AE ⦿ E BY **n**
SC : ☐ 24 – **45 ch** 150/260.

Midi et Rest. La Rascasse, 13 r. Coquille ✆ 67 49 13 43 – |♦| TV ⌂wc ⋒wc ☎. AE ⦿ E VISA BY **s**
fermé 12 nov. au 1er déc. – SC : **R** *(fermé dim. soir et sam. sauf août)* 72/135 – ☐ 22 – **31 ch** 140/300 – P 270/360.

Splendid H. sans rest, 24 av. du 22-Août ✆ 67 28 23 82 – |♦| ⋒wc ☎. E BY **w**
SC : ☐ 15,50 – **26 ch** 73/194.

Concorde sans rest, 7 r. Solférino ✆ 67 28 31 05 – TV ⌂wc ⋒wc ☎ ⇔. AE E VISA. ✻ BY **a**
fermé 15 déc. au 10 janv. – ☐ 20 – **25 ch** 95/199.

Poètes sans rest, 80 allées P.-Riquet ✆ 67 76 38 66 – ⌂wc ⋒ ☎. E VISA. ✻
SC : ☐ 16 – **14 ch** 110/200. BZ **e**

XXX **L'Olivier,** 12 r. Boïeldieu ✆ 67 28 86 64 – ▤. AE ⦿ E VISA BY **u**
SC : **R** *(fermé dim. soir et lundi midi sauf juil.-août)* 140/280.

XX **le Gourmandin,** 34 av. A.-Mas ✆ 67 28 39 18 – ▤. AE ⦿ VISA BZ **d**
fermé 15 juil. au 6 août, 1er au 10 fév., dim. soir et lundi – SC : **R** 80/250.

XX **Brasserie Ragueneau,** 36 allées P.-Riquet ✆ 67 28 35 17 – ▤. AE ⦿ E VISA
fermé vend. soir et sam. midi – SC : **R** 85/114. BY **n**

X **Le Jardin,** 37 av. J.-Moulin ✆ 67 36 41 31 – ▤. VISA BX **k**
fermé 16 au 31 oct., 14 au 28 fév., dim. soir et lundi – SC : **R** 85/125.

X **Cigale,** 60 allées P.-Riquet ✆ 67 28 21 56 – ▤. AE ⦿ E VISA BZ **r**
fermé 16 au 30 juin, 15 au 30 sept., lundi soir et mardi – SC : **R** 72/160 ♁.

par ③ *:* 5 km à l'échangeur A 9 Est – ✉ **34420** Villeneuve-les-Béziers :

Ibis, ✆ 67 62 55 14, Télex 480938, ⛱ – |♦| TV ⌂wc ☎ ♿ Ⓟ – 🏛 25 à 60. AE ⦿ E VISA
SC : **R** carte environ 85 ♁ – ☐ 22 – **50 ch** 198/273.

par ⑤ *:* 3,5 km sur N 113 – ✉ **34500** Béziers :

Castelet, ✆ 67 28 82 60, ⛱, ⛱ – TV ⌂wc ⋒ ☎ ⇔ Ⓟ – 🏛 30. AE ⦿ E
SC : **R** 95/160 – ☐ 20 – **27 ch** 120/250 – P 290/440.

MICHELIN, Agence, av. de la Devèze, Z.I. du Capiscol V ✆ 67 76 23 71

ALFA-ROMEO-DATSUN-NISSAN Gar. Gayraud, 18 bd Kennedy ✆ 67 30 36 28
CITROEN Ets Tressol, rte Agde ✆ 67 76 90 90
CITROEN Avenir-Autos, 130 av. Foch ✆ 67 31 07 30
FORD Chapat, 21 r. A.-de-Musset ✆ 67 76 55 34
MERCEDES-BENZ, PORSCHE-MITSUBISHI-SEAT S.A.B.V.I., le Manteau Bleu, rte de Narbonne ✆ 67 28 86 04
OPEL France-Auto, rte de Bessan ✆ 67 62 07 21
PEUGEOT-TALBOT Gds Gar. du Biterrois, rte de Bessan par ③ ✆ 67 76 16 03
RENAULT Succursale, 123 av. Prés.-Wilson ✆ 67 62 01 85

TOYOTA SA.D.A., rte de Pézenas, Le Garissou ✆ 67 30 14 27
V.A.G. St-Saens-Autos, 11 r. Artisans ✆ 67 76 50 25
VOLVO SOCRA, 49 bd de Verdun ✆ 67 76 57 54

◉ Estournet, 65 bd Mistral ✆ 67 28 22 82
Fogues, 135 av. Foch ✆ 67 31 18 65
Gautrand-Pneu, 62 av. Clemenceau ✆ 67 28 20 58
Longuelanes, 16 av. Pont-Vieux ✆ 67 49 00 47
Midi-Pneus, 102 bd de la Liberté ✆ 67 76 47 98
Pagès, 27 quai Port-Notre-Dame ✆ 67 28 61 53
Piot-Pneu, av. de la Devèze, Zone Ind. du Capiscol ✆ 67 76 11 15

BIARRITZ 64200 Pyr.-Atl. 78 ⑪⑱, 85 ② G. Pyrénées – 26 647 h. alt. 40 – Casino : Bellevue EY.

Voir ≤★★ de la Perspective DZ **E** – ✻★ du phare et de la Pointe St-Martin AX – Rocher de la Vierge★ DY – Musée de la mer★ DY **M**.

⛳18 ✆ 59 03 71 80 NE : 1 km - AX ; ⛳18 de Chiberta ✆ 59 63 83 20 N : 5 km.

✈ de Biarritz-Parme; Air-France ✆ 59 23 93 82 : 2 km - ABX.

🚗 ✆ 59 55 50 50.

🅸 Office de Tourisme square d'Ixelles ✆ 59 24 20 24, Télex 570032.

Paris 781 ⑦ – ♦Bayonne 7 – ♦Bordeaux 194 ⑦ – Pau 118 ② – S.-Sebastiàn 50 ⑤.

Plans pages suivantes

Palais ⛱, 1 av. Impératrice ✆ 59 24 09 40, Télex 570000, ≤, « Belle piscine avec grill », ⛱ – |♦| ▤ rest TV ☎ Ⓟ – 🏛 200. AE ⦿ E VISA. ✻ rest EY **k**
avril-nov. – SC : **R** à la piscine carte environ 230, au rest. carte 225 à 325 – ☐ 60 – **120 ch** 900/1 500, 20 appartements – P 970/1 120.

✿ **Miramar** Ⓜ ⛱, av. Imperatrice ✆ 59 24 85 20, Télex 540831, ≤, ⛱ – |♦| ▤ rest TV ☎ ♿ Ⓟ – 🏛 80 à 400. AE ⦿ E VISA. ✻ rest AX **k**
SC : **Relais Miramar R** 220 – ☐ 60 – **105 ch** 680/1 420, 17 appartements
Spéc. Feuilleté d'huîtres chaudes au foie gras (saison), Fricassée de soles et langoustines aux pâtes fraîches, Foie gras chaud aux fruits de saison.

Plaza, av. Édouard-VII ✆ 59 24 74 00, Télex 570048, ← – |♦| TV ♿ P – 🏛 30. AE ① E — EY **p**
SC : **R** *(fermé dim. hors sais.)* 120 ♁ – ☕ 35 – **60 ch** 280/495.

Eurotel ♨, 19 av. Perspective ✆ 59 24 32 33, Télex 570014, ← mer – |♦| cuisinette ▤ TV 🚗 – 🏛 40. AE ① VISA. ✂ rest — DY **k**
fermé 31 oct. au 15 déc. – SC : **R** *(fermé lundi midi et dim.)* 160/200 – ☕ 45 – **60 ch** 360/680.

Carlina M ♨, bd Prince-de-Galles ✆ 59 23 03 86, Télex 550873, ← – |♦| TV ☎ 🚗
sais. – **31 ch**. — DZ **a**

Régina et Golf sans rest., 52 av. Impératrice ✆ 59 24 09 60, Télex 541330, ← – |♦| P – 🏛 50 à 200. AE ① VISA — AX **s**
mai à oct. – SC : ☕ 35 – **48 ch** 365/420, 6 appartements 495/540.

Windsor M, Gde Plage ✆ 59 24 08 52 – |♦| ▤ rest TV ☎. AE ① E VISA. ✂ rest
22 mars-10 nov. – SC : **R** 85/170 – ☕ 22 – **37 ch** 200/350 – P 280/355. — EY **z**

Président M sans rest, pl. Clemenceau ✆ 59 24 66 40 – |♦| ☎ – 🏛 50. AE ① E VISA. ✂ — EY **s**
SC : ☕ 24 – **64 ch** 270/375.

Florida, pl. Ste-Eugénie ✆ 59 24 01 76, Télex 560654 – |♦| TV ⛀wc ⛆wc ☎. E VISA. ✂ rest — DY **s**
25 mars-3 nov. – SC : **R** 55/85 – ☕ 22 – **45 ch** 250/395 – P 295/350.

Océan, 9 pl. Ste-Eugénie ✆ 59 24 03 27 – TV ⛀wc ☎ P. AE ① VISA — DY **s**
25 mars-15 nov. – SC : **R** 55/130 – ☕ 25 – **24 ch** 270/350 – P 350/450.

Fronton et Résidence, 35 av. Mar.-Joffre ✆ 59 23 09 49 – |♦| ⛀wc ⛆ ☎ P
fermé 20 oct. au 24 nov. et 16 au 30 mars – SC : **R** 47/88 – ☕ 16 – **42 ch** 140/195 – P 217/227. — EZ **y**

Etche Gorria sans rest, 21 av. Mar.-Foch ✆ 59 24 00 74, 🌳 – ⛀wc ⛆wc ☎. ✂
SC : ☕ 18 – **11 ch** 93/196. — EZ **e**

Atalaye sans rest, 6 r. Goélands ✆ 59 24 06 76 – |♦| ⛀wc ⛆wc ☎. VISA — DY **n**
23 mars-20 oct. – SC : ☕ 21 – **25 ch** 168/255.

Beau Lieu, pl. Port-Vieux ✆ 59 24 23 59, ← – ⛀wc ⛆wc ☎ — DY **r**
sais. – **28 ch**.

Central sans rest, 8 r. Maison-Suisse ✆ 59 22 02 06 – ⛆wc ☎ — EY **t**
SC : ☕ 15 – **14 ch** 88/159.

Édouard-VII, 21 av. Carnot ✆ 59 24 07 20 – ⛀wc ⛆wc ☎. VISA. ✂ rest — EZ **b**
15 ch.

Maïtagaria sans rest, 34 av. Carnot ✆ 59 24 26 65 – ⛀wc ⛆wc ☎ — EZ **m**
SC : ☕ 15 – **17 ch** 90/145.

Monguillot sans rest, 3 r. Gaston-Larre ✆ 59 24 12 23 – ⛆wc ☎. ✂ — DY **m**
Pâques-15 déc. – SC : ☕ 17 – **15 ch** 130/195.

Argi-Eder sans rest, 13 r. Peyroloubilh ✆ 59 24 22 53 – ⛀wc ⛆wc ☎. ✂
SC : ☕ 16 – **17 ch** 108/184. — DZ **h**

Port Vieux sans rest, 43 r. Mazagran ✆ 59 24 02 84 – ⛆wc ☎. ✂ — DY **d**
1er mars-30 nov. – SC : **18 ch** ☕ 112/205.

Washington sans rest, 34 r. Mazagran ✆ 59 24 10 80 – ⛀wc ⛆ ☎. AE E VISA. ✂ — DY **e**
1er mars-15 nov. – SC : ☕ 19 – **20 ch** 75/216.

Palacito sans rest, 1 r. Gambetta ✆ 59 24 04 89 – ⛀ ⛆ ☎. AE E VISA. ✂ — EY **v**
SC : **26 ch** ☕ 110/180.

XXXX ✿ **Café de Paris** (Laporte), 5 pl. Bellevue ✆ 59 24 19 53, ←, « Cadre élégant » – ▤. AE ① VISA. ✂ — EY **f**
fermé mars et lundi hors sais. sauf fêtes – **R** carte 235 à 350
Spéc. Louvine en chemise, Brochette de langoustines, Capilotade de ris de veau et foie de canard.

XX **Belle Epoque,** 10 av. Victor Hugo ✆ 59 24 66 06, « patio » – AE ① E VISA
fermé 3 au 23 nov. et lundi du 1er sept. au 30 juin – SC : **R** carte 95 à 145 ♁. — EZ **b**

XX **L'Operne,** 17 av. Edouard VII ✆ 59 24 30 30, ←, 🍽 – ▤. AE ① VISA — EY **u**
fermé janv. et merc. hors sais. – SC : **R** carte 100 à 160.

XX **Aub. de Chapelet,** rte d'Arcangues : 4 km, par Pont de la Négresse ✆ 59 23 54 63, 🌳 – P. E VISA — AX **r**
fermé 24 fév. au 17 mars, mardi soir et merc. sauf vacances scolaires – **R** 95/150.

XX **Aub. de la Négresse,** bd Aérodrome (sous viaduc) ✆ 59 23 15 83 – ▤. E
fermé oct. et lundi – **R** carte 70 à 135. — AX **e**

X **Aub. du Relais,** 44 av. Marne ✆ 59 24 85 90 – ⛆ ☎. AE ① VISA — AX **u**
fermé 1er fév. au 1er mars – SC : **R** 55/70 ♁ – ☕ 15 – **12 ch** 130/150 – P 172/205.

X **L'Alambic,** 5 pl. Bellevue ✆ 59 24 53 41, ← – ▤ — EY **e**
fermé mars et lundi hors sais. – **R** carte environ 110.

tourner →

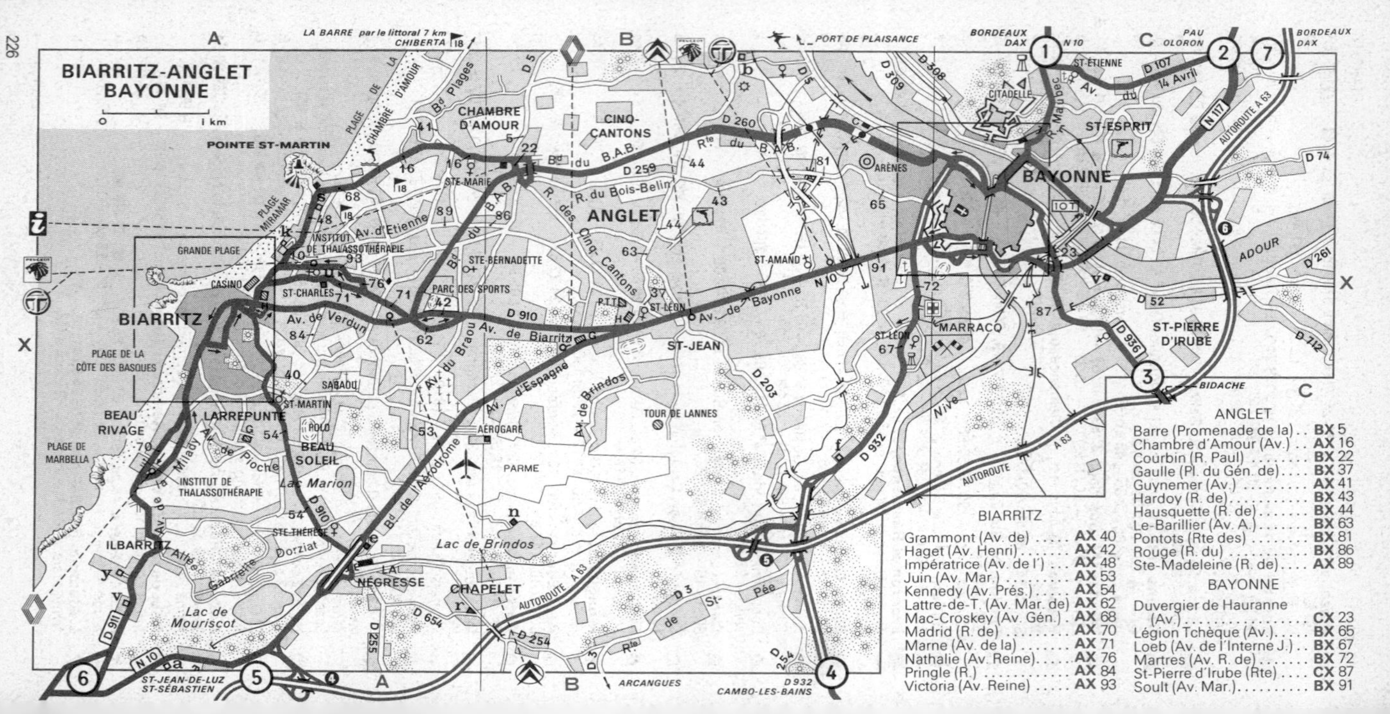

BIARRITZ

Street	Square	No.
Grammont (Av. de)	AX	40
Haget (Av. Henri)	AX	42
Impératrice (Av. de l')	AX	48
Juin (Av. Mar.)	AX	53
Kennedy (Av. Prés.)	AX	54
Lattre-de-T. (Av. Mar. de)	AX	62
Mac-Croskey (Av. Gén.)	AX	68
Madrid (R. de)	AX	70
Marne (Av. de la)	AX	71
Nathalie (Av. Reine)	AX	76
Pringle (R.)	AX	84
Victoria (Av. Reine)	AX	93

ANGLET

Street	Square	No.
Barre (Promenade de la)	BX	5
Chambre d'Amour (Av.)	AX	16
Courbin (R. Paul)	BX	22
Gaulle (Pl. du Gén. de)	BX	37
Guynemer (Av.)	AX	41
Hardoy (R. de)	BX	43
Hausquette (R. de)	BX	44
Le-Barillier (Av. A.)	BX	63
Pontots (Rte des)	BX	81
Rouge (R. du)	BX	86
Ste-Madeleine (R. de)	AX	89

BAYONNE

Street	Square	No.
Duvergier de Hauranne (Av.)	CX	23
Légion Tchèque (Av.)	BX	65
Loeb (Av. de l'Interne J.)	BX	67
Martres (Av. R. de)	BX	72
St-Pierre d'Irube (Rte)	CX	87
Soult (Av. Mar.)	BX	91

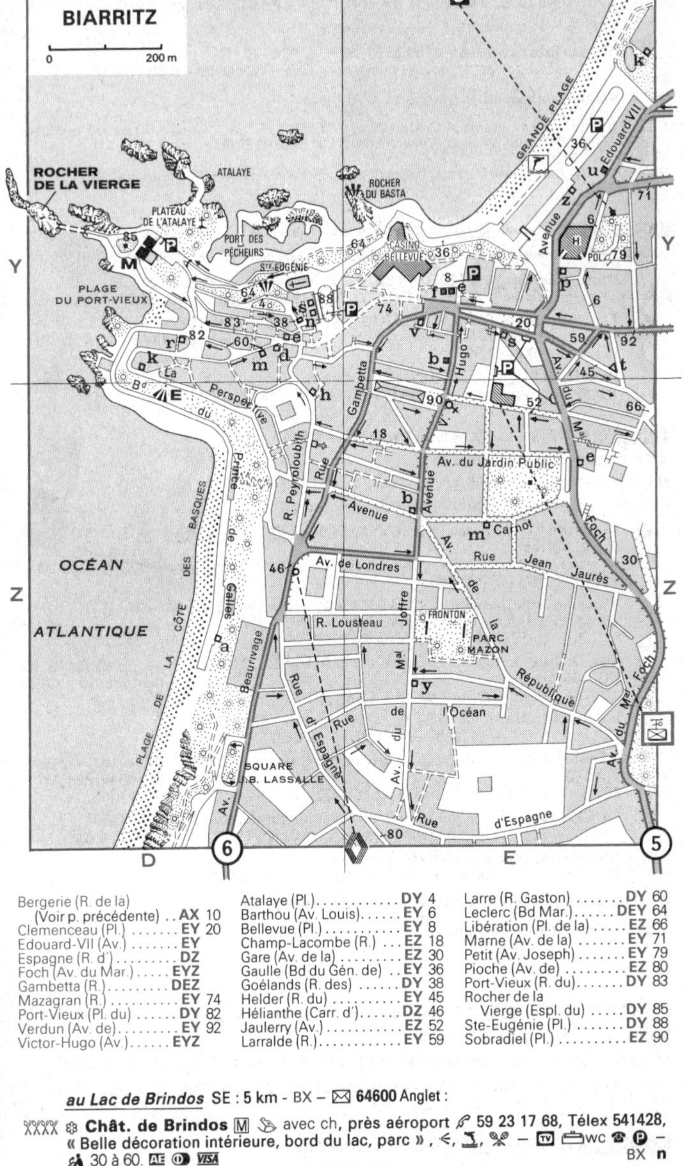

Bergerie (R. de la)
(Voir p. précédente) . . **AX** 10
Clemenceau (Pl.) . . . . **EY** 20
Edouard-VII (Av.) . . . . **EY**
Espagne (R. d') . . . . **DZ**
Foch (Av. du Mar.) . . . . . **EYZ**
Gambetta (R.) . . . . **DEZ**
Mazagran (R.) . . . . **EY** 74
Port-Vieux (Pl. du) . . . . . . **DY** 82
Verdun (Av. de) . . . . **EY** 92
Victor-Hugo (Av.) . . . . . . **EYZ**

Atalaye (Pl.) . . . . **DY** 4
Barthou (Av. Louis) . . . . . . **EY** 6
Bellevue (Pl.) . . . . **EY** 8
Champ-Lacombe (R.) . . . **EZ** 18
Gare (Av. de la) . . . . **EZ** 30
Gaulle (Bd du Gén. de) . . **EY** 36
Goélands (R. des) . . . . . . **DY** 38
Helder (R. du) . . . . **EY** 45
Hélianthe (Carr. d') . . . . . . **DZ** 46
Jaulerry (Av.) . . . . **EZ** 52
Larralde (R.) . . . . **EY** 59

Larre (R. Gaston) . . . . **DY** 60
Leclerc (Bd Mar.) . . . . . . **DEY** 64
Libération (Pl. de la) . . . . . **EZ** 66
Marne (Av. de la) . . . . **EY** 71
Petit (Av. Joseph) . . . . **EY** 79
Pioche (Av. de) . . . . **EZ** 80
Port-Vieux (R. du) . . . . **DY** 83
Rocher de la
Vierge (Espl. du) . . . . . **DY** 85
Ste-Eugénie (Pl.) . . . . **DY** 88
Sobradiel (Pl.) . . . . **EZ** 90

au Lac de Brindos SE : 5 km - BX – ✉ **64600** Anglet :

XXXX ✿ **Chât. de Brindos** M avec ch, **près aéroport** ✆ **59 23 17 68, Télex 541428, « Belle décoration intérieure, bord du lac, parc »**, ←, – TV wc ☎ Ⓟ – 30 à 60. AE VISA BX **n**
SC : **R** carte 220 à 295 – 50 – **15 ch** 700/850
Spéc. Foie gras, Grande assiette de la mer, Médaillon de magret à l'orange.

à Arbonne **S : 6 km par Pont de la Négresse et D 255** - AX – ✉ **64210** Bidart :

XX **Ferme d'Arbonne,** ✆ **59 23 55 17,** , **« Ferme aménagée, jardin »** – Ⓟ. AE VISA
SC : **R** carte environ 135 .

à Arcangues S : 7 km par D 254 et D 3 - BX – ✉ **64200** Biarritz.
Voir ☀★ du cimetière.

Marie-Eder sans rest, ✆ 59 23 57 09, ← – ⋒ ☎ Ⓟ. ✗
fermé début oct. au 1er nov. et mardi hors sais. – **SC** : ☐ 19 – **8 ch** 130/220.

Voir aussi ressources hôtelières d'*Anglet*.

CITROEN Artola, 88 av. Marne ✆ 59 41 01 30
PEUGEOT-TALBOT Gar. Victoria, 13 av. Reine Victoria ✆ 59 24 53 80
RENAULT Central-Auto-Gar., 1 carr. Hélianthe ✆ 59 23 02 30
RENAULT Gar. Ventura, 70 av. de la Milady ✆ 59 23 01 21 N
Ⓜ Perisse Pneu, 18 av. Beau Rivage ✆ 59 23 02 76

BIDARRAY 64 Pyr.-Atl. 85 ③ G. Pyrénées – 631 h. alt. 71 – ✉ 64780 Osses.

Paris 805 – Cambo-les-Bains 16 – Pau 122 – St-Étienne-de-Baïgorry 16 – St-Jean-Pied-de-Port 19.

Pont d'Enfer ⛺, ✆ 59 37 70 88, ←, ☂, ☘ – ⊟wc ⋒wc ☎ Ⓟ
1er mars-1er nov. – **SC** : **R** 78/130 – ☐ 16 – **18 ch** 95/220 – P 160/220.

Erramundeya, D 918 ✆ 59 37 71 21, ←, ☂, ☘ – ⋒wc Ⓟ
1er mars-30 nov. et fermé mardi sauf juil.-août – **SC** : **R** (résidents seul.) – ☐ 18 – **10 ch** 110/160 – P 160/180.

Noblia, D 918 ✆ 59 37 70 89, ☂ – ⋒. VISA
fermé merc. en hiver – **SC** : **R** 40/110 – ☐ 14 – **13 ch** – P 120/140.

BIDART 64210 Pyr.-Atl. 78 ⑪⑱ G. Pyrénées – 3 052 h.

Voir Chapelle Ste-Madeleine ☀★.
ℹ Office de Tourisme r. Gde-Plage (janv.-oct.) ✆ 59 54 93 85.
Paris 785 – ♦Bayonne 14 – Biarritz 6 – Pau 121 – St-Jean-de-Luz 9.

Bidartea Ⓜ, N : 3 km sur N 10 ✆ 59 54 94 68, ⛱, ☘ – ⇅ Ⓟ – 🏛 50 à 100. AE ⓓ E VISA. ✗ rest plan Biarritz AX **a**
1er mars-15 nov. – **SC** : **R** *(fermé dim. soir et lundi hors sais.)* 72/122 ⅄ – ☐ 30 – **36 ch** 195/360 – P 330/390.

Ypua ⛺, rte Chapelle ✆ 59 54 93 11, ☘ – ⋒wc ☎ Ⓟ. E. ✗ rest
fermé 15 oct. à fin nov., vacances de fév. et lundi du 15 sept. au 15 juin – **SC** : **R** 67/125 – ☐ 15 – **12 ch** 115/130 – P 175/220.

Les Dunes, à Ilbarritz N : 3 km sur D 911 ✆ 59 23 00 28, ☘ – ⊟ ⋒ Ⓟ. AE ⓓ VISA. ✗ rest plan Biarritz AX **v**
1er avril-15 nov. – **R** 75 – ☐ 18 – **17 ch** 80/110 – P 155/170.

Itsas-Mendia, ✆ 59 54 90 23, ←, ☘ – ⊟wc ⋒wc Ⓟ. ✗
15 mars-15 oct. – **SC** : **R** 65/95 – ☐ 20 – **18 ch** 90/120 – P 170/190.

Pénélope ⛺, à Ilbarritz N : 3 km, rte du Château ✆ 59 23 00 37, ←, ☘ – ⊟wc ⋒wc Ⓟ plan Biarritz AX **y**
SC : **R** *(1er mai - 30 oct.)* 55/65 – ☐ 15 – **23 ch** 90/130.

XXX **Le Chistera,** N 10 ✆ 59 26 51 07, « Bel intérieur rustique » – Ⓟ. AE VISA
Pâques-fin oct. et fermé mardi hors sais. – **SC** : **R** (dîner seul.) carte 135 à 205.

X **Élissaldia,** pl. Église ✆ 59 54 90 03 – ✗
fermé 15 nov. au 15 déc. et merc. de déc. à fév. – **SC** : **R** 62/85.

à Ahetze S : 5 Km par D655 – ✉ **64210** Bidart :

X **L'Epicerie d'Ahetze,** ✆ 59 23 55 82 – AE ⓓ
fermé 15 au 30 nov. et merc. hors sais. – **SC** : **R** 60/75.

RENAULT Gar. Sabate-Cazenave ✆ 59 54 92 57

BIDON 07 Ardèche 80 ⑨ G. Vallée du Rhône – 59 h. alt. 275 – ✉ 07700 Bourg-St-Andéol.

Voir Aven de Marzal★★ O : 2 km.
Paris 642 – Montélimar 38 – Pierrelatte 16 – Pont-St-Esprit 18 – Privas 65 – Vallon-Pont-d'Arc 20.

X **Aub. du Pouzat,** S : 4 km par rte des Gorges ✆ 75 04 27 28, ☂ – Ⓟ. ✗
22 mars-15 sept. – **R** 57/72.

BIESHEIM 68 Haut-Rhin 62 ⑲ – rattaché à Neuf-Brisach.

BIÈVRES 08 Ardennes 56 ⑩ – 87 h. alt. 210 – ✉ 08370 Margut.

Paris 257 – Charleville-Mézières 57 – Longuyon 39 – Sedan 35 – Verdun 61.

XX **Relais de St-Walfroy,** ✆ 24 22 61 62 – Ⓟ
fermé mardi – **SC** : **R** 60/115 ⅄.

BILLIERS 56 Morbihan 63 ⑭ – rattaché à Muzillac.

BILLOM 63160 P.-de-D. 73 ⑮ G. Auvergne (plan) – 4 164 h. alt. 355.

Voir Église St-Cerneuf*.

Syndicat d'Initiative 13 r. Carnot (1er juin-15 sept.) ☏ 73 68 39 85.

Paris 407 – Ambert 51 – ♦Clermont-Ferrand 27 – Issoire 32 – Le Mont-Dore 66 – Thiers 28 – Vichy 55.

Central sans rest, pl. A.-Thomas ☏ 73 68 41 04 –
fermé 3 juin au 2 juil. – 13 – **7 ch** 82/100.

CITROEN Gar. Central, ☏ 73 68 40 35
PEUGEOT-TALBOT Gar. Espagnol, ☏ 73 68 40 58
RENAULT Gar. Ceretta, ☏ 73 68 40 90
Gar. Moderne, ☏ 73 68 40 50

BIOT 06410 Alpes-Mar. 84 ⑨, 195 ㉕ G. Côte d'Azur – 3 680 h. alt. 80.

Voir Musée Fernand Léger – Retable du Rosaire* dans l'église.**

18 ☏ 93 65 08 48 S : 1,5 km.

Syndicat d'Initiative pl. de la Chapelle ☏ 93 65 05 85.

Paris 920 – Antibes 8 – Cagnes-sur-Mer 10 – Grasse 18 – ♦Nice 22 – Vence 19.

XX ✿ **Aub. du Jarrier,** au village ☏ 93 65 11 68, – AE E VISA
fermé 18 nov. au 22 déc., 1er au 10 mars, lundi soir hors sais., merc. midi de juin à août et mardi – SC : **R** 135/195
Spéc. Tourte de canard, Filet de loup à la crème d'huîtres et cèpes, Millefeuille chaud aux pêches caramélisées.

XX **Les Terraillers,** ☏ 93 65 01 59, « Ancienne poterie du XVIe s. » – . AE E VISA
fermé nov. et merc. – SC : **R** 100/170.

X **Plat d'Etain,** au village ☏ 93 65 09 37 – AE VISA
fermé fin nov. à Pâques et merc. – SC : **R** 120/165.

Le BIOT 74 Hte-Savoie 70 ⑱ – 286 h. alt. 820 – ✉ 74430 St-Jean-d'Aulps.

Paris 567 – Annecy 95 – Chamonix 81 – ♦Genève 54 – Thonon-les-Bains 21.

Tilleuls ☏ 50 79 60 41, – wc wc . AE E VISA
fermé 1er au 15 mai, 1er au 15 oct. et lundi en mai-juin et de sept. à nov. – SC : **R** 53/135 – 21 – **17 ch** 130/210 – P 180/220.

RENAULT Gar. Morand, ☏ 50 79 61 68

BIRIATOU 64 Pyr.-Atl. 85 ① – rattaché à Hendaye.

BISCARROSSE 40600 Landes 78 ⑬ G. Côte de l'Atlantique – 8 979 h. alt. 24.

Office de Tourisme 19 ter av. Plage à Biscarosse-Plage ☏ 58 78 20 96.

Paris 660 – Arcachon 39 – ♦Bayonne 132 – ♦Bordeaux 72 – Dax 95 – Mont-de-Marsan 87.

à Biscarosse-Bourg :

St-Hubert sans rest, 44 av. G.-Latécoère ☏ 58 78 09 99, – wc wc . VISA.
SC : 19 – **12 ch** 175/250.

Le Relais sans rest, rte Parentis ☏ 58 78 10 46 – wc . VISA.
fermé 22 déc. au 5 janv. – SC : 18,50 – **24 ch** 145/205.

à Navarrosse N : 3,5 km par D 652 et D 305 – ✉ 40600 Biscarrosse :

Transaquitain sans rest, ☏ 58 78 13 13 – wc wc .
Pâques-30 sept. et fermé vend. sauf juin, juil. et août – SC : 22 – **12 ch** 160/260.

à Ispes N : 6 km par D 652 et D 305 – ✉ 40600 Biscarrosse :

La Caravelle , ☏ 58 78 02 67, <, – wc . ch
20 fév.-10 déc. – SC : **R** *(fermé lundi du 1er oct. au 15 mai)* 75/170 – 24 – **11 ch** 130/220 – P 170/220.

à la Plage NO : 9,5 km par D 146 – ✉ 40520 Biscarrosse-Plage :

La Forestière, av. Pyla ☏ 58 78 24 14 – wc . VISA
fermé nov. – **R** *(fermé vend. hors sais.)* 57/250 – 22 – **34 ch** 195/260 – P 250/320.

Aub. Régina, av. Libération ☏ 58 78 23 34, – wc
22 mars-16 sept. et fermé mardi midi en mai – SC : **R** 55/150 – 21 – **11 ch** 120/220 – P 225/275.

PEUGEOT-TALBOT Labarthe, N 652, Zone Ind. ☏ 58 78 12 46

BISCHWIHR 68 H.-Rhin 62 ⑲, 87 ⑦ – rattaché à Colmar.

BITCHE 57230 Moselle 57 ⑱ G. Alsace et Lorraine – 7 768 h. alt. 243.

Voir Citadelle* – Fort du Simserhof* O : 4 km.

Office de Tourisme à la Mairie ☏ 87 96 00 13.

Paris 429 – Haguenau 42 – Sarrebourg 63 – Sarreguemines 34 – Saverne 49 – Wissembourg 47.

XX **Strasbourg** avec ch, **24 r. Teyssier** ✆ **87 96 00 44** – wc ☎ – 30. E VISA. ch
fermé 8 au 22 sept., 6 au 31 janv., dim. soir et lundi – **R** 50/95 – 16 – **11 ch** 85/180 – P 157/190.

CITROEN Riwer, 1 r. du Bastion ✆ 87 96 00 08 N
FORD Bitche Autos, 40 r. de Sarreguemines ✆ 87 96 05 26 N
PEUGEOT-TALBOT Feger, pl. de la gare ✆ 87 96 04 57 N
RENAULT Bang Bitche r. J.-J.-Kieffer ✆ 87 96 07 08
RENAULT Gar. Rébmeister 47 r Pasteur à Rohrbach ✆ 87 09 70 36 N
RENAULT Gar. Hemmer, 52 r. d'Ingwiller à Goetzenbruck ✆ 87 96 80 96 N ✆ 87 96 80 61

BLACERET 69 Rhône 73 ⑨ – alt. 250 – ✉ 69830 St-Georges-de-Reneins.

Paris 425 – Bourg-en-Bresse 47 – Chauffailles 46 – •Lyon 42 – Mâcon 35 – Villefranche-sur-S. 9,5.

X **Beaujolais,** ✆ **74 67 54 75,** – AE ⓓ E VISA
fermé fév., lundi et mardi – **SC : R** 80/155.

RENAULT Bénétullière, Le Perréon ✆ 74 03 22 67

BLAESHEIM 67113 B.-Rhin 62 ⑨⑩ – 934 h. alt. 162.

Paris 491 – Erstein 15 – Molsheim 15 – Obernai 14 – Sélestat 34 – •Strasbourg 19.

XXX ✿ **Au Boeuf** (Voegtling), ✆ **88 68 81 31** – ▤ ℗. AE ⓓ E VISA
fermé 1er au 15 août, 1er au 21 fév., dim. soir et lundi sauf fériés – **SC : R** 98/240, dîner à la carte
Spéc. Goujonettes de sole Charles-Victor, Jambon façon dames du couvent, Tournedos strasbourgeoise. **Vins** Sylvaner, Riesling.

XX **Schadt,** ✆ **88 68 86 00** – AE ⓓ VISA
fermé 10 au 24 juil., 9 au 23 janv. et jeudi – **SC : R** carte 110 à 205 .

BLAGNAC 31 H.-Gar. 82 ⑧ – rattaché à Toulouse.

BLAINVILLE 60 Oise 55 ⑩ – rattaché à Noailles.

Le BLANC 36300 Indre 68 ⑯ G. Périgord – 8 051 h. alt. 81.

Office de Tourisme pl. Libération (21 juin-10 sept.) ✆ 54 37 05 13 et Hôtel de Ville (11 sept.-20 juin) ✆ 54 37 23 40.

Paris 299 ① – Bellac 61 ⑤ – Châteauroux 60 ③ – Châtellerault 51 ① – Poitiers 60 ⑥.

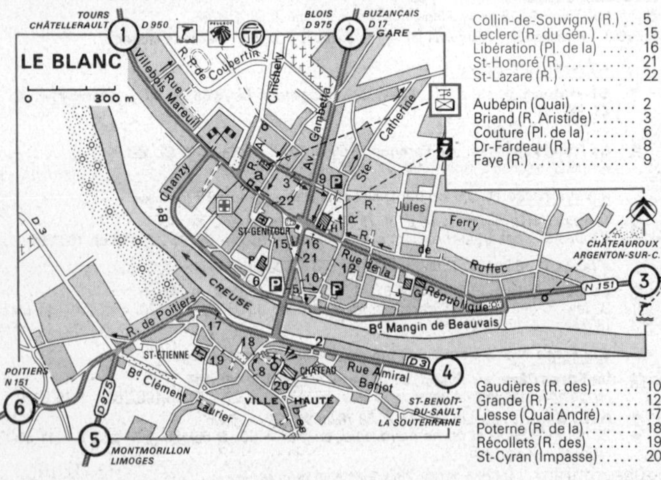

Domaine de l'Étape , par ④ et D 10 : 6 km ✆ **54 37 18 02**, <, parc – wc wc ☎ ℗. AE ⓓ E
SC : R (dîner résidents seul.) 55/75 – 26 – **21 ch** 145/260.

Promenade, 36 r. Saint-Lazare (a) ✆ **54 37 48 80** – ℗ – **21 ch.**

CITROEN SAVRA, rte de Chateauroux ✆ 54 37 05 75
PEUGEOT-TALBOT AUTO AGRI, 28 r. Albert Chichery, ✆ 54 37 06 38
Perry-Pneus, 14 bd Chanzy ✆ 54 37 00 39

Le BLANC-MESNIL 93 Seine-St-Denis 56 ⑪, 101 ⑰ – voir Paris, Environs (Le Bourget).

BLANGY-SUR-BRESLE 76340 S.-Mar. 52 ⑥ – 3 456 h. alt. 48.

Paris 146 – Abbeville 25 – ♦Amiens 54 – Beauvais 70 – Dieppe 49 – ♦Rouen 74.

- **H. de Ville** avec ch, r. N.-Dame ✆ 35 93 51 57 – *fermé 4 au 31 août et dim. sauf hôtel* – SC : **R** 45/62 – 18 – **9 ch** 95/145 – P 175/195.

CITROEN Gar. Leleux, ✆ 35 93 50 52
CITROEN Gar. Letellier, ✆ 35 93 50 12
PEUGEOT-TALBOT Blangier, à Bouttencourt (Somme) ✆ 35 93 50 49 N
RENAULT Gar. Fauvel, ✆ 35 93 50 42 N

BLAYE <SP> 33390 Gironde 71 ⑦⑧ **G. Côte de l'Atlantique** (plan) – 4 750 h. alt. 8.

Voir Citadelle★.

Bac renseignements ✆ 57 42 04 49.

Syndicat d'Initiative Cours Vauban ✆ 57 42 91 19.

Paris 541 – ♦Bordeaux 49 – Cognac 81 – Libourne 44 – Royan 82 – Saintes 78.

- **La Citadelle** M, dans la citadelle ✆ 57 42 17 10, ≤ estuaire, – TV wc ☎ P – 40. AE O VISA
  SC : **R** 70/120 – 22 – **21 ch** 177/250 – P 390.

au Nord sur D 255 1,5 km – ✉ **33390** Blaye :

- **Château La Grange de Luppé** sans rest, ✆ 57 42 80 20, « Château du 19e s. au milieu d'un parc » – wc ☎ P – 30 à 50. AE O
  SC : 19 – **10 ch** 155/195.

PEUGEOT-TALBOT Ferandier-Sicard, à St-Martin-Lacaussade ✆ 57 42 03 41
RENAULT Bernicot, 39 r. l'Hôpital ✆ 57 42 01 44
V.A.G. Gar. Menaud, Zone Ind., 30 cours Bacalan ✆ 57 42 12 80

BLÉNEAU 89220 Yonne 65 ③ – 1 697 h. alt. 171.

Paris 154 – Auxerre 52 – Bonny-sur-Loire 20 – Briare 19 – Clamecy 73 – Gien 29 – Montargis 41.

- **Aub. du Point du Jour,** 8 r. A.-Briand ✆ 86 74 94 38 – O E VISA
  fermé 1er au 10 juil., 9 fév. au 3 mars, le soir (sauf sam.) et lundi sauf fériés – SC : **R** (sam. dîner sur commande) 80/150.

CITROEN, Gar. Goude, ✆ 86 74 94 39

BLÉRANCOURT 02 Aisne 56 ③ **G. Flandres, Artois, Picardie** – 1 207 h. alt. 68 – ✉ **02300** Chauny.

Voir Musée national de la coopération franco-américaine.

Paris 115 – Chauny 14 – Compiègne 33 – Laon 46 – Noyon 14 – St-Quentin 45 – Soissons 23.

- **Host. Le Griffon**, Château de Blérancourt ✆ 23 39 60 11, , parc – wc ☎ P – 30. AE O E VISA.
  fermé 23 au 31 déc., dim. soir et lundi – SC : **R** 90/140 – 25 – **24 ch** 130/200.

BLÉRÉ 37150 I.-et-L. 64 ⑯ **G. Châteaux de la Loire** – 4 060 h. alt. 60.

Syndicat d'Initiative 2 pl. de la Libération (15 juin-15 sept.) ✆ 47 57 93 00.

Paris 230 – Blois 45 – Château-Renault 35 – Loches 25 – Montrichard 16 – ♦Tours 27.

- **Cher,** r. Pont ✆ 47 57 95 15, – wc. VISA.
  SC : **R** 54/105 – 17,50 – **19 ch** 101/171 – P 176/192.
- **Cheval Blanc** avec ch, pl. Église ✆ 47 57 90 04, – wc . E VISA
  fermé janv. – SC : **R** *(fermé dim. soir et lundi sauf juil.-août)* 75/170 – 18 – **16 ch** 85/160.
- **Boeuf Couronné** avec ch, rte Tours ✆ 47 57 90 42 – wc P. AE O VISA
  fermé 15 déc. au 15 janv., lundi (sauf hôtel) et dim. soir – SC : **R** 54/120 – 16 – **10 ch** 85/135 – P 160/200.

CITROEN Caillet, ✆ 47 30 26 26
PEUGEOT-TALBOT Gar. Bellevue, ✆ 47 57 90 39
PEUGEOT-TALBOT Gar. Vigean, La Croix-en-Touraine ✆ 47 57 94 14
RENAULT Gar. Caille, La Croix-en-Touraine ✆ 47 30 26 00 N

BLÉRIOT-PLAGE 62 Pas-de-Calais 51 ② – rattaché à Calais.

Restaurants, die preiswerte Mahlzeiten servieren, sind mit einer Raute gekennzeichnet.

BLESLE 43450 H.-Loire 76 ④ G. Auvergne (plan) – 851 h. alt. 500.

Voir Église St-Pierre★ – Gorges de l'Alagnon★ NE.

Paris 457 – Brioude 23 – Issoire 34 – Murat 44 – Le Puy 83 – St-Flour 39 – St-Germain-Lembron 26.

au Babory-de-Blesle SE : 1,5 km N 9 – alt. 500 – ✉ **43450** Blesle :

Gare, N 9 ✆ 71 76 21 10 – ⇔ ⋒ ☎ Ⓟ. E VISA
fermé 1er oct. au 1er nov. et sam. – SC : **R** 54/86 – ☕ 15 – **16 ch** 87/120 – P 160/180.

BLETTERANS 39140 Jura 70 ③ – 1 380 h. alt. 201.

Paris 379 – Chalon-sur-Saône 48 – Dole 50 – Lons-le-Saunier 13 – Poligny 26.

de la Cloche, ✆ 84 85 01 48 – ⋒ ⇔. E
fermé sam. de sept. à Pâques – **R** 41/90 – ☕ 11,50 – **14 ch** 59/86 – P 130/150.

CITROEN Gar. Central, ✆ 84 85 00 89 RENAULT Gar. Moderne, ✆ 84 85 00 31

BLIGNY-SUR-OUCHE 21360 Côte-d'Or 65 ⑨ G. Bourgogne – 776 h. alt. 362.

Paris 291 – Autun 43 – Beaune 19 – ♦Dijon 47 – Pouilly-en-Auxois 21 – Saulieu 43.

Host. Trois Faisans avec ch, ✆ **80 20 10 14** – ⇔wc ⋒ Ⓟ. AE ⓓ E VISA. ✻ rest
1er mars-30 nov. – SC : **R** 45 bc/115 – ☕ 19 – **7 ch** 100/200 – P 180/250.

BLODELSHEIM 68 Haut-Rhin 62 ⑲ – 1 198 h. – ✉ **68740** Fessenheim.

Voir Bief de Fessenheim★ NO : 5 km, G. Alsace et Lorraine.

Paris 561 – Colmar 33 – ♦Mulhouse 24.

au SO : 4 km par D 50 et chemin forestier – ✉ **68740** Fessenheim :

Fôret, ✆ 89 81 28 48, ⛱, ⛳ – Ⓟ. VISA
fermé 25 au 31 août, 22 déc. au 31 janv., dim. soir et lundi – SC : **R** 75/115 ♁.

BLOIS Ⓟ 41000 L.-et-Ch. 64 ⑦ G. Châteaux de la Loire – 49 422 h. alt. 73.

Voir Château★★★ Z **: musée des Beaux-Arts★ – Vieux Blois★ : pavillon Anne de Bretagne★** YZ **F, église St-Nicolas★** Z **E, hôtel d'Alluye★** Y **D, jardins de l'Evêché ⩤★** Y **B, jardin du Roi ⩤★** Z **K.**

ℹ Office de Tourisme et Accueil de France (Informations et réservations d'hôtels, pas plus de 5 jours à l'avance) Pavillon Anne de Bretagne, 3 av. Jean-Laigret ✆ 54 74 06 49, Télex 750135 – A.C.O. 3 pl. Louis XII ✆ 54 74 03 21.

Paris 181 ① – Angers 162 ① – ♦Le Mans 108 ⑦ – ♦Orléans 59 ① – ♦Tours 63 ①.

Plan page ci-contre

Ibis, par ⑧ : 2 km près échangeur A 10, r. Guignières ZI ✆ **54 74 60 60**, Télex 750959, ⛱ – TV ⇔wc ☎ Ⓟ. E VISA
SC : **R** carte environ 85 ♁ – ☕ 19,50 – **40 ch** 180/218.

Campanile, par ⑧ : 2 km près échangeur A10, r. Vallée Maillard ✉ 41100 ✆ 54 74 44 66, Télex 751628 – ⇔wc ☎ ♿ Ⓟ. VISA
SC : **R** 61 bc/82 bc – ☕ 23 – **42 ch** 181/202.

Monarque, 61 r. Porte-Chartraine ✆ **54 78 02 35** – ⇔wc ⋒wc ☎ Ⓟ — Y **v**
22 ch.

Gd Cerf, 40 av. Wilson ✆ **54 78 02 16** – ⇔wc ☎ Ⓟ. ✻ ch — X **e**
fermé fév. et vend. hors sais. – SC : **R** 46/191 – ☕ 17 – **14 ch** 58/150 – P 172/250.

Anne de Bretagne sans rest, 31 av. J.-Laigret ✆ **54 78 05 38** – ⇔wc ⋒ ☎. E VISA — Z **k**
fermé 15 au 28 fév. – SC : ☕ 18 – **29 ch** 94/260.

Viennois, 5 quai A.-Contant ✆ **54 74 12 80** – ⇔ ☎. ✻ — Z **r**
fermé 15 déc. au 15 janv., dim. soir et lundi hors sais. – SC : **R** 48/85 ♁ – ☕ 16,50 – **26 ch** 58/154.

St-Jacques sans rest, pl. Gare ✆ **54 78 04 15** – ⋒wc. VISA — Z **s**
SC : ☕ 18 – **33 ch** 70/150.

Host. Loire avec ch, 8 r. Mar.-de-Lattre-de-Tassigny ✆ **54 74 26 60** – ⇔wc ⋒ ☎. AE ⓓ VISA — Z **x**
fermé 15 janv. au 15 fév. et 9 au 16 juin – SC : **R** *(fermé dim.)* 90/240 ♁ – ☕ 20 – **17 ch** 75/230.

L'Espérance, par ⑤ : 2 km N 152 ✆ 54 78 09 01, ⩤ – Ⓟ. AE ⓓ E VISA
fermé vacances de fév., dim. soir et lundi – SC : **R** 97/160.

La Péniche, prom. du Mail ✆ **54 74 37 23**, péniche aménagée – Ⓟ. AE E VISA. ✻
SC : **R** 120. — X **n**

Noë, 10 bis av. Vendôme ✆ **54 74 22 26** – E VISA — X **a**
fermé dim. soir d'oct. à avril et sam. sauf le soir de mai à sept. – SC : **R** 76/154.

à La Chaussée St-Victor par ① : 4 km – ✉ **41260** La Chaussée-St-Victor :

Novotel Ⓜ ♨, ✆ 54 78 33 57, Télex 750232, ⛱, ⛳, ⛳ – |‡| ▤ rest TV ☎ ♿ Ⓟ – 🏛 150. AE ⓓ E VISA
R snack carte environ 100 ♁ – ☕ 32 – **116 ch** 294/320.

La Tour, N 152 ✆ 54 78 98 91, ⛱, ⛳ – Ⓟ. E VISA
fermé 8 au 17 mars, dim. soir et lundi sauf fériés – SC : **R** 70/160.

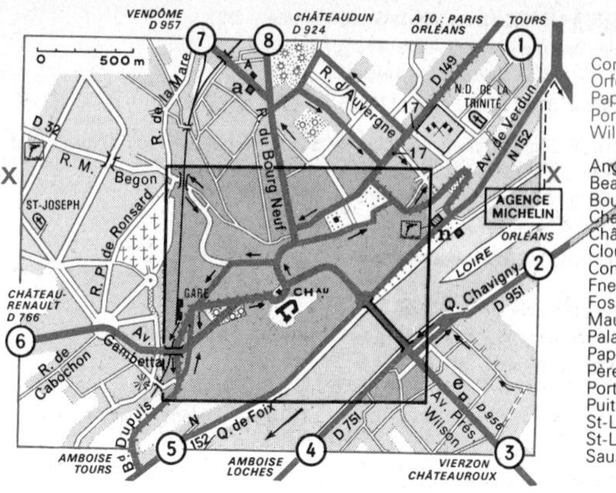

BLOIS

Commerce (R. du) . . YZ 9
Orfèvres (R. des) . . . . Z 18
Papin (R. Denis) . . . . YZ
Porte-Côté (R.) . . . . . . Y 23
Wilson (Av. Prés.) . . . . Z

Angleterre (R. d') . . . . Y 2
Beauvoir (R.) . . . . Y 4
Bourg-St-Jean (R.) . . . Y 5
Chaîne (R. de la) . . . . . Z 6
Château (Pl. du) . . . . . Z 7
Clouseau (Mail) . . . . . . Y 8
Contant (Quai A.) . . . . Z 10
Fne-des-Élus (R.) . . . . . Y 12
Fossés-du-Chât. (R.) . Z 13
Maunoury (Av. Mar.) . X 17
Palais (R. du) . . . . Y 19
Papegaults (R. des) . . Y 20
Père-Monsabre (R.) . . Y 21
Porte-Chartraine (R.) . Y 22
Puits-Châtel (R. du) . . Y 24
St-Louis (Pl.) . . . . Y 27
St-Lubin (R.) . . . . Z 28
Saussaye (Q. de la) . . Z 29

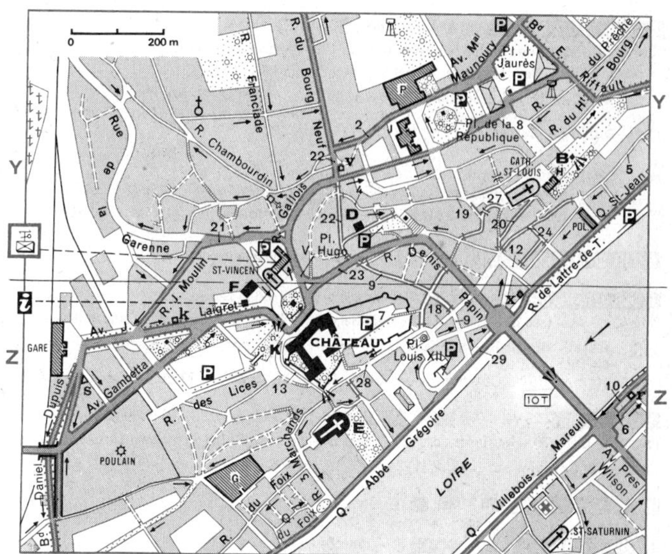

à Ménars par ① : 8 km – ✉ **41500** Mer :

XX **L'Époque,** N 152 ✆ **54 46 81 07** – **E** VISA
fermé vacances de fév., dim. soir (sauf juil.-août) et lundi – **SC** : **R** 66/160.

MICHELIN, Agence, Z.I. de Vineuil ✆ **54 42 47 45**

AUSTIN, ROVER Gd Gar. Central, 12 bis av. Wilson ✆ 54 78 02 15
BMW Gar. Papon, 44 r. Mar.-De-Lattre-de-Tassigny ✆ 54 78 77 06
CITROEN SAPTA, rte Châteaudun par ⑧ ✆ 54 78 42 22
FIAT Blanc, 42 av. Mar.-Maunoury ✆ 54 78 04 62
FORD Peigné, 20 av. Mar.-Maunoury ✆ 54 74 06 34
INNOCENTI-MAZDA Gar. Fénelon, 26-28 r. Fénelon ✆ 54 43 94 20
MERCEDES-BENZ Malard, rte Paris, la Chaussée-St-Victor ✆ 54 78 34 40
PEUGEOT-TALBOT Sté Autom. Blésoise, rte d'Orléans, la Chaussée-St-Victor par ① ✆ 54 78 12 12

RENAULT S.E.R.V.A., 148 av. Mar.-Maunoury par D149 X ✆ 54 78 42 85
V.A.G. Auto-Service, av. R.-Schuman ✆ 54 78 67 84
VOLVO Gar. Ribout, 6 r. Berthonneau ✆ 54 20 07 09

Ⓜ Perry-Pneus, av. de Chateaudun ✆ 54 78 18 74
Terovulca Blois Pneus, 14 av. Wilson ✆ 54 78 20 55
Terovulca Blois Pneus, 44 av. de Vendome ✆ 54 43 48 40

BLONVILLE-SUR-MER 14910 Calvados 55 ③ **G. Normandie** – 889 h.

Office de Tourisme allée des Villas (1er juil.-15 sept.) ☎ 31 87 91 14.

Paris 211 – Cabourg 14 – ♦Caen 38 – Deauville 5 – Lisieux 32.

Gd Hôtel M, ☎ **31 87 90 54, Télex 170385**, ←, – 35. AE E VISA. rest
fermé 17 nov. au 20 déc. et 2 janv. au 15 fév. – SC : **R** *(fermé dim. soir et lundi sauf juil.-août)* 150/300 – **24 ch** 300/610 – P 420/650.

H. de la Mer sans rest, ☎ **31 87 93 23**, ← – wc.
29 mars-29 sept. – SC : 15,50 – **20 ch** 75/195.

La BOCCA 06 Alpes-Mar. 84 ⑧⑨ – rattaché à Cannes.

BOËGE 74420 H.-Savoie 74 ⑦ – 1 056 h. alt. 738.

Paris 542 – Annecy 54 – Annemasse 18 – Bonneville 24 – ♦Genève 29 – Thonon-les-Bains 27.

Savoie, ☎ **50 39 10 10**, –
fermé jeudi – SC : **R** 45/120 – 20 – **10 ch** 85/140 – P 140/150.

CITROEN Gar. de la Vallée Verte, ☎ 50 39 12 68 N ☎ 50 39 15 76

RENAULT Gar. des Marronniers, ☎ 50 39 16 96 N ☎ 50 39 12 62

Le BOËL 35 I.-et-V. 63 ⑥ – rattaché à Rennes.

BOGNY-SUR-MEUSE 08120 Ardennes 53 ⑱ – 6 262 h. alt. 145.

Voir N : Rocher des Quatre Fils Aymon★, G. Champagne, Ardennes.

Paris 244 – Charleville-Mézières 18 – Givet 41 – Monthermé 3,5 – Rocroi 33.

Micass'H., pl. République ☎ 24 32 02 72 – . E VISA. ch
fermé 8 au 31 août, dim. soir sauf juil. et sam. sauf du 1er avril au 15 oct. – SC : **R** 38/85 – 16,50 – **14 ch** 60/105.

Les pastilles numérotées des plans de ville ①, ②, ③ sont répétées sur les ***cartes Michelin*** *à 1/200 000.*
Elles facilitent ainsi le passage entre les ***cartes*** *et les* ***guides Michelin.***

BOIS DE LA CHAIZE 85 Vendée 67 ① – voir à Noirmoutier (Ile de).

BOIS-DU-FOUR 12 Aveyron 80 ④ – alt. 800 – ✉ **12780** St-Léons.

Paris 623 – Aguessac 16 – Millau 21 – Pont-de-Salars 25 – Rodez 50 – Sévérac-le-Château 18.

Relais du Bois du Four, ☎ **65 61 86 17**, parc – wc wc. rest
1er mars-15 nov. et fermé merc. – SC : **R** 45/105 – 15 – **27 ch** 73/140 – P 135/170.

BOISEMONT 95 Val-d'Oise 55 ⑲, 196 ⑤, 101 ① – 464 h. alt. 150 – ✉ **95000** Cergy.

Paris 41 – Gisors 36 – Mantes-la-Jolie 27 – Meulan 8 – Pontoise 9 – St-Germain-en-Laye 19.

XXX Les Coteaux, sur D 22 ☎ (1) 34 42 30 12, ←, – .

BOIS-GUILLAUME 76 S.-Mar. 55 ⑥ – rattaché à Rouen.

BOIS-L'ABBESSE 67 B.-Rhin 62 ⑲ – rattaché à Liepvre.

Le BOIS-PLAGE 17 Char.-Mar. 71 ⑫ – voir à Ré (Ile de).

La BOISSE 01 Ain 74 ⑫ – rattaché à Montluel.

Les BOISSES 73 Savoie 74 ⑲ – rattaché à Tignes.

BOISSET 15 Cantal 76 ⑪ – 756 h. alt. 425 – ✉ **15600** Maurs.

Paris 571 – Aurillac 29 – Calvinet 17 – Entraygues-sur-Truyère 49 – Figeac 36 – Maurs 14.

Gramond, ☎ 71 62 20 69, ← –
18 ch.

BOISSEUIL 87 H.-Vienne 72 ⑰⑱ – 1 239 h. alt. 383 – ✉ **87220** Feytiat.

Paris 407 – Bourganeuf 45 – ♦Limoges 10 – Nontron 71 – Périgueux 96 – Uzerche 47.

Le Relais, ☎ **55 71 11 83** – wc wc.
fermé 12 au 26 déc. et merc. sauf juil.-août – SC : **R** *(fermé le midi du 1er au 15 mai et du 6 au 13 oct.)* 48/80 – 12 – **13 ch** 73/180.

BOISSY-LE-CHÂTEL 77 S.-et-M. 56 ⑬, 61 ③ – rattaché à Coulommiers.

BOLBEC 76210 S.-Mar. 55 ④ – 12 578 h. alt. 51.

Paris 189 ④ – Fécamp 25 ⑤ – ♦Le Havre 30 ④ – ♦Rouen 56 ② – Yvetot 21 ②.

Fécamp sans rest, **15 r. J.-Fauquet (a)** ✆ **35 31 00 52** – wc. **E**.
fermé 15 fév. au 1er mars – SC : 16 – **26 ch** 105/175.

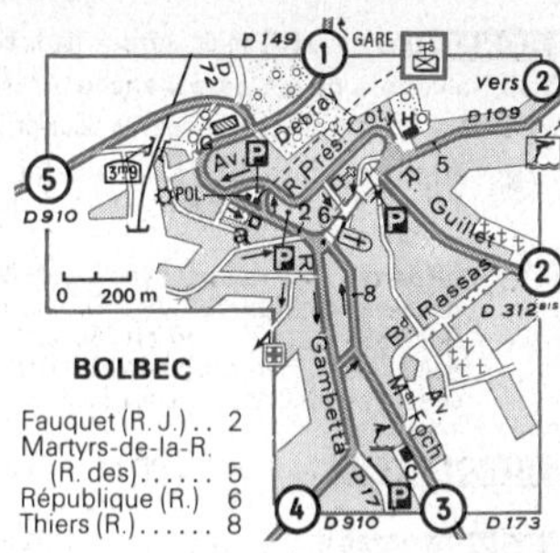

CITROEN Gar. du Viaduc, 125 r. G.-Clemenceau par ④ ✆ 35 31 01 62
PEUGEOT, TALBOT Lefebvre, 484 av. Mar.-Joffre ✆ 35 31 07 11
RENAULT Périer, 3 r. P.-Bert par ④ ✆ 35 31 06 47
V.A.G. Lebreton, 81 r. Gambetta ✆ 35 31 06 43

Vulcanisation Normande, 83 r. G.-Clemenceau ✆ 35 31 06 87

BOLLENBERG 68 H.-Rhin 62 ⑱⑲ – rattaché à Rouffach.

BOLLÈNE 84500 Vaucluse 81 ① **G. Provence** (plan) – 12 690 h. alt. 58.
Env. Barry : ≤★★ sur ouvrages de Donzère-Mondragon★ N : 6 km, **G. Vallée du Rhône.**
Office de Tourisme pl. Mairie ✆ 90 30 14 43.
Paris 638 – Avignon 52 – Montélimar 34 – Nyons 35 – Orange 25 – Pont-St-Esprit 10.

XX **Mas des Grès** avec ch, **1 km par rte St-Restitut** ✆ **90 30 10 79**, – wc – 40. AE VISA
fermé 2 au 8 mai, 1er au 15 oct., 1er au 15 janv., dim. soir, lundi et soirs de fêtes – SC : **R** 84/155 – 20 – **13 ch** 134/214 – P 210/266.

à Rochegude (26 Drôme) SE : 7,5 km - voir à Orange

FORD Gar. Battalier, av. J.-Giono ✆ 90 30 52 92
RENAULT SOVRA, rte de St-Paul 3 Chateaux, sortie Autoroute ✆ 90 30 40 66
TALBOT Balbi, av. Pont-Neuf ✆ 90 30 10 61
V.A.G. Sodiba, 1 chemin Souvenir ✆ 90 30 12 23

Ayme-Pneus, r. J.-Verne ✆ 90 30 13 21
Pneus-Service, 15 av. Carnot ✆ 90 30 14 40

La BOLLÈNE-VÉSUBIE 06 Alpes-Mar. 84 ⑲, 195 ⑰ **G. Côte d'Azur** – 262 h. alt. 690 – 06450 Lantosque.
Voir Chapelle St-Honorat ≤★ S : 1 km.
Paris 971 – ♦Nice 54 – Puget-Théniers 58 – Roquebillière 6,5 – St-Martin-Vésubie 16 – Sospel 37.

Gd H. du Parc , **D 70** ✆ **93 03 01 01**, parc, – wc wc. AE. rest
fin avril-fin sept. – SC : **R** 55/150 – 19 – **42 ch** 100/231 – P 210/418.

BOLLEZEELE 59 Nord 51 ③ – 1 500 h. – 59470 Wormhout.
Paris 273 – ♦Calais 47 – Dunkerque 24 – ♦Lille 68 – St. Omer 19.

Host. St-Louis M , **47 r. Église** ✆ **28 68 81 83**, – wc – 90. AE E VISA. ch
fermé 15 janv. au 15 fév., dim. soir et lundi – SC : **R** 90/200 – 26 – **15 ch** 150/220.

La BOLLINE 06 Alpes-Mar. 84 ⑧⑱, 195 ⑤ – rattaché à Valdeblore.

BONAGUIL 47 L.-et-G. 79 ⑥ – 46700 Puy-l'Évêque.
Voir Château★★, **G. Périgord.**

BON-ENCONTRE 47 L.-et-G. 79 ⑮ – rattaché à Agen.

Le BONHOMME 68 H.-Rhin 62 ⑱ **G. Alsace et Lorraine** – 612 h. alt. 700 – Sports d'hiver : 830/1 240 m 10 – 68650 Lapoutroie.
Paris 420 – Colmar 24 – Gérardmer 38 – St-Dié 32 – Ste-Marie-aux-Mines 16 – Sélestat 39.

Poste, ✆ **89 47 51 10**, – wc wc. E VISA
fermé 10 nov. au 20 déc. – SC : **R** *(fermé mardi soir et merc. hors sais.)* 60/160 – 18 – **21 ch** 75/165 – P 150/195.

Routes enneigées
Pour tous renseignements pratiques, consultez les cartes Michelin **« Grandes Routes »** 998, 999, 916 ou 989

BONLIEU 39 Jura 70 ⑮ G. Jura – 158 h. alt. 780 – ✉ 39130 Clairvaux-les-Lacs.

Voir Belvédère de la Dame Blanche ≤★ NO : 2 km puis 30 mn.

Paris 425 – Champagnole 24 – Lons-le-Saunier 33 – Morez 25 – St-Claude 41.

- **Alpage,** ✆ 84 25 57 53, ≤ alpage, 🍽, 🚗 – 🚿wc ☎ 🅟. VISA. ⛔ rest
fermé 20 nov. au 26 déc. et lundi hors sais. – SC : **R** 65/125 – ☕ 18 – **11 ch** 138/180 – P 195.

- XX ❀ **Poutre** (Moureaux) avec ch, ✆ 84 25 57 77 – 🚿wc ☎ 🅟. AE ⓓ
fermé 25 oct. au 10 nov., 10 déc. au 30 janv., mardi et merc. sauf juil.-août – SC : **R** 80/330 – ☕ 22 – **10 ch** 180/230 – P 170/300
Spéc. Filet de truite aux poireaux confits, Lamelles de blanc de volaille en salade, Gâteau chaud aux noisettes. **Vins** Côtes du Jura, L'Étoile.

BONNATRAIT 74 H.-Savoie 70 ⑰ – rattaché à Thonon-les-Bains.

BONNE 74380 H.-Savoie 74 ⑥⑦ – 1 639 h. alt. 493.

Paris 532 – Annecy 44 – Bonneville 13 – ♦Genève 19 – Morzine 44 – Thonon-les-Bains 30.

- XX **Baud** avec ch, ✆ 50 39 20 15, 🍽, 🚗 – 🛁wc 🚿 ☎ 🅟. E VISA
fermé 15 au 30 juin et mardi sauf juil.-août – SC : **R** 60/200 – ☕ 30 – **12 ch** 120/220 – P 200/250.

BONNE-FONTAINE 57 Moselle 57 ⑰ – rattaché à Phalsbourg.

BONNEUIL-SUR-MARNE 94 Val-de-Marne 61 ①, 101 ㉗ – Voir à Paris, Environs.

BONNEVAL-SUR-ARC 73 Savoie 74 ⑲ G. Alpes – 211 h. alt. 1 800 – Sports d'hiver : 1 800/3 000 m ⛷ 10 – ✉ 73480 Lanslebourg-Mont-Cenis.

ℹ Office de Tourisme ✆ 79 05 95 95.

Paris 666 – Chambéry 145 – Lanslebourg 19 – Val-d'Isère 30.

- **La Marmotte** Ⓜ 🌿, ✆ 79 05 94 82, ≤, 🍽 – 🛁wc ☎ 🚗 🅟. ⛔
20 juin-15 sept. et 20 déc.-1er mai – SC : **R** 75/140 🍷 – ☕ 18 – **28 ch** 164/190 – P 215/240.

- **La Bergerie** Ⓜ 🌿, ✆ 79 05 94 97, ≤, 🍽 – 🛁wc 🚿 ☎ 🅟. E VISA. ⛔ rest
15 juin-15 sept. et 18 déc.-30 avril – SC : **R** 55/70 – ☕ 16 – **22 ch** 143/150 – P 210/215.

- XX **Aub. Pré Catin,** ✆ 79 05 95 07, 🍽 – E
21 juin-27 sept., 20 déc.-7 mai et fermé lundi – SC : **R** 63/81.

To get the most out of this guide, read the explanatory chapters, pp. 24 - 31.

BONNEVILLE SP 74130 H.-Savoie 74 ⑦ G. Alpes – 9 106 h. alt. 450.

ℹ Syndicat d'Initiative r. Carroz ✆ 50 97 38 37.

Paris 541 ③ – Albertville 73 ② – Annecy 39 ③ – Chamonix 56 ② – Nantua 86 ③ – Thonon 45 ③.

Plan page ci-contre

- ❀ **Sapeur H. et Grill La Vivandière** (Guénon) Ⓜ, pl. de l'Hôtel de Ville **(a)** ✆ 50 97 20 68, « Grill élégant au sous-sol » – 🛗 ▤ rest TV. AE ⓓ VISA. ⛔
fermé 25 août au 10 sept., 29 déc. au 14 janv., dim. soir sauf du 15 juil. au 15 sept. et lundi – SC : **R** 80/150 – ☕ 25 – **18 ch** 160/200 – P 220/250
Spéc. Foie gras d'oie, Petits choux aux langoustines, Rondins de poularde aux morilles. **Vins** Roussette, Gamay rouge.

- **Arve,** r. du Pont **(e)** ✆ 50 97 01 28 – 🛁wc 🚿wc ☎ 🚗. ⛔
fermé sept., vend. soir et sam. sauf août – SC : **R** 57/159 – ☕ 15,50 – **17 ch** 79/182 – P 150/193.

- **Alpes,** 85 r. Gare **(n)** ✆ 50 97 10 47 – 🛁wc 🚿wc ☎ 🅟. AE ⓓ E VISA
fermé 1er au 15 juil., 15 au 31 déc., dim. soir et vend. – SC : **R** 55/94 🍷 – ☕ 16 – **16 ch** 105/140 – P 170/185.

- **Bellevue** 🌿, à Ayse E : 2,5 km par D 6 ✆ 50 97 20 83, ≤, 🚗 – 🛁wc 🚿wc 🅟. ⛔ rest
1er juil.-1er sept. – SC : **R** 54/75 – ☕ 16 – **22 ch** 82/125 – P 126/136.

à St-Pierre-en-Faucigny par ③, D 12 et D 208 : 5 km – ✉ 74800 La Roche-sur-Foron.

Voir Gorge des Eveaux ★ S : 1 km.

- **Franco-Suisse,** ✆ 50 03 70 01, 🍽 – 🛁wc 🅟
fermé 20 juin au 1er juil. et sam. – SC : **R** (dîner seul.) 65 🍷 – ☕ 20 – **7 ch** 110/140.

PEUGEOT-TALBOT Andréoléty, 403 av. des Glières par ③ ✆ 50 97 20 93
VOLVO Gar. Bel, le Bouchet à Aysé ✆ 50 97 25 64

Ⓜ Barret, 744 av. de Genève ✆ 50 97 02 22

BONNEVILLE

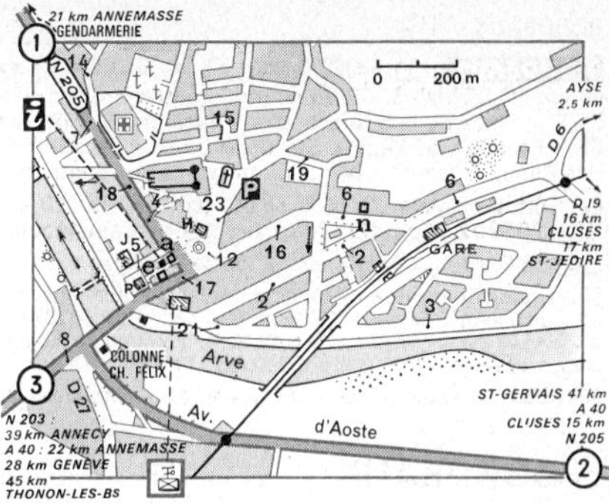

BONNEVILLE (La) 95 Val d'Oise 55 ⑳, 196 ⑥ – rattaché à Cergy-Pontoise (Pontoise).

BONNIÈRES-SUR-SEINE 78270 Yvelines 55 ⑱, 196 ② – 3 362 h. alt. 20.

Paris 72 – Évreux 34 – Magny-en-Vexin 25 – Mantes-la-Jolie 13 – Vernon 12 – Versailles 56.

XXX **Host. Bon Accueil,** rte Vernon : 1,5 km ✆ (1) 30 93 01 00 – Ⓟ. AE ⓓ VISA
fermé 31 juil. au 27 août, vacances de fév., mardi soir et merc. – SC : **R** carte 210 à 290.

BONNIEUX 84480 Vaucluse 81 ⑬ **G. Provence** (plan) – 1 385 h. alt. 400.

Voir Tableaux★ dans l'église – Terrasse ≤★.

ℹ Syndicat d'Initiative (1er juil.-30 sept.) ✆ 90 75 88 34.

Paris 725 – Aix-en-Provence 48 – Apt 13 – Avignon 47 – Carpentras 43 – Cavaillon 26.

Host. du Prieuré ⛰, ✆ 90 75 80 78, ≤, 🌳, « Ancien Prieuré, beau mobilier », 🌳 – 🛁wc ☎ 🚗 Ⓟ
15 fév.-5 nov. – SC : **R** *(fermé merc. midi et mardi hors sais. et le midi: mardi, merc. et jeudi de juil. à sept.)* 110/154 – ☕ 28 – **10 ch** 345/370 – P 378/423.

César, ✆ 90 75 80 18, ≤ – 🛁wc 🚿wc ☎
fermé 15 nov. au 15 fév. – SC : **R** 65/98 🍷 – ☕ 18 – **15 ch** 102/200.

au SE : 6 km par D 36, D 943 et chemin privé – ✉ **84480** Bonnieux :

L'Aiguebrun ⛰, ✆ 90 74 04 14, ≤, 🌳, « dans un vallon du Lubéron, parc » – 🛁wc ☎ Ⓟ. ✳ rest
15 mars-15 nov. – SC : **R** *(fermé lundi midi)* 160 – ☕ 20 – **8 ch** 300/340.

BONNY-SUR-LOIRE 45420 Loiret 65 ⑫ – 1 868 h. alt. 149.

Paris 167 – Auxerre 65 – Clamecy 60 – Cosne-sur-Loire 19 – Montargis 54 – ♦Orléans 86 – Vierzon 76.

Fimotel, NO : 2 km sur N 7 ✆ 38 31 64 62, ≤ – TV 🛁wc 🚿wc ☎ ♿ Ⓟ – 🏛 120. AE ⓓ VISA
SC : **R** 44/83 🍷 – ☕ 18,50 – **46 ch** 180/216 – P 260/293.

RENAULT Gar. Parot, ✆ 38 31 63 32

BONS-EN-CHABLAIS 74890 H.-Savoie 70 ⑰ – 2 781 h. alt. 548.

Paris 536 – Annecy 60 – Bonneville 29 – ♦Genève 22 – Thonon-les-Bains 15.

XX **Progrès** avec ch, ✆ 50 43 11 09, 🌳 – 🛁wc 🚿 ☎ 🚗
fermé janv., dim. soir et lundi sauf juil.-août – SC : **R** 46/200 – ☕ 17 – **16 ch** 110/180 – P 145/160.

XX **Couronne** avec ch, ✆ 50 43 11 17, 🌳 – 🚿wc Ⓟ. AE ⓓ E VISA
fermé 24 déc. au 28 janv., dim. soir et lundi – SC : **R** 90/250 – ☕ 18 – **10 ch** 100/220.

BONSON 42 Loire 73 ⑱ – 2 566 h. alt. 485 – ✉ **42160** Andrezieux-Bouthéon.

Voir Sury-le-Comtal : décoration★ du château NO : 3 km – St-Rambert-sur-Loire : église★, bronzes★ du musée SE : 3,5 km, G. Vallée du Rhône.

Paris 514 – Feurs 31 – Montbrison 15 – ♦St-Etienne 20.

X **Voyageurs** avec ch, à la Gare ✆ 77 55 16 15 – 🚗. AE ⓓ E VISA
fermé fév., vend. soir et sam. – SC : **R** 51/135 🍷 – ☕ 17 – **6 ch** 87/127 – P 158/168.

BORAN-SUR-OISE 60 Oise 56 ⑪, 196 ⑦ – 1 968 h. alt. 36 – ✉ **60530** Neuilly-en-Thelle.

Paris 47 – Beauvais 43 – Pontoise 27 – Senlis 19.

XX **Ty Noz,** rte Gouvieux ✆ 44 21 93 69 – Ⓟ. E VISA
fermé dim. soir, mardi soir et lundi – SC : **R** 99/128.

BORDEAUX P 33000 Gironde 71 ⑨ **G. Côte de l'Atlantique** – 211 197 h. communauté urbaine 617 705 h. alt. 5 – **Voir Grand Théâtre★★** CDVX – **Cathédrale★ et tour Pey Berland★** CX **E** – **Place de la Bourse★** DX – **Basilique St-Michel★** DY **F** – **Place du Parlement★** DX **65** – **Façade★ de l'église Ste-Croix** DY **K** – **Façade★ de l'église N.-Dame** CX **D** – **Musée des Beaux-Arts★★** CX **M1** – **Établissement monétaire★ de Pessac** S **B.**

18 Golf Bordelais ☎ 56 28 56 04, NO par D 109 : 4 km AT ; **18 de Bordeaux Lac ☎ 56 50 92 72, N par D2 : 10 km** R ; **18 9 de Cameyrac ☎ 56 72 96 79, par ② : 18 km.**

de Bordeaux-Mérignac : ☎ 56 34 84 84 par ⑧ : 11 km – ☎ 56 92 50 50.

Office de Tourisme et Accueil de France, (Informations, change et réservations d'hôtels, pas plus de 5 jours à l'avance) 12 cours 30-Juillet ☎ 56 44 28 41, Télex 570362 – A.C. 8 pl. Quinconces ☎ 56 44 22 92 – Maison du vin de Bordeaux, 1 cours 30-juillet (Informations, dégustation - fermé sam. après-midi et dim.) ☎ 56 52 82 82 CV **z.**

Paris 579 ① – ♦Lyon 547 ② – ♦Nantes 327 ① – ♦Strasbourg 921 ① – ♦Toulouse 244 ⑤.

BORDEAUX

Aquitaine (Bd Aliénor d') .. **R** 2
Arès (Av. d') .... **S**
Bègles (Barrière de) ...... **S** 5
Benauge (R. de la) .... **S** 6
Bosc (Bd J.-J.) .... **S**
Brandenburg (Bd) .... **R** 9
Brazza (Quai de) .... **R** 12
Briand (Av. A.) .... **S**
Brienne (Quai de) .... **S** 15
Cabannes (Av. G.) .... **S**
Carnot (Av.) CENON .... **R** 19
Cassagne (Av. R.) .... **R**
Daney (Bd A.) .... **R**
Eysines (Av. d') .... **R** 28
Gallieni (Cours du Mar.) ... **S** 34
Gambetta (Crs) FLOIRAC . **R** 36
Guesde (R. Jules) .... **S** 38
Jaurès (Av. Jean) CENON . **R** 44
Jaurès (Av. Jean) PESSAC **S** 45
Joliot-Curie (Bd) .... **RS** 46
Leclerc (Av. Gén.) .... **R** 52
Leysotte (Ch. de) .... **S**
Libération (Av. de la) ..... **R** 54
Libération (Crs) TALENCE . **S**
Marne (Av. de la) .... **S** 55
Ornano (Cours d') .... **S** 62
Paludate (Quai de) .... **S** 63
Pasteur (Av.) .... **RS** 65
République (Av. de la) .... **S** 72
Simon (Bd Jules) .... **RS** 78
Souys (Quai de la) .... **S** 79
Thiers (Av.) .... **R** 81
Toulouse (Barrière de) .... **S** 82
Toulouse (Rte de) .... **S**
Trarieux (Bd Ludovic) ..... **S** 85
V.-Hugo (Crs) CENON ...... **R** 87

Sauf indication spéciale, voir emplacement sur Bordeaux p. 4 et 5

Frantel M, 5 r. R.-Lateulade ☎ 56 90 92 37, Télex 540565 – ☎ – 350. AE ⓓ E VISA — BX **w**
SC : rest. **Le Mériadeck R** carte 170 à 235 – ☐ 45 – **196 ch** 430/680.

Gd H. et Café de Bordeaux sans rest, 2 pl. Comédie ☎ 56 90 93 44, Télex 541658 – ☎ – 30 à 50. AE ⓓ E VISA — CVX **b**
SC : ☐ 30 – **95 ch** 315/440, 3 appartements 750.

Normandie sans rest, 7 cours 30-Juillet ☎ 56 52 16 80, Télex 570481 – ☎. AE ⓓ E VISA — CV **z**
SC : ☐ 25 – **100 ch** 170/310.

Majestic sans rest, 2 r. Condé ☎ 56 52 60 44 – ☎. VISA — DV **b**
SC : ☐ 24 – **50 ch** 200/300.

Terminus, gare St-Jean ✉ 33800 ☎ 56 92 71 58, Télex 540264 – ☎ – 60. AE ⓓ E VISA — Bordeaux p. 3 DZ **e**
R 88 bc/120 – ☐ 29 – **80 ch** 208/395.

Royal Médoc M sans rest, 3 r. Sèze ☎ 56 81 72 42, Télex 571042 – wc wc ☎. AE ⓓ E VISA. — CV **u**
SC : ☐ 25 – **45 ch** 230/270.

Atlantic M sans rest, 69 r. E.-Leroy ✉ 33800 ☎ 56 92 92 22 – wc ☎. AE VISA — Bordeaux p. 3 DZ **r**
fermé 24 déc. au 2 janv. – SC : ☐ 18,50 – **36 ch** 144/227.

Notre Dame M sans rest, 36 r. N.-Dame ☎ 56 52 88 24 – wc ☎ — DU **k**
fermé 22 déc. au 6 janv. – SC : ☐ 18 – **12 ch** 160/200.

Tour Intendance M sans rest, 16 r. Vieille Tour ☎ 56 81 46 27 – wc wc. AE ⓓ VISA — CX **t**
fermé 25 juil. au 25 août – SC : ☐ 20 – **20 ch** 140/235.

Sèze sans rest, 23 allées Tourny ☎ 56 52 65 54 – wc wc. AE ⓓ VISA — CV **u**
SC : ☐ 26 – **25 ch** 120/310.

Français sans rest, 12 r. Temple ☎ 56 48 10 35, Télex 550587 – wc wc ☎. AE ⓓ VISA — CX **u**
SC : ☐ 22 – **36 ch** 140/270.

Etche Ona sans rest, 11 r. Mautrec ☎ 56 44 36 49 – wc wc ☎ VISA — CVX **f**
fermé 25 déc. au 5 janv. – SC : ☐ 19 – **35 ch** 90/220.

St-Martin sans rest, 2 r. St-Vincent-de-Paul ✉ 33800 ☎ 56 91 55 40 – wc wc ☎. AE ⓓ VISA. — Bordeaux p. 3 DZ **a**
SC : ☐ 24 – **18 ch** 105/245.

Bayonne sans rest, 4 r. Martignac ☎ 56 48 00 88 – wc. AE VISA — CX **p**
SC : ☐ 21 – **37 ch** 106/210.

Modern'H sans rest, 21 r. P.-Loti ✉ 33800 ☎ 56 91 66 11, – wc — Bordeaux p. 3 DZ **v**
SC : ☐ 15,50 – **19 ch** 100/160.

Pyrénées sans rest, 12 r. St-Rémi ☎ 56 81 66 58 – wc wc — DX **s**
fermé 15 au 31 août et 24 déc. au 4 janv. – SC : ☐ 16 – **19 ch** 95/185.

Printania sans rest, 34 r. Servandoni ☎ 56 96 56 72 – wc ☎. E — BY **f**
SC : ☐ 20 – **17 ch** 78/195.

Centre sans rest, 8 r. Temple ☎ 56 48 13 29 – wc ☎. — CX **r**
fermé juil. et 15 au 31 déc. – SC : ☐ 16,50 – **15 ch** 95/165.

XXXX ✿ **Dubern** (Clément), 42 allées Tourny ☎ 56 48 03 44, « Décor 18e s. » – AE ⓓ E VISA — CV **s**
fermé dim. – SC : **R** carte 205 à 275
Spéc. Huîtres tièdes au sabayon de citron vert, Rougets au foie gras frais, Pigeon au caramel d'épices.

XXX ✿ **Le Rouzic** (Gautier), 34 Cours du Chapeau rouge ☎ 56 44 39 11 – AE ⓓ VISA
fermé sam. midi et dim. midi – SC : **R** 220/280 — DX **b**
Spéc. Queues de langoustines en feuilleté aux morilles et ris d'agneau, Lamproie à la bordelaise (d'avril à sept.), Râble de lapereau au romarin. **Vins** Médoc.

XXX ✿ **Clavel** (Garcia), 44 r. Ch.-Domercq ✉ 33800 ☎ 56 92 91 52 – AE ⓓ VISA.
fermé 10 au 30 juil., vacances de fév., dim. et lundi – SC : **R** carte 205 à 300
Spéc. Gratin d'huîtres au foie gras, Galette de cèpes (sept. à janv.), Lapereau à la royale. **Vins** Listrac, St-Julien. — Bordeaux p. 3 DZ **n**

XXX ✿ **La Chamade** (Carrere), 20 r. Piliers de Tutelle ☎ 56 48 13 74 – AE — DX **d**
SC : **R** 135/190 dîner à la carte
Spéc. Salade "Chamade", Ris de veau pochés et poêlés, Aiguillettes de canard aux raisins. **Vins** Blayais, St-Julien.

tourner →

RÉPERTOIRE DES RUES DU PLAN DE BORDEAUX

Rues du Plan d'agglomération
Voir Bordeaux p. 1

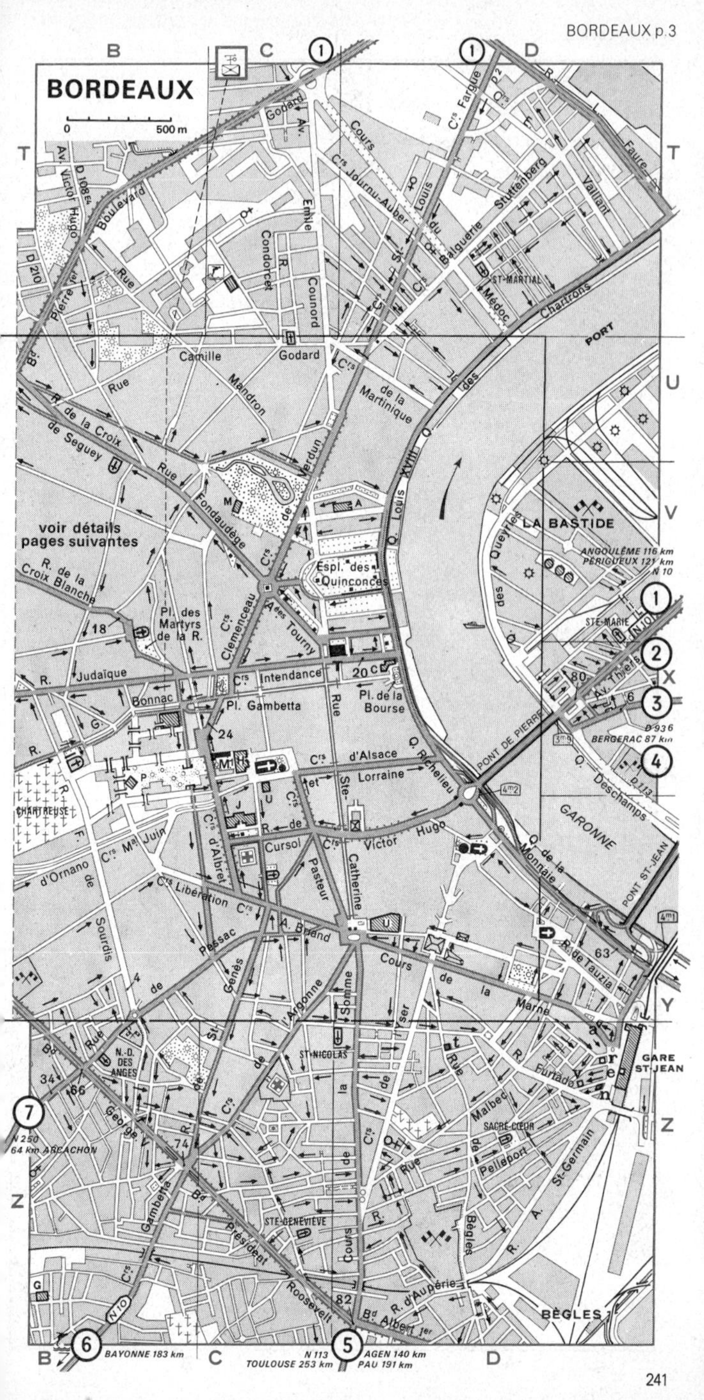
BORDEAUX
0
500 m
voir détails
pages suivantes
LA BASTIDE
GARONNE
PORT
Espl. des Quinconces
Pl. des Martyrs de la R.
Pl. Gambetta
Pl. de la Bourse
CHARTREUSE
ST-MARTIAL
STE-MARIE
ST-NICOLAS
N.-D. DES ANGES
SACRÉ-CŒUR
STE-GENEVIÈVE
GARE ST-JEAN
BÈGLES
PONT DE PIERRE
PONT ST-JEAN
ANGOULÊME 116 km
PÉRIGUEUX 121 km
N 10
D 936
BERGERAC 87 km
N 250
64 km ARCACHON
BAYONNE 183 km
N 113
TOULOUSE 253 km
AGEN 140 km
PAU 191 km

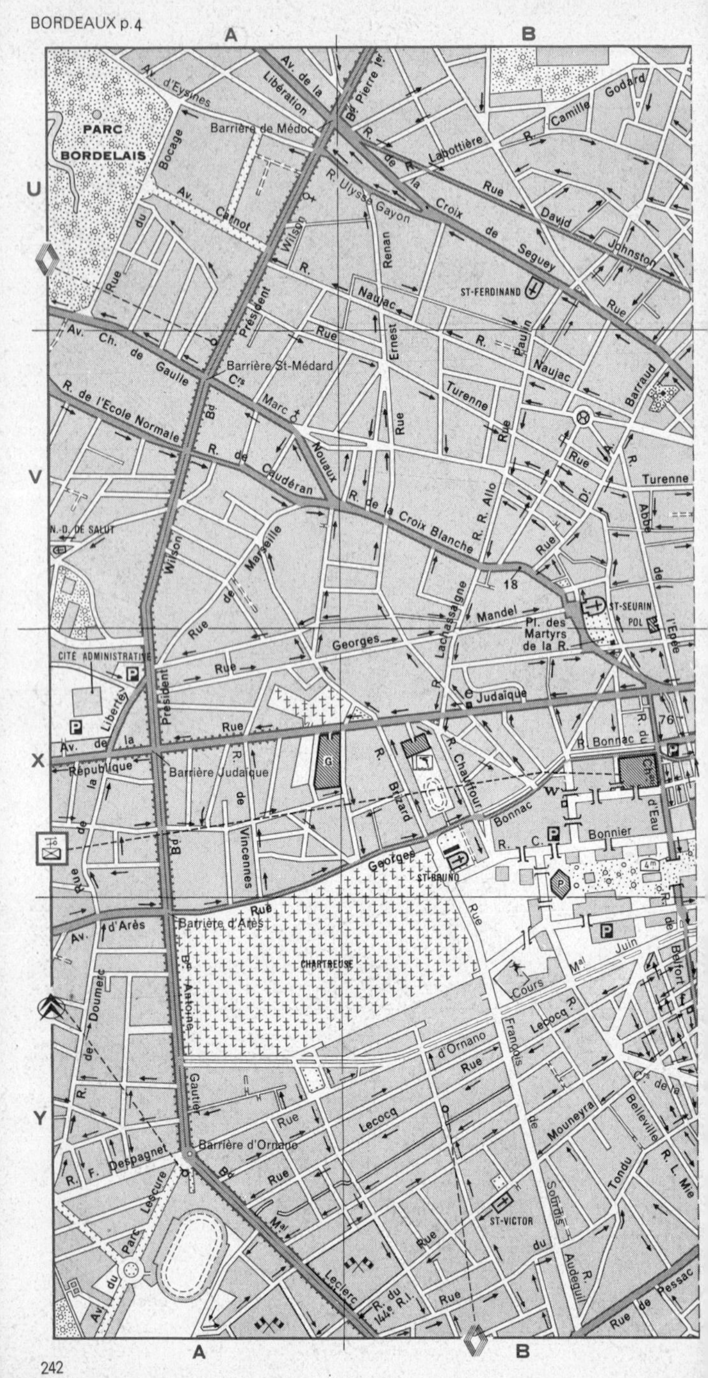
A
B
U
V
X
Y
PARC BORDELAIS
Av. d'Eysines
Av. de la Libération
Bd Pierre 1er
Barrière de Médoc
Bocage
Av. Carnot
R. Ulysse Gayon
R. de la Croix de Seguey
R. Labottière
R. Camille Godard
Rue David Johnston
Wilson
Renan
R. Naujac
ST-FERDINAND
Rue du
Président
Av. Ch. de Gaulle
Barrière St-Médard
Crs Marc
Ernest
Rue
R. Naujac
Paulin
Turenne
Barraud
R. de l'Ecole Normale
R. de Caudéran
Nouaux
Rue
Rue
Dr. A.
R. Turenne
R. de la Croix Blanche
R. R. Allo
Abbé de l'Epée
N.-D. DE SALUT
Wilson
Rue de Marseille
Lachassaigne
18
ST-SEURIN
POL
Mandel
Pl. des Martyrs de la R.
Georges
CITÉ ADMINISTRATIVE
Rue
Président
Liberté
Judaïque
Rue
Av. de la République
Barrière Judaïque
R. de Vincennes
R. Brizard
R. Chauffour
R. Bonnac
R. du Château d'Eau
76
Bonnac
R. C.
Bonnier
Rue de la
Georges
ST-BRUNO
Rue
Av. d'Arès
Barrière d'Arès
CHARTREUSE
Bd Antoine
Doumer
Cours Mal Juin
Lecocq
François
R. de Belfort
d'Ornano
Rue
Gautier
R.
Rue Lecocq
Crs de la
Belleville
Mouneyra
Despagnet
F.
R.
Barrière d'Ornano
Lescure
Rue
Bd Mal Leclerc
R. L. Mie
Tondu
Parc
ST-VICTOR
Solférino
Rue du
R. Audeguil
Av. du
Rue
R. du 144e R.I.
Rue de Pessac

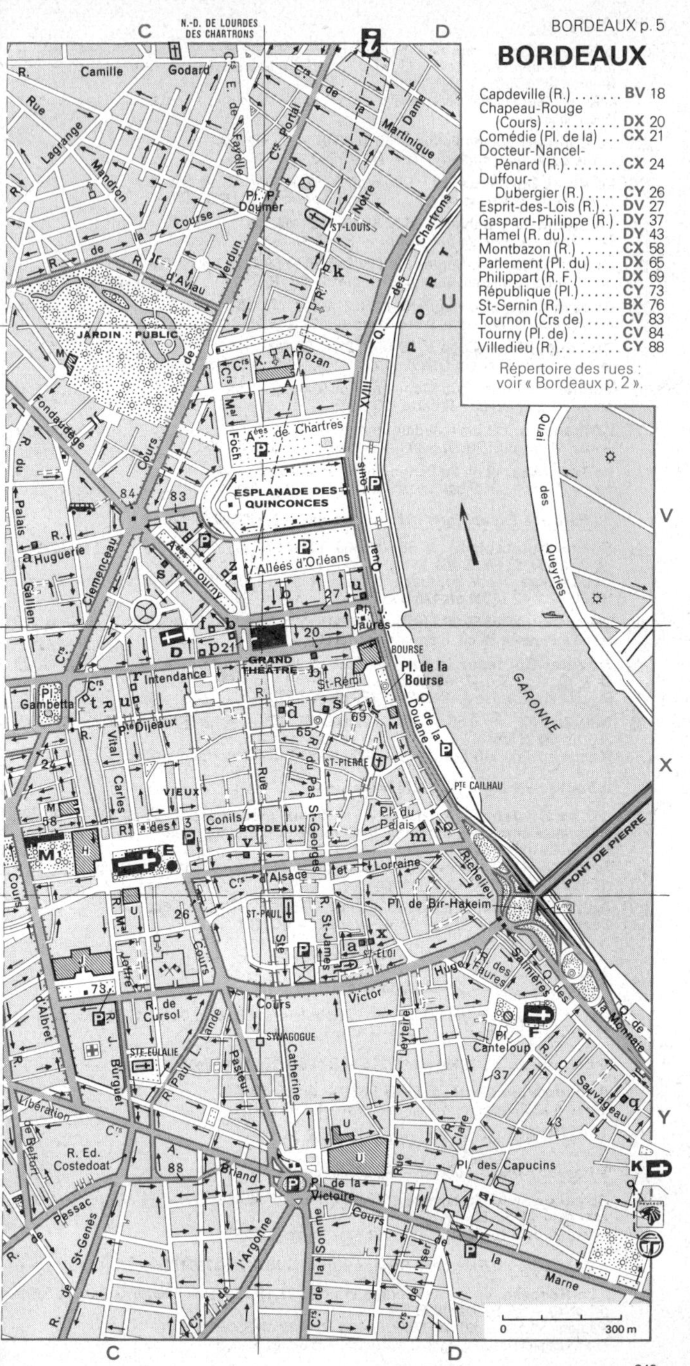
BORDEAUX
Capdeville (R.) .... BV 18
Chapeau-Rouge (Cours) .... DX 20
Comédie (Pl. de la) ... CX 21
Docteur-Nancel-Pénard (R.) .... CX 24
Duffour-Dubergier (R.) ..... CY 26
Esprit-des-Lois (R.) ... DV 27
Gaspard-Philippe (R.) . DY 37
Hamel (R. du) .... DY 43
Montbazon (R.) ...... CX 58
Parlement (Pl. du) .... DX 65
Philippart (R. F.) ...... DX 69
République (Pl.) ...... CY 73
St-Sernin (R.) .... BX 76
Tournon (Crs de) ..... CV 83
Tourny (Pl. de) ...... CV 84
Villedieu (R.) .... CY 88
Répertoire des rues : voir « Bordeaux p. 2 ».
JARDIN PUBLIC
ESPLANADE DES QUINCONCES
GRAND THÉATRE
Pl. de la Bourse
VIEUX BORDEAUX
GARONNE
PONT DE PIERRE
PORT
Pl. de la Victoire
Pl. des Capucins
Pl. Gambetta
0 300 m

XXX ❀ **Ramet,** 7 pl. J. Jaurès ✆ 56 44 12 51 ▤. VISA DV **u**
fermé 31 mars au 13 avril, 11 au 24 août, 29 déc. au 3 janv., sam. et dim. – SC : **R** carte 185 à 290
Spéc. Feuilleté d'huîtres tièdes, Gratin d'asperges aux langoustines (avril à juil.), Gibier (saison). **Vins** Médoc, Graves.

XXX **Le Cailhau,** 3 pl. du Palais ✆ 56 81 79 91 – AE ⓞ VISA DX **m**
fermé août, sam. midi et dim. – **R** 250/300.

XX **Le Vieux Bordeaux,** 27 r. Buhan ✆ 56 52 94 36 – AE ⓞ VISA. ✻ DY **a**
fermé août, vacances de fév., sam. midi et dim. – SC : **R** 95/176.

XX **Le Buhan,** 28 r. Buhan ✆ 56 52 80 86 – AE ⓞ. ✻ DY **x**
fermé sam. et dim. de juil. à sept. – SC : **R** 80/190.

XX **La Jabotière,** 86 r. Bègles ✉ 33800 ✆ 56 91 69 43 – AE ⓞ VISA
fermé août, lundi soir, sam. midi et dim. – SC : **R** 90/140. Bordeaux p. 3 DZ **t**

XX **Chez le Chef,** 57 r. Huguerie ✆ 56 81 67 07, ☂. VISA CV **a**
fermé 1er au 31 oct., dim. soir et lundi – SC : **R** 75/180.

X **Du Loup,** 66 r. du Loup ✆ 56 48 20 21 – AE VISA CX **v**
fermé mi-juil. à mi-août, sam. midi et dim. – SC : **R** 80/185.

X **Tupina,** 6 r. Porte de la Monnaie ✆ 56 91 56 37 – VISA DY **q**
fermé dim. et fériés – **R** carte 110 à 175.

X **l'Alhambra,** 111 bis r. Judaïque ✆ 56 96 06 91 – ✻ BX **e**
fermé 14 juil. au 15 août, sam. midi et dim. – SC : **R** 85/130.

X **La Ténarèze,** 18 pl. du Parlement ✆ 56 44 43 29 – VISA DX **s**
fermé 29 sept. au 29 oct., merc. sauf juil.-août et dim. en juil.-août – **R** 91/150.

au Parc des Expositions : Nord de la ville – ✉ **33300** Bordeaux :

Sofitel Aquitania Ⓜ, ✆ 56 50 83 80, Télex 570557, ←, ⛱ – |♦| ▤ TV ☎ ♿ Ⓟ – 🏛 25 à 600. AE ⓞ E VISA R **u**
rest. **Le Flore** *(fermé août, dim. et fêtes)* **R** carte 120 à 180 – **le Pub R** carte environ 100 ♁ – ☕ 42 – **204 ch** 425/530, 8 appartements 680/900.

Mercure Ⓜ, ✆ 56 50 90 14, Télex 540097, ☂, ⛱, ✂ – |♦| ▤ TV ☎ ♿ Ⓟ – 🏛 120
rest. **La Pinasse 95 ch**, 5 appartements 800. R **s**

Novotel-Bordeaux le Lac Ⓜ, ✆ 56 50 99 70, Télex 570274, ☂, ⛱ – |♦| ▤ TV ☎ ♿ Ⓟ – 🏛 350. AE ⓞ E VISA R **a**
R carte environ 115 ♁ – ☕ 34 – **173 ch** 309/320.

Mercure Ⓜ, ✆ 56 50 90 30, Télex 540077, ☂ – |♦| ▤ TV ⛀wc ☎ ♿ Ⓟ – 🏛 250. AE ⓞ E VISA R **v**
R carte environ 110 ♁ – ☕ 32 – **108 ch** 284/315, 3 appartements 425.

à Bouliac vers ④ – ✉ **33270** Floirac :

XXX ❀❀ **Le St-James** (Amat), pl. C. Hosteins, près église ✆ 56 20 52 19, ←, ☂, « Terrasse ombragée dominant la Garonne et Bordeaux », ⛟ – AE ⓞ VISA. ✻
R 110/290 et carte S **k**
Spéc. Fondant d'aubergines au cumin, Langoustines aux ravioli d'huîtres, Noisette de mouton à la crème d'ail. **Vins** 1eres Côtes de Bordeaux.

XX **Aub. du Marais,** 22 rte de Lastresne ✆ 56 20 52 17, ☂ – Ⓟ S **t**
fermé 1er au 30 août, 22 au 28 fév. et merc. – SC : **R** 110/160.

Par la sortie ⑥ :

à Talence : 6 km – ✉ **33400** Talence :

Guyenne (Lycée hôtelier) Ⓜ, av. F.-Rabelais ✆ 56 80 75 08 – |♦| TV ⛀wc ☎ Ⓟ
27 ch, 3 appartements.

à Courrejean S : 11 km par N 113 et D 108 – ✉ **33140** Pont de la Maye :

XX **Aub. du Vieux Port,** ✆ 56 87 14 31 – Ⓟ. AE ⓞ VISA
fermé 4 au 27 août, dim. soir et mardi – SC : **R** 95/140.

Par la sortie ⑦ :

à Pessac : 7 km – 50 543 h. – ✉ **33600** Pessac :

Royal Brion Ⓜ 🐦 sans rest, 10 r. Pin Vert ✆ 56 45 07 72 – TV ⛀wc ⛆wc ☎ ♿ 🚗 Ⓟ – 🏛 30. AE ⓞ
fermé 20 déc. au 13 janv. – SC : ☕ 30 – **26 ch** 220/295.

à l'Alouette : 0,5 km de la Rocade sortie n° 13 – ✉ **33600** Pessac :

❀ **La Réserve** Ⓜ 🐦, av. Bourgailh ✆ 56 07 13 28, Télex 560585, « Parc », ✂ – TV ☎ Ⓟ – 🏛 80. AE ⓞ E VISA
Pâques-1er nov. – SC : **R** 200/330 – ☕ 35 – **19 ch** 350/550
Spéc. Lamproie (saison), Agneau du Médoc. **Vins** Graves, Médoc.

Par la sortie ⑧ :

à Mérignac : **5 km par D 106 et D 213 – ✉ 33700 Mérignac :**

XX **Charmilles** avec ch, **408 av. de Verdun ✆ 56 97 53 01,** – wc
fermé août, sam. soir et dim. – **SC : R** 75/159 – 16,50 – **16 ch** 67/110.

à l'Aéroport : **11 km par D 106E – ✉ 33700 Mérignac :**

Novotel-Mérignac M, **✆ 56 34 10 25, Télex 540320,** – ch
– 25 à 200. AE E VISA
R carte environ 100 – 34 – **100 ch** 283/330.

Par la sortie ⑨ :

à la Forêt : **8,5 km par ⑨ – ✉ 33320 Eysines :**

XX **Les Tilleuls, ✆ 56 28 04 56,** – AE.
fermé août, sam. du 1er juil. au 15 sept. et dim. – **SC : R** carte 120 à 200.

à St-Médard-en-Jalles : **15 km – 18 665 h. alt. 13 – ✉ 33160 St-Médard-en-Jalles :**

La Chaumière, **rte Lacanau : 1 km ✆ 56 05 07 64,** – wc –
60. VISA. ch
SC : R *(fermé dim. soir, fériés le soir et lundi)* 68/120 – 12 – **20 ch** 120/133.

X **Tournebride,** rte Porge : 2 km **✆ 56 05 09 08** – . AE VISA
fermé 13 juil. au 4 août, 16 au 24 fév., dim. soir et lundi – **SC : R** 65 bc/135.

MICHELIN, Agence régionale, Zone d'Entrepôts Alfred Daney - av. de Tourville R **✆ 56 39 94 95**

BMW Brienne Auto 23 Quai de Brienne ✆ 56 31 21 10 ✆ 56 87 20 99
CITROEN Gar. Parc Sports, 2 av. Parc-Lescure AY ✆ 56 98 65 63
DATSUN-NISSAN Daret Autom., 5 r. Chevalier ✆ 56 24 01 32
FIAT Gar. d'Aquitaine, 19 pl. Victoire ✆ 56 91 60 54
FORD S.A.C.A., 161 av. Thiers ✆ 56 86 86 86
HONDA Mondial Autos, 147 cours Médoc ✆ 56 39 45 78
LADA Berrous 158 cours de la Marne ✆ 56 92 86 08
LANCIA-AUTOBIANCHI Auto-Plus, 94 r. David Johnston ✆ 56 52 10 60
MAZDA-INNOCENTI Mercier, 166 r. de la Benauge ✆ 56 86 21 33
PEUGEOT, TALBOT S.I.A.S.O., 350 av. Thiers R a ✆ 56 86 84 02
PEUGEOT, TALBOT Filiale SIASO-RENAUDEL, 8 pl. Renaudel DY ✆ 56 91 54 15
RENAULT Succursale, 236 av. Thiers R a ✆ 56 86 24 09 N
RENAULT Richard, 62 r. Héron BY ✆ 56 96 61 52
RENAULT Gar. Wilson, 273 bd Wilson, AU ✆ 56 08 70 50
TOYOTA Berrous, 157 r. G.-Bonnac ✆ 56 96 38 50
Egreteaud, 337 av. Thiers ✆ 56 86 62 60

Aquitaine Pneus Services, 103 r. Croix-Blanche ✆ 56 81 62 00
Bordeaux Pneus, 56 quai de Paludate ✆ 56 85 61 53
Bouyssalet-Pneus, 83 r. de Tauzia ✆ 56 91 49 54
Casanave, 35 quai des Chartrons ✆ 56 52 53 50
Central-Pneu, 80 cours Dupré-de-St-Maur ✆ 56 50 84 58
Comet, 91 av. République ✆ 56 02 43 80
Compt. Cent. Pneum. r. p.-Baour, Centre Commercial Bordeaux Nord ✆ 56 50 23 00
Station du Pneu, 226 av. Thiers ✆ 56 86 24 13

Périphérie et environs

AUSTIN-JAGUAR-ROVER-TRIUMPH Stewart et Ardern, 70 av. Jean-Jaurès, Cenon ✆ 56 40 33 40
AUSTIN-JAGUAR-ROVER-TRIUMPH Stewart et Ardern, 39 av. de la Marne Mérignac ✆ 56 96 86 62
AUTOBIANCHI, FIAT, LANCIA Auto-Port, 83 bd Godard, Le Bouscat ✆ 56 50 84 84
CITROEN Succursale, 357 av. Libération, Le Bouscat R a ✆ 56 08 84 84
CITROEN Succursale, N 10, les 4 Pavillons, Lormont R e ✆ 56 40 45 00
CITROEN Succursale, 411 rte Toulouse, Villenave d'Ornon S ✆ 56 37 37 37
FIAT Auto-Ouest av. Kennedy à Mérignac ✆ 56 34 40 50
FORD Palau, 419 rte du Médoc, Bruges ✆ 56 28 84 66
INNOCENTI, MAZDA Cammas, 295 av. Libération, Le Bouscat ✆ 56 08 84 70
LANCIA-AUTOBIANCHI, FERRARI Gar. Lopez Z.I. du phare Rocade Sortie n° 10 à Mérignac ✆ 56 34 28 80 N ✆ 56 87 20 99
MERCEDES-BENZ SO.BO.VA., 7 av. Rivière, Cenon ✆ 56 86 14 09, 262 av. Libération, Le Bouscat ✆ 56 08 78 85
OPEL-GM-US Pigeon, 469 rte de Médoc, Bruges ✆ 56 28 84 28 N ✆ 56 87 20 99
PEUGEOT, TALBOT Auto-Pessac, av. G.-Eiffel, Parc Industriel, Pessac S ✆ 56 36 25 21
PEUGEOT, TALBOT S.I.A.S.O, 84 av. Libération, Le Bouscat AT ✆ 56 08 84 89
PORSCHE, MITSUBISHI Egreteaud, 14bis av. J.-Jaurès, Cenon ✆ 56 86 14 27
RENAULT SAPA, Alouette Rocade sortie N° 13, Pessac par ⑦ ✆ 56 36 25 64 N ✆ 56 36 25 80
RENAULT Succursale, 253 av. Libération, Le Bouscat R u ✆ 56 08 84 24
RENAULT Succursale Pont-de-la-Maye, 50 av. des Pyrénées, à Villenave d'Ornon par ⑤ ✆ 56 87 84 60 N
SEAT Gar. de la Rocade Z.I. Chateau Rouquey Av. Kennedy à Mérignac ✆ 56 34 45 66
V.A.G. Gar. Chambéry, rte Mont-de-Marsan, Villenave-d'Ornon ✆ 56 87 02 41
V.A.G Pees-Martin rte de Martignas à Mérignac ✆ 56 34 11 76
V.A.G. Splendid-Gar., 422 av. Libération, Le Bouscat ✆ 56 02 10 08
VOLVO Vivier-Noel pl. Monteil, sortie Rocade Ouest n° 13 à Pessac ✆ 56 36 04 39

Comptoir Aquitain du Pneu, 7 r. Marceau à Talence ✆ 56 04 31 42
Vallejo, Zone Ind. de Pinel, av. G.-Cabannes à Floirac ✆ 56 86 40 62

Les BORDES 45 Loiret 65 ① – rattaché à Sully-sur-Loire.

BORMES-LES-MIMOSAS 83230 Var 84 ⑯ **G. Côte d'Azur** – 3 841 h. alt. 120.

Voir Site★ – ≤★ du château – Forêt domaniale du Dom★ N : 4 km.

de Valcros ☎ 94 66 81 02, NO : 12 km.

Office de Tourisme, r. J.-Aicard (fermé nov.) ☎ 94 71 15 17.

Paris 877 – Hyères 22 – Le Lavandou 5 – St-Tropez 35 – Ste-Maxime 39 – ♦Toulon 40.

Palma M, D 559 ☎ **94 71 17 86**, – wc **P**. AE ① E VISA
fermé nov. – SC : **R** *(fermé dim. soir et lundi sauf du 17 juin au 16 sept.)* (du 15 juil. au 15 sept. dîner seul.) 125/210 – 24 – **20 ch** 296.

Safari H. M, rte Stade ☎ **94 71 09 83, Télex 404603, ≤ baie et les îles,** – wc ☎ **P**. AE ① E VISA.
1er avril-15 oct. – SC : **R** Grill *(15 juin-15 sept. et fermé dim.)* (dîner seul.) carte environ 125 – 28 – **33 ch** 375.

Paradis H. sans rest, **Mont des Roses quartier du Pin ☎ 94 71 06 85, ≤,** – wc wc ☎ **P**.
20 mars-15 oct. – SC : 13 – **20 ch** 130/253.

Belle-Vue, pl. Gambetta ☎ **94 71 15 15, ≤,** – . E
1er fév.-1er oct. – SC : **R** 70/92 – 14,50 – **13 ch** 103/137 – P 214.

Tonnelle des Délices, pl. Gambetta ☎ **94 71 34 84,**
1er avril-30 sept. et fermé le midi sauf en avril, sam., dim. et fériés – SC : **R** 110/180.

La Cassole, ruelle Moulin ☎ **94 71 14 86.** E VISA
fin janv.-fin oct. et fermé dim. soir, lundi et mardi hors sais. sauf fériés – SC : **R** carte 170 à 220.

à Cabasson S : 8 km par D 41 – ✉ **83230** Bormes-les-Mimosas :

Palmiers M, ☎ **94 64 81 94,** – wc ☎ **P** – 30. AE ① E VISA
SC : **R** 100/190 – 34 – **21 ch** 330/450 – P 375/475.

BORNY 57 Moselle 57 ⑭ – rattaché à Metz.

BORT-LES-ORGUES 19110 Corrèze 76 ② **G. Auvergne** – 4 950 h. alt. 430.

Voir Barrage★★ N : 1 km – Orgues de Bort★ : ★★ SO : 3 km puis 15 mn.

Office de Tourisme pl. Marmontel ☎ 55 96 02 49.

Paris 469 – ♦Clermont-Fd 84 – Mauriac 30 – Le Mont-Dore 48 – St-Flour 88 – Tulle 71 – Ussel 31.

Central, 65 av. Gare ☎ **55 96 74 82, Télex 580106,** – wc wc ☎ – 50. E VISA
fermé 10 au 31 janv. et lundi hors sais. – SC : **R** 55/157 – 22 – **25 ch** 75/175 – P 197/241.

Gare, av. Gare ☎ **55 96 00 47** – ☎ **P**. AE ① E VISA
fermé vend. soir et sam. midi – **R** 60/120 – 17 – **27 ch** 75/170 – P 170/200.

Pavillon, pl. Champ de Foire ☎ **55 96 72 09,** – wc . E VISA
fermé 10 déc. au 10 janv., lundi midi et dim. du 1er oct. au 31 mai – SC : **R** 40/78 – 16 – **10 ch** 74/118.

Val H. sans rest, av. Gare ☎ **55 96 02 56** –
fermé 25 mai au 5 juin et 28 sept. au 10 oct. – SC : 15 – **9 ch** 62/90.

Barrage sans rest, 851 av. Gare ☎ **55 96 73 22** – .
21 juin-22 sept. – SC : 14 – **12 ch** 54/80.

à Veillac (15 Cantal) N : 5 km sur D 922 – ✉ **15270** Champs-sur-Tarentaine.

Voir Val : site★★, château★ NO : 4 km.

BMW, TOYOTA Gar. Carloni, 880 av. Jean-Jaurès ☎ 71 96 70 59 N
CITROEN Serre, à Lanobre ☎ 71 40 30 06
FIAT, LANCIA-AUTOBIANCHI Gar. du Pont Neuf, ☎ 71 96 00 75 N
PEUGEOT, TALBOT Monteil, à Lanobre ☎ 71 40 30 05 N
PEUGEOT Vergeade, 843 av. Gare ☎ 71 96 74 78

BORT-L'ÉTANG 63 P.-de-D. 73 ⑮ – rattaché à Lezoux.

Les BOSSONS 74 H.-Savoie 74 ⑧ – rattaché à Chamonix.

BOUAYE 44830 Loire-Atl. 67 ③ – 3 445 h.

Paris 396 – Challans 41 – ♦Nantes 18 – St-Nazaire 61.

à la Roderie NE : 2,5 km – ✉ **44830** Bouaye :

Aub. de la Grignotière, ☎ **40 65 46 11** – **P**. AE E VISA
fermé 16 août au 14 sept. et mardi – SC : **R** 65 bc/99.

BOUCONVILLE-SUR-MADT 55 Meuse 57 ⑫ – 83 h. alt. 238 – ✉ 55300 St-Mihiel.

Env. Butte de Montsec : ✶★★, monument★ N : 13 km, G. Alsace et Lorraine.

Paris 273 – Bar-le-Duc 49 – Commercy 14 – ♦Metz 57 – ♦Nancy 46 – Verdun 51.

XX **Relais des Deux Cheminées,** ☎ 29 90 42 79 – ⓟ. E VISA. ✻
fermé 15 au 24 sept., vacances de fév., lundi soir et mardi – SC : **R** (nombre de couverts limité, prévenir) 90/130.

BOUGIVAL 78 Yvelines 55 ⑳, 101 ⑬ – voir à Paris, Environs.

BOUILLAND 21 Côte-d'Or 66 ⑪ **G. Bourgogne** – 136 h. alt. 410 – ✉ **21420** Savigny-lès-Beaune.

Paris 325 – Autun 55 – Beaune 16 – Bligny-sur-Ouche 12 – ♦Dijon 44 – Saulieu 55.

XXX ❀ **Host. du Vieux Moulin** (Silva) ⛰ avec ch, ☎ **80 21 51 16,** ≤ – ⇨wc ☎ ⓟ. AE ⓓ E VISA
fermé 15 déc. au 22 janv., jeudi midi et merc. – SC : **R** (nombre de couverts limité - prévenir) 128/247 – ☕ 30 – **8 ch** 170/220
Spéc. Étuvée de dos de brochet au céleri et truffes, Hochepot de pintade en crépinette, Chariot de desserts.

La BOUILLE 76 S.-Mar. 55 ⑥ **G. Normandie** – 550 h. alt. 5 – ✉ **76530** Grand Couronne.

Voir Château de Robert le Diable★ : ✶★ SE : 3 km – Moulineaux : vitrail★ de l'église E : 3 km – Bac : renseignements ☎ **35 23 80 37.**

Paris 136 – Bernay 41 – Elbeuf 15 – Louviers 30 – Pont-Audemer 35 – ♦Rouen 20.

XXX ❀ **St-Pierre** (Kukurudz) avec ch, ☎ **35 23 80 10,** ≤, ☂ – ⇨wc ⋒wc ☎. AE ⓓ VISA. ✻
fermé mardi soir et merc. du 1er nov. au 31 mars – SC : **R** 120/220 – ☕ 27 – **7 ch** 170/220
Spéc. Cervelas de poissons fumé aux truffes, Civet de homard au Sauternes (mai-sept.), Soufflé au calvados.

XX **Les Gastronomes,** ☎ 35 23 80 72, ☂ – AE ⓓ VISA
fermé 16 au 30 sept., fév., merc. soir et jeudi – SC : **R** 155/200.

XX **Maison Blanche,** ☎ 35 23 80 53, ≤ – VISA
fermé 15 juil. au 2 août, 19 déc. au 6 janv., dim. soir et lundi – **R** 88/150.

XX **Poste,** ☎ 35 23 83 07, ≤ – VISA
fermé 20 déc. au 20 janv., lundi soir et mardi – SC : **R** 82/172.

BOUILLY 38 Isère 77 ④ – rattaché à Lans-en-Vercors.

BOUIN 85230 Vendée 67 ② – 292 h.

Paris 429 – Challans 24 – ♦Nantes 51 – Noirmoutier-en-l'Ile 30 – St-Nazaire 53.

XX **Le Courlis,** ☎ 51 68 64 65 – ⓟ. E VISA
fermé 15 janv. au 1er mars, mardi de sept. à juin et lundi soir – SC : **R** 70/120 ♫.

Gar. de l'Aumois, ☎ 51 68 74 22

BOULIAC 33 Gironde 71 ⑨ – rattaché à Bordeaux.

BOULIGNEUX 01 Ain 74 ② – rattaché à Villars-les-Dombes.

BOULOGNE-BILLANCOURT 92 Hauts-de-Seine 55 ⑳, 101 ㉔ – voir à Paris, Environs.

BOULOGNE-SUR-MER ◇SP◇ 62200 P.-de-C. 51 ① **G. Flandres, Artois, Picardie** – 48 349 h.

Voir Ville haute★★ YZ : **coupole★, crypte et trésor★ de la basilique** Y **B, ≤★ du Beffroi** Y **H, perspectives★ des remparts** YZ – **Calvaire des marins ≤★** Y – **Colonne de la Grande Armée★ : ✶★★ 5 km par ① – Côte d'Opale★ par ①.**

Env. St-Étienne-au-Mont ≤★ 7 km par ④.

⛳18 **de Wimereux** ☎ **21 32 43 20 par : ① 8 km.**

🚗 ☎ **21 80 50 50.**

ℹ Office de Tourisme Pont Marguet ☎ 21 31 68 38 - A.C. 63 av. J.-F.-Kennedy ☎ 21 92 26 90.

Paris 243 ③ – ♦Amiens 123 ④ – Arras 118 ④ – ♦Calais 34 ② – ♦Le Havre 243 ④ – ♦Lille 115 ③ – ♦Rouen 177 ④.

Plan page suivante

🏨 **Métropole** sans rest, **51 r. Thiers** ☎ **21 31 54 30,** 🚗 – 🛗 TV ⇨wc ⋒wc ☎. VISA
fermé 21 déc. au 5 janv. – SC : ☕ 17 – **27 ch** 107/215. Z **e**

🏨 **Ibis, bd Diderot** ☎ **21 30 12 40, Télex 160485** – 🛗 TV ⇨wc ☎ – 🏛 40. E VISA
SC : **R** carte environ 85 ♫ – ☕ 19,50 – **79 ch** 175/226. Z **a**

🏨 **Faidherbe** sans rest, **12 r. Faidherbe** ☎ **21 31 60 93** – 🛗 TV ⇨wc ⋒wc ☎
SC : ☕ 22 – **35 ch** 140/250. Z **t**

🏨 **Lorraine** sans rest, **7 pl. Lorraine** ☎ **21 31 34 78** – ⇨wc ⋒wc ☎. E VISA. ✻
fermé 15 déc. au 15 janv. et dim. du 15 nov. au 15 mars – SC : ☕ 16 – **21 ch** 100/170. Y **v**

🏨 **Londres** sans rest, **22 pl. France** ☎ **21 31 35 63** – 🛗 ⇨wc ⋒wc ☎. E VISA Z **n**
SC : ☕ 16 – **20 ch** 95/160.

WIMEREUX 6,5 km
CALAIS 34 km
FOLKESTONE DOUVRES
MANCHE
PLAGE
D 940
D 96
N 1
Rue du Chemin Vert
ST-PATRICK
STE-BERNADETTE
BEAUREPAIRE
ST-PIERRE
Av. Ch. de Gaulle
ST-OMER 53 km N 42
BASSIN LOUBET
GARE MARITIME
GARE DES MARÉES
DARSE SARRAZ-BOURNET
GARE AUTOS COUCHETTES
CAPÉCURE
Huguet
R. Faidherbe
Grande Rue
VILLE HAUTE
AGENCE MICHELIN
GARE AÉROGLISSEUR (HOVERPORT)
Bd Chanzy
ST-VINCENT-DE-PAUL
LE PORTEL
STE-THÉRÈSE
LA MADELEINE
D 236
D 235
R. A. Comte
R. J. Jaurès
R. Salengro
Av. Kennedy
LIANE
Bd Industriel
OSTROHOVE
OUTREAU
D 119
0 300 m
LE TOUQUET 32 km
MONTREUIL 38 km
ABBEVILLE 81 km

BOULOGNE-SUR-MER

Faidherbe (R.) ..... Y
Grande-Rue .... Z
Lampe (R. de la).... Z 33
Thiers (R. Adolphe) YZ 60
Victor-Hugo (R.) .. YZ

Adam (R. H.)........ X 2
Alsace (R. d') ...... Z 3
Ansart-Rault (R.) ... X 4
Apolline (R.) .... X 5
Aumont (R. d') ..... Z 7
Beaucerf (Bd) ...... Z 8
Beaurepaire (R. de). X 9
Bras-d'Or (R. du) ... Z 13
Chanoine-Pillons (R.) ...... X 14
Colonne (R. de la) .. X 17
Diderot (Bd) .... X 18
Duflos (R. Louis) ... X 19
Dutertre (R.) .... Y 20
Égalité (R. de l') .... X 22
Entente-Cordiale (Pont de l') ...... Z 23
Huguet (Bd A.)...... X 29
Jaurès (Bd Jean) ... X 30
J.-J.-Rousseau (Bd) X 32
Lavocat (R. Albert).. X 34
Liberté (Bd de la) .. X 35
Lille (R. de) .... Y 37
Marguet (Pont)...... Z 38
Michelet (R. Jules) . X 39
Montesquieu (Bd) .. X 40
Mont-Neuf (R. du).. X 42
Orme (R. de l') ..... X 44
Perrochel (R.) ...... Z 47
Porte-Neuve (R.) ... Y 49
Puits-d'Amour (R.).. Z 53
Résistance (Pl.) .... Y 55
St-Louis (R.) .... Y 56
St-Omer (R. de) .... Y 57
Ste-Beuve (Bd) ..... X 59
Tour-N.-Dame (R.) . Y 61
Voltaire (Bd) .... Z 63
Wicardenne (R. de). X 64

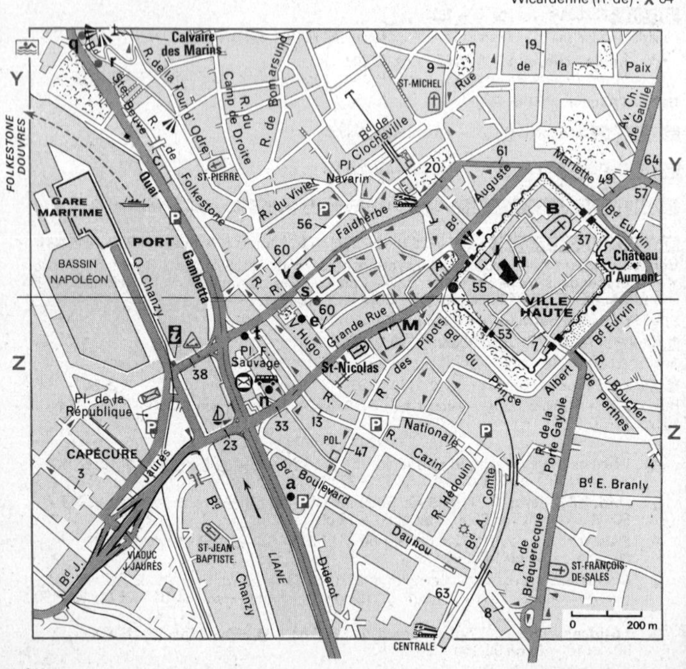

XXX ❀ **La Matelote** (Lestienne), 80 bd Ste-Beuve ✆ 21 30 17 97 – E VISA Y q
fermé 15 au 30 juin, 20 déc. au 15 janv., dim. soir et mardi – SC : **R** carte 165 à 220
Spéc. St Jacques en papillote (1er oct. au 31 mai), Panaché de poissons Matelote, Crêpes fourrées à la crème d'amande.

XXX **La Liégeoise,** 10 r. A.-Monsigny ✆ 21 31 61 15 – AE ◑ E VISA YZ s
fermé dim. soir et vend. – SC : **R** 84 (sauf fêtes)/130.

XX **Plage** avec ch, 124 bd Ste-Beuve ✆ 21 31 45 35 – ⇔ ⋔ Y r
fermé 20 déc. au 28 janv. et lundi – SC : **R** *(fermé dim. soir sauf juil.-août et lundi)* 62/125 ♁ – ☕ 14,50 – **10 ch** 95/125.

à Pont-de-Briques par ④ : 5 km – ✉ **62360** Pont-de-Briques St-Étienne :

XXX ❀ **Host. de la Rivière** (Martin) avec ch, 17 r. Gare ✆ 21 32 22 81 – ✂ ch
fermé en août, vacances de fév., dim. soir et lundi – SC : **R** 78/250 – ☕ 13 – **9 ch** 77/125 – P 280/320
Spéc. Rouelles de homard en salade (juin-juil.), Ris de veau aux langoustines, Feuillantine de poires.

au Portel SO : 5 km – 11 074 h. – ✉ **62480** Le Portel.
ℹ Office de Tourisme pl. Poincaré (juin-sept.) ✆ 21 31 45 93.

⌂ **Beau Rivage,** pl. Mgr.-Bourgain, quartier plage. ✆ 21 31 59 82 – ⋔. E VISA. ✂ ch
fermé 15 déc. au 15 janv., vend. soir et dim. soir hors sais. – SC : **R** 50/150 ♁ – ☕ 18,50 – **10 ch** 105/160 – P 140/170.

X **Gd Large,** r. Mar.-Foch, quartier plage ✆ 21 31 71 51 – VISA
fermé janv. et vend. soir du 1er oct. au 1er mai – **R** 55/100 ♁.

MICHELIN, Agence, r. P.-Martin, Z.I. Inquetrie à St-Martin Boulogne par ③ 21 92 29 48

AUSTIN-ROVER Auto Channel, Zone Ind. de la Liane à St-Léonard ✆ 21 92 03 30
BMW Éts Cornuel-Boulogne, 13 r. Quéhen ✆ 21 91 11 14
CITROEN Succursale, bd Liane par bd Industriel, Zone Ind. à St-Léonard ✆ 21 92 21 11
FIAT Gar. Avenue, bd Liane à St-Léonard ✆ 21 30 44 11
FORD Gar. de Paris, 33 av. Kennedy ✆ 21 92 05 22
PEUGEOT-TALBOT Gar. St-Christophe, bd Liane, Zone Ind. à St-Léonard par ④ ✆ 21 92 09 11
RENAULT Legrand Boulogne, bd Liane par bd Industriel, Zone Ind. à St-Léonard ✆ 21 91 18 44 N
V.A.G. Gar. Eau-Belle, Parking Auchan à St-Martin-les-Boulogne ✆ 21 92 19 37

Ⓜ Peuvion-Pneus, 12 r. de Constantine ✆ 21 31 85 62
Pneu Fauchille, 10 r. Gerhard-Hansen ✆ 21 91 04 44
Renova-Pneu, r. P. Martin ZI Inqueterie à St Martin Les Boulogne ✆ 21 80 72 72

Le BOULOU 66160 Pyr.-Or. 86 ⑲ G. Pyrénées – 4 292 h. alt. 89 – Stat. therm. (15 janv.-24 déc.) – Casino.

ℹ Syndicat d'Initiative pl. Mairie ✆ 68 83 36 32.
Paris 929 – Amélie-les-Bains 16 – Argelès-sur-Mer 19 – Barcelona 165 – Céret 9 – ♦Perpignan 24.

🏨 **Relais des Chartreuses** Ⓜ ♨, SE : 4,5 km par N 9, D 618 et VO ✆ 68 83 15 88, ←, ☂, ⛱, ⛟, ✂ – ⇔wc ☎ Ⓟ
fermé lundi – SC : **R** (prévenir) carte environ 210 – ☕ 37 – **10 ch** 265/335, (en sais. pension seul.).

🏨 **Néoulous** Ⓜ, près échangeur ✆ 68 83 38 50, ←, ⛱ – |‡| ⇔wc ⋔wc ☎ ♿ Ⓟ – 🏛 40. AE E VISA
SC : **R** 45/150 ♁ – ☕ 19 – **46 ch** 145/180.

🏨 **Grillon d'Or,** r. République ✆ 68 83 03 60, Télex 500483, ⛱ – |‡| ⇔wc ⋔wc ☎ Ⓟ. E VISA
1er mars-30 nov. et vacances Noël – SC : **R** 46/140 ♁ – ☕ 18 – **38 ch** 92/170 – P 175/210.

🏨 **Canigou,** r. Bousquet ✆ 68 83 15 29 – ⇔wc ⋔wc Ⓟ. VISA. ✂ rest
15 avril-1er nov. – SC : **R** 55/130 – ☕ 20 – **17 ch** 85/185 – P 195/265.

⌂ **H. Centre** sans rest, r. Arago ✆ 68 83 15 73 – ⋔
1er mars-30 nov. – SC : ☕ 15 – **27 ch** 72/102.

à Vivès O : 5 km par D 115 et D 13 – ✉ **66400** Céret :

X **Hostalet de Vivès,** ✆ 68 83 05 52
fermé 11 janv. au 8 mars, jeudi hors saison et merc. – SC : **R** carte environ 100.

CITROEN Monforte, ✆ 68 83 17 28
RENAULT Montigny, ✆ 68 83 17 29

BOULOURIS 83 Var 84 ⑧, 195 ㉝ – rattaché à St-Raphaël.

BOUNIAGUES 24 Dordogne 75 ⑮ – 462 h. alt. 140 – ✉ 24560 Issigeac.

Paris 566 – Beaumont 23 – Bergerac 13 – Périgueux 60 – Villeneuve-sur-Lot 47.

XX **Voyageurs** avec ch, ✆ 53 58 32 26, ☂, ⛟ – ⋔ Ⓟ. AE
fermé 15 oct. au 15 nov. et lundi – SC : **R** 40/170 ♁ – ☕ 14 – **13 ch** 66/135 – P 145/220.

PEUGEOT Gouyou, ✆ 53 58 32 32

Le BOUPÈRE 85510 Vendée 67 ⑮ **G. Côte de l'Atlantique** – 2 893 h. alt. 123.

Paris 375 – Bressuire 36 – Cholet 34 – Les Herbiers 14 – ♦Nantes 77 – La Roche-sur-Yon 50.

Le Bocage, ✆ 51 91 42 82 – ⇔ ⋔. AE ⓞ E VISA
SC : **R** *(fermé lundi hors sais.)* 48 bc/175 ♁ – ☕ 13,50 – **12 ch** 70/110 – P 155/190.

BOURBON-LANCY 71140 S.-et-L. 69 ⑯ **G. Bourgogne** – 6 507 h. alt. 276 – Stat. therm. (10 avril-12 oct.) – **Voir Maison de bois et tour de l'horloge★ B.**

ℹ Office de Tourisme (après midi seul.) avec A.C. pl. Aligre ✆ 85 89 18 27.

Paris 310 ④ – Autun 62 ① – Mâcon 112 ③ – Montceau-les-M. 53 ② – Moulins 36 ④ – Nevers 72 ④.

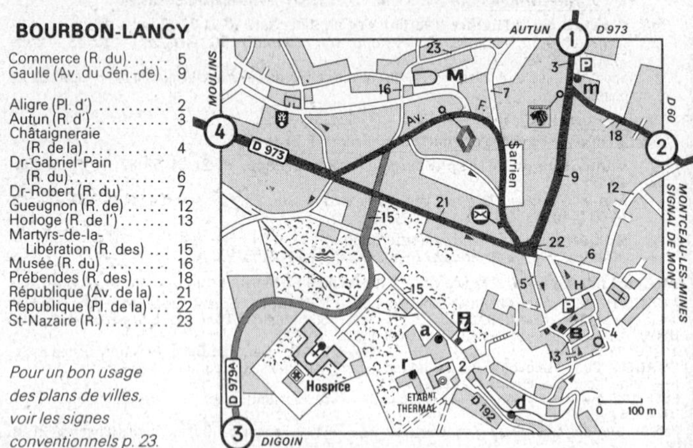

Gd Hôtel ⛰, **(r)** ✆ 85 89 08 87, parc – ⇕ ⇔wc ⋔wc ☎ Ⓟ. VISA
mi avril-mi oct. – SC : **R** 62/120 – ☕ 18 – **22 ch** 88/176.

La Roseraie sans rest, r. Martyrs-de-la-Libération **(a)** ✆ 85 89 07 96, ⛱ – ⇔wc ☎ ♿
15 avril-31 oct. – SC : ☕ 20 – **12 ch** 80/185.

✕✕ ✿ **Raymond** avec ch, 8 r. Autun **(m)** ✆ 85 89 17 39 – ▤ rest ⇔wc ⋔wc ☎ Ⓟ. ⓞ E VISA. ✂ rest
fermé 26 avril au 2 mai, 15 nov. au 5 déc., dim. soir de nov. à mai, vend. soir, sam. midi sauf juil. et août – SC : **R** (nombre de couverts limité - prévenir) 65/240 – ☕ 20 – **19 ch** 82/180 – P 190/275
Spéc. Salade de jambon de canard, Saumon poêlé, Rognon de veau au poivre. **Vins** St-Pourçain.

✕✕ **Villa Vieux Puits** ⛰ avec ch, 7 r. Bel-Air **(d)** ✆ 85 89 04 04, ⛱ – ⋔. VISA
Pâques-mi-déc. et fermé dim. soir et lundi hors sais. – SC : **R** 70/180 ♁ – ☕ 20 – **17 ch** 70/160 – P 145/175.

CITROEN Blanc, 47 av. Puzenat par ④ ✆ 85 89 11 07
PEUGEOT Puzenat, 41 av. Gén.-de-Gaulle ✆ 85 89 16 14
RENAULT Ségaud, 30 av. F.-Sarrien ✆ 85 89 19 38 N

BOURBON-L'ARCHAMBAULT 03160 Allier 69 ⑬ **G. Auvergne** – 2 550 h. alt. 260 – Stat. therm. (fermé 15 déc.-15 janv.).

Voir Allées Montespan ≤★ B – Château ≤★ E.

Env. St-Menoux : choeur★★ de l'église★ 9 km par ②.

ℹ Office de Tourisme 1 pl. Thermes (1er avril-15 oct.) ✆ 70 67 09 79.

Paris 289 ① – Montluçon 48 ③ – Moulins 23 ② – Nevers 51 ① – St-Amand-Montrond 55 ③.

Plan page ci-contre

✿ **Thermes** (Barichard), av. Ch.-Louis-Philippe **(a)** ✆ 70 67 00 15, ⛱ – ▤ rest ⇔wc ⋔wc ☎ 🚗. ✂ rest
22 mars-31 oct. – SC : **R** 63/239 – ☕ 16 – **21 ch** 96/200 – P 220/272
Spéc. Foie gras maison, Noix de lotte florentine, Noisette d'agneau sauce Duchambais.

Gd H. Montespan-Talleyrand, pl. Thermes **(e)** ✆ 70 67 00 24, ⛱ – ⇕ ⇔wc ⋔wc ☎ 🚗. VISA. ✂ rest
1er avril-30 oct. – SC : **R** 63/85 – ☕ 22 – **60 ch** 75/193 – P 151/217.

Gd H. Parc et Établissement, r. Parc **(b)** ✆ 70 67 02 55, ⛱ – ⇕ ⇔wc ☎ 🚗 Ⓟ. ✂ rest
début avril-20 oct. – SC : **R** 64/69 – ☕ 12,50 – **59 ch** 80/320 – P 112/166.

BOURBON-L'ARCHAMBAULT

Allier (R. Achille) 2
Bel-Air (R. de) 3
Bignon (Bd J.) 4
Burge (R. de la) 5
Château (R. du) 6
Desbordes (Av. E.) 7
Dubost (R. Lieutenant-Colonel) ... 8
Fontaine-Jonas (R. de la) 9
Guillaumin (Av. E.) 10
Louis-Philippe (Av. Ch.) 12
Macé (R. Jean) 13
Meillers (R. de) 14
Mouillières (Bd des) 15
Moulin (R. du) 16
Parc (R. du) 17
Paroisse (R. de la) 19
Pied-de-Fourche (R. du) 21
République (R. de la) 22
Rondreux (R. A.) 24
Solins (Bd de) 26
Thermes (Pl. des) 27
Thermes (R. des) 28
Villefranche (R. de) 29

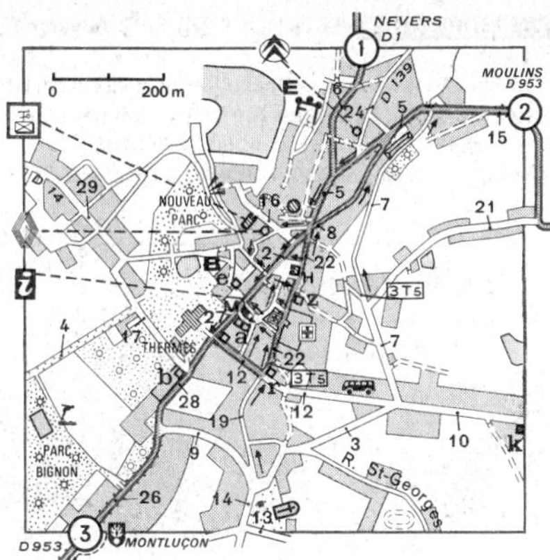

Sources, av. Thermes (a) ✆ 70 67 00 15, – wc. rest
22 mars-31 oct. – SC : R 52/66 – 13,50 – 20 ch 86/154 – P 154/163.

France, r. République (z) ✆ 70 67 00 04, – . E. rest
5 avril-20 oct. – SC : R 50/120 – 15 – 30 ch 55/120 – P 125/170.

Trois Puits, r. Trois-Puits (a) ✆ 70 67 08 35 – rest
6 avril-26 oct. – SC : R 51/68 – 17,50 – 28 ch 52/103 – P 128/147.

Acacias, av. Ch.-Louis-Philippe (r) ✆ 70 67 06 24, – wc . E
fermé fin janv. au 15 mars et hôtel : dim. et lundi hors sais. ; rest : lundi soir – SC : R 72/225 – 15,50 – 25 ch 66/159 – P 142/175.

L'Oustalet, av. E.-Guillaumin (k) ✆ 70 67 01 48 – P. E VISA
fermé 1er au 7 mars, 15 au 30 oct., dim. soir et vend. soir – SC : R 75/200.

CITROEN Deschamps, r. A.-Rondreux ✆ 70 67 00 71 N
RENAULT Gar. de la Poste, ✆ 70 67 00 19

BOURBONNE-LES-BAINS 52400 H.-Marne 62 ⑬⑭ G. Alsace et Lorraine – 2 926 h. alt. 260 – Stat. therm. (1er mars-30 nov.).

Office de Tourisme Centre Borvo, pl. Bains (1er mars-30 nov.) ✆ 25 90 01 71.

Paris 308 ④ – Chaumont 53 ④ – ♦Dijon 120 ④ – Langres 43 ④ – Neufchâteau 53 ① – Vesoul 56 ②.

BOURBONNE-LES-BAINS

Bains (R. des) 2
Bassigny (R. de) 3
Capucins (R. des) 4
Daprey-Blache (R.) 5
Écoles (R. des) 6
Gouby (Av. du Lieutenant) 7
Grande-Rue 9
Hôtel-Dieu (R. de l') 12
Lattre-de-Tassigny (Av. Maréchal-de) 14
Maistre (R. du Gén.) 15
Mont-l'Étang (R. de) 17
Moulin (R. du) 19
Pierre (R. Amiral) 22
Porte-Galon (R.) 23
Verdun (Pl. de) 25

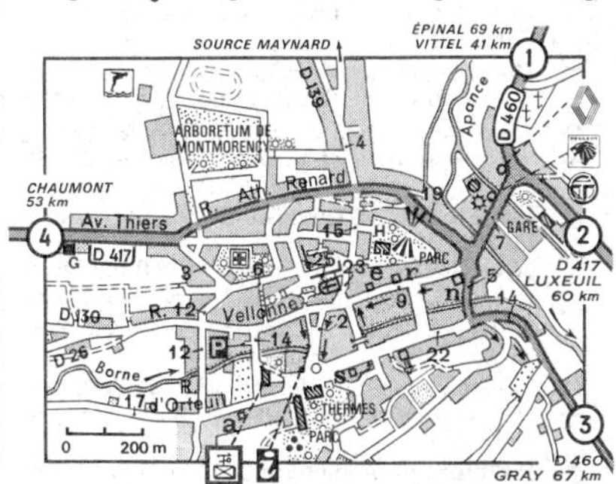

Jeanne d'Arc, r. Amiral-Pierre (s) ✆ 25 90 12 55, – TV wc wc
P. AE E VISA. rest
11 avril-20 oct. – SC : R 60/148 – 20 – 37 ch 107/214 – P 180/260.

Hérard, Gde-Rue (e) ✆ 25 90 13 33 – TV wc P. AE E VISA
SC : R 58/175 – 18 – 42 ch 109/250 – P 130/260.

Orfeuil, r. Orfeuil (a) ✆ 25 90 05 71, parc – cuisinette wc P. VISA. rest
30 mars-31 oct. – SC : R 41/72 – 13 – 55 ch 52/145 – P 133/226.

Régina, pl. Libération (n) ✆ 25 90 06 24 – wc wc. E VISA
SC : R 46/90 – 17 – 15 ch 95/190 – P 175/260.

Étoile d'Or, 53 Gde Rue (r) ✆ 25 90 06 05 – wc P. AE E VISA
20 avril-20 oct. – SC : R 52/70 – 12,50 – 41 ch 64/132 – P 129/177.

CITROEN-FORD Michaud, par ① ✆ 25 90 03 12
PEUGEOT-TALBOT André, ✆ 25 90 00 56
RENAULT Beau, ✆ 25 90 00 72

La BOURBOULE 63150 P.-de-D. **73** ⑬ **G. Auvergne – 2 403 h. alt. 852 – Stat. therm. (2 mai-30 sept.).**

Voir Parc Fenêstre★ B – Roche Vendeix ✶★ 4 km par ② puis 30 mn.

Env. La Banne d'Ordanche ✶★★ NE : 7 km par D 88 B puis 30 mn.

ℹ Office de Tourisme pl. Hôtel de Ville ✆ 73 81 07 99.

Paris 435 ③ – Aubusson 86 ③ – ♦Clermont-Ferrand 53 ③ – Mauriac 70 ③ – Ussel 53 ③.

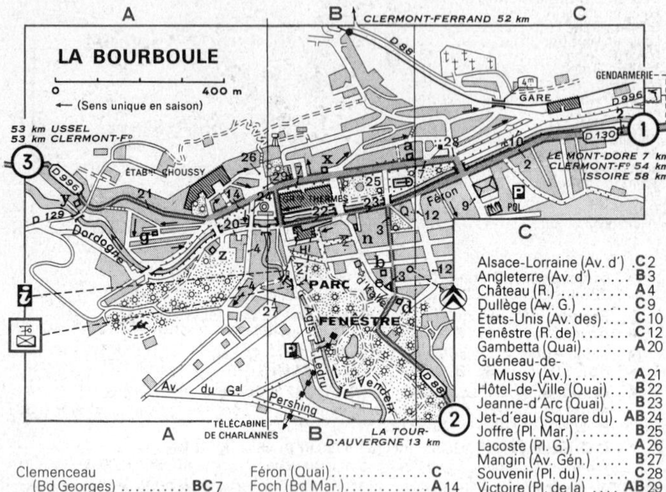

🏨 **International** Ⓜ, av. Angleterre ✆ 73 81 05 82 – ⇔wc ⋔wc ☎. AE ⓓ E VISA. ✻ B **e**
fermé 20 au 28 avril et 3 nov. au 20 déc. – SC : **R** 75 – ☕ 20 – **16 ch** 180/200 – P 230/260.

🏨 **Balroy's,** bd G.-Clemenceau ✆ 73 81 01 44 – |♦| ⇔wc ☎ Ⓟ B **x**
avril-fin sept. et vacances scolaires de fév. – SC : **R** 80/110 – ☕ 16 – **27 ch** 60/210 – P 162/350.

🏨 **Parc,** quai Mar. -Fayolle ✆ 73 81 01 77, ⛱ – |♦| ⇔wc ☎. AE ⓓ E VISA. ✻ rest
15 mai-25 sept. – SC : **R** 72/100 – ☕ 20 – **54 ch** 89/220 – P 175/255. A **z**

🏨 **Aviation,** r. Metz ✆ 73 81 09 77 – |♦| ⇔wc ⋔ ☎. VISA. ✻ rest B **b**
◆ *1er mai-30 sept. et 20 déc.-15 avril* – SC : **R** 55/65 – ☕ 17 – **50 ch** 90/230 – P 190/240.

🏨 **Les Fleurs,** av. Guéneau-de-Mussy ✆ 73 81 09 44, ⛱ – ▤ rest ⇔wc ⋔wc ☎
◆ Ⓟ. VISA. ✻ A **y**
28 avril-3 oct. et janv. à mars – SC : **R** 50/108 – ☕ 15 – **24 ch** 153/199 – P 153/241.

🏨 **Valsesia,** av. Italie ✆ 73 81 06 29 – ⇔wc ⋔wc ☎. ✻ B **n**
◆ *1er mai-30 sept. et 25 déc.-31 mars* – SC : **R** 60/126 – ☕ 13,50 – **12 ch** 116/150 – P 195.

🏨 **Le Charlet,** bd L.-Choussy ✆ 73 81 05 80 – |♦| ⇔wc ⋔wc ☎. ✻ rest A **g**
◆ *1er mai-30 sept. et 25 déc.-fin mars* – SC : **R** 50/105 – ☕ 14 – **43 ch** 63/133 – P 113/175.

🏨 **Pavillon,** av. Angleterre ✆ 73 81 01 42, ⇐, ⛱ – |♦| ⇔wc ⋔wc ☎. ✻ B **d**
◆ *20 mai-20 sept.* – SC : **R** 50/65 – ☕ 15 – **26 ch** 125/150 – P 160/180.

🏨 **Genève,** bd G.-Clemenceau ✆ 73 81 04 85 – ⇔wc B **a**
◆ *1er mai-25 sept. et vacances scolaires d'hiver* – SC : **R** 46/75 – ☕ 13 – **40 ch** 62/140 – P 120/170.

au Nord : 1,5 km par D 88 - B :

✕✕ **Aub. Tournebride** 🐴 avec ch, ✉ 63150 La Bourboule ✆ 73 81 01 91, ⇐ – Ⓟ. ✻
fermé 14 au 21 avril et lundi hors sais. sauf fériés et vacances scolaires – SC : **R** 70/150 – ☕ 17,50 – **8 ch** 135/160 – P 205/215.

au NE 2 km par D 996 :

🏨 **L'Horizon** Ⓜ, av. Mar. Leclerc ✆ 73 81 08 40 – ⇔wc ⋔wc ☎ Ⓟ. VISA. ✻ rest
◆ *fermé 12 nov. au 8 déc.* – SC : **R** 53/85 – ☕ 18 – **18 ch** 165/175 – P 205/225.

CITROEN Gar. Aviation, r. Metz ✆ 73 81 02 88

BOURBOURG 59630 Nord 51 ③ – 7 341 h.
Paris 284 – •Calais 28 – Cassel 28 – Dunkerque 18 – •Lille 83 – St-Omer 26.

XX **La Gueulardière,** 4 pl. Hôtel de Ville ✆ 28 22 20 97 – AE
fermé août et lundi sauf fériés – SC : **R** 53/63 et carte le dim.

BOURCEFRANC-LE-CHAPUS 17 Char.-Mar. 71 ⑭ – rattaché à Marennes.

BOURDEAU 73 Savoie 74 ⑮ – rattaché au Bourget-du-Lac.

BOURDEAUX 26460 Drôme 77 ⑬ – 578 h. alt. 407.
Syndicat d'Initiative pl. de la Lève (1er juil.-31 août.) ✆ 75 53 33 29.
Paris 617 – Crest 24 – Montélimar 40 – Nyons 44 – Pont-St-Esprit 74 – Valence 52.

Trois Châteaux, rte Nyons ✆ 75 53 33 92 – ⋒. ✻
fermé 26 sept. au 7 nov. – SC : **R** 65/100 – ☕ 14,50 – **14 ch** 55/170 – P 150/170.

BOURDEILLES 24 Dordogne 75 ⑤ – rattaché à Brantôme.

BOURGANEUF 23400 Creuse 72 ⑨ **G. Périgord** (plan) – 1 868 h. alt. 446.
Voir Charpente★ de la tour Zizim – Tapisserie★ dans l'Hôtel de Ville.
Syndicat d'Initiative à l'Hôtel de Ville ✆ 55 64 07 61.
Paris 388 – Aubusson 39 – Guéret 33 – •Limoges 49 – Tulle 104 – Uzerche 85.

Commerce, r. Verdun ✆ 55 64 14 55 – ⇔wc ☎ ⇔ – 150
fermé 22 déc. au 15 fév., dim. soir et lundi hors sais. sauf fêtes – SC : **R** 55/180 – ☕ 19 – **16 ch** 75/200 – P 220/340.

Boule d'Or sans rest, av. Turgot ✆ 55 64 12 02 – ⋒wc ☎ Ⓟ. AE
fermé oct. et lundi – SC : ☕ 15,50 – **16 ch** 65/138.

Coupole, av. Turgot ✆ 55 64 08 99 – ⋒ Ⓟ. AE
fermé nov. et sam. – SC : **R** 50/70 🍷 – ☕ 14 – **13 ch** 60/95 – P 140/150.

CITROEN Lacourie, ✆ 55 64 00 23
PEUGEOT-TALBOT Barlet, ✆ 55 64 08 76
RENAULT Gaumet, 3 av. Turgot ✆ 55 64 14 22

BOURG-ARGENTAL 42220 Loire 76 ⑨ **G. Vallée du Rhône** – 3 202 h. alt. 534.
Syndicat d'Initiative pl. Liberté (15 juin-15 sept.) ✆ 77 39 63 49.
Paris 543 – Annonay 15 – Le Puy 77 – •St-Étienne 28 – Vienne 54 – Yssingeaux 49.

France sans rest, pl. 11 Novembre ✆ 77 39 60 28 – ⇔wc ☎. VISA
fermé fév. et lundi sauf juil.-août – SC : ☕ 14 – **14 ch** 80/150.

Garage Moderne, ✆ 77 39 62 14 N

BOURG-CHARENTE 16 Charente 72 ⑫ – rattaché à Jarnac.

BOURG-DE-PÉAGE 26 Drôme 77 ② – rattaché à Romans-sur-Isère.

Le BOURG-D'OISANS 38520 Isère 77 ⑥ **G. Alpes** – 3 071 h. alt. 719.
Voir Cascade de la Sarennes★ NE : 1 km puis 15 mn – Gorges de la Lignarre★ NO : 3 km.
Office de Tourisme quai Girard ✆ 76 80 03 25.
Paris 611 – Briançon 67 – Gap 118 – •Grenoble 49 – St-Jean-de-Maurienne 94 – Vizille 32.

l'Oberland, ✆ 76 80 24 24, ⚘ – |♦| ⇔wc ⋒wc ☎ Ⓟ. AE ⓓ E VISA. ✻ rest
15 mai-5 oct. et 18 déc.-15 avril – SC : **R** 62/132 – ☕ 21 – **30 ch** 184/204 – P 188/204.

au Châtelard NE : 12 km par D 211, D 211A et VO – alt. 1 450 – ✉ **38520** Bourg d'Oisans :

La Forêt de Maronne ⛰, ✆ 76 80 00 06, ←, ⛱, ⚘ – ⋒wc Ⓟ. ✻ rest
20 juin-20 sept., 20 déc.-20 avril – SC : **R** 40/120 🍷 – ☕ 17,50 – **12 ch** 74/170 – P 144/179.

CITROEN Gar. Bonnenfant, les Sables-en-Oisans ✆ 76 80 07 00
PEUGEOT-TALBOT Gar. Pouchot, ✆ 76 80 02 56 N ✆ 76 80 23 47
RENAULT Gar. Corroyez, ✆ 76 80 01 62

BOURG-D'OUEIL 31 H.-Gar. 85 ⑳ – 21 h. alt. 1 350 – ✉ **31110** Luchon.
Voir Vallée d'Oueil★ au SE – Kiosque de Mayrègne ✻★ SE : 5 km, **G. Pyrénées**.
Paris 885 – Luchon 15 – St-Gaudens 61 – Tarbes 105 – •Toulouse 151.

Sapin Fleuri ⛰, ✆ 61 79 21 90, ← – ⋒ Ⓟ. ✻ rest
10 juin-1er oct. et 20 déc.-30 avril – **R** 70/145 – ☕ 17 – **20 ch** 100/120 – P 180/200.

BOURG-DUN 76 S.-Mar. 52 ③ – rattaché à Fontaine-le-Dun.

BOURG-EN-BRESSE P 01000 Ain 74 ③ G. Bourgogne – 43 675 h. alt. 240.

Voir Église de Brou★★ : tombeaux★★★, chapelles et oratoires★★★ BZ **B** – Monastère★ : musée de Brou★ BZ **E** – Stalles★ de l'église N.-Dame BY **K**.

Office de Tourisme 6 av. Alsace-Lorraine ✆ 74 22 49 40 et bd de Brou (juil.-août) ✆ 74 22 27 76 – A.C. 5 r. du Palais ✆ 74 22 43 11.

Paris 413 ⑦ – Annecy 119 ④ – ♦Besançon 148 ② – Bourges 268 ⑦ – Chambéry 110 ④ – ♦Clermont-Fd 221 ⑤ – ♦Dijon 144 ⑦ – ♦Genève 118 ④ – ♦Lyon 62 ⑤ – Roanne 118 ⑥.

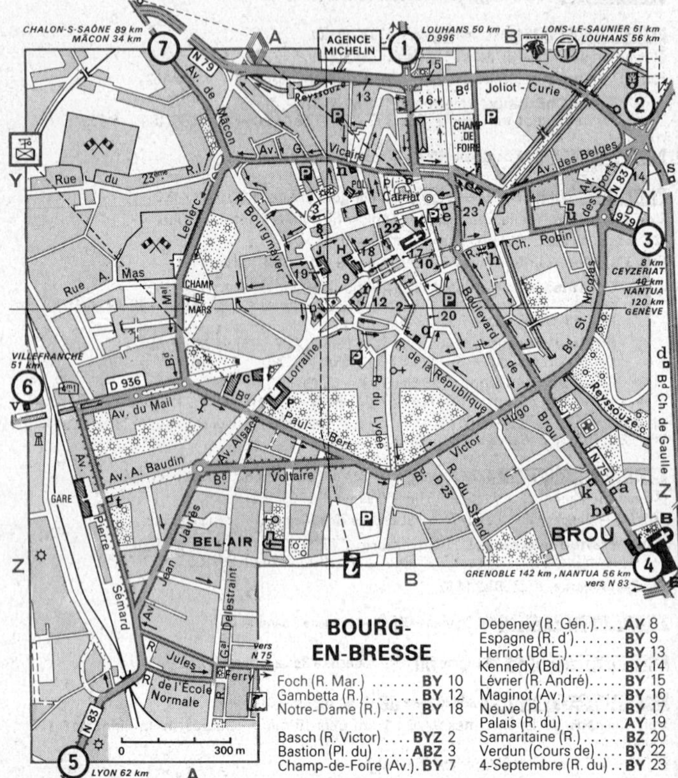

BOURG-EN-BRESSE

Foch (R. Mar.) . . . . **BY** 10
Gambetta (R.) . . . . **BY** 12
Notre-Dame (R.) . . . . . **BY** 18

Basch (R. Victor) . . . . **BYZ** 2
Bastion (Pl. du) . . . . . **ABZ** 3
Champ-de-Foire (Av.). **BY** 7

Debeney (R. Gén.) . . . . **AY** 8
Espagne (R. d') . . . . **BY** 9
Herriot (Bd E.) . . . . **BY** 13
Kennedy (Bd) . . . . **BY** 14
Lévrier (R. André) . . . . . **BY** 15
Maginot (Av.) . . . . **BY** 16
Neuve (Pl.) . . . . **BY** 17
Palais (R. du) . . . . **AY** 19
Samaritaine (R.) . . . . . . **BZ** 20
Verdun (Cours de) . . . . **BY** 22
4-Septembre (R. du) . . **BY** 23

Prieuré M sans rest, 49 bd Brou ✆ 74 22 44 60, « Bel aménagement intérieur », AE VISA — BZ **a**
SC : 32 – **14 ch** 250/440.

Le Logis de Brou M sans rest, 132 bd Brou ✆ 74 22 11 55 – AE VISA — BZ **k**
SC : 20 – **30 ch** 136/240.

Chantecler M, 10 av. de Bad Kreuznach, rte Strasbourg par ② ✆ 74 22 44 88, Télex 380468, – wc – 60. AE E VISA. rest
fermé 15 déc. au 4 janv. – SC : **R** *(fermé dim. midi)* 80/160 – 23 – **28 ch** 175/220.

Ariane M, bd Kennedy ✆ 74 22 50 88, – wc – 30. E VISA — BY **s**
fermé 23 déc. au 6 janv. – SC : **R** *(fermé dim. et fêtes)* (dîner seul. pour résidents) 80 – 22 – **29 ch** 185/220.

Terminus sans rest, 19 av. Alphonse Baudin ✆ 74 21 01 21, Télex 380844, parc – wc . AE E VISA — AZ **t**
SC : 21 – **50 ch** 145/240 – P 210/260.

France, 19 pl. Bernard ✆ 74 23 30 24, Télex 330 740 – wc wc . AE E VISA — BY **e**
SC : **R** *(fermé 18 nov. au 18 déc., sam. midi et dim.)* 80/120 – 20 – **50 ch** 155/240.

Ibis Ⓜ, ZAC Croix Blanche bd Ch.-de-Gaulle ✆ **74 22 52 66, Télex 900471** – wc ☎ ♿ Ⓟ – 60. AE E VISA BZ **d**
SC : **R** carte environ 85 – 22 – **42 ch** 183/246.

Régina sans rest, r. Malivert par r. Ch.-Robin ✆ **74 23 12 81** – ⋔. E BY **u**
SC : 15,50 – **13 ch** 76/145.

XXXX ❀ **Auberge Bressane** (Vullin), face église de Brou ✆ **74 22 22 68,** – Ⓟ. AE ⓓ VISA BZ **f**
fermé 25 nov. au 17 déc., lundi soir et mardi – **R** 100/290
Spéc. Emincé de turbot à la vinaigrette de truffes, Ragoût de homard, Volaille de Bresse à la crème. **Vins** Montagnieu, Seyssel.

XXX ❀ **Mail** (Charolles) avec ch, **46 av. Mail** ✆ **74 21 00 26** – wc Ⓟ. ⓓ. ch
fermé 2 au 17 juin, 22 déc. au 13 janv., dim. soir et lundi – **SC** : **R** (nombre de couverts limité - prévenir) 90/190 – 18 – **11 ch** 90/190 – P 270/350 AZ **v**
Spéc. Grenouilles sautées aux fines herbes, Poissons, Volaille de Bresse rôtie. **Vins** Beaujolais-Villages, St-Véran.

XX **Ermitage,** 142 bd de Brou ✆ **74 22 19 00** – AE ⓓ E VISA. BZ **b**
fermé 14 juil. au 15 août, 7 au 14 déc., dim. soir et lundi – **SC** : **R** 55/180.

XX **Chalet de Brou,** face église de Brou ✆ **74 22 26 28,** BZ **f**
fermé 1er au 15 juin, 23 déc. au 20 janv., jeudi soir et vend. – **SC** : **R** 48/190.

XX **Reyssouze** avec ch, **20 r. Charles Robin** ✆ **74 23 11 50** – ⋔. VISA. ch BY **h**
fermé 30 juin au 14 juil., 26 janv. au 9 fév., dim. soir et lundi – **SC** : **R** 73/170 – 16 – **9 ch** 63/96.

XX **Bistroquet,** 11 r. République ✆ **74 23 64 01** – ⓓ VISA BZ **q**
fermé sam. midi et dim. – **SC** : **R** 75.

XX **Le Français,** 7 av. Alsace-Lorraine ✆ **74 22 55 14** – AE E VISA BY **r**
fermé 9 août au 1er sept., 22 au 30 déc., sam. soir et dim. – **SC** : **R** 75/150.

XX **Savoie,** 15 r. P.-Pioda ✆ **74 23 29 24** – AE ⓓ E VISA BY **n**
fermé 10 au 17 juil., 13 nov. au 11 déc., mardi soir, merc. soir et jeudi – **SC** : **R** 46/147.

X **Rest. de l'Église de Brou,** face église de Brou ✆ **74 22 15 28** BZ **f**
fermé 30 juin au 19 juil., 15 au 30 déc., mardi et merc. – **SC** : **R** 47/129.

à St-Just par ③ : 3 km D 979 – ✉ **01250** Ceyzeriat :

XXX **La Petite Auberge,** ✆ **74 22 30 04,** , « Auberge fleurie » – VISA
fermé début janv. à début fév., lundi soir et mardi – **SC** : **R** (prévenir) 122/250.

à Lent par ⑤ et D 22 : 10 km – ✉ **01240** St-Paul-de-Varax :

X **Place,** ✆ **74 52 76 84**
fermé fév., 10 au 23 sept. et mardi – **SC** : **R** 54/110.

MICHELIN, Agence, rte de Marboz, Z.I. Extention-Nord par ① ✆ **74 23 21 43**

ALFA-ROMEO, SEAT Gar. de France, 22 r. 4-Septembre ✆ 74 23 19 34
BLF, VOLVO Meunier, rte de Strasbourg N 83 à Viriat ✆ 74 22 20 80
BMW Bresse Auto Sport, Rd-Pt B.-Thimonier Zone Ind. Nord ✆ 74 22 62 55
CITROEN D.A.R.A., Zone Ind. Nord av. d'Arsonval par ⑦ ✆ 74 45 12 12 Ⓝ
FIAT S.E.R.M.A., N 75 Bourg-en-Bresse Nord à Viriat ✆ 74 23 19 55 Ⓝ
FORD Gar. du Bugey, rte de Pont-d'Ain, face Parc des Expositions ✆ 74 22 32 66 Ⓝ ✆ 74 22 39 16
HONDA, LANCIA-AUTOBIANCHI Rignanese, 32 rte Pont-d'Ain ✆ 74 22 15 21
MERCEDES-BENZ, TOYOTA Dupont Bedu, 10 r. Gabriel Vicaire ✆ 74 22 31 83
PEUGEOT, TALBOT S.I.C.M.A., 19 bd Joliot-Curie ✆ 74 23 14 55
RENAULT A.R.N.O., bd Ed.-Herriot, Zone Ind. Nord ✆ 74 23 35 55 Ⓝ
RENAULT Gar. Carriat, 11 pl. Carriat ✆ 74 22 17 11
V.A.G. Europe-Gar., rte de Ceyzeriat ✆ 74 23 31 12

Carronnier, r. A.-Mercier ✆ 74 22 30 73
Comptoir Départemental Pneu, r. F.-Arago, Zone Ind. Nord ✆ 74 23 34 41
Ruder-Pneus, 738 av. de Lyon, Péronnas ✆ 74 21 20 99

CONSTRUCTEUR : Renault Véhicules Industriels, Rte de Ceyzeriat ✆ **74 22 82 00**

BOURGES

Ⓟ **18000** Cher 69 ① **G. Périgord** – **79 408** h. alt. **130.**

Voir Cathédrale*** Z – Palais Jacques-Coeur** Y – Jardin des Prés-Fichaux* Y – Hôtel Lallemant* Y **B** – Jardins de l'Archevêché* Z – Tour octogonale* de l'Hôtel des Échevins Y **D** – Hôtel Cujas* : collections archéologiques* du musée du Berry Y **E.**

Office de Tourisme 21 r. V.-Hugo ✆ 48 24 75 33 - A.C. 40 av. J.-Jaurès ✆ 48 24 01 36.

Paris 237 ⑨ – Châteauroux 67 ⑥ – ♦Dijon 246 ② – Nevers 69 ③ – ♦Orléans 106 ⑨ – ♦Tours 147 ⑧.

Plan pages suivantes

Olympia sans rest, **66 av. Orléans** ✆ **48 70 49 84** – wc ⋔wc ☎ Ⓟ. AE ⓓ E V **t**
SC : 16 – **42 ch** 135/175.

Le D'Artagnan, 19 pl. Séraucourt ✆ **48 21 51 51** – wc ⋔wc ☎ – 40. AE ⓓ E Z **b**
SC : **R** *(fermé janv., dim. soir et lundi)* 52/92 – 19 – **71 ch** 120/210.

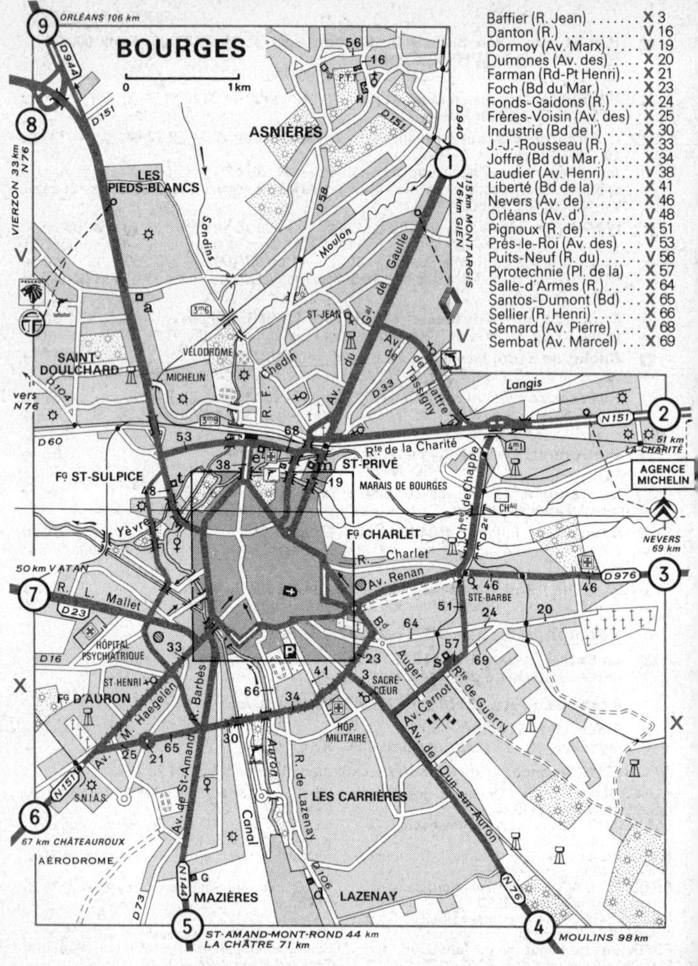

Monitel et rest. La Braisière Ⓜ, 73 r. Barbès ☏ 48 50 23 62 – ascenseur TV wc wc ☎ garage P – 40. AE ① E VISA — Z **u**
fermé 23 déc. au 2 janv. et sam. midi – SC : **R** 65/125 ⅋ – ☐ 18,50 – **48 ch** 157/220 – P 238/278.

Central et Angleterre, 1 pl. Quatre Piliers ☏ 48 24 68 51 – ascenseur TV wc ☎ garage – 40. AE ① E VISA. rest — Y **a**
SC : **R** *(fermé 21 déc. au 18 janv.)* 69 – ☐ 26 – **31 ch** 134/293.

Tilleuls sans rest, 7 pl. Pyrotechnie ☏ 48 20 49 04, Télex 782026, – TV wc wc ☎ P. ① VISA — X **s**
SC : ☐ 18 – **29 ch** 99/186.

Christina sans rest, 5 r. Halle ☏ 48 70 56 50 – ascenseur wc wc ☎ – 60. VISA
fermé 25 au 31 déc. – SC : ☐ 17 – **76 ch** 170/185. — Z **m**

Le Cygne sans rest, 10 pl. Gén.-Leclerc ☏ 48 70 51 05 – ascenseur wc wc ☎ garage
fermé 30 juin au 27 juil., 22 au 28 déc. et dim. – SC : ☐ 22 – **21 ch** 128/205. — V **e**

Host. Gd Argentier, 9 r. Parerie ☏ 48 70 84 31, , Maison du 15e s. – wc wc ☎. AE ① VISA — Y **k**
fermé 21 déc. au 1er fév. et dim. soir hors sais. – SC : **R** *(fermé dim. soir et lundi)* 73/120 – ☐ 20 – **14 ch** 200/250.

St-Jean sans rest, 23 av. M.-Dormoy ☏ 48 24 13 48 – ascenseur wc ☎ garage. E VISA
fermé fév. – SC : ☐ 15 – **24 ch** 92/190. — V **m**

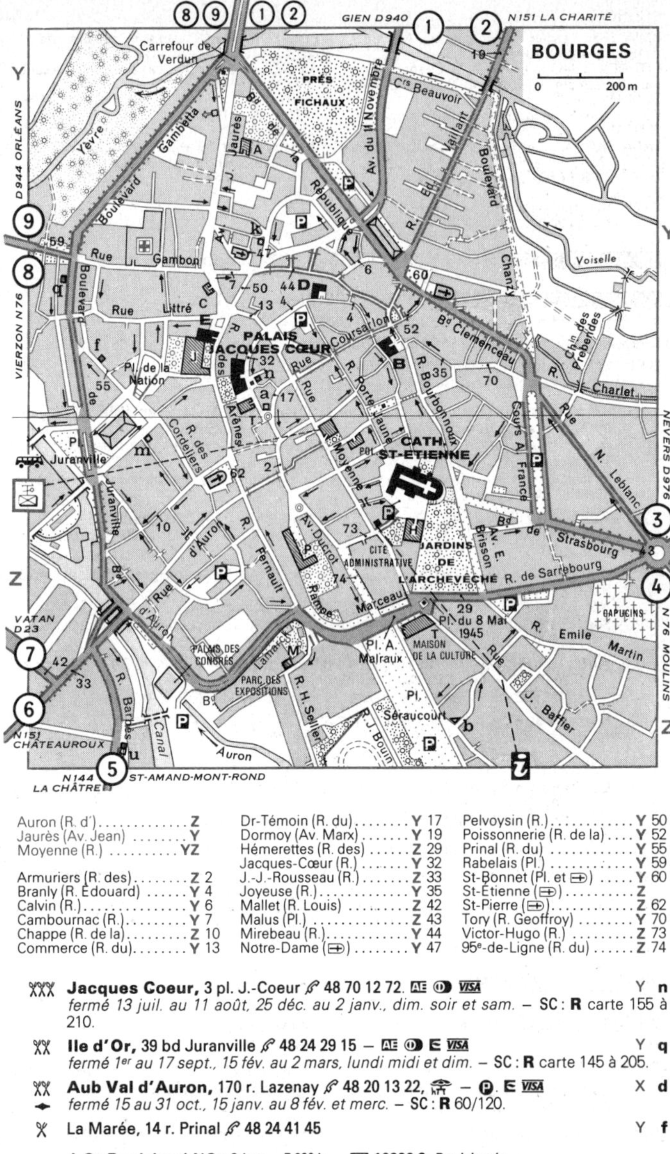

Auron (R. d') .... Z	Dr-Témoin (R. du) .... Y 17	Pelvoysin (R.) .... Y 50
Jaurès (Av. Jean) .... Y	Dormoy (Av. Marx) .... Y 19	Poissonnerie (R. de la) .... Y 52
Moyenne (R.) .... YZ	Hémerettes (R. des) ...... Z 29	Prinal (R. du) .... Y 55
	Jacques-Cœur (R.) .... Y 32	Rabelais (Pl.) .... Y 59
Armuriers (R. des) .... Z 2	J.-J.-Rousseau (R.) .... Z 33	St-Bonnet (Pl. et ⊞) ..... Y 60
Branly (R. Édouard) ...... Y 4	Joyeuse (R.) .... Y 35	St-Étienne (⊞) .... Z
Calvin (R.) .... Y 6	Mallet (R. Louis) .... Z 42	St-Pierre (⊞) .... Z 62
Cambournac (R.) .... Y 7	Malus (Pl.) .... Z 43	Tory (R. Geoffroy) .... Y 70
Chappe (R. de la) .... Z 10	Mirebeau (R.) .... Y 44	Victor-Hugo (R.) .... Z 73
Commerce (R. du) .... Y 13	Notre-Dame (⊞) .... Y 47	95e-de-Ligne (R. du) ...... Z 74

XXX **Jacques Coeur,** 3 pl. J.-Coeur ✆ 48 70 12 72. AE ⓓ VISA — Y **n**
fermé 13 juil. au 11 août, 25 déc. au 2 janv., dim. soir et sam. – SC : **R** carte 155 à 210.

XX **Ile d'Or,** 39 bd Juranville ✆ 48 24 29 15 – AE ⓓ E VISA — Y **q**
fermé 1er au 17 sept., 15 fév. au 2 mars, lundi midi et dim. – SC : **R** carte 145 à 205.

XX **Aub Val d'Auron,** 170 r. Lazenay ✆ 48 20 13 22, 🏞 – ⓟ. E VISA — X **d**
◆ *fermé 15 au 31 oct., 15 janv. au 8 fév. et merc.* – SC : **R** 60/120.

X La Marée, 14 r. Prinal ✆ 48 24 41 45 — Y **f**

à St-Doulchard NO : 3 km – 7 928 h. – ✉ **18230** St-Doulchard :

🏨 **Logitel** Ⓜ sans rest, ✆ 48 70 07 26 – 📺 🛁wc ☎ 🚗 ⓟ. AE ⓓ E VISA — V **a**
SC : ☕ 16 – **30 ch** 160/185.

à Fenestrelay E : 5 km par av. Renan, chaussée de la Chappe (XV) et ② – ✉ **18390** St-Germain-du-Puy :

XX **Aub. du Vieux Moulin,** ✆ 48 24 60 45, 🏞 – ⓟ. VISA
fermé en août, dim. soir et lundi – **R** 65/120.

MICHELIN, Agence régionale, Zone Ind. du Réau allée Beaumarchais à St-Germain-du-Puy par ② ✆ 48 24 64 11

BMW Gar. Vergès, av. Prospective, Asnières-lès-Bourges ✆ 48 70 47 20
CITROEN Générale-Auto, rte Charité, Zone Ind. St-Germain-du-Puy ✆ 48 24 65 29 N ✆ 48 24 44 44
FORD Gar. St-Amand, 19 av. St Amand ✆ 48 20 06 31
LADA-SKODA Gar. Salmon 40 av. d'Orléans ✆ 48 65 79 40
MERCEDES-BENZ SAVIB r. Louis Mallet ✆ 48 21 03 59
OPEL Gar. Barbellion rte d'Orléans, St-Doulchard ✆ 48 24 24 30
PEUGEOT-TALBOT Gd Gar. du Cher, rte Orléans, St-Doulchard ✆ 48 24 72 01
RENAULT S.C.A.C., 259 av. Gén.-de-Gaulle ✆ 48 70 99 97 N
V.A.G. Laudat, 99 rte de la Charité ✆ 48 70 15 17 N ✆ 48 24 19 90

Berry-Pneus, 99 av. Dun ✆ 48 20 34 24
Interpneus, 58 bd Avenir ✆ 48 50 19 30
La Maison du Pneu, 21 r. Parmentier ✆ 48 70 19 91

Le BOURGET 93 Seine-St-Denis 56 ⑪, 101 ⑦⑰ – voir à Paris, Environs.

Le BOURGET-DU-LAC 73370 Savoie 74 ⑮ **G. Alpes** – 2 570 h. alt. 262.

Voir Église : frise sculptée★ du choeur – Lac★★.

Env. Chapelle de l'Étoile ≤★★ N : 9 km puis 15 mn.

Office de Tourisme pl. du Gén.-Sevez (30 juin-5 sept.) ✆ 79 25 01 99.

Paris 513 – Aix-les-Bains 9 – Belley 25 – Chambéry 11 – La Tour-du-Pin 48.

✿ **Ombremont** (Carlo), N : 2 km par N 504 ✆ **79 25 00 23, Télex 980832, ≤ lac et montagnes, dans un parc,** – P. AE E VISA
fermé 1er déc. au 5 fév. – SC : **R** *(fermé sam. midi sauf juil.-août et lundi midi)* 160/350 – 45 – **18 ch** 425/700
Spéc. Poêlée de grenouilles, Panaché de poissons à l'aneth, Ris et rognons de veau au vin jaune. **Vins** Pinot de Chautagne, Chignin.

Port, ✆ **79 25 00 21, ≤,** – wc wc P – 30. E VISA.
fermé 20 déc. au 5 fév. et jeudi – SC : **R** 75/125 – 20 – **30 ch** 150/200 – P 220/250.

XXX ✿✿ **Bateau Ivre** (Jacob), ✆ **79 25 02 66,** **« Ancienne grange à sel, jardin fleuri »** – P. AE E VISA
début mai-début nov. et fermé mardi – **R** 160/390 et carte
Spéc. Filets de rouget au beurre rouge, Pigeon farci et rôti, Poire pochée avec son caramel. **Vins** Chignin, Pinot de Savoie.

XXX **Aub. Lamartine,** rte du Tunnel N : 3,5 km par N 504 ✉ **73370 Bourget-du-Lac,** ✆ **79 25 01 03, ≤ lac,** – P. E
fermé 1er déc. au 25 janv., dim. soir et lundi – SC : **R** 145/260.

XX **Beaurivage** avec ch, **bord du lac** ✆ **79 25 00 38, ≤,** – P. E. ch
fermé fév. et mardi – SC : **R** 95/210 – 22 – **10 ch** 140/160.

aux Catons NO : 2,5 km par VO – ✉ **73370** Bourget-du-Lac :

La Cerisaie, rte Dent-du-Chat ✆ **79 25 01 29, ≤ lac et montagnes,** – P. E VISA
5 mai-2 nov. – **R** 58/170 – 14 – **10 ch** 67/126 – P 131/147.

à Bourdeau N : 4 km par D 14 – ✉ **73370** Bourget-du-Lac :

Terrasse M, **au village** ✆ **79 25 01 01, ≤,** – wc P. AE E VISA. ch
1er fév.-30 sept. et fermé dim. soir de sept. à juin, mardi midi en juil.-août et lundi – SC : **R** 78/198 – 22 – **12 ch** 162/170 – P 210/220.

RENAULT Girardon, face Base Aérienne ✆ 79 25 01 91

BOURG-LES-VALENCE 26 Drôme 77 ⑫ – rattaché à Valence.

BOURG-MADAME 66760 Pyr.-Or. 86 ⑯ **G. Pyrénées** – 1 346 h. alt. 1 130.

Syndicat d'Initiative pl. Mairie (1er juil.-31 août) ✆ 68 04 55 35.

Paris 881 – Andorre-la-Vieille 66 – Ax-les-Thermes 55 – Carcassonne 139 – Foix 97 – ♦Perpignan 100.

Celisol sans rest, ✆ **68 04 53 70,** – wc wc P. VISA
SC : 16,50 – **14 ch** 146/166.

CITROEN Gar. Targues, N 20 ✆ 68 04 51 53
RENAULT Gar. Pallarès, ✆ 68 04 50 01

BOURGOIN-JALLIEU 38300 Isère 74 ⑬ **G. Vallée du Rhône** – 22 951 h. alt. 254.

Office de Tourisme avec A.C. pl. Carnot ✆ 74 93 47 50.

Paris 491 ⑦ – Bourg-en-Bresse 78 ① – ♦Grenoble 64 ③ – ♦Lyon 41 ⑦ – La Tour-du-Pin 15 ③ – Vienne 39 ⑥.

Plan page ci-contre

Climat de France M, par ⑦ : 2 km ✆ **74 28 52 29,** – TV wc P – 25. E VISA
SC : **R** 51/88 – 19 – **41 ch** 191/202 – P 345/356.

Commerce sans rest, av. Tixier ✆ **74 93 38 01** – B r
fermé août et dim. – SC : 16 – **20 ch** 55/110.

BOURGOIN-JALLIEU

Belmont (R. Robert) ...... B 3
Libération (R. de la) .... B 12
Liberté (R. de la) .... B 13
Pontcottier (R.) .... B
République (R. de la) .... AB 20
St-Michel (Pl.) .... B 22
23-Août (Pl. du) .... B 27

Alsace-Lorraine (Av. d') ... A 2
Carnot (Pl.) .... B 4
Carnot (R.) .... AB 5
Clemenceau (R. Georges) .... A 6
Gambetta (Av.) .... A 7
Génin (R. Ambroise) ...... A 8
Halle (Pl. de la) .... B 10
Moulin (R. J.) .... B 14
Moulins (R. des) .... B 15
Paix (R. de la) .... A 16
Pouchelon (R. de) .... B 17
République (R. de la) ..... A 18
Seigner (R. Joseph) ..... AB 23
Victor-Hugo (R.) .... B 26

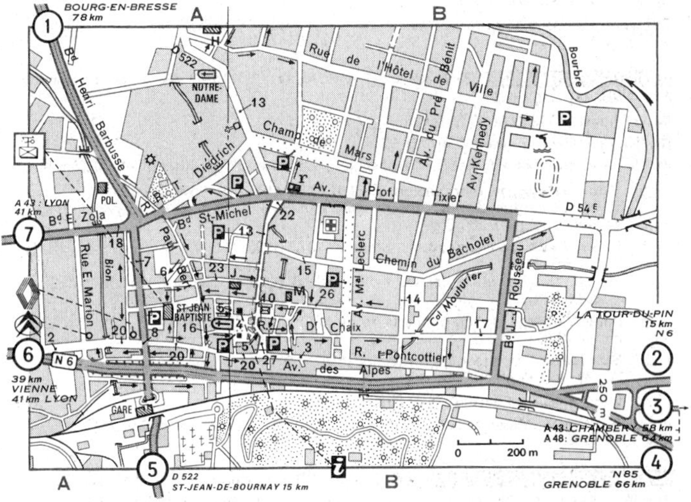

XX ⊛ **Chavancy,** av. Tixier ✆ **74 93 63 88** – ▤. AE ◑ E VISA — B r
fermé août, vacances de fév., dim. et fêtes le soir et lundi – **SC : R** 105/210 ♁
Spéc. Salade de queues d'écrevisses (juil. à mars), Jambonnette de lapereau (mars à juin), Pavé de turbot au citron vert.

à La Grive par ⑥ : **4 km** – ✉ **38300** Bourgoin-Jallieu :

X **Petite Auberge** avec ch, **N 6** ✆ **74 93 48 52** – **P**. VISA
fermé août, sam. soir et dim. – **SC : R** 45/110 ♁ – ☕ 16 – **6 ch** 60/75.

à L'Isle-d'Abeau village par ⑦ et **D 208 : 4,5 km** – ✉ **38300** Bourgoin-Jallieu :

Campanile M, ✆ **74 27 01 22, Télex 340396** – TV ⇔wc ☎ ♿ **P** – 25. VISA
SC : R 61 bc/82 bc – ☕ 23 – **50 ch** 181/202.

Relais du Çatey ⛰, ✆ **74 27 02 97**, ⛱, ⛱ – ⛫ **P**. VISA. ✗ ch
fermé 1er août au 1er sept. – **SC : R** *(fermé dim. soir et sam.)* 60/150 ♁ – ☕ 18 – **10 ch** 69/148.

à La Combe des Éparres par ④ : **7 km** – ✉ **38300** Bourgoin-Jallieu :

L'Auberge, sur **N 85** ✆ **74 92 01 17** – ⇔wc
fermé 16 août au 16 sept. et lundi – **SC : R** 47/108 ♁ – ☕ 16,50 – **10 ch** 85/140 – P 155/190.

à St-Savin par ① : **7 km** – ✉ **38300** Bourgoin-Jallieu :

La Rivière ⛰, ✆ **74 93 72 16**, ⛱, ⛱ – ⛫ **P** – 25. ✗ ch
fermé 1er au 25 août – **SC : R** *(fermé dim. soir et merc.)* 45/130 ♁ – ☕ 12,50 – **7 ch** 60/85 – P 145.

XX **Les Trois Faisans,** ✆ **74 93 73 74**, ⛱ – E VISA
fermé 25 août au 15 sept., vacances de fév., dim. soir et lundi – **SC : R** 60 (sauf fêtes)/135.

CITROEN J.-B. Pellet, 5 av. Alsace-Lorraine ✆ 74 93 25 63
FORD Parenton, 15 r. Pontcottier ✆ 74 93 34 10
PEUGEOT, TALBOT Pellet, ZAC La Maladière par ⑦ ✆ 74 93 00 90
RENAULT Girard, quai de la Bourbre par D522 A ✆ 74 93 08 36 **N**
RENAULT Gar. Pin, 63 r. République ✆ 74 93 18 04

VOLVO Blondet, N 6, Ruy ✆ 74 93 43 24

◉ Mathieu-Pneus, 14 bis r. de Funas ✆ 74 28 00 22
Piot-Pneu, Zone Ind. La Maladière ✆ 74 93 66 31
Prieur-Pneus, 17 av. Alsace-Lorraine ✆ 74 93 31 34
Tessaro-Pneus, 74 av. Prof. Tixier ✆ 74 28 33 10

BOURG-ST-ANDÉOL 07700 Ardèche 80 ⑨⑩ **G. Vallée du Rhône** (plan) – 7 665 h. alt. 68.

Voir Église★.

Syndicat d'Initiative pl. Champ-de-Mars (1er avril-30 sept.) ✆ 75 54 54 20.

Paris 632 – Montélimar 28 – Nyons 51 – Pont-St-Esprit 15 – Privas 55 – Vallon-Pont-d'Arc 30.

Moderne, pl. Champ-de-Mars ✆ 75 54 50 12 – wc wc. AE E. rest
1er mars-30 nov. – SC : **R** *(fermé sam. midi et dim. soir hors sais.)* 57/112 – 16 – **21 ch** 76/160.

CITROEN Goussard, 13 fg Notre-Dame ✆ 75 54 50 27 N

RENAULT Provence-Gar., av. F.-Chalamel ✆ 75 54 51 88

BOURG-ST-MAURICE 73700 Savoie 74 ⑱ **G. Alpes** – 6 712 h. alt. 840 – Sports d'hiver aux Arcs : 1 600/3 000 m 1 43.

de Chantel ✆ **79 07 48 00 S : 20 km.**

Office de Tourisme pl. Gare ✆ 79 07 04 92.

Paris 625 – Albertville 54 – Aosta 87 – Chambéry 101 – Chamonix 83 – Moûtiers 27 – Val d'Isère 31.

Concorde M, av. Mar.-Leclerc ✆ 79 07 08 90, – wc
20 mai-30 sept. et 20 nov.-20 avril – SC : **R** 75/85 – 24 – **32 ch** 195/239, (en sais. pension seul.) – P 230/260.

Host. Petit St-Bernard, av. Stade ✆ 79 07 04 32, – wc wc P. AE VISA
1er juil.-15 sept. et 18 déc.-20 avril – SC : **R** 60/78 – 20 – **24 ch** 102/220 – P 180/220.

Petite Auberge, au pont par rte de Moûtiers ✆ **79 07 05 86,** <, – wc P.

Bon Repos sans rest, r. Centenaire ✆ 79 07 01 78 – .
SC : 14 – **11 ch** 65/196.

Edelweiss, face gare ✆ **79 07 05 55**.

PEUGEOT-TALBOT Martin A., ✆ 79 07 01 44 N ✆ 79 07 03 06

RENAULT Gar. Guyon, ✆ 79 07 27 11

BOURGTHEROULDE-INFREVILLE 27520 Eure 55 ⑥ **G. Normandie** – 2 559 h. alt. 134.

Paris 142 – Bernay 32 – Elbeuf 11 – Évreux 46 – Louviers 26 – Pont-Audemer 31 – ♦Rouen 26.

XX **Corne d'Abondance** avec ch, ✆ **35 87 60 08,** – P
12 ch.

PEUGEOT-TALBOT Gar. de la Pépinière, ✆ 35 87 60 83

Parmentier-Pneus, ✆ 35 87 60 16

BOURGUEIL 37140 I.-et-L. 64 ⑬ **G. Châteaux de la Loire** – 4 185 h. alt. 42.

Syndicat d'Initiative à la Mairie ✆ 47 97 70 50.

Paris 279 – Angers 63 – Chinon 17 – Saumur 22 – ♦Tours 45.

Le Thouarsais sans rest, pl. Hublin ✆ **47 97 72 05,** – wc wc
fermé fév. et dim. de nov. à mars – SC : 13 – **30 ch** 57/171.

XX **Germain,** r. A.-Chartier ✆ **47 97 72 22** – E
fermé 1er au 26 oct., dim. soir et lundi – SC : **R** 75/175.

PEUGEOT-TALBOT Delafuye, av. de St-Nicolas, la Villatte ✆ 47 97 70 48
RENAULT Gozillon, à St-Nicolas-de-Bourgueil ✆ 47 97 71 03

Chommeloux, ✆ 47 97 71 26

La BOURNE (Gorges de) ★★★ 38 Isère 77 ④ **G. Alpes.**

BOURROUILLAN 32 Gers 82 ③ – rattaché à Eauze.

BOURTH 27580 Eure 60 ⑤ – 1 013 h. alt. 192.

Paris 126 – l'Aigle 14 – Évreux 43 – Verneuil sur Avre 10.

XX **Aub. Chantecler,** face Église ✆ 32 32 61 45 – AE E VISA
fermé dim. soir et lundi – SC : **R** 57/184.

BOUSSAC 23600 Creuse 68 ⑳ **G. Périgord** – 1 954 h. alt. 334.

Voir Site★ du château.

Env. Toulx Ste-Croix : ★★ de la tour S : 11 km.

Office de Tourisme à l'Hôtel de Ville ✆ 55 65 07 62.

Paris 336 – Aubusson 47 – La Châtre 36 – Guéret 41 – Montluçon 34 – St-Amand-Montrond 52.

XX **Relais Creusois** avec ch, rte La Châtre ✆ **55 65 02 20** – VISA
fermé janv., fév., 16 au 22 juin, mardi soir et merc. sauf juil.-août – SC : **R** 85/187 – 20 – **4 ch** 93 – P 320.

à Nouzerines NO : 11 km par D 97 – ✉ **23600** Boussac :

La Bonne Auberge ⑤, ☎ 55 82 01 18 – ⇔wc ☎. ※
fermé 24 août au 15 sept., vacances de fév. et sam. – SC : **R** 45/100 – ☐ 10 – **8 ch** 88/125 – P 150/219.

FORD Chabridon, ☎ 55 65 03 08
PEUGEOT-TALBOT Chauvet, ☎ 55 65 04 11
PEUGEOT-TALBOT Bulcourt, ☎ 55 65 83 23
RENAULT Chaubron, ☎ 55 65 01 32

BOUSSENS 31 H.-Gar. 86 ② – 735 h. alt. 271 – ✉ **31360** St-Martory.
Paris 771 – Auch 80 – Auterive 50 – Pamiers 73 – St-Gaudens 24 – St-Girons 34 – •Toulouse 66.

Lac, ☎ **61 90 01 85,** ≤, ⛱, ☗ – ⇔wc ⋒ ☎ Ⓟ. AE ⓓ VISA
fermé déc. – SC : **R** *(fermé dim. soir)* 56/165 ₰ – ☐ 18 – **12 ch** 85/150 – P 155/190.

BOUT-DU-LAC 74 H.-Savoie 74 ⑯ – alt. 448 – ✉ **74210** Faverges.
Voir Combe d'Ire★ S : 3 km, **G. Alpes.**
Paris 550 – Albertville 28 – Annecy 17 – Megève 43.

au Bord du Lac :

XX **Chappet** avec ch, ☎ **50 44 30 19,** ≤, ⛱, ▲ – ⇔wc Ⓟ. VISA
fin fév.-30 sept. et fermé mardi soir et merc. hors sais. – SC : **R** 70/180 – ☐ 18,50 – **10 ch** 85/220 – P 190/240.

XX **Sautreau** avec ch, ☎ **50 44 30 02,** ≤, ⛱, ▲, ☗ – ⇔wc ⋒ Ⓟ. VISA
15 mars-fin sept. et fermé merc. sauf juil.-août – SC : **R** 75/170 – ☐ 18 – **12 ch** 92/185 – P 175/230.

à Doussard S : 3 km par N 508 et VO – ✉ **74210** Faverges :

Marceau ⑤, à Marceau-Dessus O : 2 km par N 508 et VO ☎ **50 44 30 11,** ≤ lac et montagnes, ⛱, ☗, ※ – TV ⇔wc ☎ Ⓟ. AE VISA
1er fév.-31 oct. – SC : **R** 100/230 – ☐ 35 – **19 ch** 280/480 – P 400/500.

BOUT-DU-PONT-DE-LARN 81 Tarn 83 ⑫ – rattaché à Mazamet.

BOUTENAC-TOUVENT 17 Ch.-Mar. 71 ⑥ – 231 h. alt. 45 – ✉ **17120** Cozes.
Paris 504 – Blaye 55 – Jonzac 30 – Pons 22 – Royan 29 – Saintes 33.

XX **Le Relais** avec ch, **à Touvent** ☎ **46 90 63 06** – Ⓟ. VISA. ※
fermé 15 sept. au 15 oct., dim. soir et lundi – SC : **R** 57/140 – ☐ 15 – **9 ch** 72/115 – P 150/170.

BOUXWILLER 67330 B.-Rhin 57 ⑱ **G. Alsace et Lorraine** – 2 766 h. alt. 220.
Env. Tapisseries★★ dans l'église St-Pierre et St-Paul★ de Neuwiller-lès-Saverne O : 7 km.
Paris 447 – Bitche 34 – Haguenau 25 – Sarrebourg 38 – Saverne 15 – •Strasbourg 42.

Heintz, 84 Grand'Rue ☎ **88 70 72 57,** ⛲, ☗ – ⋒wc Ⓟ. ※
fermé 4 au 25 janv., dim. soir et lundi midi – SC : **R** 44/92 ₰ – **14 ch** 112/150 – P 140/150.

CITROEN Stehly, à Ingwiller ☎ 88 89 42 41
FIAT, LADA, SKODA Gunther, ☎ 88 70 72 11 N
RENAULT Gar. Braunecker, à Ingwiller ☎ 88 89 43 78 N
RENAULT Fritsch, ☎ 88 70 70 30 N

BOUZIGUES 34 Hérault 83 ⑯ – rattaché à Mèze.

BOUZONVILLE 57320 Moselle 57 ⑤ – 4 319 h. alt. 210.
Paris 364 – •Metz 37 – Saarbrücken 43 – Saarlouis 21 – Thionville 32.

La Bonne Auberge, rte Thionville ☎ 87 78 27 52 – ⇔wc ⋒ ☎ Ⓟ. AE ⓓ E VISA
fermé sam. – SC : **R** 58/121 ₰ – ☐ 22 – **12 ch** 102/204 – P 192/243.

PEUGEOT-TALBOT Gar. Landry, ☎ 87 78 27 70
RENAULT Champlon, ☎ 87 78 49 18 N ☎ 87 78 48 78

BOYARDVILLE 17 Char.-Mar. 71 ⑬ – voir à Oléron.

BOZOULS 12340 Aveyron 80 ③ **G. Causses** – 2 032 h. alt. 610.
Voir Trou de Bozouls★.
Paris 587 – Espalion 11 – Mende 95 – Rodez 22 – Sévérac-le-Château 41.

A la Route d'Argent, sur D 988 ☎ 65 44 92 27 – ⋒wc ☎ Ⓟ. E
fermé 20 déc. au 10 janv. – SC : **R** 41/105 – ☐ 12,50 – **20 ch** 55/110 – P 150/170.

XX **Le Belvédère** ⑤ avec ch, ☎ **65 44 92 66,** ≤ Trou de Bozouls – ⇔wc ⋒ ☎. E VISA
fermé 1er au 23 nov. et vacances de fév. – SC : **R** *(fermé lundi soir hors sais. et sam. midi)* 54/105 – ☐ 13 – **9 ch** 77/155 – P 160/180.

BRACIEUX 41250 L.-et-Ch. 64 ⑱ G. Châteaux de la Loire – 1 150 h. alt. 81.

Paris 183 – Blois 18 – Châteauroux 91 – Montrichard 40 – •Orléans 53 – Romorantin-Lanthenay 32.

- **Le Cygne et rest. Autebert,** r. Brun ✆ 54 46 41 07 – wc Ⓟ. VISA
  fermé 15 janv. au 1er mars et merc. du 1er oct. au 1er avril – SC : **R** 80/120 – 15 – **17 ch** 77/188 – P 170/220.
- XXXX ✿✿ **Le Relais** (Robin), 1 av. Chambord ✆ 54 46 41 22, ≤ Ⓟ. AE ⊙ VISA
  fermé 17 déc. au 25 janv., mardi soir et merc. – SC : **R** (nombre de couverts limité - prévenir) 170/280 et carte
  Spéc. Gelée de lapin aux herbes potagères, Carpe à la Chambord (saison), Rognons et pied de veau au persil. **Vins** Cheverny, Côteaux du Giennois.

RENAULT Gar. Warsemann, ✆ 54 46 40 37 — Gar. Chambon, ✆ 54 46 41 10 N

La BRAGUE 06 Alpes-Mar. 84 ⑨, 195 ㉟㊵ – rattaché à Antibes.

BRANCION 71 S.-et-L. 70 ⑪ – rattaché à Tournus.

BRANDÉRION 56 Morbihan 63 ① – rattaché à Hennebont.

BRANNE 33420 Gironde 75 ⑫ – 850 h. alt. 15.

Paris 588 – Bergerac 55 – •Bordeaux 32 – Libourne 13 – Marmande 57.

- **France,** ✆ 57 84 50 06 – ⋔. ✖
  fermé en oct. et mardi de nov. à fin avril – SC : **R** 70/160 ⅓ – 19 – **15 ch** 135/200 – P 300/350.

RENAULT Peyron, ✆ 57 84 50 16

BRANTÔME 24310 Dordogne 75 ⑤ G. Périgord – 2 101 h. alt. 103.

Voir Site★ – Clocher★★ de l'église abbatiale.

Syndicat d'Initiative à l'Hôtel de Ville ✆ 53 05 70 21.

Paris 502 – Angoulême 58 – •Limoges 90 – Nontron 22 – Périgueux 27 – Ribérac 37 – Thiviers 26.

- ✿ **Chabrol** (Charbonnel), ✆ 53 05 70 15 – TV ☎. AE ⊙ VISA. ✖
  fermé 12 nov. au 15 déc., vacances de fév., dim. soir et lundi du 1er oct. au 30 juin – SC : **R** (dim. prévenir) 100/300 – 25 – **20 ch** 200/300
  Spéc. Truite fumée, Marguerite de St-Jacques truffées, Steak de pigeon. **Vins** Leparon, Pécharmant.
- ✿ **Moulin de l'Abbaye** (Bulot) M, ✆ 53 05 80 22, Télex 560570, ≤, « Terrasse au bord de l'eau », – TV ☎. AE ⊙ E VISA
  6 mai-3 nov. – SC : **R** *(fermé lundi)* 150/300 – 50 – **12 ch** 400/510
  Spéc. Foie gras frais en terrine, Filet de truite aux écrevisses (15 juin-3 nov.), Fondant de volaille au beurre de truffes. **Vins** Cahors, Bergerac.
- X **Aub. du Soir** avec ch, ✆ 53 05 82 93, – ⋔. AE ⊙ VISA
  fermé 10 janv. au 28 fév. et lundi du 1er oct. au 30 avril – SC : **R** 62/150 – 21 – **8 ch** 106/160 – P 168.

à Champagnac de Belair NE : 6 km par D 78 et D 83 – ✉ 24530 Champagnac de Belair :

- ✿✿ **Moulin du Roc** (Mme Gardillou) M, ✆ 53 54 80 36, ≤, « Ancien moulin à huile au bord de l'eau », – TV ☎ Ⓟ. AE ⊙ E VISA. ✖ rest
  fermé 15 nov. au 15 déc. et 15 janv. au 15 fév. – **R** *(fermé merc. midi et mardi)* (nombre de couverts limité-prévenir) 180/240 et carte – 45 – **12 ch** 380/560
  Spéc. Foie gras chaud en feuille de choux, Truite à la farce de cèpes, Gigots de pintade farcis aux herbes. **Vins** Pécharmant.

à Bourdeilles SO : 10 km – ✉ 24310 Brantôme.

Voir château★ et mobilier★★.

- **Griffons,** ✆ 53 05 75 61, – wc. ⊙ E VISA. ✖ rest
  1er avril-30 sept. – SC : **R** 88/195 – 30 – **10 ch** 250/280.

CITROEN Desvergne, ✆ 53 05 70 29 — RENAULT Périgord Vert Autom., ✆ 53 05 70 24

BRAS 83149 Var 84 ⑤ – 677 h. alt. 315.

Paris 802 – Aix-en-Provence 53 – Aubagne 43 – Brignoles 15 – Draguignan 52 – •Toulon 57.

- X **des Allées** avec ch, ✆ 94 69 90 19 – ⋔ Ⓟ. VISA
  d'oct. à Pâques rest. seul. et fermé jeudi sauf juil.-août – SC : **R** 52/100 – 14 – **14 ch** 60/90 – P 135.

BRASSAC-LES-MINES 63570 P.-de-D. 76 ⑤ – 4 108 h. alt. 409.

Env. Auzon : site★, statue de N.-D.-du-Portail★★ dans l'église SE : 6,5 km, G. Auvergne.

Paris 441 – Brioude 17 – Issoire 20 – Murat 60 – Le Puy 77 – St-Flour 59.

- **Le Limanais,** rte Lempdes ✆ 73 54 13 98 – wc ⋔wc Ⓟ. VISA
  fermé sept. et lundi – SC : **R** 45/120 ⅓ – 16 – **20 ch** 90/150 – P 160/200.

FORD Gar. Jourdes, 3 pl. du Musée ✆ 73 54 10 02

BRÉDANNAZ 74 H.-Savoie 74 ⑥⑯ – alt. 450 – ✉ **74210** Faverges.
Paris 548 – Albertville 30 – Annecy 15 – Megève 45.

Azur du Lac, ☎ 50 68 67 49, ≤, 🌳, 🏊, 🌲 – 🛁wc ☎ Ⓟ
1er mars-30 sept. – SC : **R** 65/120 – ☕ 16 – **30 ch** 90/200 – P 145/220.

Port et Lac, ☎ 50 68 67 20, ≤, 🌳, 🏊 – 🛁wc 🚿wc ☎ Ⓟ
15 avril-1er oct. – SC : **R** 58/150 – ☕ 17 – **19 ch** 80/210 – P 162/240.

à Chaparon S : 1,5 km par VO – ✉ **74210** Faverges :

Châtaigneraie 🔇, ☎ 50 44 30 67, ≤, 🌳, « Prairie ombragée », 🌲 – 🛁wc 🚿wc ☎ Ⓟ – 🏛 25. AE ① E VISA. ✗
3 fév.-25 oct. et fermé dim. soir (sauf hôtel) et lundi du 1er oct. au 1er mai – SC : **R** 60/185 – ☕ 26,50 – **25 ch** 205/300 – P 230/300.

BRÉHAL **50290** Manche 59 ⑦ – 2 392 h. alt. 52.
⛳9 ☎ 33 51 58 88 O : 5 km.
Paris 347 – Coutances 19 – Granville 10 – St-Lô 46 – Villedieu-les-Poêles 26.

Gare, ☎ 33 61 61 11 – Ⓟ. ✗ ch
fermé 2 au 17 juin, 22 déc. au 1er fév., dim. soir et lundi sauf juil.-août – SC : **R** 42/116 🍷 – ☕ 14,50 – **9 ch** 71/75 – P 165/177.

CITROEN Gar. Bréhalais, ☎ 33 61 61 30 RENAULT Lainé, ☎ 33 61 62 52

BRÉHAT (Ile de) ★ **22870** C.-du-N. 59 ② **G. Bretagne** – 511 h. alt. 52.
Voir Tour de l'île★★ en vedette 1 h – Phare du Paon★ – Croix de Maudez ≤★ – Chapelle St-Michel ≤★ – Bois de la citadelle ≤★.
Accès : Transports maritimes, pour **Port-Clos.**
⛴ depuis **St-Quay-Portrieux.** En 1985 : de juin à sept. services quotidiens suivant marées - Traversée 1 h 30 – 90 F (AR). Renseignements : Vedettes de Bréhat ☎ 96 55 86 99.
⛴ depuis la **Pointe de l'Arcouest.** En 1985 : de 10 (hiver) à 20 (été) services quotidiens - Traversée 10 mn – 16 F (AR). Renseignements : Vedettes de Bréhat ☎ 96 55 86 99.

Vieille Auberge 🔇, au bourg ☎ 96 20 00 24 – 🛁wc 🚿wc ☎
sais. **15 ch.**

Bellevue 🔇, Port-Clos ☎ 96 20 00 05, ≤, 🌳 – 🛁wc 🚿wc. E VISA
26 mars-4 nov. – SC : **R** 80/200 – ☕ 22 – **18 ch** 150/220 – P 310/330.

BREIL-SUR-ROYA **06540** Alpes-Mar. 84 ⑳, 195 ⑱ **G. Côte d'Azur** – 2 159 h. alt. 286.
Env. Saorge : site★★, ≤★, Couvent des Franciscains ≤★ et gorges★★ N : 9 km.
Paris 882 – Menton 36 – ♦Nice 60 – Tende 21 – Ventimiglia 25.

Relais des Salines M 🔇, N : 1 km par N 204 ☎ 93 04 43 66, ≤ parc – 🛁wc 🚿wc ☎ Ⓟ – **14 ch.**

au Col de Brouis SO : 11 km par N 204 et D 2204 – alt. 880 – ✉ **06540** Breil-sur-Roya.
Voir ≤★.

Aub. du Col de Brouis avec ch, ☎ 93 04 41 75, ≤ – 🚿 🚗 Ⓟ. ✗
1er avril-31 oct. et fermé le lundi – SC : **R** 60/120 – ☕ 18 – **9 ch** 100/165.

BREITENBACH 68 H.-Rhin 62 ⑱ – rattaché à Munster.

BRÊMES 62 P.-de-C. 51 ② – rattaché à Ardres.

La BRESSE **88250** Vosges 62 ⑰ **G. Alsace et Lorraine** – 5 370 h. alt. 650 – Sports d'hiver : 840/1 350 m ⛷30, ⛷.
ℹ Office de Tourisme 21 quai Iranées ☎ 29 25 41 29, Télex 960573.
Paris 420 – Colmar 54 – Épinal 60 – Gérardmer 14 – Remiremont 33 – Thann 42 – Le Thillot 19.

Vallées et sa Résidence M 🔇, r. P.-Claudel ☎ 29 25 41 39, ≤, « Parc », 🏊, 🎾 – 🛗 📺 ☎ 🚗 Ⓟ – 🏛 25 à 40. AE ① E VISA
SC : **R** 60/190 🍷 – ☕ 22 – **60 ch** 220/280, 60 studios 280/360 – P 260/300

du Chevreuil Blanc, 5 r. P. Claudel ☎ 29 25 41 08 – 🛁wc ☎ Ⓟ. VISA. ✗ rest
fermé fin mai au 30 juin – **10 ch.**

au NE : 6,5 km par D 34 et D 34D – ✉ **88250** La Bresse :

Aub. du Pêcheur, ☎ 29 25 43 86, ≤ – Ⓟ. AE ① E VISA
fermé 15 au 30 juin, 1er au 15 déc., mardi soir et merc. hors sais. – SC : **R** 45/85 🍷.

aux Belles Huttes NE : 8 km par D 34 et D 34D – ✉ **88250** La Bresse :

Le Slalom, ☎ 29 25 41 71, ≤ – Ⓟ
fermé 5 nov. au 5 déc. – SC : **R** (libre-service en saison d'hiver) 55/120 🍷.

RENAULT Gar. Bertrand, ☎ 29 25 40 69 N

BRESSOLLES 03 Allier 69 ⑭ – rattaché à Moulins.

BRESSON 38 Isère 77 ⑤ – rattaché à Grenoble.

BRESSUIRE <SP> 79300 Deux-Sèvres 67 ⑰ **G. Côte de l'Atlantique** – 12 040 h. alt. 184.

Office de Tourisme avec A.C. pl. Hôtel de Ville ℘ 49 65 10 27.

Paris 357 ① – Angers 82 ① – Cholet 46 ④ – Niort 62 ③ – Poitiers 81 ② – La Roche-sur-Yon 82 ④.

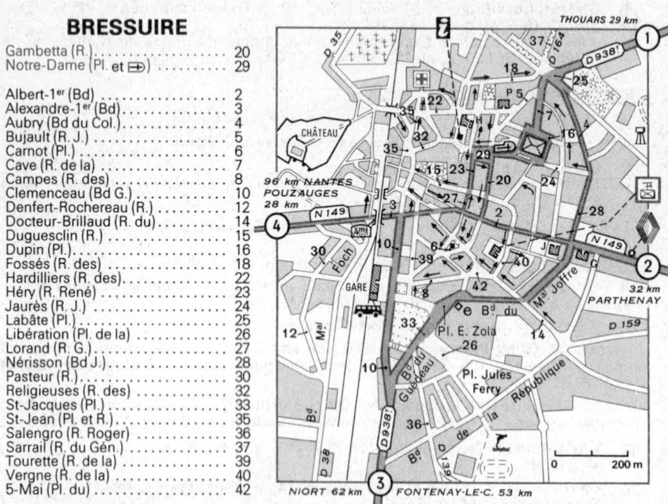

Sapinière Ⓜ, SE : 2,5 km par ③ et rte Boismé ℘ 49 74 24 22, ←, – TV wc wc ☎ ♿ P – 200. E VISA. SC : **R** 50/95 – ☕ 20 – **20 ch** 165/190 – P 265/280.

Boule d'Or, 15 pl. E.-Zola **(e)** ℘ 49 65 02 18 – P. VISA. ch *fermé dim.* – SC : **R** 50/88 – ☕ 13 – **15 ch** 76/155.

FIAT Chauvin-Besse, 5 r. du Gén.-André : ℘ 49 65 06 14

PEUGEOT-TALBOT Gar. Cornu, bd de Thouars par ① ℘ 49 74 20 44

RENAULT Goyault et Jolly, rte de Poitiers ℘ 49 74 15 33

V.A.G. Chollet, rte de Nantes ℘ 49 65 04 00

Bressuire-Pneus, 89 bd de Poitiers ℘ 49 74 13 86

Towns underlined in red on the Michelin maps at a scale of 1 : 200 000 are included in this guide. Use the latest map to take full advantage of this regularly up-dated information.

BREST <SP> 29200 Finistère 58 ④ **G. Bretagne** – 160 355 h. communauté urbaine 223 854 h. alt. 34.

Voir Cours Dajot ←★★ EZ – Traversée de la rade★ et promenade en rade★ – Visite arsenal et base navale ★ DZ – Musée★ EZ **M.**

Env. Pont Albert-Louppe ←★ 7,5 km par ⑤.

18 d'Iroise ℘ 98 85 16 17 par ④ : 25 km.

de Brest-Guipavas : ℘ 98 84 61 49 par ③ : 10 km.

Office de Tourisme 6 r. A.-Morvan ℘ 98 44 24 96 – A.C.O. Finistère 9 r. Siam ℘ 98 44 32 89.

Paris 597 ② – Lorient 136 ⑤ – Quimper 72 ⑤ – ♦Rennes 245 ② – St-Brieuc 144 ②.

Plans pages suivantes

Sofitel Oceania Ⓜ, 82 r. Siam ℘ 98 80 66 66, Télex 940951 – rest TV ☎ ♿ – 200. AE E VISA EY **r** **R** carte 120 à 185 – ☕ 35 – **82 ch** 310/480.

Continental, square Tour d'Auvergne ℘ 98 80 50 40, Télex 940575 – rest TV ☎ ♿ – 200. AE E VISA EY **f** SC : **R** *(fermé sam. midi et dim.)* 55/150 – ☕ 22 – **75 ch** 205/290 – P 282/512.

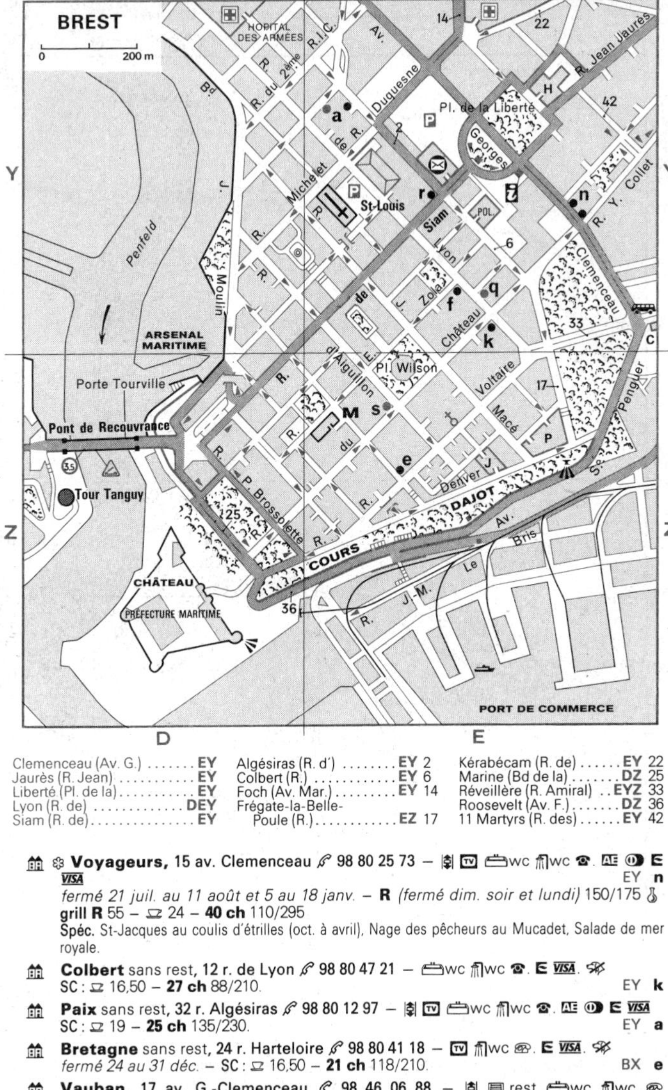

Clemenceau (Av. G.) .... EY
Jaurès (R. Jean) .... EY
Liberté (Pl. de la) .... EY
Lyon (R. de) .... DEY
Siam (R. de) .... EY

Algésiras (R. d') .... EY 2
Colbert (R.) .... EY 6
Foch (Av. Mar.) .... EY 14
Frégate-la-Belle-Poule (R.) .... EZ 17

Kérabécam (R. de) ...... EY 22
Marine (Bd de la) .... DZ 25
Réveillère (R. Amiral) .. EYZ 33
Roosevelt (Av. F.) .... DZ 36
11 Martyrs (R. des) ...... EY 42

❀ **Voyageurs,** 15 av. Clemenceau ✆ 98 80 25 73 – wc wc ☎. AE E VISA — EY **n**
fermé 21 juil. au 11 août et 5 au 18 janv. – **R** *(fermé dim. soir et lundi)* 150/175 – grill **R** 55 – ☐ 24 – **40 ch** 110/295
Spéc. St-Jacques au coulis d'étrilles (oct. à avril), Nage des pêcheurs au Mucadet, Salade de mer royale.

Colbert sans rest, 12 r. de Lyon ✆ 98 80 47 21 – wc wc ☎. E VISA. — EY **k**
SC : ☐ 16,50 – **27 ch** 88/210.

Paix sans rest, 32 r. Algésiras ✆ 98 80 12 97 – wc wc ☎. AE E VISA — EY **a**
SC : ☐ 19 – **25 ch** 135/230.

Bretagne sans rest, 24 r. Harteloire ✆ 98 80 41 18 – wc ☎. E VISA. — BX **e**
fermé 24 au 31 déc. – SC : ☐ 16,50 – **21 ch** 118/210.

Vauban, 17 av. G.-Clemenceau ✆ 98 46 06 88 – rest wc wc ☎ – 200. E VISA. ch — EY **n**
SC : **R** *(fermé 10 juil. au 8 août et vend.)* 39/85 – ☐ 15,50 – **53 ch** 91/238.

Astoria sans rest, 9 r. Traverse ✆ 98 80 19 10 – wc wc ☎. VISA — EZ **e**
fermé 17 au 25 août et 19 déc. au 5 janv. – SC : ☐ 17 – **24 ch** 68/134.

Bellevue sans rest, 53 r. V.-Hugo ✆ 98 80 51 78 – wc ☎ — BX **u**
SC : ☐ 17 – **26 ch** 69/164.

XXX ❀ **Frère Jacques** (Peron), 15 bis r. Lyon ✆ 98 44 38 65 – E — EY **q**
fermé 28 juil. au 11 août, sam. midi et dim. – **R** 140/195
Spéc. Demoiselles de Loctudy (avril-oct.), Gâteau d'algues aux huîtres, Poire chaude en feuilleté.

XXX **Le Vatel,** 23 r. Fautras ✆ 98 44 51 02 – AE E VISA — EY **a**
fermé 4 au 18 août, vacances de fév., sam. midi et dim. – **R** 50 (sauf vend. soir et sam.)/200.

Clemenceau (Av. G.) . . . . EY	Liberté (Pl. de la) . . . . EY	Aiguillon (R. d') . . . . EZ
Jaurès (R. J.) . . . . EY	Lyon (R. de) . . . . DEY	Albert 1er (Pl.) . . . . BZ
	Siam (R. de) . . . . EY	Algésiras (R. d') . . . . EY 2

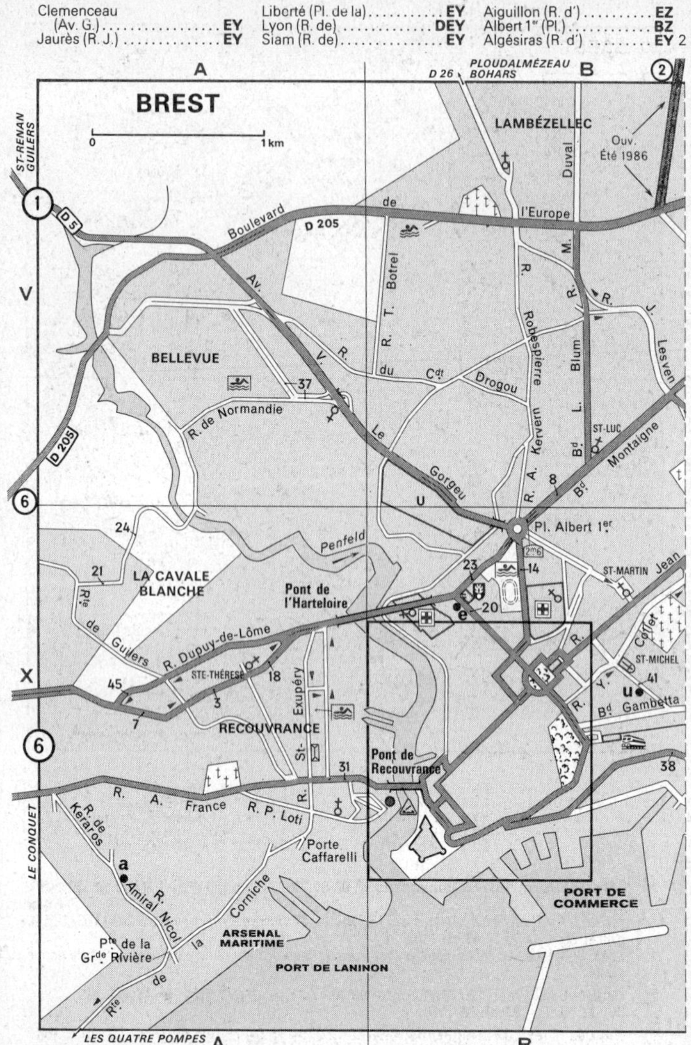

XX **Le Poulbot,** 26 r. Aiguillon ✆ 98 44 19 08 – AE ⓓ E VISA — EZ s
fermé 15 août au 6 sept., sam. midi et dim. – SC : **R** 100/133.

à Recouvrance par rte de la Corniche – ✉ **29200** Brest :

Ajoncs d'Or, 1 r. Amiral Nicol ✆ 98 45 12 42, – TV wc ☎ ♿ P – 25. AE ⓓ E VISA — AX a
SC : **R** 78/200 – 23 – **17 ch** 230/250.

par ② : 6 km – ✉ **29200** Brest :

Novotel M, Z.A Kergaradec ✆ 98 02 32 83, Télex 940470, – rest TV ☎ ♿ P – 25 à 250. AE ⓓ E VISA
R snack carte environ 100 – 32 – **85 ch** 306/348.

MICHELIN, Agence, bd Gabriel-Lippmann par ② Zone Activité Kergaradec à Gouesnou ✆ 98 02 21 08

Anatole-France (R.) ... **AX**
Beaumanoir (R.) ... **AX** 3
Blum (Bd Léon) ... **BV**
Bot (R. du) ... **CV**
Botrel (R. Th.) ... **BV**

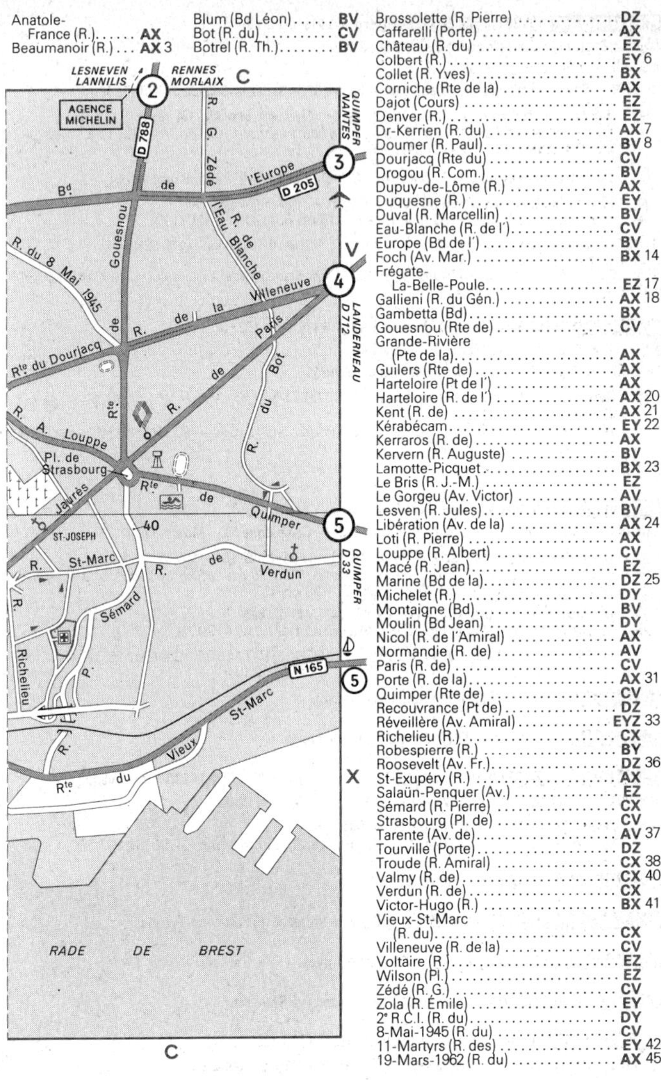

Brossolette (R. Pierre) ... **DZ**
Caffarelli (Porte) ... **AX**
Château (R. du) ... **EZ**
Colbert (R.) ... **EY** 6
Collet (R. Yves) ... **BX**
Corniche (Rte de la) ... **AX**
Dajot (Cours) ... **EZ**
Denver (R.) ... **EZ**
Dr-Kerrien (R. du) ... **AX** 7
Doumer (R. Paul) ... **BV** 8
Dourjacq (Rte du) ... **CV**
Drogou (R. Com.) ... **BV**
Dupuy-de-Lôme (R.) ... **AX**
Duquesne (R.) ... **EY**
Duval (R. Marcellin) ... **BV**
Eau-Blanche (R. de l') ... **CV**
Europe (Bd de l') ... **BV**
Foch (Av. Mar.) ... **BX** 14
Frégate-La-Belle-Poule ... **EZ** 17
Gallieni (R. du Gén.) ... **AX** 18
Gambetta (Bd) ... **BX**
Gouesnou (Rte de) ... **CV**
Grande-Rivière (Pte de la) ... **AX**
Guilers (Rte de) ... **AX**
Harteloire (Pt de l') ... **AX**
Harteloire (R. de l') ... **AX** 20
Kent (R. de) ... **AX** 21
Kérabécam ... **EY** 22
Kerraros (R. de) ... **AX**
Kervern (R. Auguste) ... **BV**
Lamotte-Picquet ... **BX** 23
Le Bris (R. J.-M.) ... **EZ**
Le Gorgeu (Av. Victor) ... **AV**
Lesven (R. Jules) ... **BV**
Libération (Av. de la) ... **AX** 24
Loti (R. Pierre) ... **AX**
Louppe (R. Albert) ... **CV**
Macé (R. Jean) ... **EZ**
Marine (Bd de la) ... **DZ** 25
Michelet (R.) ... **DY**
Montaigne (Bd) ... **BV**
Moulin (Bd Jean) ... **DY**
Nicol (R. de l'Amiral) ... **AX**
Normandie (R. de) ... **AV**
Paris (R. de) ... **CV**
Porte (R. de la) ... **AX** 31
Quimper (Rte de) ... **CV**
Recouvrance (Pt de) ... **DZ**
Réveillère (Av. Amiral) ... **EYZ** 33
Richelieu (R.) ... **CX**
Robespierre (R.) ... **BY**
Roosevelt (Av. Fr.) ... **DZ** 36
St-Exupéry (R.) ... **AX**
Salaün-Penquer (Av.) ... **EZ**
Sémard (R. Pierre) ... **CX**
Strasbourg (Pl. de) ... **CV**
Tarente (Av. de) ... **AV** 37
Tourville (Porte) ... **DZ**
Troude (R. Amiral) ... **CX** 38
Valmy (R. de) ... **CX** 40
Verdun (R. de) ... **CX**
Victor-Hugo (R.) ... **BX** 41
Vieux-St-Marc (R. du) ... **CX**
Villeneuve (R. de la) ... **CV**
Voltaire (R.) ... **EZ**
Wilson (Pl.) ... **EZ**
Zédé (R. G.) ... **CV**
Zola (R. Émile) ... **EY**
2e R.C.I. (R. du) ... **DY**
8-Mai-1945 (R. du) ... **CV**
11-Martyrs (R. des) ... **EY** 42
19-Mars-1962 (R. du) ... **AX** 45

ALFA-ROMEO, TOYOTA Brest Autom., 84 rte de Gouesnou ✆ 98 02 21 82
AUSTIN-ROVER Sébastopol-Autom., Z.I. Kergonan angle bd Europe et rte Gouesnou ✆ 98 42 05 55
BMW Ouest-Autom., r. G.-Plante, Zone Activité Kergaradec à Gouesnou ✆ 98 02 11 15 **N** ✆ 98 40 65 75
CITROEN Succursale, r. G.-Zédé, Zone Ind. de Kergonan par ② ✆ 98 02 23 96
FIAT Gar. Bodier, 159 rte de Gouesnou ✆ 98 02 64 44
FORD Herrou et Lyon, rte Gouesnou à Kerguen ✆ 98 02 35 62
MERCEDES-BENZ, OPEL Gar. de l'Etoile, bd de l'Europe Zone Ind. de Kergonan ✆ 98 41 80 80

PEUGEOT-TALBOT Ste Brestoise des Gges de Bretagne Lavallot, Rte de Guipavas par ④ ✆ 98 02 14 06
RENAULT Auto-Sce Brestois, 20 rte Paris ✆ 98 02 20 20
V.A.G. Gar. St-Christophe, 132 rte de Gouesnou ✆ 98 02 19 80
VOLVO SEVI, r. Kervezennec Zone Ind. Kergonan ✆ 98 02 47 80

Lorans-Pneus, 70 r. P.-Sémard ✆ 98 02 02 11
Madec-Pneus, 19 r. Kerjean-Vras ✆ 98 44 43 13
Pneus Service, Mesmerien, rte de Gouesnou ✆ 98 02 35 26
Simon-Pneus, 74 rte de Gouesnou ✆ 98 02 38 66

BRETENOUX 46130 Lot **75** ⑲ G. Périgord – 1 213 h. alt. 126.

Voir Château de Castelnau : ←* SO : 3,5 km.**

Syndicat d'Initiative ✆ 65 38 40 23.

Paris 533 – Brive-la-Gaillarde 45 – Cahors 85 – Figeac 51 – Sarlat-la-Canéda 67 – Tulle 49.

Gd H. de la Cère, ✆ 65 38 40 19, – wc. rest
fermé 1er au 15 nov., 15 au 31 déc., sam. et dim. sauf juil.-août – SC : **R** 52/130 – 16 – **26 ch** 115/180 – P 178/200.

au Port de Gagnac NE : 6 km par D 940 et D 14 – ✉ **46130** Bretenoux :

Host. Bellerive, ✆ 65 38 50 04, ←, – wc. VISA.
mars-oct. – SC : **R** 52/150 – 17 – **15 ch** 80/170 – P 160/190.

CITROEN Gar. Croix Blanche, à St-Michel-Loubéjou ✆ 65 38 11 88
PEUGEOT-TALBOT Bretenoux-Auto, ✆ 65 38 45 60
RENAULT Bassat, ✆ 65 38 45 84
Biars-Pneus, à Biars-sur-Cère ✆ 65 38 58 34

BRETEUIL 27160 Eure **55** ⑯ G. Normandie – 3 415 h. alt. 172.

Syndicat d'Initiative à la Mairie ✆ 32 29 82 45.

Paris 127 – L'Aigle 25 – Évreux 32 – Verneuil-sur-Avre 11.

Mail, r. Neuve-de-Bémécourt ✆ **32 29 81 54**, – wc – 35. E VISA
fermé 12 au 29 nov., dim. soir et lundi de nov. au 15 avril – SC : **R** 145/245 – 39 – **13 ch** 225/400 – P 350/400.

Goy-Pneus, ✆ 32 29 71 88

BRETEUIL 60120 Oise **52** ⑱ – 3 875 h. alt. 83.

Paris 112 – ♦Amiens 32 – Beauvais 28 – Clermont 34 – Compiègne 56 – Montdidier 21.

Cap Nord Ⓜ, r. de Paris ✆ **44 07 10 33** – wc – 50
hôtel : fermé 25 au 31 déc. ; rest. : fermé 1er au 15 juil. et 25 déc. au 15 janv., vend. soir et sam. – SC : **R** 50/120 – 17 – **38 ch** 152/176.

Globe, r. République ✆ **44 07 01 78**, . E VISA
fermé 1er au 10 août, 1er au 10 mars, dim. soir et lundi – SC : **R** 52/170.

CITROEN Minard, 2 r. de Paris ✆ 44 07 00 36
PEUGEOT-TALBOT Caullier, 55 av. Gal-Frère ✆ 44 07 00 13

Le BREUIL 71 S.-et-L. **69** ⑧ – rattaché au Creusot.

Le BREUIL 17 Char.-Mar. **71** ⑫ – rattaché à la Rochelle.

Le BREUIL-EN-AUGE 14 Calvados **54** ⑰ ⑱ – 751 h. alt. 38 – ✉ **14130** Pont-l'Évêque.

Paris 204 – ♦ Caen 55 – Deauville 20 – Lisieux 9.

Aub. Dauphin, ✆ 31 65 08 11 – VISA.
fermé 1er au 15 mars, 30 sept. au 29 oct., mardi soir et merc. – SC : **R** 180/300.

BREVANS 39 Jura **70** ③ – rattaché à Dôle.

Les BRÉVIAIRES 78 Yvelines **60** ⑨, **196** ㉘ – rattaché au Perray-en-Yvelines.

BRÉVIANDES 10 Aube **61** ⑯⑰ – rattaché à Troyes.

BRÉVILLE-SUR-MER 50 Manche **59** ⑦ – rattaché à Granville.

BRÉVONNES 10 Aube **61** ⑰⑱ – 655 h. alt. 116 – ✉ **10220** Piney.

Paris 186 – Bar-sur-Aube 31 – St-Dizier 58 – Troyes 26 – Vitry-le-François 52.

Vieux Logis, ✆ 25 46 30 17, – . VISA. ch
fermé lundi midi et dim. soir sauf fériés – SC : **R** 44/100 – 12 – **7 ch** 67/120 – P 147/189.

Aub. du Bourricot Fleuri, ✆ 25 46 30 22.

BREZOLLES 28270 E.-et-L. **60** ⑥ – 1 429 h. alt. 162.

Paris 105 – Alençon 88 – Argentan 90 – Chartres 43 – Dreux 23.

Le Relais, ✆ 37 48 20 84 – wc. E VISA
fermé août et dim. soir – SC : **R** 50/130 – 18 – **22 ch** 75/150 – P 160/200.

BRIANÇON <SP> **05100** H.-Alpes 77 ⑱ **G. Alpes** – **11 544** h. alt. 1 321 – Sports d'hiver à Serre-Chevalier par ④ : 6 km, puis téléphérique.

Voir Ville haute★★ : Grande Rue★, Pont d'Asfeld★, Remparts ≤★, Citadelle ☀★ – Puy St-Pierre ≤★★ de l'église SO : 3 km par D35.

Env. Croix de Toulouse ≤★★ par ④ et D 32 : 8,5 km.

🚗 ℘ 92 51 50 50.

ℹ Office de Tourisme Porte de Pignerol ℘ 92 21 08 50, Télex 410898 et Central Parc (sais.) ℘ 92 21 08 21.

Paris 678 ④ – Digne 146 ③ – Gap 87 ③ – ♦Grenoble 116 ④ – ♦Nice 263 ③ – Torino 108 ①.

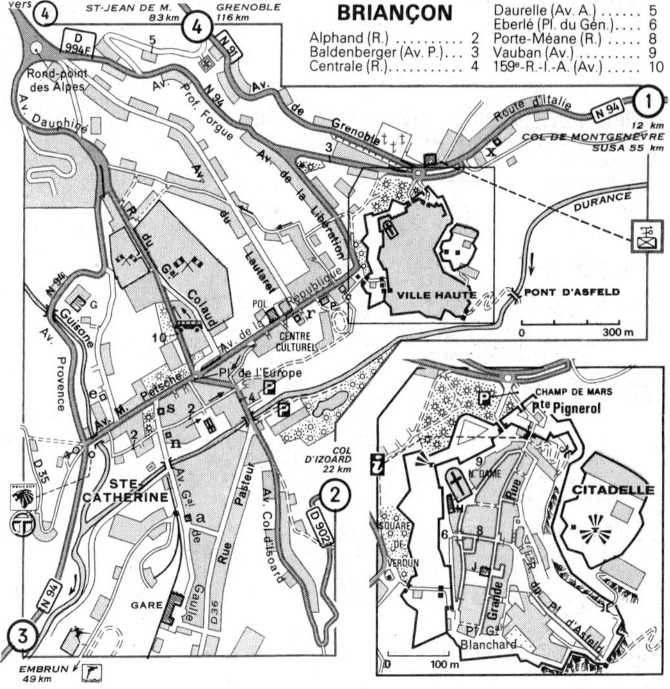

🏨 **Vauban,** 13 av. Gén.-de-Gaulle **(n)** ℘ 92 21 12 11, ≤, 🌳 – 🛗 ☎ 🅟
fermé 10 nov. au 18 déc. – SC : **R** 80/95 – ☕ 24 – **44 ch** 210/260 – P 250/320.

🏨 **Aub. Le Mt-Prorel** 🐚, 5 av. R.-Froger **(e)** ℘ 92 20 22 88, ≤, 🌳 – 🛁wc ☎. AE ⓓ E VISA
fermé 15 avril au 1er mai et 10 au 22 déc. – SC : **R** 60/140 – ☕ 23 – **18 ch** 95/250 – P 200/285.

🏨 **Le Cristol** Ⓜ, 6 rte Italie **(x)** ℘ 92 20 20 11, ≤ – 🛁wc 🚿wc ☎. 🚫
hôtel : fermé 25 oct. au 25 déc. – SC : **R** *(1er juin-30 sept.)* 80 – ☕ 19 – **16 ch** 135/220 – P 250/290.

🏨 **Edelweiss** sans rest, 32 av. République **(r)** ℘ 92 21 02 94 – 🛁wc 🚿wc ☎ 🅟. VISA. 🚫
fermé 30 oct. au 15 déc. – SC : ☕ 17 – **23 ch** 90/260.

🏨 **Mont-Brison** sans rest, 3 av. Gén.-de-Gaulle **(s)** ℘ 92 21 14 55 – 🛗 🛁wc 🚿wc ☎ 🅟. 🚫
fermé 5 nov. au 15 déc. – SC : ☕ 21 – **45 ch** 111/200.

XX **Paris** avec ch, **41 av. Gén.-de-Gaulle (a)** ℘ 92 20 15 30, ≤ – 🛁wc 🚿 ☎ 🅟. AE ⓓ VISA
fermé oct. et du 26 mai au 8 juin – SC : **R** *(fermé sam. midi et vend. du 1er sept. au 31 mai ; vend. midi et lundi midi en juil.-août)* 65/95 – ☕ 18 – **24 ch** 92/170 – P 208/290.

Voir aussi ressources hôtelières de ***Serre-Chevalier*** par ④ : 6 km

ALFA-ROMEO Jullien, 21 av. M.-Petsche ℘ 92 21 30 00
FORD Gar. Gignoux, av. Gare ℘ 92 23 11 56
PEUGEOT-TALBOT S.E.P.R.A., 3 rte de Gap ℘ 92 21 10 02 N

BRIARE 45250 Loiret 65 ② G. Bourgogne – 6 327 h. alt. 144.

Office de Tourisme pl. République (1er mars-1er nov.) ✆ 38 31 24 51.

Paris 155 – Auxerre 77 – Cosne-sur-Loire 31 – Montargis 42 – ♦Orléans 77.

Host. Canal, 19 quai Pont-Canal ✆ 38 31 22 54 – wc ☎ P. AE ① E VISA
fermé 15 déc. au 20 janv. et lundi hors sais. – SC : **R** 53/160 – ☕ 13,50 – **12 ch** 103/140 – P 173/196.

BRICQUEBEC 50260 Manche 54 ② G. Normandie – 3 750 h. alt. 34.

Voir Donjon★ du Château.

Paris 353 – Barneville-Carteret 16 – Cherbourg 22 – Coutances 54 – St-Lô 69 – Valognes 13.

Vieux Château , ✆ 33 52 24 49 – wc wc ☎ P. E VISA
fermé 20 déc. au 25 janv., dim. soir et lundi d'oct. à mars – SC : **R** 47/140 – ☕ 18 – **20 ch** 100/260 – P 175/250.

CITROEN Gar. Legarand, ✆ 33 52 27 72 N RENAULT Lecocq, ✆ 33 52 27 91 N

BRIDES-LES-BAINS 73 Savoie 74 ⑰⑱ G. Alpes – 583 h. alt. 572 – Stat. therm. (7 avril-20 oct.) – Casino – ✉ 73600 Moutiers Tarentaise.

Syndicat d'Initiative ✆ 79 55 20 64, Télex 980405.

Paris 603 – Annecy 77 – Chambéry 79 – Courchevel 18 – Moûtiers 6.

Gd H. Thermes, ✆ 79 24 25 77 – TV ☎ P. rest
1er mai-30 sept. – SC : **R** 100/120 – ☕ 30 – **100 ch** 300/420, 4 appartements 700 – P 450/550.

Sources , ✆ 79 24 10 22, ≤ – TV wc wc ☎ P. rest
8 fév.-31 oct. – SC : **R** 72/88 – ☕ 22 – **77 ch** 193/231 – P 177/265.

Savoy, ✆ 79 55 20 55, ≤ – TV wc wc ☎ P. VISA. rest
4 mai-28 sept. – SC : **R** 100 – ☕ 30 – **40 ch** 178/262 – P 273/336.

Verseau M , ✆ 79 24 18 44, ≤, , – TV wc ☎ P. rest
15 avril-15 oct. – SC : **R** 68/81 – ☕ 24 – **32 ch** 207/269 – P 258/381.

Bains M , ✆ 79 55 22 05, ≤, – wc wc ☎ P – *sais.* – **34 ch**.

Golf, ✆ 79 24 00 12, ≤ – TV wc wc ☎ P. VISA. rest
15 avril-6 oct. – SC : **R** 100 – ☕ 27 – **48 ch** 163/310 – P 258/352.

Val Vert, ✆ 79 55 22 62, – TV wc wc ☎ P. E VISA.
1er fév.-30 oct. – SC : **R** 70/98 – ☕ 22 – **26 ch** 105/244 – P 194/260.

La Grillade, résid. Le Royal ✆ 79 55 20 90, – P. VISA
fermé 30 oct. au 20 déc. – SC : **R** 68/120.

BRIEC 29112 Finistère 58 ⑮ – 4 711 h. alt. 158.

Paris 548 – Carhaix-Plouguer 43 – Châteaulin 18 – Morlaix 65 – Pleyben 17 – Quimper 16.

Midi, ✆ 98 57 90 10, – P. E VISA. ch
fermé 15 déc. au 6 janv., sam. et dim. soir sauf juil.-août – SC : **R** 52/160 – ☕ 15 – **15 ch** 72/78.

BRIE-COMTE-ROBERT 77170 S.-et-M. 61 ②, 196 ㉝, 101 ㊴ G. Environs de Paris – 10 565 h. alt. 88.

Voir Verrière★ du chevet de l'église.

Paris 32 – Brunoy 9,5 – Évry 21 – Melun 18 – Provins 56.

A la Grâce de Dieu, ✆ (1) 64 05 00 76 – P. VISA
fermé août, dim. soir et merc. – **R** 75/95 .

FORD Zélus Autom., 22 r. Gén. Leclerc ✆ (1) 64 05 03 10
PEUGEOT, TALBOT Ets Lespourci, 1 r. Gén. Leclerc ✆ (1) 64 05 50 50
RENAULT Escoffier-Brie, 7 av. Gén. Leclerc ✆ (1) 64 05 21 18

BRIENNE-LE-CHÂTEAU 10500 Aube 61 ⑱ G. Champagne, Ardennes – 4 112 h. alt. 126.

Paris 191 – Bar-sur-Aube 24 – Châtillon 72 – St-Dizier 45 – Troyes 40 – Vitry-le-François 42.

Le Briennois sans rest, à **Brienne-la-Vieille** S : 2 km par D 443 ✆ 25 92 83 71 – P
SC : ☕ 16 – **8 ch** 70/110.

Aub. de la Plaine avec ch, à la Rothière S : 5 km par D 396 ✆ 25 92 21 79 – wc wc ☎ P. ① E VISA
fermé vend. soir du 15 sept. au 31 mai – SC : **R** 40 (sauf samedi)/140 – ☕ 16 – **14 ch** 90/145 – P 180/250.

Croix Blanche avec ch, av. Pasteur ✆ 25 92 80 27 – P – **12 ch**.

CITROEN Gar. Deravet, ✆ 25 92 80 15
FORD Gar. Blavot, ✆ 25 92 80 39
RENAULT Consigny, ✆ 25 77 80 48

BRIGNAC 87 H.-Vienne 72 ⑱ – rattaché à St-Léonard-de-Noblat.

BRIGNAIS 69 Rhône 74 ⑪ – rattaché à Lyon.

BRIGNOGAN-PLAGES 29238 Finistère 58 ④⑤ G. Bretagne – 881 h.
Voir Clocher★ de l'église de Goulven SE : 3,5 km.
Syndicat d'Initiative r. Gén.-de-Gaulle (1er juil.-15 sept.) ✆ 98 83 41 08.
Paris 588 – ♦Brest 37 – Carhaix-Plouguer 95 – Landerneau 26 – Morlaix 56 – St-Pol-de-Léon 31.

Castel Régis ⛰, plage Garo ✆ 98 83 40 22, ≤, ⛱, ✈, ✗ – ⊟wc ☎ 🅟. ✽ rest
Pâques - fin sept. – SC : **R** *(fermé merc. midi)* (prévenir), 95/156 – ☕ 21 – **11 ch** 210/310.

BRIGNOLES ⊛ 83170 Var 84 ⑮ G. Côte d'Azur (plan) – 10 894 h. alt. 215.
Voir Sarcophage de la Gayole★ dans le musée M.
Office de Tourisme pl. St-Louis et A.C. ✆ 94 69 01 78.
Paris 812 – Aix-en-Provence 57 – Cannes 93 – Draguignan 53 – ♦Marseille 64 – ♦Toulon 50.

Le Paris, 29 av. Dréo ✆ 94 69 01 00 – ⊟wc ⋔wc ☏ 🅟. VISA
20 mars-15 nov., et fermé mardi midi et lundi – SC : **R** 56/100 – ☕ 16 – **16 ch** 117/190.

Univers avec ch, pl. Carami ✆ 94 69 11 08 – ⊟wc ⋔wc ☏ 🚗. AE ⓓ E VISA
15 fév.-15 nov. – SC : **R** *(fermé 15 déc. au 15 janv., dim. soir et lundi)* 70 bc/178 – ☕ 17 – **10 ch** 75/220 – P 226/298.

au Sud : 2,5 km par D 554 rte de Toulon – ✉ 83170 Brignoles :

Mas la Cascade Ⓜ ⛰, ✆ 94 69 07 85, ≤, ⛱, « Bel aménagement intérieur, jardin » – ⊟wc ☏ 🅟 – 🏟 25 – **10 ch**.

PEUGEOT-TALBOT Gar. Blanc et Rochebois, N 7, rte d'Aix ✆ 94 69 21 23
RENAULT S.A.D.A.P., Zone Ind. ✆ 94 69 23 28 N ✆ 94 22 29 35
Ⓜ Aude, Zone Ind. ✆ 94 69 34 13
Omnica, N 7, Cante-Perdrix ✆ 94 69 02 04

La BRIGUE 06 Alpes-Mar. 84 ⑳, 195 ⑨ G. Côte d'Azur – 495 h. alt. 765 – ✉ 06430 Tende.
Voir Église St-Martin★ : retable de l'Adoration de l'Enfant★, Notre-Dame des Neiges★ – Fresques★★ de la chapelle N.-D.-des-Fontaines E : 4 km.
Paris 868 – ♦Nice 82 – Sospel 39.

Mirval ⛰, ✆ 93 04 63 71, ≤, ⛱, ✈ – ⊟wc ☏ 🅟. AE ⓓ E VISA. ✽
1er avril-1er nov. – SC : **R** 65/90 – ☕ 20 – **18 ch** 125/200 – P 190/230.

Fleur des Alpes, pl. St-Martin ✆ 93 04 61 05 – ⋔wc
fermé merc. hors sais. ; et hôtel: ouvert 1er mars-30 oct. ; rest.: fermé janv. et fév. – SC : **R** 55/90 – ☕ 15 – **7 ch** 90/150 – P 155/185.

BRINDOS (Lac de) 64 Pyr.-Atl. 78 ⑱ – rattaché à Biarritz.

BRINON-SUR-SAULDRE 18 Cher 64 ⑳ – 1 249 h. alt. 138 – ✉ 18410 Argent-sur-Sauldre.
Paris 187 – Bourges 64 – Cosne-sur-Loire 59 – Gien 36 – ♦Orléans 57 – Salbris 30.

✿ **La Solognote** (Girard) ⛰, ✆ 48 58 50 29, ✈ – ⋔wc ☏ 🅟. ✽ ch
fermé 23 mai au 5 juin, 10 au 24 sept., 10 fév. au 6 mars, mardi soir (sauf juil.-août) et merc. – SC : **R** 110/240 – ☕ 25 – **10 ch** 165/240
Spéc. St-Jacques tièdes (oct. à avril), Turbot au curry, Gibier (oct. à déc.).

Le Dauphin avec ch, ✆ 48 58 52 90 – ⋔wc 🚗. ✽ rest
fermé 18 au 28 août, 22 au 27 déc., 3 au 20 mars, merc. soir et jeudi – SC : **R** 59/135 🍷 – ☕ 20 – **12 ch** 90/120.

PEUGEOT, TALBOT Gar. Moderne, 8 r. Gare ✆ 48 58 53 17
RENAULT Gar. de la Jacque, ✆ 48 58 50 37 N

BRIONNE 27800 Eure 55 ⑮ G. Normandie (plan) – 5 038 h. alt. 57.
Syndicat d'Initiative pl. Église (1er juil.-31 août) ✆ 32 44 80 30.
Paris 143 – Bernay 15 – Évreux 41 – Lisieux 39 – Pont-Audemer 28 – ♦Rouen 43.

Le Logis de Brionne, pl. St-Denis ✆ 32 44 81 73 – ⊟wc ⋔wc ☎ 🅟. E VISA
fermé 22 déc. au 20 janv. et dim. soir hors sais. – SC : **R** *(fermé dim. soir hors sais. et lundi sauf le soir en sais.)* 87/165 – ☕ 18 – **16 ch** 75/163.

Aub. Vieux Donjon avec ch, r. Soie ✆ 32 44 80 62, ⛱ – 🅟. VISA
fermé 15 oct. au 8 nov., vacances de fév., dim. soir du 15 oct. à Pâques et lundi – SC : **R** 50/150 – ☕ 17,50 – **9 ch** 75/120.

à Calleville E : 3 km par D 26 – ✉ 27800 Brionne :

Manoir de Calleville ⛰, ✆ 32 44 94 11, parc, ⛱, ✗ – ⊟wc ☎ 🅟. AE ⓓ
1er mars-1er nov. et fermé mardi hors sais. – SC : **R** 84 – ☕ 27 – **8 ch** 262.

CITROEN Rotrou, à Aclou ✆ 32 44 83 66
RENAULT Gar. Leroy, 19 bd de la République ✆ 32 44 80 16 N
RENAULT Maulion, 24 r. Tragin ✆ 32 44 82 02

BRIOUDE <SP> 43100 H.-Loire **76** ⑤ **G. Auvergne** – 7 854 h. alt. 434.

Voir Basilique St-Julien★★.

Env. Lavaudieu : fresques★ de l'église et cloître★ de l'ancienne abbaye 9,5 km par ①.

Office de Tourisme 3 bd Dr-Devins (matin seul. hors sais.) ✆ 71 50 05 35.

Paris 453 ④ – Aurillac 108 ③ – ♦Clermont-Fd 69 ④ – Issoire 32 ④ – Le Puy 61 ② – St-Flour 52 ③.

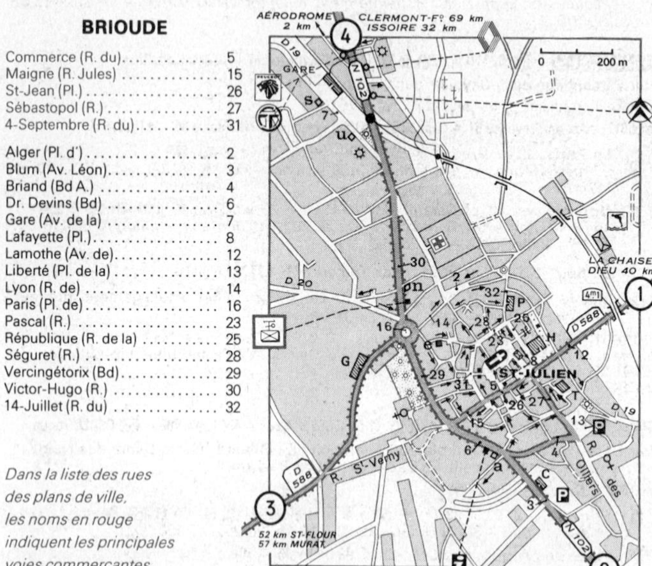

Le Brivas Ⓜ, rte Puy par ② ✆ 71 50 10 49, ≤, – ⎮⎮ ⇔wc ⋒wc ☎ Ⓟ – 🏔 40. AE ⓓ E VISA

fermé 21 nov. au 28 déc., vend. soir et sam. midi du 15 oct. au 15 mars – SC : **R** 60/120 – ☕ 16,50 – **30 ch** 145/230 – P 350.

Moderne, 12 av. Victor-Hugo **(n)** ✆ 71 50 07 30 – ⇔wc ⋒wc ☎ 🚗. AE ⓓ E VISA

fermé 1er janv. au 15 fév., dim. soir et lundi midi sauf juil. - août et fériés – SC : **R** 65/200 – ☕ 17,50 – **17 ch** 130/240.

Poste et Champanne (annexe 14 ch - ⇔wc), 1 bd Dr-Devins **(a)** ✆ 71 50 14 62 – ⇔wc ⋒wc Ⓟ – 🏔 50. 🐕 ch

fermé dim. soir de nov. à avril – SC : **R** 50/65 🍷 – ☕ 15 – **24 ch** 80/160 – P 140/170.

La Chaumine sans rest, 13 av. Gare **(u)** ✆ 71 50 14 10 – ⋒

fermé 15 janv. au 15 fév. et dim. – SC : ☕ 13 – **17 ch** 58/156.

Continental, 35 pl. Gare **(s)** ✆ 71 50 09 11 – ⋒

fermé 6 sept. au 7 oct. – SC : **R** *(fermé vend. soir hors sais. et sam.)* 108 bc/42 – ☕ 15 – **11 ch** 53/120 – P 110/140.

Julien, 7 r. Assas **(e)** ✆ 71 50 00 03 – VISA

fermé oct., dim. soir et lundi hors sais. – SC : **R** 45/75 🍷.

CITROEN Delmas, av. d'Auvergne ✆ 71 50 12 06
CITROEN Legrand G., N 102, Ste Anne, Vieille-Brioude par ② ✆ 71 50 32 42
FIAT, LANCIA-AUTOBIANCHI Legrand, 32 av. Victor-Hugo ✆ 71 50 08 54 N
PEUGEOT-TALBOT Gar. d'Auvergne, av. d'Auvergne ✆ 71 50 06 05
RENAULT Fournier, rte de Clermont ✆ 71 50 02 01

RENAULT Moncel, av. du Velay par ② ✆ 71 50 00 63

Da-Silva-Pneu, av. d'Auvergne ✆ 71 50 10 86
Estager-Pneu, av. d'Auvergne ZI St-Ferréol, ✆ 71 50 37 01

BRISON-LES-OLIVIERS 73 Savoie **74** ⑮ – rattaché à Aix-les-Bains.

Les **cartes Michelin** sont constamment tenues à jour.

BRISSAC-QUINCÉ 49320 M.-et-L. 64 ⑪ G. Châteaux de la Loire – 2 072 h. alt. 59.

Voir Château** – Syndicat d'Initiative à la Mairie ✆ 41 91 22 13.

Paris 300 – Angers 18 – Cholet 55 – Saumur 39.

Le Castel sans rest, ✆ **41 91 24 74**, – wc wc . AE VISA
fermé 16 au 27 fév. – SC : ☕ 18,50 – **11 ch** 145/200.

BRIVE-LA-GAILLARDE SP **19100** Corrèze 75 ⑧ **G. Périgord** – 54 032 h. alt. 142.

Voir Musée Ernest-Rupin* BY **M** – Hôtel de Labenche* BZ **X**.

✆ **55 23 50 50** – Office de Tourisme et A.C. pl. 14-Juillet ✆ 55 24 08 80.

Paris 488 ① – Albi 211 ⑤ – •Clermont-Ferrand 176 ② – •Limoges 91 ① – •Montpellier 341 ⑤ – •Toulouse 217 ⑤.

BRIVE-LA-GAILLARDE

Faro (R. du Lt-Colonel) .. AZ 10
Gambetta (R.) .... BZ
Gaulle (Pl. Ch.-de) ...... AY 12
Hôtel-de-Ville (R. de l') .. AZ 13
Paris (Av. de)........... AY
République (R. de la) .... AZ 23
Toulzac (R.)............. AY 26

Anatole-France (Bd)... ABY 2
Blum (Av. Léon) .... AZ 3
Cardinal (Pont) .... AY 4
Curie (R. M. et P.)....... AY 5
Dr-Massénat (R.) .... BY 7
Dubois (Bd Cardinal).... BY 8
Lattre-de-T. (Pl. de) ..... AZ 14
Lyautey (Bd Mar.)....... AZ 15
Pasteur (Av.)............ AY 18
Puyblanc (Bd de)...... ABZ 19
Raynal (R. Blaise) .... BZ 20
République (Pl. de la) ... AZ 22
St-Martin (⊞) .... AY
St-Sernin (⊞) .... AZ
Segeral-Verninac (R.) ... AY 25

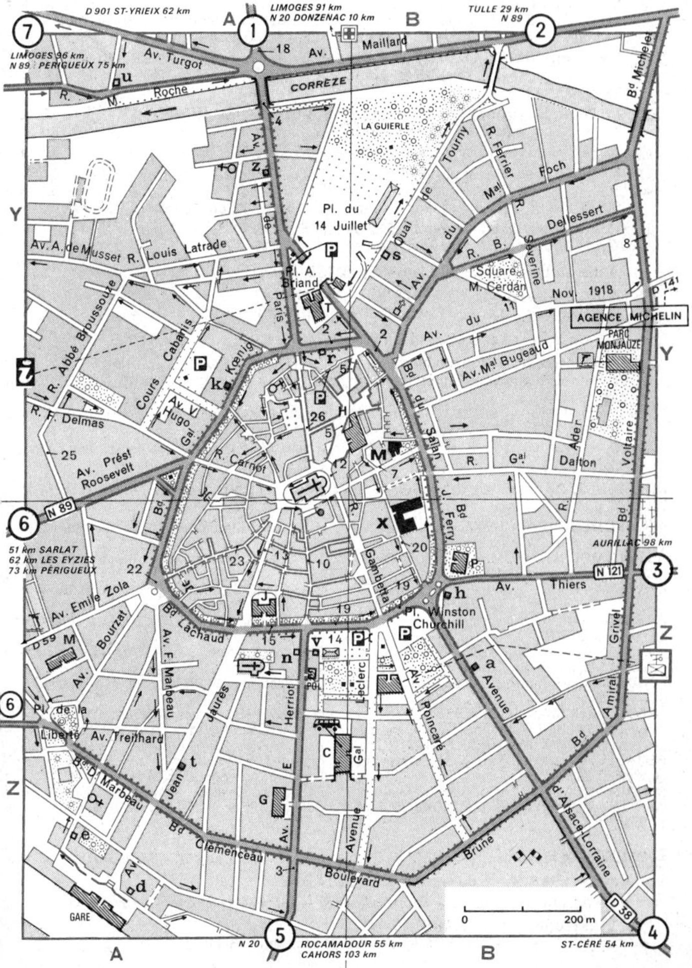

Truffe Noire, 22 bd A.-France ✆ 55 74 35 32, – 30. AE E
SC : **R** 90/150 – 22 – **35 ch** 150/300 – P 300/340. AY r

Mercure M, rte Varetz par ⑦ et D 170 : 5,5 km ✆ 55 87 15 03, Télex 590096, – rest – 30 à 100. AE E VISA
R carte environ 120 – 25 – **57 ch** 221/262.

Urbis M sans rest, 32 r. M.-Roche ✆ 55 74 34 70, Télex 590195 – . VISA AY u
SC : 25 – **55 ch** 195/215.

H. le Quercy sans rest, 8 bis q. Tourny ✆ 55 74 09 26 – wc . AE E VISA. BY s
fermé 20 déc. au 15 janv. – SC : 20 – **74 ch** 130/200.

Le Chapon Fin, 1 pl. de Lattre-de-Tassigny ✆ 55 74 23 40, Télex 580645, – wc wc – 60. AE E VISA AZ v
SC : **R** 65/90 – 21 – **28 ch** 160/200 – P 255/300.

Terminus, face Gare ✆ 55 74 21 14, – wc wc . VISA AZ d
SC : **R** *(fermé 15 déc. au 15 janv. et dim. du 15 oct. au 15 déc.)* 65/180 – 18,50 – **50 ch** 80/230 – P 225/310.

Montauban, 6 av. E.-Herriot ✆ 55 24 00 38 – wc wc . VISA AZ n
fermé janv. – SC : **R** *(fermé lundi midi)* 60/95 – 17 – **21 ch** 80/150.

Champanatier, 15 r. Dumyrat ✆ 55 74 24 14 – AZ e
fermé 7 au 21 juil. et vacances de fév. – SC : **R** *(fermé vend. soir et sam. midi sauf juil.-août)* 58/90 – 14,50 – **12 ch** 62/125 – P 140/190.

XXX **La Crémaillère** avec ch, 53 av. Paris ✆ 55 74 32 47 – wc . AE. AY z
fermé 15 au 30 juil., 15 au 28 fév., dim. soir et lundi – SC : **R** 60/140 – 18 – **12 ch** 110/210.

XXX **La Belle Époque,** 27 av. J. Jaurès ✆ 55 74 08 75 – VISA. AZ t
fermé 11 au 18 août et dim. – SC : **R** 60/140.

XX La Périgourdine, 15 av. Alsace-Lorraine ✆ 55 24 26 55, , BZ a

XX **Régent** avec ch, 3 pl. W.-Churchill ✆ 55 74 09 58, – wc VISA BZ h
SC : **R** *(fermé dim. soir et lundi)* 55/150 – 13,50 – **24 ch** 89/180 – P 220/330.

XX **l'Ermitage,** 25 bd Kœnig ✆ 55 23 63 11, – . AE VISA AY k
fermé 22 déc. au 21 janv., dim. hors saison – SC : **R** 120/160.

à Ussac par ① et D 57 : 5 km – ✉ **19270** Donzenac :

Aub. St-Jean, ✆ 55 88 30 20 – wc
SC : **R** 50/150 – 19 – **13 ch** 115/185 – P 180/190.

à Varetz par ⑦ et D 152 : 10 km – ✉ **19240** Allassac :

Château de Castel Novel (Parveaux) , ✆ 55 85 00 01, Télex 590065, ≤, « Demeure ancienne isolée dans un grand parc », , – – 120. AE E VISA
7 mai-19 oct. – SC : **R** 165/310 – 48 – **33 ch** 230/750, 5 appartements 1 230 – P 600/1 000
Spéc. Foie gras à la lie de vin, Tourtière de volaille, Feuilleté chaud aux poires. **Vins** Cahors, Bergerac.

MICHELIN, Agence, rue de l'Industrie à Malemort sur Corrèze par D 141 BY ✆ **55 74 38 76**

ALFA-ROMEO-HONDA-SEAT Auto Service, la Pigeonnie ✆ 55 74 39 28
AUSTIN, MORRIS, TRIUMPH Crémoux, 20 av. Mar.-Bugeaud ✆ 55 23 69 22
BMW Taurisson, 23 av. Ed.-Herriot ✆ 55 74 25 42
CITROEN Midi-Auto, av. Jean-Charles Rivet par ⑥ ✆ 55 87 90 55
FIAT, LANCIA, AUTOBIANCHI Auto-Sport, Palisse à Mallemort-sur-Corrèze ✆ 55 74 24 71
FORD Baudin-Autom., 30 av. du 18 juin ✆ 55 87 32 65
OPEL Cournil 147 av. Ribot ✆ 55 87 02 99
PEUGEOT-TALBOT Morance, Z.I. de Cana, rte d'Objat par ⑦ ✆ 55 88 04 06 ✆ 55 23 22 22
RENAULT Gar. Beauregard, N 89, Estavel par ⑥ ✆ 55 87 36 67
RENAULT S.A.D.A.B., rte de Tulle à Malemort par bd Michelet BY ✆ 55 23 20 10 ✆ 55 24 37 63
RENAULT Mournetas, 51 av. de Bordeaux, Estavel par ⑥ ✆ 55 87 26 32
TOYOTA Chambon, r. A. Devaud ✆ 55 88 30 13
V.A.G. S.O.C.O.D.A., av. Prés.-Kennedy ✆ 55 74 07 31
VOLVO Gar. Valenti, 71 av. 11-Novembre ✆ 55 23 77 64
Gar. de l'Avenue, 19 av. P.-Sémard ✆ 55 87 02 23
Gar. Pascaloux M., 37 av. Foch ✆ 55 24 06 09

Brive-Pneus, 44 av. P.-Sémard ✆ 55 87 27 58
Clergeau Pneus, av. L.-Lagrange ✆ 55 24 40 42
Estager-Pneu, 26 av. J.-C.-Rivet, Zone de Beauregard ✆ 55 87 35 20
Lagier, à Malemort ✆ 55 24 11 43
Pneu 2000, 115 av. G.-Pompidou ✆ 55 74 07 61
Rouhaud, 25 bd du Salan ✆ 55 24 03 45

Le BROC 06 Alpes-Mar. 84 ⑨, 195 ⑳ G. Côte d'Azur – 422 h. alt. 452 – ✉ 06510 Carros.

Voir Carros : site★, ★★ du vieux moulin SE : 4 km.

Paris 944 – Antibes 40 – ♦ Nice 32 – Puget-Théniers 55 – St-Martin-Vésubie 45 – Vence 19.

X **L'Estragon,** ✆ 93 29 08 91, ≤,
fermé 15 déc. au 1er fév. et vend. – SC : **R** (déj. seul) 58/110.

Le BROC 63 P.-de-D. 73 ⑭⑮ – rattaché à Issoire.

BROGLIE 27270 Eure 55 ⑭ G. Normandie – 1 126 h. alt. 142.
Paris 161 – L'Aigle 35 – Alençon 76 – Argentan 58 – Bernay 11 – Évreux 54 – Lisieux 31.

XX **Poste,** ℘ 32 44 60 18 – AE E VISA
fermé 1er au 16 oct., 17 déc. au 2 janv. mardi soir et merc. – SC : **R** 70/145.

CITROEN Chéron, ℘ 32 44 60 67

BRON 69 Rhône 74 ⑫ – rattaché à Lyon.

BROQUIÈS 12480 Aveyron 80 ⑬ – 755 h. alt. 388.
Paris 664 – Albi 62 – Lacaune 69 – Rodez 57 – St-Affrique 30.

Le Pescadou, S : 2,5 km rte St-Izaire ℘ 65 99 40 21, ←, – wc P. rest
hôtel : ouvert Pâques-30 sept. ; rest. : fermé oct. et le soir de nov. à Pâques – SC : **R** 42/70 – 16 – **14 ch** 55/140 – P 125/160.

BROU 01 Ain 74 ③ G. Bourgogne.
Curiosités★★★ et ressources hôtelières : rattachées à Bourg-en-Bresse.

BROU 28160 E.-et-L. 60 ⑯ G. Châteaux de la Loire – 3 844 h. alt. 159.
Voir Yèvres : boiseries★ de l'église 1,5 km par ③.
Paris 141 ② – Alençon 93 ⑦ – Chartres 38 ② – Châteaudun 22 ③ – Dreux 69 ② – ♦Le Mans 81 ⑦.

BROU

Baudin (R. E.)	2
Briand (Av. A.)	3
Canettes (R. des)	4
Chevalerie (R. de la)	5
Courtalain (R. de)	6
Gaulle (Av. Général de)	7
Halles (Pl. des)	9
Hôtel-de-Ville (R.)	12
Mail (R. du)	13
Nation (Pl. de la)	15
Président-Kennedy (Av.)	16
St-Jean (R.)	17

Pour bien lire les plans de villes voir signes et abréviations p. 23.

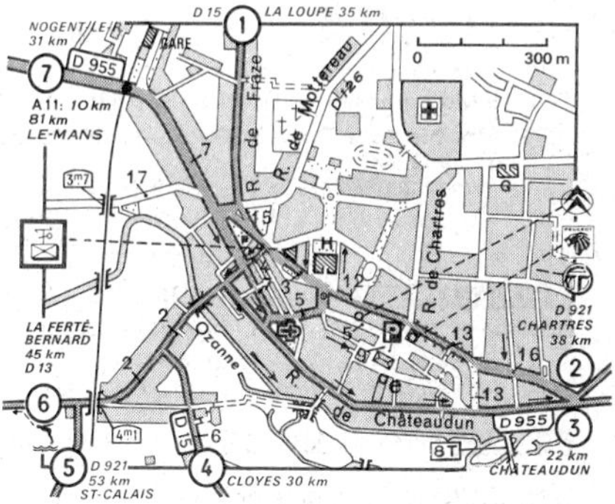

Plat d'Étain, pl. Halles (e) ℘ 37 47 03 98 – wc P. E VISA
fermé 15 déc. au 15 janv. – SC : **R** 49/95 – 16,50 – **18 ch** 85/160.

CITROEN Auguste ℘ 37 47 00 44
PEUGEOT, TALBOT Henry, ℘ 37 47 00 68
N ℘ 37 21 94 39
RENAULT Gar. Philippe, par ③ ℘ 37 47 01 68
RENAULT Gar. Royer, par R. de Mottereau ℘ 37 47 03 16

BROUIS (Col de) 06 Alpes-Mar. 84 ⑳, 195 ⑱ – rattaché à Breil-sur-Roya.

BROUSSE-LE-CHÂTEAU 12 Aveyron 80 ⑫ G. Causses – 225 h. alt. 232 – ✉ 12480 Broquiès.
Paris 669 – Albi 54 – Cassagnes-Bégonhès 34 – Lacaune 54 – Rodez 60 – St-Affrique 39.

Relays du Chasteau, ℘ 65 99 40 15, ← – wc P. E VISA.
fermé 15 déc. au 15 janv., vend. soir et sam. midi du 1er oct. au 1er mai – SC : **R** 52/73 – 18 – **14 ch** 70/105 – P 140/180.

BROUVELIEURES 88 Vosges 62 ⑯⑰ – rattaché à Bruyères.

BRUAY-EN-ARTOIS 62700 P.-de-C. 51 ⑭ – 23 200 h. alt. 40.
Paris 216 – Arras 36 – Béthune 9 – Lens 26 – ♦Lille 47 – St-Omer 40 – St-Pol-sur-Ternoise 20.

Park H. sans rest, pl. Cdt-L'Herminier ℘ 21 62 40 28, – wc wc P. E
SC : 16 – **20 ch** 81/180.

Univers, 30 r. H.-Cadot ℘ 21 62 40 31 – wc P. E VISA
fermé 31 juil. au 1er sept. – SC : **R** *(fermé dim. soir, fériés le soir et sam.)* 50/110 – 17 – **16 ch** 61/166.

XX **Le Constant,** pl. du Cercle ℘ 21 62 32 00 – E VISA
R 61/190.

à Gauchin-Le Gal S : 8 km par D 341 **53** ① – ✉ **62150** Houdain.
Voir Château★ d'Olhain NE : 3 km, G. Flandres, Artois, Picardie.

XX **Hatton,** ✆ 21 22 10 02
fermé fév., le soir (sauf sam.) du 15 sept. au 1er mai, dim. soir et lundi – **SC: R** 79/200.

FIAT Catteau, 45 rte Nationale à Labuissière ✆ 21 53 44 45
PEUGEOT-TALBOT Gar. Ste-Barbe, 1 r. A.-France ✆ 21 53 44 19
RENAULT Gar. Lourme, 6 r. d'Aire à Labuissière ✆ 21 52 28 19

BRUÈRE-ALLICHAMPS **18** Cher **69** ① – rattaché à St-Amand-Montrond.

Le BRUGERON **63** P.-de-D. **73** ⑯ – 411 h. alt. 850 – ✉ **63880** Olliergues.
Paris 416 – Ambert 35 – ♦Clermont-Ferrand 70 – ♦St-Étienne 97 – Thiers 35.

Gaudon, ✆ 73 72 60 46, ≤ – **P**. ✻ ch
fermé mi-nov. à mi-déc., 2 au 15 janv. et mardi en mars et d'oct. à janv. – **SC: R** 50/160 ₰ – ☕ 16 – **8 ch** 80/104 – P 140/145.

BRUMATH **67170** B.-Rhin **57** ⑲ – 7 702 h. alt. 150.
Paris 470 – Haguenau 11 – Molsheim 30 – Saverne 30 – ♦Strasbourg 17.

Ville de Paris, 13 r. Gén.-Rampont ✆ 88 51 11 02 – 🛗 ⇔wc ⋒wc ☎ **P** – 🏛 30. VISA
fermé 21 juin au 13 juil., dim. soir et vend. – **SC: R** 60/160 ₰ – ☕ 16 – **14 ch** 68/130.

XXX **Écrevisse** avec ch, 4 av. Strasbourg ✆ 88 51 11 08, 🌳 – 🛗 ⇔wc ⋒wc ☎ 🚗 – 🏛 30. AE E VISA
fermé 15 juil. au 3 août, 12 au 31 janv., lundi soir et mardi – **SC: R** 116/235 – ☕ 15,50 – **21 ch** 51/180.

à Mommenheim NO : 6 km par D 421 – ✉ **67670** Mommenheim :

XXX **Manoir de la Tour St Georges,** 165 rte Brumath ✆ 88 51 61 78, 🏡, 🌳 – **P**. AE ◑ E VISA
fermé mardi soir et lundi – **SC: R** 89/127 ₰.

FORD Gar. Weibel, 6 pl. du Marché ✆ 88 51 12 12
PEUGEOT-TALBOT Gar. Pierre, 1 r. Pfaffenhoffen ✆ 88 51 11 29

BRUNEHAMEL **02** Aisne **53** ⑰ – 652 h. alt. 242 – ✉ **02360** Rozoy-sur-Serre.
Paris 185 – Charleville-Mézières 49 – Hirson 23 – Laon 51 – Reims 68 – St-Quentin 77.

H. de la Hure, ✆ 23 97 60 14 – 🚗
fermé 3 au 24 août et dim. soir – **R** 43/100 ₰ – ☕ 15 – **9 ch** 55/70 – P 110/120.

BRUNOY **91** Essonne **61** ①, **101** ㊲ – voir à Paris, Environs.

Le BRUSC **83** Var **84** ⑭ **G. Côte d'Azur** – alt. 10 – ✉ **83140** Six-Fours-Plages.
Excurs. à l'île des Embiez★ : Fondation océanographique Ricard★ : ≤★★ en bateau 12 mn.
Paris 833 – Aix-en-Provence 77 – La Ciotat 33 – ♦Marseille 60 – Sanary-sur-Mer 6 – ♦Toulon 15.

XX **St Pierre,** Montée Citadelle ✆ 94 25 02 52, 🏡. AE ◑ VISA
fermé merc. du 15 sept. au 15 juin – **SC: R** 100/220.

XX **Mont-Salva,** chemin Mt-Salva ✆ 94 25 03 93, 🌳 – **P**. VISA
fermé mars, 20 au 25 oct., lundi soir et mardi sauf juil.-août ; du 1er nov. au 28 fév. ouvert week-end seul – **SC: R** 100/140 (sauf fêtes).

BRUSQUE **12** Aveyron **83** ④ – 527 h. alt. 465 – ✉ **12360** Camares.
Paris 695 – Albi 91 – Béziers 75 – Lacaune 35 – Lodève 50 – Rodez 107 – St-Affrique 35.

La Dent de St-Jean 🐦, ✆ 65 99 52 87, ≤ – ⋒wc **P**. ✻ ch
1er mars-1er nov. – **SC: R** 57/115 ₰ – ☕ 14 – **20 ch** 90/130 – P 149/162.

BRUYÈRES **88600** Vosges **62** ⑯⑰ – 3 834 h. alt. 500.
i Syndicat d'Initiative pl. Stanislas (1er juil.-31 août) ✆ 29 50 51 33.
Paris 380 – Colmar 68 – Épinal 27 – Gérardmer 23 – Lunéville 55 – Remiremont 30 – St-Dié 25.

Renaissance sans rest, 25 pl. J.-Jaurès ✆ 29 50 12 00 – ⇔wc ⋒wc ☎ **23 ch**.

XX **Chantecler,** 20 r. Cameroun (1er étage) ✆ 29 50 18 08 – ◑ E VISA
fermé 30 sept. au 20 oct., dim. soir et lundi – **SC: R** 47/120.

à Brouvelieures N : 3,5 km par D 423 et N 420 – alt. 400 – ✉ **88600** Bruyères :

Dossmann, ✆ 29 50 20 14 – ⇔wc ⋒wc ☎
fermé 15 au 21 sept. et 16 déc. au 15 janv. – **SC: R** 55/145 ₰ – ☕ 16 – **15 ch** 100/150 – P 170/190.

BUAIS 50 Manche 59 ⑨⑲ – 776 h. alt. 231 – ✉ **50640** Le Teilleul.

Paris 279 – Domfront 27 – Fougères 34 – Laval 58 – Mayenne 44 – St-Hilaire-du-H. 11 – St-Lô 80.

XX **Rôtisserie Normande,** ☏ 33 59 41 10, Cadre Vieux Normand – Ⓟ. AE E VISA
fermé 20 janv. au 20 fév. et lundi du 15 sept. à Pâques – SC : **R** 38/120.

BUBRY 56310 Morbihan 63 ② – 2 563 h. alt. 183.

Paris 479 – Carhaix-Plouguer 56 – Lorient 34 – Pontivy 22 – Quimperlé 32 – Vannes 53.

Coet Diquel ⑤, O : 1 km par VO ☏ 97 51 70 70, ≤, « parc », ⛾, ✂ – ⊟wc ⋒wc ☎ Ⓟ – 🏵 25 à 30. E VISA
15 mars-1er déc. – SC : **R** 61/165 – ☑ 19,50 – **22 ch** 82/238 – P 181/250.

BUCHÈRES 10 Aube 61 ⑰ – rattaché à Troyes.

BUCHY 76750 S.-Mar. 55 ⑦ – 1 160 h. alt. 192.

Paris 126 – Les Andelys 43 – Dieppe 46 – Neufchâtel-en-Bray 23 – •Rouen 27 – Yvetot 54.

X **Nord** avec ch, gare de Buchy NO : 3 km par D 41 ☏ 35 34 40 16 – Ⓟ. ✂ ch
fermé 10 au 31 déc., dim. soir et lundi – SC : **R** 41/64 ♫ – ☑ 11 – **7 ch** 74/81.

CITROEN Gar. Guérard, ☏ 35 34 40 33 — RENAULT Lucas, ☏ 35 34 40 30

Le BUET 74 H.-Savoie 74 ⑨ – rattaché à Vallorcine.

Le BUGUE 24260 Dordogne 75 ⑯ **G. Périgord** – 2 784 h. alt. 68.

Voir Gouffre de Proumeyssac★ S : 3 km.

Paris 532 – Bergerac 48 – Brive-la-Gaillarde 73 – Cahors 84 – Périgueux 41 – Sarlat-la-Canéda 32.

Royal Vézère, pl. H. de Ville ☏ 53 06 20 01, Télex 540710, ≤, « Au bord de la Vézère, sur le toit-terrasse : ⛾ » – |≑| ☎ ⇔ – 🏵 30 à 150. AE ⓓ E VISA
29 avril-1er oct. – SC : **R** voir rest. **Albuca** – ☑ 28 – **49 ch** 236/346, 4 appartements 476.

La Ferme Gourmande sans rest, rte Eyzies : 2 km ☏ 53 06 24 97, ⛾ – ⊟wc ⋒wc Ⓟ. VISA
28 mars-30 sept. – SC : ☑ 18 – **8 ch** 125/175.

XXX **L'Albuca,** pl. H. de Ville ☏ 53 06 28 73, ≤, ⛱, « Terrasse au bord de la Vézère » – AE ⓓ E VISA
avril-oct. et fermé merc. midi et jeudi midi – SC : **R** 100/280.

à Campagne SE : 4 km – ✉ **24260** Le Bugue :

du Château, ☏ 53 06 23 50, ⛱ – ⊟wc ⋒ ☎ Ⓟ. ✂ ch
1er avril-15 oct. – SC : **R** 60/250 – ☑ 20 – **19 ch** 110/200 – P 245/300.

CITROEN Casaréjola, ☏ 53 06 20 49 — PEUGEOT-TALBOT Bruneteau, ☏ 53 06 26 72

BUIS-LES-BARONNIES 26170 Drôme 81 ③ **G. Provence** – 1 957 h. alt. 370.

ℹ Syndicat d'Initiative Pl. du Champ de Mars (sais.) ☏ 75 28 04 59.

Paris 688 – Carpentras 40 – Nyons 30 – Orange 49 – Sault 37 – Sisteron 75 – Valence 130.

Les Oliviers Ⓜ ⑤, quartier du Pont Neuf ☏ 75 28 08 77, ≤, ⛱ – ⊟wc ☎ Ⓟ. ✂ ch
fermé janv. – SC : **R** *(fermé merc. hors sais.)* 60/100 – ☑ 20 – **23 ch** 185/205 – P 220/250.

Lion d'Or ⑤ sans rest, sous les Arcades ☏ 75 28 11 31, ⛱ – ⋒wc ☎ ⇔. ✂
fermé 15 oct. au 15 nov. – SC : ☑ 17 – **15 ch** 85/165.

PEUGEOT Enguent, ☏ 75 28 09 97
RENAULT Gar. des Platanes, ☏ 75 28 04 92
V.A.G Mathieu, ☏ 75 28 05 80

BUJALEUF 87460 H.-Vienne 72 ⑱⑲ **G. Périgord** – 1 079 h. alt. 380.

Voir Pont ≤★.

Paris 422 – Aubusson 64 – Guéret 61 – •Limoges 36 – Tulle 87.

H. Alary, r. Lac ☏ 55 69 50 18 – ⋒ ⇔
fermé nov. – SC : **R** 45/75 ♫ – ☑ 13,50 – **9 ch** 62/80 – P 120/140.

BULLY-LES-MINES 62160 P.-de-C. 51 ⑮ – 12 554 h. alt. 60.

Paris 201 – Arras 18 – Béthune 14 – Bruay-en-Artois 18 – Lens 9 – •Lille 43.

Moderne et rest. Johnny, 144 r. Gare ☏ 21 29 14 22 – ⊟wc ⋒wc Ⓟ. E VISA
SC : **R** *(fermé sam.)* 120 bc/50 – ☑ 14 – **37 ch** 80/140 – P 140/160.

PEUGEOT-TALBOT Pruvost-Desfassiaux, 13 r. Gare ☏ 21 29 12 08

BUSSANG 88540 Vosges 66 ⑧ **G. Alsace et Lorraine** – 1 920 h. alt. 599.
Env. Petit Drumont ※** NE : 9 km puis 15 mn.
Syndicat d'Initiative r. Alsace (15 juin-8 sept.) ☎ 29 61 50 37.
Paris 420 – Belfort 43 – Épinal 61 – Gérardmer 44 – ♦Mulhouse 49 – Thann 27.

Tremplin, ☎ 29 61 50 30 – wc ☎ P. AE O VISA. ch
fermé 30 sept. au 30 oct. et lundi sauf vacances scolaires – SC : **R** 45/110 – 18 – **20 ch** 76/170 – P 140/170.

Sources, NE : 2,5 km par D 89 ☎ 29 61 51 94, ←, – TV wc wc ☎ P. VISA.
oct. et nov. prévenir – SC : **R** 54/206 – 21 – **9 ch** 145/180 – P 172/193.

Deux Clefs, ☎ 29 61 51 01, – wc wc ☎ . AE O E VISA
SC : **R** 47/80 – 15,50 – **18 ch** 58/155 – P 135/165.

RENAULT Hans, ☎ 29 61 50 32 N

BUSSEAU 23 Creuse 72 ⑩ – ✉ **23150** Ahun.
Paris 362 – Aubusson 30 – Guéret 18.

Viaduc avec ch, ☎ **55 62 40 62**, ←, – P. E VISA
fermé 15 déc. au 15 janv., dim. soir et lundi – SC : **R** 62/175 – 13 – **8 ch** 65/85 – P 155/175.

BUSSIÈRE-POITEVINE 87320 H.-Vienne 72 ⑥ – 1 120 h. alt. 225.
Paris 378 – Confolens 40 – ♦Limoges 61 – Montmorillon 24 – Poitiers 59 – La Souterraine 49.

Le Relais, ☎ 55 68 40 26 – . VISA
fermé 15 au 31 oct., sam. soir et dim. hors sais. – SC : **R** 42/60 – 14 – **11 ch** 70/82 – P 160.

PEUGEOT-TALBOT Sélébran, Le Bourg Rte de Gueret-Montluçon ☎ 55 68 40 81 N
RENAULT Lebraud, ☎ 55 68 40 18

BUSSIÈRES 71 S.-et-L. 69 ⑲ **G. Bourgogne** – 393 h. alt. 255 – ✉ **71960** Pierreclos.
Paris 406 – Charolles 46 – Cluny 17 – Mâcon 13 – Roanne 89.

Relais Lamartine avec ch, ☎ **85 36 64 71** – wc ☎ P. AE O VISA. ch
fermé 3 janv au 4 fév., dim. soir et lundi du 16 sept. au 30 juin – SC : **R** 85/190 – 25 – **8 ch** 230/260.

BUTHIERS 77 S.-et-M. 61 ⑪ – rattaché à Malesherbes.

BUXEROLLES 86 Vienne 68 ⑭ – rattaché à Poitiers.

Les CABANNES 09310 Ariège 86 ⑤ – 469 h. alt. 535.
Paris 811 – Ax-les-Thermes 15 – Foix 27.

Taverne Larcatoise, ☎ 61 64 77 84 – wc. O
SC : **R** 50/85 – 13,50 – **16 ch** 75/140.

CABASSON 83 Var 84 ⑯ – rattaché à Bormes-les-Mimosas.

CABELLOU (Plage du) 29 Finistère 58 ⑪⑮ – rattaché à Concarneau.

CABOURG 14390 Calvados 55 ② **G. Normandie** – 3 249 h. – Casino A.
18 ☎ 31 91 25 56 par ⑤ : 3 km.
Office de Tourisme Jardins du Casino ☎ 31 91 01 09.
Paris 225 ③ – ♦Caen 24 ④ – Deauville-Trouville 19 ① – Lisieux 33 ② – Pont-l'Évêque 27 ②.

Plan page ci-contre

Gd Hôtel P.L.M et rest Le Balbec, prom. M. Proust ☎ 31 91 01 79, Télex 171364, ←, – TV ☎ – 300. AE O E VISA A **e**
SC : **R** 140/170 – 50 – **70 ch** 560/790.

Paris sans rest, 39 av. Mer ☎ 31 91 31 34 – wc wc ☎ A **r**
fermé dim. soir et lundi d'oct. à mai – SC : 18,50 – **24 ch** 106/250.

à Dives-sur-Mer : Sud du plan – 5 732 h. – ✉ **14160** Dives-sur-Mer :
Voir Halles* B **B**.

Guillaume le Conquérant, 2 r. Hastings ☎ 31 91 07 26, , « Ancien relais de poste du XVIe-siècle » – AE O E VISA B **a**
fermé 15 au 30 nov., dim. soir et lundi sauf juil.-août – SC : **R** 115/260.

par ④ et rte de Gonneville : 7,5 km – ✉ **14860** Ranville :

Host. Moulin du Pré avec ch, ☎ **31 78 83 68**, ←, parc – wc ☎ P. AE O VISA. ch
fermé oct., 1er au 15 mars, dim. soir et lundi sauf juil., août et fériés – SC : **R** carte 155 à 205 – 18 – **10 ch** 110/180.

RENAULT Couesnon, 15 r. du Port, à Dives ☎ 31 91 04 51

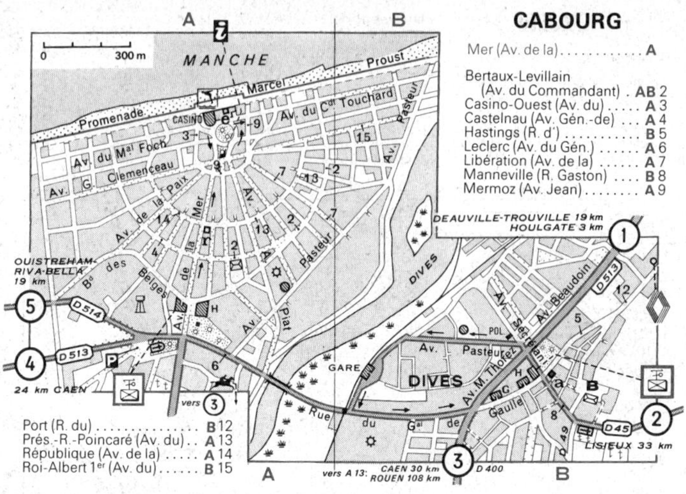

CABRERETS 46330 Lot 79 ⑨ G. Périgord – 213 h. alt. 130.

Voir Château de Gontaut-Biron★ – ≤★ sur village de la rive gauche du Célé – Grotte du Pech Merle★★ NO : 3 km.

Paris 598 – Cahors 33 – Figeac 44 – Gourdon 44 – St-Céré 64 – Villefranche-de-Rouergue 42.

Grottes ⚘, ✆ 65 31 27 02, ≤, « Terrasse sur la rivière », – wc wc ☎ Ⓟ. ch
23 mars-1er sept. – SC : **R** *(fermé sam. midi hors saison)* 52/98 – ☕ 16,50 – **18 ch** 88/155.

à la Fontaine de la Pescalerie NE : 2,5 km rte Figeac – ✉ 46330 Cabrerets :

La Pescalerie Ⓜ ⚘, ✆ 65 31 22 55, ≤ parc, – TV ☎ Ⓟ. AE ⓓ VISA
1er avril-1er nov. – SC : **R** (nombre de couverts limité - prévenir) 180/210 – ☕ 45 – **10 ch** 380/550.

CABRIS 06 Alpes-Mar. 84 ⑧, 195 ㉔ – rattaché à Grasse.

CADENET 84160 Vaucluse 84 ③ G. Provence – 2 640 h. alt. 234.

Voir Fonts baptismaux★ de l'église.

Paris 737 – Aix-en-Provence 32 – Apt 23 – Avignon 60 – Manosque 48 – Salon-de-Provence 31.

Aux Ombrelles avec ch, ✆ 90 68 02 40, – wc ☎ Ⓟ.
fermé 1er déc. au 1er fév., dim. soir et lundi hors sais. – SC : **R** 57/170 – ☕ 19 – **11 ch** 77/165 – P 175/240.

La CADIÈRE-D'AZUR 83740 Var 84 ⑭ G. Côte d'Azur – 2 411 h. alt. 144.

Voir ≤★.

Syndicat d'Initiative Rond-Point R. Salengro (1er juin-30 sept.) ✆ 94 29 32 56.

Paris 821 – Aix-en-Provence 63 – Brignoles 53 – ♦Marseille 46 – ♦Toulon 22.

Host. Bérard Ⓜ ⚘, ✆ 94 29 31 43, Télex 400509, ≤, – TV wc wc ☎ – 40. AE VISA.
fermé nov. – SC : **R** 125/300 – ☕ 32 – **38 ch** 180/360.

CITROEN Jansoulin, ✆ 94 29 30 36

RENAULT Gar St-Éloi, av. de la Libération ✆ 94 29 32 47

CAEN Ⓟ 14000 Calvados 55 ⑪⑫ G. Normandie – 117 119 h. alt. 8.

Voir Abbaye aux Hommes★★ AY – Abbaye aux Dames BX : Église de la Trinité★★ – Chevet★★, frise★★ et voûtes★★ de l'Église St-Pierre★ AY **L** – Église et cimetière St-Nicolas★ AY **E** – Tour-lanterne★ de l'église St-Jean BZ **D** – Hôtel d'Escoville★ AY **B** – Château★ : musée des Beaux-Arts★★ AX **M1**, musée de Normandie★ AX **M2** – Vieilles maisons★ (n° 52 et 54 rue St-Pierre) AY **K.**

Env. Ruines de l'abbaye d'Ardenne★ AV 6 km par ⑩.

Office de Tourisme et Accueil de France (Informations, change et réservations d'hôtels, pas plus de 5 jours à l'avance), pl. St-Pierre ✆ 31 86 27 65, Télex 170353 – A.C.O. 20 av. 6-juin ✆ 31 85 47 35.

Paris 240 ④ – Alençon 102 ⑥ – ♦Amiens 237 ④ – ♦Brest 374 ⑧ – Cherbourg 119 ⑩ – Évreux 121 ⑤ – ♦Le Havre 107 ④ – ♦Lille 342 ④ – ♦Le Mans 151 ⑥ – ♦Rennes 176 ⑧ – ♦Rouen 124 ④.

CAEN

Alliés (Bd des) .... **ABY** 2
Ecuyère (R.) .... **AY** 17
Guillouard (Pl. L.) .... **AY** 23
Leclerc (Bd Mar.) .... **AYZ** 26
St-Jean (R.) .... **BYZ**
St-Pierre (R.) .... **AY** 47
Strasbourg (R. de) ...... **AY** 50
6-Juin (Av. du) .... **BZY**

Bernières (R. de) .... **ABY** 7
Clemenceau (Av. G.) .... **BV** 9
Côte-Fleurie (Rte de la) .... **AV** 10
Courtonne (Pl.) .... **BY** 13
Délivrande (R. de la) **AV, BX** 16
G.-le-Conquérant (R.) ... **AY** 20
Havre (R. du) .... **BZ** 24
Juifs (R. aux) .... **AX** 25
Libération (Av. de la) .. **ABX** 27
Montalivet (Cours) .. **BV BZ** 28

Montoir-Poissonnerie (R.) ..... **AY** 29
Pasteur (R.) .... **BV** 33
Père Ch. de Foucauld (Av.) ..... **ABV** 34
République (Pl. de la) ... **AY** 35
Richemond (Bd) .... **AV** 36
St-Manvieu (R.) .... **AY** 45
Vaucelles (R. de) .... **BZ** 52
Vaugueux (R. du) .... **BX** 53
Verdun (Av. de) .... **BZ** 55

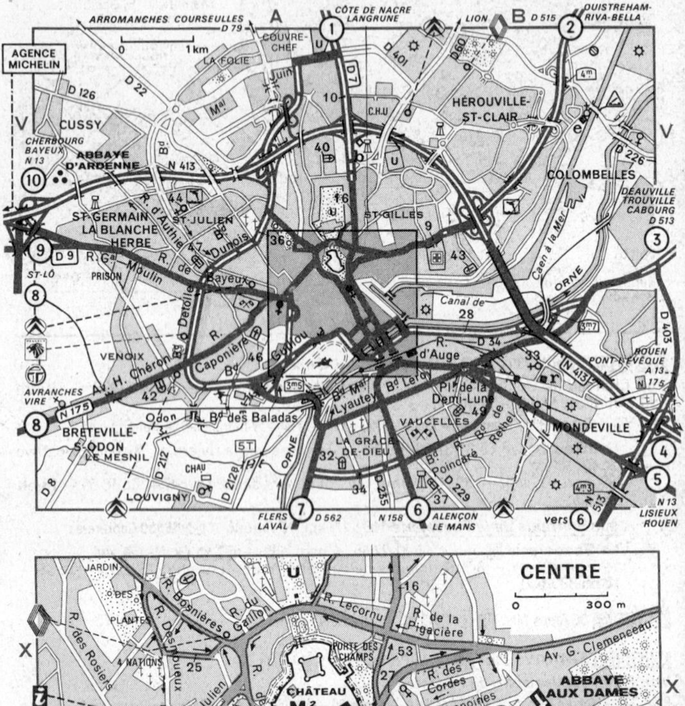

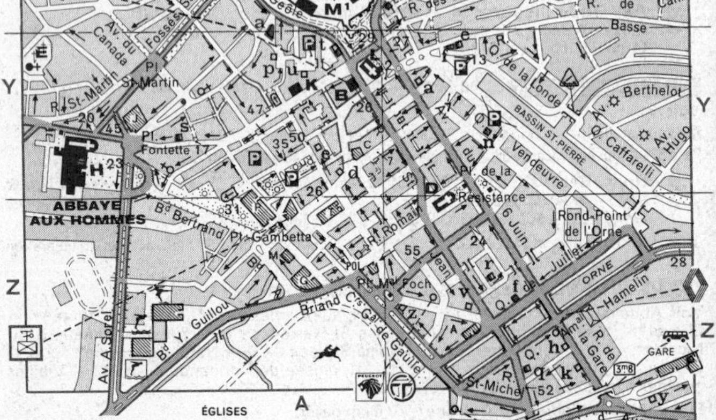

ÉGLISES

N.-D. GLORIETTE ____ AY 31	ST-GERBOL ____ AV 42	ST-MICHEL-DE-V. ____ BZ
N.-D. DE LA GRÂCE DE DIEU ____ AV 32	ST-JEAN ____ BZ D	ST-OUEN ____ AV 46
SACRÉ-CŒUR ____ BV 37	ST-JEAN-EUDES ____ BV 43	ST-PAUL ____ AV 47
ST-ANDRÉ ____ AV 40	ST-JOSEPH ____ AV 44	ST-SAUVEUR ____ AY
	ST-JULIEN ____ AX	STE-THÉRÈSE ____ BV 49

🏨 ✿ **Relais des Gourmets** M, 15 r. Geôle ✆ 31 86 06 01, Télex 171657 – ⛮ TV ☎ – 🏛 45. AE ⦿ E VISA AY t
R carte 165 à 200 – ☕ 28 – **32 ch** 170/320
Spéc. Saumon cru mariné à l'aneth, Turbot au coulis de champignons des bois, Ris de veau braisé au cidre.

🏨 **Moderne et rest. 4 Vents,** 116 bd Mar.-Leclerc ✆ 31 86 04 23, Télex 171106 – ⛮ TV ☎. AE ⦿ E VISA AY d
SC : **R** *(fermé dim. soir du 15 oct. au 15 mars)* 78/178 – ☕ 27 – **56 ch** 195/330.

🏨 **Malherbe** sans rest, pl. Foch ✉ 14300 ✆ 31 84 40 06, Télex 170555 – ⛮ TV ☎ – 🏛 30. AE ⦿ E VISA BZ z
SC : ☕ 35 – **44 ch** 245/304.

🏨 **France** sans rest, 10 r. Gare ✉ 14300 ✆ 31 52 16 99 – ⛮ 🛁wc 🚿wc ☎ P – 🏛 30. ⦿. ✗ BZ h
fermé 20 déc. au 6 janv., sam. soir et dim. soir en janv. et fév. – SC : ☕ 19,50 – **41 ch** 120/190.

🏨 **Métropole** sans rest, 16 pl. Gare ✉ 14300 ✆ 31 82 26 76, Télex 170165 – ⛮ 🛁wc 🚿wc ☎. AE ⦿ E VISA. ✗ BZ y
SC : ☕ 19 – **71 ch** 90/220.

🏨 **Quatrans** sans rest, 17 r. Gemare ✉ 14300 ✆ 31 86 25 57 – ⛮ 🛁 🚿wc ☎. VISA. ✗ AY p
SC : ☕ 18,50 – **26 ch** 88/219.

🏨 **Château** sans rest, 5 av. du 6-juin ✉ 14300 ✆ 31 86 15 37 – ⛮ TV 🛁wc 🚿wc ☎. E BY a
fermé 20 déc. au 5 janv. – SC : ☕ 18 – **21 ch** 112/205.

🏨 **Royal** sans rest, 1 pl. République ✉ 14300 ✆ 31 86 55 33 – ⛮ 🛁wc 🚿wc ☎. VISA
SC : ☕ 17 – **45 ch** 85/225. AY e

🏨 **Bristol** sans rest, 31 r. 11-Novembre ✉ 14300 ✆ 31 84 59 76 – ⛮ 🛁wc 🚿wc ☎. VISA BZ v
SC : ☕ 18,50 – **25 ch** 100/240.

🏨 **Central** 🐎 sans rest, 23 pl. J.-Letellier ✉ 14300 ✆ 31 86 18 52 – 🛁 🚿wc ☎. VISA AY u
SC : ☕ 16 – **25 ch** 100/206.

🏨 **Armor** sans rest, 18 r. Gare ✉ 14300 ✆ 31 82 37 32 – 🚿wc. ✗ BZ k
SC : ☕ 16 – **12 ch** 80/141.

XXX ✿ **La Bourride** (Bruneau), 15 r. Vaugueux ✆ 31 93 50 76, « Maison du vieux Caen » – AE VISA BX x
fermé 28 avril au 5 mai, 17 août au 2 sept., 7 au 24 janv., dim. et lundi – SC : **R** (nombre de couverts limité, prévenir) 135/309
Spéc. Vinaigrette de crustacés aux aromates, Volaille de Bresse étuvée au Pommeau, Gratin de pommes.

XXX **Le Dauphin** 🐎 avec ch, 29 r. Gemare ✉ 14300 ✆ 31 86 22 26, Télex 171707 – ⛮ TV 🛁wc 🚿wc ☎ P. AE ⦿ E VISA AXY a
fermé 15 juil. au 12 août et vacances de fév. – SC : **R** *(fermé sam.)* 75/260 🍷 – ☕ 24 – **21 ch** 160/290.

XXX **Echevins,** 36 r. Ecuyère ✉ 14300 ✆ 31 86 37 44 – AE ⦿ E VISA AY s
fermé 29 juin au 15 juil., vacances de fév., lundi midi et dim. – SC : **R** 130/195.

XX **L'Écaille,** 13 r. de Geole ✉ 14300 ✆ 31 86 49 10 – AE ⦿ E VISA AY t
fermé sam. midi et lundi – SC : **R** 110 bc/220 bc.

XX **St-Andrew's,** 9 quai Juillet ✉ 14300 ✆ 31 86 26 80 – AE ⦿ VISA BZ f
fermé 5 au 19 août, lundi soir et dim. – SC : **R** 90/130.

XX **La Petite Cale,** 18 quai Vendeuvre ✆ 31 86 29 15 – E VISA BY n
fermé août, dim. et fêtes – SC : **R** 70/110.

XX **Alcide,** 1 pl. Courtonne ✆ 31 93 58 29 BY f
✦ *fermé juil., 24 au 31 déc. et sam.* – **R** 48/82 🍷.

XX **Pub William's,** pl. Courtonne ✆ 31 93 45 52 – ▤. E VISA BY e
fermé 4 au 25 août, dim. et fêtes – **R** carte 95 à 175.

XX **Relais Normandy** (Buffet de la Gare), pl. Gare ✉ 14300 ✆ 31 82 24 58. VISA
R 56/150 🍷. BZ

X **Poêle d'Or,** 7 r. Laplace ✆ 31 85 39 86 – E VISA BZ r
✦ *fermé 24 déc. au 15 janv., sam., dim. et fêtes* – SC : **R** 38/54 🍷.

X **Le Chalut,** 3 r. Vaucelles ✉ 14300 ✆ 31 52 01 06 – VISA BZ q
✦ *fermé 15 août au 15 sept., lundi et mardi* – SC : **R** 50/150.

rte de Douvres (bretelle du bd périphérique) – ✉ **14000** Caen :

🏨 **Novotel** M, ✆ 31 93 05 88, Télex 170563, 🌳, 🏊 – ⛮ ▤ rest TV ☎ ♿ P – 🏛 200. AE ⦿ E VISA AV b
R snack carte environ 100 🍷 – ☕ 32 – **126 ch** 297/310.

à Mondeville 3,5 km – 9 629 h. – ✉ **14120** Mondeville :

XX **Les Gourmets,** 41 r. Émile-Zola ✆ 31 82 37 59. VISA BV r
✦ *fermé 25 juil. au 24 août, 30 janv. au 8 fév., sam. et dim. sauf fêtes* – SC : **R** 55/89.

à Hérouville St-Clair 3 km – 24 470 h. – ✉ **14200** Hérouville :

X L'Espérance avec ch, r. Abbé Allix, bord du canal ☎ 31 93 20 33, ← – P – 35 – **10 ch**. BV e

à Fleury-sur-Orne par ⑦ : 4 km – ✉ **14000** Caen :

XX **Ile Enchantée,** au bord de l'Orne ☎ 31 52 15 52 – P. AE ⓓ VISA
fermé 4 au 25 août, dim. soir et lundi – SC : **R** 95/136.

à Louvigny S : 4,5 km – ✉ **14111** Louvigny :

XX **Aub. de l'Hermitage,** au bord de l'Orne ☎ 31 73 38 66 – AE ⓓ VISA
fermé 17 août au 8 sept., 5 au 20 janv., dim. soir et lundi – SC : **R** 92/135.

à Bénouville par ② : 10 km – ✉ **14970** Bénouville :

XXX ❀ **Manoir d'Hastings** (Scaviner) avec ch, ☎ 31 44 62 43, « Prieuré du 17e s., jardin » – P. AE ⓓ VISA
fermé dim. soir et lundi hors saison – SC : **R** (sam. et dim. prévenir) 130/350 – ☕ – **11 ch** 450/700
Spéc. La terrinée de sardines, Oeufs coque en surprise, Homard au cidre.

à La Jalousie par ⑥ : 13 km – ✉ **14540** Bourguébus :

XX **Aub. de la Jalousie** avec ch, N 158 ☎ 31 23 51 69 – TV wc ☎ P. E VISA. ⚘ rest
fermé fév., lundi hors sais. et dim. soir sauf hôtel – SC : **R** 50/125 – ☕ 18,50 – **12 ch** 92/210 – P 170/270.

MICHELIN, Agence régionale, Z.I. Carpiquet, rte Bayeux par ⑩ ☎ **31 74 47 30**

AUSTIN-ROVER Gar. J.F.C. 6 pl. Courtonne ☎ 31 95 42 23
BMW Regnault, 19 prom. du Fort ☎ 31 86 17 61
CITROEN Succursale, rte de Lion-sur-Mer ☎ 31 94 72 82 N
CITROEN Gar. Hôtel de Ville, 10 r. Bayeux ☎ 31 86 32 90
CITROEN Lenrouilly, 35 av. Chéron ☎ 31 74 55 98
CITROEN Gar. St Michel, 13 r. du puits de Jacob, ☎ 31 82 37 51
FORD Viard, 6 av. de Paris ☎ 31 82 09 98
MERCEDES-BENZ Gar. Royal, 30 rte Paris ☎ 31 82 38 42
PEUGEOT-TALBOT S.I.A. de Normandie, 17 r. 11-Novembre ☎ 31 82 44 40 bd André Detolle ☎ 31 74 55 50
RENAULT Succursale, 2 r. de la Gare ☎ 31 82 21 22
RENAULT Gar. Allais, 550 chemin du Val à Ifs, par ⑥ ☎ 31 82 33 31
RENAULT Gar. Université, 18 r. Bosnières ☎ 31 85 49 63
V.A.G. Auto-Technic, ZI Nord-Est rte de Lion-sur-Mer ☎ 31 95 36 37
VOLVO Modern'Gar., 79 et 81 av. Henry-Chéron, ☎ 31 74 53 09
Sanem, 11 rte de Paris ☎ 31 82 38 65

Bouet L., 24 r. d'Auge ☎ 31 82 37 63
Clabeaut-Pneu, 13 prom. du Fort ☎ 31 86 12 05
Vallée-Pneus, 2 r. du Chemin Vert ☎ 31 74 44 09

Périphérie et environs

ALFA-ROMEO, TOYOTA Inter-Auto, Zone Ind. de la Sphère à Hérouville ☎ 31 93 02 31
CITROEN Petit Gar., 8 rte Paris, Mondeville ☎ 31 82 20 28
DATSUN, OPEL Transac-Auto ZI Sphère à Hérouville ☎ 31 94 74 23
FIAT Caen-Auto-Service, Zone Ind. de la Sphère à Hérouville ☎ 31 93 34 25
RENAULT Succursale, r. Pasteur à Hérouville ☎ 31 94 59 65
V.A.G. Sanem, rte de Paris à Cagny ☎ 31 23 45 35

Clabeaut-Pneu, Zone Ind., rte de Paris, Mondeville ☎ 31 82 30 93
Laguerre, Zone Ind. de la Sphère à Hérouville ☎ 31 93 75 24
Lagueste Pneus, à Ifs ☎ 31 52 08 39
Vallée-Pneus, Zone Ind. Mondeville-Sud à Grentheville ☎ 31 82 37 15

CONSTRUCTEUR : RENAULT Véhicules Industriels, à Blainville-sur-Orne ☎ **31 84 81 33**

CAGNES-SUR-MER **06800** Alpes-Mar. 84 ⑨, 195 ㉕ **G. Côte d'Azur** – 35 426 h. alt. 77.

Voir Haut-de-Cagnes★ X – Château-musée★ X : patio★★, ☀★ de la tour – Musée Renoir Y **M1** : Paysages des Collettes★, Vénus★ (jardin).

Office de Tourisme 6 bd Mar.-Juin ☎ 93 20 61 64.

Paris 919 ⑤ – Antibes 10 ④ – Cannes 21 ⑤ – Grasse 26 ⑥ – ♦Nice 13 ② – Vence 9 ①.

Plan page ci-contre

❀ **Le Cagnard** M, r. Pontis-Long au Haut-de-Cagnes ☎ 93 20 73 22, Télex 462223, ←, – TV ☎ P. AE ⓓ E VISA X e
fermé 1er au 20 nov. – SC : **R** *(fermé jeudi midi)* 270/300 – **11 ch** ☕ 300/500, 8 appartements 620/1 000
Spéc. Brouillade aux truffes, Tian au cerfeuil, Feuilleté tiède aux poires.

Tiercé H. M sans rest, 33 bd Kennedy ☎ 93 20 02 09, ← – TV wc ☎ P. VISA. ⚘ Y v
fermé 3 nov. au 3 déc. – SC : ☕ 25 – **23 ch** 220/345.

Brasilia M sans rest, les Grands-Plans ☎ 93 20 25 03 – TV wc ☎ P. AE ⓓ E VISA Y r
SC : ☕ 19 – **18 ch** 230/278.

CAGNES-SUR-MER-VILLENEUVE-LOUBET

🏨 **Savournin** sans rest, 17 av. Renoir ☎ 93 20 60 58, 🏊, 🌳 – 📺 🛁wc 🚿wc ☎ Ⓟ AE VISA. 🚫🐕 – *fermé 1er oct. au 30 nov.* – SC : **30 ch** ☐ 180/295. Z **a**

🏨 **Les Collettes** Ⓜ 🐕 sans rest, av. Collettes ☎ 93 20 80 66, ≤, 🏊 – cuisinette 🛁wc ☎ Ⓟ
fermé 1er nov. au 15 déc. – SC : ☐ 22 – **13 ch** 213/286. Y **f**

Le Derby, 26 av. Germaine ☎ 93 20 08 57, 🍴 – 🚿wc ☎ Ⓟ. VISA Y **b**
fermé 1er au 15 nov. – SC : **R** 55/100 – ☐ 16 – **12 ch** 115/190 – P 183/220.

XX **Josy-Jo,** 2 r. Planastel ☎ 93 20 68 76, 🍴 X **a**
fermé 22 déc. au 23 janv. et dim. – SC : **R** carte 140 à 190.

XX **Peintres,** 71 montée Bourgade au Haut de Cagnes ☎ 93 20 83 08 – AE E VISA
fermé déc. et merc. – SC : **R** 90/160. X **s**

X **Le Neptune,** bd Plage ☎ 93 20 10 59, ≤, 🍴, ⛺ – Ⓟ Y **x**
R 89/150.

CITROEN Gar. de l'Avenir, 6 r. des Reynes ✆ 93 20 67 24 N ✆ 93 20 56 78
FORD Coll-Auto-Sce, 81 bis av. Gare ✆ 93 20 98 26
OPEL Gar. du Stade, 5 av. de Nice ✆ 93 73 26 06
PEUGEOT-TALBOT Ortelli, rte la Pénétrante quartier St-Jean Y ✆ 93 20 30 40

PEUGEOT-TALBOT Gd Gar. Principal, 34 av. Renoir ✆ 93 20 65 04

Massa-Pneus, 40 av. des Alpes ✆ 93 20 94 01
Pneu-Service, 156 rte de Nice, N 7 ✆ 93 31 17 07

à Cros-de-Cagnes SE : 2 km – ✉ **06800** Cagnes-sur-Mer :

Syndicat d'Initiative 20 r. des Oliviers ✆ 20 07 67 08.

Horizon sans rest, **111 bd Plage ✆ 93 31 09 95,** ← – cuisinette wc wc. AE E VISA Y **k**
fermé 10 nov. au 20 déc. – SC : **44 ch** 180/370.

Le Minaret sans rest, **av. Serre ✆ 93 20 16 52,** – cuisinette wc wc Y **a**
SC : 17 – **20 ch** 145/195.

La Serre, 22 bd Plage ✆ 93 20 10 54, ← – wc rest Y **a**
fermé 1er oct. au 1er déc. – SC : **R** *(fermé merc.)* 90/140 – 22 – **26 ch** 110/190 – P 170/190.

La Pinède 32 bd Plage ✆ 93 20 16 05, ← – wc. VISA Y **h**
fermé 3 nov. au 3 déc. – **R** 70/120 – 18 – **14 ch** 120/130 – P 200/210.

Beaurivage, bd Plage ✆ 93 20 16 09, ← – wc. VISA Y **m**
SC : **R** 58/145 – 16 – **21 ch** 100/180 – P 180/240.

Mas d'Azur sans rest, **42 av. Nice ✆ 93 20 19 19** – wc. E Y **d**
fermé dim. du 1er nov. au 1er mars – 17 – **13 ch** 185/275.

XX ✿ **La Réserve** (Bertho), **91 bd Plage ✆ 93 31 00 17** – Y **t**
fermé 28 juin au 1er sept., 24 déc. au 5 janv., sam., dim. et fêtes – SC : **R** (nombre de couverts limité - prévenir) carte 180 à 280
Spéc. Soupe de poisson, Poissons au four. **Vins** Bellet.

XX **Villa du Cros,** Port du Cros ✆ **93 07 57 83** – . AE Y **s**
fermé nov., vacances de fév., dim. soir et lundi – **R** 90/280.

XX **Aub. du Port** avec ch, **93 bd Plage ✆ 93 07 25 28,** – cuisinette TV wc. AE E VISA Y **t**
fermé 12 nov. au 26 déc. – SC : **R** *(fermé merc. sauf juil.-août)* 80/180 – 25 – **5 ch** 250 – P 260.

XX **La Bourride, ✆ 93 31 07 75,** – AE VISA Y **e**
fermé fév. et merc. – SC : **R** 110/170.

XX **Deauville, 60 bd Plage ✆ 93 31 06 77,** Y **n**
fermé nov. et merc. – SC : **R** 68, carte le dim.

PEUGEOT-TALBOT Gar. des Tritons, N7 ✆ 93 31 06 78 N ✆ 93 22 60 99

RENAULT Succursale, 104 bd de la Plage ✆ 93 31 31 31 N ✆ (1) 42 52 82 82

au Hameau du Soleil NO : 3,5 km par D 6 - Y – ✉ **06270** Villeneuve-Loubet :

Hamotel sans rest, **✆ 93 20 86 60, Télex 470623** – TV – 40. AE E VISA
fermé 10 nov. au 20 déc. – SC : 26 – **32 ch** 220/290.

CAGNOTTE 40 Landes 78 ⑦ – 472 h. – ✉ 40300 Peyrehorade.

Paris 748 – ♦Bayonne 43 – Dax 14 – Pau 76.

Boni, ✆ 58 73 03 78, , – wc. rest
fermé 1er déc. au 3 mars, dim. soir et lundi du 15 oct. au 15 mai – SC : **R** 70/120 – 22 – **10 ch** 100/140 – P 170/240.

CAHORS P 46000 Lot 79 ⑧ G. Périgord – 20 774 h. alt. 128.

Voir Site★ – Pont Valentré★★ AZ – **Cathédrale★** BY **E : portail Nord★★ et cloître★ – Barbacane et tour St-Jean★** ABY **K.**

Env. Mont-St-Cyr ←★ BZ **7 km par D 6.**

Office de Tourisme pl. A.-Briand ✆ 65 35 09 56 – A.C. Chambre de Commerce, 107 quai Cavaignac ✆ 65 35 24 97.

Paris 591 ① – Agen 88 ④ – Albi 108 ④ – Aurillac 131 ② – Bergerac 105 ① – ♦Bordeaux 218 ① – Brive-la-Gaillarde 103 ① – Castres 138 ④ – Montauban 61 ④ – Périgueux 124 ① – Rodez 117 ③.

Plan page ci-contre

Wilson M sans rest, **72 r. Prés.-Wilson ✆ 65 35 41 80, Télex 699886** – TV – 25. E VISA BZ **t**
SC : 23 – **36 ch** 213/351.

France M sans rest, **252 av. J.-Jaurès ✆ 65 35 16 76, Télex 520394** – TV – 50. AE E VISA. AY **n**
fermé 20 déc. au 5 janv. – SC : 19 – **79 ch** 145/220.

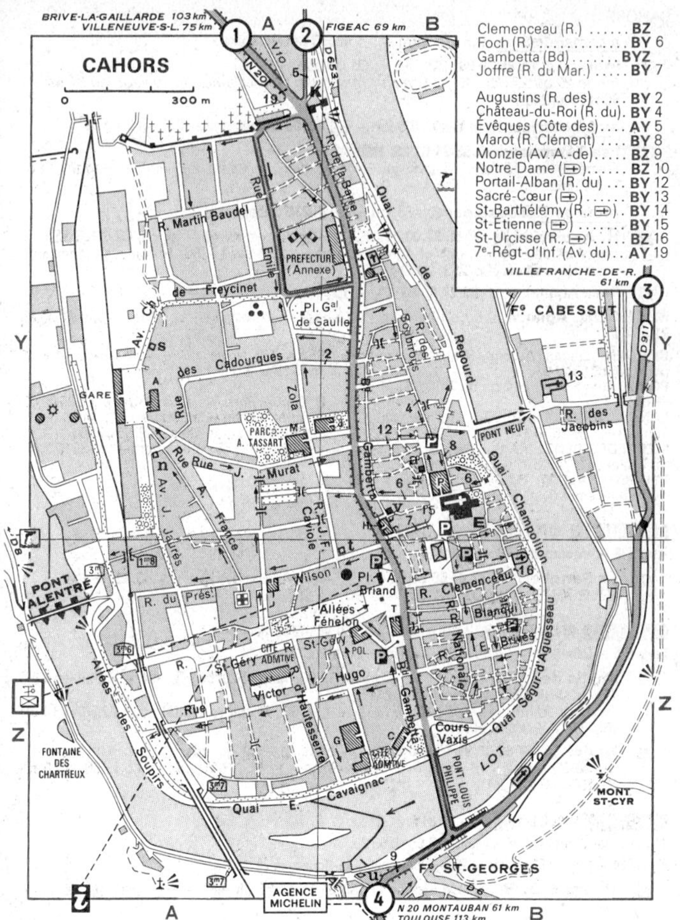

H. La Chartreuse, fg St-Georges ✆ 65 35 17 37, ← – TV wc wc ☎ P – 120 BZ **u**
SC : **R** voir rest. **La Chartreuse** – 18 – **34 ch** 137/252.

Terminus, 5 av. Ch.-de-Freycinet ✆ 65 35 24 50 – wc wc. **E** VISA. AY **s**
SC : **Le Balandre** *(fermé 3 au 25 fév. ; 2 au 8 juin, dim. soir et lundi hors sais.)* **R** 75/220 – 22 – **31 ch** 160/250.

✕✕ ❀ **La Taverne** (Lannes), 1 r. J.-B.-Delpech ✆ 65 35 28 66 – AE ① VISA BY **v**
fermé lundi d'oct. à Pâques – **R** 78/220
Spéc. Truffe en croustade, Cuisses de grenouilles à la coque et coffret de truffes. **Vins** Cahors.

✕✕ **Rest. La Chartreuse,** fg St. Georges ✆ 65 35 13 48, ← – P BZ **u**
fermé 1er au 15 nov., vacances de fév. et lundi – SC : **R** 44/140.

✕✕ Préfecture, 64 r. Préfecture ✆ 65 35 12 54 BY **a**

à Mercuès par ① : 9 km – ✉ **46090** Cahors :

Château de Mercuès , ✆ 65 20 00 01, Télex 521307, ← vallée du Lot, , parc, , – ☎ P – 50. AE ① **E** VISA
27 mars-3 nov. – SC : **R** 155/210 – 48 – **16 ch** 450/900, 7 appartements 900/1 470 – P 770/1 790.

Les Cèdres , ✆ 65 20 00 01, , – wc ☎ P **R** voir **Château de Mercuès** – 48 – **22 ch** 315/390.

à Lamagdelaine par ② : 7 km – ✉ **46090** Lamagdelaine :

XXX **Marco,** ☎ **65 35 30 64,** ☂, 🌳 – AE ⓓ VISA
fermé 20 au 27 oct., 13 janv. au 1er mars, dim. soir et lundi du 15 sept. au 31 mai – SC : **R** 100/220.

au Montat par ④ et D 47 : 8,5 km – ✉ **46000** Cahors :

XXX **Les Templiers,** ☎ **65 21 01 23.** VISA
fermé 1er au 12 juil., 15 janv. au 15 fév., dim. soir sauf juil.-août et lundi – SC : **R** 77/180.

route de Toulouse par ④ : 13 km – ✉ **46230** Lalbenque :

H. Aquitaine M, ☎ **65 21 00 51,** ≤, 🏊 – |‡| ⌂wc ☎ P – 🛏 50. AE ⓓ E VISA
fermé 24 déc. au 15 janv. et dim. du 15 nov. au 1er avril – SC : **R** voir rest. **Aquitaine** – ☕ 18 – **44 ch** 205/233 – P 273.

XX Rest. Aquitaine, ☎ **65 21 00 53,** 🏊 – P.

MICHELIN, Agence, Z.I. de l'Aerodrome Cahors - L'Albenque - Le Montat par ④ ☎ **65 21 00 01**

CITROEN Quercy Autom., Rte de Toulouse par ④ ☎ 65 35 27 61
FORD Auto Sce du Lot, rte de Toulouse ☎ 65 35 67 25
LANCIA-AUTOBIANCHI Gar. Avenue, rte de Toulouse ☎ 65 35 16 37
MERCEDES-BENZ, V.A.G. Gar. Navarre, rte de Toulouse ☎ 65 35 77 00
PEUGEOT-TALBOT Gd Gar. du Boulevard, rte de Toulouse par ④ ☎ 65 35 16 57
RENAULT Noyer, rte de Toulouse par ④ ☎ 65 35 15 95

Ⓜ Central Pneu, rte de Toulouse ☎ 65 35 09 02
Desprat, 129 bd Gambetta ☎ 65 35 04 36
Vidaillac A., av. de Paris ☎ 65 35 06 36
Vidaillac J.-L., 68 bd Gambetta ☎ 65 35 32 17

Le CAILAR 30740 Gard 83 ⑧ – 1 412 h.

Paris 738 – ♦Montpellier 38 – Nîmes 31.

Le Sanglier, N 572 ☎ **66 88 05 40,** 🏊, 🌳 – ⌂wc ☎ P – 🛏 80. AE E VISA
SC : **R** 70/130 – ☕ 20 – **28 ch** 145/190 – P 260.

CAILLAC 46 Lot 79 ⑦⑧ – 416 h. alt. 112 – ✉ 46140 Luzech.

Paris 595 – Cahors 11 – Gourdon 39 – Villeneuve-sur-Lot 70.

Relais des Champs M 🐦, ☎ **65 30 92 35, Télex 520356,** 🏊, 🌳 – cuisinette TV ⌂wc ☎ ♿ P – 🛏 60. AE ⓓ VISA
1er mars-30 nov., et fermé lundi hors sais. – SC : **R voir H. Nadal** – ☕ 22,50 – **22 ch** 150/375 – P 300/395.

Nadal 🐦, ☎ **65 30 91 55, parc,** ☂ – ⋒wc P – 🛏 25. VISA
fermé 30 nov. au 1er mars et lundi hors sais. – SC : **R** 70/185 – ☕ 13,50 – **18 ch** 68/150 – P 220/270.

CAJARC 46160 Lot 79 ⑨ – 1 184 h. alt. 152.

ℹ Syndicat d'Initiative à la Mairie ☎ 65 40 65 20.

Paris 604 – Cahors 51 – Figeac 25 – Villefranche-de-Rouergue 26.

Roses d'Or M 🐦, rte Figeac D 662 ☎ **65 40 65 35,** 🌳 – ⌂wc ☎ P. AE ⓓ E VISA
SC : **R** 80/180 – ☕ 20 – **20 ch** 210/270.

au NE : 9 km sur D 662 – ✉ **46160** Cajarc :

XX **La Ferme de Montbrun,** ☎ **65 40 67 71,** ≤ – P. AE VISA
fermé 15 janv. au 1er mars et merc. sauf juil. et août ; en hiver : ouvert seul. vend. soir, dim. midi et sam. – SC : **R** 96.

CALAIS ⟨SP⟩ 62100 P.-de-C. 51 ② G. Flandres, Artois, Picardie – 76 935 h. – Casino.

Voir Monument des Bourgeois de Calais★★ Y – Phare ✻★★ X E – Musée★ X M.

🚗 ☎ **21 80 50 50.**

ℹ Office de Tourisme et Accueil de France (Informations et réservations d'hôtels, pas plus de 5 jours à l'avance 12 bd Clemenceau ☎ 21 96 62 40, Télex 130886.

Paris 292 ② – ♦Amiens 155 ③ – Boulogne-sur-Mer 34 ③ – Dunkerque 43 ① – ♦Le Havre 284 ③ – ♦Lille 112 ① – Oostende 98 ① – ♦Reims 281 ② – ♦Rouen 218 ③ – St-Omer 40 ②.

Plan page ci-contre

Meurice 🐦, 5 r. E.-Roche ☎ **21 34 57 03,** 🌳 – |‡| TV ☎ 🚗. AE ⓓ VISA — X v
SC : **R** voir rest. **La Diligence** – ☕ 25 – **40 ch** 175/225.

George V M, 36 r. Royale ☎ **21 97 68 00, Télex 135159** – TV ⌂wc ☎ P. AE ⓓ E VISA. ⛔ ch — X d
SC : **R** *(fermé sam. midi et dim. soir)* 70/190 – ☕ 24 – **45 ch** 180/250.

Bellevue sans rest, 23 pl. Armes ☎ **21 34 53 75, Télex 136702** – |‡| TV ⌂wc ⋒wc ☎ 🚗. AE ⓓ E VISA — X a
SC : ☕ 16 – **42 ch** 89/208.

CALAIS

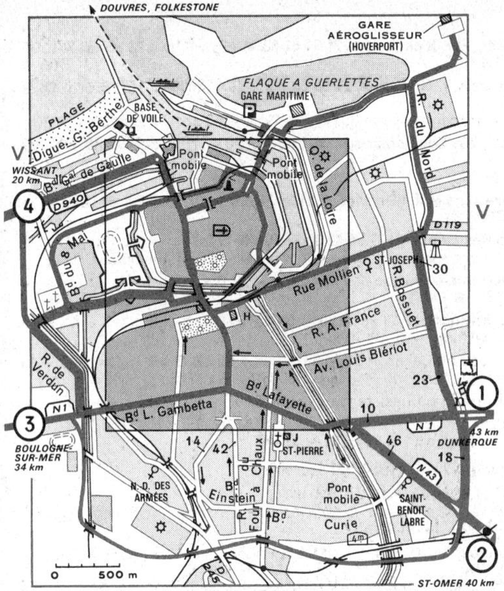

Fontinettes (R. des) . . V 14
Gambetta (Bd Léon) . Z
Jacquard (Bd) . . . . Z
Lafayette (Bd) . . . . Z
Pasteur (Bd) . . . . Z
Royale (R.) . . . . X 36

Amsterdam (R. d') . . . . Y 2
Angleterre (Pl. d') . . . . X 3
Barbusse (Pl. Henri) . X 5
Bonningue (R. Cdt) . . X 7
Bruxelles (R. de) . . . . . Y 8
Égalité (Bd de l') . . . . . V 10
Escaut (Quai de l') . . . Y 12
Foch (Pl. Mar.) . . . . . . Y 13
George-V (Pont) . . . . . Y 15
Gerschell (R. André) . X 16
Hagueneau (R. de) . . . V 18
Jacquard (Pont) . . . . . Y 19
Maubeuge (R. de) . . . V 23
Mer (R. de la) . . . . X 24
Notre-Dame (R.) . . . . X 26
Paix (R. de la) . . . . X 27
Paul-Bert (R.) . . . . Y 28
Phalsbourg (R. de) . . . V 30
Prés.-Wilson (Av.) . . . Y 31
Quatre-Coins (R.) . . . . Z 32
Rhin (Quai du) . . . . . . Y 33
Richelieu (R.) . . . . . . YZ 34
Rome (R. de) . . . . Y 35
Soldat-Inconnu (Pl.) . Y 37
Tamise (Quai de la) . . Y 40
Thermes (R. des) . . . . X 41
Valenciennes (R. de) . V 42
Varsovie (R. de) . . . . . Y 43
Vauxhall (R. du) . . . . . Z 44
Victor-Hugo (Bd) . . . . V 46

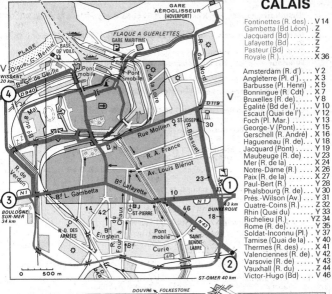

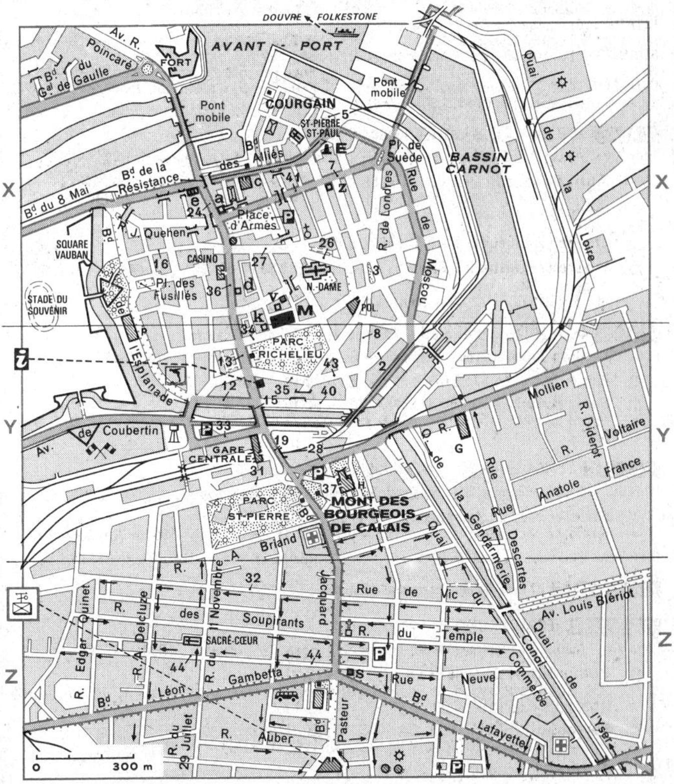

Richelieu sans rest, 17 r. Richelieu ✆ 21 34 61 60 – wc wc . AE E VISA. SC : 17 – **15 ch** 129/193. XY **k**

Ibis, ZUP Beau Marais, r. Greuze ✆ 21 96 69 69, Télex 135004 – TV wc ☎ – 30. E VISA V **n**
SC : **R** (fermé dim. midi) carte environ 85 – 19,50 – **52 ch** 174/215.

Windsor sans rest, 2 r. Cdt-Bonningue ✆ 21 34 59 40 – wc wc . AE E VISA. X **z**
SC : 17 – **15 ch** 89/195.

H. Sole Meunière sans rest, 53 r. Mer ✆ 21 34 36 08 – wc wc . VISA. X **e**
SC : 20 – **15 ch** 160/235.

XX **Le Channel,** 3 bd Résistance ✆ 21 34 42 30 – AE E VISA X **e**
fermé 15 déc. au 25 janv., dim. et fériés le soir et mardi – SC : **R** 195 bc/58.

XX **La Duchesse,** 44 r. Duc-de-Guise ✆ 21 97 59 69 – E VISA X **v**
fermé sam. midi – SC : **R** 140 .

XX **La Diligence,** 5 r. E.-Roche ✆ 21 96 92 89 – AE VISA X **v**
fermé 15 au 31 janv. et lundi – SC : **R** 70/135.

XX **Côte d'Argent,** Plage de Calais ✆ 21 34 68 07, ≤ – AE E VISA V **u**
fermé le soir sauf vend. et sam. du 1er oct. au 15 avril – **R** 52/143.

X **Rest. Sole Meunière,** 1 bd Résistance ✆ 21 34 43 01 – AE E VISA. X **e**
fermé 16 au 22 juin, 20 déc. au 20 janv., dim. soir hors sais. et lundi – SC : **R** 58/183.

X Moulin à Poivre, 10 r. Neuve ✆ 21 96 22 32 – E VISA Z **s**

à Blériot-Plage par ④ : 2 km – ✉ **62231** Coquelles :

XX **Dunes** avec ch, ✆ 21 34 54 30 – . AE VISA.
fermé 1er au 22 oct., vacances de fév., lundi (sauf hôtel) et dim. soir de sept. à juin – SC : **R** 70/180 – 15,50 – **13 ch** 80/140.

ALFA-ROMEO Diffusion Autom. du Détroit, 126 av. St-Exupéry ✆ 21 34 97 91
AUSTIN, ROVER, TRIUMPH Littoral AutoCalais, r. G.-Courbet ✆ 21 96 14 41
CITROEN Succursale, rte de St-Omer Le Virval par ② ✆ 21 97 50 90 N ✆ 21 97 92 13
FORD Gar. Europe, 58 rte St-Omer ✆ 21 34 35 75
PEUGEOT-TALBOT Calais Nord Autom., 361 av. A.-de-St-Exupéry par ① ✆ 21 96 72 42 N
RENAULT Gar. Dieu, 58 av. A.-de-St-Exupéry par ① ✆ 21 97 20 99 N
V.A.G. Gar. Ricquart, Zone Ind. Beau Marais r. Courbet ✆ 21 97 34 32

Argot, 62 av. A.-de-St-Exupéry ✆ 21 96 58 34
Pneu Fauchille, 155 rte St-Omer ✆ 21 34 68 17
Pneu François, r. C.-Ader, Zone Ind. ✆ 21 96 42 36

CALAS 13 B.-du-R. 84 ③⑬ – ✉ **13480** Cabriès.
Paris 754 – Aix-en-Provence 12 – Marignane 15 – ♦Marseille 21 – Salon-de-Provence 43.

XXX **Aub. Bourrelly** avec ch, ✆ 42 69 13 13, – wc ☎ . AE E VISA
fermé 15 au 31 août, 15 au 28 fév. – SC : **R** 110/230 – 28 – **16 ch** 145/220 – P 380/420.

Ouest : 2 km sur D 9 – ✉ **13480** Cabriès :

XX **Hostellerie du Lac Bleu** avec ch, ✆ 42 69 07 82, , , – wc – 40. VISA
SC : **R** 100/180 – 25 – **10 ch** 170.

CALÈS 46 Lot 75 ⑱ G. Périgord – 130 h. alt. 271 – ✉ **46350** Payrac.
Paris 539 – Brive-la-Gaillarde 60 – Cahors 57 – Gourdon 20 – Rocamadour 16 – St-Céré 41.

Pagès , ✆ 65 37 95 87 – wc wc ☎ – **15 ch**.

Petit Relais , ✆ 65 37 96 09, – . VISA
fermé 22 fév. au 5 mars – SC : **R** (fermé sam. midi hors sais.) 38/95 – 18 – **9 ch** 84/130.

CALLAC 22160 C.-du-N. 59 ⑪ G. Bretagne – 2 957 h. alt. 170.
Paris 510 – Carhaix-Plouguer 20 – Guingamp 28 – Morlaix 40 – St-Brieuc 58.

X **Garnier** avec ch, face gare ✆ 96 45 50 09 – . VISA.
fermé 15 sept. au 15 oct. et lundi – SC : **R** 50/130 – 15 – **10 ch** 70/100 – P 160.

CITROEN Gar. Laurent ✆ 96 45 50 30
RENAULT Gar. Lucia, ✆ 96 45 50 41

CALLEVILLE 27 Eure 55 ⑮ – rattaché à Brionne.

CALVINET 15340 Cantal 76 ⑪ – 408 h. alt. 600.
Paris 604 – Aurillac 39 – Entraygues-sur-Truyère 32 – Figeac 39 – Maurs 17 – Rodez 61.

Beauséjour, ✆ 71 49 91 68 – . rest
23 mars-4 oct., vacances scolaires et fermé dim. soir du 23 mars au 1er juil. – SC : **R** 75/115 – 14,50 – **20 ch** 50/95 – P 115/135.

Terrasse, ✆ 71 49 91 59, – . E VISA. rest
1er avril-31 oct. – SC : **R** 40/90 – 15 – **12 ch** 50/80 – P 135/145.

PEUGEOT-TALBOT Lavigne, ✆ 71 49 91 57

CAMARÈS 12360 Aveyron 80 ⑬ – 1 258 h. alt. 390.
Paris 683 – Albi 78 – Lodève 53 – Millau 53 – Rodez 103.

Demeure du Dourdou ♨, rte St-Affrique ☎ 65 99 54 08, ←, « Jardin fleuri » – wc ☎ Ⓟ. Ⓓ
1er avril-30 sept. – SC : **R** 55/105 – ☕ 20 – **11 ch** 100/200 – P 185/200.

CAMARET-SUR-MER 29129 Finistère 58 ③ **G. Bretagne** – 3 064 h.
Voir Pointe de Penhir*** SO : 3,5 km.
Env. Pointe des Espagnols** NE : 13 km.
ℹ Syndicat d'Initiative quai Toudouze (sais.) ☎ 98 27 93 60 et Mairie ☎ 98 27 94 22.
Paris 597 – ♦Brest 66 – Châteaulin 43 – Crozon 8,5 – Morlaix 85 – Quimper 64.

France M, ☎ 98 27 93 06, ← – 🛗 ▤ rest wc wc ☎. Ⓓ E VISA. ✻
1er avril-11 nov. et fermé vend. hors sais. – SC : **R** 85/240 – ☕ 24 – **22 ch** 180/320 – P 195/325.

Styvel, ☎ 98 27 92 74, ← – wc
Pâques-fin sept. – SC : **R** *(fermé lundi sauf juil.-août)* 72/125 – ☕ 21 – **14 ch** 140/210.

Vauban sans rest, ☎ 98 27 91 36, ← –
15 mars-15 oct. – SC : ☕ 16 – **14 ch** 85/115.

CAMBES 33880 Gironde 71 ⑩ – 924 h. alt. 10.
Paris 596 – ♦Bordeaux 16 – Langon 29 – Libourne 34.

✕✕ **Host. A la Varenne** avec ch, à **Esconac NO : 1 km** ☎ 56 21 31 15, ←, ☂, ✻ – wc wc ☎ Ⓟ – 🏃 30
fermé janv. – SC : **R** *(fermé merc.)* 80/130 – ☕ 20 – **12 ch** 140/250.

CAMBO-LES-BAINS 64250 Pyr.-Atl. 85 ③ **G. Pyrénées** – 5 051 h. alt. 65 – Stat. therm. (1er fév.-23 déc.).
Voir Arnaga* (villa d'Edmond Rostand) **M** – Vallée de la Nive* au Sud.
ℹ Office de Tourisme parc St-Joseph (fermé nov.) ☎ 59 29 70 25.
Paris 790 ④ – ♦Bayonne 19 ④ – Pau 113 ① – St-Jean-de-Luz 31 ③ – St-Jean-Pied-de-Port 34 ② – S.-Sebastiàn 63 ③.

CAMBO-LES-BAINS

Chiquito de Cambo 2
Espagne (Av. d') 3
Mairie (Av. de la) 4
Marronniers (Allée des) 5
Navarre (Av. de) 6
Neubourg (Allées A.-de) 7
Professeur-Grancher (Bd du) 8
Rostand (Allées) 9
Terrasses (R. des) 12
Thermes (Av. des) 13

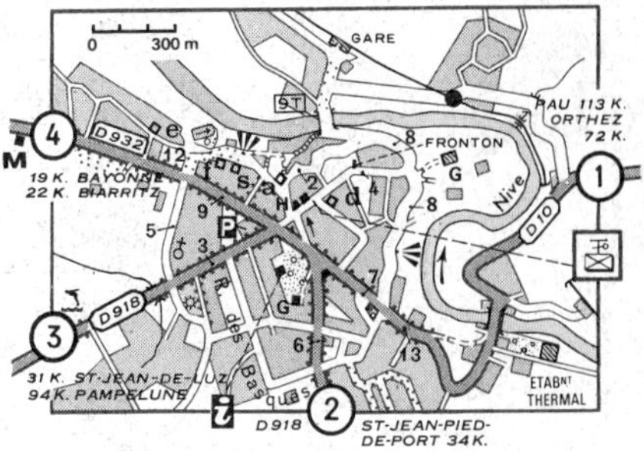

*To go a long way quickly, use **Michelin maps** at a scale of 1:1 000 000.*

Errobia ♨ sans rest, av. Chanteclerc **(e)** ☎ 59 29 71 26, ←, « Villa basque, parc » – wc ☎ Ⓟ. VISA
Pâques et 1er mai-30 oct. – SC : ☕ 18 – **15 ch** 90/210.

Bellevue, r. Terrasses **(f)** ☎ 59 29 73 22, ←, ☂, ✻ – wc wc ☎ Ⓟ. VISA. ✻ rest
1er fév.-15 nov. et fermé lundi du 1er sept. au 1er juin – SC : **R** 65/140 – ☕ 15 – **30 ch** 73/190 – P 150/266.

Linda, pl. Mairie **(d)** ☎ 59 29 73 03, ☂, ✻ – TV wc ☎. AE Ⓓ VISA. ✻ ch
fermé 2 janv. au 15 fév. et merc. hors sais. – SC : **R** 92/260 – ☕ 16,50 – **10 ch** 160/225 – P 262/302.

St-Laurent, r. Terrasses **(s)** ☎ 59 29 71 10, ☂ – wc ☎ Ⓟ. AE. ✻ rest
fermé nov. et déc. – SC : **R** 45/160 – ☕ 13 – **16 ch** 65/135 – P 172/200.

Trinquet sans rest, r. Trinquet **(a)** ☎ 59 29 73 38 –
fermé nov. et mardi sauf du 1er juil. au 30 sept. – ☕ 13,50 – **12 ch** 67/89.

Pour des repas simples à prix modiques choisissez les établissements marqués d'un losange

CAMBRAI <SP> 59400 Nord 53 ③④ G. Flandres, Artois, Picardie – 36 618 h. alt. 75.

Voir Mise au tombeau** de Rubens dans l'église St-Géry AY **F**.

Office de Tourisme 48 r. de Noyon ✆ 27 78 26 90 – A.C. 17 mail St-Martin ✆ 27 81 30 75.

Paris 177 ⑧ – ♦Amiens 75 ⑧ – Arras 36 ⑥ – ♦Lille 65 ⑦ – St-Quentin 39 ⑤ – Valenciennes 32 ①.

CAMBRAI

Briand (Pl. A.) .... AYZ 6
St-Martin (Mail) .... AZ 40
Victoire (Av. de la) .... AZ 47

Albert-1er (Av.) .... BY 2
Allende (Pl. Salvador) .... AZ 3
Als.-Lorraine (R. d') .... BYZ 4
Berlaimont (Bd de) .... BZ 5
Cantimpré (R.) .... AY 7
Capucins (R. des) .... AY 8
Chât.-de-Selles (R. du) .. AY 10
Clefs (R. des) .... AY 12
Épée (R. de l') .... AZ 13
Fénelon (Gde-Rue) .... AY 15
Fénelon (Pl.) .... AY 16
Feutriers (R. des) .... AY 17
Gaulle (R. Gén.-de) .... BZ 18
Grand-Séminaire (R. du) .... AZ 19
Landrecies (R. de) .... BY 20
Lattre-de-Tassigny (R. du Mar.-de) .... BZ 21
Leclerc (Pl. du Mar.) .... BZ 22
Liniers (R. des) .... AZ 23
Nice (R. de) .... AY 27
Pasteur (R.) .... AY 29
Porte-Notre-Dame (R.) .. BY 31
Râtelots (R. des) .... AZ 33
Sadi-Carnot (R.) .... AY 35
St-Aubert (R.) .... AY 36
St-Géry (R.) .... AY 37
St-Ladre (R.) .... BZ 39
St-Sépulcre (Pl.) .... AZ 41
Ségard (Sq. Norbert) .... AZ 42
Selles (R. de) .... AY 43
Vaucelette (R.) .... AZ 45
9-Octobre (Pl. du) .... AY 48

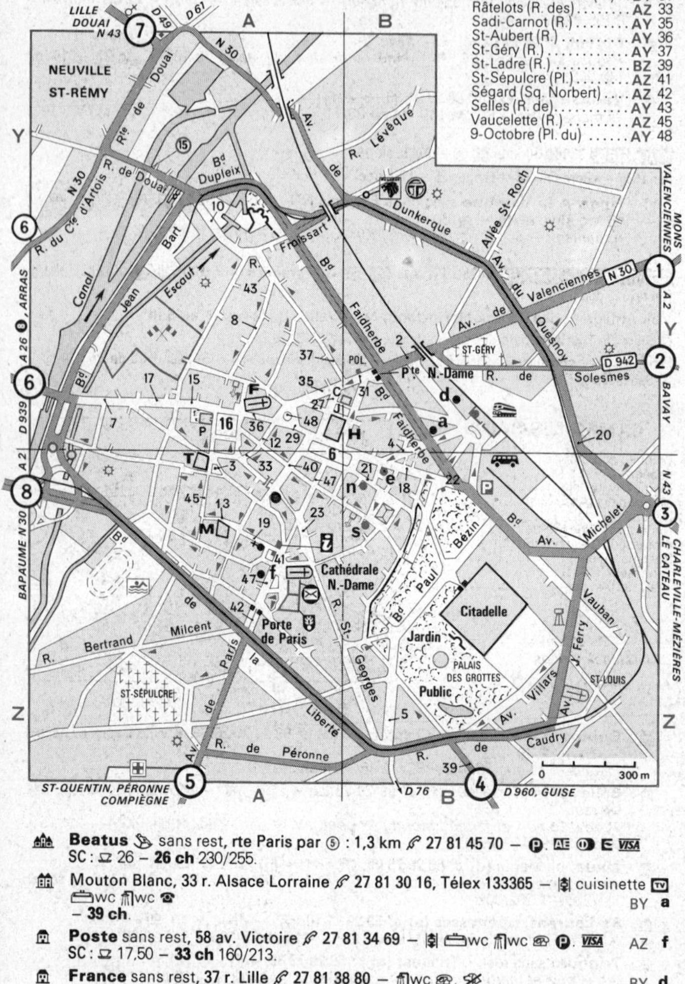

Beatus sans rest, rte Paris par ⑤ : 1,3 km ✆ 27 81 45 70 – P. AE ① E VISA
SC : ☐ 26 – **26 ch** 230/255.

Mouton Blanc, 33 r. Alsace Lorraine ✆ 27 81 30 16, Télex 133365 – cuisinette TV wc wc ☎ – **39 ch**. BY **a**

Poste sans rest, 58 av. Victoire ✆ 27 81 34 69 – wc wc ☎ P. VISA AZ **f**
SC : ☐ 17,50 – **33 ch** 160/213.

France sans rest, 37 r. Lille ✆ 27 81 38 80 – wc ☎. ✻ BY **d**
fermé août – SC : ☐ 19,50 – **24 ch** 74/154.

XX **Galan,** 18 pl. du Marché ✆ 27 78 32 28 – VISA BZ **s**
fermé mardi soir et merc. midi – SC : **R** 75/200.

XX **L'Escargot,** 10 r. Gén.-De-Gaulle ✆ 27 81 24 54 – AE VISA BZ **e**
fermé 15 déc. au 15 janv. et lundi sauf fériés – SC : **R** 60 bc/160

✗ **Les Arcades,** 12 r. Mar.-de-Lattre-de-Tassigny ✆ 27 81 30 80 – AE ⓓ E VISA
fermé merc. – **R** 70/200 ꝉ. BZ **n**

✗ **Buffet Gare,** ✆ 27 81 26 86 – AE ⓓ VISA BY
✦ *fermé sam.* – SC : **R** 49 bc/89

à Ligny-en-Cambrésis : SE par N 43 et D 74 – ✉ **59191** Ligny-Haucourt :

Château de Ligny ⛰, ✆ 35 85 25 84, Télex 820211, parc – TV ☎ P
8 ch, 3 appartements.

sur N 43 E : 10 km – ✉ **59157** Beauvois-en-Cambrésis :

✗✗ **La Buissonnière,** ✆ 27 85 29 97 – P. VISA
fermé 1er au 24 août, vacances de fév., dim. soir et lundi – SC : **R** 75/175.

par ⑥ : 2 km – ✉ **59400** Cambrai :

Motel Ulys sans rest, 67 rte d'Arras ✆ 27 83 83 25, parc – TV ⛀wc ☎ P. AE ⓓ
E VISA
fermé dim. – SC : ☕ 17 – **30 ch** 108/218.

par rte de Bapaume à l'échangeur A 2 : 3 km – ✉ **59400** Cambrai :

Ibis M, ✆ 27 83 54 54, Télex 135074 – TV ⛀wc ☎ ♿ P. E VISA
SC : **R** *(fermé dim.)* carte environ 85 ꝉ – ☕ 19,50 – **27 ch** 186/236.

à Marquion (Pas-de-Calais) par ⑥ et D 939 : 10,5 km – ✉ **62860** Marquion

✗✗ **La Crémaillère,** ✆ 21 73 00 31 – P. E VISA
✦ *fermé du 3 au 22 sept. et lundi* – **R** 48/130 ꝉ.

AUSTIN, ROVER, TRIUMPH Gds Gar. du Beffroi, 8 r. 11-Novembre ✆ 21 81 21 76
BMW S.O.D.A.C, 40, r. Cantimpré ✆ 21 83 05 90
CITROEN Diffusion Autom. Cambraisienne, 2 095 av. Paris par ⑤ ✆ 21 83 68 45
FIAT S.A.G.A. 26 r. Cantimpré ✆ 21 83 88 76
FORD Gar. Chandelier, 101 bd Faidherbe ✆ 21 83 82 31
OPEL Auto-Vente, 132 bd Faidherbe ✆ 21 81 57 05
PEUGEOT-TALBOT Auto du Cambrésis, 84 av. de Dunkerque ✆ 21 83 84 23
RENAULT S.A.N.A.C., 200 rte Solesmes par ② ✆ 21 83 82 56 N

Ⓜ Lesage-Pneus, 28 bd Faidherbe ✆ 21 83 84 85
Multy-Pneus, Centre Routier International ✆ 21 78 05 22
Tonnoir, 14 av. V.-Hugo ✆ 21 83 70 54

Les CAMMAZES 81 Tarn 82 ⑳ – 174 h. alt. 620 – ✉ **81110** Dourgne.
Paris 767 – Carcassonne 35 – Castres 37 – ♦Toulouse 62.

✗ **Sanègre** ⛰ avec ch, SE : 2,5 km par D 629 et D 903 ✆ 63 74 11 79, ☂, 🍴 –
✦ ⛆wc P. ⓓ E VISA. ✻ ch
fermé 13 au 21 oct. et janv. – SC : **R** 60/160 – ☕ 17 – **12 ch** 85/160 – P 155/195.

CAMOËL 56 Morbihan 63 ⑭ – rattaché à Roche-Bernard.

CAMORS 56 Morbihan 63 ② – 2 321 h. alt. 113 – ✉ **56330** Pluvigner.
Paris 464 – Auray 22 – Lorient 36 – Pontivy 26 – Vannes 32.

Ar Brug, ✆ 97 39 20 10 – ⛀wc ⛆wc ☎. E VISA. ✻ ch
✦ SC : **R** 50/107 ꝉ – ☕ 18 – **20 ch** 86/150 – P 120/171.

CAMPAGNE 24 Dordogne 75 ⑯ – rattaché au Bugue.

CAMPAN 65 H.-Pyr. 85 ⑱⑲ – rattaché à Ste-Marie-de-Campan.

Le CAMP-LAURENT 83 Var 84 ⑭ – rattaché à Toulon.

CAMPS 19 Corrèze 75 ⑳ – 265 h. alt. 546 – ✉ **19430** Mercoeur.
Voir Rocher du Peintre ≤★ S : 1 km, **G. Périgord.**
Paris 532 – Aurillac 44 – St-Céré 28 – Tulle 54.

✗ **Lac** ⛰ avec ch, ✆ 55 28 51 83, ≤ – ⛀wc ☎. VISA
✦ *fermé vacances de nov., de fév., merc. (sauf hôtel) et mardi soir d'oct. à fin mai* –
SC : **R** 52/162 ꝉ – ☕ 15 – **4 ch** 75/145 – P 154/170.

CANADEL-SUR-MER 83 Var 84 ⑰ **G. Côte d'Azur** – alt. 25 – ✉ **83820** le Rayol-Canadel-sur-Mer.
Voir Col du Canadel ≤★★ NE : 4,5 km.
Paris 892 – Draguignan 67 – Le Lavandou 11 – St-Tropez 27 – Ste-Maxime 31 – ♦Toulon 52.

Karlina M ⛰, ✆ 94 05 61 65, ≤, ☂, 🏊, 🍴 – P. ⓓ E
1er avril-30 sept. – SC : **R** 165 – **11 ch** ☕ 165/650.

✗✗ **Le Roitelet** ⛰ avec ch, ✆ 94 05 61 39, ≤, ☂, 🍴 – ⛆wc ☎ P. E. ✻ ch
1er avril-30 sept. et fermé mardi – SC : **R** 100/155 – ☕ 25 – **8 ch** 150/230.

CANCALE 35260 I.-et-V. 59 ⑥ G. Bretagne – 4 693 h. alt. 50.

Voir Site★ du port★ – ※★ de la tour de l'église St-Méen Z B – Pointe du Hock <★ Z.

ℹ Syndicat d'Initiative 44 r. du Port ☎ 99 89 63 72.

Paris 397 ① – Avranches 59 ① – Dinan 34 ① – Fougères 74 ① – Le Mont-St-Michel 46 ①.

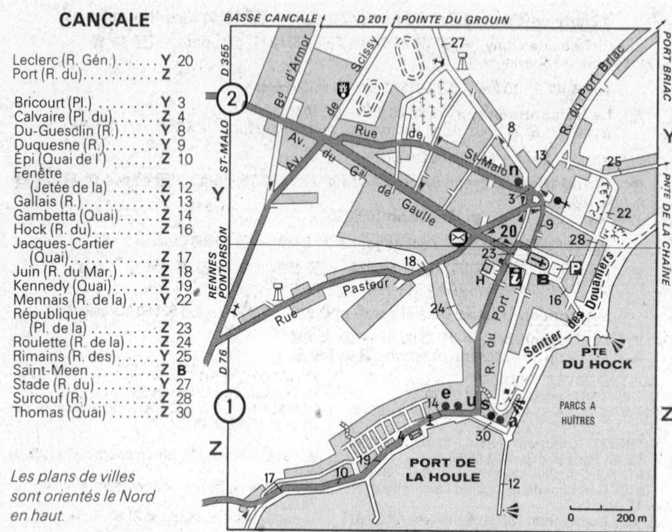

Les plans de villes sont orientés le Nord en haut.

Continental, au port ☎ 99 89 60 16, <, 🏝 – ⇔wc ⋒wc ☎. E VISA. ✘ rest — Z s
22 mars-6 oct. – SC : **R** *(fermé lundi)* 92/164 – ☕ 20 – **20 ch** 86/294.

XXX ✿ **de Bricourt** (Roellinger), 1 r. Duguesclin ☎ 99 89 64 76, 🏝 – E VISA — Y n
1er mars-30 nov. et fermé mardi et merc. – SC : **R** (nombre de couverts limité - prévenir) Carte 185 à 215
Spéc. Huîtres tièdes, Cotriade cancalaise, Fraises avec pain d'épices et rhubarbe.

XX **Le Cancalais** avec ch, quai Gambetta ☎ 99 89 61 93, < – E VISA — Z u
fermé 15 au 30 nov. et 10 au 31 janv. – SC : **R** carte 105 à 170 – ☕ 15 – **8 ch** 70/108.

XX **Phare** avec ch, au Port ☎ 99 89 60 24, < – ⇔wc ⋒wc — Z a
1er mars-1er déc. et fermé merc. – SC : **R** 60/180 – ☕ 15 – **7 ch** 75/165.

XX **Ty Breiz**, quai Gambetta ☎ 99 89 60 26, < – AE VISA — Z e
mars-15 nov. et fermé mardi du 15 sept. au 30 juin – SC : **R** 95/230.

par ② et D 355 : 3 km – ✉ **35350** St-Coulomb :

XX **Aub. de la Motte-Jean**, ☎ 99 89 00 12 – Ⓟ. AE E
fermé 16 au 30 oct., 15 janv. au 15 fév. et merc. du 1er sept. au 30 juin – SC : **R** 59/161.

à la Pointe du Grouin★★ N : 4,5 km par D 201 – ✉ **35260** Cancale :

Pointe du Grouin 🐦, ☎ 99 89 60 55, < îles et baie du Mt-St-Michel – ⇔wc ⋒wc ☎ Ⓟ
1er avril-25 sept. et fermé mardi sauf 14 juil. au 20 août – SC : **R** 85/220 – ☕ 19 – **17 ch** 105/235 – P 220/295.

CANCON 47290 L.-et-G. 79 ⑤ – 1 334 h. alt. 158.

Paris 594 – Agen 48 – Bergerac 41 – Cahors 81 – Marmande 42.

à Monviel NO : 10,5 km par D 124, D 241 et VO – ✉ **47290** Cancon :

Château de Monviel Ⓜ 🐦, ☎ 53 01 71 64, <, parc, 🏝, 🏊 – TV ☎ Ⓟ. AE ⓓ VISA
26 mars-5 nov. et 19 déc.-5 janv. – SC : **R** *(fermé merc.)* 98/250 – ☕ 40 – **8 ch** 370/420 – P 485/730.

P 140/280 — Les **prix de pension** sont donnés, dans le guide, à titre indicatif.
Pour un séjour, consultez toujours l'hôtelier.

CANDÉ-SUR-BEUVRON 41 L.-et-Ch. 64 ⑰ – 916 h. alt. 86 – ✉ 41120 Les Montils.
Paris 195 – Blois 14 – Chaumont-sur-Loire 6,5 – Montrichard 23 – ♦Tours 49.

Lion d'Or, ✆ 54 44 04 66, – wc ☎ P. E. ✻
fermé 1er déc. au 10 janv. et mardi – SC : **R** 40/110 – 15 – **10 ch** 72/185 – P 155/205.

XXX ✿ **Host. Caillère** (Guindon), rte Montils ✆ 54 44 03 08, ←, – P. AE ⓓ VISA
fermé 15 nov. au 15 déc., 15 janv. au 10 fév., et merc. – SC : **R** 98/230
Spéc. Feuilleté de St-Jacques aux petits légumes (oct. à avril), Andouillette de Sandre, Pigeon à la crème d'ail et citron. **Vins** Cheverny, Sauvignon.

Le CANET DE MEYREUIL 13 B.-du-R. 84 ③ – rattaché à Aix-en-Provence.

CANET-PLAGE 66140 Pyr.-Or. 86 ⑳ **G. Pyrénées** – Casino.
Office de Tourisme pl. de la Méditerranée ✆ 68 80 20 65, Télex 500997.
Paris 908 – Argelès-sur-Mer 16 – Narbonne 72 – ♦Perpignan 13.

Althéa M sans rest., 120 prom. Côte Vermeille ✆ 68 80 28 59, ← – TV wc ☎ P. AE ⓓ E VISA
1er avril-31 oct. – SC : 25 – **48 ch** 310/320.

Clos des Pins M, 34 av. Roussillon ✆ 68 80 32 63, – wc wc ☎ P. AE ⓓ. ✻
avril-oct. – SC : **R** (dîner seul. pour résidents) – 20 – **20 ch** 225/265.

Galion M, 20 bis av. Gd Large ✆ 68 80 28 23, – wc ☎ P. AE VISA
avril-oct. – SC : **R** 58/90 – 19 – **28 ch** 195/290, 4 appartements 353 – P 225/270.

Les Sables M sans rest, r. Vallée-du-Rhône ✆ 68 80 23 63, , – TV wc wc ☎ P. AE ⓓ E VISA
SC : 20 – **41 ch** 190/300.

Aquarius M, av. Roussillon ✆ 68 80 25 48, – wc wc ☎ & P. ✻
15 avril-30 sept. – SC : **R** 65 bc – 19 – **40 ch** 200/255 – P 200/255.

du Port M, 21 bd Jetée ✆ 68 80 62 44 – wc ☎ & P. ✻ rest
15 mars-15 oct. – SC : **R** 62/155 – 21 – **36 ch** 310 – P 265.

La Chalosse sans rest, av. Méditerranée ✆ 68 80 35 69 – wc wc ☎ P. VISA. ✻
fermé 15 nov. au 5 janv. – SC : 20 – **15 ch** 150/200.

X **La Rascasse,** 38 bd Tixador ✆ 68 80 20 79 – ▤. VISA
1er avril-30 sept. et fermé jeudi avril et mai – SC : **R** carte 100 à 145.

CANILLO Andorre 86 ⑭ – voir à Andorre.

CANNES 06400 Alpes-Mar. 84 ⑨, 195 ㉟㊳ **G. Côte d'Azur** – 72 787 h. – Casinos : Les Fleurs BZ, Palm Beach X, Municipal BZ – **Voir Boulevard de la Croisette★★** BCZ – **Pointe de la Croisette★** X – **←★ de la tour du Mont-Chevalier** AZ **V** – **Musée de la Castre★** AZ **M** – **Observatoire de Super-Cannes** ✻★★★ E : 4 km VX **B** – **Chemin des Collines★** NE : 4 km **V** – **La Croix des Gardes** V **E ←★ O : 5 km puis 15 mn.**

18 Country-Club de Cannes-Mougins ✆ 93 75 79 13 par ⑤ : 9 km ; 9 18 Golf Club de Cannes-Mandelieu ✆ 93 49 55 39 par ② : 6,5 km ; 18 de Biot ✆ 93 65 08 48 par ⑤ : 14 km ; 18 de Valbonne ✆ 93 42 00 08 par ⑤ : 15 km.

Office de Tourisme et Accueil de France (Informations, change et réservations d'hôtels, pas plus de 5 jours à l'avance), Gare S.N.C.F. ✆ 93 99 19 77, Télex 470795 et Palais des Festivals et des Congrès, 1 La Croisette ✆ 93 39 24 53, Télex 470749 - A.C. 21 quai St-Pierre ✆ 93 39 38 94.

Paris 901 ③ – Aix-en-Provence 146 ③ – ♦Grenoble 316 ⑤ – ♦Marseille 158 ③ – ♦Nice 32 ⑤ – ♦Toulon 124 ③.

Plan page suivante

Majestic M, bd Croisette ✆ 93 68 91 00, Télex 470787, ←, , , , – ▤ TV ☎ – 30 à 120. AE ⓓ E VISA. ✻ rest BZ **n**
fermé 25 oct. au 15 déc. – **R** (dîner seul. en été) carte 220 à 360 **Grill R** (déj. seul.) carte environ 250 – 50 – **262 ch** 1 000/1 600, 12 appartements.

Carlton, 58 bd Croisette ✆ 93 68 91 68, Télex 470720, ←, – ▤ TV ☎ & – 250. AE ⓓ E VISA. ✻ rest CZ **e**
La Côte R carte 265 à 400 – 56 – **295 ch** 750/1 570, 30 appartements.

Martinez, 73 bd Croisette ✆ 93 68 91 91, Télex 470708, ←, , , , – ▤ TV ☎ & P – 40 à 600. AE ⓓ E VISA CDZ **n**
fermé 12 nov. au 23 janv. – SC : **L'Orangeraie R** 185 - **La Palme d'Or** voir ci-après – 60 – **421 ch** 750/2 000, 18 appartements.

Gray d'Albion M, 38 r. Serbes ✆ 93 68 54 54, Télex 470744, – ▤ TV ☎ – 30 à 200. AE ⓓ E VISA BZ **d**
R Royal Gray voir ci-après - **Les 4 Saisons R** carte environ 180 – 60 – **187 ch** 1200/1400, 14 appartements.

Sofitel Méditerranée M, 2 bd J.-Hibert ✆ 93 99 22 75, Télex 470728, ←, « Piscine et terrasses sur le toit, ← baie de Cannes » – ▤ TV ☎ – 150. AE ⓓ E VISA. ✻ rest AZ **n**
fermé 22 nov. au 23 déc. – SC : **R** carte 150 à 240 – 50 – **150 ch** 440/990, 4 appartements 1 290/1 450.

Montfleury [M] ⛰, 25 av. Beauséjour ✆ 93 68 91 50, Télex 470039, ≤, « Jardin », 🏊 – |‡| ▤ [TV] ☎ ⇔ Ⓟ – 🏆 400 – **227 ch**, 8 appartements. DY **r**

Gd Hôtel ⛰, 45 bd Croisette ✆ 93 38 15 45, Télex 470727, ≤, – |‡| ▤ [TV] ☎ Ⓟ. AE VISA CZ **q**
R voir rest. **Lamour** – ☕ 55 – **74 ch** 660/1 320 – P 780/1 685.

Frantel Beach [M] sans rest, 13 r. Canada ✆ 93 38 22 32, Télex 470034, 🏊 – |‡| ▤ [TV] ☎ ⇔ – 🏆 30 à 60. AE ⓓ E VISA CZ **v**
fermé 1er nov. au 25 janv. – SC : ☕ 50 – **94 ch** 675/990.

Splendid sans rest, 4 r. F.-Faure ✆ 93 99 53 11, Télex 470990, ≤ – |‡| cuisinette [TV] ☎. AE ⓓ E VISA BZ **a**
SC : **63 ch** ☕ 300/650.

Victoria [M] sans rest, 122 r. d'Antibes ✆ 93 99 36 36, Télex 470817, 🏊 – |‡| ▤ [TV] ☎. AE ⓓ VISA CZ **x**
fermé 15 nov. au 15 janv. – SC : ☕ 28 – **25 ch** 335/545.

CANNES - LE CANNET - VALLAURIS

André (R. du Cdt) . . . . **CZ**
Antibes (R. d') . . . . **BCZ**
Belges (R. des) . . . . **BZ** 6
Chabaud (R.) . . . . **CZ** 15
Croisette (Bd de la) . . . . **BCZ**
Félix-Faure (R.) . . . . **ABZ**
Foch (R. du Mar.) . . . . . . **BZ** 25
Joffre (R. du Mar.) . . . . . **BZ** 35
Riouffe (R. Jean de) . . . . . **BZ** 64

Alexandre-III (Bd) . . . . **X** 2
Amouretti (R. F.) . . . . **CZ** 3
Anc. Combattants d'Afrique du Nord (Av.) **AZ** 4
Beau-Soleil (Bd) . . . . **V** 5
Bellevue (Pl.) . . . . **V** 7
Bréguières (Ch. des) . . . . . **V** 8
Broussailles (Av. des) . . . . **V** 9
Buttura (R.) . . . . **BZ** 10
Carnot (Bd) . . . . **V** 13
Castre (Pl. de la) . . . . **AZ** 14
Christ-Roi (⊕) . . . . **V** 16
Clemenceau (Av. G.) . . . . . **V** 17
Coteaux (Av. des) . . . . **V** 18
Dr-Pierre-Gazagnaire (R.) . . . . . . **AZ** 20
Dollfus (R. Jean) . . . . **AZ** 22
Ferrage (Bd de la) . . . . . **BYZ** 23
Fiesole (Av.) . . . . **V** 24
Four à Chaux (Bd du) . . . . . **V** 25
Fournas (Av. de) . . . . **V** 26
Gambetta (Bd) . . . . **V** 27
Gaulle (Pl. Gén.-de) . . . . . **BZ** 28
Grasse (Av. de) . . . . **V** 29
Haddad-Simon (R. J.) . . . **CY** 30
Isnard (Pl. Paul) . . . . **V** 34
Lacour (Bd A.) . . . . **V** 36
Lattre-de-Tassigny (Av. J.-de) . . . . **ABY** 37
Leader (Bd) . . . . **VX** 38
Lérins (Av. de) . . . . **X** 39
Macé (R.) . . . . **BZ** 41
Monod (Bd Jacques) . . . . . **V** 42
Montaigne (R.) . . . . **BY** 43
Mont-Chevalier (R. du) . . **AZ** 44
Montfleury (Bd) . . . . **X** 45
Myron-T.-Herrik (Bd) . . . . . **V** 46
N.-D.-de-Bon-Voyage (⊕) . . . . **BZ** 49
N.-D.-d'Espérance (⊕) . **AZ** 50
N.-D.-des-Pins (⊕) . . . . **DZ** 52
Observatoire (Bd de l') . . . . **X** 54
Oxford (Bd d') . . . . **V** 55
Pastour (R. L.) . . . . **AZ** 56
Perier (Bd du) . . . . **V** 57
Perrissol (R. L.) . . . . **AZ** 59
Pins (Bd des) . . . . **X** 60
République (Bd de la) . . . . **X** 62
Rouguière (R.) . . . . **BZ** 66
Rouvier (Bd M.) . . . . **V** 67
St-Charles (⊕) . . . . **V** 69
St-Joseph (⊕) . . . . **AY** 70
St-Nicolas (Av.) . . . . **BY** 71
St-Sauveur (R.) . . . . **V** 72
Ste-Philomène (⊕) . . . . . . **V** 73
Sardou (R. L.) . . . . **V** 74
Serbes (R. des) . . . . **BZ** 75
Souvenir (⊕) . . . . **CY** 76
Tapis-Vert (Av. du) . . . . . . **V** 77
Tuby (Bd Victor) . . . . **AZ** 78
Vallauris (Av. de) . . . . **V** 79
Victor-Hugo (R.) . . . . **V** 80
Vidal (R. du Cdt) . . . . **CZ** 82

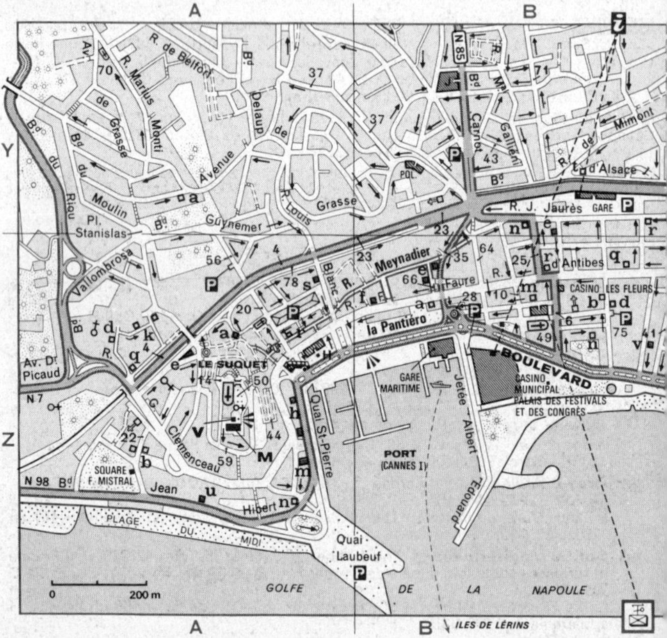

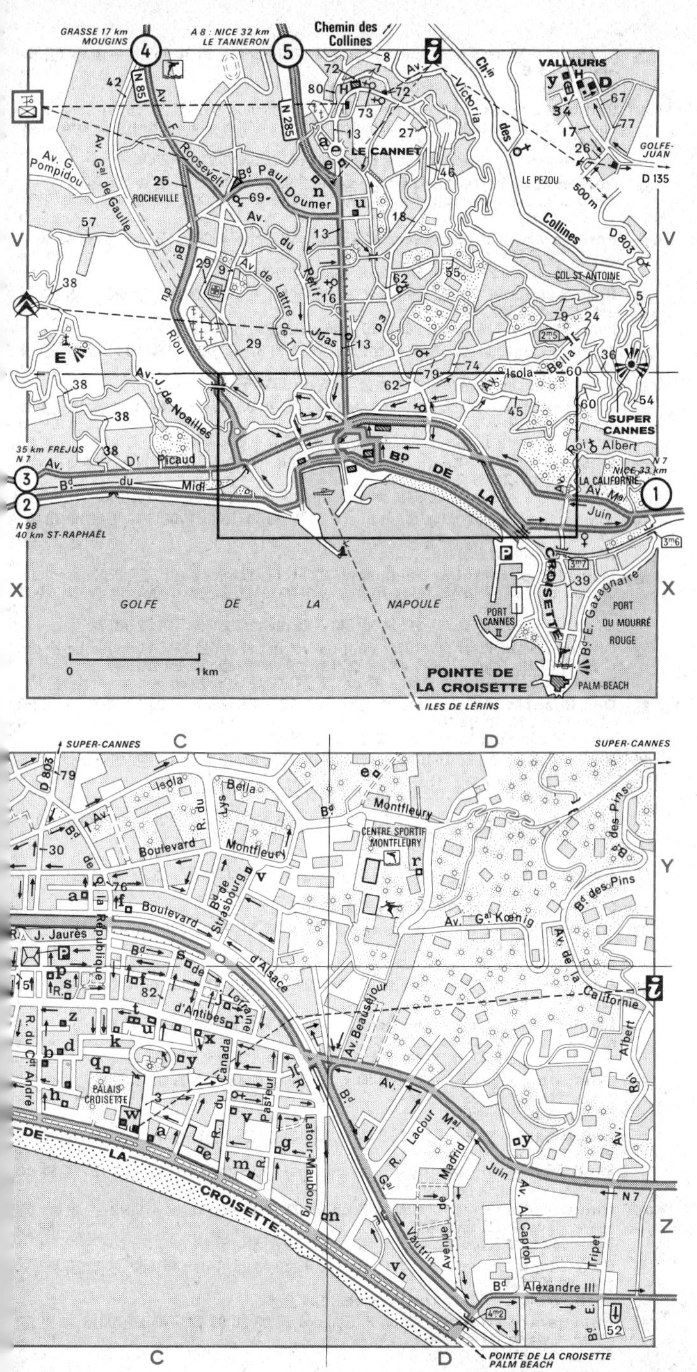
GRASSE 17 km
MOUGINS
A 8 : NICE 32 km
LE TANNERON
Chemin des Collines
VALLAURIS
LE CANNET
ROCHEVILLE
LE PEZOU
COL ST ANTOINE
SUPER CANNES
GOLFE-JUAN
D 135
35 km FREJUS
N 7
N 98
40 km ST-RAPHAËL
NICE 33 km
LA CALIFORNIE
GOLFE DE LA NAPOULE
PORT CANNES II
PORT DU MOURRÉ ROUGE
POINTE DE LA CROISETTE
PALM-BEACH
ILES DE LÉRINS
SUPER-CANNES
CENTRE SPORTIF MONTFLEURY
PALAIS CROISETTE
POINTE DE LA CROISETTE
PALM BEACH

Fouquet's M sans rest, 2 Rd-pt Duboys-d'Angers ✆ 93 38 75 81 – |♦| ▤ TV ☎. AE ⓓ E — CZ **y**
fermé 20 oct. au 20 déc. – SC : **10 ch** ⊐ 540/940.

Solhotel et rest. Le Trident M, 61 av. Dr Picaud par ③ ✉ 06150 Cannes La Bocca ✆ 93 47 63 00, Télex 970956, ☂, ⛱, ⛱ – |♦| cuisinette ▤ TV ☎ ⇐ – 150. AE ⓓ E VISA
fermé 1er nov. au 15 déc. – SC : **R** 110 – **101 ch** ⊐ 360/530 – P 380/630.

Gonnet et de la Reine, 42 bd Croisette ✆ 93 38 40 00, ← – |♦| ☎. AE VISA. ✻
25 mars-15 oct. – SC : **R** (résidents seul.) – **52 ch** ⊐ 350/660, 6 appartements 1 000. — CZ **h**

Paris sans rest, 34 bd d'Alsace ✆ 93 38 30 89, Télex 470995, ⛱, ⛱ – |♦| ▤ ☎ – 40. ⓓ E VISA. ✻ — CY **a**
fermé 31 oct. au 25 janv. – SC : ⊐ 20 – **48 ch** 368/488.

Beau Séjour M, 5 r. Fauvettes ✆ 93 39 63 00, Télex 470975, ⛱, ⛱ – |♦| TV ☎ ⇐. AE ⓓ E VISA. ✻ rest — AZ **d**
fermé 1er nov. au 15 déc. – SC : **R** 90 – **46 ch** ⊐ 235/500 – P 395/430.

Century M sans rest, 133 r. d'Antibes ✆ 93 99 37 64, Télex 470090 – |♦| ▤ TV ☎ ⇐. AE ⓓ VISA — CZ **r**
fermé 20 nov. au 10 janv. – SC : ⊐ 25 – **35 ch** 355/458.

Abrial M sans rest, 24 bd Lorraine ✆ 93 38 78 82, Télex 470761 – |♦| ▤ TV ☎ ⇐. AE ⓓ VISA — CY **s**
fermé 10 nov. au 22 janv. – SC : **48 ch** ⊐ 260/440 – P 360/420.

Embassy et rest. As de Carreau, 6 r. Bône ✆ 93 38 79 02, Télex 470081 – |♦| ▤ rest TV ☎. AE ⓓ E VISA — CZ **j**
SC : **R** *(fermé 20 nov. au 20 déc. et lundi midi)* 90/120 – **60 ch** ⊐ 370/490 – P 425.

Canberra sans rest, 120 r. d'Antibes ✆ 93 38 20 70, Télex 470817 – |♦| ▤ ☎ Ⓟ. AE ⓓ VISA — CZ **u**
SC : ⊐ 28 – **44 ch** 260/465.

Licorn'H. et rest. Les Saisons M, 23 av. Fr.-Tonner par ③ ✉ 06150 Cannes-La-Bocca ✆ 93 47 18 46, Télex 470818 – |♦| ▤ rest TV ⇔wc ⋔wc ☎ Ⓟ. AE ⓓ E VISA
fermé 15 nov. au 15 déc. – SC : **R** 85/140 – **45 ch** ⊐ 285/420 – P 327/377.

Château de la Tour ⛭, 10 av. Font-de-Veyre par ③ ✉ 06150 Cannes-La-Bocca ✆ 93 47 32 23, Télex 470906, ⛱ – |♦| ⇔wc ⋔wc ☎ Ⓟ. AE ⓓ VISA. ✻ rest
fermé 15 nov. au 1er janv. **R** 86 – **42 ch** ⊐ 250/420 – P 350/436.

Des Congrès et Festivals M sans rest, 12 r. Teisseire ✆ 93 39 13 81 – |♦| TV ⇔wc ⋔wc ☎. AE ⓓ VISA — CZ **p**
fermé 1er déc. au 15 janv. – SC : **20 ch** ⊐ 265/420.

Ruc Hôtel sans rest, 15 bd Strasbourg ✆ 93 38 64 32 – |♦| ▤ TV ⇔wc ☎. AE E VISA — CY **v**
fermé 1er nov. au 23 déc. – SC : **30 ch** ⊐ 260/420.

La Madone ⛭ sans rest, 5 av. Justinia ✆ 93 43 57 87, « Coquette installation », ⛱ – cuisinette TV ⇔wc ⋔wc ☎. AE ⓓ E VISA — DZ **y**
SC : ⊐ 30 – **23 ch** 350/470.

Acapulco M, 16 bd Alsace ✆ 93 99 16 16, Télex 470929, ☂, ⛱ – |♦| ▤ TV ⇔wc ⋔wc ☎. AE ⓓ E VISA — BY **t**
SC : **R** 66/85 – **59 ch** ⊐ 500/550 – P 665/840.

Athénée M sans rest, 6 rue Lecerf ✆ 93 38 69 54, Télex 470978 – ▤ TV ⇔wc ⋔wc ☎. AE ⓓ E VISA — CZ **f**
fermé 1er nov.-15 janv. – SC : ⊐ 27 – **15 ch** 253/460.

Palma sans rest, 77 bd Croisette ✆ 93 94 22 16, Télex 470826, ← – |♦| ⇔wc ⋔wc ☎ Ⓟ – **52 ch**. — DZ **v**

Les Orangers, 1 r. des Orangers ✆ 93 39 99 92, Télex 470873, ←, ☂, ⛱, ⛱ – |♦| ⇔wc ⋔wc ☎. AE ⓓ E VISA. ✻ rest — AZ **k**
fermé 1er nov. au 20 déc. – SC : **R** 105 – **40 ch** ⊐ 270/435 – P 405.

Host. de L'Olivier sans rest, 90 r. G.-Clemenceau ✆ 93 39 53 28, ⛱, ⛱ – ⇔wc ⋔wc ☎ Ⓟ. AE ⓓ VISA — AZ **k**
SC : **23 ch** ⊐ 250/450.

Provence, 9 r. Molière ✆ 93 38 44 35, ☂ – |♦| ▤ ch TV ⇔wc ⋔wc ☎. AE ⓓ E VISA. ✻ rest — CZ **t**
SC : **R** *(Pâques-fin sept., Noël et fermé dim.)* carte environ 130 – ⊐ 20 – **30 ch** 170/330.

Univers M sans rest, 2 r. Mar.-Foch ✆ 93 39 59 19, Télex 470972 – |♦| ▤ TV ⇔wc ⋔wc ☎. AE ⓓ E VISA — BZ **r**
SC : – **68 ch** ⊐ 320/518.

Belle Plage sans rest., 6 r. J.-Dollfus ✆ 93 39 86 25, Télex 461689 – |♦| TV ⇔wc ⋔wc ☎. AE VISA — AZ **b**
1er fév.-1er nov. – SC : ⊐ 17,50 – **40 ch** 230/430.

Étrangers M sans rest., 10 pl. P. Sémard ✆ 93 38 82 82, Télex 970048 – |♦| TV ⇔wc ⋔wc ☎. AE ⓓ VISA — BY **n**
SC : ⊐ 23 – **53 ch** 280/340.

Select sans rest, 16 r. H.-Vagliano ℘ 93 99 51 00 – wc wc.
fermé 20 nov. au 20 déc. – SC : 15 – **30 ch** 232/280. BY **r**

Molière sans rest, 5 r. Molière ℘ 93 38 16 16, – wc wc. E. CZ **t**
fermé 15 nov. au 20 déc. – SC : **34 ch** 205/350.

Toboso sans rest, 7 allée des Oliviers ℘ 93 38 20 05, – cuisinette wc. DY **e**
SC : 25 – **10 ch** 400.

Régina sans rest, 31 r. Pasteur ℘ 93 94 05 43 – wc wc. VISA CZ **g**
25 janv.-15 oct. – SC : **22 ch** 320/415.

Corona sans rest, 55 r. d'Antibes ℘ 93 39 69 85 – wc wc. AE E VISA BZ **q**
SC : 20 – **20 ch** 300.

France sans rest, 85 r. Antibes ℘ 93 39 23 34 – wc wc. AE VISA
SC : 17 – **34 ch** 185/300. CZ **s**

Vendôme sans rest, 37 bd Alsace ℘ 93 38 34 33, – wc wc. AE VISA CY **f**
fermé 15 nov. au 15 déc. – SC : 22 – **14 ch** 190/500.

Dauphins Verts sans rest, 9 r. J.-Dollfus ℘ 93 39 45 82, – wc wc. AE VISA AZ **b**
fermé 15 nov. au 10 janv. – SC : **17 ch** 167/295.

Roches Fleuries sans rest, 92 r. G.-Clemenceau ℘ 93 39 28 78, – wc wc. AZ **q**
fermé 15 nov. au 27 déc. – SC : **24 ch** 100/210.

Campanile, Aérodrome de Cannes-Mandelieu par ③ : 6 km ✉ 06150 Cannes-La-Bocca ℘ 93 48 69 41, Télex 461570 – wc – 30. VISA
SC : **R** 61 bc/82 bc – 23 – **49 ch** 194/215.

Festival sans rest, 3 r. Molière ℘ 93 38 69 45 – cuisinette wc CZ **k**
fermé 25 nov. au 20 déc. – SC : 15 – **17 ch** 130/300.

Cheval Blanc sans rest, 3 r. de-Maupassant ℘ 93 39 88 60 – wc wc
SC : 15 – **16 ch** 180/220. AY **a**

Wagram, 140 r. d'Antibes ℘ 93 94 55 53, – ch wc wc.
SC : **R** 88 – 22 – **23 ch** 166/413 – P 364/516. CZ **x**

Poste sans rest, 31 r. Bivouac-Napoléon ℘ 93 39 22 58 – wc wc.
SC : 15 – **22 ch** 125/220. BZ **m**

Modern sans rest, 11 r. Serbes ℘ 93 39 09 87 – wc BZ **b**
fermé 11 nov. au 22 déc. – SC : 17 – **19 ch** 129/342.

XXXX ✿ **La Palme d'Or,** 73 bd Croisette ℘ 93 68 91 91 – . AE E VISA CDZ **n**
fermé 12 nov. au 23 janv., jeudi (sauf le soir en juil.-août) et vend. midi – SC : **R** carte 210 à 420
Spéc. Blanc-manger de sole aux amandes, Pigeonneau au vieux vinaigre et au Porto, Entremets Palme d'Or.

XXXX ✿✿ **Royal Gray** 2 r. des Etats-Unis, ℘ 93 68 54 54, , « Elégant décor contemporain » – . AE E VISA BZ **d**
fermé fév., dim. (sauf juil.-août) et lundi – **R** carte 250 à 340
Spéc. Salade tiède de St-Jacques, Papillote de langoustines chiffonnade de basilic, Fricassée de homard aux mousserons. **Vins** Flassans, Vidauban.

XXX **Félix,** 63 bd Croisette ℘ 93 94 00 61, <, – . AE VISA CZ **m**
fermé 1er nov. au 24 déc. et merc. – **R** carte 185 à 275.

XXX **Gaston-Gastounette,** 7 quai St-Pierre ℘ 93 39 47 92, <, – . AE VISA AZ **h**
fermé 3 au 23 janv. – **R** 150/165.

XXX **Poêle d'Or,** 23 r. États-Unis ℘ 93 39 77 65 – . AE VISA BZ **v**
fermé nov. et lundi – SC : **R** 120.

XXX **Le Festival,** 52 bd Croisette ℘ 93 38 04 81, – . AE CZ **a**
fermé 26 nov. au 26 déc. – **R** carte 180 à 225.

XXX **Rescator,** 7 r. Mar.-Joffre ℘ 93 39 44 57 – . VISA BZ **e**
fermé lundi hors sais. – **R** (en juil.-août, dîner seul.) 150/350.

XXX **Lamour,** 45 bd Croisette ℘ 93 99 49 60, – AE VISA CZ **q**
R 135.

XX Blue Bar, ancien Palais des Festivals ℘ 93 39 03 04, – CZ **w**

XX **Le Croquant,** 18 bd J.-Hibert ℘ 93 39 39 79, < – . AE E AZ **u**
fermé 15 fév. au 1er mars, dim. soir du 15 sept. au 15 juin et lundi – **R** (du 15 juin au 15 sept. dîner seul.) 90/210.

XX **La Mirabelle,** 24 r. St-Antoine ℘ 93 38 72 75 – AE VISA AZ **a**
fermé 1er au 15 mars, 1er au 25 déc. et mardi – **R** (diner seul.) 200 bc/350 bc.

XX **Caveau Provençal,** 45 r. Félix-Faure ℘ 93 39 06 33, <, – . AE VISA BZ **f**
R 76/180.

XX **Voile au Vent,** 17 quai St-Pierre ℘ 93 39 27 84, <, – AE VISA AZ **m**
fermé 25 oct. au 25 déc. et jeudi hors sais. – **R** carte 120 à 180.

tourner →

XX **Poivre Vert,** 11 r. L.-Blanc ✆ 93 39 07 67 – AE ◑ E VISA — AZ s
SC : **R** 91/137.

XX **Mère Besson,** 13 r. Frères-Pradignac ✆ 93 39 59 24, Cuisine provençale – AE VISA — CZ d
fermé dim. sauf juil.-août et fériés – SC : **R** (juil.-août dîner seul.) carte 140 à 200.

XX **La Cigale,** 1 r. Florian ✆ 93 39 65 79 – ▤. AE ◑ VISA — CZ z
fermé nov. et merc. – SC : **R** 70/120.

XX **Taverna Romana,** 10 pl. Suquet ✆ 93 39 96 05, cuisine italienne – ▤ — AZ e
R 135.

XX **La Salle à Manger,** 17 r. G.-Monod ✆ 93 39 24 95 – ▤. AE ◑ E VISA — CZ h
fermé 4 nov. au 4 déc. et mardi – SC : **R** 95.

XX La Croisette, 15 r. Cdt-André ✆ 93 39 86 06 — CZ b

XX **Au Mal Assis,** 15 quai St-Pierre ✆ 93 39 13 38, ≤, 🏖 – AE ◑ E VISA — AZ h
fermé 10 oct. au 20 déc. – SC : **R** 67.

X **L'Olivier,** 9 r. Rouguière ✆ 93 39 91 63 – AE ◑ E VISA — BZ e
fermé 15 déc. au 15 janv. et lundi – **R** 60/90.

X **Le Monaco,** 15 r. 24-août ✆ 93 38 37 76 — BY e
◆ *fermé 1er nov. au 10 déc. et dim.* – SC : **R** 60/85 ₰.

X **Aux Bons Enfants,** 80 r. Meynadier – ✻ — AZ r
fermé 30 mars au 15 avril, 20 déc. au 5 janv., merc. soir et dim. – SC : **R** 65 ₰.

route de Pégomas **par ③ : 8 km – ✉ 06150 Cannes-la-Bocca :**

XXX L'Oriental, 286 av. M.-Jourdan - Entrée par Résidence Abadie ✆ 93 47 43 99, « Décor Mauresque », cuisine du Maghreb.

Voir aussi ressources hôtelières du *Cannet* par ③ : 3 km et de *Mougins* par ④ : 8 km

CITROEN Carnot Autom., 48 bd Carnot ✆ 93 68 20 25 et 205 bd Tonner, La Bocca par ③ ✆ 93 47 24 00
PORSCHE-MITSUBISHI Gar. Gras, 17 bd Vallombrosa ✆ 93 39 34 27
RENAULT Succursale, N7, av. des Arlucs, la Bocca par ③ ✆ 93 47 00 01

◍ Massa-Pneu, 9 bd Vallombrosa ✆ 93 39 25 22
Sud-Est-Pneus, 20 r. Cdt-Vidal ✆ 93 38 58 14

Le CANNET 06110 Alpes-Mar. 84 ⑨, 195 ㉟㊳ **G. Côte d'Azur** – 37 430 h. alt. 110.

ℹ Syndicat d'Initiative 2 bd Carnot ✆ 93 46 74 00 et av. Campon ✆ 93 45 34 27.

Paris 905 – Antibes 13 – Cannes 3 – Grasse 15 – ◆Nice 31 – Vence 28.

Voir plan d'agglomération de Cannes-le-Cannet-Vallauris

🏨 **Gde Bretagne** sans rest, bd Sadi-Carnot ✆ **93 45 66 00, Télex 470918** – cuisinette ▤ 🅟. AE ◑ VISA — V a
fermé 3 nov. au 20 déc. – SC : ☐ 25 – **34 ch** 520.

🏨 **Picardy** sans rest, bretelle autoroute ✆ **93 45 35 35,** 🏊 – 🛗 📺 ⛀wc ⋔wc ☎ 🚗 🅟. AE ◑ E VISA — V n
SC : ☐ 20 – **25 ch** 165/228.

🏨 **Ibis,** 87 bd Carnot ✆ 93 45 79 76, Télex 470095 – 🛗 📺 ⛀wc ☎. VISA — V e
SC : **R** carte environ 85 ₰ – ☕ 19 – **40 ch** 208/280.

X **Marinette,** 11 r. Rebuffel ✆ 93 38 89 46, 🏖 — V u
fermé 10 juil. à début sept., jeudi, vend. et sam. – SC : **R** (déj. seul.) 95/100.

ALFA-ROMEO Gar. Europa, bretelle de l'autoroute ✆ 93 45 17 00

RENAULT Succursale, Bretelle autoroute par ⑤ ✆ 93 45 88 88

Le CANNET-DES-MAURES 83 Var 84 ⑯ – 2 570 h. alt. 127 – ✉ **83340** Le Luc.

Paris 837 – Brignoles 25 – Cannes 73 – Draguignan 26 – St-Tropez 38 – ◆Toulon 55.

🏨 **Mas du Four** 🐦, E : 2,5 km par N 7 et rte de l'E.A. Alat ✆ **94 60 74 64,** 🏖, 🏊, 🌳, 🎾 – ⛀wc 🅟. ◑ VISA
fermé 19 au 27 oct., 15 janv. au 15 fév., dim. soir (sauf hôtel) et lundi du 15 sept. au 15 juin – SC : **R** 65/125 ₰ – ☐ 20 – **10 ch** 91/210 – P 215/270.

La CANOURGUE 48500 Lozère 80 ④⑤ **G. Causses** – 1 391 h. alt. 563.

Voir Sabot de Malepeyre★ SE : 4 km.

ℹ Office de Tourisme (15 juin-15 sept.) ✆ 66 32 83 67 et à la Mairie ✆ 66 32 81 47.

Paris 578 – Espalion 54 – Florac 53 – Mende 46 – Rodez 67 – Sévérac-le-Château 22.

🏨 **Commerce** Ⓜ, ✆ 66 32 80 18 – 🛗 ⛀wc ⋔wc ☎ 🚗 🅟 – 🏛 30 à 50. VISA
◆ *fermé déc., janv., dim. soir et lundi hors sais.* – SC : **R** 44/82 ₰ – ☐ 15,50 – **32 ch** 130/175 – P 195/210.

PEUGEOT-TALBOT Condomines, ✆ 66 32 80 16 🅝

CAN PARTÈRE 66 Pyr.-Or. 86 ⑱ – rattaché à Arles-sur-Tech.

CAPBRETON 40130 Landes 78 ⑰ **G. Côte de l'Atlantique** – 4 703 h. – Casino.
Office de Tourisme av. G.-Pompidou ✆ 58 72 12 11.
Paris 755 – ♦Bayonne 22 – Mont-de-Marsan 84 – St-Vincent-de-Tyrosse 12 – Soustons 21.

à la Plage NO : 1 km – ✉ **40130** Capbreton :

Atlantic, av. de-Lattre-De-Tassigny ✆ 58 72 11 14, – wc wc P. rest
hôtel : 1er juin-30 sept., rest. : 1er juin-15 sept. – SC : **R** (dîner seul.) 90/125 – 20 – **53 ch** 80/200.

Océan, av. Plage ✆ 58 72 10 22, ← – wc wc P. AE E. rest
Pâques-oct. – SC : **R** *(fermé mardi sauf de juin à sept.)* 55/170 – 20 – **50 ch** 98/190.

Miramar, front de Mer ✆ 58 72 12 82, ← – wc wc
sais. – **42 ch**.

Terrasses, front de Mer ✆ 58 72 10 20, ← – wc P. rest
mai-25 sept. – SC : **R** 75/170 – 19 – **24 ch** 100/160 – P 210/220.

Mille Sabords, au port de Plaisance ✆ 58 72 26 65, ← – AE E.
fermé 2 janv. au 15 fév., le midi sauf dim. et fêtes en juil.-août, mardi et merc. du 1er sept. au 30 juin – **R** 90/110.

La Sardinière, 87 av. G.-Pompidou ✆ 58 72 10 49, ← – AE E VISA
15 mai-11 nov. – SC : **R** 140/170.

CITROEN Barbe, ✆ 58 72 10 15 RENAULT Gar. Puyau, ✆ 58 72 10 52

CAP COZ 29 Finistère 58 ⑮ – rattaché à Fouesnant.

CAP D'AGDE 34 Hérault 83 ⑯ – rattaché à Agde.

CAP D'AIL 06320 Alpes-Mar. 84 ⑩, 195 ㉗ **G. Côte d'Azur** – 4 402 h. alt. 96.
Paris 948 – Menton 12 – Monte-Carlo 3 – ♦Nice 17.

Miramar, av. du 3 Septembre ✆ 93 78 06 60 – rest wc P. VISA
10 janv.-30 nov. – SC : **R** *(fermé mardi)* (dîner seul.) carte 135 à 185 – 18 – **27 ch** 105/180.

CAP D'ANTIBES 06 Alpes-Mar. 84 ⑨, 195 ㉟㊱㊵ – rattaché à Antibes.

La CAPELLE 02260 Aisne 53 ⑯ **G. Flandres, Artois, Picardie** – 2 265 h. alt. 228.
Voir Pierre d'Haudroy (monument de l'Armistice 1918) NE : 3 km par D 285.
Paris 190 – Avesnes-sur-Helpe 16 – Le Cateau 30 – Fourmies 11 – Guise 23 – Laon 53 – Vervins 17.

Gd Cerf, av. Gén.-de-Gaulle ✆ 23 97 20 61
fermé juil., dim. soir d'oct. à mars et lundi – **R** 60/260.

CAPENDU 11700 Aude 83 ⑫ – 1 270 h. alt. 83.
Paris 890 – Carcassonne 17 – Lézignan-Corbières 18 – Olonzac 21 – St-Pons 58.

Top du Roulier, ✆ 68 79 03 60 – wc wc P – 100. VISA. ch
SC : **R** 46 bc/200 bc – 12 – **30 ch** 100/130 – P 130/210.

CAPESTANG 34310 Hérault 83 ⑭ **G. Causses** – 2 679 h. alt. 22.
Paris 838 – Béziers 15 – Carcassonne 63 – ♦Montpellier 84 – Narbonne 18 – St-Pons 40.

Franche-Comté, D 11 ✆ 67 93 31 21 – wc .
SC : **R** *(fermé dim.)* (dîner seul. pour résidents) 60 – 15,50 – **15 ch** 120/154.

CAP FERRAT 06 Alpes-Mar. 84 ⑩⑲ – rattaché à St-Jean-Cap-Ferrat.

CAP FERRET 33970 Gironde 78 ⑫ **G. Côte de l'Atlantique.**
Voir ✻★ du phare.
Office de Tourisme 12 av. Océan (1er juin-15 sept.) ✆ 56 60 63 26.
Paris 652 – Arcachon 69 – ♦Bordeaux 71 – Lacanau-Océan 58 – Lesparre-Médoc 86.

Dunes sans rest, av. Bordeaux ✆ 56 60 61 81 – wc wc P
Pâques-25 sept. – SC : 17 – **13 ch** 120/180.

Pins sans rest, r. des Fauvettes ✆ 56 60 60 11, – wc.
1er juin-15 oct. – SC : 18 – **14 ch** 140/260.

Quatre Saisons avec ch, av. Océan ✆ 56 60 68 13, , – VISA
fermé 15 déc. au 15 janv. et lundi – SC : **R** 68/103 – 12 – **13 ch** 70/187 – P 197/240.

CITROEN Gar. du Phare, ✆ 56 60 61 20 PEUGEOT, TALBOT Gava, ✆ 56 60 64 20

CAP FREHEL 22 C.-du-N. 59 ⑤ G. Bretagne – alt. 57 – ✉ 22240 Fréhel.
Voir Site*** – ☀***.
Paris 442 – Dinan 45 – Dinard 38 – Lamballe 36 – •Rennes 97 – St-Brieuc 49.

- **Relais de Fréhel** ⛰, S : 2,5 km par D 16 et VO ✆ 96 41 43 02, ⟜, ✕ – ⋔wc Ⓟ **13 ch**.

CAP GRIS-NEZ ** 62 P.-de-C. 51 ① G. Flandres, Artois, Picardie – alt. 50 – ✉ 62179 Wissant.
Paris 309 – Arras 131 – Boulogne-sur-Mer 20 – •Calais 29 – Marquise 13 – St-Omer 58.

- **Mauves** ⛰, ✆ 21 32 96 06, ⟜ – ⋔wc Ⓟ. ✕
  1er avril-15 nov. – SC : **R** 82/165 – ☕ 24 – **16 ch** 133/245 – P 245/320.
- XX **La Sirène,** ✆ 21 32 95 97, ≤ mer – Ⓟ
  fermé 8 déc. au 24 janv., le soir (sauf sam.) de sept. à fin avril, lundi sauf juil.-août et dim. soir – SC : **R** 72/200.

CAP MARTIN 06 Alpes-Mar. 84 ⑩, 195 ㉘ – rattaché à Roquebrune-Cap Martin.

CAPVERN-LES-BAINS 65130 H.-Pyr. 85 ⑨ G. Pyrénées – 952 h. alt. 450 – Stat. therm. (1er mai-15 oct.).
Voir Donjon du château de Mauvezin ☀* O : 4,5 km.
18 de Lannemezan et Capvern-les-Bains ✆ 62 98 01 01 E : 12 km.
ℹ Office de Tourisme (1er mai-15 oct.) ✆ 62 39 00 46.
Paris 817 – Arreau 31 – Bagnères-de-Bigorre 20 – Lannemezan 9 – Tarbes 27.

- **Laca** M ⛰, rte Mauvezin ✆ 62 39 02 06, Télex 521929, ≤, ⛱, ✕ – |≑| ▤ rest Ⓟ – 40
  (sais.) **47 ch**, 7 appartements.
- **Paris,** ✆ 62 39 00 15 – |≑| ⛀wc ⋔wc ☎ 🚗. AE. ✕ rest
  1er mai-30 sept. – SC : **R** 65/95 🍷 – ☕ 15,50 – **50 ch** 90/193 – P 180/237.
- **Beau Site** ⛰, rte Mauvezin ✆ 62 39 00 31, ≤, ⟜, ✕ – ⛀wc ☎ Ⓟ. AE
  1er mai-10 oct. – SC : **R** (résidents seul.) 80/150 – ☕ 17 – **12 ch** 150/170.
- **Résidence** sans rest, ✆ 62 39 00 14, ⟜ – ⛀wc ⋔wc ☎
  15 mai-10 oct. – SC : ☕ 18 – **28 ch** 110/160.
- **Square,** ✆ 62 39 03 51 – |≑| ⛀wc ⋔wc ☎. ✕ rest
  ◆ *1er mai-15 oct.* – SC : **R** 55/70 – ☕ 14 – **48 ch** 100/175 – P 180/195.
- **St-Paul,** ✆ 62 39 03 54, ⟜ – |≑| ⛀wc ⋔wc ☎ Ⓟ. ✕ rest
  ◆ *1er mai-15 oct.* – SC : **R** 52/58 🍷 – ☕ 14 – **29 ch** 75/180 – P 160/190.
- **Bellevue** ⛰, rte Mauvezin ✆ 62 39 00 29, ≤, ⟜ – ⋔wc ☎ Ⓟ. AE. ✕ rest
  ◆ *2 mai-5 oct.* – SC : **R** 54 – ☕ 10,50 – **34 ch** 48/96 – P 124/198.
- **Lemoine,** ✆ 62 39 02 18, ≤, parc, ⟜ – ⋔wc Ⓟ. ✕
  ◆ *1er mai-15 oct.* – SC : **R** 50/80 – ☕ 14 – **20 ch** 70/160 – P 134/200.
- **Central,** ✆ 62 39 00 22 – ☎
  ◆ *5 juin-22 sept.* – SC : **R** 49/110 – ☕ 12 – **23 ch** 58/132 – P 132/228.

à Gourgue NO : 4 km par D 81 – ✉ 65130 Capvern-les-Bains :

- X **Relais des Bandouliers** avec ch, ✆ 62 39 02 21, ⟜ – ⛀wc Ⓟ. E. ✕ ch
  ◆ *hôtel: ouvert 1er mai-15 oct. ; rest.: fermé 15 oct. au 15 nov., 5 au 25 janv. et merc. hors sais.* – SC : **R** 55/120 – ☕ 14 – **10 ch** 80/130 – P 135/160.

CARANTEC 29226 Finistère 58 ⑥ G. Bretagne – 2 522 h. alt. 45.
Voir Croix de procession* dans l'église – "Chaise du Curé" (plate-forme) ≤* – Pointe de Pen-al-Lann ≤* E : 1,5 km puis 15 mn.
ℹ Office de Tourisme r. A.-Louppe (1er avril-15 sept.) ✆ 98 67 00 43.
Paris 553 – •Brest 71 – Lannion 53 – Morlaix 15 – Quimper 90 – St-Pol-de-Léon 10.

- **Pors Pol** ⛰, plage Pors-Pol ✆ 98 67 00 52, ≤, ⟜ – ⛀wc ⋔wc Ⓟ. ✕ rest
  ◆ *25 mars-7 avril et 24 mai-19 sept.* – SC : **R** 51/151 – ☕ 12 – **40 ch** 118/143 – P 132/172.
- **Falaise** ⛰, ✆ 98 67 00 53, ≤, ⟜ – ⛀wc Ⓟ. ✕
  ◆ *Pâques et fin mai-15 sept.* – SC : **R** 59/106 – ☕ 14 – **26 ch** 61/143 – P 148/170.

CITROEN Fauqueux ✆ 98 67 03 43 N ✆ 98 67 04 06
RENAULT Kerrien, ✆ 98 67 01 71

CARCANS-PLAGE 33 Gironde 71 ⑱ – rattaché à Maubuisson.

Donnez-nous votre avis sur les tables que nous recommandons,
sur leurs spécialités et leurs vins.

CARCASSONNE P 11000 Aude 83 ⑪ G. Pyrénées – 42 450 h. alt. 111.

Voir La Cité*** (embrasement 14 juil.) CZ – **Basilique St-Nazaire**** CZ **L** – **Musée du château Comtal : calvaire*** de Villanière CZ **M1**.

✈ **de Carcassonne-Salvaza, Air Littoral :** ☎ **68 25 12 33 par ④ : 3 km.**

ℹ Office de Tourisme 15 bd Camille-Pelletan ☎ 68 25 07 04, Télex 505234 et Porte Narbonnaise (Pâques et 1er juin-30 sept.) ☎ 68 25 68 81 et face Gare S.N.C.F (1er juil.-15 sept.) ☎ 68 71 44 73 A.C. Bd Camille-Pelletan ☎ 68 71 04 34.

Paris 904 ② – Albi 107 ① – Béziers 90 ② – Narbonne 61 ② – ♦Perpignan 113 ② – ♦Toulouse 92 ③.

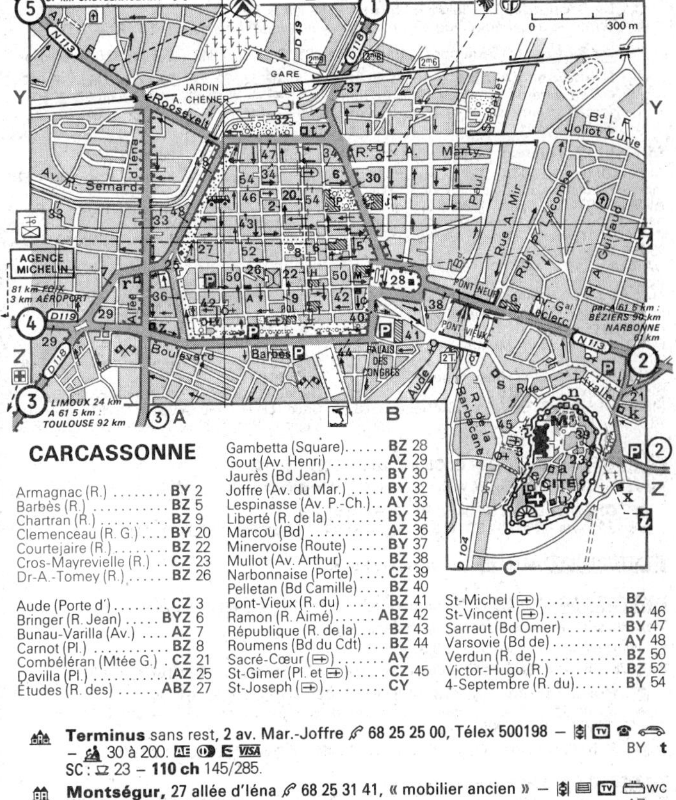

CARCASSONNE

Armagnac (R.) . . . . BY 2
Barbès (R.) . . . . BZ 5
Chartran (R.) . . . . BZ 9
Clemenceau (R. G.) . . . . BY 20
Courtejaire (R.) . . . . BZ 22
Cros-Mayrevielle (R.) . . CZ 23
Dr-A.-Tomey (R.) . . . . . . BZ 26

Aude (Porte d') . . . . CZ 3
Bringer (R. Jean) . . . . . BYZ 6
Bunau-Varilla (Av.) . . . . AZ 7
Carnot (Pl.) . . . . BZ 8
Combéléran (Mtée G.) . CZ 21
Davilla (Pl.) . . . . AZ 25
Études (R. des) . . . . . . ABZ 27
Gambetta (Square) . . . . . . BZ 28
Gout (Av. Henri) . . . . AZ 29
Jaurès (Bd Jean) . . . . BY 30
Joffre (Av. du Mar.) . . . . . BY 32
Lespinasse (Av. P.-Ch.) . . AY 33
Liberté (R. de la) . . . . BY 34
Marcou (Bd) . . . . AZ 36
Minervoise (Route) . . . . . BY 37
Mullot (Av. Arthur) . . . . . . BZ 38
Narbonnaise (Porte) . . . . . CZ 39
Pelletan (Bd Camille) . . . . BZ 40
Pont-Vieux (R. du) . . . . . . BZ 41
Ramon (R. Aimé) . . . . . . ABZ 42
République (R. de la) . . . . BZ 43
Roumens (Bd du Cdt) . . . BZ 44
Sacré-Cœur (⊞) . . . . AY
St-Gimer (Pl. et ⊞) . . . . . CZ 45
St-Joseph (⊞) . . . . CY
St-Michel (⊞) . . . . BZ
St-Vincent (⊞) . . . . BY 46
Sarraut (Bd Omer) . . . . BY 47
Varsovie (Bd de) . . . . AY 48
Verdun (R. de) . . . . BZ 50
Victor-Hugo (R.) . . . . BZ 52
4-Septembre (R. du) . . . . BY 54

🏨 **Terminus** sans rest, **2 av. Mar.-Joffre** ☎ **68 25 25 00, Télex 500198** – 🛗 📺 ☎ 🚗 – 🎤 30 à 200. AE ⓓ E VISA — BY **t**
SC : ☕ 23 – **110 ch** 145/285.

🏨 **Montségur, 27 allée d'Iéna** ☎ **68 25 31 41, « mobilier ancien »** – 🛗 ▤ 📺 🛁wc 🚿wc ☎ 🅟. AE ⓓ E VISA — AZ **r**
fermé 15 déc. au 15 janv. – **SC : R** voir rest. **Languedoc** – **21 ch** ☕ 170/320.

🏨 **Pont Vieux** sans rest, **32 r. Trivalle** ☎ **68 25 24 99** – 🛁wc 🚿wc ☎ 🚗. VISA — CZ **s**
fermé 1er au 31 janv. – **SC :** ☕ 22 – **14 ch** 148/190.

XXX **Languedoc, 32 allée d'Iéna** ☎ **68 25 22 17,** 🍽 – AE ⓓ E VISA — AZ **z**
fermé 15 déc. au 15 janv., dim. soir hors sais. et lundi – **SC : R** 90/190 🍷.

XX **Logis de Trencavel** avec ch, **286 av. Gén.-Leclerc** par ② **: 3 km** ☎ **68 71 09 53,** 🍽, 🌳 – 🛁wc 🚿wc ☎ 🚗 🅟 – 🎤 30. AE ⓓ E VISA
fermé 10 janv. au 10 fév. et merc. – **SC : R** 110/190 – ☕ 28 – **12 ch** 110/250 – P 350/500.

à l'entrée de la Cité, près porte Narbonnaise :

🏨 **Aragon** sans rest, **15 montée Combéléran** ☎ **68 47 16 31** – 📺 🛁wc ☎ 🅟. AE ⓓ E VISA — CZ **k**
SC : ☕ 26 – **19 ch** 185/290.

XXX **Aub. Pont Levis,** ☎ **68 25 55 23,** 🍽, 🌳 – ▤. AE ⓓ E VISA. 🐕 — CZ **x**
fermé 29 juil. au 11 août, 26 janv. au 16 fév., dim. soir et lundi – **SC : R** (1er étage) 105/240.

dans la Cité - Circulation réglementée en été :

Cité ⛰, pl. Eglise ✆ **68 25 03 34, Télex 500829,** ≤, **« Jardin ombragé dans les remparts »** – 🛗 TV ♿ P. AE ⓓ VISA. ✗ rest CZ **e**
20 avril-18 oct. – SC : **R** *(fermé lundi)* 150/300 – ☕ 45 – **51 ch** 545/680, 3 appartements 720.

Donjon, 2 r. Comte-Roger ✆ **68 71 08 80, Télex 505012,** ≤ – 🛗 TV wc wc ☎ P – 🚶 50. AE ⓓ E VISA. ✗ rest CZ **a**
SC : **R** *(fermé merc.)* (dîner seul.) 130 – ☕ 27 – **36 ch** 185/320.

Remparts sans rest, 3 pl. Gd Puits ✆ **68 71 27 72,** ≤ – wc ☎ ♿ P CZ **n**
SC : ☕ 22 – **18 ch** 177/186.

✗✗ **La Crémade,** 1 r. Plo ✆ **68 25 16 64** – AE ⓓ E VISA CZ **u**
fermé 13 au 24 nov., 3 au 30 janv., dim. soir et lundi hors sais. – SC : **R** 56/140 🍷.

au Sud-Est : 2,5 km par D 118 et D 104 - CZ, D 42 et D 342 – ✉ **11000** Carcassonne :

Domaine d'Auriac ⛰, rte St-Hilaire ✆ **68 25 72 22, Télex 500385,** ≤, **« Demeure du 19e siècle dans un parc »,** 🏊, 🎾 – 🛗 ☎ P – 🚶 80. AE ⓓ E VISA
fermé 15 janv. au 1er fév., lundi midi et dim. sauf fériés – SC : **R** 185/230 – ☕ 36 – **22 ch** 480/580.

MICHELIN, Agence, bd Gay-Lussac, Z.I. de la Bouriette par ④ ✆ **68 25 21 77**

ALFA-ROMEO-TOYOTA Gar. Debien, Zone Ind. de Félines, rte de Toulouse ✆ 68 47 09 49
AUSTIN, ROVER Autos 11, Zone Ind. de Félines, rte Toulouse ✆ 68 47 99 62
CITROEN Ménard, 30 av. F.-Roosevelt ✆ 68 25 75 36 N ✆ 68 79 68 16
DATSUN, LADA, VOLVO Campagnaro, Plateau de Grazailles ✆ 68 25 33 34
FIAT-LANCIA-AUTOBIANCHI Gar. Vignal, rte de Montréal ✆ 68 25 81 31 et 10 bd Omer Sarraut ✆ 68 25 81 31
FORD Laporta, Z.I. rte Montréal Aéroport ✆ 68 25 11 50
INNOCENTI-MAZDA Gar. Aubertin, 97 av. Gén. Leclerc ✆ 68 25 38 54
MERCEDES-BENZ Bary, RN 113 à Trèbes ✆ 68 78 61 28
OPEL Bourguignon, 79 av. F.-Roosevelt ✆ 68 25 10 43
PEUGEOT-TALBOT Auto Cité, 133 av. F.-Roosevelt par ⑤ ✆ 68 47 84 36
PEUGEOT-TALBOT Gar. du Palais, 21 r. du Palais ✆ 68 25 26 52
PEUGEOT, **TALBOT** Audoise Autom., rte Montréal par ④ ✆ 68 47 82 00
RENAULT Alaux et Gestin, rte Narbonne par ② ✆ 68 25 77 12 N ✆ 68 77 13 65
V.A.G. Cathala, rte Narbonne ✆ 68 25 90 01

Central-Pneu, 46 bis av. F.-Roosevelt ✆ 68 25 46 66
Gastou, Zone Ind. la Bouriette ✆ 68 25 35 42
Grulet, 58 av. F.-Roosevelt ✆ 68 25 09 46
Laguzou-Pneus, 20 av. F.-Roosevelt ✆ 68 25 25 88

CARCÈS 83570 Var 84 ⑥ G. Côte d'Azur – 2 093 h. alt. 138.

Paris 829 – Aix-en-Provence 74 – Draguignan 29 – ♦Marseille 81 – ♦Toulon 63.

Chez Nous, ✆ **94 04 50 89** – wc 🚿
20 mars-30 oct. – SC : **R** 58/85 🍷 – ☕ 14 – **13 ch** 70/130 – P 205/260.

CARDAILLAC 46 Lot 79 ⑩ – rattaché à Figeac.

CARENNAC 46 Lot 75 ⑲ G. Périgord – 376 h. alt. 126 – ✉ 46110 Vayrac.

Voir Portail★ et Mise au tombeau★ dans l'église.

Syndicat d'Initiative ✆ 65 38 48 36.

Paris 528 – Brive-la-Gaillarde 40 – Cahors 78 – Martel 18 – St-Céré 18 – Sarlat 62 – Tulle 58.

Host. Fénelon ⛰, ✆ **65 38 67 67,** ≤ – wc 🚿 ☎ P. VISA
fermé 1er fév. au 10 mars, sam. midi et vend. – SC : **R** 53/176 – ☕ 16,50 – **21 ch** 78/155 – P 172/205.

Aub. Vieux Quercy ⛰, ✆ **65 38 47 01,** – wc 🚿wc P – **28 ch**.

CARENTAN 50500 Manche 54 ⑬ G. Normandie – 6 939 h. alt. 6.

Syndicat d'Initiative à l'Hôtel de Ville ✆ 33 42 33 54.

Paris 310 ① – Avranches 84 ① – ♦Caen 70 ① – Cherbourg 50 ③ – Coutances 35 ② – St-Lô 28 ①.

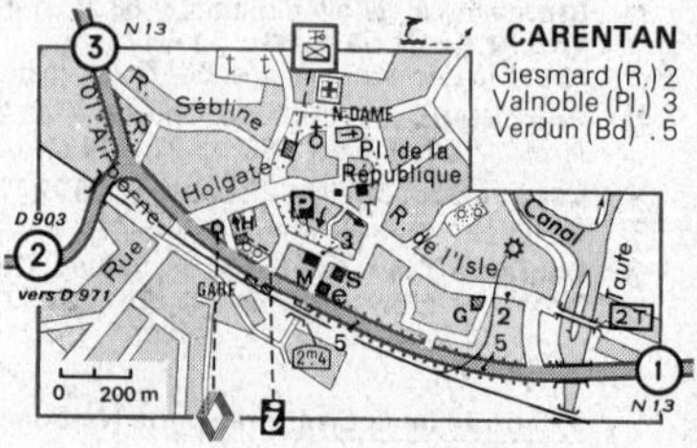

CARENTAN
Giesmard (R.) 2
Valnoble (Pl.) 3
Verdun (Bd) 5

✗✗✗ ✿ **Aub. Normande** (Bonnefoy), bd Verdun **(e)** ✆ **33 42 02 99** – P. AE ⓓ VISA
fermé 20 au 27 oct., 1er au 21 fév., dim. soir et lundi hors sais. – SC : **R** (dim. et fêtes prévenir) 86/250
Spéc. Marinière d'huîtres aux bigorneaux, Poêlée de rouget et langoustines. Pigeonneau au citron.

✗ **Marché et des Herbagers,** pl. Valnoble **(s)** ✆ **33 42 06 88** –
fermé 30 juin au 12 juil., sam. soir et dim. sauf juil. et août – SC : **R** 43/145 🍷.

PEUGEOT-TALBOT, MECATOL, Z. I. Pommenauque, rte de Cherbourg par ③ ✆ 33 42 23 73
RENAULT Santini, 7 bd de Verdun ✆ 33 42 02 66 N

CARHAIX-PLOUGUER 29270 Finistère 58 ⑰ G. Bretagne – 9 100 h. alt. 140.

Syndicat d'Initiative r. Brizeux (15 juin-15 sept.) ☎ 98 93 04 42 et 36 r. Eglise (15 sept.-15 juin) ☎ 98 93 14 40.

Paris 503 ② – ♦Brest 81 ④ – Concarneau 64 ③ – Guingamp 47 ① – Lannion 76 ① – Lorient 74 ③ – Morlaix 50 ④ – Pontivy 58 ② – Quimper 60 ③ – ♦Rennes 152 ② – St-Brieuc 77 ②.

CARHAIX-PLOUGUER

Brizeux (R.) ... 3
Félix-Faure (R.) ... 8
Lambert (R. Gén.) ... 12
Lancien (R. F.) ... 14
Martyrs (R. des)
Briand (R. A.) ... 2
Carmes (R. des) ... 5
Eglise (R. de l') ... 6
Emeriau (R. Amiral) ... 7
Hôpital (R. de l') ... 9
Oberhausen (R.) ... 15
République (Bd de la) ... 18
Verdun (Pl. de) ... 20

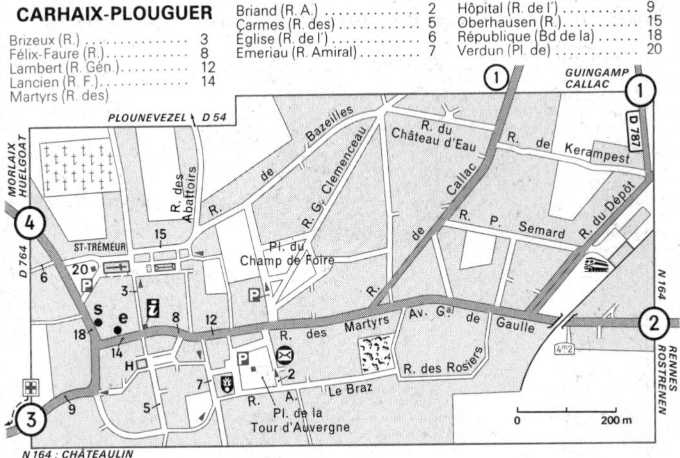

Gradlon Ⓜ, 12 bd République **(s)** ☎ 98 93 15 22 – rest – wc ☎ Ⓟ – 40 à 80. AE ① VISA
SC : **R** *(fermé sam. midi et dim. soir)* 62/140 – 19 – **44 ch** 189/233 – P 274.

D'Ahès sans rest, 1 r. F.-Lancien **(e)** ☎ 98 93 00 09 – wc wc
SC : 17 – **10 ch** 88/134.

à Port de Carhaix par ③ : 6,5 km sur D 769 – ✉ **29270** Carhaix-Plouguer :

Aub. du Poher, ☎ 98 99 51 18, – Ⓟ. E VISA
fermé fév. et lundi – SC : **R** 98/130 ♂.

RENAULT Autom. Centre Bretagne, rte de Rennes par ② ☎ 98 93 18 22 N
VAG S.G.C., bd Jean Moulin ☎ 98 93 26 25

Begot-Pneus, rte de Callac ☎ 98 93 05 41
Desserrey-Pneus, rte de Rostrenen ☎ 98 93 05 84

CARLING 57 Moselle 57 ⑮ G. Alsace et Lorraine – 3 422 h. – ✉ **57490** L'Hôpital.

Voir Centrale Emile Huchet★.

Paris 370 – ♦Metz 45 – Sarreguemines 32 – Saarbrücken 32.

La Choucroutière, 176 r. Principale ☎ 87 93 64 64 – ① VISA
fermé 1er au 15 août, vacances de fév., lundi soir et jeudi soir – SC : **R** 43/150 ♂.

CARMAUX 81400 Tarn 80 ⑪ – 12 230 h. alt. 241.

Syndicat d'Initiative pl. Gambetta (juil.-août) ☎ 63 76 76 67.

Paris 670 – Albi 16 – Rodez 62 – St-Affrique 87 – Villefranche-de-Rouergue 64.

à Mirandol-Bourgnounac N : 13 km par N 88 et D 905 – ✉ **81190** Mirandol-Bourgnounac :

Voyageurs ⑤, ☎ 63 76 90 10 – . rest
fermé 26 août au 15 sept., vacances de fév. et le soir du 13 oct. au 1er avril – SC : **R** 41 bc/95 – 15 – **11 ch** 65/119 – P 140/160.

PEUGEOT, TALBOT Rey, 173 av. A.-Thomas ☎ 63 76 51 52
RENAULT Carmaux Autom., N 88 Pont de Blaye ☎ 63 36 48 67 N ☎ 63 76 56 31

Revellat, 80 av. de Rodez ☎ 63 76 52 63
Carrère, 67 av. J.-Jaurès ☎ 63 76 53 14

CARNAC 56340 Morbihan 63 ⑫ G. Bretagne – 3 964 h. alt. 22.

Voir Musée préhistorique★★ Y M – Église St-Cornély★ Y E – Tumulus St-Michel★ : ≤★ Y F – Alignements du Ménec★★ par D 196 Y : 1,5 km, de Kermario★ par ② : 2 km, de Kerlescan★ par ② : 4,5 km – Tumulus du Moustoir★ par ② : 4 km, de Kercado★ par ② : 4,5 km – dolmen de Kériaval★ N : 4 km – Dolmens de Mané-Kérioned★ N : 4 km.

18 de St-Laurent-Ploemel, ✆ 97 56 85 18 N : 8 km par D 196.

Office de Tourisme 74 av. Druides ✆ 97 52 13 52.

Paris 487 ② – Auray 13 ② – Lorient 37 ① – Quiberon 18 ① – Quimperlé 56 ① – Vannes 31 ②.

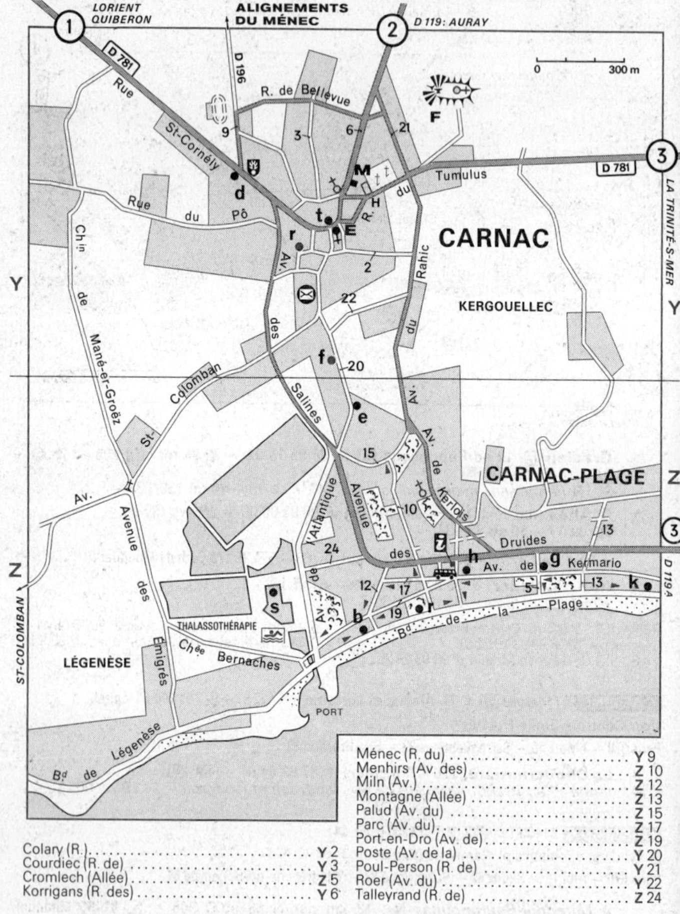

Novotel Tal Ar Mor Ⓜ, av. Atlantique ✆ 97 52 16 66, Télex 950324, ≤, – 📺 ☎ ♿ Ⓟ – 80. AE ⓓ E VISA Z **s**
fermé 2 au 31 janv. – **R** carte environ 110 – ☕ 32 – **106 ch** 339/419.

Diana Ⓜ, 21 bd Plage ✆ 97 52 05 38, ≤, – 📺 wc wc ☎ Ⓟ. VISA Z **r**
1er mai-28 sept. – SC : **R** 99/200 – ☕ 39 – **32 ch** 300/540 – P 489/609.

Birvideaux Ⓜ sans rest, par ① sur D 781 : 0,5 km ✉ 56720 Plouhasnel ✆ 97 52 35 35, parc, – 📺 wc ☎ ♿ Ⓟ
1er mai-15 nov. – SC : ☕ 27 – **20 ch** 350.

Plancton, 12 bd Plage ✆ 97 52 13 65, ≤ – 📺 wc wc ☎ Ⓟ. E VISA. Z **b**
25 mars-12 oct. – SC : **R** 95/175 – ☕ 20 – **30 ch** 180/315 – P 250/330.

Alignements, 45 r. St-Cornély ✆ 97 52 06 30 – wc wc ☎. Y **d**
5 mai-(hôtel) 1er juin (rest.)-22 sept. – SC : **R** (dîner seul.) 50/109 – ☕ 19 – **27 ch** 155/209.

Genêts, 45 av. Kermario ☎ 97 52 11 01, – wc wc ☎ P. rest Z **g**
25 mars-7 avril et 1er juin-25 sept. – SC : **R** 98/110 – 21 – **35 ch** 125/310 – P 210/310.

Marine, pl. Chapelle ☎ 97 52 07 33, – wc ☎. E VISA. rest Y **t**
1er avril-sept. – SC : **R** 59/132 – 19 – **36 ch** 171/298 – P 210/270.

Armoric, 53 av. Poste ☎ 97 52 13 47, – wc wc ☎ P. rest Z **e**
Pâques et 1er juin-15 sept. – SC : **R** 82/115 – 18 – **25 ch** 150/235 – P 180/240.

Celtique sans rest., 17 av. Kermario ☎ 97 52 11 49 – wc wc ☎ P Z **h**
18 mai-fin sept. – SC : 19 – **35 ch** 126/241.

Ker Ihuel, 59 bd Plage ☎ 97 52 11 38, ← – ☎ P. rest Z **k**
vacances de Pâques et 31 mai-20 sept. – **R** 65/108 – 19 – **29 ch** 127/190 – P 210/230.

Lann Roz avec ch, av. Poste ☎ 97 52 10 48, ←, « Jardin fleuri » – wc ☎ P. Y **f**
fermé janv. et merc. hors sais. – SC : **R** 105/215 – 17,50 – **14 ch** 235.

Calypso, au Pô O : 1,5 km ☎ 97 52 06 14 – VISA.
15 mars-3 nov. et 20-31 déc. ; fermé mardi soir du 15 mars au 1er juin et merc. (sauf le soir en juil.-août) – SC : **R** 70/115.

Le Râtelier avec ch, 4 chemin du Douet ☎ 97 52 05 04, – wc ☎ P. VISA
fermé oct., nov. et mardi – SC : **R** 65/170 – 18 – **10 ch** 150/200 – P 260/280. Y **r**

à Plouharnel par ① : 3 km – ✉ **56720** Plouharnel.
Voir Dolmens de Rondossec★.

Aub. de Kérank, rte Quiberon ☎ 97 52 35 36, ←, – P. VISA
fermé 3 janv. au 3 fév. et lundi du 20 nov. au 20 déc. – SC : **R** 89/145.

PEUGEOT-TALBOT Dréan, à Plouharnel par ① ☎ 97 52 08 53

CAROLLES **50740** Manche 59 ⑦ **G. Normandie (plan)** – **alt. 60.**
Voir Pignon Butor ←★ NO : 1 km – Cabane Vauban ←★ SO : 1 km puis 15 mn.
Paris 352 – Avranches 20 – Granville 11 – Le Mont-Saint-Michel 42 – St-Lô 67.

Relais de la Diligence, ☎ 33 61 86 42, – wc P. VISA. rest
fermé 21 sept. au 29 oct., 2 au 13 mars, dim. soir et lundi sauf juil.-août – SC : **R** 64/180 – 13 – **35 ch** 47/99 – P 130/150.

CAROMB **84330** Vaucluse 81 ⑬ – 2 266 h. alt. 192.
Paris 680 – Avignon 33 – Carpentras 9 – Nyons 35 – Vaison-la-Romaine 19.

Le Beffroi , ☎ 90 62 45 63, – ☎ – 35
fermé vacances de fév., mardi soir et merc. hors sais. – SC : **R** 50/180 – 17,50 – **10 ch** 119/194 – P 207/290.

CITROEN Gar. Morard, ☎ 90 62 43 82 RENAULT Gar. Morin, ☎ 90 62 42 98

CARPENTRAS SP **84200** Vaucluse 81 ⑫⑬ **G. Provence** – 25 886 h. alt. 102.
Voir Ancienne cathédrale St-Siffrein★ : trésor★ BY **F.**
Office de Tourisme 170 av. Jean-Jaurès ☎ 90 63 00 78.
Paris 678 ① – Aix-en-Provence 84 ④ – Avignon 24 ⑤ – Digne 140 ④ – Gap 150 ① – •Marseille 104 ④ – Montélimar 74 ① – Salon-de-Provence 50 ④ – Valence 118 ①.

Plan page suivante

Safari M , Rte d'Avignon par ⑤ ☎ 90 63 35 35, , , – TV wc wc ☎ P – 25 à 40. AE E VISA. rest
SC : **R** *(fermé 20 déc. au 6 janv. et dim. hors sais.)* 68/150 – 25 – **42 ch** 205/250 – P 350.

Fiacre sans rest, 153 r. Vigne ☎ 90 63 03 15 – wc wc ☎. E VISA. CX **a**
fermé 3 au 15 nov. – SC : 19 – **19 ch** 100/239.

Vert Galant, 12 r. Clapies ☎ 90 67 15 50 CV **k**
fermé 1er au 15 juil., 24 au 30 déc. et jeudi – SC : **R** 65/146.

Marijo, 73 r. Raspail ☎ 90 63 18 96 – E. BX **e**
fermé 16 août au 6 sept. et lundi – SC : **R** (prévenir) 60/90 .

à Monteux par ⑤ : 4,5 km – 7 552 h. – ✉ **84170** Monteux :

La Genestière M , ☎ 90 62 27 04, Télex 432770, , , , – TV wc wc ☎ P. AE E VISA
SC : **R** *(fermé dim. soir et lundi du 15 oct. au 1er avril)* 85/150 – 25 – **20 ch** 190/300 – P 750 (2 pers.).

Select, ☎ 90 62 27 91, , – TV wc ☎ P. VISA.
fermé 20 déc. au 7 janv. et hôtel : sam. hors sais. ; rest. : sam. midi – SC : **R** 65/120 – 22 – **9 ch** 150/230 – P 280/300.

Saule Pleureur, rte d'Avignon, O : 5 km ☎ 90 61 01 35, – P. AE VISA
fermé 1er au 15 nov., 1er au 21 mars, mardi soir et merc. – SC : **R** 155/250.

à Mazan **par ③ : 7 km – ✉ 84380 Mazan :**

🏠 **Le Siècle** sans rest, ✆ **90 69 75 70** – ⋔wc. VISA
fermé janv. et dim. hors sais. – ☕ 22 – **12 ch** 95/185.

CITROEN Gar. Bernard, rte de Pernes par ④ ✆ 90 63 33 18
FIAT Meunier, rte de Pernes les Fontaines ✆ 90 63 23 80
FORD Ventoux-Autos, 32, 48 av. V. Hugo ✆ 90 63 16 79
PEUGEOT-TALBOT Grimaud, rte de St-Didier par D 4 ✆ 90 67 16 22

RENAULT S.O.V.A., rte Avignon par ⑤ ✆ 90 63 07 72
V.A.G. S.I.A.B., rte de Pernes ✆ 90 63 27 36

Ⓜ Ayme-Pneus, av. Pont-des-Fontaines et ✆ 90 63 11 73, 131 bd Gambetta ✆ 90 63 59 27

CARQUEFOU 44 Loire-Atl. 67 ③ – rattaché à Nantes.

CARQUEIRANNE 83320 Var 84 ⑮ – 6 199 h.
ℹ Office de Tourisme à la Mairie ✆ 94 58 60 78.
Paris 851 – Draguignan 82 – Hyères 10 – ♦Toulon 14.

🏨 **Richiardi, port des Salettes** ✆ **94 58 50 13**, ≤, 🌳 – ⛀wc ⋔wc ☎. Ⓓ E VISA
fermé 5 nov. au 14 déc. – **SC : R** *(fermé mardi et merc. midi)* 75/140 – ☕ 20 – **10 ch** 210/270 – P 230/270.

🏨 **Plein Sud** sans rest, **av. Gén.-de-Gaulle** ✆ **94 58 52 86** – ⛀wc ⋔wc ☎ ♿ Ⓟ. 🐕
1er mars-12 nov. – **SC :** ☕ 19,50 – **17 ch** 165/195.

✕✕ **La Réserve** avec ch, **port des Salettes** ✆ **94 58 50 02**, ≤ – ⋔. VISA
fermé mi-oct. à mi-nov. et vacances de fév. – **SC : R** *(fermé merc. soir, dim. soir, soirs de fêtes et lundi hors sais.)* 72/265 – ☕ 14 – **18 ch** 74/140 – P 174/206.

CARROS 06510 Alpes-Mar. 84 ⑨, 195 ㉖ G. Côte d'Azur – 8 457 h.
Voir Site★ – ☼★★ du vieux moulin.

CARROUGES 61320 Orne 60 ② – 787 h. alt. 328.
Voir Château★ SO : 1 km, G. Normandie.
Paris 212 – Alençon 29 – Argentan 23 – Domfront 39 – La Ferté-Macé 17 – Mayenne 54 – Sées 26.

- **St-Pierre** avec ch, ℘ 33 27 20 02 – Ⓟ. E VISA
  fermé 20 au 31 déc., 1er au 28 fév., mardi (sauf le midi en saison) et merc. – SC : **R** 56/130 – ☕ 17,50 – **7 ch** 80/160 – P 155/190.

CITROEN Lehec, ℘ 33 27 20 13 N

Les CARROZ-D'ARÂCHES 74 H.-Savoie 74 ⑧ **G. Alpes** – alt. 1 140 – Sports d'hiver : 1 140/2 500 m 2 39 – ✉ **74300** Cluses.
Office de Tourisme ℘ 50 90 00 04, Télex 385281.
Paris 571 – Annecy 73 – Bonneville 27 – Chamonix 51 – Cluses 13 – Megève 34 – Morzine 33.

- **Arbaron** M, ℘ **50 90 02 67,** ≤, – wc wc Ⓟ – 30. AE VISA. rest
  28 juin-29 sept. et 16 déc.-Pâques – SC : **R** 95/170 – ☕ 30 – **30 ch** 190/313 – P 327/335.
- **Croix de Savoie**, S : 1 km ℘ **50 90 00 26,** ≤ **montagnes et vallée,** – wc Ⓟ. VISA.
  15 juin-5 sept. et 15 déc.-15 avril – SC : **R** 54/99 – ☕ 25 – **19 ch** 131/230 – P 199/250.

CARRY-LE-ROUET 13620 B.-du-R. 84 ⑫ **G. Provence** – 4 570 h. – Casino.
Office de Tourisme à l'Hôtel de Ville ℘ 42 45 00 08.
Paris 774 – Aix-en-Provence 40 – ♦Marseille 27 – Martigues 16 – Salon-de-Provence 51.

- **Modern'H.,** pl. C.-Pelletan ℘ **42 45 00 12** – wc wc Ⓟ. ch
  1er mars-1er déc. – SC : **R** *(fermé merc. hors sais.)* 80/95 – ☕ 24 – **15 ch** 183/210 – P 255.
- XXX ✿ **L'Escale,** ℘ **42 45 00 47,** **« Terrasses surplombant le port, belle vue »,** – AE VISA
  1er mars-fin oct. et fermé dim. soir hors saison et lundi sauf le soir en juil.-août – SC : **R** (dim. prévenir) carte 270 à 355
  Spéc. Minute de loup à l'huile de noisettes, Filets de rouget aux céleris, Homard grillé et son beurre de corail. **Vins** Cassis, Côteaux d'Aix.
- XX **La Brise,** quai Vayssière ℘ **42 45 30 55,** ≤, – AE VISA
  fermé 17 nov. au 6 déc., 5 au 24 janv., dim. soir de sept. à Pâques et mardi sauf le soir en sais. – **R** 100.

CITROEN Gar. Merotte, ℘ 42 45 23 43

CARTERET 50 Manche 54 ① – voir à Barneville-Carteret.

- XXX Sauvage, ℘ **28 42 40 88,** ≤
  fermé dim. soir, mardi soir et merc. sauf fêtes.

CASSIS 13260 B.-du-R. 84 ⑬ **G. Provence** – 6 318 h. alt. 4 à 130 – Casino.
Voir Site★ – O : les Calanques★★ : de Port-Miou, de Port-Pin★, d'En-Vau★★ (à faire de préférence en bateau : 1 h) – Mt de la Saoupe ✳★★ E : 2 km par D 41A.
Env. Cap Canaille ≤★★★ E : 9 km par D 41A – Corniche des Crêtes★★ de Cassis à la Ciotat E : 16 km par D 41A.
Office de Tourisme pl. Baragnon ℘ 42 01 71 17.
Paris 803 ① – Aix-en-Provence 46 ② – La Ciotat 11 ② – ♦Marseille 23 ① – ♦Toulon 44 ②.

Plan page suivante

- **Roches Blanches**, rte Port-Miou SO : 1 km ℘ **42 01 09 30,** **« Jardins en terrasse avec ≤ mer et Cap Canaille »,** – Ⓟ – 60. AE VISA. rest
  fin fév.-mi-nov. – SC : **R** (pour résidents seul.) carte 140 à 230 – ☕ 29 – **35 ch** 160/378.
- **Plage et rest Bestouan,** plage Bestouan SO : 1 km ℘ **42 01 05 70,** ≤, – . AE. ch
  23 mars-15 oct. – SC : **R** carte 115 à 160 – ☕ 24 – **29 ch** 115/350 – P 295/380.
- **Rade** M sans rest, av. Dardanelles **(z)** ℘ **42 01 02 97,** – Ⓟ – 15. AE E VISA
  1er mars-30 nov. – SC : ☕ 25 – **27 ch** 200/250, 3 appartements 370.
- **Les Jardins du Campanile**, r. A. Favier par ① : 1 km ℘ **42 01 84 85,** – wc wc Ⓟ – 24. AE VISA.
  1er avril-19 oct. – SC : **R** (résidents seul.) – ☕ 38 – **30 ch** 250/390.
- **Gd Jardin** M sans rest, 2 r. P.-Eydin **(b)** ℘ **42 01 70 10** – wc wc . AE E VISA.
  fermé 1er janv. à mi-fév. – SC : ☕ 18 – **26 ch** 120/220.
- **Liautaud,** 2 r. Victor-Hugo **(a)** ℘ **42 01 75 37,** ≤ **port** – wc wc . VISA. ch
  fermé 1er nov. au 15 déc. – SC : **R** 86/135 – ☕ 16,50 – **32 ch** 172/220 – P 177/280.
- **Golfe** sans rest, quai Barthélémy **(v)** ℘ **42 01 00 21,** ≤ – wc .
  fin mars-10 nov. – SC : ☕ 18 – **30 ch** 170/220.

CASSIS

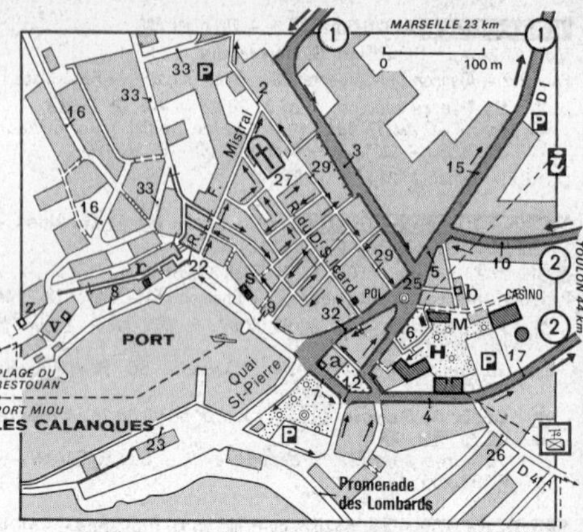

XXX **La Presqu'île,** par rte de Port-Miou SO : 2 km ✆ 42 01 03 77, ≤, – Ⓟ. AE ⓓ VISA
fermé 2 janv. au 7 mars, dim. soir et lundi sauf juil.-août – SC : **R** carte 190 à 250.

XX **Gilbert,** quai Baux **(s)** ✆ 42 01 71 36, ≤.

XX **Nino,** quai Barthélemy **(r)** ✆ 42 01 74 32, ≤.

XX **L'Oustau de la Mar,** quai Baux **(s)** ✆ 42 01 78 22, ≤ – VISA
fermé 12 nov. au 12 déc. et jeudi – SC : **R** 60/140.

CASSOU 47 L.-et-G. 79 ⑮ – rattaché à Agen.

CASTAGNIERS 06 Alpes-Mar. 84 ⑨, 195 ㉖ – 1 076 h. alt. 340 – ✉ **06670** St-Martin-du-Var.
Voir Aspremont : ✻★ de la terrasse de l'ancien château SE : 4 km, **G. Côte d'Azur.**
Paris 941 – Antibes 35 – Cannes 44 – Contes 25 – Levens 15 – ♦Nice 18 – Vence 23.

Michel ⛰, ✆ 93 08 05 15, ≤, – Ⓟ
fermé nov. et merc. hors sais. – SC : **R** 75/130 – ☕ 18 – **11 ch** 90/110 – P 160/190.

à Castagniers-les-Moulins O : 6 km – ✉ **06670** St-Martin-du-Var :

Servotel M, ✆ 93 08 22 00, Télex 461547, – wc wc ☎ Ⓟ – 40. AE E VISA
SC : **R** voir **Les Moulins** – ☕ 22 – **40 ch** 185/260 – P 250/275.

XX **Les Moulins** avec ch, N 202 ✆ 93 08 10 62, – rest Ⓟ. VISA
fermé 10 au 31 oct. et 1er au 15 janv. – SC : **R** *(fermé merc.)* 75/140 – ☕ 20 – **14 ch** 100/170 – P 200/220.

CITROEN Ciossa-Autos, ✆ 93 08 13 48

CASTEIL 66 Pyr.-Or. 86 ⑰ – rattaché à Vernet-les-Bains.

Le CASTELET 09 Ariège 86 ⑮ – rattaché à Ax-les-Thermes.

CASTELJALOUX 47700 L.-et-G. 79 ⑬ **G. Côte de l'Atlantique** – 5 257 h. alt. 69.
Paris 622 – Agen 55 – Langon 40 – Marmande 23 – Mont-de-Marsan 73 – Nérac 30.

Cordeliers sans rest, r. Cordeliers ✆ 53 93 02 19 – wc ☎ Ⓟ. E VISA
SC : ☕ 22 – **24 ch** 80/220.

XX **Vieille Auberge,** 11 r. Posterne ✆ 53 93 01 36 – AE VISA
fermé 1er au 9 mars, 15 au 22 juin, 18 au 31 oct., 1er au 9 nov., dim. soir et lundi – SC : **R** 50/160.

CITROEN S.E.G.A.D., 44 av. du Lac ✆ 53 93 01 59

CASTELLANE 04120 Alpes-de-H.-P. 81 ⑱ G. Côte d'Azur – 1 406 h. alt. 724.

Voir Route de Demandolx ≤ sur lac de Chaudanne* et lac de Castillon* par ①.**

Office de Tourisme r. Nationale ✆ 92 83 61 14.

Paris 796 ③ – Digne 54 ③ – Draguignan 60 ② – Grasse 63 ① – Manosque 94 ②.

CASTELLANE

Nationale (R.) 6
Sauvaire (Pl. Marcel) ... 13

Blondeau (R. du Lt) 3
Liberté (Pl. de la) 4
Mitan (R. du) 5
République (Bd de la) 7
Roc (Chemin du) 8
St-Michel (Bd) 9
St-Victor (R.) 12
11 Novembre (R. du) ... 14

Les plans de villes sont orientés le Nord en haut.

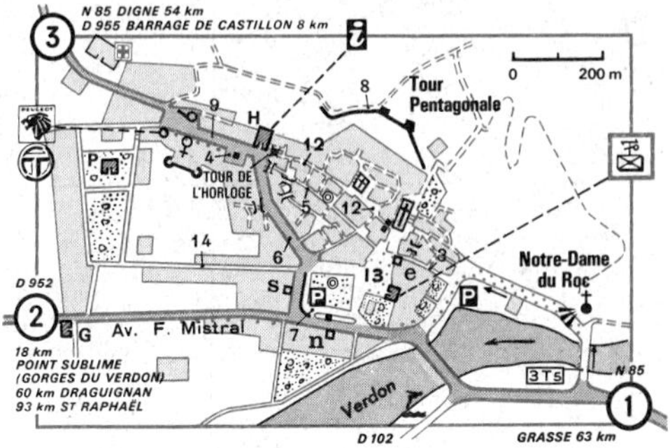

Nouvel H. Commerce M, pl. Église **(e)** ✆ 92 83 61 00, ≤, – wc wc. AE VISA. rest
25 mars-6 nov. – SC : **R** 60/150 – 24 – **46 ch** 173/235 – P 280/300.

Ma Petite Auberge, (n) ✆ 92 83 62 06, – wc wc. AE VISA
15 mars-15 oct. – SC : **R** *(fermé merc. midi sauf juil.-août)* 55/180 – 18 – **18 ch** 90/230.

Gd. H. du Levant, pl. M. Sauvaire **(s)** ✆ 92 83 60 05, – wc . VISA
23 mars-3 nov. – SC : **R** 50/120 – 18,50 – **33 ch** 80/185 – P 210/250.

à la Garde par ① : 6 km sur N 85 – ✉ **04120** Castellane :

Aub. du Teillon avec ch, ✆ 92 83 60 88 – wc . ch
fermé 15 au 31 oct., mars, dim. soir et merc. hors sais. – SC : **R** 59/100 – 14,50 – **9 ch** 83/155 – P 155/196.

PEUGEOT-TALBOT Castellane-Gar., ✆ 92 83 61 62

Le CASTELLET 83 Var 84 ⑭ G. Côte d'Azur – 2 332 h. alt. 283 – ✉ **83330** Le Beausset.

Circuit automobile permanent N : 11 km.

Paris 825 – Brignoles 50 – La Ciotat 18 – ♦Marseille 45 – ♦Toulon 20.

Castel Lumière , au village ✆ 94 90 62 20, ≤ montagnes et vallées, – AE
fermé nov. et mardi hors sais. – SC : **R** 135/210.

à Ste-Anne-du-Castellet N : 4,5 km par D 226 et D 26 – ✉ **83330** Le Beausset :

Motel Castel Ste-Anne M , ✆ 94 90 60 08, , – wc . AE VISA. rest
fermé 15 oct. au 30 nov. – SC : **R** 95 – 20 – **17 ch** 160/250.

CASTELNAUDARY 11400 Aude 82 ⑳ G. Causses – 11 381 h. alt. 165.

Office de Tourisme pl. République (fermé matin hors sais.) ✆ 68 23 05 73.

Paris 760 ④ – Carcassonne 41 ④ – Foix 65 ④ – Pamiers 49 ⑤ – ♦Toulouse 59 ④.

Plan page suivante

Palmes M , 10 r. Mar.-Foch ✆ 68 23 03 10, Télex 500372 – – 30. AE E VISA — AYZ **b**
fermé janv. – SC : **R** 90/170 – 25 – **20 ch** 100/250 – P 380/430.

France et Notre-Dame, 2 r. F.-Mistral ✆ 68 23 10 18 – wc – 100 — AY **r**
SC : **R** 55/73 – 19,50 – **28 ch** 84/200.

Centre et Lauragais, 31 cours République ✆ 68 23 14 31 – wc . VISA
fermé 1er nov. au 8 déc. – SC : **R** 48/190 – 16,50 – **16 ch** 118/160. — AY **n**

Fourcade avec ch, 14 r. Carmes ✆ 68 23 02 08 – wc wc . AE E VISA
SC : **R** 52/170 – 19 – **14 ch** 65/130. — AY **v**

L'Auberge, 22 cours République ✆ 68 23 15 32 – AE VISA. — AYZ **b**
fermé lundi – **R** 75/100 .

La Belle Époque, 55 r. Gén.-Dejean ✆ 68 23 39 72 – VISA — AZ **a**
fermé jeudi sauf vacances scolaires – SC : **R** 46/130 .

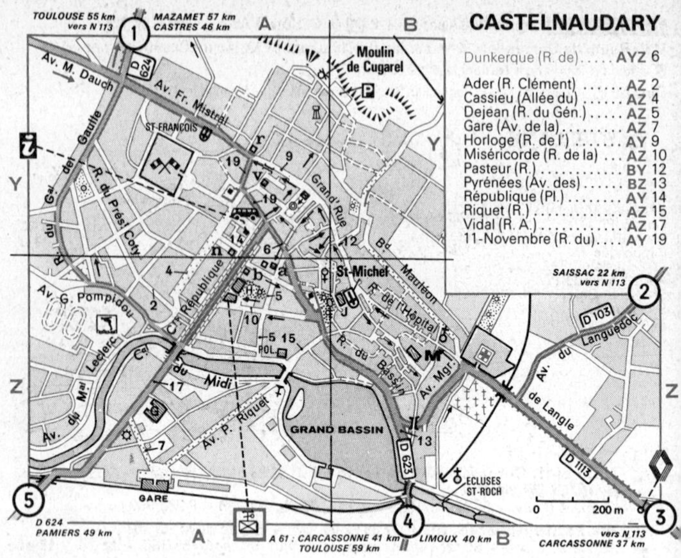

CITROEN Lauragais-Automobiles, rte de Toulouse par ⑥ ✆ 68 23 00 78 🅽 ✆ 68 23 07 50
FIAT Gar. du Faubourg, 148 av. F.-Mistral ✆ 68 23 13 77
MERCEDES-BENZ Gar. Serres, 16 quai du Port ✆ 68 23 01 52
OPEL-G.M. Général autom. de l'Aude rte Carcassonne ✆ 68 23 13 36

PEUGEOT-TALBOT S.N.G.L. ancienne rte de Toulouse par ⑥ ✆ 68 23 01 47
RENAULT Franco, av. Monseigneur de Langle ✆ 68 23 18 82

Central-Pneu, rte de Carcassonne ✆ 68 23 11 44
Solapneu, rte Mirepoix ✆ 68 23 11 28

CASTELNAU-MAGNOAC **65230** H.-Pyr. **85** ⑩ – **950 h. alt. 350.**

Paris 769 – Auch 41 – Lannemezan 26 – Mirande 34 – St-Gaudens 43 – Tarbes 45 – ♦Toulouse 94.

Dupont, ✆ 62 39 80 02, ← – wc wc ☎ – 40
SC : **R** 35/80 – 12 – **32 ch** 90/150 – P 150/170.

CASTELNOU **66** Pyr.-Or. **86** ⑲ **G. Pyrénées** – **152 h. alt. 350** – ✉ **66300** Thuir.

Paris 926 – Argelès-sur-Mer 32 – Céret 29 – ♦Perpignan 19 – Prades 37.

L'Hostal, ✆ 68 53 45 42, – **E**
fermé 10 au 28 fév., merc. soir et lundi – SC : **R** 70 bc/135 bc.

CASTELPERS **12** Aveyron **80** ⑫ – **rattaché à Naucelle.**

CASTÉRA-VERDUZAN **32410** Gers **82** ④ – **753 h. alt. 180** – **Stat. therm. (1er mai-31 oct.).**

Paris 693 – Agen 59 – Auch 25 – Condom 19.

Ténaréze, ✆ 62 68 10 22 – wc wc ☎ **P** – 30. **E** VISA
fermé vacances de fév. – **R** voir rest. **Florida** – 18 – **22 ch** 113/132 – P 155/198.

Thermes, ✆ 62 68 13 07, – wc wc ☎ **P**. AE **E** VISA
fermé vend. soir et sam. de nov. à avril – SC : **R** 52/170 – 18 – **41 ch** 103/155 – P 165/216.

Florida, ✆ 62 68 13 22, – AE **E** VISA
fermé fév., dim. soir et lundi hors sais. – SC : **R** 49/180.

CASTETS **40260** Landes **78** ⑯ – **1 453 h. alt. 48.**

Paris 713 – ♦Bayonne 57 – Belin 75 – ♦Bordeaux 125 – Dax 22 – Mimizan 51 – Mont-de-Marsan 60.

Côte d'Argent, ✆ 58 89 40 33, – **P**. ch
d'oct. à mars rest. seul. – SC : **R** 60/100 – 12 – **12 ch** 85/120 – P 130/140.

PEUGEOT-TALBOT Modern'Gar., ✆ 58 89 40 21 🅽

CASTILLON **06** Alpes-Mar. **84** ⑳, **195** ⑱ – **rattaché à Menton.**

CASTILLON-DU-GARD **30** Gard **80** ⑲, **81** ⑪ – **rattaché à Pont-du-Gard.**

CASTILLON-LA-BATAILLE 33350 Gironde 75 ⑫⑬ – 3 207 h. alt. 20.

Office de Tourisme, Allées République (15 juin-15 sept.).

Paris 546 – Bergerac 43 – ♦Bordeaux 49 – Langon 42 – Libourne 18 – Périgueux 76.

XX **La Bonne Auberge** avec ch, r. 8-Mai 1945 ✆ 57 40 11 56, – . AE ⓓ VISA
fermé 3 au 25 nov., sam. midi et lundi hors sais. – SC : **R** 45/160 – 16 – **10 ch** 83/205.

CITROEN Anconière, ✆ 57 40 04 26

CASTRES 81100 Tarn 83 ① G. Causses – 46 877 h. alt. 172.

Voir Musée★ : oeuvres de Goya★★ BZ **H.**

Env. Le Sidobre★★ 9 km par ②.

Office de Tourisme pl. République ✆ 63 59 92 44 - A.C. 6 av. E. de Villeneuve ✆ 63 35 74 57.

Paris 729 ⑧ – Albi 42 ① – Béziers 102 ④ – Carcassonne 65 ④ – ♦Toulouse 71 ⑥.

Occitan M sans rest, **201 av. Ch.-de-Gaulle par ④** ✆ **63 35 34 20** – TV P.
fermé 1er au 18 août, 20 déc. au 3 janv. et week-end – 22 – **30 ch** 105/230.

Gd Hôtel, 11 r. Libération ✆ **63 59 00 30** – TV wc wc. AE ⓓ E VISA
fermé 15 déc. au 15 janv. – SC : **R** *(fermé 15 juin au 15 sept. et sam.)* 60/135 – 18,50 – **40 ch** 114/239 – P 280/360. BZ **n**

XX **Chapon Fin,** 8 quai Tourcaudière ✆ **63 59 06 17** – . AE ⓓ VISA BY **b**
fermé 6 au 28 juil., vacances de fév., dim. soir et lundi – SC : **R** 78/220.

Les Salvages par ② : 5 km – ✉ **81100** Castres :

XX **Café du Pont** avec ch, ✆ **63 35 08 21,** ←, , – . AE ⓓ E.
fermé fév., dim. soir et lundi – SC : **R** 75/170 – 20 – **6 ch** 125/150.

à St-Germier N : 8 km sur N 112 – ✉ **81210** Roquecourbe :

St-Germier sans rest, ✆ **63 59 92 97,** – wc wc P
SC : 20 – **15 ch** 150/200.

BMW Viala, rte de Toulouse ✆ 63 72 51 23
CITROEN Sud Auto, ZAC Chartreuse, rte Toulouse par ⑥ ✆ 63 59 92 10
FIAT, LANCIA-AUTOBIANCHI S.A.T.A., 111 av. Albert-1er ✆ 63 59 26 22
FORD Chambon, rte de Toulouse, Zone Ind. Mélou ✆ 63 59 02 52 N ✆ 63 59 44 42
HONDA Gar. Pirola, 126 av. du Sidobre ✆ 63 35 07 10
MERCEDES Autom., TEOULET Z.I. de la Chartreuse ✆ 63 59 92 88
PEUGEOT-TALBOT Gar. Maurel, r. de Crabié ✆ 63 35 74 64
RENAULT Sté Tarnaise Autom., rte Toulouse, Mélou par ⑥ ✆ 63 59 41 17
V.A.G. Gar. Négrier, rte Toulouse, Zone Ind. de la Chartreuse ✆ 63 59 30 55

Bernard, 52 bd de l'Arsenal ✆ 63 59 07 26
Escoffier-Pneus, 215 av. Albert-1er ✆ 63 59 27 00
P.A.P.I.-Pneus, 88 rte Toulouse, Zone Ind. Mélou ✆ 63 59 33 83
Pneus-Service, 9 allées Corbières ✆ 63 59 33 22

CASTRIES 34160 Hérault 83 ⑦ – 3 419 h. alt. 50.

Voir Château de Castries★, G. Causses.

Paris 752 – Lunel 15 – ♦ Montpellier 12 – Nîmes 46.

✗ **L'Art du Feu,** ✆ **67 70 05 97** – AE ⓓ E VISA. ✻
fermé 1er au 30 août, vacances de fév., mardi soir et merc. – SC : **R** 60/80.

Le CATEAU-CAMBRÉSIS 59360 Nord 53 ⑭⑮ G. Flandres, Artois, Picardie – 8 311 h alt. 123.

Office de Tourisme à l'Hôtel de Ville (juin-sept.) ✆ 27 84 10 94.

Paris 201 – Avesnes-sur-Helpe 30 – Cambrai 24 – Hirson 45 – ♦Lille 80 – St-Quentin 36 – Valenciennes 31.

✗✗ **Le Relais Fénelon,** 21 r. Mar.-Mortier ✆ **27 84 25 80,** – E VISA
fermé 4 au 27 août, dim. soir et lundi sauf fériés – SC : **R** 85/164.

CITROEN Ribeiro, 13 r. du Mar. Mortier ✆ 27 84 07 76
PEUGEOT-TALBOT Cheneaux, 17 fg de Cambrai ✆ 27 84 05 41
RENAULT Legrand, Z.I. Rte de Bazuel ✆ 27 77 89 33
Ets Leclercq, 39 r. Théophile Boyer ✆ 27 84 26 50

Le Cateau Pneus, 61-63 r. Louise-Michèle ✆ 27 84 07 71

Le CATELET 02 Aisne 53 ⑬⑭ – 243 h. alt. 92 – ✉ 02420 Bellicourt.

Paris 168 – Cambrai 21 – Le Cateau 26 – Laon 64 – Péronne 28 – St-Quentin 18.

✗✗ **Croix d'Or,** ✆ **23 66 21 71** – Ⓟ. E VISA
fermé 11 au 30 août, 2 au 15 janv., dim. soir et lundi – SC : **R** 75/160.

Les CATONS 73 Savoie 74 ⑮ – rattaché au Bourget-du-Lac.

CATUS 46150 Lot 79 ⑦ G. Périgord – 775 h. alt. 168.

Syndicat d'Initiative à la Mairie (1er juin-31 août) ✆ 65 22 70 31.

Paris 585 – Cahors 16 – Gourdon 28 – Villeneuve-sur-Lot 65.

à St-Médard-Catus SO : 5 km – ✉ **46150** Catus :

✗✗ **Gindreau,** ✆ **65 36 22 27,** ≤, – VISA
fermé 3 nov. au 3 déc., 5 au 20 fév., lundi en juil.-août, mardi soir et merc. hors sais. – SC : **R** (dim. et fêtes prévenir) 95/260.

CAUDEBEC-EN-CAUX 76490 S.-Mar. 55 ⑤ G. Normandie (plan) – 2 477 h.

Voir Église★ – Vallon de Rançon★ NE : 2 km – Pont de Brotonne★ : péage : auto 10 F, camion et véhicule supérieur à 1,7 t. 7 à 22 F, E : 1,5 km.

Syndicat d'Initiative à la Mairie ✆ 35 96 11 12.

Paris 166 – Lillebonne 16 – ♦Rouen 36 – Yvetot 12.

Marine, quai Guilbaud ✆ **35 96 20 11, Télex 770404,** ≤ – ⎮ wc ⋒wc ☎ Ⓟ – 30. AE VISA
SC : **R** *(fermé dim. soir)* 60/300 – 25 – **33 ch** 115/260 – P 330/430.

Manoir de Rétival sans rest, rue St Clair ✆ **35 96 11 22,** ≤ **vallée de la Seine** – wc ⋒wc ☎ Ⓟ. AE ⓓ
1er fév. au 31 oct. et fermé dim. soir sauf fêtes – SC : 26 – **12 ch** 250/420.

Normandie Ⓜ, quai Guilbaud ✆ **35 96 25 11** – wc ⋒wc ☎ Ⓟ. AE VISA
fermé fév. – SC : **R** *(fermé dim. soir sauf fêtes)* 49/127 – 16 – **15 ch** 122/228.

CITROEN Modern'Gar., ✆ 35 96 20 44
PEUGEOT Gar. du Centre, ✆ 35 96 12 45
RENAULT Gar. Lopéra, ✆ 35 96 23 88
V.A.G. Caudebec Autom., ✆ 35 96 13 44

CAUDON-DE-VITRAC 24 Dordogne 75 ⑰ – rattaché à Vitrac.

CAULIÈRES 80 Somme 52 ⑰ – rattaché à Poix de Picardie.

CAUSSADE **82300** T.-et-G. **79** ⑱ **G. Périgord – 6 132 h. alt. 109.**

Paris 630 – Albi 70 – Cahors 39 – Montauban 22 – Villefranche-de-Rouergue 51.

- **Dupont,** r. Recollets ✆ **63 65 05 00** – ⇔wc ⋒wc ☎ Ⓟ. E VISA. ✖ ch
  fermé 1er au 7 mai, nov., sam. midi en saison, vend. soir et sam. de sept. à fin mai – SC : **R** 58/98 – ☕ 15,50 – **31 ch** 77/150.

- **Larroque,** av. 8-Mai ✆ **63 93 10 14** – ⇔wc ☎ Ⓟ – 🅰 30. AE ⓓ E VISA
  fermé 25 déc. au 25 janv., dim. soir et sam. midi hors sais. – SC : **R** 60/200 – ☕ 18 – **27 ch** 110/170 – P 215/300.

PEUGEOT-TALBOT Bayol, 92 av. Gén.-Leclerc ✆ 63 93 22 22
PEUGEOT-TALBOT Soccol, 73 av. Gén.-Leclerc ✆ 63 93 09 87
RENAULT Mousquetaires-Autom., 59 av. Ed.-Herriot ✆ 63 93 03 03

Ⓜ Caussade Pneu. pl. des Douches ✆ 63 93 18 30
Taquipneu, à Monteils ✆ 63 93 10 91

CAUTERETS **65110** H.-Pyr. **85** ⑰ **G. Pyrénées – 1 113 h. alt. 930 – Stat. therm. – Sports d'hiver : 930/2 340 m** ⛷ **2** ⛷ **16** ⛷ **– Casino.**

Voir Cascade et vallée* de Lutour S : 2,5 km par D 920 – Route et site du pont d'Espagne** (chutes du Gave) au Sud par D 920.**

Env. SO : Site du lac de Gaube accès du pont d'Espagne par télésiège puis 1h.**

ℹ Office de Tourisme pl. Hôtel de Ville ✆ 62 92 50 27, Télex 530337.

Par ① : Paris 832 – Argelès-Gazost 17 – Lourdes 30 – Tarbes 50.

- **Bordeaux** Ⓜ, r. Richelieu **(f)** ✆ **62 92 52 50,** Télex **521425** – ⎈ 📺 ☎ 🚗 Ⓟ. AE ⓓ VISA. ✖ rest
  15 juin-30 sept. et 20 déc.-15 avril – SC : **R** *(fermé merc. sauf vacances scolaires)* 88 – ☕ 32 – **20 ch** 209/350, 6 appartements 365 – P 261/292.

- **Etche Ona,** r. Richelieu **(d)** ✆ **62 92 51 43** – ⎈ ⇔wc ⋒wc ☎. AE
  15 mai-30 sept. et 20 déc.-15 avril – SC : **R** 70/148 – ☕ 18 – **35 ch** 93/192 – P 178/235.

- Trois Pics, av. Leclerc **(n)** ✆ **62 92 53 64,** ≤ – ⎈ ⇔wc ⋒wc ☎ – 🅰 25
  sais. – **30 ch.**

- **Le Sacca,** bd Latapie-Flurin **(a)** ✆ **62 92 50 02** – ⎈ 📺 ⇔wc ⋒wc ☎. VISA. ✖ rest
  3 mai-11 oct. et 21 déc.-12 avril – SC : **R** 54/100 – ☕ 14,50 – **29 ch** 77/185 – P 154/255.

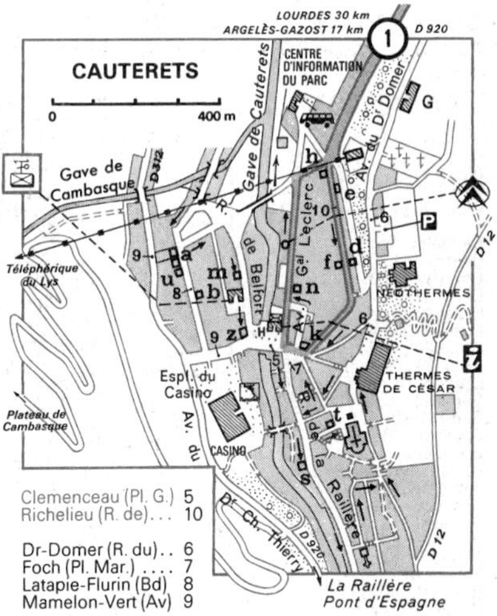

CAUTERETS

Clemenceau (Pl. G.) 5
Richelieu (R. de) . . . 10

Dr-Domer (R. du) . . 6
Foch (Pl. Mar.) 7
Latapie-Flurin (Bd) 8
Mamelon-Vert (Av) 9

- **Bellevue et George V,** pl. Gare **(h)** ✆ **62 92 50 21** – ⎈ ⇔wc ⋒wc ☎. ✖ rest
  1er juin-30 sept. et 20 déc.-20 avril – SC : **R** 56/62 – ☕ 20 – **41 ch** 210 – P 198/203.

- **Ste Cécile,** bd Latapie-Flurin **(b)** ✆ **62 92 50 47,** 🌳 – ⎈ ▤ rest ⇔wc ⋒wc ☎. AE ⓓ VISA. ✖ rest
  fermé 26 sept. au 20 déc. – SC : **R** 63/120 – ☕ 18 – **36 ch** 193/240 – P 215/240.

- **Les Édelweiss,** bd Latapie-Flurin **(u)** ✆ **62 92 52 75** – ⇔wc ⋒wc ☎. ✖ rest
  1er juin-30 sept. et 20 déc.-Pâques – SC : **R** 55/58 – ☕ 17 – **26 ch** 160/170 – P 180/190.

- **Paris** sans rest, pl. Mar.-Foch **(k)** ✆ **62 92 53 85** – ⎈ cuisinette ⇔wc ⋒wc ☎. ✖
  fermé 2 nov. au 10 déc. et 20 avril au 1er mai – SC : ☕ 16,50 – **15 ch** 115/185.

- Victoria, bd Latapie-Flurin **(a)** ✆ **62 92 50 43** – ⎈ ⇔wc ⋒wc ☎
  sais. – **30 ch.**

- **La Rotonde,** 38 r. Richelieu **(e)** ✆ **62 92 52 68** – ⋒wc ☎. AE ⓓ. ✖ rest
  fermé 28 avril au 10 mai et 1er nov. au 15 déc. – SC : **R** 50/70 – ☕ 22 – **22 ch** 100/144 – P 150/180.

- **Centre et Poste,** r. Belfort **(m)** ✆ **62 92 52 69** – ⎈ ⇔wc ⋒wc ☎
  9 mai-21 sept. et 20 déc.-9 avril – SC : **R** 53/80 – ☕ 13,50 – **40 ch** 68/125 – P 125/165.

tourner →

Welcome, r. Eglise **(t)** ℘ 62 92 50 22 – wc
2 mai-1er oct. et 20 déc.-15 avril – SC : **R** 68/90 – ☕ 14 – **31 ch** 70/150 – P 138/190.

Le Peguère, r. Raillère **(s)** ℘ 62 92 51 08, ← – .
9 mai-30 sept. et vacances scol. – SC : **R** 52/68 – ☕ 14,50 – **16 ch** 65/111 – P 135/150.

Astoria sans rest, av. Mamelon-Vert **(z)** ℘ 62 92 53 77 – wc
sais. – **14 ch**.

à La Fruitière S : 6 km par N 21c et RF – alt. 1 400 – ✉ **65110** Cauterets :

Host. La Fruitière avec ch, ℘ 62 92 52 04, ←, – Ⓟ. AE VISA
15 mai-1er oct. – SC : **R** *(fermé dim. soir)* (dim. prévenir) 49/103 – ☕ 15 – **8 ch** 95/120 – P 185/210.

au Pont d'Espagne SO : 8 km par D 920 – alt. 1 497.

Pont d'Espagne avec ch, ✉ 65110 Cauterets ℘ 62 92 54 10, ←, –
hôtel : 1er juin-20 sept., rest. : 1er avril-10 oct., vacances de Noël et de fév., week-ends en janv. et mars – SC : **R** 50/113 – ☕ 13 – **12 ch** 56/68 – P 114/120.

CITROEN Dansaut, ℘ 62 92 51 01

CAVAILLON 84300 Vaucluse 81 ⑫ G. Provence – 20 830 h. alt. 75.

Voir Musée : collection archéologique★ M – Chapelle St-Jacques ☼★.

Office de Tourisme 79 r. Saunerie ℘ 90 71 32 01.

Paris 703 ④ – Aix-en-P. 57 ④ – Arles 44 ④ – Avignon 24 ① – Manosque 71 ②.

CAVAILLON

Bournissac (Cours) .. 3
Castil-Blaze (Pl.) 5
Clos (Pl. du) 7
République (R. de la) . 34
Victor-Hugo (Cours) .. 40

Berthelot (Av.) 2
Clemenceau (Av. G.) . 6
Coty (Av. R.) 9
Crillon (Bd) 10
Diderot (R.) 12
Donné (Chemin) 13
Doumer (Av. P.) 14
Dublé (Av. Véran) 15
Durance (R. de la) 16
Gambetta (Cours L.) .. 17
Gambetta (Pl. L.) 19
Gaulle (Av. Gén. de) .. 20
Grand-Rue 22
Jaurès (Av. Jean) 23
Joffre (Av. Mar.) 25
Kennedy (Av. J.F.) ... 26
Pasteur (R.) 28
Péri (Av. Gabriel) 29
Pertuis (Rte de) 30
Raspail (R.) 32
Renan (Cours E.) 33
Sarnette (Av. Abel) ... 35
Saunerie (R.) 36
Sémar (Av. P.) 38
Tourel (Pl. F.) 39

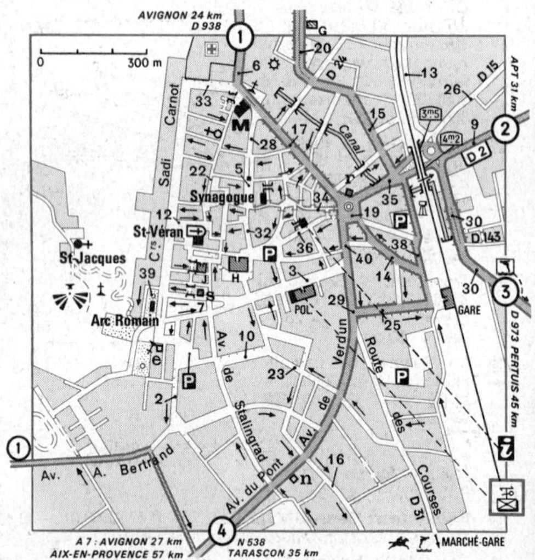

Christel Ⓜ, par ④ : 2 km ℘ 90 71 07 79, Télex 431547, ←, , , , – Ⓟ – 200. AE E VISA
SC : **R** *(fermé sam. midi et dim. midi du 15 nov. au 15 mars)* 100/130 – ☕ 25 – **105 ch** 230/290, 4 appartements 460 – P 330/420.

Parc sans rest., pl. du Clos **(e)** ℘ 90 71 57 78 – wc wc . E VISA.
fermé 3 au 11 mai et 28 août au 3 sept. – SC : ☕ 18 – **23 ch** 105/193.

L'Assiette au Beurre, 353 av. Verdun **(n)** ℘ 90 71 32 43 – .

✿ **Nicolet,** 13 pl. Gambetta (1er étage) **(r)** ℘ 90 78 01 56 – AE VISA.
fermé 1er au 14 juil., 10 au 25 fév., dim. et lundi – SC : **R** 110/180
Spéc. Feuilleté d'asperges (avril à juin), Salade de haricots verts aux écrevisses (juil. à sept.), Rognon de veau au Châteauneuf-du-Pape (oct. et nov.). **Vins** Côtes de Ventoux, Côtes du Lubéron.

Fin de Siècle, 46 pl. du Clos (1er étage) **(s)** ℘ 90 71 12 27.

à Robion par ② et D 2 : 5 km – ✉ **84440** Robion :

Maison de Samantha, ℘ 90 76 55 56 – Ⓟ. AE VISA
fermé fév., mardi soir et merc. – SC : **R** 62/125.

CITROEN Chabas, rte d'Avignon par ①, q. du Grand-Grès ☎ 90 71 27 40 N ☎ 90 71 14 11
FORD Gar. Reding, 86 av. Paul-Doumer ☎ 90 71 14 80
PEUGEOT-TALBOT Gar. Berbiguier, rte de l'Isle sur Sorgue par ① ☎ 90 71 39 23
RENAULT Autom. Cavaillonnaise, 287 av. G.-Clemenceau par ① ☎ 90 71 34 96 N

Chabas, 339 route des Courses ☎ 90 71 04 73
Anrès, 154 av. Stalingrad ☎ 90 78 03 91
Comptoir de L'Auto, 261 av. G.-Chauvin ☎ 90 71 25 16

CAVALAIRE-SUR-MER **83240 Var 84 ⑰ G. Côte d'Azur – 3 912 h. alt. 5 à 150.**

Office de Tourisme square de-Lattre-de-Tassigny ☎ 94 64 08 28.

Paris 883 – Draguignan 58 – Le Lavandou 21 – St-Tropez 18 – Ste-Maxime 22 – ♦Toulon 61.

Calanque ⛰, r. Calanque ☎ **94 64 04 27, Télex 400293,** ≤ **mer,** – **TV** ☎ **P**. AE **O** VISA.
20 mars-5 oct. – **SC : R** 120/200 – ☐ 35 – **34 ch** 370/420.

Pergola M, **av. Port** ☎ **94 64 06 86,** – wc wc ☎. **O** VISA
fermé 30 oct. au 22 déc. – **SC : R** *(fermé lundi midi hors sais.)* 156 – ☐ 20 – **32 ch** 205/245 – P 280/295.

H. Raymond et rest. Le Mistral, ☎ **94 64 07 32,** – wc wc ☎ **P**. AE **O** E VISA
23 mars-1er oct. – **SC : R** *(fermé merc. sauf du 15 juin au 15 sept.)* 70/140 – ☐ 17 – **35 ch** 130/210 – P 190/250.

Bonne Auberge, rte Nationale ☎ **94 64 02 96,** – wc wc ☎ **P**.
15 mars-25 oct. – **SC : R** (pens. seul.) – ☐ 13,50 – **31 ch** 97/198 – P 159/217.

Maya M sans rest, **av. Mar.-Lyautey** ☎ **94 64 33 82** – wc wc ☎ **P**. **O** VISA
fermé 13 au 25 avril et 20 sept. au 10 oct. – **SC :** ☐ 21 – **15 ch** 210.

Eucalyptus M sans rest, **au SE : 1 km** ☎ **94 64 01 90** – wc ☎ **P**. AE **O** VISA
SC : ☐ 17,50 – **17 ch** 200/256.

Bel Ombra ⛰, **av. Maures** ☎ **94 64 04 68,** – wc wc ☎ **P**. rest
1er avril-31 oct. – **SC : R** 75 – ☐ 24 – **27 ch** 178/235, (en sais. pension seul.) – P 176/251.

PEUGEOT-TALBOT Guimelli, au Parc de Cavalaire ☎ 94 64 08 45

CAVALIÈRE **83 Var 84 ⑰ G. Côte d'Azur – ✉ 83980 Le Lavandou.**

Paris 885 – Draguignan 71 – Le Lavandou 7 – St-Tropez 31 – Ste-Maxime 35 – ♦Toulon 48.

✿ **Le Club** M ⛰, ☎ **94 05 80 14, Télex 420317,** ≤, **« Élégant ensemble au bord de la mer,** » – ch TV ☎ **P**. AE **O** VISA. rest
7 mai-22 sept. – **SC : R** *(fermé lundi)* (nombre de couverts limité - prévenir) carte 220 à 325 – ☐ 50 – **32 ch** – 1/2 p 800/1 170
Spéc. Bouillabaisse de langouste, Loup en croûte, Mérou soufflé. **Vins** La Londe.

Surplage, ☎ **94 05 80 19,** ≤, – ☎ **P**. E VISA. rest
15 mai-oct. – **SC : R** (déj. à la carte) 120/150 – ☐ 27 – **60 ch** 300/380.

Gd Hôtel Moriaz, ☎ **94 05 80 01,** ≤, – wc wc ☎. rest
15 avril-10 oct. – **SC : R** 130/160 – ☐ 26 – **29 ch** 210/280 – P 295/360.

Cap Nègre H., ☎ **94 05 80 46,** ≤ – wc wc ☎ **P**. E VISA. rest
début mai-fin sept. – **SC : R** 95/138 – ☐ 25 – **30 ch** 239/276 – P 282/323.

à Pramousquier **E : 2 km sur D 559 – ✉ 83980** Le Lavandou :

Beau Site, ☎ **94 05 80 08,** ≤ – wc **P**. rest
Pâques-30 sept. – **SC : R** 80/100 – ☐ 18,50 – **17 ch** 177/200 – P 232/254.

CAVALIERS (Falaises des) **83 Var 84 ⑥ G. Côte d'Azur – ✉ 83630 Aups.**

Voir ≤** – **Tunnels de Fayet** ≤*** **E : 2 km.**

Grand Canyon et rest. Cavaliers M ⛰, **D 71** ☎ **94 76 91 31,** ≤ **Canyon du Verdon** – wc ☎ **P**. AE **O** E VISA. ch
20 mars-11 nov. et fermé merc. en oct. – **SC : R** 70/165 – ☐ 22 – **15 ch** 180/220.

CAVIGNAC **33620 Gironde 71 ⑧ – 1 265 h. alt. 46.**

Paris 549 – Blaye 26 – ♦Bordeaux 29 – Jonzac 44 – Libourne 29.

Le Machagina M, **S : 3 km sur N 10** ☎ **56 68 71 47** – wc ☎ **P**
23 ch.

Le CAYLAR **34520 Hérault 80 ⑮ G. Causses – 295 h. alt. 732.**

Voir Pas de l'Escalette* **S : 5 km.**

Paris 671 – Ganges 48 – Lodève 19 – Millau 42 – ♦Montpellier 73 – St-Affrique 50 – Le Vigan 49.

Larzac, ☎ **67 44 50 02** – wc . VISA
fermé 31 déc. au 15 fév. et merc. sauf juil.-août – **SC : R** 45/90 – ☐ 16 – **15 ch** 80/160.

CAYLUS **82160** T.-et-G. 79 ⑲ **G. Périgord** – 1 520 h. alt. 230.

Voir Christ en bois★ dans l'église.

Syndicat d'Initiative av. Père Huc (15 juin-15 sept.) ✆ 63 30 71 20 et Mairie ✆ 63 30 73 06.

Paris 652 – Albi 67 – Cahors 61 – Montauban 44 – Villefranche-de-Rouergue 29.

Bellevue ⑤, O : 2 km par D 926 et VO ✆ **63 30 76 57**, ←, parc – wc Ⓟ **11 ch**.

RENAULT Gar. Apchie, ✆ 63 30 75 82

La CAYOLLE (Col de) **04** Alpes-de-H.-P. 81 ⑧⑨, 195 ② **G. Alpes** – alt. 2 326.

Voir ✻★★.

Paris 766 – Barcelonnette 30.

Ressources hôtelières voir à *Esteng* (Alpes-Mar.)

CAYROLS **15** Cantal 76 ⑪ – 229 h. alt. 583 – ✉ **15290** Le Rouget.

Paris 563 – Aurillac 27 – Boisset 8 – Figeac 40 – Le Rouget 3,5 – Tulle 79.

Au Point du Jour, ✆ **71 46 11 06**, – Ⓟ
1er avril-30 sept. – SC : **R** 38/57 – ☕ 13 – **20 ch** 68/140 – P 103/115.

CITROEN Gar. Fau, ✆ 71 46 11 03 N — PEUGEOT-TALBOT Lajarrige, ✆ 71 46 15 63

CAZAUBON **32** Gers 79 ⑫ – rattaché à Barbotan-les-Thermes.

La CAZE (Château de) **48** Lozère 80 ⑤ – rattaché à La Malène.

CAZÈS-MONDENARD **82** T.-et-G. 79 ⑰ – 1 342 h. alt. 140 – ✉ **82110** Lauzerte.

Paris 635 – Agen 61 – Cahors 47 – Montauban 38.

L'Atre, ✆ **63 94 68 67** – wc. VISA. ch
fermé 4 au 19 avril, 14 au 29 nov., vend. soir et sam. midi – SC : **R** 42 bc/105 – ☕ 10,50 – **10 ch** 64/86 – P 124/132.

CÉAUX **50** Manche 59 ⑧ – rattaché à Pontaubault.

CEIGNES **01** Ain 74 ④ – 136 h. alt. 612 – ✉ **01430** Maillat.

Paris 453 – Aix-les-Bains 79 – Belley 62 – Bourg-en-Bresse 40 – Lyon 82 – Nantua 14.

Molard avec ch, à **Moulin Chabaud N 84** ✆ **74 75 70 04** – Ⓟ **9 ch**.

CEILLAC **05** H.-Alpes 77 ⑱⑲ **G. Alpes** – 292 h. alt. 1 643 – Sports d'hiver : 1 643/2 500 m 6 – ✉ **05600** Guillestre.

Voir Vallon du Mélezet★.

Syndicat d'Initiative à la Mairie ✆ 92 45 05 74.

Paris 727 – Briançon 49 – Gap 74 – Guillestre 14.

Les Veyres ⑤, ✆ **92 45 01 91**, ← – wc Ⓟ.
15 juin-30 sept. et 20 déc.-15 avril – SC : **R** 51/70 – ☕ 14 – **34 ch** 66/152 – P 145/200.

Cascade ⑤, **au pied du Mélezet SE : 2 km** ✆ **92 45 05 92**, ←, – wc wc Ⓟ. E.
7 juin-14 sept. et 20 déc.-14 avril – **R** 54/96 – ☕ 18 – **25 ch** 119/195 – P 173/216.

La CELLE-ST-CLOUD **78** Yvelines 55 ⑳, 101 ⑬ – voir à Paris, Environs.

La CELLE-ST-CYR **89970** Yonne 65 ④ – 623 h. alt. 112.

Paris 142 – Auxerre 36 – Joigny 9 – Montargis 52 – Nemours 66 – Sens 39.

Aub. de la Fontaine aux Muses ⑤ avec ch, ✆ **86 73 40 22**, parc, – wc wc Ⓟ.
fermé mardi midi et lundi – SC : **R** carte 135 à 190 – ☕ 23 – **14 ch** 205/250.

La CELLE-SUR-LOIRE **58** Nièvre 65 ⑬ – 759 h. alt. 146 – ✉ **58440** Myennes.

Paris 179 – Bonny-sur-Loire 12 – Cosne-sur-Loire 7 – Neuvy-sur-Loire 7 – Nevers 59.

Aub. Nivernaise, N 7 ✆ **86 26 06 23** – Ⓟ. AE
SC : **R** (déj. seul.) 65/110.

CELLIERS **73** Savoie 74 ⑰ – 58 h. alt. 1 282 – ✉ **73260** Aigueblanche.

Paris 608 – Albertville 36 – Chambéry 83 – Moûtiers 21 – St-Jean-de-Maurienne 39.

Gd Pic, ✆ **79 24 03 72**, ←, – wc. rest
15 juin-30 sept. et 15 déc.-30 avril – SC : **R** 45/90 – ☕ 15 – **13 ch** 60/116 – P 130/160.

CELON 36 Indre 68 ⑰ – 372 h. alt. 201 – ✉ **36200** Argenton-sur-Creuse.

Paris 312 – Argenton-sur-Creuse 9,5 – Châteauroux 40 – ♦Limoges 84 – La Souterraine 32.

✗ **L'Étape** avec ch, N 20 ✆ 54 25 33 19, – Ⓟ. AE ⓓ E VISA.
fermé 22 au 28 fév., 1er au 7 sept. et mardi sauf juil.-août – SC : **R** 48/265 – ☕ 17,50 – **7 ch** 68/86.

CELONY 13 B.-du-R. 84 ③ – rattaché à Aix-en-Provence.

CERBÈRE 66290 Pyr.-Or. 86 ⑳ – 1 726 h.

Voir NO : La Côte Vermeille★★, G. Pyrénées.

Syndicat d'Initiative à la Mairie (15 juin-15 sept.) ✆ 68 88 42 36.

Paris 951 – ♦Perpignan 47 – Port-Vendres 16.

Dorade, ✆ 68 88 41 93 – ⋔wc ☎. ⓓ VISA
20 mars-1er oct. – SC : **R** 56/92 – ☕ 18 – **25 ch** 110/143 – P 360/420 (pour 2 pers.).

Vigie, rte d'Espagne ✆ 68 88 41 84, ≤ mer et côte, – ⋔wc ☎. VISA.
début avril-fin oct. – SC : **R** 55 bc/85 bc – ☕ 16 – **20 ch** 163/170 – P 275/350.

La CERCENÉE 88 Vosges 62 ⑰ – rattaché à Gérardmer.

CERDON 01 Ain 74 ④ – 647 h. alt. 299 – ✉ **01450** Poncin.

Paris 444 – Belley 67 – Bourg-en-Bresse 34 – Lyon 74 – Nantua 23 – La Tour-du-Pin 73.

à Labalme N : 6 km N 84 – ✉ **01450** Poncin :

Carrier, ✆ 74 39 97 22 – ⇔wc ☎ Ⓟ. AE ⓓ VISA
fermé 1er au 7 sept., janv., mardi soir et merc. – SC : **R** 55/150 – ☕ 17 – **17 ch** 80/170 – P 160/180.

CÉRET 66400 Pyr.-Or. 86 ⑲ **G. Pyrénées** (plan) – 6 909 h. alt. 171.

Voir Vieux pont★ – Musée d'Art Moderne★.

Syndicat d'Initiative 1 av. G.-Clemenceau ✆ 68 87 00 53.

Paris 936 – Gerona 75 – ♦Perpignan 31 – Port-Vendres 36 – Prades 55.

La Terrasse au Soleil, rte Fontfrède O : 1,5 km par D 13F ✆ 68 87 01 94, ≤, , , – ⇔wc ⋔wc ☎ Ⓟ. VISA
20 mars-5 nov. – SC : **R** *(fermé mardi midi et lundi)* 123/168 – ☕ 28 – **18 ch** 265/340.

Les Arcades Ⓜ sans rest, 1 pl. Picasso ✆ 68 87 12 30 – ⇔wc ⋔wc ☎ . AE ⓓ E.
fermé 15 au 30 nov. – SC : ☕ 16,50 – **21 ch** 140/170.

Sors Ⓜ, 18 r. St-Ferréol ✆ 68 87 01 40, – ⇔wc ⋔wc ☎ ♿ Ⓟ. E.
SC : **R** 45/70 – ☕ 16 – **24 ch** 145/170.

Pyrénées, 7 r. République ✆ 68 87 11 02, – ⇔wc ⋔wc ☎
1er fév.-31 oct. et fermé mardi hors sais. – SC : **R** *(dîner seul.)* 75 – ☕ 16 – **22 ch** 90/168.

CITROEN Gar. du Pont, 8 pl. du Pont ✆ 68 87 00 75
CITROEN Taza, av. d'Espagne ✆ 68 87 02 65
FORD Gar. Mach, av. des Aspres ✆ 68 87 05 30 N
PEUGEOT-TALBOT Gar. la Bergerie, 3 av. de la Gare ✆ 68 87 18 59
RENAULT Gar. Mas, 104 r. St-Férréol ✆ 68 87 02 26
V.A.G. Gar. St-Ferréol, 8 r. St-Ferréol ✆ 68 87 01 31

Le CERGNE 42 Loire 73 ⑧ – 598 h. alt. 673 – ✉ **42460** Cuinzier.

Paris 400 – Charlieu 16 – Chauffailles 16 – ♦Lyon 81 – Roanne 32 – ♦St-Étienne 109.

✗✗ **Bel'vue** avec ch, ✆ 74 89 77 56, ≤ – ⋔. VISA
fermé 1er au 25 oct., vacances de fév., dim. soir hors sais. et lundi – SC : **R** 48/178 – ☕ 20 – **8 ch** 60/140 – P 160/180.

CERGY-PONTOISE P 95 Val-d'Oise 55 ⑳, 196 ⑤, 101 ② **G. Environs de Paris.**

Cergy 95000 Val-d'Oise – 17 703 h..

Paris 37 – Pontoise 4.

Novotel Ⓜ, près préfecture ✆ (1) 30 30 39 47, Télex 697264, , , , – ▤ TV ☎ ♿ Ⓟ – 25 à 200. AE ⓓ E VISA
R snack carte environ 100 – ☕ 34 – **197 ch** 320/341.

✗✗ **Le Zinc** pl. Touleuses (Secteur Sud), ✆ (1) 30 30 42 90 – AE ⓓ VISA
fermé lundi soir et dim. – SC : **R** 99/195.

Inter-Pneu Melia, Cité Artisanale 67 r. F.-Combe ✆ (1) 30 30 11 91

Pontoise <SP> **95300** Val-d'Oise – **29 411** h. alt. **27**.
Office de Tourisme 6 pl. Petit-Martroy ✆ (1) 30 38 24 45.
Paris 35 ④ – **Beauvais 55** ① – **Dieppe 135** ⑦ – **Mantes 39** ⑥ – ♦**Rouen 91** ⑥.

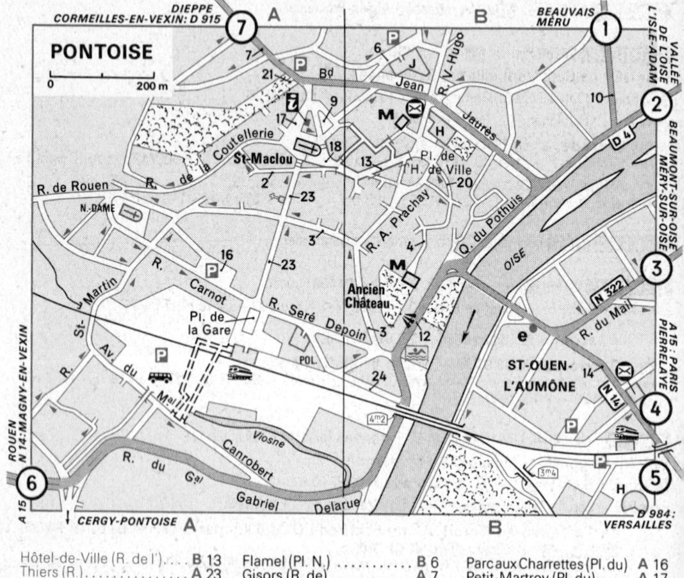

Hôtel-de-Ville (R. de l') .... B 13
Thiers (R.) .... A 23

Bretonnerie (R. de la) .... A 2
Butin (R.) .... A 3
Château (R. du) .... B 4
Flamel (Pl. N.) .... B 6
Gisors (R. de) .... A 7
Grand-Martroy (Pl. du) .... A 9
Hermitage (R. de l') .... B 10
Hôtel-Dieu (R. de l') .... B 12
Leclerc (Av. du Gén.) .... B 14
Parc aux Charrettes (Pl. du) A 16
Petit-Martroy (Pl. du) .... A 17
Pierre-aux-Poissons (R.) .. A 18
Roche (R. de la) .... B 20
Souvenir (Pl. du) .... A 21
Vert-Buisson (R. du) .... B 24

Campanile, r. P. de Coubertin par ⑥ ✆ (1) 30 38 55 44, Télex 698515, – wc ☎ **P**. VISA
SC : **R** 58 bc/78 bc – 22 – **48 ch** 185/205.

XX ✿ **Jardin des Lavandières** (Decout), 28 r. de Rouen - A - ✆ (1) 30 38 25 55 – . VISA
fermé 29 mars au 8 avril, 2 au 25 août, 26 déc. au 5 janv., sam. midi et dim. – **SC : R** carte 175 à 225
Spéc. Tagliatelles fraîches au foie gras, Turbot à la fondue de poireaux, Tarte aux pommes chaudes.

X **Aub. du Chou**, rte Auvers NE : 1,5 km par ② ✆ (1) 30 38 03 68, ←, – **P**. AE VISA
fermé 15 sept. au 15 oct., lundi soir et mardi – **SC : R** 110.

à Cormeilles-en-Vexin par ⑦ : 9,5 km – ✉ **95830** Cormeilles-en-Vexin :

XXX ✿✿ **Relais Ste-Jeanne** (Cagna), sur D 915 ✆ (1) 34 66 61 56, , « Jardin » – **P**. AE O VISA
fermé août, Noël, vacances de fév., mardi soir (sauf avril à juil.), dim. soir et lundi – **SC : R** (nombre de couverts limité - prévenir) 200/300 et carte
Spéc. Huîtres chaudes au Champagne (sept. à juin), Ris de veau au coulis de truffes, Gourmandise de Delphine.

à la Bonneville : par ③ : 5,5 km, N 322 – ✉ **95540** Mery-sur-Oise :

XXX ✿ **Le Chiquito**, r. de l'Oise ✆ (1) 30 36 40 23 – **P**. AE O VISA.
fermé août, 24 déc. au 2 janv., sam. midi et dim. – **SC : R** carte 190 à 250
Spéc. Morue fraîche à l'embeurrée de choux, Suprême de Bresse au cresson, Mataflan aux pommes.

AUSTIN, ROVER, VOLVO SOGEL, 10 r. Séré-Depoin ✆ (1) 30 32 55 55
FORD Gar. Marzet, 87 r. P.-Butin ✆ (1) 30 32 56 04
V.A.G. Pontoise Cergy Autos, 21 Chaussée J.-César ✆ (1) 30 30 28 29

St-Ouen-l'Aumône 95310 Val-d'Oise – 17 213 h.

XX **Gd Cerf** avec ch, 59 r. Gén.-Leclerc ✆ (1) 34 64 03 13 – wc. AE VISA B e
fermé 10 au 31 août, dim. soir et lundi – SC : **R** 55/118 – 18,50 – **8 ch** 138/202.

ALFA-ROMEO, MERCEDES Vigneux, 44 r. Gén.-Leclerc ✆ (1) 34 64 01 14
FIAT STCA., 29 av. Gén.-Leclerc ✆ (1) 30 37 31 87
OPEL Valdoise Motors, 31 r. Paris ✆ (1) 30 37 20 78
RENAULT Hinaux, 1 r. St-Henri par ③ ✆ (1) 30 37 14 14
La Centrale du Pneu, 1 av. de Verdun ✆ (1) 34 64 07 50

Osny 95520 Val-d'Oise – 10 928 h.
Pontoise 3.

XXX **Moulin de la Renardière,** rte Ennery ✆ (1) 30 30 21 13, « Parc, rivière » – P. AE VISA
fermé 11 au 31 août, dim. soir et lundi – SC : **R** (nombre de couverts limité - prévenir) carte 170 à 220.

CITROEN Rousseau, 2 chaussée J.-César par ⑥ ✆ (1) 30 31 00 00
PEUGEOT-TALBOT Cergy-Pontoise-Autom., 8 chaussée J.-César par ⑥ ✆ (1) 30 30 12 12

CÉRILLY 03350 Allier 69 ⑫ – 1 834 h. alt. 330.
Env. Forêt de Tronçais* O : 7 km, G. Auvergne.**
Paris 289 – Montluçon 40 – Moulins 46 – St-Amand-Montrond 32 – St-Pierre-le-Moutier 35.

Commerce, ✆ 70 67 53 10 – P
fermé fév. et vend. – SC : **R** 45/75 – 18 – **14 ch** 45/85 – P 150.

CITROEN Levistre, ✆ 70 67 52 22

CERIZAY 79140 Deux-Sèvres 67 ⑯ – 4 881 h. alt. 173.
Paris 371 – Bressuire 14 – Cholet 37 – Niort 66 – La Roche-sur-Yon 68.

Cheval Blanc, av. du 25-Août ✆ 49 80 05 77, – TV wc wc P – 40. E VISA
fermé 20 déc. au 4 janv. et sam. sauf juil.-août – SC : **R** 38/78 – 13 – **25 ch** 66/215 – P 195/330.

CITROEN Coulais, ✆ 49 80 51 51 N
FIAT-PEUGEOT-TALBOT Cocandeau, ✆ 49 80 50 19

CERNAY 51 Marne 56 ⑥ – rattaché à Reims.

CERNAY 68700 H.-Rhin 66 ⑨ **G. Alsace et Lorraine** – 10 334 h. alt. 275.
Office de Tourisme 1 r. Latouche (1er juin-30 sept.) ✆ 89 75 50 35.
Paris 536 – Altkirch 25 – Belfort 39 – Colmar 36 – Guebwiller 15 – ♦Mulhouse 19 – Thann 6.

Frantz, à Uffholtz N : 1 km ✆ 89 75 54 52 – wc wc P. AE E VISA
fermé 2 au 25 janv. – SC : **R** 37/225 – 16,50 – **50 ch** 70/180 – P 140/210.

Aub. du Relais, à Uffholtz N : 1 km ✆ 89 75 56 19, – wc wc P. VISA
fermé 12 déc. au 5 janv., week-end en hiver et vend. – SC : **R** (d'oct. à avril, dîner seul. pour résidents) 37/120 – 16,50 – **24 ch** 87/175 – P 140/185.

X **Host. Alsace** avec ch, 61 r. Poincaré ✆ 89 75 59 81 – wc P. AE E VISA
fermé 15 au 29 juil., dim. soir (sauf hôtel) et lundi – SC : **R** 62/215 – 21 – **10 ch** 90/156.

PEUGEOT-TALBOT Soriano, 1 r. de l'Industrie ✆ 89 75 44 85 N ✆ 89 75 50 10
RENAULT Courtois, fg de Belfort ✆ 89 75 48 27 N ✆ 89 75 51 23

CÉRONS 33 Gironde 79 ② – 1 308 h. alt. 15 – ✉ **33720** Podensac.
Paris 614 – ♦Bordeaux 38 – Langon 11 – Libourne 42 – Villandraut 22.

Grappe d'Or, rte St Symphorien ✆ 56 27 11 61 – TV wc wc P. AE VISA
fermé fév. – SC : **R** 80/115 – 14 – **11 ch** 95/200.

Grillobois, ✆ 56 27 11 50, – TV wc P. AE VISA
fermé 11 au 17 août, 22 au 28 déc., dim. (sauf le midi de juin à août) et sam. soir – SC : **R** 86 bc/60 – 14 – **10 ch** 170/187.

CESSIEU 38 Isère 74 ⑬ – rattaché à la Tour-du-Pin.

CESSON 22 C.-du-N. 59 ③ – rattaché à St-Brieuc.

CESSON-SÉVIGNÉ 35 I.-et-V. 59 ⑰ – rattaché à Rennes.

CÉVENNES (Corniche des) *** 48 Lozère et 30 Gard 80 ⑥⑯⑰ **G. Causses.**

CEYRAT 63122 P.-de-D. 73 ⑭ – 4 742 h. alt. 560.

Syndicat d'Initiative à la Mairie ✆ 73 61 42 55.

Paris 394 – •Clermont-Ferrand 6 – Issoire 39 – Le Mont-Dore 41 – Royat 6.

Voir plan de Clermont-Ferrand agglomération

La Châtaigneraie sans rest, av. Châtaigneraie ✆ 73 61 34 66, ← – wc wc ☎ P. S p
fermé 2 au 18 août, sam. et dim. – SC : 15 – **16 ch** 125/221.

Promenade, av. Wilson ✆ 73 61 40 46, – wc wc ☎. VISA S r
SC : **R** *(fermé dim. soir et lundi)* 45/95 – 14,60 – **12 ch** 75/150.

à Saulzet-le-Chaud S : 2 km par N 89 – ✉ 63540 Romagnat :

Aub. de Montrognon, ✆ 73 61 30 51 – P
fermé oct., lundi soir et mardi – SC : **R** 75/160.

CEYSSAT (Col de) 63 P.-de-D. 73 ⑬ ⑭ – rattaché à Clermont-Ferrand.

CEYZÉRIAT 01250 Ain 74 ③ – 1 982 h. alt. 320.

Paris 421 – Bourg-en-Bresse 8 – Nantua 32.

Mont-July, ✆ 74 30 00 12, ←, , – wc wc ☎ P. AE
20 mars-20 oct. et fermé jeudi sauf juin, juil. et août – SC : **R** (dim. prévenir) 70/100 – 20 – **18 ch** 85/240 – P 210/265.

du Relais de la Tour avec ch, ✆ 74 30 01 87 – . E VISA
fermé 15 oct. au 15 nov., dim. soir (sauf hôtel) et lundi – SC : **R** 66/200 – 16 – **7 ch** 66/150.

RENAULT Gar. Froment, ✆ 74 30 03 97

CHABANAIS 16150 Charente 72 ⑤ – 2 254 h. alt. 156.

Paris 432 – Angoulême 57 – Confolens 18 – •Limoges 46 – Nontron 52 – St-Junien 16.

Croix Blanche, pl. Croix Blanche ✆ 45 89 22 18, – ☎ P – 30. E VISA
fermé 29 sept. au 11 oct. – SC : **R** *(fermé dim. soir et lundi)* 45/180 – 20 – **21 ch** 92/182 – P 136/178.

CITROEN Mourgaud, ✆ 45 89 00 46 RENAULT Chaux, ✆ 45 89 02 61

CHABEUIL 26120 Drôme 77 ⑫ – 4 391 h. alt. 205.

Paris 578 – Crest 20 – Romans-sur-Isère 16 – Valence 11.

Relais du Soleil, rte Romans ✆ 75 59 01 81, ←, , – wc wc ☎ P. AE E VISA.
fermé vacances de nov., Noël, fév., dim. soir et lundi hors sais. – SC : **R** 58/128 – 19 – **21 ch** 127/205 – P 230/270.

Commerce, Pl. Génissieu ✆ 75 59 00 23 – wc wc ☎ P. AE E
fermé 1er au 30 oct. et sam. hors sais. – SC : **R** 43/95 – 16 – **21 ch** 102/200 – P 180/200.

CHABLIS 89800 Yonne 65 ⑥ **G. Bourgogne** – 2 414 h. alt. 140.

Paris 182 – Auxerre 19 – Avallon 47 – Tonnerre 16 – Troyes 75.

✽ **Host. des Clos** (Vignaud) (ouverture prévue : mai) avec ch, ✆ 86 42 10 63 – P. AE E VISA
fermé janv., jeudi midi et merc. sauf du 1er juin au 30 sept. – **R** 108/260 – 35 – **26 ch** 198/295
Spéc. Soufflé de sandre à l'Irancy rouge, Oeufs en meurette, Canard colvert aux champignons des bois (sept. à mars). **Vins** Chablis, Irancy.

CITROEN Chablis Autos, ✆ 86 42 14 20 **Chablisienne Expl Ind.,** ✆ 86 42 40 86
RENAULT Bellat, ✆ 86 42 11 55

CHABRELOCHE 63250 P.-de-D. 73 ⑥ – 1 421 h. alt. 620.

Paris 402 – •Clermont-Ferrand 57 – Montbrison 54 – Noirétable 10 – Roanne 45 – Thiers 14.

aux Crocs d'Arconsat N : 4 km par D 86 et D 64 – ✉ 63250 Chabreloche :

Aub. du Montoncel, ✆ 73 94 20 96, ←, – wc ☎ P. E VISA. ch
fermé 1er au 15 oct. et merc. hors sais. – SC : **R** 47/130 – 18 – **10 ch** 95/150 – P 180/200.

CITROEN Gge Gardette Thérias, ✆ 73 94 20 19

CHABRIÈRES 04 Alpes-de-H.-P. 81 ⑰ – alt. 621 – ✉ 04270 Mézel.

Voir Clue de Chabrières★ O : 1,5 km, **G. Côte d'Azur.**

Paris 760 – Castellane 36 – Colmars 53 – Digne 18 – Manosque 59 – Puget-Théniers 70.

Relais de Chabrières, N 85 ✆ 92 35 56 69, – P. VISA. rest
fermé janv., mardi et merc. hors sais. – SC : **R** 65/150 – 15 – **13 ch** 106/141.

CHAGNY 71150 S.-et-L. 69 ⑨ G. Bourgogne – 5 604 h. alt. 216.

Env. Mont de Sène ※** O : 10 km.

Syndicat d'Initiative 2 r. des Halles (15 mars-31 déc.) ☎ 85 87 25 95.

Paris 328 ① – Autun 43 ① – Beaune 15 ① – Chalon-s-S. 17 ② – Mâcon 75 ② – Montceau 44 ④.

Lameloise M, pl. d'Armes (e) ☎ 85 87 08 85, « Ancienne maison bourguignonne aménagée avec élégance » – TV ☎. VISA. rest
fermé 9 déc. au 8 janv., jeudi midi et merc. – SC : **R** (prévenir) carte 220 à 350 – 45 – **20 ch** 280/700
Spéc. Ravioli d'escargots, Pigeon de Bresse en vessie, Assiette du chocolatier. **Vins** Rully, Chassagne-Montrachet.

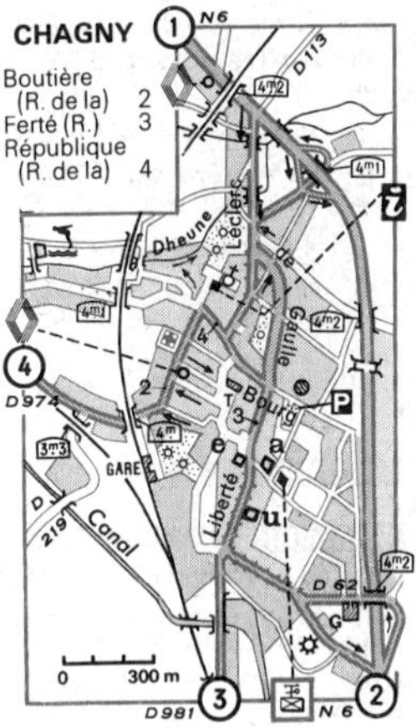

Poste sans rest, 17 r. Poste (a) ☎ 85 87 08 27 – wc wc ☎ P. VISA.
1er mars-1er déc. – SC : 19 – **11 ch** 160/220.

La Ferté sans rest, bd Liberté (u) ☎ 85 87 07 47, – wc wc ☎ P. VISA
SC : 19 – **14 ch** 110/200.

par ② : 2 km par N 6 et VO – ✉ 71150 Chagny :

Host. Bellecroix avec ch, ☎ 85 87 13 86, ←, – wc wc ☎ P. AE VISA
fermé 21 déc. au 1er fév. et merc. – SC : **R** 85/150 – 25 – **16 ch** 250/500.

sur N 6 par ② : 2 km rte Chalon – ✉ 71150 Chagny :

Bonnard, ☎ 85 87 21 49 – wc wc ☎ P
fermé 20 nov. au 27 déc. et lundi (sauf hôtel en sais.) – SC : **R** 62/135 – 18 – **20 ch** 162/230.

CHAGNY
Boutière (R. de la) 2
Ferté (R.) 3
République (R. de la) 4

à Chassey-le-Camp par ④ et D 109 : 6 km – ✉ 71150 Chagny :

Aub. du Camp Romain , ☎ 85 87 09 91, ←, – wc wc ☎ P. VISA
fermé 3 janv. au 5 fév. – SC : **R** *(fermé merc. d'oct. à mars)* 73/115 – 18 – **20 ch** 92/200, 5 appartements 255.

Voir aussi ressource hôtelière de *Santenay* par ④ : 4,5 km

RENAULT Chagny Auto, N 6 ☎ 85 87 22 28 N — RENAULT Gar. Guillemot, ☎ 85 87 17 91

CHAILLEVETTE 17890 Char.-Mar. 71 ⑭ – 1 019 h.

Paris 510 – Marennes 20 – Rochefort 41 – La Rochelle 73 – Royan 17 – Saintes 43.

La Brousse , ☎ 46 36 60 93, ←, parc, « Ancienne ferme aménagée », – wc wc ☎ P.
1er juil.-7 sept. – SC : **14 ch** (1/2 pens. seul.) – 1/2 p 225/235.

CHAILLOL 05 H.-Alpes 77 ⑯ – alt. 1 450 – ✉ 05260 Chabottes.

Paris 661 – Gap 25 – Orcières 22 – St-Bonnet 9.

L'Étable , ☎ 92 50 48 35, ← – P
30 juin-15 sept. et 18 janv.-15 avril – SC : **R** 59/85 – 14,50 – **9 ch** 70/108 – P 160/175.

à Chaillol 1600 N : 2 km – ✉ 05260 Chabottes :

La Louzière M , ☎ 92 50 48 44, ← montagnes – wc wc ☎. AE E.
20 juin-15 sept. et 20 déc.-15 avril – SC : **R** 48/88 – 19,50 – **29 ch** 100/177 – P 177/220.

CHAILLY-EN-BIÈRE 77960 S.-et-M. 61 ②, 196 ㊺ G. Environs de Paris – 1 757 h. alt. 64.

Paris 53 – Étampes 41 – Fontainebleau 9,5 – Melun 9.

Chalet du Moulin, S : 1,5 km par N 7 et VO ☎ (1) 60 66 43 42, ←, « Chalet dans un cadre de verdure » – P. AE VISA
fermé août, lundi soir et mardi – **R** carte 195 à 265.

Aub. de l'Empereur, N 7 ☎ (1) 60 66 43 38, – AE VISA
fermé 18 au 25 sept., 20 janv. au 21 fév., dim. soir, merc. soir et jeudi – SC : **R** 71/125.

La CHAISE-DIEU 43160 H.-Loire 76 ⑥ **G. Auvergne** (plan) – 953 h. alt. 1 082.
Voir Église abbatiale★★ : tapisseries★★★.
Syndicat d'Initiative pl. Mairie (1er juin-30 sept.) ☎ 71 00 01 16.
Paris 467 – Ambert 33 – Brioude 40 – Issoire 57 – Le Puy 41 – ◆St-Étienne 79 – Yssingeaux 57.

L'Écho et de l'Abbaye, pl. Écho ☎ 71 00 00 45 – wc wc ☎. AE E VISA.
25 mars-5 nov. – SC : **R** 65/160 – 17 – **11 ch** 160/198 – P 190/230.

Au Tremblant, D 906 ☎ 71 00 01 85, – wc wc ☎ P – 25. VISA
30 mars-15 nov. – SC : **R** 55/100 – 16,50 – **28 ch** 85/195 – P 175/230.

Plan d'eau de la Tour N : 2 km par D 906 – ✉ **43160** La Chaise-Dieu :

Le Vénéré, ☎ 71 00 01 08, ←, – cuisinette wc wc ☎ P.
1er avril-30 sept. – SC : **R** (dîner seul.) 53/74 – 15 – **14 ch** 113/243.

à Sembadel-Gare S : 6 km par D 906 – ✉ **43160** La Chaise-Dieu :

Moderne, ☎ 71 00 90 15, – wc P. E. rest
fermé vacances de Noël et de fév. – SC : **R** 45/74 – 14 – **23 ch** 100/115 – P 140/160.

PEUGEOT-TALBOT Gar. Causse, ☎ 71 00 00 62
RENAULT Fayet, ☎ 71 00 00 88

Les CHAISES 78 Yvelines 60 ⑧, 196 ㉗ – rattaché à Rambouillet.

CHALABRE 11230 Aude 86 ⑥ – 1 441 h. alt. 372.
Paris 802 – Carcassonne 48 – Castelnaudary 51 – Foix 48 – Lavelanet 21 – Pamiers 43 – Quillan 24.

France, ☎ 68 69 20 15 – E VISA
fermé oct. – SC : **R** 45/120.

FORD Gar. Gomez, Z.A. le Cazal ☎ 68 69 20 35 N ☎ 68 69 26 75
RENAULT Gar. Loutre, ☎ 68 69 20 13

CHALAMONT 01320 Ain 74 ②③ **G. Vallée du Rhône** – 1 415 h. alt. 293.
Paris 440 – Belley 62 – Bourg-en-Bresse 24 – ◆Lyon 43 – Nantua 55 – Villefranche-sur-Saône 40.

Clerc avec ch, ☎ 74 61 70 30 – wc P
fermé 1er au 10 juil., 15 au 30 nov., 15 au 28 fév., mardi soir et merc. – SC : **R** 50/195 – 16,50 – **7 ch** 80/140.

CITROEN Riondy, ☎ 74 61 70 12 N
RENAULT Berlie, ☎ 74 61 70 27

CHALEZEULE 25 Doubs 66 ⑮ – rattaché à Besançon.

CHALLANS 85300 Vendée 67 ⑫ **G. Côte de l'Atlantique** – 13 060 h. alt. 11.
Office de Tourisme r. de-Lattre-de-Tassigny ☎ 51 93 19 75.
Paris 435 ② – Cholet 83 ② – ◆Nantes 57 ① – La Roche-sur-Yon 40 ③ – Les Sables-d'Olonne 43 ④.

Antiquité sans rest, 14 r. Gallieni **(a)** ☎ 51 68 02 84, – TV wc wc ☎ P. AE E VISA
fermé sept. et week-end hors sais. – SC : 19 – **12 ch** 138/224.

Rocotel M, 9 bd Gare **(e)** ☎ 51 93 07 48 – TV wc ☎ P – 30. AE VISA. rest
SC : **R** (self) 33/65 et rest. **Le Dauphin R** 78/190 – 23 – **21 ch** 175/262.

Commerce sans rest, 17 pl. A.-Briand **(r)** ☎ 51 68 06 24 – wc wc ☎. E VISA
fermé janv., sam. et dim. sauf fêtes du 1er nov. au 28 fév. – SC : 20 – **20 ch** 115/220.

Champ de Foire, 10 pl. Champ de Foire **(s)** ☎ 51 68 17 54 – wc. AE VISA
fermé 15 déc. au 20 janv., vend. soir et sam. sauf juil.-août – SC : **R** 50/170 – 15 – **11 ch** 73/130.

Le Marais avec ch, 16 pl. Gén.-de-Gaulle **(x)** ☎ 51 93 15 13 – TV wc ☎. VISA. ch
SC : **R** 50/200 – 17 – **14 ch** 92/125 – P 260/385.

par ⑤ : 3 km rte Soullans – ✉ **85300** Challans :

La Gîte du Tourne-Pierre, ☎ 51 68 14 78, – P. AE E
fermé sam. midi – SC : **R** carte 155 à 240.

CHALLANS

Dodin (Bd)	
Gambetta (R.)	
Gaulle (Pl. de)	5
Bonne-Fontaine (R.)	2
Briand (Pl. A.)	3
F.F.I. (Bd des)	4
Lattre-de-T. (R. Mar.-de)	7
Leclerc (R. Gén.)	8
Monnier (R. P.)	9
Nantes (R. de)	10
Strasbourg (Bd)	12
Viaud-Gd-Marais (Bd)	14

par ⑦ : 6 km sur D 948 – ✉ **85300** Challans :

Relais des Quatre Moulins, ☏ 51 68 11 85 – ⋔wc ☎ Ⓟ. E. ✻
fermé du 1er au 15 oct., 24 déc. au 7 janv., et dim. hors sais. – **R** 54/110 – ☕ 18 – **10 ch** 114/135 – P 185.

CITROEN Atlantic-Autom., 52 rte de St-Jean-de-Monts par ⑥ ☏ 51 93 15 99
PEUGEOT-TALBOT Retail, rte de Soullans, ☏ 51 93 16 52
RENAULT Vendée-Autom., 29 rte de St-Jean-de-Monts par ⑥ ☏ 51 93 26 55 N
RENAULT Pontoizeau, 3 Bd des F.F.I. ☏ 51 68 11 55
V.A.G. Gar. Yvernogeau, rte de La Roche-sur-Yon ☏ 51 93 09 71

CHALLES-LES-EAUX **73190** Savoie **74** ⑮ **G. Alpes** – 2 744 h. alt. 310 – Stat. therm. (3 mai-26 sept.) – Casino.

Office de Tourisme av. Chambéry ☏ 79 85 20 13.

Paris 530 – Albertville 44 – Chambéry 6 – ♦Grenoble 50 – St-Jean-de-Maurienne 66.

Château de Challes ⛭, ☏ 79 85 21 45, 𝓇, « Terrasse fleurie : parc », ⛱, ✂ – TV ♿ Ⓟ. AE ⓓ VISA. ✻ rest
3 fév.-31 oct. – SC : **R** 80/250 – ☕ 30 – **63 ch** 100/315 – P 198/296.

Nieder H. sans rest, av. Chambéry ☏ 79 85 20 72 – |‡| ⛀ ⋔wc ☎ 🚗 Ⓟ. VISA. ✻
fermé nov. et dim. d'oct. à fin avril – SC : ☕ 13 – **25 ch** 84/136.

CHALMAZEL **42920** Loire **73** ⑰ **G. Vallée du Rhône** – 670 h. alt. 867 – Sports d'hiver : 1 130/1 630 m ⛷1 ⛷5 ⛷.

Paris 454 – Ambert 37 – L'Arbresle 81 – Montbrison 37 – Roanne 67 – ♦St-Étienne 73 – Thiers 50.

✗ **Château** avec ch, ☏ 77 24 86 08 – E. ✻
fermé 24 au 30 juin, 1er au 6 sept., nov., lundi soir et mardi – SC : **R** 51/80 – ☕ 18 – **11 ch** 90/140 – P 150/190.

RENAULT Gar. des Pistes, ☏ 77 24 81 84 N

CHALONNES-SUR-LOIRE **49290** M.-et-L. **63** ⑲⑳ **G. Châteaux de la Loire** – 5 358 h. alt. 23 – **Voir** E : Corniche angevine★.

Syndicat d'Initiative r. J. Robin (juil.-août) ☏ 41 78 26 21 et à l'Hôtel de ville ☏ 41 78 13 22.

Paris 314 – Ancenis 36 – Angers 25 – Châteaubriant 70 – Cholet 39 – ♦Nantes 71 – Saumur 70.

France, r. Nationale ☏ 41 78 00 12 – ⛀wc ⋔wc ☎ 🚗. E VISA
fermé 20 déc. au 2 janv., vend. soir et sam. hors sais. – SC : **R** 50/120 🍷 – ☕ 12,50 – **16 ch** 55/175 – P 130/195.

CHALONS 17 Char.-Mar. **71** ⑮ – rattaché à Saujon.

CHÂLONS-SUR-MARNE Ⓟ **51000** Marne **56** ⑰ **G. Champagne, Ardennes** – 54 359 h. alt. 83.

Voir Cathédrale★★ AZ – Église N.-D.-en-Vaux★ : intérieur★★ AY **F** – Musée du cloître de N.-D.-en-Vaux★★ AY **M1**.

Office de Tourisme 3 quai des Arts ☏ 26 65 17 89.

Paris 163 ⑥ – Belfort 297 ④ – ♦Besançon 278 ④ – Charleville-Mézières 103 ② – ♦Dijon 239 ④ – ♦Metz 156 ② – ♦Nancy 160 ④ – ♦Orléans 244 ⑤ – ♦Reims 45 ① – Troyes 77 ⑤.

Plan page suivante

Angleterre et rest. Jacky Michel, 19 pl. Monseigneur-Tissier ☏ 26 68 21 51, 𝓇 – TV ☎ Ⓟ. AE ⓓ E VISA. ✻ ch — BY **g**
fermé 1er au 21 juil., 20 déc. au 5 janv., sam. midi et dim. et fériés – SC : **R** 130/260 – ☕ 26 – **18 ch** 170/280.

Bristol sans rest, 77 av. P.-Sémard ☏ 26 68 24 63 – ⛀wc ⋔wc ☎ 🚗 Ⓟ. ✻ — X **a**
SC : ☕ 14 – **24 ch** 113/160.

Pasteur ⛭ sans rest, 46 r. Pasteur ☏ 26 68 10 00 – ⛀wc ⋔wc ☎ Ⓟ. VISA — BY **p**
SC : ☕ 14,50 – **28 ch** 89/180.

Pot d'Étain sans rest, 18 pl. République ☏ 26 68 09 09 – ⛀wc ⋔wc ☎. VISA — AZ **m**
fermé 20 déc. au 20 janv. – SC : ☕ 17,50 – **25 ch** 73/220.

✗✗ **Les Ardennes,** 34 pl. République ☏ 26 68 21 42 – E VISA — AZ **s**
fermé 27 juil. au 25 août, dim. soir et lundi – **R** 69/160.

à l'Épine par ③ : 8,5 km – ✉ **51000** Châlons-sur-Marne.
Voir Basilique N.-Dame★★.

✿ **Aux Armes de Champagne,** ☏ 26 68 10 43, Télex 830998, 𝓇 – ⛀wc ⋔wc ☎ Ⓟ – 🏛 200. ⓓ E VISA. ✻
fermé 5 janv. au 12 fév. – SC : **R** 75/280 – ☕ 28 – **40 ch** 230/320
Spéc. Salade de lapereau et foie gras, Côtelette de saumon au coulis de tomates, Gratin de fruits frais (2 pers.). **Vins** Bouzy rouge, Chardonnay blanc.

CHÂLONS-SUR-MARNE

Bourgeois (R. Léon) ...... BY
Croix-des-Teinturiers (R.) . AZ 9
Foch (Pl. Mar.) .... AY 14
Jaurès (R. Jean) .... AZ 20
Marne (R. de la) .... AY 27
République (Pl. de la) .... AZ 39

Arche Mauvillan (Pt de l') .... BZ 2
Brossolette (Av. Pierre) .... X 5
Chastillon (R. de) .... ABZ 6
Châtelet (R. du) .... BY 8
Dr-Pellier (R.) .... X 11
Flocmagny (R. du) .... BY 12
Godart (Pl.) .... AY 17
Jacquiert (R. Clovis) .... X 18
Jeanne-d'Arc (Av.) .... X 21
Libération (Pl. de la) ...... AZ 24
Mariniers (Pt des) .... AY 26
Martyrs-de-la-Résistance (R. des) .... BY 29
Metz (Av. de) .... X 30
Ormesson (Cours d') .... AZ 32
Perrier (Quai Eugène) ..... AY 33
Prieur-de-la-Marne (R.) ... BY 36
Récamier (R. Juliette) .... AZ 38
Roosevelt (Av. du Prés.) .... X 41
Sémard (Av. Pierre) .... X 42
Strasbourg (Av. de) .... BZ 44
Vaux (R. de) .... AY 47
Vieilles-Postes (R. des) .... X 48
Viviers (Pt des) .... AY 50

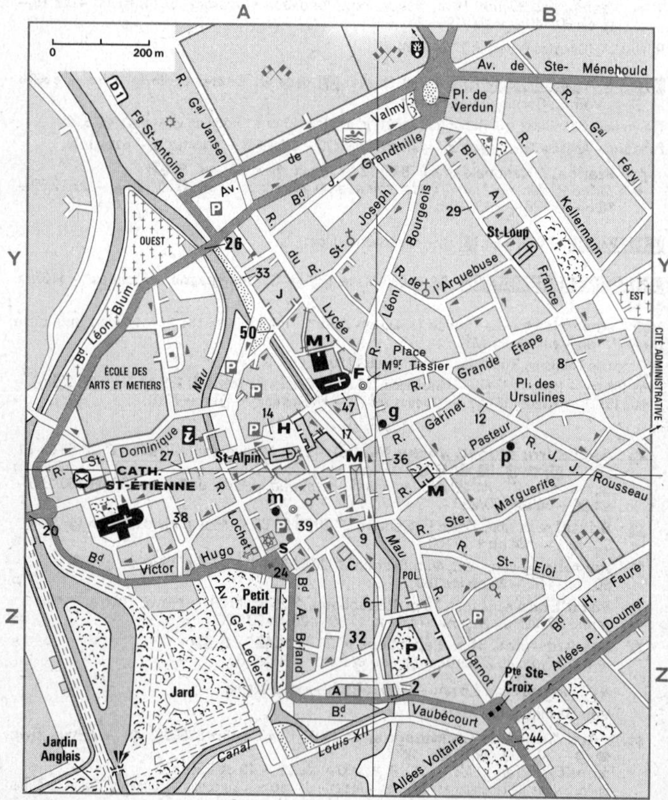

AUSTIN, ROVER, TRIUMPH Poiret, 67 fg St-Antoine ✆ 26 68 08 45
BMW, FIAT Guyot, 170 av. Gén.-Sarrail ✆ 26 68 38 86
CITROEN Ardon, 19 av. W.-Churchill par ④ ✆ 26 64 42 42 N ✆ 26 68 14 31
FORD Hall Automobiles, 34 av. W. Churchill ✆ 26 64 49 37
LADA-SKODA-TOYOTA Gar. Marchand, 17 r. du Camp d'Attila ✆ 26 68 22 18
LANCIA-AUTOBIANCHI MITSUBISHI Carnevale Automobile, 90 av. de Ste Ménéhould ✆ 26 21 25 45
MAZDA Gar. Grandjean, 57 fg St-Antoine ✆ 26 64 60 35
OPEL Gar. de l'Avenue, 1 r. Oradour ✆ 26 68 11 63
PEUGEOT-TALBOT Sporting Gar., 47 rte de Vitry à St-Memmie par ④ ✆ 26 68 34 91
RENAULT S.D.A.C. av. 106-R.-I., Zone Ind. ✆ 26 21 12 12
SEAT Gar. Charpentier 174 av. Gén.-Sarrail ✆ 26 65 17 10
V.A.G Marchal Autos, Z.I. St Martin sur le Pré ✆ 26 68 53 95
VOLVO Poiret, Thibié ✆ 26 68 35 03

Auto-Pneu-Marché, 14 r. Martyrs-de-la-Résistance ✆ 26 68 26 57
Châlons-Pneus, 44-46 pl. de la République ✆ 26 68 07 17

CHÂLONS-SUR-VESLE **51 Marne 56 ⑥ – rattaché à Reims.**

CHALON-SUR-SAÔNE **71100 S.-et-L. 69 ⑨ G. Bourgogne – 57 967 h. alt. 179.**

Voir Réfectoire★ de l'hôpital CZ **B – Musées Denon★** BZ **M1, Nicéphore Niepce★** BZ **M2.**

18 ✆ 85 48 61 99, NE : 3 km X.

Office de Tourisme et A.C. Square Chabas, bd République ✆ 85 48 37 97 – Maison des Vins de la Côte Chalonnaise (dégustation de vins et collations) promenade Sainte-Marie ✆ 85 41 66 66.

Paris 337 ⑦ – ♦Besançon 124 ① – Bourg-en-Bresse 76 ② – ♦Clermont-Fd 214 ⑤ – ♦Dijon 68 ⑦ – ♦Genève 177 ② – ♦Lyon 125 ④ – Mâcon 58 ④ – Montluçon 211 ⑤ – Roanne 134 ⑤.

Plan page suivante

Royal et rest. Trois Faisans M, 8 r. Port Villiers ✆ 85 48 15 86, Télex 801610, « Bel aménagement intérieur » – rest TV. AE E VISA — BZ **u**
SC : **R** *(fermé dim. de nov. à mai et lundi midi)* 85/210 – 30 – **43 ch** 250/385, 8 appartements 385/465.

St-Georges (Choux) M, 32 av. Jean-Jaurès ✆ 85 48 27 05, Télex 800330 – TV. AE E VISA — AZ **s**
R 75/250 – 30 – **48 ch** 190/295
Spéc. Chausson aux truffes et foie gras, Turbot braisé aux morilles et écrevisses, Aiguillettes de canard aux baies de cassis. **Vins** Bourgogne Aligoté, Mercurey.

St-Régis M, 22 bd République ✆ 85 48 07 28, Télex 801624 – TV. AE E VISA — BZ **v**
SC : **R** *(fermé dim.)* 85/190 – 30 – **40 ch** 140/275.

St-Hubert M sans rest, 35 pl. Beaune ✆ 85 46 22 81, Télex 801177 – TV wc wc. AE E VISA — BY **r**
fermé 24 déc. au 2 janv. – SC : 23 – **51 ch** 149/262.

St-Jean sans rest, 24 quai Gambetta ✆ 85 48 45 65 – TV wc — BZ **s**
25 ch.

Europe sans rest, 13 r. Port-Villiers ✆ 85 48 70 48 – wc. AE E — BZ **e**
SC : 15,50 – **23 ch** 86/174.

Nouvel H. sans rest, 7 av. Boucicaut ✆ 85 48 07 31 – wc — AZ **a**
SC : 16 – **27 ch** 69/150.

Le Bourgogne, 28 r. Strasbourg ✆ 85 48 89 18, « Maison du 17e s., caveau » – E VISA — CZ **r**
fermé 28 nov. au 4 déc. et dim. soir sauf juil.-août – SC : **R** 67/139.

Luc Pasquier, pl. Gare ✆ 85 48 29 33 – AE VISA — AZ **s**
fermé sam. midi – SC : **R** 65/215.

Le Provençal, 22 pl. Beaune ✆ 85 48 03 65 – VISA — BY **n**
fermé dim. – SC : **R** 70/160.

La Réale, 8 pl. Gén.-de-Gaulle ✆ 85 48 07 21. E VISA — BZ **m**
fermé dim. soir et lundi – SC : **R** 65/150.

Marché, 7 pl. St-Vincent ✆ 85 48 62 00 – VISA — CZ **d**
fermé 15 août au 15 sept., dim. soir et lundi – SC : **R** 65/88.

près Échangeur A6 Chalon-Nord – ✉ **71100** Chalon-sur-Saône :

Mercure M, av. Europe ✆ 85 46 51 89, Télex 800132, – ch TV – 50 à 150. AE E VISA. rest — X **a**
R carte environ 120 – 31 – **84 ch** 240/310.

Ibis M sans rest, carrefour des Noirots ✆ 85 46 64 62 – wc. E VISA — X **u**
SC : 26 – **41 ch** 172/248.

Ouest par D 69 - X – ✉ **71530** Chalon-sur-Saône :

Aub. des Alouettes, 4 km rte Givry ✆ 85 48 32 15 – — X **e**
fermé 1er au 28 août, 24 fév. au 2 mars, dim. soir et jeudi – SC : **R** (dim. prévenir) 60/119.

CHALON-SUR-SAÔNE

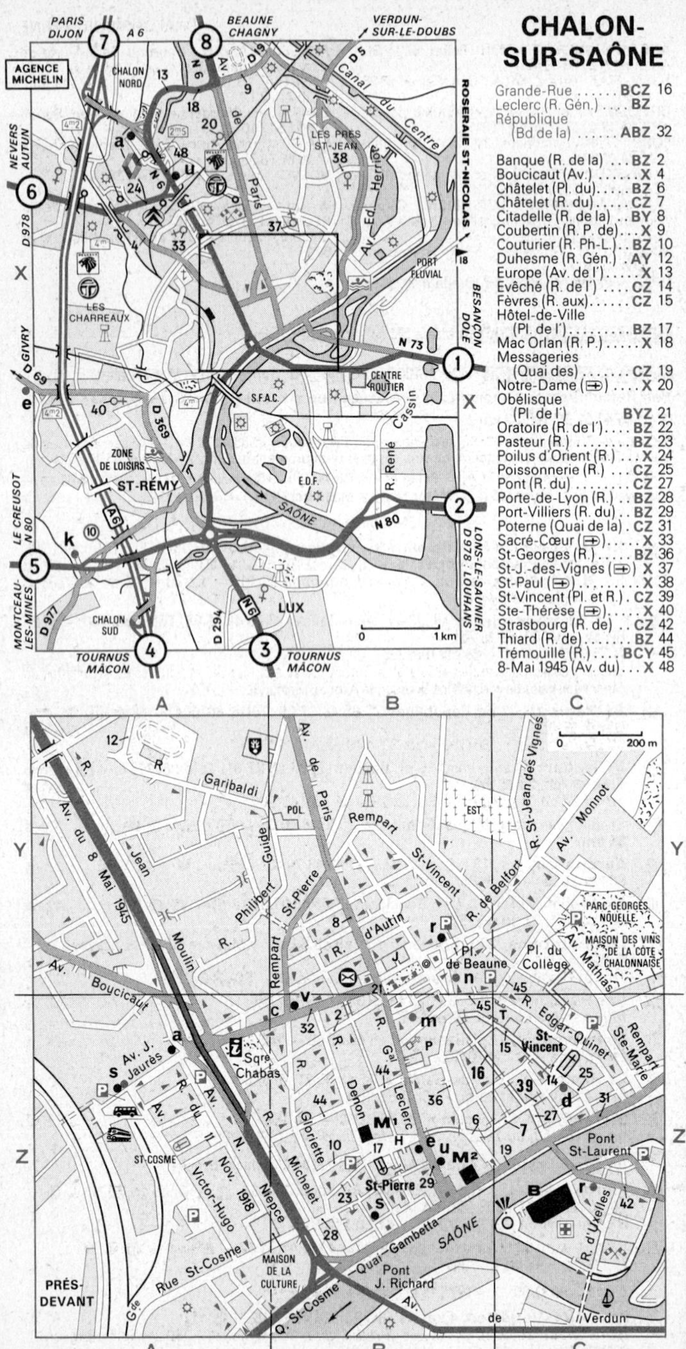

à St-Rémy SO : 3 km par D977 et VO – 5 177 h. – ✉ **71100** Chalon-sur-Saône :

XX ⊛ **Moulin de Martorey** (Gillot), ☎ 85 48 12 98, ☂ – **P**. E VISA X **k**
fermé 5 au 21 août, vacances de fév., dim. soir et lundi – SC : **R** 72/165
Spéc. Ragoût d'escargots aux pleurotes, Sandre rôti aux fines herbes, Rognon de veau aux échalotes confites.

à St-Marcel E : 3 km par ① et D 978 – 4 006 h. – ✉ **71380** St-Marcel :

XX **Commerce,** rte Louhans ☎ **85 96 56 16** – **P**. E VISA
fermé 8 au 28 déc., dim. soir et lundi – SC : **R** 70/180.

à Lux S : 5 km par N 6 - X – ✉ **71100** Chalon-sur-Saône :

Charmilles M, par ③ : 5 km ☎ **85 48 58 08** – wc ☎ **P**. VISA
SC : **R** *(fermé 15 fév. au 15 mars et dim. soir du 15 nov. au 15 mars)* (dîner seul.) 60/140 – 17 – **32 ch** 110/169.

à Alleriot par ① et VO : 7 km – ✉ **71380** St-Marcel :

X **La Frairie de Saône,** ☎ **85 46 42 39** – **P**. E VISA
mars-sept. et fermé sam., dim. et fêtes – SC : **R** (prévenir) 56/127.

à Dracy-le-Fort par ⑥ : 3 km sur D 978 – ✉ **71640** Givry :

Le Dracy M, ☎ **85 41 55 88, Télex 801102,** – TV wc ☎ **P** – 25. AE ⓓ E VISA
SC : **R** 55/110 – 25 – **40 ch** 227/320.

Voir aussi ressources hôtelières de Mercurey par ⑥ : 13 km.

MICHELIN, Agence, Z.I. de Châtenoy-le-Royal X ☎ **85 46 22 51**

ALFA-ROMEO Sport auto Bourgogne, 113 av. Boucicaut ☎ 85 46 30 52
BMW Gar. République, 8 pl. République ☎ 85 48 16 90
CITROEN Gar. Moderne de Chalon-sur-Saône r. des Poilus-d'Orient ☎ 85 46 52 12
FIAT Duval, 10 rte Lyon, St-Rémy ☎ 85 48 76 63 N
FORD Soreva, 4 av. Kennedy ☎ 85 46 49 45
LADA NISSAN Gar. Californie, Z.I. Verte à Chatenoy-le-Royal ☎ 85 46 49 56
PEUGEOT-TALBOT Nedey, Rte d'Autun à Châtenoy-le-Royal ☎ 85 46 30 12
PEUGEOT-TALBOT Rocade-Autom., 91 av. Paris ☎ 85 43 00 77
RENAULT SODIRAC, av. de l'Europe, Centre Commercial de la Thalie ☎ 85 46 25 89

Chalon-Pneus Zone Ind. Verte - Chatenoy-Le-Royal ☎ 85 46 45 77
Perret-Pneus, 40 rte de Lyon. N.6 à St Rémy ☎ 85 48 22 03
Piot-Pneu, r. P.-de-Coubertin, Zone Ind. ☎ 85 46 50 12

CHALO-ST-MARS 91 Essonne 60 ⑨, 196 ㊶ – rattaché à Étampes.

CHAMALIÈRES 63 P.-de-D. 73 ⑭ – voir à Clermont-Ferrand.

CHAMBÉRY P 73000 Savoie 74 ⑮ G. Alpes – 54 896 h. alt. 272.

Voir Vieille ville★ AYZ: **Château★** AZ – **Diptyque★ dans la Cathédrale métropolitaine** BY **D** – **Grilles★ de l'hôtel de Châteauneuf (rue Croix-d'Or)** BZ – **Crypte★ de l'église St-Pierre de Lémenc** BX **B** – **Musée savoisien★** BY **M1.**

de Chambéry-Aix-les-Bains : ☎ 79 54 46 05 au Bourget-du-Lac par ⑤ : 8 km.

Office de Tourisme 24 bd de la Colonne ☎ 79 33 42 47 - A.C. 222 av. Comte-Vert ☎ 79 69 14 72.

Paris 524 ⑤ – Annecy 49 ⑤ – ♦Grenoble 55 ② – ♦Lyon 98 ⑤ – Torino 202 ② – Valence 124 ④.

Plan page suivante

Gd Hôtel Ducs de Savoie, 6 pl. Gare ☎ **79 69 54 54, Télex 320910** – rest TV ☎ – 40 à 200. AE ⓓ VISA AX **k**
fermé 15 au 31 juil. – SC : **R** voir rest. La Vanoise – 28 – **50 ch** 230/480, 5 appartements 600.

Le France M sans rest, 22 fg Reclus ☎ **79 33 51 18** – TV ☎ – 100 à 150. AE ⓓ E VISA AY **z**
SC : 28 – **48 ch** 190/300.

Princes, 4 r. Boigne ☎ **79 33 45 36** – TV wc wc ☎. AE ⓓ E VISA AY **r**
SC : **R** 100/280 – 25 – **45 ch** 200/300 – P 360/410.

Lion d'Or sans rest, pl. Gare ☎ **79 69 04 96** – wc wc ☎. AE ⓓ E VISA
SC : 19,50 – **40 ch** 130/225. AX **e**

XXX ⊛ **Roubatcheff,** 6 r. Théâtre ☎ **79 33 24 91** – AE ⓓ E VISA BY **u**
fermé 17 juin au 17 juil., dim. soir et lundi – SC : **R** (nombre de couverts limité - prévenir) 120/300
Spéc. Mousse de sansonnet, Fricassée de langoustines à la citronnelle, Suprême de colvert aux baies roses et citron. **Vins** Chignin, Mondeuse.

XXX **La Vanoise,** 6 pl. Gare ☎ **79 69 02 78** – AE ⓓ E VISA AX **k**
fermé dim. – SC : **R** 110/250.

tourner →

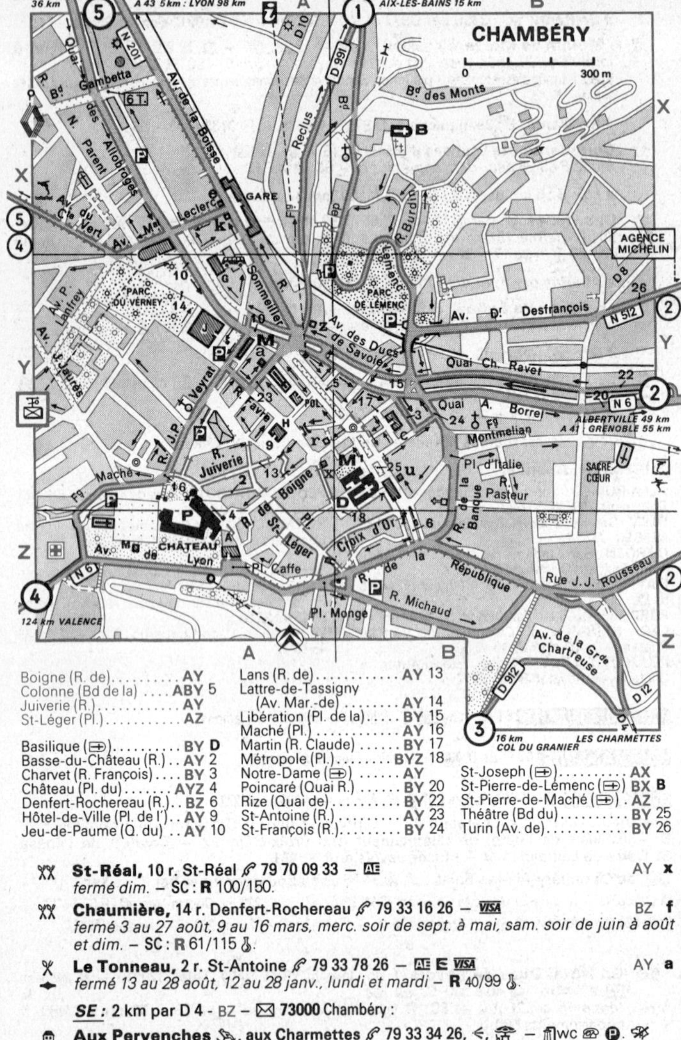

Boigne (R. de) .... AY
Colonne (Bd de la) .... ABY 5
Juiverie (R.) .... AY
St-Léger (Pl.) .... AZ

Basilique (⊞) .... BY D
Basse-du-Château (R.) .. AY 2
Charvet (R. François) .... BY 3
Château (Pl. du) .... AYZ 4
Denfert-Rochereau (R.) .. BZ 6
Hôtel-de-Ville (Pl. de l') .. AY 9
Jeu-de-Paume (Q. du) .. AY 10
Lans (R. de) .... AY 13
Lattre-de-Tassigny (Av. Mar.-de) .... AY 14
Libération (Pl. de la) ..... BY 15
Maché (Pl.) .... AY 16
Martin (R. Claude) ...... BY 17
Métropole (Pl.) .... BYZ 18
Notre-Dame (⊞) ...... AY
Poincaré (Quai R.) ...... BY 20
Rize (Quai de) .... BY 22
St-Antoine (R.) .... AY 23
St-François (R.) .... BY 24
St-Joseph (⊞) .... AX
St-Pierre-de-Lémenc (⊞) BX B
St-Pierre-de-Maché (⊞) . AZ
Théâtre (Bd du) .... BY 25
Turin (Av. de) .... BY 26

XX **St-Réal,** 10 r. St-Réal ✆ 79 70 09 33 – AE — AY **x**
fermé dim. – SC : **R** 100/150.

XX **Chaumière,** 14 r. Denfert-Rochereau ✆ 79 33 16 26 – VISA — BZ **f**
fermé 3 au 27 août, 9 au 16 mars, merc. soir de sept. à mai, sam. soir de juin à août et dim. – SC : **R** 61/115 ♁.

X **Le Tonneau,** 2 r. St-Antoine ✆ 79 33 78 26 – AE E VISA — AY **a**
fermé 13 au 28 août, 12 au 28 janv., lundi et mardi – **R** 40/99 ♁.

SE : 2 km par D 4 - BZ – ✉ **73000** Chambéry :

Aux Pervenches ♨, aux Charmettes ✆ 79 33 34 26, ←, ☂ – wc ☎ **P**. ✻
fermé 15 août au 5 sept. et vacances de fév. – SC : **R** *(fermé dim. soir et merc.)* 48/125 – ☕ 13 – **13 ch** 72/125.

XXX **Mont Carmel,** à Barberaz ✆ 79 70 06 63, ←, ☂ – **P**. AE VISA
fermé dim. soir et lundi – **R** 110/220.

à La Motte Servolex N : 3 km par ⑤ – ✉ **73000** Chambéry :

Novotel M, ✆ 79 69 21 27, Télex 320446, ☂, ⛱ – ▤ TV ☎ ♿ **P** – 230. AE ⓓ E VISA
R snack carte environ 100 ♁ – ☕ 33 – **103 ch** 263/299.

Ibis M, ✆ 79 69 28 36, Télex 320457, ☂ – ▤ wc **P** – 30. E VISA
SC : **R** carte environ 85 ♁ – ☕ 20 – **88 ch** 159/195.

à Voglans : par ⑤ : 9 km – ✉ **73420** Viviers-du-Lac :

Cerf Volant M ♨, ✆ 79 54 40 44, ←, ☂, ⛱, ✈, ✂ – TV ☎ **P** – 40. AE ⓓ E VISA. ✻ rest
fermé 20 déc. au 5 janv. – SC : **R** 95/200 – ☕ 35 – **30 ch** 260/340 – P 350/400.

MICHELIN, Agence, 555 av. de Chambéry à St-Alban-Leysse par av. de Turin BY ✆ **79 33 45 91**

AUSTIN, ROVER, TRIUMPH Gar. Actual-Auto, 381 av. du Covet ✆ 79 69 16 96
AUSTIN-ROVER Falletti, 35 pl. Caffe ✆ 79 33 63 45
CITROEN S.A.D., 250 r. E.-Ducretet par ⑤ ✆ 79 62 25 90 N ✆ 79 54 41 77
CITROEN Gar. du Château, 11 av. de Lyon ✆ 79 69 39 08
PEUGEOT-TALBOT Comtet, Z.A.C. des Landiers par ⑤ ✆ 79 96 15 32

RENAULT Chambéry Nord Auto, 83 r. E.-Ducretet par ⑤ ✆ 79 62 36 37
RENAULT Lapierre, 547 r. N.-Parent ✆ 79 62 08 44
V.A.G. Lain, Zone Ind. des Landiers, voie rapide urbaine nord, ✆ 79 62 37 91

Chamnord Equip'Auto, r. E.-Ducretet ✆ 79 69 48 35

Périphérie et environs

ALFA-ROMEO, TOYOTA Alpha-Savoie, r. Pierre et Marie Curie, La Ravoire ✆ 79 33 77 27
CITROEN Gar. Schiavon, av. Turin, Bassens par N512 BY ✆ 79 33 03 53
FORD Madelon, 70 rte de Lyon, Cognin ✆ 79 69 09 27
HONDA, VOLVO Gar. Bonomi, N 6 à la Ravoire ✆ 79 33 56 72
OPEL Savauto, av. Chambéry à St-Alban-Leysse ✆ 79 33 30 63
PEUGEOT-TALBOT Gar. Favre, rte de Challes, N 6 La Ravoire par av. de Turin BY ✆ 79 33 07 27

RENAULT Lapierre, 282 av. de Chambéry à St-Alban-Leysse par av. de Turin BY ✆ 79 33 21 45

Auto-Diffusion-Service, r. Boliet à Bassens ✆ 79 33 22 49
Piot-Pneu, Zone Ind. de la Trousse, N 6, La Ravoire ✆ 79 70 52 27
Savoy-Pneus, av. de la Houille Blanche, Zone Ind. Bissy ✆ 79 69 30 72
Tessaro-Cavasin, N 6 à St-Alban-Leysse ✆ 79 33 20 09

CHAMBLY 60230 Oise 55 ⑳ G. Environs de Paris – 6 218 h. alt. 37.

Voir Retable★ de l'Église.

Paris 43 – Beauvais 34 – Clermont 29 – Pontoise 22 – Senlis 28.

XX **L'Esthéria,** 140 r. A.-Caron ✆ **44 70 51 44** – VISA
fermé 20 juil. au 19 août, 21 au 28 fév. et lundi – **SC : R** 115/190.

RENAULT Lisi, 86 r. des Marchands ✆ 44 70 54 73

CHAMBON (Lac) ★★ 63 P.-de-D. 73 ⑬ G. Auvergne – alt. 877 – Sports d'hiver : 1 100/1 800 m 9 – ✉ 63790 Murol.

De la plage : Paris 425 – ♦Clermont-Ferrand 37 – Condat 41 – Issoire 33 – Le Mont-Dore 18.

Grillon, ✆ **73 88 60 66,** – wc ☎ Ⓟ. E VISA. rest
Pâques-30 oct. et vacances de fév. – **SC : R** 52/75 – 13,50 – **20 ch** 66/160 – P 132/200.

Lac, ✆ **73 88 60 17,** ← – wc wc Ⓟ
sais. – **13 ch**.

Beau Site, ✆ **73 88 61 29,** ←, – wc Ⓟ
1er fév.-30 sept. – **SC : R** 50/120 – 17 – **20 ch** 140/160 – P 120/180.

Beau Cottage, ✆ **73 88 62 11,** ← – Ⓟ. E
fermé 1er oct. au 15 déc. – **SC : R** 39/110 – 15 – **14 ch** 64/87 – P 132/143.

Le CHAMBON-SUR-LIGNON 43400 H.-Loire 76 ⑧ G. Vallée du Rhône – 3 039 h. alt. 960.

Office de Tourisme pl. Marché ✆ 71 59 71 56.

Paris 568 – Annonay 50 – Lamastre 32 – Privas 84 – Le Puy 46 – ♦St-Étienne 62 – Yssingeaux 28.

Bel Horizon , chemin de Molle ✆ **71 59 74 39,** ←, , , – TV wc wc ☎ Ⓟ
mars-mi-nov. – **SC : R** *(fermé merc. sauf vacances scolaires)* 70/90 – 22 – **19 ch** 160/280 – P 230/280.

Central, ✆ **71 59 70 67** – wc wc
fermé oct., lundi soir et mardi du 1er nov. au 30 juin – **SC : R** 48/155 – 16 – **25 ch** 85/180 – P 180/230.

au Sud 3 km par D 151, rte de la Suchère et VO – ✉ **43400** Chambon-sur-Lignon :

Bois Vialotte , ✆ **71 59 74 03,** ←, parc – wc ☎ Ⓟ. rest
vacances de Pâques et Pentecôte, 12 juin-fin sept. et vacances de fév. – **SC : R** 50/70 – 20 – **17 ch** 79/153 – P 145/190.

à l'Est : 3,5 km par D 157 et D 185 – ✉ **43400** Chambon-sur-Lignon :

Clair Matin , ✆ **71 59 73 03,** ←, parc, , – TV wc wc ☎ Ⓟ – 25. AE E VISA. rest
fermé 20 nov. au 20 déc., 5 au 25 janv. et 1er au 15 mars – **SC : R** 80/100 – 22 – **30 ch** 170/210 – P 185/250.

CITROEN Grand, 27 rte de St-Agrève ✆ 71 59 76 18 ✆ 71 59 29 09
PEUGEOT-TALBOT Argaud, Rte du Mazet ✆ 71 59 74 49 N

RENAULT Roux Ch., à le Sarzier ✆ 71 59 74 31 N ✆ 71 59 72 80

CHAMBON-SUR-VOUEIZE 23170 Creuse 73 ② G. Périgord – 1 288 h. alt. 331.

Voir Église*.

Syndicat d'Initiative av. G. Clémenceau (1er juil.-31 août) ✆ 55 82 11 36 et à l'Hôtel de Ville ✆ 55 82 11 36.

Paris 362 – Aubusson 39 – ♦Clermont-Ferrand 89 – Guéret 47 – Montluçon 25.

Estonneries, 41 av. Clemenceau ✆ 55 82 14 66, – wc wc ☎ Ⓟ. VISA. rest
fermé 22 déc. au 4 janv. et lundi – SC : **R** 65/183 – 24 – **10 ch** 66/245 – P 173/360.

CHAMBORD 41 L.-et-Ch. 64 ⑦⑧ – 206 h. alt. 71 – ✉ 41250 Bracieux.

Voir Château* (spectacle son et lumière**), G. Châteaux de la Loire.**

Paris 175 – Blois 18 – Châteauroux 99 – ♦Orléans 45 – Romorantin-Lanthenay 40 – Salbris 54.

St-Michel , ✆ 54 20 31 31, , « Face au Château », – wc ☎ Ⓟ. VISA. ch
fermé 12 nov. au 19 déc. – SC : **R** (dim. et fêtes prévenir) 85/150 – 22 – **38 ch** 95/310.

CHAMBORIGAUD 30530 Gard 80 ⑦ – 874 h.

Paris 707 – Alès 29 – Florac 54 – La Grand-Combe 19 – Nîmes 73 – Villefort 26.

XX **Les Camisards,** ✆ 66 61 47 93 – . E.
fermé 15 janv. au 15 fév. et merc. sauf juil.-août – SC : **R** 70/180 .

CHAMBOULIVE 19450 Corrèze 75 ⑨ – 1 218 h. alt. 435.

Paris 479 – Aubusson 92 – Bourganeuf 80 – Brive-la-Gaillarde 42 – Seilhac 9 – Tulle 23 – Uzerche 16.

Deshors Foujanet, ✆ 55 21 62 05, – ☎ Ⓟ. E VISA. rest
fermé oct. – SC : **R** 48/140 – 14 – **30 ch** 60/105 – P 130/180.

CITROEN Gar. Meyrignac, ✆ 55 21 60 42
FIAT Gar. Constanty, ✆ 55 21 61 54
Gar. Verdier, ✆ 55 21 60 69

CHAMBRAY 27 Eure 55 ⑰ – 383 h. – ✉ 27120 Pacy-sur-Eure.

Paris 95 – Evreux 18 – Louviers 22 – Mantes-la-Jolie 37 – ♦Rouen 52 – Vernon 18.

XXX ✿ **Le Vol au Vent,** ✆ 32 36 70 05 – E VISA
fermé 12 au 19 oct., janv., dim. soir, mardi midi et lundi – SC : **R** 200 bc/270 bc
Spéc. Huîtres en sabayon de cidre, Feuilleté de ris de veau aux morilles, Millefeuille aux fraises.

CHAMONIX-MONT-BLANC 74400 H.-Savoie 74 ⑧⑨ G. Alpes – 9 255 h. alt. 1 037 – Sports d'hiver : 1 035/3 795 m 12 29, – Casino AY.

Env. E : Mer de glace* et le Montenvers*** par chemin de fer électr.** AY – **SE : Aiguille du midi *** par téléphérique** AY – **(station intermédiaire : plan de l'Aiguille**** BZ**) – NO : Le Brévent*** par téléphérique – (station intermédiaire : Planpraz**)** AZ.

18 ✆ **50 53 06 28 N : 3 km** BZ.

Tunnel du Mont-Blanc : Péage en 1985 aller simple : autos 60 à 115 F, camions 290 à 580 F - Tarifs spéciaux AR pour autos et camions.

Office de Tourisme pl. Église ✆ 50 53 00 24 et réservation Hôtelière ✆ 50 53 23 33, Télex 385022.

Paris 596 ② – Albertville 67 ② – Annecy 94 ② – Aosta 62 ② – Bern 172 ① – Bourg-en-Bresse 195 ② – ♦Genève 83 ② – Lausanne 114 ① – Mont-Blanc (Tunnel du) 7 ② – Torino 175 ②.

Plans pages suivantes

Alpina M, av. Mt-Blanc ✆ 50 53 47 77, Télex 385090, ≤ – ☎ – 250. AE E VISA. rest AX **t**
1er mars-15 avril, 1er juin-30 sept. et 15 déc.-31 mars – SC : **R** 120/175 – 52 – **126 ch** 299/456, 8 appartements 605/827 – P 340/451.

Mont-Blanc et rest. Le Matafan, pl. Église ✆ 50 53 05 64, Télex 385614, ≤, , , , – ☎ Ⓟ. AE E VISA AY **g**
fermé 15 oct. au 15 déc. – SC : **R** 135/180 – **46 ch** 332/506, 6 appartements 600/740 – P 360/470.

Aub. du Bois Prin M , aux Moussoux ✆ 50 53 33 51, ≤ massif du Mont-Blanc, – ☎ Ⓟ. AE VISA AZ **a**
fermé 6 mai au 5 juin et 13 oct. au 18 déc. – SC : **R** *(fermé merc. hors sais.)* 130/150 – **11 ch** 460/710.

Albert Ier M, ✆ 50 53 05 09, Télex 380779, ≤, , « Jardin fleuri », , – ☎ Ⓟ. AE VISA. rest AX **f**
fermé 21 avril au 16 mai et 6 oct. au 28 nov. – SC : **R** 120/300 – 30 – **32 ch** 270/400 – P 310/370.

tourner →

CHAMONIX-MONT-BLANC

Aiguille-du-Midi (Av.) ...... AY 2
Angeville (Rte H. d') .... AX 3
Balmat (Pl. Jacques)........ AY 5
Bois-du-Bouchet (Av. du) ... AX 6
Cachat-le-Géant (Av.) ...... AX 7
Cour (Pont de) .... AY 8
Courmayeur (Av. de) .... AY 9
Cristalliers (Ch. des) .... AX 10
Croix-des-Moussoux (Mtée) AZ 12
Croz (Av. Michel) .... AXY 13
Devouassoux (Ch. F.) .... AY 14
Dr.-Paccard (R. du) .... AY 16
Église (Pl. de l') .... AX 17
Gaillands (Rte des) .... AZ 18
Gare (Pl. de la) .... AY 20
Majestic (Allée du) .... AY 21
Mollard (Ch. de la) .... AX 23
Mont-Blanc (Av. et Pl.) ...... AX 24
Moussoux (Rte des) .... AZ 26
Mummery (R.) .... AX 27
Pècles (Rte des) .... AZ 28
Ravanel-le-Rouge (Av.) ..... AY 31
Recteur-Payot (Allée) .... AY 32
Roumnaz (Rte de la) .... AZ 33
Saussure (Pl.) .... AY 34
Whymper (R.) .... AX 37

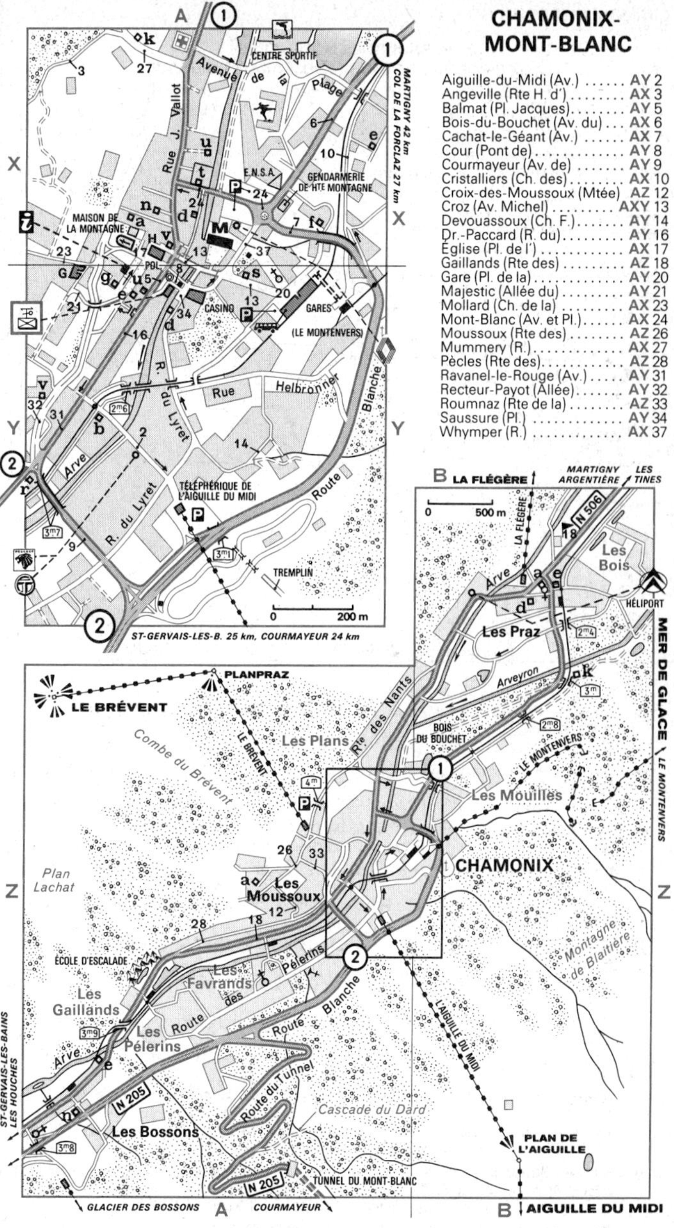

Routes enneigées

Pour tous renseignements pratiques, consultez les cartes Michelin **« Grandes Routes »** 998 999 916 ou 989

RESSOURCES HÔTELIÈRES AUX ENVIRONS DE CHAMONIX ET SAINT GERVAIS

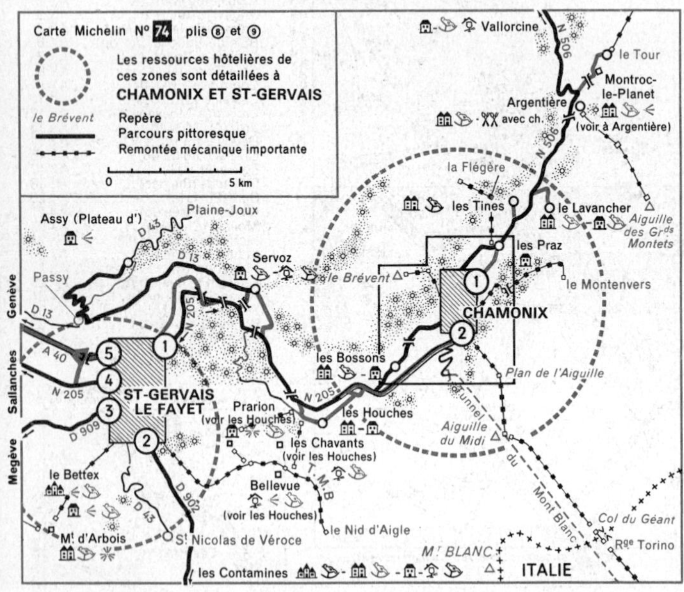

Park H. et rest. La Calèche, av. Majestic ☎ 50 53 07 58, Télex 385720, ≤, – 🛗 📺 ☎ 🚗. AE ⓓ E VISA. ⛔ rest — AY **e**
15 mai-30 sept. et 20 déc.-15 avril – SC : **R** 75/180 🍷 – **68 ch** ☕ 223/336.

Sapinière-Montana 🐎, 102 r. Mummery ☎ 50 53 07 63, ≤, 🌳, – 🛗 ☎ Ⓟ. AE ⓓ E VISA. ⛔ — AX **k**
31 mai-28 sept. et 13 déc.-Pâques – SC : **R** 95/100 – ☕ 22 – **30 ch** 180/300 – P 325.

Croix Blanche, 87 r. Vallot ☎ 50 53 00 11, ≤, 🌳 – 🛗 ☎. AE ⓓ E VISA — AX **v**
fermé 1er mai au 30 juin – **R** brasserie carte environ 105 🍷 – **38 ch** ☕ 175/300.

Le Prieuré Ⓜ, allée Payot ☎ 50 53 20 72, ≤, – 🛗 cuisinette 🛁wc ☎ Ⓟ. AE ⓓ E VISA — AY **v**
fermé 1er oct. au 15 déc. – SC : **R** dîner : 75/90 et déj. pour résidents seul. 🍷 – ☕ 28 – **89 ch** 200/310 – P 280/315.

Hermitage et Paccard 🐎, r. Cristalliers ☎ 50 53 13 87, ≤, 🌳, – 🛁wc ☎ Ⓟ. AE ⓓ VISA — AX **e**
1er juin-1er oct. et 15 déc.-25 avril – SC : **R** 80/140 – ☕ 30 – **32 ch** 120/300, 3 appartements 500 – P 220/310.

Pointe Isabelle, 165 av. M. Croz ☎ 50 53 12 87 – 🛗 🛁wc 🚿wc ☎ Ⓟ. AE ⓓ VISA — AY **s**
fermé 30 sept. au 22 déc. et 10 avril au 15 mai – SC : **R** 88/97 – ☕ 22 – **38 ch** 184/285 – P 314.

Arve, 60 impasse des Anémones ☎ 50 53 02 31, ≤ – 🛗 🛁wc 🚿wc ☎ Ⓟ. AE ⓓ VISA. ⛔ rest — AX **u**
fermé 10 nov. au 20 déc. et sans rest. du 15 avril au 15 juin et du 20 sept. au 15 janv. – SC : **R** 68 – ☕ 19 – **39 ch** 138/264 – P 212/275.

Vallée Blanche sans rest, 36 r. du Lyret ☎ 50 53 04 50, ≤ – 🛗 cuisinette 📺 🛁wc 🚿wc ☎. AE ⓓ E VISA — AY **d**
fermé 1er au 15 juin et 1er au 15 déc. – SC : ☕ 19 – **20 ch** 185/260.

Roma sans rest, 289 r. Ravanel-le-Rouge ☎ 50 53 00 62, ≤, – 🛁wc 🚿wc ☎ Ⓟ. ⛔ — AY **r**
fermé début oct. au 15 déc. – SC : **34 ch** ☕ 115/264.

Arveyron, av. du Bouchet ☎ 50 53 18 29, ≤, – 🛁wc 🚿wc ☎ Ⓟ ⛔ rest — BZ **k**
1er juin-15 sept. et 20 déc.-13 avril – SC : **R** 53/75 – ☕ 19 – **27 ch** 100/220 – P 164/237.

Marronniers sans rest, 115 impasse de l'Androsace ✆ 50 53 05 73, ≤ – wc wc ☎. VISA. AX a
15 juin-15 sept. et 20 déc.-Pâques – SC : **20 ch** 150/250.

Midi sans rest, 16 impasse du Genepy ✆ 50 53 05 62, ≤ – wc ☎ AX n
fermé 15 nov. au 15 déc. – SC : 19 – **18 ch** 120/180.

Au Bon Coin sans rest, 80 av. Aiguille-du-Midi ✆ 50 53 15 67, ≤, – wc ☎ . VISA. AY b
1er juil.-1er oct. et 20 déc.-20 avril – SC : 18 – **20 ch** 140/195.

Bartavel, 26 cour du Bartavel (face Poste) ✆ 50 53 26 51 – AE E VISA AY u
fermé 6 au 16 juin, 16 nov. au 15 déc., dim. soir et lundi – SC : **R** (prévenir) 70/80 dîner à la carte.

La Tartiffle, r. Moulins ✆ 50 53 20 02 – AE VISA AX d
20 juin-28 sept., 19 déc.-27 avril et fermé mardi sauf août – SC : **R** carte 95 à 160 .

aux Praz-de-Chamonix N : 2,5 km – alt. 1 060 – ✉ **74400** Chamonix.

Voir La Flégère ≤★★ par téléphérique BZ.

Rhododendrons, ✆ 50 53 06 39, ≤, – wc wc ☎ . rest BZ a
8 juin-22 sept. et 20 déc.-30 avril – SC : **R** 78/85 – 22 – **16 ch** 120/240 – P 180/210.

Simond et Golf, ✆ 50 53 06 08, ≤, – wc wc ☎ . E BZ d
avril, 15 juin-20 sept., 20 déc.-4 janv. et fév. – SC : **R** 39/72 – 16 – **24 ch** 72/214 – P 170/210.

Eden avec ch, ✆ 50 53 06 40, ≤, – . AE E VISA. ch BZ e
fermé 10 au 30 juin, 16 oct. au 15 déc. et merc. hors sais. – SC : **R** 70/220 – 22 – **17 ch** 90/115 – P 175/182.

aux Bossons S : 3,5 km – alt. 1 005 – ✉ **74400** Chamonix :

Aiguille du Midi , ✆ 50 53 00 65, ≤, « Jardin fleuri », , – wc wc ☎ . rest AZ n
fermé 10 au 23 mars, 10 au 30 avril, 20 sept. au 20 déc. et 6 au 31 janv. – SC : **R** 80/180 – 20 – **50 ch** 175/235 – P 200/278.

Dôme, ✆ 50 53 00 01, ≤ – wc AZ e
16 déc.-30 sept. – SC : **R** 70/80 – 20 – **16 ch** (pens. seul.) – P 160/190.

aux Tines par ① : 4 km – alt. 1 085 – ✉ **74400** Chamonix :

Excelsior , ✆ 50 53 18 36, ≤, , , – wc wc ☎ . E VISA. rest
15 mai-20 sept. et 25 déc.-20 avril – SC : **R** 70/105 – **60 ch** 108/517 – P 184/363.

au Lavancher par ① : 6 km par N 506 et VO – alt. 1 100 – Sports d'hiver : voir à Chamonix – ✉ **74400** Chamonix.

Voir ≤★★.

Les Gentianes , ✆ 50 54 01 31, ≤, , « Jardin fleuri » – wc wc ☎ .
31 mai-22 sept, 20 déc.-6 janv. et 24 janv.-15 avril – SC : **R** 83/105 – 24 – **14 ch** 114/264 – P 172/261.

Beausoleil , ✆ 50 54 00 78, ≤, , « jardin fleuri », – wc wc ☎ . rest
fermé 20 sept. au 20 déc. – SC : **R** 60/140 – **17 ch** (pens. seul.) – P 175/235.

CITROEN Greffoz, 1 273 rte des Praz ✆ 50 53 18 32
FORD Gar. du Rond Point, av. du Bouchet ✆ 50 55 86 66
PEUGEOT-TALBOT Gar. du Grépon, Le Fouilly ✆ 50 53 19 94
RENAULT Gar. du Bouchet, pl. Mont-Blanc ✆ 50 53 01 75

CHAMPAGNAC-DE-BELAIR
24 Dordogne 75 ⑤ – rattaché à Brantôme.

CHAMPAGNE-AU-MONT-D'OR
69 Rhône 74 ⑪ – rattaché à Lyon.

CHAMPAGNE-SUR-OISE
95660 Val-d'Oise 55 ⑳, 196 ⑥ – 3 110 h. alt. 47.

Paris 39 – Beauvais 39 – Chantilly 21 – Pontoise 20.

Épis d'Or, près Église ✆ (1) 34 70 25 92.

PEUGEOT-TALBOT Blondeau, ✆ (1) 34 70 10 27

CHAMPAGNEY
70 H.-Saône 66 ⑦ – rattaché à Ronchamp.

CHAMPAGNOLE 39300 Jura 70 ⑤ G. Jura – 10 076 h. alt. 538.

Office de Tourisme à la Mairie ✆ 84 52 14 56.

Paris 424 ④ – •Besançon 74 ④ – Dole 60 ④ – •Genève 89 ② – Lons-le-Saunier 34 ③ – Pontarlier 43 ① – St-Claude 52 ②.

Ripotot, 54 r. Mar.-Foch **(e)** ✆ 84 52 15 45, parc, – AE ⓓ E VISA
Pâques-fin oct. – SC : **R** voir rest. **Belle Epoque** – ☐ 20 – **60 ch** 100/215.

La Vouivre Ⓜ, NO : 2 km par VO ✆ 84 52 10 44, parc, – wc wc ☎ Ⓟ – 30. VISA. rest
fermé 24 déc. au 15 janv. et dim. hors sais. – SC : **R** 55/90 ⅓ – ☐ 19 – **20 ch** 170/202 – P 237/442.

Parc, 13 r. P.-Cretin **(v)** ✆ 84 52 13 20 – wc wc ☎ Ⓟ. AE ⓓ E VISA
fermé 20 au 27 avril et nov. – SC : **R** (hors sais. : dîner seul. et fermé dim.) 50/130 – ☐ 18 – **20 ch** 110/220 – P 170/230.

CHAMPAGNOLE

République (Av. de la) . 4
Lattre-de-T. (Av. de) . . . 3
3-Septembre (Pl. du) . . 5

Pont de Gratteroche, par ④ : 5 km sur N 5 ✆ 84 52 05 52, – Ⓟ. ⓓ E VISA
fermé 20 sept. au 10 oct., 22 déc. au 8 janv., dim. soir et lundi du 1er nov. au 1er juin – SC : **R** 50/90 – ☐ 13 – **22 ch** 60/80 – P 140.

XX **Belle Epoque,** 54 r. Mar.-Foch **(e)** ✆ 84 52 28 86 – Ⓟ. AE ⓓ E VISA
fév.-fin oct. et fermé merc. sauf juil.-août – SC : **R** 80/200.

rte de Genève par ② : 7,5 km – ✉ 39300 Champagnole :

XX **Aub. des Gourmets** avec ch, ✆ 84 52 01 64, ←, – TV wc wc ☎ Ⓟ. VISA
fermé 25 nov. au 15 déc. et dim. soir – SC : **R** 72/210 – ☐ 20 – **7 ch** 190/250 – P 254/490.

ALFA-ROMEO Gar. Cuynet, r. Baronne-Delort ✆ 84 52 09 78
OPEL Gar. Prost-Boucle, 22 r. Baronne-Delort ✆ 84 52 00 54
PEUGEOT-TALBOT Ganeval, av. De-Lattre-de-Tassigny ✆ 84 52 07 78
RENAULT Gar. Pillard, rte de Genève ✆ 84 52 13 67 N
RENAULT Gar. Poix-Daude Frères, à Pont-du-Navoy par ③ ✆ 84 51 21 80

Girardot Pneus, r. de l'Egalité ✆ 84 52 21 52
Pneus-Maréchal, 44 r. de la Liberté ✆ 84 52 07 96

CHAMPAGNY-EN-VANOISE 73 Savoie 74 ⑱ G. Alpes – 444 h. alt. 1 250 – ✉ 73350 Bozel.

Voir Retable★ dans l'église.

Paris 616 – Chambéry 32 – Moûtiers 19.

Les Glières, ✆ 79 22 04 46, ←, – wc wc ☎. E VISA
30 juin-15 sept. et 15 déc.-15 avril – SC : **R** 60/110 ⅓ – ☐ 22 – **20 ch** 209/242 – P 279/304.

CHAMPDIEU 42 Loire 73 ⑰ – rattaché à Montbrison.

CHAMPEIX 63320 P.-de-D. 73 ⑭ G. Auvergne – 1 166 h. alt. 456.

Paris 418 – •Clermont-Ferrand 30 – Condat 50 – Issoire 13 – Le Mont-Dore 38 – Thiers 56.

X **Promenade** avec ch, ✆ 73 96 70 24. VISA. ch
fermé 1er au 9 avril, sept., Noël, dim. soir, mardi soir et merc. sauf juil.-août – SC : **R** 56/160 ⅓ – ☐ 20 – **7 ch** 85/110.

PEUGEOT Gar. Thiers, ✆ 73 96 73 18

CHAMPENOUX 54 M.-et-M. 62 ⑤ – rattaché à Nancy.

CHAMPIGNY 89370 Yonne 61 ⑬ – 1 424 h. alt. 59.

Paris 99 – Auxerre 76 – Fontainebleau 34 – Montereau-faut-Yonne 17 – Nemours 37 – Sens 19.

XXX **La Vieille France,** au Petit Chaumont O : 2,5 km ✆ 86 66 21 07, – Ⓟ. ⓓ VISA
fermé 10 au 30 nov., vacances de fév., mardi soir et merc. – SC : **R** 88/122.

CHAMPILLON 51 Marne 56 ⑯ – rattaché à Épernay.

CHAMPROSAY 91 Essonne 61 ①, 101 ㊲ – voir à Paris, Environs.

CHAMPS-SUR-TARENTAINE 15270 Cantal 76 ② – 1 030 h. alt. 495.

Env. Gorges de la Rhue** SE : 9 km, **G. Auvergne.**

Paris 477 – Aurillac 93 – •Clermont-Ferrand 92 – Condat 24 – Mauriac 37 – Ussel 37.

Aub. du Vieux Chêne Ⓜ, ☎ 71 78 71 64, – wc ⓟ. E VISA
fermé janv., fév., dim. soir et lundi sauf juil.-août – SC : R 55/140 – ☕ 18,50 – **20 ch** 107/160 – P 164/190.

Host. de l'Artense, ☎ 71 78 70 15 – . E VISA
28 ch.

CHAMPS-SUR-YONNE 89 Yonne 65 ⑤ – rattaché à Auxerre.

CHAMPTOCEAUX 49 M.-et-L. 63 ⑱ **G. Châteaux de la Loire** – 1 396 h. alt. 70 – ✉ **49270** St-Laurent-des-Autels.

Voir Site* – Promenade de Champalud ≤**.

Syndicat d'Initiative à la Mairie (1er juil.-1er sept.) ☎ 40 83 52 31.

Paris 353 – Ancenis 10 – Angers 63 – Beaupréau 30 – Cholet 49 – Clisson 34 – •Nantes 31.

Côte, ☎ 40 83 50 39 – wc wc ☎ ⓟ – 50. E VISA
fermé Noël-Jour de l'An et vend. du 1er nov. à Pâques – SC : **R** 46/170 – ☕ 16 – **30 ch** 114/175 – P 220/268.

Chez Claudie, Le Cul du Moulin NO : 1 km sur D 751 ☎ 40 83 50 43 – ⓟ – 25. E VISA
fermé janv., dim. soir et lundi – SC : **R** 70/150 – ☕ 16 – **15 ch** 110/140.

Voyageurs, ☎ 40 83 50 09 – wc wc – 30. E VISA
fermé 15 nov. au 15 déc. – SC : **R** *(fermé merc.)* 37/180 – ☕ 16 – **18 ch** 90/150 – P 190/220.

XXX ❀ **Aub. de la Forge** (Pauvert), pl. des Piliers ☎ 40 83 56 23 – AE E VISA
fermé 1er au 10 juil., 7 au 22 oct., vacances de fév., dim. soir, mardi soir et merc. – SC : **R** 83/166
Spéc. Salade de civelles et St-Jacques (fin déc.-début mars), Gratin de grenouilles, Saumon au beurre blanc. **Vins** Champigny, Muscadet.

CHAMROUSSE 38 Isère 77 ⑤ **G. Alpes** – alt. 1 650 – Sports d'hiver : 1 420/2 250 m 1 24, – ✉ **38410** Uriage.

Env. E : Croix de Chamrousse *** par téléphérique.

Office de Tourisme Le Recoin ☎ 76 89 92 65.

Paris 593 – Allevard 59 – Chambéry 80 – •Grenoble 29 – Uriage-les-Bains 19 – Vizille 28.

Hermitage, le Recoin ☎ 76 89 93 21, ≤ – ☎ . VISA. ch
20 déc.-15 avril – SC : **R** 86/105 – ☕ 27 – **48 ch** 195/265 – P 270/342.

La Grenouillère , le Recoin ☎ 76 89 90 27, ≤ – ⓟ. rest
15 déc.-15 avril – SC : **R** 62/100 – ☕ 18 – **17 ch** (pens. seul.) – P 188/211.

CHANAC 48230 Lozère 80 ⑤ – 976 h. alt. 650.

Paris 579 – Espalion 77 – Florac 46 – Mende 21 – Rodez 90 – Sévérac-le-Château 46.

Voyageurs, ☎ 66 48 20 16, – wc ⓟ
SC : **R** 47/100 – ☕ 13 – **18 ch** 66/115 – P 130/170.

CITROEN Daudé, ☎ 66 48 20 99

CHANDAI 61 Orne 60 ⑤ – rattaché à L'Aigle.

CHANGÉ 72 Sarthe 65 ⑬ – rattaché au Mans.

CHANTELLE 03140 Allier 73 ④ **G. Auvergne** – 1 084 h. alt. 324.

Syndicat d'Initiative pl. Oscambre (1er juil.-31 août).

Paris 337 – Aubusson 109 – Gannat 17 – Montluçon 54 – Moulins 45 – St-Pourçain-sur-Sioule 14.

Poste, ☎ 70 56 62 12, , – ⓟ
fermé 27 sept. au 27 oct. – SC : **R** 38/68 – ☕ 15 – **12 ch** 75/130 – P 145/150.

PEUGEOT-TALBOT Gar. Arnaud, ☎ 70 56 66 54 RENAULT Touzain, ☎ 70 56 61 55

CHANTEMERLE 05 H.-Alpes 77 ⑱ – rattaché à Serre-Chevalier.

CHANTEMESLE 95 Val-d'Oise 55 ⑱, 196 ③ – rattaché à La Roche-Guyon.

CHANTILLY 60500 Oise 56 ⑪, 196 ⑧ G. Environs de Paris – 10 208 h. alt. 57.

Voir Château** B : musée**, parc**, jardin anglais* – Grandes Écuries** B : musée vivant du Cheval*.

Env. Site* du château de la Reine-Blanche S : 5,5 km – Église* de St-Leu-d'Esserent 5,5 km par ⑤.

9 18 ☏ 44 57 04 43 N : 1,5 km par D 44 B.

Office de Tourisme Camp Bourrillon, av. Mar.-Joffre (1er mars-15 nov.) ☏ 44 57 08 58.

Paris 50 ② – Beauvais 43 ⑤ – Clermont 25 ⑤ – Compiègne 44 ① – Meaux 48 ② – Pontoise 35 ④.

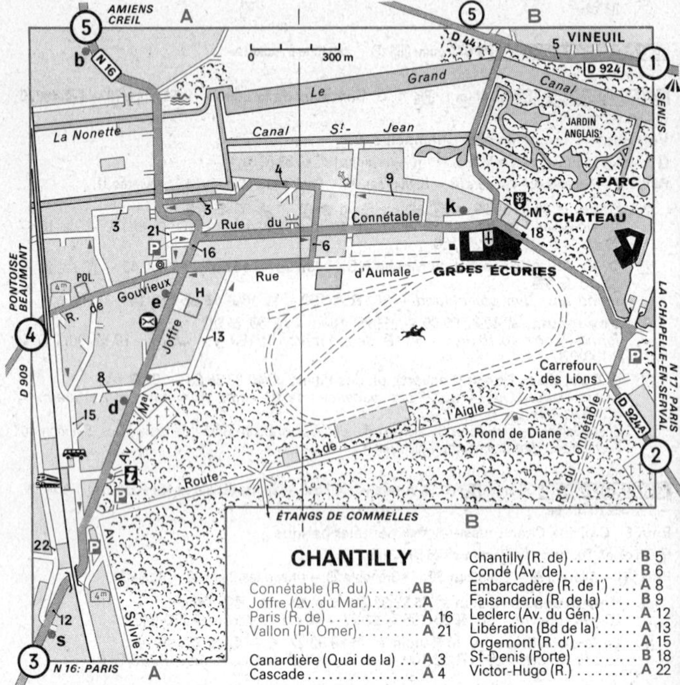

Campanile , rte Creil par ⑤ ☏ 44 57 39 24, Télex 140065, , – wc ☎ ♿ – 30. VISA
SC : **R** 61 bc/82 bc – 23 – **50 ch** 181/202.

XXX **Relais Condé,** 42 av. Mar.-Joffre ☏ 44 57 05 75, – AE VISA — A **d**
fermé 15 juil. au 2 août, 15 janv. au 5 fév., lundi et mardi – SC : **R** (dim. prévenir) 100/150.

XXX **Relais du Coq Chantant,** 21 rte de Creil ☏ 44 57 01 28 – AE E — A **b**
SC : **R** 85/255.

XX **Quatre Saisons,** 9 av. Gén.-Leclerc ☏ 44 57 04 65 – AE E VISA — A **s**
fermé 3 au 25 fév. et lundi sauf fériés – **R** 78/112.

XX **Tipperary,** 6 av. Mar.-Joffre ☏ 44 57 00 48 – AE E VISA. ch — A **e**
R 92 carte le dim..

X **Château** avec ch, 22 r. Connétable ☏ 44 57 02 25, , – . VISA. ch
fermé 20 au 30 août, 4 au 27 fév., lundi soir et mardi – SC : **R** 85/150 – 14 – **4 ch** 99/121. — B **k**

rte de Creil par ⑤ : 3,5 km – ✉ 60740 St-Maximin :

XX **Verbois,** N 16 ☏ 44 24 06 22, , – . VISA
fermé 1er au 15 fév., dim. soir et lundi – SC : **R** 90/135.

à Gouvieux par ④ : 3 km – 9 345 h. – ✉ 60270 Gouvieux :

Château de la Tour , ☏ 44 57 07 39, <, parc, – wc . AE VISA
fermé : hôtel, 28 juil. au 12 août; rest. 15 juil. au 12 août – SC : **R** 82/120 – 22 – **15 ch** 190/340.

à Mongrésin par ② : 5 km – ✉ **60560** Orry-la-Ville :

✗ **Forêt,** ✆ 44 60 61 26, parc – E VISA
fermé lundi et mardi – SC : **R** 126 bc.

à Toutevoie par ④ et D 162 : 6,5 km – ✉ **60270** Gouvieux :

Pavillon St-Hubert, ✆ 44 57 07 04, <, « Terrasse au bord de l'eau » – P – 30
21 ch.

à Lys-Chantilly par ③ : 7 km – ✉ **60260** Lamorlaye.
Voir Abbaye de Royaumont** S : 1,5 km.
✆ 44 21 26 00 au NO.

Host. du Lys, rond-point de la Reine ✆ 44 21 26 19, Télex 150298, – wc P – 100. AE E
fermé 20 déc. au 6 janv. – SC : **R** 128/145 – 27 – **35 ch** 190/300 – P 370/450.

à Coye-la-Forêt SE : 8 km – ✉ **60580** Coye-la-Forêt :

XXX **Les Étangs,** ✆ 44 58 60 15, – AE VISA
fermé fév., lundi soir et mardi – SC : **R** 108/200.

CITROEN Gd Gar. Des Obiers, N 16 ZA du Coq Chantant à Gouvieux par ⑤ ✆ 44 57 02 98
FIAT, **LANCIA-AUTOBIANCHI** Chantilly-Gar., 29 av. Mar.-Joffre ✆ 44 57 13 83
OPEL Gar. Sadell, 33 av. Mar.-Joffre ✆ 44 57 05 09

CHANTONNAY 85110 Vendée 67 ⑮ – 6 470 h. alt. 65.
Office de Tourisme pl. Liberté ✆ 51 94 46 51.
Paris 401 – Cholet 52 – ♦Nantes 73 – Niort 69 – Poitiers 118 – La Roche-sur-Yon 33.

Petit Lundi sans rest, 40 av. G. Clemenceau ✆ 51 94 31 45, – . E
SC : 20 – **10 ch** 68/135.

Mouton, 31 r. Nationale ✆ 51 94 30 22 – wc wc P. AE VISA
fermé 25 oct. au 15 nov., dim. soir en hiver et lundi sauf août – SC : **R** 50/125 – 20 – **11 ch** 140/200 – P 250/300.

CITROEN Auto Sce-Chantonnaysien, 55 av. Mar.-de-Lattre-de-Tassigny ✆ 51 94 80 83
PEUGEOT-TALBOT Gar. Réau, 42 av. Batiot ✆ 51 94 30 23 N ✆ 51 94 36 70
RENAULT Villeneuve, 59 av. G. Clemenceau ✆ 51 94 31 86 N

CHAPARON 74 H.-Savoie 74 ⑯ – rattaché à Brédannaz.

CHAPEAUROUX 48 Lozère 76 ⑯ G. Auvergne – alt. 745 – ✉ **48600** Grandrieu.
Paris 543 – Auroux 17 – Cayres 15 – Langogne 32 – Mende 67 – Le Puy 37.

Beauséjour, ✆ 66 46 32 01 – P
SC : **R** 37/54 – 11,50 – **26 ch** 57/125 – P 115/144.

La CHAPELLE 19 Corrèze 73 ⑪ – alt. 650 – ✉ **19250** Meymac :.
Paris 453 – Tulle 46 – Ussel 14.

Chatel, sur N 89 ✆ 55 94 22 64, – wc P. VISA
SC : **R** 55/150 – 25 – **11 ch** 195/260.

La CHAPELLE 56 Morbihan 63 ④ – rattaché à Ploërmel.

La CHAPELLE-AUBAREIL 24 Dordogne 75 ⑰ – 308 h. – ✉ **24290** Montignac.
Paris 510 – Bergerac 84 – Brive-la-Gaillarde 49 – Périgueux 58 – Sarlat-la-Canéda 19.

Jardin, ✆ 53 50 72 09 – P. VISA. rest
1er avril-30 sept. – SC : **R** (résidents seul.) – 16 – **15 ch** 90/120 – P 160/180.

La CHAPELLE-D'ABONDANCE 74 H.-Savoie 70 ⑱ – 552 h. alt. 1 020 – Sports d'hiver : 1 020/1 660 m 9, – ✉ **74360** Abondance.
Syndicat d'Initiative (matin seul. hors sais.) ✆ 50 73 51 41.
Paris 576 – Annecy 109 – Châtel 5,5 – Évian-les-Bains 34 – Morzine 45 – Thonon-les-Bains 34.

L'Ensoleillé M, ✆ 50 73 23 29, – wc P
20 juin-15 sept. et Noël-Pâques – SC : **R** 62/185 – 24 – **35 ch** 140/200 – P 190/260.

Cornettes M, ✆ 50 73 50 24, – cuisinette wc P. VISA
10 mai-25 oct. et 18 déc.-15 avril – SC : **R** 65/250 – 24 – **40 ch** 170/220 – P 190/260.

tourner →

Le Chabi M, ✆ 50 73 50 14, ← – wc wc ☎ P. VISA
28 juin-1er sept. et 20 déc.-15 avril – SC : **R** 75/95 – **22 ch** 150/220 – P 212/260.

Le Rucher, à la Pantiaz E : 1,5 km ✆ 50 73 50 23, ←, – wc wc ☎ P. rest
15 juin-15 sept. et 19 déc.-20 avril – SC : **R** 55/70 – 15 – **22 ch** 190 – P 205/215.

L'Alpage, ✆ 50 73 50 25, – wc wc P. rest
15 juin-15 sept. et 15 déc.-15 avril – SC : **R** 41/80 – 17,50 – **25 ch** 62/130 – P 150/180.

La CHAPELLE-EN-VALGAUDEMAR 05 H.-Alpes 77 ⑯ G. Alpes – 184 h. alt. 1 100 – ✉ 05800 St-Firmin.

Voir Chemin des Portes ← S : 3,5 km – Cascade du Casset* NE : 3,5 km.**

Syndicat d'Initiative (1er juil.-30 sept.) ✆ 92 55 23 21 et à la Mairie ✆ 92 55 23 17.

Paris 653 – Gap 48 – •Grenoble 91 – La Mure 53.

Mont-Olan, ✆ 92 55 23 03, ←, – wc P. E
25 mars-15 sept. – SC : **R** 49/80 – 17 – **36 ch** 78/157 – P 146/174.

La CHAPELLE-EN-VERCORS 26420 Drôme 77 ⑭ G. Alpes – 728 h. alt. 945 – Sports d'hiver au Col de Rousset : 1 255/1 700 m 7.

Syndicat d'Initiative ✆ 75 48 22 54.

Paris 605 – Die 40 – •Grenoble 62 – Romans-sur-Isère 45 – St-Marcellin 32 – Valence 63.

Bellier, ✆ 75 48 20 03, , – wc ☎ P. AE VISA
10 juin-25 sept. – SC : **R** 125/200 – 17 – **12 ch** 70/250 – P 260/360.

Nouvel H., ✆ 75 48 20 09, ← – .
1er fév.-5 oct. – SC : **R** 48/78 – 12,50 – **35 ch** 70/205 – P 133/205.

Sports, ✆ 75 48 20 39 – . ch
fermé 12 nov. au 27 déc. et dim. soir hors sais. – SC : **R** 48/75 – 15 – **15 ch** 64/95 – P 130/140.

NO : 9 km sur D 518 – ✉ 26190 St-Jean-en-Royans :

Le Refuge M, ✆ 75 48 68 32, ← Vercors – wc ☎ P.
fermé 15 nov. au 15 déc., dim. soir et lundi hors sais. – SC : **R** 55/160 – 16 – **20 ch** 145/200 – P 190/215.

La CHAPELLE-VENDOMOISE 41330 L.-et.Ch. 64 ⑦ – 623 h.

Paris 194 – Blois 13 – • Orléans 72 – • Tours 76 – Vendôme 32.

XX **Flambée,** ✆ 54 20 16 04 – VISA
fermé 1er au 15 juil., vacances de fév., mardi soir et merc. – SC : **R** 63/150.

Le CHAPUS 17 Ch.-Mar. 71 ⑭ – voir à Marennes (Bourcefranc-le-Chapus).

CHARAVINES 38850 Isère 74 ⑭ G. Vallée du Rhône – 1 189 h. alt. 510.

Voir Lac de Paladru* N : 1 km.

Syndicat d'Initiative (1er juin-30 sept.) ✆ 76 06 60 31.

Paris 515 – Belley 49 – Chambéry 52 – •Grenoble 40 – La Tour-du-Pin 22 – Voiron 13.

Poste, ✆ 76 06 60 41, – wc wc ☎ . VISA. rest
1er mars-30 oct. et fermé dim. soir et lundi sauf juil.-août – SC : **R** 68/200 – 22 – **20 ch** 103/210 – P 177/239.

Host. Lac Bleu, N : 1,5 km par D 50 ✆ 76 06 60 48, ←, , – wc wc ☎ P. ch
15 mars-15 oct., fermé lundi soir et mardi hors sais. – SC : **R** 68/145 – 18 – **13 ch** 88/190 – P 170/220.

PEUGEOT, TALBOT Gar. Lambert, ✆ 76 06 60 43

CHARBONNIÈRES-LES-BAINS 69 Rhône 74 ⑪ – rattaché à Lyon.

CHARBONNIÈRES-LES-VIEILLES 63 P.-de-D. 73 ④ – 866 h. alt. 618 – ✉ 63410 Manzat.

Voir Gour (lac) de Tazenat* S : 2 km, G. Auvergne.

Paris 376 – Aubusson 84 – •Clermont-Ferrand 36 – Montluçon 72 – Riom 21 – Vichy 48.

Parc, ✆ 73 86 63 20, – . ch
fermé janv. – SC : **R** 47/90 – 12 – **8 ch** 55/75 – P 110/122.

CITROEN Gar. Chaud, ✆ 73 86 53 82 RENAULT Gar. Marchand, ✆ 73 86 63 05

CHARENTON 58 Nièvre 65 ⑬ – rattaché à Pouilly-sur-Loire.

La CHARITÉ-SUR-LOIRE 58400 Nièvre 65 ⑬ **G. Bourgogne** – 6 422 h. alt. 175.

Voir Église N.-Dame : ≤** sur le chevet.**

Office de Tourisme 49 Grande-Rue (15 juin-15 sept.) et à la Mairie (15 sept.-15 juin) ℘ 86 70 16 12.

Paris 214 ① – Autun 127 ③ – Auxerre 95 ② – Bourges 51 ④ – Montargis 101 ① – Nevers 24 ③.

Terminus, 23 av. Gambetta (s) ℘ 86 70 09 61 – wc wc. *fermé 23 déc. au 22 janv. et lundi* – SC : **R** 52/124 – ☕ 19 – **10 ch** 67/181.

Bon Laboureur, quai R. Mollot (Ile de la Loire) par ④ : 0,5 km ℘ 86 70 01 99, – wc wc. E VISA *hôtel fermé 5 au 25 oct ; rest. fermé fin sept. à Pâques et dim. hors sais.* – SC : **R** (dîner seul.) 70/150 – ☕ 20 – **17 ch** 120/200.

Gd Monarque avec ch, 33 quai Clemenceau (e) ℘ 86 70 21 73, ≤ – wc. AE ⓓ E VISA *fermé merc. du 1er déc. au 31 mars sauf fêtes* – SC : **R** 89/152 – ☕ 19 – **9 ch** 143/198 – P 554/637 (pour 2 pers.).

A la Bonne Foi, 91 r. C.-Barrère (a) ℘ 86 70 15 77 – E VISA *fermé 25 août au 8 sept., vacances de fév., dim. soir et lundi* – SC : **R** 58/150 ♁.

rte de Paris par ① : 5 km sur N 7 – ✉ 58400 La Charité-sur-Loire :

Castor Motel sans rest, ℘ 86 70 10 80 – wc wc. ☕ 20 – **12 ch** 105/160.

CITROEN Gar. de la Mairie, pl. Gén.-de-Gaulle ℘ 86 70 18 00 N ℘ 86 70 16 06
PEUGEOT-TALBOT Merlin, N 7, rte de Nevers par ③ ℘ 86 70 13 03
PEUGEOT-TALBOT Gar. St Lazare, 53 av. Gambetta par ② ℘ 86 70 05 07 N
RENAULT Gar. Delamare, r. de Gérigny ℘ 86 70 15 82
RENAULT Gar. de Figueiredo, 26 av. Gambetta par ② ℘ 86 70 04 78

Pasquette, 21 r. Gén.-Auger ℘ 86 70 15 93

CHARLEVAL 27 Eure 55 ⑦ – 1 755 h. alt. 47 – ✉ 27380 Fleury-s-Andelle.

Voir Ruines de l'abbaye de Fontaine Guérard* SO : 5 km, G. Normandie.

Paris 100 – Les Andelys 17 – Évreux 53 – Gournay-en-Bray 35 – Lyons-la-Forêt 10 – •Rouen 26.

Charles IX, ℘ 32 49 01 51 – AE VISA *fermé 1er janv. au 1er fév., mardi soir et merc.* – SC : **R** 78/175.

MAZDA Collemare, ℘ 32 49 01 01

CHARLEVILLE-MÉZIÈRES P 08000 Ardennes 53 ⑱ **G. Champagne, Ardennes** – 61 588 h. alt. 150.

Voir Place Ducale à Charleville** ABX.

Office de Tourisme, 2 r. Mantoue ℘ 24 33 00 17 - A.C. 10 cours A.-Briand ℘ 24 33 35 89.

Paris 226 ⑦ – Charleroi 89 ⑥ – Liège 153 ① – Luxembourg 128 ⑦ – •Metz 169 ⑦ – Namur 109 ⑥ – •Nancy 213 ⑦ – •Reims 83 ⑦ – St-Quentin 118 ⑥ – Sedan 24 ⑦ – Valenciennes 130 ⑥.

Plan page suivante

Le Clèves, 37 r. Clèves ℘ 24 33 10 75, Télex 841164 – wc wc – 100. AE ⓓ E VISA BY **b**
SC : **R** 68/110 ♁ – ☕ 28 – **49 ch** 195/295 – P 310/375.

Le Relais du Square sans rest, 3 pl. de la Gare ℘ 24 33 38 76, Télex 841196 – wc wc. AE ⓓ E VISA BY **d**
SC : ☕ 20 – **49 ch** 140/220.

Paris sans rest, 24 av. G.-Corneau ℘ 24 33 34 38 – wc wc. VISA BY **n**
fermé 21 déc. au 5 janv. – SC : ☕ 20 – **29 ch** 105/200.

tourner →

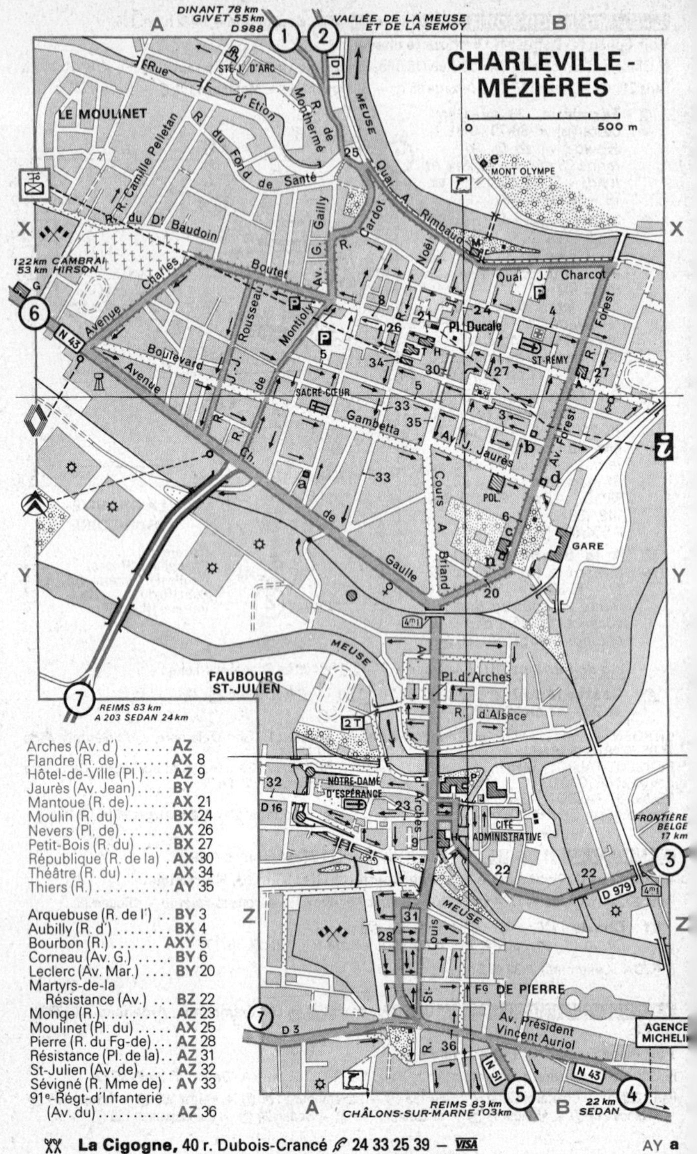

XX **La Cigogne,** 40 r. Dubois-Crancé ✆ 24 33 25 39 – VISA — AY **a**
fermé 1er au 14 août, dim. soir et lundi – SC : **R** 60/165.

XX **Aub. de la Forest,** par ② : 4 km sur D 1 rte Nouzonville ✆ 24 33 37 55 – Ⓟ. E VISA.
fermé dim. soir et lundi – SC : **R** 54/110.

XX **Mont-Olympe,** r. Paquis ✆ 24 33 20 77, – Ⓟ. AE ⓓ E VISA — BX **e**
fermé dim. soir et lundi soir – **R** 55/150 ₰.

à Villers-Semeuse par ④ : 5 km – 3 076 h. – ✉ **08340** Villers-Semeuse :

Mercure Ⓜ, ✆ 24 37 55 29, Télex 840076, – TV ☎ ♿ Ⓟ – 25 à 160. AE ⓓ E VISA
R carte environ 120 ₰ – ☕ 34 – **67 ch** 300.

MICHELIN, Agence, Z.I. de Mohon, r. C.-Didier, Villers-Semeuse par ④ ✆ **24 57 13 21**

ALFA-ROMEO-HONDA Gar. Toury, 148 av. Ch.-Boutet ✆ 24 56 00 44
BMW, OPEL Ardennes Motors, centre cial Ayvelles à Villers Semeuse ✆ 24 58 22 73
CITROEN Gar. Froussart, 129 av. Charles-de-Gaulle ✆ 24 59 22 33 🅽
FORD Cailloux, 50 chaussée de Sedan ✆ 24 57 01 01
MERCEDES Covema, r. C.-Didier Zone Ind. de Mohon ✆ 24 58 17 65
PEUGEOT-TALBOT S.I.G.A., rte de Warnecourt à Prix-lès-Mézières par D3 AZ ✆ 24 37 37 45
RENAULT Ardennes-Auto - Charleville-Nord, 165 av. Charles-de-Gaulle ✆ 24 59 29 29
RENAULT Ardennes-Autos-Charleville-Sud, 2 r. C.-Didier, Zone Ind. de Mohon par ④ ✆ 24 37 58 58
V.A.G. Gar Petit, La Bellevue du Nord à Warcq ✆ 24 56 40 07
Gar. Mary, 13 r. M.-Sembat ✆ 24 57 02 44

Legros, 87 r. Bourbon ✆ 24 33 31 13
Palais-du-Pneu, 7 av. Ch.-de-Gaulle ✆ 24 33 28 32
SO.NE.GO., rte Paris ✆ 24 37 23 45

CHARLIEU 42190 Loire 73 ⑧ G. Vallée du Rhône – 4 380 h. alt. 265.

Voir Ancienne abbaye★ : grand portail★★ E – Cloître des Cordeliers★ K.

Syndicat d'Initiative r. A.-Farinet (Pâques-fin sept.) ✆ 77 60 12 42.

Paris 384 ④ – Digoin 45 ④ – Lapalisse 56 ④ – Mâcon 77 ② – Roanne 19 ④ – ♦St-Étienne 96 ④.

CHARLIEU

Abbaye (Pl. de l') 2
Bouverie (Pl.) 3
Chanteloup (R.) 4
Écoles (R. des) 5
Farinet (R. André) 7
Gaulle (R. Charles-de) 9
Grenette (R.) 10
Jacquard (Bd) 12
Jaurès (R. Jean) 13
Morel (R. Jean) 14
Moulins (R. des) 15
République (Bd de la) 17
Rouillier (R. Ch.-H.) 19
St-Philibert (Pl.) 20
Valorge (Bd) 22

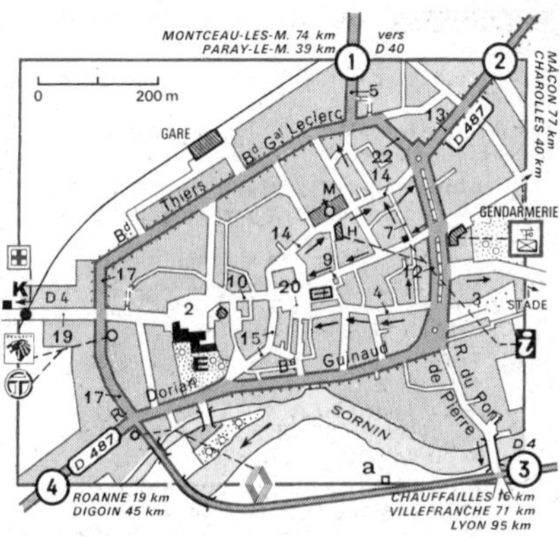

Pour bien lire les plans de villes, voir signes et abréviations p. 23.

Relais de l'Abbaye Ⓜ, La Montalay **(a)** ✆ **77 60 00 88** – 100. AE E VISA
SC : **R** 52/165 – 19 – **27 ch** 167/210.

Aub. du Moulin de Rongefer, rte de Pouilly, O : 2 km par D 4 et VO ✆ **77 60 01 57**, – Ⓟ. AE VISA
fermé 1er au 28 sept., 9 au 24 fév., lundi (sauf le midi de sept. à juil.) et mardi – SC : **R** 90/175.

PEUGEOT-TALBOT Chirat, ✆ 77 60 16 22
RENAULT Dechavanne, par ③ ✆ 77 60 03 30
RENAULT Saunier, ✆ 77 60 07 55 🅽 ✆ 77 60 13 31

CHARMEIL 03 Allier 73 ⑤ – rattaché à Vichy.

CHARMES 88130 Vosges 62 ⑤ G. Alsace et Lorraine – 5 457 h. alt. 283.

Paris 336 – Épinal 24 – Lunéville 35 – ♦Nancy 44 – Neufchâteau 58 – St-Dié 59 – Toul 54 – Vittel 41.

Central, r. Capucins ✆ **29 38 02 40**, – wc wc. E VISA
fermé 1er au 15 nov., 1er au 15 fév., dim. soir et lundi – SC : **R** 74/160 – 16,50 – **11 ch** 75/161 – P 165/216.

Dancourt avec ch, 6 pl. Hôtel-de-Ville ✆ **29 32 80 80** – wc. VISA
fermé 1er au 15 juil., 1er au 15 janv., sam. midi et vend. – SC : **R** 60/190 – 16 – **10 ch** 85/150 – P 170/220.

à Vincey **SE : 4 km par N 57 – ✉ 88450** Vincey :

Relais de Vincey, ✆ **29 67 40 11**, – wc wc Ⓟ. VISA
fermé 10 au 31 août, 20 déc. au 5 janv. – SC : **R** *(fermé sam.)* 75/180 – 20 – **28 ch** 110/250 – P 170/240.

R 50/95

Repas à prix fixes :
des menus à prix intermédiaires à ceux indiqués sont généralement proposés, notamment le dimanche.

CHARMES-SUR-RHÔNE 07 Ardèche 77 ⑪⑫ – 1 550 h. alt. 111 – ✉ **07800** La Voulte-sur-Rhône.

Paris 575 – Crest 25 – Montélimar 38 – Privas 28 – St-Péray 11 – Valence 11.

XXX **La Vieille Auberge** M avec ch, ✆ **75 60 80 10** – ▤ ⊟wc ☎ ⇔. AE ⓓ E VISA
fermé 2 août au 2 sept., 5 au 12 janv., dim. soir et merc. – SC : **R** 90/200 – ☕ 22 – **7 ch** 180/230.

CHARMETTES 73 Savoie 74 ⑮ – rattaché à Chambéry.

CHARNAY-LÈS-MÂCON 71 S.-et L. 69 ⑲ – rattaché à Mâcon.

CHARNY 89120 Yonne 65 ③ – 1 620 h. alt. 139.

Paris 140 – Auxerre 49 – Cosne-sur-Loire 78 – Gien 47 – Joigny 27 – Montargis 35 – Sens 46.

Gare ⛁, ✆ **86 63 61 59** – ⋒wc ⇔. ✂ ch
fermé 1er au 8 sept., 15 déc. au 14 janv., dim. soir et lundi – SC : **R** 41/67 ♁ – ☕ 12,50 – **12 ch** 89/140 – P 124/148.

CITROEN Gar. de la gare, ✆ 86 63 62 14 N
PEUGEOT-TALBOT Guérin, ✆ 86 63 61 81 N
RENAULT Hivon, ✆ 86 63 65 12

CHAROLLES ⟨SP⟩ 71120 S.-et-L. 69 ⑰⑱ G. Bourgogne – 3 758 h. alt. 282.

🅸 Office de Tourisme Couvent des Clarisses ✆ 85 24 05 95.

Paris 369 ① – Autun 78 ⑤ – Chalon-sur-Saône 69 ① – Mâcon 55 ① – Moulins 83 ④ – Roanne 59 ③.

Moderne, av. Gare **(a)** ✆ **85 24 07 02,** ⛱, ⛱ – ⊟wc ⋒wc ☎ ⇔ – ⛺ 30. AE ⓓ VISA
fermé 24 déc. au 1er fév., dim. soir du 15 sept. au 30 juin et lundi sauf le soir du 1er juin au 15 oct. – SC : **R** 70/178 – ☕ 19,50 – **18 ch** 100/260 – P 250/390.

France, av. Gare **(e)** ✆ **85 24 06 66** – ⋒wc ☎. E
fermé 15 déc. au 28 janv. et dim. (sauf hôtel en saison) – SC : **R** 70/110 ♁ – ☕ 20 – **12 ch** 120/210 – P 210/260.

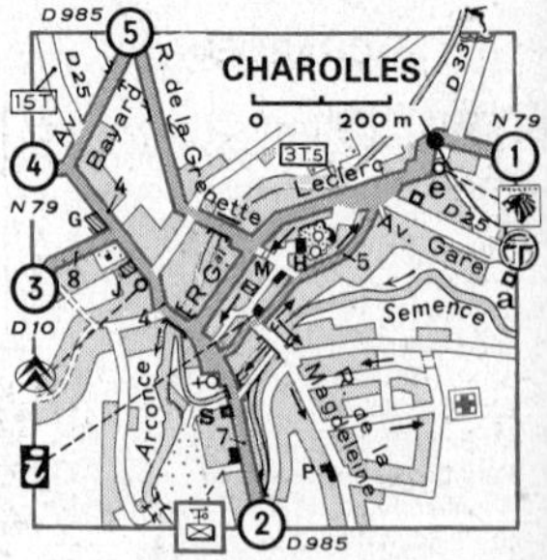

XX **Poste** avec ch, av. Libération **(s)** ✆ **85 24 11 32** – ⊟wc ⋒ ☎. AE E VISA
fermé 1er au 7 juin, 15 nov. au 1er déc., dim. soir et lundi sauf juil.-août – SC : **R** 75/260 ♁ – ☕ 20 – **9 ch** 100/130.

CHAROLLES

Champagny (R.) 4 — Gambetta (R.) 5
Libération (Av.) 7 — Verdun (Av. de) 8

à Viry NE : 7 km – ✉ **71120** Charolles :

X **Le Monastère,** ✆ **85 24 14 24**
fermé 1er au 21 janv., mardi soir et merc. sauf juil.-août – **R** 45/145.

CITROEN Gar. Central, ✆ 85 24 08 54 N
CITROEN Moulin, par ③ ✆ 85 24 01 10
FORD Pluriel Modern gar., ✆ 85 24 01 36
PEUGEOT-TALBOT François, ✆ 85 24 03 83 N

CHARQUEMONT 25140 Doubs 66 ⑱ – 2 265 h. alt. 900.

Paris 488 – Bâle 102 – Belfort 66 – •Besançon 75 – Montbéliard 48 – Pontarlier 60.

Poste, ✆ **81 44 00 20,** ⛱, ⛱ – ⊟wc ⋒wc ☎ Ⓟ. E VISA
fermé nov., dim. soir et lundi midi sauf vacances scolaires – SC : **R** 54/108 ♁ – ☕ 16 – **32 ch** 107/186 – P 165/196.

CITROEN Gar. Cassard, ✆ 81 44 01 06
PEUGEOT-TALBOT Gar. Aubry, ✆ 81 44 00 27
RENAULT Gar. Binetruy ✆ 81 44 01 29 N

CHARROUX 86250 Vienne 72 ④ **G. Côte de l'Atlantique** – 1 552 h. alt. 165.

Voir Ancienne abbaye St-Sauveur★ : tour★★, sculptures★★ du cloître, trésor★.

Paris 395 – Confolens 27 – Niort 75 – •Poitiers 53.

PEUGEOT-TALBOT Gar. Meunier, ✆ 49 87 50 05
RENAULT Gar. Fournier, ✆ 49 87 50 36 N ✆ 49 87 57 07

CHARTRES P 28000 E.-et-L. 60 ⑦⑧, 196 ㊲ **G. Environs de Paris** – 39 243 h. alt. 142 – Grand pélerinage des étudiants (fin avril-début mai).

Voir Cathédrale★★★ Y – Vieux Chartres★ YZ – Église St-Pierre★ Z – ≤★ sur l'église St-André, des bords de l'Eure Y – ≤★ du Monument des Aviateurs militaires Y **Z** – Musée : émaux★ Y**M**.

🅸 Office de Tourisme 7 Cloître Notre-Dame ✆ 37 21 54 03 – A.C.O. 10 av. Jehan-de-Beauce ✆ 37 21 03 79.

Paris 88 ② – Évreux 77 ① – •Le Mans 115 ④ – •Orléans 77 ④ – •Tours 140 ④.

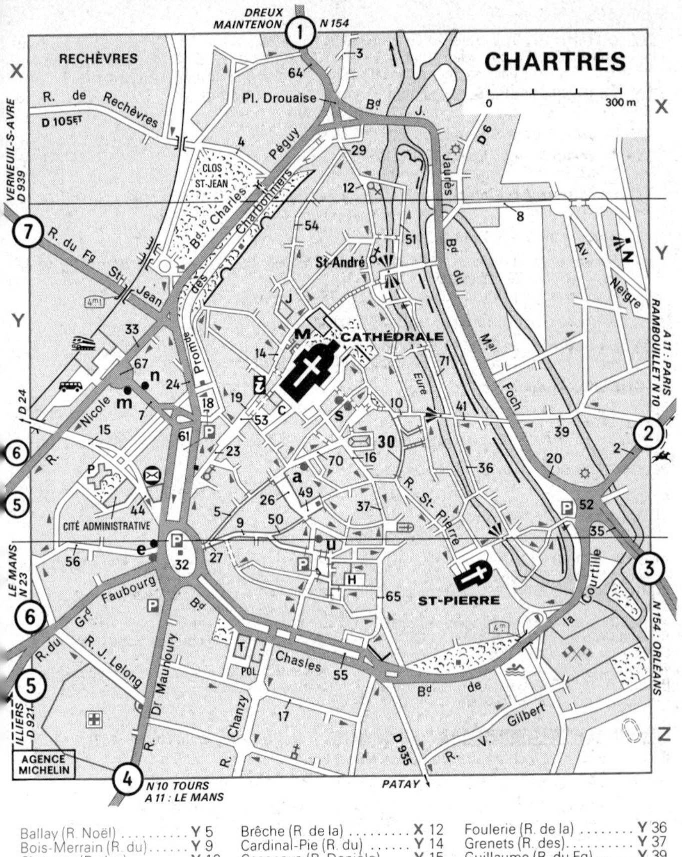

Ballay (R. Noël) .... Y 5
Bois-Merrain (R. du) ...... Y 9
Changes (R. des) .... Y 16
Delacroix (R.) .... Z 27
Guillaume (R. Porte) ...... Y 41
Marceau (Pl.) .... Y 49
Marceau (R.) .... Y 50
Soleil-d'Or (R. du) .... Y 70

Ablis (R. d') .... Y 2
Aligre (Av. d') .... X 3
Alsace-Lorraine (R. d') ... X 4
Beauce (Av. Jehan-de) ..... Y 7
Bethouart (Av.) .... Y 8
Bourg (R. du) .... Y 10
Brêche (R. de la) .... X 12
Cardinal-Pie (R. du) ...... Y 14
Casanova (R. Danièle) ..... Y 15
Châteaudun (R. de) .... Z 17
Châtelet (Pl.) .... Y 18
Cheval-Blanc (R. du) ...... Y 19
Clemenceau (R.) .... Y 20
Collin-d'Harleville (R.) .. Y 23
Couronne (R. de la) .... Y 24
Cygne (R. du) .... Y 26
Drouaise (R. Porte) .... X 29
Écuyers (R. des) .... Y 30
Épars (Pl. des) .... Z 32
Félibien (R.) .... Y 33
Ferrière (R. de) .... Y 35
Foulerie (R. de la) .... Y 36
Grenets (R. des) .... Y 37
Guillaume (R. du Fg) ...... Y 39
Kœnig (R. du Gén.) .... Y 44
Massacre (R. du) .... Y 51
Morard (Pl.) .... Y 52
Moulin (Pl. Jean) .... Y 53
Muret (R.) .... Y 54
Pasteur (Pl.) .... Z 55
Péri (R. Gabriel) .... Z 56
Résistance (Bd de la) ..... Y 61
St-Maurice (R.) .... X 64
St-Michel (R.) .... Z 65
Sémard (Pl. Pierre) .... Y 67
Tannerie (R. de la) .... Y 71

Grand Monarque, 22 pl. Épars ☏ 37 21 00 72, Télex 760777, – ▣ TV ☎ . AE ⓓ E VISA — Z **e**
SC : **R** 165/245 – ☕ 29 – **45 ch** 230/374.

Mercure M sans rest., 8 av. Jehan-de-Beauce ☏ 37 21 78 00, Télex 780728 – ▣ TV ☎ ♿ P. AE ⓓ E VISA — Y **n**
SC : ☕ 28 – **48 ch** 300/325.

Ibis M, à Lucé par ⑥ : 3 km sur N 23 ✉ 28110 Lucé ☏ 37 35 76 00, Télex 780348 – TV wc ☎ ♿ P – 30/100. VISA
SC : **R** *(fermé dim. du 1er oct. au 31 mars)* carte environ 85 – ☕ 23 – **52 ch** 196/231.

Jehan de Beauce sans rest, 19 av. Jehan-de-Beauce ☏ 37 21 01 41 – ▣ wc ☎ — Y **m**
fermé 15 déc. au 15 janv. – SC : ☕ 15,50 – **46 ch** 70/187.

tourner →

XXX ✿ **Henri IV,** 31 r. Soleil-d'Or ☎ 37 36 01 55 – ⓓ Y **a**
fermé 22 au 30 juil., fév., lundi soir et mardi sauf fériés – SC : **R** 165 bc/275
Spéc. Terrine de Chartres, Foie de canard frais aux pommes, Rognon de veau en paupiette.

XXX **La Vieille Maison,** 5 r. au Lait ☎ 37 34 10 67 – AE ⓓ E VISA Y **s**
fermé dim. soir et lundi soir – SC : **R** 150/260.

XX Buisson Ardent, 10 r. au Lait ☎ 37 34 04 66 Y **s**

XX **Normand,** 24 pl. Épars ☎ 37 21 04 38 Z **e**
fermé 1er au 7 mars et lundi – **R** 48/180 ♁.

XX **Le Minou,** 4 r. Maréchal de Lattre de Tassigny ☎ 37 21 10 68 – ✈ YZ **u**
fermé 6 au 28 juil., 8 au 23 fév., dim. soir et lundi – SC : **R** 52/98 ♁.

par ② : N 10 – ✉ **28630** Chartres :

Novotel M, à 4 km ☎ 37 34 80 30, Télex 781298, ⛱, ⛱, ⛱ – 🛗 ▤ rest TV ☎ ♿ Ⓟ – 🏊 100. AE ⓓ E VISA
R snack carte environ 100 ♁ – ☕ 35 – **78 ch** 299/309.

à Thivars par ④ : 7,5 km N 10 – ✉ **28630** Chartres :

XXX **La Sellerie,** ☎ 37 26 41 59 – Ⓟ. VISA
fermé 1er au 20 août, lundi soir et mardi – SC : **R** 105.

MICHELIN, Agence r. de Fontenay, Z.I. de Lucé par ⑤ ☎ **37 35 66 42**

BMW Thireau, 20 bd Foch, 17 r. des Fileurs ☎ 37 34 82 76
CITROEN S.E.R.A.C., 12 r. Dieudonné Coste par ② ☎ 37 34 57 80 N
PEUGEOT-TALBOT Gar. St Thomas, 49 bis av. d'Orléans par ③ ☎ 37 21 33 83
RENAULT Gar. Chartrains, ZUP Madeleine av. M. Proust par ② ☎ 37 34 86 84 N
RENAULT Ruelle, 104 r. fg-la-Grappe par ③ ☎ 37 28 51 19
V.A.G. Gar. Electric-Auto, av. d'Orléans, N 154 ☎ 37 28 07 35

Ⓜ Breton, 26 r. G.-Fessard ☎ 37 21 18 98

Périphérie et environs

AUSTIN, ROVER Chartres-Auto-Sport, rte d'Illiers à Lucé ☎ 37 35 24 79
FORD Gar. Paris-Brest, 80 r. F.-Lépine à Luisant ☎ 37 28 13 88
MERCEDES-BENZ-SEAT Cogedi Auto, 158 r. République à Lucé ☎ 37 35 88 80
OPEL Gar. Ouest, 43 r. Château d'Eau à Mainvilliers ☎ 37 36 37 87
PEUGEOT-TALBOT Gar. St-Thomas, rte d'Illiers à Lucé par ⑤ ☎ 37 34 00 85
RENAULT Gd gar. de Luce, 23 r. Kennedy à Lucé par ⑤ ☎ 37 34 00 99 N
TOYOTA Socalu, 5 r. de Fontenay à Lucé ☎ 37 28 02 40

Ⓜ Breton, 18 r. Fontenay Zone Ind. à Lucé ☎ 37 28 28 80
Marsat-Chartres-Pneus, 14 r. République à Lucé ☎ 37 35 86 94

La CHARTRE-SUR-LE-LOIR 72340 Sarthe 64 ④ G. Châteaux de la Loire – 1 791 h. alt. 57.

Env. Escalier** du château* de Poncé NE : 8 km.

Paris 214 – La Flèche 57 – ♦Le Mans 46 – St-Calais 29 – ♦Tours 40 – Vendôme 43.

France, ☎ 43 44 40 16, ⛱ – ⛀wc ⛆wc ☎ Ⓟ – 🏊 30. VISA
fermé 15 nov. au 15 déc. – SC : **R** (dim. prévenir) 55/165 ♁ – ☕ 15 – **32 ch** 65/180 – P 145/190.

Cheval Blanc, ☎ 43 44 40 01 – ⛆wc ☎. VISA
fermé 15 janv. au 15 fév. et lundi du 1er oct. au 30 juin – SC : **R** 48/113 – ☕ 14 – **13 ch** 53/130 – P 125/188.

PEUGEOT-TALBOT Gar. Vallée du Loir, ☎ 43 44 41 12

CHASSELAY 69 Rhône 73 ⑩ – 1 708 h. alt. 211 – ✉ 69380 Lozanne.

Paris 445 – L'Arbresle 14 – ♦Lyon 21 – Villefranche-sur-Saône 15.

XX **Lassausaie,** ☎ 78 47 62 59 – Ⓟ. AE ⓓ E VISA
fermé 4 août au 4 sept., 17 au 27 fév., mardi soir et merc. – SC : **R** 62/220.

CITROEN Gar. du Mont-Verdun, ☎ 78 47 62 23

CHASSENEUIL-SUR-BONNIEURE 16260 Charente 72 ⑭⑮ G. Côte de l'Atlantique – 3 185 h. alt. 120.

Voir Mémorial de la Résistance.

Paris 436 – Angoulême 33 – Confolens 30 – ♦Limoges 70 – Nontron 52 – Ruffec 40.

XX Gare avec ch, ☎ 45 39 50 36 – ⛀wc ⛆ ☎ – **12 ch**.

CHASSERADES 48 Lozère 80 ⑦ – 188 h. alt. 1 174 – ✉ 48250 La Bastide Puylaurent.

Paris 577 – Langogne 30 – Mende 41 – Villefort 39.

Sources ⛰, rte de la Bastide ☎ 66 46 01 14, ≤ – Ⓟ
SC : **R** 48/69 – ☕ 15 – **10 ch** 73/140 – P 150/172.

CHASSE-SUR-RHÔNE 38 Isère 74 ⑪ – rattaché à Vienne.

CHASSEY-LE-CAMP 71 S.-et-L. 69 ⑨ – rattaché à Chagny.

CHÂTEAU-ARNOUX 04160 Alpes-de-H.-P. 81 ⑯ **G. Côte d'Azur** – 5 662 h. alt. 440.

Voir ☼★ **de la chapelle St-Jean S : 2 km puis 15 mn.**

Office de Tourisme 1 r. Maurel (matin seul. hors sais.) ✆ 92 64 02 64.

Paris 717 – Digne 25 – Forcalquier 30 – Manosque 39 – Sault 74 – Sisteron 14.

✿ **La Bonne Étape** (Gleize) M, ✆ 92 64 00 09, « Bel aménagement intérieur », – TV ☎ P. AE ① E VISA
fermé 17 au 25 nov., 3 janv. au 15 fév., dim. soir et lundi de mi-sept. à mi-juin – SC : **R** 180/330 – ☕ 53 – **11 ch** 360/480, 7 appartements 600
Spéc. Gâteau de mostèle au beurre d'orange, Agneau de Sisteron, Pâtisseries. **Vins** Vacqueyras, Palette.

à St-Auban SO : 3,5 km par N 96 :

Villiard sans rest, ✉ 04600 St-Auban ✆ 92 64 17 42, – wc wc ☎ P. E
fermé 20 déc. au 6 janv. et vend. hors sais. – SC : ☕ 26 – **20 ch** 129/297.

XX **Le Barrasson,** ✉ 04160 Château-Arnoux ✆ 92 64 17 12, – P. VISA
fermé 5 janv. au 1er fév., dim. soir et lundi hors sais. – SC : **R** 61/150.

CITROEN Plantevin, 70 av. Gén. de Gaulle ✆ 92 64 06 15 N
RENAULT Alpes Lubrifiants, N 96 à St-Auban ✆ 92 64 17 10 N
VOLVO Gar. de la Durance, N 96 à St-Auban ✆ 92 64 17 37

CHÂTEAU-BERNARD 38 Isère 77 ⑭ – 131 h. – ✉ **38650** Monestier-de-Clermont.

Paris 598 – ♦Grenoble 36 – Monestier-de-Clermont 12.

au col de l'Arzelier N : 4 km – ✉ **38650** Monestier-de-Clermont.

Voir Site★ de Prélenfrey N : 4 km, G. Alpes.

Deux Soeurs M, ✆ 76 72 37 68, ← – wc wc ☎ P – 30. E
SC : **R** 57/125 – ☕ 18 – **24 ch** 120/215 – P 200/215.

Au moment de chercher un hôtel ou un restaurant, soyez efficace. Sachez utiliser les noms soulignés en rouge sur les **cartes Michelin** *à 1/200 000. Mais ayez une carte à jour !*

CHÂTEAUBOURG 07 Ardèche 77 ⑪⑫ **G. Vallée du Rhône** – 180 h. alt. 125 – ✉ **07130** St-Péray.

Paris 556 – Lamastre 42 – Tournon 8 – Valence 10.

XXX **Host. du Château,** ✆ 75 40 33 28, ←, – P. AE ① VISA
fermé 19 août au 26 sept., 5 janv. au 4 fév., dim. soir et lundi – SC : **R** 100/190.

CHÂTEAUBOURG 35220 I.-et-V. 59 ⑰⑱ – 2 486 h. alt. 125.

Paris 328 – Angers 109 – Châteaubriant 56 – Fougères 44 – Laval 53 – ♦Rennes 21.

Ar Milin', ✆ 99 00 30 91, Télex 740083, « Vieux moulin dans un parc au bord de l'eau », – TV ☎ P – 60. AE ① E VISA
fermé 20 déc. au 10 janv., lundi midi (sauf hôtel) et dim. soir – SC : **R** 120/172 – ☕ 23 – **33 ch** 130/297 – P 388/535.

à la Peinière E : 6 km par D 857 et D 106 – ✉ **35220** Châteaubourg :

Pen'Roc, ✆ 99 00 33 02, – TV wc wc ☎ P – 60. AE ① E VISA. rest
fermé 26 oct. au 12 nov. et 1er au 10 fév. – SC : **R** *(fermé dim. soir)* 66/164 – ☕ 20 – **15 ch** 136/200.

CHÂTEAUBRIANT SP 44110 Loire-Atl. 63 ⑦⑧ **G. Bretagne** – 14 415 h. alt. 56 à 70.

Voir Château★.

Office de Tourisme 40 r. Château ✆ 40 81 04 53.

Paris 354 ① – Ancenis 48 ③ – Angers 71 ③ – La Baule 100 ④ – Cholet 92 ③ – Fougères 81 ① – Laval 67 ② – ♦Nantes 69 ④ – ♦Rennes 55 ⑤ – St-Nazaire 87 ④ – Vannes 120 ④.

Plan page suivante

Host. La Ferrière M, par ④ : 1,5 km ✆ 40 28 00 28, ←, parc – wc ☎ P – 50. AE ① E VISA
SC : **R** 60/130 – ☕ 25 – **25 ch** 180/250 – P 490/550.

Châteaubriant M sans rest., 30 r. 11 Novembre **(a)** ✆ 40 28 14 14 – TV wc wc ☎ P – 30. AE ① E VISA
SC : ☕ 19 – **35 ch** 140/230.

Armor sans rest, 19 pl. Motte **(x)** ✆ 40 81 11 19 – wc ☎. AE ①
SC : ☕ 14,50 – **20 ch** 61/150.

XX **Le Poêlon d'Or,** 30 bis r. du 11 Novembre **(s)** ✆ 40 81 43 33 – AE ① VISA
fermé 23 au 29 déc., vacances de fév., sam. midi et dim. soir de nov. à mai – SC : **R** 49/120.

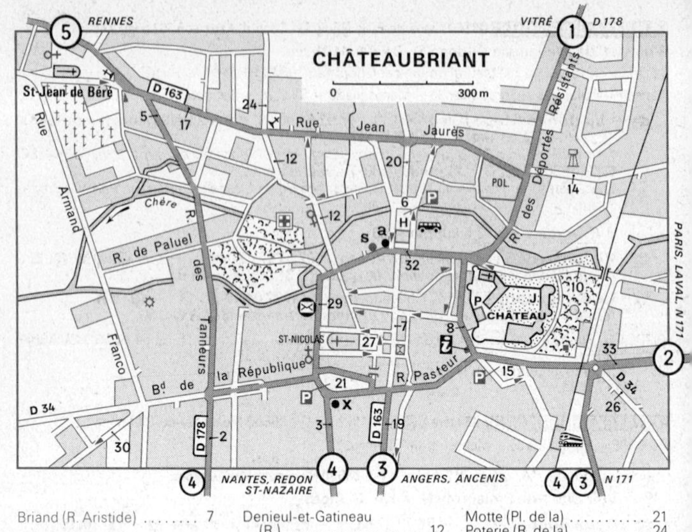

Briand (R. Aristide) 7
Alsace-Lorraine (R. d') 2
Barre (R. de la) 3
Boispéan (R. du) 5
Bréant (Pl. E.) 6
Château (R. du) 8
Checheux (Fg) 10
Denieul-et-Gatineau (R.) 12
Foch (R. Mar.) 14
Gaulle (Pl. Ch. de) 15
Gauthier-Grosdoy (R. A.) 17
Grimaud (R. M.) 19
Môquet (R. Guy) 20
Motte (Pl. de la) 21
Poterie (R. de la) 24
St-Michel (R. du Fg) 26
St-Nicolas (Pl.) 27
Victor-Hugo (Bd) 29
Vieille-Voie (R.) 30
11-Novembre (R. du) 32
27-Otages (R. des) 33

CITROEN Cavalan, rte St-Nazaire, Zone Ind. par ④ ✆ 40 81 00 07
FIAT Arvor. Autom., r. A.-Franco ✆ 40 81 03 83
FORD Mérel, Zone Ind., rte d'Ancenis ✆ 40 81 15 29
PEUGEOT-TALBOT Charron, 42 r. M.-Grimaud par ③ ✆ 40 81 01 05

RENAULT SADAC, rte de St-Nazaire, Zone Ind. par ④ ✆ 40 81 26 84 **N** ✆ 40 81 23 32
V.A.G. Gar. du Centre, 15 bis r. St-Georges ✆ 40 81 19 89

Castel-Pneus, Z.I. r. du Prés. Kennedy ✆ 40 28 01 94

CHÂTEAU-CHINON ⟨SP⟩ **58120** Nièvre **69** ⑥ **G. Bourgogne – 2 679 h. alt. 534.**

Voir Site★ – Calvaire ☼★★ – Promenade du château★ – Vallée du Touron★ E.

Office de Tourisme porte Notre-Dame (15 juin-15 sept.) ✆ 86 85 06 58.

Paris 281 – Autun 37 – Avallon 62 – Clamecy 68 – Moulins 86 – Nevers 66 – Saulieu 49.

Au Vieux Morvan, ✆ **86 85 05 01,** ≤ – wc ☎. **E**
fermé mi-nov. à début janv. – SC : **R** *(fermé vend.)* (dim. et fêtes, prévenir) 55/160 – 16,50 – **24 ch** 58/180 – P 165/230.

CITROEN Gagnard, 53 r. de Nevers ✆ 86 85 07 80
PEUGEOT-TALBOT Jeannot-Roblin, 6 r. de Nevers ✆ 86 85 02 76
RENAULT Gar. Moderne, ✆ 86 85 09 99

CHÂTEAU D'IF (Ile du) **13** B.-du-R. **84** ⑬ **G. Provence.**

au départ de Marseille pour le château d'If★★ (☼★★★) 1 h 30.

Le CHÂTEAU D'OLÉRON **17** Ch.-Mar. **71** ⑭ – voir à Oléron (Ile d').

CHÂTEAU-DU-LOIR **72500** Sarthe **64** ④ **G. Châteaux de la Loire – 5 891 h. alt. 50.**

Syndicat d'Initiative à la Mairie ✆ 43 44 00 38.

Paris 238 – Château-la-Vallière 20 – La Flèche 41 – ♦Le Mans 40 – ♦Tours 42 – Vendôme 59.

Gare, 170 av. J.-Jaurès ✆ **43 44 00 14** – wc **P**. **E**. ch
fermé 24 août au 8 sept. et 19 déc. au 5 janv. – SC : **R** *(fermé dim. sauf le midi en été)* 41/100 – 13 – **16 ch** 59/125 – P 140/155.

CITROEN Chapu, 97 av. J.-Jaurès ✆ 43 44 00 40
PEUGEOT-TALBOT Boutellier, rte du Mans à Luceau ✆ 43 44 00 67
PEUGEOT-TALBOT Gachet, 63 av. Jean Jaurès ✆ 43 44 00 68
RENAULT Gar. Cosnier, rte du Mans à Luceau ✆ 43 44 00 92 **N**

CHÂTEAUDUN SP **28200** E.-et-L. 60 ⑰ **G. Châteaux de la Loire** – 16 094 h. alt. 140.

Voir Château★★ A – **Vieille ville**★ A: **église de la Madeleine**★ **B** – **Promenade du Mail** ≤★ A – **Musée : Collection d'oiseaux**★ A **M.**

Office de Tourisme 1 r. de Luynes ✆ 37 45 22 46.

Paris 131 ① – Alençon 115 ⑥ – Argentan 150 ⑥ – Blois 57 ③ – Chartres 44 ① – Fontainebleau 121 ② – ♦Le Mans 104 ⑥ – Nogent-le-Rotrou 55 ⑥ – ♦Orléans 48 ② – ♦Tours 96 ③ – Vendôme 40 ③.

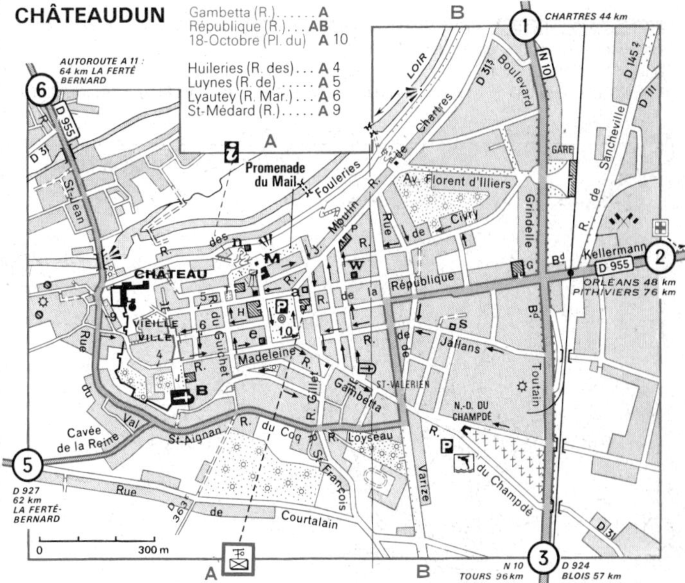

Beauce sans rest, **50 r. Jallans** ✆ **37 45 14 75** – wc wc VISA **B s**
fermé 15 déc. au 15 janv. et dim. du 15 oct. au 15 mai – SC : 21 – **24 ch** 97/187.

St-Michel sans rest, **5 r. Péan** ✆ **37 45 15 70** – wc wc . E VISA **A a**
SC : 17 – **19 ch** 85/190.

XX **La Rose** avec ch, **12 r. Lambert-Licors** ✆ **37 45 21 83** – rest wc . VISA. **A w**
fermé 1er déc. au 2 janv., dim. soir et lundi – SC : **R** 80/180 – 16 – **8 ch** 81/115 – P 205/230.

XX **Caveau des Fouleurs, 33** r. Fouleries ✆ **37 45 23 72,** « anciennes caves dans la roche » – P. AE VISA **A n**
fermé 15 août au 1er sept., 15 fév. au 1er mars, dim. soir et lundi – SC : **R** 75 bc/150 bc.

X **La Licorne,** 6 pl. 18-Octobre ✆ 37 45 32 32 – E VISA **A e**
fermé 9 au 19 juin, 30 sept. au 8 oct., 23 déc. au 20 janv., mardi soir et merc. – SC : **R** 85/130.

à Marboué par ① sur N 10 : 5 km **G. Alsace et Lorraine** – ✉ **28200** Châteaudun :

X **Toque Blanche,** ✆ 37 45 12 14 – AE VISA.
fermé 1er au 26 juil., mardi soir et merc. – SC : **R** 60/160.

CITROEN Gar. Mourice-Rebours, 91 bd Kellermann par ② ✆ 37 45 10 87
PEUGEOT-TALBOT Gar. Lemasson, rte Chartres par ① ✆ 37 45 20 98
RENAULT Giraud, rte Tours à la Chapelle du Noyer par ③ ✆ 37 45 10 74 N

V.A.G. SNVRA, bd du 8-Mai ✆ 37 45 03 32

Central Pneu, N 10 ✆ 37 45 11 17
La Centrale du Pneu, 98 r. Varize ✆ 37 45 68 54

CHÂTEAU-FARINE 25 Doubs 66 ⑮ – rattaché à Besançon.

CHÂTEAUFORT 78 Yvelines 60 ⑩, 101 ㉒ – voir à Paris, Environs.

CHÂTEAUGIRON 35410 I.-et-V. 63 ⑦ G. Bretagne – 3 265 h. alt. 60.

Paris 337 – Angers 107 – Châteaubriant 42 – Fougères 51 – Nozay 64 – ♦Rennes 16 – Vitré 27.

Cheval Blanc et Château, ☎ 99 37 40 27 – P. E VISA
fermé 6 au 20 fév. – SC : **R** *(fermé dim. soir du 15 sept. au 15 juin)* 42/100 – 16,50 – **14 ch** 72/130 – P 135/160.

XX **Aubergade,** ☎ 99 37 41 35. VISA
fermé 4 au 17 août, 2 au 15 janv., dim. soir et lundi – SC : **R** 110/155.

CITROEN Pinel, ☎ 99 37 41 54

CHÂTEAU-GONTIER 53200 Mayenne 63 ⑩ G. Châteaux de la Loire – 8 352 h. alt. 43.

Voir Intérieur★ de l'église St-Jean B.

Syndicat d'Initiative à la Mairie ☎ 43 07 07 10.

Paris 283 ② – Angers 43 ④ – Châteaubriant 56 ⑥ – Laval 31 ① – ♦Le Mans 80 ② – ♦Rennes 86 ⑥.

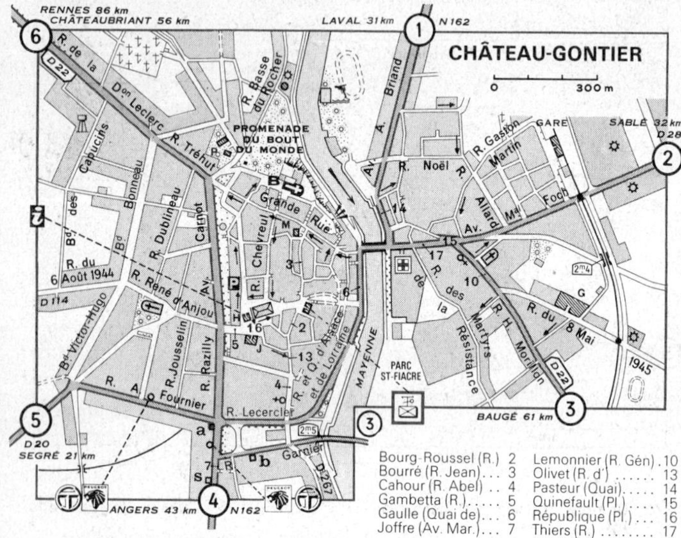

Parc H. M, 46 av. Joffre (s) ☎ 43 07 28 41, parc, – wc P – 25. E VISA
fermé 14 déc. au 6 janv. – SC : **R** voir **La Brasserie** – **22 ch** 170/270.

Cerf sans rest, 31 r. Garnier (b) ☎ 43 07 25 13 – wc wc P. E VISA
SC : 13,50 – **22 ch** 68/110.

XX **La Brasserie** avec ch, av. Joffre (a) ☎ 43 07 10 80 – wc – 50. E VISA
fermé 14 déc. au 6 janv. et dim. – SC : **R** 75/220 – 20 – **20 ch** 90/145 – P 250.

XX **Host. Mirwault** avec ch, N : 2 km par r. Basse-du-Rocher ☎ 43 07 13 17, « Au bord de la Mayenne », – wc wc P. AE E VISA. ch
fermé janv., fév., sam. midi en mars-avril et vend. (sauf le soir du 1er mai au 30 déc.) – SC : **R** *(déj. seul. (sauf sam. déj. et dîner) du 1er oct. au 30 déc.)* 55/160 – 20 – **10 ch** 120/260.

PEUGEOT-TALBOT Gar. Fourmond, 6 av. Mar.-Joffre ☎ 43 07 22 57
PEUGEOT-TALBOT Gar. Huchedé, 28 r. A.-Fournier ☎ 43 07 21 72
Cailleau, rte d'Angers ☎ 43 70 31 09

CHÂTEAULIN 29150 Finistère 58 ⑮ G. Bretagne – 6 102 h. alt. 8.

Env. Enclos paroissial★★ de Pleyben E : 10 km.

Office de Tourisme quai Cosmao (Pâques et 15 juin-15 sept.) ☎ 98 86 02 11 et à la Mairie (16 sept.-15 juin) ☎ 98 86 10 05.

Paris 550 – ♦Brest 49 – Carhaix-Plouguer 47 – Concarneau 53 – Douarnenez 26 – Landerneau 40 – Lorient 95 – Morlaix 56 – Quimper 31 – Vannes 144.

Au Bon Accueil, à Port Launay NE : 2 km par D 770 ☎ 98 86 15 77, ←, – wc wc P – 100. E VISA.
fermé 24 au 30 nov. et janv. – SC : **R** *(fermé dim. soir et lundi du 15 sept. au 1er mai)* 51/260 – 18 – **59 ch** 83/185.

XX **Aub. Ducs de Lin** avec ch, S: 1,5 km par ancienne rte Quimper 98 86 04 20, ≤ – wc Ⓟ. E. ch
fermé 3 au 21 mars, 22 sept. au 6 oct., dim. soir hors sais. et lundi sauf le soir en sais. – SC : **R** 77/200 – 25 – **6 ch** 185/200.

CITROEN Gar. de Cornouaille, 98 86 04 40
PEUGEOT-TALBOT Viénot, 98 86 06 50
RENAULT Gar. de l'Aulne 98 86 12 08 N
Simon-Pneus, 98 86 16 09

CHATEAUNEUF 21 Côte d'Or 65 ⑲ **G. Bourgogne** – 62 h. alt. 475 – ✉ **21320** Pouilly-en-Auxois.
Voir Site★ du village★ – Château★.
Paris 283 – Avallon 76 – Beaune 35 – ♦Dijon 42 – Montbard 69.

Host. du Château, 80 33 00 23, ≤, – wc wc. AE E VISA. rest
15 mars-15 nov. et fermé lundi soir et mardi hors sais. – SC : **R** 100/140 – 20 – **11 ch** 100/200.

CHATEAUNEUF 83 Var 84 ⑭ – rattaché à Nans-les-Pins.

CHÂTEAUNEUF-DU-FAOU 29119 Finistère 58 ⑯ **G. Bretagne** – 4 048 h. alt. 130.
Office de Tourisme pl. Marché (15 juin-15 sept.) 98 81 83 90.
Paris 527 – ♦Brest 65 – Carhaix-Plouguer 23 – Châteaulin 24 – Morlaix 51 – Quimper 36.

Relais de Cornouaille, rte Carhaix 98 81 75 36
fermé oct., dim. soir et sam. – SC : **R** 40/130 – 11,50 – **10 ch** 55/70 – P 120/130.

CHÂTEAUNEUF-DU-PAPE 84230 Vaucluse 81 ⑫ **G. Provence** – 2 060 h. alt. 117.
Voir ≤★★ du château des Papes.
Office de Tourisme pl. Portail 90 83 71 08.
Paris 672 – Alès 78 – Avignon 18 – Carpentras 24 – Orange 13 – Roquemaure 10.

Le Logis d'Arnavel M, O : 3 km sur D 17 90 83 73 22, – wc wc Ⓟ – 50. AE E
SC : **R** 90/180 – 25 – **15 ch** 210/250 – P 400.

XXX ✿ **Host. Château des Fines Roches** (Estevenin) M avec ch, S : 3 km par D 17 et voie privée 90 83 70 23, « Dans un domaine viticole, belle vue », – TV wc wc Ⓟ – 50 à 80.
fermé de Noël à fin fév., dim. soir et lundi hors sais. – SC : **R** *(fermé lundi)* (nombre de couverts limité - prévenir) 180 – 50 – **7 ch** 380/550
Spéc. Salade de truffes fraîches (saison), Filets de rougets au romarin, Chariot de desserts. **Vins** Châteauneuf-du-Pape.

XXX **Mule-du-Pape,** 90 83 73 30, ≤ – E VISA
fermé lundi soir, mardi et le soir en déc.-janv. – SC : **R** 72/160.

CHÂTEAUNEUF-EN-THYMERAIS 28170 E.-et-L. 60 ⑦ – 2 339 h. alt. 212.
Paris 103 – Chartres 25 – Châteaudun 64 – Dreux 21 – ♦Le Mans 115 – Verneuil-sur-Avre 31.

XX **Écritoire** avec ch, 37 51 60 57 – wc.
fermé 22 août au 7 sept., 26 janv. au 10 fév. et mardi – SC : **R** 90/220 – 26 – **5 ch** 140/200.

à St-Jean-de-Rebervilliers N : 4 km par D 928 – ✉ **28170** Châteauneuf-en-Th. :

XXX **Aub. St-Jean,** 37 51 62 83, – Ⓟ. AE E VISA
fermé 10 au 26 sept., 19 fév. au 20 mars, jeudi soir et vend. – SC : **R** (nombre de couverts limité - prévenir) 130/180.

CHÂTEAUNEUF-LE-ROUGE 13 B.-du-R. 84 ③ – 1 071 h. alt. 230 – ✉ **13790** Rousset.
Paris 767 – Aix-en-Provence 12 – Aubagne 30 – Brignoles 52 – ♦Marseille 35 – Rians 30.

La Galinière, N7 42 58 62 04, – wc Ⓟ – 30. AE E
SC : **R** 75/200 – 25 – **21 ch** 100/270 – P 230/355.

CHÂTEAUNEUF-LES-BAINS 63 P.-de-D. 73 ③ **G. Auvergne** – 374 h. alt. 390 – Stat. therm. (2 mai-30 sept.) – ✉ **63390** St-Gervais-d'Auvergne.
Office de Tourisme (mai-oct. après-midi seul.) 73 86 67 86.
Paris 373 – Aubusson 82 – ♦Clermont-Ferrand 49 – Montluçon 55 – Riom 34 – Ussel 96.

Château, 73 86 67 01, ≤ – wc wc Ⓟ. VISA
17 mai-30 sept. – SC : **R** 53/110 – 18 – **38 ch** 70/140 – P 110/170.

This symbol indicates restaurants serving a plain meal at a moderate price.

CHÂTEAUNEUF-SUR-LOIRE 45110 Loiret 64 ⑩ G. Châteaux de la Loire – 6 029 h. alt. 135.

Voir Mausolée★ dans l'église St-Martial – Germigny-des-Prés : mosaïque★★ de l'église★ SE : 4,5 km.

Office de Tourisme pl. A.-Briand ✆ 38 58 44 79.

Paris 132 – Bourges 102 – Gien 39 – Montargis 46 – ♦Orléans 30 – Pithiviers 39 – Vierzon 86.

- **La Capitainerie,** Gde-Rue ✆ **38 58 42 16,** – wc wc ☎ Ⓟ. E VISA
  fermé fév. et lundi (sauf hôtel) en sais. – SC : **R** 75/140 – 20 – **14 ch** 140/220 – P 230/270.
- **Nouvel H. du Loiret,** pl. A.-Briand ✆ **38 58 42 28** – wc wc ☎. AE ⓓ E VISA
  fermé janv., dim. soir (sauf hôtel du 1er juin au 30 sept.) – SC : **R** 69/140 – 16 – **21 ch** 82/168 – P 250/350.

CITROEN Gar. du Centre, 108 Gde r. ✆ 38 58 43 14
RENAULT Carrascosa, 18 r. Bonne Dame ✆ 38 58 42 57
RENAULT Poignard, 123 av du Gatinais ✆ 38 58 42 11

CHÂTEAUNEUF-SUR-SARTHE 49330 M.-et-L. 64 ① – 2 555 h. alt. 23.

Office de Tourisme quai de la Sarthe (juil.-août) ✆ 41 69 82 89.

Paris 275 – Angers 31 – Château-Gontier 26 – La Flèche 33.

- **Ondines** Ⓜ, ✆ **41 69 88 96,** ← – wc wc ☎ Ⓟ – 50. AE E
  SC : **R** 55/147 – 23 – **30 ch** 85/220 – P 217/370.
- XX **Sarthe** avec ch, ✆ **41 69 85 29,** ← – wc Ⓟ.
  fermé oct., vacances de fév. dim. soir et lundi sauf juil.-août – SC : **R** 47/160 – 17 – **7 ch** 75/170 – P 150/210.

CHÂTEAURENARD 13160 B.-du-R. 81 ⑫ G. Provence – 11 072 h. alt. 43.

Voir Château féodal : ✻★ de la tour du Griffon.

Syndicat d'Initiative 27 av. Gén.-de-Gaulle ✆ 90 94 23 27.

Paris 695 – Avignon 10 – Carpentras 34 – Cavaillon 21 – ♦Marseille 96 – Nîmes 44 – Orange 41.

- **Provence,** 10 av. Georges-Perrier ✆ **90 94 01 20** – wc ☎. E VISA
  fermé 1er au 15 nov. et 24 déc. au 8 janv. – SC : **R** *(fermé vend. soir et sam. midi)* 61/143 – 16 – **17 ch** 125/175 – P 230/270.
- X **Les Glycines** avec ch, **14 av. V. Hugo** ✆ **90 94 10 66** – rest wc ☎. AE ⓓ E VISA. ch
  fermé lundi – SC : **R** 60/130 – 20 – **10 ch** 95/155 – P 170/195.
- X **Central** avec ch, **27 cours Carnot** ✆ **90 94 10 90** – wc wc ☎. VISA
  fermé 26 oct. au 3 nov., 20 déc. au 10 janv. et dim. du 1er oct. au 15 mars – SC : **R** 55/105 – 15 – **15 ch** 72/150 – P 145/180.

PEUGEOT-TALBOT Barde, 10 av. F.-Mistral ✆ 90 94 04 80
PEUGEOT-TALBOT Lafon, 10 r. Henri Brisson ✆ 90 94 12 04
RENAULT Châteaurenard-Autom., bd Genevet ✆ 90 94 24 98
Omnica, 30 bd Gambetta ✆ 90 94 10 93

CHÂTEAURENARD 45220 Loiret 65 ③ G. Bourgogne – 2 241 h. alt. 113.

Syndicat d'Initiative pl. République ✆ 38 95 21 84.

Paris 130 – Auxerre 60 – Gien 40 – Montargis 17 – Sens 43.

- XX **Le Sauvage** avec ch, **pl. République** ✆ **38 95 23 55** – . E VISA
  fermé 16 au 31 août, vacances de fév., dim. soir et lundi – SC : **R** 65/150 – 16 – **7 ch** 80/110 – P 205.

CHÂTEAU-RENAULT 37110 I.-et-L. 64 ⑤⑥ G. Châteaux de la Loire (plan) – 6 170 h. alt. 88.

Syndicat d'Initiative Parc du Château ✆ 47 56 91 35.

Paris 215 – Angers 118 – Blois 34 – Loches 60 – ♦Le Mans 86 – ♦Tours 30 – Vendôme 26.

- Lurton sans rest, **37 pl. J.-Jaurès** ✆ **47 56 80 26** – wc wc ☎ Ⓟ
  8 ch.
- **Lion d'Or,** 166 r. République ✆ **47 29 66 50** – ☎. ⓓ VISA
  fermé 15 au 31 janv., 1er au 15 oct., dim. soir et lundi hors sais. – SC : **R** 65/160 – 16 – **10 ch** 70/160 – P 181/226.
- XX **Écu de France** avec ch, **pl. J.-Jaurès** ✆ **47 29 50 72** – wc wc ☎ Ⓟ. AE ⓓ VISA
  fermé 21 au 28 déc., 12 janv. au 1er fév., dim. soir et lundi midi sauf juil.-août – **R** 55/110 – 15,50 – **9 ch** 190/250.

au NE : sur N 10 :

- XX **Le Gastinais,** 7 km sur N 10 ✉ 41310 Villechauve (L.-et-Ch.) ✆ **54 80 33 30** – Ⓟ
  fermé 3 au 20 sept., 2 au 24 janv., mardi soir et merc. – SC : **R** (dim. et fêtes - prévenir) 52/103 .

RENAULT Tortay, 19 r. Gambetta ✆ 47 56 50 97

CHÂTEAUROUX P 36000 Indre 68 ⑧ G. Périgord – 53 967 h. alt. 154.

Voir Clocher* de l'ancienne abbaye de Déols 2 km par ①.

Office de Tourisme pl. de la Gare ✆ 54 34 10 74 - A.C. 57 r. Belle Isle ✆ 54 22 92 24.

Paris 268 ① – Blois 98 ⑧ – Bourges 67 ① – Châtellerault 99 ⑦ – Guéret 83 ④ – ♦Limoges 126 ⑤ – Montluçon 98 ③ – ♦Orléans 137 ① – Poitiers 120 ⑤ – ♦Tours 111 ⑦ – Vierzon 58 ①.

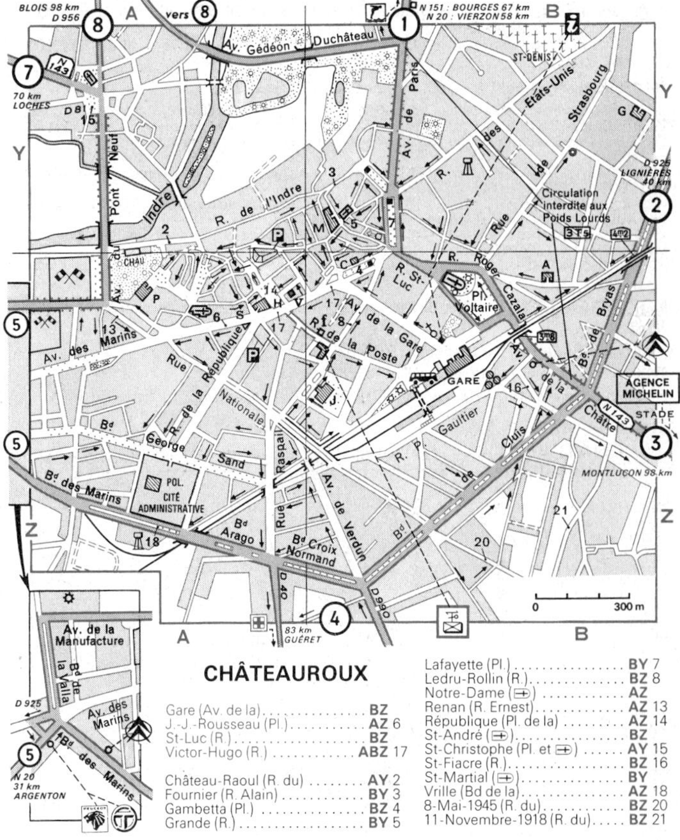

CHÂTEAUROUX

Gare (Av. de la) .... BZ
J.-J.-Rousseau (Pl.) .... AZ 6
St-Luc (R.) .... BZ
Victor-Hugo (R.) .... ABZ 17

Château-Raoul (R. du) .... AY 2
Fournier (R. Alain) .... BY 3
Gambetta (Pl.) .... BZ 4
Grande (R.) .... BY 5

Lafayette (Pl.) .... BY 7
Ledru-Rollin (R.) .... BZ 8
Notre-Dame (⊕) .... AZ
Renan (R. Ernest) .... AZ 13
République (Pl. de la) .... AZ 14
St-André (⊕) .... BZ
St-Christophe (Pl. et ⊕) .... AY 15
St-Fiacre (R.) .... BZ 16
St-Martial (⊕) .... BY
Vrille (Bd de la) .... AZ 18
8-Mai-1945 (R. du) .... BZ 20
11-Novembre-1918 (R. du) .... BZ 21

Elysée H. M sans rest, 2 r. République ✆ 54 22 33 66 – |‡| TV ⇔wc ☎. AE ⓓ VISA. ✂ AZ **s**
fermé 15 au 24 août, dim. et fériés – SC : ⊐ 30 – **17 ch** 240/300.

Boischaut sans rest, 135 av. La Châtre par ③ ✆ 54 22 22 34 – |‡| TV ⇔wc ⋒wc ☎ Ⓟ. E VISA
SC : ⊐ 17 – **27 ch** 125/180.

Christina sans rest, 250 av. La Châtre par ③ ✆ 54 34 01 77 – |‡| ⇔wc ⋒wc ☎ Ⓟ. AE ⓓ E VISA
fermé 22 déc. au 4 janv. – SC : ⊐ 17,50 – **33 ch** 85/165.

Aub. Arc en Ciel sans rest, à la **Forge de l'Isle** par ③ : 6 km ✉ 36330 Le Poinçonnet ✆ 54 34 09 83 – ⇔wc ⋒ ☎ Ⓟ – ♟ 30 à 120
SC : ⊐ 16 – **27 ch** 85/174.

St-Hubert, 25 r. Poste ✆ 54 34 06 74 – ⋒wc ☎. AE E VISA BZ **f**
fermé dim. – SC : **R** Brasserie carte environ 75 ♁ – ⊐ 17 – **12 ch** 120/185.

Le Parc, 148 av. Paris ✆ 54 34 36 83 – ⇔ ⋒wc ☎ Ⓟ BY **a**
fermé nov. – SC : **R** *(fermé sam. de déc. à mai)* 70/130 ♁ – ⊐ 24 – **27 ch** 85/150 – P 250/280.

XXX ✿✿ **Jean Bardet,** 1 r. J. J.-Rousseau ✆ 54 34 82 69 – AE ⓓ E VISA AZ **s**
fermé 3 au 25 fév., 17 au 27 nov., dim. soir et lundi sauf fériés – **R** 150/320 et carte
Spéc. Civet de homard et petits crustacés, Steak de carpe au Valençay rouge et épices, Lapin fermier aux artichauts confits. **Vins** Quincy, Chinon.

X A l'Escargot, 7 r. J.-Jaurès ✆ 54 22 06 75 – AZ **v**

rte de Paris près Céré par ① : 5 km – ✉ **36130** Déols :

Relais St-Jacques M, ✆ 54 22 87 10, Télex 751176, – TV ⇔wc ☎ ♿ P – 60 à 120. AE ⓓ E VISA
SC : **R** *(fermé dim. soir du 15 déc. au 15 mars)* 70/150 – ☕ 25 – **46 ch** 230/255 – P 280/300.

MICHELIN, Agence, Z.I., 19 bd d'Anvaux par ③ ✆ **54 22 23 31**

CITROEN Maublanc, 28 av. de La Châtre ✆ 54 22 29 68 N ✆ 54 34 30 28
CITROEN Gar. Bisson, 76 bd des Marins ✆ 54 34 12 66
FORD Pabanel, 54 av. Gare ✆ 54 22 97 17
PEUGEOT-TALBOT Gd Gar. du Berry, 9 av. Argenton ✆ 54 22 35 88
RENAULT Sarraf, 34 Av. d'Argenton par ⑤ ✆ 54 22 22 22 N
V.A.G. Caberry, La Poterie Rocade Sud ✆ 54 22 14 49 N ✆ 54 35 40 33

Central Pneu, 86 bd de Cluis ✆ 54 34 12 22
Chirault, Z.I. allée des maisons rouges ✆ 54 34 39 19 r. Folie-Comtois ✆ 54 34 40 78
Fredon, 173 av. d'Argenton ✆ 54 34 23 30
Leseche, 1 bis av. de l'Ambulance ✆ 54 22 36 03
Récup-Auto, rte d'Issoudun à Déols ✆ 54 34 91 90
Tous les pneus, 206 av. de Verdun ✆ 54 22 37 26

CHÂTEAU-THIERRY

SP **02400** Aisne 56 ⑭ **G. Champagne, Ardennes** – 14 920 h. alt. 63.

Voir Église St-Ferréol★ d'Essômes 2,5 km par ⑤.

Office de Tourisme 12 pl. Hôtel de Ville ✆ 23 83 10 14, Télex 140234.

Paris 96 ① – Épernay 48 ③ – Meaux 50 ⑥ – ♦Reims 58 ① – Soissons 41 ① – Troyes 110 ④.

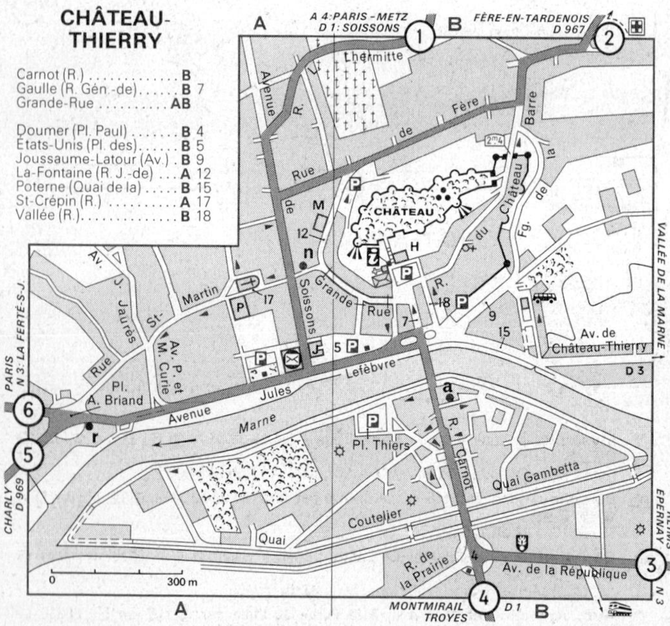

Ile de France, par ① : 2 km rte de Soissons ✆ 23 69 10 12, Télex 150666, – TV ⇔wc ⋒wc ☎ P – 40. AE ⓓ E VISA
SC : **R** 55/210 – ☕ 20 – **56 ch** 90/255.

La Girafe sans rest, pl. Aristide-Briand ✆ 23 83 02 06 – ⇔wc ⋒wc P. VISA A **r**
SC : ☕ 18 – **30 ch** 80/170.

XX ✿ **Aub. Jean de la Fontaine,** 10 r. Filoirs ✆ 23 83 63 89 B a
fermé août, 21 au 29 fév., dim. soir et lundi – SC : **R** carte 115 à 190
Spéc. Terrines, Aiguillettes de canard à l'embeurrée de choux verts, Ris de veau braisé au champagne.

X **St-Éloi** avec ch, 27 av. Soissons ✆ 23 83 02 33, – A n
fermé 1er au 25 oct., fév. et merc. – SC : **R** 45/140 – 12 – **13 ch** 85/110.

BMW-OPEL Gar. Bachelet, av. Gén.-de-Gaulle à Essômes ✆ 23 83 21 78
CITROEN Aisne-Auto, 8 av. Montmirail par ④ ✆ 23 83 23 80
FIAT Gar. Rousselet, 15 Av. de la République ✆ 23 83 03 32
FORD Gar. Desaubeau, N 3 à Chierry ✆ 23 83 00 86
MERCEDES-BENZ Gar. des Cordeliers, 8 r. de la Plaine, Zone Ind. ✆ 23 83 45 88
NISSAN Gar. Delattre, N 3, Blesmes ✆ 23 83 24 57
PEUGEOT-TALBOT Verdel, 18 av. Essômes par ⑤ ✆ 23 83 20 25
RENAULT Gds Gar. de l'Avenue, 51-58 av. Essômes par ⑤ ✆ 23 83 14 48 N
V.A.G., VOLVO Gar. de la Prairie, Zone Ind. par r. de la Prairie ✆ 23 83 24 42

La Centrale du Pneu, 38 av. de Paris ✆ 23 83 02 79

CHÂTEAU-VILLE-VIEILLE (Commune de) 05350 H.-Alpes 77 ⑲ – 268 h. alt. 1 400.

Voir Site★ de Château-Queyras, O : 2,5 km, G. Alpes.

Paris 719 – Briançon 40 – Gap 81 – Guillestre 21 – col d'Izoard 18.

Guilazur M, à Ville-Vieille ✆ 92 45 74 09, ←, – wc ☎ P. AE. rest
16 mai-30 sept. et 15 déc.-30 avril – SC : **R** 42/89 – 19 – **18 ch** 122/159 – P 202/235.

RENAULT Gar. Berge, ✆ 92 45 73 63

CHÂTEL 74390 H.-Savoie 70 ⑱ G. Alpes – 1 024 h. alt. 1 235 – Sports d'hiver : 1 100/2 400 m 2 40 – Voir Site★ – Pas de Morgins★ S : 3 km.

Env. Pic de Morclan ✲★★ par télécabine.

Office de Tourisme ✆ 50 73 22 44, Télex 385856.

Paris 570 – Annecy 114 – Évian-les-Bains 40 – Morzine 50 – Thonon-les-Bains 39.

Macchi M, ✆ 50 73 24 12, ←, – P – 50. rest
15 juin-15 sept. et 20 déc.-15 avril – SC : **R** 70/100 – 23 – **26 ch** 195/270 – P 300/325.

Fleur de Neige, ✆ 50 73 20 10, Télex 309029, ←, , – wc wc ☎ P. E
7 juin-15 sept. et 20 déc.-15 avril – SC : **R** 90/230 – 28 – **43 ch** 220/330 – P 240/350.

Panoramic H. M, ✆ 50 73 22 15, ←, – wc P.
12 juil.-16 août (sans rest.) et Noël-Pâques (pension seul.) – SC : **R** 62/127 – 26 – **28 ch** 245/265 – P 230/345.

Belalp, ✆ 50 73 24 39, ← – wc wc P
1er juil.-31 août et vacances de Noël à vacances de printemps – SC : **R** 58/150 – 22 – **30 ch** 150/250 – P 198/253.

Le Choucas sans rest, ✆ 50 73 22 57 – wc P
15 juin-15 sept. et Noël-Pâques – SC : 16 – **14 ch** 130/170.

PEUGEOT-TALBOT Premat, ✆ 50 73 24 87 N

CHÂTELAILLON-PLAGE 17340 Char.-Mar. 71 ⑬ G. Côte de l'Atlantique – 5 469 h. – Casino.

Office de Tourisme 1 allées du Stade ✆ 46 56 26 97.

Paris 477 – Niort 62 – Rochefort 21 – La Rochelle 12 – Surgères 28.

Majestic H., bd Libération ✆ 46 56 20 53 – wc wc ☎ . AE E VISA. rest
fermé vacances de nov., 20 déc. au 10 janv., vacances de fév., sam. et dim. du 1er oct. à Pâques – SC : **R** (résidents seul.) 77/97 – 22 – **30 ch** 86/190 – P 170/230.

L'Hermitage, 13 av. Gén.-Leclerc ✆ 46 56 20 97 – wc P – **27 ch**.

Les Goélands, 69 bd Mer ✆ 46 56 18 68 – wc . VISA
SC : **R** (dîner seul. pour résidents) 80 – 20 – **10 ch** 150/170.

Centre, 45 r. Marché ✆ 46 56 23 57 – wc P. E VISA
fermé lundi midi et dim. du 1er oct. au 31 mars – SC : **R** 48/150 – 16,50 – **26 ch** 120/176 – P 170/218.

XX **Océan** avec ch, 121 bd République ✆ 46 56 25 91 – wc. VISA. rest
fermé mi-fév. à mi-mars, dim. soir et lundi hors sais. – SC : **R** 55/270 – 19 – **24 ch** 92/205 – P 210/250.

XX **Armor,** au port de Plaisance ✆ 46 56 27 91, – P
mars-oct. – SC : **R** 100/200 .

XX **Aub. Chez Yannick,** 23 bd Libération ✆ 46 56 25 08
fermé lundi et mardi de sept. à juin – SC : **R** 53/107.

CHÂTELARD 38 Isère 77 ⑥ – rattaché à Bourg d'Oisans.

CHÂTELGUYON 63140 P.-de-D. 73 ④ **G. Auvergne** – 3 649 h. alt. 409 – Stat. therm. (25 avril-5 oct.) – Casino BZ.

Voir Gorges d'Enval★ 3 km par ③ puis 30 mn.

Office de Tourisme parc E.-Clementel (24 mars-10 oct.) ✆ 73 86 01 17.

Paris 375 ① – Aubusson 99 ③ – ♦Clermont-Fd 20 ② – Gannat 28 ① – Vichy 47 ① – Volvic 12 ③.

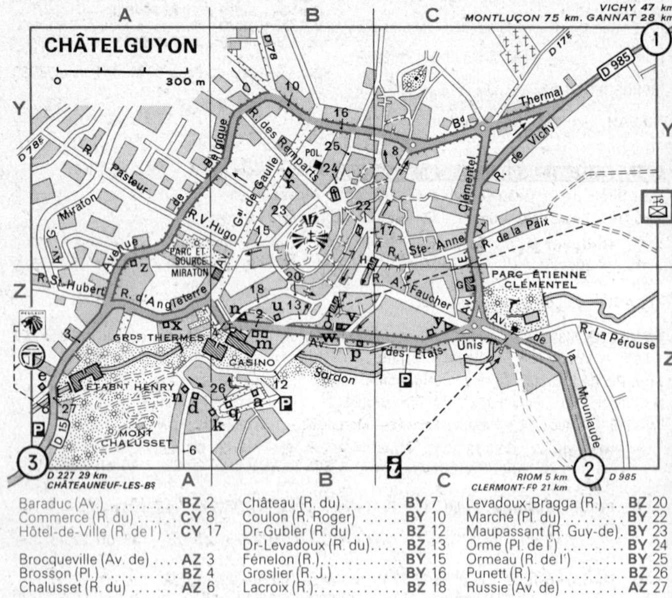

Baraduc (Av.) .... **BZ** 2	Château (R. du) .... **BY** 7	Levadoux-Bragga (R.) ... **BZ** 20
Commerce (R. du) .... **CY** 8	Coulon (R. Roger) ...... **BY** 10	Marché (Pl. du) .... **BY** 22
Hôtel-de-Ville (R. de l') .. **CY** 17	Dr-Gubler (R. du) .... **BZ** 12	Maupassant (R. Guy-de) . **BY** 23
	Dr-Levadoux (R. du) ..... **BZ** 13	Orme (Pl. de l') .... **BY** 24
Brocqueville (Av. de) .... **AZ** 3	Fénelon (R.) .... **BY** 15	Ormeau (R. de l') .... **BY** 25
Brosson (Pl.) .... **BZ** 4	Groslier (R. J.) .... **BY** 16	Punett (R.) .... **BZ** 26
Chalusset (R. du) .... **AZ** 6	Lacroix (R.) .... **BZ** 18	Russie (Av. de) .... **AZ** 27

Splendid ⑤, r. Angleterre ✆ 73 86 04 80, Télex 990585, ≤, « Jardin ombragé en terrasses, thermes », ⛱ – |\$| Ⓟ – 🏃 30. AE ⓓ E VISA. ✻ rest — AZ **x**
25 avril-15 oct. – SC : **R** 160/180 – ☕ 33 – **93 ch** 279/500 – P 562/622.

Mont Chalusset ⑤, r. Punett ✆ 73 86 00 17, ≤, 🌳 – |\$| – 🏃 30. AE ⓓ E. ✻ rest — BZ **q**
2 mai-30 sept. – SC : **R** 95/120 – ☕ 30 – **70 ch** 175/270 – P 305/356.

International ⑤, r. Punett ✆ 73 86 06 72, ≤, 🌳 – |\$| ☎. ✻ rest — ABZ **k**
2 mai-30 sept. – SC : **R** 125/130 – ☕ 30 – **68 ch** 130/270 – P 254/365.

Paris, 1 r. Dr Levadoux ✆ 73 86 00 12, 🌳 – |\$| ⛀wc ☏. ✻ rest — BZ **u**
fermé 1er au 23 avril, 6 oct. au 20 nov. et dim. soir (sauf hôtel) du 1er mai au 20 nov. – SC : **R** (prévenir) 67/160 – ☕ 21 – **62 ch** 157/242 – P 250/280.

Hirondelles, av. États-Unis ✆ 73 86 09 11, 🌳 – ⛀wc 🚿wc ☎ Ⓟ. AE VISA. ✻ rest — BZ **p**
20 avril-8 oct. – SC : **R** 55/115 🍷 – ☕ 15 – **50 ch** 98/180 – P 169/238.

Bains, av. Baraduc ✆ 73 86 07 97, 🌳 – |\$| ⛀wc 🚿wc ☎. VISA. ✻ rest — BZ **m**
2 mai-30 sept. – SC : **R** 66/103 – ☕ 17 – **36 ch** 128/173 – P 206/287.

Printania, av. Belgique ✆ 73 86 15 09, 🌳 – |\$| ⛀wc 🚿wc ☎ Ⓟ. VISA. ✻ rest — AY **z**
26 avril-30 sept. – SC : **R** 76/109 – ☕ 16 – **40 ch** 102/209 – P 202/264.

Établissement, av. Brocqueville ✆ 73 86 03 43, ≤, 🌳 – |\$| ⛀wc 🚿wc ☎ Ⓟ — AZ **e**
60 ch.

Thermalia, av. Baraduc ✆ 73 86 00 11, 🌳 – |\$| ⛀wc 🚿wc ☏. ✻ rest — BZ **m**
début mai-fin sept. – SC : **R** 88/165 – ☕ 18 – **49 ch** 107/212 – P 220/308.

Beau Site ⑤, 2 r. Chalusset ✆ 73 86 00 49, 🌳 – 🚿wc ☎ Ⓟ. ✻ rest — AZ **n**
1er mai-30 sept. – SC : **R** 58/120 – ☕ 15,50 – **31 ch** 108/192 – P 192/225.

Univers, av. Baraduc ✆ 73 86 02 71 – ⛀wc 🚿wc ☏. AE VISA — BZ **v**
fermé 15 déc. au 21 janv., dim. soir et lundi du 6 oct. au 30 mars et le soir (sauf sam.) en hiver – SC : **R** 76/160 🍷 – ☕ 13,50 – **41 ch** 62/138 – P 155/201.

Bérénice, av. Baraduc ✆ 73 86 09 86 – ⛀wc ☎. ✻ rest — BZ **n**
10 mai-5 oct. – SC : **R** 60/120 🍷 – ☕ 18 – **11 ch** 95/195 – P 185/255.

Les Bruyères ⚘, r. Chalusset ✆ 73 86 01 09 – ⋔wc ☎ Ⓟ. ✻ rest — AZ **d**
15 avril-15 oct. – SC : **R** 58/96 – ☕ 16 – **28 ch** 53/223 – P 197/203.

Régence, av. États-Unis ✆ 73 86 02 60 – ⊟wc ⋔wc ☎ — CZ **y**
28 ch.

Paix, av. États-Unis ✆ 73 86 06 90, ⛱, ⛱ – ⋔wc ☎ — CZ **y**
20 avril-30 sept. – SC : **R** 52/116 – ☕ 12,50 – **32 ch** 60/161 – P 138/184.

Bellevue ⚘, r. Punett ✆ 73 86 07 62, ≤, ⛱ – |♦| ⋔wc ☎. ✻ rest — BZ **a**
25 avril-5 oct. – SC : **R** 55 – ☕ 16,50 – **40 ch** 65/168 – P 160/225.

Chante-Grelet, av. Gén.-de-Gaulle ✆ 73 86 02 05, ⛱ – ⊟wc ⋔wc ☎. ✻ rest
25 avril-15 oct. – SC : **R** 68/110 – ☕ 15,50 – **35 ch** 118/143 – P 165/202. — BY **r**

XX **La Grilloute**, av. Baraduc ✆ 73 86 04 17. VISA — BZ **v**
5 mai-5 oct. et fermé mardi – SC : **R** 65/90.

à St-Hippolyte par ② et bd Desaix : 2 km – ✉ **63140** Châtelguyon :

ℹ Office de Tourisme 16 r. du Lac (1er nov.-31 mars) ✆ 73 86 06 13.

Le Cantalou, ✆ 73 86 04 67, ≤ – ⊟wc ⋔wc ☎ Ⓟ. ✻
1er mars-30 oct. – SC : **R** *(fermé lundi en sais.)* 42/78 🍷 – ☕ 14 – **30 ch** 70/125 – P 125/157.

PEUGEOT-TALBOT Gar. Thermal, ✆ 73 86 08 77

CHÂTELLERAULT

<SP> **86100** Vienne **68** ④ **G. Côte de l'Atlantique** – 36 110 h. alt. 60.

Voir Musée de l'automobile et de la technique★ AZ **M**.

ℹ Office de Tourisme bd Blossac ✆ 49 21 05 47 – A.C.O. 112 r. Bourbon ✆ 49 21 14 07.

Paris 304 ① – **Châteauroux 99** ② – **Cholet 130** ⑤ – **Poitiers 35** ④ – ♦**Tours 70** ①.

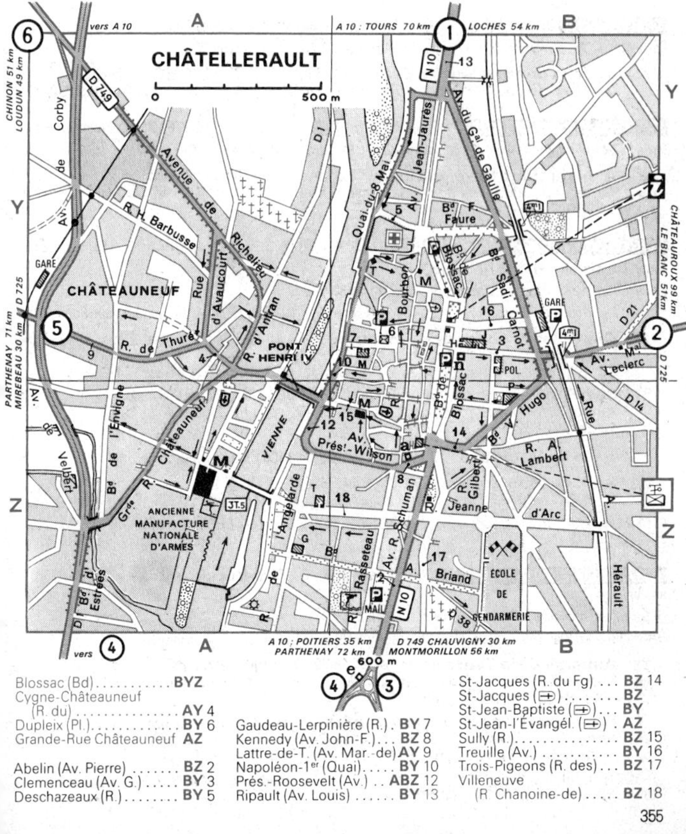

Gd H. Moderne et rest. La Charmille (Proust), 74, bd Blossac ✆ 49 21 30 11, Télex 791801 – wc wc ☎ . AE E VISA BY **n**
SC : **R** *(fermé 14 au 21 oct., 15 janv. au 15 fév. et mardi)* carte 235 à 275 **grill** *(fermé 15 déc. au 15 janv. dim. et fériés)* **R** carte environ 90 – 30 – **39 ch** 150/380
Spéc. Salade "Charmille", Filet de turbot aux tétragones, Millefeuille de fruits frais. **Vins** Bourgueil, Saumur Champigny.

Ibis M, **quartier de la Forêt ✆ 49 21 75 77, Télex 791488** – wc ☎ – 30 à 80. E VISA BZ **e**
SC : **R** carte environ 85 – **72 ch** 203/269.

Croissant, 19 av. J.-F.-Kennedy ✆ 49 21 01 77 – wc ☎. AE E VISA BZ **a**
fermé 23 déc. au 6 janv., lundi (sauf hôtel) et dim. soir – SC : **R** 51/175 – 19 – **20 ch** 88/210.

L'Escale sans rest, **sortie Nord sur N 10 ✆ 49 21 13 50,** – wc . E VISA
SC : 17,50 – **32 ch** 95/177.

à Naintré-les-Barres **par ④ : 9 km sur N 10 – ✉ 86530** Naintré :

La Grillade, ✆ 49 90 03 42, – .

CITROEN Raison, 3 av. Honoré de Balzac ✆ 49 21 32 22
FIAT, TOYOTA Touzalin, 107 r. d'Antran ✆ 49 21 14 29
FORD Tardy, 40 bd d'Estrées ✆ 49 21 48 44
LANCIA-AUTOBIANCHI Gar. Ville, 136 r. d'Antran ✆ 49 93 57 95
PEUGEOT-TALBOT Georget, N 10, Sortie Sud par bd d'Estrées AZ ✆ 49 21 08 32
RENAULT Burban et Lanoue, l'Orée du Bois, N 10 Sud par bd d'Estrées AZ ✆ 49 21 30 90
VAG Eurosport, 20 av. Louis-Ripault ✆ 49 21 35 78

Chartier-Pneus, 124 av. Camille Page ✆ 49 21 58 22
Comptoir du Pneu, 31 av. d'Argenson ✆ 49 23 36 07
Interpneus, Av. Robert Schumann ✆ 49 21 56 66
Leroux, 44 bd V.-Hugo ✆ 49 21 11 42

CHÂTILLON 39 Jura 70 ⑭ – 133 h. alt. 511 – ✉ 39130 Clairvaux-les-Lacs.
Paris 411 – Champagnole 23 – Lons-le-Saunier 20 – Morez 44 – Poligny 35.

Chez Yvonne avec ch, E : 2,5 km D 39 ✆ 84 25 70 82, ←, –
fermé 1er déc. au 1er mars, lundi soir et mardi – SC : **R** 85/110 – 20 – **8 ch** 62/75.

CHÂTILLON-LA-BORDE 77 S.-et-M. 61 ②, 196 ㊻ – 167 h. – ✉ 77820 Le Châtelet-en-Brie.
Paris 59 – Coulommiers 46 – Fontainebleau 29 – Melun 11 – Provins 37 – Sens 62.

Aub. du Haut-Pavé, à la Borde : 2,5 km ✆ (1) 60 66 54 53 – E.
fermé août, vacances de fév., dim. soir, mardi soir et merc. – SC : **R** (dim. prévenir) 58/113.

CHÂTILLON-SUR-CHALARONNE 01400 Ain 74 ② G. Vallée du Rhône – 3 687 h. alt. 230.
Voir Triptyque★ dans l'Hôtel de Ville.
Syndicat d'Initiative pl. Champ-de-Foire ✆ 74 55 02 27.
Paris 417 – Bourg-en-Bresse 24 – ♦Lyon 54 – Mâcon 25 – Meximieux 34 – Villefranche-sur-Saône 27.

Chevalier Norbert, av. C. Desormes ✆ 74 55 02 22 – rest wc ☎ . AE E VISA
SC : **R** *(fermé lundi du 30 sept. au 1er juin)* 105/250 – 25 – **31 ch** 144/302.

de la Tour avec ch, pl. République ✆ 74 55 05 12 – wc wc
fermé 10 fév. au 15 mars, dim. soir hors sais. et merc. – SC : **R** 70/190 – 19 – **12 ch** 140/190.

route de Marlieux SE : 2 km sur D 7 – ✉ 01400 Châtillon-sur-Chalaronne :

Aub. de Montessuy, ✆ 74 55 05 14, ←, – . E VISA
fermé 30 sept. au 9 oct., 2 janv. au 2 fév., lundi soir et mardi – SC : **R** 80/160.

CITROEN Gar. de l'Hippodrome, ✆ 74 55 26 27
PEUGEOT-TALBOT Ambrosi, ✆ 74 55 00 73
RENAULT Chatillon Auto, ✆ 74 55 03 23

CHÂTILLON-SUR-INDRE 36700 Indre 68 ⑥ G. Châteaux de la Loire (plan) – 3 560 h. alt. 88.
Syndicat d'Initiative 81 r. Grande ✆ 54 38 70 96.
Paris 256 – Le Blanc 43 – Blois 76 – Châteauroux 48 – Châtellerault 64 – Loches 22.

Auberge de la Tour avec ch, ✆ 54 38 72 17 – wc . VISA
fermé 15 déc. au 30 janv., dim. soir du 1er nov. au 30 mars et lundi – SC : **R** 50/110 – **11 ch** 112/220 – P 160/280.

Promenade avec ch, pl. Champ de Foire ✆ 54 38 71 95 – E VISA
fermé 1er au 15 juin, 13 au 19 oct., 1er au 14 déc., dim. soir et merc. – SC : **R** 47/125 – 15,50 – **7 ch** 90/125 – P 200.

CITROEN Cholet, ✆ 54 38 75 04
RENAULT Goullier, ✆ 54 38 71 09
Gar. Moderne, ✆ 54 38 75 27

CHATILLON-SUR-LOIRE 45360 Loiret 65 ② – 2 512 h. alt. 135.
Paris 162 – Auxerre 75 – Cosne-sur-Loire 29 – •Orléans 79 – Montargis 49.

Le Marois Ⓜ sans rest, 11 r. Champault ☎ 38 31 11 40 – wc ⋒wc ☎. VISA. ⚡
fermé 1er au 20 fév. – ☕ 16 – **9 ch** 100/145.

PEUGEOT-TALBOT Gar. Lachaux, ☎ 38 31 45 22
RENAULT Gar. Theurier, ☎ 38 31 40 34

CHÂTILLON-SUR-SEINE 21400 Côte-d'Or 65 ⑧ **G. Bourgogne** – 7 963 h. alt. 224.
Voir Source de la Douix★ F – Musée★ M : trésor de Vix★★.
ℹ Syndicat d'Initiative avec A.C. pl. Marmont ☎ 80 91 13 19.
Paris 230 ⑤ – Auxerre 84 ⑤ – Avallon 75 ⑤ – Chaumont 58 ① – •Dijon 84 ③ – Langres 72 ① – Saulieu 80 ④ – Troyes 68 ⑥.

CHÂTILLON-SUR-SEINE

Abbaye (R. de l') 2
Bourg Amont (R. du) ... 3
Courcelles-Prévoir (R.).. 4
Herriot (Av.) 6
Joffre (Pl. Mar.) 7
Lattre de Tassigny (R. de)............... 8
Philandrier (R.).......... 10
Résistance (Pl. de la) 12
8-Mai (Pl. du) 13

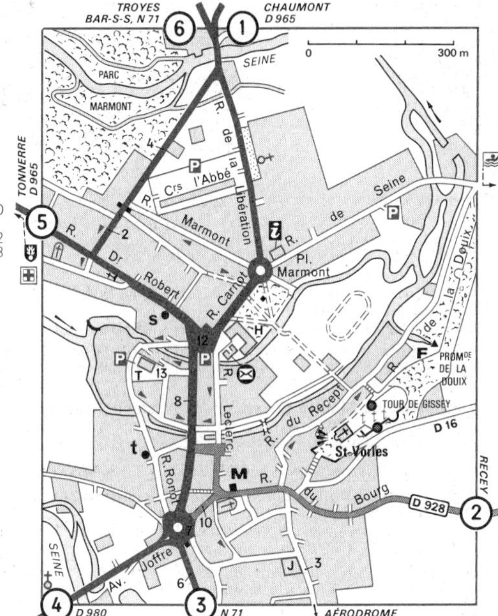

Les plans de villes sont orientés le Nord en haut

Pour bien lire les plans de villes, voir signes et abréviations p. 23.

Côte d'Or ⛵, r. Ronot **(t)** ☎ 80 91 13 29, ⛱, « Jardin ombragé » – wc ☎ 🚗. AE ⓞ E VISA
fermé 14 déc. au 14 janv., dim. soir et lundi non fériés sauf en juil.-août – SC : **R** 68/185 – ☕ 30 – **10 ch** 138/300.

Sylvia H. sans rest, 9 av. Gare par ⑥ ☎ 80 91 02 44, ⛱ – wc ⋒wc ☎ ♿ 🚗 Ⓟ. VISA
fermé fév. – SC : ☕ 19 – **21 ch** 68/175.

Jura sans rest, 19 r. Dr Robert **(s)** ☎ 80 91 26 96 – ⋒wc ☎. E VISA
fermé 5 au 25 janv. et dim. hors sais. – SC : ☕ 17 – **10 ch** 70/190.

CITROEN Folléa Auto., av. E.-Hériot par ③ ☎ 80 91 19 63
FIAT Gar. Châtillonnais, 20 av. Gare ☎ 80 91 11 13
FORD Gar. Centre, 3 r. Marmont ☎ 80 91 15 41
OPEL Gar. du Val-de-Seine, 13 av. E.-Herriot ☎ 80 91 06 84
PEUGEOT-TALBOT Berthier, rte de Troyes par ⑥ ☎ 80 91 05 60
RENAULT SOCA, 14 bis av. Ed.-Herriot par ③ ☎ 80 91 14 04

Ⓜ Pneus-Service-Deschamps, 17 r. Courcelles-Prévoir ☎ 80 91 05 34

Ne confondez pas :

Confort des hôtels	: 🏨🏨 ... 🏨, ⛱
Confort des restaurants	: XXXXX X
Qualité de la table	: ✿✿✿, ✿✿, ✿

La CHÂTRE ⟨SP⟩ 36400 Indre 68 ⑲ **G. Périgord** – 5 142 h. alt. 222.

Office de Tourisme square G.-Sand (15 juin-15 sept.) ✆ 54 48 22 64 et à l'Hôtel de Ville (hors saison) ✆ 54 48 03 53.

Paris 300 ① – Bourges 68 ② – Châteauroux 36 ① – Guéret 54 ④ – Montluçon 62 ③ – Poitiers 138 ⑤ – St-Amand-Montrond 49 ②.

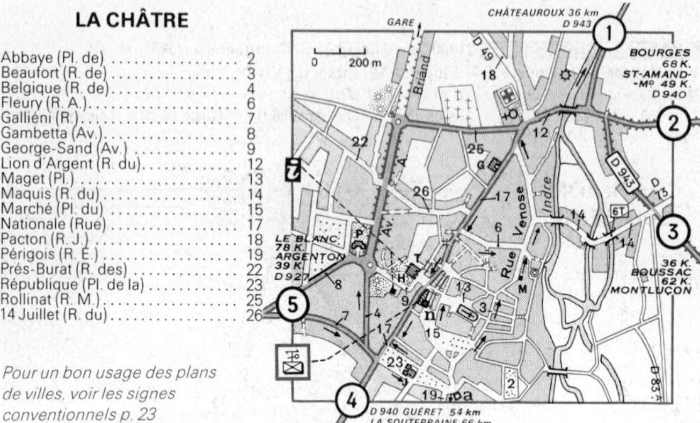

Pour un bon usage des plans de villes, voir les signes conventionnels p. 23

Notre Dame ⛱ sans rest, 4 pl. N.-Dame **(a)** ✆ 54 48 01 14 – wc wc ☎ 🚗 **P**. AE ⓓ E VISA. ⛔
fermé 24 déc. au 2 janv. – SC : ☕ 23 – **16 ch** 95/225.

✗ **Poste,** 10 r. Basse-du-Mouhet **(n)** ✆ 54 48 05 62 – AE ⓓ E VISA
fermé 16 au 22 juin, 15 sept. au 5 oct., 25 déc. au 1er janv., dim. soir et lundi – SC : **R** 75/180 ₰.

✗ **Aub. du Moulin Bureau,** r. fg. St-Abdon S : 1 km par pl. de l'Abbaye ✆ 54 48 04 20, 🌳 – VISA
fermé 13 nov. au 31 janv., mardi soir et merc. sauf juil.-août – SC : **R** 59/136.

à St-Chartier par ① et D 918 : 9 km – ✉ **36400** La Châtre :

Château Vallée Bleue ⛱, rte Verneuil ✆ 54 31 01 91, ⩽, parc – wc wc ☎ **P**. E VISA. ⛔ rest
fermé janv. – SC : **R** *(fermé merc. du 15 sept. au 15 juin)* 90/150 – ☕ 20 – **15 ch** 125/240 – P 220/370.

CITROEN Gar. Patry, par ④ ✆ 54 48 04 83 **N**
FORD Gar. Butte, Pont du Lion d'Argent ✆ 54 48 04 61
PEUGEOT-TALBOT Gge de la Vallée Noire, Rte de Chateauroux à Montgivray par ① ✆ 54 48 09 09
PEUGEOT-TALBOT Gar. de la Vallée Noire, rte de Châteauroux ✆ 54 48 14 88
Ⓜ Chirault, ✆ 54 48 04 10
Récup-Auto, ✆ 54 48 04 62

CHAUBLANC 71 S.-et-L. 70 ② – rattaché à Verdun-sur-le-Doubs.

CHAUDES-AIGUES 15110 Cantal 76 ⑭ **G. Auvergne** (plan) – 1 267 h. alt. 750 – Stat. therm. (27 avril-25 oct.).

Office de Tourisme 1 av. G.-Pompidou (1er mai-15 oct.) ✆ 71 23 52 75.

Paris 520 – Aurillac 94 – Entraygues-sur-T. 62 – Espalion 56 – St-Chély-d'Apcher 29 – St-Flour 32.

Beauséjour, ✆ 71 23 52 37, 🌳, 🪑 – 🛗 wc wc ☎ 🚗 **P** – 🏛 60. E
1er mars-1er déc. et fermé sam. du 1er mars au 1er mai (sauf vac. de Pâques) et du 15 oct. au 1er déc. – SC : **R** 44/130 – ☕ 16 – **47 ch** 98/174 – P 139/215.

Thermes, ✆ 71 23 51 18 – 🛗 wc wc ☎ 🚗. E
25 avril-15 oct. – SC : **R** 42/80 – ☕ 15,50 – **34 ch** 91/168 – P 147/197.

Valette, ✆ 71 23 52 43 – 🛗 wc ☎. E. ⛔ rest
1er mai-15 oct. – SC : **R** 58/100 – ☕ 14 – **45 ch** 67/210 – P 142/178.

Résidence sans rest, ✆ 71 23 51 89 – 🛗 wc ☎
fermé 15 fév. au 15 mars et dim. du 15 oct. au 15 mai – SC : ☕ 13 – **14 ch** 60/126.

✗✗ **Aux Bouillons d'Or** Ⓜ avec ch, ✆ 71 23 51 42 – 🛗 TV wc ☎. ⛔
vacances de Pâques-30 nov. et fermé mardi sauf du 1er mai au 15 oct. – SC : **R** 54/185 – ☕ 16 – **12 ch** 140/185 – P 156/280.

CITROEN Gar. Moderne, ✆ 71 23 52 52
RENAULT Gascuel, ✆ 71 23 52 82

CHAUFFRY 77 S.-et-M. 61 ③ – rattaché à Coulommiers.

CHAUFOUR-LÈS-BONNIÈRES 78 Yvelines 55 ⑱, 196 ① – 300 h. alt. 158 – ✉ 78270 Bonnières-sur-Seine.

Paris 76 – Bonnières-sur-Seine 8 – Évreux 25 – Mantes-la-Jolie 19 – Vernon 10 – Versailles 61.

- ✗ **Au Bon Accueil** avec ch, N 13 ✆ (1) 34 76 11 29 – 🅟. VISA
  fermé 13 juil. au 13 août et sam. – **R** 52/115 – ☕ 12 – **15 ch** 60/90.
- ✗ **Le Relais,** N 13 ✆ (1) 34 76 11 33, – 🅟. VISA
  fermé fév. et dim. – SC : **R** 55/95.

La CHAULME 63 P.-de-D. 73 ⑰ – 150 h. alt. 1 150 – ✉ 63660 St-Anthème.

Paris 466 – Ambert 31 – •Clermont-Ferrand 116 – Montbrison 33 – Le Puy 65 – •St-Étienne 47.

- **Creux de l'Oulette** 🐕, ✆ 73 95 41 16 – E VISA
  20 mars-20 nov. et vacances de fév. ; fermé merc. sauf juil.-août – SC : **R** 36/170 – **11 ch** ☕ 68/133 – P 113/127.

CHAUMONT P 52000 H.-Marne 62 ⑪ **G. Champagne, Ardennes** – 28 429 h. alt. 314.

Voir Viaduc★ Z – **Basilique St-Jean-Baptiste★** Y **E.**

Syndicat d'Initiative (1er juil.-15 sept. et hors sais. après-midi seul.) 18 bd Thiers ✆ 25 03 04 74 avec A.C. ✆ 25 03 02 10.

Paris 256 ⑤ – Auxerre 142 ④ – Épinal 125 ② – Langres 35 ③ – St-Dizier 74 ① – Troyes 94 ⑤.

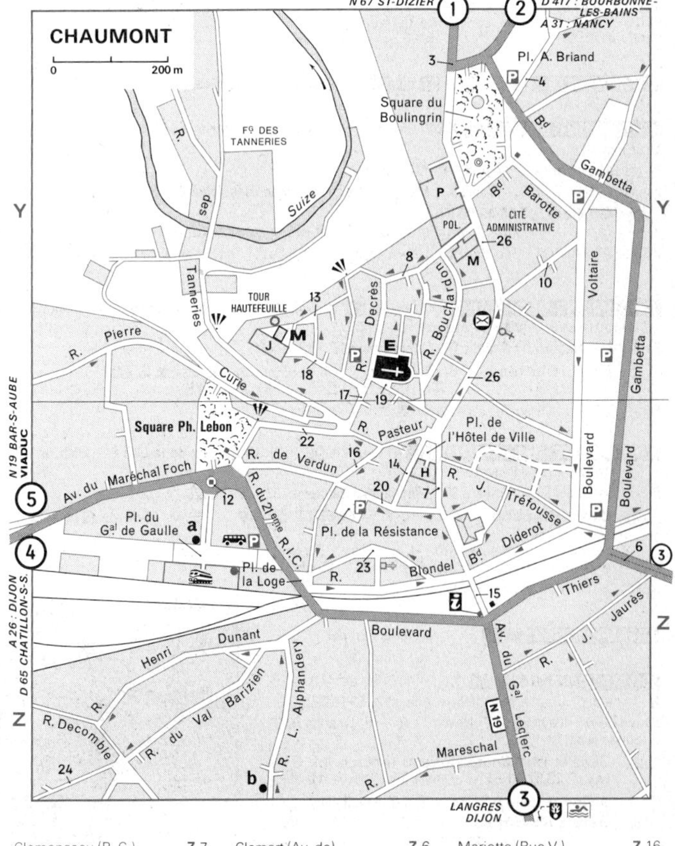

Clemenceau (R. G.) . . . . Z 7
Toupot-de-Béveaux (R.) . . . Z 20
Verdun (R. de) . . . . Z
Victoire-de-la-Marne (R.) . Y 26

Carnot (Av.) . . . . Y 3
Champ-de-Mars (Rue du) . Y 4
Clamart (Av. de) . . . . Z 6
Dutailly (Rue) . . . . Y 8
Fourcault (Rue V.) . . . . Y 10
Goguenheim (Pl. E.) . . . . . . Z 12
Hautefeuille (Rue) . . . . Y 13
Laloy (Rue) . . . . Z 14
Langres (Pt. de) . . . . Z 15
Mariotte (Rue V.) . . . . Z 16
Mgr. Desprez (R.) . . . . YZ 17
Palais (R. du) . . . . Y 18
St-Jean (R.) . . . . YZ 19
Tour Chartron (R. de la) . . . Z 22
Tour Mongeard (Bd de la) . Z 23
Val Anne-Marie (R. du) . . . . Z 24

Terminus-Reine, pl. Gén.-de-Gaulle ✆ 25 03 66 66, Télex 840920 – ⎮$⎮ TV ⇔wc ⋒wc ☎ ⇔ – 🏛 80. AE ① E Z a
SC : **R** *(fermé dim. soir du 1er nov. à Pâques)* 70/215 ⅄ – ☕ 22 – **63 ch** 115/280 – P 280/400.

Le Gd Val, rte Langres par ③ : 2,5 km ✆ 25 03 90 35 – ⎮$⎮ TV ⇔wc ⋒wc ☎ ⇔ Ⓟ. AE ① E VISA
fermé 20 au 30 déc. et dim. soir du 1er nov. au 30 mars – SC : **R** 42/110 – ☕ 16 – **64 ch** 77/190.

Étoile d'Or, rte de Langres par ③ ✆ 25 03 02 23 – ⇔wc ⋒wc ☎ Ⓟ. AE ① E VISA
fermé oct., dim. soir et lundi midi – SC : **R** 45/130 ⅄ – ☕ 15 – **13 ch** 95/180.

Royal sans rest, 31 r. Mareschal ✆ 25 03 01 08 – ⋒wc Ⓟ Z b
fermé août et dim. – SC : ☕ 14,50 – **19 ch** 65/111.

Buffet de France (gare), ✆ 25 03 15 49 – AE E VISA Z
fermé août et sam. – SC : **R** 54/89.

BMW, TOYOTA SODECO, 38 av. Gen. Leclerc ✆ 25 03 49 04
CITROEN Montigny, 34 av. Gén.-Leclerc par ③ ✆ 25 03 74 79
FIAT-LANCIA-MERCEDES Gar. Diderot, rte de Neuilly ✆ 25 03 23 37
FORD François Autos, N 19, rte de Langres ✆ 25 03 08 88 N ✆ 25 03 23 36
PEUGEOT-TALBOT Gar. Lorinet, rte de Neuilly par ③ ✆ 25 03 14 50
RENAULT Relais Paris-Bâle, rte Langres par ③, km 3 ✆ 25 03 72 22
V.A.G., Petitprêtre, 5 rte de Choignes ✆ 25 32 19 86
VOLVO-SEAT Centre Autom., 21, 24 bd Thiers ✆ 25 03 36 11

Ⓜ Garcia, 9 Fg de la Maladière ✆ 25 03 12 52

CHAUMONTEL 95 Val-d'Oise 56 ⑪, 196 ⑧ – rattaché à Luzarches.

CHAUMONT-EN-VEXIN 60240 Oise 55 ⑨ **G. Environs de Paris** – 2 697 h. alt. 69.
Voir Église★.
18 de Bertichères ✆ 44 49 00 81 NO : 2 km.
Paris 66 – Beauvais 29 – Gisors 9 – Magny-en-Vexin 18 – Mantes-la-Jolie 40 – Pontoise 32.

Gd Cerf, ✆ 44 49 00 57
fermé août, 6 au 20 janv. et lundi – SC : **R** (déj. seul.) 52/132 ⅄.

PEUGEOT-TALBOT Gar. du Vexin, ✆ 44 49 00 01
RENAULT Gar. Chaumontois, ✆ 44 49 00 10

CHAUMONT-SUR-LOIRE 41 L.-et-Ch. 64 ⑯⑰ **G. Châteaux de la Loire** – 842 h. alt. 65 – ✉ 41150 Onzain – **Voir Château★★.**
Paris 198 – Amboise 17 – Blois 17 – Montrichard 18 – ♦Tours 41.

Host. Château, ✆ 54 20 98 04, ⛱, 🌳 – ⇔wc ☎ Ⓟ. AE ① E VISA
1er mars-30 nov. – SC : **R** 60 bc/125 – ☕ 30 – **15 ch** 185/470.

RENAULT Gar. Lefebvre, ✆ 54 20 98 65

CHAUMONT-SUR-THARONNE 41 L.-et-Ch. 64 ⑨ **G. Châteaux de la Loire** – 905 h. alt. 126 – ✉ 41600 Lamotte-Beuvron.
Paris 166 – Blois 51 – ♦Orléans 35 – Romorantin-Lanthenay 33 – Salbris 26.

Croix Blanche ⛰ avec ch, ✆ 54 88 55 12, 🏡, 🌳 – ⇔wc ⋒wc ☎ Ⓟ. AE ① E VISA. ✻ ch
fermé 25 juin au 3 juil., 4 janv. au 15 fév., jeudi midi et merc. – SC : **R** (dim. et fêtes prévenir) 160/350 ⅄ – ☕ 30 – **15 ch** 150/420.

RENAULT Brinet, ✆ 54 88 55 09

CHAUMOUSEY 88 62 ⑮ – rattaché à Epinal.

CHAUNY 02300 Aisne 56 ③④ – 14 016 h. alt. 47.
ℹ Office de Tourisme pl. Hôtel de Ville ✆ 23 52 10 79.
Paris 123 ③ – Laon 36 ① – Noyon 17 ③ – St-Quentin 30 ① – Soissons 32 ②.

Gare et rest Chateaubriand avec ch, pl. Gare **(a)** ✆ 23 52 11 91 – ⇔wc ⋒wc ☎ – **19 ch**.

à Ognes par ③ : 1 km – ✉ 02300 Chauny :

Relais St-Sébastien, ✆ 23 52 15 77 – VISA
fermé août, dim. soir et lundi – **R** 75 bc/217 bc

PEUGEOT-TALBOT Chaunoise Autom., 108 r. Pasteur par ① ✆ 23 52 11 59
RENAULT Charbonnier, 137 r. Pasteur par ① ✆ 23 52 31 47

Ⓜ Dupont-Pneus, N 32 à Condren ✆ 23 57 00 58

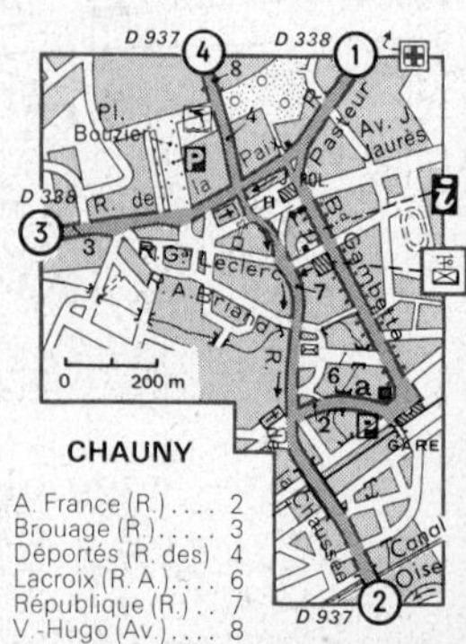

CHAUNY

A. France (R.) 2
Brouage (R.) 3
Déportés (R. des) 4
Lacroix (R. A.) 6
République (R.) .. 7
V.-Hugo (Av.) 8

CHAUSEY (Iles) 50 Manche 59 ⑦ G. Normandie.

Voir Grande Ile★.

Accès par transports maritimes.

depuis **Granville.** En 1985 : juil.-août 1 à 2 services quotidiens et en mai et sept. 1 service hebdomadaire - Traversée 50 mn – 65 F (AR) par Vedettes Vertes Granvillaises 1 r. Le Campion ☎ 33 50 16 36 (Granville).

- mai à sept. 1 à 2 services quotidiens et en mars-avril 2 à 3 services hebdomadaires. Traversée 55 mn - 65 F (AR) par Vedette Jolie France Gare Maritime ☎ 33 50 31 81 (Granville).

depuis **St-Malo.** En 1985 : juil.-août, 1 service quotidien - Traversée 1 h 30 - 84 F (AR) par Vedettes Blanches Cale de Dinan ☎ 99 56 63 21 (St-Malo).

La CHAUSSÉE-ST-VICTOR 41 L.-et-Ch. 64 ⑦ – rattaché à Blois.

CHAUSSIN 39120 Jura 70 ③ – 1 487 h. alt. 191.

Paris 364 – Beaune 53 – ♦Besançon 78 – Chalon-sur-S. 55 – ♦Dijon 52 – Dole 20 – Lons-le-Saunier 43.

Voyageurs "Chez Bach", pl. Gare ☎ 84 81 80 38, – wc. E VISA
fermé 2 au 25 janv., vend soir et dim. soir sauf juil.-août – SC : **R** 47/148 – 16 – **11 ch** 90/150 – P 132/165.

CHAUVIGNY 86300 Vienne 68 ⑭⑮ G. Côte de l'Atlantique (plan) – 6 426 h. alt. 67.

Voir Ville haute★ – Église St-Pierre★ : chapiteaux du choeur★★.

Syndicat d'Initiative à l'Hôtel de Ville ☎ 49 46 30 21.

Paris 334 – Bellac 63 – Le Blanc 37 – Châtellerault 30 – Montmorillon 26 – Poitiers 23 – Ruffec 74.

Lion d'Or, 8 r. Marché ☎ 49 46 30 28 – wc wc. VISA
fermé 15 déc. au 15 janv. et sam. du 1er nov. au 30 mars – SC : **R** 62/150 – 18,50 – **27 ch** 100/195.

Beauséjour, 18 r. Vassalour ☎ 49 46 31 30, – wc
19 ch.

CITROEN Chargelegue, 48 rte St-Savin ☎ 49 46 30 65

CHAUX-DES-PRÉS 39 Jura 70 ⑮ – 166 h. alt. 876 – ✉ **39150** St-Laurent-en-Grandvaux.

Paris 457 – Champagnole 33 – Lons-le-Saunier 40 – Morez 18 – St-Claude 22.

Aub. du Grandvaux avec ch, ☎ 84 60 40 65 – wc – 100. VISA
fermé 16 au 26 sept., 19 au 26 déc., 9 au 22 janv., lundi hors sais. et dim. soir – SC : **R** 47/145 – 14 – **9 ch** 90/125 – P 156/173.

CHAVAGNES 49 M.-et-L. 64 ⑪ – 702 h. alt. 86 – ✉ **49380** Thouarcé.

Paris 309 – Angers 28 – Cholet 45 – Saumur 35.

Faisan, ☎ 41 54 31 23 – wc wc
fermé 2 au 12 août, 15 nov. au 20 déc., le midi du 1er juil. au 31 août, dim. soir et lundi – SC : **R** 49/130 – 13 – **10 ch** 86/185.

CHAVANAY 42 Loire 77 ① – 1 858 h. alt. 154 – ✉ **42410** Pelussin.

Paris 509 – Annonay 27 – ♦St-Étienne 50 – Serrières 12 – Tournon 49 – Vienne 18.

Alain Charles, rte Nationale ☎ 74 87 23 02, – . E VISA
fermé 16 au 30 août, 3 au 10 janv. et lundi – SC : **R** 60/200.

CITROEN Milamant, ☎ 74 87 23 37 N

PEUGEOT, TALBOT Gar. Jay, ☎ 74 87 23 10

Les CHAVANTS 74 H.-Savoie 74 ⑧ – rattaché aux Houches.

CHAVOIRE 74 H.-Savoie 74 ⑥ – rattaché à Annecy.

La CHEBUETTE 44 Loire-Atl. 67 ④ – rattaché à Nantes.

CHEF-DU-PONT 50 Manche 54 ② – 817 h. alt. 12 – ✉ **50360** Picauville.

Paris 332 – Carentan 13 – Carteret 38 – Cherbourg 40.

Normandie, pl. Gare ☎ 33 41 32 06, –
fermé 15 déc. au 15 janv. – SC : **R** *(fermé dim.)* 37/120 – 14 – **9 ch** 73/114.

CITROEN Guillemeau, Pont-L'Abbé à Picauville ☎ 33 41 03 73

RENAULT Lecathelinais, à Ste-Mére-l'Église ☎ 33 41 43 09

CHEFFES 49 M.-et-L. 64 ① – 811 h. alt. 20 – ✉ **49330** Châteauneuf-sur-Sarthe.

Paris 279 – Angers 24 – Château-Gontier 33 – La Flèche 37.

Château de Teildras , ☎ 41 42 61 08, Télex 722268, <, « Demeure du 16e s. dans un parc » – . AE E VISA. rest
1er avril-15 nov. – SC : **R** *(fermé mardi midi)* 220/350 – 50 – **11 ch** 495/825 – P 975/1 800.

Le CHEIX 63 P.-de-D. 73 ⑭ – alt. 682 – ✉ **63320** Champeix.

Voir Gorges de Courgoul★ SE : 5 km, G. Auvergne.

Paris 431 – Besse-en-Chandesse 8,5 – ♦Clermont-Ferrand 43 – Issoire 27 – Le Mont-Dore 33.

Relais des Grottes, ☎ 73 96 77 65, ≤, – ⓟ.
fermé 15 au 25 avril et 15 nov. au 15 déc. – SC : **R** *(fermé merc. hors sais. et vacances scolaires)* 52/115 – 14 – **10 ch** 68/79 – P 115/123.

CHELLES 77 S.-et-M. 56 ⑫, 101 ⑲ – voir à Paris, Environs.

CHÉNAS 69 Rhône 73 ① **G. Vallée du Rhône** – 328 h. alt. 250 – ✉ **69840** Juliénas.

Paris 409 – Chauffailles 50 – Juliénas 5 – ♦Lyon 62 – Mâcon 17 – Villefranche-sur-Saône 35.

XX ✿ **Robin, aux Deschamps** ☎ 85 36 72 67, ≤, « Terrasse et jardin ouvrant sur le vignoble ». AE ⓓ E VISA
fermé 30 juil. au 6 août, mi-fév. à mi-mars, merc. et le soir sauf sam. – SC : **R** 135/260
Spéc. Andouillette de Chénas, Écrevisses (juil. à janv.), Pièce Charollaise. **Vins** Vins du pays.

CHÊNEHUTTE-LES-TUFFEAUX 49 M.-et-L. 64 ⑫ – rattaché à Saumur.

CHENERAILLES 23130 Creuse 73 ① **G. Périgord** – 701 h. alt. 558.

Voir Haut-relief★ dans l'église.

Paris 362 – Aubusson 19 – La Châtre 65 – Guéret 33 – Montluçon 44.

X **Coq d'Or** avec ch, ☎ 55 62 30 83 –
fermé 24 déc. au 28 janv., vend. soir et sam. – SC : **R** 40/88 – 19 – **7 ch** 65/140 – P 160/200.

RENAULT Gar. Bogeard ☎ 55 62 30 25

CHENNEVIÈRES-SUR-MARNE 94 Val-de-Marne 61 ①, 101 ㉘ – voir à Paris, Environs.

CHENONCEAUX 37 I.-et-L. 64 ⑯ – 361 h. alt. 62 – ✉ **37150** Bléré.

Voir Château★★★, G. Châteaux de la Loire.

Syndicat d'Initiative pl. de la Mairie (1er juin-30 sept.) ☎ 47 23 94 45.

Paris 234 – Amboise 12 – Château-Renault 35 – Loches 32 – Montrichard 9,5 – ♦Tours 35.

Bon Laboureur et Château, ☎ 47 23 90 02, – wc wc ☎. AE ⓓ E VISA
15 fév.-15 déc. et fermé merc. midi et mardi du 15 nov. au 15 mars – SC : **R** 98/200 – 29 – **29 ch** 225/360 – P 420/490.

Renaudière , ☎ 47 23 90 04, parc, – wc wc ⓟ. E VISA.
début mars-2 nov. et fermé dim. soir et lundi midi – SC : **R** 60/88 – 15 – **12 ch** 92/218 – P 166/255.

X **Gâteau Breton,** ☎ 47 23 90 14, – VISA
15 fév.-15 nov. et fermé mardi – SC : **R** 40/75 .

Garage Bodin, à Civray ☎ 47 23 92 03 ☎ 47 23 93 32

CHERBOURG SP **50100** Manche 54 ② **G. Normandie** – 30 112 h. communauté urbaine 89 858 h. – Casino BY – **Voir Fort du Roule** ✻★ CZ – **Château de Tourlaville★ : parc★ 5 km par ① –** ☎ 33 44 45 48 par ② et D 122 : 7 km.

✈ de Cherbourg-Maupertus ☎ 33 22 91 32 par ① : 13 km.

Office de Tourisme ☎ 33 43 52 02 avec A.C.O. ☎ 33 53 05 44, 2 quai Alexandre-III et Gare Maritime (15 mai-15 sept.) ☎ 33 44 39 92.

Paris 359 ② – ♦Brest 393 ② – ♦Caen 119 ② – Laval 213 ② – ♦Le Mans 275 ② – ♦Rennes 195 ②.

Plan page ci-contre

Mercure Ⓜ , Gare Maritime ☎ 33 44 01 11, Télex 170613, ≤ – TV ☎ ⓟ – 25 à 50. AE ⓓ E VISA — CX **s**
R 84/143 – 36 – **81 ch** 245/350.

Louvre sans rest, 2 r. H.-Dunant ☎ 33 53 02 28, Télex 171132 – wc wc ☎ . VISA. — BX **e**
fermé 25 déc. au 1er janv. – SC : 17 – **42 ch** 96/242.

Torgistorps sans rest, 14 pl. République ☎ 33 93 32 32 – TV wc wc ☎. AE ⓓ E VISA — BX **r**
SC : 14 – **14 ch** 93/315.

Moderna sans rest, 28 r. Marine ☎ 33 43 05 30 – wc wc — BX **a**
SC : 14 – **24 ch** 82/160.

Beauséjour sans rest, 26 r. Gde Vallée ☎ 33 53 10 30 – wc ☎. VISA — BX **d**
SC : 14,50 – **27 ch** 56/224.

Angleterre sans rest, 8 r. P. Talluau ☎ 33 53 70 06 – TV wc ☎. — BX **k**
SC : 16,50 – **22 ch** 110/220.

XX **Grandgousier,** 21 r. de l'Abbaye ☎ 33 53 19 43 – AE VISA — AX **t**
fermé du 1er au 14 avril, du 1er au 21 sept., sam. midi et dim. – SC : **R** 70/140.

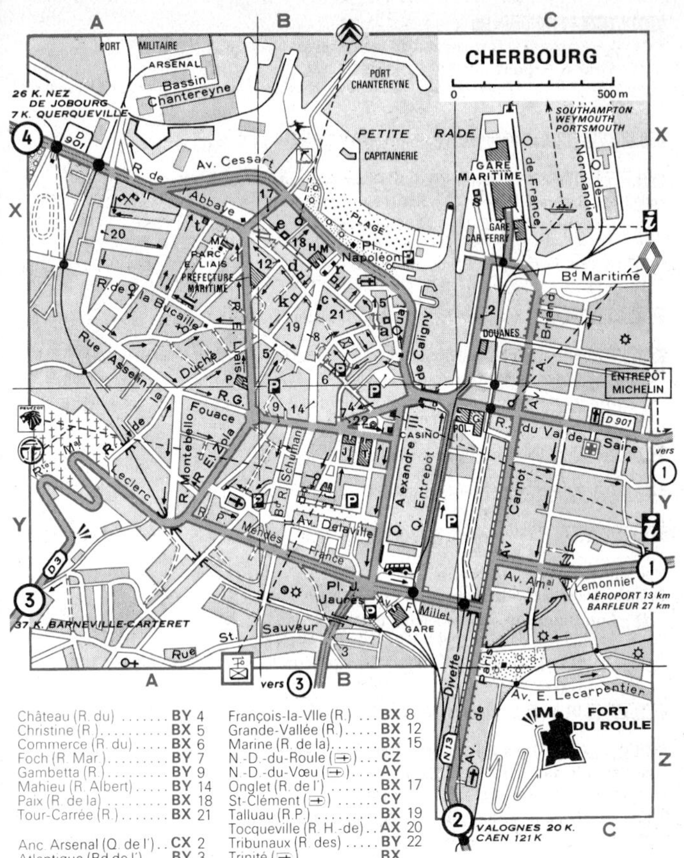

Château (R. du)	BY 4	François-la-VIIe (R.)	BX 8
Christine (R.)	BX 5	Grande-Vallée (R.)	BX 12
Commerce (R. du)	BX 6	Marine (R. de la)	BX 15
Foch (R. Mar.)	BY 7	N.-D.-du-Roule (⊞)	CZ
Gambetta (R.)	BY 9	N.-D.-du-Vœu (⊞)	AY
Mahieu (R. Albert)	BY 14	Onglet (R. de l')	BX 17
Paix (R. de la)	BX 18	St-Clément (⊞)	CY
Tour-Carrée (R.)	BX 21	Talluau (R.P.)	BX 19
		Tocqueville (R. H.-de)	AX 20
Anc. Arsenal (Q. de l')	CX 2	Tribunaux (R. des)	BY 22
Atlantique (Bd de l')	BY 3	Trinité (⊞)	BX

MICHELIN, Entrepôt, 8 r. Carnot à Tourlaville par ① ☎ **33 44 21 61**

ALFA-ROMEO Manche Alfa, r. Vintras ☎ 33 43 45 30
BMW-LANCIA-AUTOBIANCHI Gar. Renouf, bd de l'Est à Tourlaville ☎ 33 20 44 78
CITROEN Burnouf, 36 pl. Napoléon ☎ 33 53 17 82 **N** ☎ 33 52 06 50
FORD Lemasson, bd Amiral Lemonnier ZI ☎ 33 43 05 22
NISSAN Relet, 15 Cité Fougères, ☎ 33 20 43 01
PEUGEOT-TALBOT Gar. de la Poste et de l'Horizon 46 bis r. Ancien-Quai ☎ 33 53 03 34
RENAULT Gar. du Cotentin, 47 r. Val-de-Saire ☎ 33 44 12 00 **N**
RENAULT Coipel, 427 r. du 8 Mai Les Flamands à Tourlaville par ① ☎ 33 22 00 27
RENAULT Gar. Ecourtemer, 76 r. S.-Carnot, Octeville par ③ ☎ 33 53 27 35
RENAULT Gar. Marie, 95 r. Gén.-de-Gaulle, Equeurdreville par ④ ☎ 33 03 58 97
V.A.G. Gar. du Stade, Pl. Hôtel de Ville, Equeurdreville ☎ 33 93 88 67

Ⓜ Cherbourg-Pneus, 12 r. Loysel ☎ 33 53 06 49
Destres, r. A.-Briand à Tourlaville ☎ 33 43 78 88
Francis-Pneus, Bd de l'Est ZI à Tourlaville ☎ 33 20 45 60
Schmitt-Pneus, 13 r. du Maupas ☎ 33 44 05 42

Les CHÈRES 69 Rhône **74** ① – 814 h. alt. 210 – ✉ **69750** Chasseley.

Paris 441 – L'Arbresle 14 – •Lyon 21 – Meximieux 45 – Trévoux 10 – Villefranche-sur-Saône 11.

XX **Aub. du Pont de Morancé,** O : 1 km par D 100 ✉ 69480 Anse ☎ **78 47 65 14,** ←, « Jardin » – **P**. VISA
fermé 15 au 31 août, vacances de fév., mardi soir et merc. – SC : **R** 55/165 ♁.

CHÉRISY 28 E.-et-L. **60** ⑦, **196** ㉕ – rattaché à Dreux.

CHÉROY 89690 Yonne 61 ⑬ – 1 024 h. alt. 127.
Paris 104 – Auxerre 67 – Fontainebleau 40 – Montargis 39 – Nemours 24 – Sens 22.

XX **Tour d'Argent,** ✆ 86 97 53 43, ☂ – VISA
fermé 10 au 17 juin, 15 janv. au 15 fév., lundi (sauf le midi en juil.-août) et mardi – SC : **R** 59/110.

CHERVINGES 69 Rhône 74 ① – rattaché à Villefranche-sur-Saône.

Le CHESNE 08390 Ardennes 56 ⑨ **G. Champagne, Ardennes** – 1 063 h. alt. 168.
Paris 215 – Charleville-Mézières 37 – Rethel 35 – Sedan 30 – Stenay 35 – Vouziers 17.

Charrue d'Or, ✆ 24 30 10 41 – E VISA. ✻
fermé lundi soir – SC : **R** 60/120 ⅜ – ☕ 18 – **6 ch** 85/95 – P 150.

CITROEN Gar. Pierron, 39 r. Bairon ✆ 24 30 10 99 N

PEUGEOT-TALBOT Gar Touzelet ✆ 24 30 10 68 N ✆ 24 30 13 22

Le CHEVALON 38 Isère 77 ④ – rattaché à Grenoble.

CHEVANCEAUX 17 Char.-Mar. 75 ② – 1 209 h. alt. 127 – ✉ **17210** Montlieu-la-Garde.
Paris 497 – Barbezieux 20 – •Bordeaux 62 – Jonzac 23.

XX **Relais de Saintonge** avec ch, rte Bordeaux ✆ **46 04 60 66,** ☂, ☂ – **P**. E
fermé vacances de fév. et merc. – SC : **R** 47/90 ⅜ – ☕ 13,50 – **7 ch** 76/110.

CHEVANNES 89 Yonne 65 ⑤ – rattaché à Auxerre.

CHEVIGNY-FENAY 21 Côte-d'Or 66 ⑫ – rattaché à Dijon.

CHEVREUSE 78460 Yvelines 60 ⑨, 196 ㉙, 101 ㉛ **G. Environs de Paris** (plan) – 4 823 h. alt. 85.
Voir Site★ – Vallée de Chevreuse★.
Paris 40 – Étampes 45 – Longjumeau 23 – Rambouillet 19 – Versailles 16.

XX **Lou Basquou,** rte Madeleine ✆ (1) 30 52 15 77, ≤, ☂ – **P**. VISA
fermé 16 au 31 août, merc. soir et jeudi – SC : **R** 90/140.

PEUGEOT-TALBOT Baudouin, ✆ (1) 30 52 15 07

RENAULT Follain, ✆ (1) 30 52 15 05 N

CHEVRY 01 Ain 70 ⑮ – rattaché à Gex.

CHEYLADE 15 Cantal 76 ③ **G. Auvergne** – 424 h. alt. 950 – ✉ **15400** Riom-Ès-Montagnes.
Voir Cascade du Sartre★ S : 2,5 km.
Paris 501 – Aurillac 82 – Mauriac 51 – Murat 31 – St-Flour 56.

Gd H. de la Vallée, ✆ 71 78 90 04 – ⇔ ⋒ **P**. ✻
fermé 8 au 15 mai et 25 oct. au 2 nov. – SC : **R** 55/85 ⅜ – ☕ 15 – **16 ch** 65/70 – P 125/140.

RENAULT Gar. de l'Eyrieux, ✆ 71 29 02 09

CHÉZERY-FORENS 01410 Ain 74 ⑤ – 337 h. alt. 582.
Paris 498 – Bellegarde-sur-Valserine 17 – Bourg-en-Bresse 88 – Gex 40 – Nantua 31 – St-Claude 44.

Commerce ⛰, ✆ 50 56 90 67 – ⋒
fermé 15 sept. au 8 oct. et merc. hors sais. – SC : **R** 50/115 ⅜ – ☕ 16 – **10 ch** 100/120 – P 135/150.

CHILLEURS-AUX-BOIS 45 Loiret 60 ⑳ – 1 432 h. alt. 120 – ✉ **45170** Neuville-aux-Bois.
Paris 108 – Châteauneuf-sur-Loire 28 – Etampes 47 – •Orléans 28 – Pithiviers 15.

XX **Au Bon Laboureur,** 27 Gde Rue ✆ 38 39 87 21 – E VISA
fermé 15 au 31 août, vacances de fév., lundi soir et mardi – SC : **R** 60/150 ⅜.

CITROEN Gar. Guinet, ✆ 38 39 87 11 N

CHINAILLON 74 H.-Savoie 74 ⑦ – rattaché au Grand-Bornand.

CHINDRIEUX 73310 Savoie 74 ⑮ – 951 h. alt. 282.
Env. Abbaye de Hautecombe★★ (chant grégorien) SO : 10 km, G. Alpes.
Paris 506 – Aix-les-Bains 17 – Bellegarde-sur-Valserine 38 – Bourg-en-Bresse 92 – Chambéry 33.

Relais de Chautagne, ✆ 79 54 20 27 – ⇔wc ⋒wc ☎ **P**. ✻ ch
fermé 28 déc. au 16 fév., lundi sauf juil.-août et fériés – SC : **R** 57/180 ⅜ – ☕ 18 – **15 ch** 120/140 – P 200/220.

XX **Colombié,** ✆ 79 54 20 13 – AE VISA. ✻
fermé 1er au 15 sept., vacances de fév. et merc. – SC : **R** (week-end prévenir) 90/175.

CITROEN Gar. de Chautagne, ✆ 79 54 20 32 N ✆ 79 87 43 76

CHINON <SP> 37500 I.-et-L. 67 ⑨ **G. Châteaux de la Loire** – 8 873 h. alt. 37.

Voir Vieux Chinon** : Grand Carroi** A **B**, Rue Haute-St-Maurice* A, Rue Voltaire* A 18 – Château** : ≤** A – Quai Danton ≤** A.

Env. Château d'Ussé** 14 km par ①.

Office de Tourisme 12 r. Voltaire ☎ 47 93 17 85 et route de Tours (15 juin-15 sept.) ☎ 47 93 39 66.

Paris 281 ① – Châtellerault 51 ③ – Poitiers 83 ③ – Saumur 29 ③ – Thouars 44 ③ – •Tours 48 ①.

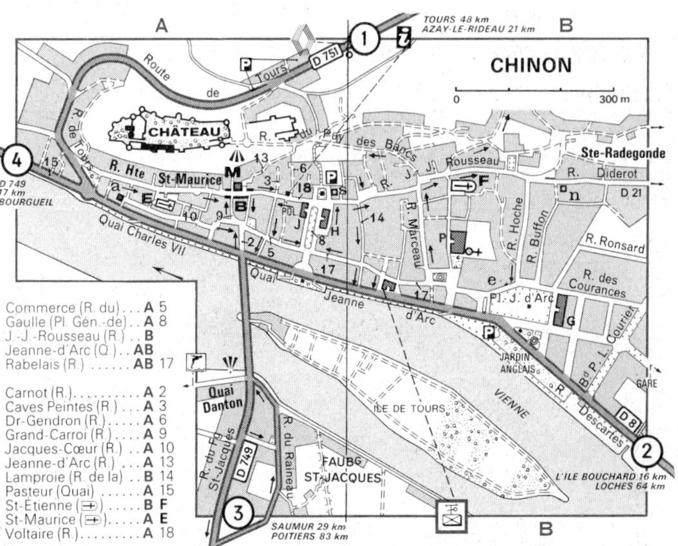

Chris'Hotel sans rest, **12 pl. Jeanne d'Arc** ☎ **47 93 36 92** – wc wc ☎. AE ⓓ E VISA — B e
SC : ☐ 21 – **30 ch** 127/250.

France sans rest, **47 pl. Gén. de Gaulle** ☎ **47 93 33 91** – wc wc ☎. VISA. ✻ — A s
15 mars-1er déc., fermé sam. et dim. hors sais. – SC : ☐ 18 – **26 ch** 100/264.

La Giraudière sans rest, **rte Savigny par ④ : 5 km** ✉ **37420 Avoine** ☎ **47 58 40 36**, – cuisinette wc wc ☎ Ⓟ – 30. AE ⓓ E VISA
SC : ☐ 17 – **25 ch** 185/320.

Diderot sans rest, **4 r. Buffon** ☎ **47 93 18 87** – wc wc ☎ ♿ Ⓟ. E VISA ✻ — B n
fermé 15 déc. au 15 janv. – SC : ☐ 20 – **22 ch** 125/250.

XXX ✿ **Au Plaisir Gourmand** (Rigollet), **2 r. Parmentier** ☎ **47 93 20 48** – VISA — A a
fermé 12 au 26 nov., vacances de fév., dim. soir et lundi – **R** (nombre de couverts limité, prévenir) 130/175
Spéc. Emincé de saumon aux courgettes, Feuilleté de bar au beurre de homard, Gratin de framboises (juin à sept.). **Vins** Chinon.

à Marçay par ③ et D 116 : 7 km – ✉ **37500** Chinon :

✿ **Château de Marçay** , ☎ **47 93 03 47, Télex 751475**, ≤, , « **Château 15e s., parc** », , ✻ – ☎ Ⓟ – 40 à 150. AE VISA. ✻ rest
fermé mi-janv. à mi-mars – SC : **R** 195/295 – ☐ 45 – **34 ch** 415/995, 3 appartements 995
Spéc. Oeufs à la coque aux morilles, Huîtres chaudes au Vouvray (en saison), Feuillantines de framboises. **Vins** Chinon, Bourgueil.

CITROEN S.A.R.V.A., 10 r. A.-Correch par r. des Courances ☎ 47 93 06 58 N ☎ 47 93 27 36
FIAT Hallie, rte de Tours ☎ 47 93 27 36 N
PEUGEOT-TALBOT Gd Gar. du Chinonais, à St-Louans par ④ ☎ 47 93 28 29
RENAULT S.I.V.A., rte de Tours ☎ 47 93 05 27
RENAULT Gar. de la Gare, 8 pl. Gare ☎ 47 93 03 67

V.A.G. Gar. du Chateau, rte de Tours ☎ 47 93 04 65

Nourry Pneus, 6 pl. Denfert-Rochereau ☎ 47 93 32 08

CHITENAY 41 L.-et-Ch. 64 ⑰ – 787 h. alt. 88 – ✉ **41120** Les Montils.

Voir Galerie des Illustres★★ du château de Beauregard★ N : 5 km, **G. Châteaux de la Loire.**

Paris 191 – Blois 12 – Châteauroux 88 – Contres 12 – Montrichard 24 – Romorantin-Lanthenay 38.

- **Aub. du Centre,** ✆ 54 70 42 11, – wc wc ☎ – 30. E VISA
  fermé 15 au 22 sept., 5 janv. au 3 fév. et lundi du 15 sept. au 16 juin – SC : **R** 52/165 – 17,50 – **17 ch** 80/200 – P 151/259.
- **La Clé des Champs** avec ch, ✆ 54 70 42 03, – . E VISA
  fermé 2 janv. au 2 fév., 12 au 22 nov., lundi soir et mardi – SC : **R** 99/136 – 13,50 – **10 ch 70/77.**

CHOISY-AU-BAC 60 Oise 56 ②, 196 ⑩ – rattaché à Compiègne.

CHOLET <SP> 49300 M.-et-L. 67 ⑤⑥ **G. Châteaux de la Loire** – 56 528 h. alt. 125.

Voir Musées : d'Histoire★ Y **M1**, des Arts★ Y **M2**.

Office de Tourisme pl. Rougé et A.C. ✆ 41 62 22 35.

Paris 351 ① – Ancenis 46 ⑥ – Angers 61 ① – ♦Nantes 59 ⑤ – Niort 101 ② – Poitiers 127 ② – La Rochelle 125 ④ – La Roche-sur-Yon 65 ④ – Les Sables-d'Olonne 101 ④.

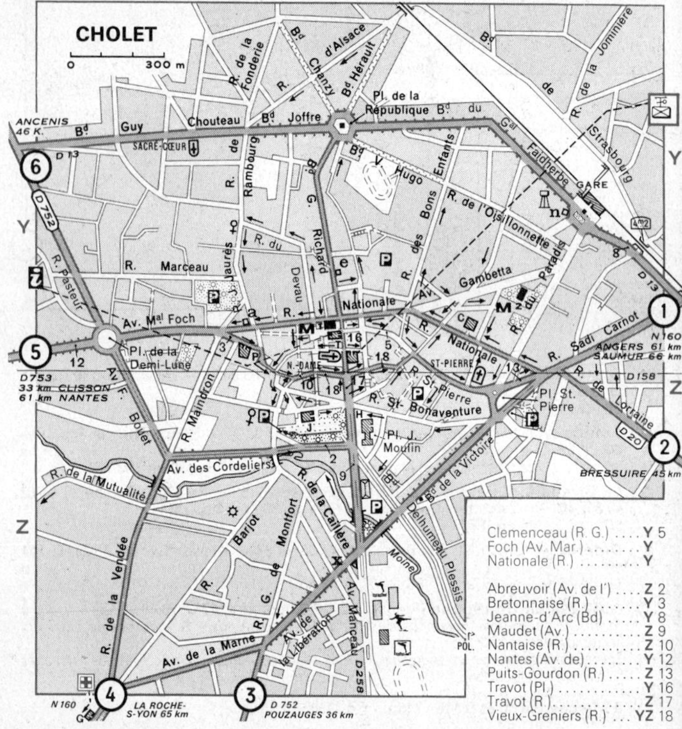

- **Fimotel** M, av. Sables-d'Olonne par ④ ✆ 41 62 45 45, Télex 722298 – wc wc ☎ – 25 à 80
  42 ch.
- **Europe,** 8 pl. Gare ✆ 41 62 00 97 – wc wc ☎ . AE E VISA — Y **n**
  SC : **R** voir rest. **James Baron** – 19 – **21 ch** 150/220.
- **Gd. H. Poste,** 26 bd G.-Richard ✆ 41 62 07 20 – wc wc ☎ – 100. AE E VISA — Y **e**
  SC : **R** *(fermé 28 juil. au 18 août, sam. soir et dim.)* 58/160 – 17,50 – **55 ch** 121/210.
- **Parc** sans rest, 4 av. A.-Manceau ✆ 41 62 65 45 – wc wc ☎ – 50. AE VISA — Z **x**
  SC : 20 – **46 ch** 105/214.

Campanile M, square Nouvelle France (rocade sud) par bd Delhumeau-Plessis Z ✆ 41 62 86 79, Télex 720318 – TV wc ☎ ♿ ⇔ P – 40. VISA
SC : **R** 61 bc/82 bc – 23 – **43 ch** 194/215.

Commerce, 194 r. Nationale ✆ 41 62 08 97 – wc wc ☎ Y **a**
fermé du 1er au 21 août – SC : *(fermé dim.)* 45/70 – 14,50 – **14 ch** 81/191.

James Baron, 8 pl. Gare ✆ 41 62 00 97 – AE E VISA Y **n**
fermé sam. midi – SC : **R** 90/260.

La Touchetière, Rd Point St-Léger par ⑥ : 1,5 km ✆ 41 62 55 03 – P. VISA
fermé dim. soir et lundi – SC : **R** 60/180.

La Grange, r. St-Antoine O : 2 km par r. Mutualité - Z- ✆ 41 62 09 83 – P. AE VISA
fermé sept., 1er au 7 janv., lundi en été, merc. en hiver, sam. midi et dim. soir – **R** 65/120.

par ④ : rte La Roche-sur-Yon – ✉ **49300** Cholet :

Cormier sans rest, à 4,5 km ✆ 41 62 46 24 – wc wc P. VISA.
fermé dim. soir – SC : 16 – **14 ch** 96/180.

Château de la Tremblaye, à 5,5 km ✆ 41 58 40 17, parc – P
fermé 1er au 21 août, dim. soir et lundi – SC : **R** 55/152.

au Lac de Ribou par ② : 5 km – ✉ **49300** Cholet :

❀ **Le Belvédère** (Inagaki) M avec ch, ✆ 41 62 14 02, ≤, – TV wc P – 25. AE VISA
fermé 28 juil. au 27 août, vacances de fév. et dim. soir (sauf Pâques et Pentecôte : fermé lundi soir) – SC : **R** (prévenir) 85/180 – 21 – **8 ch** 200/230
Spéc. Pétales de sole aux langoustines, Suprême de turbot au beurre d'orange, Aiguillettes de canard aux tartines d'ail. Vins Saumur-Champigny, Savennières.

à Nuaillé par ① : 7,5 km – ✉ **49340** Trémentines :

Relais des Biches avec ch, pl. Église ✆ 41 62 38 99, , – TV wc wc ☎ ⇔. AE VISA
SC : **R** *(fermé dim.)* 70/160 – 23 – **13 ch** 160/230 – P 340.

Voir aussi ressources hôtelières à ***Mortagne-sur-Sèvre*** par ④ : 10 km et ***St-Laurent-sur-Sèvre*** par ③ : 12 km.

ALFA-ROMEO-HONDA Hall des Sports, 1 pl. République ✆ 41 62 08 48
BMW, LANCIA-AUTOBIANCHI Gar. de la Victoire, 14 r. de la Passerelle ✆ 41 58 30 81 N ✆ 41 62 58 97
CITROEN Succursale, av. Ed.-Michelet par ① ✆ 41 65 42 77 N ✆ 41 62 41 04
FIAT Chauvin-Besse, 30 bd Victoire ✆ 41 62 65 63
MERCEDES-MAZDA Gar. Crochet Cholet, bd Poitou ✆ 41 65 92 66
OPEL Générale Autom., Gustave Richard ✆ 41 62 27 78 N ✆ 41 62 58 97
PEUGEOT-TALBOT Gar. Bussereau, 169 r. de Lorraine ✆ 41 61 41 42
RENAULT Autom. Choletaise, 17 bd du Poitou par ① ✆ 41 62 25 91
V.A.G. Dugast, Le Cormier ✆ 41 62 03 74
Gar. Merand, av. Ed.-Michelet ✆ 41 62 06 71

Bossard, 15 r. St-Martin ✆ 41 62 29 53
Buloup-Pneus, 102 bd de Strasbourg ✆ 41 65 28 09
Cailleau, 29 bd Richard ✆ 41 62 21 55
Cholet-Pneus, 169 r. de Lorraine ✆ 41 58 22 75

CHONAS-L'AMBALLAN 38 Isère 74 ⑪ – rattaché à Vienne.

CHORGES 05230 H.-Alpes 77 ⑰ – 1 412 h. alt. 854.
Paris 684 – Barcelonnette 57 – Briançon 70 – Digne 79 – Gap 17 – Guillestre 43 – Sisteron 61.

à Prunières E : 6 km par D 9 et D 109 – ✉ **05230** Chorges :

Le Preyret , ✆ 92 50 62 29, Télex 405868, ≤, , , , – cuisinette wc wc ☎ P – 30. AE E.
10 mai-15 oct., 26 déc.-10 avril et fermé merc. du 10 mai au 15 juin et du 1er au 15 oct. – SC : **R** 90 bc – **40 ch** 238.

CHOUVIGNY (Gorges de) 03 Allier 73 ④ – rattaché à Pont-de-Menat.

CIANS (Gorges du) *** 06 Alpes-Mar. 81 ⑲, 195 ⑭ **G. Côte d'Azur.**
Voir Gorges supérieures*** (D 28 de Beuil à Pra d'Astier) et gorges inférieures** (de Pra d'Astier au Pont de Cians).

CIBOURE 64 Pyr.-Atl. 85 ② – rattaché à St-Jean-de-Luz.

CIERP-GAUD 31 H.-Gar. 86 ① – 944 h. alt. 500 – ✉ **31440** St-Béat.
Paris 862 – Lannemezan 38 – Luchon 16 – St-Gaudens 30 – ♦Toulouse 120.

Pyrénées, ✆ 61 79 50 12 – wc wc. ch
fermé 2 nov. au 20 déc. – SC : **R** 38/135 – 15 – **15 ch** 75/105 – P 140/160.

La Bonne Auberge avec ch, ✆ 61 79 54 47. ch
fermé 15 au 31 mars, 1er au 15 sept. et merc. de nov. à avril – SC : **R** 78 – 12 – **5 ch** 80/120 – P 160.

FIAT Gar. Fernandez, à Gaud ✆ 61 79 50 26
RENAULT Fraysse, à Cierp ✆ 61 79 50 10

CIERZAC 17 Char.-Mar. 72 ⑫ – rattaché à Cognac.

La CIOTAT 13600 B.-du-R. 84 ⑭ **G. Provence** – 31 727 h. – Casino.

Voir Calanque de Figuerolles★ SO : 1,5 km puis 15 mn AZ.

Env. Sémaphore ≤★★★ O : 5,5 km AZ.

Excurs. à l'Ile Verte ≤★ en bateau 30 mn BZ.

Office de Tourisme 2 quai Ganteaume ✆ 42 08 61 32, Télex 420656.

Paris 805 ⑤ – Aix-en-Provence 49 ⑤ – Brignoles 60 ⑤ – ♦Marseille 32 ⑤ – ♦Toulon 37 ③.

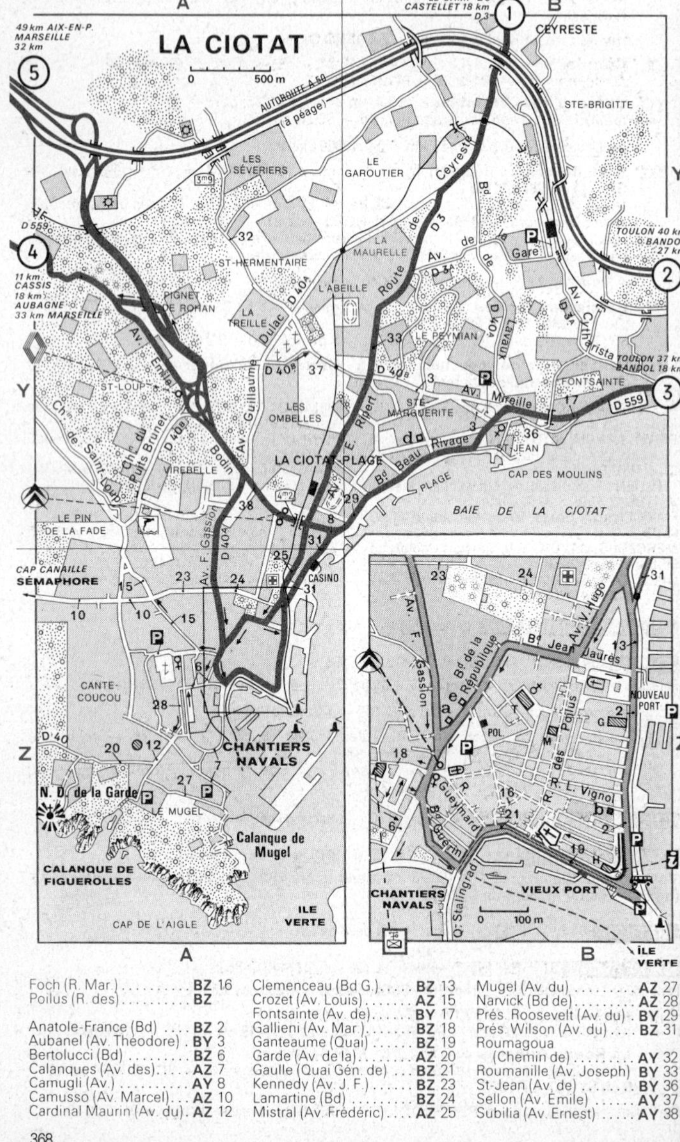

Foch (R. Mar.) .... **BZ** 16	Clemenceau (Bd G.) ..... **BZ** 13	Mugel (Av. du) .... **AZ** 27
Poilus (R. des) .... **BZ**	Crozet (Av. Louis) .... **AZ** 15	Narvick (Bd de) .... **AZ** 28
	Fontsainte (Av. de) .... **BY** 17	Prés. Roosevelt (Av. du) . **BY** 29
Anatole-France (Bd) .... **BZ** 2	Gallieni (Av. Mar.) .... **BZ** 18	Prés. Wilson (Av. du) .... **BZ** 31
Aubanel (Av. Théodore) . **BY** 3	Ganteaume (Quai) .... **BZ** 19	Roumagoua
Bertolucci (Bd) .... **BZ** 6	Garde (Av. de la) .... **AZ** 20	(Chemin de) .... **AY** 32
Calanques (Av. des) ..... **AZ** 7	Gaulle (Quai Gén. de) ... **BZ** 21	Roumanille (Av. Joseph) **BY** 33
Camugli (Av.) .... **AY** 8	Kennedy (Av. J. F.) ...... **BZ** 23	St-Jean (Av. de) .... **BY** 36
Camusso (Av. Marcel) ... **AZ** 10	Lamartine (Bd) .... **BZ** 24	Sellon (Av. Émile) .... **AY** 37
Cardinal Maurin (Av. du) . **AZ** 12	Mistral (Av. Frédéric) .... **AZ** 25	Subilia (Av. Ernest) ..... **AY** 38

La Rotonde sans rest, **44 bd République** ✆ **42 08 67 50** – ⊟ ⋒wc ☎. VISA. ✻
SC : ⊒ 17 – **32 ch** 110/190. BZ **a**

Lavandes Ⓜ sans rest, **38 bd République** ✆ **42 08 42 81** – ⊟wc ⋒wc ☎. AE ⓓ E BZ **e**
1er mars-15 oct. – SC : ⊒ 20 – **15 ch** 165/225.

Golfe, 14 bd A.-France ✆ 42 08 42 59 BZ **b**
fermé 2 nov. au 8 déc. et mardi – **R** 60/100.

à La Ciotat-Plage NE : 1,5 km par D 559 - ABY – ✉ **13600** La Ciotat :

Provence Plage, 3 av. Provence ✆ **42 83 09 61,** ♠ – ⊟wc ⋒wc ☎ Ⓟ. AE VISA. ✻ ch BY **d**
fermé 2 au 30 janv. – SC : **R** 90/170 – ⊒ 15 – **20 ch** 160/210 – P 230/250.

le Liouquet par ③ : 6 km – ✉ **13600** La Ciotat :

Ciotel Ⓜ ⛰, ✆ **42 83 90 30,** ⛱, ♠, ✂ – ▤ rest ☎ ♿ Ⓟ – ⚑ 50
43 ch.

Aub. Le Revestel (Chez Gève) ⛰ avec ch, ✆ **42 83 11 06,** ← – ⊟ ⋒ ☎ Ⓟ. ✻ ch
fermé dim. soir du 10 oct. au 31 mai et merc. sauf le soir de juin à sept. – SC : **R** 125 – ⊒ 23 – **7 ch** 170.

CITROEN Gar. Léger, 53 bd République ✆ 42 08 41 69
CITROEN Viviani, rte de Marseille ✆ 42 83 46 14 et av. Ernest Subilia ✆ 42 71 67 17
FORD Gar. Vialet, Electric-Gar., rte de Marseille ✆ 42 83 48 67
RENAULT Gimenes, Carrefour de-Lattre-de-Tassigny ✆ 42 83 90 10
Ⓜ Sepram-Pneus, av. de la Pétanque ✆ 42 71 47 37

CIRQUE Voir au nom propre du cirque.

CIVAUX 86 Vienne 68 ⑭⑮ – rattaché à Lussac-les-Châteaux.

CIVRAY 86400 Vienne 72 ④ **G. Côte de l'Atlantique** – 3 232 h alt. 137.
Voir Façade★ de l'église.
Syndicat d'Initiative à l'Hôtel de Ville (saison) ✆ 49 87 00 49.
Paris 390 – Angoulême 60 – Confolens 38 – Niort 65 – Poitiers 56.

Commerce avec ch, **5 r. Pont des barres** ✆ **49 87 20 92,** ♠ – ⋒ 🚗
fermé 1er au 15 sept. et sam. du 15 sept. au 1er juin – SC : **R** 42/55 ♁ – ⊒ 12 – **11 ch** 66/88.

CITROEN Vienne Sud Autom., ✆ 49 87 00 20
PEUGEOT-TALBOT Gar. Tabarin, ✆ 49 87 01 77
RENAULT Gar. Bonnin, ✆ 49 87 03 91

CLAIRIÈRE DE L'ARMISTICE ★★ 60 Oise 56 ③, 196 ⑪ **G. Environs de Paris.**
Voir Statue du Maréchal Foch – Dalle commémorative – Wagon historique (reconstitution) – Ressources hôtelières voir à ***Compiègne.***
Paris 89 – Compiègne 7.

CLAIRVAUX-LES-LACS 39130 Jura 70 ⑭ **G. Jura** – 1 432 h. alt. 541.
Paris 414 – Bourg-en-Bresse 83 – Champagnole 34 – Lons-le-Saunier 22 – Morez 36 – St-Claude 37.

Ethevenard, ✆ 84 25 82 21, ♠ – ⋒wc. ✻
Pentecôte et 15 juin-15 sept. – SC : **R** 45/70 – ⊒ 14 – **26 ch** 70/120 – P 115/125.

CITROEN Martelet, ✆ 84 25 82 52

CLAIX 38 Isère 77 ④ – rattaché à Grenoble.

CLAM 17 Char.-Mar. 71 ⑥ – rattaché à Jonzac.

CLAMART 92 Hauts-de-Seine 60 ⑩, 101 ㉔ – voir à Paris, Environs.

CLAMECY ⟨SP⟩ 58500 Nièvre 65 ⑮ **G. Bourgogne** (plan) – 5 826 h. alt. 160.
Voir Église St-Martin★.
Office de Tourisme r. Grand-Marché (Pâques, Pentecôte, 1er juin-30 sept.) ✆ 86 27 02 51.
Paris 209 – Auxerre 43 – Avallon 38 – Bourges 103 – Cosne-sur-Loire 54 – ♦Dijon 143 – Nevers 69.

Host. de la Poste, 9 pl. E.-Zola ✆ **86 27 01 55** – ⊟ ☎. VISA. ✻ ch
fermé 20 juin au 3 juil., 21 déc. au 20 janv. et lundi – SC : **R** 53/100 ♁ – ⊒ 15 – **17 ch** 68/140.

XX **Bon Accueil** avec ch, 3 rte Auxerre ✆ 86 27 06 32 – ⇔. VISA
fermé 15 déc. au 6 fév., lundi soir et mardi sauf août-sept. – SC : **R** 66/160 – ☕ 18 – **11 ch** 70/210 – P 180.

X **Grenouillère,** 6 r. J.-Jaurès ✆ 86 27 31 78,
fermé 6 août au 2 sept., Noël, Jour de l'An, vacances de fév., dim. soir et lundi – SC : **R** (déj. seul. sauf sam.) 40/100.

CITROEN Rougeaux, av. H.-Barbusse ✆ 86 27 11 87
FIAT Gar. Michel, 43 rte de Pressures ✆ 86 27 00 48
RENAULT S.A.M.A.S., 22 rte de Pressures ✆ 86 27 02 78 N
RENAULT Gar. Duque, rte de Pressures ✆ 86 27 13 54
Coignet, Le Foulon, Rte de Pressures ✆ 86 27 19 38

CLAOUEY 33 Gironde 78 ①⑪ – ✉ **33950** Lège.
Paris 637 – Arcachon 54 – ♦Bordeaux 56 – Cap-Ferret 15 – Lacanau-Océan 43.

X **Aub. du Bassin,** ✆ 56 60 70 22, ≤,
fermé 20 déc. au 27 janv. et merc. hors sais. – SC : **R** 55/140.

CLAPIERS 34 Hérault 83 ⑦ – rattaché à Montpellier.

La CLARTÉ 22 C.-du-N. 59 ① – rattaché à Perros-Guirec.

Le CLAUX 15 Cantal 76 ③ – 341 h. alt. 1 060 – ✉ **15400** Riom-ès-Montagne.
Paris 517 – Aurillac 50 – Mauriac 57 – Murat 24.

Peyre-Arse M, ✆ 71 78 93 32, – wc ☎ ♿ P. E
SC : **R** 45/185 – ☕ 20 – **30 ch** 120/160 – P 180/190.

Les CLAUX 05 H.-Alpes 77 ⑱ – rattaché à Vars.

CLAYE-SOUILLY 77410 S.-et-M. 56 ⑫, 196 ㉑ – 8 334 h. alt. 50.
Paris 38 – Meaux 15 – Melun 52 – Senlis 48.

XX **La Grillade,** 19 r. J.-Jaurès ✆ (1) 60 26 00 68 – AE E
fermé 15 août au 4 sept., 15 au 28 fév., dim. soir et lundi – **R** carte 195 à 260.

La CLAYETTE 71800 S.-et-L. 69 ⑰⑱ **G. Bourgogne** – 2 712 h. alt. 369.
Voir Château de Drée★ N : 4 km.
Syndicat d'Initiative 6 pl. Fossés (fin juin-1er sept.).
Paris 388 – Charolles 19 – Lapalisse 62 – ♦Lyon 97 – Mâcon 57 – Roanne 41.

Poste, ✆ 85 28 02 45 – ⇔wc wc . AE E VISA. ch
fermé 22 déc. au 15 janv., vend. soir, dim. soir et sam. sauf du 15 juin au 15 sept. – SC : **R** 58/170 – ☕ 18 – **15 ch** 95/180 – P 215/275.

Gare ✆ 85 28 01 65, , – ⇔wc wc P. E VISA. rest
fermé 1er au 15 déc., dim. soir et lundi sauf juil.-août – SC : **R** 49/154 – ☕ 15,50 – **11 ch** 71/174 – P 152/201.

PEUGEOT-TALBOT Gar. Jugnet, à Varennes-sous-Dun ✆ 85 28 03 60
RENAULT Éts Hermey, ✆ 85 28 04 81
Matequip, ✆ 85 28 11 46

CLÉCY 14570 Calvados 55 ⑪ **G. Normandie** – 1 197 h. alt. 81.
Voir Croix de la Faverie ≤★ S : 2 km puis 15 mn.
Paris 275 – ♦Caen 37 – Condé-sur-Noireau 9,5 – Falaise 30 – Flers 21 – Vire 35.

Moulin du Vey , E : 2 km par D 133, (Annexe Relais de Surosne à 3 km) ✆ 31 69 71 08, ≤, , « Parc au bord de l'eau » – P – 25 à 100. AE VISA. rest
fermé 1er au 26 déc. et vend. du 15 oct. au 1er avril – SC : **R** 100/250 – ☕ 24 – **19 ch** 220/300 – P 340/380.

XX **Site Normand** avec ch, ✆ 31 69 71 05 – ⇔wc P. AE VISA
fermé 15 janv. au 1er mars et lundi du 15 oct. au 1er avril – SC : **R** 91/126 – ☕ 15,50 – **12 ch** 72/185 – P 193/255.

PEUGEOT-TALBOT Pichon, ✆ 31 69 71 40

CLÉDEN-CAP-SIZUN 29 Finistère 58 ⑬ – 1 422 h. alt. 45 – ✉ **29113** Audierne.
Voir Pointe de Brézellec ≤★ N : 2 km, **G. Bretagne.**
Paris 598 – Audierne 10 – Douarnenez 32 – Quimper 45.

X **L'Étrave,** pl. église ✆ 98 70 66 87 –
20 mars-1er oct. et fermé merc. – SC : **R** (prévenir) 52/155 .

CLÉDER 29233 Finistère 58 ⑤ – 3 928 h. alt. 46.
Paris 566 – ♦Brest 48 – Brignogan-Plage 22 – Morlaix 30 – St-Pol-de-Léon 9,5.

XX **Le Temps de Vivre,** 9 r. Armorique ✆ 98 69 42 48 – AE E. ✻
fermé vacances de fév., dim. soir, merc. soir et lundi – SC : **R** 95/240.

CLELLES 38930 Isère 77 ⑭ – 319 h. alt. 766.
Paris 611 – Die 50 – Gap 75 – ♦Grenoble 49 – La Mure 32 – Serres 58.

Ferrat, ✆ 76 34 42 70, ≤, ⛱, ⛺ – ⌂wc 🚗 **P**. AE E. ✻
fermé 20 nov. au 31 janv. et mardi hors sais. – SC : **R** 85/150 – ☕ 20 – **16 ch** 150/270 – P 220/260.

RENAULT Gar. du Trièves, ✆ 76 34 40 35 **N**

CLÉON 76 S.-Mar. 55 ⑥ – rattaché à Elbeuf.

CLEREY-SUD 10 Aube 61 ⑰ – rattaché à Troyes.

CLERGOUX 19 Corrèze 75 ⑩ – 390 h. alt. 540 – ✉ **19320** Marcillac-la-Croisille.
Paris 508 – Mauriac 46 – St-Céré 74 – Tulle 24 – Ussel 47.

Chammard, ✆ 55 27 84 04, ⛺ – ⋒ **P**. ✻ ch
Pentecôte-30 sept. – SC : **R** 75/100 ♁ – ☕ 16 – **18 ch** 80/100 – P 160/170.

Lac ⛵, NE : 2 km par D 10 ✆ 55 27 83 15 – ⋒ **P**
30 ch.

CLERMONT ⟨SP⟩ **60600** Oise 56 ① **G. Environs de Paris** – 8 724 h. alt. 119.
Voir Église★ d'Agnetz O : 2 km par ④.
Paris 78 ③ – ♦Amiens 66 ① – Beauvais 26 ④ – Mantes-la-Jolie 98 ③ – Pontoise 55 ③.

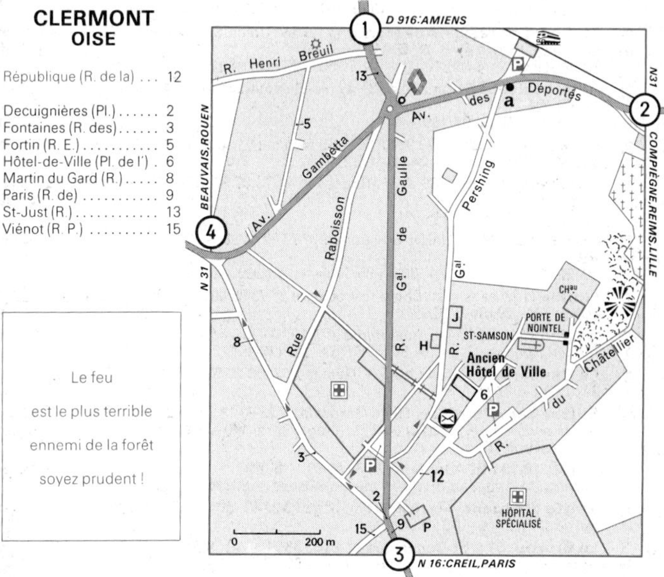

Clermotel, par ④ : 1 km ✆ 44 50 09 90 – TV ⌂wc ⋒wc ☎ **P** – 🏛 40. E VISA
fermé 1er au 15 janv. – SC : **R** *(fermé sam. du 1er nov. au 28 fév.)* 65 bc/100 – ☕ 17 – **30 ch** 165/205.

France, 36 av. Déportés **(a)** ✆ 44 50 00 56 – **P**
fermé vend. soir et sam. – SC : **R** 42/100 ♁ – ☕ 14 – **15 ch** 52/100.

FORD Cler'Auto Services, 75 r. Gén.-de-Gaulle ✆ 44 50 28 17 **N** ✆ 44 50 09 88
PEUGEOT-TALBOT Carlier, av. des Déportés, rte Compiègne par ② ✆ 44 50 00 94
RENAULT SOCLA, Imp. Henri Barbusse ✆ 44 50 08 73

Ⓜ Fischbach Pneu, 64 r. de Paris à St.-Just-en-Chaussée ✆ 44 78 51 36

CLERMONT-FERRAND P 63000 P.-de-D. 73 ⑭ G. Auvergne – 151 092 h. alt. 401.

Voir Le Vieux Clermont** BX : Basilique de N.-D.-du-Port** (choeur***) CX, Cathédrale** (vitraux**) BX, Fontaine d'Amboise* BX E, cour* de la maison de Savaron BX B – Jardin Lecoq* BCZ – Musée du Ranquet* BX M1 – Escalier* dans la rue des Petits-Gras (n° 6) BX 53 – Le Vieux Montferrand* R : Hôtel de Fontfreyde*, Hôtel de Lignat*, Hôtel de Fontenilhes*, cour* de l'Hôtel Regin, Porte* de l'Hôtel d'Albiat, Bas-relief* de la Maison d'Adam et d'Ève – Belvédère du D 941A ≤** R – Av. Thermale ≤* RS – Env. Puy de Dôme ※*** 15 km par ⑥.

18 des Volcans à Orcines ✆ 73 62 15 51 par ⑥ : 9 km.

Circuit automobile d'Auvergne S.

✈ de Clermont-Ferrand-Aulnat ✆ 73 91 71 00 par ② et D 54 : 6 km.

✆ 73 92 50 50.

Office de Tourisme, 69 bd Gergovia ✆ 73 93 30 20 et Gare S.N.C.F. ✆ 73 91 87 89 - A.C. pl. Galliéni ✆ 73 93 47 67.

Paris 388 ① – ♦Bordeaux 370 ⑥ – ♦Grenoble 285 ② – ♦Lyon 177 ② – ♦Marseille 457 ② – ♦Montpellier 364 ③ – Moulins 96 ① – ♦Nantes 452 ⑥ – ♦St-Étienne 146 ② – ♦Toulouse 384 ③.

Plans pages suivantes

Frantel M, 82 bd Gergovia ✆ 73 93 05 75, Télex 392658 – |‡| ▤ rest TV ☎ P – 50 à 240. AE ⓓ E VISA BZ v
SC : rest. La Rétirade *(fermé sam. midi et dim.)* **R** carte 185 à 215 – ☕ 35 – **124 ch** 345/408.

Gallieni et rest. Le Charade M, 51 r. Bonnabaud ✆ 73 93 59 69, Télex 392779 – |‡| TV ☎ P – 150. AE E VISA AY t
R *(fermé sam.)* 105/170 – ☕ 21 – **80 ch** 151/282 – P 324/493.

Lafayette M sans rest, 53 av. Union Soviétique ✆ 73 91 82 27, Télex 393706 – |‡| TV wc ☎ P. AE ⓓ E VISA DX n
SC : ☕ 19 – **48 ch** 155/250.

Colbert, 19 r. Colbert ✆ 73 93 25 66, Télex 990125 – |‡| TV wc ⋔wc ☎ – 25. AE ⓓ E VISA AY q
SC : **R** grill 39/80 – ☕ 21 – **70 ch** 197/280 – P 320/380.

St-André et rest. l'Auvergnat M, 27 av. Union Soviétique ✆ 73 91 40 40 – |‡| ▤ rest TV wc ⋔wc ☎. E VISA DX d
SC : **R** *(fermé dim.)* 56/100 – ☕ 17,50 – **25 ch** 149/192 – P 250/315.

Albert-Élisabeth sans rest, 37 av. A.-Élisabeth ✆ 73 92 47 41 – |‡| wc ⋔wc ☎. AE VISA CX v
SC : ☕ 16 – **40 ch** 97/180.

Lyon, 16 pl. Jaude ✆ 73 93 32 55 – |‡| ▤ rest wc ⋔wc ☎. E VISA ABY b
SC : **R** 65/140 – ☕ 18 – **34 ch** 155/210.

Bordeaux sans rest, 39 av. F.-Roosevelt ✆ 73 37 32 32 – |‡| wc ⋔wc ☎. AE VISA. ✻ AY w
SC : ☕ 19,50 – **32 ch** 118/210.

Gd H. Midi, 39 av. Union-Soviétique ✆ 73 92 44 98 – |‡| ▤ rest wc ⋔wc ☎. E VISA DX s
SC : **R** 41/85 – ☕ 17 – **39 ch** 95/176 – P 220/300.

Floride II M sans rest, Cours R.-Poincaré ✆ 73 35 00 20 – |‡| wc ☎ P. E VISA CZ e
SC : ☕ 18 – **29 ch** 157/200.

Régina sans rest, 14 r. Bonnabaud ✆ 73 93 44 76 – ⋔wc ☎ AY x
fermé 15 déc. au 2 janv. – SC : ☕ 15,50 – **27 ch** 65/172.

Le Damier sans rest, 47 bd J.B.-Dumas ✆ 73 91 87 52 – wc ⋔wc ☎. VISA CV a
SC : ☕ 14 – **22 ch** 103/170.

XXX **Buffet Gare Routière,** 69 bd Gergovia ✆ 73 93 13 32 – AE ⓓ E VISA BZ
fermé sam. en juil. et août – **R** (1er étage) carte 140 à 240, snack (rez-de-chaussée) carte environ 75.

XX **Clavé,** 10-12 r.St-Adjutor ✆ 73 36 46 30 – E VISA AX k
fermé sam. midi et dim. du 1er mai au 30 sept. – SC : **R** 113 bc/250.

XX **Truffe d'Argent,** 17 r. Lamartine ✆ 73 93 22 42, – AE ⓓ E VISA AY r
fermé sam. midi – SC : **R** 90/190.

X **Le Brezou,** 51 r. St-Dominique ✆ 73 93 56 71 – P. VISA AX n
fermé 20 déc. au 15 janv., sam. et dim. – SC : **R** 58/98.

à Chamalières – 17 905 h. – ✉ **63400** Chamalières :

✿ **Radio** (Mioche), 43 av.P.-Curie ✆ 73 30 87 83, ≤, – |‡| ☎ P. AE ⓓ E VISA
1er mars-15 nov. – SC : **R** *(fermé dim. soir et lundi)* 150/400 – ☕ 22 – **27 ch** 98/230
Spéc. Salade de homard, Caneton dans son nid de chou, Gratin de fruits.
Plan de Royat BY w

Europe H. M sans rest, 29 av. Royat ✆ 73 37 61 35 – |‡| TV wc ⋔wc ☎. ⓓ AY a
SC : ☕ 22 – **34 ch** 150/255.

Chalet Fleuri, 37 av. Massenet ✆ 73 35 09 60, – wc ⋔wc ☎ P. VISA. ✻ rest S e
SC : **R** 84/147 – ☕ 17 – **40 ch** 124/186 – P 277/336.

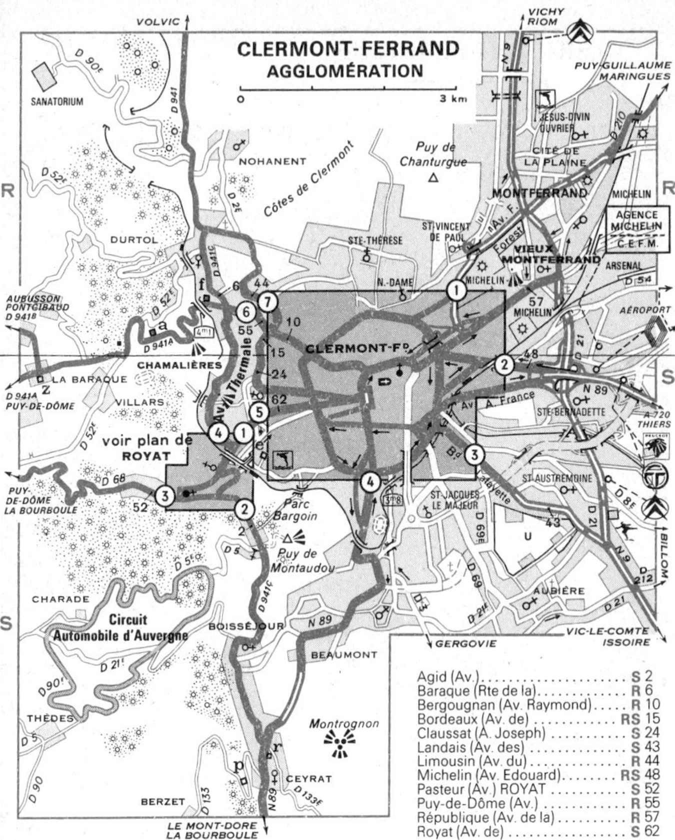

Agid (Av.) .... S 2
Baraque (Rte de la) .... R 6
Bergougnan (Av. Raymond) ..... R 10
Bordeaux (Av. de) .... RS 15
Claussat (A. Joseph) .... S 24
Landais (Av. des) .... S 43
Limousin (Av. du) .... R 44
Michelin (Av. Edouard) .... RS 48
Pasteur (Av.) ROYAT .... S 52
Puy-de-Dôme (Av.) .... R 55
République (Av. de la) .... R 57
Royat (Av. de) .... S 62

à l'aéroport d'Aulnat par ② et D 54E – ✉ **63510** Aulnat :

🏨 **Climat de France** Ⓜ, ✆ 73 92 72 02 – 📺 ⛀wc ☎ ♿ Ⓟ – 🏛 25. AE E VISA
SC : **R** 54/92 🍷 – ☕ 19 – **42 ch** 200/217.

rte de La Baraque par ⑥ – ✉ **63830** Durtol :

XXX **L'Aubergade,** ✆ 73 37 84 64 – Ⓟ. VISA — R **a**
fermé 1er au 21 sept., 1er au 21 mars, dim. soir et lundi – SC : **R** 86/160.

XXX ✿ **Aub. des Touristes** (Andrieux), ✆ 73 37 00 26 – Ⓟ. AE E. 🚫 — R **f**
fermé 7 avril au 6 mai, 10 août au 2 sept., vacances de fév., dim. et lundi – SC : **R** 100 (sauf fêtes)/380
Spéc. Terrine de foie gras, Émincé de bar au beurre de safran, Gibier (en sais.). **Vins** Chanturgue, St-Pourçain.

à La Baraque par ⑥ : 7 km – ✉ **63870** Orcines :

🏨 **Relais des Puys,** ✆ 73 62 10 51, 🌳 – ⛀wc 🚿wc ☎ Ⓟ. E VISA. 🚫 rest — S **z**
fermé 1er déc. au 1er fév., dim. soir hors sais. et lundi midi – SC : **R** 52/130 🍷 – ☕ 17,50 – **30 ch** 84/172 – P 170/200.

à Orcines par ⑥ et D 941 – ✉ **63870** Orcines :

XX **Chez Pichon** avec ch, ✆ 73 62 10 05, 🌳, 🍴 – 📺 ⛀wc ⛀ ☎ 🚗 Ⓟ – 🏛 35. AE ⓓ E VISA. 🚫 rest
fermé lundi sauf hôtel et dim. soir – SC : **R** 68/207 – ☕ 22 – **17 ch** 72/189 – P 205/300.

tourner →

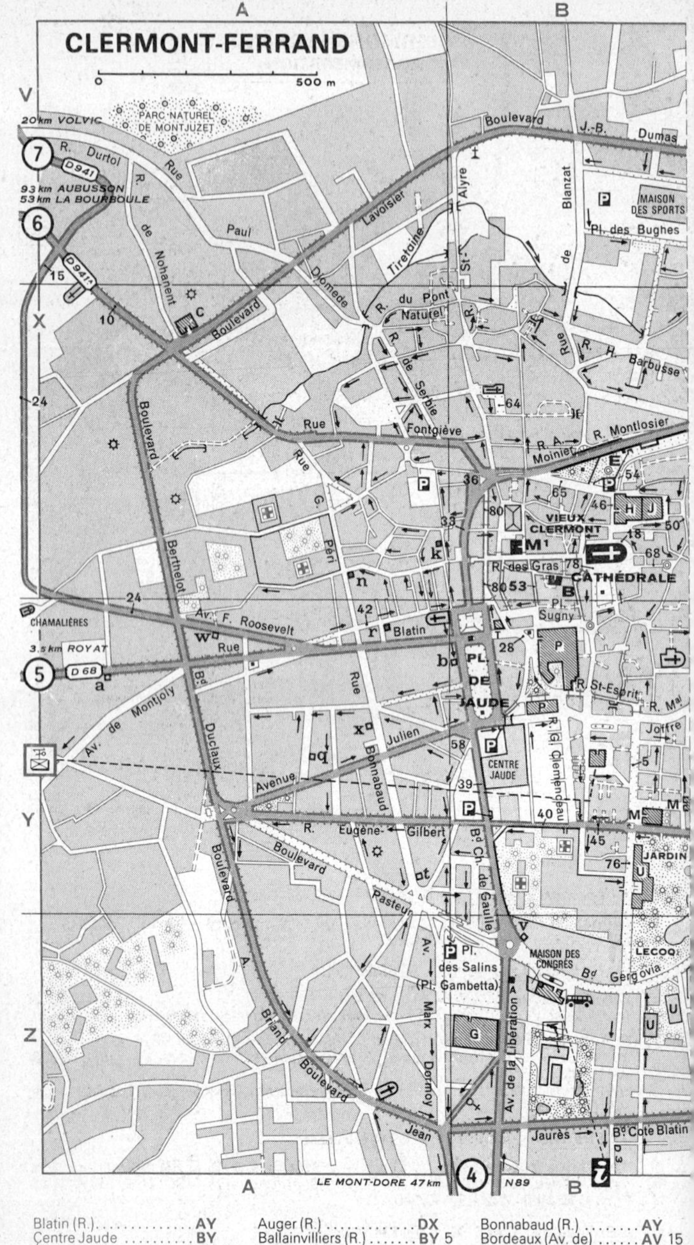

Blatin (R.) . . . . **AY**
Centre Jaude . . . . **BY**
États-Unis (Av. des) . . . **ABX** 33
Gras (R. des) . . . . **BX**
Port (R. du) . . . . **CX**
St-Esprit (R.) . . . . **BY**
11-Novembre (R. du) . . . . **BX** 80

Anatole-France (R.) . . . . . **DY** 3
Auger (R.) . . . . **DX**
Ballainvilliers (R.) . . . . **BY** 5
Bansac (R.) . . . . **CXY**
Barbier-Daubrée (Av.) . . . **CV**
Barbusse (R. Henri) . . . **BCX**
Bergougnan (Av. R.) . . . . **AX** 10
Berthelot (Bd) . . . . **AX**
Blanzat (R. de) . . . . **BVX**
Blum (Av. Léon) . . . . **CYZ**
Bonnabaud (R.) . . . . **AY**
Bordeaux (Av. de) . . . . . . **AV** 15
Bourse (Pl. de la) . . . . . . **BX** 18
Briand (Bd A.) . . . . **AYZ**
Bughes (Pl. des) . . . . **BV**
Carmes-Déchaux (Pl., ⊕) . . . . **CX**
Carnot (Av.) . . . . **CY**
Chanteranne (R. de) . . . . **DV**

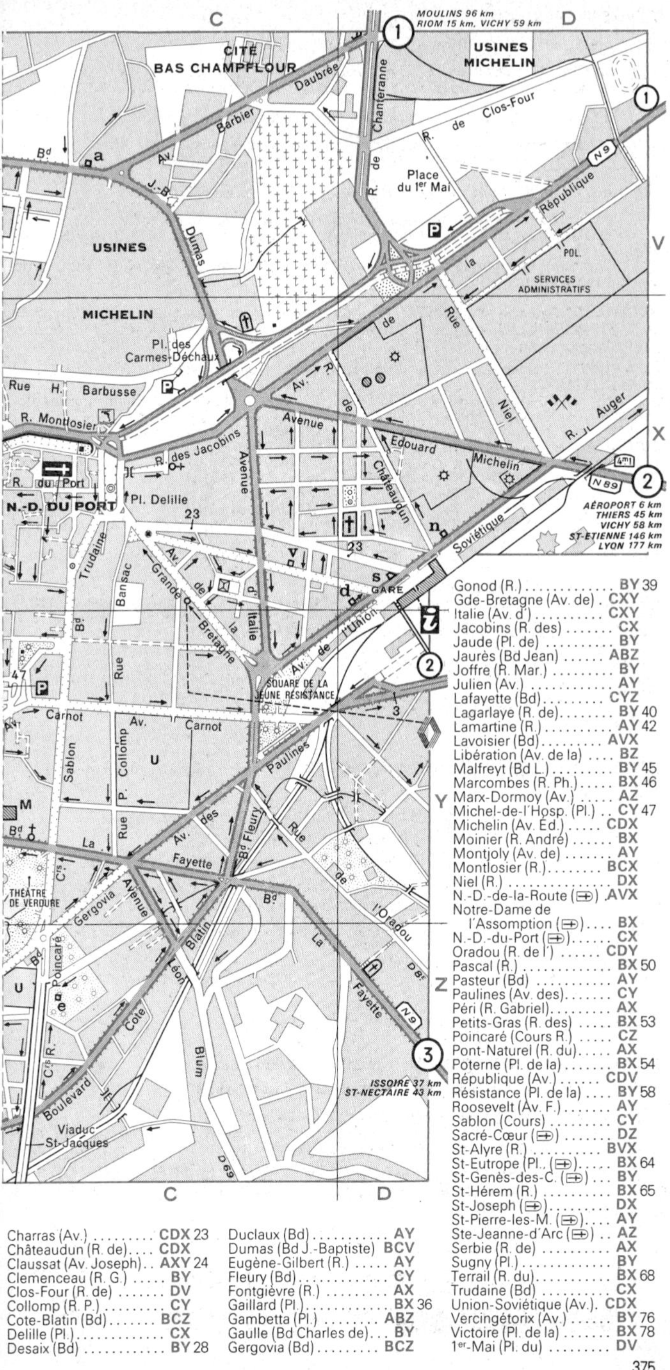

MOULINS 96 km
RIOM 15 km, VICHY 59 km
CITÉ BAS CHAMPFLOUR
USINES MICHELIN
Daubrée
Barbier
Av. J.-B. Dumas
R. de Chanteranne
R. de Clos-Four
Place du 1er Mai
N 9
République
la
POL.
SERVICES ADMINISTRATIFS
USINES
MICHELIN
Pl. des Carmes-Déchaux
Rue H. Barbusse
R. Montlosier
Av. de la
Rue Niel
R. Auger
Avenue Édouard Michelin
R. des Jacobins
Avenue
R. de Châteaudun
R. du Port
N.-D. DU PORT
Pl. Delille
23
Soviétique
N 89
4m1
AÉROPORT 6 km
THIERS 45 km
VICHY 58 km
ST-ÉTIENNE 146 km
LYON 177 km
Trudaine
Av. Grande de Bretagne
Bansac
Av. d'Italie
GARE
Av. de l'Union
SQUARE DE LA JEUNE RÉSISTANCE
47
Carnot
Av. Carnot
Sablon
Rue P. Collomp
Paulines
Av. des
Bd Fleury
Rue de l'Oradou
La Fayette
THÉATRE DE VERDURE
Gergovia
Avenue
Bd Poincaré
Bd Léon Blatin
Cote
Blum
Bd La Fayette
D 8E
N 9
D 69
Boulevard
Crs R.
Viaduc St-Jacques
ISSOIRE 37 km
ST-NECTAIRE 43 km
C
D
V
X
Y
Z

par ⑥ sur D 941ᴬ : 10 km – ✉ **63870** Orcines :

XX **La Clef des Champs,** ☎ 73 62 10 69, ⛱, 🌳 – 🅟. E VISA
fermé 5 au 18 fév., 4 au 30 août, dim. soir, soirs de fêtes et mardi – SC : **R** 93/165.

à Orcet par ③, N 9 et D 978 : 13 km – ✉ **63670** Le Cendre :

XX **Ma Bohême,** ☎ 73 79 12 46, ⛱, « roulottes aménagées », 🌳 – 🅟
fermé 1er au 7 janv., 1er au 7 août, dim. soir et lundi – **R** 100/260.

au Col de Ceyssat par ⑥, D 941ᴬ et D 68 : 14 km – ✉ **63870** Orcines :

X **Aub. des Gros Manaux** 🐦, ☎ 73 87 11 11, ⛱ – 🅟. AE ⓓ E VISA
fermé 26 août au 7 sept., 25 oct. au 5 nov., mardi soir et merc. – SC : **R** 68/160.

Voir aussi ressources hôtelières de *Royat* ⑤ : 4,5 km, de *Ceyrat* ④ : 6 km et de *Montpeyroux* ③ : 24 km

MICHELIN, Agence régionale, r. Cugnot, Z.I. du Brézet (R plan agglomération) ☎ 73 91 29 31 **MICHELIN, Centre d'Échanges et de Formation** r. Cugnot, Z.I. du Brézet (R plan agglomération) ☎ 73 92 91 55

ALFA-ROMEO Domes-Auto, rte de Paris, la Plaine ☎ 73 24 67 72
AUSTIN, JAGUAR, MORRIS, ROVER, TRIUMPH Gar. Estager, 26 bd de Gaulle ☎ 73 93 41 65
BMW Gar. Gergovie, N 9, rte Issoire ☎ 73 79 11 41 N ☎ 73 91 01 01
CITROEN Succursale, 240 bd E.-Clémentel R ☎ 73 24 22 66 N ☎ 73 24 39 78 et 111 bd. G. Flaubert S ☎ 73 27 20 00
FIAT Gd Gar. d'Auvergne, 17 r. Bonnabaud ☎ 73 93 18 18
FIAT Gar. de la Source, bd J.-Moulin ☎ 73 91 02 02
FORD Dugat, 23 av. Agriculture ☎ 73 91 17 67
LADA, TOYOTA, Bonaldi, 36 av. de Cournon, Zone Ind. à Aubière ☎ 73 26 34 48
LANCIA-AUTOBIANCHI Gar. Buire, 157 bd. G.-Flaubert ☎ 73 26 44 25
MAZDA-INNOCENTI Dafit, 11-13 bd Gustave-Flaubert, ☎ 73 92 43 39
MERCEDES-BENZ Centre Etoile Automobile 33 av. du Roussillon N 9 à Aubière ☎ 73 26 34 50 N ☎ 73 91 01 01
OPEL Auvergne-Auto, 3 r. B.-Palissy, Z.I. du Brézet ☎ 73 91 76 56
PEUGEOT-TALBOT SCA Clermontoise Automobile 27 av. du Brezet S ☎ 73 92 14 12
RENAULT Succursale, r. Blériot, Zone Ind. du Brézet RS ☎ 73 92 42 30
RENAULT Mondial-Gar., 24 av. Grande-Bretagne CX ☎ 73 91 35 14
V.A.G. A.V.A., 65 av. de l'Agriculture ZI Brézet ☎ 73 91 23 89
V.A.G. Gar. Carnot, 10 r. de Bien Assis ☎ 73 91 70 46
VOLVO Gar. Casas, r. E. Reelus-Z.I. du Brézet, ☎ 73 92 51 42

Ⓜ Estager-Pneu, 238 bd Clémentel ☎ 73 23 15 15 et 11 av. J.-Claussat, Chamalières ☎ 73 37 36 05
Piot-Pneu, 80 av. du Brézet ☎ 73 92 13 50 et r. Gutenberg, Zone Ind. du Brézet ☎ 73 91 10 20
Poughon-Pneus, 15 r. Dr-Nivet ☎ 73 92 12 48

CLERMONT-L'HÉRAULT 34800 Hérault **83** ⑤ **G. Causses** – 5 926 h. alt. 90.

Voir Église St-Paul★.

Env. Cirque de Mourèze★★ SO : 8 km.

ℹ Office de Tourisme 9 r. René-Gosse (15 juin-15 sept.) ☎ 67 96 23 86.

Paris 801 – Béziers 44 – Lodève 20 – ♦Montpellier 41 – Pézenas 21 – St-Pons 74 – Sète 52.

🏠 **Sarac** M sans rest, **rte de Béziers** ☎ **67 96 06 81** – 🛁wc 🚿wc ☎ 🅟. 🚫
fermé 15 déc. au 15 janv., sam. et dim. d'oct. à mars – SC : ☕ 13 – **22 ch** 120/140.

PEUGEOT-TALBOT Ryckwaert, rte Montpellier N 9 ☎ 67 96 07 31 N
RENAULT Diffusion-Auto-Clermontaise, rte Montpellier ☎ 67 96 03 42
RENAULT Bouzou, 11 bd Ledru-Rollin ☎ 67 96 01 17

Ⓜ Roques, av. de Montpellier ☎ 67 96 00 62

CLICHY 92 Hauts-de-Seine **55** ⑳, **101** ⑮ – voir à Paris, Environs.

CLIMBACH 67 B.-Rhin **57** ⑲ – 514 h. alt. 354 – ✉ **67510** Lembach.

Paris 507 – Bitche 38 – Haguenau 28 – ♦Strasbourg 60 – Wissembourg 9.

🏠 **Ange,** ☎ **88 94 43 72** – 🛁wc 🚿wc ☎ 🅟. 🚫
fermé 31 juil. au 14 août et 20 nov. au 18 déc. – SC : **R** *(fermé merc. soir et jeudi)* carte 80 à 130 🍷 – ☕ 12,50 – **15 ch** 100/105 – P 150.

XX **Cheval Blanc** avec ch, ☎ **88 94 41 95,** 🌳 – 🚿wc ☎ 🅟. ⓓ E. 🚫 ch
fermé 15 janv. au 20 fév., mardi soir et merc. – SC : **R** 80/130 🍷 – ☕ 11,50 – **7 ch** 90/102 – P 115/135.

CLISSON 44190 Loire-Atl. 67 ④ **G. Côte de l'Atlantique** – 5 032 h. alt. 42.

Office de Tourisme pl. Minage (1er juil.-31 août) ☎ 40 78 02 95.

Paris 367 ⑤ – ♦Nantes 28 ⑤ – Niort 124 ② – Poitiers 150 ① – La Roche-sur-Yon 52 ②.

CLISSON

Bertin (R.) 2
Cacault (R.) 3
Clisson (R. O. de) 4
Dr-Boutin (R.) 6
Dimerie (R. de la) 7
Grand-Logis (R. du) 8
Halles (R. des) 12
Leclerc (Av. Gén.) 13
Nid-d'Oie (Pont de) 14
Nid-d'Oie (Rte de) 16
St-Hilaire (R. de) 17
St-Jacques (R.) 18
Trinité (Gde-R. de la) 22
Vallée (R. de la) 23

Les plans de villes sont orientés le Nord en haut.

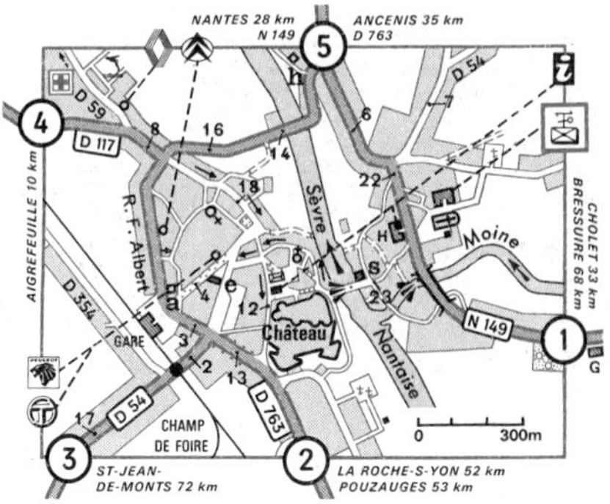

Aub. de la Cascade 🌿, à Gervaux **(h)** ☎ **40 78 02 41**, ←, 🌳 – ⇔wc **P**.
fermé 1er au 15 oct., lundi (sauf hôtel) et dim. soir – **SC** : **R** 45/125 – 15,50 – **10 ch** 55/140.

Gare, pl. Gare **(a)** ☎ **40 36 16 55** – ⇔wc ☎ – 🚗 100. **E** *VISA*
SC : **R** *(fermé 7 au 21 juil.)* 52/97 – 13,50 – **34 ch** 85/170 – P 202/267.

XX ✿ **Bonne Auberge** (Poiron), 1 r. O.-de-Clisson **(e)** ☎ **40 78 01 90**, – *VISA*
fermé 11 au 31 août, 16 au 28 fév., dim. soir, lundi et fériés – **SC** : **R** 106/240
Spéc. Fricassée de langoustines aux pâtes fraîches, Escalope de ris de veau aux pleurotes, Millefeuille de pommes au beurre de cidre.

X **La Vallée,** 1 r. La Vallée **(s)** ☎ **40 78 36 23**, ←, – AE ⓓ **E** *VISA*
fermé dim. soir du 1er oct. au 30 avril – **SC** : **R** 64/187.

CITROEN Boullenger, ☎ 40 78 00 78
PEUGEOT-TALBOT Baudu, ☎ 40 78 00 67
RENAULT Clisson-Autos, à Gorges, ☎ 40 78 30 55 **N**

CLOHARS-CARNOËT 29121 Finistère 58 ⑫ – 3 428 h. alt. 42.

Paris 509 – Concarneau 31 – Lorient 22 – Quimper 48 – Quimperlé 10.

XX **La Brissandière,** rte de Lorient : 4 km ☎ **98 71 51 34** – AE ⓓ **E** *VISA*
fermé fin sept. à fin oct., lundi soir et mardi – **SC** : **R** 59/160.

CLOUANGE 57 Moselle 57 ③ – rattaché à Rombas.

CLOYES-SUR-LE-LOIR 28220 E.-et-L. 60 ⑯⑰ **G. Châteaux de la Loire** – 2 653 h. alt. 105.

Paris 143 – Blois 53 – Chartres 56 – Châteaudun 12 – ♦Le Mans 92 – ♦Orléans 61.

St-Georges, pl. Église ☎ **37 98 54 36** – **P**
fermé déc. – **SC** : **R** 80/120 – 19 – **11 ch** 95/140.

XXX ✿ **Host. St-Jacques** (Le Bras) 🌿 avec ch, r. Nationale ☎ **37 98 50 08**, – ⇔wc wc ☎ **P**. AE ⓓ *VISA*
fermé 24 nov. à début fév., dim. soir et lundi sauf juil.-août – **SC** : **R** 132/250 – 33 – **20 ch** 145/255 – P 300/350
Spéc. Salade de pintade tiède au chou vert, Filets de St-Pierre au beurre de corail, Filet de boeuf au Chinon.

X **Dauphin,** r. J.-Chauveau ☎ **37 98 51 14** – *VISA*.

CITROEN Gar. Val de Loir, ☎ 37 98 54 42
PEUGEOT-TALBOT Cassonnet, ☎ 37 98 51 90
N ☎ 37 98 55 84
RENAULT Gar. Chopard, ☎ 37 98 53 32

CLUNY 71250 S.-et-L. 69 ⑲ **G. Bourgogne** – 4 734 h. alt. 248.

Voir Anc. abbaye★ : clocher de l'Eau Bénite★★ – Clocher★ de l'église St-Marcel **B** – Musée Ochier★ **M**.

Env. Berzé-la-Ville : peintures murales★★ de la chapelle 13 km par ③ – Mt St-Romain ✲★★15 km par ② – Prieuré★ de Blanot 10 km par ② – Château★ de Berzé-le-Châtel 10 km par ③.

Office de Tourisme 6 r. Mercière (1er mars-31 oct.) ☎ 85 59 05 34.

Paris 389 ① – Chalon-sur-Saône 52 ① – Charolles 38 ③ – Mâcon 25 ③ – Montceau-les-Mines 42 ④ – Roanne 79 ③ – Tournus 37 ②.

🏨 ❀ **Bourgogne** (Gosse), pl. Abbaye **(n)** ✆ 85 59 00 58, « Face à l'abbaye » – wc wc ☎ 🚗. AE ⓓ VISA. ✕ rest
10 mars-15 nov. ; fermé merc. midi et mardi sauf du 15 juil. au 5 oct. – SC : **R** 165/280 – ☕ 32 – **18 ch** 150/330
Spéc. Blanc de volaille au foie gras, Canette aux baies roses, Chariot de desserts. **Vins** Givry, Chassagne-Montrachet.

🏨 **Moderne,** par ③ : 1 km au pont de l'Etang ✆ 85 59 05 65, 🌳 – wc wc ☎ **P** – 🏊 60. AE ⓓ E VISA
hôtel fermé 3 nov. au 1er déc., 1er au 15 fév. et dim. soir du 15 sept. au 15 juin – SC : **R** *(15 mars-3 nov. et fermé dim. soir et lundi du 15 sept. au 15 juin)* 75/180 🍷 – ☕ 20 – **15 ch** 105/200.

🏨 **Abbaye,** av. Gare **(e)** ✆ 85 59 11 14 – wc ☎ **P**
1er mars-30 nov. et fermé dim. soir et lundi midi – SC : **R** 72/130 – ☕ 16 – **18 ch** 78/175.

CITROEN Bay, ✆ 85 59 08 85
RENAULT Pechoux et Couratin, par ② ✆ 85 59 04 61 N
RENAULT Beaufort, ✆ 85 59 11 76

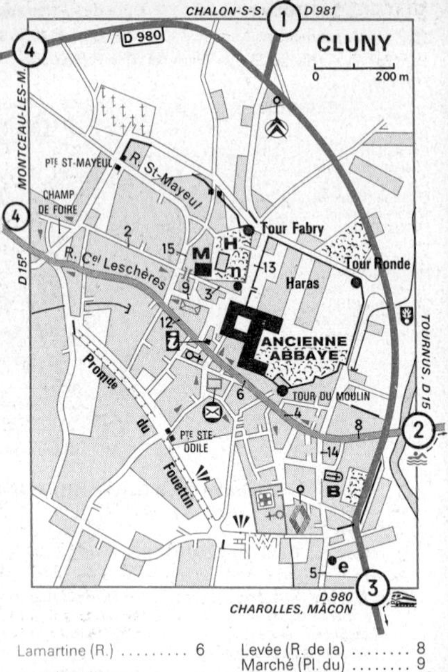

Lamartine (R.)	6	Levée (R. de la)	8
		Marché (Pl. du)	9
Avril (R. d')	2	Mercière (R.)	12
Conant (R.)	3	Pte-des-Prés (R.)	13
Filaterie (R.)	4	Prud'hon (R.)	14
Gare (Av. de la)	5	République (R.)	15

La CLUSAZ 74220 H.-Savoie 74
⑦ G. Alpes – 1 687 h. alt. 1 100 – Sports d'hiver : 1 100/2 600 m ⛷5 ⛷51, ⛷.

Voir E : Vallon des Confins★ – Col de la Croix-Fry★ : ≤★ SO : 5 km.

ℹ Office de Tourisme ✆ 50 02 60 92, Télex 385125.

Paris 564 – Albertville 40 – Annecy 32 – Bonneville 26 – Megève 29 – Morzine 65.

🏨 **Le Panorama** M 🐦 sans rest, ✆ 50 02 42 12, ≤ montagnes – 🛗 🚗 **P**. ✕
1er juil.-31 août et 20 déc.-vacances de Pâques – SC : ☕ 24 – **30 ch** 140/235.

🏨 **Cythéria** 🐦, ✆ 50 02 41 81, ≤ – 🛗 wc wc ☎ **P**. ⓓ
1er juil.-30 sept. et 20 déc.-20 avril – SC : **R** 85/150 – ☕ 35 – **25 ch** 140/290 – P 210/360.

🏨 **Les Chalets de la Serraz** M 🐦 sans rest, rte Col des Aravis : 4 km ✆ 50 02 48 29, ≤, 🌳, 🎾 – cuisinette wc ☎ **P**. AE ⓓ E VISA
15 juin-30 sept. et 1er déc.-1er mai – SC : ☕ 30 – **10 ch** 231/345, 3 appartements 496.

🏨 **Aravis 1500** M 🐦, les Étages S : 3 km par D 909 ✆ 50 02 61 13, ≤, 🌳, 🏊 – cuisinette TV wc ☎ **P**. ✕ rest
1er juil.-30 août et 15 déc.-20 avril – SC : **R** 100 🍷 – ☕ 26 – **13 ch** 290, 5 appartements.

🏨 **Christiania,** ✆ 50 02 60 60, 🌳, 🌳 – 🛗 ▤ ch wc wc ☎. ✕
30 juin-15 sept. et 20 déc.-15 avril – SC : **R** 65/120 – ☕ 20 – **30 ch** 120/225 – P 185/272.

🏨 **Sapins** 🐦, ✆ 50 02 40 12, ≤, 🏊 – 🛗 wc wc ☎ **P**. ✕ rest
1er juin-30 sept. et 20 déc.-15 avril – SC : **R** 60/70 – ☕ 24 – **27 ch** 150/245 – P 195/275.

🏨 **Aravis** (au Village) (Annexe 🏨 - 16 ch), près Église ✆ 50 02 60 31, ≤, 🌳, 🎾 – 🛗 wc wc ☎. ✕ rest
21 juin-4 sept. et 22 déc.-Pâques – SC : **R** 53/110 – ☕ 19,50 – **41 ch** 105/235 – P 180/282.

🏨 **Le Gotty,** les Étages S : 3 km par D 909 ✆ 50 02 43 28, ≤ – wc wc ☎ **P**. ✕ rest
15 déc.-30 avril – SC : **R** 83 – ☕ 23 – **28 ch** 145/210 – P 210/290.

🏨 **Nouvel H.,** ✆ 50 02 40 08 – 🛗 wc wc ☎. ✕ rest
1er juil.-15 sept. et 20 déc.-20 avril – SC : **R** 52/70 – ☕ 18 – **28 ch** 130/200 – P 245.

Floralp, ✆ 50 02 41 46 – ⇔wc ⋔wc ☎. ✂ rest
25 juin-15 sept. et 18 déc.-20 avril – SC : **R** 55/75 – ☕ 21 – **22 ch** 145/220 – P 170/240.

Savoie, ✆ 50 02 40 51 – ⇔wc ⋔wc ☎. VISA
1er déc.-30 avril – SC : **R** 55/105 – ☕ 18 – **14 ch** 150 – P 172/240.

Vieux Chalet avec ch, rte Crêt du Merle ✆ 50 02 41 53, ←, – TV ⇔wc ⋔wc ☎ P. ✂ ch
fermé 15 juin au 4 juil., 13 oct. au 8 nov., mardi, merc. et jeudi hors sais. – SC : **R** 72/162 – ☕ 21 – **7 ch** 190/240 – P 255.

L'Écuelle, ✆ 50 02 42 03 – VISA
1er juil.-15 sept. et 15 déc.-20 avril – SC : **R** carte environ 140.

RENAULT Gar. du Rocher, ✆ 50 02 40 38

CLUSES 74300 H.-Savoie 74 ⑦ **G. Alpes** – 15 906 h. alt. 485.

Office de Tourisme Chalet Savoyard, pl. Allobroges ✆ 50 98 31 79.

Paris 558 – Annecy 64 – Bonneville 15 – Chamonix 42 – •Genève 45 – Megève 28 – Morzine 29.

à Magland SE : 8 km par N 205 – ✉ 74300 Cluses :

Relais Mont-Blanc avec ch, ✆ 50 34 75 33, ←, – ⋔wc ☎ P. VISA. ✂ rest
fermé 22 août au 10 sept. et 2 au 20 janv. – SC : **R** *(fermé dim. soir et lundi)* 75/205 – ☕ 17 – **13 ch** 95/177.

CITROEN Stat. du Stade 17 av. République ✆ 50 98 12 41
FORD Gander, rte Sallanches ✆ 50 98 49 38
PEUGEOT-TALBOT Gar. Savoie, av. des Glières ✆ 50 98 82 88
RENAULT SECA, rte Scionzier ✆ 50 98 11 50
V.A.G Fillon, av. des Lacs, Scionzier ✆ 50 98 24 15

Vaillant, 3 fg St-Nicolas ✆ 50 98 63 80

COCURÈS 48 Lozère 80 ⑥ – rattaché à Florac.

COGNAC 16100 Charente 72 ⑫ **G. Côte de l'Atlantique** – 20 995 h. alt. 27.

Office de Tourisme pl. J.-Monnet ✆ 45 82 10 71.

Paris 479 ⑥ – Angoulême 44 ① – •Bordeaux 119 ④ – Libourne 93 ③ – Niort 83 ⑥ – Poitiers 128 ① – La Roche-sur-Yon 174 ⑥ – Saintes 26 ⑤.

Plan page suivante

Le Valois M sans rest, 35 r. 14-Juillet ✆ 45 82 76 00, Télex 790987 – TV ⇔wc ☎ ♿ P. AE ⓓ E VISA Z a
fermé 20 déc. au 1er janv. et sam. du 1er nov. au 1er mai – SC : ☕ 22 – **27 ch** 260/280.

Moderne sans rest, 24 r. E.-Mousnier ✆ 45 82 19 53 – TV ⇔wc ☎ P. ⓓ E VISA Z b
fermé 15 déc. au 15 janv. – SC : ☕ 19 – **40 ch** 142/210.

François 1er sans rest, 3 pl. François 1er ✆ 45 32 07 18 – TV ⇔wc ⋔wc ☎ P. AE ⓓ E VISA Z n
fermé vacances de fév. – SC : ☕ 20 – **29 ch** 100/200.

L'Étape, 2 av. Angoulême N 141 par ① ✆ 45 32 16 15 – ⇔wc ⋔wc ☎ P. ⓓ E VISA
fermé 22 au 29 déc. – SC : **R** *(fermé dim.)* 57/99 – ☕ 18 – **22 ch** 63/195 – P 203/296.

L'Auberge, 13 r. Plumejeau ✆ 45 32 08 70 – ⇔wc ⋔wc ☎. E VISA Z n
fermé 20 déc. au 8 janv. – SC : **R** *(fermé sam.)* 59/120 – ☕ 18 – **24 ch** 85/180 – P 200/260.

Pigeons Blancs avec ch, 110 r. J.-Brisson ✆ 45 82 16 36, – ⇔wc ⋔wc ☎ ♿ P. AE ⓓ VISA. ✂ ch Y d
fermé 1er au 15 janv. – SC : **R** *(fermé dim.)* 90/180 – ☕ 25 – **6 ch** 155/260 – P 290/320.

Le Coq d'Or, 33 pl. François 1er ✆ 45 82 02 56 – AE ⓓ E VISA Z e
fermé 18 août au 8 sept., dim. et vend. soir en hiver – SC : **R** 58/180.

à St-Laurent-de-Cognac par ⑤ : 6 km – ✉ 16100 Cognac :

Logis de Beaulieu, N 141 ✆ 45 82 30 50, ←, parc, – TV ⇔wc ⋔wc ☎ P – 30. AE ⓓ E VISA
fermé 15 déc. au 1er janv. – SC : **R** 95/152 – ☕ 29 – **21 ch** 99/420 – P 330/420.

à Cierzac (17 Char.-Mar.) par ③ : 13 km D 731 :

Moulin de Cierzac M avec ch, ✉ 17520 Archiac ✆ 46 83 01 32, , «Au bord de l'eau, parc» – ⇔wc ⋔ ☎ P – 40. ⓓ VISA
fermé fév. et lundi hors sais. – SC : **R** 102 (sauf fêtes) – ☕ 25 – **10 ch** 180/350.

tourner →

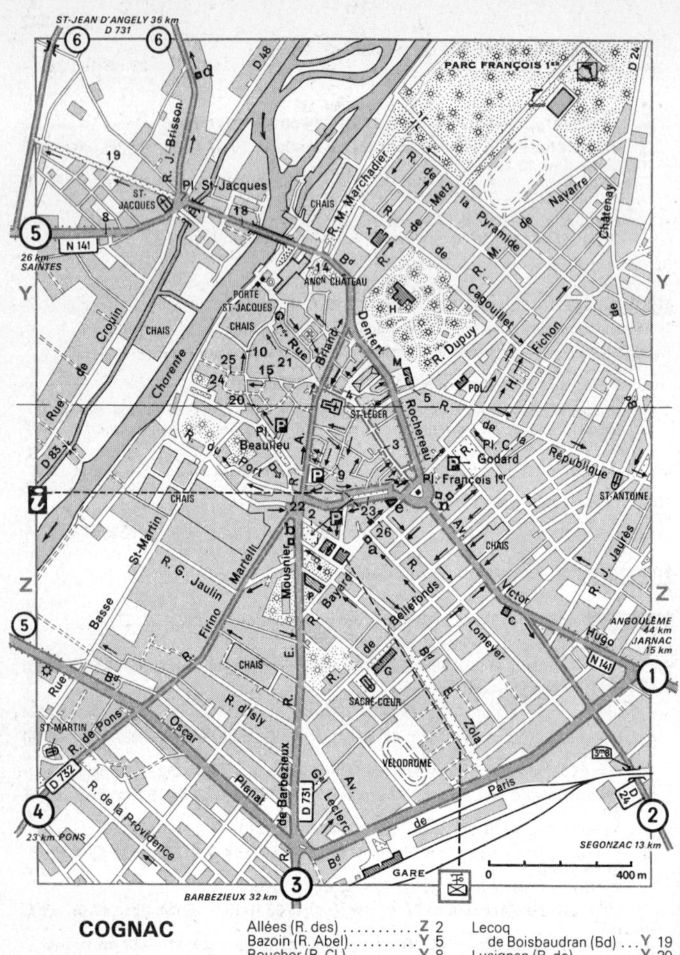

COGNAC

Angoulême (R. d') . . . . Z 3
Armes (Place d') . . . . Y 4
Briand (R. Aristide) . . . . Y
Victor-Hugo (Av.) . . . . Z
14-Juillet (R. du) . . . . Z 26

Allées (R. des) . . . . Z 2
Bazoin (R. Abel) . . . . Y 5
Boucher (R. Cl.) . . . . Y 8
Chalais (R. de) . . . . Z 9
Cordeliers (R. des) . . . . Y 10
François-1er (R.) . . . . Y 14
Isle-d'Or (R. de l') . . . . Y 15
Lattre-de-Tassigny (R. de) Y 18

Lecoq de Boisbaudran (Bd) . . . Y 19
Lusignan (R. de) . . . . Y 20
Magdeleine (R.) . . . . Y 21
Martell (Pl. Ed.) . . . . Z 22
Monet (Pl.) . . . . Z 23
Salle Verte (Pl. de la) . . . . . . Y 24
Saulnier (R.) . . . . Y 25

CITROEN Gar. Santuret, rte Angoulême à Châteaubernard par ① ✆ 45 32 27 50 **N** ✆ 45 90 40 76
MERCEDES-BENZ SO.CO.VA., 21 av. Angoulême ✆ 45 32 27 77
PEUGEOT-TALBOT Cognac Gar., Le Buisson Moreau à Châteaubernard par ① ✆ 45 32 25 29

RENAULT G.A.M.C., 242 av. Victor-Hugo par ① ✆ 45 32 18 93 **N** ✆ 46 96 40 76

Cognac-Pneus, 30 r. des Vauzelles à Châteaubernard ✆ 45 35 08 96
Moyet-Pneus, rte Barbezieux ✆ 45 82 24 66

Pour vos voyages, en complément de ce guide utilisez :
– Les **guides Verts Michelin** régionaux paysages, monuments et routes touristiques.
– Les **cartes Michelin** à 1/1 000 000 grands itinéraires
1/200 000 cartes détaillées.

COGOLIN 83310 Var 84 ⑰ G. Côte d'Azur – 5 647 h. alt. 14.

Office de Tourisme pl. République ☎ 94 56 36 52.

Paris 868 – Hyères 42 – Le Lavandou 31 – St-Tropez 9 – Ste-Maxime 13 – ♦Toulon 60.

Coq H. et rest. Coq Assis, pl. Gén.-de-Gaulle ☎ 94 56 12 66, – wc ☎ Ⓟ. AE ⓓ E VISA
fermé nov. – SC : **R** *(fermé merc.)* 55/90 – ☕ 19,50 – **18 ch** 170/220.

Clemenceau sans rest, pl. Gén.-de-Gaulle ☎ 94 56 19 23 – wc wc ☎. AE ⓓ E VISA
fermé janv. – SC : ☕ 18 – **30 ch** 123/231.

Lou Capoun, r. Marceau ☎ 94 54 44 57 – Ⓟ.
fermé janv., merc. (sauf le soir du 15 juin au 30 sept.) et dim. soir du 1er oct. au 15 juin – SC : **R** 75/90.

COIGNIÈRES 78 Yvelines 60 ⑨, 196 ㉘ – 3 789 h. alt. 169 – ✉ 78310 Maurepas.

Paris 39 – Longjumeau 33 – Mantes-la-Jolie 42 – Rambouillet 13 – Versailles 18.

❀ **Aub. du Capucin Gourmand** (Lebrault), N 10 ☎ (1) 30 50 30 06, – Ⓟ. AE ⓓ E VISA
SC : **R** carte 245 à 320
Spéc. Velouté d'huîtres et de moules en feuilleté, Lotte à la crème de framboises, Blanquette de ris de veau aux truffes.

La Maison d'Angèle, 296 rte Nationale 10 ☎ (1) 30 50 58 23, – Ⓟ. AE ⓓ VISA
fermé dim. soir – SC : **R** 198/246.

CITROEN Gar. Collet, 21 rte Nationale 10 ☎ (1) 30 50 11 30
FORD Pouillat, N 12, Trappes ☎ (1) 30 51 61 71
PEUGEOT-TALBOT Trujas, 5 av. Komarov, Z.I., Trappes ☎ (1) 30 50 34 09

RENAULT Succursale, 2 av. Komarov, Z.I., Trappes ☎ (1) 30 62 43 19

La Centrale du Pneu, N 10, Z.I. Pont-d'Aulneau ☎ (1) 30 50 27 36

COL voir au nom propre du col.

COLIGNY 01270 Ain 70 ⑬ – 1 132 h. alt. 291.

Paris 412 – Bourg-en-Bresse 21 – Lons-le-Saunier 40 – Mâcon 45 – Tournus 54.

❀ **Au Petit Relais** (Guy), ☎ 74 30 10 07, – AE ⓓ E VISA
fermé 10 au 26 juin, vacances de fév., mardi soir et merc. – SC : **R** (nombre de couverts limité - prévenir) 80/200
Spéc. Cassolette de queues d'écrevisses (juin à déc.), Filet de bar à la mignonnette, Poularde de Bresse pochée. **Vins** St-Véran, Brouilly.

à Moulin-des-Ponts S : 5,5 km sur N 83 – ✉ 01270 Coligny :

❀ **Solnan** (Marguin) M, ☎ 74 51 50 78, – wc ☎ Ⓟ – 40. AE ⓓ
fermé 28 avril au 5 mai, janv., lundi (sauf hôtel) et dim. soir de sept. à juin – SC : **R** 80/240 – ☕ 21 – **20 ch** 110/178 – P 200/270
Spéc. Soufflé de turbot au Noilly, Feuilleté de grenouilles à la crème de ciboulette, Volaille de Bresse au vinaigre de framboises. **Vins** Chiroubles.

La COLLE-SUR-LOUP 06480 Alpes-Mar. 84 ⑨, 195 ㉕ G. Côte d'Azur – 4 749 h. alt. 96.

Voir Vallée du Loup** O : 2 km.

Paris 928 – Antibes 15 – Cagnes-sur-Mer 6 – Cannes 26 – Grasse 19 – ♦Nice 19 – Vence 8.

Host. de l'Abbaye, av. Libération ☎ 93 32 66 77, « Ancienne abbaye du 12e s. », – TV ☎ Ⓟ – 50. AE ⓓ VISA
SC : **R** 190/260 – ☕ 35 – **15 ch** 450/600 – P 600/800.

Marc Hély M, SE : 0,8 km par D 6 ☎ 93 22 64 10, « Confortable villa dans un jardin » ← – TV wc wc ☎ Ⓟ. AE ⓓ E VISA. rest
8 fév.-4 nov. – SC : **R** (dîner pour résidents seul.) – ☕ 27 – **14 ch** 190/315.

❀ **La Belle Époque** (Compagnat), SE : 2 km par D 6 ☎ 93 20 10 92, – Ⓟ. AE ⓓ VISA.
fermé 5 janv. au 15 fév. et lundi sauf fériés – SC : **R** (nombre de couverts limité, prévenir) carte 215 à 320
Spéc. Foie gras de canard à l'ail doux, Filet de sole à la vapeur de thym, Fricassée de poulet au vinaigre de raisins. **Vins** Côteaux d'Aix, Cassis.

La Stréga, SE : 1,5 km par D 6 ☎ 93 22 62 37 – Ⓟ. VISA
fermé 1er janv. au 28 fév., dim. soir et lundi – SC : **R** 130.

Voir aussi ❀ Mas d'Artigny à ***St-Paul***

Le COLLET 88 Vosges 62 ⑱ – rattaché à la Schlucht.

Le COLLET-D'ALLEVARD 38 Isère 74 ⑯ – rattaché à Allevard.

COLLEVILLE-MONTGOMERY 14 Calvados 54 ⑯ – rattaché à Ouistreham.

COLLIOURE 66190 Pyr.-Or. 86 ⑳ G. Pyrénées (plan) – 2 741 h.

Voir Site★★ – Retables★ dans l'église.

Syndicat d'Initiative av. C.-Pelletan ☎ 68 82 15 47.

Paris 931 – Argelès-sur-Mer 6 – Céret 32 – ♦Perpignan 27 – Port-Vendres 4 – Prades 64.

Casa Païral sans rest, face au parking ☎ 68 82 05 81, « Bel aménagement intérieur et jardin fleuri », – ☎. VISA.
1er avril-2 nov. – SC : ☐ 24 – **24 ch** 220/420.

Ambeille [M] sans rest, rte Port-d'Avail ☎ 68 82 08 74, ← – wc wc ☎ P.
Pâques-fin sept. – SC : ☐ 18 – **21 ch** 160/230.

Madeloc sans rest, r. R.-Rolland ☎ 68 82 07 56, ← – wc wc ☎ P. AE ⓓ VISA
mi-avril-mi-oct. – SC : ☐ 22 – **22 ch** 200/275.

Méditerranée [M] sans rest, av. A.-Maillol ☎ 68 82 08 60 – wc wc ☎. ⓓ VISA.
mars-30 oct. – SC : ☐ 20 – **23 ch** 155/225.

Mas des Citronniers sans rest, 22 av. République ☎ 68 82 04 82, – wc wc ☎
Pâques-15 oct. – SC : ☐ 23 – **24 ch** 185/285.

Les Templiers, Quai Amirauté ☎ 68 82 05 58, , « Collection de tableaux » – wc wc ☎ – **53 ch.**

Le Bon Port, rte Port-Vendres ☎ 68 82 06 08, ←, , – wc wc ☎ P. rest
Pâques-oct. – SC : **R** 59/95 – ☐ 16 – **22 ch** 185/199.

Les Caranques , rte Port-Vendres ☎ 68 82 06 68, « Terrasses et ← vieux port », – wc ☎.
hôtel : 1er avril-10 oct. ; rest. : 1er juin-30 sept. – SC : **R** (1/2 pens. seul.) – ☐ 16 – **16 ch** 88/206 – 1/2 p 181/201.

Les Terrasses sans rest, r. Jean Bart ☎ 68 82 06 52, ← – wc wc ☎. AE E VISA
SC : ☐ 15 – **20 ch** 82/185.

Boramar sans rest, r. Jean-Bart ☎ 68 82 07 06, ← – wc ☎
mars-fin oct. – SC : ☐ 17 – **14 ch** 124/205.

XXX ✿ **La Balette,** rte Port-Vendres ☎ 68 82 05 07, , « Terrasses et ← vieux port » – P
fermé 7 janv. au 7 fév., dim. soir et lundi sauf du 1er mai au 31 oct. – SC : **R** carte 185 à 270
Spéc. Tapenade aux anchois, Bourride de rascasse, Foie de veau au vieux Banyuls. Vins Collioure.

XX **La Bodega,** r. République ☎ 68 82 05 60 – . AE ⓓ VISA
fermé 10 nov. au 23 déc., lundi soir et mardi du 15 sept. au 30 juin – SC : 75/180.

X **Bona Casa** avec ch, av. République ☎ 68 82 06 62 – . VISA
15 mars-15 nov. – SC : **R** *(fermé jeudi midi et merc. sauf de mi-juin à mi-sept.)* 110/150 – ☐ 15 – **8 ch** 95/110.

X **Le Puits,** r. Arago ☎ 68 82 06 24 – VISA
fermé 12 nov. au 15 fév., dim. soir et lundi sauf du 15 juin au 15 sept. – SC : **R** 82.

X **Chiberta,** 18 av. Gén.-de-Gaulle ☎ 68 82 06 60
30 mars-30 sept. et fermé lundi soir et mardi d'avril à juin – SC : **R** 51/70.

RENAULT Gar. Daider, ☎ 68 82 08 34

COLLONGES-AU-MONT-D'OR 69 Rhône 74 ⑪ – rattaché à Lyon.

COLLONGES-LA-ROUGE 19 Corrèze 75 ⑨ G. Périgord (plan) – 379 h. alt. 230 – ✉ **19500** Meyssac.

Voir Village★.

Paris 509 – Aurillac 88 – Brive-la-Gaillarde 21 – Martel 19 – St-Céré 41 – Tulle 45.

Relais St-Jacques de Compostelle , ☎ 55 25 41 02, , – wc ☎. AE VISA
fermé 15 nov. au 15 déc. et merc. d'oct. à Pâques – SC : **R** 45/160 – ☐ 16 – **12 ch** 80/160 – P 130/190.

COLMAR [P] 68000 H.-Rhin 62 ⑲ G. Alsace et Lorraine – 63 764 h. alt. 193.

Voir Retable d'Issenheim★★★ (musée d'Unterlinden★★) BY – **Ville ancienne★★** BY : **Maison Pfister★★** BY **K, Église St-Martin★** BY **F, Maison des Arcades★** BY **E, – Maison des Têtes★** BY **Y, Ancienne Douane★** BY **N, Ancien Corps de Garde★** BY **L – Vierge au buisson de roses★★ et vitraux★ de l'église des Dominicains** BY **B – Quartier de la Krutenau★** BZ : **Tribunal civil★** BY **J – ←★ du pont St-Pierre** BZ **V sur "la petite Venise" – Vitrail de la crucifixion★ de l'église St-Matthieu** CY **D.**

de Colmar-Houssen : T.A.T. ☎ 89 23 22 22 par ① : 3 km.

Office de Tourisme, 4 r. Unterlinden ☎ 89 41 02 29 Télex 880242 - A.C. 58 av. République ☎ 89 41 31 56.

Paris 441 ⑥ – ♦Bâle 68 ③ – Freiburg 52 ② – ♦Nancy 140 ⑥ – ♦Strasbourg 71 ①.

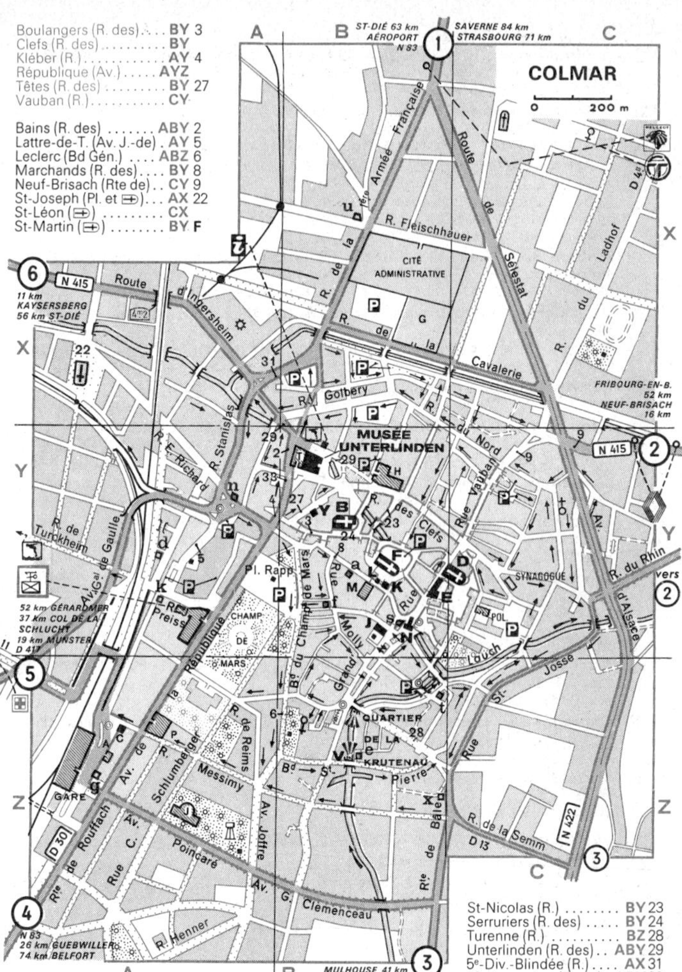

Terminus-Bristol, 7 pl. Gare ✆ 89 23 59 59, Télex 880248 – 30. AE (D) E VISA — AZ **g**
R voir ci-après **Rendez-vous de Chasse** et **L'Auberge** – 35 – **70 ch** 280/700 – P 568/660.

Colbert sans rest, 2 r. Trois-Épis ✆ 89 41 31 05 – wc wc. E VISA — AY **d**
SC : 16,50 – **50 ch** 130/183.

Turenne [M] sans rest, 10 rte Bâle ✆ 89 41 12 26, Télex 880959 – wc wc. AE (D) E VISA — BZ **x**
15 – **72 ch** 120/189.

Majestic, 1 r. Gare ✆ 89 41 45 19 – wc wc — AY **k**
fermé 15 déc. au 15 janv., lundi soir et dim. – SC : **R** 45/180 – 19 – **40 ch** 120/170.

de la Fecht [M], 1 r. Fecht ✆ 89 41 34 08, Télex 880650 – wc wc P. AE (D) E VISA — BX **u**
SC : **R** *(fermé dim. soir et lundi hors saison)* 47/178 – 16 – **39 ch** 160/250 – P 230/283.

XXXX ✿✿ **Schillinger,** 16 r. Stanislas ✆ 89 41 43 17, « Décor élégant » – AE ⓓ VISA
fermé 7 juil. au 1er août, dim. soir et lundi sauf fériés – **R** 150/290 et carte ♁ AY **n**
Spéc. Foie gras frais, Caneton au citron. **Vins** Pinot blanc.

XXXX ✿ **Rendez-vous de Chasse,** 7 pl. Gare ✆ 89 41 10 10 – AE ⓓ E VISA AZ **g**
fermé 2 au 15 janv. – **R** 160/315 ♁
Spéc. Foie gras frais d'oie, Selle de chevreuil en noisettes (juin à déc.), desserts. **Vins** Edelzwicker.

XXX ✿ **Fer Rouge** (Fulgraff), 52 Gd' Rue ✆ 89 41 37 24, « Vieille maison alsacienne » – AE ⓓ E VISA BY **s**
fermé 27 juil. au 6 août, 5 au 26 janv., dim. soir et lundi – **R** carte 210 à 265
Spéc. Huîtres aux poireaux (saison), St-Pierre poêlé aux arômes de vinaigre et ail, Arlequinade de ris de veau et foie d'oie frais. **Vins** Riesling, Pinot gris.

XXX **Maison des Têtes,** 19 r. Têtes ✆ 89 24 43 43, 🏖, « Belle maison du 17e s., atmosphère locale » – AE ⓓ E BY **y**
fermé mi-janv. à mi-fév., dim. soir et lundi sauf fériés – SC : **R** 70/220.

XX **Da Alberto,** 24 r. Marchands ✆ 89 23 37 89, 🏖, cuisine italienne, 🌳 – AE E VISA BY **a**
fermé 11 au 25 août, vacances de fév., lundi midi et dim. – **R** 90/110 , dîner à la carte ♁.

XX **Les Hortensias,** 6 r. Henner - AZ - ✆ 89 41 44 89 – AE ⓓ E VISA
fermé 2 août au 8 sept., sam. et dim. – SC : **R** 140/200.

XX **Rapp** avec ch, 16 r. B.-Molly ✆ 89 41 62 10 – ⛀wc ⛆ ☎. AE ⓓ E VISA BY **f**
◆ *fermé 23 juin au 4 juil. et 1er déc. au 6 janv.* – SC : **R** *(fermé merc.)* 45/180 ♁ – ☕ 13,50 – **14 ch** 60/165 – P 190/210.

X **L'Auberge,** 7 pl. Gare ✆ 89 23 59 59 AZ **g**
fermé du 2 au 15 janv. – **R** 85/100.

X **Trois Poissons,** 15 quai Poissonnerie ✆ 89 41 25 21 – E VISA BZ **t**
fermé 24 juin au 15 juil., 21 déc. au 3 janv., mardi soir et merc. – SC : **R** 68/160, dîner à la carte.

X **Caveau St-Pierre,** 24 r. Herse ✆ 89 41 99 33, 🏖. VISA BZ **e**
fermé 26 juin au 10 juil., 21 déc. au 2 janv., 8 au 23 fév., dim. soir et lundi – SC : **R** carte 90 à 155 ♁.

au Nord par ① : 2 km – ✉ **68000** Colmar :

🏨 **Novotel** M, à l'Aérodrome ✆ 89 41 49 14, Télex 880915, ≤, 🏖, 🏊, 🌳 – TV ⛀wc ☎ P – 🏛 30 à 60. AE ⓓ E VISA
R carte environ 100 ♁ – ☕ 32 – **66 ch** 278/304.

🏨 **Campanile** M, direction Centre Commercial ✆ 89 24 18 18, Télex 880867, 🏖 – ⛀wc ☎ ♿ P – 🏛 25. AE ⓓ VISA
SC : **R** 61 bc/82 bc – ☕ 23 – **42 ch** 194/215.

🏨 **Motel Azur** sans rest, 50 rte Strasbourg ✆ 89 41 32 15, 🌳 – cuisinette ⛀wc ⛆ ☎ P. E. ✻
SC : ☕ 14 – **21 ch** 84/152.

à Horbourg par ② : 3,5 km – 3 582 h. – ✉ **68000** Colmar :

🏨 **Cerf,** ✆ 89 41 20 35, 🌳 – ⛀wc ⛆wc ☎ P. ✻
fermé 15 janv. au 15 mars et lundi hors sais. – SC : **R** 70/145 ♁ – ☕ 18 – **26 ch** 170/200 – P 220/250.

à Ingersheim par ⑥ : 4 km – 4 271 h. – ✉ **68000** Colmar :

🏨 **Kuehn** M, quai Fecht ✆ 89 27 38 38, 🌳 – 🛗 ⛀wc ☎ ♿ P – 🏛 60. AE ⓓ E VISA. ✻ rest
fermé 16 au 29 juin, 12 nov. au 6 déc., mardi soir du 6 déc. au 29 juin et merc. (sauf hôtel) du 29 juin au 12 nov. – SC : **R** 129/250 – ☕ 16 – **28 ch** 172/226.

à Wettolsheim par ⑤ et D 1bis II : 4,5 km – ✉ **68000** Colmar :

XXX ✿ **Aub. Père Floranc** avec ch, ✆ 89 41 39 14, 🌳 – ⛀wc ⛆wc ☎ P. AE ⓓ E VISA. ✻ ch
fermé 1er au 16 juil., 11 nov. au 16 déc., dim. soir hors sais. (sauf hôtel) et lundi – SC : **R** 90/280 ♁ – ☕ 24 – **13 ch** 76/190
Spéc. Foie gras, Turbot braisé au crémant d'Alsace, Tourte de cailles. **Vins** Edelzwicker, Riesling.
Annexe : Le Pavillon 🏨 M 🐦, « Collection de coquillages » – ⛀wc ⛆wc ☎ P. AE ⓓ E VISA. ✻ ch
fermé 1er au 16 juil., 11 nov. au 16 déc. et lundi – SC : ☕ 24 – **18 ch** 195/220.

à Andolsheim par ② : 6 km – ✉ **68600** Neuf-Brisach :

🏨 **Soleil** 🐦, ✆ 89 71 40 53, 🌳 – ⛀wc ⛆wc ☎ 🚗 P. AE ⓓ
fermé 1er fév. au 1er mars et merc. – **R** 90/200 ♁ – ☕ 20 – **18 ch** 75/180.

à Bischwihr par ② et D 111 : 8 km – ✉ **68320** Muntzenheim :

🏨 **Relais du Ried** M 🐦, ✆ 89 47 47 06, 🌳 – TV ⛀wc ⛆wc ☎ P. AE ⓓ E VISA.
◆ ✻ rest
fermé 15 déc. au 1er fév. – SC : **R** (résidents seul.) 50/120 ♁ – ☕ 15 – **60 ch** 170/260 – P 160/230.

à Wintzenheim par ⑤ : 6 km – 6 740 h. – ✉ **68000** Colmar :

✗ **Au Bon Coin,** 4 r. Logelbach ✆ 89 27 48 04 – AE ⓓ E VISA
fermé 2 au 18 juil., vacances de fév., merc. soir et jeudi – SC : **R** 54/145 ♁.

à Logelheim SE par D 13 et D 45 - CZ - 9 km – ✉ **68600** Neuf-Brisach :

✗ **Stoffel "A la Vigne"** ⛰ avec ch, ✆ **89 41 73 40** – ⇔. ⓓ E. ✻
fermé 23 juin au 7 juil., 22 au 31 déc., mardi soir et merc. – **R** 98/140 dîner à la carte – ☐ 15 – **7 ch** 75/130 – P 180.

au Sud, rte d'Herrlisheim : 10 km par N 422 et D 1 – ✉ **68420** Herrlisheim-près-Colmar :

🏨 **Au Moulin** Ⓜ ⛰ sans rest, ✆ **89 49 31 20** – |$| ⇔wc ☎ Ⓟ
22 mars-9 nov. – SC : ☐ 25 – **11 ch** 130/260.

AUTOBIANCHI-LANCIA Sem' Autos, 31 r. de la Semm ✆ 89 24 11 42
BMW J.M.S. Auto, 124 rte Neuf-Brisach ✆ 89 24 25 53
CITROEN Alsauto, 4 r. Timken, Zone Ind. Nord par ① ✆ 89 24 29 24 N
FIAT Auto-Market-Colmar, 124 rte de Neuf-Brisach ✆ 89 41 57 80
FORD Bolchert, 77 r. Morat ✆ 89 79 11 25
HONDA-LADA-SKODA Europe-Autos-Colmar, 101 rte Rouffach par ④ ✆ 89 41 10 13
MERCEDES Gar. Dietrich, à Ingersheim ✆ 89 27 04 77
OPEL Gangloff, 15 r. Stanislas ✆ 89 41 19 50
PEUGEOT-TALBOT Gar. de France, 1 rte de Strasbourg, ✆ 89 41 43 88
RENAULT Gar. du Stade, 122 r. du Ladhof CX ✆ 89 23 99 43 N
RENAULT Gar. Reech, 1 Gde-Rue, Horbourg-Wihr ✆ 89 41 26 40 N ✆ 89 24 44 41
RENAULT Gar. Reecht, 71 a Gde-Rue à Horbourg-Wihr ✆ 89 41 27 28
TOYOTA, VOLVO Auto-Hall, 84 rte de Neuf-Brisach ✆ 89 41 81 10
V.A.G. Gar. Dittel, 138 rte de Neuf-Brisach ✆ 89 41 47 15

Ⓜ Kautzmann, 64 r. Papeteries ✆ 89 41 06 24
Pneus et Services D.K 5 r. J.-Preiss ✆ 89 41 26 01 et 11 r. des Frères-Lumière, Zone Ind. Nord ✆ 89 41 94 72

à Wintzenheim :

CITROEN Gar. Schaffhauser, 25 rte Rouffach par ⑤ ✆ 89 41 01 07 N
RENAULT Gar. Lauber, 6 r. Clemenceau par ⑤ ✆ 89 27 02 02

COLMARS

COLMARS 04370 Alpes-de-H.-P. 81 ⑥ **G. Côte d'Azur** (plan) – 314 h. alt. 1 235.
Paris 813 – Barcelonnette 44 – Cannes 129 – Digne 71 – Draguignan 109 – ♦Nice 124.

🏠 **Le Chamois,** ✆ **92 83 43 29,** ≤, 🌳 – ⇔wc ⋒wc ☎ Ⓟ. ✻ rest
Pentecôte-10 oct. et Noël-Pâques – SC : **R** 63/76 – ☐ 19 – **26 ch** 135/171 – P 200/231.

COLOMARS

COLOMARS 06 Alpes-Mar. 84 ⑨, 195 ㉖ – 1 714 h. alt. 334 – ✉ **06670** St-Martin-du-Var.
Paris 951 – Antibes 32 – Cannes 43 – Grasse 49 – Levens 22 – ♦Nice 17 – Vence 22.

🏨 **Rédier** Ⓜ ⛰, ✆ **93 37 94 37,** ≤, 🌳, « **Jardin fleuri,** ⛱ » – TV ⇔wc ☎ Ⓟ – 🏛 30. AE E VISA
fermé 2 au 31 janv. – SC : **R** 90/150 – ☐ 25 – **28 ch** 200/300 – P 250/280.

COLOMBEY-LES-DEUX-ÉGLISES

COLOMBEY-LES-DEUX-ÉGLISES 52330 H.-Marne 61 ⑲ **G. Champagne, Ardennes** – 347 h. alt. 352.
Voir Mémorial du Général-de-Gaulle et la Boisserie (musée).
Paris 227 – Bar-sur-Aube 15 – Châtillon-sur-Seine 62 – Chaumont 27 – Neufchâteau 70.

🏨 **Dhuits** Ⓜ, N 19 ✆ **25 01 50 10** – TV ⇔wc ☎ 🚗 Ⓟ – 🏛 50. AE ⓓ E
fermé 20 déc. au 10 janv. – **R** 45/180 – ☐ 20 – **30 ch** 160/190 – P 290.

✗✗ **Montagne** avec ch, ✆ **25 01 51 69,** 🌳 – ⇔ ⋒ Ⓟ. ✻ ch
fermé vacances de fév., lundi soir et mardi de sept. à mai – SC : **R** 72/200 ♁ – ☐ 22 – **11 ch** 65/100.

Garage Archambaux, ✆ 25 01 51 43

COLOMBIER

COLOMBIER 83 Var 84 ⑧, 195 ㉝ – rattaché à Fréjus.

COLOMBIÈRES-SUR-ORB

COLOMBIÈRES-SUR-ORB 34 Hérault 83 ④ – 339 h. – ✉ **34390** Olargues.
Paris 849 – Béziers 49 – Lodève 44 – ♦Montpellier 85 – St-Pons 29.

✗ **Aub. du Gravassou,** ✆ **67 95 81 46,** 🌳, 🌳 – Ⓟ
fermé 15 au 30 nov., 1er au 15 fév., lundi et le soir du 15 sept. au 15 juin – SC : **R** 49/107 ♁.

COLOMIERS

COLOMIERS 31 H.-Gar. 82 ⑦ – rattaché à Toulouse.

COLPO

COLPO 56 Morbihan 63 ③ – 1 378 h. alt. 117 – ✉ **56390** Grandchamp.
Paris 449 – Auray 28 – Josselin 28 – Locminé 9 – Plumelec 14 – Pluvigner 18 – Vannes 19.

🏨 **Aub. Korn er Hoët,** ✆ **97 66 82 02,** 🌳 – ⇔wc ⋒ ☎ Ⓟ. VISA
fermé 20 déc. au 10 janv., dim. soir et lundi sauf du 1er juil. au 15 sept. – SC : **R** 52/195 – ☐ 19,50 – **17 ch** 86/200 – P 210/260.

COLROY-LA-ROCHE 67 B.-Rhin 62 ⑧ – 431 h. alt. 424 – ✉ 67420 Saales.

Paris 403 – Lunéville 65 – St-Dié 31 – Sélestat 30 – •Strasbourg 62.

Host. La Cheneaudière M, ✆ 88 97 61 64, Télex 870438, ←, « Élégante hostellerie dans un jardin », – TV ☎ P. AE ① E VISA
fermé janv. et fév. – SC : **R** 180/280 et carte – 55 – **25 ch** 360/480, 4 appartements – P 580/660
Spéc. Millefeuille de foie gras et truffes, Tartare de saumon sauvage, Selle de chevreuil à la fondue d'échalotes (juin à déc.). **Vins** Pinot noir, Tokay.

RENAULT Gar. Wetta, St-Blaise-la-Roche ✆ 88 97 60 84 N

La COMBE 73 Savoie 74 ⑮ – rattaché à Aiguebelette (lac d').

COMBEAUFONTAINE 70120 H.-Saône 66 ⑤ – 490 h. alt. 252.

Paris 340 – Bourbonne-les-B. 37 – Épinal 85 – Gray 40 – Langres 51 – Luxeuil-les-B. 47 – Vesoul 24.

Balcon, ✆ 84 92 11 13 – wc wc. AE ① E VISA.
fermé 23 au 28 juin, 29 déc. au 12 janv., dim. soir et lundi – SC : **R** 65/240 – 20 – **24 ch** 80/220.

La COMBE-DES-ÉPARRES 38 Isère 74 ⑬ – rattaché à Bourgoin-Jallieu.

COMBE-LAVAL *** 26 Drôme 77 ③⑬ **G. Alpes.**

COMBLOUX 74920 H.-Savoie 74 ⑧ **G. Alpes** – 1 421 h. alt. 1 000 – Sports d'hiver : 1 000/1 853 m 12.

Voir La Cry ** O : 3 km.

Office de Tourisme ✆ 50 58 60 49, Télex 385550.

Paris 577 – Annecy 65 – Bonneville 37 – Chamonix 35 – Megève 5 – Morzine 52 – St-Gervais-les-B. 8.

Ducs de Savoie M, au Bouchet ✆ 50 58 61 43, ← Mt-Blanc, – ☎ P – 30. AE ① VISA. rest
10 juin-22 sept. et 18 déc.-Pâques – SC : **R** 90/120 – 32 – **50 ch** 250/350 – P 265/365.

Idéal-Mont-Blanc, ✆ 50 58 60 54, ← Mt-Blanc, – TV wc ☎ P. ch
21 juin-8 sept. et 21 déc.-10 avril – SC : **R** 110/126 – 32 – **25 ch** 197/310 – P 246/330.

Coeur des Prés, ✆ 50 58 70 55, ← Aravis et Mt-Blanc, – wc ☎ P – 40. rest
1er juin-15 sept. et 21 déc.-6 avril – SC : **R** 61/132 – 19,50 – **34 ch** 165/227 – P 220/238.

Plein Soleil, ✆ 50 58 60 81, ← Mt-Blanc, – wc ☎ P. VISA. rest
20 juin-25 sept. et Noël-Pâques – SC : **R** 98/120 – 27 – **27 ch** 284 – P 247/318.

Aiguilles de Warens, ✆ 50 58 70 18 – wc wc ☎. AE VISA. rest
20 juin-15 sept. et 21 déc.-10 avril – SC : **R** 95/115 – 27 – **34 ch** 270/310 – P 280/320.

L'Fredi, ✆ 50 58 61 80 – wc P. VISA. rest
20 juin-20 sept. et 20 déc.-Pâques – SC : **R** 78/91 – 22 – **18 ch** 110/210 – P 200/230.

Édelweiss, ✆ 50 58 64 06, – wc P. AE. rest
20 juin-10 sept. et 20 déc.-15 avril – SC : **R** 69/110 – 18 – **25 ch** 150/220 – P 190/235.

à Gemoëns SE : 2 km – alt. 1 050 – ✉ 74920 Combloux :

Caprice des Neiges, D 909 ✆ 50 58 63 22, ← Aravis, – wc wc P. VISA. rest
14 juin-18 sept. et 20 déc.-15 avril – SC : **R** 60/110 – 24 – **20 ch** 135/200 – P 167/225.

Les Aravis, D909 ✆ 50 58 63 93, ← Aravis – P.
20 juin-15 sept. et 20 déc.-Pâques – SC : **R** 62/65 – 18 – **13 ch** 130/150 – P 130/200.

au Haut-Combloux O : 3,5 km – ✉ 74920 Combloux :

Rond-Point des Pistes, ✆ 50 58 68 55, ← Mt-Blanc – TV wc ☎ P
15 juin-15 sept. et 20 déc.-15 avril – SC : **R** 95/195 – 32 – **30 ch** 295/400 – P 270/400.

CITROEN Gar. du Perret, ✆ 50 58 60 92

PEUGEOT-TALBOT Gar. des Cimes, ✆ 50 58 63 61

COMBOURG 35270 I.-et-V. 59 ⑯ **G. Bretagne** – 4 763 h. alt. 66.

Voir Château★.

Syndicat d'Initiative Maison de la Lanterne (1er juin-15 sept.) ✆ 99 73 13 93 et à la Mairie ✆ 99 73 00 18.

Paris 366 – Avranches 50 – Dinan 24 – Fougères 47 – •Rennes 37 – St-Malo 36 – Vitré 56.

Château et Voyageurs, pl. Chateaubriand ✆ 99 73 00 38, — wc wc ☎ ⓟ – 35. AE ⓓ E VISA
fermé 15 déc. au 25 janv., dim. soir et lundi hors sais. – **SC** : **R** *(fermé dim. soir hors saison et lundi sauf le soir en sais.)* 56/250 – 20 – **32 ch** 70/290 – P 200/320.

COMBREUX 45 Loiret 64 ⑩ **G. Châteaux de la Loire** – 183 h. alt. 127 – ✉ **45530** Vitry-aux-Loges.

Voir Étang de la Vallée★ NO : 2 km.

Paris 120 – Châteauneuf-sur-Loire 13 – Gien 49 – Montargis 36 – ♦Orléans 35 – Pithiviers 29.

L'Auberge , ✆ 38 59 47 63, , « Cadre campagnard », , , – wc wc ⓟ – 40. VISA
fermé 15 déc. au 15 janv. et vacances de fév. – **SC** : **R** 80/150 – 20 – **21 ch** 140/205 – P 250/300.

COMMENTRY 03600 Allier 73 ③ **G. Auvergne** – 9 399 h. alt. 385.

Paris 332 – Aubusson 77 – Gannat 49 – Montluçon 15 – Moulins 67 – Riom 68.

St-Christophe M sans rest, 30 bis r. Lavoisier ✆ 70 64 31 27, – wc wc ⓟ
fermé 20 déc. au 2 janv. et sam. du 10 nov. à Pâques – **SC** : 15 – **19 ch** 100/120.

XX L'Auberge, 47 r. J.-J.-Rousseau ✆ 70 64 30 41.

CITROEN Gauvin, 16 r. Danton ✆ 70 64 33 32
PEUGEOT-TALBOT Debizet, 29 r. J.-J.-Rousseau ✆ 70 64 30 91
Gar. Almeida, 8 pl. du Champ de Foire ✆ 70 64 48 35

COMMERCY 55200 Meuse 62 ③ **G. Alsace et Lorraine** – 7 958 h. alt. 232.

A.C. 13 pl. Gén.-de-Gaulle ✆ 29 91 01 15.

Paris 259 ③ – Bar-le-Duc 38 ③ – ♦Metz 71 ① – Neufchâteau 51 ② – St-Dizier 54 ③ – Toul 32 ② – Verdun 53 ④.

Stanislas M, 13 r. Grosdidier **(a)** ✆ 29 91 12 36 – wc ☎ – 90. E VISA
SC : **R** *(fermé lundi midi)* 43/130 – 13,50 – **32 ch** 127/145.

Paris, pl. Gare **(s)** ✆ 29 91 01 36, – wc – 30. VISA
fermé déc. et sam. du 1er oct. au 30 mai – **SC** : **R** 63/110 – 15 – **11 ch** 74/132.

PEUGEOT-TALBOT Socobi, 112 r. 155e-Régt.-Inf. par ② ✆ 29 91 20 22

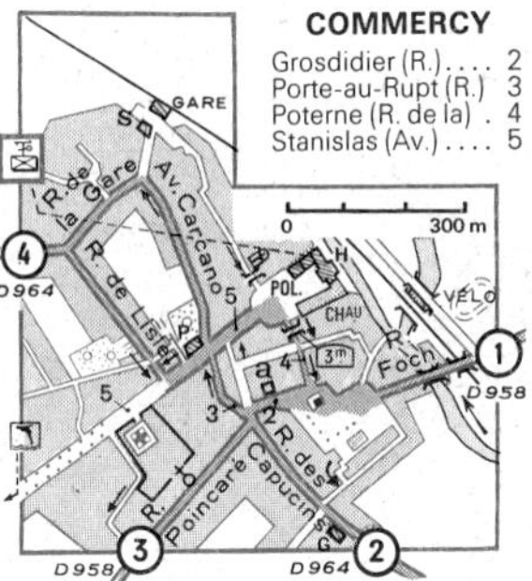

COMPIÈGNE 60200 Oise 56 ②, 196 ⑩ **G. Flandres, Artois, Picardie** – 43 311 h. alt. 41.

Voir Palais★★ : musée de la voiture★★ – Hôtel de ville★ **H** – Musées : Vivenel (vases grecs★★) **M1**, Figurine historique★ **M**.

Env. Forêt★★ : clairière de l'Armistice★★.

18 ✆ 44 40 15 73.

Office de Tourisme pl. H. de Ville ✆ 44 40 01 00.

Paris 82 ⑥ – ♦Amiens 76 ⑦ – Arras 106 ⑦ – Beauvais 57 ⑥ – Douai 121 ⑦ – St-Quentin 64 ① – Soissons 38 ②.

Plan page suivante

Harlay M sans rest, 3 r. Harlay **(a)** ✆ 44 23 01 50 – TV wc wc . AE ⓓ E VISA
fermé 22 déc. au 3 janv. – **SC** : 25 – **20 ch** 180/270.

XXX **Host. Royal Lieu** avec ch, 9 r. Senlis par ⑤ D 932A : 2 km ✆ 44 20 10 24, ←, , « Terrasse fleurie », parc – TV wc ☎ ♿ ⓟ. AE ⓓ VISA. ch
SC : **R** 140/300 – 24,50 – **17 ch** 240/340, 3 appartements 340.

XX **La Rôtisserie-H. du Nord** avec ch, pl. Gare **(b)** ✆ 44 83 22 30 – TV wc ☎ – 30. VISA
fermé 1er au 30 août – **SC** : **R** *(fermé dim. soir)* 84/160 – 20 – **20 ch** 180/240.

XX **Le Picotin,** 22 pl. H. de Ville **(u)** ✆ 44 40 04 06
fermé vacances de nov., de Noël, mardi soir et merc. de nov. à mai – **SC** : **R** 90/140.

X **Golden Horse,** 2 r. Bouvines **(e)** ✆ 44 23 20 56 – . VISA
fermé dim. soir et lundi – **SC** : **R** 75/120 .

à Choisy-au-Bac par ② : 5 km – ✉ **60750** Choisy-au-Bac :

XX **Aub. des Étangs du Buissonnet** , ✆ 44 40 17 41, ←, parc, – ⓟ. E VISA
fermé dim. soir et lundi soir – **SC** : **R** carte 170 à 230.

COMPIÈGNE

Hôtel-de-Ville (Pl. de l') 12
Paris (R. de) 17
St-Corneille (R.) 20
Solferino (R.) 25

Austerlitz (R. d') 2
Bouchers (R. des) 3
Capucins (R. des) 4
Change (Pl. du) 5
Clemenceau (Av. G.) 6
Clermont (R. de) 9
Harlay (R. du) 10
Lombards (R. des) 13
Magenta (R.) 14
N.-D.-de-Bonsecours (R.) . . 15
Noyon (R. de) 16
Pierrefonds (R. de) 18
St-Antoine (R.) 19
St-Jacques (Pl.) 22
Sauvage (R. P.) 23
Soissons (R. de) 24
Sorel (R. du Prés.) 26
Sous-Préfecture (R. de la) . . 27
5e Dragons (Pl. du) 28
54e Rgt. d'Infanterie (Pl.) 30

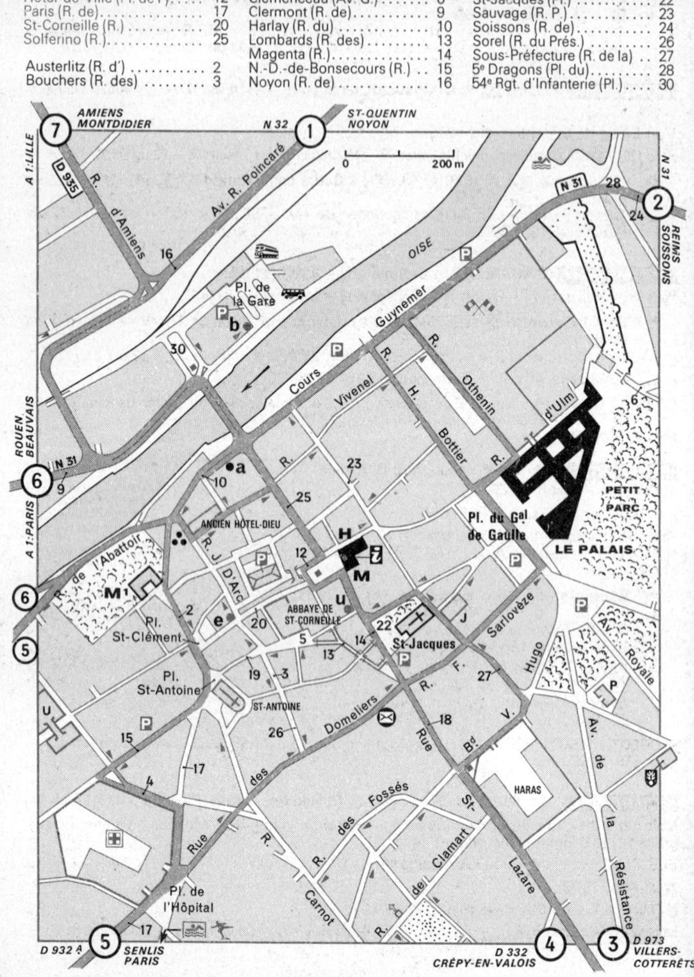

à Trosly-Breuil par ② : 11 km – ✉ **60350** Cuise-la-Motte :

XX **Aub. de la Forêt,** 19 pl. Fêtes ✆ **44 85 62 30**
fermé 16 août au 8 sept., 17 fév. au 7 mars, mardi soir et merc. – SC : **R** 75/160.

en forêt de Compiègne - voir ressources hôtelières à ***St-Jean-aux-Bois, Vaudrampont, Vieux Moulin.***

ALFA-ROMEO Gar. Deneuville, 2 bis r. du Chevreuil ✆ 44 20 29 94
BMW, OPEL Saint-Merri-Auto, 20 r. de Clermont ✆ 44 83 27 17
CITROEN Gar. Collard, N 31 à Venette par ⑥ ✆ 44 83 28 28 **N** ✆ 44 83 28 83
FIAT SOVA, 24 r. du Bataillon de France ✆ 44 40 12 90
MERCEDES-BENZ SAFI 60, ZAC de Mercières ✆ 44 23 08 22
PEUGEOT-TALBOT Safari-Compiègne, r. Cl.-Bayard par r. de l'Abattoir ✆ 44 20 19 63
RENAULT Guinard, av. Gén.-Weigand parr. de l'Abattoir ✆ 44 20 32 57 et 80 r. de Paris par ⑤
V.A.G. Éts Thiry, Centre Commercial de Venette ✆ 44 83 29 92

Bouvet, 6 r. Austerlitz ✆ 44 23 22 17
Fischbach-Pneu, r. J.-de Vaucanson, ZAC de Mercières ✆ 44 20 20 22

COMPS-SUR-ARTUBY 83840 Var 84 ⑦ G. Côte d'Azur – 271 h. alt. 898.

Env. Balcons de la Mescla*** NO : 14,5 km.

Paris 892 – Castellane 28 – Draguignan 32 – Grasse 60 – Manosque 99.

Gd H. Bain, ☎ 94 76 90 06, ≤ – wc wc P. VISA. ch
fermé 12 nov. au 24 déc. et jeudi du 15 oct. au 1er avril – SC : **R** 49/128 – 14,50 – **17 ch** 90/145 – P 205/240.

CONCARNEAU 29110 Finistère 58 ⑪⑮ G. Bretagne – 18 225 h.

Voir Ville Close** C – Musée de la Pêche* C **M1** – Pont du Moros ≤* B – Fête des Filets bleus* (fin août).

de Quimper et Cornouaille ☎ 98 56 97 09 par ① : 8 km.

Office de Tourisme Quai d'Aiguillon ☎ 98 97 01 44.

Paris 541 ① – ♦Brest 94 ① – Lorient 54 ① – Quimper 24 ① – St-Brieuc 131 ① – Vannes 103 ①.

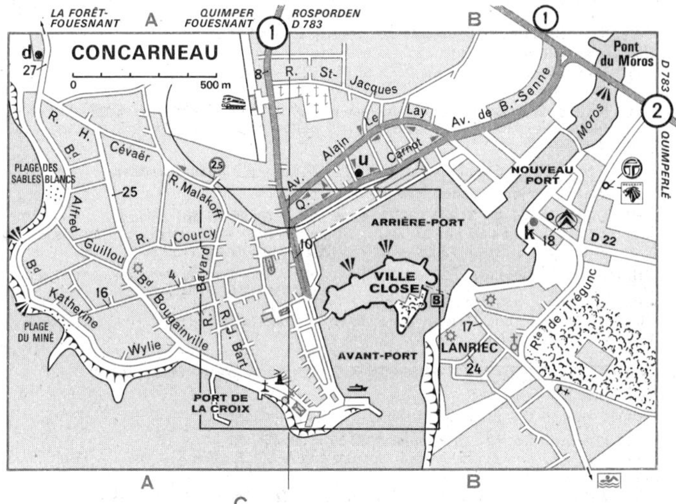

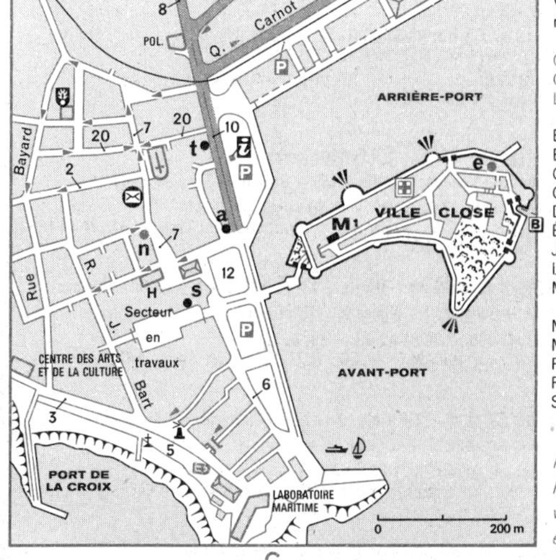

Ville close : Circulation réglementée l'été

Gare (Av. de la) . . . . **A** 8
Guéguin (Av. Pierre) . . **B** 10
Le-Lay (Av. Alain) . . . . . **B**

Berthou (R. Joseph) . . . **C** 2
Bougainville (Bd) . . . . . **C** 3
Courbet (R. Amiral) . . . **A** 4
Croix (Quai de la) . . . . . **C** 5
Dr-P.-Nicolas (Av. du) . **C** 6
Écoles (R. des) . . . . **C** 7
Jaurès (Pl. Jean) . . . . . . **C** 12
Libération (R. de la) . . . **A** 16
Mauduit-Duplessis (R.) . . . . . . **B** 17
Moros (R. du) . . . . **B** 18
Morvan (R. Gén.) . . . . . **C** 20
Pasteur (R.) . . . . **B** 24
Renan (R. Ernest) . . . . . **A** 25
Sables-Blancs (R. des) **A** 27

Pour bien lire les plans de villes voir signes et abréviations p. 23.

Ty Chupen Gwenn M sans rest, plage Sables Blancs ✆ 98 97 01 43, ← – wc wc ☎. VISA A **d**
fermé 21 au 27 avril, déc. et dim. de nov. à mars – SC : 35 – **15 ch** 220/320.

Gd Hôtel sans rest, 1 av. P.-Guéguin ✆ 98 97 00 28 – wc wc ☎ P C **a**
Pâques-oct. – SC : 16,50 – **33 ch** 117/250.

Sables Blancs, plage Sables-Blancs par R. des Sables Blancs - A- ✆ 98 97 01 39, ← – wc wc ☎. AE E VISA
25 mars-4 nov. – SC : **R** 57/120 – 17,50 – **48 ch** 188/260 – P 200/270.

Jockey sans rest, 11 av. P.-Gueguin ✆ 98 97 31 52 – wc ☎. C **t**
fermé 15 déc. au 15 janv. et dim. – 16 – **14 ch** 120/178.

Les Halles sans rest, enclos de Servigny ✆ 98 97 11 41 – wc wc C **s**
fermé dim. hors sais. – SC : 14 – **24 ch** 80/190.

Modern'H. sans rest, 5 r. Lin ✆ 98 97 03 36 – wc wc ☎. B **u**
SC : 20 – **19 ch** 108/250.

XXX ✿ **Le Galion** (Gaonac'h), 15 r. St-Guénolé "Ville Close" ✆ 98 97 30 16, «décor soigné» – AE E VISA C **e**
fermé 1er au 11 déc., 4 fév. au 15 mars, dim. soir et lundi – SC : **R** 115/340
Spéc. Blanquette de St.-Jacques (nov. à mars), Escalope de barbue en habit vert, Fricassée de langoustines homardine.

XX **La Gallandière,** 3 pl. Mairie ✆ 98 97 16 34 – E VISA C **n**
fermé jeudi et dim. soir – SC : **R** 75/185.

XX **Relais de la Coquille,** au nouveau port ✆ 98 97 08 52, – AE E VISA B **k**
fermé 21 avril au 7 mai et 22 déc. au 15 janv., dim. soir sauf juil.-août et lundi – SC : **R** 65/300.

à la plage du Cabellou par ② et C22 : 5,5 km – ✉ **29110** Concarneau.
Voir Pointe du Cabellou ←★.

Belle Étoile, ✆ 98 97 05 73, ←, – P. AE VISA. rest
hôtel : 1er mars-30 nov. et rest. : 1er avril-30 nov. – SC : **R** *(fermé mardi sauf du 10 avril au 30 sept.)* 170/250 – 45 – **29 ch** 510/610 – P 715/830.

CITROEN Gar. Duquesne 4 r. du Moros ✆ 98 97 48 00
FORD Tilly, 106 av. Gare ✆ 98 97 35 00 N
PEUGEOT-TALBOT Gar. Nedelec, Zone Ind. du Moros ✆ 98 97 46 33
RENAULT Gar. de Penanguer, rte Quimper par ① ✆ 98 97 36 06
Concarneau Pneus, 3 r. Port ✆ 98 97 50 26

CONCHES-EN-OUCHE 27190 Eure 55 ⑯ G. Normandie (plan) – 3 856 h. alt. 144.

Voir Église Ste-Foy★.

Paris 120 – L'Aigle 37 – Bernay 34 – Dreux 47 – Évreux 18 – •Rouen 60.

Normandie, 10 r. St-Étienne ✆ 32 30 04 58, ,
fermé 15 janv. au 15 fév., dim. soir et vend. – SC : **R** 40/55 – 12 – **11 ch** 55/73 – P 120/125.

XX **Aub. du Donjon** avec ch, 55 r. Ste-Foy ✆ 32 30 04 75, , – ch
fermé nov., vacances de fév., mardi soir du 1er oct. au 15 avril et merc. – SC : **R** 63/104 – 18 – **3 ch** 90/100.

XX **Toque Blanche,** 18 pl. Carnot ✆ 32 30 01 54 – AE E VISA.
fermé mardi soir et lundi – SC : **R** 85/127.

PEUGEOT Peuret, ✆ 32 30 23 09 N
PEUGEOT-TALBOT Gar. Portier, ✆ 32 30 06 60 N
RENAULT Marie, ✆ 32 30 23 50

CONCORET 56 Morbihan 59 ⑮ – 668 h. – ✉ 56430 Mauron.

Paris 395 – Dinan 50 – Josselin 33 – Loudéac 49 – Redon 55 – St-Brieuc 73 – Vannes 71.

X **Chez Maxime** avec ch, ✆ 97 22 63 04 – P – 60. E VISA
fermé 16 au 30 sept., 1er au 22 fév., dim. soir et lundi sauf juil.-août – SC : **R** 41/135 – 15 – **9 ch** 68/100 – P 150/180.

CONCOULES 30 Gard 80 ⑦ G. Vallée du Rhône – 241 h. alt. 635 – ✉ 30450 Génolhac.

Paris 605 – Alès 44 – Florac 56 – Génolhac 7 – Nîmes 88 – Villefort 11.

Aub. Beauséjour, D 906 ✆ 66 61 12 43 – P. E.
fermé janv. et lundi sauf juil.-août – SC : **R** 50/90 – 14 – **14 ch** 85/110 – P 155/180.

CONCRESSAULT 18 Cher 65 ⑪⑫ – 216 h. alt. 190 – ✉ 18260 Vailly-sur-Sauldre.

Paris 179 – Bourges 57 – Cosne-sur-Loire 31 – •Orléans 74 – Salbris 43 – Vierzon 54.

XX **Cheval Rouge** avec ch, ✆ 48 73 71 56 – . ch
fermé 1er au 8 sept., fév., lundi soir et mardi – **R** 46/120, dîner a la carte – 18 – **4 ch** 93/115.

La CONDAMINE Principauté de Monaco 84 ⑩, 195 ㉗㉘ – voir à Monaco.

CONDÉ-STE-LIBIAIRE 77 S.-et-M. 56 ⑫, 196 ㉒ – rattaché à Esbly.

CONDÉ-SUR-L'ESCAUT 59163 Nord 53 ⑤ **G. Flandres, Artois, Picardie** – 13 672 h. alt. 22.

Paris 221 – Gent 74 – ♦Lille 53 – Valenciennes 13.

✕ **Host. du Berry,** ✆ 27 40 07 97 – VISA
fermé 1er au 15 août et sam. – SC : **R** (déjeuner seul.) 65/100 ♂.

CITROEN Gar. Kot, 211 rte de Bonsecours ✆ 27 40 09 46

CONDÉ-SUR-NOIREAU 14110 Calvados 55 ⑪ – 7 257 h. alt. 84.

Paris 283 – Argentan 49 – ♦Caen 45 – Falaise 31 – Flers 12 – Vire 26.

à St-Germain-du-Crioult O : 4,5 km sur rte Vire – ✉ 14110 Condé-sur-Noireau :

✕ **Aub. St-Germain** avec ch, ✆ 31 69 08 10 – VISA.
fermé 28 juil. au 12 août, vend. soir et dim. soir – SC : **R** 54/90 – ☕ 13,50 – **5 ch** 80/85 – P 140.

LADA-SKODA, FIAT Robbe, 272 r. St-Martin ✆ 31 69 00 73
PEUGEOT-TALBOT Chrétien, 27 r. Vieux-Château ✆ 31 69 00 50
PEUGEOT-TALBOT Gar. Poupart, 1 bis r. de la Barge ✆ 31 69 00 99
RENAULT Sevestre, 2 r. Vaubaillon ✆ 31 69 00 45
RENAULT Tougard, 45 r. St-Martin ✆ 31 69 01 05

Le località sottolineate in rosso sulle ***carte stradali Michelin*** *in scala 1/200 000 figurano in questa guida. Approfittate di questa informazione, regolarmente aggiornata, utilizzando una carta di edizione recente.*

CONDOM 32100 Gers 79 ⑭ **G. Pyrénées** – 7 836 h. alt. 81.

Voir Cathédrale St-Pierre★ E : Cloître★ H.

Syndicat d'Initiative pl. Bossuet ✆ 62 28 00 80.

Paris 674 ① – Agen 40 ② – Auch 44 ⑤ – Mont-de-Marsan 80 ⑦ – ♦Toulouse 109 ④.

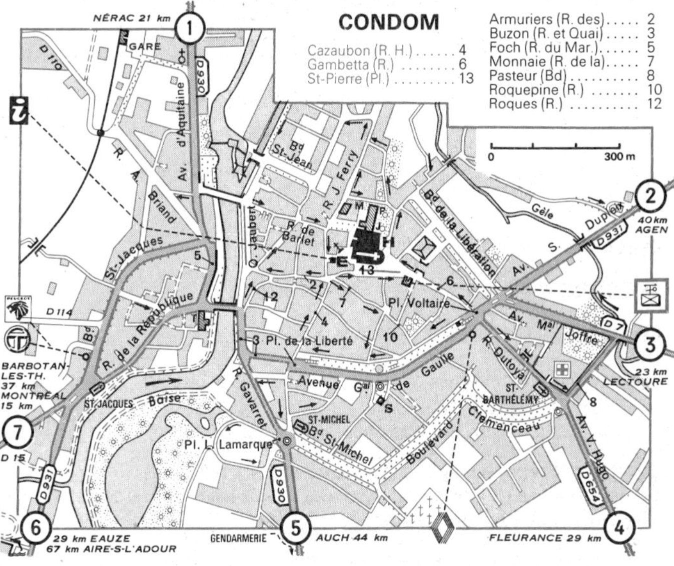

✕✕✕ **Table des Cordeliers** M avec ch, r. des Cordeliers **(s)** ✆ 62 28 03 68, « Salle gothique », – rest TV wc ☎ ♿ P. E VISA
fermé 5 janv. au 18 fév., dim. soir et lundi – SC : **R** 120/240 – ☕ 22 – **21 ch** 150/300.

FIAT, FORD Calmels, 28 bd St-Jacques ✆ 62 28 01 67
PEUGEOT-TALBOT Durrieu, bd St-Jacques ✆ 62 28 00 53
RENAULT Rottier, pl.Voltaire ✆ 62 28 22 55
Rivière, 21 av. des Pyrénées ✆ 62 28 01 20
Solapneu, 7 av. Armagnac ✆ 62 28 01 91

CONDRIEU 69420 Rhône 74 ⑪ G. Vallée du Rhône – 3 158 h. alt. 150.

Voir Calvaire ≤★.

Paris 502 – Annonay 34 – ♦Lyon 40 – Rive-de-Gier 21 – Tournon 52 – Vienne 11.

Hôt. Beau Rivage (Mme Castaing) M, ☏ 74 59 52 24, Télex 308946, « Terrasse avec vue agréable sur le Rhône », – ☎ P. AE ① E VISA
fermé 5 janv. au 15 fév. – **R** 180/260 et carte – ☕ 36 – **22 ch** 200/380
Spéc. Boudin de brochet au coulis de homard, Rouelle d'anguille à la mousse de cresson, Paupiette de boeuf au foie gras. **Vins** Viognier, St-Joseph.

Voir aussi ressources hôtelières de ***Roches de Condrieu*** S : 1 km

CITROEN Milamant, ☏ 74 56 67 54 — Gar. Baronnier, ☏ 74 59 50 16

CONFLANS-STE-HONORINE 78700 Yvelines 55 ⑳, 101 ② G. Environs de Paris (plan) – 29 003 h. alt. 28 - Pardon national de la Batellerie (fin juin).

Voir ≤★ de la terrasse du parc.

Office de Tourisme (fermé août) 23 r. M.-Berteaux ☏ (1) 39 72 66 91.

Paris 30 – Mantes-la-Jolie 40 – Poissy 11 – Pontoise 8 – St-Germain-en-Laye 13 – Versailles 28.

Au Bord de l'Eau, 15 quai Martyrs-de-la-Résistance ☏ (1) 39 72 86 51
fermé 4 au 29 août, 3 au 10 mars et lundi – **R** (déj. seul. sauf sam. : déj. et dîner) 91.

Au Confluent de l'Oise, 15 cours Chimay ☏ (1) 39 72 60 31, ≤, – P. AE ① VISA
fermé 21 juil. au 15 août, vacances de fév., merc. soir et lundi – **R** 135 bc/200 ₰.

PEUGEOT-TALBOT Conflans-Auto, 123 av. Carnot ☏ (1) 39 19 78 78

CONFOLENS 16500 Charente 72 ⑤ G. Côte de l'Atlantique (plan) – 3 320 h. alt. 152.

Office de Tourisme pl. Marronniers (hors sais. fermé matin) ☏ 45 84 00 77.

Paris 414 – Angoulême 63 – Bellac 36 – ♦Limoges 57 – Niort 103 – Périgueux 119 – Poitiers 72.

Émeraude, r. E.-Roux ☏ 45 84 12 77 – wc P. E VISA.
fermé 28 sept. au 21 oct., et lundi hors sais. – SC : **R** 50/100 – ☕ 14,50 – **18 ch** 90/150 – P 160/190.

Mère Michelet, rte de Niort ☏ 45 84 04 11 – P – 100. E VISA
SC : **R** 52/157 ₰ – ☕ 14,50 – **24 ch** 65/136 – P 173/230.

Vienne, r. Ferrandie ☏ 45 84 09 24, – wc. E VISA
fermé 22 oct. au 12 nov., 23 au 31 déc., vend. soir et sam. hors sais. – SC : **R** 48/81 – ☕ 12,50 – **14 ch** 63/120 – P 128/183.

Aub. Belle Étoile avec ch, rte Angoulême ☏ 45 84 02 35 – P – 100.
fermé 1er au 25 oct., 15 au 31 janv. et lundi d'oct. à juin – SC : **R** 59/118 – ☕ 17 – **14 ch** 83/155 – P 190/210.

CITROEN David, ☏ 45 84 12 42
RENAULT Nord-Charente-Autom., ☏ 45 84 07 00
V.A.G. Ets Vergnaud, ☏ 45 84 00 79 N

CONLEAU 56 Morbihan 63 ③ – rattaché à Vannes.

CONNAUX 30 Gard 80 ⑲⑳ – rattaché à Bagnols-sur-Cèze.

CONNELLES 27430 Eure 55 ⑦ – 139 h.

Paris 112 – les Andelys 13 – Louviers 11 – ♦Rouen 38.

Moulin de Connelles , D 19 ☏ 32 59 82 54, ≤, parc, – TV ☎ P – 40. AE VISA. rest
fermé 8 au 26 déc., 16 fév. au 2 mars, dim. soir et lundi sauf d'avril à sept. – SC : **R** 130/250 – **21 ch** ☕ 335/490, 6 appartements 620 – P 525/840.

CONNERRÉ 72160 Sarthe 60 ⑭ G. Châteaux de la Loire – 2 636 h. alt. 76.

Paris 180 – Châteaudun 75 – Mamers 43 – ♦Le Mans 25 – Nogent-le-Rotrou 40 – St-Calais 27.

Aub. Tante Léonie, ☏ 43 89 00 24 – AE E VISA
fermé 5 au 13 août, 5 au 23 janv. et mardi – SC : **R** 70/180.

Gare avec ch, N : 1,5 km par D 33 ☏ 43 89 00 02 – P – 25
fermé en oct. et vend. – SC : **R** 55/110 ₰ – ☕ 18 – **11 ch** 77/119 – P 144.

à Thorigné-sur-Dué SE : 4 km par D 302 – ✉ 72160 Connerré :

St-Jacques avec ch, ☏ 43 89 95 50, – wc ☎ ♿ P. ①
fermé 15 au 30 juil., 8 au 31 janv., dim. soir sauf juil.-août et lundi – SC : **R** 70/170 ₰ – ☕ 28 – **10 ch** 110/220 – P 180/260.

CITROEN Gar. Guérin, ☏ 43 89 00 51

CONQUES 12 Aveyron 80 ①② G. Causses (plan) – 404 h. alt. 250 – ✉ 12320 St-Cyprien-sur-Dourdou.

Voir Site★★ – Église Ste-Foy★★ : tympan du portail Ouest★★★ et trésor★★★ – Site du Bancarel ≤★ S : 3 km par D 901.

Paris 623 – Aurillac 57 – Espalion 50 – Figeac 54 – Rodez 37.

Ste-Foy ⑤, ☎ 65 69 84 03, – wc wc . rest
1er avril-15 oct. et vacances de nov. – SC : R *(fermé dim. en juil.-août)* (dîner seul.) (nombre de couverts limité - prévenir) 98 – 28 – **20 ch** 110/300.

Le CONQUET 29217 Finistère 58 ③ G. Bretagne – 2 011 h.

Voir Site★.

Syndicat d'Initiative pl. Ancienne Gare (15 juin-15 sept.) ☎ 98 89 11 31 et à l'Hôtel de Ville ☎ 98 89 00 07.

Paris 621 – ♦Brest 24 – Brignogan-Plage 57 – St-Pol-de-Léon 78.

Pointe Ste-Barbe ⑤, ☎ 98 89 00 26, ≤ mer et les îles – wc wc ☎ Ⓟ. ⓓ E VISA. rest
fermé 2 janv. au 6 fév. – SC : R *(fermé lundi sauf du 1er juil. au 1er sept.)* 70/290 – 20 – **33 ch** 107/263 – P 272/347.

à la Pointe de St-Mathieu S : 4 km – ✉ 29217 Le Conquet.

Voir Phare ★★ – Ruines de l'église abbatiale★.

Pointe St-Mathieu, ☎ 98 89 00 19 – AE.
fermé 1er fév. au 15 mars, mardi et dim. soir sauf juil.-août – SC : R 55/200.

RENAULT Gar. Taniou-le Goff ☎ 98 89 00 29

CONSOLATION (Cirque de) ★★ 25 Doubs 66 ⑰ G. Jura – alt. 793.

Voir La Roche du Prêtre ≤★★★ du D 41 15 mn – Vallée du Dessoubre★ N.

Paris 468 – Baume-les-Dames 53 – ♦Besançon 56 – Montbéliard 63 – Morteau 13.

Faivre ⑤ avec ch, près D 39 à 6 km de Fuans ✉ 25390 Orchamps-Vennes ☎ 81 43 55 38, ≤ – Ⓟ. ⓓ E. ch
fermé 15 nov. au 15 déc., 15 au 31 janv. et mardi du 15 sept. au 15 juin sauf vacances scolaires – SC : R 48 bc/140 – 14,50 – **10 ch** 64/90 – P 160/190.

Les CONTAMINES-MONTJOIE 74 H.-Savoie 74 ⑧ G. Alpes – 1 027 h. alt. 1 164 – Sports d'hiver : 1 164/2 500 m 3 21, – ✉ 74190 Le Fayet.

Voir ≤★ sur gorges de la Gruvaz NE : 5 km.

Office de Tourisme pl. Mairie ☎ 50 47 01 58, Télex 385730.

Paris 589 – Annecy 96 – Bonneville 50 – Chamonix 34 – Megève 20 – St-Gervais-les-B. 8,5.

La Chemenaz et rest La Trabla Ⓜ ⑤, ☎ 50 47 02 44, ≤, , – ☎ Ⓟ
15 mai-1er oct. et 15 déc.-15 avril – SC : R 79/95 – 28 – **38 ch** 335 – P 310/350.

Gai Soleil Ⓜ ⑤, ☎ 50 47 02 94, ≤, – wc wc ☎ Ⓟ. E. rest
15 juin-19 sept. et 20 déc.-15 avril – SC : R 68/88 – 22 – **19 ch** 210/250 – P 245/265.

Le Chamois, ☎ 50 47 03 43, ≤, – cuisinette wc wc ☎ Ⓟ
fin juin-début sept. et Noël-Pâques – SC : R (hiver seul.) 90/110 – 20 – **17 ch** 180/260 – P 250/265.

Grizzli, ☎ 50 47 02 43, ≤ – wc wc Ⓟ. ch
20 juin-10 sept. et 15 déc.-20 avril – SC : R 65/94 – 19,50 – **18 ch** 190/210 – P 205/245.

Le Christiania et rest. Le Stem, ☎ 50 47 02 72, ≤, , – wc Ⓟ.
20 juin-8 sept. et 20 déc.-20 avril – SC : R 57 – 17,50 – **15 ch** 88/190.

La Cordée ⑤ avec ch, ☎ 50 47 03 97, ≤ – wc wc Ⓟ.
Noël-Pâques – SC : R 50/90 – **15 ch** 138/220 – P 184/260.

CONTAMINE-SUR-ARVE 74 H.-Savoie 74 ⑦ – 1 000 h. alt. 449 – ✉ 74130 Bonneville.

Paris 532 – Annecy 43 – Bonneville 8 – Chamonix 64 – ♦Genève 19 – Megève 50 – Morzine 49.

Tourne Bride avec ch, ☎ 50 03 62 18 – Ⓟ
fermé 26 mai au 9 juin, 16 au 30 nov., dim. soir et lundi – SC : R 70/110 – 15 – **7 ch** 74/97 – P 130.

CONTES 06390 Alpes-Mar. 84 ⑩, 195 ⑰ G. Côte d'Azur – 4 992 h. alt. 260.

Voir Prédelle★ dans l'église.

Syndicat d'Initiative pl. A.-Ollivier (après-midi seul.) ☎ 93 79 13 99.

Paris 960 – Levens 22 – ♦Nice 18 – Sospel 32.

Cellier avec ch, D 15 ☎ 93 79 00 64 – . E VISA
fermé 15 au 24 août et 20 déc. au 4 janv. – SC : R *(fermé dim. soir et sam.)* 69/130 – 15 – **6 ch** 100/140.

CONTEVILLE 27 Eure 55 ④ – 580 h. alt. 30 – ✉ 27210 Beuzeville.

Paris 180 – Évreux 85 – ♦Le Havre 42 – Honfleur 13 – Pont-Audemer 13 – Pont-l'Évêque 27.

XXX ✿ **Aub. Vieux Logis** (Louet), ✆ 32 57 60 16 – AE ◑ E VISA
fermé 20 janv. à fin fév., merc. soir et jeudi – SC : **R** (nombre de couverts limité - prévenir) carte 175 à 265
Spéc. Foie gras de canard, Brochettes de Saint-Jacques aux herbes (oct. à mai), Aiguillettes de canard François Revert.

CONTIS-PLAGE 40 Landes 78 ⑮ – ✉ 40170 St-Julien-en-Born.

Paris 719 – ♦Bayonne 87 – Castets 30 – Mimizan 24 – Mont-de-Marsan 76.

Neptune sans rest., ✆ 58 42 85 28, – wc ☎ P
juin-sept. – SC : 18,50 – **16 ch** 105/210.

CONTRES 41700 L.-et-Ch. 64 ⑰ – 2 929 h. alt. 100.

Paris 201 – Blois 21 – Châteauroux 77 – Montrichard 21 – Romorantin-Lanthenay 26.

France, ✆ 54 79 50 14, – TV wc wc ☎ ♿ P – 30 à 40. VISA.
fermé 27 janv. au 3 mars et vend. du 1er oct. à Pâques – SC : **R** 67/152 – 22 – **42 ch** 88/227 – P 189/265.

CITROEN Gar. Coutant, ✆ 54 79 52 37
PEUGEOT-TALBOT Morin, ✆ 54 79 50 42
RENAULT Gar. Réunis, ✆ 54 79 50 70 N ✆ 54 71 32 71

CONTREXÉVILLE 88140 Vosges 62 ⑭ **G. Alsace et Lorraine** – 4 582 h. alt. 337 – Stat. therm. (20 avril-30 sept.) – Casino Y.

Office de Tourisme galeries du Parc Thermal ✆ 29 08 08 68.

Paris 340 ③ – Épinal 48 ① – Langres 67 ② – Luxeuil 71 ② – ♦ Nancy 76 ① – Neufchâteau 28 ③.

Cosmos, r. Metz ✆ 29 08 15 90, ←, « Parc » – TV ☎ P – 30. AE ◑ VISA. rest
fin avril-fin sept. – SC : **R** 130/160 – 28 – **78 ch** 237/280, 3 appart. 522 – P 472/484. Y u

Gd H. Établissement, ✆ 29 08 17 30, – ☎ P. AE ◑ VISA. rest Z e
10 mai-20 sept. – SC : **R** 140/145 **Grill Relais Stanislas** *(15 mai-15 sept.)* **R** 70/80, dîner à la carte – 26 – **29 ch** 106/280 – P 340/474.

Souveraine, dans le parc ✆ 29 08 13 79, ← – wc wc ☎ P. AE ◑ VISA. rest Y r
10 mai-20 sept. – SC : **R** voir rest. H. Établissement – 26 – **31 ch** 106/280 – P 340/474.

Sources, r. Ziwer-Pacha ✆ 29 08 04 48 – wc wc ☎. AE Z x
17 avril-30 sept. – SC : **R** 87/140 – 19,50 – **36 ch** 77/236 – P 196/320.

Paris et Thermes, av. Gde-Duchesse-Wladimir ✆ 29 08 13 46 – cuisinette TV wc wc ☎ P. rest Z s
25 avril-22 sept. – SC : **R** 100/190 – 30 – **77 ch** 110/300 – P 200/400.

France, av. Roi-Stanislas ✆ 29 08 04 13 – wc wc ☎ P. E VISA. rest Z z
fermé 15 déc. au 15 janv. – SC : **R** 72/190 – 18 – **40 ch** 85/185 – P 210/310.

Beauséjour, r. Ziwer-Pacha ✆ 29 08 04 89, , – wc. VISA Z v
20 avril-30 sept. – SC : **R** 60/90, grill à la carte – 16 – **31 ch** 70/130 – P 172/235.

Dalia, av. E.-Daudet ✆ 29 08 04 40, – wc P. rest Y a
20 avril-fin sept. – SC : **R** 50/100 – 17,50 – **21 ch** 80/140 – P 153/196.

CONTREXÉVILLE

Daudet (R.) .... Y 2
Division-Leclerc (R.) .... Y 3
Hirschauer (R. du Gén.) .... Y 4
Shah-de-Perse (R. du) .... Y 5
Stanislas (R. du Roi) .... Z 6
Thomson (R. Gaston) .... Z 7
Victoire (R. de la) .... Y 8
Wladimir (R. Grande-Duchesse) .... Z 9
Ziwer-Pacha (R.) .... Z 10

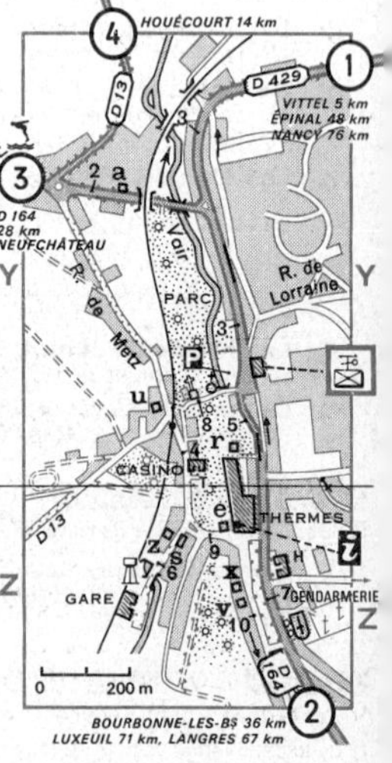

La COQUILLE 24450 Dordogne 72 ⑯ – 1 578 h. alt. 340.

Syndicat d'Initiative r. République ✆ 53 52 81 21.

Paris 445 – Brive-la-Gaillarde 98 – ♦Limoges 48 – Nontron 31 – Périgueux 53 – St-Yrieix-la-Perche 23.

Voyageurs, N 21 ✆ 53 52 80 13, , – wc ☎ P. AE ◑ VISA
22 mars-2 nov. et fermé dim. soir et lundi midi sauf du 1er juin au 15 sept. – SC : **R** 85/180 – 23 – **10 ch** 110/200 – P 200/250.

à Mavaleix S : 4,5 km par N 21, VO et voie privée – ✉ **24800** Thiviers :

Château de Mavaleix 🐎, ☎ 53 52 82 01, ≤, parc – 🅟 – 🏠 100. **E** VISA. ✻ rest
fermé 2 janv. au 7 fév. – SC : **R** 80/160 – ☕ 28 – **22 ch** 280/320 – P 400/420.

PEUGEOT Fauriat, ☎ 53 52 80 60 🅝 RENAULT Gar. Fayol, ☎ 53 52 81 35

CORBEIL-ESSONNES 91 Essonne 61 ①, 196 ㉜ – voir à Évry.

CORDES 81170 Tarn 79 ⑳ G. Causses (plan) – 1 044 h. alt. 274.

Voir Site** – Maisons gothiques*.

🅘 Syndicat d'Initiative "Maison du Grand Fauconnier" (sais.) ☎ 63 56 00 52.

Paris 679 – Albi 25 – Montauban 71 – Rodez 85 – ♦Toulouse 78 – Villefranche-de-Rouergue 47.

✿ **Grand Écuyer** (Thuries) 🐎, ☎ **63 56 01 03**, ≤ vallée, « Demeure gothique, bel intérieur » – 🏠 50. AE ⓓ VISA
1er avril-31 oct. – SC : **R** *(fermé lundi hors sais.)* 130/280 – ☕ 40 – **16 ch** 250/550
Spéc. Feuilleté d'escargots aux cêpes, Lotte rôtie à la coriandre, Desserts. **Vins** Gaillac.

Cité 🐎, ☎ **63 56 03 53**, ≤, 🌳 – 🛁wc 🚿. VISA. ✻ rest
fermé 30 nov. au 15 fév. et le midi sauf en juil.-août – SC : **R** 50/130 🍷 – ☕ 21 – **10 ch** 155/200.

XX **L'Esquirol**, ☎ 63 56 02 40. VISA
1er avril-31 oct. et fermé mardi sauf juil.-août – SC : **R** 57/95.

PEUGEOT-TALBOT Barrié, ☎ 63 56 02 61

CORDON 74 H.-Savoie 74 ⑦⑧ – rattaché à Sallanches.

CORENC-MONTFLEURY 38 Isère 77 ⑤ – rattaché à Grenoble.

CORMEILLES-EN-PARISIS 95 Val d'Oise 55 ⑳, 101 ④ – voir à Paris, Environs.

CORMEILLES-EN-VEXIN 95 Val-d'Oise 55 ⑲, 196 ⑤ – rattaché à Cergy-Pontoise.

CORNAS 07 Ardèche 76 ⑳ – rattaché à St-Péray.

CORNEVILLE-SUR-RISLE 27 Eure 55 ⑤ – rattaché à Pont-Audemer.

CORNY-SUR-MOSELLE 57 Moselle 57 ⑬ – ✉ **57680** Noveant-sur-Moselle.

Paris 323 – ♦Metz 15 – ♦Nancy 47 – Pont-à-Mousson 16 – Verdun 63.

XX **Au Gourmet Lorrain**, r. Moselle ☎ 87 52 81 56
fermé juil., fêtes le soir et jeudi – **R** carte 115 à 160 🍷.

CORPS 38970 Isère 77 ⑮⑯ G. Alpes – 505 h. alt. 937 – N.-Dame-de-la-Salette : Pèlerinage (15 août).

Voir Barrage**, pont* et lac* du Sautet O : 4 km.

Env. Route** et Basilique N.-D.-de-la-Salette : site*, ❋* N : 15 km.

🅘 Office de Tourisme (15 juin-15 sept.) ☎ 76 30 03 85.

Paris 625 – Gap 40 – ♦Grenoble 63 – La Mure 25.

Le Napoléon sans rest, ☎ 76 30 00 42 – 🛁wc 🚿wc ☎
SC : ☕ 16,50 – **22 ch** 85/185.

XXX **Poste** avec ch, ☎ 76 30 00 03 – 🛁wc 🚿wc ☎ 🚗
fermé 15 nov. au 15 janv. – SC : **R** 65/240 – ☕ 20 – **15 ch** 95/220 – P 200/290.

X **Le Tilleul**, ☎ 76 30 00 43
fermé 1er nov. au 15 déc. – SC : **R** 45/95 🍷.

au NE : 4 km par rte La Salette et D 212c – alt. 1 260 – ✉ **38970** Corps :

Boustigue H. 🐎, ☎ 76 30 01 03, ≤, 🏊, 🌳, 🎾 – 🛁wc 🚿wc ☎ 🅟. ✻ rest
Pâques, 23 mars-22 sept. et fév. – SC : **R** 70/130 – ☕ 22 – **19 ch** 160/210 – P 240/300.

CITROEN Gar. du Dauphiné, ☎ 76 30 01 10 PEUGEOT, RENAULT Rivière, ☎ 76 30 01 13 🅝

CORRENÇON-EN-VERCORS 38 Isère 77 ④ – 259 h. alt. 1 109 – Sports d'hiver : 1 150/2 050 m ⛷12 ⛷ – ✉ **38250** Villard-de-Lans.

Paris 592 – ♦Grenoble 40 – Villard-de-Lans 5,5.

Lièvre Blanc 🐎, ☎ 76 95 16 79, ≤ – 🚿wc ☎ 🅟. **E**. ✻ rest
début juin-30 sept. et 20 déc.-Pâques – SC : **R** 85/110 🍷 – ☕ 23 – **22 ch** 170/180 – P 235/240.

CORSE **2A** Corse-du-Sud **2B** Haute-Corse **90** **G. Corse** – 293 287 h. – Relations avec le continent : 50 mn env. par avion, 5 à 10 h par bateau (voir à Marseille, Nice, Toulon).

Ajaccio P **2A** Corse-du-Sud **90** ⑰ – 55 279 h. alt. 18 – Casino Z – ✉ **20000** Ajaccio.

Voir Maison Bonaparte★ Z – Place d'Austerlitz Y : monument de Napoléon Ier★ Y N – Jetée de la Citadelle ≤★ Y – Place Gén.-de-Gaulle ≤★ Z – Musée Fesch★★ Z **M1**.

Env. S : golfe d'Ajaccio★★ – Pointe de la Parata ≤★★ 12 km par ③ puis 30 mn.

Excurs. aux Iles Sanguinaires★★.

✈ d'Ajaccio-Campo dell'Oro : ℘ 95 21 07 07 par ② : 7 km.

Office de Tourisme 1 pl. Foch ℘ 95 21 40 87 – A.C. 41 cours Napoléon ℘ 95 21 14 07.

Bastia 153 ① – Bonifacio 140 ② – Calvi 159 ① – Corte 83 ① – L'Ile-Rousse 155 ①.

Plan page ci-contre

Campo dell'Oro M, rte aéroport par ② : 5 km ℘ 95 22 32 41, Télex 460087, ≤, – 500. AE E VISA. rest
SC : **R** *(fermé janv. à mars)* 180/300 – 40 – **138 ch** 410/1 050 – P 750/970.

Albion M sans rest, 15 av. Gén.-Leclerc ℘ 95 21 66 70, Télex 460846 – . AE E VISA — Y **k**
SC : 20 – **63 ch** 260/299.

Costa M sans rest, 2 bd Colomba ℘ 95 21 43 02, ≤ – . AE E VISA. — Y **x**
SC : 22 – **53 ch** 214/282.

Fesch M sans rest, 7 r. Fesch ℘ 95 21 50 52 – . AE E VISA — Z **y**
fermé 20 déc. au 20 janv. – SC : 20 – **77 ch** 235/280.

Napoléon M sans rest, 4 r. Lorenzo-Vero ℘ 95 21 30 01, Télex 460625 – – 60. AE E VISA — Z **s**
SC : 26 – **62 ch** 257/294.

San Carlu M sans rest, 8 bd Casanova ℘ 95 21 13 84 – wc wc — Z **f**
44 ch.

Impérial, 6 bd Albert-1er ℘ 95 21 50 62, – wc wc . AE . rest — Y **e**
23 mars-31 oct. – SC : **R** 100 – 21 – **44 ch** 260/364 – P 415/447.

Spunta Di Mare, rte aéroport ℘ 95 22 41 42 – wc wc – 30. AE. rest — Y **s**
SC : **R** *(fermé 15 déc. au 15 janv. et dim. en hiver)* 60 – 18,50 – **64 ch** 147/252 – P 227/265.

XX **Côte d'Azur** (1er étage), 12 cours Napoléon ℘ 95 21 50 24 – . AE VISA — Z **b**
fermé 20 juin au 20 juil. et dim. – **R** 95/200.

XX **A Tinella,** 86 r. Fesch ℘ 95 21 13 68 – AE VISA — Z **a**
fermé mai et lundi – **R** 60.

XX **Point "U",** 59 bis r. Fesch ℘ 95 21 59 92 — Z **t**
fermé avril et merc. – **R** 60.

XX **U Scalone,** 2 r. Roi de Rome ℘ 95 21 50 05 – . E — Z **d**
fermé déc. et dim. – SC : **R** carte environ 130.

X **La Grange,** 4 r. N.-Dame ℘ 95 21 25 32 – AE VISA — Z **r**
1er mars-30 nov. et fermé lundi sauf juil.-août – **R** carte 85 à 145.

X **St-Hubert,** 3 r. Col.-Colonna d'Ornano ℘ 95 23 23 78 – . AE E VISA — Y **u**
fermé 20 déc. au 4 janv. et lundi hors saison – **R** 47/92 .

X Pardi (chez Charlot), 60 r. Fesch ℘ 95 21 43 08 — Z **q**

route des Sanguinaires – ✉ **20000** Ajaccio :

Eden Roc M , par ③ : 8 km ℘ 95 52 01 47, Télex 460486, ≤ golfe, , – . AE VISA.
4 mai-30 sept. – SC : **R** 210 – **34 ch** (pens. seul.) – P 550/600.

Dolce Vita , par ③ : 8 km ℘ 95 52 00 93, Télex 460854, ≤, , , , – ch
33 ch.

Cala di Sole , par ③ : 6 km ℘ 95 52 01 36, ≤, , , – ch . AE E. rest
1er avril-30 sept. – SC : **31 ch** (pens. seul.) – P 350/395.

XX **Palm Beach,** rte Sanguinaires par ③ : 5 km ℘ 95 52 01 03, ≤, – . VISA.
fermé janv., fév. et lundi du 1er oct. au 15 mai – **R** carte 95 à 140.

à Bastelicaccia par ②, N 196 et D 3 : 11 km – ✉ **20166** Porticcio :

XX **Aub. Seta,** ℘ 95 20 00 16, – . AE VISA
fermé 2 janv. au 15 fév. et merc. – SC : **R** carte 110 à 180.

MICHELIN, Agence, av. du Prince-Impérial Y ℘ 95 22 08 51

tourner →

Albert-1er (Bd) . . . . Y 2
Fesch (R. Cardinal) . . . . . Z
Grandval (Cours) . . . . . YZ
Napoléon (Cours) . . . . YZ
Premier-Consul (Av. du) Z 45

Alzo di Leva (R.) . . . . Y 3
Bévérini Vico (Av.) . . . . . Y 4
Biancamaria (R. du Cdt) Y 5
Bonaparte (R.) . . . . Z 6
Casanova (Bd Danielle) Z 8
Citadelle (Q. de la) . . . . . Z 13
Conseil-d'État (Av. du). . Z 15
Dr-Noël-Fronchini (Crs) Y 16
Dr-Ramaroni (Av. du) . . Y 17
Fiorella (R. du Gén.) . . . . Z 19
Forcioli-Conti (R.) . . . . . . Z 20
Griffi (Square P.) . . . . Y 22
Lambroschini (R. Major) Z 24
Leclerc (Av. Gén.) . . . . . . Y 25
Letizia (R.) . . . . Z 26
Macchini (Av. Eugène) . Z 27
Madame-Mère (Bd) . . . . Y 29
Masséria (Bd) . . . . Y 32
Napoléon III (Av.) . . . . . YZ 37
Napoléon (Quai) . . . . Z 38
Notre-Dame (R.) . . . . Z 39
Ornano (Av. Col. d') . . . . Y 40
Paoli (Bd Dominique) . . Y 41
Pozzo-di-Borgo (R.) . . . . . Z 44
Roi-de-Rome (R.) . . . . Z 46
Scamaroni (Bd Fred) . . . Y 49
Sébastiani (R.) . . . . Z 50
Sérafini (Av. Antoine) . . . Z 52
Sœur-Alphonse (R.) . . . . . Z 53
St-Charles (R.) . . . . Z 54
St-Jean (Montée) . . . . . . Y 56
Stéphanopoli (R.) . . . . Z 57
Zévaco-Maire (R.) . . . . . . Z 60

ALFA-ROMEO, DATSUN-NISSAN Ajaccio-Technic-Autom., Résidence 1er Consul, r. Mar.-Lyautey ✆ 95 22 15 83
CITROEN Ajaccio-Nord-Autos, N 194, rte de Mezzavia par ① ✆ 95 20 46 46
FIAT Gar.Liberté, 4 r. du Dr. Dell-Pellegrino ✆ 95 23 10 73
LADA, SKODA, HONDA Gar. Lombardi, r. Bonardi ✆ 95 22 43 85
PEUGEOT-TALBOT Gar. Casanova, rte de Mezzavia, "Le Pozzo" par ① ✆ 95 22 46 56

RENAULT Ajaccio Autom., N 193, les Salines par ② ✆ 95 22 38 00
TOYOTA Gar. Emmanuelli, av. Prince-Impérial, ✆ 95 22 09 76
V.A.G. Cyrnos-Autom, rés. Castel-Vecchio ✆ 95 22 26 00

Autos-Pneus-Sce, rte Mezzavia, km 3 ✆ 95 22 64 40
Maison du Pneu, 6 r. M.-Bozzi ✆ 95 23 38 88

Algajola 2B H.-Corse 90 ⑬ – 228 h. – ✉ **20220** Ile-Rousse.
Voir Citadelle★ – Descente de Croix★ dans l'église.
Ajaccio 164 – Calvi 15 – L'Ile-Rousse 9.

Beau Rivage, ✆ 95 60 73 99, ≤, – wc ☎ P.
1er mai-30 sept. – SC : **R** 70/80 – 22 – **25 ch** 160/220 – P 230/260.

Plage, ✆ 95 60 72 12, ≤ – wc P.
1er mai-30 sept. – SC : **R** 60/65 – 15 – **36 ch** 140/160 – P 200/275.

Asco 2B H.-Corse 90 ⑭ – 116 h. alt. 620 – ✉ **20276** Asco – **Env.** E : Gorges★★.
Ajaccio 125 – Bastia 64 – Corte 42.

au Haut-Asco SO : 12 km par D 147 – alt. 1 450 – ✉ **20276** Asco – **Voir Site★.**

Chalet , ✆ 95 47 81 08, ≤, montagnes – wc wc P
15 juin-30 sept. – SC : **R** 67/71 – 20 – **22 ch** 120/160.

Aullène 2A Corse-du-Sud 90 ⑦ – 176 h. alt. 850 – ✉ **20116** Aullène.
Ajaccio 70 – Bonifacio 88 – Corte 107 – Porto-Vecchio 61 – Propriano 43 – Sartène 34.

Poste avec ch, ✆ 95 78 61 21, ≤ – VISA. rest
mai-30 sept. – SC : **R** 70/85 – 16 – **18 ch** 75/120 – P 171/190.

Barcaggio 2B H. Corse 90 ① – ✉ **20275** Essa.
Ajaccio 210 – Bastia 57 – St-Florent 67.

La Giraglia , ✆ 95 35 60 54, ≤ La Giraglia, , – wc wc . rest
5 avril-25 sept. – SC : **R** 84/110 – 19 – **23 ch** 187/216 – P 500/552 (pour 2 pers.).

Barracone 2A Corse-du-Sud 90 ⑰ – rattaché à Cauro.

Bastelica 2A Corse-du-Sud 90 ⑥ – 796 h. alt. 770 – ✉ **20119** Bastelica.
Env. A 400 m du col de Mercujo : belvédère★★ et cirque★★ SO : 13,5 km.
Ajaccio 41 – Corte 62 – Propriano 71 – Sartène 84.

U Castagnetu M , ✆ 95 28 70 71, ≤, – P. AE VISA
fermé nov. et mardi d'oct. à mai – SC : **R** 50/88 – 17 – **15 ch** 120/150 – P 231/241.

Chez Paul, ✆ 95 28 71 59, .

Bastelicaccia 2A Corse-du-Sud 90 ⑰ – rattaché à Ajaccio.

Bastia P 2B H.-Corse 90 ③ – 45 081 h. alt. 15 à 71 (citadelle) – ✉ **20200** Bastia.
Voir Terra-Vecchia★★ Y : le vieux port★★ Z, chapelle de l'Immaculée Conception★ Y **B** – Terra-Nova★ Z : chapelle Ste-Croix★ Z **K** – Assomption de la Vierge★★ dans l'église Ste-Marie Z **F** – Église Ste-Lucie ≤★★ NO par D31 X – **Env.** ★★★ de la Serra di Pigno 14 km par ③ – ≤★★ du col de Teghime10 km par ③.
de Bastia-Poretta, Air France ✆ 95 36 03 21 par ② : 20 km.
Office de Tourisme 33 bd Paoli ✆ 95 31 02 04.
Ajaccio 153 ② – Bonifacio 170 ② – Calvi 93 ③ – Corte 70 ② – Porto 135 ②.

Plan page ci-contre

Ostella M sans rest, 4 km rte Ajaccio par ② ✆ 95 33 51 05, , – wc wc ☎ P. AE VISA
22 25 – **30 ch** 200/260.

Posta Vecchia M sans rest, quai Martyrs-de-la-Libération ✆ 95 32 32 38 – wc wc ☎. AE E VISA Y **s**
SC : 20 – **44 ch** 180/260.

Bonaparte sans rest, 45 bd Gén.-Graziani ✆ 95 34 07 10 – wc wc ☎. AE E VISA X **u**
SC : 18,50 – **24 ch** 178/280.

Central sans rest, 3 r. Miot ✆ 95 31 71 12 – wc . Y **f**
SC : 16 – **18 ch** 110/230.

BASTIA

Campinchi (R. César) . . . . . Y
Gaudin (Bd Auguste) . . . . . Z
Napoléon (R.) . . . . Y 23
Paoli (Bd) . . . . YZ
Sari (Av. Émile) X
Sébastiani (Av. Mar.) . . . . XY 37

Carbuccia (R. Gén.) . . . . Z 2
Casale (R. Jean) . . . . Y 3
Docteur-Favale (Cours) . . . Z 6
Donjon (Pl. du) . . . . Z 7
Dragon (R. du) . . . . Z 8
Évêché (R. de l') . . . . Z 9
Guasco (Pl.) . . . . Z 13
Jardins (R. des) . . . . YZ 14
Landry (R. Adolphe) . . . . . . X 15
Letteron (R. Chanoine) . . . . Z 16
L.-de-Casabianca (R. Cdt) . X 18
Marine (R. de la) . . . . YZ 19
Neuve-St-Roch (R.) . . . . . . Y 25
Paroisse (R. de la) . . . . Z 28
Pierangeli (Cours H.) . . . . . Y 29
Pietri (Av. François) . . . . . XY 30
St-François (R.) . . . . Y 32
St-Jean (R.) . . . . Y 33
St-Roch (R.) . . . . Y 35
Salicetti
(R. du Conventionnel) . . Y 36
Terrasses (R. des) . . . . Y 38
Zéphyrs (R. des) . . . . Y 40

XXX **Chez Assunta,** pl. Neuve Fontaine ✆ 95 31 67 06, ☂, « Belle installation dans une ancienne chapelle » – ▤. AE ⓓ VISA Y **a**
fermé janv. et dim. – **R** carte 95 à 150.

XX Bistrot du Port, quai Martyrs-de-la-Libération ✆ 95 32 19 83 ▤ Y **u**

X **La Taverne,** 9 r. Gén.-Carbuccia ✆ 95 31 17 87 – AE ⓓ VISA. ✻ Z **n**
fermé lundi – **R** 60/80.

à Palagaccio par ① : 2,5 km – ✉ **20200** Bastia :

L'Alivi Ⓜ ⛰ sans rest, ✆ 95 31 61 85, ≤ mer et jardin – ⎈ ☎ Ⓟ – 🅐 60. VISA
SC : ☕ 20 – **35 ch** 250/370.

à Pietranera par ① : 3 km – ✉ **20200** Bastia :

Pietracap Ⓜ ⛰ sans rest, D 131 ✆ 95 31 64 63, ≤, ⛱, parc – ☎ Ⓟ. AE ⓓ E VISA
1er mars-30 nov. – SC : ☕ 28 – **22 ch** 230/380.

Cyrnea Ⓜ sans rest, ✆ 95 31 41 71, ≤, ✿ – ⎍wc ☎ 🚗 Ⓟ. ✻
fermé 23 déc. au 1er fév. – SC : ☕ 15 – **20 ch** 115/230.

à Miomo par ① : 5,5 km – ✉ **20200** Bastia.
Voir Erbalunga : village★ N : 4,5 km.

Sablettes, ✆ 95 33 26 13, ≤, ☂ – ⎍wc ⎍wc ☎ 🚗 Ⓟ – *sais.* – **48 ch**.
annexe Motel les Sablettes, (Ⓜ – ⎈ TV ⎍wc ⎍wc – **20 ch**).

à San Martino di Lota par ① et D 31 : 13 km – ✉ **20200** Bastia :

Coin de la Corniche ⛰, ✆ 95 31 40 98, ≤ mer et vallée, ☂ – 🚗 Ⓟ. ✻
fermé janv., dim. soir et lundi sauf du 1er avril au 1er oct. – SC : **R** 55/92 ♁ – ☕ 15 – **15 ch** 90/200 – P 165/295.

à l'Aéroport de Bastia-Poretta par ② 20 km par N 193 et D 507 – ✉ **20290** Lucciana :

Poretta Ⓜ ⛰ sans rest, ✆ 95 36 09 54 – ▤ ⎍wc ☎ Ⓟ. AE E VISA. ✻
SC : ☕ 20 – **31 ch** 250.

à Casamozza par ② : 20 km – ✉ **20290** Borgo.
Env. Chevet★ de l'église San Parteo, église de la Canonica★★ NE : 6 km.

Chez Walter Ⓜ, ✆ 95 36 00 09, ☂, ⛱, ✿, ✂ – TV ⎍wc ☎ ♿ Ⓟ. AE ⓓ VISA
R *(fermé lundi)* 90/160 – ☕ 30 – **32 ch** 230/315 – P 455/480.

MICHELIN, Agence, Z.I. par ② ✆ 95 33 56 00

CITROEN Succursale, N 193, sortie Sud par ② ✆ 95 33 36 09
FIAT Corsauto, N 193 à Furiani ✆ 95 33 50 02
FORD Ets Schmitt, Zone Ind. ✆ 95 33 50 41
PEUGEOT-TALBOT Insulaire-Auto, N 193 Lupino à Furiani par ② ✆ 95 33 50 31 N ✆ 95 31 53 89
RENAULT Doria-Autom., N 193 Lupino par ② ✆ 95 33 09 28
RENAULT Ginanni, 35 r. C.-Campinchi ✆ 95 31 09 02 N ✆ 95 31 46 86

Ⓜ Ferrari, N 193 Précojo à Furiani ✆ 95 33 51 29
Seddas-Pneus, N 193 à Furiani ✆ 95 33 50 49

Bavella (Col de)
2A Corse-du-Sud 90 ⑦ – alt. 1 243 – ✉ **20124** Zonza.

Voir ☼★★★.
Env. E : Forêt de Bavella★★ – Col de Larone ≤★★ NE : 13 km.
Ajaccio 100 – Bastia 132 – Bonifacio 76 – Porto-Vecchio 49 – Propriano 48 – Sartène 46.

X Aub. du Bavella, ✆ 95 57 43 87, ☂ – *sais..*

Bocognano
2A Corse-du-Sud 90 ⑥ – 315 h. alt. 640 – ✉ **20136** Bocognano.

Ajaccio 40 – Corte 43.

Premier Consul ⛰, ✆ 95 27 41 51, ≤, ☂ – ⎍wc ⎍ Ⓟ. ✻
1er avril-30 sept. – SC : **R** 50/70 – ☕ 12 – **15 ch** 120/160 – P 325/365 (pour 2 pers.).

Bonifacio
2A Corse-du-Sud 90 ⑨ **G. Corse** (plan) – 2 736 h. – ✉ **20169** Bonifacio.

Voir Site★★★ – Vieille ville★★ – La Marine★ : Col St-Roch ≤★★ – Phare de Pertusato ☼★ SE : 5 km.
Env. Ermitage de la Trinité ≤★★ NO : 6,5 km – Grotte du Sdragonato★ et tour des falaises★★ 45 mn en bateau.
✈ de Figari, ✆ 95 71 00 22 N : 21 km.
Ajaccio 140 – Bastia 170 – Corte 148 – Sartène 54.

Solemare sans rest, ✆ 95 73 01 06, ≤ – ⎈ ⎍wc ⎍wc ☎ Ⓟ – *(sais.)* – **59 ch**.
Étrangers sans rest, av. S. Bohn ✆ 95 73 01 09 – ⎍wc Ⓟ – **30 ch**.

X **U. Ceppu,** golfe Santa Manza NE : 6 km par D 58 ✆ 95 73 05 83, ≤ – Ⓟ
25 mars-15 oct. et fermé mardi soir et merc. en avril, mai et sept. – SC : **R** 78/135.

à l'Ile Cavallo – ✉ **20169** Bonifacio :

Accès ✆ 95 73 02 70 (Centre d'Accueil de l'île) pour réservation bateau et départ quai Piantarella.

Club des Pêcheurs ⛰, ✆ 95 70 36 39, Télex 460836, ←, ⛱, ⛵, 🌳, 🎾 – ☎. AE ⓓ VISA. ✂ rest
1er juin-21 sept. – SC : **R** carte 200 à 255 – ☕ 60 – **15 ch**, (en sais. pens. seul.) – P 1 300/1 500.

Bussaglia **2A** Corse-du-Sud 90 ⑮ – rattaché à Porto.

Calacuccia **2B** H.-Corse 90 ⑮ – 418 h. alt. 830 – ✉ **20224** Calacuccia – **Voir Site★★ – Tour du lac de barrage★★ – Défilé de la Scala di Santa Régina★★ NE : 5 km – Casamaccioli ←★ SO : 3 km – Chapelle St-Pancrace ←★ NE : 4 km puis 15 mn.**

Cala Rossa **2A** Corse du Sud 90 ⑧ – rattaché à Porto-Vecchio.

Calenzana **2B** H.-Corse 90 ⑭ – 1 623 h. alt. 300 – ✉ **20214** Calenzana.
Voir Église Ste-Restitute★ NE : 1 km.
Ajaccio 164 – Calvi 13 – L'Ile Rousse 28 – Porto 81.

Bel Horizon sans rest, ✆ 95 62 71 72 – ⋒. ✂
avril-sept. – SC : ☕ 15 – **17 ch** 135/155.

Calvi ⟨SP⟩ **2B** H.-Corse 90 ⑬ – 3 636 h. alt. 29 – ✉ **20260** Calvi.
Voir Citadelle★ : fortifications★ – La Marine★.
Env. Belvédère N.-D. de-la-Serra ←★★★ 6 km par ② – ✳★★ de la terrasse de l'église de Montemaggiore 11 km par ① – Excurs. en bateau : Calvi-Girolata★★★.
✈ **de Calvi-Ste-Catherine : Air Inter ✆ 95 65 20 09, par ① : 7 km.**
ℹ Office de Tourisme pl. de la Gare ✆ 95 65 05 87, Télex 460709.
Ajaccio 159 ① – Bastia 93 ① – Corte 96 ① – L'Ile-Rousse 24 ① – Porto 76 ①.

Gd Hôtel sans rest, bd Président-Wilson **(a)** ✆ 95 65 09 74, Télex 460718 – 🛗 ♿ – 🏛 50
sais. – **52 ch**, 6 appartements.

Le Magnolia Ⓜ ⛰, pl. du Marché **(s)** ✆ 95 65 19 16, 🌳 – ▤ 📺 ☎. AE ⓓ. ✂
SC: **R** voir rest. **Île de Beauté** ci-après – ☕ 40 – **14 ch** 320/560.

St-Érasme Ⓜ sans rest, rte Ajaccio par ② : 0,8 km ✆ 95 65 04 50, ← – ⋒wc ☎ Ⓟ. AE ⓓ
1er avril-15 oct. – SC : ☕ 27 – **31 ch** 230/253.

Corsica Ⓜ ⛰, par ①, N 197 et rte Pietra Major : 2,5 km ✆ 95 65 03 64, ←, 🌳 – 🛁wc ⋒wc ☎ Ⓟ
sais. – **48 ch**.

Kallisté, av. Cdt-Marche **(e)** ✆ 95 65 09 81, ←, ⛱, 🌳 – 🛗 🛁wc ⋒wc ☎. AE ⓓ VISA. ✂ rest
1er juin-30 sept. – **R** 72/95 – ☕ 25 – **27 ch** 230/321 – P 370/420.

Balanea Ⓜ sans rest, 6 r. Clemenceau **(n)** ✆ 95 65 00 45, Télex 460540, ← – 🛗 🛁wc ☎. AE ⓓ VISA
SC : ☕ 26 – **36 ch** 260/320.

Résidence des Aloës ⛰ sans rest, quartier Donatéo SO : 1,5 km ✆ 95 65 01 46, ← golfe, 🌳 – 🛁wc ⋒wc ☎ Ⓟ. AE ⓓ VISA
mai-sept. – SC : ☕ 22 – **25 ch** 187/300.

Les Arbousiers ⛰ sans rest, par ① : 0,5 km ✆ 95 65 04 47, ← – 🛁wc ☎ 🚗 Ⓟ. AE. ✂
début mai-début oct. – SC : **40 ch** ☕ 195/225.

tourner →

Caravelle ⑤, à la plage par ① : 0,5 km par N 197 ☎ 95 65 01 21, ≤, pavillons dans un jardin, ☂ – ⋔wc ⓟ. ✻
1er mai-30 sept. – SC : **R** 74/89 – ☕ 16 – **20 ch** 136/192 – P 222/262.

Aria Marina sans rest, rte Ajaccio par ② : 1 km ☎ 95 65 04 42, ≤ – ⊟wc ⋔wc ☎ ⓟ
15 mai-15 oct. – SC : **33 ch** ☕ 225/260.

XXX ✿ **Ile de Beauté,** quai Landry **(r)** ☎ 95 65 00 46, ≤, ☂ – AE ⓞ. ✻
1er mai-23 sept. et fermé merc. sauf du 15 juil. au 15 sept. – **R** carte 200 à 275
Spéc. Huîtres tièdes au citron vert, Fricassée de homard aux morilles, Civet de langouste. **Vins** vins de Corse.

Cap Corse (Tour du) ★★★ 2B H.-Corse 90 ①② – 123 km au départ de Bastia.

Cargèse 2A Corse-du-Sud 90 ⑯ – 898 h. alt. 82 – ✉ **20130** Cargèse.
Voir Église latine ≤★.
Ajaccio 51 – Calvi 108 – Corte 106 – Piana 20 – Porto 32.

Lentisques M ⑤, plage du Pero N : 1,5 km ☎ 95 26 42 34, ≤, ⚘ – ⊟wc ⋔wc ☎ ⓟ – *sais.* – **20 ch**.

Thalassa ⑤, à la plage du Pero N : 1,5 km ☎ 95 26 40 08, ≤, ⛵ – ⊟wc ⋔ ⓟ
sais. – **20 ch**.

La Spelunca sans rest, ☎ 95 26 40 12, ≤ – ⊟wc ☎ 🚗. ✻
Pâques-fin oct. – SC : ☕ 18 – **20 ch** 200/260.

Casamozza 2B H.-Corse 90 ③ – rattaché à Bastia.

Cauro 2A Corse-du-Sud 90 ⑰ – 595 h. alt. 356 – ✉ **20117** Cauro.
Ajaccio 22 – Sartène 64.

XX **Napoléon,** ☎ 95 28 40 78 – VISA
fermé mars et lundi sauf juil.-août – SC : **R** carte environ 120.

à Barracone O : 3 km sur N 196 – ✉ **20117** Cauro :

XX **U Barracone,** ☎ 95 28 40 55, ☂, « Cadre de verdure », ⚘ – ⓟ. AE ⓞ E VISA
fermé 15 janv. au 28 fév. et lundi du 25 sept. au 31 mars – SC : **R** 85.

Centuri-Port 2B H.-Corse 90 ① – 195 h. – ✉ **20238** Centuri.
Voir La Marine★.
Env. ☼★★ du moulin Mattei NE : 6,5 km puis 30 mn.
Ajaccio 212 – Bastia 59 – St-Florent 60.

Vieux Moulin ⑤, ☎ 95 35 60 15, ≤, ☂, ⚘, ✕ – ⋔wc ⓟ. AE ⓞ VISA
1er mars-31 oct. – **R** 85/175 – ☕ 16 – **14 ch** 115/152 – P 210/245.

Corte ⟨SP⟩ 2B H.-Corse 90 ⑤ **G. Corse** (plan) – 5 446 h. alt. 396 – ✉ **20250** Corte.
Voir Site★ – Ville haute★ : belvédère ☼★ – Mosaïques★ dans l'hôtel de ville.
Env. ☼★★ du Monte Cecu N : 7 km – SO : Vallée★★ et forêt★ de la Restonica – SE : Vallée du Tavignano★.
Ajaccio 83 – Bastia 70 – Bonifacio 148 – Calvi 96 – L'Ile-Rousse 72 – Porto 86 – Sartène 141.

Sampiero Corso sans rest, av. Prés.-Pierucci ☎ 95 46 09 76 – ⧉ ⊟wc ⋔wc ☎
sais. – **31 ch**.

Evisa 2A Corse-du-Sud 90 ⑮ – 248 h. alt. 830 – ✉ **20126** Evisa.
Voir Forêt d'Aïtone★★ – Cascades d'Aïtone★★ NE : 3 km puis 30 mn.
Env. Col de Vergio ≤★★ NE : 10 km.
Ajaccio 72 – Calvi 99 – Corte 63 – Piana 33 – Porto 23.

Aïtone, ☎ 95 26 20 04, ≤ vallée, ☂ – ⊟wc ⋔wc – **32 ch**.

Scopa Rossa M ⑤, ☎ 95 26 20 22, ≤, ☂ – ⊟wc ⋔wc 🚗 ⓟ
(sais.) – **25 ch**.

Favone 2A Corse du Sud 90 ⑦ – ✉ **20144** Ste Lucie-de-Porto-Vecchio.
Ajaccio 143 – Bastia 114 – Bonifacio 56.

U Dragulinu ⑤, ☎ 95 57 20 30, ≤, ☂, ⚘ – ⋔wc ☎ ⓟ. VISA. ✻ rest
hôtel : 15 avril-15 oct., rest. : 15 mai-30 sept. – **R** 90/100 – ☕ 25 – **24 ch** 260 – P 290/320.

Feliceto 2B H.-Corse 90 ⑭ – 145 h. alt. 370 – ✉ **20225** Muro.
Ajaccio 156 – Calvi 26 – Corte 73 – L'Ile-Rousse 19.

Gd H. "Mare E Monti" ⑤, ☎ 95 61 73 06, ≤,, ☂, parc – ⊟wc ⋔wc ☎ ⓟ. AE ⓞ
1er mai-30 sept. – SC : **R** 75/150 – ☕ 19 – **18 ch** 88/185 – P 190/230.

Ferayola 2B H.-Corse 90 ⑭ – rattaché à Galéria.

Galéria 2B H.-Corse 90 ⑭ – 306 h. alt. 35 – ✉ **20245** Galéria.
Voir Golfe*.
Env. Croisière Galéria-Porto***.
Ajaccio 133 – Calvi 33 – Porto 50.

Filosorma ⑤, ✆ 95 62 00 02, ←, – wc wc ☎ Ⓟ. rest
15 avril-15 oct. – SC : **R** 71/76 – 18 – **14 ch** 140/190.

L'Auberge avec ch, ✆ 95 62 00 15 –
1er avril-30 sept. – SC : **R** (du 1er juil. à fin sept. dîner seul.) 55/65 – 22 – **6 ch** 115 – P 200.

au Fango E : 6 km sur D 351 – ✉ **20245** Galéria :

A Farera sans rest, ✆ 95 62 01 87 – wc wc Ⓟ. VISA
mai-fin sept. – SC : 20 – **12 ch** 160.

à Ferayola N : 14 km par D 351 et D 81 – ✉ **20260** Calvi :

Aub.de Ferayola ⑤, ✆ 95 62 01 52, ←, , – wc wc Ⓟ. VISA.
1er juin-30 sept. – SC : **R** 71/85 – **10 ch**, (pension seul.) – P 405/473 (pour 2 pers.).

Golfe de la Liscia 2A Corse-du-Sud 90 ⑯ – ✉ **20111** Calcatoggio.
Voir Calcatoggio ←* SE : 5 km.
Ajaccio 26 – Calvi 137 – Corte 96 – Vico 26.

Liscia M sans rest, ✆ 95 52 21 40, ←, , , – cuisinette wc wc ☎ Ⓟ
1er mai-1er oct. – 16,50 – **52 ch** 186/230.

Transat H. de San-Bastiano ⑤ (Hôtel Village), ✆ 95 52 20 35, Télex 460991, , , , , – wc wc ☎, sans Ⓟ – 35 à 200. AE E VISA.
29 avril-28 sept. – SC : **200 ch**, (pension seul.) – P 402/448.

Castel D'Orcino ⑤, à la pointe de Palmentojo ✆ 95 52 20 63, ← golfe, , – wc ☎ Ⓟ. rest
1er mai-30 sept. – SC : **R** (grill) carte environ 100 – 24 – **20 ch** 192/233.

Chez André et Motel Agna Marina avec ch, à **Tiuccia** ✆ 95 52 21 12, ←, , – cuisinette wc ☎ Ⓟ
sais. – **35 ch**.

L'Ile-Rousse 2B H.-Corse 90 ⑬ – 2 632 h. – ✉ **20220** l'Ile-Rousse.
Voir Ile de la Pietra* : phare ←* N : 2 km.
Syndicat d'Initiative pl. Paoli (1er avril-30 sept.) ✆ 95 60 03 72.
Ajaccio 155 – Bastia 69 – Calvi 24 – Corte 72.

La Pietra M ⑤, rte du Port ✆ 95 60 01 45, ← mer et montagne, – wc wc ☎ Ⓟ – **40 ch**.

Cala di l'Oru M ⑤ sans rest, bd Fagota ✆ 95 60 14 75, ← – wc wc ☎ Ⓟ
SC : 18 – **24 ch** 180/260.

Isola Rossa M sans rest, rte du Port ✆ 95 60 01 32, ← – wc ☎ Ⓟ. AE .
fermé 15 janv. au 15 mars – 20 – **20 ch** 163.

Le Grillon, av. P.-Doumer ✆ 95 60 00 49 – wc Ⓟ – **16 ch**.

California, rte du Port ✆ 95 60 01 13, ←, – Ⓟ
1er mars-31 oct. et fermé merc. – **R** 75, carte le dim..

Le Laetitia, sur le Port ✆ 95 60 01 90, ←, – Ⓟ.

CITROEN Pissard, ✆ 95 60 00 73 ✆ 95 60 02 13

à Monticello SE : 3 km – ✉ **20220** l'Ile-Rousse :

A Pastorella ⑤, ✆ 95 60 05 65, ← – wc. rest
fermé 1er nov. au 1er janv. – **R** *(fermé dim. soir et lundi)* 70/90 – 20 – **14 ch** 140/160 – P 270.

Miomo 2B H.-Corse 90 ② – rattaché à Bastia.

Monticello 2B H.-Corse 90 ⑬ – rattaché à l'Ile-Rousse.

Palagaccio 2B H.-Corse 90 ② – rattaché à Bastia.

Petreto-Bicchisano 2A Corse-du-Sud 90 ⑰ – 643 h. alt. 412 – ✉ **20140** Petreto-Bicchisano.
Ajaccio 50 – Sartène 36.

France avec ch, à **Bicchisano** ✆ 95 24 30 55, – Ⓟ – *sais.* – **3 ch**.

Piana 2A Corse-du-Sud 90 ⑮ – 511 h. alt. 435 – ✉ **20115** Piana.
Voir Col de Lava <** S : 1 km.
Env. NO : Route de Ficajola <*** – Capo Rosso <** O : 9 km.
Ajaccio 71 – Calvi 92 – Évisa 33 – Porto 12.

Capo Rosso ⑤, ☎ 95 26 82 40, < mer et golfe, ♣, ≋ – wc ⋒wc ☎ Ⓟ. AE ⓓ VISA. ✻ ch
25 mars-15 oct. – **R** 70/180 – ☕ 25 – **57 ch** 240/320 – P 315.

L'Horizon, rte Cargèse ☎ 95 26 80 07, <, ♣ – ⋒wc Ⓟ. VISA
R 60/70 – ☕ 16 – **15 ch** 139/200 – P 232.

Continental, ☎ 95 26 82 02, ♣ – ⋒wc Ⓟ
1er avril-30 sept. – SC : **R** 60/100 – ☕ 20 – **17 ch** 100/165.

Pietracorbara 2B H.-Corse 90 ② – 229 h. – ✉ **20233** Sisco.
Env. Sisco : chapelle St-Michel <** 30 mn, SO : 12 km.
Ajaccio 173 – Bastia 20.

Pietranera 2B H.-Corse 90 ②③ – rattaché à Bastia.

Pinarello 2A Corse-du-Sud 90 ⑧ – ✉ **20144** Ste-Lucie de Porto-Vecchio.
Ajaccio 151 – Bastia 131 – Bonifacio 47 – Porto-Vecchio 20.

La Tour Gênoise ⑤, ☎ 95 71 44 39, < – ⋒wc ☎ Ⓟ. AE. ✻ rest
1er juin-30 sept. – **32 ch**.

Porticcio 2A Corse-du-Sud 90 ⑰ – ✉ **20166** Porticcio.
Ajaccio 17 – Sartène 80.

Sofitel M ⑤, ☎ 95 25 00 34, Télex 460708, < golfe, ♣, ≋, ▲, ♣, ✂ – |$| ▤ ch TV ☎ Ⓟ – 🏃 100. AE ⓓ E VISA. ✻ rest
SC : rest. **Le Caroubier R** carte 200 à 270 – **100 ch** (1/ 2 pens. seul.), 4 appartements – ½ p 940/1 230.

Le Maquis ⑤, ☎ 95 25 05 55, Télex 460597, <, ♣, ≋, ▲, ♣ – TV ☎ Ⓟ. AE ⓓ VISA
R *(fermé 4 janv. au 4 fév.)* – **22 ch**, (1/2 pension seul.) – ½ p 735/1 140.

Isolella, à Agnarello S : 4,5 km ☎ 95 25 41 36, <, ♣ – wc ⋒wc ☎ Ⓟ
32 ch.

Club, plage de la Viva ☎ 95 25 00 42, <, ♣ – Ⓟ. AE ⓓ VISA
SC : **R** 45/120.

Porticciolo 2B H.-Corse 90 ② – ✉ **20228** Luri.
Ajaccio 178 – Bastia 25.

Caribou ⑤, à la Marine de Porticciolo ☎ 95 35 00 33, <, ≋, ▲, ♣, ✂ – wc ⋒wc ☎ Ⓟ. AE ⓓ E VISA
15 juin-20 sept. – **R** 180/250 – ☕ 25 – **30 ch** 250/500, 10 pavillons – P 450.

Porto 2A Corse-du-Sud 90 ⑮ – ✉ **20150** Ota.
Voir La Marine*.
Env. Golfe de Porto*** : les Calanche*** – en vedette : SO : les Calanche**, NO : réserve de Scandola***, site* de Girolata.
Syndicat d'Initiative 9 rte de la Marine ☎ 95 26 10 55.
Ajaccio 83 – Bastia 135 – Calvi 76 – Corte 86 – Évisa 23.

Capo d'Orto M, ☎ 95 26 11 14, <, ♣, ≋ – wc ☎ Ⓟ. ✻ rest
1er avril-30 sept. – SC : **R** 70/100 – ☕ 18,50 – **30 ch** 180/190.

Le Porto M sans rest, ☎ 95 26 11 20, < – wc ⋒wc ☎ Ⓟ. AE ⓓ E VISA ✻
1er mai-30 sept. – SC : ☕ 20 – **28 ch** 180/220.

Kallisté 2 M sans rest, à la Marine ☎ 95 26 10 30, < – wc ⋒wc ☎ Ⓟ. AE ⓓ VISA
avril-oct. – SC : ☕ 20 – **21 ch** 143/300.

Bella Vista sans rest, ☎ 95 26 11 08, <, ♣ – cuisinette wc ⋒wc. E VISA
30 avril-10 oct. – SC : ☕ 15 – **20 ch** 88/170.

Le Cyrnée, à La Marine ☎ 95 26 12 40, <, ♣ – wc ⋒wc ☎
1er avril-30 sept. – SC : **R** 80 – **10 ch**, (1/2 pension seul.) – ½ p 200.

vers la plage de Bussaglia N : 6 km par D 81 et VO – ✉ **20150** Ota

L'Aiglon ⑤, ☎ 95 26 10 65, <, dans le maquis, ♣, ♣ – wc ⋒wc ☎, sans ▥ Ⓟ. ✻
1er mai-1er oct. – **R** 60/100 – ☕ 22 – **19 ch** 160/210 – P 190/225.

Porto-Pollo 2A Corse-du-Sud 90 ⑱ – ✉ 20140 Petreto Bicchisano.
Ajaccio 60 – Sartène 33.

Les Eucalyptus ⑤, ✆ 95 74 01 52, ≤, 帘, 🐾 – ⋒wc ⓟ. AE ⓞ VISA. ✕
15 mai-1er oct. – SC : **R** 65/98 – ☐ 17 – **24 ch** 195 – P 200/230.

L'Escale, ✆ 95 74 01 54, ≤, 🐾 – ⌂wc ⋒wc ⓟ
(sais.) – **20 ch**.

Kallisté avec ch, ✆ 95 74 02 38, ≤, 帘 – ⋒wc, sans ▥
avril-fin sept. – SC : **R** 60/80 – ☐ 16 – **11 ch** 100/180.

Porto-Vecchio 2A Corse-du-Sud 90 ⑧ – 8 103 h. alt. 70 – ✉ 20137 Porto-Vecchio.
Env. Golfe de Porto-Vecchio★★ – Castello★ d'Arraggio ≤★★ N : 7,5 km.
ℹ Syndicat d'Initiative pl. Hôtel de Ville ✆ 95 70 09 58.
Ajaccio 131 – Bastia 143 – Bonifacio 27 – Corte 121 – Sartène 63.

du Roi Théodore Ⓜ ⑤ sans rest, rte de Bastia : 2 km ✆ 95 70 14 94, ⛱, 🐾, ✕ – ☎ ⓟ – 🏛 60. AE ⓞ VISA
avril-oct. – SC : ☐ 25 – **39 ch** 300/420.

Cala Verde Ⓜ ⑤ sans rest, ✆ 95 70 11 55, ≤ – |🛗| ☎ 🚗 ⓟ. AE ⓞ E VISA
1er mai au 30 sept. – SC : **40 ch** ☐ 420/540.

San Giovanni Ⓜ ⑤, rte d'Arca SO : 3 km par D 659 ✆ 95 70 22 25, ≤, 帘, « parc », ⛱, ✕ – ⌂wc ⋒wc ☎ ♿ ⓟ. VISA. ✕
1er avril-31 oct. – SC : **R** 90/120 – **26 ch** ☐ 215/330 – P 405.

Le Goëland ⑤ sans rest, à La Marine ✆ 95 70 14 15, ≤, ⛵, 🐾 – ⌂wc ⋒wc ☎ ⓟ. ✕
SC : ☐ 25 – **21 ch** 110/230.

La Rivière Ⓜ ⑤, rte de Muratello O : 6 km par D 368, VO et D 159 ✆ 95 70 10 21, 帘, ⛱, ✕ – ⌂wc ☎ ⓟ. AE ⓞ E VISA. ✕ rest
1er avril-15 oct. – SC : **R** 90/100 – **29 ch** ☐ 290/350.

L'Aiglon sans rest, rte du Port ✆ 95 70 13 06 – ⌂wc ☎ ⓟ
1er avril-30 oct. – SC : ☐ 18 – **15 ch** 133/170.

Roches Blanches ⑤, à La Marine ✆ 95 70 06 96, ≤ – ⌂wc ⋒ ☎ ⓟ. AE ✕
1er mai-1er oct. – **R** 90 – ☐ 17 – **15 ch** 82/205.

Le Baladin et le Troubadour, 13 r. Gén.-Leclerc ✆ 95 70 08 62, 帘 – ▤. AE ⓞ E VISA
fermé 1er déc. au 1er fév., sam. midi et dim. du 15 sept. au 15 juin – **R** (du 1er juin au 15 sept. dîner seul.) carte 110 à 205.

Lucullus, r. Gén.-de-Gaulle ✆ 95 70 10 17 – AE ⓞ E VISA
fermé 15 janv. à fin fév., dim. soir et lundi midi du 1er oct. au 1er juin – **R** carte 90 à 145.

sur rte Cala Rossa NE : 7 km par N 198 et D 468 – ✉ 20137 Porto-Vecchio :

Stagnolo ⑤ avec ch, ✆ 95 70 02 07, ≤ golfe, 帘, 🐾 – cuisinette ⋒wc ⓟ. AE ⓞ VISA
hôtel : avril-sept. ; rest. : 15 juin-30 sept. – SC : **R** (dîner seul.) 90 – **26 ch** ☐ 150/400.

à Cala Rossa NE : 10 km par N 198, D 568 et D 468 – ✉ 20137 Porto Vecchio :

Gd H. Cala Rossa ⑤, ✆ 95 71 61 51, Télex 460394, ≤, 帘, « Dans les pins, jardin, plage aménagée » – ▤ rest ☎ ⓟ. AE ⓞ VISA. ✕
10 mai-30 sept. – SC : **R** carte 185 à 270 – **50 ch** ☐ 410/600, (en sais. pension seul.).

PEUGEOT Piétri-Auto, rte de Bonifacio ✆ 95 70 07 32

RENAULT Balesi-Auto, N 198, La Poretta ✆ 95 70 15 55 🅽 ✆ 95 70 21 43

Propriano 2A Corse-du-Sud 90 ⑱ – 3 098 h. – Stat. therm. (fermé déc.) aux Bains de Baracci, NE : 3 km – ✉ 20110 Propriano.
Voir Port★.
ℹ Office de Tourisme 17 r. Gén. de Gaulle ✆ 95 76 01 49.
Ajaccio 73 – Bonifacio 67 – Corte 138 – Sartène 13.

Miramar Ⓜ, ✆ 95 76 06 13, ≤, 帘, « Bel aménagement intérieur, jardin, ⛱ » – ⓟ – 🏛 30. ⓞ. ✕ rest
Pâques-oct. – SC : **R** carte environ 165 – ☐ 30 – **29 ch** 380/500.

Roc é Mare sans rest, ✆ 95 76 04 85, ≤ golfe, ⛵ – |🛗| ⌂wc ⋒wc ☎ ⓟ. AE ⓞ E VISA. ✕ rest
1er mai-30 sept. – SC : ☐ 25 – **60 ch** 285/530.

Ollandini ⑤, rte Barraci NE : 2 km ✆ 95 76 05 10, ⛱, 🐾, ✕ – ⋒wc ☎ ⓟ. AE ⓞ. ✕
mai-fin sept. – SC : **R** 75/100 – ☐ 18 – **51 ch** 230/330.

XX **Lido** avec ch, ☎ 95 76 06 37, ≤, – wc ☎ P. AE ① VISA. ch
mai-fin sept. – SC : **R** carte 120 à 300 – ☐ 20 – **17 ch** 180/250.

X **Le Cabanon,** av. Napoléon ☎ 95 76 07 76, ≤, – AE ① VISA
1er avril-5 oct. – **R** 70/120.

X Casa Corsa, 15 r. 9 Septembre ☎ 95 76 05 93 – AE ① VISA.

PEUGEOT Casabianca, rte Corniche ☎ 95 76 00 91

RENAULT Vesperini, N 196 Arconcello ☎ 95 76 04 08

Quenza 2A Corse-du-Sud 90 ⑦ – 229 h. alt. 800 – ✉ **20122** Quenza.

Ajaccio 84 – Bonifacio 74 – Porto-Vecchio 47 – Sartène 44.

Sole e Monti, ☎ 95 78 62 53, ≤, – wc wc P. AE VISA. rest
15 mai-15 sept., 20 déc.-1er janv. et vacances de fév. – **R** 72/95 – ☐ 25 – **20 ch** 130/350 – P 234/344.

Sagone 2A Corse-du-Sud 90 ⑯ – ✉ **20118** Sagone.

Voir Golfe de Sagone★.

Ajaccio 38 – Piana 33 – Porto 45.

X La Rascasse, ☎ 95 28 02 22 – *sais.*

St-Florent 2B H.-Corse 90 ③ – 1 217 h. – ✉ **20217** St-Florent.

Voir Anc. cathédrale de Nebbio★★ – Vieille Ville★.

Env. Col de San Stéfano ≤★★ S : 13 km – Défilé de Lancone★★ SE : 13 km.

Office de Tourisme (1er avril-30 oct.) ☎ 95 37 06 04.

Ajaccio 176 – Bastia 23 – Calvi 70 – Corte 93 – L'Ile-Rousse 46.

Dolce Notte M , ☎ 95 37 06 26, ≤, , – wc wc ☎ P. rest
mars-nov. – SC : **R** (dîner seul.) carte environ 115 – ☐ 23 – **24 ch** 210/310.

XX **La Rascasse,** Résidence les Arcades ☎ 95 37 06 99, – ▤. AE VISA
1er avril-31 oct. et fermé mardi sauf de juin à sept. – **R** carte 100 à 180.

au Nord 2 km par D 81 et voie privée – ✉ **20217** St-Florent :

Bungalows de Treperi sans rest, ☎ 95 37 02 75, ≤ mer et montagne – cuisinette wc P
1er avril-15 oct. – SC : ☐ 22 – **20 ch** 150/250.

San-Martino-di-Lota 2B H.-Corse 90 ② – 2 183 h. – voir à Bastia.

San Pellegrino 2B H.-Corse 90 ④ – ✉ **20213** Castellare di Casinca.

Ajaccio 147 – Bastia 34 – Corte 64 – Porto-Vecchio 115.

San Pellegrino (H. pavillonnaire) , à Folelli-Plage ☎ 95 36 90 61, Télex 460398, ≤, parc, , , – cuisinette wc wc ☎ P. AE E VISA. rest
2 mai-10 oct. – SC : **R** 83 – ☐ 21 – **105 ch** 190/247 – P 258/299.

Santa-Maria-Sicché 2A Corse-du-Sud 90 ⑰ – 439 h. alt. 480 – ✉ **20190** Santa-Maria-Sicché.

Ajaccio 36 – Sartène 53.

Santa Maria, ☎ 95 25 72 65, ≤ – wc wc ☎ – **22 ch.**

Sant'Antonino 2B H.-Corse 90 ⑬ – 79 h. alt. 497 – ✉ **20269** Aregno.

Voir ≤★★ – Village★ – Aregno : église de la Trinité★ S : 5 km.

Env. Col de Salvi ≤★★ SO : 6 km – Lavatoggio : ≤★ de la terrasse de l'église.

Sartène SP 2A Corse-du-Sud 90 ⑱ **G. Corse** (plan) – 3 184 h. alt. 305 – ✉ **20100** Sartène.

Voir Vieille ville★★ – Procession de Catenacciu★★ (vend. Saint) – Foce : belvédère ≤★★ E : 5 km.

Ajaccio 86 – Bastia 178 – Bonifacio 54 – Corte 141.

Villa Piana M sans rest, rte Propriano ☎ 95 77 07 04, ≤, parc, – wc ☎ P – 60. ① VISA.
20 mai-20 sept. – SC : ☐ 19 – **32 ch** 200/240.

XX **Aub. Santa Barbara,** rte de Propriano ☎ 95 77 09 06, ≤, , – P. VISA
15 mars-15 oct. et week-ends du 15 oct. au 31 déc. – **R** 110 .

X **La Chaumière,** 39 r. Capitaine Benedetti ☎ 95 77 07 13 – AE ① VISA
fermé janv. et dim. hors sais. – **R** carte 100 à 150 .

RENAULT Gar. Le Rond-Point, r. J.-Nicoli ☎ 95 77 02 14

Soccia 2A Corse-du-Sud 90 ⑮ – 172 h. – ✉ **20125** Soccia.
Ajaccio 70 – Calvi 139 – Corte 99 – Vico 18.

U Paese ⑤, ☎ 95 28 31 92, ← – ⊟wc ☎. ℗. ✻
SC : **R** 65/110 – ☐ 17 – **22 ch** 120/168 – P 183/210.

Solenzara 2A Corse-du-Sud 90 ⑦ – ✉ **20145** Solenzara.
Ajaccio 131 – Bastia 103 – Bonifacio 67 – Sartène 77.

Maquis et Mer Ⓜ sans rest, ☎ 95 57 42 37 – ⊟wc ⊓wc ☎ ℗. AE ⓓ E VISA
fermé nov. – SC : ☐ 25 – **50 ch** 240/320.

Solenzara sans rest, ☎ 95 57 42 18, ⌂ – ⊟wc ⊓wc ♿ ℗. E
1er avril-1er nov. – SC : ☐ 15 – **27 ch** 103/180.

Speloncato 2B H.-Corse 90 ⑬ – 191 h. alt. 550 – ✉ **20281** Speloncato.
Voir ←★.
Ajaccio 150 – Calvi 32 – Corte 67 – L'Ile-Rousse 19.

Spelunca ⑤, ☎ 95 61 31 21 – ⊓wc
1er avril-1er oct. – SC : **R** 70/100 – ☐ 17 – **15 ch** 125/200 – P 270.

Tiuccia 2A Corse-du-Sud 90 ⑯ – rattaché à Golfe de la Liscia.

Venaco 2B H.-Corse 90 ⑤ – 747 h. alt. 600 – ✉ **20231** Venaco.
Voir Col de Bellagranajo ✻★★ N : 3 km – Pont du Vecchio ←★ S : 5 km.
Env. Col de Morello ←★★ SE : 14,5 km.
Ajaccio 71 – Corte 12 – Sartène 128.

Paesotel E Caselle ⑤, au SE : 5 km par D 43 ✉ 20231 Venaco ☎ 95 47 02 01, ←, « Pavillons dans le maquis », ⛱, ✂ – cuisinette ⊟wc ⊓wc ☎ ℗. AE ⓓ VISA. ✻ rest
27 avril-30 sept. – **R** carte 100 à 170 ♁ – ☐ 38 – **47 ch** 248/300 – P 535.

Le Torrent ⑤, à St-Pierre-de-Venaco N : 4 km par N 193 ✉ 20250 Corte ☎ 95 47 00 18, ⌂, ⌂ – ⊓wc ℗
juin-début oct. – SC : **R** 62/160 – ☐ 20 – **25 ch** 115/160 – P 310/380 (pour 2 pers.).

Vero 2A Corse-du-Sud 90 ⑯ – 241 h. alt. 430 – ✉ **20133** Ucciani.
Ajaccio 27 – Cargèse 65 – Corte 62.

Aub. Mamy, à La Vignole SO : 5 km sur N 193 ☎ 95 52 80 37 – ℗
fermé fév., 1er au 15 mars, dim. soir et merc. – SC : **R** *(prévenir)* carte 90 à 155.

Vico 2A Corse-du-Sud 90 ⑮ – 1 312 h. alt. 385 – ✉ **20160** Vico.
Voir Couvent St-François : christ en bois★ dans l'église conventuelle.
Ajaccio 52 – Calvi 121 – Corte 81.

U Paradisu ⑤, ☎ 95 26 61 62, ← – ⊓wc ☎. AE VISA. ✻ ch
R 80/120 – ☐ 16 – **23 ch** 180/200 – P 190/210.

Vizzavona (Col de) 2B H.-Corse 90 ⑥ – alt. 1 161 – ✉ **20219** Vivario.
Voir Forêt★★.
Ajaccio 49 – Bastia 104 – Bonifacio 144 – Corte 34.

Monte d'Oro, ☎ 95 47 21 06, ←, ⑤ en forêt, ⌂, ✂ – ℗. ✻ rest
1er juil.-15 sept. – **R** 95/130 ♁ – ☐ 25 – **45 ch** 135/220 – P 223/260.

Zicavo 2A Corse-du-Sud 90 ⑦ – 269 h. alt. 730 – ✉ **20132** Zicavo.
Ajaccio 63 – Bonifacio 114 – Corte 81 – Porto-Vecchio 87 – Sartène 60.

Tourisme, ☎ 95 24 40 06, ← – ⊓wc. ✻ ch
R 47/60 – ☐ 12,50 – **15 ch** 90/120 – P 210.

Zonza 2A Corse-du-Sud 90 ⑦ – 1 503 h. alt. 784 – ✉ **20124** Zonza.
Ajaccio 91 – Aleria 56 – Bonifacio 67 – Corte 128 – Porto-Vecchio 40 – Sartène 37.

Incudine, ☎ 95 78 42 76, ⌂ – ⊟wc. VISA
Pâques-fin sept. – SC : **R** 70/90 – ☐ 20 – **10 ch** 150/180 – P 440 (pour 2 pers.).

Tourisme avec ch, ☎ 95 78 42 31 – ⊓ – **10 ch**.

CORVOL-L'ORGUEILLEUX 58460 Nièvre 65 ⑭ – 868 h. alt. 175.

Paris 219 – La Charité-sur-Loire 44 – Clamecy 11 – Cosne-sur-Loire 44 – Nevers 62.

Aub. du Dr. Minxit, ☎ 86 29 12 81, – wc
fermé 10 au 25 juin, 10 au 30 janv. et mardi – SC : **R** 38/75 – 14,50 – **10 ch** 71/140 – P 130/170.

COSNE-D'ALLIER 03430 Allier 69 ⑫ **G. Auvergne** – 2 464 h. alt. 230.

Paris 307 – Montluçon 25 – Moulins 42 – St-Amand-Montrond 47 – St-Pierre-le-Moutier 51.

Globe, ☎ 70 07 50 26 wc. E
fermé dim. soir en hiver et lundi – SC : **R** 43/150 – 12 – **8 ch** 49/92 – P 150/170.

CITROEN Larnaud, 82 r. République ☎ 70 07 50 01

PEUGEOT-TALBOT Dubost, ☎ 70 07 57 07 N
Nivel, 7 rte de Montluçon ☎ 70 07 51 39

COSNES-ET-ROMAIN 54 M.-et-M. 57 ② – rattaché à Longwy.

COSNE-SUR-LOIRE 58200 Nièvre 65 ⑬ **G. Bourgogne** – 11 084 h. alt. 148.

Office de Tourisme 17 r. A.-Baudin (15 juin-15 sept.) ☎ 86 28 11 85.

Paris 186 ① – Auxerre 74 ① – Bourges 62 ④ – Montargis 73 ① – Nevers 52 ③ – ♦Orléans 105 ①.

COSNE-SUR-LOIRE

St-Jacques (R. et) 22

Baudin (R. Alphonse) 2
Buchet-Desforges (R.) 4
Clemenceau (Pl. G.) 5
Dr-J.-Moineau (Pl. du) 6
Donzy (R. de) 7
Frères-Gambon (R. des) 8
Gambetta (R.) 9
Gaulle (R. du Général de) 12
Leclerc (R. du Général) 13
Pêcherie (Pl. de la) 14
Pelletan (R. Eugène) 16
République (Bd de la) 17
Rousseau (R. W.) 18
St-Agnan (R.) 21
Victor-Hugo (R.) 24
Vieille-Route (R.) 25
14-Juillet (R. du) 26

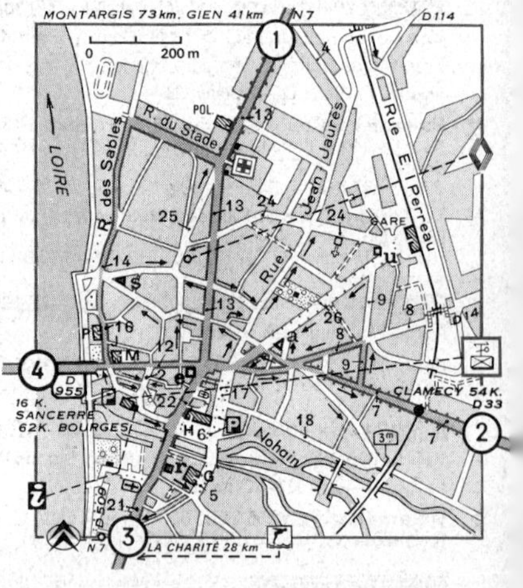

Pour un bon usage des plans de villes, voir les signes conventionnels p. 23.

Gd Cerf, 43 r. St-Jacques **(e)** ☎ 86 28 04 46 – wc wc . E VISA
fermé 15 déc. au 15 janv., dim. soir et lundi midi – SC : **R** 40/120 – 12,50 – **20 ch** 55/160 – P 175.

St-Christophe, pl. Gare **(u)** ☎ 86 28 02 01 – . VISA. rest
fermé 15 déc. au 1er janv., vacances de fév. et vend. – SC : **R** 52/91 – 14,50 – **15 ch** 55/76.

Sévigné, 16 r. du 14 juillet **(a)** ☎ 86 28 27 50 – AE E VISA
fermé oct. et lundi – SC : **R** 70/110 .

La Panetière, 18 pl. Pêcherie **(s)** ☎ 86 28 11 70
fermé 1er au 15 sept., vacances de fév., dim. soir et lundi – SC : **R** 80.

Vieux Relais avec ch, 11 r. St-Agnan **(r)** ☎ 86 28 20 21 – wc . AE E VISA
fermé fév. et vend. – SC : **R** 64/130 – 24 – **11 ch** 133/210 – P 300/350.

rte de Cours NE : 2 km par D114 :

Aub. à la Ferme , ☎ 86 28 15 85, ←, – wc
fermé 15 déc. au 15 fév. et merc. hors sais. – SC : **R** 45/108 – 17 – **11 ch** 170 – P 225/250.

à Myennes par ① : 4 km – 58440 Myennes :

Aub. des Croquets, ☎ 86 28 18 23 – TV wc wc
18 ch.

ALFA-ROMEO AUSTIN-ROVER Lacroix, 20 r. 14 Juillet ✆ 86 28 19 09
BMW, OPEL Doubre, 235 r. Frères Gambon ✆ 86 28 27 31 N
CITROEN Gar. GR.V., 22 r. du Gros Orme ✆ 86 28 53 66
PEUGEOT-TALBOT Gar. du Nivernais, N 7 Sud par ③ ✆ 86 28 22 52

RENAULT Gar. Séry, 25 bis r. Pasteur ✆ 86 28 15 47
RENAULT Ets Simonneau, 80 av. du 85e par ③ ✆ 86 28 27 34

Benoît, 33 r. Ch.-Floquet ✆ 86 28 08 59
Cosne-Pneus, N 7, à l'Escargotière ✆ 86 28 23 70

COSTAROS 43490 H.-Loire 76 ⑰ – 498 h. alt. 1 070.
Paris 525 – Aubenas 72 – Cayres 5,5 – Langogne 23 – Le Puy 19.

Au Bec Fin, N 88 ✆ 71 57 16 22
fermé 28 juin au 14 juil. et 6 au 14 fév. – SC : **R** 55/90.

COSTEBELLE 83 Var 84 ⑯ – rattaché à Hyères.

Le COTEAU 42 Loire 73 ⑦ – rattaché à Roanne.

La CÔTE-ST-ANDRÉ 38260 Isère 77 ③ **G. Vallée du Rhône** (plan) – 4 374 h. alt. 374.
Paris 531 – •Grenoble 49 – •Lyon 65 – La Tour-du-Pin 36 – Valence 84 – Vienne 41 – Voiron 30.

France avec ch, pl. Église ✆ 74 20 25 99 – rest wc
fermé 4 au 12 août, 13 janv. au 13 fév., rest. seul. : lundi sauf fériés et dim. soir – SC : **R** 70/220 – 22 – **20 ch** 78/160 – P 160/200.

CITROEN Mary, ✆ 74 20 50 99
PEUGEOT-TALBOT Marazzi, ✆ 74 20 32 33

COTIGNAC 83 Var 84 ⑤⑥ **G. Côte d'Azur** – 1 628 h. alt. 260 – ✉ **83570** Carcès.
Syndicat d'Initiative cours Gambetta ✆ 94 04 61 87.
Paris 836 – Brignoles 24 – Draguignan 36 – St-Raphaël 66 – Ste-Maxime 68 – •Toulon 70.

Lou Calen, 1 crs Gambetta ✆ 94 04 60 40, ≤, – wc. AE E VISA
mars-oct. – SC : **R** *(fermé jeudi)* 80/179 – 28 – **17 ch** 270/365 – P 281/371.

Mas de Cotignac, S : 3 km sur D 13 (rte de Carcès) ✆ 94 04 66 57, –
fermé du 1er au 15 fév. et merc. de sept. à juin – SC : **R** 89/135.

La COTINIÈRE 17 Char.-Mar. 71 ⑬⑭ – voir à Oléron (Ile d').

COU (Col de) 74 H.-Savoie 70 ⑰ – rattaché à Habère-Poche.

COUBERT 77 S.-et-M. 61 ②, 196 ㉝, 101 ㊵ – 1 190 h. alt. 92 – ✉ **77170** Brie-Comte-Robert.
Paris 39 – Coulommiers 39 – Evry 28 – Melun 15 – Provins 49.

Aub. de l'Écureuil, N 19 ✆ (1) 64 06 71 29 –
fermé 2 au 9 avril, 5 au 27 août, 24 au 31 déc. et merc. – SC : **R** 48 bc/145 bc.

COUCHES 71490 S.-et-L. 69 ⑧ **G. Bourgogne** – 1 532 h. alt. 350.
Paris 325 – Autun 25 – Beaune 34 – Le Creusot 16 – Chalon-sur-Saône 28.

Tour Bajole, ✆ 85.45.54.54 – E VISA
fermé 1er au 19 juil., mardi soir et merc. – SC : **R** 47/123.

COUCOURON 07470 Ardèche 76 ⑰ **G. Vallée du Rhône** – 671 h. alt. 1 139.
Paris 554 – Langagne 25 – Privas 86 – Le Puy 48.

Carrefour des Lacs, ✆ 66 46 12 70 – wc wc . E VISA
fermé 15 nov. au 15 déc. – SC : **R** 46/157 – 13 – **19 ch** 78/160 – P 158/169.

Garage Bonnet, ✆ 66 46 10 08 N

Le COUGOU 44 Loire-Atl. 63 ⑮ – rattaché à Guenrouet.

COUHÉ 86700 Vienne 68 ⑬ – 2 004 h. alt. 130.
Paris 370 – Confolens 65 – Montmorillon 61 – Niort 56 – Poitiers 36 – Ruffec 30.

Chêne Vert, rte des Bons Enfants ✆ 49 59 20 42 – wc . E VISA
fermé sam. de nov. à fév. – **R** 65/86 – 15 – **10 ch** 80/100 – P 140/150.

CITROEN Senelier, ✆ 49 59 22 30
RENAULT Gar. François ✆ 49 59 20 45

COULANDON 03 Allier 69 ⑭ – rattaché à Moulins.

COULANGES-SUR-YONNE 89480 Yonne 65 ⑮ – 597 h. alt. 148.
Paris 200 – Auxerre 34 – Avallon 47 – Clamecy 9 – Gien 84 – Montargis 95 – Toucy 35.

Lion d'Or, ✆ 86 42 71 72 –
fermé 7 au 22 oct., 20 déc. au 15 janv. et lundi du 15 sept. au 1er juil. – SC : **R** 50/90 – 14 – **14 ch** 72/130 – P 150/180.

COULOMBS 28 E.-et-L. 60 ⑧, 196 ㉖ – rattaché à Nogent-le-Roi.

COULOMMIERS 77120 S.-et-M. 61 ③, 196 ㉔ – 12 251 h. alt. 73.

Office de Tourisme 11 r. Gén.-de-Gaulle ✆ (1) 64 03 51 91.

Paris 61 ④ – Châlons-sur-Marne 107 ③ – Château-Thierry 42 ② – Créteil 54 ④ – Meaux 29 ④ – Melun 46 ③ – Provins 38 ③ – Sens 76 ③.

COULOMMIERS

Beaurepaire (R.) 2
Flornoy (R. Bertrant) ... 9
Marché (Pl. du) 13
Pêcherie (R. de la) 21

Brie (Av. Jehan-de) 3
Capucins (R. des) 4
Clavier (R. Marcel) 6
Cordier (R. Martial) 7
Dr-René-Arbeltier (R. du) 8
Gambetta (Cours) 10
Gaulle (R. Gén.-de) 12
Moulins (R. des) 16
Palais-de-Justice (R. du) 17
Pasteur (Pl.) 19
Patras (R.) 20
Prouharam (R. Abel) ... 23
Rebais (Av. de) 24
République (Av. de la) . 25
Strasbourg (Av. de) ... 27
Varennes (R. de) 28
27-Août (Pl. du) 30

Benutzen Sie bitte immer die neuesten Ausgaben der Michelin-Straßenkarten und-Reiseführer.

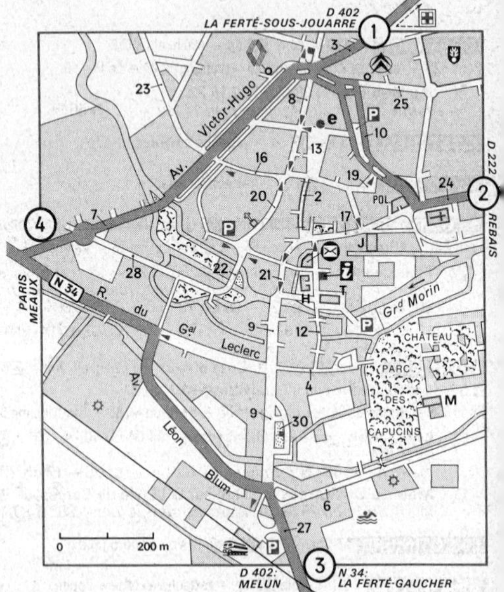

XX **Central,** 34 pl. Marché **(e)** ✆ (1) 64 03 01 69 – AE ⓓ E VISA. ✱
fermé 18 août au 4 sept., 24 fév. au 12 mars, dim. soir, lundi soir et mardi sauf fêtes – **R** 94/180.

X **Aub. de Montapeine,** 72 av. Strasbourg par ③ ✆ (1) 64 03 09 16, 余 – AE E VISA
fermé 18 août au 10 sept., lundi (sauf midi de fêtes), merc. soir et dim. soir – SC : **R** 60/75 ₰.

à Boissy-le-Chatel par ② : 4 km – ✉ **77169** Boissy-le-Chatel :

Place, ✆ (1) 64 03 08 47 – ⋒wc ☎. VISA
SC : **R** *(fermé lundi)* 55/120 ₰ – **7 ch** ⊏ 110/202.

à Chauffry par ② et D 66 : 8 km – ✉ **77169** Boissy-le-Châtel :

XXX **Taverne du Pot d'Étain,** ✆ (1) 64 20 42 08, 余 – VISA
fermé fév., lundi soir et mardi – **R** 150/250.

CITROEN Filiale Gautier, 11 av. République ✆ (1) 64 03 81 00
PEUGEOT-TALBOT Riester, bd de la Marne, Zone Ind. par ③ ✆ (1) 64 03 01 92
RENAULT Metz, 23 av. V.-Hugo ✆ (1) 64 03 32 33

La Centrale du Pneu, 22 av. V.-Hugo ✆ (1) 64 03 01 95

COULON 79 Deux-Sèvres 71 ② **G. Côte de l'Atlantique** – 1 662 h. alt. 15 – ✉ **79270** Frontenay-Rohan-Rohan.

Voir Marais poitevin★ (promenades en barque★★, 1 h à 1 h 30).

Syndicat d'Initiative pl. Colombier (15 juin-15 sept.) ✆ 49 35 90 26.

Paris 417 – Fontenay-le-Comte 26 – Niort 11 – La Rochelle 59 – St-Jean-d'Angély 46.

XX **Central** avec ch., pl. Église ✆ 49 35 90 20, 余 – ⋒. E VISA
1er mai-20 sept. et fermé dim. soir et lundi – SC : **R** 90/118 – ⊏ 12.50 – **11 ch** 65/100.

XX **Au Marais** ⛵ avec ch, 46 quai Louis-Tardy ✆ 49 35 90 43, ← – ⇔wc ☎. VISA
fermé mi-déc. à mi-janv. – SC : **R** *(fermé lundi sauf juil.-août et dim. soir)* 70/110 – ⊏ 16,50 – **11 ch** 150/170.

à la Sotterie SO par D 123 : 3 km – ✉ **79270** Frontenay-Rohan-Rohan :

XX **Aub. de l'Écluse,** ☎ 49 35 90 42 – Ⓟ
fermé 1er au 20 oct., 2 au 15 janv., lundi soir et mardi sauf fêtes – **SC** : **R** 85/150.

COUPIAC **12550** Aveyron 80 ② – 718 h.
Paris 677 – Albi 65 – Rodez 69 – St-Affrique 50.

Host. Renaissance ⛰, ☎ 65 99 78 44, ≤ – wc
SC : **R** 45/130 – 17 – **10 ch** 90/120 – P 160/250.

COURBÉPINE **27** Eure 55 ⑭ – rattaché à Bernay.

COURBEVOIE **92** Hauts-de-Seine 55 ⑳, 101 ⑭ – voir à Paris, Environs.

COURCHEVEL **73120** Savoie 74 ⑱ **G. Alpes** – Sports d'hiver : 1 300/2 700 m 10 54, .
De Courchevel 1850 par ① Paris 621 – Bozel 17 – Brides-les-Bains 18 – Chambéry 97 – Moûtiers 24.

à Courchevel 1850.

Voir ★.

Env. SO : Sommet de la Saulire ★★ télécabine puis téléphérique.

Altiport ☎ 79 08 00 49 SE : 4 km.

Office de Tourisme La Croisette ☎ 79 08 00 29, Télex 980083.

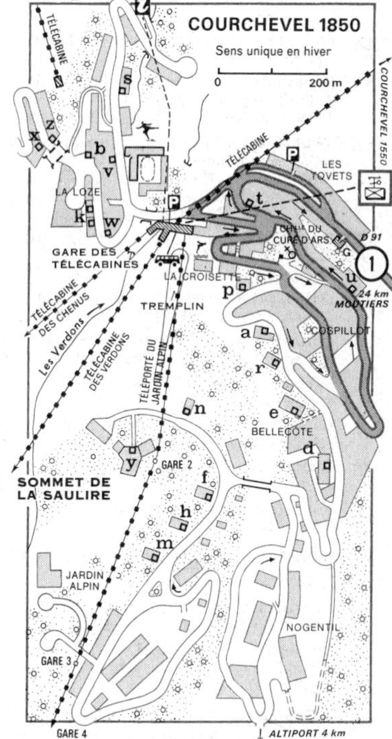

Byblos des Neiges Ⓜ ⛰, au jardin Alpin **(y)** ☎ 79 08 12 12, Télex 980580, ≤, – Ⓟ – 50. AE VISA. rest
20 déc.-15 avril – **SC** : **R** 210/280 **Les Arches R** (dîner seul.) carte 285 à 385 – **61 ch** (pens. seul.), 8 appartements – P 1 150/1 700.

Annapurna Ⓜ ⛰, rte Altiport ☎ 79 08 04 60, Télex 980324, ≤ la Saulire, – Ⓟ – 50. AE E VISA. rest
mi-déc.-Pâques – **SC** : **R** 250 – 80 – **68 ch** (pens. seul.) – P 1 050/1 450.

❁ Carlina ⛰, **(a)** ☎ 79 08 00 30, Télex 980248, ≤, – Ⓟ – *sais.* – **59 ch**.

❁ **H. Pralong 2000** (Parveaux) Ⓜ ⛰, rte Altiport ☎ 79 08 24 82, Télex 980231, ≤ cirque de montagnes, – Ⓟ – 40. AE E VISA
20 déc.-15 avril – **SC** : **R** 230 – **Le Paral** (sous-sol) *(fermé lundi)* **R** (dîner seul.) carte 200 à 280 – **68 ch** (pens. seul.), 4 appartements – P 600/1 050

Spéc. Poêlée de barbue sauce citron, Pièce de boeuf en marinade, Tarte fine aux pommes sauce caramel. **Vins** Apremont, Chautagne.

Bellecôte Ⓜ ⛰, **(d)** ☎ 79 08 10 19, Télex 980421, ≤ vallée, – Ⓟ. AE E VISA.
20 déc.-20 avril – **SC** : **R** 180/250 – 55 – **56 ch** (pens. seul.) – P 825/1 300.

Gd H. Rond-Point des Pistes, (b) ☎ 79 08 02 69, ≤, – Ⓟ. AE VISA. rest
14 déc.-15 avril – **SC** : **R** 185/200 – 42 – **41 ch** (pens. seul.) – P 640/825.

Lana Ⓜ ⛰, **(p)** ☎ 79 08 01 10, Télex 980014, ≤, – Ⓟ. AE VISA. rest
20 déc.-19 avril – **SC** : **R** 240/300 – 55 – **64 ch** (pens. seul.), 8 appartements – P 1 100/1 400.

Neiges M, **(e)** 79 08 03 77, Télex 980463, ≤, – ▣ TV ☎ P – 25. ✻
Noël-Pâques – SC : **R** 235 – ☐ 50 – **56 ch** (pens. seul.) – P 695/900.

✿✿ **Chabichou** (Rochedy) M, **(z)** 79 08 00 55, Télex 980416, ≤, – TV ☎
15 déc.-15 avril – SC : **R** 150/260 et carte – ☐ 65 – **31 ch**, (1/2 pens. seul) 5 appartements – 1/2 p 595/860
Spéc. Ravioles de homard, Ris de veau aux écrevisses pattes rouges, Parfait framboises. **Vins** Chignin, Gamay de Chautagne.

Savoy M, **(r)** 79 08 01 33, Télex 309187, ≤, – ▣ ☎ P. AE. ✻ rest
19 déc.-Pâques – SC : **R** 190/210 – ☐ 45 – **36 ch**, (1/2 pens. seul.) – 1/2 p 440/735.

Ducs de Savoie M, au Jardin Alpin **(f)** 79 08 03 00, Télex 980360, ≤, – ▣ ☎. AE ◐ VISA. ✻
20 déc.-15 avril – SC : **R** 180 – **40 ch** ☐ 400/460, (en sais. pension seul.) – P 450/530.

La Sivolière M, NO :1 km 79 08 08 33, ≤ – TV ☎. ✻
1er déc.-1er mai – SC : **R** (pour résidents seul.) 60/220 – ☐ 45 – **25 ch** 330/725.

Airelles M, au Jardin Alpin **(h)** 79 08 02 11, Télex 980190, ≤, – ▣ TV ☎. ✻
15 déc.-vacances de Pâques – SC : **R** 140 – ☐ 35 – **44 ch** (Pens. seul.) – P 371/572.

Crystal 2000 M, rte Altiport 79 08 28 22, Télex 309170, ≤ montagnes, – ▣ TV ☎ P – 60. AE ◐ E VISA
20 déc.-15 avril – SC : **R** 155 – **44 ch**, (1/2 pens. seul.), 7 appartements – 1/2 p ☐ 395/550.

La Loze M sans rest, **(w)** 79 08 28 25 – ▣ TV ☎. AE E VISA. ✻
15 déc.-21 avril – SC : **26 ch** ☐ 805/850.

Caravelle M, au Jardin Alpin **(m)** 79 08 02 42, Télex 980821, ≤, – ▣ ☎ P – 45. VISA. ✻
1er déc.-30 avril – SC : **R** 165 – ☐ 36 – **50 ch**, (1/2 pens. seul.) – 1/2 p 335/600.

✿ **Pomme de Pin et rest. le Bâteau Ivre** (Jacob) M, **(x)** 79 08 02 46, ≤ vallée et montagnes – ▣ TV ☎
Noël-Pâques – **R** carte 220 à 300 – ☐ 40 – **36 ch** 280/420 – P 480/590
Spéc. Salade tiède de langoustines, St-Jacques au foie gras de canard, Blanc de volaille aux poireaux. **Vins** Chignin, Pinot de Savoie.

New Solarium, au Jardin Alpin **(n)** 79 08 02 01, ≤, – ▣ TV wc wc ☎. AE ◐ VISA. ✻ rest
15 déc.-15 avril – SC : **R** 170 – ☐ 40 – **70 ch** (pens. seul.) – P 515/980.

Dahu, (v) 79 08 01 18, Télex 309189, ≤ – wc wc. ✻
15 déc.-fin avril – SC : **R** 110/160 – **28 ch** ☐ 350 – P 390/420.

Tournier, (k) 79 08 03 19 – wc ☎. VISA. ✻ rest
20 déc.-19 avril – SC : **R** 245 – ☐ 50 – **30 ch** (pens. seul.) – P 530/600.

L'Albaron M, **(s)** 79 08 03 57, ≤ – wc wc ☎
sais. – **30 ch**.

Le Chamois sans rest, **(k)** 79 08 01 56, ≤ – cuisinette TV wc wc ☎
20 déc.-20 avril – SC : **30 ch** ☐ 440/590, 8 studios 920.

Catina, (t) 79 08 00 57 – ▣ wc ☎. E VISA. ✻
15 déc.-23 avril – SC : **R** 150/180 – ☐ 30 – **35 ch** (pens. seul.) – P 372.

Aub. Ensoleillée, **(u)** 79 08 05 38 – wc wc ☎ P
sais. – **30 ch**.

à Courchevel 1650 (Moriond) par ① : 3,5 km – ✉ **73120** Courchevel.

Office de Tourisme (saison) 79 08 03 29.

Portetta M, 79 08 01 47, ≤, – ▣ ☎. ✻
15 déc.-15 avril – SC : **R** 95 – **52 ch** (pens. seul.) – P 265/425.

Le Signal, 79 08 26 36, ≤ – wc wc. ✻
fermé 20 avril au 20 juin, sam. et dim. du 15 sept. au 15 déc. – SC : **R** 65/150 – **28 ch** ☐ 210/260 – P 220/300.

à Courchevel 1550 par ① : 5,5 km – ✉ **73120** Courchevel.

Office de Tourisme (saison) 79 08 04 10.

Lamay M, 79 08 27 66, ≤ – ▣ TV wc ☎ P. ✻ rest
8 déc.-30 avril – SC : ☐ 35 – **35 ch** (pens. seul.) – P 396/450.

L'Adret d'Ariondaz, 79 08 00 01, Télex 309168, ≤ – wc ☎. E VISA. ✻
20 déc.-20 avril – SC : **R** 90 – ☐ 20 – **33 ch** (pens. seul.) – P 300/360.

au Praz-St-Bon par ① : 8 km – alt. 1 300 – ✉ **73120** Courchevel :

Peupliers M, 79 08 11 61, ≤ – ▣ TV wc ☎. AE VISA. ✻ rest
fermé oct. et nov. – SC : **R** 99/240 – ☐ 28 – **32 ch** 160/320 – P 256/340.

COUR-CHEVERNY 41 L.-et-Ch. 64 ⑰⑱ – 2 130 h. alt. 89 – ✉ 41700 Contres.

Voir Château de Cheverny★★ : les appartements★★★ S : 1 km – Porte★ de la Chapelle du Château de Troussay SO : 3,5 km, G. Châteaux de la Loire.

Paris 193 – Blois 13 – Bracieux 9 – Châteauroux 87 – Montrichard 28 – Romorantin-Lanthenay 28.

Trois Marchands, ✆ 54 79 96 44, – wc wc ☎ Ⓟ – 30. AE ⓓ E VISA
fermé 15 janv. au 1er mars et lundi d'oct. à mars – SC : **R** 90/210 – ☕ 20 – **39 ch** 100/240 – P 240/280.

St-Hubert, ✆ 54 79 96 60 – wc wc ☎ Ⓟ – 50. E VISA.
fermé déc. au 15 janv. et mardi (sauf hôtel du 15 avril au 15 sept.) – SC : **R** 75/180 – ☕ 20 – **20 ch** 198.

à La Gaucherie SE : 8 km sur D 765 – ✉ 41250 Fontaines-en-Sologne :

Aub. Fontaine aux Muses, à la Gaucherie SO : 7 km ✆ 54 79 98 80 – E VISA
fermé 8 au 23 mars, mardi soir et merc. – SC : **R** 80/250.

CITROEN Girault, ✆ 54 79 96 41

PEUGEOT-TALBOT Duceau, ✆ 54 79 98 67

COURLANS 39 Jura 70 ⑭ – rattaché à Lons-le-Saunier.

COURNON-D'AUVERGNE 63800 P.-de-D. 73 ⑭ – 17 013 h. alt. 400.

Paris 396 – ♦Clermont-Ferrand 11 – Issoire 29 – Le Mont-Dore 52 – Thiers 38 – Vichy 53.

Cep d'Or, au Pont SE : 1,5 km ✆ 73 84 80 02, – ☎ Ⓟ. E VISA.
fermé oct. et vend. de nov. à mai – SC : **R** 36/100 – ☕ 9,50 – **11 ch** 59/72 – P 161/166.

PEUGEOT-TALBOT Gar. Chambon 58 av. de la Libération ✆ 73 84 47 41

RENAULT Gar. Bony, 23 av. Liberté ✆ 73 84 80 31

COURPIÈRE 63120 P.-de-D. 73 ⑯ **G. Auvergne** – 5 029 h. alt. 331.

Voir Église★.

Paris 395 – Ambert 39 – ♦Clermont-Ferrand 50 – Issoire 53 – Lezoux 21 – Thiers 16.

Clef des Champs, S : 3,5 km sur D 906 ✆ 73 53 01 83, ←, – Ⓟ. E VISA
fermé 1er au 7 juil., fév. et lundi sauf fêtes – SC : **R** 50/110.

CITROEN Gar. Brouillet, à Neronde sur Dore ✆ 73 53 17 28

PEUGEOT-TALBOT Fédide, 11 rte d'Ambert ✆ 73 53 10 88 N

COURRÉJEAN 33 Gironde 71 ⑨ – rattaché à Bordeaux.

COURRY 30 Gard 80 ⑧ – rattaché à St-Ambroix.

COURS 69470 Rhône 73 ⑧ – 4 676 h. alt. 553.

Syndicat d'Initiative à l'Hôtel de Ville ✆ 74 89 71 80.

Paris 404 – L'Arbresle 53 – Chauffailles 17 – ♦Lyon 78 – Roanne 29 – Villefranche-sur-Saône 55.

du Pavillon avec ch, **au Col du Pavillon E : 4 km par D 64** ✆ **74 89 83 55,** – Ⓟ. rest
fermé fév. et mardi soir d'oct. à fin juin – SC : **R** 88/190 – ☕ 21 – **7 ch** 70/103 – P 185/210.

Chalet des Tilleuls, à Thel NE 8 km par D 64 ✆ 74 89 61 53, ← – Ⓟ
R 35/130 .

CITROEN Central Gar., ✆ 74 89 75 91 N

CITROEN Gar. Moderne, ✆ 74 89 75 50 N

PEUGEOT-TALBOT Pothier, ✆ 74 89 98 98 N ✆ 74 89 71 20

RENAULT Jalabert, ✆ 74 89 71 10

COUR-ST-MAURICE 25 Doubs 66 ⑰⑱ – 175 h. alt. 520 – ✉ 25380 Belleherbe.

Paris 490 – Baume-les-Dames 45 – ♦Besançon 65 – Montbéliard 44 – Maiche 11 – Morteau 40.

La Truite du Moulin, à Moulin Bas E : 2 km sur D 39 ✆ 81 44 30 59, ← – Ⓟ ⓓ
fermé 28 juin au 10 juil., 17 oct. au 10 nov. et merc. – SC : **R** 63/89 .

COURSEULLES-SUR-MER 14470 Calvados 55 ① **G. Normandie** – 2 992 h.

Voir Clocher★ de l'église de Bernières-sur-Mer E : 2,5 km.

Env. Château★★ de Fontaine-Henry S : 6,5 km.

Office de Tourisme 54 r. Mer (1er mai-31 oct. et vacances scolaires) ✆ 31 37 46 80.

Paris 258 – Arromanches-les-Bains 13 – Bayeux 20 – Cabourg 34 – ♦Caen 18.

Crémaillère (Annexe), ✆ **31 37 46 73, Télex 171952** – wc wc ☎ Ⓟ – 25. AE ⓓ E VISA
SC : **R** 74/209 – ☕ 18 – **20 ch** 65/215 – P 215/264.

XXX **Belle Aurore** [M] avec ch, sur le port ✆ 31 37 46 23, ← – wc wc ☎. AE ⓓ VISA. ✻ rest
1er avril-30 sept. et fermé lundi sauf juil.-août – SC : **R** 62/144 – ☕ 16 – **7 ch** 141/250 – P 250.

XXX **Pêcherie,** ✆ 31 37 45 84, – AE ⓓ VISA
SC : **R** 55/214.

XX **Le Cursella** avec ch, ✆ 31 37 95 29, – ▤ rest wc wc ☎. AE ⓓ VISA
SC : **R** *(fermé lundi et mardi midi)* 53/176 – ☕ 18 – **7 ch** 165/215 – P 215/264.

à Ver-sur-Mer O : 4 km sur D 514 – ✉ **14114** Ver-sur-Mer :.

Voir Tour ★ de l'église.

Côte de Nacre, ✆ 31 22 20 49 – wc wc ☎ Ⓟ. ✻
SC : **R** 85 – ☕ 18 – **18 ch** 87/195 – P 229/284.

PEUGEOT-TALBOT Courseulles Gar., ✆ 31 37 94 13

COURTENAY 45320 Loiret 61 ⑬ – 3 150 h. alt. 161.

de Savigny sur Clairis ✆ 86 86 33 90 N : 7,5 km.

Office de Tourisme 1 pl. du Mail (1er mai-30 sept.) ✆ 38 97 00 60 et à la Mairie (1er oct.-30 avril) ✆ 38 97 40 46.

Paris 120 – Auxerre 53 – Nemours 44 – ♦Orléans 96 – Sens 26.

Gd. H. de l'Étoile, 1 r Nationale ✆ 38 97 41 71 – wc wc ☎ Ⓟ. E VISA
fermé 15 au 31 oct. et 8 au 31 janv. – SC : **R** *(fermé mardi soir et merc.)* 65/127 – ☕ 17 – **17 ch** 106/160.

XX **Le Relais** avec ch, 26 r. Nationale ✆ 38 97 41 60 – AE E VISA. ✻ ch
fermé 12 nov. au 10 déc., 10 au 17 janv., dim. soir, lundi et le soir (sauf rest. le sam.) du 1/11 au 1/3 – SC : **R** 70 (sauf fêtes)/105 – ☕ 16,50 – **9 ch** 78/90.

X **Le Raboliot,** pl. Marché ✆ 38 97 44 52 – E VISA
fermé 5 au 25 janv. et jeudi – **R** 55/115.

Les Quatre Croix SE : 2 km par D 32 – ✉ **45320** Courtenay :

XXX **Aub. Clé des Champs,** ✆ 38 97 42 68 – Ⓟ
fermé 12 au 29 oct., 5 au 26 janv., mardi soir et merc. – SC : **R** (prévenir) 95/250.

à Ervauville NO : 9 km par N 60, D 32 et D 34 – – ✉ **45320** Courtenay :

XX **Le Gamin,** ✆ 38 96 93 32
fermé 18 au 25 mai, 15 au 30 sept., 15 au 30 janv., dim. soir, lundi soir et mardi – SC : **R** (nombre de couverts limité, prévenir) 95/135.

COURT-PAIN 91 Essonne 60 ⑳, 196 ㊷ – rattaché à Étampes.

COUSIN (Vallée du) 89 Yonne 65 ⑯ – rattaché à Avallon.

COUSSAC-BONNEVAL 87 H.-Vienne 72 ⑰⑱ – 1 605 h. alt. 343 – ✉ **87500** St-Yriex-la-Perche.

Voir Château★, G. Périgord.

Paris 449 – Brive-la-Gaillarde 67 – ♦Limoges 43 – St-Yrieix 11 – Uzerche 32.

XX **Voyageurs** avec ch, ✆ 55 75 20 24, – wc wc ☎. E VISA
fermé janv. et lundi hors sais. – SC : **R** 43/145 ₰ – ☕ 20 – **12 ch** 68/140 – P 200.

COUSTELLET 84 Vaucluse 81 ⑬ – ✉ **84220** Gordes.

Paris 708 – Apt 22 – Avignon 30 – Carpentras 26 – Cavaillon 9 – Sault 41.

X **Lou Revenent** , avec ch (annexe : les Oliviers - wc ☎), N 100 ✆ 90 71 91 21, , , – ▤ rest Ⓟ – 100
fermé 15 au 31 oct. et 1er au 15 fév. – SC : **R** *(fermé lundi)* 49/120 ₰ – ☕ 15 – **20 ch** 119/180 – P 220/250.

COUTAINVILLE 50 Manche 54 ⑫ **G. Normandie** – Casino – ✉ **50230** Agon-Coutainville.

✆ 33 47 03 31.

Office de Tourisme pl. 28-Juillet-1944 (saison) ✆ 33 47 01 46.

Paris 343 – Barneville-Carteret 48 – Carentan 48 – Cherbourg 77 – Coutances 13 – St-Lô 40.

Neptune [M] sans rest, ✆ 33 47 07 66, ← – wc wc ☎. AE ⓓ
15 mars-1er nov. – SC : ☕ 24 – **11 ch** 160/286.

XXX **Hardy** avec ch, ✆ 33 47 04 11 – wc ☎. AE ⓓ E VISA. ✻ rest
fermé 15 au 28 oct., janv. et lundi hors sais. – SC : **R** 70/230 ₰ – ☕ 20 – **13 ch** 170 – P 240/300.

PEUGEOT-TALBOT Central Gar. à Agon ✆ 33 47 00 22

RENAULT Huchet, ✆ 33 47 08 55

COUTANCES ⟨SP⟩ 50200 Manche 54 ⑫ G. Normandie – 13 439 h. alt. 92.

Voir Cathédrale*** Z – Jardin public* YZ.

Office de Tourisme les Unelles (fermé matin hors sais.) ✆ 33 45 17 79.

Paris 330 ② – Avranches 46 ③ – Cherbourg 75 ⑤ – St-Lô 27 ② – Vire 58 ③.

Moderne, 25 bd Alsace-Lorraine ✆ 33 45 13 77 – Ⓟ. E VISA Y e
fermé 15 déc. au 15 janv. – SC : **R** *(fermé dim. du 1er oct. au 1er juin)* 54 bc/79 – ☕ 14,50 – **17 ch** 59/137 – P 200/250.

Au P'tit Home, 4 r. Harcourt ✆ 33 45 00 67 – VISA
fermé 28 sept. au 13 oct., 4 au 26 janv., dim. soir et lundi – **R** 37/103. Y v

à Gratot par ④ et D 244 : 4 km – ✉ 50200 Coutances :

Le Tourne-Bride, ✆ 33 45 11 00, – Ⓟ
fermé 22 déc. au 4 janv. et dim. – SC : **R** 42/105.

à Montpinchon SE : 13 km par D 7 et D 27 - Z – ✉ 50210 Cerisy-la-Salle :

Château de la Salle ⟳, ✆ 33 46 95 19, « Demeure ancienne dans un parc » – TV Ⓟ. AE ⓓ VISA. rest
mars-nov. – SC : **R** 130/260 – ☕ 36 – **10 ch** 400/490
Spéc. Délice du Bois-Marquis (foie gras et ris de veau), Millefeuille de Saint-Pierre, Pintade rôtie aux poireaux et morilles.

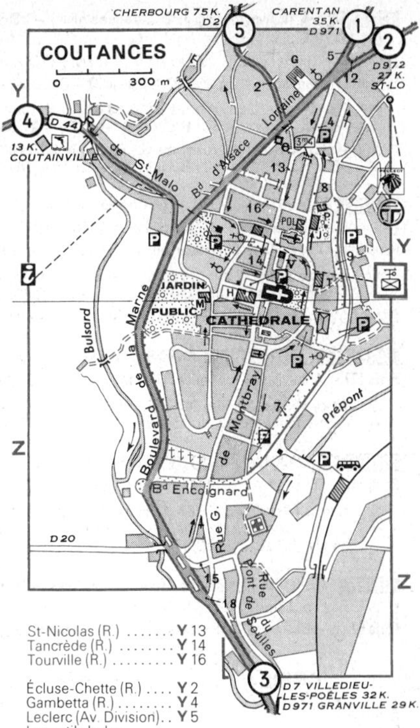

St-Nicolas (R.) .... Y 13
Tancrède (R.) .... Y 14
Tourville (R.) .... Y 16
Écluse-Chette (R.) .... Y 2
Gambetta (R.) .... Y 4
Leclerc (Av. Division) .. Y 5
Legentil-de-la-Galaisière (Bd) ..... Z 7
Palais-de-Justice (R.) . Y 8
Paynel (Bd Jeanne) Y 9
République (Av. de la) Y 12
Teintures (R. des) ..... Z 15
Verdun (Av. de) .... Z 18

AUSTIN, ROVER Bernard, rte Lessay ✆ 33 45 16 33 N
CITROEN Lebouteiller, rte de St-Lô, Zone Ind. par ② ✆ 33 45 12 70
PEUGEOT-TALBOT Lebailly-Horel, r. des Acacias ✆ 33 45 02 44
RENAULT Sodiam, rte de St-Lô par ② ✆ 33 07 42 55 N

Chanut, av. Div.-Leclerc ✆ 33 45 59 96
Chatel, 10 bd de la Marne ✆ 33 45 02 06

COUTRAS 33230 Gironde 75 ② – 6 440 h. alt. 14.

Paris 528 – Bergerac 67 – Blaye 55 – •Bordeaux 49 – Jonzac 54 – Libourne 18 – Périgueux 77.

Tivoli, r. Gambetta ✆ 57 49 04 97 – E VISA
fermé lundi – SC : **R** 58/100.

à Rolland NE : 6 km par D 674 – ✉ 33230 Coutras :

Aub. la Rollandière ⟳, ✆ 57 49 11 63, ←, étang, – wc wc Ⓟ
fermé avril et lundi du 15 sept. au 30 mars – SC : **R** 65/120 – ☕ 21 – **9 ch** 135/210 – P 220/250.

CITROEN Debenat, Rte de Montpon, Zone Ind. ✆ 57 49 19 36 N
PEUGEOT-TALBOT Billard, rte d'Angoulème ✆ 57 49 12 67
RENAULT Vacher, 3 r. J.-Ferry ✆ 57 49 04 91

COUZEIX 87 H.-Vienne 72 ⑦⑰ – rattaché à Limoges.

COYE-LA-FORÊT 60 Oise 56 ⑪, 196 ⑧ – rattaché à Chantilly.

COZ (Cap) 29 Finistère 58 ⑮ – rattaché à Fouesnant.

CRANÇOT 39 Jura 70 ④ – rattaché à Lons-le-Saunier.

CRANSAC 12 Aveyron 80 ① G. **Causses** (plan) – 2 583 h. alt. 279 – Stat. therm. (15 avril-20 oct.) – ✉ **12110** Aubin.

ℹ Office de Tourisme pl. J.-Jaurès (15 avril-15 oct.) ✆ 65 63 06 80.

Paris 612 – Aurillac 75 – Espalion 57 – Figeac 33 – Rodez 37 – Villefranche-de-Rouergue 37.

Parc, r. Gén.-Artous ✆ 65 63 01 78, ≤, parc – wc wc ☎ Ⓟ. rest
15 avril-15 oct. – SC : **R** 52/72 – 15 – **27 ch** 70/195 – P 148/215.

Host. du Rouergue, av. J.-Jaurès ✆ 65 63 02 11, – wc wc ☎. VISA
15 avril-15 oct. – SC : **R** 44/108 – 15 – **16 ch** 67/142 – P 136/192.

CRAON 53400 Mayenne 63 ⑨ G. **Châteaux de la Loire** – 5 021 h. alt. 48.

ℹ Syndicat d'Initiative r. Pantigny (sais.) ✆ 43 06 10 14.

Paris 308 – Angers 56 – Châteaubriant 37 – Château-Gontier 19 – Laval 30 – •Rennes 67.

XX **Ancre d'Or,** 2 av. prom. Ch.-de-Gaulle ✆ 43 06 14 11 – E VISA
fermé dim. soir, lundi soir et mardi – SC : **R** 55/165.

PEUGEOT-TALBOT Boisseau, ✆ 43 06 10 94 RENAULT Gar. Lebascle, ✆ 43 06 17 29

CRÉCY-EN-PONTHIEU 80150 Somme 52 ⑦ G. **Flandres, Artois, Picardie** – 1 457 h. alt. 36.

Paris 177 – Abbeville 19 – •Amiens 55 – Montreuil 32 – St-Omer 72.

Maye, 13 r. St-Riquier ✆ 22 23 54 35 – wc Ⓟ. E VISA. ch
fermé fév. et lundi du 15 sept. au 30 juin – SC : **R** 49/110 – 16,50 – **11 ch** 78/158.

CRÉHEN 22130 C.-du-N. 59 ⑤ – 1 476 h. alt. 51.

Paris 417 – Dinan 20 – Dinard 18 – St-Brieuc 50.

Deux Moulins, D 768 ✆ 96 84 15 40, – wc Ⓟ. E
fermé vacances de Noël, de fév. et sam. sauf juil.-août – SC : **R** 50/180 – 22 – **14 ch** 75/120 – P 160/175.

CREIL 60100 Oise 56 ①⑪ G. **Environs de Paris** – 36 128 h. alt. 30.

ℹ Office de Tourisme pl. Gén.-de-Gaulle ✆ 44 55 16 07.

Paris 62 ③ – Beauvais 41 ① – Chantilly 8 ④ – Clermont 16 ① – Compiègne 38 ②.

CREIL

Barluet (R. H.) 3
Berteaux (R. M.) 4
Carnot (Pl.) 8
Dugué (Pl.) 12
Duguet (R. Ch.-A.) 13
Faubourg (Pl. du) 14
Gaulle (Pl. Gén.-de) 16
Marl (R. de) 17
Philippe (R. M.) 21
Ribot (R.) 23
Uhry (Av. J.) 27
8-Mai (Pl. du) 28

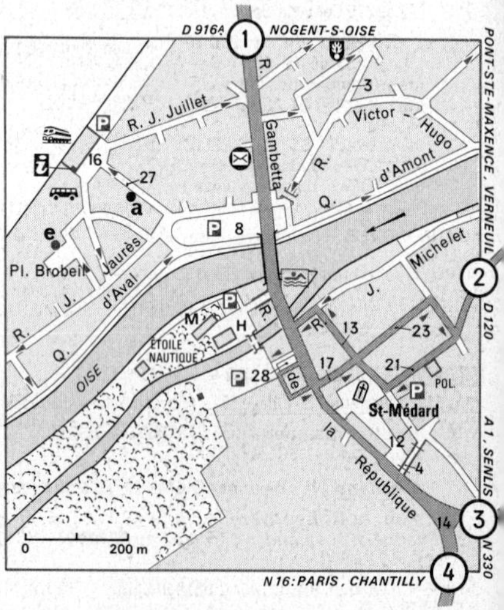

Pour un bon usage des plans de villes, voir les signes conventionnels p. 23.

Martinez sans rest., 9 av. J.-Uhry **(a)** ✆ 44 55 00 39 – wc wc ☎. AE VISA
SC : 17,50 – **31 ch** 150/195.

XX **Petite Alsace,** 8 pl. Ch.-Brobeil (près gare) **(e)** ✆ 44 55 28 89 – VISA
fermé août, dim. soir et lundi – SC : **R** 82 bc/85 bc.

à Nogent-sur-Oise par ① : 2 km – 17 369 h. – ✉ **60100** Creil :

Sarcus M, 7 r. Châteaubriand ✆ 44 74 01 31, Télex 150047, – wc wc ☎ Ⓟ – 50 à 200
62 ch.

X Host. des Trois Rois, 113 r. Gén.-de-Gaulle ✆ 44 71 63 23, – Ⓟ.

ALFA-ROMEO, VOLVO Lemaire-Napoléon, 10 r. Clos Barrois, Zone Ind. Nogent-Villers ✆ 44 25 85 40
CITROEN Gd Gar. des Obiers, 38 av. du 8-Mai, Nogent-sur-Oise par ① ✆ 44 71 72 62
FORD Gar. Brie et Picardie, r. du Marais Sec, Zone Ind., Nogent-sur-Oise ✆ 44 55 39 40
LANCIA-AUTOBIANCHI, MAZDA, MERCEDES Dumont Autom., 83 r. Robert-Schuman ✆ 44 25 54 84

RENAULT Palais Autom., 12 r. Gambetta à Nogent-sur-Oise par ① ✆ 44 71 85 54
V.A.G. Gar. Debuquoy, rte de Chantilly ✆ 44 25 11 50

Creil-Paris-Pneu, 2 rte de Creil, St-Leu-d'Esserent ✆ 44 56 62 56
Piot-Pneu, Z.A.E.T. St-Maximin ✆ 44 24 47 18

CRÉMIEU 38460 Isère 74 ⑬ G. Vallée du Rhône (plan) – 2 466 h. alt. 212.

Office de Tourisme à la Mairie (1er mai-30 août) ✆ 74 90 70 92.

Paris 472 – Belley 48 – Bourg-en-B. 59 – ♦Grenoble 83 – ♦Lyon 37 – La Tour-du-Pin 34 – Vienne 40.

La Petite Auberge, ✆ **74 90 75 45** – wc wc ☎ P. E VISA
fermé 11 au 19 sept., 4 janv. au 5 fév., dim. soir et lundi d'oct. à juin sauf fériés – **SC : R** 60/200 – 18 – **14 ch** 70/180 – P 170/200.

Aub. de la Chaite avec ch, ✆ **74 90 76 63** – P. AE ⓓ E VISA
fermé déc. et lundi – **SC : R** 55/120 – 15,50 – **11 ch** 75/119.

CRÉPIEUX-LA-PAPE 69 Rhône 74 ⑪⑫ – rattaché à Lyon.

CRESSENSAC 46 Lot 75 ⑱ – 639 h. alt. 309 – ✉ 46600 Martel.

Env. Turenne : site★ du château★ et ※★★ de la tour de César NE : 9,5 km, G. Périgord.

Paris 508 – Brive-la-Gaillarde 20 – Cahors 83 – Gourdon 46 – Larche 17 – Sarlat-la-Canéda 46.

La Truffière, S : 5 km par N 20 ✆ **65 37 88 95, parc,** – wc ☎ P. AE E VISA
Pâques-3 nov. et fermé dim. soir et lundi sauf du 15 juin au 15 sept. – **SC : R** 60/150 – 18 – **19 ch** 74/170 – P 165/210.

Chez Gilles avec ch, **N 20** ✆ **65 37 70 06** – wc wc ☎. AE ⓓ E VISA
fermé vacances de fév. et merc. du 1er oct. au 30 juin – **SC : R** 72/165 – 22 – **25 ch** 120/240 – P 220/270.

CREST 26400 Drôme 77 ⑫ G. Vallée du Rhône – 7 844 h. alt. 192.

Voir Donjon★ : ※★ F.

Syndicat d'Initiative bd Belgique (juin-août et fermé matin en avril, mai et sept.) ✆ 75 25 11 38.

Paris 593 ④ – Die 37 ① – Gap 132 ① – ♦Grenoble 117 ④ – Montélimar 38 ② – Valence 28 ④.

Agirond (Av.)	2
Archinard (R.)	3
Barbéyère (Mtée de la)	4
Barral (R. Maurice)	5
Belgique (Bd de)	6
Cordeliers (Escaliers des)	9
Dumont (R. Aristide)	10
Faure (Quai Maurice)	12
Gaulle (Pl. du Gén.-de)	13
Grivel (R. Roch)	15
Hôtel-de-Ville (R.)	16
Joubernon (Cours de)	17
Latune (Quai Henri)	18
Long (R. Maurice)	19
Loubet (R. Émile)	20
Pons (R. Paul)	23
Remparts (Ch. des)	24
République (R. de la)	26
St-François (R.)	28
Tour (R. de la)	30
Verdun (Cours de)	32

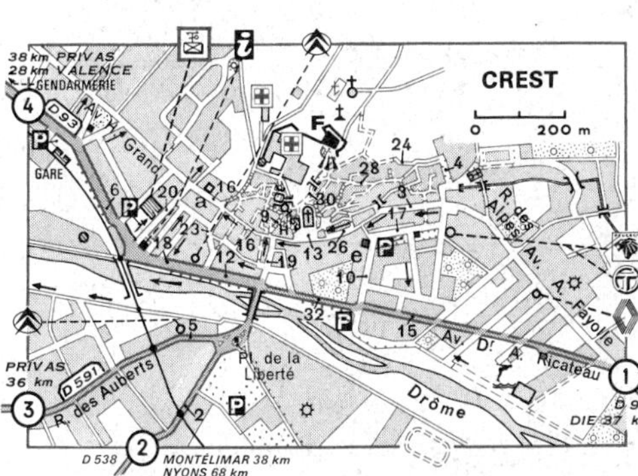

Gd Hôtel, 60 r. Hôtel de Ville **(a)** ✆ **75 25 08 17** – wc wc ☎. E VISA
fermé 8 au 14 déc., 2 au 31 janv., dim. soir du 6/9 au 15/6, lundi soir de nov. au 15 mars et lundi midi – **SC : R** 73/135 – 16 – **20 ch** 75/180 – P 160/235.

Porte Montségur, par ① : 0,5 km ✆ **75 25 41 48,** – P. AE E VISA
fermé 15 au 28 fév., lundi soir sauf juil.-août et merc. – **SC : R** 60/200.

Kléber, cours Joubernon **(e)** ✆ **75 25 11 69** – E VISA
fermé 1er au 15 sept., 13 janv. au 3 fév., dim. soir et lundi – **SC : R** 61/130.

Gare avec ch, rte de Saou à Aouste-sur-Sye E : 2 km par D93 ✆ **75 25 14 12,** – P. VISA. ch
fermé 1er au 10 sept. et sam. – **SC : R** 60/130 – 13,50 – **7 ch** 56/135 – P 140/185.

CREST

CITROEN Gar. Bouvat, 26 quai Latune ℘ 75 25 11 94
CITROEN Rolland, rte de Grâne ℘ 75 25 01 13 N
PEUGEOT-TALBOT Gar. Fontayne, cours Joubernon ℘ 75 25 10 63

RENAULT Gar. Didier, av. Adrien Fayolle ℘ 75 25 10 85
Relais du Pneu, av. F.-Rozier, rte de Valence ℘ 75 25 44 51

CREST-VOLAND 73 Savoie 74 ⑰ **G. Alpes** – 310 h. alt. 1 230 – Sports d'hiver : 1 230/1 950 m 11 – ✉ **73590** Flumet.

Syndicat d'Initiative ℘ 79 31 62 57.

Paris 596 – Albertville 27 – Annecy 56 – Bonneville 51 – Chambéry 77 – Megève 14.

Caprice des Neiges , rte Saisies : 1 km ℘ 79 31 62 95, ≤ – wc Ⓟ. E VISA. rest
1er juil.-10 sept. et 15 déc.-20 avril – SC : **R** 50/75 – 20 – **16 ch** 140/180 – P 200/235.

Aravis , au Cernix, S : 1,5 km par VO ℘ 79 31 63 81, ≤ Aravis – wc wc Ⓟ
1er juil.-31 août et 20 déc.-10 avril – SC : **R** 72 – 16 – **17 ch** 148/160 – P 200/210.

La Gelinotte , ℘ 79 31 60 62, ≤, – Ⓟ
sais. – **10 ch**.

Les Bartavelles, ℘ 79 31 61 23, ≤ – wc Ⓟ. rest
7 juil.-25 août et Noël-Pâques – SC : **R** 59 – 17 – **18 ch** 86/142 – P 167/183.

CRÊT-DE-CHATILLON 74 H.-Savoie 74 ⑯ **G. Alpes** – alt. 1 699.

Voir ✻★★★.

Voir ressources hôtelières au ***Semnoz***.

CRÉTEIL 94 Val-de-Marne 61 ①, 101 ㉗ – voir à Paris, Environs.

Le CREUSOT 71200 S.-et-L. 69 ⑧ **G. Bourgogne** – 32 309 h. alt. 347.

Syndicat d'Initiative avec A.C. 1 r. Mar.-Foch ℘ 85 55 02 46.

Paris 320 ② – Autun 29 ③ – Beaune 47 ① – Chalon-sur-Saône 39 ② – Mâcon 90 ②.

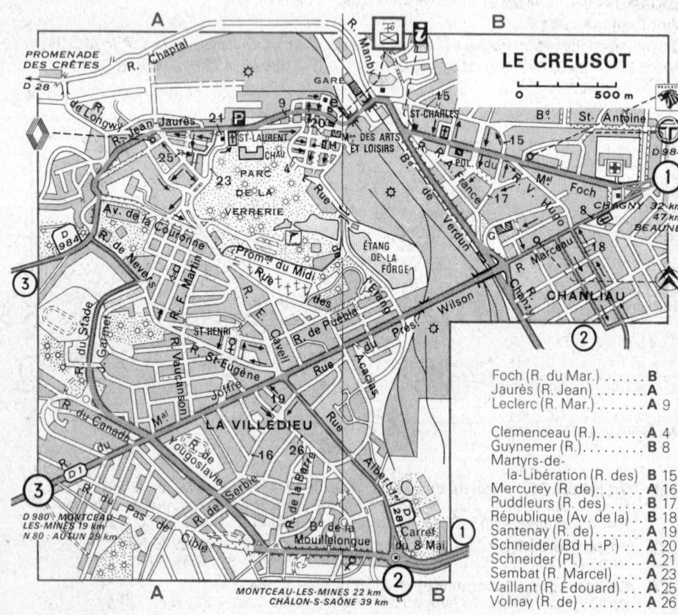

Foch (R. du Mar.) . . . . . . B
Jaurès (R. Jean) . . . . . . A
Leclerc (R. Mar.) . . . . A 9

Clemenceau (R.) . . . . A 4
Guynemer (R.) . . . . B 8
Martyrs-de-la-Libération (R. des) B 15
Mercurey (R. de) . . . . A 16
Puddleurs (R. des) . . . . . B 17
République (Av. de la) . . B 18
Santenay (R. de) . . . . A 19
Schneider (Bd H.-P.) . . . A 20
Schneider (Pl.) . . . . A 21
Sembat (R. Marcel) . . . . A 23
Vaillant (R. Édouard) . . . A 25
Volnay (R. de) . . . . A 26

Moderne, 41 r. Mar.-Leclerc ℘ 85.80.80.80 – wc . VISA A e
fermé 24 déc. au 8 janv., sam. midi et dim. – SC : **R** 59 bc/198 – 21 – **56 ch** 103/237.

au Breuil par ① : 3 km – 3 415 h. – ✉ **71670** Le Breuil :

Moulin Rouge ⊗, ☎ 85 55 14 11, – TV ⇔wc ⋔wc ☎ Ⓟ – 🏛 40. AE ⓓ E VISA
fermé 20 déc. au 15 janv., dim. soir et vend. – SC : **R** 68/160 ♁ – ☕ 21 – **37 ch** 136/250 – P 250/310.

à Torcy par ② : 4 km – ✉ **71210** Montchanin :

XX **Vieux Saule,** ☎ 85 55 09 53, – Ⓟ. AE ⓓ E VISA
fermé 15 juil. au 5 août, dim. soir et lundi – SC : **R** carte 155 à 225 ♁.

à Montchanin par ② : 8 km – ✉ **71210** Montchanin :

Novotel M, ☎ 85 78 55 55, Télex 800588, – rest TV ☎ ♿ Ⓟ – 🏛 50 à 250. AE ⓓ E VISA
R snack carte environ 100 ♁ – ☕ 32 – **87 ch** 273/309.

CITROEN Broin, 77 rte de Montcenis par D 984 A ☎ 85 55 20 09
CITROEN Rameau, 31 r. Marceau ☎ 85 55 34 22
FORD Gar. Lemonnier et Fuchey, 13 r. Mar.-Joffre ☎ 85 55 27 06
PEUGEOT-TALBOT Nedey-Guillemier, 97 r. Foch ☎ 85 55 21 81 et 57 r. de Chanzy B ☎ 85 55 20 63
RENAULT Creusot-Gar., pl. Bozu ☎ 85 56 10 44 N
V.A.G. Gar. du Vieux Saule, à Torcy ☎ 85 56 20 72

Creusot-Pneus, 55 av. des Abattoirs ☎ 85 55 60 93
Goesin, 35 av. de la République ☎ 85 55 44 17

CREUTZWALD 57150 Moselle 57 ⑤ – 15 157 h. alt. 219.
Paris 375 – Forbach 26 – •Metz 50 – Saarbrücken 35 – Sarreguemines 38 – Saarlouis 17.

XX **Europe,** rte Saarlouis NE : 2 km N 33 ☎ 87 93 04 54 – Ⓟ. AE ⓓ E VISA.
fermé 1er au 15 sept., sam. midi, dim. soir et lundi – SC : **R** 120/180.

X **Faisan d'Or,** rte Saarlouis NE : 2 km N 33 ☎ 87 93 01 36 – Ⓟ. AE ⓓ E VISA
fermé août et lundi – **R** 70/180 ♁.

X **Aub. du Vieux Cerf,** 23 r. Houve ☎ 87 93 04 17 – AE ⓓ E VISA
fermé lundi soir, mardi soir et merc. – SC : **R** 44/140 ♁.

CREUZIER-LE-NEUF 03 Allier 73 ⑤ – rattaché à Cusset.

CRÈVECOEUR-EN-AUGE 14 Calvados 54 ⑰ **G. Normandie** – 515 h. alt. 60 – ✉ **14340** Cambremer – Paris 191 – •Caen 29 – Falaise 32 – Lisieux 17.

X **La Galetière,** ☎ 31 63 04 28 – VISA
fermé 15 janv. au 15 fév., lundi soir et mardi sauf de juil. au 15 sept. – SC : **R** 44/88.

CREVOUX 05 H.-Alpes 77 ⑱ **G. Alpes** – 115 h. alt. 1 577 – Sports d'hiver : 1 650/2 100 m ⛷3 – ✉ **05200** Embrun – Paris 721 – Briançon 59 – Embrun 16 – Gap 54 – Guillestre 32.

Parpaillon ⊗, ☎ 92 43 18 08, ← – ⇔wc ⋔wc ☎ Ⓟ. AE ⓓ VISA. rest
fermé 10 au 30 nov. – SC : **R** 59/84 ♁ – ☕ 21 – **28 ch** 136/180 – P 170/260.

CRILLON 60 Oise 52 ⑰ – 420 h. alt. 82 – ✉ **60112** Milly-sur-Thérain.
Paris 93 – Aumale 36 – Beauvais 16 – Breteuil 34 – Gournay-en-Bray 18.

XX **La Petite France,** 5 rte de Gisors ☎ 44 81 01 13
fermé 16 août au 9 sept., 15 fév. au 4 mars, dim. soir, lundi soir et mardi – SC : **R** 47/88 ♁.

CRISENOY 77 S.-et-M. 61 ② – rattaché à Melun.

Les CROCS D'ARCONSAT 63 P.-de-D. 73 ⑥ – rattaché à Chabreloche.

La CROISETTE 74 H.-Savoie 74 ⑥ – rattaché à Salève (Mont).

Le CROISIC 44490 Loire-Atl. 63 ⑭ **G. Bretagne** – 4 365 h..
Voir Mont-Esprit ←★ – Aquarium de la Côte d'Amour★ – ←★ du Mont-Lénigo.
Office de Tourisme pl. Gare ☎ 40 23 00 70.
Paris 456 – La Baule 10 – Guérande 10 – •Nantes 84 – Le Pouliguen 7 – Redon 63 – Vannes 75.

Les Vikings M ⊗ sans rest, à **Port Lin** ☎ 40 42 90 03, ← côte et mer – ☎ ♿ VISA
SC : ☕ 30 – **24 ch** 250/400.

Les Nids ⊗, 83 bd Gén.-Leclerc à **Port-Lin** ☎ 40 23 00 63, « Jardin fleuri », – ⋔wc ☎. VISA
25 mars-14 avril et 29 avril-fin sept. – SC : **R** 61/164 – ☕ 18 – **28 ch** 88/199 – P 198/260.

L'Estacade, 4 quai Lénigo ☎ 40 23 03 77 – ⇔wc. VISA
hôtel : fermé 5 janv. au 4 fév. ; rest. : fermé 15 déc. au 4 fév. et merc. du 15 sept. au 31 mars – SC : **R** 67/182 – ☕ 15 – **10 ch** 73/158 – P 178/242.

XXX **Océan** avec ch, à **Port-Lin** ✆ **40 42 90 03,** ≤ **côte et mer** – ⊟wc ☎. VISA
R carte 140 à 210 – ⊒ 22 – **15 ch** 230/250.

XX **Filets Bleus,** 12 r. Marine ✆ **40 23 07 42** – AE VISA
1er mars-30 nov. – SC : **R** *(fermé mardi du 1er mars au 31 mai)* 118/151.

XX **Bretagne,** sur le Port ✆ **40 23 00 51.** VISA
1er mars-2 nov. et fermé mardi soir et merc. sauf juil-août – SC : **R** 80/270.

CITROEN Gar. Rochard, ✆ 40 42 90 32 RENAULT Deleplanque, ✆ 40 23 02 09

CROISSY-BEAUBOURG

77 S.-et-M. 61 ② – 1 555 h – ✉ **77200** Torcy.

Paris 29 – Lagny-sur-Marne 10 – Meaux 30 – Melun 34.

XX **Host. de l'Aigle d'Or,** 8 r. de Paris ✆ **(1) 60 05 31 33,** 🌳 – **P**. ⓓ VISA
fermé du 2 au 12 janv., dim. soir et lundi – **R** 140/180 , carte dim. et fêtes.

CROIX

59 Nord 51 ⑯ – rattaché à Roubaix.

CROIX (Col des)

88 Vosges 66 ⑦ – rattaché au Thillot.

La CROIX-BLANCHE

71 S.-et-L. 69 ⑲ – alt. 204 – ✉ **71960** Pierreclos.

Paris 407 – Charolles 41 – Cluny 12 – Mâcon 14 – Roanne 84.

🏠 **Relais du Mâconnais,** N 79 ✆ **85 36 60 72,** 🌳, 🎾 – ⊟wc ☎ **P**. AE ⓓ E VISA
fermé 3 janv. au 3 fév., dim. soir et lundi hors sais. – SC : **R** 82/220 – ⊒ 20 – **12 ch** 102/190 – P 280/320.

CROIX-FRY (Col de la)

74 H.-Savoie 74 ⑦ – rattaché à Manigod.

CROIX-MARE

76 S.-Mar. 52 ⑬ – rattaché à Yvetot.

La CROIX-VALMER

83420 Var 84 ⑰ **G. Côte d'Azur** – 2 064 h. alt. 120.

Paris 877 – Brignoles 65 – Draguignan 52 – Le Lavandou 27 – Ste-Maxime 16 – ♦Toulon 62.

🏨 **Parc** ♨ sans rest, E : 1 km par D 93 ✆ **94 79 64 04,** ≤, parc – ⧉ ⊟wc ⋒wc ☎ **P**. ⓓ VISA. ✻
1er avril-15 oct. – SC : ⊒ 23 – **33 ch** 175/295.

XX **St-Laurent,** Odyssée 80 ✆ **94 79 74 61,** ≤, 🍽 – VISA
fermé 1er déc. au 1er fév., jeudi midi et merc. – **R** 65/84.

X **Esquinade,** domaine de Barbigoua SO : 3 km par rte Cavalaire ✆ **94 79 64 78,** 🍽 – **P**. VISA
15 juin-15 sept. – SC : **R** 98.

à Gigaro SE : 5 km par D 93 et VO – ✉ **83420** La Croix-Valmer :

🏨 **Souleias** M ♨, ✆ **94 79 61 91,** Télex **970032,** ≤ **mer et îles,** 🍽, « **Au faîte d'une colline dominant le littoral** », 🏊, 🌳, 🎾 – ☎ **P** – 🏛 60. AE ⓓ E VISA. ✻ rest
15 mars-15 oct. – SC : **R** 125/200 – ⊒ 42 – **45 ch** 375/800 – P 500/700.

🏨 **Les Moulins de Paillas** M ♨, ✆ **94 79 71 11,** Télex **970 987,** 🍽, 🏊, 🏖, 🎾 – ☎ **P**. AE ⓓ VISA
17 mai-28 sept. – SC : **R** 145 🍷 – **30 ch** ⊒ 520/600.

🏨 **Gigaro,** ✆ **94 79 60 35,** 🏊, 🏖, 🎾 – ☎ **P**. AE ⓓ VISA
17 mai-28 sept. – SC : **R** rest. voir **Les Moulins de Paillas** – **38 ch** 460/570.

CROS-DE-CAGNES

06 Alpes-Mar. 84 ⑨, 195 ㉖ – rattaché à Cagnes.

Le CROTOY

80550 Somme 52 ⑥ **G. Flandres, Artois, Picardie** – 2 351 h. – Casino.

Voir Butte du Moulin ≤★.

Env. Parc Ornithologique du marquenterre★★ NO : 10 km par D 104.

ℹ Office de Tourisme Digue J.-Noiret (juin-sept.) ✆ 22 27 81 97.

Paris 183 – Abbeville 21 – Berck-Plage 28 – Montreuil 35 – St-Valéry-sur-Somme 13 – Le Tréport 40.

XX **Baie,** ✆ **22 27 81 22,** ≤
fermé 10 au 31 janv. – SC : **R** 95/150.

CROUTELLE

86 Vienne 67 ⑲ – rattaché à Poitiers.

CROZANT

23 Creuse 68 ⑱ **G. Périgord** – 732 h. alt. 277 – ✉ **23160** St-Sébastien.

Voir Ruines du château★ – Vallée de la Creuse★ au N.

Paris 331 – Argenton-sur-C. 32 – La Châtre 48 – Guéret 40 – Montmorillon 76 – La Souterraine 30.

🏠 **Lac** ♨, E : 1 km par D 72 et D 30 ✆ **55 89 81 96,** ≤ – ⊟wc ⋒ **P**. ✻ ch
✦ *1er mai-30 sept.* – SC : **R** 41/95 🍷 – ⊒ 17 – **10 ch** 130/190 – P 155/198.

XX **Aub. de la Vallée,** ✆ **55 89 80 03**
fermé 2 janv. au 2 fév., lundi soir et mardi du 1er oct. au 30 juin – SC : **R** 64/176.

CROZON 29160 Finistère 58 ④ G. Bretagne – 7 904 h. alt. 81.
Voir Retable★ de l'église.
Env. Pointe de Dinan ※★★ SO : 6 km.

Office de Tourisme pl. Eglise (15 oct.-30 mai) ☏ 98 27 21 65 et bd de la Plage à Morgat (1er juin-15 sept.) ☏ 98 27 07 92.

Paris 588 – ♦Brest 57 – Châteaulin 34 – Douarnenez 46 – Morlaix 76 – Quimper 55.

au Fret N : 5,5 km par D 155 et D 55 – ✉ **29160** Crozon :

Host. de la Mer, ☏ 98 27 61 90, ←, – wc wc . E VISA.
5 avril-15 oct. – SC : **R** 81/221 – 21 – **30 ch** 109/259 – P 212/287.

Voir aussi ressources hôtelières de ***Morgat*** S : 3 km par D 887

Prat-Pneus, rte Châteaulin ☏ 98 27 12 51

CRUSEILLES 74350 H.-Savoie 74 ⑥ G. Alpes – 2 533 h. alt. 783.

Paris 534 – Annecy 18 – ♦Genève 25 – St-Julien-en-Genevois 16.

Salève, ☏ 50 44 18 30 – TV wc wc ☎
33 ch.

CUCHERON (Col du) 38 Isère 77 ⑤ – rattaché à St-Pierre-de-Chartreuse.

CUCUGNAN 11 Aude 86 ⑧ – 113 h. alt. 320 – ✉ **11350** Tuchan.
Voir Col Grau de Maury ※★★ S : 2,5 km – Site★★ du château de Quéribus★ SE : 3 km.
Env. Château de Peyrepertuse★★ : ←★★ NO : 7 km, **G. Pyrénées.**

Paris 915 – Carcassonne 100 – Limoux 77 – ♦Perpignan 40 – Quillan 50.

Aub. de Cucugnan, ☏ 68 45 40 84, « grange aménagée » – P
fermé 1er au 15 sept. et merc. du 1er janv. au 31 mars – SC : **R** 65 bc/165 bc.

Dans ce guide
un même symbole, un même caractère
*imprimé en rouge ou en noir, en maigre ou en **gras***
n'ont pas tout à fait la même signification.
Lisez attentivement les pages explicatives (p. 14 à 21).

CUCURON 84 Vaucluse 84 ③ G. Provence – 1 409 h. alt. 350 – ✉ **84160** Cadenet.

Paris 745 – Aix-en-Provence 34 – Apt 26 – Avignon 67 – Manosque 35.

L'Étang M, ☏ 90 77 21 25, – wc . E
fermé 20 déc. au 10 janv., et merc. hors sais. – SC : **R** 78/130 – 18 – **8 ch** 130 – P 193/212.

CUISEAUX 71480 S.-et-L. 70 ⑬ – 1 816 h. alt. 273.

Paris 398 – Chalon-sur-S. 57 – Lons-le-Saunier 25 – Mâcon 57 – Orgelet-le-Bourget 29 – Tournus 47.

Nord avec ch, ☏ 85 72 71 02 – wc . P. VISA. rest
fermé 1er au 26 nov., 6 au 19 mars, vend. midi et jeudi – SC : **R** 50/170 – 15 – **25 ch** 79/185.

Commerce avec ch, ☏ 85 72 71 79 – wc wc ☎ P. E VISA
fermé 14 au 25 juin, 27 sept. au 7 oct., 22 déc. au 5 janv., dim. soir (hors sais.) et lundi sauf hôtel en sais. – SC : **R** 59/160 – 17 – **9 ch** 92/136.

CUISERY 71290 S.-et-L. 70 ⑫ – 1 678 h. alt. 211.

Paris 370 – Bourg-en-Bresse 46 – Lons-le-Saunier 48 – Mâcon 37 – St-Amour 39 – Tournus 8.

Host. Bressane avec ch, ☏ 85 40 11 63 – wc wc ☎ P. VISA
fermé 1er au 10 juil., 2 déc. au 22 janv., mardi soir et merc. sauf août – SC : **R** 70/220 – 18 – **10 ch** 145/200.

PEUGEOT-TALBOT Hengy, ☏ 85 40 14 36

CULAN 18270 Cher 69 ⑪ G. Périgord – 1 055 h. alt. 280.
Voir Château★.

Paris 305 – Bourges 69 – La Châtre 29 – Guéret 68 – Montluçon 33 – St-Amand-Montrond 25.

Poste, ☏ 48 56 66 57 – wc . rest
fermé 5 janv. au 15 fév. et lundi – SC : **R** 38/95 – 14 – **14 ch** 64/145.

PEUGEOT-TALBOT Plaveret M., Place du Champ de Foire ☏ 48 56 64 10

RENAULT Gar. du Pavillon, ☏ 48 56 61 54 N ☏ 48 56 62 67

La CURE 39 Jura 70 ⑯ – rattaché aux Rousses.

CUREBOURSE (Col de) 15 Cantal 76 ⑫⑬ – rattaché à Vic-sur-Cère.

Le CURTILLARD 38 Isère 77 ⑥ – alt. 1 012 – Sports d'hiver à Sept Laux-Le Pleyney : 1 450/2 100 m ⛷7 – ✉ 38580 Allevard.

Paris 574 – Allevard 15 – ♦Grenoble 53 – Pinsot 8.

- **Curtillard** M, ℘ 76 97 50 82, ←, ⌂, 🌲, 🎾 – cuisinette ⛀wc ⛆wc ☎ P – ⚐ 70. VISA. ⚘
  1er juin-15 sept. et 20 déc.-20 avril – SC : **R** 60/120 – ☕ 17 – **24 ch** 125/167 – P 184/218.
- **Baroz**, ℘ 76 97 50 81, ←, ⌂, 🌲, 🎾 – cuisinette ⛀wc ⛆wc ☎ P. VISA. ⚘ ch
  20 juin-6 sept. et vacances de Noël, de fév. et de Pâques – SC : **R** 65/120 ♁ – ☕ 15 – **21 ch** 74/127 – P 170/210.

CUSSAY 37 I.-et-L. 68 ⑤ – rattaché à Ligueil.

CUSSET 03300 Allier 73 ⑤ **G. Auvergne** – 14 876 h. alt. 274.

ℹ Syndicat d'Initiative r. S.-Arlaing (juil.-août) ℘ 70 31 39 41.

Paris 346 ② – Lapalisse 23 ② – Moulins 54 ② – Vichy 3 ①.

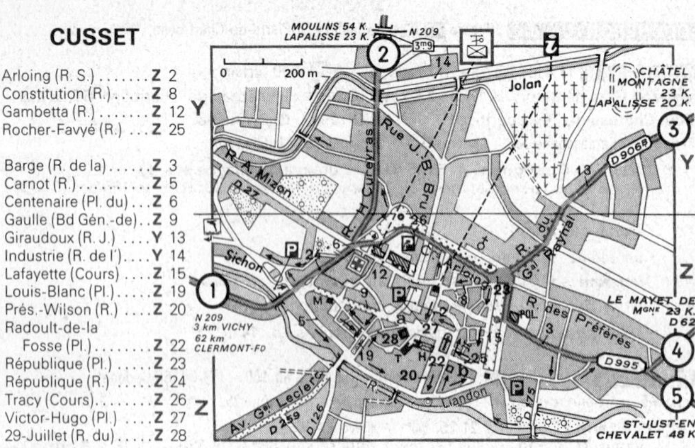

- **Globe,** 1 r. Pasteur ℘ 70 97 82 31 – ⛀wc ⛆wc ☎ P – ⚐ 30. AE ⓓ E VISA — Z b
  SC : **R** *(fermé 21 au 29 déc.)* 55/150 – ☕ 18 – **24 ch** 57/160 – P 380/420 (pour 2 pers.).
- XX **Taverne Louis XI,** près Église ℘ 70 98 39 39 — Z a
  fermé 6 au 28 oct., vacances de fév., lundi soir et dim. sauf fériés – SC : **R** 78/180.

à Creuzier-le-Neuf par ② : 5,5 km – ✉ 03300 Cusset :

- X **Bon Accueil** avec ch, N 209 ℘ 70 98 06 01 – P. E VISA
  fermé 20 janv. au 20 fév., dim. soir (de déc. à mars) et merc. – SC : **R** 38/115 – ☕ 14,50 – **6 ch** 67/73 – P 150.

OPEL, LADA Bourdin, 77 rte Paris ℘ 70 98 98 26 — ⓜ Soulat, 26-28 r. Bartins ℘ 70 97 63 63

CUSTINES 54670 M.-et-M. 57 ⑭ – 2 843 h. alt. 196.

Paris 313 – ♦Metz 45 – ♦Nancy 13 – Pont-à-Mousson 18 – Toul 32.

- **H. des Vallées** sans rest, NO : 2 km D 40 ℘ 83 49 39 56 – cuisinette ⛀wc ⛆ ☎ P. E VISA
  fermé 22 déc. au 2 janv. – SC : ☕ 15 – **35 ch** 77/179.

DABO 57850 Moselle 62 ⑧ **G. Alsace et Lorraine** – 2 946 h. alt. 450.

Voir Site★ – Rocher de Dabo ✲★ SE : 2 km.

ℹ Syndicat d'Initiative pl. de l'Église (juil.-août) ℘ 87 07 47 51.

Paris 452 – Haguenau 63 – ♦Metz 116 – Sarrebourg 21 – Saverne 25 – ♦Strasbourg 49.

- **Belle Vue,** ℘ 87 07 40 21, ← – ⛀wc ⛆wc P. VISA. ⚘
  fermé 23 déc. au 1er mars, mardi soir et merc. du 1er oct. au 1er avril – SC : **R** 55/110 ♁ – ☕ 20 – **15 ch** 80/170 – P 130/180.

Garage Erb, à Schaeferhof ℘ 87 07 41 11 N

DACHSTEIN 67 Bas-Rhin 62 ⑨ – 936 h alt. 175 – ✉ **67120** Molsheim.

Paris 477 – Molsheim 5 – Saverne 28 – Sélestat 36 – ♦Strasbourg 21.

XX **Aub. de la Bruche,** ✆ 88 38 14 90, – P. VISA
fermé 31 janv. au 11 fév. et sam. midi – **R** 100/150 ₰.

OPEL-GM Denni-Autom. ✆ 88 38 54 30

La DAILLE 73 Savoie 74 ⑲ – rattaché à Val-d'Isère.

DAMAZAN **47160** L.-et-G. 79 ⑭ – 1 273 h. alt. 55.

Paris 629 – Agen 38 – ♦Bordeaux 104 – Mont de Marsan 84 – Villeneuve-sur-Lot 39.

du Canal , ✆ 53 79 42 84, ≤, – wc ☎ P. AE E
SC : **R** 97/175 – 13 – **20 ch** 90/120 – P 130/170.

DAMBACH-LA-VILLE **67650** Bas-Rhin 62 ⑨ **G. Alsace et Lorraine** – 652 h alt. 215.

Syndicat d'Initiative, pl. Marché (1er juil.-31 août) ✆ 88 92 41 05.

Paris 438 – Obernai 19 – Saverne 58 – Sélestat 9 – ♦Strasbourg 46.

Au Raisin d'Or, ✆ 88 92 48 66 – rest wc ☎. E VISA
fermé déc. – SC : **R** *(fermé merc. soir et jeudi)* 45/165 ₰ – 15,50 – **8 ch** 78/170.

CITROEN Gar. Elter ✆ 88 92 40 57 PEUGEOT Gar. Mangin, ✆ 88 92 40 40

DAMGAN **56750** Morbihan 63 ⑬ – 905 h. alt. 6.

Paris 455 – Muzillac 9,5 – Redon 47 – La Roche-Bernard 25 – Vannes 26.

L'Albatros M , bd Océan ✆ 97 41 16 85, ≤ – wc ☎ P. rest
15 mars-30 sept. – SC : **R** 52/85 – 13,50 – **15 ch** 104/180 – P 156/198.

DAMMARIE-LES-LYS 77 S.-et-M. 61 ②, 196 ㊺ – rattaché à Melun.

DAMPIERRE-EN-YVELINES **78720** Yvelines 60 ⑨, 196 ㉙, 101 ㉛ **G. Environs de Paris** – 898 h. alt. 100.

Voir Château★★ – Vaux de Cernay★ SO : 4 km.

Paris 44 – Coignières 11 – Longjumeau 27 – Rambouillet 16 – Versailles 18.

XXX **Aub. du Château** avec ch, ✆ (1) 30 52 52 89 – ☎. VISA. ch
fermé 31 juil. au 14 août, 2 au 10 janv., dim. soir et lundi – SC : **R** 110/200 – 18 – **17 ch** 120/160.

au Nord : 3 km par D 91, carrefour D 13 – ✉ **78460** Chevreuse :

XX **La Puszta** avec ch, ✆ (1) 34 61 18 35, , cuisine hongroise, « Décor rustique hongrois, jardin » – wc P. AE VISA. ch
fermé lundi soir et mardi – **R** 140 – 30 – **5 ch** 340/380.

DAMPRICHARD **25450** Doubs 66 ⑱ – 1 907 h. alt. 825.

Paris 495 – ♦Bâle 95 – Belfort 67 – ♦Besançon 82 – Montbéliard 49 – Pontarlier 67.

Lion d'Or, ✆ 81 44 22 84 – TV wc wc ☎ P – 100. E VISA
fermé 1er oct. au 1er nov., 1er au 10 mars et dim. soir (sauf hôtel du 1er avril au 1er oct.) – SC : **R** 70/185 – 20 – **16 ch** 100/190 – P 179/200.

Les DAMPS 27 Eure 55 ⑦ – rattaché à Pont-de-l'Arche.

DAMVILLERS **55150** Meuse 57 ① – 717 h. alt. 208.

Paris 288 – Bar-le-Duc 82 – Longuyon 27 – ♦Metz 75 – Sedan 66 – Verdun 26.

X **Croix Blanche** avec ch, ✆ 29 85 60 12 – P. AE E VISA
fermé fév., dim. soir hors sais. et lundi – SC : **R** 50/130 ₰ – 14 – **9 ch** 70/137 – P 140/198.

CITROEN Gar. Iori, ✆ 29 85 60 25 N

DANCHARIA 64 Pyr.-Atl. 85 ② – rattaché à Aïnhoa.

DANGÉ-ST-ROMAIN **86220** Vienne 68 ④ – 2 877 h. alt. 48.

Paris 291 – Le Blanc 59 – Châtellerault 16 – Chinon 53 – Loches 40 – Poitiers 49 – ♦Tours 57.

X **La Crémaillère,** 56 rte Nationale ✆ 49 86 40 24
fermé merc. – SC : **R** 51/255 ₰.

PEUGEOT-TALBOT Semam Sud Ouest, ✆ 49 86 43 12 N RENAULT Judes, ✆ 49 86 40 39

DANJOUTIN 90 Ter.-de-Belf. 66 ⑧ – rattaché à Belfort.

DANNEMARIE 68210 H.-Rhin 66 ⑨ – 1 939 h. alt. 317.

Paris 521 – •Bâle 43 – Belfort 24 – Colmar 59 – •Mulhouse 27 – Thann 27.

XX **Wach,** ✆ 89 25 00 01 – E
fermé 16 au 24 août, 20 déc. au 10 janv. et lundi – SC : **R** (déj. seul.) 42/126 ₰.

X **Ritter,** ✆ 89 25 04 30, ⌂, ⛱, ⛾ – ⓟ. E VISA
fermé 22 au 28 déc., lundi soir et mardi – SC : **R** 40/160 ₰.

PEUGEOT-TALBOT Gar. Central, ✆ 89 25 00 33

PEUGEOT-TALBOT Gar. Ingold, ✆ 89 25 00 23

RENAULT Gar. Raab, ✆ 89 25 02 71 N

DAVÉZIEUX 07 Ardèche 76 ⑩ – rattaché à Annonay.

DAX 40100 Landes 78 ⑥⑦ **G. Côte de l'Atlantique** – 19 636 h. alt. 12 – Stat. therm. : Atrium – Casino BY.

Office de Tourisme et A.C. pl. Thiers ✆ 58 74 82 33.

Paris 734 ① – •Bayonne 53 ⑤ – •Bordeaux 146 ① – Mont-de-Marsan 52 ② – Pau 80 ③.

DAX

Carmes (R. des) .... BY 5
Liberté (Av. de la) ST-PAUL-LÈS-DAX... AZ 16
Verdun (Cours de) ...... BY 38

Augusta (Cours Julia) ... BY 2
Borda (Pl.) .... BY 3
Bouvet (Pl. Camille) ..... BZ 4
Chanoine-Bordes (Pl.)... BZ 6
Clemenceau (Av. G.) .... BZ 7
Croix-Blanche (R. de la) . AZ 8
Ducos (Pl. Roger) .... BZ 9
Évêché (R. de l') .... BZ 10
Foch (Cours Mar.) ...... BY 12
Foch (R. Mar.) ST-PAUL-LÈS-DAX... AZ 13
Fusillés (R. des) .... BY 14
Gaulle (Espl. Gén.-de) ... BY 15
Lorrain (Bd Claude) ..... AZ 18
Manoir (Bd Yves du) .... AZ 19
Millies-Ladroix (Bd E.)... BY 20
Pasteur (Cours) .... BY 23
Résistance (Av. de la) ST-PAUL-LÈS-DAX... AZ 24
St-Pierre (R.) .... BYZ 26
St-Pierre (Bd et Pl.) ...... BY 27
St-Vincent (R.) .... BYZ 28
St-Vincent-de-Paul (Av.) . BY 30
St-Vincent-de-Paul (Bd) ST-PAUL-LÈS-DAX... AZ 32
Sully (R.) .... BZ 35

Splendid, cours Verdun ✆ 58 74 59 30, Télex 540085, ←, ⛾ – |♦| TV – ⚑ 50. AE ⓓ E. ✻ rest — BY **a**
2 mars-27 nov. – SC : **R** 80/140 – ☕ 17 – **174 ch** 190/290, 6 appartements 255/290 – P 310/375.

du Lac M, au Lac de Christus à St-Paul-lès-Dax ✉ 40990 St-Paul-lès-Dax ✆ 58 91 84 84, Télex 540516, ←, ⛾ – |♦| cuisinette TV ☎ ♿ ⓟ – ⚑ 30 à 300. AE ⓓ E VISA. ✻ rest — AZ **t**
fermé déc. et janv. – SC : **R** 92/141 – ☕ 24 – **250 ch** 178/237 – P 255/261.

Gd Hôtel, r. Source ✆ 58 74 84 58 – |♦| cuisinette ▤ rest TV ☎ ⓟ – ⚑ 50 à 150. AE ⓓ VISA. ✻ rest — BY **d**
SC : **R** 74/130 – ☕ 18 – **138 ch** 160/220 – P 200/300.

Parc, 1 pl. Thiers ✆ 58 74 86 17, Télex 540481, ← – |♦| TV — BY **e**
38 ch.

Dax-Thermal M, bd Carnot ✆ 58 90 19 40, Télex 540085, ← – ascenseur wc ☎ ♿ P. AE ⊕ E. rest BY **m**
25 mars-30 nov. – SC : **R** 80/130 – 16 – **128 ch** 178/205 – P 189/251.

Ecureuils M sans rest, 1 r. Croix Blanche ✆ 58 90 07 71, – cuisinette TV wc wc ☎ ♿ P BY **k**
55 ch.

Régina et Tarbelli M, bd Sports ✆ 58 74 84 58, Télex 540516 – cuisinette TV wc wc ☎ P. AE ⊕. rest BY **d**
1er mars-15 déc. – SC : **R** 65/131 – 17 – **171 ch** 133/267 – P 223/453.

Relais des Thermes M, av. Mar.-Foch à St-Paul-lès-Dax ✉ 40990 St-Paul-lès-Dax ✆ 58 91 64 37, – ch TV wc wc ☎ P – 100. AE ⊕ VISA. ch
fermé 23 déc. au 1er fév. et hôtel : dim. soir du 15 nov. au 1er mai – SC : **R** *(fermé lundi du 15 nov. au 1er mai)* 55/110 – 15 – **20 ch** 120/188 – P 195/230. AZ **f**

Vascon, pl. Fontaine-Chaude ✆ 58 74 12 14 – wc BY **u**
1er avril-15 déc. – SC : **R** (résidents seul.) 52 – 16 – **30 ch** 107/145 – P 315 (pour 2 pers.).

Tuc d'Eauze, 3 r. Tuc-d'Eauze ✆ 58 74 02 71 – wc wc BZ **b**
28 ch.

Nord sans rest, 68 av. St-Vincent-de-Paul ✆ 58 74 19 87 – P BY **s**
fermé 19 déc. au 5 janv. – SC : 13 – **19 ch** 70/80.

Richelieu avec ch, 13 av. V.-Hugo ✆ 58 74 81 81, – TV wc ☎. AE ⊕ VISA
SC : **R** 80/120 – **20 ch** 170/260, 4 appartements 300 – P 280/300. BZ **r**

Bois de Boulogne, O : 1 km par allée des Baignots ✆ 58 74 23 32, ←, AZ **n**
fermé oct., dim. soir et lundi – SC : **R** 50/110.

Aub. des Pins avec ch, 86 av. F.-Planté (Village des Pins) ✆ 58 74 22 46, – wc wc P. VISA AZ **w**
fermé mi-janv. à mi-fév. et sam. sauf du 1er mai au 30 oct. – SC : **R** 50/165 – 12 – **15 ch** 70/150 – P 140/180.

Fin Gourmet, 3 r. Pénitents ✆ 58 74 04 26 – E BY **x**
fermé 22 déc. au 15 fév. – SC : **R** 55/180.

Taverne Karlsbraü, 11 av. G.-Clemenceau ✆ 58 74 19 60 – VISA BY **h**
fermé 16 juin au 1er juil. et mardi – SC : **R** 52/98.

à l'ouest par ⑤ : rte Bayonne – ✉ **40990** St-Paul-lès-Dax :

Relais des Plages M avec ch, 3 km ✆ 58 91 78 86, – wc P. ch
fermé mi-nov. à mi-déc. – SC : **R** *(fermé lundi)* 40/150 – 13 – **10 ch** 120/145 – P 141/160.

La Chaumière, 7 km ✆ 58 91 79 81, – P
fermé 1er au 15 nov., 1er au 18 mars, lundi soir et mardi hors sais. – SC : **R** 85/190.

CITROEN P. Gigot, 40 av. Résistance, St-Paul-lès-Dax ✆ 58 91 71 01
FIAT Debibié, 145 av. V.-de-Paul ✆ 58 74 88 74
LANCIA-AUTOBIANCHI Modern Garage, r. J.-Delaurens ✆ 58 90 10 51
OPEL-GM Duprat-Desclaux, rte Bayonne, St-Paul-lès-Dax ✆ 58 91 78 04
PEUGEOT-TALBOT Dax-Auto, rte Bayonne, St-Paul-lès-Dax par ⑤ ✆ 58 91 77 42
RENAULT Autom. Landaises, av. du Sablar ✆ 58 74 83 44 N
V.A.G. Gar. Ducasse, rte d'Orthez à Narrosse ✆ 58 74 44 58

Bizet, rte Montfort ✆ 58 74 21 00
Frey, 122 av. V.-de-Paul ✆ 58 74 08 40
Morès, Z.I N° 1, rte Peyrehorade ✆ 58 74 94 66

DEAUVILLE 14800 Calvados 55 ③ G. Normandie – 4 769 h. – Casinos : été AY, et hiver BY.

Voir Mont Canisy ←★ 5 km par ③ puis 20 mn.

9 18 New-Golf ✆ 31 88 20 53 S : 3 km par D 278 BZ.

de Deauville-St-Gatien : Air Limousin ✆ 31 88 31 28 S : 3 km CY.

Office de Tourisme pl. Mairie ✆ 31 88 21 43, Télex 170220.

Paris 207 ② – ♦Caen 47 ③ – Évreux 102 ② – ♦Le Havre 75 ② – Lisieux 30 ② – ♦Rouen 91 ②.

Plan page suivante

Royal, bd E.-Cornuché ✆ 31 88 16 41, Télex 170549, ←, – TV ☎ ♿ P – 25 à 250. AE ⊕ E VISA. rest AY **y**
25 mars-oct. – **R** 175 – **315 ch** 990/1 400, 17 appartements – P 1 320/1 730.

Normandy, 38 r. J.-Mermoz ✆ 31 88 09 21, Télex 170617, ←, – TV ☎ ♿ – 120. AE ⊕ E VISA. rest ABY **h**
SC : **R** 210/350 – **300 ch** 980/1 350, 20 appartements.

Hélios sans rest, 10 r. Fossorier ✆ 31 88 28 26, – TV wc ☎ ♿. VISA.
fermé janv. – SC : 30 – **44 ch** 300/370. BY **t**

La Fresnaye sans rest, 81 av. République ✆ 31 88 09 71 – TV wc P. AE VISA BY **r**
SC : 22 – **14 ch** 100/420.

tourner →

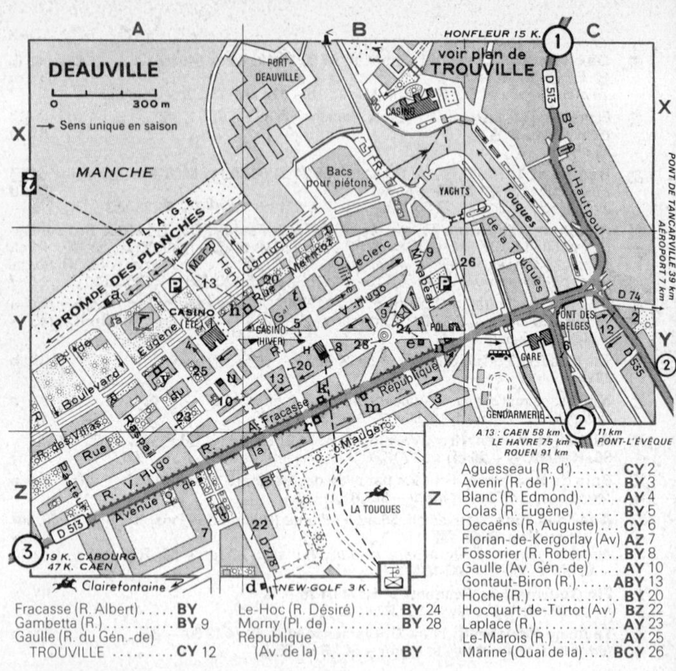

Fracasse (R. Albert) ..... BY
Gambetta (R.) .... BY 9
Gaulle (R. du Gén.-de) TROUVILLE .... CY 12
Le-Hoc (R. Désiré) ...... BY 24
Morny (Pl. de) .... BY 28
République (Av. de la) .... BY

🏨 **Marie-Anne** sans rest, 142 av. République ✆ 31 88 35 32 – TV wc wc ☎. AE ⊙ E VISA — BY **k**
SC : ☕ 28 – **25 ch** 210/370.

🏨 **Continental** sans rest, 1 r. Désiré-Le-Hoc ✆ 31 88 21 06 – ascenseur wc wc ☎. AE ⊙ VISA — BY **n**
15 mars-15 nov. – SC : **49 ch** ☕ 260.

🏨 **Résidence** sans rest, 55 av. République ✆ 31 88 07 50 – wc wc ☎. VISA — BY **m**
fermé 2 au 31 janv. – SC : ☕ 19 – **16 ch** 153/198.

XXX **Ciro's,** prom. Planches ✆ 31 88 18 10, ←, terrasse – AE ⊙ E VISA — AY **a**
R 145.

XX Saratoga avec ch, 1 av. Gén.-de-Gaulle ✆ 31 88 24 33, terrasse – wc ☎ — AY **u**
10 ch.

XX **Chez Camillo,** 13 r. Désiré-Le-Hoc ✆ 31 88 79 78 – AE ⊙ E VISA — BY **e**
fermé fév. et merc. sauf juil.-août – **R** carte 145 à 250.

XX **Yearling,** 38 av. Hocquart-de-Turtot ✆ 31 88 33 37 – VISA — BZ **d**
fermé 3 janv. au 15 fév., lundi et mardi hors sais. – SC : **R** 90/250.

à l'aéroport Deauville St-Gatien E : 7 km par D 74 – ✉ **14130** Pont-l'Évêque :

XX **Rest. Aéroport,** ✆ 31 88 38 75, ← – Ⓟ. AE ⊙
fermé 20 déc. à fin janv., mardi soir et merc. sauf août – SC : **R** 85/240.

au New-Golf S : 3 km par D 278 - BZ – ✉ **14800** Deauville :

🏨 **Golf** 🐎, ✆ 31 88 19 01, Télex 170448, alt. 100, terrasse, « Dans la campagne normande, ← mer et vallée », parc, piscine, tennis – ascenseur TV ☎ Ⓟ – 🎤 120. AE ⊙ E VISA. ✂ rest
mai-sept. – SC : **R** 155/170 – **166 ch** ☕ 450/620 – P 575/890.

à Touques par ② : 2,5 km – ✉ **14800** Deauville :

🏨 **L'Amirauté** Ⓜ, N 177 ✆ 31 88 90 62, Télex 171665, terrasse, piscine, tennis – ascenseur TV ☎ Ⓟ – 🎤 50 à 250. AE ⊙ E VISA
SC : **R** carte 125 à 210 – ☕ 37 – **114 ch** 500/560, 6 appartements 970.

XX **Relais du Haras,** 23 r. Louvel et Brière ✆ 31 88 43 98 – AE ⊙ VISA
fermé 25 juin au 5 juil., vacances de fév., mardi et merc. sauf juil.-août – SC : **R** carte 135 à 205.

Voir aussi ressources hôtelières de ***Blonville.***

ALFA-ROMEO-OPEL Gar. de la Plage, 26 r. Gén.-Leclerc ℘ 31 88 28 67
CITROEN Succursale, r. de Paris par ② ℘ 31 88 85 44 N ℘ 31 62 16 99
FORD Bastien, 22 r. Fracasse ℘ 31 88 04 31
PEUGEOT-TALBOT SODEVA, rte de Paris par ② ℘ 31 88 66 22

RENAULT Les Autom. Deauvillaises, rte de Paris par ② ℘ 31 88 21 34

Callac, 23 r. Oliffe ℘ 31 88 36 32

DECAZEVILLE **12300 Aveyron 80 ① G. Causses – 9 204 h. alt. 225.**

Office de Tourisme 15 av. Cabrol ℘ 65 43 06 27 et Pavillon du Tourisme pl. Wilson (1er juin-31 août) ℘ 65 43 18 36.

Paris 607 – Aurillac 68 – Figeac 28 – Rodez 37 – Villefranche-de-Rouergue 38.

France, pl. Cabrol ℘ **65 43 00 07** – rest wc wc. AE E VISA
SC : **R** *(fermé lundi)* 56/130 – 18 – **24 ch** 130/215 – P 200.

Pontier, 71 Av. Paul Ramadier ℘ **65 43 04 04,** – TV wc wc . E VISA
SC : **R** 60/170 – 19 – **24 ch** 100/180 – P 180/220.

PEUGEOT-TALBOT Cassan, 47 av. P.-Ramadier ℘ 65 43 06 06
RENAULT Esculié, Zone Ind. des Prades ℘ 65 43 24 38

V.A.G 26 av. Victor-Hugo ℘ 65 43 04 44

Sigal, pl. G.-Abraham ℘ 65 43 02 33

DECIZE **58300 Nièvre 69 ④⑤ G. Bourgogne – 7 522 h. alt. 197.**

Office de Tourisme à l'Hôtel de Ville ℘ 86 25 03 23 et pl. St-Jean (15 juin-1er sept.).

Paris 272 ① – Autun 78 ② – Bourbon-Lancy 38 ② – Château-Chinon 53 ② – Clamecy 75 ① – Digoin 66 ② – Moulins 33 ③ – Nevers 34 ①.

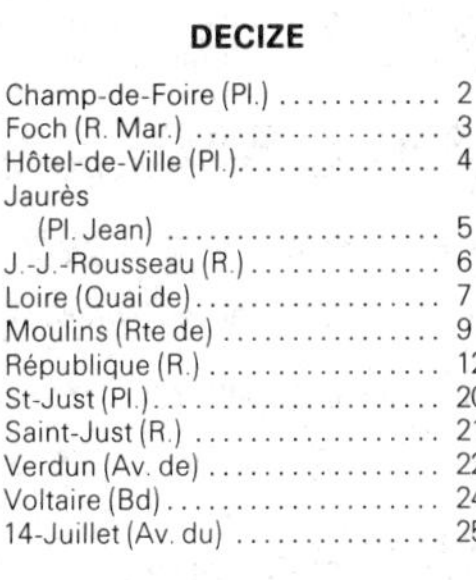

DECIZE

Champ-de-Foire (Pl.) 2
Foch (R. Mar.) 3
Hôtel-de-Ville (Pl.)............. 4
Jaurès
(Pl. Jean) 5
J.-J.-Rousseau (R.) 6
Loire (Quai de).................. 7
Moulins (Rte de) 9
République (R.) 12
St-Just (Pl.).................... 20
Saint-Just (R.) 21
Verdun (Av. de) 22
Voltaire (Bd).................... 24
14-Juillet (Av. du) 25

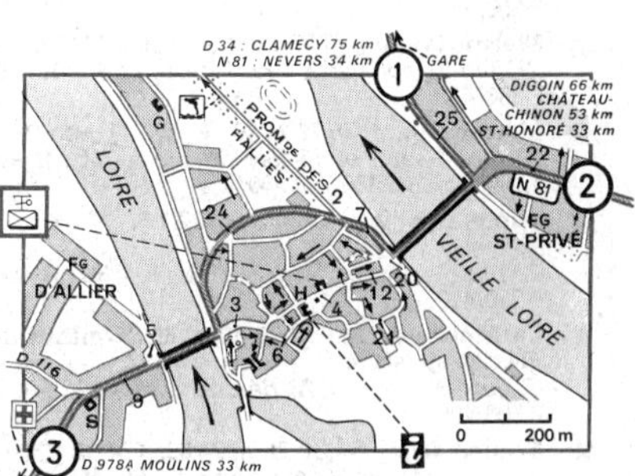

Agriculture, 20 rte Moulins **(s)** ℘ **86 25 05 38** – . ch
fermé 29 sept. au 19 oct. et dim. de nov. à mars – **SC : R** 45/135 – 13,50 – **17 ch** 70/160 – P 140/180.

Capucines, av. Gare par ① ℘ **86 25 04 12, « Jardin au bord de la rivière »** – . VISA
fermé dim. soir et lundi du 1er oct. au 30 juin – **SC : R** 40/64 – 12,50 – **30 ch** 50/150 – P 180.

CITROEN Dallois 109 bis av. Verdun par ② ℘ 86 25 15 88
FORD Ronsin, 50 av. Verdun ℘ 86 25 08 91
PEUGEOT-TALBOT Becouse-Autom., rte Moulins par ③ ℘ 86 25 13 32
RENAULT SAVRAL, N 81 à St Léger des Vignes par ① ℘ 86 25 09 73 N

V.A.G. Gar. Boiteau, 8 av. du 14-Juillet ℘ 86 25 06 12

Bill Pneum, Les Champs Monares rte de Moulins ℘ 86 25 14 39

DELLE **90100 Ter.-de-Belf. 66 ⑧ – 6 898 h. alt. 360.**

Office de Tourisme av. Gén.-de-Gaulle (fermé matin) ℘ 84 36 03 06.

Paris 498 – ♦Bâle 51 – Belfort 19 – Montbéliard 18.

XXX **National** avec ch, à la Gare ℘ **84 36 03 97** – wc wc – 40. E VISA.
SC : **R** *(fermé dim. soir et lundi)* 80/175 – 15 – **14 ch** 85/170.

DATSUN-NISSAN Gar. Thiebaut, ℘ 84 36 10 81

DELME **57590 Moselle 57 ⑭ – 698 h. alt. 221.**

Paris 363 – Château-Salins 13 – ♦Metz 32 – ♦Nancy 35 – Pont-à-Mousson 32 – St-Avold 41.

A la Douzième Borne, ℘ **87 01 30 18** – . AE E VISA
SC : **R** 40/160 – 15 – **19 ch** 73/111 – P 120.

DEMOISELLES (Grotte des) *** 34 Hérault 80 ⑯⑰ **G. Causses.**

DÉSAIGNES 07 Ardèche 76 ⑲ – rattaché à Lamastre.

DESCARTES **37160** I.-et-L. 68 ⑤ **G. Châteaux de la Loire** – 4 357 h. alt. 51.

Syndicat d'Initiative à la Mairie (fermé après-midi, hors sais.) ✆ 47 59 70 50.

Paris 290 – Châteauroux 91 – Châtellerault 23 – Chinon 52 – Loches 31 – ♦Tours 56.

- **Aub. de l'Islette,** à Lilette (86 Vienne) O : 3 km par D 58 et D 5 ✉ 37160 Descartes (37 I.-et-L.) ✆ **47 59 72 22** – wc wc ♿ P – 30. VISA
  fermé déc. et sam. hors sais. – SC : **R** 38/93 – 12,50 – **18 ch** 50/122 – P 120/148.

CITROEN Gar. Dain, 34 r. Boylesve ✆ 47 59 85 80 N

RENAULT Chabauty, 12 av. de la gare ✆ 47 59 70 40

Les DEUX-ALPES (Alpes de Mont-de-Lans et de Vénosc) **38860** Isère 77 ⑥ **G. Alpes** – alt. 1 644 Alpe de Vénosc, 1 660 m Alpe de Mont-de-Lans – Sports d'hiver : 950/3 560 m 6 51 .

Voir Belvédère de la Croix*.

Office de Tourisme ✆ 76 79 22 00, Télex 320883 et réservations hôtelières ✆ 76 80 54 38.

De l'Alpe de Vénosc : Paris 637 – Le Bourg-d'Oisans 25 – La Grave 26 – ♦Grenoble 74 – Col du Lautaret 37.

- **La Farandole** M , ✆ **76 80 50 45, Télex 320029,** ≤ massif de la Muzelle, , – P – 50. AE E VISA
  21 juin-7 sept. et 29 nov.-3 mai – SC : **R** 130/260 – **46 ch** 300/700, 14 appartements 700/1 200 – P 450/750.
- **La Bérangère** M , ✆ **76 79 24 11, Télex 320878,** ≤, – P – 25. AE E VISA. rest
  4 juil.-31 août et 15 déc.-1er mai – SC : **R** 140/250 – 35 – **59 ch** 310/480 – P 350/480.
- **Marmottes** M, ✆ **76 79 21 91, Télex 320700,** ≤, , – ♿ – 80. rest
  21 juin-31 août et 5 déc.-15 avril – SC : **R** 155/170 – 25 – **40 ch** 290/340 – P 330/480.
- **L'Adret** , ✆ **76 79 24 30,** ≤, , , , – P. E VISA
  22 juin-6 sept. et 15 déc.-1er mai – SC : **R** 86/125 – 20 – **21 ch** 280/350, 4 appartements 480 – P 260/420.
- **Edelweiss** M, ✆ **76 79 21 22,** ≤, , – wc P – 30. rest
  22 juin-7 sept. et 14 déc.-21 avril – SC : **R** 106/190 – 33 – **26 ch** 240/380 – P 250/420.
- **La Mariande** , ✆ **76 80 50 60,** ≤ massif de la Muzelle, , , – wc wc P. rest
  21 juin-31 août et 20 déc.-26 avril – SC : **R** 135 – 125 – **25 ch** 220/370 – P 300/420.
- **Souleil'Or** M , ✆ **76 79 24 69,** ≤ – wc P. rest
  29 juin-2 sept. et 20 déc.-15 avril – SC : **R** 90 – **33 ch** 250/310 – P 280/335.
- **Mélèzes,** ✆ **76 80 50 50,** ≤ – wc P. rest
  14 déc.-20 avril – SC : **R** 73/135 – 21 – **32 ch** 190/255 – P 230/320.
- **Chalet Mounier** , ✆ **76 80 56 90, Télex 308411,** , – wc . VISA. rest
  25 juin-10 sept. et 15 déc.-1er mai – SC : **R** 85/175 – **37 ch** 165/320 – P 230/330.
- **Muzelle-Sylvana,** ✆ **76 80 50 93** – wc wc P – 30. VISA. rest
  1er déc.-15 avril – SC : **R** 100/115 – **30 ch** 312 – P 240/365.
- **Cairn,** ✆ **76 80 52 38,** – wc wc P. rest
  1er juil.-31 août et 20 déc.-2 mai – SC : **R** 72 – 25 – **23 ch** (pens. seul.) – P 270/295.
- **Le Provençal,** ✆ **76 80 52 58** – wc P. rest
  1er juil.-7 sept. et 20 déc.-20 avril – SC : **R** 80 – 21 – **18 ch** 205/215 – P 240/280.

DHUIZON 41 L.-et-Ch. 64 ⑧ – 1 057 h. alt. 130 – ✉ **41220** La Ferté-St-Cyr.

Paris 173 – Beaugency 22 – Blois 28 – Orléans 43 – Romorantin-Lanthenay 27.

- XX **Aub. Gd Dauphin** avec ch, ✆ **54 98 31 12** – P
  fermé 14 janv. au 4 mars, mardi soir et merc. (sauf hôtel en juil.-août) – SC : **R** 65/200 – 25 – **9 ch** 106/140 – P 540/570 (pour 2 pers.).

Les hôtels ou restaurants agréables sont indiqués dans le guide par un signe rouge.
Aidez-nous en nous signalant les maisons où, par expérience, vous savez qu'il fait bon vivre.
Votre guide Michelin sera encore meilleur.

... XXXXX ... X

DIE <SP> **26150** Drôme **77** ⑬⑭ **G. Alpes** (plan) – 4 047 h. alt. 410.

Office de Tourisme 3 bd A.-Ferrier ✆ 75 22 26 57 et pl. St-Pierre (15 juin-15 sept.) ✆ 75 22 03 03.

Paris 630 – Gap 95 – •Grenoble 99 – Montélimar 75 – Nyons 83 – Sisteron 99 – Valence 65.

- **La Petite Auberge,** av. Sadi-Carnot (face gare) ✆ **75 22 05 91,** – wc wc P. VISA
  fermé 15 déc. au 31 janv., dim. soir et lundi sauf juil.-août – SC : **R** 85/150 – 16 – **13 ch** 90/150.
- **Relais de Chamarges,** rte Valence : 1 km ✆ **75 22 00 95,** ←, – wc wc P
  fermé fév., dim. et lundi sauf de mai à sept. – SC : **R** 48/150 – 13 – **10 ch** 143/160 – P 148/160.
- **St-Domingue,** 44 r. C.-Buffardel ✆ **75 22 03 08,** – cuisinette wc
  SC : **R** *(fermé 6 nov. au 6 déc.)* 45/98 – 18 – **26 ch** 135/158 – P 148/187.

CITROEN Gar. des Alpes, ✆ 75 22 01 89
FORD Mocellin, ✆ 75 22 04 97 N
PEUGEOT-TALBOT Gar. du Viaduc, ✆ 75 22 01 47
PEUGEOT-TALBOT Querol, ✆ 75 22 06 47
RENAULT Favier, ✆ 75 22 02 11
Gar. Bouffier, ✆ 75 22 01 55

DIEFMATTEN 68 H.-Rhin **66** ⑨ – 232 h. alt. 300 – ✉ **68780** Sentheim.

Paris 532 – Belfort 24 – Colmar 49 – •Mulhouse 21 – Thann 17.

- XXX ✿ **Cheval Blanc** (Schlienger), ✆ **89 26 91 08,** – P. AE ① E
  fermé 15 au 30 juil., 7 au 22 janv., lundi et mardi – SC : **R** 110/270
  Spéc. Saumon fumé, Arlequin de lotte et ravioli de saumon, Noisettes de chevreuil en poivrade. **Vins** Kaefferkopf, Pinot blanc.

DIENNE 15 Cantal **76** ③ **G. Auvergne** – 396 h. alt. 1 050 – ✉ **15300** Murat.

Paris 503 – Allanche 22 – Aurillac 56 – Condat 31 – Mauriac 52 – Murat 10 – St-Flour 35.

- **Manoir des Gentianes** , ✆ **71 20 80 06** – wc P.
  fermé 1er nov. au 20 déc. – SC : **R** 45/65 – 14 – **12 ch** 65/98 – P 130/160.
- **Poste,** ✆ **71 20 80 40** – wc P. E. ch
  fermé 10 nov. au 20 déc. – SC : **R** 50/70 – 15 – **10 ch** 80/140.

DIEPPE <SP> **76200** S.-Mar. **52** ④ **G. Normandie** – 35 360 h. – Casino Municipal AXY.

Voir Église St-Jacques★ BY **E** – Boulevard de la Mer ←★ AY – Chapelle N.-D.-de-Bon-Secours ←★ CX **D** – Musée du château : ivoires★ AY **M.**

18 ✆ **35 84 25 05** par ⑥ : 2 km.

✆ **35 98 50 50.**

Office de Tourisme bd Gén.-de-Gaulle ✆ 35 84 11 77 et Rotonde plage (juil.-août) ✆ 35 84 28 70 – A.C.O. 63 r. St-Jacques ✆ 35 84 24 71.

Paris 168 ④ – Abbeville 64 ① – Beauvais 104 ④ – •Caen 168 ④ – •Le Havre 105 ④ – •Rouen 61 ④.

Plan page suivante

- **La Présidence** M, 1 bd Verdun ✆ **35 84 31 31,** Télex 180865, ← – rest TV – 150. AE ① E VISA — AY **z**
  SC : **R** (4e étage) grill carte 125 à 175 – 33 – **88 ch** 200/390.
- **Univers,** 10 bd Verdun ✆ **35 84 12 55,** Télex 770741, ←, « Beau mobilier ancien » – TV – 30. AE ① E VISA. rest — AX **f**
  fermé 5 janv. au 7 fév. – SC : **R** 85/180 – 28 – **30 ch** 200/370 – P 310/395.
- **Aguado** M sans rest, 30 bd Verdun ✆ **35 84 27 00,** ← – TV. — BX **s**
  SC : 27 – **56 ch** 190/320.
- **Windsor,** 18 bd Verdun ✆ **35 84 15 23,** ← – rest wc P – 40. AE ① E VISA. rest — AX **a**
  fermé 12 nov. au 17 déc. – SC : **R** *(fermé dim. soir hors sais.)* 79/124 – 18,50 – **46 ch** 123/235 – P 212/344.
- **Select H.** sans rest, 1 r. Toustain ✆ **35 84 14 66** – wc . AE VISA — AY **v**
  SC : 16 – **25 ch** 115/260.
- **Plage** sans rest, 20 bd Verdun ✆ **35 84 18 28,** ← – TV wc wc . VISA. — AX **n**
  fermé 1er déc. au 9 janv. – SC : 17 – **40 ch** 125/198.
- **Ibis** M , par ④ ✆ **35 82 65 30,** Télex 180067 – wc P. E VISA
  SC : **R** *(fermé dim.)* carte environ 85 – 19,50 – **43 ch** 160/210.
- XX **Armorique,** 17 quai Henri-IV ✆ **35 84 28 14** – VISA — BX **t**
  fermé 1er au 15 juin, 15 au 31 oct., dim. soir et lundi – SC : **R** carte 110 à 220.
- XX **Marmite Dieppoise,** 8 r. St-Jean ✆ **35 84 24 26** – E VISA — BXY **k**
  fermé 22 juin au 5 juil., 21 déc. au 10 janv., jeudi soir, dim. soir et lundi – SC : **R** 80 (sauf vend. et sam. soir)/140.
- X La Musardière, 61 quai Henri-IV ✆ **35 82 94 14.**
- X **Le Sully,** 97 quai Henri-IV ✆ **35 84 23 13,** – E VISA — BX **h**
  fermé 15 nov. au 15 déc., mardi soir et merc. – SC : **R** 51/96.
- X **Port,** 99 quai Henri-IV ✆ **35 84 36 64** – AE E VISA — BX **h**
  fermé 23 déc. au 23 janv. et jeudi – SC : **R** 63/97.

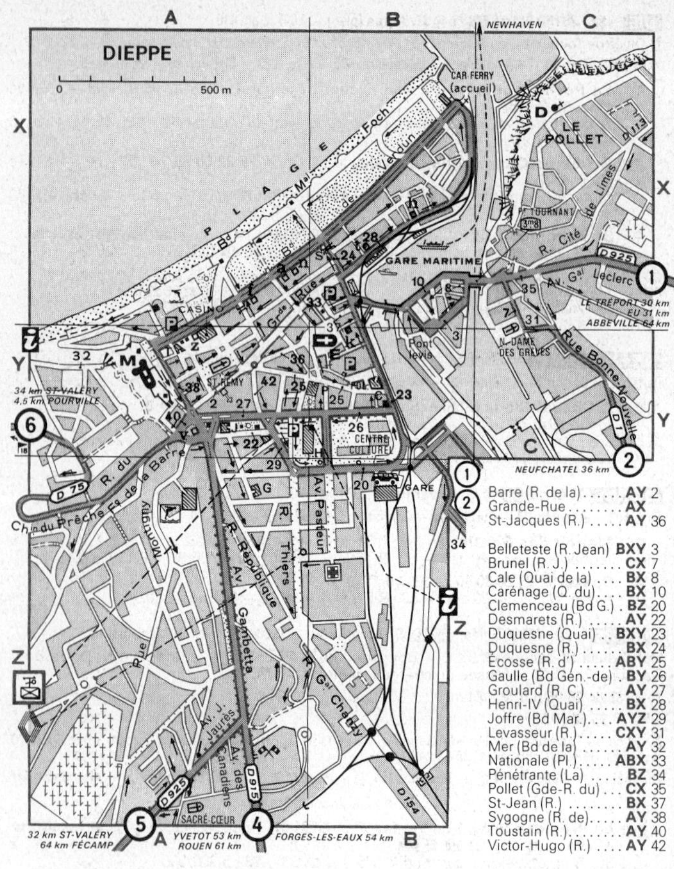

aux Vertus par ④ : **3,5 km sur N 27 – ✉ 76550** Offranville :

XXX ✿ **La Bucherie** (Delaunay), ✆ **35 84 83 10 – Ⓟ**. AE VISA
fermé 28 juin au 5 juil., 1er au 15 sept., vacances de fév., dim. soir et lundi – **SC : R** (nombre de couverts limité - prévenir) 98 (sauf sam. soir)/150
Spéc. Foie gras frais aux St-Jacques (15 oct. au 1er avril), Marmite dieppoise au safran, Cornet d'abondance aux fruits rouges (juin à oct.).

à Martin-Église par ② : **6,5 km – ✉ 76370** Neuville-les-Dieppe :

XX **Aub. Clos Normand** avec ch, ✆ **35 82 71 01**, **« Jardin en bordure de rivière »** – wc Ⓟ. AE E VISA. ch
fermé lundi soir et mardi ; hôtel fermé du 15 nov. au 1er mars ; rest. du 16 déc. au 1er fév. – **SC : R** carte 110 à 205 – 17,50 – **9 ch** 106/214.

ALFA ROMEO, FIAT, MERCEDES Gar. Quesnel, 2 r. Thiers ✆ 35 82 60 86
CITROEN Ets Leprince, Zone Ind., voie La Pénétrante BZ ✆ 35 84 16 77 N
FORD Gar. de la Plage, 4 r. Bouzard ✆ 35 84 10 36
NISSAN-DATSUN Gar. Gosse, 1 r. J.-Flouest ✆ 35 84 21 49
PEUGEOT-TALBOT Laffillé, Zone Ind., voie La Pénétrante BZ ✆ 35 82 24 50

RENAULT Gds Gar. Normandie, 33 r. Thiers ✆ 35 82 23 40
V.A.G. Picard, Zone Ind. à Neuville-lès-Dieppe ✆ 35 82 02 16

Léveillard Pneus, 7 quai Trudaine ✆ 35 84 17 00

CONSTRUCTEUR : Alpine, av. de Bréauté ✆ **35 84 37 21**

Michelin cura anche il costante e scrupoloso aggiornamento.

DIEULEFIT 26220 Drôme **81** ② **G. Vallée du Rhône** – 2 990 h. alt. 386.

Office de Tourisme pl. Abbé Magnet (hors sais. matin seul.) ✆ 75 46 42 49.

Paris 633 – Crest 37 – Montélimar 27 – Nyons 31 – Orange 58 – Pont-St-Esprit 61 – Valence 72.

Chez Nous ✆ 75 46 40 59, « Jardin » – wc wc – 30
fermé 20 nov. au 10 fév., lundi soir et mardi hors sais. – **SC : R** 70/96 – 22 – **22 ch** 78/357 – P 235/380.

Les Brises, rte Nyons à 2 km ✆ 75 46 41 49 – rest
fermé 1er janv. au 2 fév., 22 sept. au 4 oct., mardi soir et merc. hors sais. – **SC : R** 54/120 – 17 – **9 ch** 85 – P 150.

Relais du Serre avec ch, rte Nyons : 3 km ✆ 75 46 43 45 – wc . AE E VISA
fermé fév. et lundi sauf juil.-août – **SC : R** 50/130 – 18 – **8 ch** 100/140 – P 185/210.

au Poët-Laval O : 5 km par D 540 – ✉ **26160** La Bégude-de-Mazenc.

Voir Site★.

Les Hospitaliers M ✆ 75 46 22 32, ≤ vallée, « Au vieux village », – – 30. AE E VISA
fermé 15 nov. au 1er mars – **SC : R** *(fermé mardi hors sais.)* 150/300 – 55 – **20 ch** 290/550
Spéc. Feuilleté d'asperges (1er avril au 15 juin), Carré d'agneau, Gâteau au chocolat. **Vins** Côtes-du-Rhône.

CITROEN Chauvin, ✆ 75 46 44 47
PEUGEOT Henry, ✆ 75 46 43 59 N ✆ 75 46 33 31
RENAULT Gar. Benoit, ✆ 75 46 32 33

Die im Michelin-Führer
verwendeten Zeichen und Symbole haben –
*dünn oder **fett** gedruckt, rot oder schwarz –*
jeweils eine andere Bedeutung.
Lesen Sie daher die Erklärungen (S. 38 bis 45) aufmerksam durch.

DIGNE P 04000 Alpes-de-H.-P. **81** ⑰ **G. Côte d'Azur** – 16 391 h. alt. 608 – Stat. therm. (saison) Ét. thermal, E : par D 19 B et D 20 : 3,5 km.

Voir Cadre★.

Env. Courbons : ≤★ de l'église 6 km par ③ – ≤★ du Relais de télévision 8 km par ③.

Office de Tourisme le Rond-Point ✆ 92 31 42 73, Télex 430605 avec A.C. ✆ 92 31 29 26.

Paris 742 ③ – Aix-en-Provence 111 ③ – Antibes 139 ② – Avignon 143 ③ – Cannes 134 ② – Carpentras 140 ③ – Gap 86 ③ – ♦Grenoble 182 ③ – ♦Nice 152 ② – Valence 203 ③.

⌂ ⊛ **Gd Paris** (Ricaud), 19 bd Thiers ✆ 92 31 11 15, ≋ – ⌸ ▭ ☎ – 🏂 25. AE ⊙ VISA A **a**
fermé 25 oct. au 4 nov. – **SC** : **R** *(fermé janv., fév., dim. soir et lundi hors sais.)* 135/290 – ☕ 38 – **27 ch** 200/330, 5 appartements 510 – P 310/420
Spéc. Mousseux de poireau, Carré d'agneau rôti à la moutarde, Charlotte aux fruits. **Vins** Lirac, Rians.

⌂ **Ermitage Napoléon,** bd Gambetta par ② ✆ 92 31 01 09 – ⌸ ⌂wc ⌂wc ☎ ♿ ℗ – 🏂 100. AE ⊙ E VISA
10 mars-3 nov. – **SC** : **R** *(fermé 20 déc. au 10 janv., sam. et lundi midi)* 100/170 – ☕ 30 – **60 ch** 220/450 – P 260/350.

⌂ **Mistre,** 63 bd Gassendi ✆ 92 31 00 16 – ⌂wc ⌂wc ☎ 🚗 – 🏂 80. AE E VISA
fermé 1er déc. au 7 janv. – **SC** : **R** *(fermé sam. sauf juil.-août)* 120/220 🍷 – ☕ 28 – **19 ch** 210/320 – P 310/370. A **n**

⌂ **Host. Aiglon,** 1 r. Provence ✆ 92 31 02 70 – ⌂wc ☎ ℗. AE ⊙ E VISA A **e**
◆ *fermé déc. et janv.* – **SC** : **R** *(fermé vend.)* 49/137 – ☕ 17,50 – **33 ch** 80/175 – P 170/205.

⌂ **Central** sans rest, 26 bd. Gassendi ✆ 92 31 31 91 – ⌂wc ☎ A **t**
SC : ☕ 26 – **22 ch** 83/220.

⌂ **Coin Fleuri,** 9 bd V.-Hugo ✆ 92 31 04 51, ≋ – ⌂wc ⌂ ☎. AE VISA B **s**
◆ *1er mars-31 oct.* – **SC** : **R** *(fermé dim. hors sais.)* 47/135 – ☕ 17 – **15 ch** 73/165 – P 180/285.

⌂ **Le Petit St-Jean,** 14 cours Arès ✆ 92 31 30 04 – ⌂ 🚗 B **u**
◆ *fermé 25 déc. au 1er fév.* – **SC** : **R** 50/95 – ☕ 14 – **18 ch** 60/120 – P 150/175.

✕ **Ghiotti** avec ch, 6 r. Pied-de-Ville ✆ 92 31 30 90 – ⌂. AE VISA A **r**
fermé janv. – **SC** : **R** *(fermé dim. soir et lundi hors sais.)* (nombre de couverts limité - prévenir) 85/180 – ☕ 19 – **13 ch** 80/140 – P 175/210.

aux Sieyes par ③ : 2 km – ✉ **04000** Digne :

⌂ **St-Michel,** ✆ 92 31 45 66 – ⌂wc ☎ ℗
◆ *fermé dim. du 1er nov. au 1er mars* – **SC** : **R** 50/100 🍷 – ☕ 20 – **21 ch** 125/180.

CITROEN Autos Hory, quartier de la Tour, rte Marseille par ③ ✆ 92 31 31 24
FIAT Liotard, quartier des Sièyes, rte Marseille ✆ 92 31 05 56 🅽 ✆ 92 31 66 20
FORD Gar. Férréols, Rte Nice ✆ 92 31 04 13
OPEL Meyran, 77 av. Verdun par ③ ✆ 92 31 02 47
PEUGEOT-TALBOT S.D.A.D., quartier St-Christophe, rte Marseille par ③ ✆ 92 31 06 11
RENAULT Gar. Hte Provence, quartier de la Tour, rte Marseille par ③ ✆ 92 31 25 86
V.A.G. Digne-Autos, quart. St-Christophe, N 85 ✆ 92 31 12 48

◍ Ayme-Pneus, pl. Tampinet ✆ 92 31 34 67

DIGOIN 71160 S.-et-L. 69 ⑯ G. Bourgogne – 11 341 h. alt. 236.

ℹ Office de Tourisme 6 r. Guilleminot (1er juin-15 oct.) ✆ 85 53 00 81.

Paris 338 ① – Autun 67 ① – Charolles 25 ② – Moulins 56 ④ – Roanne 55 ③ – Vichy 71 ④.

✕✕ ⊛ **Diligences** (Beck) avec ch, 14 r. Nationale **(a)** ✆ 85 53 06 31 – ▤ rest ⌂wc ⌂wc ☎ ℗. AE ⊙ E VISA
fermé 26 mai au 5 juin, 3 nov. au 3 déc., lundi soir hors sais. et mardi – **SC** : **R** (dim. et fêtes prévenir) 80/250 – ☕ 20 – **10 ch** 75/150
Spéc. Ris de veau en papillote, Aiguillettes de canard au citron vert, Filet de charolais. **Vins** St-Véran, Juliénas.

à Neuzy par ① : 4 km – ✉ **71160** Digoin :

⌂ **Merle Blanc,** ✆ 85 53 17 13 – ⌂wc ☎ ♿ ℗ – 🏂 40. AE E VISA
◆ SC : **R** 51/150 🍷 – ☕ 18 – **12 ch** 120/160 – P 180/220.

✕ **Aub. des Sables,** ✆ 85 53 07 64 –
◆ ℗. E VISA
fermé vacances de fév. et merc. sauf le soir du 15 juil. au 15 sept. – **SC** : **R** 44/166 🍷.

Gaulle (Av. Gén.-de)
Nationale (R.) 10

Bartoli (R.) 2
Centre (R. du) 3

Crots (R. des) 4
Dombe (R. de la) . 5
Grève (Pl. de la) . . 6
Launay (Av. de) . . 8
Moulin (R. Jean) . 9

CITROEN Gar. Central, 2 av. Gén.-de-Gaulle ✆ 85 53 08 37
CITROEN Martel, rte Vichy à Molinet (Allier) par ④ ✆ 70 53 11 04
FIAT, MERCEDES Pulcina, 20 r. L.-Pic ✆ 85 53 24 74
FORD Narbot, 68 r. Bartoli ✆ 85 53 04 38
PEUGEOT Brechat, Chavannes à Molinet (Allier) par ④ ✆ 70 53 01 10
PEUGEOT-TALBOT Henry, 19 av. des Platanes ✆ 85 53 03 15
RENAULT Portrat, 71 av. Gén.-de-Gaulle ✆ 85 53 05 25

◍ Gouillardon-Gaudry, La Fontaine St-Martin Molinet ✆ 85 53 12 21

DIJON P 21000 Côte-d'Or 66 ⑫ G. Bourgogne – 145 569 h. alt. 247.

Voir Palais des Ducs et des États de Bourgogne★ DY : Tour Philippe-le-Bon ≤★, Musée des Beaux-Arts★★ (salle des Gardes★★★) – Rue des Forges★ DY – Église N.-Dame★ DY – plafonds★ du Palais de Justice DY **J** – Chartreuse de Champmol★ : Puits de Moïse★★ A **V** – Église St-Michel★DY – Jardin de l'Arquebuse★CY – Rotonde★★ de la crypte★ dans la cathédraleCY – Musée Archéologique★ CY **M2**.

de Bourgogne ✆ 80 31 71 10 par ①: 10 km.

✆ 80 41 50 50.

Office de Tourisme et Accueil de France (Informations, change et réservations d'hôtels, pas plus de 5 jours à l'avance), pl. Darcy ✆ 80 43 42 12, Télex 350912 et 34 r. Forges ✆ 80 30 35 39 - A.C. 4 r. Montmartre ✆ 80 41 61 35.

Paris 312 ⑦ – Auxerre 149 ⑦ – ♦Bâle 241 ③ – ♦Besançon 103 ③ – ♦Clermont-Ferrand 282 ④ – ♦Genève 198 ③ – ♦Grenoble 295 ④ – ♦Lyon 191 ④ – ♦Reims 284 ① – ♦Strasbourg 335 ③.

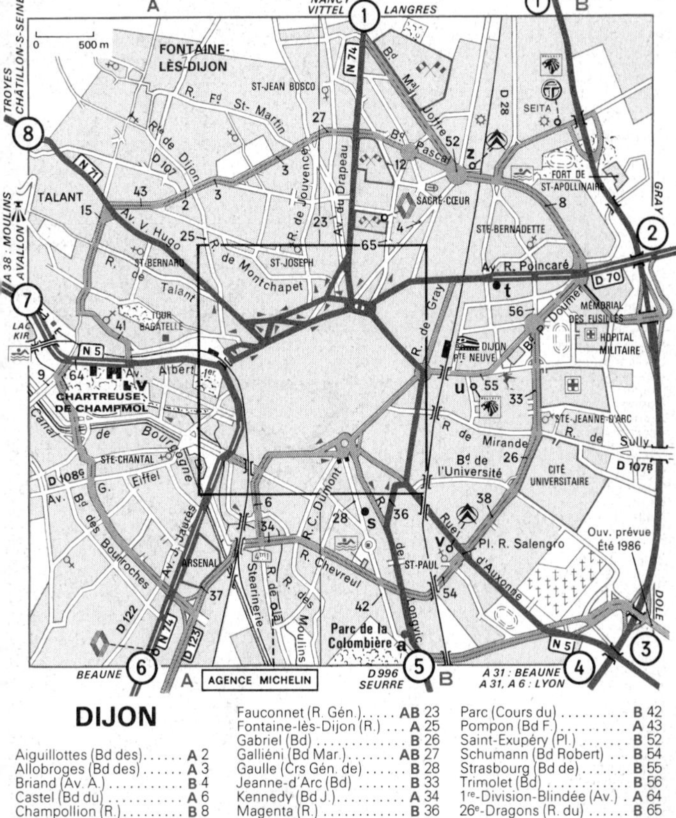

DIJON

Aiguillottes (Bd des) . . . . . . **A** 2
Allobroges (Bd des) . . . . . . **A** 3
Briand (Av. A.) . . . . **B** 4
Castel (Bd du) . . . . **A** 6
Champollion (R.) . . . . **B** 8
Chanoine-Kir (Bd) . . . . **A** 9
Châteaubriand (R. de) . . . . **B** 12
Clomiers (Bd des) . . . . **A** 15
Fauconnet (R. Gén.) . . . . . **AB** 23
Fontaine-lès-Dijon (R.) . . . **A** 25
Gabriel (Bd) . . . . **B** 26
Galliéni (Bd Mar.) . . . . **AB** 27
Gaulle (Crs Gén. de) . . . . . . **B** 28
Jeanne-d'Arc (Bd) . . . . **B** 33
Kennedy (Bd J.) . . . . **A** 34
Magenta (R.) . . . . **B** 36
Maillard (Bd) . . . . **A** 37
Mansard (Bd) . . . . **B** 38
Ouest (Bd de l') . . . . **A** 41
Parc (Cours du) . . . . **B** 42
Pompon (Bd F.) . . . . **A** 43
Saint-Exupéry (Pl.) . . . . **B** 52
Schumann (Bd Robert) . . . **B** 54
Strasbourg (Bd de) . . . . **B** 55
Trimolet (Bd) . . . . **B** 56
1re-Division-Blindée (Av.) . **A** 64
26e-Dragons (R. du) . . . . . . **B** 65

Répertoire des rues, voir pages suivantes.

La Cloche M, 14 pl. Darcy ✆ **80 30 12 32, Télex 350498,** « **jardin intérieur** » – 50 à 160. AE E VISA — CY **f**
SC : **R** voir rest. **Jean-Pierre Billoux** ci-après – 35 – **76 ch** 300/410, 4 appartements 800.

Frantel M, 22 bd Marne 21100 ✆ **80 72 31 13, Télex 350293,** – 40 à 150. AE E VISA — EX **z**
SC : **R Le Château de Bourgogne** 150 bc/185 – 30 – **117 ch** 315/390 – P 600/750.

tourner →

DIJON

Darcy (Pl.) .... CY
Foch (Av. Mar.) .... CY 24
Liberté (R. de la) .... CY

Aiguillotes (Bd des) .... A 2
Albert-1er (Av.) .... CY
Allobroges (Bd des) .... A 3
Arquebuse (R. de l') .... CY
Audra (R.) .... CY
Auxonne (R. d') .... EZ
Baudin (R. J.-B.) .... EYZ
Berbisey (R.) .... CYZ
Berlier (R.) .... EY
Bossuet (R. et Pl.) .... CDY
Bourg (R. du) .... DY
Bourroches (Bd des) .... A
Briand (Av. A.) .... EX 4
Brosses (Bd de) .... CY 5
Buffon (R.) .... DY
Cabet (R. P.) .... EY
Carnot (Bd) .... EY
Castel (Bd du) .... A 6
Cellerier (R. J.) CX
Chabot-Charny (R.) .... DYZ
Champagne (Bd de) .... EX 7
Champollion (R.) .... B 8
Chanoine-Kir (Bd) .... A 9
Charrue (R.) .... DY 10
Châteaubriand (R.) .... B 12
Chevreul (R.) .... AB
Chouette (R. de la) .... DY 14
Citeaux (R. du Petit) .... CZ
Clemenceau (Bd G.) .... EX
Clomiers (Bd des) .... A 15
Condorcet (R.) .... CY
Courtépée (R.) .... DX
Daubenton (R.) .... CZ
Davoust (R.) .... EY
Devosge (R.) .... CDY
Diderot (R.) .... EY
Dijon (Rte de) .... A
Dr-Chaussier (R.) .... CY 16
Doumer (Bd P.) .... B
Drapeau (Av. du) .... B
Dubois (Pl. A.) .... CY 20
Dumont (R. Ch.) .... DZ
École-de-Droit (R.) .... DY 21
Egalité (R. de l') CX
Eiffel (Av. G.) .... A
Estienne (Pl. Gén.) .... DX
Fauconnet (R. Gén.) .... AB 23
Févret (R.) .... DZ
Fontaine-lès-Dijon (R.) .... A 25
Forges (R. des) .... DY
Fremiet (R. A.) .... DX
Gabriel (Bd) .... B 26
Gagnereaux (R.) .... DX
Gallieni (Bd Mar.) .... AB 27
Garibaldi (Av.) .... DX
Gaulle (Crs Gén.-de) .... DZ
Godrans (R. des) .... DY 30
Grangier (Pl.) .... DY 31
Gray (R. de) .... EY
Hôpital (R. de l') .... CZ
Jaurès (Av. J.) .... CZ
J.-J.-Rousseau (R.) .... DY
Jeanne-d'Arc (Bd) .... B 33
Jeannin (R.) .... DEY
Joffre (Bd Mar.) .... B
Jouvence (R. de) .... DX
Kennedy (Bd J.) .... A 34
Libération (Pl. de la) .... DY 35
Longvic (R. de) .... DEZ
Magenta (R.) .... EZ 36
Maillard (Bd) .... A 37
Mansard (Bd) .... B 38
Manutention (R. de la) .... CZ
Marceau (R.) .... DX
Mariotte (R.) .... CY
Marne (Bd de la) .... EX
Metz (R. de) .... EY
Michelet (R.) .... CY 40
Mirande (R. de) .... EY
Monge (R.) .... CY
Montchapet (R. de) CX
Moulins (R. des) .... A
Mulhouse (R. de) .... EXY
Musette (R.) .... DY
Ouest (Bd de l') .... A 41
Parc (Cours du) .... B 42

Parmentier (R.) .... EX
Pascal (Bd) .... B
Pasteur (R.) .... DYZ
Perrières (R. des) .... CY
Piron (R.) .... DY
Poincaré (Av. R.) .... B
Pompon (Bd F.) .... A 43
Potet (R. du Petit) .... DY 44
Préfecture (R. de la) .... DY
Raines (R. du Fg) .... CYZ

Rameau (R.) .... DY 47
République (Pl. de la) .... DX
Rollin (Quai N.) .... CZ
Roses (R. des) CX
Roussin (R. Amiral) .... DY
St-Bénigne (Pl.) .... CY 50
St-Bernard (Pl.) .... DY 51
St-Exupéry (Pl.) .... B 52
St-Martin (R. Fd) .... A
Ste-Anne (R.) .... DYZ

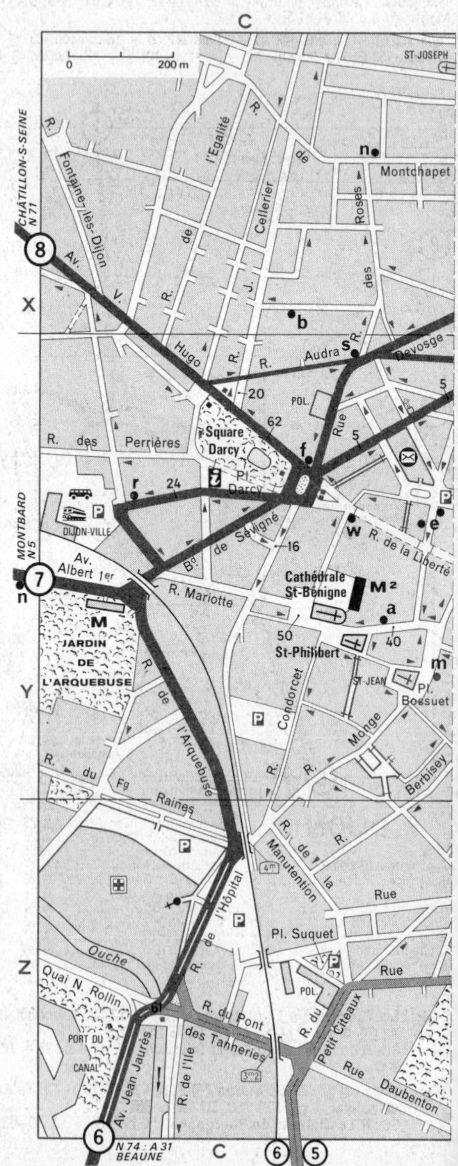

DU PLAN DE DIJON

Salengro (Pl. R.) .... **B**
Sambin (R.) .... **DX**
Schumann (Bd R.) .... **B** 54
Sévigné (Bd) .... **CY**
Stearinerie (R. de la) .... **A**
Strasbourg (Bd de) .... **B** 55
Sully (R. de) .... **B**
Suquet (Pl.) .... **CZ**
Talant (R. de) .... **A**
Tanneries (R. Pt-des) .... **CZ**
Thiers (Bd) .... **EY**
Tivoli (R. de) .... **CDZ**
Transvaal (R. du) .... **CDZ**
Trémouille (Bd de la) .... **DX**
Trimolet (Bd) .... **B** 56
Turgot (R.) .... **DZ**
Université (Bd de l') .... **B**
Vaillant (R.) .... **DY** 57
Vannerie (R.) .... **DY**
Vauban (R.) .... **DY**
Verdun (Bd de) .... **EX** 60
Verrerie (R.) .... **DY**
Victor-Hugo (Av.) .... **CXY**
Voltaire (Bd) .... **EYZ**
Wilson (Pl.) .... **DZ**
1er-Mai (Pl. du) .... **CZ** 61
1re-Armée-Fse (Av.) .... **CY** 62
1re-D.-B. (Av.) .... **A** 64
26e-Dragons (R. du) .... **EX** 65
30-Octobre (Pl. du) .... **EY**

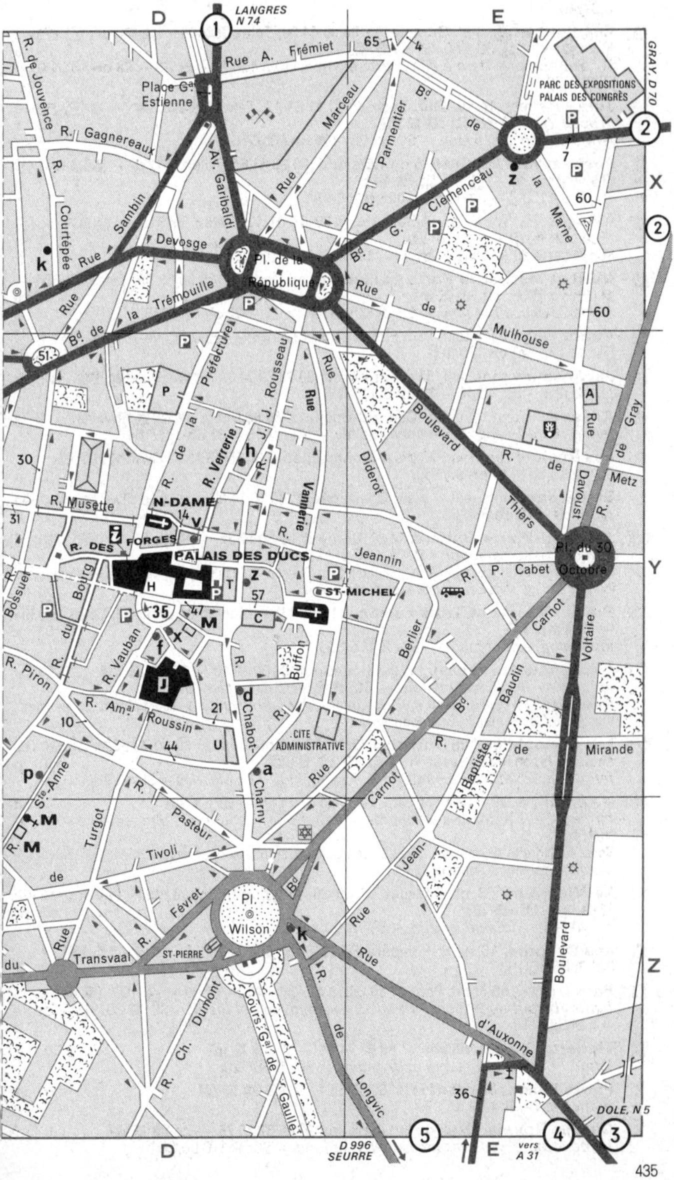

Chapeau Rouge, 5 r. Michelet 80 30 28 10, Télex 350535 – rest CY **a**
SC : **R** (nombre de couverts limité - prévenir) 150/180 – 35 – **30 ch** 250/490, 3 appartements 735
Spéc. Escalope de saumon au Bourgogne (fév. à oct.), Mignon de veau à la ciboulette, Aiguillettes de canette. **Vins** Bourgogne.

Grésill'H. M, 16 av. R.-Poincaré 80 71 10 56, Télex 350549 – 25. B **t**
fermé 14 au 28 août et 22 au 30 déc. – SC : **R** voir rest. des **Congrès** – 25 – **48 ch** 120/240.

Ibis Central M, 3 pl. Grangier 80 30 44 00, Télex 350606 – rest wc wc – 30 à 60. CY **e**
SC : **R** Rôtisserie *(fermé dim.)* carte environ 110 à 170 – 26 – **90 ch** 182/245 – P 330/380.

Jura sans rest, 14 av. Mar.-Foch 80 41 61 12, Télex 350485, – wc wc – 60. CY **r**
fermé 20 déc. au 15 janv. – SC : 25 – **75 ch** 205/265.

Poste et rest Gd Café, 5 r. Château 80 30 51 64, Télex 351225 – rest wc wc – 40. CY **e**
SC : **R** 60/150 – 18,50 – **59 ch** 165/191.

Villages H. M, 15 av. Albert 1er 80 43 01 12, Télex 350515 – rest wc – 120. CY **n**
SC : **R** carte 80 à 125 – 23 – **128 ch** 174/210.

Nord et rest. de la Porte Guillaume, pl. Darcy 80 30 58 58, Télex 351554 – wc . CY **w**
fermé 23 déc. au 14 janv. – SC : **R** 90/180 – 17 – **22 ch** 140/235.

Victor Hugo sans rest, 23 r. Fleurs 80 43 63 45 – wc wc . CX **b**
SC : 17 – **23 ch** 100/185.

Jacquemart sans rest, 32 r. Verrerie 80 73 39 74 – wc wc . DY **h**
fermé fév. – SC : 16 – **32 ch** 80/180.

Allées sans rest, 27 cours Gén.-de-Gaulle 80 66 57 50, – wc B **s**
fermé 1er au 15 août et vacances de fév. – SC : 16 – **37 ch** 104/164.

Les Rosiers sans rest, 22 bis r. Montchapet 80 55 33 11 – wc . CX **n**
SC : 15,50 – **10 ch** 90/165.

St-Bernard sans rest, 7 bis r. Courtépée 80 30 74 67 – wc wc . DX **k**
14,50 – **19 ch** 85/199.

XXX **Jean-Pierre-Billoux,** 14 pl. Darcy 80 30 12 32 – . CY **f**
fermé dim. soir et lundi – **R** 180/300 et carte
Spéc. Terrine de pigeonneau à l'ail, Saumon au persil et à l'ail confit (sais.), Suprême de pintade aux foies de canard. **Vins** Bourgogne aligoté, Monthélie.

XXX **Pré aux Clercs et Trois Faisans,** 13 pl. Libération 80 67 11 33, Télex 350394 – DY **x**
fermé dim. soir et mardi – SC : **R** 115/300.

XXX **La Chouette** (Breuil), 1 r. la Chouette 80 30 18 10 – DY **v**
fermé janv., lundi soir et mardi – SC : **R** 85 (sauf sam. soir)/240
Spéc. Feuilleté d'escargots aux morilles, Lotte au Mercurey, Rognon de veau moutarde à l'ancienne. **Vins** Aligoté de Santenay, Bourgogne rosé.

XXX **Les Oenophiles "la Toison d'Or",** 18 r. Ste-Anne 80 30 73 52, « Demeures anciennes, caveau-musée » – . DY **p**
fermé 2 au 25 août, vacances de fév., sam. midi, dim. et fériés – SC : **R** 95/150 .

XXX **Le Rallye,** 39 r. Chabot-Charny 80 67 11 55 – DY **d**
fermé 14 juil. à début août, 14 fév. à début mars, lundi midi, dim. et fêtes – SC : **R** 68/155
Spéc. Vinaigrette de saumon frais aux courgettes, Turbot aux deux sauces, Médaillon de veau à l'oseille. **Vins** Aligoté, Mercurey.

XX **Le Vinarium,** 23 pl. Bossuet 80 30 36 23, « aménagé dans une crypte du 13e s. » – CY **m**
fermé fév., lundi midi et dim. – SC : **R** 80/145.

XX **des Congrès,** 16 av. R.-Poincaré 21100 80 72 17 22 – .
SC : **R** 85 bc/150 B **t**

XX **Parc** avec ch, 49 cours Parc 80 65 18 41, , – – 100.
fermé 15 août au 1er sept., 1er au 15 fév., dim. soir et merc. – SC : **R** 80/140 – 14 – **7 ch** 65/110. B **a**

XX **Thibert,** 10, place Wilson 80 67 74 64 – DZ **k**
fermé 1er au 15 août, lundi midi et dim. – SC : **R** 85/220.

X **Pierre Fillion,** 39 r. Buffon 80 66 65 77 – DY **a**
fermé dim. – **R** 42/110.

X **Chasse Royale,** 15 pl. de la Libération 80 67 15 75 – DY **f**
fermé 1er au 21 juil., vacances de fév. et lundi – SC : **R** 110 bc/95.

à Talant par ⑧ : 3 km – 11 665 h. – ✉ **21240** Talant.
Voir ≤★.

La Bonbonnière ⛭ sans rest, 24 r. Orfèvres (près église) ✆ 80 57 31 95, ⛱ – ⛫ ⛀wc ⛁wc ☎ ⓟ. E VISA
SC : ☕ 20 – **20 ch** 130/200.

à Sennecey-lès-Dijon par ③ : 5 km – ✉ **21800** Quétigny :

La Flambée Ⓜ, ✆ 80 47 35 35, Télex 350273, ⛱ – ⛫ ▤ TV ☎ ⓟ – 🎤 25. AE ⓞ E VISA
SC : **R** grill 74/140 🍷 – ☕ 33 – **23 ch** 330/410.

à Chevigny-Fenay par ⑤ et D 996 : 9 km – ✉ **21600** Longvic :

Relais de la Sans-Fond, ✆ 80 36 61 35, ⛱ – ⛀wc ☎ ⓟ – 🎤 25. AE E VISA
SC : **R** *(fermé dim. soir)* 55/100 🍷 – ☕ 18,50 – **17 ch** 115/210.

au Lac Kir par ⑦ : 4 km – ✉ **21370** Plombières-lès-Dijon :

XX **Le Cygne,** ✆ 80 41 02 40, ≤ – ▤ ⓟ. ⓞ
fermé fév. et lundi – **R** 74/210.

à Hauteville-lès-Dijon par ⑧ et D 107 : 7 km – ✉ **21121** Fontaine-lès-Dijon :

La Musarde ⛭, ✆ 80 56 22 82, ⛱ – ⛀wc ⛁ ☎ ⓟ. ⓞ E VISA
fermé 15 janv. au 15 fév. – SC : **R** *(fermé dim. soir et lundi)* carte 80 à 115 – ☕ 16 – **11 ch** 95/175 – P 210/250.

à Marsannay-la-Côte par ⑥ : 8 km – 5 942 h. – ✉ **21160** Marsannay-la-Côte :

Novotel Ⓜ, rte Beaune ✆ 80 52 14 22, Télex 350728, ⛲, ⛱, ⛱ – ▤ rest TV ☎ ♿ ⓟ – 🎤 25 à 150. AE ⓞ E VISA
R carte environ 100 🍷 – ☕ 32 – **124 ch** 289/320.

XX **Gourmets,** 8 r. Puits de Têt ✆ 80 52 16 32, ⛱ – AE ⓞ VISA
fermé 15 au 22 juil., janv., lundi soir et mardi – SC : **R** 88/235.

à Perrigny-lès-Dijon par ⑥ : 9 km – ✉ **21160** Marsannay-la-Côte :

Ibis, ✆ 80 52 86 45, Télex 351510 – TV ⛀wc ☎ ♿ ⓟ. E VISA
SC : **R** *(fermé dim.)* carte environ 85 🍷 – ☕ 20 – **48 ch** 175/220.

NO par ⑧ 4 km sur N 71 – ✉ **21121** Fontaines-les-Dijon :

Castel Burgond et rest. Trois Ducs Ⓜ, ✆ 80 56 59 72 – ⛀wc ☎ ♿ ⓟ. AE VISA
SC : **R** *(fermé 3 août au 2 sept. vacances de fév., dim. soir et lundi)* 110/260 – ☕ 19 – **22 ch** 170/190.

MICHELIN, Agence régionale, 15 r. de la Stearinerie A ✆ **80 41 26 01**

CITROEN Succursale, Impasse Chanoine-Bardy B **z** ✆ 80 71 81 42
CITROEN Gar. Bartman, 154 r. Auxonne B **v** ✆ 80 66 46 73
DATSUN NISSAN S.A.D., 39 r. J.-Cellerier ✆ 80 55 11 77
FIAT Gar. Sodia, 2 av. R.-Poincaré ✆ 80 71 14 12
FORD Gar. Montchapet, 12 r. Gagnereaux ✆ 80 73 41 11
HONDA Gar. Neveux, 94 r. Chateaubriand ✆ 80 71 23 15
PEUGEOT-TALBOT Bourgogne Autom, Nord r. de Cracovie Zone Ind. Nord B ✆ 80 73 81 16
PEUGEOT Gar. Château-d'Eau, 1 bd Fontaine-des-Suisses B **u** ✆ 80 65 40 34
RENAULT Succursale, 139 av. J.-Jaurès A ✆ 80 52 51 34 N
RENAULT Segelle, 5 bd de l'Europe à Quetigny par D 107B B ✆ 80 46 02 54
V.A.G. Gd gar. Diderot, 4 r. Diderot ✆ 80 65 46 01
VOLVO Gar. du Transvaal, 25 r. du Transvaal ✆ 80 67 71 51
Gar. Lignier, 3 r. Gds-Champs ✆ 80 66 39 05 N

Ⓜ Madica, 29 r. Mulhouse ✆ 80 72 32 77

Périphérie et environs

ALFA-ROMEO, MERCEDES-BENZ Gar. Vincent-Gremeau, 2 r. Gay Lussac à Chenove ✆ 80 52 11 66
BMW Gar. Massoneri, Impasse des Charrières à Quetigny ✆ 80 46 01 51
CITROEN Succursale, rte de Beaune à Marsannay-la-Côte par ⑥ ✆ 80 52 11 20
FORD Gar. Lignier, N. 5 à Crimolois ✆ 80 47 33 24 N ✆ 80 66 39 05
OPEL Gar. Heinzlé, r. Prof.-L.-Neel, Zone Ind. à Longvic ✆ 80 66 52 78
PEUGEOT-TALBOT Bourgogne Autom., SUD 5 rte Beaune à Chenove par ⑥ ✆ 80 52 21 20
PORSCHE-MITSUBISHI Auto Centre Est, rte de Gray à St-Apollinaire ✆ 80 71 65 67
RENAULT Maréchal, 47 RN 74 à Marsannay-la-Côte par ⑥ ✆ 80 52 12 15
TOYOTA Gar. Nello Cheli 22 rte de Dijon à Chenove ✆ 80 52 51 78
V.A.G. Gd gar. Diderot, imp. P. Langevin à Chenove ✆ 80 52 61 50

Ⓜ Briday Pneus, 11 r. A.-Becquerel, Zone Ind. à Chenoue ✆ 80 52 54 70
Métifiot, 1 r. de l'Escaut, Zone Ind. à St-Apollinaire ✆ 80 71 21 40
Piot-Pneu, rte de Gray, St-Apollinaire ✆ 80 71 36 66

DIMECHAUX 59 Nord 53 ⑥ – rattaché à Solre-le-Château.

DINAN <SP> **22100** C.-du-N. **59** ⑮ **G. Bretagne** – 14 157 h. alt. 76.

Voir Vieille ville★ BY : **Tour de l'Horloge** ✻★★ BZ **E**, **Jardin anglais** ←★★ BY, **Place des Merciers★** BZ **33**, **rue du Jerzual★** BY **28**, **Promenade de la Duchesse Anne** ←★ BZ – **Château★** : ✻★ AZ – **Lanvallay** ←★ **2 km par** ②.

Office de Tourisme 6 r. Horloge ℘ 96 39 75 40.

Paris 397 ② – Alençon 180 ② – Avranches 67 ② – Flers 140 ② – Fougères 71 ② – Lorient 153 ③ – ♦Rennes 51 ② – St-Brieuc 60 ③ – St-Malo 29 ① – Vannes 118 ③.

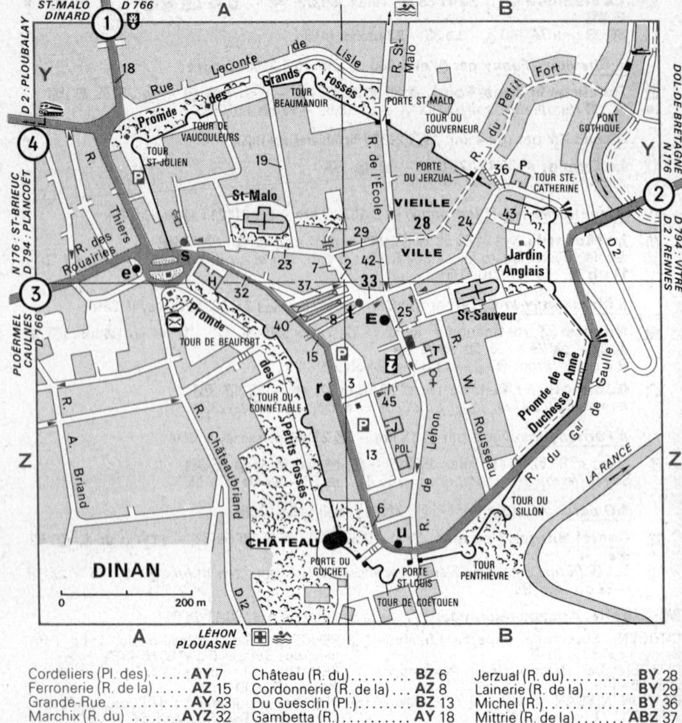

Cordeliers (Pl. des) ..... **AY** 7
Ferronerie (R. de la) ..... **AZ** 15
Grande-Rue ..... **AY** 23
Marchix (R. du) ..... **AYZ** 32
Merciers (Pl. des) ..... **BYZ** 33

Apport (R. de l') ..... **ABY** 2
Champ (Pl. du) ..... **ABZ** 3
Château (R. du) ..... **BZ** 6
Cordonnerie (R. de la) ... **AZ** 8
Du Guesclin (Pl.) ..... **BZ** 13
Gambetta (R.) ..... **AY** 18
Garaye (R. Comte de la) ..... **AY** 19
Haute-Voie (R.) ..... **BY** 24
Horloge (R. de l') ..... **BZ** 25
Jerzual (R. du) ..... **BY** 28
Lainerie (R. de la) ..... **BY** 29
Michel (R.) ..... **BY** 36
Mittrie (R. de la) ..... **ABZ** 37
Petit-Pain (R. du) ..... **AZ** 40
Poissonnerie (R. de la) .. **BY** 42
Rempart (R. du) ..... **BY** 43
Ste-Claire (R.) ..... **BZ** 45

D'Avaugour Ⓜ, 1 pl. du Champ Clos ℘ 96 39 07 49, ⛱, ✈ – |⇕| TV ⛀wc ☎. AE ⓞ E VISA — AZ **r**
SC : **R** 90/250 – ☕ 25 – **27 ch** 260/310.

Remparts sans rest, 6 r. Château ℘ 96 39 10 16 – |⇕| ⛀wc ⚘wc ☎ ⇔. E VISA — BZ **u**
fermé 15 déc. au 10 janv. – SC : ☕ 17,50 – **35 ch** 118/178.

Bretagne, 1 pl. Duclos ℘ 96 39 46 15 – |⇕| ⛀wc ⚘wc ☎. AE ⓞ E VISA — AYZ **e**
SC : **R** carte 120 à 210 – ☕ 25 – **46 ch** 150/220 – P 240/260.

Les Alleux Ⓜ, rte Ploubalay par ④ ℘ 96 85 16 10, ⛱ – ⛀wc ☎ ♿ **P** – ⛟ 30 à 70. VISA
fermé 5 janv. au 25 fév. – SC : **R** *(fermé dim. soir et vend. du 15 oct. au 15 mars)* 60/130 ♂ – ☕ 20 – **36 ch** 160/210 – P 225/255.

XX **Mère Pourcel,** 3 pl. Merciers ℘ 96 39 03 80, **« Maison bretonne du 15e s. »** – AE ⓞ E VISA — BZ **t**
fermé 22 déc. au 1er mars et lundi – SC : **R** 100/192.

XX ❀ **Caravelle** (Marmion) (annexe ⌂ – ⛀), 14 pl. Duclos ℘ 96 39 00 11 – ⇔. AE ⓞ — AY **s**
fermé 13 oct. au 8 nov., vacances de fév., merc. de nov. au 10 juil. – SC : **R** carte 220 à 270 – ☕ 15 – **11 ch** 80/130
Spéc. Etuvée piquante de langoustines royales, Filet de St-Pierre, Homard rôti au beurre salé.

CITROEN Gar. Jago, Zone Ind. par ④ ✆ 96 39 04 91
FORD Dinannaise-Autom., rte de Ploubalay ✆ 96 39 64 95
PEUGEOT-TALBOT Gd Gar. Dinan, Zone Ind. par ④ ✆ 96 39 24 38
RENAULT S.A.D.A., Zone Ind. 21 bd de Preval à Guevert ✆ 96 39 34 83 N

V.A.G. Meyer, Rte de Ploubalay à Taden ✆ 96 39 12 71
VOLVO Gar. Bretagne Autom., 105 r. de Brest ✆ 96 39 66 28

Cointrel Pneu Service, r. B.-Robidou ✆ 96 39 18 49
Savouré-Henry, Zone Ind. ✆ 96 85 10 62

DINARD **35800** I.-et-V. 59 ⑤ **G. Bretagne – 10 016 h. – Casino** BY.

Voir Pointe du Moulinet ≤★★ BY – Grande Plage ou Plage de l'Écluse★ BY – Promenade du Clair de Lune★ BYZ – Pointe de la Vicomté ≤★★ par avenue Vicomté BZ 2 km – La Rance★★ en bateau – St-Lunaire : pointe du Décollé ≤★★ et grotte des Sirènes★ 4,5 km par ② – Usine marémotrice de la Rance : digue ≤★ SE : 4 km.

Env. Pointe de la Garde Guérin★ : ※★★ par ② : 6 km puis 15 mn.

18 de St-Briac-sur-Mer ✆ 99 88 32 07 par ② : 7,5 km.

de Dinard-Pleurtuit St-Malo : T.A.T. ✆ 99 46 15 76 par ① : 5 km.

Office de Tourisme 2 bd Feart ✆ 99 46 94 12, Télex 950470.

Par ① : Paris 417 – Dinan 22 – Dol-de-Bretagne 27 – Lamballe 47 – ♦Rennes 72.

Plan page suivante

Gd Hôtel, 46 av. George-V ✆ 99 46 10 28, Télex 740522, ≤, – TV ☎ P. AE ① E VISA. ✻ rest — BY v
Pâques-début oct. – SC : **R** 140/160 – ☐ 35 – **100 ch** 450/800 – P 485/650.

Reine Hortense sans rest, 19 r. Malouine ✆ 99 46 54 31, ≤ St-Malo, – TV ☎ P. AE ① VISA — BY e
25 mars-15 nov. – SC : ☐ 45 – **10 ch** 700/850.

Émeraude-Plage, 1 bd Albert-1er ✆ 99 46 15 79 – wc wc ☎. ✻
20 mars-30 sept. – SC : **R** (dîner seul.) 80/110 – ☐ 17 – **49 ch** 145/350. — BY z

Plage et rest. Le Trezen, 3 bd Féart ✆ 99 46 14 87 – TV wc ☎ — BY s
20 mars-2 nov., vacances de Noël et fév. – SC : **R** *(fermé merc. sauf juil.-août)* 59/134 – ☐ 18 – **18 ch** 229/279 – P 253/378.

Balmoral sans rest, 26 r. Mar.-Leclerc ✆ 99 46 16 97 – wc wc ☎. AE E VISA — BY b
1er mars-15 nov. et fermé dim. et lundi sauf du 15 avril au 30 sept. – SC : ☐ 19 – **30 ch** 185/260.

Vieux Manoir sans rest, 21 r. Gardiner ✆ 99 46 14 69, – wc wc ☎ P. E VISA. ✻ — AY d
fin mars-fin oct. – SC : ☐ 18 – **26 ch** 250/320.

Printania, 5 av. George-V ✆ 99 46 13 07, ≤ St-Malo et la Rance – wc ☎. AE VISA. ✻ rest — BY h
Pâques-1er oct. – SC : **R** 86 – ☐ 19 – **75 ch** 90/300 – P 205/280.

Mont St-Michel sans rest, 54 bd Lhotelier ✆ 99 46 10 40 – wc wc ☎
1er avril-fin sept. – SC : ☐ 17 – **22 ch** 85/200. — AY f

Les Alizés, 11 pl. Gare ✆ 99 46 80 80 – TV wc wc ☎. E VISA
fermé mi-janvier à fin fév. et mardi de fin sept. à Pâques – SC : **R** 60/180 – ☐ 20 – **20 ch** 120/250.

Altaïr, 18 bd Féart ✆ 99 46 13 58 – wc ☎. AE ① VISA — BY k
fermé 15 déc. au 15 janv., dim. soir en hiver et merc. sauf vacances scolaires – SC : **R** 73/203 – ☐ 16,50 – **22 ch** 90/188 – P 166/217.

XX **Prieuré** avec ch, 1 pl. Gén.de-Gaulle ✆ 99 46 13 74, ≤ – wc ☎. E VISA — BZ n
fermé déc., janv., dim. soir (sauf en sais.) et lundi – SC : **R** 55/134 – ☐ 19 **8 ch** 218 – P 241/270.

XX **Host. Le Petit Robinson,** 3 km sur D 114 - BZ - ✉ 35780 La Richardais ✆ 99 46 14 82 – P. AE ① E VISA
fermé 15 nov. au 15 déc., 15 au 28 fév., mardi soir hors sais. et merc. sauf le soir en juil.-août – SC : **R** 53/120.

à la Jouvente : 7 km par D 114 et D 5 – ✉ **35730** Pleurtuit :

Manoir de la Rance sans rest, ✆ 99 88 53 76, ≤, parc – wc ☎ P. VISA
15 mars-31 déc. – SC : ☐ 30 – **7 ch** 220/450.

AUSTIN, ROVER, TRIUMPH Gar. Parc, 10 r. Y.-Verney ✆ 99 46 13 38
FORD Cointrel Service, bd J.-Verger ✆ 99 46 25 68
PEUGEOT-TALBOT Gar. de la Rive Gauche, ZA l'Hermitage à la Richardais par ② ✆ 99 46 75 78 N ✆ 99 88 44 27

RENAULT Martin, Z.A. l'Hermitage par ① ✆ 99 46 10 69

Emeraude Pneumatiques, La Fourberie à St-Lunaire ✆ 99 46 11 26

DIOU **36** Indre 68 ⑨ – rattaché à Issoudun.

DINARD

Féart (Bd) .... BYZ
Leclerc (R. Mar.) .... BYZ 16

Abbé Langevin (R.) ..... AY 2
Albert-1er (Bd).......... BY 3
Boutin (Pl. J.)........... BY 4
Clemenceau (R. G.) ..... BY 6
Coppinger (R.) .... BY 7
Corbinais (R. de la)...... AZ 8
Croix-Guillaume (R. de la) AZ 10
Douet-Fourchet (R. des) . AZ 12
Gaulle (Pl. du Gén.-de) .. BZ 13
Giraud (Av. du Gén.)..... BZ 15
Lhotellier (Bd)........... AY 17
Malouine (R. de la)...... BY 18
Pichot (R.) .... BZ 19
Prés. Wilson (Bd) .... BY 20
Renan (R. E.)............ AY 21
République (Pl. de la) ... BY 22
St-Lunaire (R. de)....... AY 25
Vernet (R. Y.)........... BY 26

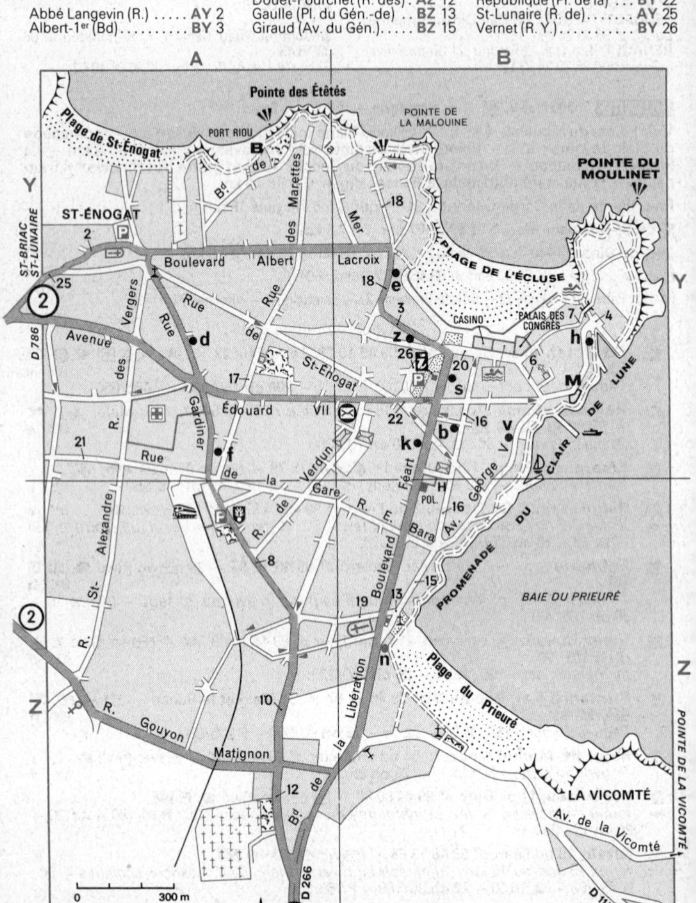

DIVES-SUR-MER 14 Calvados 54 ⑰ – rattaché à Cabourg.

DIVONNE-LES-BAINS 01220 Ain 70 ⑯ **G. Jura** (plan) – 4 783 h. alt. 500 – Stat. therm. – Casino – 18 ✆ 50 20 07 19 O : 2 km.

Office de Tourisme r. des Bains ✆ 50 20 01 22.

Paris 499 – Bourg-en-Bresse 112 – ♦Genève 19 – Gex 7,5 – Lausanne 50 – Nyon 13.

- **Les Grands Hôtels** ⑤, ✆ 50 20 06 63, Télex 385716, ←, , « Parc ombragé », , – ▮ TV ☎ P – 120. AE ⓓ E VISA. ✻ rest
  SC : **R** 210/300 – **135 ch** ☐ 460/710, 7 appartements – P 735/840.
- ⊛ **Château de Divonne** (Martin) ⑤, ✆ **50 20 00 32, Télex 309033,** ← **lac et Mt-Blanc,** , « **Dans un parc, terrasse** » – ▮ TV ☎ P – 60. VISA
  fermé 6 janv. au 15 mars – SC : **R** 195/350 – ☐ 52 – **25 ch** 390/1 000, 5 appartements 1 400 – P 700/1000
  Spéc. Foie gras et chou en ravioli, Filets de féra, Blanc de volaille de Bresse.

Mont-Blanc-Favre M, rte Grilly ☏ 50 20 12 54, ← lac et Mt-Blanc, – wc wc ☎ P
1er avril-1er nov. – SC : **R** *(fermé merc.)* (déj. seul.) 95/185 – ☐ 20 – **18 ch** 85/185 – P 260/320.

Coccinelles sans rest, rte Lausanne ☏ 50 20 06 96, ←, – wc wc ☎ P. E
fermé 24 déc. au 31 janv. – SC : ☐ 15,50 – **18 ch** 125/170.

Jura sans rest, rte Arbère ☏ 50 20 05 95, – wc wc ☎ P
fermé 15 nov. au 20 déc. – SC : ☐ 15 – **24 ch** 120/170.

La Truite sans rest, 25 Gde-Rue ☏ 50 20 04 41, – wc wc ☎. AE VISA
fermé jeudi soir – SC : ☐ 16,50 – **23 ch** 162/185.

XX **Champagne,** av. Genève ☏ 50 20 13 13, ←, – P. E VISA
fermé 20 au 30 juin, 1er au 10 oct., 23 déc. au 15 janv., jeudi midi et merc. – SC : **R** carte 115 à 190.

XX **Bellevue-rest. Marquis** avec ch, par av. d'Arbère ☏ 50 20 02 16, ←, – wc wc ☎ P. AE ⓓ E VISA
mars-7 déc. – SC : **R** *(fermé mardi midi et lundi)* 105/200 – ☐ 23 – **17 ch** 100/189 – P 205/273.

XX **Provençal** avec ch, r. Genève ☏ 50 20 01 87, – ☎. AE ⓓ E VISA. ch
fermé 1er au 7 juil., 20 oct. au 10 nov. et 15 au 22 fév. – SC : **R** *(fermé lundi midi et dim.)* 110/180 – ☐ 16 – **12 ch** (pension seul) – P 170/200.

X **Aub. Vieux Bois,** rte Gex : 1 km ☏ 50 20 01 43, , – P. AE E
fermé 28 sept. au 7 oct., fév., dim. soir et lundi – SC : **R** 60/180 ♁.

X **Mouton Noir** avec ch, Gde-rue ☏ 50 20 12 69 – wc wc. AE. ch
fermé 1er déc. au 31 janv., dim. soir et lundi – SC : **R** 61/130 ♁ – ☐ 12 – **8 ch** 57/122.

CITROEN Gar. des Alpes, ☏ 50 20 00 59 RENAULT Clatot, ☏ 50 20 07 05

DIZY 51 Marne 56 ⑯ – rattaché à Epernay.

DOLANCOURT 10 Aube 61 ⑱ – rattaché à Bar-sur-Aube.

DOL-DE-BRETAGNE 35120 I.-et-V. 59 ⑥ **G. Bretagne** – 4 974 h. alt. 16.
Voir Cathédrale★★ – Promenade des Douves★ : ←★ – Mont-Dol ☼★ 4,5 km par ④.
Office de Tourisme 3 Gde r. des Stuarts (15 juin-15 sept) ☏ 99 48 15 37.
Paris 374 ① – Alençon 154 ① – Dinan 26 ③ – Fougères 51 ① – ♦Rennes 54 ② – St-Malo 24 ④.

DOL-DE-BRETAGNE

Châteaubriand (Pl.) ... 7
Grande-rue-des-Stuarts ... 10
Le Jamptel (R.) ... 12

Briand (Av. Aristide) ... 2
Carmes (R. des) ... 3
Cathédrale (Pl. de la) ... 4
Ceinte (R.) ... 6
Écoles (R. des) ... 8
Mairie (Pl. de la) ... 13
Normandie (Bd de) ... 14
Paris (R. de) ... 15
Saint-Malo (R. de) ... 17
Touliers (Pl.) ... 19

Pour bien lire les plans de villes voir signes et abréviations p. 23.

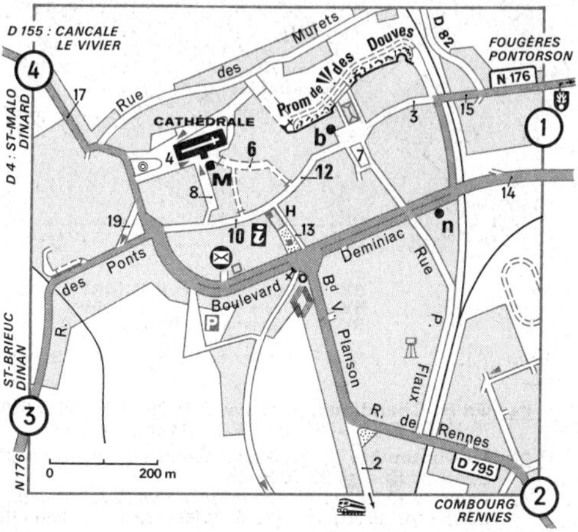

Logis Bresche Arthur, 36 bd Deminiac **(n)** ☏ 99 48 01 44, – TV wc wc ☎ P. AE ⓓ E VISA
fermé 1er nov. au 1er déc. – SC : **R** 48/200 – ☐ 25 – **25 ch** 180/200 – P 220/265.

Bretagne, pl. Châteaubriand **(b)** ☏ 99 48 02 03 – wc ☎. VISA
fermé 25 sept. au 18 oct. – SC : **R** *(fermé sam. d'oct. à mars)* 49/87 ♁ – ☐ 13,50 – **29 ch** 61/160 – P 152/177.

X **Les Roches Douves,** 80 r. Dinan par ③ ☏ 99 48 10 40 – AE ⓓ VISA
fermé dim. soir et lundi – SC : **R** 82.

RENAULT Hocquart, ☏ 99 48 02 12

DOLE 39100 Jura 70 ③ G. Jura – 27 694 h. alt. 231.

Voir Le Vieux Dole★ BY – Grille★ en fer forgé de l'église St-Jean-l'Evangéliste AZ N.

Office de Tourisme 6 pl. Grévy ☎ 84 72 11 22 et chalet rte Paris (15 juin-1er sept.) ☎ 84 72 05 41.

Paris 369 ① – ◆Besançon 58 ① – Chalon-sur-Saône 63 ④ – ◆Dijon 48 ⑤ – ◆Genève 149 ③ – Lons-le-Saunier 51 ③.

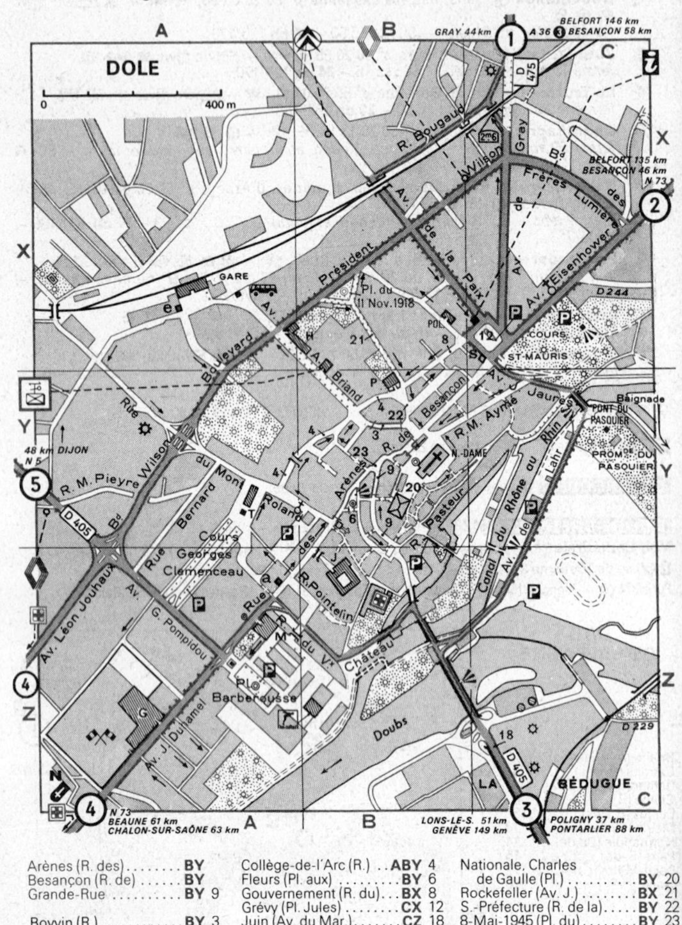

Arènes (R. des) . . . . BY	Collège-de-l'Arc (R.) . . ABY 4	Nationale, Charles de Gaulle (Pl.) . . . . BY 20
Besançon (R. de) . . . . . . BY	Fleurs (Pl. aux) . . . . BY 6	Rockefeller (Av. J.) . . . . BX 21
Grande-Rue . . . . BY 9	Gouvernement (R. du) . . . BX 8	S.-Préfecture (R. de la) . . . . . BY 22
	Grévy (Pl. Jules) . . . . CX 12	8-Mai-1945 (Pl. du) . . . . BY 23
Boyvin (R.) . . . . BY 3	Juin (Av. du Mar.) . . . . CZ 18	

Gd H. Chandioux, pl. Grévy ☎ 84 79 00 66, Télex 360498 – TV ☎ P – 70. AE E VISA – SC : **R** 80/300 – **33 ch** 200/390. CX **s**

La Chaumière M, 346 av. Genève par ③ : 3 km ☎ 84 79 03 45, – TV wc ☎ P – 25. AE E VISA
fermé 15 au 25 juin, 15 déc. au 15/1, dim. (sauf hôtel du 1er juil. au 15 sept.) et sam. du 15 sept. au 30 juin – SC : **R** 70/90 – 22 – **18 ch** 215/225.

Clemenceau, 62 bis r. Arènes ☎ 84 79 16 47 – AE VISA AZ **a**
fermé 15 déc. au 3 janv., 14 juil. au 3 août, dim. soir et lundi – SC : **R** 65/175.

Buffet Gare, ☎ 84 82 00 48 AX **e**
fermé jeudi soir – SC : **R** 46/120.

à Brévans NE : 2 km par D 244 – 39100 Dole :

Au Village, ☎ 84 72 56 40, – TV wc ☎ P – 25. rest
fermé 22 déc. au 4 janv., vend. soir, sam. midi et dim. soir du 1er nov. au 1er mai – **R** *(fermé dim. soir du 1er mai au 1er nov.)* 61/130 – 19 – **18 ch** 100/200 – P 235/340.

à Mont-Roland par ⑤ : 5 km par N5 et V0 – ✉ 39100 Dole :

Chalet du Mont-Roland ⛰, ☎ 84 72 04 55, ← – ⇔wc ⋒ ☎ Ⓟ – 🏊 250. VISA
SC : **R** *(fermé dim. soir)* 41/110 ⅄ – ☕ 15 – **16 ch** 75/160 – P 130/215.

à Parcey par ③ : 10 km sur N 5 – ✉ 39100 Dole :

As de Pique, S : 1,5 km ☎ 84 71 00 76, 🍽 – Ⓟ. AE E VISA
fermé 4 au 15 janv., dim. soir et lundi hors sais. – SC : **R** 70/173 ⅄.

BMW-FORD Gar. Jacquot, 53 av. Georges Pompidou ☎ 84 72 37 55
CITROEN Jeanperin, 2 av. de Gray ☎ 84 82 34 23 N
CITROEN Bongain, 8 av. Landon ☎ 84 72 07 97
FIAT Est-Autom., 155 av. Eisenhower ☎ 84 82 19 01
FORD Gar. Sussot, 52 av. Eisenhower ☎ 84 82 12 06
PEUGEOT, TALBOT S.C.A.D., 32 av. de Lattre de Tassigny par ① ☎ 84 82 07 79
RENAULT Cone Autom., 8 bd Wilson ☎ 84 82 00 86 N
RENAULT Chifflet, 4 r. C.-de-Persan ☎ 84 72 24 69
Jeanblanc, 34 av. Eisenhower ☎ 84 72 27 44
Piquet, 104 av. Jacques Duhamel ☎ 84 82 00 89 N

Ⓜ R.-Lehmann, 42 av. de Genève ☎ 84 72 61 77
Tissot, 22 bd des Frères Lumière ☎ 84 72 49 31

DOMÈNE 38420 Isère 77 ⑤ – 5 308 h. alt. 220.
Paris 576 – Chambéry 50 – ♦Grenoble 8,5 – Uriage-les-Bains 11.

Le Beauvoir, ☎ 76 77 20 91, ←, 🌳, 🍽 – ⇔wc ⋒wc ☎ Ⓟ. AE. ✖ rest
R *(fermé dim. soir et lundi)* 55/122 – ☕ 16,50 – **15 ch** 95/240 – P 160/200.

DOMFRONT 61700 Orne 59 ⑩ **G. Normandie** – 4 553 h. alt. 209.
Voir Site★ – Église N.-D-sur-l'Eau★ A **B** – Jardin du donjon ☀★ A **D** – Croix du Faubourg ☀★ B **E**.
ℹ Syndicat d'Initiative r. Fossés Plissons (1er juin-15 sept.) ☎ 33 38 53 97.
Paris 252 ③ – Argentan 53 ② – Avranches 66 ⑥ – Fougères 58 ⑥ – Mayenne 35 ⑤ – Vire 40 ⑧.

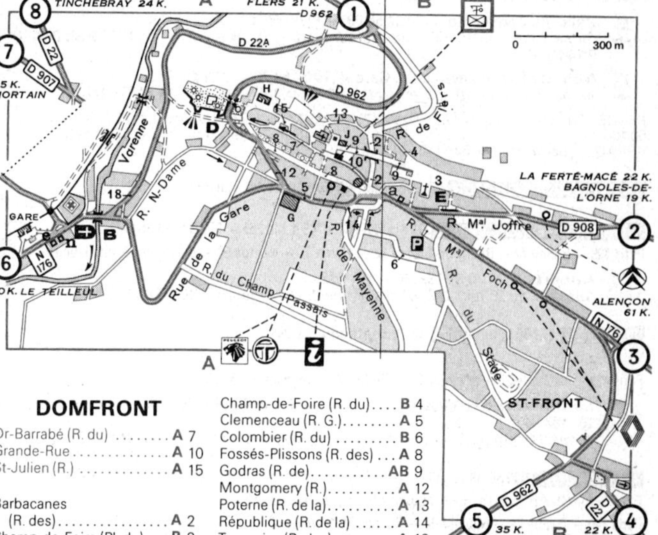

DOMFRONT

Poste, r. Foch ☎ 33 38 51 00 – ▤ rest ⇔wc ⋒wc ☎ 🚗 Ⓟ – 🏊 30. AE ⓓ E
fermé 10 janv. au 25 fév., dim. soir et lundi du 1er oct. au 30 mai sauf fériés – SC : **R** 56/165 – ☕ 17 – **29 ch** 65/180 – P 220/350. B **a**

France, r. Mt-St-Michel ☎ 33 38 51 44, ✂ – ⇔wc ⋒ ☎ Ⓟ – 🏊 100. E VISA
fermé 6 janv. au 12 fév. – SC : **R** *(fermé lundi soir et mardi hors saison)* 47/90 – ☕ 17 – **22 ch** 88/195 – P 182/218. A **e**

Gare, r. Mt-St-Michel ☎ 33 38 64 99 – ⇔ 🚗 – **19 ch**. A **n**

CITROEN Savary, ☎ 33 38 66 28
PEUGEOT-TALBOT Champ, ☎ 33 38 42 35
RENAULT Fossey, ☎ 33 38 53 35 N
RENAULT S.A.D.A., r. Mar. Foch ☎ 33 38 62 44

DOMFRONT-EN-CHAMPAGNE 72 Sarthe 60 ⑬ – 720 h. alt. 132 – ✉ **72240** Conlie.

Paris 214 – Alençon 44 – Laval 76 – •Le Mans 18 – Mayenne 56.

XX **Midi,** D 304 ✆ 43 20 52 04 – E
fermé 19 au 28 août, 27 janv. au 23 fév., dim. soir, mardi soir et lundi – SC : **R** 65/190 ♁.

DOMMARTIN LES REMIREMONT 88 Vosges 62 ⑯ – 1 661 h. alt. 399 – ✉ **88200** Remiremont.

Paris 391 – Epinal 32 – Gerardmer 25 – Remiremont 4 – Le Thillot 21.

XX **Le Karélian,** ✆ 29 62 44 05 – Ⓟ. ⓓ VISA
fermé 14 juil. au 15 août, mardi soir et merc. – SC : **R** carte 115 à 175 ♁.

DOMME 24250 Dordogne 75 ⑰ **G. Périgord (plan)** – 910 h. alt. 212.

Voir Promenade des Falaises★★ : ※★★★ – Belvédère de la barre ※★★ – Grottes★.

ℹ Syndicat d'Initiative 50 pl. Halle (1er avril-31 oct.) ✆ 53 28 37 09.

Paris 552 – Cahors 52 – Fumel 57 – Gourdon 26 – Périgueux 75 – Sarlat-la-Canéda 13.

🏨 **Esplanade** ⛭, ✆ 53 28 31 41, ← – ⛀wc ⋒wc ☎. AE
fermé fév., nov. et lundi hors sais. – SC : **R** 80/200 – ☕ 28 – **20 ch** 160/350 – P 260/400.

DOMPAIRE 88270 Vosges 62 ⑮ – 881 h. alt. 303.

Paris 351 – Épinal 19 – Lunéville 63 – Luxeuil-les-Bains 60 – •Nancy 63 – Neufchâteau 55 – Vittel 24.

XX **Commerce** avec ch, ✆ 29 36 50 28, 🌳 – ⛀wc ⋒wc ☎. AE ⓓ E VISA
✦ *fermé 20 déc. au 10 janv.* – SC : **R** *(fermé dim. soir et lundi sauf juil.-août)* 48/200 ♁ – ☕ 17,50 – **11 ch** 115/150 – P 155/175.

DOMPIERRE-SUR-BESBRE 03290 Allier 69 ⑮ – 4 050 h. alt. 234.

Voir Vallée de la Besbre★, G. Auvergne.

Paris 322 – Bourbon-Lancy 18 – Decize 45 – Digoin 26 – Lapalisse 36 – Moulins 32.

🏨 **Paix,** pl. Commerce ✆ 70 34 50 09 – ⋒wc ☎. AE. ⛔
✦ *fermé 25 oct. au 15 nov., dim. soir et lundi* – SC : **R** 50/130 – ☕ 16 – **9 ch** 65/170 – P 140/220.

XX **Aub. de l'Olive** avec ch, r. Gare ✆ 70 34 54 70 – ⛀ ⋒
✦ *fermé 15 nov. au 15 déc. et jeudi* – SC : **R** 44/125 – ☕ 15 – **11 ch** 63/140.

PEUGEOT-TALBOT Bujon, 172 r. Nat. ✆ 70 34 50 10
RENAULT Bailly, ✆ 70 34 52 34 N
Cannet, 78 r. Nationale ✆ 70 34 51 61 N
Gar. Cartier, Sept-Fons ✆ 70 34 54 84

DOMPIERRE-SUR-MER 17 Char.-Mar. 71 ⑫ – rattaché à La Rochelle.

DOMPIERRE-SUR-VEYLE 01 Ain 74 ③ – 745 h. alt. 355 – ✉ **01240** St-Paul-de-Varax.

Paris 429 – Belley 72 – Bourg-en-Bresse 16 – •Lyon 53 – Nantua 50 – Villefranche-sur-Saône 50.

X **Aubert,** ✆ 74 30 31 19, 🌳 – Ⓟ. VISA
fermé 17 au 25 juil., fév., dim. soir, merc. soir et jeudi – SC : **R** 68/145.

DONGES 44480 Loire-Atl. 63 ⑮ **G. Bretagne** – 6 988 h..

Voir Église★.

Paris 422 – La Baule 28 – •Nantes 51 – Redon 43 – St-Nazaire 16.

XX **La Closerie des Tilleuls,** N : 1 km par D4 ✆ 40 88 67 82, 🌳, « Jardin fleuri » – Ⓟ. VISA. ⛔
fermé 14 août au 1er sept., 24 déc. au 5 janv., dim. et lundi – SC : **R** 70/170.

Le DONJON 03130 Allier 69 ⑯ – 1 372 h. alt. 293.

Env. Puy St-Ambroise ←★★ NO : 12,5 km, **G. Auvergne.**

Paris 340 – Digoin 24 – Moulins 48 – Roanne 55 – Vichy 47.

🏨 **La Bonne Marmite,** ✆ 70 99 53 87 – ⋒ 🚗. E VISA
✦ *fermé 16 au 30 nov., vend. soir et dim. soir du 1er oct. à Pâques* – SC : **R** 44/150 ♁ – ☕ 15,50 – **9 ch** 72/93 – P 160/180.

PEUGEOT-TALBOT Gar. Rotat, ✆ 70 99 53 89 N
RENAULT Gar. Pascalini et Périchon, ✆ 70 99 50 76 N ✆ 70 99 53 93

DONON (Col du) 67 B.-Rhin 62 ⑧ **G. Alsace et Lorraine** – alt. 727 – ✉ **67130** Schirmeck.

Paris 400 – Lunéville 56 – St-Dié 50 – Sarrebourg 40 – Sélestat 53 – •Strasbourg 59.

🏨 **Donon** ⛭, ✆ 88 97 20 69, ←, 🌳, 🌳 – ⛀wc ⋒wc ☎ ♿ Ⓟ
✦ *fermé 15 au 25 mars, 15 nov. au 15 déc. et jeudi hors sais.* – SC : **R** 57/140 ♁ – ☕ 16 – **20 ch** 125/160 – P 200/210.

DONZENAC 19270 Corrèze 75 ⑧ G. Périgord – 1 947 h. alt. 204.
Syndicat d'Initiative (sais.).
Paris 478 – Brive-la-Gaillarde 9,5 – Limoges 83 – Tulle 28 – Uzerche 26.

rte de Limoges sur N 20 :

Soph' Motel M, à 10 km ☏ 55 84 51 02, parc, – TV wc ☎ P – 30. AE VISA
SC : **R** 69/159 – 29 – **25 ch** 230/265 – P 285/320.

Relais Bas Limousin, à 6 km ☏ 55 84 52 06, – wc wc ☎ P. E VISA
fermé 25 sept. au 8 oct. et dim. soir hors sais. – SC : **R** 52/160 – 19 – **20 ch** 80/170 – P 160/220.

La Maleyrie, à 5 km ☏ 55 84 50 67, – wc ☎ P
15 mars-30 sept. – SC : **R** 40/95 – 15 – **15 ch** 60/150.

PEUGEOT-TALBOT Gar. Chanourdie, ☏ 55 85 78 76 N ☏ 55 85 65 56

DONZÈRE 26290 Drôme 81 ① G. Vallée du Rhône – 4 322 h. alt. 64.
Paris 621 – Aubenas 47 – Montélimar 13 – Nyons 41 – Orange 39 – Pont-St-Esprit 23 – Valence 60.

Roustan, ☏ 75 51 61 27, – wc wc ☎ . VISA
fermé fév. et merc. – SC : **R** 75/120 – 25 – **11 ch** 146/207 – P 290/310.

RENAULT Gonnet, ☏ 75 51 61 09 N ☏ 75 51 65 00

DONZY 58220 Nièvre 65 ⑬ G. Bourgogne – 1 890 h. alt. 188.
Paris 203 – Auxerre 65 – Château-Chinon 87 – Clamecy 37 – Cosne-sur-Loire 17 – Nevers 49.

Ermitage et rest. Talvanne M, ☏ 86 39 30 62 – TV wc wc ☎ P. E VISA
fermé vend. sauf juil.-août – SC : **R** 62/145 – 18 – **20 ch** 160/180 – P 220.

Gd Monarque avec ch, près Église ☏ 86 39 35 44 – P.
SC : **R** *(fermé lundi sauf le soir en saison et dim. soir)* 50/80 – 17 – **17 ch** 62/190.

Le DORAT 87210 H.-Vienne 72 ⑦ G. Périgord – 2 421 h. alt. 209.
Voir Collégiale St-Pierre** – Office de Tourisme pl. Collégiale ☏ 55 60 76 81.
Paris 348 – Bellac 12 – Le Blanc 49 – Guéret 68 – Limoges 53 – Poitiers 74.

Bordeaux, 39 pl. Ch.-de-Gaulle ☏ 55 60 76 88 – wc. ch
fermé janv. et dim. soir – SC : **R** 45/83 – 12 – **10 ch** 63/126 – P 168/198.

La Promenade avec ch, 3 av. Verdun ☏ 55 60 72 09 – P. ch
fermé 26 sept. au 5 oct., 10 au 20 fév., dim. soir et lundi – SC : **R** 40/125 – 10 – **8 ch** 57/77 – P 138/155.

CITROEN Laguzet, ☏ 55 60 72 79

DORDIVES 45680 Loiret 61 ⑫ – 1 951 h. alt. 71.
Paris 95 – Montargis 18 – Nemours 15 – Orléans 89 – Sens 45.

César sans rest, 8 r. République ☏ 38 92 73 20 – wc wc ☎ P. E VISA
SC : 16 – **20 ch** 60/210.

DORMANS 51700 Marne 56 ⑮ G. Champagne, Ardennes – 2 937 h. alt. 71.
Paris 128 – Châlons-sur-Marne 57 – Château-Thierry 23 – Fère-en-Tardenois 27 – Reims 38.

Host. Demoncy avec ch, ☏ 26 58 20 86, – wc ☎ P.
fermé 23 janv. au 1er mars, lundi soir et mardi – SC : **R** 88/153 – 15 – **10 ch** 77/150.

CITROEN Gar. Chaloine, ☏ 26 58 20 58
PEUGEOT-TALBOT Richon, ☏ 26 58 20 38
RENAULT Chaplart, ☏ 26 58 20 47

DORNES 58390 Nièvre 69 ⑭ – 1 257 h. alt. 228.
Paris 278 – Decize 17 – Luzy 61 – Moulins 18 – Nevers 39 – St-Pierre-le-Moutier 22.

Commerce avec ch, ☏ 86 50 60 21 – P – **9 ch**.

CITROEN Dachet, ☏ 86 50 61 21
RENAULT Gar. Varême, ☏ 86 50 63 90

DORRES 66 Pyr.-Or. 86 ⑯ G. Pyrénées – 156 h. alt. 1 450 – ✉ **66760** Bourg-Madame.
Voir Angoustrine : Retables* dans l'église O : 5 km.
Paris 883 – Ax-les-Thermes 58 – Bourg-Madame 10 – Perpignan 110 – Prades 67.

Marty , ☏ 68 30 07 52, ← – P. rest
fermé 11 nov. au 20 déc. – SC : **R** 59 bc/100 – 16 – **34 ch** 85/140 – P 180/290.

DOUAI 59500 Nord 53 ③ G. Flandres, Artois, Picardie – 44 515 h. alt. 24.
Voir Beffroi* BY D – Musée* dans l'ancienne Chartreuse* AX M – **Env.** Centre historique minier de Lewarde* SE : 8 km par ②.
de Thumeries ☏ 20 86 86 51 par ① et D 8 : 15 km.
Office de Tourisme 70 pl. d'Armes ☏ 27 87 26 63 - A.C. 155 pl. Armes ☏ 27 88 90 79.
Paris 193 ④ – Amiens 89 ④ – Arras 26 ④ – Beauvais 149 ④ – Charleville-Mézières 148 ③ – Lens 22 ⑤ – Lille 38 ⑤ – St-Quentin 73 ③ – Tournai 38 ① – Valenciennes 44 ①.

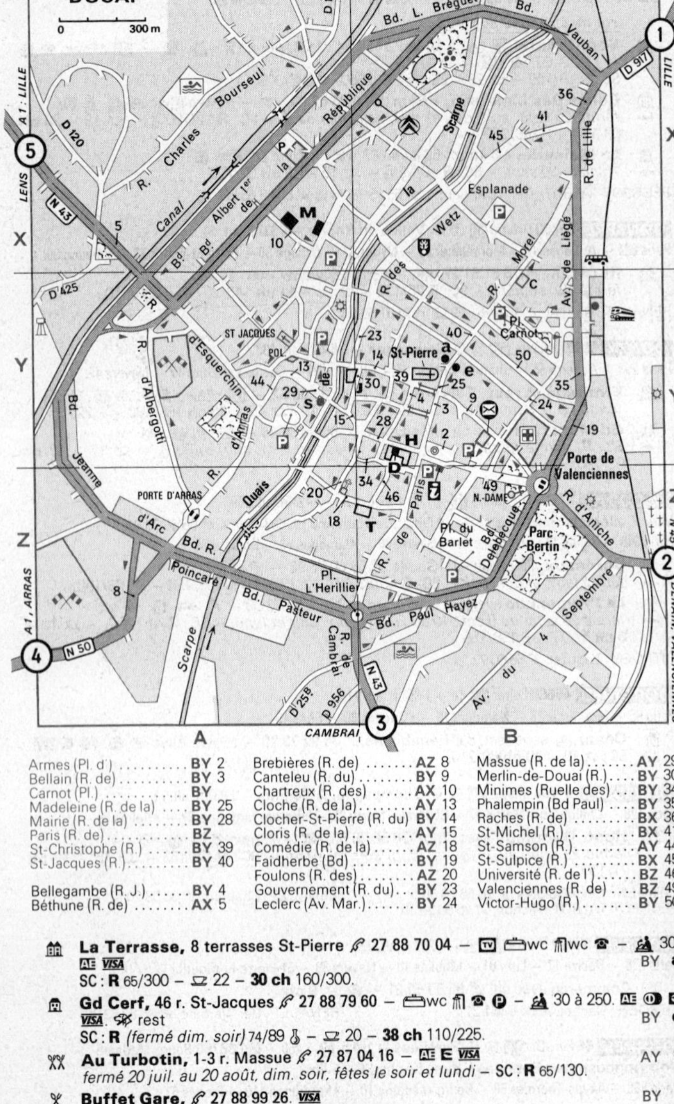

Armes (Pl. d') .... BY 2
Bellain (R. de) .... BY 3
Carnot (Pl.) .... BY
Madeleine (R. de la) .... BY 25
Mairie (R. de la) .... BY 28
Paris (R. de) .... BZ
St-Christophe (R.) ...... BY 39
St-Jacques (R.) .... BY 40

Bellegambe (R. J.) ...... BY 4
Béthune (R. de) .... AX 5
Brebières (R. de) .... AZ 8
Canteleu (R. du) .... BY 9
Chartreux (R. des) ...... AX 10
Cloche (R. de la) .... AY 13
Clocher-St-Pierre (R. du) BY 14
Cloris (R. de la) .... AY 15
Comédie (R. de la) ...... AZ 18
Faidherbe (Bd) .... BY 19
Foulons (R. des) .... AZ 20
Gouvernement (R. du) ... BY 23
Leclerc (Av. Mar.) .... BY 24
Massue (R. de la) .... AY 29
Merlin-de-Douai (R.) .... BY 30
Minimes (Ruelle des) ... BY 34
Phalempin (Bd Paul) .... BY 35
Raches (R. de) .... BX 36
St-Michel (R.) .... BX 41
St-Samson (R.) .... AY 44
St-Sulpice (R.) .... BX 45
Université (R. de l') ..... BZ 46
Valenciennes (R. de) .... BZ 49
Victor-Hugo (R.) .... BY 50

La Terrasse, 8 terrasses St-Pierre ✆ 27 88 70 04 – TV wc wc ☎ – 30. AE VISA — BY **a**
SC : **R** 65/300 – 22 – **30 ch** 160/300.

Gd Cerf, 46 r. St-Jacques ✆ 27 88 79 60 – wc ☎ P – 30 à 250. AE E VISA. rest — BY **e**
SC : **R** *(fermé dim. soir)* 74/89 – 20 – **38 ch** 110/225.

XX **Au Turbotin,** 1-3 r. Massue ✆ 27 87 04 16 – AE E VISA — AY **s**
fermé 20 juil. au 20 août, dim. soir, fêtes le soir et lundi – SC : **R** 65/130.

X **Buffet Gare,** ✆ 27 88 99 26. VISA — BY
fermé dim. soir et lundi soir – **R** 49/130.

par ④ : **7 km sur N 50** – ✉ **62117** Brébières

XX **Air Accueil,** ✆ 21 50 02 66 – P. VISA
fermé 3 au 31 août et dim. soir – SC : **R** 80/300.

ALFA-ROMEO, OPEL Faidherbe-Auto, 211 bd Faidherbe ✆ 27 87 34 27
CITROEN Cabour, 884 r. de la République ✆ 27 87 36 22
FIAT C.A.D.O., 124 av. R.-Salengro à Sin-le-Noble ✆ 27 88 82 28
FORD Paty, N 17 Le Raquet à Lambres ✆ 27 87 30 63
LADA, SKODA, TOYOTA Gar. du Nord, rte de Cambrai à Ferin ✆ 27 88 55 09
PEUGEOT-TALBOT Charpentier, 537 rte Cambrai par ③ ✆ 27 87 22 76

RENAULT Gd Gar. Douaisien, rte Cambrai par ③ ✆ 27 87 29 72
V.A.G. Gar. Carlier, 36 N 17 à Lambres-lez-Douai ✆ 27 98 50 65

Ⓜ Europneus, 5 r. de Warenghien ✆ 27 87 00 63 et 174 av. R.-Salengro à Sin-le-Noble ✆ 27 88 69 70

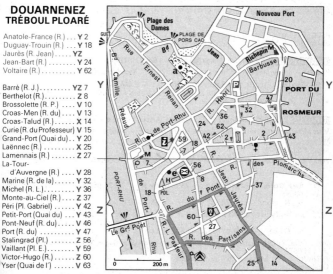

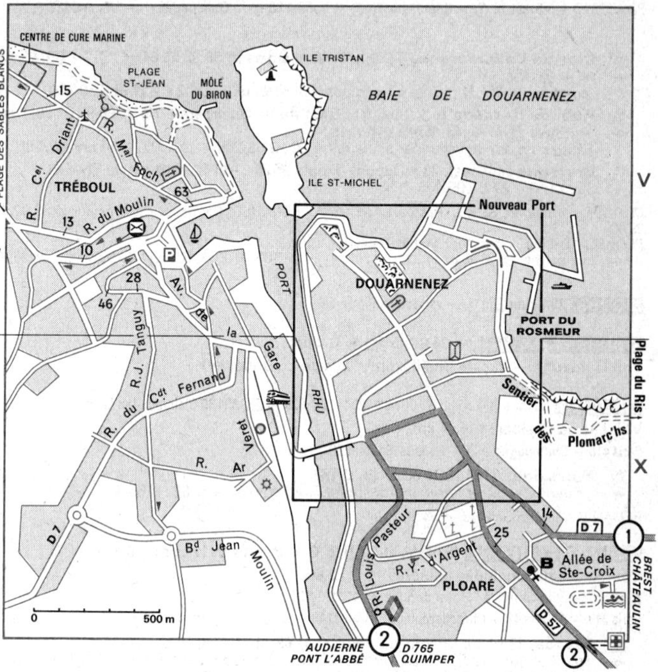

CENTRE DE CURE MARINE
PLAGE ST-JEAN
MÔLE DU BIRON
ILE TRISTAN
BAIE DE DOUARNENEZ
POINTE DE LEYDÉ
PLAGE DES SABLES BLANCS
TRÉBOUL
ILE ST-MICHEL
Nouveau Port
DOUARNENEZ
PORT DU ROSMEUR
Plage du Ris
Sentier des Plomarc'hs
R. du Moulin
R. Mal Foch
R. Cel Driant
Av. de la Gare
R. du Cdt Fernand
R. J. Tanguy
R. Ar Veret
PORT RHU
Bd Jean Moulin
R. Louis Pasteur
R. Y.-d'Argent
PLOARÉ
Allée de Ste-Croix
BREST CHÂTEAULIN
AUDIERNE PONT L'ABBÉ
D 765 QUIMPER
D 7
D 57
500 m

DOUARNENEZ
TRÉBOUL PLOARÉ

Anatole-France (R.) . . . Y 2
Duguay-Trouin (R.) . . . Y 18
Jaurès (R. Jean) . . . . . YZ
Jean-Bart (R.) . . . . Y 24
Voltaire (R.) . . . . Y 62

Barré (R. J.) . . . . YZ 7
Berthelot (R.) . . . . Z 8
Brossolette (R. P.) . . . . V 10
Croas-Men (R. du) . . . . V 13
Croas-Talud (R.) . . . . . . X 14
Curie (R. du Professeur) V 15
Grand-Port (Quai du) . . Y 20
Laënnec (R.) . . . . X 25
Lamennais (R.) . . . . Z 27
La-Tour-d'Auvergne (R.) . . . . V 28
Marine (R. de la) . . . . . . Y 32
Michel (R. L.) . . . . Y 36
Monte-au-Ciel (R.) . . . . Z 37
Péri (Pl. Gabriel) . . . . . . Y 42
Petit-Port (Quai du) . . . Y 43
Pont-Neuf (R. du) . . . . . V 46
Port (R. du) . . . . Y 47
Stalingrad (Pl.) . . . . Z 56
Vaillant (Pl. E.) . . . . Y 59
Victor-Hugo (R.) . . . . . . Z 60
Yser (Quai de l') . . . . . . V 63

Nouveau Port
Plage des Dames
PLAGE DE PORS CAD
Bd Jean Richepin
Barbusse
Bd Camille Réaud
Rue Ernest Renan
R. Henri
PORT DU ROSMEUR
R. de Port-Rhu
R. des Plomarc'hs
R. Jean Jaurès
PORT-RHU
Q. de Port-Rhu
R. du Pont
R. des Partisans
R. L. Pasteur
Le Grd Pont
200 m

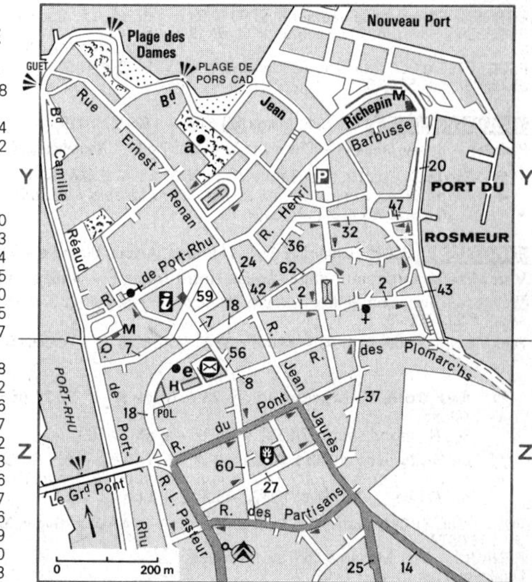

DOUAINS 27 Eure 55 ⑰, 196 ① – rattaché à Pacy-sur-Eure.

DOUARNENEZ 29100 Finistère 58 ⑭ **G. Bretagne** – 17 813 h..
Voir Boulevard Jean-Richepin et jetée du Nouveau Port ⩤★ Y – Port du Rosmeur★ Y – Ploaré : tour★ de l'église X B – Pointe de Leydé ⩤★ NO : 5 km V.

Office de Tourisme 2 r. Dr Mével ✆ 98 92 13 35.

Paris 575 ① – ◆Brest 75 ① – Châteaulin 26 ① – Lorient 88 ② – Quimper 22 ② – Vannes 137 ②.

Plan page précédente

Clos de Vallombreuse M 🔇, 7 r. E. d'Orves ✆ 98 92 63 64, ⩤, 🏊 – TV ⌂wc ☎ ♿ P. VISA. ✻ ch Y a
fermé fév. – SC : **R** *(fermé lundi d'oct. à juin)* 55/190 – ☕ 25 – **21 ch** 250/400.

Aub. de Kervéoc'h 🔇, par ② : 5 km rte de Quimper et VO ✆ 98 92 07 58, parc – ⌂wc ⌂wc ☎ P. E VISA. ✻ rest
Pâques-fin oct. et vacances scolaires – SC : **R** 58/205 – ☕ 17,50 – **14 ch** 162/185.

Bretagne sans rest, 23 r. Duguay-Trouin ✆ 98 92 30 44 – 🛗 ⌂wc ⌂wc ☎
SC : ☕ 16 – **27 ch** 95/175. Z e

CITROEN Belbéoch, 33 r. L.-Pasteur ✆ 98 92 29 00
PEUGEOT-TALBOT Gar. Viol Menez Peulven, rte de Quimper par ② ✆ 98 92 11 72
RENAULT Carrot, 89 r. L.-Pasteur ✆ 98 92 04 11
SOS PNEUS, 37 quai du Port Rhu, ✆ 98 92 15 99

DOUBS 25 Doubs 70 ⑥ – rattaché à Pontarlier.

DOUBS (Vallée du) ★★ 25 Doubs 66 ⑱ **G. Jura.**
Voir Gorges★★ – Lac de Chaillexon★★ et saut du Doubs★★★.

DOUCIER 39 Jura 70 ⑭⑮ **G. Jura** – 202 h. alt. 528 – ✉ 39130 Clairvaux-les-Lacs.
Voir Lac de Chalain★★ N : 4 km.

Paris 418 – Champagnole 21 – Lons-le-Saunier 26.

Sarrazine, ✆ 84 25 70 60 – P. E VISA
15 avril-15 nov. et fermé mardi soir et merc. hors sais. – SC : **R** 55 🍷.

RENAULT Garage Gaillard, ✆ 84 25 70 94

DOUÉ-LA-FONTAINE 49700 M.-et-L. 67 ⑧ **G. Châteaux de la Loire** – 6 855 h. alt. 76.
Voir Parc zoologique des Minières★★ O : 2 km.

Syndicat d'Initiative à l'Hôtel de Ville ✆ 41 59 11 04.

Paris 310 – Angers 41 – Châtellerault 84 – Cholet 49 – Saumur 17 – Thouars 26.

France, 17 pl. du Champ-de-Foire ✆ 41 59 12 27 – ⌂wc ☎. VISA
fermé 20 juin au 5 juil., 23 déc. au 15 janv., dim. soir (sauf hôtel) et lundi de sept. à juin – SC : **R** 45/200 – ☕ 20 – **18 ch** 85/170 – P 170/200.

CITROEN Belien, rte de Saumur ✆ 41 59 12 59
PEUGEOT Hayot, rte de Saumur ✆ 41 59 18 57
PEUGEOT, TALBOT Gar. Darteuil-lesaint, 20 r. de Cholet ✆ 41 59 11 00
RENAULT Bouchet, 11 rte de Montreuil ✆ 41 59 10 72
RENAULT Chaillou, 49 r. de Cholet ✆ 41 59 10 55 N ✆ 41 59 12 16

DOULAINCOURT 52270 H.-Marne 62 ⑪⑫ – 1 089 h. alt. 220.

Paris 255 – Bar-sur-Aube 48 – Chaumont 32 – Joinville 19 – Neufchâteau 44.

Paris 🔇, pl. Ch.-de-Gaulle ✆ 25 95 31 18 – E VISA. ✻ ch
fermé 1er au 15 sept., 12 au 26 janv. et lundi sauf juil.-août – SC : **R** 42/90 🍷 – ☕ 14 – **10 ch** 75/95 – P 140/160.

DOULLENS 80600 Somme 52 ⑧ **G. Flandres, Artois, Picardie** – 7 897 h. alt. 64.
Voir Mise au tombeau★ dans l'église Notre-Dame F – Vallée de l'Authie★ par ④.

Office de Tourisme Beffroi r. Bourg (1er juin.-1er sept.) ✆ 22 77 00 07 et 10 r. Marjolaine (hors sais.) ✆ 22 77 09 28.

Paris 178 ③ – Abbeville 41 ④ – ◆Amiens 30 ③ – Arras 35 ① – Péronne 54 ② – St-Omer 83 ⑤.

Plan page ci-contre

Aux Bons Enfants avec ch, 23 r. Arras **(f)** ✆ 22 77 06 58 – ⌂ ⌂ P. E VISA. ✻ ch
SC : **R** *(fermé sam.)* 57/93 🍷 – ☕ 15 – **8 ch** 75/160.

Le Sully avec ch, 45 r. Arras **(u)** ✆ 22 77 10 87 – ⌂ ☎ P. VISA
fermé 24 juin au 8 juil., 2 au 16 janv., lundi du 1er oct. au 31 mars et merc. du 1er avril au 30 sept. – SC : **R** 42/100 🍷 – ☕ 13 – **8 ch** 72/134.

FORD Gar. St-Christophe, 6 r. Pont-St-Ladre ✆ 21 77 06 54
RENAULT Gar. Moderne, 55 av. Flandres-Dunkerque par ① ✆ 21 77 02 77
RENAULT Roger, 32 r. A.-Tempez ✆ 21 77 08 42

DOULLENS

Les plans de villes sont orientés le Nord en haut.

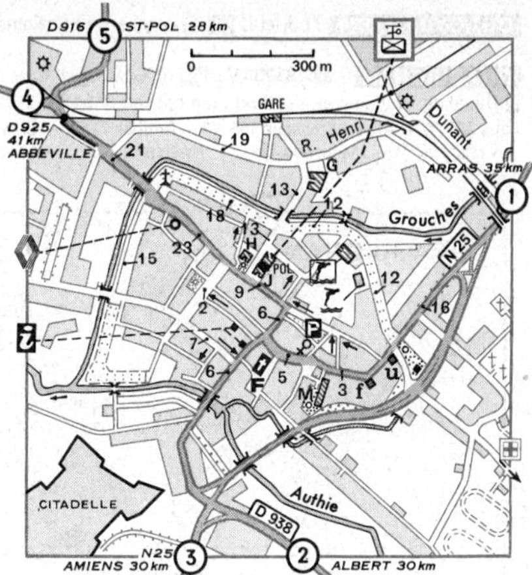

Dans ce guide
un même symbole, un même caractère
imprimé en rouge ou en noir, en maigre ou en gras
n'ont pas tout à fait la même signification.
Lisez attentivement les pages explicatives (p. 14 à 21).

DOURDAN 91410 Essonne 60 ⑨, 196 ㊶ **G. Environs de Paris** – 8 057 h. alt. 117.
Voir Place du Marché aux grains★.
Office de Tourisme pl. Gén.-de-Gaulle (1) 64 59 86 97.
Paris 54 – Chartres 42 – Étampes 18 – Évry 41 – ♦Orléans 79 – Rambouillet 22 – Versailles 37.

Host. Blanche de Castille M, pl. Halles (1) 64 59 68 92, Télex 690902, – ▣ – 40 à 100. AE VISA
SC : **R** 200/220 – 35 – **40 ch** 220/300
Spéc. Foie gras frais, Homard grillé beurre blanc, Ragoût de rognons et ris de veau.

XX **Pot d'Argent,** 2 r. St-Germain (1) 64 59 40 20,
fermé 23 au 30 juin, 1er au 7 sept., 21 au 30 déc., vac. de nov. et de fév., lundi soir et mardi – SC : **R** 129/200.

CITROEN Ménard, Zone Ind. de la Gaudrée (1) 64 59 64 00
LANCIA-AUTOBIANCHI, TOYOTA Huberty, rte d'Etampes, D 836 (1) 64 59 66 65
PEUGEOT Gar. Côte de Liphard, 10 rte Liphard (1) 64 59 71 86
RENAULT Lesage, 30 av. de Paris (1) 64 59 70 83

DOURLERS 59228 Nord 53 ⑥ – 623 h. alt. 171.
Paris 214 – Avesnes-sur-Helpe 8 – ♦Lille 95 – Maubeuge 13 – Le Quesnoy 26 – Valenciennes 42.

XX **Aub. du Châtelet,** Les Haies à Charmes S : 1 km sur N 2 ✉ 59440 Avesnes-sur-Helpe 27 61 06 70, – . AE VISA.
fermé 15 août au 15 sept., 2 au 10 janv., dim. soir et merc. – SC : **R** (nombre de couverts limité - prévenir) 190 bc/80.

DOUSSARD 74 H.-Savoie 74 ⑯ – rattaché à Bout-du-Lac.

DOUVAINE 74140 H.-Savoie 70 ⑯ – 2 740 h. alt. 429.
Paris 530 – Annecy 62 – Annemasse 17 – Bonneville 31 – ♦Genève 17 – Thonon-les-Bains 16.

Poste sans rest, 50 94 01 19 – wc wc . AE VISA.
fermé nov. – SC : 17 – **18 ch** 95/120.

XXX **Aub. Gourmande,** à Massongy E : 2 km par N 5 ✉ 74140 Douvaine 50 94 16 97, <, – . AE E VISA
fermé vacances de fév., jeudi midi et merc. – SC : **R** 90/230.

XX **Couronne** avec ch, 50 94 10 62 – wc wc . ch
fermé 8 au 17 sept., janv. et sam. sauf juil.-août – SC : **R** 55/230 – 16,50 – **13 ch** 90/160 – P 125/190.

X **Écaille d'Argent** avec ch, à Tougues NO : 4 km par D 20 ✉ 74140 Douvaine 50 94 04 16, <, – . E VISA
1er avril-1er oct. et fermé mardi soir et merc. sauf juil.-août – SC : **R** 49 – 15 – **7 ch** 67/71.

DRACY-LE-FORT 71 S.-et-L. 69 ⑨ – rattaché à Châlon-sur-Saône.

DRAGUIGNAN <SP> **83300** Var 84 ⑦ **G. Côte d'Azur** – 28 194 h. alt. 181.

Office de Tourisme et A.C. 9 bd Clemenceau ☎ 94 68 63 30.

Paris 860 ② – Aix-en-Provence 106 ② – Antibes 72 ② – Cannes 59 ② – Digne 113 ④ – Fréjus 29 ② – Grasse 56 ① – Manosque 89 ③ – ♦Marseille 118 ② – ♦Nice 89 ② – ♦Toulon 83 ②.

Cisson (R.)	YZ 3	Marchands (R. des)	Y 16
Clemenceau (Bd)	Z 4	Marché (Pl. du)	Y 17
Blanqui (Bd)	Y 2	Marx-Dormoy (Bd)	Z 18
Clément (R. P.)	Z 5	Mireur (R. F.)	Y 19
Daudet (Av. A.)	Y 6	Observance (R. de l')	Y 20
Joffre (Bd Mar.)	Z 9	République (R. de la)	Z 23
Juiverie (R. de la)	Y 12		
Lattre-de-Tassigny (Rond-Point de)	Z 14		
Leclerc (Bd Gén.)	Z 15		

Col de l'Ange M, par ③ : 2,5 km ☎ **94 68 23 01, Télex 970423**, ←, ♨, ⛱, 🌳 – TV ⛁wc ☎ P – 🏔 40. AE ⓞ E VISA
fermé hôtel : 1er au 15 janv. ; rest. : janv. – SC : **R** 110/200 🍷 – ☕ 30 – **30 ch** 300/380.

Parc sans rest, **21 bd Liberté** ☎ **94 68 53 84**, 🌳 – TV ⛁wc ⛆wc ☎ P. E — Y **a**
fermé 15 déc. au 15 janv. – SC : ☕ 22 – **20 ch** 195/260.

La Calèche, 7 bd G.-Péri ☎ **94 68 13 97** – E VISA — Z **v**
fermé dim. et lundi en sais. ; mardi soir, dim. soir et lundi hors sais. – SC : **R** 57/150 🍷.

à Flayosc par ③ et D 557 : 7 km – ✉ **83780** Flayosc :

Provençal, ☎ **94 70 41 44** – ⛆ P
fermé 15 au 31 oct., dim. soir et lundi midi sauf du 15 juin au 15 sept. – SC : **R** 49/91 🍷 – ☕ 13 – **13 ch** 64/106 – P 165/195.

Oustaou, ☎ **94 70 42 69**
fermé 11 au 25 juin, 15 au 29 oct., vacances de fév., mardi soir et merc. – **R** 50/100.

Vieille Bastide 🐦 avec ch, ☎ **94 70 40 57**, ♨, ⛱, 🌳 – TV ⛁wc ⛆wc ☎ P. VISA
fermé 22 sept. au 13 oct. et 11 au 24 fév. – **R** *(fermé lundi sauf juil.-août)* 65/170 – ☕ 20 – **7 ch** 190 – P 440 (2 pers.).

FORD Gar. d'Azur, 748 rte de Lorgues ☎ 94 68 18 71
PEUGEOT-TALBOT Gar. Labrette, 386 av. P.-Brossolette ☎ 94 68 14 20
RENAULT S.A.M.V.A., quartier de la Foux par ② ☎ 94 68 15 64 N
V.A.G. S.O.D.R.A., Zone Ind., rte de Lorgues ☎ 94 68 82 44

Forni-Pneu, Vulcopneu, 24 bd Carnot ☎ 94 68 06 83 et Zone Ind. les Incapis ☎ 94 67 13 53

Le DRAMONT 83 Var 84 ⑧ – rattaché à Agay.

DRAVEIL 91 Essonne 61 ①, 101 ㊱ – voir à Paris, Environs.

DREUIL-LÈS-AMIENS 80 Somme 52 ⑧ – rattaché à Amiens.

DREUX 28100 E.-et-L. 60 ⑦, 196 ㉕ **G. Environs de Paris** – 33 760 h. alt. 104.

Voir Beffroi★ AY **B** – Vitraux★ de la chapelle royale AY.

Office de Tourisme 4 r. Porte-Chartraine ✆ 37 46 01 73.

Paris 82 ② – Alençon 110 ⑥ – Argentan 112 ⑥ – ♦Caen 165 ⑥ – Chartres 35 ④ – Évreux 42 ⑥ – ♦Le Havre 154 ⑥ – ♦Le Mans 140 ④ – Mantes-la-Jolie 44 ① – ♦Orléans 112 ④ – ♦Rouen 100 ①.

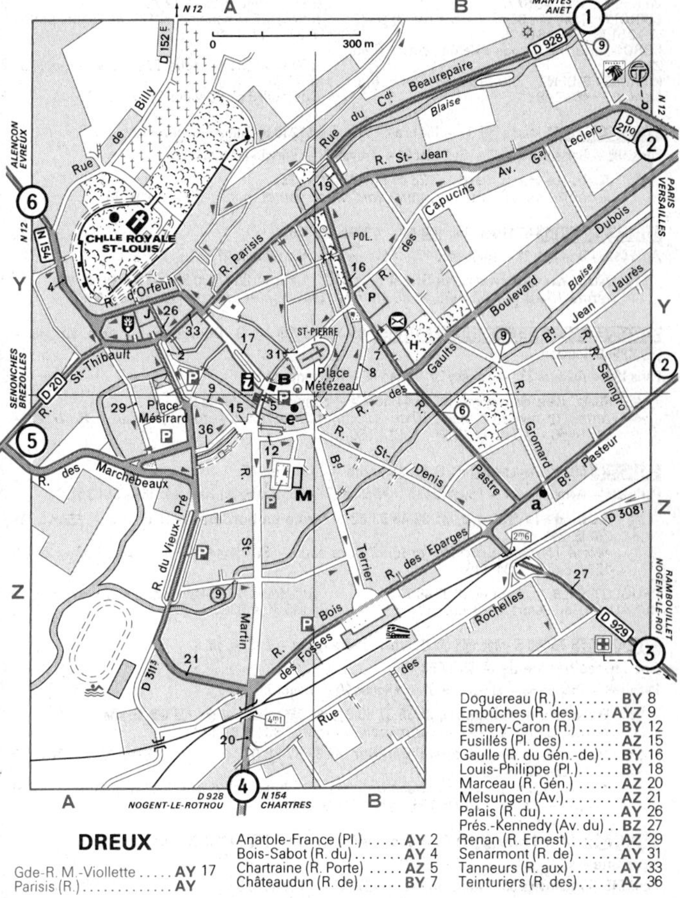

Bec Fin, 8 bd Pasteur ✆ 37 42 04 13 – TV wc wc ☎. VISA — BZ **a**
R *(fermé dim. sauf fêtes)* 75/120 – ☕ 20 – **25 ch** 115/230 – P 250/300.

H. de l'Aub. Normande sans rest, 12 pl. Métézeau ✆ 37 50 02 03 – wc ☎. AE ⓓ E VISA — AZ **e**
fermé 14 au 27 juil. et 22 déc. au 5 janv. – SC : ☕ 18,50 – **16 ch** 150/203.

à Chérisy par ② : 4,5 km – ✉ **28500** Vernouillet :

XX **Vallon de Chérisy,** ✆ 37 43 70 08, ☂. VISA
fermé merc. – SC : **R** carte 120 à 170.

à Écluzelles par ③ : 5,5 km – ✉ **28500** Vernouillet :

XX **L'Aquaparc,** ✆ 37 43 74 75, ≤ – Ⓟ. AE ⓓ E VISA
fermé 1er au 21 fév., mardi soir et merc. – SC : **R** 120/168.

à Ste-Gemme-Moronval par ② N 12 puis D 308 2 : 6 km – ✉ **28500** Vernouillet :

XX **L'Escapade,** ✆ 37 43 72 05 – VISA
fermé 4 au 25 août, 5 au 20 fév., dim. soir et lundi – SC : **R** 138/159.

par rte de Montreuil ①, D 928 et D 116 : 8,5 km :

XXX **Aub. Gué des Grues,** ✆ 37 43 50 25, ←, 🏞, « jardin fleuri » – Ⓟ. ⓓ VISA
fermé 6 au 27 janv., lundi soir et mardi – SC : **R** 160/250.

AUSTIN Gar. de l'Ouest, 51 av. Fenots ✆ 37 46 11 45
BMW, OPEL-GM Dreux Autom., bd Europe à Vernouillet ✆ 37 46 37 43
CITROEN Mauger, 64 av. Fenots par ⑥ ✆ 37 46 12 51 🅽 ✆ 37 46 04 16
FORD Perrin, bd Europe à Vernouillet ✆ 37 46 23 31
MERCEDES-BENZ Gar. Avenue, Zone Ind. Nord ✆ 37 46 17 98
PEUGEOT C.A.D., C. Cial Plein Sud r. du Pressoir Vernouillet par ④ ✆ 37 46 17 25
PEUGEOT-TALBOT Touchard et Girot, 49 av. Gén.-Leclerc ✆ 37 42 12 72
RENAULT Chanoine, N 12, Les Fenots par ⑥ ✆ 37 46 17 35 🅽

◉ Marsat Dreux Pneus, 27 av. des Fenots ✆ 37 46 71 28
Dubreuil, 9 pl. du Vieux Pré ✆ 37 46 04 11

DROSNAY 51 Marne 61 ⑧ – 154 h. alt. 139 – ✉ **51290** St-Rémy-en-Bouzemont.
Paris 198 – Bar-sur-Aube 47 – St-Dizier 36 – Troyes 59 – Vitry-le-François 22.

XX **Aub. du Haut Jard,** ✆ 26 41 58 48, 🌳 – E
fermé 1er au 15 sept., fév., lundi soir, merc. soir et mardi – SC : **R** 80/200.

DRUSENHEIM 67410 B.-Rhin 57 ⑳ – 4 309 h. alt. 125.
Paris 492 – Brumath 21 – Haguenau 17 – Saverne 52 – ♦Strasbourg 27.

XXX **Aub. du Gourmet,** rte Strasbourg SO : 1 km ✆ 88 63 30 60, 🌳 – Ⓟ. E VISA
fermé 16 juil. au 10 août, 1er au 10 fév., mardi soir et merc. – SC : **R** 65/140 🍷.

DRUYES-LES-BELLES-FONTAINES 89 Yonne 65 ⑭ **G. Bourgogne** – 309 h. alt. 148 – ✉ **89560** Courson.
Paris 199 – Auxerre 33 – Clamecy 20 – Gien 74 – Montargis 86.

🏠 **Aub. des Sources,** ✆ 86 41 55 14 – 🛁wc 🚿 Ⓟ. AE E VISA
✦ *fermé 1er fév. au 5 mars, 10 au 25 oct. et lundi du 15 sept. au 30 juin* – **R** 42/120 – ☕ 14,50 – **16 ch** 85/149 – P 137/180.

DUCEY 50220 Manche 59 ⑧ **G. Normandie** – 2 165 h. alt. 15.
Paris 307 – Avranches 11 – Fougères 37 – ♦Rennes 71 – St-Hilaire-du-Harcouët 16 – St-Lô 67.

🏠 **Aub. de la Sélune,** ✆ 33 48 53 62, « jardin en bordure de rivière » – 🛁wc 🕿. ⓓ E VISA. ✻
✦ *fermé 15 janv. au 15 fév. et lundi hors sais.* – SC : **R** 44/110 🍷 – ☕ 13,50 – **20 ch** 151/164 – P 164/176.

PEUGEOT-TALBOT Pautret, ✆ 33 48 50 74
RENAULT Gar. Lefort, ✆ 33 48 51 11
◉ Lefrançois St-Quentin sur le Homme ✆ 33 58 15 31 ✆ 33 58 74 70

DUCLAIR 76480 S.-Mar. 55 ⑥ **G. Normandie** (plan) – 3 487 h. alt. 8.
Bac : renseignements ✆ **35 37 53 11.**
Paris 159 – Dieppe 59 – Lillebonne 32 – ♦Rouen 20 – Yvetot 20.

XX **Parc,** rte de Caudebec ✆ 35 37 50 31, ←, 🏞, parc – Ⓟ. AE ⓓ E VISA
fermé 15 déc. au 15 janv., dim. soir et lundi – SC : **R** 65/130.

XX **Poste** avec ch, 286 quai Libération ✆ 35 37 50 04, ← – cuisinette 🛁wc 🚿wc ☎
✦ – 🏛 25. AE E VISA
fermé 1er au 15 juil., vacances de nov., fév., lundi (sauf hôtel) et dim. soir – SC : **R** 52/150 – ☕ 20 – **20 ch** 105/150 – P 200/220.

DUINGT 74 H.-Savoie 74 ⑥ **G. Alpes** – 446 h. alt. 450 – ✉ **74410** St-Jorioz.
Voir Site★.
Paris 545 – Albertville 33 – Annecy 12 – Megève 48 – St-Jorioz 3,5.

🏠 **Clos Marcel,** ✆ 50 68 67 47, ←, 🏞, ⛵, 🌳 – 🛁wc 🚿wc ☎ Ⓟ. ✻ rest
1er mai-30 sept. – SC : **R** 85/105 – ☕ 17 – **15 ch** 130/240 – P 250/310.

🏠 **Bains,** ✆ 50 68 66 48, 🏞, ⛵, 🌳 – 🛁wc 🚿wc Ⓟ. E
✦ *fermé 1er nov.-15 déc. et merc. hors saison* – SC : **R** 60/120 – ☕ 16 – **24 ch** 85/160 – P 140/185.

XX **Aub. du Roselet** Ⓜ avec ch, ✆ 50 68 67 19, 🏞, ⛵, 🌳 – 📺 🛁wc ☎ Ⓟ. VISA
15 fév.-15 oct. et fermé mardi sauf du 1er mai au 15 sept. – SC : **R** 85/180 – ☕ 22 – **13 ch** 200/240.

DUNES 82 Tarn-et-Gar. 79 ⑮ – 769 h. alt. 120 – ✉ **82340** Auvillar.
Paris 678 – Agen 21 – Auch 70 – Moissac 28 – Montauban 57.

XX Aub. des Templiers, ✆ 63 39 91 34, 🏞.

DUNKERQUE 59 Nord 51 ③④ G. Flandres, Artois, Picardie – 73 282 h. Communauté urbaine 206 752 h.

Voir Port** : ≤** du phare – Musées : Art Contemporain** CDY **M3**, Beaux-Arts* CDZ **M1**.

Office de Tourisme Beffroi, ✆ 28 66 79 21 et 18 Digue de Mer (1er juil.-31 août) ✆ 28 63 61 34 – A.C. 2 r. Amiral-Ronarc'h ✆ 28 66 70 68.

Paris 291 ② – •Amiens 144 ② – •Calais 43 ③ – Ieper 54 ② – •Lille 73 ② – Oostende 55 ①.

DUNKERQUE

Berteaux (Av. M.) . . . . AX 10
Bonpain (Pl. de l'Abbé) . . BX 13
Cambon (Bd P.) . . . . BX 17
Clemenceau (R.) ST-POL AX 22
Coquelle (R. Félix) . . . . . . BX 24
Darses (Chaussée des) . . AX 25
Jaurès (R. Jean) . . . . BX 39
Lille (R. de) . . . . BX 45
Malo (R. Célestin) . . . . . . BX 50
Pasteur (R.) . . . . BX 56
République (R. de la) . . . . AX 61
Waldeck-Rousseau (R.) . BX 73

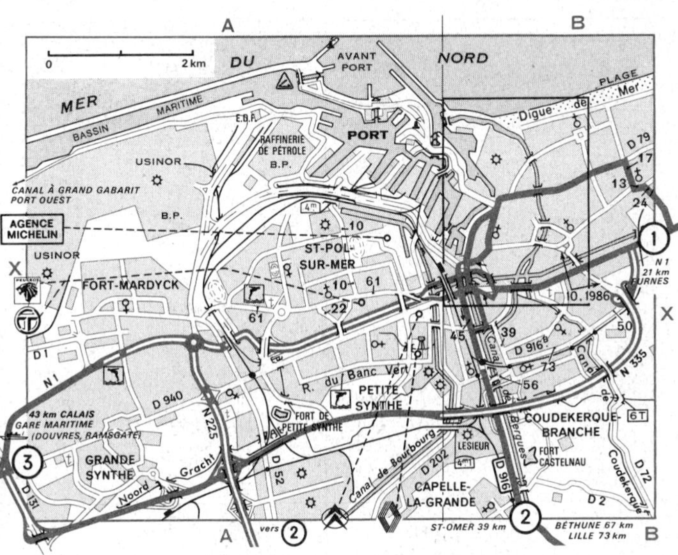

à Dunkerque 01 – ✉ **59140**.

Europ'H. Ⓜ, 13 r. Leughenaer ✆ 28 66 29 07, Télex 120084 – rest 25 à 300. AE ⓓ E VISA — CY **s**
SC : **Le Mareyeur** *(fermé dim. soir et lundi)* **R** 90/95 – **Europ Grill** *(fermé dim.)* **R** carte environ 120 – 28 – **126 ch** 208/280, 4 appartements 300.

Frantel Ⓜ sans rest, 2 r. J.-Jaurès ✆ 28 59 11 11, Télex 110587, ≤ ville et port – 120. AE ⓓ E VISA — CZ **r**
SC : 35 – **126 ch** 255/350.

Borel Ⓜ sans rest, 6 r. L'Hermitte ✆ 28 66 51 80, Télex 820050 – wc. AE ⓓ E VISA — CY **u**
SC : 24 – **36 ch** 215/252.

Soubise, 21 r. Lion d'Or ✆ 28 63 88 55, « Caves du 17e s. ». AE ⓓ E VISA — CZ **a**
fermé 4 au 25 août, 22 déc. au 5 janv., dim. soir et lundi – SC : **R** carte 150 à 200.

Richelieu (Buffet gare), pl. Gare ✆ 28 66 52 13 — CZ

Rest. Métropole, 28 r. Thiers ✆ 28 66 85 01 — CZ **y**

La Victoire, 35 av. Bains ✆ 28 66 56 45. VISA — CY **e**
fermé 15 au 31 août, 1er au 8 janv., sam. midi et dim. – SC : **R** 140/205.

Aux Ducs de Bourgogne, 29 r. Bourgogne ✆ 28 66 78 69 – AE ⓓ — CZ **h**
R (déj. seul.) 50/175.

à Malo-les-Bains (Dunkerque 02) – ✉ **59240** Dunkerque :

Hirondelle, 46 av. Faidherbe ✆ 28 63 17 65 – wc – 40. rest
SC : **R** *(fermé 15 août au 10 sept., dim. soir et lundi)* 40/220 – 15 – **33 ch** 65/140. — DY **r**

Trianon sans rest, 20 r. Colline ✆ 28 63 39 15 – wc — DY **d**
SC : 16 – **13 ch** 100/150.

Au Rivage, 7 r. Flandre ✆ 28 63 19 62 – wc – 60. E VISA — DY **n**
SC : **R** *(fermé 6 au 31 oct., vend. sauf juil. et août et dim. soir)* 44/100 – 13,50 – **14 ch** 71/121 – P 165/175.

DUNKERQUE

Albert-1er (R.) .... CZ 2
Alexandre-III (Bd) .... CZ 3
Clemenceau (R.) .... CZ 21
Digue de Mer .... DY
Faidherbe (Av.) .... DY
Geeraert (Av. Adolphe) .. DY
Jean-Bart (Pl.) .... CZ 41
Malo (Av. Gaspard) ..... DY 49
Thiers (R.) .... CZ 65
Turenne (Pl.) .... DY 67

Arbres (R. des) .... CDY 6
Asseman (Pl. P.) .... DY 8
Bergues (R. du Canal-de) CZ 9
Bollaert (Pl. Émile) ...... CZ 12
Calonne (Pl.) .... DZ 16
Carton Lurat (Av.) .... DZ 18
Écluse-de-Bergues (R.) . CZ 26
Fusiliers-Marins (R.) .... CZ 30
Gare (Pl. de la) .... CZ 32
Gaulle (Pl. du Gén.-de) .. CZ 33
Hermitte (R. l') .... CY 35
Hollandais (Quai des) ... CZ 36
Hôtel de Ville (R. de l') ... DY 37
Jardins (Quai des) ...... CZ 38
Jaurès (R. Jean) .... CZ 40
Jeu-de-Paume (R. du) ... CZ 42
Leughenaer (R. du) ..... CY 44
Lille (R. de) .... CZ 45
Magasin-Général (R.) ... CZ 48
Mar.-de-France (Av. des) DY 52
Minck (Pl. du) .... CY 53
Paris (R. de) .... CZ 54
Prés.-Poincaré (R. du) ... CZ 57
Prés.-Wilson (R. du) .... CZ 58
Quatre-Écluses (Quai) .. CZ 59
République (Av. de la) .. DY 60
Sainte-Barbe (Bd) ...... CZ 63
Valentin (Pl. C.) .... CZ 68
Verley (Bd Paul) .... DY 69
Victoire (Pl. et R. de la) . CDY 70
Victor-Hugo (Bd) .... CZ 72

Les **guides Rouges**, les **guides Verts** et les **cartes Michelin** sont complémentaires. Utilisez les ensemble.

à Teteghem par ① et D 204 : 6 km – 5 265 h. – ✉ **59229** Teteghem :

XXXX ✿ **La Meunerie** (Delbé), SE : 2 km par D 4 ✆ 28 26 01 80, « élégante installation » – ▤ ℗. AE ⓓ VISA. ✖
fermé 22 déc. au 27 janv., dim. soir et lundi – SC : **R** 150/300
Spéc. Filet de bar, Pigeon rôti (sept. à mars), Pâtisseries.

au Lac d'Armbouts-Cappel S : 7 km par D 916 et D 252B - A – ✉ **59380** Bergues :

Mercure ⛵, ✆ 28 60 70 60, Télex 820916, ⛱ – TV ⌂wc ⋒wc ☎ ℗ – 🔺 30 à 120. AE ⓓ E VISA
R carte environ 120 🍷 – ☕ 30 – **64 ch** 214/314.

MICHELIN, Agence, 11 r. G.-Péri, Z.I. St-Pol-sur-Mer AX ✆ **28 64 68 94**

BMW Munter, rte de Bergues à Coudekerque Branche ✆ 28 69 26 63
FIAT Patfoort, 9 r. du Leughenaer ✆ 28 66 51 12
FORD Flandres-Auto, 70 r. de Lille ✆ 28 25 06 00
LANCIA-AUTOBIANCHI Malesieux et Fils, r. Hilaire Vanmerisse Rosendael ✆ 28 63 58 17
MERCEDES-BENZ-SEAT Gar. de la Verrerie, 39 r. de la Verrerie ✆ 28 64 21 30
RENAULT Renault-Dunkerque, 561 av. de la Villette ✆ 28 25 25 11
RENAULT Gar. Dewynter, 12 r. Esplanade ✆ 28 66 41 55

Ⓜ La Clinique du Pneu, 12 quai des 4 écluses ✆ 28 64 62 70
Renova-Pneu, 47 r. Abbé Choquet ✆ 28 24 36 15

Périphérie et environs

AUSTIN, ROVER, TRIUMPH Littoral-Autom., r. Samaritaine, Zone Ind. à St-Pol-sur-Mer ✆ 28 64 66 20
CITROEN Sté Dunkerquoise-Cabour, 715 av. de Petite-Synthe ✆ 28 61 64 00 🅽 ✆ 28 68 61 44
PEUGEOT-TALBOT Gar. Dubus, 59 quai Wilson à St-Pol-sur-Mer ✆ 28 60 34 34
TOYOTA Gibon, 7 quai Wilson à St-Pol-sur-Mer ✆ 28 64 39 07
V.A.G. Toussaint, r. Samaritaine à St-Pol-sur-Mer ✆ 28 64 16 55

Ⓜ Flandres-Pneus, 70 r. A.-Guenin à Rosendaël ✆ 28 63 66 64
Hamez, 98 r. A. Mahieu à Rosendaël ✆ 28 63 52 01 et 11 rte Mardyck à Grande-Synthe ✆ 28 25 04 73
Littoral Pneus Service, r. A.-Carrel à Petite-Synthe ✆ 28 60 02 00
Pneus et Services D.K., 16 r. Samaritaine à St-Pol-sur-Mer ✆ 28 64 76 74
Réform-Pneus, r. Albeck, Zone Ind. à Petite-Synthe ✆ 28 61 43 10

DUN-LE-PALESTEL 23800 Creuse 68 ⑱ – 1 293 h. alt. 366.

Paris 341 – Aigurande 22 – Argenton-sur-Creuse 39 – La Châtre 48 – Guéret 27 – La Souterraine 18.

Joly, ✆ 55 89 00 23 – ⌂ ⋒wc. E. ✖ rest
fermé 10 au 25 oct., 1er au 20 mars, dim. soir et lundi midi – SC : **R** 42/180 🍷 – ☕ 15 – **15 ch** 70/145 – P 140/175.

France, rte Argenton ✆ 55 89 07 72, 🚗 – ⌂ ⋒ ℗. E VISA. ✖
fermé 1er au 15 fév., 1er au 15 oct. et sam. hors saison – **R** 42/100 🍷 – ☕ 15 – **16 ch** 60/160 – P 130/180.

CITROEN Chambraud, ✆ 55 89 01 78
RENAULT Constantin, ✆ 55 89 01 26

DURAS 47120 L.-et-G. 79 ⑬ G. Côte de l'Atlantique – 1 244 h. alt. 122.

Paris 575 – Agen 81 – Marmande 23 – Ste-Foy-la-Grande 21.

Host. des Ducs, ✆ 53 83 74 58, 🌳, 🚗 – ⌂wc ⋒wc ☎ ℗ – 🔺 30. E VISA
SC : **R** *(fermé dim. soir et lundi)* 57/200 – ☕ 20 – **15 ch** 125/220 – P 200/220.

DURFORT 30 Gard 80 ⑰ – 388 h. alt. 140 – ✉ **30170** St-Hippolyte-du-Fort.

Paris 732 – Alès 25 – Florac 79 – Ganges 23 – Nîmes 51.

X **Le Real,** O : sur D 982 ✆ 66 77 50 68, 🌳 – ℗
fermé 23 au 30 juin, 1er au 7 sept., vacances de fév., dim. soir et lundi – SC : **R** (du 8 sept. au 30 juin, déj. seul.) 75 bc/160 🍷.

DURTAL 49430 M-et-L. 64 ② G. Châteaux de la Loire – 3 240 h. alt. 28.

🅸 Syndicat d'Initiative à la Mairie (juil.-août) ✆ 41 80 10 24.

Paris 255 – Angers 34 – La Flèche 13 – Laval 65 – Saumur 51.

XX **Boule d'Or,** 19 av. d'Angers ✆ 41 76 30 20 – ℗. E
fermé 3 au 12 mars, 15 août au 7 sept., dim. soir et merc. – SC : **R** 46/130 🍷.

DURY 80 Somme 52 ⑱ – rattaché à Amiens.

DUTTLENHEIM 67 Bas-Rhin 62 ⑨ – 2 036 h. alt. 162 – ✉ **67120** Mulsheim.

Paris 480 – Molsheim 8 – Saverne 36 – Sélestat 32 – ♦Strasbourg 19.

XX **Guy Schall,** à la Gare N : 2,5 km ✆ 88 38 45 92, 🌳 – ℗. E VISA
fermé 1er au 15 juin, 1er au 15 sept., dim. soir et lundi. – SC : **R** 140/260 🍷.

CITROEN Gar. Rohfritsch, ✆ 88 50 80 27
RENAULT Gar. Kocher, ✆ 88 50 80 56

EAUX-BONNES 64 Pyr.-Atl. 85 ⑯ G. Pyrénées – 526 h. alt. 750 – Stat. therm. (19 mai-30 sept.) – ✉ 64440 Laruns.

Office de Tourisme ✆ 59 05 33 08, Télex 570317.

Paris 813 – Argelès-Gazost 42 – Lourdes 55 – Oloron-Ste-Marie 38 – Pau 43.

Poste, ✆ 59 05 33 06 – wc ☎. AE ⓓ E VISA. rest
15 mai-30 sept. et 15 déc.-Pâques – SC : **R** 54/145 – 17 – **20 ch** 65/180 – P 162/208.

EAUZE 32800 Gers 82 ③ **G. Pyrénées** – 4 338 h. alt. 141.

Syndicat d'Initiative pl. République ✆ 62 09 85 62.

Paris 718 – Aire-sur-l'Adour 38 – Auch 52 – Condom 29 – Mont-de-Marsan 52.

à Manciet SO : 9 km – ✉ 32370 Manciet :

XX La Bonne Auberge avec ch, ✆ **62 08 50 04** – TV wc wc ☎
13 ch.

à Bourrouillan SO par D 931 et D 109 : 15 km – ✉ **32370** Manciet :

XX **Moulin du Comte** avec ch, ✆ **62 09 06 72**, – wc Ⓟ. AE
Pâques-fin oct. et week-end en hiver sauf janv. et fév. – SC : **R** 55/150 – 18 – **10 ch** 150/180 – P 200/220.

CITROEN Fitte J.P., à Manciet ✆ 62 08 50 15
CITROEN Réquena, ✆ 62 09 95 90
FIAT Fourteau, ✆ 62 09 80 04
PEUGEOT, TALBOT Ducos, ✆ 62 09 86 21
RENAULT Junca, ✆ 62 09 83 23 N ✆ 62 09 71 01
Solapneu, ✆ 62 09 81 52

ÉBREUIL 03450 Allier 73 ④ **G. Auvergne** – 1 224 h. alt. 316.

Voir Église St-Léger★.

Syndicat d'Initiative à l'Hôtel de Ville (1er juin-31 juil.) ✆ 70 90 71 33.

Paris 354 – Aigueperse 18 – Aubusson 105 – Gannat 10 – Montluçon 58 – Moulins 66 – Riom 31.

Commerce, ✆ **70 90 72 66**, – wc ☎ – 40. ch
fermé oct. et lundi – SC : **R** 90/140 – 16 – **22 ch** 70/180 – P 200/230.

CITROEN Jarles, ✆ 70 90 71 88
PEUGEOT-TALBOT Pouzadoux, ✆ 70 90 72 05

ÉCHALLON 01 Ain 74 ④⑤ – 462 h. alt. 760 – ✉ 01490 St-Germain-de-Joux.

Voir Site★ du lac Génin O : 3 km, G. Jura.

Paris 473 – Bellegarde-sur-V. 17 – Bourg-en-Bresse 62 – Nantua 18 – Oyonnax 13 – St-Claude 29.

Poncet , au Crêt N : 1,5 km ✆ **74 76 48 53**, <, – wc wc ☎ Ⓟ. ch
fermé 10 au 22 mars, 1er nov. au 20 déc., 12 au 23 janv. et mardi sauf vacances scolaires – SC : **R** 53/180 – 18 – **16 ch** 68/210 – P 165/210.

XX **Aub. de la Semine** avec ch, ✆ **74 76 48 75**, – Ⓟ. rest
fermé 24 au 31 mars, 11 nov. au 20 déc., dim. soir et lundi – SC : **R** 40/120 – 13 – **11 ch** 70/118 – P 110/127.

ÉCHENEVEX 01 Ain 70 ⑮ – rattaché à Gex.

Les ÉCHETS 01 Ain 74 ② – alt. 276 – ✉ 01700 Miribel.

Paris 457 – L'Arbresle 28 – Bourg-en-Bresse 45 – ♦Lyon 17 – Meximieux 28 – Villefranche-sur-S. 26.

XXX ✿ **Douillé** avec ch, ✆ **78 91 80 05**, – wc ☎ Ⓟ. VISA
fermé 4 au 27 août, 3 au 18 fév., lundi soir et mardi – SC : **R** 165/240 – 35 – **8 ch** 220/240
Spéc. Salade tiède "petite pêche", Paupiette de lotte et langoustines au curry, Fricassée de volaille à la crème. **Vins** Beaujolais-Villages, St-Joseph.

XXX **Marguin** avec ch, ✆ **78 91 80 04**, – wc Ⓟ. AE ⓓ VISA. ch
fermé 2 au 15 sept., 2 au 17 janv., mardi soir et merc. – SC : **R** 80/240 – 25 – **9 ch** 110/220.

ECHIGEY 21 Côte-d'Or 66 ⑫ – rattaché à Genlis.

ÉCHIROLLES 38 Isère 77 ⑤ – rattaché à Grenoble.

ÉCLUZELLES 28 E.-et-L. 60 ⑦, 196 ㉕ – rattaché à Dreux.

ÉCOLE VALENTIN 25 Doubs 66 ⑮ – rattaché à Besançon.

Routes enneigées

Pour tous renseignements pratiques, consultez les cartes Michelin **« Grandes Routes »** 998, 999, 916 ou 989.

ÉCOMMOY 72220 Sarthe 64 ③ – 4 150 h. alt. 87.

Paris 219 – Château-la-Vallière 39 – La Flèche 35 – ♦Le Mans 21 – St-Calais 44 – ♦Tours 61.

Commerce, 19 pl. République ✆ 43 42 10 34 – wc. ch
fermé 15 sept. au 15 oct., 24 déc. au 3 janv., lundi (sauf hôtel) et dim. soir – SC : **R** 68/105 – 19 – **13 ch** 100/150 – P 175/200.

CITROEN Pichon, 15 rte du Mans ✆ 43 42 11 04 N

PEUGEOT, TALBOT Glinche, rte du Mans ✆ 43 42 10 43 N

ECOUCHÉ 61150 Orne 60 ② – 1 494 h. alt. 152.

Paris 202 – Alençon 52 – Argentan 9 – Bagnoles-de-l'Orne 30 – Domfront 46.

Lion d'Or M avec ch, 1 r. Pierre Pigot ✆ 33 35 16 92, – TV wc wc P. E VISA
fermé lundi – SC : **R** 50/155 – 24 – **8 ch** 170/230 – P 250/300.

à Lougé-sur-Maire SO : 8,5 km par D 924 et D 218 – ✉ **61150** Ecouché :

Le Pluton, ✆ 33 96 21 33 – P. AE VISA
fermé 15 déc. au 3 janv. et merc. – SC : **R** 124/168.

ÉCOUEN 95 Val d'Oise 56 ⑪, 101 ⑥ – voir à Paris, Environs.

ÉGLETONS 19300 Corrèze 75 ⑩ – 5 912 h. alt. 650.

Syndicat d'Initiative 9 r. Ventadour (hors saison après-midi seul.) ✆ 55 93 04 34.

Paris 457 – Aubusson 77 – ♦Limoges 101 – Mauriac 53 – Tulle 31 – Ussel 29.

Armes de Ventadour sans rest, N 89 ✆ 55 93 12 73 – P. VISA.
fermé 23 déc. au 23 janv. – SC : 16 – **13 ch** 60/95.

CITROEN Gar. Courteix, rte de Bordeaux N 89 ✆ 55 93 07 64

FORD Gar. Lachaud, rte de Tulle ✆ 55 93 14 33 N

ÉGLISENEUVE-D'ENTRAIGUES 63850 P.-de-D. 76 ③ – 783 h. alt. 952.

Paris 457 – Besse-en-Chandesse 17 – ♦Clermont-Ferrand 67 – Issoire 52 – Le Mont-Dore 42.

d'Entraigues, ✆ 73 71 90 09 – ch
fermé 10 nov. au 20 déc. et 3 janv. au 1er fév. – SC : **R** 48/85 – 15,50 – **20 ch** 65/90 – P 130/140.

ÉGUILLES 13 B.-du-R. 84 ③ – rattaché à Aix-en-Provence.

EGUISHEIM 68 H.-Rhin 62 ⑱⑲ **G. Alsace et Lorraine** – 1 438 h. alt. 204 – ✉ **68420** Herrlisheim.

Voir Village★ – Route des Cinq Châteaux★ SO : 3 km.

Paris 448 – Belfort 71 – Colmar 6,5 – Gérardmer 52 – Guebwiller 21 – ♦Mulhouse 39 – Rouffach 10.

Aub. Alsacienne, ✆ 89 41 50 20 – wc wc P. ch
fermé 15 déc. au 1er fév. – SC : **R** *(fermé lundi et mardi)* (dîner seul.) carte environ 90 – 19 – **20 ch** 100/200.

Le Caveau, ✆ 89 41 08 89 –
fermé 25 juin au 4 juil., 15 janv. au 1er mars, merc. soir et jeudi – **R** (nombre de couverts limité - prévenir) carte 110 à 210
Spéc. Cuisses de grenouilles au riesling, Poissons, Choucroute. **Vins** Edelzwicker, Pinot blanc.

ÉGUZON 36270 Indre 68 ⑱ **G. Périgord** – 1 364 h. alt. 267.

Voir Site★ du barrage NE : 4 km.

Syndicat d'Initiative r. A.-Bassinet (15 juin-15 sept.) ✆ 54 47 43 69.

Paris 321 – Aigurande 27 – Châteauroux 50 – Guéret 48 – ♦Limoges 85 – Montmorillon 63.

Pont des Piles, NE : 3 km par D 45 ✆ 54 47 43 33, ← – wc P. AE E VISA
fermé janv. et jeudi sauf juil.-août – SC : **R** 42/87 – 13,50 – **11 ch** 72/140 – P 134/170.

CITROEN Fradet, ✆ 54 47 40 08 N

ELBEUF 76500 S.-Mar. 55 ⑥ **G. Normandie** – 17 362 h. alt. 11.

Office de Tourisme 28 r. Henry ✆ 35 77 03 78.

Paris 130 ⑥ – Bernay 43 ④ – Évreux 38 ② – ♦Le Havre 82 ⑤ – Lisieux 67 ④ – ♦Rouen 20 ⑤.

Plan page suivante

Nouvel H. sans rest, 43 r. Jean-Jaurès ✆ 35 81 01 02 – wc. BY **k**
fermé 3 au 11 mai et août – SC : 16 – **17 ch** 93/121.

Au Gastronome, 56 cours Carnot ✆ 35 77 01 69. E VISA BZ **r**
fermé vacances de fév., 1er au 23 juil., dim. soir et lundi – SC : **R** 42/94.

à St-Aubin-lès-Elbeuf par ⑥ – 9 424 h. – ✉ **76410** St-Aubin-lès-Elbeuf :

Parc Fleuri, 96 r. Gén.-Leclerc D 7 ✆ 35 81 04 06, – P.

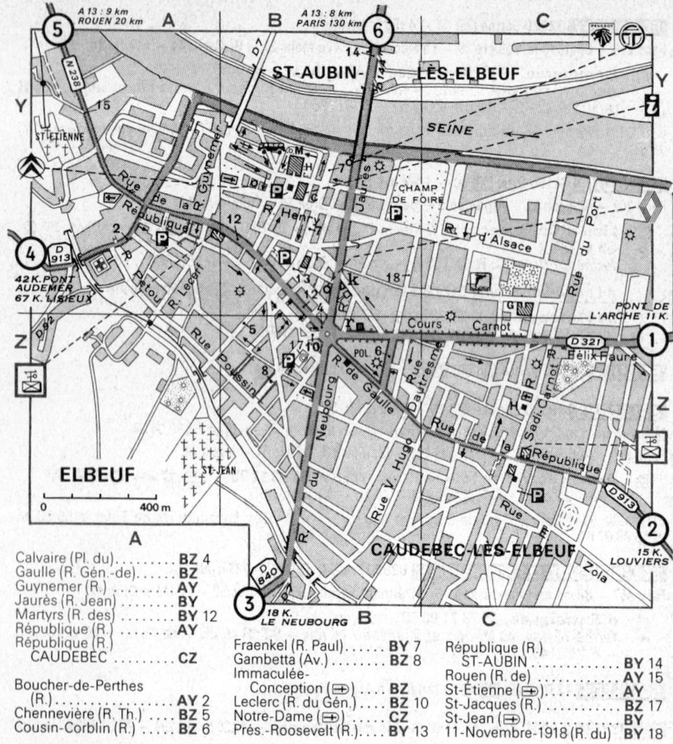

Calvaire (Pl. du) . . . . **BZ** 4
Gaulle (R. Gén.-de) . . . . . . **BZ**
Guynemer (R.) . . . . **AY**
Jaurès (R. Jean) . . . . **BY**
Martyrs (R. des) . . . . **BY** 12
République (R.) . . . . **AY**
République (R.) CAUDEBEC . . . . **CZ**

Boucher-de-Perthes (R.) . . . . **AY** 2
Chennevière (R. Th.) . . . . **BZ** 5
Cousin-Corblin (R.) . . . . . **BZ** 6

Fraenkel (R. Paul) . . . . . . **BY** 7
Gambetta (Av.) . . . . **BZ** 8
Immaculée-Conception (⊞) . . . . **BZ**
Leclerc (R. du Gén.) . . . . **BZ** 10
Notre-Dame (⊞) . . . . . **CZ**
Prés.-Roosevelt (R.) . . . . **BY** 13

République (R.) ST-AUBIN . . . . **BY** 14
Rouen (R. de) . . . . **AY** 15
St-Étienne (⊞) . . . . **AY**
St-Jacques (R.) . . . . **BZ** 17
St-Jean (⊞) . . . . **BY**
11-Novembre-1918 (R. du) **BY** 18

à Cléon par ⑥ : 2 km sur D 7 – 5 089 h. – ✉ **76410** Cléon :

🏠 **Campanile,** ☎ 35 81 38 00, Télex 172691 – TV ⊟wc ☎ ♿ **P** – 🏛 25. VISA
SC : **R** 61 bc/82 bc – ☕ 23 – **42 ch** 181/202.

CITROEN S.E.M.V.A., 40 bis r. Henry ☎ 35 77 06 65
FORD S.E.D.R.A., 40 r. J.-Jaurès ☎ 35 81 05 22
OPEL Étienne, 26 r. J.-Jaurès ☎ 35 77 44 77
PEUGEOT-TALBOT S.E.C.A., 2 r. J.-Jaurès ☎ 35 77 46 87
RENAULT SCEMAMA, 44 r. J.-Jaurès ☎ 35 81 31 55

V.A.G. Gar. du Cours Carnot, rte de Tourville à Cléon ☎ 35 81 68 77

◉ Comptoir Elbeuvien du Pneu, 1 r. Mar.-de-Lattre-De-Tassigny ☎ 35 81 06 22
Subé-Pneurama, 23 r. de Roanne ☎ 35 81 04 47

ELINCOURT-STE-MARGUERITE 60157 Oise 56 ② – 634 h. alt. 97.

Paris 96 – Beauvais 63 – Compiègne 15 – Montdidier 27 – Noyon 22 – Roye 22 – St-Just-en-C. 34.

🏠 **Château de Bellinglise** 🌿, ☎ 44 76 04 76, ≤, « Demeure du 16e s. dans un parc », 🎾 – ⊟wc ⋒wc ☎ 🚗 **P** – 🏛 50. **◉ E** VISA. ✻ rest
fermé lundi (sauf hôtel) et dim. soir – SC : **R** 90/205 – ☕ 30 – **34 ch** 200/350 – P 410.

ELNE 66200 Pyr.-Or. 86 ⑳ G. Pyrénées (plan) – 6 202 h. alt. 52.

Voir Cloître★★.

ℹ Syndicat d'Initiative pl. République (juin-sept. et matin hors sais.) ☎ 68 22 05 07.

Paris 921 – Argelès-sur-Mer 7 – Céret 29 – ♦Perpignan 14 – Port-Vendres 17 – Prades 51.

🏠 **Le Carrefour,** 1 av. P.-Reig ☎ 68 22 06 08 – ▤ rest ⊟wc ⋒wc 🚗. ✻ ch
✈ *1er avril-30 sept.* – SC : **R** 58/120 – ☕ 16 – **20 ch** 90/250 – P 175/210.

CITROEN Gar. Falguéras, 8 bd Evadés de France ☎ 68 22 07 58
CITROEN Mary, rte de Perpignan ☎ 68 22 01 01 **N**
CITROEN Subiros, rte d'Alenya, Zone Ind. ☎ 68 22 07 02 **N**

PEUGEOT-TALBOT Mérino, 9 bd Voltaire ☎ 68 22 08 58
RENAULT Martre, rte de Perpignan ☎ 68 22 23 00
V.A.G. Gar. Bécus, 38 av. P.-Reigt ☎ 68 22 05 90

ÉLOISE 74 H.-Savoie 74 ⑤ – rattaché à Bellegarde-sur-Valserine.

EMBRUN 05200 H.-Alpes 77 ⑰⑱ **G. Alpes** – 5 813 h. alt. 870.

Voir Église N.-Dame★ : trésor★.

Office de Tourisme pl. Gén.-Dosse ✆ 92 43 01 80.

Paris 705 – Barcelonnette 56 – Briançon 49 – Digne 97 – Gap 38 – Guillestre 22 – Sisteron 82.

Notre-Dame, av. Gén.-Nicolas ✆ **92 43 08 36,** – . AE ⓓ E VISA
fermé nov. et lundi sauf vacances scolaires – SC : **R** 47/109 – 14,50 – **15 ch** 89/144 – P 188/222.

Lac, au Plan d'Eau SO : 1,5 km ✆ **92 43 11 08,** – Ⓟ
15 juin-31 août – SC : **R** 54/75.

Sur N 94 rte Gap : SO : 3 km – ✉ **05200** Embrun :

Les Bartavelles Ⓜ, ✆ **92 43 20 69, Télex 401480,** ←, – Ⓟ – 30 à 60. AE ⓓ E VISA
fermé 30 sept. au 7 nov. – SC : **R** *(fermé dim. soir et lundi hors sais.)* 99/265 – 25 – **37 ch** 215/278, 7 appartements 383/452 – P 276/428.

PEUGEOT, TALBOT Gar. Esmieu, ✆ 92 43 04 18 N
RENAULT Dusserre-Bresson, à Baratier ✆ 92 43 02 79 N
RENAULT Espitallier, ✆ 92 43 02 49

ENCAMP Principauté d'Andorre 86 ⑭, 43 ⑥ – voir à Andorre.

ENCAUSSE-LES-THERMES 31 H.-Gar. 86 ① – 523 h. alt. 363 – ✉ **31160** Aspet.

Paris 806 – Luchon 51 – St-Gaudens 11 – St-Girons 42 – Sauveterre 8 – ♦Toulouse 101.

Marronniers avec ch, ✆ **61 89 17 12,** – Ⓟ
fermé janv., lundi et dim. soir hors sais. – SC : **R** 50/100 – 17 – **11 ch** 65/100 – P 150/160.

ENGENTHAL LE BAS 67 B.-Rhin 62 ⑧ – rattaché à Wangenbourg.

ENGHIEN-LES-BAINS 95 Val-d'Oise 55 ⑳, 101 ⑤ – voir à Paris, Environs.

ENGLOS 59 Nord 51 ⑮ – rattaché à Lille.

ENSISHEIM 68190 H.-Rhin 66 ⑩ **G. Alsace et Lorraine** – 5 780 h. alt. 217.

Paris 470 – Colmar 24 – Guebwiller 13 – ♦Mulhouse 15 – Thann 25.

Couronne avec ch, **47 r. 1ère Armée Française** ✆ **89 81 03 72, « maison du 17e s. »** – wc. AE ⓓ E VISA
fermé 14 au 28 juil., 5 au 19 janv., dim. soir et lundi – SC : **R** 100/280 – 30 – **12 ch** 150/250.

ENTRAIGUES 84 Vaucluse 81 ⑫ – rattaché à Sorgues.

ENTRAYGUES-SUR-TRUYÈRE 12140 Aveyron 76 ⑫ **G. Causses** (plan) – 1 586 h. alt. 230.

Voir Pont gothique★ – Rue Basse★.

Env. SE : Gorges du Lot★★ – Barrage de Couesque★ N : 8 km, **G. Auvergne.**

Syndicat d'Initiative 30 Tour-de-Ville (Pâques, Pentecôte et 2 juin-15 sept.) ✆ 65 44 56 10.

Paris 614 – Aurillac 49 – Figeac 71 – Mende 128 – Rodez 47 – St-Flour 95.

Truyère Ⓜ, ✆ **65 44 51 10,** ← – wc Ⓟ – 30. E. rest
fermé lundi – SC : **R** 56/130 – 18 – **26 ch** 125/205 – P 190/240.

Deux Vallées, ✆ **65 44 52 15** – wc wc . AE
SC : **R** 42/85 – 18 – **18 ch** 120/160 – P 170/200.

RENAULT Marty, 21 av. du Pt de Truyère ✆ 65 44 51 14

ENTRECHAUX 84 Vaucluse 81 ③ **G. Provence** – 724 h. alt. 281 – ✉ **84340** Malaucène.

Paris 672 – Avignon 49 – Montélimar 72 – Nyons 23 – Orange 34 – Pont-St-Esprit 48 – Sault 46.

St-Hubert, ✆ **90 36 07 05,** – Ⓟ.
fermé 29 sept. au 11 oct., fév., mardi soir et merc. – SC : **R** 46/185 .

PEUGEOT, TALBOT, RENAULT Gar. Lagneau, ✆ 90 36 07 95

ENTRE-LES-FOURGS 25 Doubs **70** ⑦ – rattaché à Jougne.

ENVEITG 66 Pyr.-Or. **86** ⑯ – 616 h. alt. 1 200 – ✉ **66760** Bourg-Madame.

Paris 875 – Andorre-la-Vieille 60 – Ax-les-Thermes 49 – Font-Romeu 17 – ♦Perpignan 106.

Transpyrénéen ⛰, ✆ 68 04 81 05, ≤, – wc wc ☎ ♿ **P**. AE ⊕ E VISA. rest
1er juin-30 sept. et 15 déc.-30 avril – SC : **R** 60/98 – ☐ 19 – **38 ch** 94/200 – P 160/240.

Mirasol avec ch, ✆ 68 04 80 16, ≤, – VISA
fermé oct. et lundi – SC : **R** 47/70 🍷 – ☐ 11,50 – **12 ch** 60/88 – P 150.

ENVERMEU 76630 S.-Mar. **52** ⑤ **G. Normandie** – 1 629 h. alt. 11.

Voir Choeur★ de l'église.

Paris 163 – Blangy 34 – Dieppe 15 – Neufchâtel-en-Bray 27 – ♦Rouen 72 – Le Tréport 28.

Aub. Caves Normandes, rte St-Nicolas ✆ 35 85 71 28 – **P**
fermé mi déc. à mi janv., dim. soir en hiver et lundi sauf fêtes – SC : **R** 51 bc/75.

ÉPAGNETTE 80 Somme **52** ⑦ – rattaché à Abbeville.

ÉPERNAY SP 51200 Marne **56** ⑯ **G. Champagne, Ardennes** – 28 876 h. alt. 72.

Voir Caves de Champagne★ BYZ – **Musée municipal★** BY **M** – **Côte des Blancs★ par** ③.

Office de Tourisme et A.C. pl. Mendès-France ✆ 26 55 33 00.

Paris 141 ④ – Châlons-sur-Marne 34 ② – Château-Thierry 48 ④ – Meaux 95 ③ – ♦Reims 27 ① – Soissons 72 ① – Troyes 94 ③.

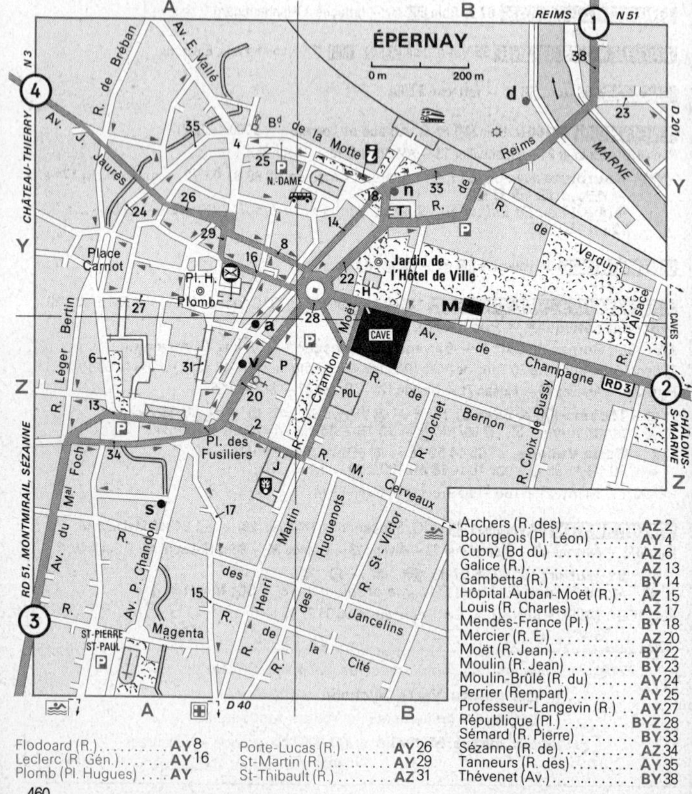

Berceaux [M], 13 r. des Berceaux ✆ 26 55 28 84 – wc wc ☎ – 25. AE ⓓ E VISA AZ a
fermé vacances de fév. – SC : **R** 120/250 – ☕ 25 – **29 ch** 193/360 – P 430.

Champagne [M] sans rest, 30 r. E.-Mercier ✆ 26 55 30 22 – TV wc wc ☎. AE VISA AZ v
SC : ☕ 25 – **32 ch** ☕ 190/236.

St-Pierre sans rest, 14 av. P.-Chandon ✆ 26 54 40 80 – . E AZ s
fermé 18 août au 8 sept. et dim. – SC : ☕ 17,50 – **15 ch** 59/92.

XX **Jean-Burin,** 8 pl. Mendès-France ✆ 26 51 66 69, Télex 842032 – AE ⓓ E VISA
fermé janv. et lundi de nov. à Pâques – **R** 70/150. BY n

X **La Terrasse,** 7 quai Marne ✆ 26 55 26 05 – E VISA BY d
fermé 1er au 15 juil., 1er au 21 fév., dim. soir et lundi – SC : **R** 50/125 ₰.

à Dizy par ① : 3 km – ✉ **51200** Epernay :

X **Aub. du Relais,** ✆ 26 55 25 11 – Ⓟ. VISA
fermé 1er au 15 fév., 1er au 15 août, lundi soir et mardi – SC : **R** 47/130.

à Champillon par ① : 6 km – alt. 180 – ✉ **51160** Ay :

❀ **Royal Champagne** [M] , N 51 ✆ 26 51 11 51, Télex 830111, ≤ vallée de la Marne, – ☎ Ⓟ. AE ⓓ E VISA
SC : **R** 250/330 – ☕ 35 – **25 ch** 350/700
Spéc. Salade au rouget et aux queues de langoustines, Panaché de saumon en sauce tiède, Carré d'agneau "Pierrette". **Vins** Chouilly, Cumières.

à Vinay par ③ : 6 km – ✉ **51200** Épernay :

❀ **La Briqueterie** [M] , ✆ 26 54 11 22, Télex 842007, – TV ☎ ♿ Ⓟ – 45. AE ⓓ E VISA
fermé 22 déc. au 3 janv. – SC : **R** carte 195 à 275 – ☕ 32 – **38 ch** 260/353, 4 appartements 464
Spéc. St-Jacques aux champignons sauvages, Filet de boeuf et feuilleté de moelle, Tarte chaude aux poires.

à Vauciennes-la-Chaussée par ④ : 7 km – ✉ **51200** Épernay :

X **Aub. de la Chaussée** avec ch, ✆ 26 58 40 66 – Ⓟ
fermé 22 août au 13 sept., 16 au 28 fév. et lundi soir – SC : **R** 42/95 – ☕ 12,50 – **9 ch** 61/165 – P 150/180.

BMW Guimier, 4-6 r. Placet ✆ 26 55 32 25 N ✆ 26 51 52 09
CITROEN Gar. Ardon, rte de Reims à Dizy par ① ✆ 26 53 15 11
FIAT Magenta-Automobiles, 64 av. A.-Thévenet à Magenta ✆ 26 51 04 56
FORD Rebeyrolle, 7 quai de la Villa ✆ 26 53 12 65
MERCEDES, TOYOTA Gar. Ténédor, 1 pl. Martyrs-Résistance ✆ 26 51 97 77
OPEL Gar. Quénardel, 16 av. P.-Chandon ✆ 26 54 03 80

PEUGEOT-TALBOT Gar. Beuzelin, 71 av. Thévenet à Magenta par ① ✆ 26 51 10 66
RENAULT Automotor, 100 av. Thevénet à Magenta par ① ✆ 26 53 07 11
V.A.G Grand Gar. Régional, r. tête à l'Âne à Magenta ✆ 26 51 64 51

La Centrale du Pneu, 25 av. de Champagne ✆ 26 55 28 58
Guillemin, 6 r. G.-Cagneaux à Magenta ✆ 26 55 27 47

ÉPINAL

[P] **88000** Vosges **62** ⑯ **G. Alsace et Lorraine** – **40 954 h. alt. 340.**

Voir Vieille ville★ : Basilique★ BZ **E** – **Parc du château★** BZ – **Musée : Vosges et Imagerie★★** AZ.

Office de Tourisme 13 r. Comédie ✆ 29 82 53 32 – A.C. 10 r. C.-Gelée ✆ 29 35 18 14.

Paris 361 ⑥ – Belfort 97 ④ – Colmar 94 ② – ♦Mulhouse 110 ④ – ♦Nancy 69 ⑥ – Vesoul 84 ④.

Plan page suivante

Mercure, 13 pl. E.-Stein ✆ 29 35 18 68, Télex 960277 – TV wc wc ☎ ♿ – 180. AE ⓓ E VISA AZ e
R voir rest. **Mouton Blanc** ci-après – ☕ 31 – **45 ch** 310/360 – P 450.

Le Colombier [M] sans rest, 104 fg Ambrail BZ ✆ 29 35 50 05 – wc ☎ Ⓟ – 40. AE ⓓ E VISA
fermé 19 juil. au 10 août et 23 déc. au 5 janv. – SC : ☕ 20 – **32 ch** 176/258.

Bristol sans rest, 12 av. Gén. de Gaulle ✆ 29 82 10 74 – wc wc ☎ . AE ⓓ E VISA AY b
fermé 24 déc. au 2 janv. – SC : ☕ 16 – **34 ch** 98/180.

Le Carabas sans rest, 7 r. Prés. Doumer ✆ 29 82 58 93 – wc AY a
fermé dim. et fériés – SC : ☕ 13,50 – **12 ch** 75/130.

Azur sans rest, 54 quai des Bons-Enfants ✆ 29 64 05 25 – wc AZ r
SC : ☕ 12,50 – **20 ch** 55/154.

XXX **Relais des Ducs de Lorraine** avec ch, 16 quai Colonel-Sérot ✆ 29 34 39 87 – TV wc wc ☎. AE ⓓ E VISA BY n
fermé 20 juil. au 12 août, dim. soir et lundi – SC : **R** 90/220 – ☕ 25 – **10 ch** 150/210.

XX **Mouton Blanc,** 13 pl. E.-Stein ✆ 29 35 18 68 – AE ⓓ E VISA AZ e
R 80/270 ₰.

X **Le Petit Robinson,** 24 r. R. Poincaré ✆ 29 34 23 51 – VISA BZ s
fermé 1er au 15 août, 2 au 10 janv. et dim. – SC : **R** 67/113.

ÉPINAL

Bons-Enfants (Quai des) . . AZ 6
États-Unis (R. des) . . . . AY
Léopold-Bourg (R.) . . . . . . AY 21
170e-Régt-d'Inf. (R. du) . . BY 30
Abbé-Friesenhauser (R.) . BZ 2
Ambrail (Fg d') . . . . BZ 3
Ambrail (R. d') . . . . BZ 4
Boegner (R. du Pasteur) . . . BZ 5
Boulay-de-la-Meurthe (R.) AY 7
Carnot (Pont-Sadi) . . . . AZ 8
Entre-Deux-Portes (R.) . . BYZ 12
Gaulle (Av. du Gén.-de) . . . AY 14
Gelée (R. Claude) . . . . BZ 15
Lagarde (Pl.) . . . . AZ 19
Lattre (Av. Mar.-de) . . . . AY 20
Lyautey (R. Mar.) . . . . AY 23
Maix (R. de la) . . . . BZ 25
Poincaré (R. Raymond) . . . . BY 26
Vieux-Moulins (Pl. des) . . . . BY 28
Vosges (Pl. des) . . . . BZ 29

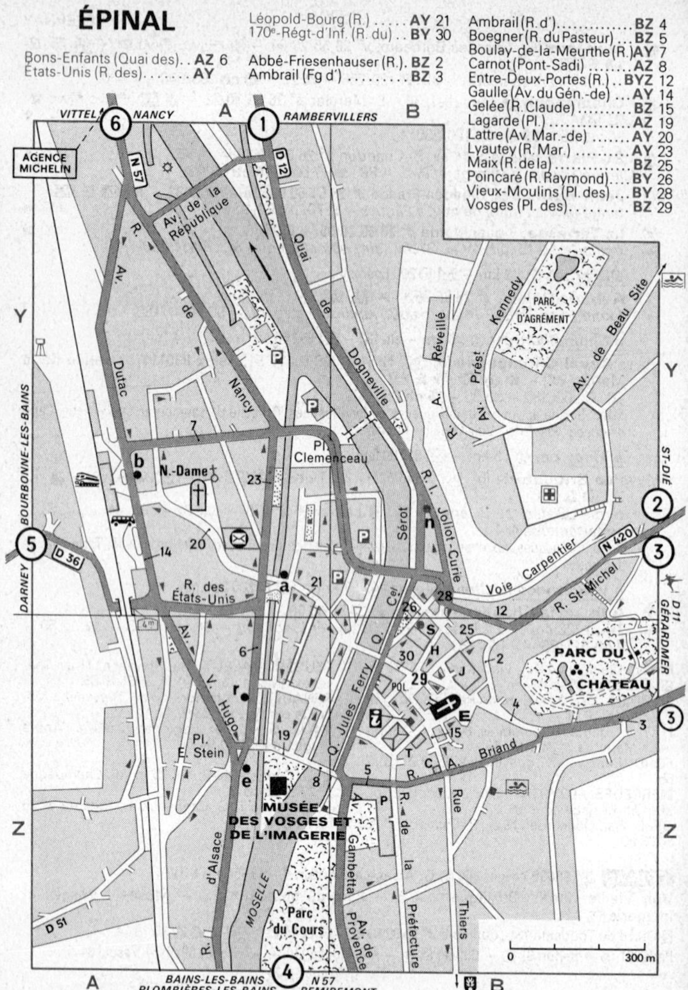

à Chaumousey par ⑤ et D 460 : 8,5 km – ✉ **88390** Darnieulles :

XX **Le Calmosien,** ✆ 29 66 80 77 – **E** VISA
fermé dim. soir et lundi – SC : **R** 120/190.

à Golbey par ⑥ : 5 km sur N 57 – 8 900 h. – ✉ **88190** Golbey :

Motel Côte Olie et rest La Mansarde Ⓜ, ✆ 29 34 28 28, Télex 961011, – TV wc ☎ & P – 40. AE ◑ E VISA
SC : **R** *(fermé sam. midi et dim. soir)* 62/142 – 21 – **24 ch** 200/236.

MICHELIN, Agence, Voie B, Z.I. à Golbey par ⑥ ✆ 29 34 39 29

CITROEN Anotin, Zone Ind., Golbey par ⑥ ✆ 29 34 42 87 N ✆ 29 34 55 54
FIAT Lorraine-Auto., av. de St-Dié ✆ 29 34 20 20
FORD Gds Gar. Spinaliens, 17 r. Mar.-Lyautey ✆ 29 82 47 47
LANCIA-AUTOBIANCHI Thietry, 40 quai Dogneville ✆ 29 34 06 51
PEUGEOT-TALBOT Epinal-Autom., 91 r. d'Alsace ✆ 29 82 05 94
PEUGEOT-TALBOT Habonnel Autom., 31 av. de Beaulieu à Golbey par ⑥ ✆ 29 34 45 54 N
RENAULT Succursale, 58 r. d'Alsace ✆ 29 33 01 01 N

Burke, 47 av. de la Fontenelle ✆ 29 34 21 53
Louis-Pneus, 15 r. Mar. Lyautey ✆ 29 35 42 08
N 57 à Chavelot ✆ 29 34 02 12
Malnoy-Pneus, 13 av. de la Fontenelle ✆ 29 82 22 93

L'ÉPINE 51 Marne 56 ⑱ – rattaché à Châlons-sur-Marne.

L'ÉPINE 85 Vendée 67 ① – voir à Noirmoutier.

EPPE-SAUVAGE 59 Nord 53 ⑦ **G. Flandres, Artois, Picardie** – 231 h. alt. 190 – ✉ **59132** Trélon.

Paris 219 – Avesnes-sur-Helpe 26 – Charleroi 40 – Hirson 27 – ♦Lille 120 – Maubeuge 30.

XX **la Goyère,** ✆ 27 61 80 11 – AE ⓓ E VISA. ✻
fermé du 2 au 17 janv., mardi soir et merc. – SC : **R** 55/148 ♖.

EQUEMAUVILLE 14 Calvados 55 ③ – rattaché à Honfleur.

ERDEVEN 56 Morbihan 63 ① – 2 169 h. alt. 18 – ✉ **56410** Étel.

Voir Alignements de Kerzerho★ SE : 1 km – Dolmen de Crucuno★ SE : 4 km, **G. Bretagne.**

Paris 492 – Auray 14 – Carnac 8,5 – Lorient 28 – Quiberon 21 – Quimperlé 47 – Vannes 32.

Château de Keravéon ⑤, NE : 1,5 km par D 105 ✆ 97 55 68 55, « Château du 18e s. dans un parc », ⌂ – ⎈ ⓟ. AE ⓓ E VISA. ✻ rest
10 mai-15 sept. – SC : **R** *(fermé le midi sauf sam. et dim.)* 170/220 – ☕ 44 – **19 ch** 550/660.

Le Narbon Ⓜ ⑤, rte Plage ✆ 97 55 67 55 – ⛀wc ☎ ♿ ⓟ. AE ⓓ E VISA
1er mars-2 nov. – SC : **R** *(fermé midi du 15 sept. au 15 juin sauf dim.)* 66/138 – ☕ 19 – **22 ch** 185/230 – P 261/283.

Aub. du Sous-Bois ⑤, NO : 1 km rte Pont-Lorois ✆ 97 55 66 10, Télex 950581, ⌂ – ⋔wc ☎ ⓟ. AE ⓓ E VISA
15 mars-15 oct. – SC : **R** *(fermé le midi sauf juil. - août et week-end)* 56/94 – ☕ 18,50 – **22 ch** 176/198.

Voyageurs, r. Océan ✆ 97 55 64 47 – ⋔wc ☎ ⓟ. E VISA. ✻ ch
1er avril-30 sept. et fermé mardi hors sais. – SC : **R** *(dîner seul. en juil.-août)* 44/110 ♖ – ☕ 15 – **20 ch** 165/182 – P 140/190.

ERIGNÉ 49 M.-et-L. 63 ⑳ – rattaché à Angers.

ERMENONVILLE 60 Oise 56 ⑫, 196 ⑨ **G. Environs de Paris** – 778 h. alt. 92 – ✉ **60440** Nanteuil-le-Haudouin.

Voir Parc★ – Forêt d'Ermenonville★ – Abbaye de Chaalis★ N : 3 km – Mer de Sable★ N : 3 km – Clocher★ de l'église de Montagny-Ste-Félicité E : 4 km.

ℹ Office de Tourisme Parc J.-J.-Rousseau (16 juin-31 oct.) ✆ 44 54 01 58.

Paris 47 – Beauvais 65 – Compiègne 45 – Meaux 24 – Senlis 14 – Villers-Cotterêts 35.

Le Prieuré sans rest., ✆ 44 54 00 44, « demeure 18e s. », ⌂ – TV ⛀wc ⋔wc ☎. AE ⓓ VISA
1er mars-15 nov. – SC : **8 ch** ☕ 350/400.

XX **Rabelais,** à Ver-sur Launette, S : 3 km par D 84 ✉ 60520 La Chapelle-en-Serval ✆ 44 54 01 70 – AE E VISA
fermé 19 au 27 août, 4 au 26 nov., lundi soir et mardi – SC : **R** 133/176 ♖.

XX **Aub. Croix d'Or** avec ch, ✆ 44 54 00 04, ⌂ – ⛀ ⋔ ⓟ – ♔ 30. VISA
fermé 14 déc. au 8 fév. et vend. – SC : **R** 84 – ☕ 16 – **11 ch** 110/163 – P 190/215.

ERMITAGE DU FRÈRE JOSEPH 88 Vosges 62 ⑰ – rattaché à Ventron.

ERNÉE 53500 Mayenne 59 ⑲ **G. Normandie** – 6 132 h. alt. 116.

ℹ Syndicat d'Initiative, pl. Hôtel de Ville (15 juin-15 sept.) ✆ 43 05 21 10.

Paris 303 – Domfront 46 – Fougères 20 – Laval 30 – Mayenne 24 – Vitré 29.

Relais Poste, pl. Église ✆ 43 05 20 33 – ⎈ TV ⛀wc ⋔wc ☎ ⓟ – ♔ 35. E VISA
fermé dim. soir sauf hôtel en juil.-août – SC : **R** 55/172 – ☕ 18 – **35 ch** 105/185 – P 180/270.

XX **Grand Cerf** avec ch, 19 r. A.-Briand ✆ 43 05 13 09 – ⛀wc ☎. E. ✻ ch
fermé 18 janv. au 7 fév. et lundi hors sais. – SC : **R** 52/93 – ☕ 18,50 – **12 ch** 94/155 – P 195/250.

CITROEN Gar. St-Antoine, 2 bd Pasteur ✆ 43 05 12 43 N
PEUGEOT Garnier, 8 rte de Fougères ✆ 43 05 11 60
RENAULT Sadon, 29 av. A.-Briand ✆ 43 05 16 68 N
Gar. Lory, 14 bd Duvivier ✆ 43 05 11 89 N

ERQUY 22430 C.-du-N. 59 ④ **G. Bretagne** – 3 426 h.

Voir Cap d'Erquy ★ NO : 3,5 km puis 30 mn.

ℹ Syndicat d'Initiative, bd Mer (avril-sept.) ✆ 96 72 30 12.

Paris 455 – Dinan 47 – Dinard 40 – Lamballe 23 – ♦ Rennes 102 – St-Brieuc 35.

Brigantin sans rest, square Hôtel de Ville ✆ 96 72 32 14 – ⛀wc ⋔wc ☎. ⓓ VISA ☕ 17 – **22 ch** 79/205.

CITROEN Gar. Clerivet ✆ 96 72 14 20
RENAULT Gar. Thomas, ✆ 96 72 30 37

ERSTEIN 67150 B.-Rhin 62 ⑩ – 8 172 h. alt. 150.
Paris 513 – Colmar 49 – Molsheim 27 – St-Dié 68 – Sélestat 25 – ♦Strasbourg 24.

Motel Au Brochet, 94 r. Gén.-de-Gaulle ☎ 88 98 03 70, – wc ☎ Ⓟ. AE E VISA
SC : **R** 78 – 21 – **31 ch** 122/185 – P 210/250.

Agneau, 50 r. 28 Novembre ☎ 88 98 02 12 – ch
fermé 23 juin au 12 juil. – SC : **R** *(fermé merc.)* 40/50 – 15 – **9 ch** 75/90 – P 150/170.

PEUGEOT-TALBOT Gar. Louis, rte de Lyon, ☎ 88 98 07 13
PEUGEOT, TALBOT Busche, r. de la Dordogne ☎ 88 98 23 87
RENAULT Fechter, 10 r. Gen.-de-Lattre ☎ 88 98 04 24

ERVAUVILLE 45 Loiret 61 ⑬ – rattaché à Courtenay.

ESBLY 77450 S.-et-M. 56 ⑫, 196 ㉒ – 4 227 h. alt. 50.
Paris 44 – Coulommiers 23 – Lagny 11 – Meaux 9 – Melun 50.

à Condé-Ste-Libiaire SE : 2,5 km – ✉ **77450** Esbly :

Vallée de la Marne, quai Marne ☎ (1) 60 04 31 01, ←, – Ⓟ.

PEUGEOT, TALBOT Luce et Riester, ☎ (1) 60 04 34 21

Les ESCALDES Principauté d'Andorre 86 ⑭, 43 ⑥ – voir à Andorre.

L'ESCARÈNE 06440 Alpes-Mar. 84 ⑲, 195 ⑰ – 1 424 h. alt. 357.
Voir Gorges du Paillon★ SE.
Env. Lucéram : site★, retables★★ et trésor★ dans l'église N : 7 km, **G. Côte d'Azur.**
Paris 953 – Contes 10 – ♦Nice 21 – St-Martin-Vésubie 54 – Sospel 22.

Host. Castellino avec ch, ☎ 93 79 50 11, ←, cuisine toulousaine, – .
fermé 25 sept. au 31 oct. et lundi – SC : **R** 43/185 – 12 – **12 ch** 85/135 – P 127/180.

ESCHBACH-AU-VAL 68 H.-Rhin 62 ⑱ – rattaché à Munster.

ESCLIMONT 78 Yvelines 60 ⑧⑨, 196 ㊴ – rattaché à Ablis.

ESCONAC 33 Gironde 71 ⑨⑩ – rattaché à Cambes.

ESCOS 64 Pyr.-Atl. 78 ⑧ – 256 h. alt. 40 – ✉ **64270** Salies-de-Béarn.
Paris 774 – Cambo-les-Bains 47 – Orthez 28 – Pau 69 – Peyrehorade 15 – St-Jean-Pied-de-Port 52.

Relais des Voyageurs avec ch, ☎ 59 38 42 39, – wc wc. AE E
fermé 15 déc. au 16 janv., dim. soir et lundi sauf du 15 juin au 15 sept. – SC : **R** 51/95 – 14 – **9 ch** 101/170 – P 155/220.

ESCRINET (Col de l') 07 Ardèche 76 ⑲ – rattaché à Privas.

ESNANDES 17 Ch.-Mar. 71 ⑫ **G. Côte de l'Atlantique** – 1 370 h. alt. 12 – ✉ **17137** Nieul-sur-Mer.
Voir Église★.
Paris 471 – Fontenay-le-Comte 40 – Luçon 28 – La Rochelle 12.

Port, ☎ 46 01 32 11 – . ch
fermé oct. et mardi hors sais. – SC : **R** 52/135 – 18 – **12 ch** 67/183 – P 153/190.

Paix, ☎ 46 01 32 02, , – Ⓟ.

ESPALION 12500 Aveyron 80 ③ **G. Causses** (plan) – 4 883 h. alt. 343.
Voir Église de Perse★ SE : 1 km.
ℹ Office de Tourisme à la Mairie ☎ 65 44 05 46.
Paris 576 – Aurillac 76 – Figeac 92 – Mende 94 – Millau 79 – Rodez 30 – St-Flour 88.

Moderne, bd Guizard ☎ 65 44 05 11 – wc wc
32 ch.

Central H. sans rest, **av. Gare** ☎ 65 44 05 25, – wc
26 ch.

Le Méjane, 8 r. Méjane ☎ 65 48 22 37 – AE ① E VISA
fermé 26 mai au 4 juin, 15 au 30 déc., dim. soir et merc. sauf juil.-août – SC : **R** 45/126 .

Soleil d'Or, pl. St-Georges ☎ 65 44 03 30 – VISA
fermé oct. et lundi sauf juil.-août – **R** 42/68 .

à St-Côme-d'Olt E : 4,5 km par D 587 N – ✉ **12500** Espalion.

Voir Bourg fortifié★.

Voyageurs, ☎ **65 44 05 83** – 🚿 –
23 ch.

PEUGEOT-TALBOT Ginisty-Privat ☎ 65 44 01 64 N
Cadars, av. de St.-Côme ☎ 65 44 00 73

Vulcanisation-Espalionnaise, 57 bd J.-Poulenc ☎ 65 44 01 78

ESPELETTE 64 Pyr.-Atl. 85 ③ **G. Pyrénées** – 1 411 h. alt. 80 – ✉ **64250** Cambo-les-Bains.

Paris 791 – •Bayonne 20 – Biarritz 23 – Cambo-les-Bains 5,5 – Pau 119 – St-Jean-de-Luz 25.

Euzkadi, ☎ **59 29 91 88,** – wc wc . VISA
fermé 15 nov. au 15 déc., vacances de fév., mardi (sauf juil.-août) et lundi – SC : **R** 55/125 – 16 – **28 ch** 100/140 – P 180/200.

L'ESPÉROU 30570 Gard 80 ⑯ **G. Causses** – alt. 1 230.

Paris 651 – Alès 95 – Mende 85 – Millau 98 – Nîmes 111 – Le Vigan 30.

La Source , ☎ **67 82 60 35,** – wc .
15 juin-fin sept., Noël-début mars et fêtes – SC : **R** 63/83 – 19,50 – **10 ch** 159/180 – P 305/325.

ESPIAUBE 65 H.-Pyr. 85 ⑲ – rattaché à St-Lary-Soulan.

ESQUIÈZE-SÈRE 65 H.-Pyr. 85 ⑱ – rattaché à Luz-St-Sauveur.

ESTAING 12190 Aveyron 80 ③ **G. Causses** – 666 h. alt. 300.

Voir Château★.

Syndicat d'Initiative à la Mairie ☎ 65 44 70 32.

Paris 586 – Aurillac 66 – Conques 40 – Espalion 10 – Figeac 75 – Rodez 41.

Aux Armes d'Estaing, ☎ **65 44 70 02** – wc
1er mars-1er nov. – SC : **R** 40/110 – 13 – **47 ch** 60/120 – P 145/165.

Raynaldy, ☎ **65 44 70 03,** –
1er avril-1er oct. – SC : **R** 40/105 – 15 – **16 ch** 54/105 – P 130/135.

RENAULT Rigal, ☎ 65 44 70 09

ESTAING 65 H.-Pyr. 85 ⑰ **G. Pyrénées** – 91 h. alt. 1 000 – ✉ **65400** Argelès-Gazost.

Voir Lac d'Estaing★ S : 4 km.

Paris 826 – Argelès-Gazost 11 – Arrens 6, 5 – Laruns 43 – Lourdes 24 – Tarbes 44.

Lac avec ch, **au Lac S : 4 km** ☎ **62 97 06 25,** <, –
fermé 5 au 31 janv. et 1er au 15 mars – SC : **R** 55/100 – 16 – **11 ch** 70/110 – P 150/160.

ESTENG 06 Alpes-Mar. 81 ⑧⑨, 195 ② – alt. 1 800 – ✉ **06470** Guillaumes.

Paris 775 – Barcelonnette 39 – Castellane 81 – Digne 119 – •Nice 122 – St-Martin-Vésubie 97.

Relais de la Cayolle , ☎ **93 05 51 33,** <, – . VISA
15 mars-30 sept. et 15 déc.-15 janv. – SC : **R** 60/65 – 20 – **18 ch** 90/100 – P 175.

L'ESTEREL (Massif de) ★★★ 83 Var 84 ⑧ **G. Côte d'Azur** – NE de St-Raphaël.

ESTÉRENÇUBY 64 Pyr.-Atl. 85 ③ – rattaché à St-Jean-Pied-de-Port.

ESTIVAREILLES 03 Allier 69 ⑫ – rattaché à Montluçon.

ESTRABLIN 38 Isère 74 ⑫ – rattaché à Vienne.

ÉTABLES-SUR-MER 22680 C.-du-N. 59 ③ **G. Bretagne** – 2 039 h.

18 **des Ajoncs d'Or** ☎ **96 71 90 74 O : 9 km.**

Office de Tourisme 9 r. République ☎ 96 70 65 41.

Paris 466 – Guingamp 28 – Lannion 55 – Paimpol 28 – St-Brieuc 17.

à N. D.-de-L'Espérance N : 2,5 km sur D 786 – ✉ **22680** Étables-sur-Mer :

La Colombière avec ch, ☎ **96 70 61 64,** <, , « Jardin ombragé dominant la mer » – wc . E VISA.
fermé 15 au 30 nov., lundi soir et mardi sauf du 15 juin au 15 sept. – SC : **R** 130/340 – 41 – **6 ch** 235/370 – P 440/525.

ÉTAIN 55400 Meuse 57 ⑫ **G. Alsace et Lorraine** – 3 811 h. alt. 205.

A.C. 7 pl. Martinique ☎ 29 87 11 12.

Paris 287 – Briey 24 – Longwy 46 – ♦Metz 47 – Stenay 55 – Verdun 20.

Sirène, r. Prud'homme-Havette ☎ 29 87 10 32 – wc ☎ Ⓟ. E VISA. ch
fermé janv., dim. soir hors sais. et lundi – SC : **R** 46/124 – 15,50 – **30 ch** 65/150.

RENAULT Beauguitte et Cao, ☎ 29 87 12 90 N

ÉTAMPES SP 91150 Essonne 60 ⑩, 196 ㊷ **G. Environs de Paris** – 19 491 h. alt. 90.

Voir Cathédrale N.-Dame★ A B.

Office de Tourisme Maison Anne de Pisseleu ☎ (1) 64 94 84 07.

Paris 50 ① – Chartres 61 ⑦ – Évry 40 ① – Melun 43 ② – ♦Orléans 68 ⑤ – Versailles 52 ①.

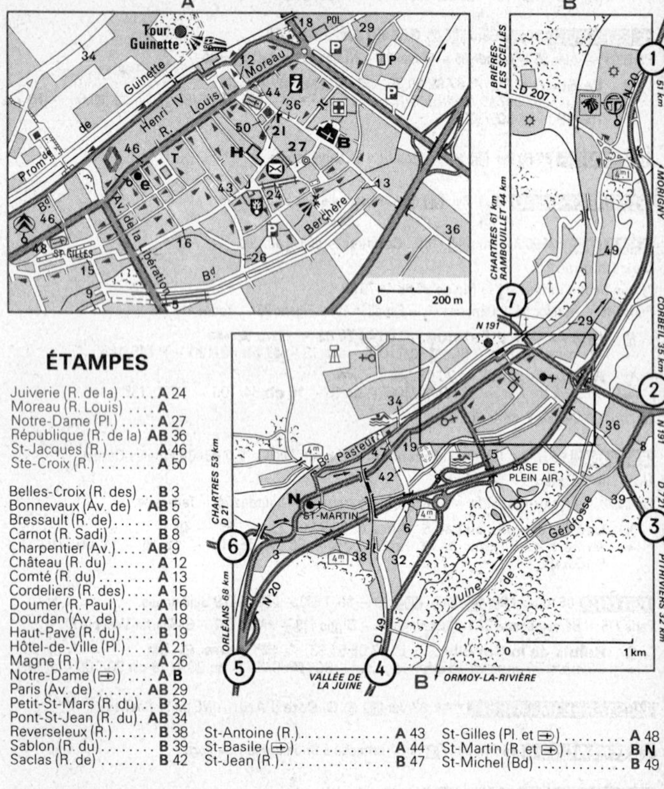

ÉTAMPES

Juiverie (R. de la)	A 24
Moreau (R. Louis)	A
Notre-Dame (Pl.)	A 27
République (R. de la)	AB 36
St-Jacques (R.)	A 46
Ste-Croix (R.)	A 50
Belles-Croix (R. des)	B 3
Bonnevaux (Av. de)	AB 5
Bressault (R. de)	B 6
Carnot (R. Sadi)	B 8
Charpentier (Av.)	AB 9
Château (R. du)	A 12
Comté (R. du)	A 13
Cordeliers (R. des)	A 15
Doumer (R. Paul)	A 16
Dourdan (Av. de)	A 18
Haut-Pavé (R. du)	B 19
Hôtel-de-Ville (Pl.)	A 21
Magne (R.)	A 26
Notre-Dame (⊞)	A B
Paris (Av. de)	AB 29
Petit-St-Mars (R. du)	B 32
Pont-St-Jean (R. du)	AB 34
Reverseleux (R.)	B 38
Sablon (R. du)	B 39
Saclas (R. de)	B 42
St-Antoine (R.)	A 43
St-Basile (⊞)	A 44
St-Jean (R.)	B 47
St-Gilles (Pl. et ⊞)	A 48
St-Martin (R. et ⊞)	B N
St-Michel (Bd)	B 49

L'Europe "A l'Escargot", 71 r. St-Jacques ☎ (1) 64 94 02 96 – wc ☎ . VISA. ch — A e
fermé 20 juin au 27 juil. et 23 sept. au 4 oct. – SC : **R** *(fermé merc.)* 42/50 – 11,50 – **25 ch** 65/129 – P 166/209.

XXX **Le Gd Monarque,** 1 pl. Romanet ☎ (1) 64 94 29 90 – AE ⓓ E VISA — A r
fermé 7 au 22 fév., dim. soir et lundi – SC : **R** 52/85.

à Châlo-St-Mars par ⑥ : 7,5 km – ✉ **91780** Châlo-St-Mars :

XX **Aub. des Alouettes,** ☎ (1) 64 95 44 27 – AE ⓓ E VISA
fermé fév. – SC : **R** 145.

à Court-Pain par ③ et D 721 : 9 km – ✉ **91690** Saclas :

Aub. de Courpain, ☎ (1) 64 95 67 04, , – wc wc ☎ Ⓟ – 25 à 50. AE ⓓ. ch
SC : **R** 115/280 – 25 – **17 ch** 250/375.

AUSTIN, ROVER Gar. St-Pierre, rte de Pithiviers ✆ (1) 64 94 90 00
CITROEN Sté Ind. Autom., 146 r. St-Jacques ✆ (1) 64 94 01 81
PEUGEOT, TALBOT J. Auclert, ZI 12 r. des Rochettes à Morigny ✆ (1) 64 94 16 72

RENAULT Roulleau, r. Plisson ✆ (1) 64 94 52 22

Central-Pneu, 69 av. de Paris ✆ (1) 64 94 94 44

ÉTANG-DES-MOINES 59 Nord 53 ⑯ – rattaché à Fourmies.

ÉTANG-SUR-ARROUX 71190 S.-et-L. 69 ⑦ – 1 874 h. alt. 277.

Env. Uchon : site★ et ☀★★ du signal SE : 11 km, G. Bourgogne.

Paris 308 – Autun 17 – Chalon-sur-Saône 62 – Decize 66 – Digoin 50 – Mâcon 102.

XXX **Host. du Gourmet** avec ch, rte Toulon ✆ 85 82 20 88 – wc ☎. AE VISA
fermé janv., dim. soir (sauf juil.-août) et lundi – SC : **R** 55/121 – ☕ 14 – **12 ch** 69/131 – P 184/230.

RENAULT Raffin, N 494 ✆ 85 82 21 48 N

ÉTOILE-SUR-RHÔNE 26 Drôme 77 ⑫ – 2 897 h. alt. 107 – ✉ 26800 Portes-lès-Valence.

Paris 582 – Crest 17 – Privas 33 – Valence 12.

X **Le Vieux Four,** pl. Centre ✆ 75 60 72 21. E
fermé 4 au 25 août, dim. soir et lundi – SC : **R** 53/130 ♨.

RENAULT Gar. Gontard, ✆ 75 60 60 03

ÉTOUVELLES 02 Aisne 56 ⑤ – rattaché à Laon.

ÉTRÉAUPONT 02580 Aisne 53 ⑯ – 955 h. alt. 127.

Paris 181 – Avesnes 25 – Hirson 15 – Laon 44 – St-Quentin 51.

X **Aub. du Val d'Oise,** N 2 ✆ 23 97 40 18. VISA
fermé mi-fév. à mi-mars, 17 au 24 août, lundi soir et mardi – SC : **R** 49 bc/200.

ÉTRETAT 76790 S.-Mar. 52 ⑪ **G. Normandie** – 1 577 h. – Casino A.

Voir Chapelle N.-D.-de-la-Garde ≤★ A E – Falaise d'Aval★★★ A : 1 h – Falaise d'Amont★ au N.

18 ✆ 35 27 04 89 A.

Office de Tourisme pl. Hôtel de Ville (juin-sept.) ✆ 35 27 05 21.

Paris 208 ③ – Bolbec 28 ③ – Fécamp 17 ② – ♦Le Havre 28 ④ – ♦Rouen 86 ②.

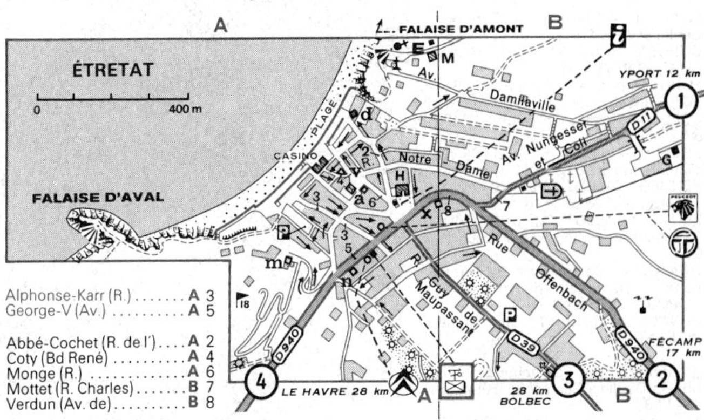

Dormy House ⛰, rte du Havre ✆ 35 27 07 88, ≤ falaises et la mer, parc – wc ☎ P – 🏌 30. ✻ rest — A **m**
28 mars-4 nov. – SC : **R** 115 – ☕ 32 – **27 ch** 155/353 – P 306/420.

Falaises sans rest, bd René-Coty ✆ 35 27 02 77 – wc wc ☎. ✻ — A **v**
SC : ☕ 17 – **24 ch** 90/210.

Welcome ⛰, av. Verdun ✆ 35 27 00 89, – wc wc ☎ P. VISA. ✻ rest
fermé fév., mardi soir et merc. – SC : **R** 68/150 – ☕ 19,50 – **21 ch** 189/218 – P 239/269. — AB **x**

Angleterre, av. George-V ✆ 35 27 01 65 – wc. ✻ — A **n**
fermé 20 sept. au 1er nov., 1er au 15 janv., mardi soir et merc. – SC : **R** 57/146 – ☕ 13,50 – **16 ch** 82/252 – P 220/240.

X **L'Escale** avec ch, pl. Mar.-Foch ✆ 35 27 03 69 – ⇔ ⋔. ✕ A **a**
◆ *fermé déc., janv., mardi soir et merc.* – SC : **R** 60/82 – ☕ 13 – **11 ch** 77/150.

X **Roches Blanches,** r. Abbé-Cochet ✆ 35 27 07 34, ←. E VISA A **d**
fermé oct., 15 janv. au 15 fév., mardi et jeudi sauf juil.-août et merc. – SC : **R** 63/125.

CITROEN Gar. Enz, ✆ 35 27 04 69 PEUGEOT, TALBOT Capron, ✆ 35 27 03 98

ETSAUT **64490** Pyr.-Atl. **85** ⑯ – **104** h. alt. **600**.
Paris 858 – Jaca 51 – Oloron-Ste-Marie 36 – Pau 69.

Pyrénées, ✆ 59 34 88 62, ⛱ – ⇔wc ⋔wc 🚗
◆ *fermé 21 nov. au 21 déc. et 5 au 25 janv.* – SC : **R** 57/120 – ☕ 15 – **16 ch** 85/150 – P 145/160.

ÉTUZ **70** H.-Saône **66** ⑮ – **382** h. alt. **210** – ✉ **70150** Marnay.
Paris 418 – ♦Besançon 15 – Combeaufontaine 46 – Gray 39 – Vesoul 41.

XX ✿ **La Sablière** (Chardigny), rte Cussey-sur-l'Ognon ✆ 81 57 78 50, ⛱, ⛟ – **P**. AE ⓓ VISA
fermé 25 août au 15 sept., 24 fév. au 2 mars, dim. soir et jeudi – SC : **R** (dim. et fêtes prévenir) 85/230, dîner à la carte
Spéc. Truite Belle-Comtoise, Coq au Pupillin, Rable de lièvre sauce poivrade (saison). **Vins** Pupillin, Champlitte.

EU **76260** S.-Mar. **52** ⑤ **G. Normandie** – **8 712** h. alt. **17**.

Voir Église★ **E** – Mausolées★ dans la chapelle du Collège **K**.

i Office de Tourisme 41 r. P.-Bignon ✆ 35 86 04 68.

Paris 166 ⑤ – Abbeville 32 ⑥ – Blangy 21 ⑤ – Dieppe 31 ③ – ♦Rouen 92 ③ – Le Tréport 4,5 ①.

Relais, 1 pl. Albert-1er **(s)** ✆ 35 86 14 88, ⛟ – ⇔wc ⋔wc ☎ ♿
◆ *fermé 26 août au 16 sept. et 26 janv. au 9 fév.* – SC : **R** *(fermé dim. soir et lundi)* 52/87 ⚲ – ☕ 16,50 – **14 ch** 100/210 – P 170/225.

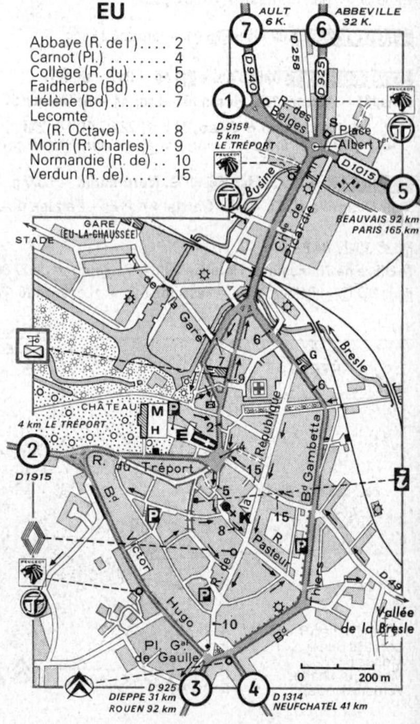

CITROEN Amand, 18 pl. Gén.-de-Gaulle ✆ 35 86 00 89
CITROEN Hebert, 205 rte du Tréport par ② ✆ 35 86 30 13
FORD Dupont et Obry, 2 Rte de Paris à Gamaches (80) ✆ 22 26 11 17
OPEL Gar. Gérard, 6 pl. Albert-1 ✆ 35 86 00 45
PEUGEOT-TALBOT Roussel, 21 bd Victor-Hugo ✆ 35 86 56 44
PEUGEOT-TALBOT Vassard, 22 r. des Belges ✆ 35 86 34 16
PEUGEOT-TALBOT Gar. de Picardie, 141 chaussée de Picardie ✆ 35 86 11 99
RENAULT Carrosserie Eudoise, Zone Ind. rte de Mers par ⑦ ✆ 35 86 11 44 **N** ✆ 35 86 38 50
RENAULT Sonnet, 19 r. République ✆ 35 86 01 90

Ⓟ Comptoir du Caoutchouc 91 r. Ch.-De-Gaulle à Gamaches (80) ✆ 35 26 11 23
Morelle, 7 r. des Belges ✆ 35 86 29 12

EUGÉNIE-LES-BAINS 40 Landes 82 ① – 408 h. alt. 90 – Stat. therm. (8 mars-31 oct.) – ✉ 40320 Geaune.

Syndicat d'Initiative à la Mairie (début mai-15 sept. matin seul.) ☎ 58 51 15 37.

Paris 731 – Aire-sur-l'Adour 14 – Dax 69 – Mont-de-Marsan 26 – Orthez 53 – Pau 53.

❀❀❀ **Les Prés d'Eugénie** (Guérard) M, ☎ 58 51 19 01, Télex 540470, **« Demeure du XIXe s. élégamment décorée - parc »**, – TV ☎ P. AE ⓓ.
10 mars-12 nov. – **R** (menu minceur, résidents seul.) 140/180 – **rest. Michel Guérard** **R** (nombre de couverts limité - prévenir) 360 et carte – ☕ 65 – **28 ch** 800, 7 appartements 1 000
Spéc. Langoustines sautées aux mousserons (saison), Hachis Parmentier à l'oie et aux truffes, Corne d'abondance aux fruits glacés.. **Vins** Côtes de Gascogne, Tursan.

Climat de France M, ☎ 58 51 14 14, – TV wc ☎ P
35 ch.

ÉVIAN-LES-BAINS 74500 H.-Savoie 70 ⑰ **G. Alpes** – 6 133 h. alt. 374 – Stat. therm. – Casino B.

Voir Lac Léman★★★.

Royal Golf Club ☎ 50 75 14 00 SO : 2,5 km.

☎ 50 66 50 50.

Office de Tourisme et Accueil de France (Informations et réservations d'hôtels, pas plus de 5 jours à l'avance), pl. d'Allinges ☎ 50 75 04 26, Télex 385661.

Paris 555 ③ – Annecy 84 ③ – Chamonix 109 ③ – ♦Genève 42 ③ – Montreux 38 ①.

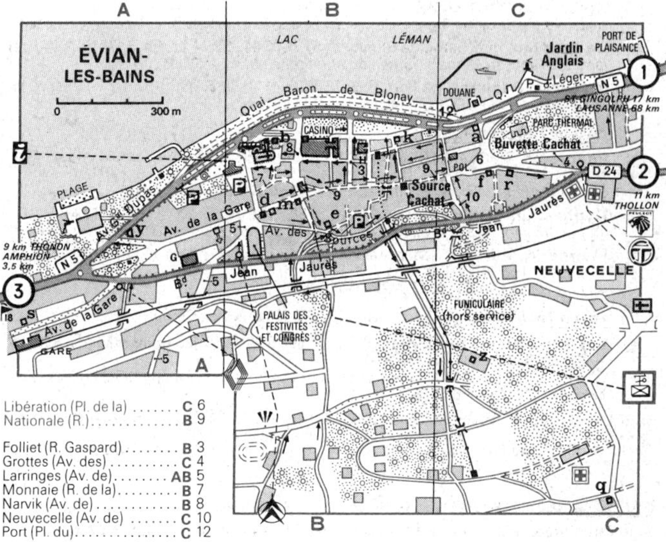

Royal, ☎ 50 75 14 00, Télex 385759, ≤ lac et montagnes, parc, – TV ☎ P – 30 à 150. AE ⓓ E VISA. rest — C z
fermé 15 déc. au 15 fév. – SC : **R** 250 – ☕ 55 – **200 ch** 1 105/1 670, 20 appartements.

❀ **La Verniaz et ses Chalets**, rte Abondance ☎ 50 75 04 90, Télex 385715, parc, **« Chalets isolés dans la verdure et hameau hippique : jolie vue »**, – TV ☎ P. AE ⓓ E VISA — C q
fermé fin nov. à début fév. – SC : **R** 160/240 – ☕ 45 – **35 ch** 480/825, **5 chalets** – P 585/650
Spéc. Terrine de truite saumonée, Filet de charolais à la broche, Tarte chaude aux pommes et glace au miel. **Vins** Seyssel, Marin.

Bellevue, face au Port ☎ 50 75 01 13, ≤, – wc wc ☎. VISA. rest
17 mai-20 sept. – SC : **R** 120/140 – ☕ 25 – **50 ch** 250/320 – P 330/380. — C f

Plage, av. Gén.-Dupas ☎ 50 75 29 50, ≤ – wc ☎ – 40. AE ⓓ VISA. rest — A y
hôtel : 15 janv.-15 nov.; rest. : 15 mai-15 sept. – SC : **R** 120/150 – ☕ 26 – **40 ch** 200/380 – P 330/380.

tourner →

Terrasse, 10 r. B.-Moutardier ✆ 50 75 00 67 – wc ☎. VISA — C r
SC : **R** 80/100 – **32 ch** ☐ 130/240 – P 250/280.

Savoy H., quai Besson ✆ 50 75 12 35, ← – wc wc ☎. VISA. rest
hôtel : Pâques-nov. ; rest. : Pâques-fin sept., fermé lundi hors sais. et dim. soir – SC : **R** 65/90 – ☐ 21 – **41 ch** 190/252, (en sais. pension seul.). — B k

Palais sans rest, 69 r. Nationale ✆ 50 75 00 46 – wc ☎. VISA — B d
fermé 3 nov. au 21 déc. et dim. soir – SC : ☐ 25 – **40 ch** 90/185.

Continental sans rest, 65 r. Nationale ✆ 50 75 37 54 – wc wc ☎. AE
SC : ☐ 17 – **30 ch** 90/200. — B m

Régence, 2 av. J.-Léger ✆ 50 75 13 75, ← – wc wc ☎. AE E VISA — C a
1er avril-30 sept. – SC : **R** voir **Brasserie Régence** – ☐ 20 – **24 ch** 110/220 – P 220/280.

Terminus sans rest, av. Gare ✆ 50 75 15 07, ← – wc ☎ — A s
1er fév.-31 oct. – SC : ☐ 17 – **18 ch** 90/200.

Palmiers, 28 av. des Sources ✆ 50 75 03 16, – wc wc. — B e
25 mars-25 oct. – SC : **R** (déj. pour résidents seul.) – ☐ 15 – **24 ch** 80/165.

XXXX ✿ **Lapierre,** au Casino ✆ 50 75 03 78 – Ⓟ. AE ⓓ E VISA. rest — B
SC : **R** (dîner seul.) 230
Spéc. Omble chevalier en papillote (sauf août), Ravioles au fumet des bois, Poularde de Bresse marbrée Albuféra. **Vins** Roussette.

XX ✿ **Bourgogne (Riga)** Ⓜ avec ch, 73 r. Nationale ✆ 50 75 01 05 – TV wc ☎. AE ⓓ E VISA — B d
fermé 2 nov. au 20 déc. – **R** *(fermé lundi midi, mardi soir et merc. hors sais.)* 115/230 – ☐ 25 – **8 ch** 240/320 – P 350/370
Spéc. Foie gras de canard, Truite saumonée aux herbes, Ris de veau au Porto. **Vins** Crépy, Roussette.

XX **Da Bouttau,** quai baron de Blonay ✆ 50 75 02 44, – AE ⓓ E VISA — B b
fermé 15 janv. au 1er mars, lundi soir et mardi en hiver – SC : **R** 80/180.

X **Brasserie Régence,** pl. Port ✆ 50 75 13 75, ← – AE E VISA — C a
1er avril-30 sept. – SC : **R** 70/140.

hors de l'agglomération :

Panorama Ⓜ, Grande-Rive par ① : 1,8 km ✆ 50 75 14 50, ←, – wc wc ☎
30 avril-1er oct. – SC : **R** 58/110 – ☐ 17 – **29 ch** 175/200 – P 200/220.

Cygnes, Grande-Rive par ① : 1,5 km ✆ 50 75 01 01, ←, – wc ☎
1er juin-15 sept. – SC : **R** 75/130 – ☐ 22 – **45 ch** 170/225 – P 180/235.

Florida sans rest, à Milly par rte d'Abondance ② : 2 km ✆ 50 75 00 44, ←, – wc wc ☎ Ⓟ. VISA
15 juin-10 sept. – SC : ☐ 17 – **25 ch** 110/200.

rte de Thollon par ② : 7 km – alt. 825 – ✉ **74500** Évian-les-Bains :

Les Prés Fleuris sur Evian Ⓜ, ✆ 50 75 29 14, ← lac et montagnes, , – TV ☎ Ⓟ. AE ⓓ E VISA. rest
23 mars-25 oct. – SC : **R** (nombre de couverts limité - prévenir) 190/300 – ☐ 50 – **12 ch** 680/1 080 – P 680/980.

CITROEN Gar. du Boulevard bd Jaurès ✆ 50 75 13 99
OPEL Giroud, Petite-Rive, Maxilly-sur-Léman ✆ 50 75 13 00
PEUGEOT, TALBOT Impérial-Gar., 9 av. d'Abondance ✆ 50 75 01 90
RENAULT Gar. Sautenet, av. Gare ✆ 50 75 00 32

ÉVREUX

Ⓟ **27000** Eure 55 ⑯⑰ **G. Normandie** – 48 653 h. alt. 65.

Voir Cathédrale★ BZ – **Châsse★★ dans l'église St-Taurin** AZ **B** – **Musée★** BZ **M.**

Office de Tourisme 35 r. Dr.-Oursel (Chambre de commerce) ✆ 32 38 21 61, Télex 770581 – A.C.O. 6 r. Borville-Dupuis ✆ 32 33 03 84.

Paris 102 ② – Alençon 114 ③ – Beauvais 98 ② – ♦Caen 121 ④ – Chartres 77 ③ – ♦Le Havre 111 ④ – Laval 205 ③ – Lisieux 72 ④ – ♦Le Mans 149 ③ – ♦Rennes 275 ③ – ♦Rouen 55 ①.

Plan page ci-contre

Normandy, 37 r. E.-Feray ✆ 32 33 14 40 – TV ☎ Ⓟ – 40. AE ⓓ VISA — BY n
SC : **R** *(fermé dim.)* 60/150 – ☐ 22 – **26 ch** 110/280 – P 380/450.

L'Orme sans rest, 13 r. Lombards ✆ 32 39 34 12 – TV wc wc ☎. AE VISA.
SC : ☐ 23 – **27 ch** 94/260. — BY t

Grenoble sans rest, 17 r. St-Pierre ✆ 32 33 07 31 – wc ☎. VISA.
fermé 25 avril au 11 mai et 23 déc. au 5 janv. – SC : ☐ 19 – **19 ch** 89/190. — BY d

Ibis Ⓜ, r. W. Churchill par ② : 3 km ✆ 32 38 16 36, Télex 172748 – TV wc ☎ Ⓟ – 40
39 ch.

Climat de France Ⓜ, Zone Tertiaire de la Madeleine par ③ ✆ 32 31 10 47, – TV wc ☎ Ⓟ. E VISA
SC : **R** 50/89 – ☐ 20 – **26 ch** 196/216.

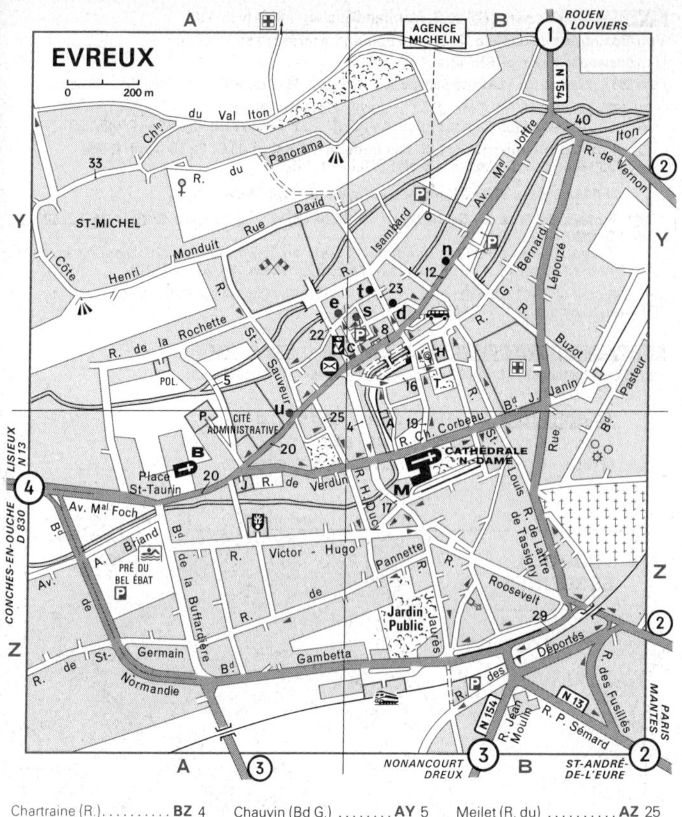

Chartraine (R.) .... BZ 4
Dr-Oursel (R.) .... BY 8
Grenoble (R. de) .... BY 16
Harpe (R. de la) .... BZ 17
Joséphine (R.) .... AZ 20
Chauvin (Bd G.) .... AY 5
Ferray (R. Édouard) .... BY 12
Horloge (R. de l') .... BZ 19
Leclerc (R. Mar.) .... AY 22
Lombards (R. des) .... BY 23
Meilet (R. du) .... AZ 25
Résistance (Bd de la) .... BZ 29
St-Michel (Ch. de) .... AY 33
Vigor (R.) .... BY 40

XXX **France** avec ch, 29 r. St-Thomas ✆ 32 39 09 25 – TV wc ☎. AE ⓓ VISA.
fermé dim. soir et lundi – SC : **R** 180/270 – ☕ 22 – **14 ch** 89/189. AY **e**

XX **Le Kélan,** 87 r. Joséphine ✆ 32 33 05 70 – E VISA AYZ **u**
fermé 1er au 30 juil., merc. soir, dim. et fêtes – SC : **R** 84/102 **brasserie R** carte environ 80 ₰.

XX **Vieille Gabelle,** 3 r. Vieille-Gabelle ✆ 32 39 38 54 – AE VISA BY **s**
fermé 14 juil. au 3 août, dim. soir et lundi – SC : **R** 78/185 ₰.

MICHELIN, Agence, angle r. Isambard et r. 28-R.I. BY ✆ 32 39 16 60

ALFA-ROMEO Sté Joffre-Autom., Zone Ind. n° 1 r. Gay Lussac ✆ 32 39 54 63 N ✆ 32 38 70 13
AUSTIN, ROVER, TRIUMPH Lemoine, Zone Ind. n° 1, r. de Cocherel ✆ 32 39 40 73
CITROEN Succursale, rte Orléans par ③ ✆ 32 28 32 54 N ✆ 32 34 04 10
FIAT Normandy-Gar., N 13 rte de Paris ✆ 32 33 13 88
FORD Gar. Hôtel de Ville, 4 r. G.-Bernard ✆ 32 39 58 63
MERCEDES-BENZ Blondel, à Angerville ✆ 32 28 27 45
OPEL Gar. de Paix de Coeur, 101 av. A.-Briand, Gravigny ✆ 32 33 16 15
PEUGEOT-TALBOT Gar. Ouest, N 154, rte Rouen à Normanville par ① ✆ 32 39 38 78 N ✆ 32 38 70 15
RENAULT Succursale, 2 r. Jacquard, Zone Ind. n° 2 par ③ ✆ 32 28 81 47 et 13 bis r. Victor Hugo ✆ 32 28 81 47
V.A.G. S.A.G.G.A.M., rte d'Orléans à Angerville ✆ 32 39 12 56
Gar. Carrère, 16 bis r. Lepouze ✆ 32 39 33 49
D.P.W. Vendôme, 180 rte d'Orléans ✆ 32 39 38 10

Ⓜ Marsat-Comptoir du Pneu, 54 av. Foch ✆ 32 33 42 43
Royer, 23 r. G.-Bernard ✆ 32 33 06 72

☛ *To go a long way quickly, use* ***Michelin maps*** *at a scale of 1: 1 000 000.*

ÉVRON 53600 Mayenne 60 ⑪ **G. Normandie** (plan) – 6 774 h. alt. 114.

Voir Basilique★ : chapelle N.-D.-de l'Épine★★ et trésor★★.

Syndicat d'Initiative pl. Basilique ☎ 43 01 63 75.

Paris 258 – Alençon 59 – La Ferté-Bernard 90 – La Flèche 66 – Laval 32 – ♦Le Mans 64 – Mayenne 24.

XX **Gare** avec ch, pl. Gare ☎ **43 01 60 29** – E VISA
SC : **R** *(fermé dim. soir et lundi)* 54/145 – 14 – **11 ch** 73/135 – P 145/210.

X **Les Coevrons** avec ch, pl. Basilique (4 r. Prés) ☎ **43 01 62 16** – E VISA
SC : **R** 41/150 – 15 – **6 ch** 85/100 – P 140/160.

à Mézangers NO : 7 km par rte Mayenne – ✉ **53600** Evron :

Relais du Gué de Selle ☎ 43 90 64 05, ← – TV wc ☎ P – 30. AE E VISA
fermé 25 janv. au 25 fév., lundi du 15 sept. au 15 juin et dim. soir (sauf hôtel du 15 juin au 15 sept.) – SC : **R** 60/175 – 18,50 – **18 ch** 164/206 – P 213.

OPEL Pottier, ☎ 43 01 60 56 N
RENAULT Lemercier, ☎ 43 01 60 10
V.A.G. Chauvat, ☎ 43 01 60 44

ÉVRY CORBEIL-ESSONNES 91 Essonne 61 ①, 196 ㉜, 101 ㊲

Paris 33 – Chartres 81 – Créteil 22 – Étampes 37 – Melun 24 – Versailles 36.

Corbeil-Essonnes 91100 Essonne – 38 081 h. alt. 38.

18 **de Villeray** ☎ **(1) 60 75 17 47 NE : 5 km.**

Office de Tourisme pl. Vaillant-Couturier ☎ (1) 64 96 23 97.

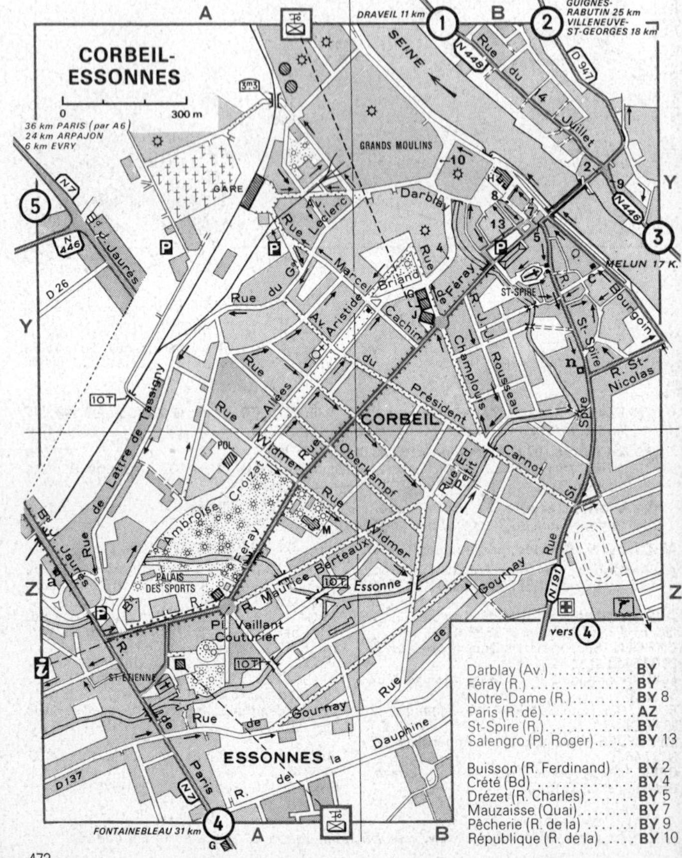

Darblay (Av.) . . . . **BY**
Féray (R.) . . . . **BY**
Notre-Dame (R.) . . . . **BY** 8
Paris (R. de) . . . . **AZ**
St-Spire (R.) . . . . **BY**
Salengro (Pl. Roger) . . . . . . **BY** 13

Buisson (R. Ferdinand) . . . **BY** 2
Crété (Bd) . . . . **BY** 4
Drézet (R. Charles) . . . . . . **BY** 5
Mauzaisse (Quai) . . . . **BY** 7
Pêcherie (R. de la) . . . . . . **BY** 9
République (R. de la) . . . . . **BY** 10

Central H., 68 r. St-Spire ✆ (1) 60 88 06 06, Télex 691650 – ascenseur, bain wc, douche wc, ☎, P – 80. AE VISA. ch BY **n**
SC : **R** *(fermé août et dim.)* 84 bc – 20 – **48 ch** 170/260.

Campanile, O : ✆ (1) 60 89 41 45, Télex 600934, – TV bain wc ☎ ♿ P – 50. VISA
SC : **R** 61 bc/82 bc – 23 – **50 ch** 194/205.

Aux Armes de France avec ch, 1 bd J.-Jaurès ✆ (1) 64 96 24 04 – douche wc ☎. AE E VISA AZ **a**
fermé août et Noël – SC : **R** 76/300 – 16,50 – **12 ch** 145.

CITROEN Corbeil-Essonnes Automobiles, 33 av. 8 Mai 1945 par ⑤ N 446 ✆ (1) 60 89 21 10
FIAT Corbeil-Autos, 119 bd J.-Kennedy ✆ (1) 60 88 16 30
PEUGEOT-TALBOT Desrues, 29 bd J.-Kennedy par ④ ✆ (1) 60 88 20 90
RENAULT Gd Gar. Féray, 46 av. 8-Mai-1945 par ⑤ N 446 ✆ (1) 60 88 92 20 N ✆ (1) 60 46 34 19
V.A.G. Diffusion-Auto-Européenne, 35 bd Fontainebleau ✆ (1) 60 89 14 14
Gar. G.T.C., 52 r. de La Liberté ✆ (1) 64 96 26 24

Coursaux-Pneus, 116 bd J.-Kennedy ✆ (1) 60 88 07 09
Piot-Pneu, 80 bd de Fontainebleau ✆ (1) 60 89 15 25

Évry P 91000 Essonne G. Environs de Paris – 29 578 h. alt. 55.

Voir Agora★ – 9, 18 du Coudray ✆ (1) 64 93 81 76 par ④ : 7,5 km.

Novotel Paris Évry M, par autoroute A6 sortie Corbeil Centre et Nord (Evry Z.I.) ✆ (1) 60 77 82 70, Télex 600685, – ascenseur TV ☎ ♿ P – 400. AE E VISA
R carte environ 115 – 34 – **179 ch** 330/355.

Balladins, Pl. G.-Crémieux - Quartier Épinettes ✆ (1) 64 97 21 21 – douche wc ☎ ♿ P. VISA
SC : 52/70 – 14 – **29 ch** 138.

EXCENEVEX 74 H.-Savoie 70 ⑰ G. Alpes – 461 h. alt. 375 – ✉ 74140 Douvaine.

Syndicat d'Initiative (matin seul.) ✆ 50 72 81 27.

Paris 540 – Annecy 72 – Bonneville 41 – Douvaine 10 – ♦Genève 27 – Thonon-les-Bains 13.

Les Crêtes, ✆ 50 72 81 05, ≤ lac, – ascenseur douche wc P – 30. E VISA
1er mars-30 nov., fermé dim. soir et mardi midi hors sais. – SC : **R** 70/170 – 27 – **33 ch** 120/265 – P 210/280.

Léman, ✆ 50 72 81 17, – douche wc P.
hôtel : 1er mai-1er nov. et fermé mardi soir et merc.; rest. : 10 mars-20 déc. et fermé merc. – SC : **R** 69/135 – 15,50 – **25 ch** 113/150 – P 160/192.

Plage, ✆ 50 72 81 12, ≤, – bain douche P.
25 mars-31 oct. – SC : **R** 66/85 – 16 – **24 ch** 102/149 – P 165/186.

EXCIDEUIL 24160 Dordogne 75 ⑥⑦ G. Périgord – 1 584 h. alt. 150.

Paris 464 – Brive-la-Gaillarde 63 – ♦Limoges 68 – Périgueux 35 – Thiviers 19.

Fin Chapon, pl. Château ✆ 53 62 42 38, – bain wc douche. E. ch
fermé 15 déc. au 15 janv., dim. soir et lundi d'oct. à mai – SC : **R** 46/147 – 13,50 – **12 ch** 89/168.

AUTOBIANCHI, FIAT, LANCIA Combreze, ✆ 53 62 40 19
RENAULT Portail, ✆ 53 62 40 47

EYBENS 38 Isère 77 ⑤ – rattaché à Grenoble.

EYGALIÈRES 13810 B.-du-R. 84 ① G. Provence – 1 427 h. alt. 105.

Paris 705 – Avignon 28 – Cavaillon 13 – ♦Marseille 81 – St-Rémy-de-Pr. 12 – Salon-de-Pr. 27.

Mas de la Brune, N : 1,5 km par D 74A ✆ 90 95 90 77, « belle demeure du 16e s., parc » – bain wc ☎ P – 40. rest
SC : **R** 130/156 – 37 – **12 ch** 333/390.

Crin Blanc M, E : 3 km sur D 24B ✆ 90 95 93 17, ≤, – bain wc ☎ P
10 mars-31 oct. – SC : **R** *(fermé lundi)* 100/180 – 35 – **10 ch** 220 – P 250.

Aub. Provençale, ✆ 90 95 91 00, –
fermé nov., fév. et merc. – SC : **R** 135/170.

CITROEN Gar. Barrouyer, ✆ 90 95 90 83

EYMET 24500 Dordogne 75 ⑭ – 2 493 h. alt. 50.

Paris 578 – Bergerac 25 – ♦Bordeaux 95 – Marmande 33 – Périgueux 72 – Villeneuve-sur-Lot 51.

Château, r. Couvent ✆ 53 23 81 35 – douche. E
fermé 5 au 25 nov. – SC : **R** *(fermé lundi sauf vacances scol.)* 42/88 – 12 – **10 ch** 72/83 – P 125/135.

CITROEN Bello, ✆ 53 23 80 31
FIAT Augieras, ✆ 53 23 81 09
PEUGEOT-TALBOT Jauberthie, ✆ 53 23 80 46
RENAULT Toffoli, ✆ 53 23 82 60

EYNE 66 Pyr.-Or. 86 ⑯ – rattaché à Saillagouse.

Les EYZIES-DE-TAYAC 24620 Dordogne 75 ⑯ **G. Périgord** – 750 h. alt. 74.

Voir Musée national de Préhistoire★ – Grotte du grand Roc★★ – Gorges d'Enfer★ – Grotte de Font-de-Gaume★.

Syndicat d'Initiative pl. Mairie (1er mars-30 nov.) ✆ 53 06 97 05.

Paris 536 – Brive-la-Gaillarde 62 – Fumel 64 – Lalinde 37 – Périgueux 45 – Sarlat-la-Canéda 21.

Centenaire M, ✆ 53 06 97 18, Télex 541921, ≤, ⛱, ☀, ⌧ – TV ☎ ⛟ P. AE ① E VISA
début avril-3 nov. – SC : **R** *(fermé mardi midi)* 135/350 et carte – ☕ 40 – **26 ch** 180/350, 4 appartements 600
Spéc. Les foies gras, Homard rôti aux truffes, Croustades de suprême de pigeon aux cèpes. **Vins** Bergerac, Cahors.

Cro-Magnon M, ✆ 53 06 97 06, Télex 570637, ⛱, « Jardin fleuri, terrasse ombragée, ☀ » – ☎ P. AE ① E VISA. ✻ rest
29 avril-12 oct. – SC : **R** 100/280 – ☕ 32 – **24 ch** 230/350, 3 appartements 585
Spéc. Escalope de foie de canard, Turbot à la saveur douce, Aiguillettes de canard. **Vins** Clos de Gamot, Sigoulès.

Les Glycines, ✆ 53 06 97 07, ≤, « Parc » – ⌂wc ⋔ ☎ P. AE VISA. ✻ rest
23 mars-31 oct. – SC : **R** 88/225 – ☕ 26 – **25 ch** 255.

Moulin de la Beune M ⛰ sans rest, ✆ 53 06 94 33, ⌧ – ⌂wc ⋔wc ☎ P. AE ① VISA
22 mars-3 nov. – SC : ☕ 27 – **20 ch** 175/205.

Centre, ✆ 53 06 97 13, ⛱, ⌧ – ⌂wc ☎. AE VISA
1er mars-15 nov. – SC : **R** 67/220 – ☕ 18,50 – **18 ch** 120/170 – P 180/210.

Les Roches sans rest, rte Sarlat ✆ 53 06 96 59, ⌧ – ⌂wc ☎ P. ✻
15 mars-15 oct. – SC : ☕ 16 – **19 ch** 145/180.

France et Aub. du Musée, ✆ 53 06 97 23, ⛱ – ⌂wc ⋔wc ☎ P
23 mars-4 nov. – SC : **R** 61/196 – ☕ 18 – **16 ch** 95/159 – P 165/205.

CITROEN Gar. de la Patte-d'Oie, ✆ 53 06 97 29 RENAULT Dupuy, ✆ 53 06 97 32

ÈZE 06 Alpes-Mar. 84 ⑩, 195 ㉗ **G. Côte d'Azur** (plan) – 2 064 h. alt. 427 – ✉ **06360** Èze-Village.

Voir Site★★ (village perché) – Jardin exotique ⁂★★★ – Les rues d'Eze★ – Belvédère d'Eze ≤★★ O : 4 km.

Syndicat d'Initiative à la Mairie ✆ 93 41 03 03.

Paris 944 – Cap-d'Ail 7 – Menton 18 – Monte-Carlo 8 – ♦Nice 12.

Château Eza ⛰, ✆ 93 41 12 24, Télex 470382, « Terrasses surplombant la mer et la baie de Villefranche » – ▤ TV ☎ P. AE ① E VISA
28 mars-4 nov. – SC : **R** carte 325 à 435 – ☕ 60 – **7 ch** 1 200/3 500.

Hermitage du Col d'Èze, NO : 2,5 km par D 46 et Gde Corniche ✆ 93 41 00 68, ≤, ⛱ – ⌂wc ⋔ ☎ P. AE ① E VISA. ✻ rest
1er mars-13 nov. – SC : **R** *(fermé dim. soir et lundi)* 62/130 – ☕ 18 – **14 ch** 130/200.

XXXX **Château de la Chèvre d'Or** ⛰ avec ch, r. Barri ✆ 93 41 12 12, Télex 970839, « Site pittoresque dominant la mer », ☀ – TV ⌂wc ☎. AE ① VISA
début mars-fin nov. – **R** *(fermé merc. en mars)* 275, dîner à la carte – ☕ 55 – **6 ch** 650/1 100, 3 appartements 1 500
Spéc. Huîtres chaudes au Champagne, Filets de rouget grillés, Carré d'agneau. **Vins** Bellet.

XX **Le Grill du Château,** ✆ 93 41 00 17, ≤, ⛱ – VISA
fermé déc., janv. et lundi – **R** carte 130 à 230.

XX **Troubadour,** ✆ 93 41 19 03 – E VISA
fermé mi-nov. au 25 déc. et merc. de déc. à fin juin – SC : **R** 80.

ÈZE-BORD-DE-MER 06360 Alpes-Mar. 84 ⑩, 195 ㉗ **G. Côte d'Azur.**

Paris 944 – Beaulieu 3 – Cap d'Ail 5 – Menton 18 – ♦Nice 13.

Cap Estel M ⛰, ✆ 93 01 50 44, Télex 470305, ≤, ⛱, « Parc, ☀, ☀, ⛵ » – ⇅ ▤ ch ☎ ♿ P. E. ✻ rest
1er fév.-31 oct. – SC : **R** 250/260 – **37 ch**, (pens. seul.) – P 1 100/1 370, 9 appartements.

H. Cap Roux sans rest, Basse Corniche ✆ 93 01 51 23, ≤ – ⇅ cuisinette ▤ ⌂wc ⋔wc ☎ P
15 mars-30 sept. – SC : ☕ 16,50 – **30 ch** 200/250.

X **Rest. Cap Roux,** Basse Corniche ✆ 93 01 50 17 – AE E VISA
fermé 30 oct. au 30 nov., merc. sauf juil.-août – SC : **R** 41/140 ₰.

ÉZY-SUR-EURE 27 Eure 55 ⑰, 196 ⑬ – rattaché à Anet.

FABRÉGAS 83 Var 84 ⑮ – rattaché à La Seyne-sur-Mer.

FALAISE 14700 Calvados **55** ⑫ **G. Normandie** – 8 820 h. alt. 132.

Voir Château★ A – Église de la Trinité★ A **E**.

Office de Tourisme 32 r. G.-Clemenceau ☎ 31 90 17 26.

Paris 223 ③ – Argentan 23 ③ – ◆Caen 34 ① – Flers 43 ⑤ – Lisieux 49 ① – St-Lô 79 ①.

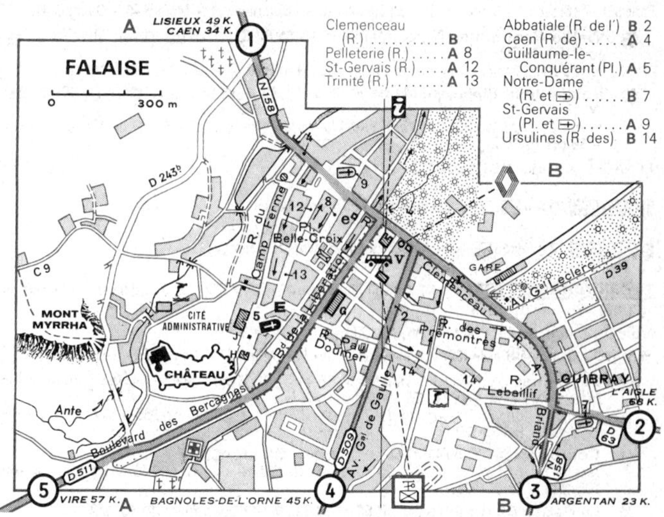

Normandie, 4 r. Amiral-Courbet ☎ 31 90 18 26 – wc wc – A **e**
SC : **R** *(fermé dim.)* 50/70 – 16 – **28 ch** 90/180 – P 180/230.

Poste, 38 r. G.-Clemenceau ☎ 31 90 13 14 – wc wc ☎. AE E VISA – B **v**
fermé 13 au 22 oct., 20 déc. au 20 janv., lundi (sauf hôtel) et dim. soir – SC : **R** 68/130 – 17.50 – **19 ch** 90/170 – P 160/200.

La Fine Fourchette, 52 r. G.-Clemenceau ☎ 31 90 08 59 – E VISA – B **r**
fermé 8 au 28 fév., mardi soir et merc. soir – SC : **R** 56/158.

FORD Lacoudrée, 51 av. Hastings ☎ 31 90 19 69

OPEL-VOLVO Cornu, pl. Reine-Mathilde ☎ 31 90 11 53 N ☎ 31 90 11 57

PEUGEOT-TALBOT Falaise-Autos., rte d'Argentan par ③ ☎ 31 90 01 00

RENAULT Gar. Poste, 34 r. G.-Clemenceau ☎ 31 90 01 00

Le FALGOUX 15 Cantal **76** ② – 292 h. alt. 930 – Sports d'hiver : 1 110/1 400 m 2 –
✉ **15380** Anglards de Salers.

Env. Cirque du Falgoux★★ SE : 6 km – Pas de Peyrol★★ SE : 12 km, **G. Auvergne.**

Paris 519 – Aurillac 51 – Mauriac 33 – Murat 34 – Salers 14.

Voyageurs et Touristes, ☎ 71 69 51 59, ← –
fermé 5 nov. au 5 déc. – **R** 43/73 – 12,50 – **15 ch** 49/70 – P 125/130.

FALICON 06950 Alpes-Mar. **84** ⑩, **195** ㉖ **G. Côte d'Azur** – 1 065 h. alt. 307.

Voir Terrasse ←★.

Env. Mont Chauve d'Aspremont ☀★★ N : 8,5 km puis 30 mn.

Paris 943 – Aspremont 10 – Colomars 15 – Levens 17 – ◆Nice 10 – Sospel 44.

Bellevue, ☎ 93 84 94 57, ←,
fermé oct., dim. soir et lundi – SC : **R** 98.

FALLIÈRES 88 Vosges **62** ⑯ – rattaché à Remiremont.

In this guide,
a symbol or a character,
printed in red or black, in light or **bold** type,
does not have the same meaning.
Please read the explanatory pages carefully (pp. 24 to 31).

Le FAOU 29142 Finistère 58 ⑤ **G. Bretagne** – 1 574 h. alt. 10.

Voir Site★ – Retables★ dans l'église de Rumengol E : 2,5 km – Quimerc'h ≤★ SE : 4,5 km.

Syndicat d'Initiative 10 r. Gén.-de-Gaulle (15 juin-15 sept.) ✆ 98 81 03 65 et à la Mairie ✆ 98 81 90 44.

Paris 561 – ♦Brest 30 – Carhaix-P. 56 – Châteaulin 16 – Landerneau 22 – Morlaix 49 – Quimper 41.

- **Vieille Renommée** M, pl. Mairie ✆ 98 81 90 31 – TV ⇔wc ⋒wc ☎ – 40 à 150. E VISA
  fermé déc., janv., dim. soir et lundi – SC : **R** 61/179 – 20 – **38 ch** 100/200.
- **Relais de la Place,** pl. Mairie ✆ 98 81 91 19 – ⇔wc ⋒wc ☎ – 40. E VISA. ch
  fermé 26 sept. au 20 oct., sam. sauf du 1er juil. au 15 oct. – SC : **R** 65/170 – 17 – **38 ch** 75/155.

RENAULT Kervella, ✆ 98 81 90 69 N

FAREINS 01 Ain 74 ① – rattaché à Villefranche-sur-Saône.

FARROU 12 Aveyron 79 ⑩ – rattaché à Villefranche-de-Rouergue.

La FAUCILLE (Col de) ★★ 01 Ain 70 ⑮ **G. Jura** – alt. 1 323 – Sports d'hiver : 1 000/1 680 m 3 24, – ✉ **01170** Gex.

Voir Descente sur Gex (N 5) ≤★★ SE : 2 km.

Paris 485 – Bourg-en-Bresse 132 – ♦Genève 28 – Gex 11 – Morez 27 – Nantua 75 – Les Rousses 18.

- **La Mainaz** ⑤, S : 1 km par N5 ✆ 50 41 31 10, Télex 309501, ≤ lac Léman et les Alpes, – ☎ P. AE ⓞ E VISA. rest
  fermé 15 juin au 1er juil. et 1er nov. au 20 déc. – SC : **R** 90/165 – 30 – **23 ch** 220/300 – P 300/330.
- **Couronne** ⑤, ✆ 50 41 32 65, ≤ – ⇔wc ⋒wc ☎ P. VISA
  fermé 15 avril au 15 mai et 20 sept. au 15 déc. – SC : **R** 77/155 – 18 – **23 ch** 105/230 – P 180/226.
- **La Petite Chaumière** ⑤, ✆ 50 41 30 22, ≤ – ⇔wc ⋒wc ☎ P. VISA
  1er juin-30 sept. et 15 déc.-15 avril – SC : **R** 66/125 – 21 – **34 ch** 160/170 – P 255.

à Mijoux O : 8,5 km par D 936 – ✉ **01410** Chézery-Forens

- **Vallée** ⑤, ✆ 50 41 32 13 – ⇔wc ⋒ ☎ P – 60. VISA
  1er juin-30 oct. et 15 déc. au 15 avril – SC : **R** 62/120 – 17,50 – **25 ch** 95/190 – P 145/240.
- **Egravines** M ⑤, ✆ 50 41 30 65, ≤ – ⋒wc ☎ P. VISA. ch
  5 juil.-7 sept. et 20 déc.-Pâques – SC : **R** 80/130 – 25 – **16 ch** 150/215 – P 220/275.

La FAUTE-SUR-MER 85 Vendée 71 ⑪ – rattaché à Aiguillon-sur-Mer.

La FAVÈDE 30 Gard 80 ⑦ – rattaché à La Grand-Combe.

FAVERGES 74210 H.-Savoie 74 ⑯⑰ **G. Alpes** – 6 330 h. alt. 516.

Syndicat d'Initiative pl. M.-Piquand (vacances scolaires) ✆ 50 44 60 24.

Paris 559 – Albertville 19 – Annecy 26 – Megève 34.

- **Parc,** rte Albertville ✆ 50 44 50 25, , – ⇔wc ⋒wc ☎ P. E VISA.
  fermé 15 au 30 juin et 20 déc. au 4 janv. – SC : **R** *(fermé sam. midi et vend. hors sais. sauf vac. scolaires)* 60/180 – 20 – **12 ch** 85/250 – P 170/250.

à Vesonne NO : 5 km par D 282 puis rte de Montmin – ✉ **74210** Faverges.

Env. Col de la Forclaz ≤★★ NO : 11,5 km.

- **Bon Repos,** sur D 42 ✆ 50 44 50 92, ≤, , – P. AE ⓞ E VISA
  fermé janv. – SC : **R** 42/120 – 16 – **14 ch** 80/110 – P 150.

au Tertenoz SE : 4 km par D 12 et VO – ✉ **74210** Faverges :

- **Gay Séjour** ⑤, ✆ 50 44 52 52, ≤, – ⇔wc ⋒wc ☎ P – 30. AE ⓞ E VISA.
  fermé 15 au 20 oct., 20 déc. au 25 janv., dim. soir et lundi sauf vacances scolaires – SC : **R** 72/250 – 25 – **12 ch** 110/200 – P 200/260.

CITROEN Copel, ✆ 50 44 53 04
PEUGEOT-TALBOT Gar. de l'Étoile, ✆ 50 27 43 27
RENAULT Gar. Fontaine, ✆ 50 44 51 09

FAVERGES-DE-LA-TOUR 38 Isère 74 ⑭ – rattaché à La Tour du Pin.

La FAVIÈRE 83 Var 84 ⑯ – rattaché au Lavandou.

FAYENCE 83440 Var 84 ⑦, 195 ㉒ **G. Côte d'Azur** – 2 652 h. alt. 325.

Voir ≤★ de la terrasse de l'église.

ℹ Office de Tourisme pl. Léon-Roux ☎ 94 76 20 08.

Paris 901 – Castellane 55 – Draguignan 35 – Fréjus 34 – Grasse 27 – St-Raphaël 37.

- **Moulin de la Camandoule** ⛰, SO : 3 km par D 19 et chemin N.-D.-des-Cyprès ☎ **94 76 00 84**, ≤, 🌳, « Ancien moulin à huile », parc, 🏊 – 🛁wc 🚿wc ☎ 🅿
  hôtel : 1er avril-15 déc. ; rest. : 1er avril-1er oct. et fermé mardi sauf le soir en juil.-août – SC : **R** 110/150 – ☕ 33 – **8 ch** 185/330.
- **Les Oliviers** Ⓜ sans rest, **quartier Ferrage** ☎ **94 76 13 12** – 🛁wc 🚿wc ☎ 🅿
  fermé 13 au 20 mai, 6 au 30 nov. et 15 au 25 janv. – SC : ☕ 25 – **23 ch** 190/220.
- **France,** pl. République ☎ **94 76 00 14**, 🌳 – AE ⓓ VISA
  fermé mi-nov. au 24 déc., 6 au 31 janv., merc. soir et jeudi hors sais. sauf fériés – SC : **R** (prévenir) 44/121.

Le FAYET 74 H.-Savoie 74 ⑧ – rattaché à St-Gervais-les-Bains.

FAYL-BILLOT 52500 H.-Marne 66 ④ **G. Jura** – 1 524 h. alt. 333.

Voir École nationale d'Osiériculture et de Vannerie.

Paris 315 – Bourbonne-les-Bains 29 – Chaumont 61 – ♦Dijon 80 – Gray 46 – Langres 26 – Vesoul 49.

- **Cheval Blanc** avec ch, **pl. Barre** ☎ **25 88 61 44** – 🛁wc 🚗. E VISA
  fermé 15 janv. au 15 fév. et lundi – SC : **R** 48/140 🍷 – ☕ 15 – **9 ch** 60/140 – P 135/190.

FAY-SUR-LIGNON 43430 H.-Loire 76 ⑱ **G. Vallée du Rhône** – 480 h. alt. 1 180.

Voir ≤★ du cimetière – Env. St-Clément : ≤★★ SE : 7 km par D 262 et D 247.

ℹ Syndicat d'Initiative à l'Hôtel de Ville ☎ 71 59 51 63.

Paris 585 – Aubenas 80 – Langogne 69 – Le Puy 46 – St-Agrève 22 – ♦St-Étienne 78.

- **du Lignon** sans rest, ☎ **71 59 51 44** – 🚫
  SC : ☕ 14,50 – **7 ch** 68/77.

RENAULT Debard, ☎ 71 59 54 80 N ☎ 71 59 74 76

FÉAS 64 Pyr.-Atl. 85 ⑤ – rattaché à Oloron-Ste-Marie.

FÉCAMP 76400 S.-Mar. 52 ⑫ **G. Normandie** – 21 696 h. alt. 14 – Casino AZ – **Voir Église de la Trinité★★ BZ E – Musée de la Bénédictine★ AY – Chapelle N.-D.-du-Salut ≤★★ AY.**

ℹ Office de Tourisme pl. Bellet ☎ 35 28 20 51 et au Front de Mer (Pâques-Oct.) ☎ 35 29 16 34.

Paris 205 ③ – ♦Amiens 163 ② – ♦Caen 115 ③ – Dieppe 64 ① – ♦Le Havre 40 ③ – ♦Rouen 71 ②.

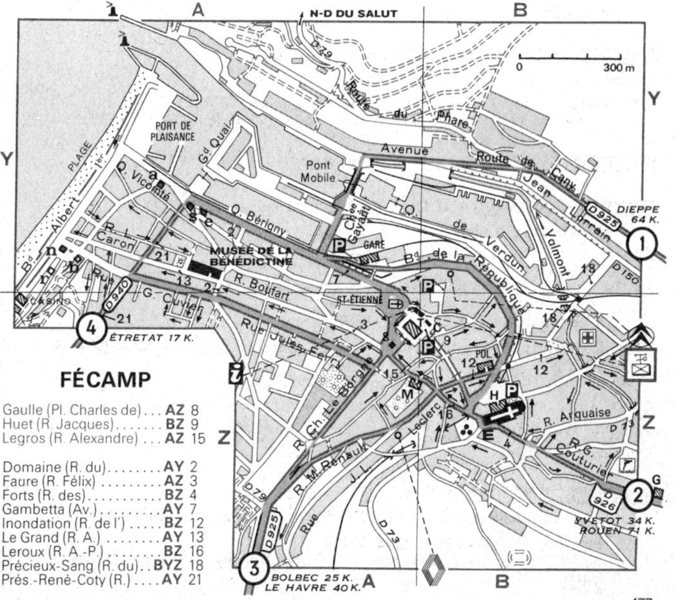

Angleterre sans rest, 93 r. Plage ☎ 35 28 01 60 – TV ⇔wc ⋒wc ☎ **P**. AE ⓞ VISA. ⚘ AY **b**
SC : ☕ 17,50 – **30 ch** 100/200.

Mer sans rest, 89 bd Albert 1er ☎ 35 28 24 64, ≤ – ⇔wc ☎. ⚘ AY **r**
fermé janv. – SC : ☕ 15,50 – **8 ch** 83/209.

XXX **Viking,** 63 bd Albert 1er ☎ 35 29 22 92, ≤ – AE ⓞ E VISA AY **n**
fermé dim. soir et lundi – SC : **R** 80/180.

XXX **Aub. de la Rouge** M avec ch, par ③ : 2 km ☎ 35 28 07 59, ⚘ – TV ⋒wc ☎ **P**. AE E VISA
fermé 4 au 25 janv., dim. soir et lundi – SC : **R** 65/180 ♁ – ☕ 20 – **8 ch** 220/250.

XX **Le Maritime,** 2 pl. N.-Selles ☎ 35 28 21 71 – AE ⓞ E VISA AY **s**
SC : **R** (▤ 1er étage) 68/179.

XX **La Marine,** 23 quai Vicomté ☎ 35 28 15 94 – AE ⓞ E VISA AY **a**
fermé 20 déc. au 10 janv., mardi soir hors sais. et merc. – SC : **R** 72/250 ♁.

X **L'Escalier,** 101 quai Berigny ☎ 35 28 26 79 – ⓞ E VISA AY **e**
fermé 11 nov. au 1er déc. et lundi – SC : **R** 70/129 ♁.

CITROEN Rouen, 45 bd de la République ☎ 35 29 25 72
FORD Lefebvre, 15 r. Prés.-Coty ☎ 35 28 05 75
PEUGEOT, TALBOT Lachèvre, rte du Havre à St-Léonard par ③ ☎ 35 28 20 30
RENAULT S.E.L.C.O., 23 r. J.-L.Leclerc ☎ 35 28 24 02
V.A.G. Boivin, D 925 à St-Léonard ☎ 35 28 00 22
VOLVO Gar. Lair, 22 pl. Bigot ☎ 35 28 09 44
Ⓜ Brument, 6 rte de Valmont ☎ 35 28 28 81
Comptoir du Pneu, 8 et 10 r. Ch.-Le-Borgne ☎ 35 28 14 99

La FÉCLAZ 73 Savoie 74 ⑮ G. Alpes – alt. 1 350 – Sports d'hiver : 1 180/1 550 m ⛷12, ⛷ – ✉ 73230 St-Alban-Leysse.

ℹ Syndicat d'Initiative Les Déserts (15 juin-10 sept. et 15 déc.-15 avril) ☎ 79 25 80 49.
Paris 543 – Aix-les-Bains 26 – Annecy 40 – Chambéry 19 – Lescheraines 14.

Bon Gîte ⛰, ☎ 79 25 82 11, ≤, ⛱, ⚘, ✂ – |≑| cuisinette ⇔wc ⋒ ☎ ⛟ **P** – ⛺ 30
14 juin-8 sept. et 19 déc.-15 avril – SC : **R** 65/130 ♁ – ☕ 29 – **28 ch** 83/260, 6 appartements 400/480 – P 154/217.

Central et Terrasses Fleuries, ☎ 79 25 81 68, ≤ – ⋒ **P**
Noël-Pâques et juil.-août – SC : **R** 59/81 – ☕ 12,50 – **25 ch** 91/120 – P 146/182.

au Col de Plainpalais E : 4 km par D 913 et D 912 – Sports d'hiver 1180/1500 m ⛷2 – ✉ 73230 St-Alban-Leysse :

Plaimpalais ⛰, ☎ 79 25 81 79, ≤, ⚘ – ⇔wc ⋒wc ☎ **P**. ⚘ rest
17 mai-30 sept. et 15 déc.-15 avril – SC : **R** 73/128 – ☕ 23 – **20 ch** 165/217 – P 199/220.

FELLETIN 23500 Creuse 73 ① G. Périgord – 3 130 h. alt. 541.

Paris 391 – Aubusson 12 – ♦ Clermont-Ferrand 96 – Ussel 48.

XX **Gare** avec ch, ☎ 55 66 48 29 – ⋒wc. AE ⓞ E VISA. ⚘ rest
fermé 2 au 15 janv. – SC : **R** 45/220 ♁ – ☕ 18 – **12 ch** 68/200 – P 168/260.

FENESTRELAY 18 Cher 69 ① – rattaché à Bourges.

La FÈRE 02800 Aisne 56 ④ G. Flandres, Artois, Picardie – 3 925 h. alt. 51.

Voir Musée Jeanne-d'Aboville★.

ℹ Syndicat d'Initiative Musée d'Aboville (juin-sept. après midi seul.) ☎ 23 56 29 05 et 30 r. République ☎ 23 56 23 47.
Paris 135 – Laon 24 – Noyon 29 – St-Quentin 23 – Soissons 42 – Vervins 50.

à Vendeuil N : 7 km N 44 – ✉ 02800 La Fère :

XXX **L'Aub. de Vendeuil** ⛰ avec ch, ☎ 23 66 85 22 – TV ⇔wc ☎ ♿ **P** – ⛺ 25. AE ⓞ E VISA. ⚘ ch
SC : **R** 79 bc/168 bc – ☕ 24,50 – **22 ch** 220/245 – P 230/450.

CITROEN Gar. Marchand, 54 av. Gén.-Leclerc ☎ 23 56 20 52
PEUGEOT-TALBOT Gar. Ménoire, 13 r. du Bourget ☎ 23 56 21 34
RENAULT Gar. Central, 33 r. de la République ☎ 23 56 22 39

FÈRE-CHAMPENOISE 51230 Marne 61 ⑥ – 2 435 h. alt. 110.

Paris 132 – Châlons-sur-Marne 36 – Épernay 37 – Sézanne 21 – Troyes 66 – Vitry-le-François 44.

France, ☎ 26 42 40 24 – ⋒ **P**. E VISA
fermé 1er au 15 juil., dim. soir et lundi – SC : **R** 40/90 ♁ – ☕ 15 – **10 ch** 70/140 – P 150.

FÈRE-EN-TARDENOIS 02130 Aisne 56 ⑭⑮ – 3 295 h. alt. 125.

Voir Château de Fère★ : Pont monumental★★ N : 3 km, G. Champagne, Ardennes.

Syndicat d'Initiative r. M.-Néloton (après-midi seul.) ✆ 23 82 31 57.

Paris 110 – Château-Thierry 26 – Laon 54 – ♦Reims 45 – Soissons 26.

au Nord 3 km par D 967 – ✉ **02130** Fère-en-Tardenois :

✪ **Host. du Château** par rte forestière, ✆ 23 82 21 13, Télex 145526, ≤, « Belle demeure du 16e s., parc », – TV ☎ ♿ P – 30. E VISA.
fermé 1er janv. au 1er mars – SC : **R** (nombre de couverts limité - prévenir) 240/360 – 42 – **15 ch** 480/750, 8 appartements 800/1 200
Spéc. Côtelette de homard aux champignons, Rosette de lapereau et langoustines, Farandole des desserts. **Vins** Crémant, Bouzy.

XX **Aub. du Connétable,** sur D 967 ✆ 23 82 24 25, – P. AE
fermé 5 janv. au 15 fév. et lundi – SC : **R** 68/200.

CITROEN Automat, ✆ 23 82 20 21
PEUGEOT-TALBOT Dumont, 6 r. Gambetta ✆ 23 82 22 05
RENAULT Huguenin, av. Courvoisier ✆ 23 82 21 85
Fischbach Pneu, 000r. J.-Lefèbvre ✆ 23 82 36 06

FERNEY-VOLTAIRE 01210 Ain 70 ⑯ **G. Jura** – 6 400 h. alt. 436.

de Genève-Cointrin : Air France ✆ 50 31 33 30 S : 4 km.

Paris 506 – Bellegarde-sur-Valserine 36 – Bourg-en-Bresse 117 – ♦Genève 7 – Gex 10 – Nyon 23.

Voir plan agglomération de Genève

Frantel M , av. Jura ✆ 50 40 77 90, Télex 309071, – TV ☎ ♿ P – 25. AE E VISA. rest — BU **k**
SC : **R** carte 150 à 220 – 37 – **122 ch** 370/410.

Novotel M, par D 35 ✆ 50 40 85 23, Télex 385046, – rest TV ☎ ♿ P – 120. AE E VISA — AU **x**
R carte environ 100 – 29 – **79 ch** 292.

Campanile M, Chemin de la Planche Brûlée ✆ 50 40 74 79, Télex 380957 – TV wc ☎ ♿ P – 40. VISA — AU **e**
SC : **R** 61 bc/82 bc – 23 – **42 ch** 181/202.

Bellevue, 5 r. Gex ✆ 50 40 58 68, – — AU **s**
fermé 15 oct. au 15 nov. – SC : **R** *(fermé dim. soir et sam.)* 54/112 – 17 – **12 ch** 65/148 – P 152/186.

XXX ✪ **Le Pirate** (Bechis), av. Genève ✆ 50 40 63 52 – P. AE E VISA — BU **r**
fermé 13 juil. au 3 août, 21 déc. au 4 janv., lundi midi et dim. – SC : **R** (nombre de couverts limité - prévenir) 280/320
Spéc. Bûchette de saumon fumé au foie gras, Andouillette de rouget et loup, Ravioli aux fruits rouges.

X **Chanteclair,** 13 r. de Versoix ✆ 50 40 79 55 – E
fermé 10 août au 3 sept., 22 déc. au 2 janv., dim. et lundi – SC : **R** 98/190.

RENAULT Pinget, ✆ 50 40 59 52
V.A.G. Gar. Dunand, ✆ 50 40 61 94

FERRETTE 68480 H.-Rhin 66 ⑨⑩ **G. Alsace et Lorraine** – 727 h. alt. 470.

Voir Site★ – Ruines du Château ≤★.

Syndicat d'Initiative 38 r. Château ✆ 89 40 40 01.

Paris 526 – Altkirch 19 – ♦Bâle 27 – Belfort 47 – Colmar 79 – Montbéliard 46.

Bonne Auberge , ✆ 89 40 40 34 – wc wc ☎ P. AE E VISA
fermé 3 janv. au 15 fév. et lundi (sauf de juil. à sept.) – SC : **R** *(fermé mardi midi et lundi)* 40/150 – 16,50 – **20 ch** 65/140 – P 140/160.

à Moernach O : 5 km par D 473 – ✉ **68480** Ferrette :

XX **Au Raisin** avec ch, ✆ 89 40 80 73 – P. E. rest
fermé 1er au 15 mars, 15 au 30 sept. et merc. – **R** 60/125 – 15 – **5 ch** 75/100.

à Lutter SE : 8 km par D 23 – ✉ **68480** Ferrette :

XX **Aub. Paysanne** avec ch, r. Principale ✆ 89 40 71 67 – wc P
fermé 10 au 25 fév. et lundi – SC : **R** 35/190 – 16 – **7 ch** 75/140 – P 135/150.

RENAULT Fritsch, ✆ 89 40 41 41

FERRIÈRE-AUX-ÉTANGS 61 Orne 60 ① – rattaché à Flers.

La FERRIERE-SUR-RISLE 27760 Eure 55 ⑲⑳ **G. Normandie** – 309 h. alt. 128.

Paris 134 – Bernay 20 – Evreux 32 – ♦Rouen 70.

Croissant, ✆ 32 30 70 13 – ☎ P. E VISA
fermé 29 sept. au 6 oct., 10 janv. au 10 fév., dim. soir et lundi sauf fériés – SC : **R** 55/95 – 17,50 – **18 ch** 60/167 – P 150/255.

La FERTÉ-BERNARD 72400 Sarthe 60 ⑮
G. Normandie – 10 053 h. alt. 91.

Voir Église N.-D.-des Marais** B.

Syndicat d'Initiative à l'Hôtel de Ville ✆ 43 93 04 42 et 75 av. République ✆ 43 93 05 60.

Paris 163 ③ – Alençon 56 ⑥ – Chartres 76 ③ – Châteaudun 64 ③ – ♦Le Mans 49 ③ – Mortagne-au-Perche 40 ⑦.

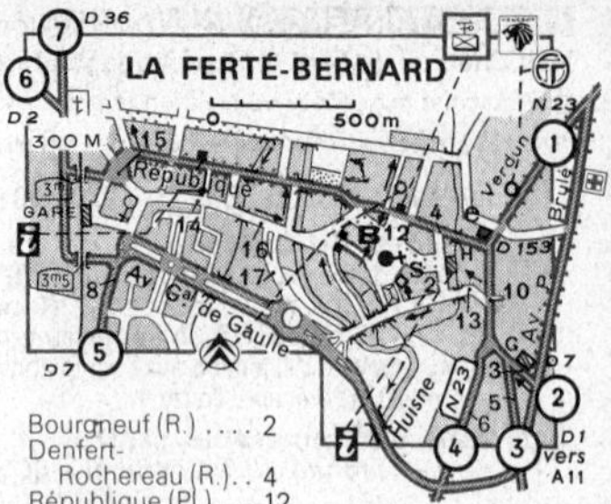

St-Jean sans rest, 13 r. R.-Garnier **(s)** ✆ 43 93 12 83 – VISA
SC : 15 – **16 ch** 74/156.

Perdrix avec ch, 2 r. Paris **(e)** ✆ 43 93 00 44 – AE VISA. ch
fermé mardi – SC : **R** 65/160 – 18 – **10 ch** 87/130.

CITROEN Brion, 2 r. Virette ✆ 43 93 00 37
PEUGEOT-TALBOT Gar. Val d'Huisne, 39 av. Verdun ✆ 43 93 01 15
PEUGEOT-TALBOT Gar. de la Rocade, 41 av. de-Gaulle par ④ ✆ 43 93 01 36
RENAULT Gd Gar. Fertois, av. Verdun par ① ✆ 43 93 05 10
V.A.G. Botras, 12 pl. Dr-Collière ✆ 43 93 03 03

LA FERTÉ-BERNARD

Bourgneuf (R.) 2
Denfert-Rochereau (R.) .. 4
République (Pl.) ... 12
Thiers (R.) 13
Victor-Hugo (R.) ... 14
Voltaire (Pl.) 15
4-Septembre (R. du) 16
8-Mai-1945 (R. du) 17
Châteaudun (R. de) 3
Faidherbe (R.) ... 5
Gambetta (R.).... 6
Marceau (R.)..... 8
Paris (R. de) 10

Botras, 12 pl. Dr-Collière ✆ 43 93 03 03

La FERTÉ-IMBAULT 41 L.-et-Ch. 64 ⑲ – 1 104 h. alt. 99 – ✉ **41300** Salbris.

Paris 195 – ♦Orléans 65 – Romorantin-Lanthenay 17 – Vierzon 23.

Aub. A La Tête de Lard avec ch, ✆ **54 96 22 32** – **P**. E VISA
fermé 25 août au 6 sept., 10 fév. au 4 mars, dim. soir et lundi sauf fêtes – SC : **R** 55/180 – 15,50 – **10 ch** 70/80 – P 190/370.

La FERTÉ-MACÉ 61600 Orne 60 ①② G. Normandie – 7 391 h. alt. 111.

Office de Tourisme 13 r. Victoire ✆ 33 37 10 97.

Paris 229 ② – Alençon 46 ④ – Argentan 33 ② – Domfront 22 ⑤ – Falaise 39 ① – Flers 25 ⑥ – Mayenne 41 ④.

Nouvel H., 6 r. Victoire **(n)** ✆ 33 37 22 33 – wc wc. AE E VISA
fermé janv. – SC : **R** *(fermé lundi)* 55/135 – 16 – **20 ch** 60/165 – P 180/200.

Aub. de Clouet avec ch, **(a)** ✆ 33 37 18 22, <, «Terrasse fleurie» – wc **P** – 30 à 40 **7 ch**.

par ④ : 2 km par D 916 :

Aub. d'Andaines M, ✆ 33 37 20 28, <, – wc wc **P** – 40. E
SC : **R** 46/150 – 16,50 – **13 ch** 155/200 – P 190/240.

à St-Michel-des-Andaines par ⑤ : 4,5 km – ✉ **61600** La Ferté-Macé :

La Bruyère, ✆ 33 37 22 26, – wc wc **P**. E VISA
fermé nov., dim. soir et lundi hors sais. – **R** 57/120 – 17,50 – **20 ch** 110/185 – P 150/185.

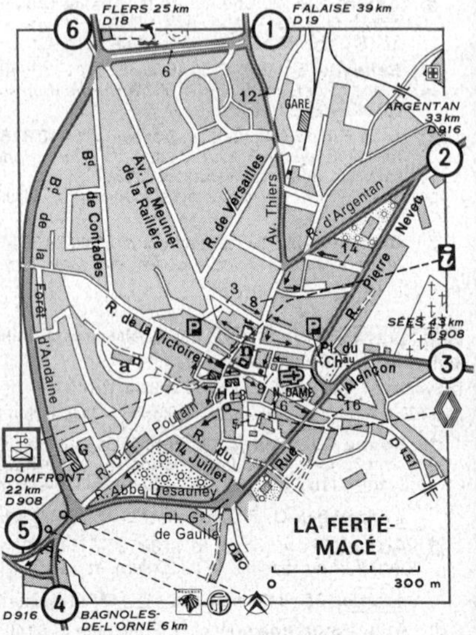

LA FERTÉ-MACÉ

Hautvie (R. d') 8
Leclerc (Pl. du Gén.) 9
République (Pl.)......... 13
Amand-Macé (R.)...... 3
Barre (R. de la)......... 5
Hamonic (Bd A.) 6
Prés.-Coty (Av. du) 12
Sorbiers (Av. des) 14
Teinture (R. de la) 16

CITROEN Gar. Central, 74 r. Dr-Poulain ✆ 33 37 09 11 N
PEUGEOT-TALBOT Derouet, 76 r. Dr-Poulain ✆ 33 37 16 33
RENAULT Dubourg, 9 r Dr-Poulain ✆ 33 37 20 97
RENAULT Guillochin, rte de Paris par ② ✆ 33 37 07 11 N

La FERTÉ-SAINT-AUBIN 45240 Loiret 64 ⑨ **G. Châteaux de la Loire** – 5 498 h. alt. 92.

18 ✆ **(1) 45 27 73 63 à l'ouest : 5 km.**

Syndicat d'Initiative, pl. Halle (15 mai-15 sept.) ✆ 38 64 67 93.

Paris 152 – Blois 54 – ♦Orléans 21 – Romorantin-Lanthenay 47 – Salbris 35.

Perron, 9 r. Gén.-Leclerc ✆ 38 76 53 36 – TV wc wc ☎ P. AE ① E VISA
fermé 15 au 30 janv. – SC : **R** 73/155 – 19 – **30 ch** 107/215 – P 223/263.

XXX **Ferme de la Lande,** NE : 2,5 km par rte Marcilly ✆ 38 76 64 37, « Ferme aménagée » – P. VISA
fermé lundi – SC : **R** 120/150.

XX **Les Brémailles en Sologne,** N : 3 km sur N 20 ✆ 38 76 56 60, – P. E VISA
fermé lundi soir et mardi – SC : **R** 77/120.

XX **Aub. de L'Écu de France,** 6 r. Gén.-Leclerc ✆ 38 76 52 20, – P. ① VISA
fermé merc. – SC : **R** 114/207.

CITROEN Gorin, N 20 Ind. ✆ 38 76 50 36
FIAT, LANCIA, AUTOBIANCHI Gar. Gidoin, N 20 ✆ 38 76 51 17
FORD Bouthinon, 6 r. des 29 Fusillés ✆ 38 76 52 32 N ✆ 38 64 60 41
PEUGEOT-TALBOT Trémillon, 73 bd Mar. Foch ✆ 38 76 64 09

La FERTÉ-ST-CYR 41220 L.-et-Ch. 64 ⑧ – 774 h. alt. 83.

Paris 165 – Beaugency 14 – Blois 31 – ♦Orléans 35 – Romorantin 35.

St Cyr, ✆ 38 87 90 51, – wc ☎ P. VISA
fermé 15 janv. au 15 mars, dim. soir et lundi – SC : **R** 60/130 – 17,50 – **18 ch** 130/160 – P 250/280.

La FERTÉ-SOUS-JOUARRE 77260 S.-et-M. 56 ⑬, 196 ㉔ – 7 020 h. alt. 62.

Voir Jouarre : crypte★ de l'abbaye 3 km par ⑤, G. Environs de Paris.

Paris 66 ⑥ – Melun 63 ⑤ – ♦Reims 82 ① – Troyes 117 ③.

LA FERTÉ-SOUS-JOUARRE

Faubourg (R. du) 5
Pelletiers (R. des) 18

Anglais (Q. des) 2
Chanzy (R.) 3
Clemenceau (Bd) 4
Fauvet (R. M.) 6
Gare (R. de la) 7
Jaurès (R. Jean) 8
Jouarre (R. de) 9
Leclerc (Av. du Gén.) 12
Marx (R. P.) 13
Montmirail (Av. de) 14
Moulins (Q. des) 15
Pasteur (Bd) 16
Petit-Morin (R. du) 17
Reuil (R. de) 19
St-Nicolas (R.) 20
Ste-Beuve (Pl.) 22
Turenne (Bd) 24

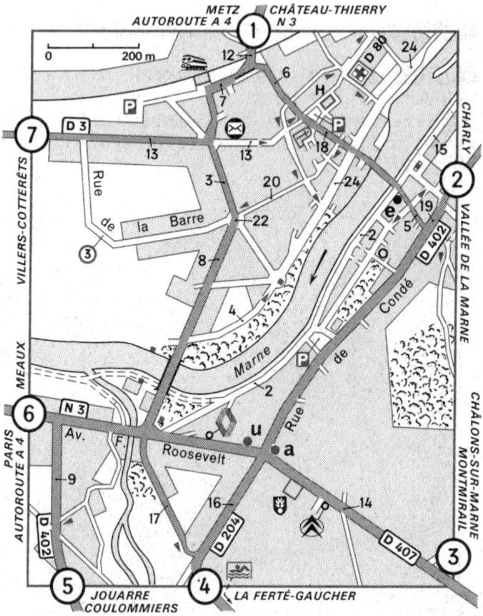

Ne cherchez pas au hasard un hôtel agréable et tranquille mais consultez les cartes p. 56 à 63

Bec Fin, 1 quai Anglais **(e)** ✆ (1) 60 22 01 27 – wc wc ☎. E VISA
fermé 16 août au 10 sept., 14 au 28 fév., mardi soir et merc. – SC : **R** 70/115 – 16 – **11 ch** 100/130.

XXXX ✿✿ **Auberge de Condé** (Tingaud), 1 av. Montmirail **(a)** ✆ (1) 60 22 00 07 – P. AE ① E VISA
fermé 4 au 20 fév., lundi soir et mardi – **R** (dim. prévenir) 210/280 et carte
Spéc. Foie gras, Filet de bar aux noisettes, Filet et ris de veau au champagne rosé. **Vins** Bouzy.

XX **Le Relais,** 4 av. F.-Roosevelt **(u)** ✆ (1) 60 22 02 03, – P. VISA
fermé 7 au 23 déc., merc. soir et jeudi – **R** 55/110.

CITROEN Gar. du Parc, 10 av. Montmirail ℘ (1) 60 22 90 00 🅽
FORD Gar. Dubois, 29 av. F. Roosevelt ℘ (1) 60 22 01 89
RENAULT SOGAL, 12 av. F.-Roosevelt ℘ (1) 60 22 39 54

Ⓟ Maassen, 1 bis r. de la République ℘ (1) 60 22 09 95
Pezetta Dememe 42 av. F.-Roosevelt ℘ (1) 60 22 34 45

FEURS 42110 Loire 73 ⑱ G. Vallée du Rhône – 8 103 h. alt. 345.

Office de Tourisme 3 r. V.-de-Laprade (fermé matin) ℘ 77 26 05 27.

Paris 429 – ♦Lyon 68 – Montbrison 27 – Roanne 39 – ♦St-Étienne 39 – Thiers 68 – Vienne 89.

- **La Sauzée,** 30 av. J.-Jaurès ℘ **77 26 07 22** – cuisinette wc ☎ Ⓟ. AE. rest
  fermé 15 oct. au 15 nov. – **SC : R** *(fermé mardi soir et merc.)* 60/140 – 22 – **30 ch** 95/215.
- **L'Astrée** sans rest, **2 chemin du Bout du Monde** ℘ **77 26 54 66** – wc ☎ Ⓟ. VISA
  SC : 24 – **16 ch** 100/170.
- XX **Chalet Boule d'Or,** rte Lyon ℘ **77 26 20 68,** – Ⓟ. VISA
  fermé 8 au 30 août, 15 au 30 janv., dim. soir et lundi – **SC : R** 53/180.
- XX **Chapeau Rouge,** 21 rte de Verdun ℘ **77 26 02 56** – AE ⓓ E VISA
  fermé 1er au 12 juil., vacances de fév., mardi soir et merc. sauf août – **SC : R** 65/180.
- XX **Commerce,** 2 r. Loire ℘ **77 26 05 87,** – Ⓟ. AE VISA
  fermé 15 au 22 juin, 1er au 12 fév., mardi soir et merc. – **SC : R** 57/200.

ALFA-ROMEO, FIAT, SEAT Gar. Cheminal, 15 r. de la Loire ℘ 77 26 08 14 🅽 ℘ 77 26 24 63
AUSTIN-ROVER, TRIUMPH Sporting-Gar., rte de St-Étienne ℘ 77 26 35 76
FIAT Boichon, 9 r. de la Minette ℘ 77 26 15 96
FORD Gar. du Forez, 6 r. Victor-Hugo ℘ 77 26 15 14
PEUGEOT TALBOT Gge Faure, 16 rte de Lyon ℘ 77 26 03 65

RENAULT Rhône Loire Distribution Auto, rte de St-Etienne ℘ 77 26 45 12 🅽 ℘ 77 26 42 47
V.A.G. Rel. du Soleil, rte de St-Etienne ℘ 77 26 26 82

Ⓟ Feurs-Pneus, rte de Valeille, Zone Ind. des Artisans ℘ 77 26 39 98

FEYTIAT 87 H.-Vienne 72 ⑱ – rattaché à Limoges.

FIGEAC 46100 Lot 79 ⑩ G. Périgord – 10 511 h. alt. 214.

Voir Vallée du Célé★ par ⑤.

Office de Tourisme pl. Vival (fermé matin hors saison) ℘ 65 34 06 25.

Paris 579 ⑥ – Aurillac 67 ① – Brive-la-Gaillarde 91 ⑥ – Cahors 69 ⑤ – Rodez 65 ② – Villefranche-de-Rouergue 36 ③.

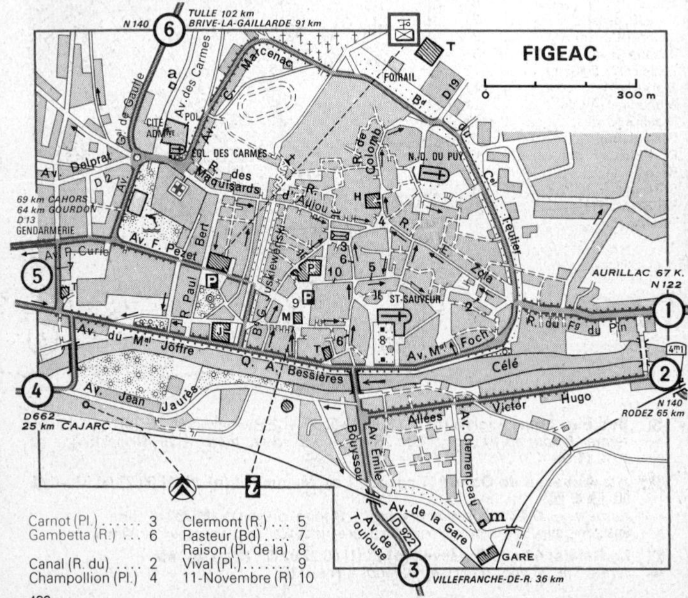

Carnot (Pl.) 3
Gambetta (R.) 6
Canal (R. du) 2
Champollion (Pl.) 4
Clermont (R.) 5
Pasteur (Bd) 7
Raison (Pl. de la) 8
Vival (Pl.) 9
11-Novembre (R) 10

des Carmes M, Enclos des Carmes **(a)** ✆ 65 34 20 78, Télex 520794, – TV ☎ P – 30. AE ⓓ E VISA
fermé 15 déc. au 15 janv., dim. soir et sam. du 1er oct. au 1er mai – SC : **R** 90/170 – 28 – **32 ch** 200/265.

Terminus St-Jacques, 27 av. Clemenceau **(m)** ✆ 65 34 00 43 – wc P. ⓓ E VISA
fermé 15 déc. au 1er fév., dim. soir et lundi midi hors sais. – SC : **R** 52/120 – 15 – **14 ch** 70/140 – P 160/190.

à St-Julien-d'Empare par ② : 10 km – ✉ **12700** Capdenac-Gare (Aveyron) :

Aub. la Diège M, ✆ 65 64 70 54, – wc ☎ P. E VISA
fermé 15 déc. au 15 janv., vend soir et sam. hors sais. – SC : **R** 50/160 – 17 – **14 ch** 70/180 – P 190/300.

au Pont de la Madeleine par ③ : 8,5 km – ✉ **12700** Capdenac-Gare (Aveyron)

Belle Rive, ✆ 65 64 62 14, ←, – wc P. AE ⓓ VISA
23 mars-4 nov., et fermé vend. soir (sauf hôtel) et sam. sauf juil.-août – SC : **R** 43/125 – 16 – **11 ch** 91/143 – P 120/208.

à Cardaillac par ⑥ et D 15 : 9,5 km – ✉ **46100** Figeac :

Chez Marcel, ✆ 65 40 11 16
fermé lundi sauf du 14 juil. au 22 août – **R** 50/150.

ALFA-ROMEO-HONDA Chabbaud, 9 av. F.-Pezet ✆ 65 34 24 03
CITROEN Larroque, 31 av. J.-Jaurès ✆ 65 34 06 67
CITROEN Regy, 38 av. Salvador Allendé à Capdenac-Gare par ② ✆ 65 64 76 40
MERCEDES-BENZ, V.A.G. Navarre, 38 av. J. Loubet ✆ 65 34 18 78
RENAULT S.A.F.D.A., rte de Cahors, Zone Ind. par ⑤ ✆ 65 34 00 23 N ✆ 65 34 41 35
RENAULT Central Gar., 16 av. Ch.-de-Gaulle à Capdenac Gare par ② ✆ 65 64 74 78
Rech, rte de Cahors ✆ 65 34 14 69

Quercy-Auvergne-Pneus, 21 av. G.-Pompidou ✆ 65 34 20 30
Tout Pour le Pneu, av. d'Aurillac ✆ 65 34 11 44

FILLÉ 72 Sarthe 64 ③ – rattaché à Guécélard.

FIRMINY 42700 Loire 76 ⑧ **G. Vallée du Rhône** – 24 356 h. alt. 473.

Paris 521 ② – Ambert 85 ⑤ – Montbrison 39 ⑤ – ♦St-Étienne 12 ② – Yssingeaux 39 ③.

Pavillon, 4 av. Gare **(a)** ✆ 77 56 91 11 – wc wc ☎ P. AE ⓓ E VISA
SC : **R** (Voir rest. la Table du Pavillon) – **22 ch** 170/220.

Table du Pavillon, 4 av. Gare **(a)** ✆ 77 56 00 45 – P. AE ⓓ E VISA
fermé dim. soir et lundi – SC : **R** 55/180 sauf fêtes.

au Pertuiset par ④ : 5 km – ✉ **42240** Unieux.

Env. Ruines du château d'Essalois ←** N : 13 km.

Verdier Riffat, ✆ 77 35 71 11, ← Loire – P. AE E VISA
fermé mardi soir et merc. – SC : **R** 64/190.

FIRMINY

Jaurès (R. Jean) 6
Victor-Hugo (R.)
Breuil (Pl. du) 2
Gare (Av. de la) 4
République (R.) 7
Tour de Varan (R.) .. 8
Verdié (R.) 9

ALFA-ROMEO, OPEL Jouve, 23 r. Gambetta ✆ 77 56 09 88
CITROEN Barel, 10 bd St-Charles ✆ 77 56 12 22
PEUGEOT-TALBOT Masson, ZAC des Bruneaux, 82 r. V.-Hugo par ③ ✆ 77 56 14 32
RENAULT Durand, 16 r. de la Tour-de-Varan ✆ 77 56 35 66
RENAULT Gar. Sias, 1 r. du Vigneron à Fraisses par ④ ✆ 77 56 00 73

Technique Pneus, ZAC des Bruneaux, 78 r. V.-Hugo ✆ 77 56 30 12
Saumet, 1 rte de Roche ✆ 77 56 04 78

FISMES 51170 Marne 56 ⑤ – 4 818 h. alt. 62.

Syndicat d'Initiative à l'Hôtel de Ville ✆ 26 78 05 50.

Paris 129 – Château-Thierry 45 – Laon 34 – ♦Reims 26 – Soissons 30.

Le Pinot, r. d'Ardre ✆ 26 78 05 30 – P. E VISA. ch
fermé 1er au 14 juil., 1er au 23 fév., dim. soir et lundi – SC : **R** 44/104.

CITROEN Gar. Bagnieu, ✆ 26 78 06 82
PEUGEOT Crochet, ✆ 26 78 05 46 N ✆ 26 04 81 21

FIXIN 21 Côte-d'Or 66 ⑫ **G. Bourgogne** – 883 h. alt. 292 – ✉ **21220** Gevrey-Chambertin.

Paris 317 – Beaune 30 – ♦Dijon 11 – Dole 64.

XX **Chez Jeannette** avec ch, ✆ 80 52 45 49, – . AE ⓓ E VISA
fermé 25 déc. au 20 janv. et jeudi – SC : **R** 62/135 – 18 – **11 ch** 76/132.

FLAGY 77 S.-et-M. 61 ⑬ – rattaché à Montereau.

FLAINE 74 H.-Savoie 74 ⑧ **G. Alpes** – alt. 1 600 – Sports d'hiver : 1 600/2 500 m 3 27 – ✉ **74300** Cluses.

ℹ Office de Tourisme ✆ 50 90 80 01, Telex 385662.

Paris 586 – Annecy 79 – Bonneville 42 – Chamonix 66 – Megève 49 – Morzine 48.

Totem M, ✆ 50 90 80 64, ← – TV ☎. AE ⓓ VISA
15 déc.-15 avril – SC : **R** 155 – **54 ch** 255/445 – P 345/452.

Gradins Gris, ✆ 50 90 81 10, ← – wc ☎ – 30 à 50. AE ⓓ E. rest
28 juin-30 août et 20 déc.-20 avril – SC : **R** 100/185 – **51 ch** 200/330.

Aujon M, ✆ 50 90 80 10, ← – wc wc ☎. AE ⓓ E VISA. rest
20 déc.-15 avril – SC : **R** 85 bc – **191 ch** 152/361 – P 270/329.

FLAVIGNY-SUR-MOSELLE 54 M.-et-M. 62 ⑤ – rattaché à Nancy.

FLAYOSC 83 Var 84 ⑦ – rattaché à Draguignan.

La FLÈCHE SP 72200 Sarthe 64 ② **G. Châteaux de la Loire** – 16 421 h. alt. 30.

Voir Prytanée militaire★ – Boiseries★ de la chapelle N.-D.-des-Vertus E – Parc animalier du Tertre Rouge★ 5 km par ② puis D 104.

ℹ Syndicat d'Initiative 23 pl. Marché-au-Blé (fermé août) ✆ 43 94 02 53 et Maison du Tourisme bd Montréal (1er juil.-31 août) ✆ 43 94 49 82.

Paris 242 ① – Angers 47 ④ – Châteaubriant 105 ④ – Laval 69 ⑤ – ♦Le Mans 41 ① – ♦Tours 72 ②.

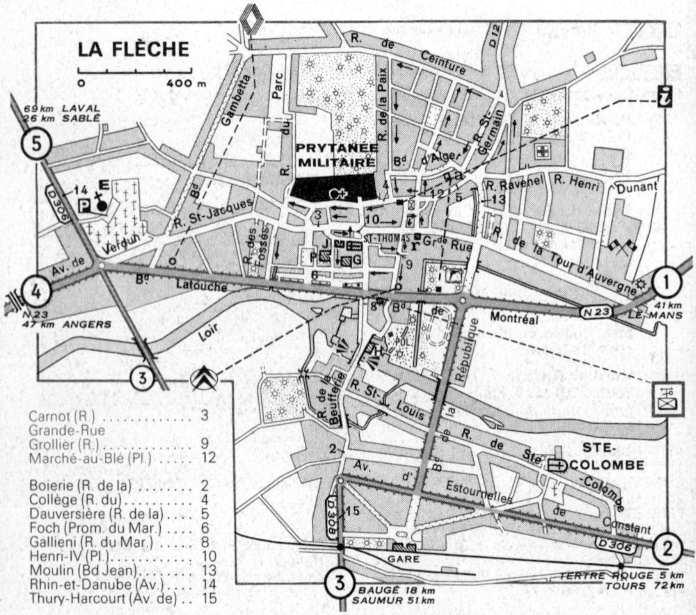

Relais Cicéro et rest. l'Estagnier, 18 bd Alger (a) ✆ 43 94 14 14, « Belle décoration intérieure », – rest wc wc ☎. VISA. rest
hôtel : 1er mars-20 déc. ; rest. : 1er mars-15 nov. – SC : **R** 98 – 26 – **19 ch** 230/300.

X **Vert Galant** avec ch, 70 Gde-Rue (r) ✆ 43 94 00 51 – . VISA.
fermé 22 déc. au 7 janv. et jeudi – SC : **R** 53/146 – 15 – **10 ch** 68/197 – P 182/214.

AUSTIN, ROVER Gar. Gambetta, 51 bd Gambetta ☏ 43 94 06 20
CITROEN Bastard, bd de Montréal ☏ 43 94 01 41
FORD Bouttier, av. de Verdun ☏ 43 94 04 08
PEUGEOT-TALBOT Gar. Rhin-et-Danube, av. Rhin-et-Danube par ⑤ ☏ 43 94 01 73

RENAULT SALFA, 24 bd Latouche ☏ 43 94 04 35 **N** ☏ 43 34 38 56
V.A.G. Gar. Clerfond, la Jalêtre, av. Rhin et Danube ☏ 43 94 10 48
Gar. Boistard, rte du Lude ☏ 43 94 09 59 **N** ☏ 43 94 11 36

FLERS **61100** Orne **60** ① **G. Normandie** – **19 405 h. alt. 188.**

i Office de Tourisme pl. Gén.-de-Gaulle ☏ 33 65 06 75.

Paris 237 ② – **Alençon 76** ③ – **Argentan 44** ② – ♦**Caen 57** ① – **Fougères 79** ④ – **Laval 87** ④ – **Lisieux 95** ① – **St-Lô 69** ① – **St-Malo 138** ④ – **Vire 31** ⑥.

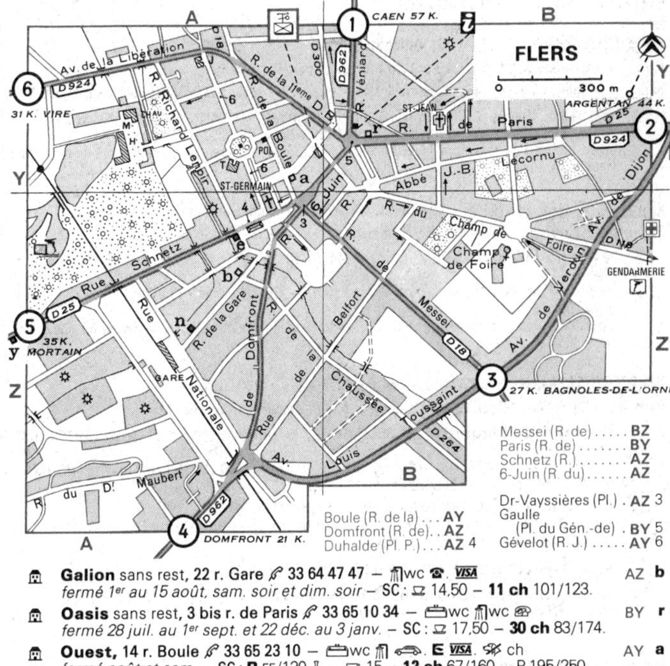

🏠 **Galion** sans rest, **22 r. Gare** ☏ **33 64 47 47** – wc ☎. VISA — AZ **b**
fermé 1er au 15 août, sam. soir et dim. soir – **SC** : ☕ 14,50 – **11 ch** 101/123.

🏠 **Oasis** sans rest, **3 bis r. de Paris** ☏ **33 65 10 34** – wc wc ☎ — BY **r**
fermé 28 juil. au 1er sept. et 22 déc. au 3 janv. – **SC** : ☕ 17,50 – **30 ch** 83/174.

🏠 **Ouest, 14** r. **Boule** ☏ **33 65 23 10** – wc . **E** VISA. ch — AY **a**
fermé août et sam. – **SC** : **R** 55/120 – ☕ 15 – **12 ch** 67/160 – P 195/250.

XXX **Aub. Relais Fleuri,** **115** r. **Schnetz** ☏ **33 65 23 89** — AZ **y**
fermé 21 juil. au 23 août, sam. soir, dim. et fériés. – **R** carte 125 à 180.

XX **Normandie** avec ch, **44 pl. P.-Duhalde** ☏ **33 65 23 38** – wc. VISA. — AZ **e**
fermé 28 juin au 28 juil., 1er au 8 fév., dim. soir et vend. sauf fêtes – **SC** : **R** 50/137 – ☕ 16 – **12 ch** 67/150.

X **La Pizzeria,** **60** r. **Gare** ☏ **33 65 31 53** – VISA — AZ **n**
fermé lundi en juil.-août, dim. et fêtes – **SC** : **R** carte environ 110 .

à Ferrière-aux-Étangs par ③ : **10 km** – ✉ **61450** La Ferrière-aux-Étangs :

XX **Aub. de la Mine,** le Gué-Plat **(u)** ☏ **33 66 91 10** – **P**. VISA
fermé 16 août au 8 sept., 30 janv. au 12 fév., dim. soir et merc. – **SC** : **R** 65/115.

CITROEN Gar. Basse-Normandie-Auto, 17 r. d'Athis ☏ 33 65 22 53
FORD Granger, 59 r. Messei ☏ 33 65 08 55
OPEL Bedouelle, 29 r. Abbé-Lecornu ☏ 33 65 22 21
PEUGEOT, TALBOT Gar. Bazil, r. des Canadiens à St-Georges-des-Groseillers par ① ☏ 33 65 25 98

RENAULT Groussard, rte Domfront, Zone Ind. par ④ ☏ 33 65 77 55 **N**
V.A.G. Masseron, 184 r. H. Véniard à St-Georges-des-Groseilliers ☏ 33 65 24 88

Alexandre, 58 Bis r. de Messei ☏ 33 65 02 15
Clabeaut-Pneu, pl. du 14-Juillet ☏ 33 65 26 18
Grosos, Le Tremblay ☏ 33 65 29 60

FLÊTRE **59** Nord **51** ④ – **662 h.** – ✉ **59190** Hazebrouck.

Paris 253 – **Dunkerque 40** – ♦ **Lille 36** – **St-Omer 33.**

XX **Vieille Poutre,** ☏ **28 40 19 52** – **P**. VISA
fermé août, vacances de fév. et lundi – **SC** : **R** carte 150 à 215.

FLEURAC 16 Charente 72 ⑬ – rattaché à Jarnac.

FLEURANCE 32500 Gers 82 ⑤ **G. Pyrénées** – 6 089 h. alt. 98.

Syndicat d'Initiative à la Mairie ✆ 62 06 10 01.

Paris 704 – Agen 47 – Auch 24 – Castelsarrasin 59 – Condom 29 – Montauban 70 – ♦Toulouse 83.

Le Fleurance et rest. Cusinato M, rte Agen : 2 km ✆ 62 06 14 85, ←, – wc ☎ P – 30. AE E VISA
fermé 10 déc. au 20 janv. – SC : **R** *(fermé lundi sauf juil.-août)* 70/250 – 24 – **25 ch** 130/270 – P 240/300.

Le Relais M sans rest, rte Auch ✆ **62 06 05 08** – wc wc ☎ P
fermé 20 janv. au 15 fév. – SC : 16 – **25 ch** 105/160.

RENAULT Carol, av. Pyrénées ✆ 62 06 11 81

FLEURIE 69820 Rhône 74 ① **G. Vallée du Rhône** – 1 151 h. alt. 295.

Env. La Terrasse ** **près du col du Fût d'Avenas O : 10 km.**

Paris 413 – Bourg-en-Bresse 48 – Chauffailles 46 – ♦Lyon 58 – Mâcon 21 – Villefranche-sur-Saône 31.

XXX ⊛⊛ **Aub. du Cep** (Cortembert), pl. de l'Eglise ✆ **74 04 10 77**, – AE E VISA
fermé déc., dim. soir et lundi – SC : **R** (dîner prévenir) 150/350 et carte
Spéc. Mousseline de Sandre, Fricassée de volaille au Fleurie, Entremets glacé moka nougatine. **Vins** Beaujolais, Fleurie.

FLEURINES 60 Oise 56 ① – 1 649 h. alt. 116 – ✉ **60700** Pont-Ste-Maxence.

Paris 55 – Beauvais 51 – Clermont 26 – Compiègne 31 – Roye 59 – Senlis 6,5.

XXX ⊛ **Vieux Logis** (Varin) avec ch, ✆ **44 54 10 13**, – wc P. AE VISA. ch
fermé 17 nov. au 1er déc., dim. soir et lundi – SC : **R** carte 150 à 240 – 23 – **4 ch** 180/200
Spéc. Foie gras frais, Paupiette de barbue au homard en matelote, Magret de canard au vinaigre de Xérès et miel.

FLEURVILLE 71 S.-et-L. 69 ⑲⑳ – 464 h. alt. 177 – ✉ **71260** Lugny.

Paris 376 – Cluny 24 – Mâcon 17 – Pont-de-Vaux 5 – St-Amour 40 – Tournus 13.

Château de Fleurville, ✆ **85 33 12 17**, ←, parc – wc ☎ ♿ P. AE VISA. rest
fermé 15 nov. au 15 déc. et fév. (sauf week-end) – SC : **R** *(fermé lundi midi)* 100 – 25 – **15 ch** 250 – P 485/555.

XX **Le Fleurvil** avec ch, ✆ **85 33 10 65** – wc ☎ P. VISA
fermé 2 au 11 juin, 15 nov. au 15 déc., lundi soir hors sais. et mardi – SC : **R** 73/145 – 16 – **9 ch** 65/140.

à St-Oyen-Montbellet N : 3 km par N6 – ✉ **71260** Lugny :

XX **La Chaumière** avec ch, ✆ **85 33 10 41**, – wc wc ☎ P. AE VISA
fermé 15 nov. au 1er déc., jeudi midi et merc. – SC : **R** 72/150 – 18 – **14 ch** 103/151.

FLEURY-SUR-ORNE 14 Calvados 55 ⑪ – rattaché à Caen.

FLÉVIEU 01 Ain 74 ⑭ – alt. 205 – ✉ **01470** Serrières-de-Briord.

Paris 470 – Belley 31 – Bourg-en-B. 56 – ♦Lyon 66 – Meximieux 33 – Nantua 71 – La Tour-du-Pin 34.

X **Mille**, ✆ **74 36 71 20**,
fermé 1er oct. au 5 nov., lundi soir et mardi soir – SC : **R** 58/95 .

FLORAC <SP> 48400 Lozère 80 ⑥ **G. Causses** (plan) – 2 104 h. alt. 545.

Office de Tourisme av. J.-Monestier (fermé matin hors sais.) ✆ 66 45 01 14.

Paris 609 – Alès 71 – Mende 39 – Millau 77 – Rodez 122 – Le Vigan 72.

Gd H. Parc, ✆ **66 45 03 05**, ←, « parc » – wc wc ☎ P – 80. AE E VISA. ch
15 mars-1er déc. et fermé dim. soir et lundi hors sais. – SC : **R** 60/145 – 18 – **58 ch** 88/210 – P 200/260.

Gorges du Tarn sans rest, ✆ **66 45 00 63** – wc ☎ P.
1er mai-30 sept. – SC : 16 – **31 ch** 90/190.

à Cocurès NE : 5,5 km – alt. 600 – ✉ **48400** Florac :

La Lozerette , par N 106 et D 998 ✆ **66 45 06 04** – wc wc P.
1er juin.-30 sept. – SC : **R** *(en juin et sept. dîner seul. en sem.)* 60/120 – 18 – **17 ch** 110/131 – P 175/210.

PEUGEOT-TALBOT Pascal, ✆ 66 45 00 65

FLORENSAC 34510 Hérault 83 ⑮ – 3 152 h..

Paris 804 – Agde 9,5 – Béziers 24 – Lodève 55 – Mèze 16 – ♦Montpellier 50 – Pezenas 14.

Léonce (Fabre), pl. République ✆ 67 77 03 05 – wc wc. AE ⓓ VISA. rest
fermé 15 sept. au 8 oct., vacances de fév., dim. soir sauf juil.-août et lundi – SC : **R** 105/210 – ☕ 17 – **18 ch** 90/160
Spéc. Foie frais de canard en terrine, Carré d'agneau rôti à l'ail en chemise, Entremêts et délices du temps.

FLORENT-EN-ARGONNE 51 Marne 56 ⑲ – rattaché à Ste-Menehould.

La FLOTTE 17 Char.-Mar. 71 ⑫ – voir à Ré (Ile de).

FLUMET 73590 Savoie 74 ⑦ **G. Alpes** – 727 h. alt. 1 000 – Sports d'hiver : 1 000/2 030 m ⚡13.

Altiport de Megève-Mont d'Arbois ✆ **79 21 31 90 E : 15 km.**

Office de Tourisme "Le Dodécagone" ✆ 79 31 61 08.

Paris 592 – Albertville 21 – Annecy 50 – Chambéry 71 – Megève 10.

Host. Parc des Cèdres, ✆ 79 31 72 37, ≤, « parc » – TV wc wc ☎ P. AE ⓓ VISA
Pentecôte, 7 juin-30 sept. et Noël-Pâques – SC : **R** 65/155 – ☕ 24 – **23 ch** 110/230 – P 180/250.

Balances, ✆ 79 31 71 70 – **13 ch**.

à St-Nicolas-la-Chapelle SO : 1,2 km par N 212 – ✉ **73590** Flumet :

Aub. de l'Eau Vive, au village ✆ 79 31 60 46, ≤ – wc ☎. rest
20 mai-25 sept. et 20 déc.-20 avril et merc. hors sais. – SC : **R** 57/70 – ☕ 18 – **15 ch** 130/180 – P 190/220.

Vivier sans rest, sur N212 ✆ 79 31 73 79, ≤ – wc wc ☎ P. E
SC : ☕ 18 – **18 ch** 139/162.

Garage Joly, ✆ 79 31 71 86

FOIX P 09000 Ariège 86 ④⑤ **G. Pyrénées** – 10 064 h. alt. 380.

Voir Site★ – ☼★ de la tour du château A.

Env. Rivière souterraine de Labouiche★ NO : 6,5 km par D1.

Office de Tourisme avec A.C. 45 cours G.-Fauré ✆ 61 65 12 12.

Paris 785 ① – Andorre-la-Vieille 103 ② – Auch 143 ① – Barcelona 264 ② – Carcassonne 80 ① – Castres 114 ① – ♦Perpignan 136 ② – St-Gaudens 90 ③ – Tarbes 154 ③ – ♦Toulouse 82 ①.

FOIX

Bayle (R.) . . . . B
Delcassé (R. Th.) . . . . . B 4
Marchands (R. des) . . . B 12
St-James (R.) . . . . A 22

Alsace-Lorraine (Av.) . . . . . . B 2
Chapeliers (R. des) . . . A 3
Delpech (R. Lt P.) . . . . . A 5
Duthil (Pl.) . . . . B 6
Fauré (Cours G.) . . . . AB 7
Labistour (R. de) . . . . . . B 8
Lazéma (R.) . . . . A 9
Lérida (Av. de) . . . . A 10
Préfecture (R. de la) . . . A 14
Rocher (R. du) . . . . A 20
St-Volusien (Pl.) . . . . . . A 23
Salenques (R. des) . . . . A 24

Les plans de villes sont orientés le Nord en haut.

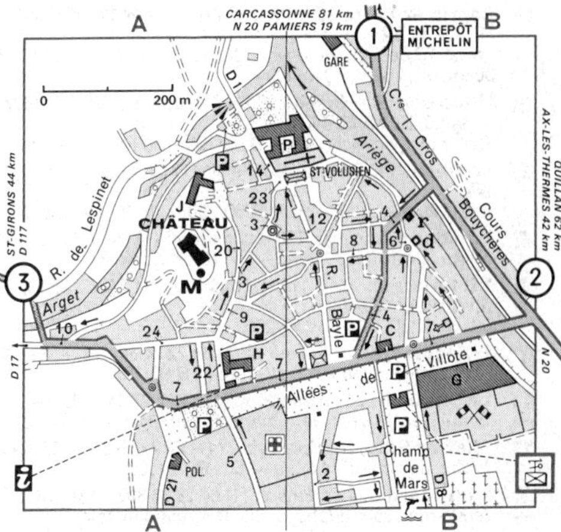

Audoye, 6 pl. G.-Duthil ✆ 61 65 52 44, ≤, – wc ☎ – 50. AE ⓓ E VISA — B **d**
fermé sam. en hiver. – SC : **R** 50/150 – ☕ 18 – **35 ch** 105/190.

Pyrène M sans rest, par ② : 2 km sur N 20 ✆ 61 65 48 66, – wc ☎ P. AE E VISA
fermé 20 déc. au 5 janv. – SC : ☕ 20 – **12 ch** 135/195.

XIXe Siècle, 2 r. Delcassé ✆ 61 65 12 10, . VISA — B **r**
fermé 1er fév. au 15 mars et sam. hors sais. – SC : **R** 52/120.

au Lac de Labarre par ① : 2 km – ✉ 09000 Foix :

Le Couloumié M, ✆ 61 02 72 20, ←, – wc ☎ P. AE VISA
fermé 2 au 20 janv. – SC : **R** 52/93 – 20 – **26 ch** 160/200.

au Sud par ② : 7 km bifurcation N 20 et D 117 – ✉ 09260 St-Paul-de-Jarrat :

XX **La Charmille** avec ch, ✆ 61 64 17 03 – wc ☎ P. VISA. ch
1er mars-25 sept., 5 oct.-15 déc. et fermé lundi – SC : **R** 48/170 – 18 – **10 ch** 90/190.

MICHELIN, Entrepôt 1 r. des Bruilhols par ① ✆ **61 65 12 21**

CITROEN Grau, N 20, Peyssales par ② ✆ 61 65 50 66
PEUGEOT, TALBOT Stival-Auto, N 20, Zone Ind. de Labarre par ① ✆ 61 65 42 22
RENAULT Autorama, rte d'Espagne par ② ✆ 61 65 32 22

V.A.G. Marhuenda, 16 bis av. Mar.-Leclerc ✆ 61 02 74 44

Lautier Pneus, 16 av. de Barcelone ✆ 61 65 01 41
Central Pneu, 33 av. Mar.-Leclerc ✆ 61 65 01 68

FOLLAINVILLE 78 Yvelines 55 ⑱, 196 ③ – rattaché à Mantes-la-Jolie.

FONCILLON 17 Char.-Mar. 71 ⑫ – rattaché à Royan.

FONSEGRIVES 31 H.-Gar. 82 ⑧ – rattaché à Toulouse.

FONTAINEBLEAU 77300 S.-et-M. 61 ②⑫, 196 ㊺㊻ **G. Environs de Paris** – 18 753 h. alt. 77.

Voir Palais*** ABZ – Jardins* ABZ – Musée napoléonien d'Art et d'Histoire militaire : collection de sabres et d'épées* AY **M1** – Forêt*** – Gorges de Franchard** par ⑥ : 5 km.

Env. Site* de Moret-sur-Loing, 10 km par ③.

18 ✆ (1) 64 22 22 95 par ⑤ : 1,5 km.

Office de Tourisme 31 pl. N.-Bonaparte ✆ (1) 64 22 25 68.

Paris 65 ⑦ – Auxerre 104 ④ – Châlons-sur-Marne 157 ③ – Chartres 114 ⑦ – Meaux 75 ① – Melun 18 ① – Montargis 51 ④ – •Orléans 88 ⑤ – Sens 53 ③ – Troyes 118 ③.

Plan page ci-contre

✿ **Aigle Noir** M, 27 pl. Napoléon ✆ (1) 64 22 32 65, Télex 600080, , « Bel aménagement intérieur » – TV ☎ – 30. AE E VISA — AZ **a**
SC : **Le Beauharnais R** 180/250 – 60 – **26 ch** 655/785, 4 appartements 950
Spéc. Terrine de caille et pigeonneau aux morilles, Carré d'agneau rôti, Nougat glacé au coulis de framboises.

Legris et Parc, 36 r. Parc ✆ (1) 64 22 24 24, , – TV wc wc ☎ – 25/100. E VISA — BZ **e**
fermé 20 déc. au 24 janv. – SC : **R** *(fermé dim. soir d'oct. à mai)* 75/125 – 24 – **30 ch** 195/280 – P 340/400.

Napoléon, 9 r. Grande ✆ (1) 64 22 20 39, Télex 691652, – TV wc wc ☎ – 60. AE E VISA — BZ **n**
fermé dim. soir en hiver – **R** 95/150 – **40 ch** 240/360 – P 440/550.

Londres, pl. Gén.-de-Gaulle ✆ (1) 64 22 20 21, ←, – wc wc ☎ P. AE VISA — AZ **r**
fermé 20 déc. au 1er fév. – **R** 80/200 – 25 – **22 ch** 135/270.

Toulouse sans rest, 183 r. Grande ✆ (1) 64 22 22 73 – wc wc ☎ . VISA
fermé 20 déc. au 20 janv. – SC : **18 ch** 87/233. — BY **h**

Victoria sans rest, 112 r. France ✆ (1) 64 22 23 33, Télex 690203, – wc wc ☎ P. E VISA — AY **t**
SC : 17,50 – **18 ch** 170/250.

XXX **François 1er,** 3 r. Royale ✆ (1) 64 22 24 68, – AE E VISA — AZ **k**
fermé janv. et jeudi d'oct. à mai – **R** 90/200.

XX **Le Dauphin,** 24 r. Grande ✆ (1) 64 22 27 04 – E VISA — BZ **s**
fermé 2 au 10 sept., fév., mardi soir et merc. – SC : **R** 55/90.

XX **Filet de Sole,** 5 r. Coq-Gris ✆ (1) 64 22 25 05 – AE E VISA — BZ **n**
fermé juil., mardi et merc. – SC : **R** 100/120.

X **Le Grillardin,** 12 r. Pins ✆ (1) 64 22 36 83 – VISA. — BY **d**
fermé dim. soir et lundi – SC : **R** 43 (sauf fêtes)/86.

à Avon par ② – ✉ 77210 Avon :

Fimotel M , 46 av. F.-Roosevelt ✆ 64 22 30 21, Télex 693072, – TV wc ☎ P – 25. AE VISA
SC : **R** 55/100 – 22 – **42 ch** 210/240 – P 298.

à Recloses par ④ et D 63E : 8 km – ✉ 77116 Ury :

Casa del Sol , 63 r. des Canches ✆ (1) 64 24 20 35, , – wc ☎ P. AE
fermé janv. et mardi hors sais. – SC : **R** 100/200 – 25 – **10 ch** 150/285 – P 250/300.

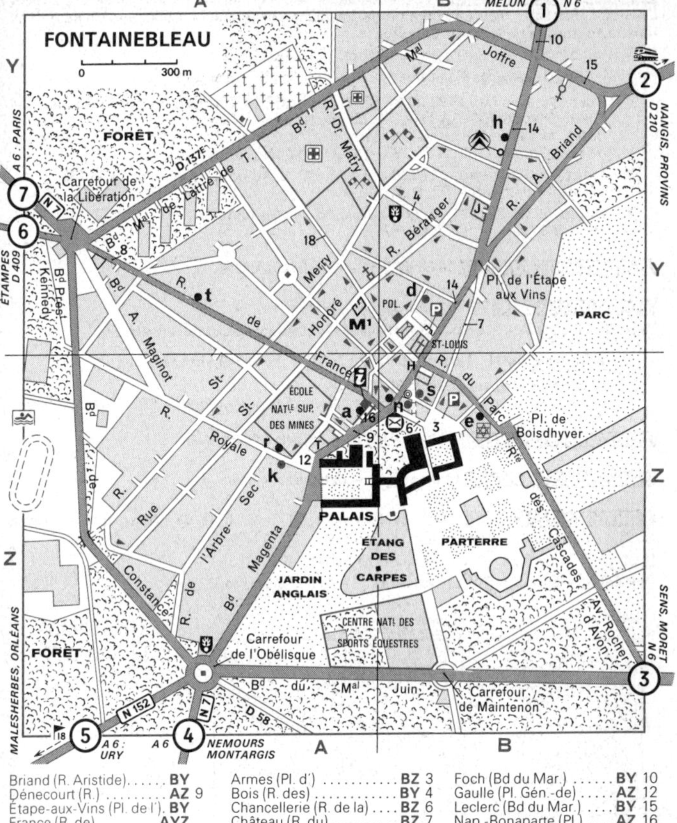

Briand (R. Aristide) . . . . . . **BY**
Dénecourt (R.) . . . . **AZ** 9
Étape-aux-Vins (Pl. de l') . **BY**
France (R. de) . . . . **AYZ**
Grande (R.) . . . . **BY** 14
Armes (Pl. d') . . . . **BZ** 3
Bois (R. des) . . . . **BY** 4
Chancellerie (R. de la) . . . . **BZ** 6
Château (R. du) . . . . **BZ** 7
Churchill (Bd W.) . . . . **AY** 8
Foch (Bd du Mar.) . . . . . . **BY** 10
Gaulle (Pl. Gén.-de) . . . . . **AZ** 12
Leclerc (Bd du Mar.) . . . . **BY** 15
Nap.-Bonaparte (Pl.) . . . . **AZ** 16
Paroisse (R. de la) . . . . . . **AY** 18

à Ury par ⑤ : 10 km – ✉ **77116** Ury :

🏨 **Novotel** M ⛰, NE par N 152 et VO ✆ (1) 64 22 48 25, Télex 600153, ≤, 🍽, ♨, 🌳, ✗ – ▤ rest TV ☎ ♿ P – 🏋 110. AE ⓓ E VISA
R carte environ 100 🍷 – ☕ 34 – **127 ch** 325/367.

Voir aussi à ***Vulaines-sur-Seine*** par ② : 5 km, ***Hericy*** par ② : 7 km, ***Samois*** par ② : 8 km ***Barbizon*** par ⑦ : 9,5 km.

ALFA-ROMEO, LADA Ile-de-France-Auto, 86 r. de France ✆ (1) 64 22 31 59
AUSTIN, JAGUAR, MORRIS, ROVER, TRIUMPH Gar. St-Antoine, 111 r. de France ✆ (1) 64 22 31 88
BMW D.A.B., 30 bd Maginot ✆ (1) 64 22 82 82
CITROEN Sud-Auto, 177 r. Grande ✆ (1) 64 22 10 60 **N**
FIAT Rucheton, 44 r. du Château ✆ (1) 64 22 24 19
FORD Gar. François 1er 9 r. Chancellerie ✆ (1) 64 22 20 34
LANCIA-AUTOBIANCHI, HONDA Gar. Europe, 2 av. F.-Roosevelt à Avon ✆ (1) 64 22 38 71
PEUGEOT, TALBOT S.B.A., 29 av. Gén.-de-Gaulle à Avon par ② ✆ (1) 60 72 21 79
RENAULT Gar. Centre, 56 av. de Valvins à Avon par ② ✆ (1) 60 72 25 75

FONTAINE-CHAALIS **60** Oise **56** ⑫, **196** ⑨ – 366 h. alt. 120 – ✉ **60300** Senlis.

Voir Boiseries★ de l'église de Baron E : 4 km, **G. Environs de Paris.**

Paris 49 – Beauvais 62 – Compiègne 40 – Meaux 31 – Senlis 9 – Villers-Cotterets 34.

✗✗ **Aub. de Fontaine** ⛰ avec ch, ✆ **44 54 20 22**, 🍽 – 🛁wc 🚿wc. ✗ ch
fermé fév. et merc. – SC : **R** 99/180 – ☕ 20 – **7 ch** 160/220.

FONTAINE-DE-LA-PESCALERIE **46** Lot **79** ⑨ – rattaché à Cabrerets.

FONTAINE-DE-VAUCLUSE 84 Vaucluse 81 ⑬ **G. Provence** (plan) – 606 h. alt. 80 – ✉ **84800** L'Isle-sur-la-Sorgue – **Voir La Fontaine de Vaucluse***** 30 mn – **Collection Casteret*** au musée souterrain de Norbert Casteret.

Syndicat d'Initiative pl. Église (1er avril-30 oct.) ☎ 90 20 32 22.

Paris 704 – Apt 33 – Avignon 30 – Carpentras 21 – Cavaillon 17 – Orange 48.

XX **Parc** avec ch, ☎ 90 20 31 57, ←, parc, « Terrasse au bord de l'eau » – wc wc ☎ P – 80 à 100. AE ⓓ VISA
hôtel : fermé du 1er nov. au 1er mars; rest. fermé du 2 janv. au 15 fév., merc. et le soir de nov. à mars. – SC : **R** 75/185 – 20 – **12 ch** 175.

XX **Host. du Château,** ☎ 90 20 31 54, ←, « Au bord de l'eau ». ⓓ E VISA
fermé fév. et mardi – SC : **R** 66/148.

X **Philip,** ☎ 90 20 31 81, ←, « Au pied des Cascades »
1er avril-30 sept. – SC : **R** 58/150.

La FONTAINE-DU-BUIS 30 Gard 81 ⑪ – rattaché aux Angles.

FONTAINE-LE-DUN 76740 S.-Mar. 52 ⑬ – 831 h.

Paris 188 – Dieppe 24 – ♦Le Havre 79 – ♦Rouen 49 – St-Valéry-en-Caux 16 – Yvetot 28.

à Bourg-Dun N : 7 km par D 142 et D 237 – ✉ **76740** Fontaine-le-Dun :

X **Aub. du Dun,** sur D925 ☎ 35 83 05 84 – P.
fermé 15 oct. au 2 nov., 15 au 28 fév., Noël, dim. soir et lundi – SC : **R** 100 bc/200 bc.

FONTAINE-STANISLAS 88 Vosges 62 ⑯ – rattaché à Plombières.

FONTENAI-SUR-ORNE 61 Orne 60 ② – rattaché à Argentan.

FONTENAY-LE-COMTE 85200 Vendée 71 ① **G. Côte de l'Atlantique** – 16 650 h. alt. 23 – **Voir Clocher*** de l'église N.-Dame **B**.

Office de Tourisme quai Poey d'Avant ☎ 51 69 44 99.

Paris 438 ① – Cholet 76 ① – La Rochelle 49 ④ – La Roche-sur-Yon 56 ⑤.

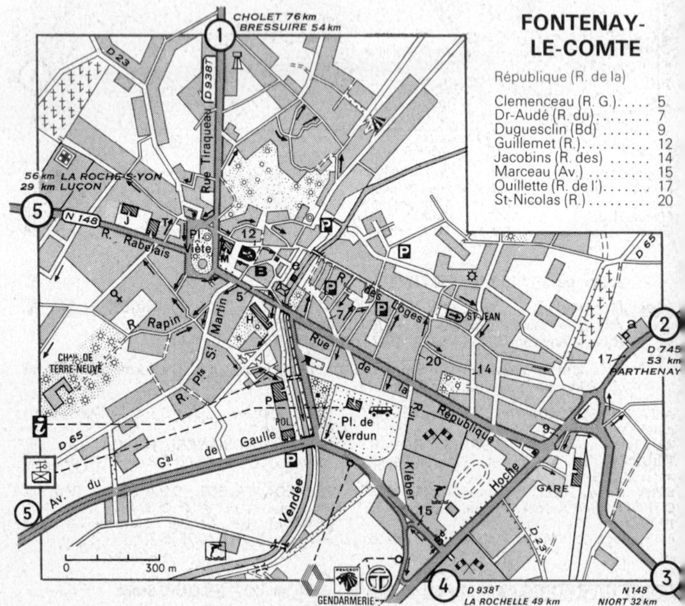

Rabelais, rte Parthenay **(a)** ☎ 51 69 86 20, Télex 710703, ←, parc, – TV wc wc ☎ P – 100. AE ⓓ E VISA
SC : **R** grill 55/85 – 25 – **35 ch** 180/230.

XX **Chouans Gourmets,** 6 r. Halles **(e)** ☎ 51 69 55 92, – AE E VISA
fermé 1er au 15 juil., vacances de fév., dim. soir et lundi sauf fêtes – SC : **R** 72/145.

à Mervent N : 11 km par D 65 – ✉ **85200** Fontenay-le-Comte.

Voir Ruines du château ≤★ – Barrage★ SO : 2 km – Forêt de Mervent-Vouvant★ O : 3 km.

Aub. de la Forêt ⛰, NE : 3 km sur D 99A ☎ 51 00 21 09 – ⌂wc ⋒wc Ⓟ. AE VISA
SC : **R** 68/120 ⅋ – ☕ 18 – **9 ch** 145/154 – P 270/275.

Le Nautique, la Vallée ☎ **51 00 20 30,** ≤ – Ⓟ. E VISA
fermé 25 janv. au 1er mars, lundi soir et mardi – SC : **R** 54/83 ⅋.

à Velluire par ④, D 938 ter et VO : 11 km – ✉ **85770** Vix :

Aub. de la Rivière ⛰ avec ch, ☎ **51 52 32 15,** ≤ – ⌂wc. E
fermé 27 oct. au 5 nov., fév., dim. soir (sauf hôtel) et lundi de sept. à juin – SC : **R** 52/140 – ☕ 20 – **12 ch** 80/200 – P 153/195.

CITROEN Les Gar. Murs, Zone Ind., 67 r. de l'Ancienne capitale du Bas Poitou par ③ ☎ 51 69 06 76
FIAT Gar. Bourge, 86 r. République ☎ 51 69 30 98
PEUGEOT-TALBOT Fontenay-Automobiles, 24 r. Kléber ☎ 51 69 85 15
RENAULT Fontenaysienne Diffusion Auto, allée du Chail ☎ 51 69 49 74
V.A.G. Gar. Couturier, av. Gén.-de-Gaulle ☎ 51 69 92 67

Ⓜ Aubert, rte de Niort ☎ 51 69 30 79

FONTENAY-TRÉSIGNY 77610 S.-et-M. 61 ②, 196 ㉞㉟ – 3 640 h. alt. 130.

Paris 53 – Coulommiers 23 – Meaux 30 – Melun 26 – Provins 39 – Sézanne 66.

Le Manoir ⛰, E : 4 km par N 4 et D 402 ☎ (1) 64 25 91 17, Télex 690635, ≤, parc, « Belle décoration intérieure », ✂ – TV ☎ Ⓟ – 80. AE ⓓ E VISA
22 mars-15 nov. et fermé mardi – SC : **R** carte 175 à 260 – ☕ 39 – **14 ch** 370/570 – P 800/1 400.

Le Relais, ☎ **(1) 64 25 90 41**
fermé 14 juil. au 5 août, mardi et merc. – SC : **R** 68.

FONTEVRAUD-L'ABBAYE 49590 M.-et-L. 67 ⑨ G. Châteaux de la Loire – 1 850 h. alt. 80.

Voir Abbaye★★ – Église St-Michel★.

Syndicat d'Initiative à l'Hôtel de Ville (matin seul.) ☎ 41 51 71 21.

Paris 294 – Angers 69 – Chinon 23 – Loudun 19 – Poitiers 74 – Saumur 16 – Thouars 36.

Croix Blanche, 7 pl. Plantagenets ☎ **41 51 71 11,** ☂ – ⌂wc ⋒wc Ⓟ – 40
fermé 12 au 30 nov. – SC : **R** 37/111 – ☕ 16 – **19 ch** 69/213 – P 159/199.

❀ **La Licorne,** r. R. d'Arbrissel ☎ **41 51 72 49,** ☂ – AE VISA
fermé 26 mai au 8 juin, début déc. au début janv., dim. soir et lundi – SC : **R** (nombre de couverts limité, prévenir) carte 170 à 205
Spéc. Foie gras frais, Saumon fumé maison, Poissons. Vins Champigny, Chinon.

Abbaye, ☎ **41 51 71 04** – ▤ Ⓟ
fermé 6 au 30 oct., 10 au 28 fév., mardi (sauf le midi en hiver) et merc. (sauf le midi en saison) – SC : **R** 79/87 ⅋.

FONTFROIDE-LE-HAUT 34 Hérault 83 ⑦ – rattaché à Montpellier.

FONT-ROMEU 66120 Pyr.-Or. 86 ⑯ G. Pyrénées – 3 136 h. alt. 1 800 – Sports d'hiver : 1 750/2 250 m 1 23, – Casino.

Voir Ermitage★ (camaril★★) et calvaire ✻★★ de Font-Romeu NE : 2 km puis 15 mn.

Office de Tourisme, av. E.-Brousse ☎ 68 30 02 74, Télex 500802.

Paris 998 – Andorre-la-Vieille 77 – Ax-les-Thermes 66 – Bourg-Madame 18 – ♦Perpignan 88.

Carlit H., ☎ **68 30 07 45** – |♦| cuisinette TV ☎ – 50. AE E. ✂ rest
1er juin-30 sept. et 15 déc.-20 avril – SC : **R** 55/130 ⅋ – ☕ 28 – **58 ch** 210/300 – P 245/390.

L'Orée du Bois Ⓜ sans rest, ☎ **68 30 01 40,** ≤ – |♦| ⌂wc ⋒wc ☎ ♿ . AE VISA
SC : ☕ 17 – **37 ch** 165/200.

Gd Tétras Ⓜ, ☎ **68 30 01 20** – |♦| ⌂wc ⋒wc ☎ ♿ . AE ⓓ E
1er juin-30 sept. et 1er déc.-15 mai – SC : **R** voir rest. **la Potinière** – ☕ 19 – **36 ch** 140/222 – P 204/245.

Clair Soleil Ⓜ, rte Odeillo : 1 km ☎ **68 30 13 65,** ≤ montagnes et four solaire, – |♦| TV ⌂wc ☎ Ⓟ. E VISA. ✂ rest
22 mai-15 oct. et 15 déc.-15 avril – SC : **R** 70/83 – ☕ 19 – **31 ch** 79/192.

Y Sem Bé ⛰, ☎ **68 30 00 54,** ≤ Cerdagne – ⌂wc ⋒wc ☎ Ⓟ. VISA. ✂ rest
1er juin-fin sept. et 15 déc.-fin avril – SC : **R** (dîner seul.) 80/85 ⅋ – ☕ 18 – **27 ch** 85/210.

Pyrénées ⛰, ☎ **68 30 01 49,** ≤ Cerdagne, ☂ – |♦| TV ⌂wc ⋒wc ☎. AE
2 mai-2 nov. et 20 déc.-15 avril – SC : **R** 60/100 – ☕ 17 – **37 ch** 150/200 – P 200/260.

Les Cimes ⛰ sans rest, ☎ **68 30 17 77,** ≤, – cuisinette TV ⌂wc ⋒wc ☎. AE E
1er juil.-30 août et 15 déc.-15 avril – SC : ☕ 28 – **23 ch** 110/255.

La Potinière, ☎ **68 30 11 56** – AE ⓓ E
15 juin-15 oct., 15 déc.-10 mai et fermé mardi hors sais. – SC : **R** 67/105.

à Odeillo SO : 3 km par D 29 – alt. 1 596 – ✉ **66120** Font-Romeu :

Coq Hardi, ✆ 68 30 11 02, ≤, – wc wc ☎ **P**. E VISA. ✻ rest
1er juil.-15 nov. et 15 déc.-31 mai – SC : **R** 54/108 – ☐ 21 – **25 ch** 151/216 – P 196/217.

Romarin, ✆ 68 30 09 66, ≤ Cerdagne, – wc wc ☎ **P**. VISA
17 juin-4 nov. et 15 déc.-31 mai – SC : **R** 60/70 – ☐ 16 – **15 ch** 133/190.

à Targassonne O : 4 km par D 10 E et D 618 – ✉ **66120** Font-Romeu :

La Tourane ⊗, ✆ 68 30 15 03, ≤ – ☎ **P**. E VISA
fermé sam. et dim. du 15 oct. au 25 déc. – SC : **R** 60/100 – ☐ 20 – **25 ch** 90/110 – P 160/170.

La Griole, ✆ 68 30 16 22, – **P**. E VISA
juin-oct. – SC : **R** 40/180.

à Via S : 5 km par D 29 – ✉ **66120** Font-Romeu :

L'Oustalet ⊗, ✆ 68 30 11 32, ≤, – wc wc ☎ **P**. E VISA. ✻ rest
fermé 20 avril au 20 mai et 20 nov. au 20 déc. – SC : **R** 42/68 – ☐ 16 – **29 ch** 120/180 – P 162/214.

FONTVIEILLE 13990 B.-du-R. 83 ⑩ G. Provence – 3 432 h. alt. 20.

Voir Moulin de Daudet ≤★ – Chapelle St-Gabriel★ N : 5 km.

Syndicat d'Initiative à l'Hôtel de Ville ✆ 90 97 70 01.

Paris 724 – Arles 10 – Avignon 30 – ♦Marseille 92 – St-Rémy-de-Pr. 18 – Salon-de-Pr. 37.

✿ **La Regalido** (Michel) M ⊗, ✆ 90 97 60 22, , « Jardin fleuri » – **P**. AE ⓓ E VISA
fermé fin nov. à mi-janv. – SC : **R** *(fermé mardi midi et lundi)* (nombre de couverts limité - prévenir) carte 205 à 320 – ☐ 50 – **13 ch** 450/800
Spéc. Mousseline de loup, Gratin de moules, Gigot d'agneau en casserole. **Vins** Coteaux-des-Baux, Châteauneuf-du-Pape.

La Peiriero M ⊗ sans rest, av. Baux ✆ 90 97 76 10, , – ☎ **P** – 40. AE ⓓ E VISA
1er avril-31 oct. et 20 déc.-5 janv. – SC : ☐ 27 – **41 ch** 230/270.

Valmajour M ⊗ sans rest, rte d'Arles ✆ 90 97 62 33, ≤, « Parc », , – wc wc ☎ **P**. VISA. ✻
mars-1er nov. – SC : ☐ 28 – **28 ch** 150/260, 5 appartements 400.

A la Grâce de Dieu ⊗, 90 av. de Tarascon ✆ 90 97 71 90, ≤ – wc ☎ **P**. AE ⓓ E VISA
15 mars-15 oct. – SC : **R** *(fermé merc. midi et mardi)* 105/150 – ☐ 28 – **10 ch** 220/300 – P 300/315.

Laetitia, r. Lion ✆ 90 97 72 14 – wc
fermé 6 janv. à fin fév. – SC : **R** *(fermé fin nov. à fin fév., dim. midi en juil.-août et sam. midi de sept. à fin juin)* 60/90 ♁ – ☐ 16 – **9 ch** 100/155.

Le Patio, ✆ 90 97 73 10, , « Bergerie provençale » – VISA
fermé 2 janv. au 8 fév., mardi soir et merc. – SC : **R** 90/160.

Le Homard, 29 r. Nord ✆ 90 97 75 34, – AE ⓓ VISA. ✻
fermé 2 au 30 nov., 2 au 31 janv. et sam. hors sais. – SC : **R** 80/150.

Les pastilles numérotées des plans de ville ①, ②, ③ sont répétées sur les cartes Michelin à 1/200 000.
Elles facilitent ainsi le passage entre les cartes et les guides Michelin.

FORBACH SP 57600 Moselle 57 ⑥ G. Alsace et Lorraine – 27 321 h. alt. 210.

Office de Tourisme à l'Hôtel de Ville ✆ 87 85 02 43.

Paris 386 ② – ♦Metz 60 ② – St-Avold 23 ② – Sarreguemines 19 ② – Saarbrücken 9 ①.

Plan page ci-contre

Poste sans rest, 57 r. Nationale ✆ 87 85 08 80 – wc wc ☎ **P**. ✻ — A **e**
SC : ☐ 17 – **29 ch** 92/148.

Berg sans rest, 50 av. St-Rémy ✆ 87 85 09 12 – wc ☎ **P** – 30 — A **b**
SC : ☐ 20 – **21 ch** 125/162.

du Schlossberg, 13 r. Parc ✆ 87 87 88 26 – AE ⓓ VISA. ✻ — B **s**
fermé mardi soir et merc. – SC : **R** 120/185.

à Stiring-Wendel par ① : 3km – 13 583 h – ✉ **57600** Forbach :

Bonne Auberge, ✆ 87 87 52 78 – **P**. AE ⓓ VISA
fermé du 1er au 22 juil., lundi soir et mardi – **R** 160.

à Rosbruck par ③ : 6 km – ✉ **57800** Freyming-Merlebach :

Aub. Albert Marie, 1 r. Nationale ✆ 87 04 70 76 – **P**
fermé août, dim. soir et lundi – **R** 110/220 ♁.

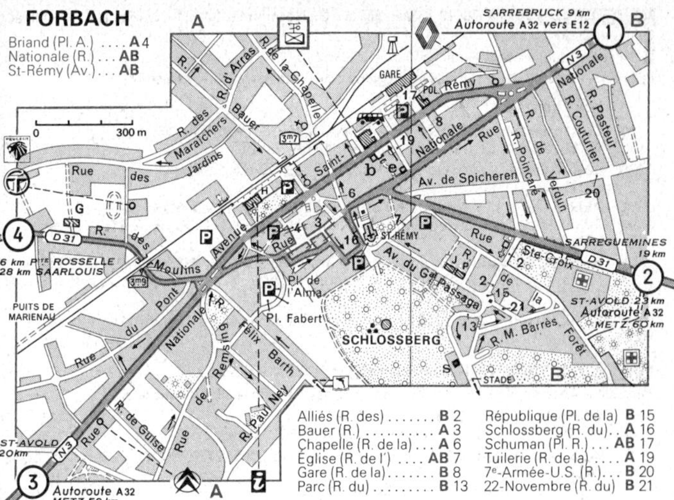

AUSTIN, JAGUAR, MORRIS, ROVER, TRIUMPH Gar. du Centre, 105 r. Nationale à Morsbach ✆ 87 85 06 70
CITROEN Gar. Herber, 210 r. Nationale ✆ 87 85 11 89 N
FIAT, MERCEDES Gar. de l'Europe et de l'Autoroute 294 et 300 r. Nationale, ✆ 87 85 31 74
FORD Lehmann Autom., 143 r. Nationale à Stiring-Wendel ✆ 87 87 42 10
OPEL S.A.M.A., Carr. de l'Europe ✆ 87 87 87 14

PEUGEOT TALBOT Est-Autom., r. Schoeser ✆ 87 85 11 23
RENAULT Pierrard, 3 av. St-Rémy ✆ 87 85 40 65

Leclerc-Pneus, Carr. du Schoeneck ✆ 87 85 78 40
A.P.S 3 r. Nationale à Stiring-Wendel ✆ 87 87 56 94
Berwald, 21 av. Spicheren ✆ 87 87 40 54
Leclerc-Pneus, carr. de l'Europe, Zone Ind. ✆ 87 85 46 26

FORCALQUIER

FORCALQUIER 04300 Alpes-de-H.-Pr 81 ⑮ **G. Côte d'Azur** (plan) – 3 790 h. alt. 550.
Voir Cimetière ★ – ※★ de la terrasse N.-D. de Provence.
Office de Tourisme pl. Bourguet ✆ 92 75 10 02.
Paris 772 – Aix-en-Provence 66 – Apt 42 – Digne 49 – Manosque 23 – Sisteron 44.

XX **Aub. Charembeau** avec ch, E : 3,5 km par N 100 ✆ 92 75 05 69, ≤, ⚘, ✂ – ⋔wc Ⓟ
1er fév.-31 oct. – SC : **R** *(fermé dim. soir et lundi)* carte 85 à 145 – ☐ 23 – **10 ch** 120/180 – P 190/220.

FOREST-SUR-MARQUE

FOREST-SUR-MARQUE 59 Nord 51 ⑯ – rattaché à Roubaix.

FORÊT

FORÊT voir au nom propre de la forêt.

La FORÊT

La FORÊT 33 Gironde 71 ⑨ – rattaché à Bordeaux.

La FORÊT-FOUESNANT

La FORÊT-FOUESNANT 29133 Finistère 58 ⑮ **G. Bretagne** – 2 149 h. alt. 20.
de Quimper et de Cornouaille ✆ 98 56 97 09.
Office de Tourisme 2 r. du Port (fermé après-midi hors sais.) ✆ 98 56 94 09.
Paris 543 – Carhaix-Plouguer 66 – Concarneau 9,5 – Pont-l'Abbé 23 – Quimper 16 – Quimperlé 35.

Manoir du Stang , N : 1,5 km accès par D 783 et chemin privé ✆ 98 56 97 37, « Beau manoir dans un parc fleuri, étangs », ✂ – ▤ Ⓟ – 50. ✗
3 mai-21 sept. – SC : **R** 210 – ☐ 37 – **26 ch** 310/550 – P 365/540.

Espérance , pl. église ✆ 98 56 96 58, ⚘ – ⋔wc ☎ Ⓟ. ✗ rest
31 mars-30 sept. – SC : **R** 51/150 – ☐ 18 – **30 ch** 71/204 – P 166/233.

X **Aub.St-Laurent,** E : 2,5 km rte Concarneau (bord de mer) ✆ 98 56 98 07, ⚘ – Ⓟ
Pâques-fin sept., week-end et vacances scolaires hors sais. – SC : **R** 57/110 ♨.

FORÊT-SUR-SÈVRE

FORÊT-SUR-SÈVRE 79380 Deux-Sèvres 67 ⑯ – 796 h. alt. 157.
Paris 373 – Bressuire 16 – •Nantes 95 – Niort 61 – La Roche-sur-Yon 73.

X **Aub. du Cheval Blanc,** ✆ 49 80 86 35 – E
fermé 25 au 31 août, 1er au 7 fév. et sam. – SC : **R** 58/72 ♨.

FORGES-LES-EAUX 76440 S.-Mar. 55 ⑧ G. Normandie (plan) – 3 756 h. alt. 161 – Stat. therm. – Casino.

Office de Tourisme parc Hôtel de Ville ✆ 35 90 52 10.

Paris 114 – Abbeville 71 – ◆Amiens 70 – Beauvais 50 – ◆Le Havre 118 – ◆Rouen 42.

aux Thermes et Casino

Continental, ✆ 35 09 80 12 – wc ☎ Ⓟ. AE ⓓ E VISA. ✂
SC : **R** voir rest. **Le Cardinal** – ☕ 24 – **50 ch** 160/220.

XXX **Le Cardinal,** au Casino ✆ 35 90 52 67 – Ⓟ. AE ⓓ E VISA. ✂
SC : **R** 119 bc/135.

XX **Paix** avec ch, 17 r. Neufchatel ✆ 35 90 51 22 – Ⓟ. AE ⓓ E VISA
fermé 15 déc. au 15 janv., dim. soir et lundi hors sais. – SC : **R** 52/110 – ☕ 10 – **5 ch** 56/95 – P 121/137.

XX **Aub. du Beaulieu,** SE : 2 km sur D 915 ✆ 35 90 50 36, – Ⓟ. AE ⓓ E VISA
fermé 1er au 8 juin, 9 au 28 fév., lundi et mardi sauf vacances scolaires – SC : **R** 70/150.

RENAULT Gar. du Parc, ✆ 35 90 52 83 N ✆ 35 90 58 94
Parin Pneus, ✆ 35 90 51 17

FORT-MAHON-PLAGE 80790 Somme 51 ⑪ – 962 h. – Casino.

Paris 200 – Abbeville 35 – ◆Amiens 82 – Berck-Plage 20 – Étaples 29 – Montreuil 28.

Victoria, ✆ 22 27 71 05 – fl. VISA
SC : **R** 57/160 – ☕ 14 – **16 ch** 80/112 – P 150/190.

XX **Aub. du Fiacre,** SE : 2 km par rte de Rue ✆ 22 27 76 30, , – Ⓟ. AE E VISA
fermé début janv. à fin fév. – SC : **R** 70/150.

La FOSSETTE 83 Var 84 ⑯⑰ – rattaché au Lavandou.

FOS-SUR-MER 13270 B.-du-R. 84 ⑪ G. Provence – 9 446 h. alt. 157.

Voir Bassins de Fos★.

Office de Tourisme av. J.-Jaurès ✆ 42 05 35 98.

Paris 752 – Aix-en-Provence 56 – Arles 41 – ◆Marseille 51 – Martigues 11 – Salon-de-Provence 30.

Mas de Cantegrillet sans rest, N : 2,5 km par N 578 ✆ 42 05 03 27 – flwc ☎ Ⓟ
fermé 22 déc. au 15 janv. – SC : ☕ 30 – **10 ch** 130/200.

Azur M sans rest, 20 av. J.-Moulin ✆ 42 05 20 50 – wc flwc ☎ Ⓟ. ✂
fermé 20 déc. au 7 janv. – SC : ☕ 20 – **16 ch** 150/220.

XX **Lou Pescadou** M avec ch, Grande Plage ✆ 42 05 41 22, ← – TV wc flwc ☎. AE E VISA. ✂ rest
fermé août et 19 déc. au 4 janv. – **R** *(fermé sam. et dim.)* carte 110 à 170 – ☕ 25 – **11 ch** 190/280.

Midi Pneus Sces, rte d'Arles, Plaine Ronde ✆ 42 05 49 43

FOUDAY 67 B.-Rhin 62 ⑧ G. Alsace et Lorraine – 253 h. alt. 447 – ✉ 67130 Schirmeck.

Paris 404 – St-Dié 32 – Saverne 61 – Sélestat 35 – ◆Strasbourg 57.

Chez Julien, N 420 ✆ 88 97 30 09, – wc flwc ☎ Ⓟ. E VISA
fermé vacances de nov., de fév. et merc. – SC : **R** 60/150 – ☕ 14,50 – **11 ch** 118/142 – P 150.

FOUESNANT 29170 Finistère 58 ⑮ G. Bretagne – 5 430 h. alt. 30.

Office de Tourisme r. Kérourgué ✆ 98 56 00 93.

Paris 546 – Carhaix-Plouguer 69 – Concarneau 13 – Quimper 15 – Quimperlé 39 – Rosporden 18.

Armorique (annexe : - 12 ch wc flwc), 33 r. de Cornouaille ✆ 98 56 00 19, – wc flwc Ⓟ. E. ✂
fin mars-fin sept. et fermé lundi sauf juil.-août – SC : **R** 60/110 – ☕ 22 – **25 ch** 85/220 – P 175/235.

Le Roudou, rte St-Evarzec ✆ 98 56 01 26, – wc fl ☎ Ⓟ. E. ✂ rest
Pâques-30 sept. – SC : **R** 60/150 – ☕ 17 – **20 ch** 100/177.

Orée du Bois sans rest, 4 r. Kergoadig ✆ 98 56 00 06 – flwc
mars-déc., fermé sam. et dim. sauf de mai à sept. – SC : ☕ 18,50 – **15 ch** 88/180.

Arvor, pl. Église ✆ 98 56 00 35, – fl Ⓟ. E VISA. ✂
fermé 3 nov. au 3 déc. et jeudi d'oct. à mars – SC : **R** *(en hiver déj. seul.)* 48/160 – ☕ 16 – **12 ch** 95/180 – P 190/220.

Pommiers, 40 r. Cornouaille ✆ 98 56 00 26, – fl. ✂ ch
fermé janv. et lundi sauf juil.-août – SC : **R** 60/200 – ☕ 20 – **17 ch** 95/170 – P 180/215.

XXX **L'Huîtrière,** rte St-Evarzec ✆ 98 56 06 62, Fruits de mer – Ⓟ. ✂
juil.-août et fermé mardi – SC : **R** (dîner seul.) 121/310.

RENAULT Bourhis, ✆ 98 56 02 65 N ✆ 98 56 80 24

au Cap Coz SE : 2,5 km par VO – ✉ **29170** Fouesnant :

Pointe Cap Coz ⛰, ☎ 98 56 01 63, ≤ – 🛁wc 🚿 ☎. ✻
fin mars-22 sept. et fermé merc. – SC : **R** 75/180 – ☕ 20 – **24 ch** 120/230 – P 180/270.

Bellevue, ☎ 98 56 00 33, ≤, 🌳 – 🛁wc 🚿wc ☎ 🅟. E. ✻
23 mars-début oct. – SC : **R** 56/85 – ☕ 23 – **24 ch** 95/218 – P 177/290.

à la Pointe de Mousterlin SO : 6 km par D 145 et D 134 – ✉ **29170** Fouesnant :

Pointe Mousterlin ⛰, ☎ 98 56 04 12, ≤, 🌳, 🎾 – 🛁wc 🚿wc ☎ 🚗 🅟. ✻
17 mai-20 sept. – SC : **R** 92/160 – ☕ 18 – **47 ch** 75/250 – P 172/302.

FOUGÈRES 🅢🅟 **35300** I.-et-V. **59** ⑱ **G. Bretagne** – 25 131 h. alt. 134.

Voir Château★★ AY – Église St-Sulpice★ AY – Jardin public★ : ≤★ AY – Vitraux★ de l'église St-Léonard AY.

🅘 Office de Tourisme pl. A.-Briand ☎ 99 94 12 20.

Paris 323 ③ – Avranches 40 ⑥ – Laval 50 ② – ♦Le Mans 129 ② – ♦Rennes 48 ④ – St-Malo 76 ⑤.

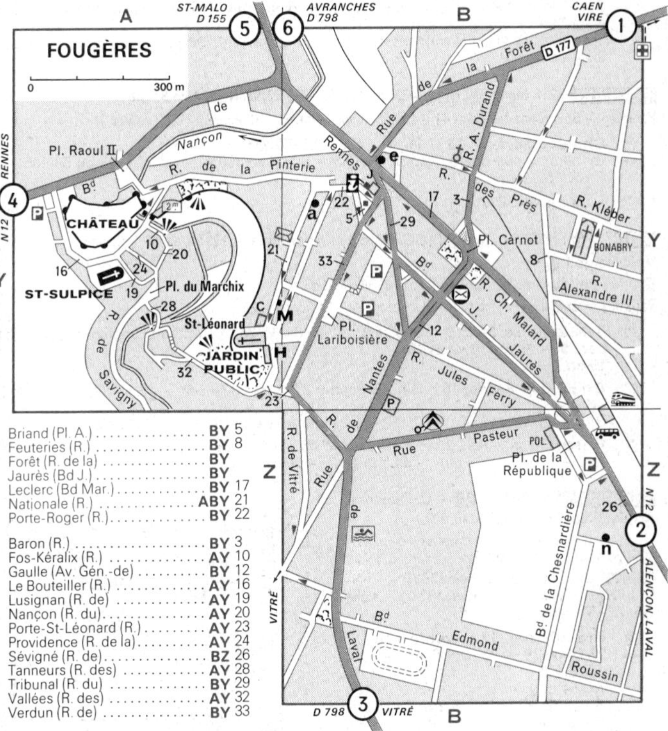

Mainotel Ⓜ ⛰, par ② : 1,5 km sur N 12 ☎ 99 99 81 55, Télex 730956, 🎾 – 📺 🛁wc ☎ ♿ 🅟 – 🎓 35 à 400. E VISA
SC : **R** *(fermé dim. soir)* 60/175 – ☕ 20 – **50 ch** 165/240 – P 260/325.

H. Voyageurs sans rest, 10 pl. Gambetta ☎ 99 99 08 20 – 🛗 🛁wc 🚿wc ☎. AE ⓓ E VISA — BY **e**
fermé 22 déc. au 8 janv. – SC : ☕ 17 – **36 ch** 110/160.

Balzac sans rest, 15 r. Nationale ☎ 99 99 42 46 – 🛗 🛁wc 🚿 ☎. ✻ — BY **a**
SC : ☕ 16 – **20 ch** 110/190.

Commerce, pl. Gd-Marché ☎ 99 94 40 40 – 🛁 🚿 ☎. E VISA. ✻ ch — BZ **n**
fermé 20 déc. au 3 janv., sam. soir (sauf hôtel) et dim. hors sais. – SC : **R** 46/130 – ☕ 16 – **23 ch** 90/160 – P 180/225.

Rest. Voyageurs, 10 pl. Gambetta ☎ 99 99 14 17 – AE VISA — BY **e**
fermé 17 août au 8 sept. et sam. sauf juil. et août – SC : **R** (nombre de couverts limité -prévenir) 78/140.

à la Templerie par ② : 11 km – ✉ **35133** Fougères :

XX **Chez Galloyer "La Petite Auberge",** ✆ 99 95 27 03 – Ⓟ. VISA
fermé août, dim. et lundi – SC : **R** (prévenir) 78/142.

CITROEN Gar. S.A.D.R.A.F., 17 bis r. Pasteur ✆ 99 99 11 92
FIAT Gar. du Centre, Z.A. Le Parc, Rte de Rennes à Lecousse
FORD Gar. Gilbert, ZAC La Guénaudière II ✆ 99 99 66 95
PEUGEOT-TALBOT Armor-Autom., 100 rte d'Ernée par ② ✆ 99 99 03 08
RENAULT S.A.F.A., Z.A.C. la Guénaudière, bd de Groslay par ② ✆ 99 99 42 82
V.A.G Gar. Mouton, 3 r. du Gén.-Chanzy ✆ 99 94 31 31

Maison du Pneu, 10 et 12 Bd St-Germain ✆ 99 99 01 70
SOS Pneus, ZAC la Guénaudière rte de Paris ✆ 99 99 44 92

FOUGEROLLES

70220 H.-Saône **66** ⑥ – 4 328 h. alt. 301.

Paris 365 – Épinal 47 – Luxeuil-les-Bains 9 – Plombières-les-Bains 11 – Remiremont 24 – Vesoul 39.

XX ✿ **Au Père Rota** (Kuentz), ✆ 84 49 12 11 – Ⓟ. AE ⓓ VISA
fermé 1er au 7 juil., 17 nov. au 6 déc., 8 au 18 fév., dim. soir et lundi sauf fériés – SC : **R** 108/194
Spéc. Nage de turbot et crustacés au vin jaune, Aiguillettes de canard aux chanterelles (saison), Gratin de cerises.

FOULAIN

52 H.-Marne **62** ⑪⑫ – 535 h. alt. 298 – ✉ **52800** Nogent-en-Bassigny.

Paris 265 – Bourbonne-les-Bains 44 – Châtillon-sur-Seine 63 – Chaumont 11 – Langres 24.

XX **Chalet** avec ch, ✆ 25 31 11 11 – ⋒wc. AE ⓓ VISA
fermé dim. soir du 15 sept. au 15 juin – SC : **R** 50/150 ꝏ – ☕ 15 – **12 ch** 59/145 – P 120/150.

DATSUN, LADA, SKODA Maitre, ✆ 25 31 10 16

FOURAS

17450 Char.-Mar. **71** ⑬ **G. Côte de l'Atlantique** – 3 297 h. alt. 40 – Casino.

Voir Donjon ✻★.

Office de Tourisme pl. Bugeau (sais.) ✆ 46 88 60 69.

Paris 482 – Châtelaillon-Plage 17 – Rochefort 14 – La Rochelle 27.

Résidence Le Parc sans rest, ✆ **46 84 61 26, « Demeure ancienne dans un parc »** – ⌂wc ⋒wc ☎ Ⓟ
16 ch.

Gd H. des Bains, 15 r. Gén.-Bruncher ✆ **46 84 03 44,** – ⌂wc ⋒wc ☎. ✻ rest
30 mai-22 sept. – SC : **R** 69/130 – ☕ 16,50 – **36 ch** 129/187 – P 200/245.

Roseraie sans rest, 2 av. Port-Nord ✆ **46 84 64 89,** – ⌂wc ⋒wc
fermé 20 déc. au 15 janv. – SC : ☕ 14,50 – **20 ch** 113/135.

FOURMIES

59610 Nord **53** ⑯ **G. Flandres, Artois, Picardie** – 15 599 h. alt. 202.

Office de Tourisme à l'Hôtel de Ville (1er avril-30 sept.) ✆ 27 60 40 97.

Paris 201 ③ – Avesnes-sur-Helpe 16 ③ – Charleroi 61 ① – Guise 34 ③ – Hirson 13 ② – ♦Lille 116 ③ – Vervins 28 ③.

Providence, 12 r. Verpraet **(a)** ✆ 27 60 06 25 – ⌂wc ⋒ ☎. AE ⓓ E VISA
fermé août et sam. – SC : **R** 49/190 ꝏ – ☕ 16,50 – **18 ch** 51/150 – P 190/260.

à l'Etang des Moines E : 2 km par D 964 et VO – ✉ **59610** Fourmies :

Ibis Ⓜ sans rest, ✆ **27 60 21 54,** Télex 810172, ≤ – TV ⌂wc ☎ Ⓟ – 30. E VISA
SC : ☕ 20 – **30 ch** 202/231.

X **Aub. des Étangs des Moines,** ✆ **27 60 02 62,** ≤ – Ⓟ. VISA
fermé 15 déc. au 20 janv. et vend. – SC : **R** 55/150 ꝏ.

Clavon (R. Xavier) . 2
Cousin-Corbier (R.) 3
Gaulle (Av. Ch.) 4
Jaurès (R. J.) 5
Legrand (R. Th.) . . . 7
République (Pl.) . . 8
Rouets (R. des) . . . 12
St-Louis (R.) 13
Verpraet (R. Édouard) . . . 17

CITROEN Losson, 13 r. A.-Renaud par ① ✆ 27 60 14 68
PEUGEOT-TALBOT Gar. Legrand, 4 av. Prés.-Kennedy par ② ✆ 27 60 02 23
RENAULT Gar. Cohidon, 51 r. des Etangs ✆ 27 60 43 27
RENAULT Gar. Prévost, 2 r. Ed.-Verpraet ✆ 27 60 06 16

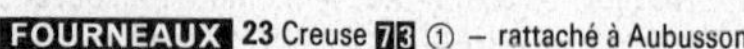

FOURNEAUX **23** Creuse **73** ① – rattaché à Aubusson.

Le FOUSSERET 31430 H.-Gar. 82 ⑯ – 1 375 h. alt. 319.
Paris 761 – Auch 68 – Foix 74 – Pamiers 63 – St-Gaudens 41 – St-Girons 51 – •Toulouse 56.

Voyageurs, ✆ 61 87 73 06, – wc . E.
fermé 15 août au 15 sept., sam. soir et dim. soir sauf juil.-août – SC : **R** 52 bc/150 – 12 – **8 ch** 54/97 – P 130 bc/140 bc.

La FOUX 83 Var 84 ⑰ – rattaché à Port-Grimaud.

FRAÏSSE-SUR-AGOUT 34330 Hérault 83 ③ **G. Causses** – 266 h. alt. 790.
Syndicat d'Initiative à la Mairie (juil.-août) ✆ 67 97 61 14.
Paris 733 – Castres 58 – Lacaune 31 – Lodève 71 – •Montpellier 114.

Aub. de l'Espinousse, ✆ 67 97 63 10, – wc wc
1er mars-31 déc. – SC : **R** 55/220 – 18 – **20 ch** 120/160 – P 145/200.

FRANCEVILLE-PLAGE 14 Calvados 55 ② – voir à Merville.

La FRANQUI 11 Aude 86 ⑩ – ✉ **11370** Leucate.
Paris 880 – Carcassonne 86 – Leucate 5 – Narbonne 37 – •Perpignan 39 – Port-la-Nouvelle 19.

Plage, face plage ✆ 68 45 70 23, ← – wc
Pâques-oct. – SC : **R** 53/125 – 17 – **32 ch** 160/210 – P 180.

La FREISSINOUSE 05 H.-Alpes 81 ⑥ – 334 h. alt. 970 – ✉ **05000** Gap.
Paris 678 – Clelles 67 – Die 87 – Gap 9 – La Saulce 22 – Serres 34 – Sisteron 52.

Azur, D 994 ✆ 92 57 81 30, ←, – wc wc
fermé 20 nov. au 15 déc. – SC : **R** 60/92 – 15 – **46 ch** 110/190 – P 145/200.

FRÉJUS 83600 Var 84 ⑧, 195 ㉝ **G. Côte d'Azur** – 32 698 h. alt. 8.
Voir Quartier épiscopal** C : **baptistère****, **cloître****, **cathédrale*** – **Ville romaine*** A : arènes* – **Parc zoologique*** N : 5 km par ③.
18 de Valescure ✆ 94 52 16 58, NE : 8 km – ✆ 94 99 50 50.
Office de Tourisme pl. Calvini ✆ 94 51 53 87 et Fréjus-Plage (1er juin-30 sept.) ✆ 94 51 48 42.
Paris 871 ③ – Brignoles 63 ③ – Cannes 36 ④ – Draguignan 29 ③ – Hyères 75 ②.

Plan page suivante

Le Vieux Four avec ch, 57 r. Grisolle ✆ 94 51 56 38, « intérieur rustique » – wc . AE E VISA. ch — C **a**
fermé 20 sept au 20 oct., vacances de fév., dim. soir et lundi – SC : **R** (prévenir) 150/200 – 18 – **8 ch** 139/220.

Les Potiers, 135 r. Potiers ✆ 94 51 33 74 — C **s**
fermé 15 nov. au 20 déc., 24 fév. au 5 mars, merc. hors sais. et sam. midi – SC : **R** (dîner seul. en saison) 85/160.

Cave Blanche, pl. Calvini ✆ 94 51 25 40 – AE VISA — C **b**
fermé 22 déc. au 15 mars et lundi – SC : **R** 92/190.

Lou Calen, 9 r. Desaugiers ✆ 94 52 36 87 – AE — C **n**
fermé 15 déc. au 15 janv. et merc. – SC : **R** 105/145.

à Fréjus-Plage AB – ✉ **83600** Fréjus

Palmiers sans rest., bd Libération ✆ 94 51 18 72, ← – wc wc . AE VISA
Pâques-nov. – SC : **55 ch** 253/289. — B **k**

H. Oasis sans rest., r. H.-Fabre ✆ 94 51 50 44 – wc wc .
fév.-oct. – SC : 21 – **27 ch** 167/240. — B **h**

Il était une fois , r. F.-Mistral ✆ 94 51 21 26 – rest wc wc . rest — A **u**
SC : **R** *(fermé 1er au 15 nov., 1er au 15 janv. et merc. hors sais.)* (dîner seul.) 70/75 – 18 – **20 ch** 167/216.

Rest. Oasis, bd Alger ✆ 94 51 06 72, ← — B **e**

au Colombier par ③ et D 4 : 3 km – ✉ **83600** Fréjus :

Les Résidences du Colombier M , ✆ 94 51 45 92, Télex 470328, , parc, , – – 25 à 200. AE VISA
1er avril-1er nov. – SC : **R** 118 – 31 – **60 ch** 312/468.

ALFA-ROMEO-INNOCENTI-MAZDA Corfou, angle N 7 et rte de Bagnols ✆ 94 51 49 82
CITROEN Gar. Moderne, 151 av. Verdun ✆ 94 51 52 65
FIAT Gar. du Ponant, 1264 av. de-Lattre-De-Tassigny ✆ 94 51 30 74
FORD Gar. Vagneur, 449 bd de la Mer ✆ 94 51 38 39
MERCEDES-BENZ, PORSCHE-MITSUBISHI International-Gar., 7 bd Col. Dessert à Puget-sur-Argens ✆ 94 45 22 74
PEUGEOT Ortelli, 1370 av. de Lattre-De-Tassigny ✆ 94 51 33 00
V.A.G. S.O.D.R.A., av. de-Lattre-De-Tassigny ✆ 94 51 53 84 N ✆ 94 51 03 56

Omnica, 238 av. de Verdun ✆ 94 51 01 54
Piot-Pneu, Lotissement Ind. La Palud ✆ 94 51 29 20

FRÉJUS

Fleury (R. de) . . . . **C** 28
Formigé (Pl.) . . . . **C** 29
Grisolle (R.) . . . . **C** 37
Jaurès (R. Jean) . . . . **C**
Liberté (Pl. de la) . . . . **C** 42
Montgolfier (R.) . . . . **C** 45
Sieyès (R.) . . . . **C** 52

Agachon (Av. de l') . . . . **A** 2
Alger (Bd) . . . . **B** 5
Aubenas (R. Joseph) . . . . . **C** 7
Beausset (R. du) . . . . **C** 9
Bidoure (R. Martin) . . . . **C** 10
Blazy (R. du Cap.) . . . . **AC** 12
Brosset (Av. du Gén.) . . . . . **A** 13
Camelin (R. de) . . . . **C** 15
Carrara (R. Jean) . . . . **A** 16
Clemenceau (R. G.) . . . . **C** 19
Coucourdin (Chemin de) . . **A** 22
Craponne (R.) . . . . **C** 23
Decuers (Bd S.) . . . . **AC** 24
Donnadieu (R.) . . . . **B** 25
Einaudi (R. Albert) . . . . **A** 26
Fabre (Av. Hippolyte) . . . . . **B** 27
Gallus . . . . **C** 30
Garros (R. Roland) . . . . **B** 32
Girardin (R.) . . . . **C** 35
Glacière (Pl. de la) . . . . **C** 36
Libération (Bd de la) . . . . . . **B** 40
Papin (R. Denis) . . . . **B** 46
Potiers (R. des) . . . . **C** 48
Reynaude (R.) . . . . **C** 49
Verdun (Av. de) . . . . **AC** 53
Vernet (Esplanade Paul) . . . . **AC** 54
Victor-Hugo (Av.) . . . . **B** 56
XVe-Corps (Av. du) . . . . **A** 59

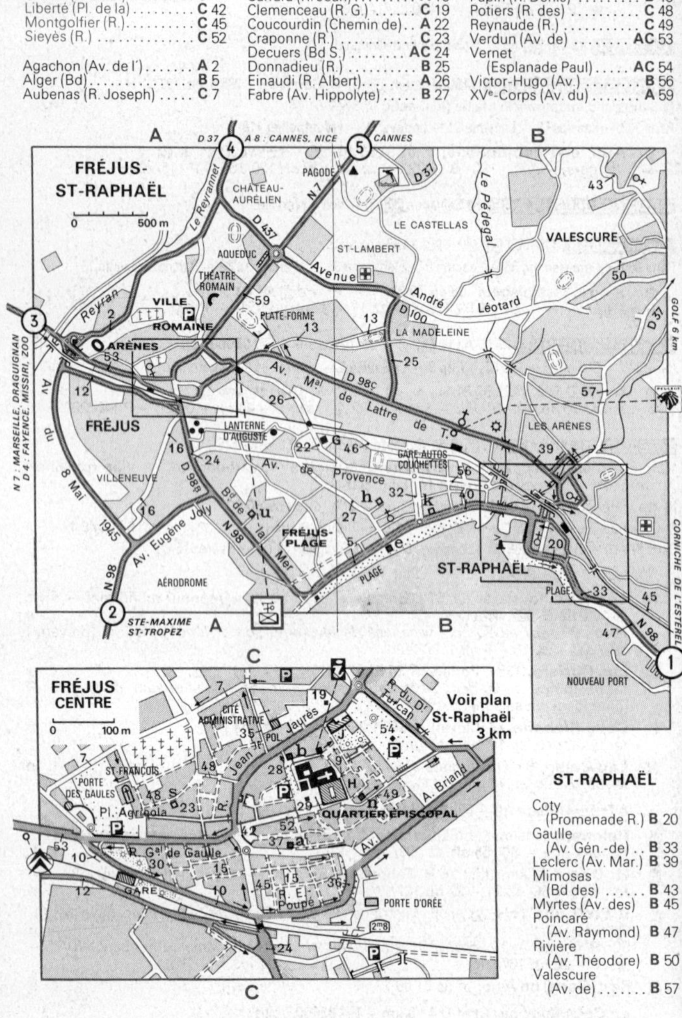

ST-RAPHAËL

Coty (Promenade R.) **B** 20
Gaulle (Av. Gén.-de) . . **B** 33
Leclerc (Av. Mar.) **B** 39
Mimosas (Bd des) . . . . . . **B** 43
Myrtes (Av. des) **B** 45
Poincaré (Av. Raymond) **B** 47
Rivière (Av. Théodore) **B** 50
Valescure (Av. de) . . . . **B** 57

In this guide,

*a symbol or a character, printed in red or black in light or **bold** type, does not have the same meaning.*

Please read the explanatory pages carefully (pp. 22 to 29).

FRÉLAND **68** H.-Rhin **62** ⑱ – 1 100 h. alt. 420 – ✉ **68240** Kaysersberg.

Paris 431 – Colmar 18 – Gérardmer 48 – St-Dié 42 – Sélestat 33.

Kalblin, ✆ 89 47 58 55, – wc. rest
fermé 12 au 24 nov. et 3 au 18 mars – SC : **R** 60/130 – 18 – **11 ch** 75/175 – P 170/260.

Le FRENEY-D'OISANS 38142 Isère 77 ⑥ – 180 h. alt. 900.

Voir Barrage du Chambon** SE : 2 km – Gorges de l'Infernet* SO : 2 km, G. Alpes.

Paris 623 – Bourg-d'Oisans 12 – La Grave 16 – ♦Grenoble 61.

Cassini, ☎ 76 80 04 10, ≤, – ⋒wc. VISA
10 juin-10 oct. et 20 déc.-1er mai – SC : **R** 60/170 – ☕ 18 – **14 ch** 80/210 – P 156/248.

à Mizoën NE : 3 km – ✉ **38142** Le Freney d'Oisans :

Panoramique Ⓜ, ☎ **76 80 06 25**, ≤ montagne et vallée, – ⌂wc ⋒wc ☎ Ⓟ. rest
1er juin-30 sept. et 15 déc.-30 avril – SC : **R** 75 – ☕ 16,50 – **9 ch** 152/180 – P 175/190.

FRESNAY-EN-RETZ 44 Loire-Atl. 67 ② – 877 h. alt. 5 – ✉ **44580** Bourgneuf-en-Retz.

Paris 416 – Challans 25 – ♦Nantes 39 – La Roche-sur-Yon 58 – St-Nazaire 39.

XX **Le Colvert,** ☎ 40 21 46 79 – AE ⓓ VISA.
fermé 2 au 22 juil., vacances de fév., dim. soir et merc. – SC : **R** 54/185.

FRESNAY-SUR-SARTHE 72130 Sarthe 60 ⑫⑬ **G. Normandie** – 2 692 h. alt. 81.

ℹ Syndicat d'Initiative pl. de Bassum (juin-sept.) ☎ 43 33 28 04.

Paris 234 – Alençon 20 – Laval 71 – Mamers 30 – ♦Le Mans 38 – Mayenne 58.

Ronsin, 5 av. Charles-de-Gaulle ☎ **43 97 20 10** – ⌂wc ⋒wc. AE ⓓ VISA
fermé lundi (sauf hôtel) et dim. soir hors sais. – SC : **R** 42/125 ₰ – ☕ 19,50 – **12 ch** 105/195 – P 170/220.

CITROEN Goupil, ☎ 43 97 20 08
PEUGEOT-TALBOT Dallier, ☎ 43 97 20 34
RENAULT Labbé, ☎ 43 97 20 85

FRESNES-LÈS-MONTAUBAN 62 P.-de-C. 53 ③ – 454 h. alt. 49 – ✉ **62490** Vitry-en-Artois.

Paris 180 – Arras 14 – Cambrai 39 – Douai 12 – ♦Lille 40.

Motel Grill, N 50 près échangeur ☎ **21 50 00 13** – TV ⌂wc ☎ Ⓟ – 150. AE ⓓ E VISA
SC : **R** 60/135 ₰ – ☕ 22 – **41 ch** 235/270.

XX **La Frenaie,** ☎ 21 50 17 19 – Ⓟ. AE E
fermé août, dim. soir et lundi – SC : **R** 60/100 ₰.

Le FRET 29 Finistère 58 ④ – rattaché à Crozon.

FRÉVENT 62270 P.-de-C. 51 ⑬ **G. Flandres, Artois, Picardie** – 4 301 h. alt. 79.

Paris 193 – Abbeville 41 – Arras 39 – Doullens 15 – Montreuil 48 – St-Pol-sur-Ternoise 13.

à Monchel-sur-Canche NO : 7,5 km par D 340 – ✉ **62270** Frévent :

X **Vert Bocage** avec ch, ☎ 21 47 96 75, ≤, parc – ⋒ Ⓟ
SC : **R** 60/120 – ☕ 20 – **10 ch** 118/180 – P 200.

RENAULT Mercier, ☎ 21 04 21 97

FREYMING-MERLEBACH 57800 Moselle 57 ⑯ **G. Alsace et Lorraine** – 16 218 h. alt. 217.

Paris 374 – Forbach 11 – ♦Metz 49 – St-Avold 12 – Saarbrücken 20 – Sarreguemines 24.

Caveau de la Bière, face Gare routière ☎ **87 81 33 45** – ⌂wc. E VISA
fermé dim. soir et sam. – SC : **R** 45/130 ₰ – ☕ 18 – **22 ch** 62/192 – P 140/240.

XX **Le Charolais,** 16 av. Roosevelt ☎ **87 04 78 68** – VISA.
SC : **R** 60/190 ₰.

PEUGEOT TALBOT Gar. Derr, 1 r. Metz à Merlebach ☎ 87 81 40 10
RENAULT Wilmouth, 20 r. Rosselle à Merlebach ☎ 87 04 61 31

FROENINGEN 68 H.-Rhin 66 ⑨ – rattaché à Mulhouse.

FROMENTINE 85 Vendée 67 ① – ✉ **85550** La Barre-de-Monts.

Paris 449 – Challans 24 – ♦Nantes 69 – Noirmoutier-en-l'Ile 24 – Pornic 41 – La Roche-sur-Yon 63.

Plage, ☎ 51 68 52 05 – ⋒wc. E VISA
hôtel : 15/3-15/10 et fermé lundi du 15/3 au 15/6 ; rest : 1er mai-14 sept. et fermé dim. soir et lundi de mai au 16 juin – SC : **R** 50/120 – ☕ 17 – **17 ch** 78/162 – P 165/198.

FRONTIGNAN 34110 Hérault 83 ⑯⑰ **G. Causses** – 14 961 h.

ℹ Office de Tourisme Rond-Point de l'Esplanade (fermé après-midi hors saison) ☎ 67 48 33 94.

Paris 782 – Lodève 72 – ♦Montpellier 22 – Sète 7.

à La Peyrade SO : 3 km sur N 112 – ✉ **34110** Frontignan :

Vila sans rest, ☎ **67 48 77 42** – ⋒wc ☎ Ⓟ. E VISA
SC : ☕ 18 – **30 ch** 100/180.

au Nord-Est 4 km sur N 112 – ✉ **34110** Frontignan :

Host. de Balajan, ☎ 67 48 13 99, – ▭wc ⋒ ☎ **P** – 45. VISA. ⁂ rest
fermé 1er fév. au 3 mars et lundi midi – SC : **R** 58/200 – ☕ 25 – **21 ch** 110/300 – P 230/308.

à l'Est : 7,5 km par rte littorale D 60 – ✉ **34110** Frontignan :

L'Escale, Les Aresquiers ☎ 67 78 14 86, ≤, , Produits de la mer
fermé 2 janv. au 15 mars – SC : **R** (du 1er nov. au 1er janv. fermé le soir et déj. sur commande) 75/280.

CITROEN Vernhet, av. des Vignerons ☎ 67 48 11 92

La FRUITIÈRE 65 H.-Pyr. 85 ⑰ – rattaché à Cauterets.

FUANS 25 Doubs 66 ⑰ – rattaché à Orchamps-Vennes.

FUISSÉ 71 S.-et-L. 69 ⑲ **G. Bourgogne** – 355 h. alt. 250 – ✉ **71960** Pierreclos.
Paris 402 – Charolles 55 – Chauffailles 59 – Mâcon 8,5 – Villefranche-sur-Saône 45.

Pouilly Fuissé, ☎ 85 35 60 68, – VISA
fermé 1er au 10 sept., mi-fév. à mi-mars, mardi soir (sauf juil. et août) et merc. – SC : **R** (sam. et dim. prévenir) 66/110.

FUMEL 47500 L.-et-G. 79 ⑥ – 6 659 h. alt. 72.
Voir Église★ de Monsempron O : 2 km, G. Périgord.
ℹ Syndicat d'Initiative pl. G.-Escande (avril-sept.) ☎ 53 71 13 70.
Paris 593 – Agen 56 – Bergerac 74 – Cahors 48 – Montauban 76 – Villeneuve-sur-Lot 27.

Vistorte (annexe - 8 ch ⋒wc), 77 av. E.-Zola ☎ 53 71 01 21, , – ⋒wc **P**
20 ch.

à Touzac E : 7,5 km – ✉ **46700** Puy-l'Évêque :

La Source Bleue , ☎ 65 36 52 01, ≤, , « Parc au bord du Lot » – ▭wc ☎ **P**. VISA. ⁂ rest
1er avril-1er oct. et fermé mardi sauf hôtel – SC : **R** 80/185 – ☕ 20 – **9 ch** 180/275 – P 530/625 (pour 2 pers.).

à Montcabrier (Lot) NE : 12 km par D 911, D 673 et D 58 – ✉ **46700** Puy-l'Évêque :

Relais de la Dolce M , ☎ 65 36 53 42, parc, , – ▭wc ☎ ♿ **P** – 25. AE ① E VISA. ⁂ rest
SC : **R** *(fermé mardi midi)* 80/245 – ☕ 28 – **12 ch** 290/300.

CITROEN Calassou, rte de Périgueux, Zone Ind. ☎ 53 71 01 80
MERCEDES-BENZ Gras, 4 av. de la Gare, Monsempron-Libos ☎ 53 71 01 16
PEUGEOT-TALBOT Cousset, Montayral ☎ 53 71 03 58
RENAULT S.E.V.A., Zone Ind. Florimont ☎ 53 71 40 40
Solapneu, rte Villeneuve, Condezaygues ☎ 53 71 01 50

La FUSTE 04 Alpes-de-H.-P. 81 ⑮ – rattaché à Manosque.

FUTEAU 55 Meuse 56 ⑲ – 160 h. alt. 181 – ✉ **55120** Clermont-en-Argonne.
Paris 234 – Bar-le-Duc 42 – Ste-Ménehould 13 – Verdun 40.

L'Orée du Bois, à Courupt S : 1 km ☎ 29 88 28 41, ≤, – **P**. E VISA
fermé janv., dim. soir et mardi – SC : **R** 61/170.

CITROEN Gar. Noel-Bievelot, à Les Islettes ☎ 29 88 28 20

FUVEAU 13710 B.-du-R. 84 ③ – 4 029 h. alt. 283.
Paris 769 – Aix-en-Provence 14 – ♦Marseille 38 – St-Maximin-la-Ste-Baume 28.

Mas d'Aurumy, rte Gréasque ☎ 42 58 71 24 – **P**
fermé août, dim. soir, fêtes le soir et merc. – SC : **R** carte 130 à 250.

GABAS 64 Pyr.-Atl. 85 ⑯ **G. Pyrénées** – alt. 1 020 – ✉ **64440** Laruns.
Voir Pic de la Sagette ✳★★ E : 2 km et téléphérique puis 30 mn – Lac★ de Bious Artigues : ≤★★ SO : 4,5 km.
Paris 821 – Argelès-Gazost 58 – Eaux-Bonnes 16 – Laruns 14 – Pau 51.

Vignau, ☎ 59 05 34 06, – ▭ ⋒ **P**. ⁂
SC : **R** 43/111 – ☕ 12,50 – **16 ch** 68/108 – P 168/200.

GABRIAC 12 Aveyron 80 ③ – 470 h. alt. 575 – ✉ **12340** Bozouls.

Paris 589 – Espalion 13 – Mende 88 – Rodez 27 – St-Geniez-d'Olt 19 – Sévérac-le-Château 34.

Bouloc, ✆ 65 44 92 89, – wc
fermé oct. et merc. sauf juil.-août – SC : **R** 52/100 – 16 – **13 ch** 60/130 – P 140/160.

GACÉ 61230 Orne 60 ④ – 2 352 h alt. 198.

Syndicat d'Initiative à l'Hôtel de Ville ✆ 33 35 50 24.

Paris 166 – L'Aigle 27 – ♦Alençon 46 – Argentan 27 – Bernay 42 – Falaise 41 – Lisieux 45.

Le Morphée sans rest, r. Lisieux ✆ **33 35 51 01,** – wc. VISA
fermé 15 déc. au 15 janv. – SC : 22 – **10 ch** 199/240.

Host. les Champs, rte Alençon ✆ **33 35 51 45,** – wc. E VISA
fermé 15 janv. au 15 fév., merc. midi et mardi hors sais. – SC : **R** 88/190 – 23 – **14 ch** 108/285.

PEUGEOT-TALBOT Gar. Anjou, ✆ 33 35 53 35 RENAULT Gar. Duchesne, ✆ 33 35 60 84

La GACILLY 56200 Morbihan 63 ⑤ – 2 164 h. alt. 20.

Paris 403 – Châteaubriant 66 – Dinan 87 – Ploërmel 30 – Redon 16 – ♦Rennes 58 – Vannes 55.

France et Square (Annexe : M - 16 ch wc), ✆ **99 08 11 15** – wc – 25. AE E VISA.
SC : **R** 38/95 – 14 – **42 ch** 68/175 – P 158/245.

RENAULT Gar. Moderne, ✆ 99 08 10 37 N

GAGES-LE-HAUT 12 Aveyron 80 ③ – rattaché à Rodez.

GAILLAC 81600 Tarn 82 ⑨⑩ **G. Causses** – 10 654 h. alt. 143.

Office de Tourisme pl. Libération ✆ 63 57 14 65.

Paris 680 ① – Albi 22 ② – Cahors 89 ① – Castres 49 ③ – Montauban 50 ⑥ – ♦Toulouse 54 ⑤.

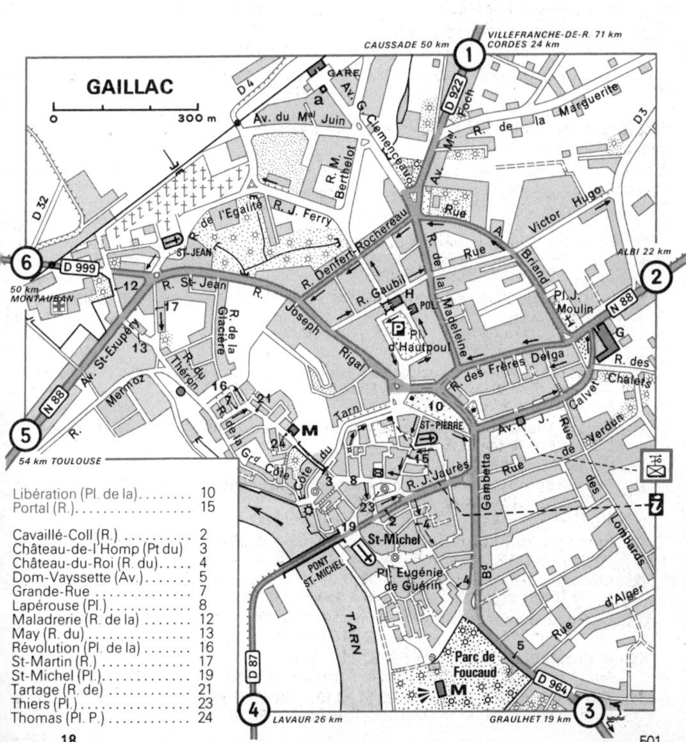

Occitan sans rest, pl. de la Gare **(a)** 63 57 11 52 – wc . AE VISA
fermé vacances de fév. – SC : 24 – **13 ch** 110/220.

XX **Le Vigneron,** par ⑤ : 1,5 km 63 57 07 20, –
fermé 1er au 8 janv., dim. soir et lundi hors sais. – SC : **R** 55/180.

PEUGEOT-TALBOT Capmartin, 83 av. Ch. de Gaulle par ② 63 57 08 48
RENAULT Gaillac-Auto, av. St-Exupéry par ⑤ 63 57 17 50 N 63 57 23 54
Deldossi, 92 r. J.-Rigal 63 57 03 29
François, 24 bd Gambetta 63 57 13 96

La GAILLARDE 83 Var 84 ⑱ – rattaché aux Issambres.

La GALÈRE 06 Alpes-Mar. 84 ⑧, 195 ㉞ – rattaché à Théoule.

GALGON 33 Gironde 71 ⑧, 75 ⑫ – rattaché à Libourne.

GALIMAS 47 L.-et-G. 79 ⑮ – rattaché à Agen.

GALLARDON 28320 E.-et-L. 60 ⑧, 196 ㊴ **G. Environs de Paris** – 2 101 h. alt. 140.
Voir "Silhouette" (église et tour)★ – Choeur★ de l'église.
Paris 76 – Ablis 13 – Chartres 21 – Dreux 37 – Épernon 11 – Maintenon 12 – Rambouillet 18.

XX **Commerce,** pl. Église 37 31 00 07 – VISA
fermé 1er au 21 sept., 24 fév. au 10 mars, dim. soir, mardi soir et lundi – SC : **R** carte 150 à 250.

GANGES 34190 Hérault 80 ⑯ **G. Causses** – 3 584 h. alt. 183.
Voir Gorges de la Vis★★ SO : 3 km.
Office de Tourisme plan de l'Ormeau (sais.) 67 73 80 77.
Paris 755 – Alès 48 – Béziers 96 – Lodève 51 – ♦Montpellier 45 – Nîmes 64 – Le Vigan 17.

Poste sans rest, 8 plan Ormeau 67 73 85 88 – wc wc .
SC : 14 – **25 ch** 63/144.

à St-Laurent-le-Minier O : 5 km par D 25 – **30440** Sumène :

XX **Le Fournil,** 67 73 91 65. VISA
fermé fév., dim. soir et lundi hors sais. – SC : **R** 80/200.

CITROEN Cayrel, 67 73 81 30 N 67 73 92 93
PEUGEOT-TALBOT Jourdan, 67 73 81 65
RENAULT S.A.G.R., 67 73 92 47

GAP P 05000 H.-Alpes 77 ⑯ **G. Alpes** – 31 271 h. alt. 733.
92 51 50 50.
Office de Tourisme 5 r. Carnot 92 51 57 03 – A.C. 5 ter r. Capitaine-de-Bressan 92 53 62 00.
Paris 667 ① – Alès 212 ④ – Avignon 169 ④ – ♦Grenoble 105 ① – Montélimar 153 ④.

Plan page ci-contre

La Grille, 2 pl. F.-Euzière 92 53 84 84 – wc wc . AE E VISA — Z r
fermé 1er déc. au 1er janv. – SC : **R** *(fermé dim. soir et lundi hors sais.)* 54/110 – 20 – **30 ch** 140/220 – P 220/260.

Le Clos , 20 ter av. Cdt-Dumont 92 51 37 04, – wc . E VISA. rest — Y z
fermé 20 oct. au 20 nov. – SC : **R** *(fermé dim. soir hors sais.)* 75/135 – 16,50 – **42 ch** 115/165 – P 390.

Mokotel M sans rest, par ③ : 2,5 km (près piscine), rte Marseille 92 51 57 82 – wc wc – 25. AE E VISA
SC : 16,50 – **27 ch** 125/175.

Ferme Blanche sans rest, par ① et D 92 : 2 km 92 51 03 41, ←, – wc wc . AE E VISA
SC : 16 – **30 ch** 90/165.

Fons Regina , par ③ : 2,5 km, Quartier de Fontreyne 92 53 98 99, parc, – TV wc wc . AE E VISA
SC : **R** 64/125 – 21 – **22 ch** 85/205 – P 175/243.

Paix sans rest, 1 pl. F.-Euzière 92 51 03 29 – wc wc . VISA — Z v
fermé 15 oct. au 15 nov. – SC : 15 – **25 ch** 85/170.

Michelet sans rest, pl. Gare 92 51 27 86 – wc wc . E VISA — Y t
fermé 15 oct. au 15 nov. – 16,50 – **15 ch** 114/170.

XXX **La Roseraie,** par ① et D 92 : 2 km 92 51 43 08, ←, – . AE E VISA
fermé janv., dim. soir et jeudi – SC : **R** 90/230.

XX **le Patalain,** 7 r. Alpes 92 52 30 83 – VISA — Y d
fermé 10 juil.au 1er août, 22 déc. au 3 janv., vend. et sam. midi – SC : **R** 80/150.

XX **Carré Long,** 32 r. Pasteur 92 51 13 10 – AE E VISA — Y a
fermé 8 au 20 mai, 13 au 26 oct., dim. et lundi – SC : **R** 65/105.

GAP

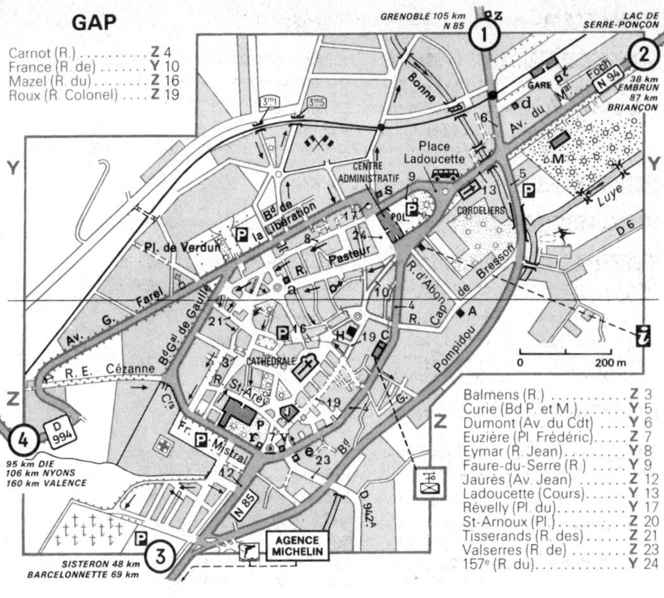

XX **La Musardière,** 3 pl. Révelly ℘ 92 51 56 15 – AE ⓓ VISA — Y s
fermé 16 juin au 3 juil., 22 au 30 oct. et lundi sauf fériés – SC : **R** carte environ 150.

XX **Manoir de Malcombe,** par ④ : D 994 et VO : 4 km ℘ 92 51 04 60, ⌂, ☗ – Ⓟ. AE E VISA
fermé 1er au 15 nov., 1er au 15 fév. et lundi – SC : **R** 90/190.

X **Pique Feu,** par ③ : 2,5 km, (près piscine) rte Marseille ℘ 92 52 16 06, ⌂ – Ⓟ. VISA
fermé janv., dim. soir et lundi – SC : **R** 71/94.

X **La Petite Marmite,** 79 r. Carnot ℘ 92 51 14 20 – ⓓ E — Z e
fermé 15 au 30 juin et merc. – SC : **R** 40/75.

MICHELIN, Agence, rte St-Jean par ③ et D 900B ℘ 92 51 63 32

ALFA-ROMEO, DATSUN Alpes-Sport-Autom. Zone Ind. les Fauvins ℘ 92 51 18 65
AUSTIN, ROVER, TRIUMPH Gar. de Verdun, 4 r. P.-Bert, pl. de Verdun ℘ 92 51 26 18
BMW, FIAT Transalp-Auto, av. d'Embrun ℘ 92 52 02 57
CITROEN Autom. Gap et Alpes, 24 av. d'Embrun par ② ℘ 92 53 88 11
FORD Gar. Europ-Auto, rte de Briançon ℘ 92 52 05 46
LANCIA-AUTOBIANCHI Gar. Rouit, rte Marseille Fontreyne ℘ 92 51 18 26
OPEL Provensal, Cours Victor-Hugo ℘ 92 51 02 95
PEUGEOT, TALBOT Éts Brotons, rte Marseille par ③ ℘ 92 52 15 17
RENAULT Gap-Autom., av. d'Embrun par ② ℘ 92 53 96 96 N
V.A.G. Gar. Alpes-Service, rte de Briançon ℘ 92 52 25 56

Ⓜ Barneaud-Pneus, rte de Barcelonnette ℘ 92 51 00 59
Meizenq-Pneus, av. d'Embrun ℘ 92 52 22 33
Piot-Pneu, av. d'Embrun ℘ 92 52 20 28

GARABIT (Viaduc de) ** 15 Cantal **76** ⑭ **G. Auvergne** – alt. 835 – ✉ **15390** Loubaresse.

Env. Belvédère de Mallet ≤** SO : 13 km puis 10 mn.

Paris 500 – Aurillac 88 – Mende 71 – Le Puy 100 – St-Flour 12.

Panoramic, N 9 rte de Clermont ✉ 15100 St-Flour ℘ 71 23 40 24, ≤ lac, ⛱, ✕ – ⛀wc ⋔wc ☎ Ⓟ. E VISA
25 mars-3 nov. – SC : **R** 42/100 ⅓ – ☕ 15 – **27 ch** 80/170 – P 142/190.

Garabit H., ℘ 71 23 42 75, ≤, ⛱, ⛱ – ⛀wc ⋔wc ☎ Ⓟ – ⛷ 35. E
1er avril-15 oct. – SC : **R** 47/155 – ☕ 20 – **48 ch** 105/255 – P 125/235.

Beau Site, N 9 ℘ 71 23 41 46, ≤ viaduc et lac, ☗ – cuisinette ⛀wc ⋔wc ☎ ⛟ Ⓟ – ⛷ 30. E
1er avril-1er nov. – SC : **R** 45/90 ⅓ – ☕ 15,50 – **19 ch** 116/155 – P 160/190.

Viaduc, ℘ 71 23 43 20, ≤, ☗ – ⛀wc ⋔wc ☎ Ⓟ
1er avril-2 nov. – SC : **R** 40/95 – ☕ 14 – **20 ch** 75/150 – P 130/175.

La GARDE 04 Alpes-de-H.-P. **81** ⑱ – rattaché à Castellane.

La GARDE 48 Lozère 76 ⑮ – rattaché à St-Chély-d'Apcher.

La GARDE-FREINET 83 Var 84 ⑰ **G. Côte d'Azur** – 1 402 h. alt. 405 – ✉ **83310** Cogolin.
Paris 855 – Brignoles 47 – Hyères 55 – ♦Toulon 73 – St-Tropez 20 – Ste-Maxime 23.

- Les Châtaigniers, rte de Grimaud : 2,5 km ✆ **94 43 62 31**, – *sais.*.
- **La Faücado,** ✆ **94 43 60 41**, . E VISA
  fermé 5 janv. au 10 fév., 15 nov. au 4 déc. et mardi sauf juil.-août – SC : **R** 73/160.

GARDE-GUÉRIN 48 Lozère 80 ⑦ – rattaché à Villefort.

La GARENNE-COLOMBES 92 Hauts-de-Seine 55 ⑳, 101 ⑭ – voir à Paris, Environs.

GARGILESSE-DAMPIERRE 36 Indre 68 ⑱ **G. Périgord** – 347 h. alt. 140.
Paris 315 – Argenton-sur-Creuse 13 – Châteauroux 44 – Guéret 61 – ♦Limoges 98 – La Souterraine 45.

au Pin NO : 1,5 km – ✉ **36200** Argenton-sur-Creuse :

- **Pont Noir** , ✆ **54 47 85 20**, <, – wc . rest
  15 mars-15 oct. et week-end en hiver; fermé lundi soir et mardi sauf juil.-août – SC : **R** 56/100 – 18 – **16 ch** 88/163 – P 140/185.

La GARONNE 83 Var 84 ⑮ – rattaché au Pradet.

GASSIN 83 Var 84 ⑰ **G. Côte d'Azur** – 2 017 h. alt. 201 – ✉ **83990** St Tropez.
Voir Boulevard circulaire <★ – Moulins de Paillas ※★★ SE : 3,5 km.
Paris 875 – Brignoles 67 – Le Lavandou 32 – St-Tropez 7,5 – Ste-Maxime 15 – Toulon 73.

- **Aub. la Verdoyante,** N : 2 km ✆ **94 56 16 23**, <, – . VISA
  mi-mars-fin nov. et fermé merc. sauf le soir en juil.-août – SC : **R** 100.
- **Bello Visto** avec ch, au Village ✆ **94 56 17 30**, <, – wc wc. E. ch
  1er avril-30 sept. – SC : **R** *(fermé mardi)* 85 – 17 – **9 ch** 165/210.

GASTES 40 Landes 78 ⑬ – rattaché à Parentis-en-Born.

GATTIÈRES 06 Alpes-Mar. 84 ⑨, 195 ㉖ **G. Côte d'Azur** – 2 051 h. alt. 295 – ✉ **06510** Carros.
Syndicat d'Initiative r. Torrin et Grassi (matin seul.) ✆ 93 08 60 09.
Paris 940 – Antibes 32 – Cannes 43 – La Gaude 7 – ♦Nice 24 – St-Martin-Vésubie 51 – Vence 10.

- **Beau Site,** rte Vence ✆ **93 08 60 06**, <, – wc . VISA
  mars-déc. – **R** 80/150 – 19,50 – **9 ch** 110/175 – P 429/494 (pour 2 pers.).
- **Aub. de Gattières,** ✆ **93 08 60 05** – VISA
  fermé oct. et merc. – SC : **R** 105/200.
- **Le Panoramic,** au N : 1,5 km par D 2209 ✆ **93 08 60 56**, <, , ,
  fermé lundi – SC : **R** 120.

La GAUCHERIE 41 L.-et-Ch. 64 ⑱ – rattaché à Cour-Cheverny.

GAUCHIN-LÉGAL 62 P.-de-C. 53 ① – rattaché à Bruay-en-Artois.

La GAUDE 06610 Alpes-Mar. 84 ⑨, 195 ㉕㉖ **G. Côte d'Azur** – 3 097 h. alt. 230.
Voir Corniche du Var★ E : 2 km par D 118.
Paris 929 – Antibes 19 – Cagnes-sur-Mer 9 – Grasse 35 – ♦Nice 21 – St-Laurent-du-Var 12 – Vence 9.

- **Host. Hermitage** avec ch, D 18 ✆ **93 24 40 05**, <, – wc wc . . ch
  fermé 20 oct. au 20 déc. – **R** *(fermé vend. sauf le soir en juil.-août)* 90/160 – 13 – **10 ch** 180/230 – P 186/210.

GAVARNIE 65 H.-Pyr. 85 ⑱ **G. Pyrénées** – 169 h. alt. 1 357 – ✉ **65120** Luz-St-Sauveur.
Voir Cirque de Gavarnie★★★ S : 3 h. – Pic de Tantes ※★★ SO : 11 km.
Syndicat d'Initiative ✆ 62 92 49 10.
Paris 853 – Lourdes 51 – Luz-St-Sauveur 20 – Tarbes 71.

- **Taillon,** ✆ **62 92 48 20**, < – . ch
  fermé 20 oct. au 20 déc. – SC : **R** 46/90 – 16 – **20 ch** 106 – P 145/182.
- **La Ruade,** ✆ **62 92 48 49**
  15 juin-1er oct. – SC : **R** 50/110 .

GAVRINIS (Ile) 56 Morbihan 63 ⑫ **G. Bretagne.**
Voir Cairn★★ 15 mn en bateau de Larmor-Baden.

GAZERAN 78 Yvelines 60 ⑨, 196 ㉗ – rattaché à Rambouillet.

GÉMENOS 13420 B.-du-R. 84 ⑭ G. Provence – 4 548 h. alt. 150.
Voir Parc de St-Pons★ E : 3 km.
Paris 792 – Aix-en-Provence 36 – Brignoles 48 – ♦Marseille 23 – ♦Toulon 50.

Relais de la Magdeleine, ✆ 42 82 20 05, <, dans un parc, , – TV ☎ P – 45. VISA
15 mars-1er nov. – **R** 155/170 – 38 – **20 ch** 280/550 – P 485/675.

Fer à Cheval, pl. Mairie ✆ 42 82 21 19 – AE E VISA
fermé sept., 26 au 31 déc., sam. de nov. à mai et merc. de mai à août – SC : **R** carte 140 à 210.

GEMOËNS 74 H.-Savoie 74 ⑧ – rattaché à Combloux.

GENÇAY 86160 Vienne 68 ⑭ G. Côte de l'Atlantique – 1 709 h. alt. 128.
Paris 367 – Confolens 47 – Montmorillon 39 – Niort 77 – Poitiers 25.

Du Guesclin, r. Carnot ✆ 49 59 33 53 – wc wc . ch
fermé 20 déc. au 5 janv. et dim. soir – SC : **R** 40/85 – 14,50 – **10 ch** 75/135.

CITROEN Bouzier, ✆ 49 59 31 11
RENAULT Lapalus, ✆ 49 79 20 44 N ✆ 49 79 24 27

GÉNÉRARGUES 30 Gard 80 ⑰ – rattaché à Anduze.

Le GENESTOUX 63 P.-de-D. 73 ⑬ – rattaché au Mont-Dore.

GENÈVE Suisse 74 ⑥, 217 ⑪ G. Suisse – 157 406 h. alt. 375 – Casino – Genève et les environs : de France 19-41-22 ; de Suisse 022.

Voir Bords du Lac <★★★ – Parcs★★ BU B : Mon Repos, la Perle du Lac et Villa Barton – Jardin botanique★ : jardin alpin★★ BU E – Cathédrale★ : ★★ FY F – Monument de la Réformation★ FYZ D – Palais des Nations★ <★★ BU – Parc de la Grange★ GY – Parc des Eaux-Vives★ CV – Vaisseau★ de l'église du Christ-Roi BV N – Boiseries★ au musée des Suisses au service étranger BU M12 – Musées : Art et Histoire★★★ GZ, Ariana★★ BU M9, Histoire naturelle★★ GZ, Petit Palais★ GZ M1, Collections Baur★ (dans hôtel particulier) GZ M2, Instruments de musique★ GZ M3.

Excurs. en bateau sur le lac. Rens. Cie Gén. de Nav., Jardin Anglais ✆ 21.25.21 – Mouettes genevoises, 8 quai du Mt-Blanc ✆ 32.29.44 – Swiss Boat, 4 quai du Mont-Blanc ✆ 32.47.47.

18 à Cologny ✆ 35.75.40 - CU ; 18 Country Club du Bossey ✆ 50 43 75 25, par rte de Troinex - BV.

de Genève-Cointrin ✆ 99.31.11 AU.

Office de Tourisme gare Cornavin ✆ 32.53.40 et Tour de l'Île ✆ 28.72.33 - A.C. Suisse, 10 bd Théâtre ✆ 28.07.66 - T.C. Suisse, 9 r. P.-Fatio ✆ 37.12.12.

Paris 513 ⑦ – Bern 154 ② – Bourg-en-B. 118 ⑦ – Lausanne 63 ② – ♦Lyon 159 ⑦ – Torino 252 ⑥.

Plans : Genève p. 2 à 5

Les prix sont donnés en francs suisses

1° - *Rive droite (Gare Cornavin - Les Quais - B.I.T.)*

Richemond, jardin Brunswick, ✉ 1201, ✆ 31.14.00, Télex 22598, <, – rest TV ☎ – 50. AE E VISA. rest — FY **u**
SC : rest **Le Jardin R** carte 55 à 95 et voir rest **Le Gentilhomme** – **68 ch** 180/450, 30 appartements.

Rhône M, quai Turrettini, ✉ 1201, ✆ 31.98.31, Télex 22213, < – TV ☎ P – 25 à 150. AE E VISA. rest — EY **r**
SC : **R** 37, dîner à la carte et voir Rôt. **Le Neptune** – **290 ch** 170/450, ch. pour non fumeurs, 29 appartements.

Noga Hilton M, 19 quai Mt-Blanc, ✉ 1201, ✆ 31.98.11, Télex 289704, < lac et Mt-Blanc, , – TV ☎ – 450. AE E VISA — GY **y**
SC : rest. **Le Cygne** voir ci-après – **La Grignotière R** carte environ 55 - **Le Bistroquai R** carte environ 30 – 17 – **300 ch** 250/400, 20 appartements.

Président M, 47 quai Wilson, ✉ 1211, ✆ 31.10.00, Télex 22780, < lac – TV ☎ P – 25 à 80. AE E VISA. rest — GX **d**
SC : **R** carte 65 à 130 – **La Palmeraie R** carte environ 50 – 19 – **160 ch** 195/355, 30 appartements.

Les Bergues, 33 quai Bergues, ✉ 1201, ✆ 31.50.50, Télex 23383, < – TV ☎ – 350. AE E VISA — FY **k**
SC : **Le Pavillon R** carte environ 60 et voir ci-après rest. **Amphitryon** – 17 – **117 ch** 245/420, 8 appartements.

RÉPERTOIRE DES RUES DU

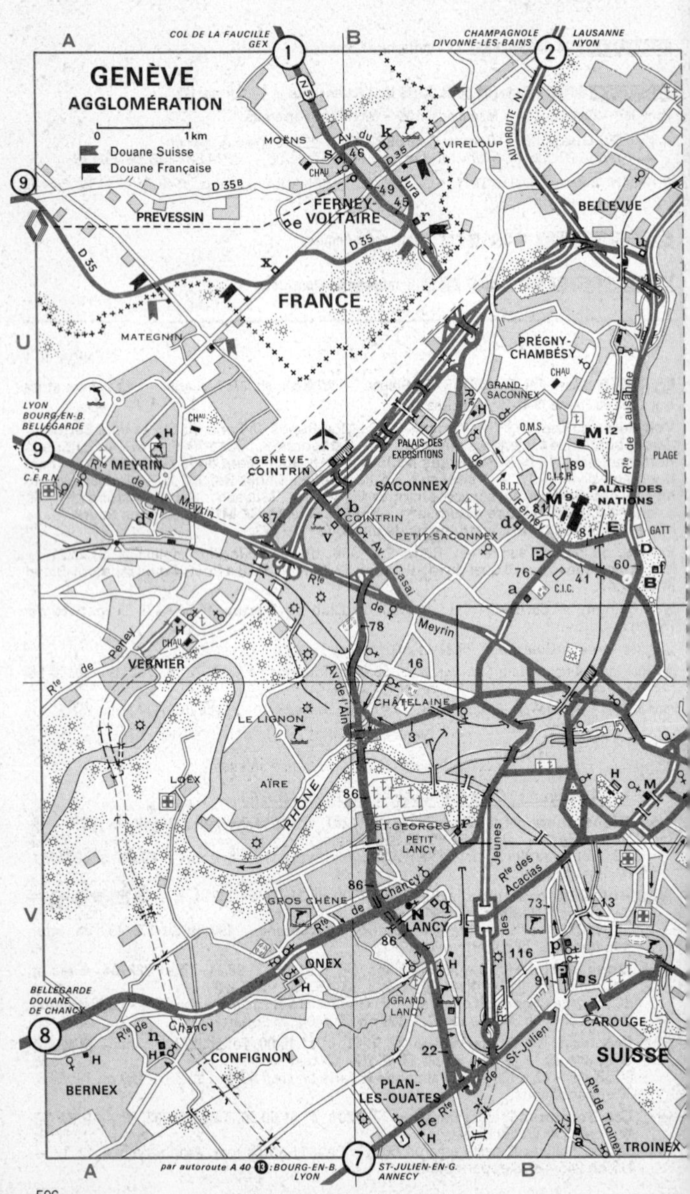

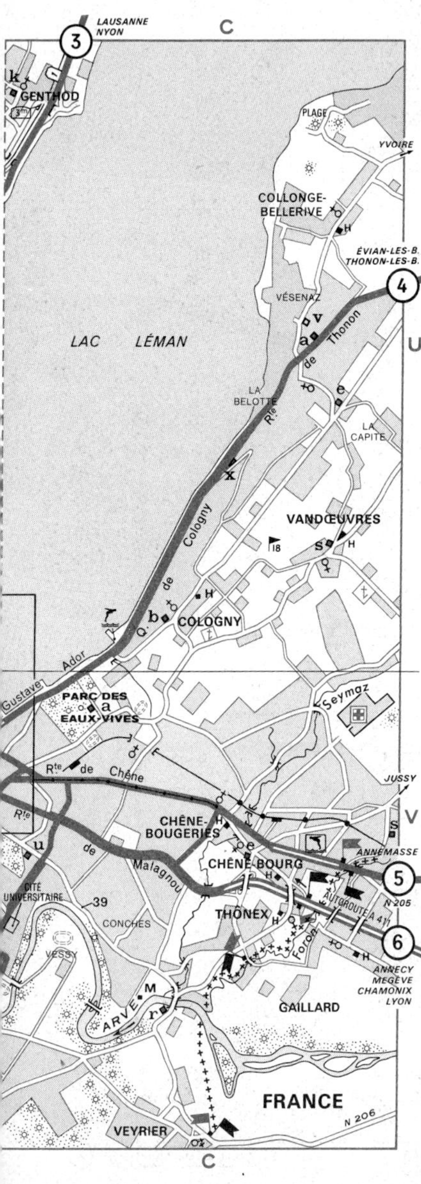
LAUSANNE
NYON
C
GENTHOD
PLAGE
YVOIRE
COLLONGE-BELLERIVE
ÉVIAN-LES-B.
THONON-LES-B.
VÉSENAZ
LAC LÉMAN
U
Rte de Thonon
LA BELOTTE
LA CAPITE
VANDŒUVRES
Q. de Cologny
COLOGNY
Gustave Ador
PARC DES EAUX-VIVES
Seymaz
Rte de Chêne
JUSSY
V
CHÊNE-BOUGERIES
CHÊNE-BOURG
ANNEMASSE
Rte de Malagnou
CITÉ UNIVERSITAIRE
39
CONCHES
VESSY
THÔNEX
AUTOROUTE A 411
N 205
Foron
ANNECY
MEGÈVE
CHAMONIX
LYON
ARVE
GAILLARD
FRANCE
N 206
VEYRIER
C

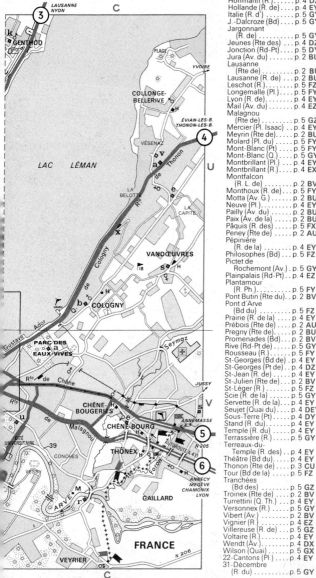

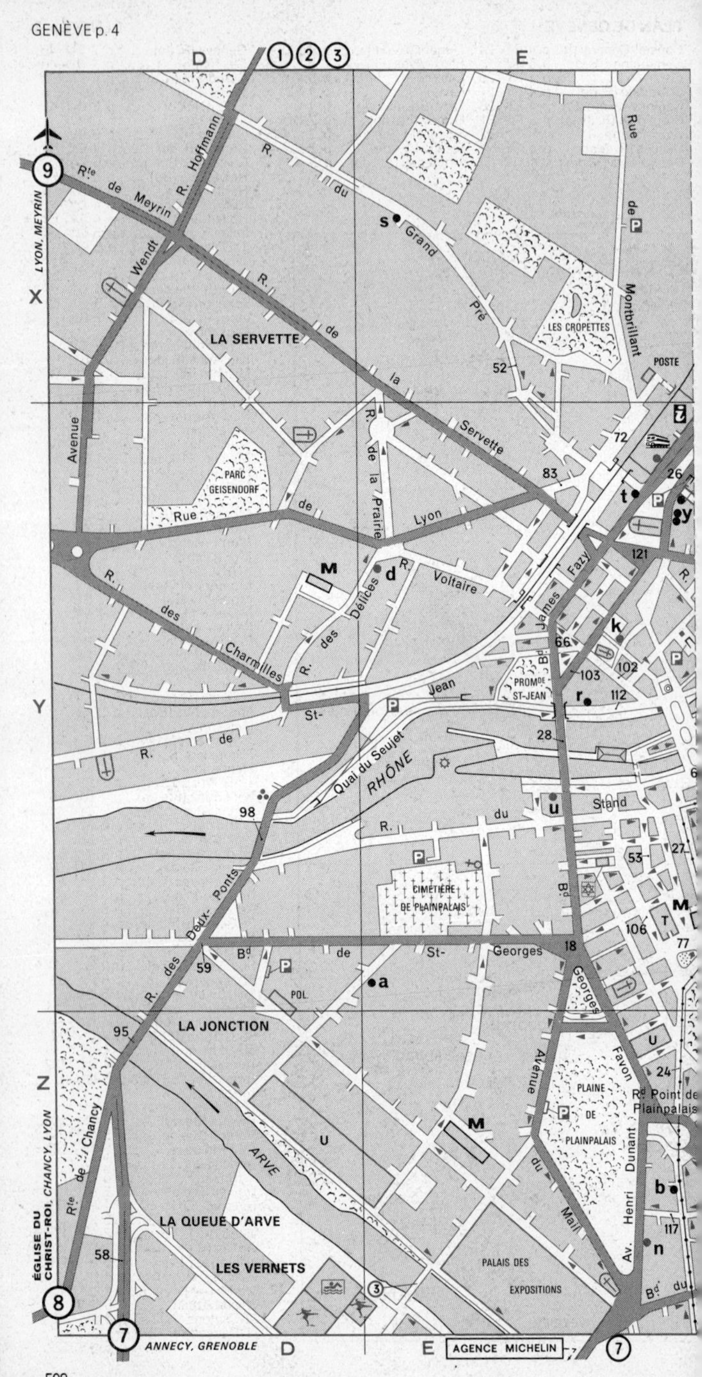

D
E
X
Y
Z
LYON, MEYRIN
Rte de Meyrin
R. Hoffmann
R. du Grand Pré
Rue de Montbrillant
LES CROPETTES
POSTE
Wendt
R. de la Servette
LA SERVETTE
Avenue
R. de la Prairie
PARC GEISENDORF
Rue de Lyon
R. Voltaire
R. des Charmilles
R. des Délices
Bd James Fazy
PROMDE ST-JEAN
R. de St-Jean
Quai du Seujet
RHÔNE
R. du Stand
CIMETIÈRE DE PLAINPALAIS
R. des Deux-Ponts
Bd de St-Georges
POL.
LA JONCTION
Bd Georges Favon
Avenue du Mail
PLAINE DE PLAINPALAIS
Rd Point de Plainpalais
Av. Henri Dunant
ARVE
Rte de Chancy
ÉGLISE DU CHRIST-ROI, CHANCY, LYON
LA QUEUE D'ARVE
LES VERNETS
PALAIS DES EXPOSITIONS
ANNECY, GRENOBLE
AGENCE MICHELIN

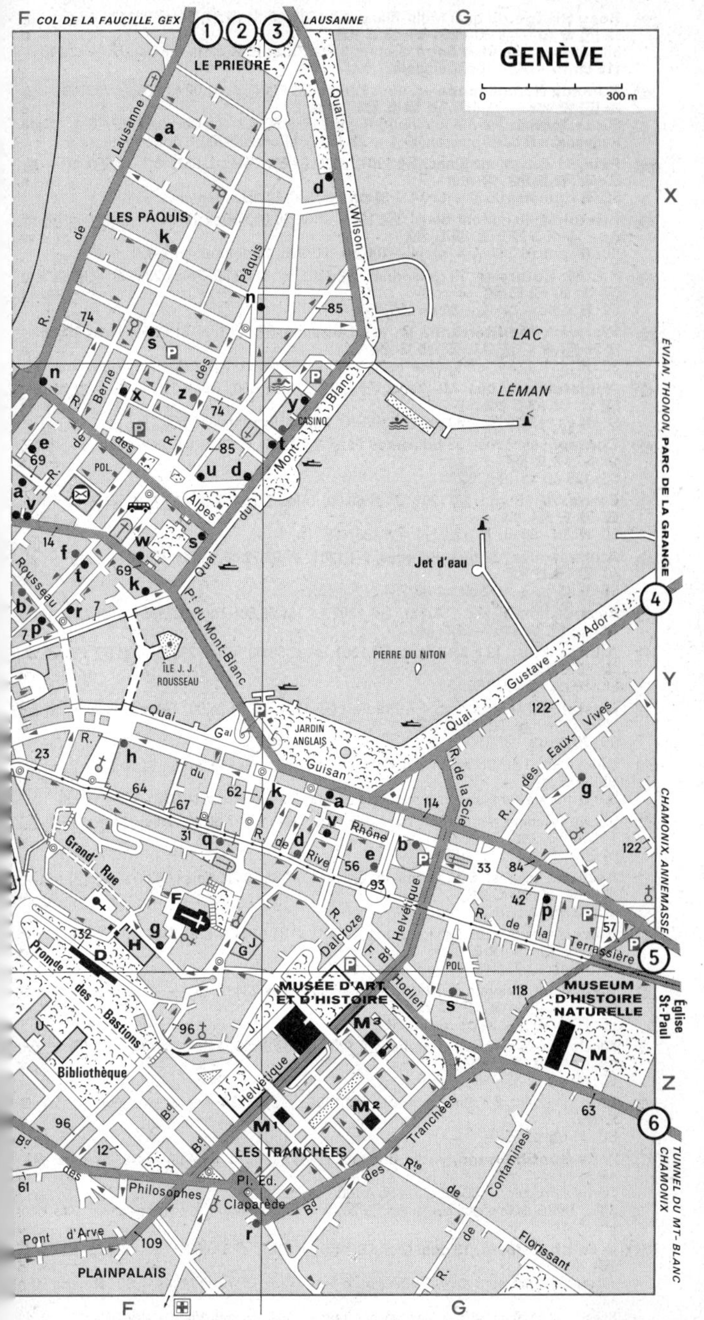
GENÈVE
0
300 m
COL DE LA FAUCILLE, GEX
LAUSANNE
LE PRIEURÉ
LES PÂQUIS
LAC
LÉMAN
CASINO
POL.
Jet d'eau
ÎLE J. J. ROUSSEAU
PIERRE DU NITON
JARDIN ANGLAIS
Quai Gustave Ador
Quai du Mont-Blanc
Quai Wilson
Pt du Mont-Blanc
R. du Rhône
R. de Rive
Grand' Rue
Promde des Bastions
Bibliothèque
MUSÉE D'ART ET D'HISTOIRE
MUSEUM D'HISTOIRE NATURELLE
LES TRANCHÉES
Pl. Ed. Claparède
Bd des Philosophes
Pont d'Arve
PLAINPALAIS
R. de la Terrassière
Église St-Paul
Rte de Florissant
R. de Contamines
R. des Eaux-Vives
ÉVIAN, THONON, PARC DE LA GRANGE
CHAMONIX, ANNEMASSE
TUNNEL DU MT-BLANC CHAMONIX

Beau Rivage, 13 quai Mont-Blanc, ✉ 1201, ✆ 31.02.21, Télex 23362, ≤ lac – ▮ ▤ TV ☎ P – 30 à 200. AE ⓓ E VISA FY d
SC : voir rest. **Le Chat Botté** ci-après – **Le Quai 13 R** carte environ 55 – ☕ 15 – **115 ch** 150/370, 8 appartements.

Ramada Renaissance M, 19 r. Zurich, ✉ 1201, ✆ 31.02.41, Télex 289109 – ▮ ▤ TV ☎ – 150. AE ⓓ E VISA. ✻ rest FX s
SC : **La Toquade** *(fermé juil.-août)* **R** carte 60 à 80 – **La Cortille R** 57/75 - **Café Ragueneau R** carte environ 40 – ☕ 18 – **211 ch** 240/290, 8 appartements.

Paix, 11 quai Mont-Blanc, ✉ 1201, ✆ 32.61.50, Télex 22552, ≤ – ▮ TV ☎ – 80. AE ⓓ E VISA. ✻ rest FY s
SC : **R** carte 70 à 95 – ☕ 14 – **91 ch** 145/340, 11 appartements.

Bristol M, 10 r. Mont-Blanc, ✉ 1201, ✆ 32 38 00, Télex 23739 – ▮ ▤ rest TV ☎ ♿ – 40 à 120. AE ⓓ E VISA FY w
SC : **R** carte 60 à 90 – ☕ 14 – **100 ch** 190/325, 4 appartements 550.

P.L.M. Rotary M, 18 r. Cendrier, ✉ 1201, ✆ 31.52.00, Télex 289999 – ▮ ▤ rest TV ☎. AE ⓓ E VISA. ✻ rest FY t
SC : **R** 30/45 – ☕ 12 – **94 ch** 150/260.

Warwick-Méditerranée M, 14 r. Lausanne, ✉ 1201, ✆ 31.62.50, Télex 23630 – ▮ ▤ TV ☎ – 200. AE ⓓ E VISA FY n
SC : **R** *(fermé sam. et dim.)* carte 60 à 105 – **164 ch** ☕ 160/250, 4 appartements.

Angleterre, 17 quai Mt-Blanc, ✉ 1201, ✆ 32.81.80, Télex 22668, ≤ – ▮ ▤ rest TV ☎. AE ⓓ E VISA. ✻ GY t
SC : **R** carte 50 à 75 – **60 ch** ☕ 150/310, 7 appartements 350/650.

Cornavin sans rest, 33 bd James-Fazy, ✉ 1211, ✆ 32.21.00, Télex 22853 – ▮ TV ☎. AE ⓓ E VISA EY t
SC : **125 ch** ☕ 100/185.

Berne, 26 r. Berne, ✉ 1201, ✆ 31.60.00, Télex 22764 – ▮ ▤ TV ☎ – 30 à 100. AE ⓓ E VISA. ✻ rest FY x
SC : **R** 25 – **92 ch** ☕ 128/171 – P 136/178.

Ambassador, 21 quai Bergues, ✉ 1201, ✆ 31.72.00, Télex 23231 – ▮ TV – 40. AE ⓓ E VISA FY p
SC : **R** 36/50 – **92 ch** ☕ 88/224.

Amat-Carlton M, 22 r. Amat, ✉ 1202, ✆ 31.68.50, Télex 27595 – ▮ cuisinette ▤ rest TV ☎ – **123 ch**. FX a

Alba sans rest, 19 r. Mt-Blanc, ✉ 1201, ✆ 32.56.00, Télex 23930 – ▮ TV ⊟wc ☎. AE ⓓ E VISA FY a
SC : **60 ch** ☕ 135/185.

Cristal M sans rest, 4 r. Pradier, ✉ 1201, ✆ 31.34.00, Télex 289926 – ▮ TV ⊟wc ⋒wc ☎. AE ⓓ E VISA FY e
SC : **79 ch** ☕ 120/180.

Savoy M, 8 pl. Cornavin, ✉ 1201, ✆ 31.12.55, Télex 27951 – ▮ ▤ TV ⊟wc ☎. AE ⓓ E VISA EY y
SC : **R** *(fermé sam. soir et dim.)* carte 30 à 60 – **50 ch** ☕ 117/171 – P 101/128.

Suisse M sans rest, 10 pl. Cornavin, ✉ 1201, ✆ 32.66.30, Télex 23868 – ▮ TV ⊟wc ⋒wc ☎ EY y
60 ch.

Astoria sans rest, 6 pl. Cornavin, ✉ 1211, ✆ 32.10.25, Télex 22307 – ▮ TV ⊟wc ⋒wc ☎. AE ⓓ E VISA EY y
SC : **62 ch** ☕ 80/128.

Balzac sans rest, pl. Navigation, ✉ 1201, ✆ 31.01.60, Télex 289430 – ▮ TV ⊟wc ⋒wc ☎ P. AE ⓓ E VISA FX n
SC : **40 ch** ☕ 75/148, 4 appartements 170.

Midi M, pl. Chevelu, ✉ 1201, ✆ 31.78.00, Télex 23482, 🏖 – ▮ cuisinette ▤ rest TV ⊟wc ⋒wc ☎. AE ⓓ E VISA FY r
SC : **R** 25/60 – **85 ch** ☕ 128/163.

Moderne sans rest, 1 r. Berne, ✉ 1201, ✆ 32.81.00, Télex 289738 – ▮ TV ⊟wc ⋒wc ☎. AE ⓓ E VISA FY v
SC : **55 ch** ☕ 48/115.

Lido sans rest, 8 r. Chantepoulet, ✉ 1201, ✆ 31.55.30 – ▮ ⊟wc ⋒wc ☎. AE ⓓ E VISA FY v
SC : **31 ch** ☕ 55/95.

XXXXX ✿ **Le Gentilhomme,** jardin Brunswick, ✉ 1201, ✆ 31.14.00 – ▤. AE ⓓ E VISA. ✻ FY u
fermé sam. midi – SC : **R** carte 95 à 130
Spéc. Ravioli de foie gras aux truffes, Turbot au beurre d'orange, Noisettes d'agneau. **Vins** Pinot gris.

XXXX ✿ **Le Chat Botté,** 13 quai Mont-Blanc, ✉ 1201, ✆ 31.65.32, ≤ – ▤ P. AE ⓓ E VISA. ✻ FY d
fermé 22 mars au 6 avril, 21 déc. au 6 janv., sam., dim. et fériés – SC : **R** carte 80 à 110
Spéc. Civet de langouste aux deux cépages, Tartare de bar à l'aneth. **Vins** Dezaley, Dôle.

XXXX ✿ **Le Cygne,** 19 quai Mt-Blanc, ✉ 1201, ✆ 31.98.11, ← – AE ◑ E VISA. ✻
SC : **R** carte 77 à 130 ⅄ GY **y**
Spéc. Salade de homard, Aiguillettes de canard en salmis, Bar cuit à la fumée de bois. **Vins** Pessy, Dardagny.

XXXX **Amphitryon,** 33 quai Bergues, ✉ 1201, ✆ 31.50.50, Télex 23383 – AE ◑ E VISA. ✻ FY **k**
fermé 25 déc. au 1er janv., dim. midi et sam. – SC : **R** 40/70.

XXX ✿ **Perle du Lac,** 128 rte Lausanne ✉ 1202, ✆ 31.79.35, ←, ☂ – ℗. AE ◑ E VISA. ✻ BU **f**
fermé 22 déc. au 22 janv. et lundi – SC : **R** Carte 80 à 120
Spéc. Feuilleté d'asperges vertes et langoustines (fév. à mai), Blanc de Turbot aux lentilles et deux choux (saison), Escalope de truite saumonée à l'estragon. **Vins** Pinot gris, Pinot noir.

XXX ✿ **Rôtisserie Le Neptune,** quai Turrettini, ✉ 1201, ✆ 31.98.31, ☂ – ▤ ℗. AE ◑ E VISA. ✻ rest EY **r**
fermé sam., dim. et fériés. – SC : **R** carte 80 à 105 ⅄
Spéc. Tresse de filets de sole et saumon, Magret de canard aux baies de cassis, Flan aux truffes. **Vins** Pinot gris, Chardonnay.

XXX **Le Bouhec,** 18 r. Délices, ✉ 1203, ✆ 45 73 00 – AE ◑ E VISA EY **d**
fermé 15 juil. au 16 août, fériés, sam. midi et dim. – SC : **R** 70/110.

XXX Tsé Yang, 19 quai Mont-Blanc, ✉ 1201, ✆ 32.50.81, ← – ▤ GY **y**

XXX **Fin Bec,** 55 r. Berne, ✉ 1201, ✆ 32.29.19, ☂ – AE ◑ E VISA FX **k**
fermé 4 au 17 août, 22 déc. au 4 janv., sam. midi et dim. – SC : **R** carte 55 à 80 ⅄.

XXX **Aub. Mère Royaume,** 9 r. Corps-Saints, ✉ 1201, ✆ 32.70.08, « Style vieux genevois » – AE ◑ E VISA EY **k**
fermé mi-juil. à mi-août, sam. midi, dim. et fériés – SC : **R** carte 55 à 80 ⅄.

XX **Mövenpick-Cendrier**, 17 r. Cendrier, ✉ 1201, ✆ 32.50.30 – ▤. AE ◑ E VISA
SC : **R** 37/50 ⅄. FY **f**

XX **Buffet Cornavin,** 3 pl. Cornavin, ✉ 1201, ✆ 32.43.06 – AE ◑ E VISA EY
SC : **Rest français R** carte 50 à 70 ⅄ - **Buffet (1re classe) R** carte environ 60.

XX **Locanda Ticinese,** 13 r. Rousseau, ✉ 1201, ✆ 32.31.70, Cuisine tessinoise et italienne – AE ◑ E VISA FY **b**
fermé 15 juil. au 5 août, sam. et dim. – SC : **R** carte environ 50 ⅄.

X **Boeuf Rouge,** 17 r. A.-Vincent ✉ 1201, ✆ 32.75.37, cuisine lyonnaise FY **z**
fermé sam., dim. et fériés – SC : **R** carte environ 55 ⅄.

2o - *Au Nord (Palais des Nations, Servette) :*

Intercontinental [M] ⛰, 7 petit Saconnex, ✉ 1211, Genève 19 ✆ 34.60.91, Télex 23130, ←, ☂, ⛱ – |‡| ▤ [TV] ☎ 🚗 ℗ – 🏛 25 à 270. AE ◑ E VISA. ✻ rest
SC : **Les Continents** (1er étage) *(fermé dim. midi et sam.)* **R** carte environ 85 – ☐ 13 – **323 ch** 190/275, 32 appartements. BU **d**

Grand Pré sans rest, 35 r. Gd-Pré, ✉ 1202 Genève 16 ✆ 33.91.50, Télex 23284 – |‡| [TV] ⌂wc ⌂wc ☎. AE ◑ E VISA EX **s**
SC : **80 ch** ☐ 105/200.

XXX Fu Lung, 30 av. G.-Motta, ✉ 1202, ✆ 34.56.27 – ℗ BU **a**

3o - *Rive gauche (Centre des affaires) :*

Métropole [M], 34 quai Gén.-Guisan, ✉ 1204, ✆ 21.13.44, Télex 421550, ←, ☂ – |‡| ▤ rest [TV] ♿ – 🏛 80 à 200. AE ◑ E VISA. ✻ rest GY **a**
SC : **Le Grand Quai R** 30/55 ⅄ et voir rest. **L'Arlequin** ci-après – **125 ch** ☐ 180/290, 5 appartements.

Armures [M] ⛰, 1 r. Puits-Saint-Pierre, ✉ 1204, ✆ 28.91.72, Télex 421129 – |‡| ▤ [TV] ☎ ♿. AE ◑ E VISA FY **g**
SC : **R** carte environ 55 ⅄ – **24 ch** ☐ 165/260, 4 appartements 340.

L'Arbalète, 3 r. Tour-Maîtresse, ✉ 1204, ✆ 28.41.55, Télex 427293 – |‡| ▤ ch [TV] ☎ ♿ – 🏛 25. AE ◑ E VISA GY **v**
SC : **R** carte environ 50 ⅄ – **32 ch** ☐ 190/290.

Century sans rest, 24 av. Frontenex, ✉ 1207, ✆ 36.80.95, Télex 23223 – |‡| cuisinette [TV] ☎ ℗ – 🏛 35. AE ◑ E VISA GY **p**
SC : **122 ch** ☐ 137/245, 16 appartements 245/285.

Touring Balance, 13 pl. Longemalle, ✉ 1204, ✆ 28.71.22, Télex 427634 – |‡| [TV] ⌂wc ⌂wc ☎ – 🏛 40. AE ◑ E VISA GY **k**
SC : **R** *(fermé sam. et dim.)* 36/40 ⅄ – **56 ch** ☐ 70/150 – P 134/176.

Lutetia [M] sans rest, 12 r. Carouge, ✉ 1205, ✆ 20.42.22, Télex 28845 – |‡| cuisinette ⌂wc ☎ EZ **b**
30 ch.

Le Grenil, 7 av. Ste-Clotilde, ✉ 1205, ✆ 28.30.55, Télex 429307 – |‡| ⌂wc ☎ – 🏛 220. AE ◑ E VISA EY **a**
SC : **R** carte 35 à 60 ⅄ – **50 ch** ☐ 43/85 – P 70/99.

tourner →

XXXX ⊛ **Parc des Eaux-Vives,** 82 quai Gustave-Ador, ✉ 1207, ✆ 35.41.40, « Agréable situation dans un grand parc, belle vue », – Ⓟ. AE ⓓ E VISA CV **a**
fermé 1er janv. au 15 fév., dim. soir et lundi – SC : **R** carte 70 à 120
Spéc. Papillote de langoustines au roquefort, Filet de St-Pierre au beurre de poivrons doux, canard nantais rôti. **Vins** Dezaley, Yvorne.

XXXX ⊛ **L'Arlequin,** 34 quai Gén.-Guisan, ✉ 1204, ✆ 21.13.44 – ▤. AE ⓓ E VISA. ✻
fermé sam. et dim. – SC : **R** 55/110 GY **a**
Spéc. Terrine de bar aux langoustines, Cassolette de langouste au fumet d'estragon, Salade de pigeonneau et foie de canard. **Vins** Pinot gris, Pinot noir.

XXX **Olympe,** 1 r. Est, ✉ 1207, ✆ 35 81 80 – AE ⓓ VISA GZ **s**
fermé 1er au 24 août, 24 déc. au 2 janv., sam. et dim. – SC : **R** 52/110.

XXX **Via Veneto,** 10 r. Tour Maitresse, ✉ 1204, ✆ 21.65.93 – ▤. AE ⓓ E VISA GY **d**
fermé juil.-août, sam. midi et dim. – SC : **R** 75/100.

XXX Mövenpick Fusterie, 40 r. Rhône, ✉ 1204, ✆ 21.88.55 – ▤ FY **h**

XXX ⊛ **La Coupole,** 116 r. Rhône ✉ 1204 ✆ 35.65.44 – ▤. E VISA GY **b**
fermé 20 juil. au 7 août et dim. – SC : **R** carte 50 à 80 ♝
Spéc. Pot-au-feu (sept. à juin). **Vins** Tartegnin, Salvagnin.

XXX **Roberto,** 10 r. P.-Fatio, ✉ 1204, ✆ 21.80.33, cuisine italienne – ▤. AE E VISA
fermé sam. soir et dim. – SC : **R** carte environ 70 ♝. GY **e**

XX ⊛ **Béarn** (Goddard), 4 quai Poste, ✉ 1204, ✆ 21.00.28 – AE ⓓ E VISA EY **u**
fermé mi-juil. à mi-août, sam. (sauf le soir de sept. à juin) et dim. – SC : **R** 90/115
Spéc. Aumonière de grenouilles à la fricassée de homard (au printemps), Soufflé aux truffes fraîches (15 déc. au 15 fév.), Bavarois d'écrevisses (en été). **Vins** Dardagny.

XX **Sénat,** 1 r. E.-Yung, ✉ 1205, ✆ 46.58.10, – AE ⓓ E VISA FZ **r**
fermé dim. – SC : **R** 32/70 ♝.

XX **La Pescaille,** 15 av. H.-Dunant, ✉ 1205, ✆ 29.71.60 – ▤. AE ⓓ E VISA EZ **n**
fermé sam. midi et dim. midi – SC : **R** carte 85 à 120.

XX **Cavalieri,** 7 r. Cherbuliez, ✉ 1207, ✆ 35.09.56, cuisine italienne – ▤. AE ⓓ E VISA GY **g**
fermé juil. et lundi – SC : **R** carte 50 à 75 ♝.

XX **Laurent,** 13 r. Madeleine, ✉ 1204, ✆ 21.24.22 – AE ⓓ E VISA FY **q**
fermé juil. et dim. – SC : **R** 43/75 ♝.

XX Parc Bertrand, 62 rte Florissant, ✉ 1206, ✆ 47.59.57, CV **u**

Environs

route de Lausanne au bord du lac - BCU :

à Bellevue : 6 km - BU – ✉ **1293** Bellevue :

La Réserve Ⓜ, 301 rte de Lausanne ✆ 74.17.41, Télex 23822, ←, , « Bel ensemble dans un parc près du lac, port aménagé », , – ▤ ☎ ♿ Ⓟ – 80. AE ⓓ E VISA. ✻ rest BU **u**
SC : La Closerie **R** carte 75 à 105 – **55 ch** 250/360, 7 appartements.

XXX ⊛ **Tsé Fung,** 301 rte de Lausanne ✆ 74.17.41, cuisine chinoise – Ⓟ. AE ⓓ E VISA. ✻ BU **u**
SC : **R** carte 80 à 110
Spéc. Langouste Setzchuan, Aileron de requin impérial, Canard laqué pékinois.

à Genthod : 7 km – ✉ **1294** Genthod :

XX **Rest. du Château de Genthod,** 1 rte Rennex ✆ 74.19.72, , – E VISA
fermé 10 au 18 août, 20 déc. au 10 janv., dim. et lundi – SC : **R** 40/70. CU **k**

vers la Savoie et bord du lac - CU :

à Cologny : 3,5 km -CU – ✉ **1223** Cologny :

XXX ⊛ **Aub. du Lion d'or** (Large), au Village ✆ 36.44.32, , « Situation dominant le lac et Genève, terrasse » – Ⓟ. AE ⓓ E VISA CU **b**
fermé 20 déc. au 20 janv., sam. et dim. – SC : **R** carte 80 à 115
Spéc. Millefeuille de saumon et galinette à l'oseille, Bouillabaisse (15 sept-mai), Aiguillettes de canard au miel de gingembre. **Vins** Lully, Yvorne.

X **Pavillon de Ruth,** 86 quai Cologny ✆ 52.14.38, ←, – AE E CU **x**
1er mars-20 déc. et fermé jeudi – SC : **R** carte environ 60 ♝.

à Vandoeuvres : 5,5 km - CU – ✉ **1253** Vandoeuvres :

XX **Cheval Blanc,** ✆ 50.14.01, cuisine italienne – AE E VISA. ✻ CU **s**
fermé 1er au 21 juil., Noël, Nouvel An, dim. et lundi – SC : **R** carte 55 à 70.

à Vésenaz : 6 km par rte de Thonon - CU – ✉ **1222** Vésenaz :

La Tourelle sans rest, 26 rte Hermance ✆ 52.16.28, parc – wc ☎ Ⓟ. AE ⓓ E VISA. ✻ CU **v**
fermé 16 déc. au 16 fév. – SC : **24 ch** 75/130.

XXX **Chez Valentino,** 63 rte Thonon ℘ 52.14.40, 佘, cuisine italienne, 佘 – ⓟ. AE VISA. ⌘ CU **a**
fermé 1er au 20 août, 20 déc. au 5 janv., mardi midi et lundi – **SC : R** carte 55 à 90 ₰.

XX La Bûcherie, à la Capite-sur-Vésenaz : 6 km ⊠ 1222 La Capite-sur-Vésenaz ℘ 52.15.86, 佘 CU **e**

***par route de Chêne** - CV :*

à Chêne-Bourg : 4,5 km - CV – ⊠ **1225** Chêne-Bourg :

XX **Le Gabelou,** 16 r. Gothard ℘ 48.62.57 – AE ⓓ E VISA CV **e**
fermé 15 juil. au 6 août, dim. et lundi – **SC : R** 40/70 ₰.

à Thônex : 4 km - CV – ⊠ **1226** Thônex :

XX **Chez Cigalon,** à Pierre à Bochet, 39 rte Ambilly ℘ 49.97.33, 佘 – ⓟ. E VISA
fermé 1er au 22 sept., 20 déc. au 5 janv., dim. et lundi – **SC : R** 38/65 ₰. CV **s**

à Jussy : 11 km - CV – ⊠ **1254** Jussy :

X **Aub. Vieux Jussy,** ℘ 59.11.10, 佘 – ⓓ
fermé 1er fév. au 10 mars, mardi soir et merc. – **SC : R** carte 35 à 65.

à Veyrier : 5 km - CV – ⊠ **1255** Veyrier :

XX **Pont de Sierne,** 2 rte Pas de l'Échelle ℘ 84.16.66, ≤, 佘 – ▤ ⓟ. AE ⓓ E VISA
fermé 15 janv. au 28 fév. – **SC : R** 60/90. CV **r**

***par route de St-Julien** - BV :*

à Carouge : 3 km par r. Carouge - BV – ⊠ **1227** Carouge :

XX **Olivier de Provence,** 13 r. J.-Dalphin ℘ 42.04.50, 佘 – AE ⓓ E VISA BV **p**
fermé dim. – **SC : R** 55/80.

X **Aub. Communale,** 39 r. Ancienne ℘ 42.22.88, 佘 BV **s**
fermé mardi – **SC : R** carte 35 à 70 ₰.

à Troinex : 5 km - BV – ⊠ **1256** Troinex :

XXX ❀❀ **Vieux Moulin** (Bouilloux), 89 rte Drize ℘ 42.29.56, 佘 – ⓟ. AE E VISA
fermé 1er au 15 avril, 1er au 15 sept., dim. et lundi – **SC : R** (nombre de couverts limité - prévenir) 105 et carte BV **a**
Spéc. Blanquette de homard au vinaigre de safran (saison), Volaille de bresse pochée à la crème d'échalotes, Gâteau d'agneau aux aubergines (saison). **Vins** Lully, Pinot.

XX **La Chaumière,** r. Fondelle ℘ 84.30.66, 佘, 佘 – ⓟ. AE ⓓ E VISA
fermé dim. soir et lundi – **SC : R** carte 55 à 95.

au Grand-Lancy : 3 km - BV – ⊠ **1212** Lancy :

XXX ❀ **Marignac** (Pelletier), 32 av. E.-Lance ℘ 94.04.24, parc, 佘 – ▤ ⓟ. AE ⓓ E VISA BV **v**
fermé 28 mars au 6 avril, 22 déc. au 11 janv., sam. midi et dim. – **SC : R** 90/115
Spéc. Soupe au foie gras de canard et jus de truffe, Couscous de poissons de mer (Pâques à fin sept.), Canard de Barbarie aux pêches. **Vins** Côteau de Lully, Dardagny.

au Plan-les-Ouates : 5 km - BV – ⊠ **1228** Plan-les-Ouates :

⌂ **Plan-les-Ouates** sans rest, 135 rte St-Julien ℘ 94.92.44 – |♦| ⌂wc ☎. AE ⓓ E VISA BV **e**
fermé 23 déc. au 6 janv. – **SC :** ☐ 6 – **24 ch** 35/90.

à Landecy : 7,5 km par ⑦ – ⊠ **1257** Landecy :

XX **Au Fer à Cheval,** 37 rte Prieur ℘ 71.10.78, 佘 – AE ⓓ E VISA
fermé fév.,merc. midi et mardi – **SC : R** 45/95.

***par route de Chancy** - ABV :*

au Petit Lancy : 3 km - BV – ⊠ **1213** Petit Lancy :

⌂⌂ ❀ **Host. de la Vendée et rest. Pont Rouge,** 28 chemin Vendée ℘ 92.04.11, Télex 421304, 佘 – |♦| TV ☎ ⓟ – 🔔 80. AE ⓓ E VISA BV **q**
fermé 23 déc. au 6 janv. – **SC : R** *(fermé Pâques, sam. midi et dim.)* 68/90 ₰ – **30 ch** ☐ 86/200
Spéc. Noix de St-Jacques en blanquette (oct. à mars), Rognon et ris de veau, Pavé de chocolat. **Vins** Lully, Dardagny.

à Confignon : 6 km - AV – ⊠ **1232** Confignon :

XX Aub. de Confignon, 6 pl. Église ℘ 57.19.44, 佘, 佘 AV **n**

à Cartigny par ⑧ : 12 km – ⊠ **1236** Cartigny :

XX **L'Escapade,** 31 r. Trably ℘ 56.12.07, 佘, 佘 – ⓟ. AE ⓓ E VISA
fermé 20 déc. au 30 janv., dim. et lundi – **SC : R** 60/100.

vers le Jura - AUV :

à Cointrin : par route de Meyrin : 4 km - ABU – ✉ **1216** Cointrin :

Penta Ⓜ, 75-77 av. L. Casaï ☎ 98.47.00, Télex 27044 – ⅼ ▤ TV ☎ ⇔ Ⓟ – 30 à 700. AE ⓓ E VISA. rest AU **v**
SC : **R** 17/32 – ▭ 16 – **316 ch** 122/180, ch pour non fumeurs.

Hôtel 33, 82 av. L.-Casaï ☎ 98.02.00, Télex 27991, – ⅼ TV ⇔wc ☎ Ⓟ. AE ⓓ E VISA ABU **b**
SC : **R** *(fermé dim.)* carte environ 50 – **33 ch** ▭ 82/130.

à l'Aéroport de Cointrin : 4 km - AU – ✉ **1215** Genève :

XX **Rôt. Plein Ciel,** ☎ 98.22.88, ← – ▤. AE ⓓ E VISA AU
SC : **R** carte 60 à 90.

à Meyrin : 5 km – ✉ **1217** Meyrin :

X **Levant,** 43 r. Cardinal Journet, ✉ 1217, ☎ 82.51.14, AU **d**
fermé 14 juil. au 3 août, 24 déc. au 4 janv., sam. et dim. – SC : **R** carte environ 55 .

à Peney-Dessus O : 10 km par rte de Peney - AUV – ✉ **1242** Satigny :

XX **Aub. de Châteauvieux** avec ch, ☎ **53.14.45,** ←, , – TV ⇔wc ☎ Ⓟ. AE ⓓ E VISA
fermé 20 juil. au 20 août et 20 déc. au 15 janv. – SC : **R** *(fermé sam. midi, dim. soir et lundi)* 55/75 – **12 ch** ▭ 80/130.

MICHELIN, (S.A. des Pneumatiques Michelin) 14 r. Marziano EZ ☎ **43.45.50,** case postale CH - 1211 Genève 24, Télex 22733 + Pneumiclin-Gve.

GENILLÉ 37 I.-et-L. 64 ⑯ G. Châteaux de la Loire – 1 420 h. alt. 88 – ✉ **37460** Montrésor.
Paris 236 – Ambroise 32 – Blois 54 – Loches 11 – Montrichard 21 – ♦Tours 45.

XX **Agnès Sorel** avec ch, ☎ 47 59 50 17, – ⇔ Ⓟ. E VISA. ch
fermé fév., dim. soir et lundi – SC : **R** 80/250 – ▭ 25 – **3 ch** 100/150.

GENIN (Lac de) 01 Ain 74 ④ – rattaché à Oyonnax.

GENLIS 21110 Côte d'Or 66 ⑫⑬ – 4 960 h. alt. 199.
Paris 329 – Auxonne 15 – ♦Dijon 17 – Dole 31 – Gray 51.

Gare, ☎ 80 31 30 11 – ⋔ Ⓟ. E VISA
fermé 5 au 28 août, 23 déc. au 1er janv. – SC : **R** *(fermé dim.)* 48/120 – ▭ 16 – **19 ch** 85/115 – P 150.

à Izier NO : 5 km par D 109i – ✉ **21110** Genlis :

XX **Aub. d'Izier,** ☎ 80 31 26 39 – Ⓟ. VISA
fermé 16 au 31 août, 7 au 28 fév., dim. soir et lundi – SC : **R** 72/195.

à Échigey S : 8 km par D 25 et D 34 – ✉ **21110** Genlis :

XX **Place** avec ch, ☎ **80 29 74 00,** – ⇔wc ⋔ ☎ Ⓟ. AE ⓓ E VISA. ch
fermé 3 fév. au 3 mars, 1er au 8 sept., dim. soir et lundi – SC : **R** 89/186 – ▭ 26 – **14 ch** 83/170 – P 180/200.

CITROEN Genlis Autom., ☎ 80 31 25 77 RENAULT Côte-d'Or Auto., ☎ 80 37 81 04

GENNES 49350 M.-et-L. 64 ⑫ G. Châteaux de la Loire – 1 888 h. alt. 29.
Voir Église★ de Trèves-Cunault SE : 3 km.
Syndicat d'Initiative à l'Hôtel de Ville ☎ 41 51 81 30.
Paris 287 – Angers 31 – Bressuire 63 – Cholet 61 – La Flèche 45 – Saumur 15.

Aux Naulets d'Anjou , r. Croix-de-Mission ☎ 41 51 81 88, ←, , – ⇔wc ☎ Ⓟ. rest
2 avril-2 nov. et fermé lundi (sauf hôtel en sais.) – SC : **R** 70/160 – ▭ 22 – **20 ch** 170/230 – P 270/290.

XX **Host. Loire** avec ch, ☎ 41 51 81 03, – ⇔wc ⋔wc Ⓟ
fermé 28 déc. au 10 fév., lundi soir et mardi – SC : **R** 82/124 – ▭ 18 – **11 ch** 75/200.

GENNEVILLIERS 92 Hauts-de-Seine 55 ⑳, 101 ⑮ – voir à Paris, Environs.

GÉNOLHAC 30450 Gard 80 ⑦ G. Vallée du Rhône – 850 h. alt. 470.
Syndicat d'Initiative à la Mairie ☎ 66 61 10 55.
Paris 612 – Alès 37 – Florac 49 – La Grand-Combe 27 – Nîmes 81 – Villefort 18.

Mont Lozère, D 906 ☎ 66 61 10 72 – ⋔wc Ⓟ. E.
1er fév.-1er nov. et fermé mardi sauf du 1er juil. au 15 sept. – SC : **R** 50/93 – ▭ 13 – **15 ch** 71/117 – P 123/154.

GENOUILLAC 23350 Creuse 68 ⑲ – 783 h. alt. 305.
Paris 328 – La Châtre 27 – Guéret 27 – Montluçon 55.

Relais d'Oc, ✆ 55 80 72 45 – P. VISA. ch
25 mars-1er déc. et fermé lundi – SC : **R** *(fermé dim. soir sauf juil.-août et lundi)* 58/140 – 17,50 – **9 ch** 80/90 – P 150/200.

GÉRARDMER 88400 Vosges 62 ⑰ **G. Alsace et Lorraine** – 9 647 h. alt. 665 – Sports d'hiver : 666/1 130 m 13, – Casino AZ – **Voir Lac★.**

Office de Tourisme pl. Déportés ✆ 29 63 08 74, Télex 961408.

Paris 403 ③ – Belfort 77 ② – Colmar 52 ① – Épinal 41 ③ – St-Dié 30 ① – Thann 56 ②.

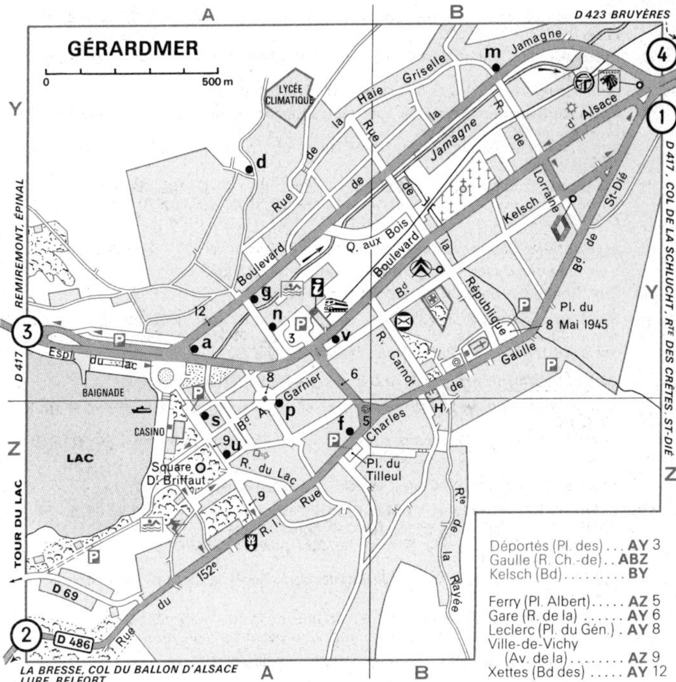

Gd Hôtel Bragard et rest. Gd Cerf, pl. Tilleul ✆ 29 63 06 31, Télex 960964, « , parc » – P – 25 à 60. VISA — AZ **f**
fermé nov. – SC : **R** 85/200 – 30 – **55 ch** 280/440 – P 430/470.

Réserve M, esplanade du Lac ✆ 29 63 21 60, Télex 961509, ← – P. VISA — AY **a**
fermé 17 nov. au 20 déc. – SC : **R** 80/220 – 28 – **32 ch** 140/320 – P 300/369.

Jamagne, 2 bd de la Jamagne ✆ 29 63 36 86, Télex 961139, , – wc wc P. VISA. rest — AY **g**
28 mars-12 oct. et 20 déc.-1er mars – SC : **R** 77/82 – 22 – **50 ch** 149/239 – P 237/297.

Viry et rest. l'Aubergade, pl. Déportés ✆ 29 63 02 41, – wc wc . VISA — AY **n**
SC : **R** *(fermé vend. hors sais.)* 60/160 – 21 – **18 ch** 150/245 – P 230/285.

Paix, 6 av. Ville-de-Vichy ✆ 29 63 38 78, ←, – wc wc P. VISA. rest — AZ **s**
SC : **R** 65/190 – 19 – **21 ch** 88/220 – P 210/295.

Bains sans rest, 16 bd Garnier ✆ 29 63 08 19, – wc wc P. VISA.
fermé 1er mars au 1er avril et 1er nov. au 20 déc. – SC : 21 – **56 ch** 120/220. — AZ **p**

Relais de la Mauselaine , au pied des pistes SE : 2,5 km rte de la Rayée - BZ - ✆ 29 63 05 74, ← – wc P. VISA.
fermé 15 au 30 mars et 30 sept. au 15 déc. – SC : **R** 46/135 – 20 – **15 ch** 195/210 – P 220/230.

Parc, 12 av. Ville-de-Vichy ✆ 29 63 32 43, – wc wc ☎ . E VISA AZ **u**
Pâques-début oct., vacances de fév. et week-ends de janv. et mars – SC : **R** 54/180 – 17 – **38 ch** 75/220 – P 160/240.

Route Verte, 61 bd Jamagne ✆ 29 63 12 97 – wc wc ☎ . AE E VISA. rest BY **m**
SC : **R** 60/160 – 20 – **33 ch** 150/195 – P 190/220.

L'Abri sans rest, rte Miselle ✆ 29 63 02 94, ←, – wc . AY **d**
fermé 15 nov. au 15 déc. et merc. hors sais. sauf vacances scolaires – SC : 20 – **14 ch** 100/200.

Chalet du lac, par ③ : 1 km rte Épinal ✆ 29 63 38 76, ← lac, – wc ☎ . VISA
fermé oct. et vend. hors sais. sauf vacances scolaires – SC : **R** 55/200 – 18 – **11 ch** 90/210 – P 195/300.

Plein Air sans rest, la Cercenée par ① : 2 km ✆ 29 63 32 11, ←, – wc wc . AE VISA
fermé 15 nov. au 15 déc. – SC : 20 – **10 ch** 100/160.

Écho de Ramberchamp sans rest, à Ramberchamp O : 1,5 km par D 69 ✆ 29 63 02 27, ←, – . AZ
fermé 15 nov au 20 déc, 15 janv. au 1er fév. et lundi hors sais. – SC : 16.50 – **16 ch** 75/110.

Liserons, 5 bd Kelsch ✆ 29 63 02 61 – wc wc . AE VISA. rest AY **v**
fermé 1er oct. au 15 déc. et merc. hors sais. – SC : **R** 70/100 – 20 – **12 ch** 112/240 – P 180/220.

au Saut des Cuves rte de la Schlucht par ① : 3 km – alt. 700 – ✉ **88400** Gérardmer.
Voir Saut des Cuves★ – Lac de Longemer★ SE : 3,5 km.
Env. Roche du Diable ← ★★ SE : 7 km puis 15 mn.

Saut des Cuves, ✆ 29 63 30 46 – wc wc ☎ . AE VISA
fermé 15 au 30 mars, 15 oct. au 15 déc. – SC : **R** *(fermé merc. sauf vacances scolaires)* 55/210 – 23 – **27 ch** 175/245 – P 245/290.

au Col de Martimpré par ① et D 8 : 5 km – ✉ **88400** Gérardmer :

Bonne Auberge de Martimprey avec ch, ✆ 29 63 19 08, – wc ☎ . AE E VISA
fermé 5 nov. au 15 déc., mardi soir et merc. du 15 sept. au 15 avril – SC : **R** 68 – 19 – **11 ch** 110/215 – P 210/248.

aux Bas Rupts par ② : 4 km – alt. 800 – ✉ **88400** Gérardmer :

Host. Bas-Rupts et Châlet Fleuri (Philippe) avec ch, ✆ 29 63 09 25, Télex 960992, ←, , – wc wc ☎ . AE VISA
fermé 8 au 20 déc. – SC : **R** (dim. et fêtes prévenir) 95/260 – 30 – **32 ch** 220/320 – P 380/440
Spéc. Marmite du pêcheur, Feuilleté de filets de sole, Noisettes de marcassin sauce poivrade. **Vins** Pinot rosé, Riesling.

La Belle Marée, ✆ 29 63 06 83, ←, produits de la mer – . AE VISA
fermé 23 juin au 5 juil., dim. soir et lundi sauf vacances scolaires – SC : **R** 42/220 .

à Xonrupt-Longemer E : 6 km par D 417 – ✉ **88400** Gérardmer :

Lac de Longemer avec ch, ✆ 29 63 37 21, ←, , – wc wc . AE
fermé 15 nov. au 15 déc. – SC : **R** 49/150 – 20 – **18 ch** 90/210 – P 180/240.

au Grand Valtin E : 10 km par ① et D 23 – ✉ **88230** Fraize :

Louisière, ✆ 29 50 31 39, ←, , « Auberge rustique » –
fermé 11 nov. au 1er déc., merc. soir et jeudi – SC : **R** (nombre de couverts limité, prévenir) carte 145 à 200 .

CITROEN Auto-Gar. Géromois, 31 bd Kelsch ✆ 29 63 35 77
FORD Gar. Lahache, 22 r. 152-R.-I. ✆ 29 63 01 79 N
PEUGEOT-TALBOT Gar. Thiébaut, La Croisette ✆ 29 63 14 50
RENAULT Gar. Lorraine, 60 bd Kelsch ✆ 29 63 01 95
V.A.G. Gegout Autom., rte Colmar ✆ 29 63 30 88

GERMIGNY 58 Nièvre 69 ③ – rattaché à Pougues-les-Eaux.

GERMINY-L'ÉVÊQUE 77 S.-et-M. 56 ⑬, 196 ㉓ – rattaché à Meaux.

Aimer la nature,
c'est respecter la pureté des sources, la propreté des rivières, des forêts, des montagnes...
c'est laisser les emplacements nets de toute trace de passage.

Les GETS 74260 H.-Savoie 74 ⑧ G. Alpes – 1 097 h. alt. 1 170 – Sports d'hiver : 1 172/1 850 m 2 28.

Voir Mont Chéry ✻★★ O par télésiège.

Office de Tourisme ☎ 50 79 75 55, Télex 385026.

Paris 569 – Annecy 86 – Bonneville 37 – Chamonix 64 – ♦Genève 52 – Megève 50 – Thonon-les-B. 37.

- **Marmotte** M, ☎ 50 79 75 39, ←, – cuisinette ☎. E VISA. rest
  1er juil.-31 août et 20 déc.-14 avril – SC : **R** (résidents seul.) – 25 – **45 ch** 220/355, (en hiver pension seul.) – P 390/490.
- **Le Labrador** M sans rest, à **la Turche** ☎ **50 79 74 53,** ←, – TV wc ☎ P. AE VISA
  juil.-août et 15 déc.-15 avril – SC : **22 ch** 260/360.
- **Mont Chéry** M, ☎ **50 79 74 55,** ←, – rest TV wc P.
  1er juil.-31 août et 20 déc.-20 avril – SC : **R** 74/130 – 26 – **26 ch** 420.
- **Ours Blanc** M , ☎ **50 79 14 66,** ← – wc ☎ P. rest
  20 déc.-15 avril – SC : **15 ch** (pension seul.) – P 350/440.
- **Lion d'Or,** ☎ 50 79 70 06, ←, , – wc wc P. VISA
  28 juin-31 août et 20 déc.-20 avril – SC : **R** 80/140 – 19,50 – **21 ch** 103/220 – P 225/305.
- **Alpina** , ☎ **50 79 80 22,** ← – wc wc ☎ .
  1er juil.-6 sept. et 20 déc.-15 avril – SC : **R** 65/85 – 18 – **29 ch** 175 – P 183/265.
- **Régina,** ☎ **50 79 74 76,** ← – cuisinette wc wc . VISA. rest
  juil.-août et 20 déc.-15 avril – SC : **R** 65/80 – 19.50 – **24 ch** 93/195 – P 185/270.
- **Maroussia** , à **La Turche** ☎ **50 79 71 06,** ← – wc wc P. rest
  fermé 15 avril au 1er juin et 28 sept. au 1er oct. – SC : **R** 65/100 – 21 – **22 ch** 190/235 – P 240/320.

GEVREY-CHAMBERTIN 21220 Côte-d'Or 66 ⑫ G. Bourgogne – 2 582 h. alt. 287.

Syndicat d'Initiative pl. Mairie (mai à sept.) ☎ 80 34 38 40.

Paris 313 – Beaune 27 – ♦Dijon 12 – Dole 62.

- **Grands Crus** M sans rest, ☎ **80 34 34 15, « Jardin fleuri »** – ☎ P
  fermé 1er déc. au 20 fév. – SC : 24 – **24 ch** 195/265.
- **Les Terroirs** M sans rest, **rte Dijon** ☎ **80 34 30 76, « Belle décoration intérieure »** – wc wc ☎ P. AE E
  fermé 22 déc. au 10 janv. – SC : 25 – **14 ch** 200/300.
- **Vendanges de Bourgogne,** rte Beaune ☎ **80 34 30 24** – wc wc ☎. VISA. ch
  fermé 27 janv. au 10 mars, dim. soir et lundi – SC : **R** 60/120 – 17 – **18 ch** 79/187.
- XXX ✿ **La Rôtisserie du Chambertin,** ☎ **80 34 33 20, « Caves anciennes aménagées. Petit musée de cire »** – P
  fermé 4 au 18 août, fév., dim. soir et lundi – SC : **R** (nombre de couverts limités - prévenir) carte 195 à 285
  Spéc. Foie de canard, Gigot de poulette aux morilles, Coq au vin à l'ancienne. **Vins** Bourgogne aligoté, Gevrey-Chambertin.
- XXX ✿ **Les Millésimes** (Sangoy), **25 r. Église** ☎ **80 51 84 24, « Cave aménagée, belle décoration intérieure »** – P. AE E VISA
  fermé 10 janv. au 15 fév., merc. midi et mardi – **R** 105/215.

PEUGEOT TALBOT Jouan, ☎ 80 34 30 62

GEX 01170 Ain 70 ⑮⑯ G. Jura (plan) – 4 868 h. alt. 628.

Syndicat d'Initiative Square J. Clerc ☎ 50 41 53 85.

Paris 496 – ♦Genève 17 – Lons-le-Saunier 96 – Pontarlier 113 – St-Claude 44.

- **Parc,** av. Alpes ☎ **50 41 50 18,** – wc wc ☎ P. VISA. ch
  5 fév.-15 nov. et fermé dim. soir et lundi sauf en été – SC : **R** 110/240 – 28 – **20 ch** 85/260 – P 210/280.
- XXX **Aub. des Chasseurs** avec ch, à **Echenevex S : 4 km - alt. 650** ✉ **01170 Gex** ☎ **50 41 54 07,** ←, , **« Terrasse fleurie, jardin »,** – wc P
  2 mai-30 sept., week-end en oct. et fermé dim. soir et lundi sauf juil.-août – SC : **R** (prévenir) 90/220 – 30 – **12 ch** 150/280.
- X **Le Florimont** avec ch, **N : 6 km par N 5** ☎ **50 41 53 34,** ←, – P.
  fermé oct. et mardi – SC : **R** 79/135 – 13,50 – **9 ch** 54/86.

à Chevry S : 7 km par D 984c – ✉ **01170** Gex :

- XX **Aub. Gessienne,** ☎ **50 41 01 67,** – P
  fermé 27 juil. au 11 août, 3 au 26 fév., dim. et lundi – SC : **R** 80/180.

CITROEN S.A.D.A.G., N 5 à Cessy ☎ 50 41 55 17 N
FORD Piron, Le Martinet Cessy ☎ 50 41 50 94
MAZDA Gar. Dago, Le Martinet Cessy ☎ 50 41 55 52

RENAULT Gar. Modernes, Les Vertes Campagnes ☎ 50 41 54 24 N
TOYOTA, VOLVO Jordan-Meille, à Sauverny ☎ 50 20 70 67

GIAT 63620 P.-de-D. 73 ⑫ – 1 268 h. alt. 779.

Paris 414 – Aubusson 37 – ♦Clermont-Ferrand 69 – Le Mont-Dore 55 – Montluçon 80 – Ussel 43.

Commerce, ☎ 73 21 72 38, – P
SC : **R** *(fermé lundi)* (prévenir) 50/95 – 16 – **13 ch** 70/120 – P 120/140.

CITROEN Gar. du Moulin ☎ 73 21 72 86 N ☎ 73 21 74 96

RENAULT Richin, ☎ 73 21 72 16 N

GIEN 45500 Loiret 65 ② **G. Châteaux de la Loire** – 16 445 h. alt. 161.

Voir Église★ B – Château★ : musée de la Chasse★★ M – Pont ≤★.

Office de Tourisme r. Anne-de-Beaujeu (1er avril-31 oct.) ☎ 38 67 25 28.

Paris 152 ① – Auxerre 87 ② – Bourges 76 ③ – Cosne 41 ② – ♦Orléans 64 ④ – Vierzon 73 ③.

GIEN

Gambetta (R.) 6
Thiers (R.) 21
Victor-Hugo (R.) 22

Beaujeu (R. A.-de) 2
Château (Pl. du) 3
Clemenceau (R. G.) 5
Hôtel-de-Ville (R. de l') 7
Jeanne-d'Arc (R.) 9
Leclerc (Av. Gén.) 12
Louis-Blanc (R.) 13
Marienne (R. Adj.) 14
Paul-Bert (R.) 16
Président-Wilson (Av. du) 17
République (Av. de la) 18

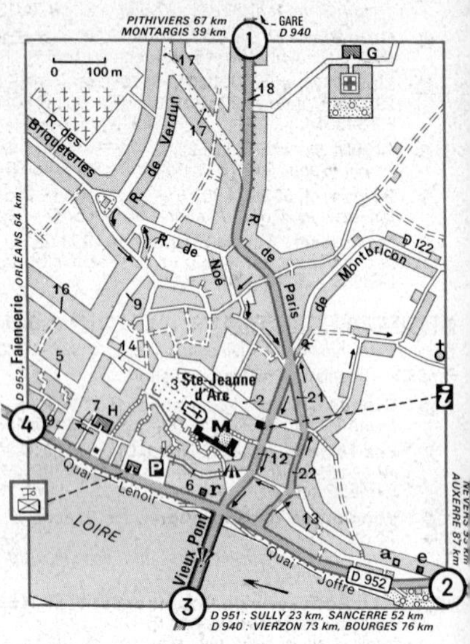

Rivage, 1 quai Nice **(a)** ☎ 38 67 20 53, ≤ – wc ☎ P. AE ① E VISA
SC : **R** *(fermé 9 fév. au 2 mars)* 75/225 – 21 – **29 ch** 80/225
Spéc. Feuilleté d'escargots au Sancerre, Escalope de saumon frais aux morilles, Fricassée de ris d'agneau au vinaigre de cidre et miel. **Vins** Pouilly-Fumé.

Sanotel M sans rest, **21 quai Sully par ③** ☎ **38 67 61 46,** ≤, – wc ☎ P – 60. VISA
SC : 21 – **58 ch** 185/205.

Beau Site et La Poularde avec ch, **13 quai Nice (e)** ☎ **38 67 36 05** – ☎. AE ① VISA
fermé 1er au 15 janv. et dim. soir – **SC : R** 57/120 – 18 – **8 ch** 76/107 – P 300/350.

Loire, 18 quai Lenoir **(r)** ☎ **38 67 00 75** –
fermé 1er au 15 sept., 7 au 28 fév., mardi soir et merc. – **SC : R** 57/128.

La Marmite, rte Paris par ① ☎ **38 67 37 23** – P
fermé août, 24 déc. au 2 janv. et dim. – **SC : R** (déj. seul.) 58/86.

BMW, FIAT, LANCIA Europe-Gar., 58 r. Paris ☎ 38 67 09 63
CITROEN S.A.G.V.R.A., rte Bourges, Poilly-lez-Gien, par ③ ☎ 38 67 30 82 N ☎ 38 67 07 33
FORD Borla, 61 av. de la République ☎ 38 67 35 85
PEUGEOT, TALBOT S.A.G., rte Bourges, Poilly-lez-Gien, par ③ ☎ 38 67 35 43
RENAULT Reverdy, rte Bourges, Poilly-lez-Gien, par ③ ☎ 38 67 28 98

RENAULT Prieur, 102 r. G.-Clemenceau, par ④ ☎ 38 67 15 32
V.A.G. Relais St-Christophe, 91 rte d'Orléans ☎ 38 67 34 02
Aubry-Essence, 16 av. de la République ☎ 38 67 07 61

Pneu-Service, r. J.-César ☎ 38 67 42 08

Pour des repas simples à prix modiques choisissez les établissements marqués d'un losange

GIENS 83 Var 84 ⑯ G. Côte d'Azur – alt. 54 – ✉ **83400** Hyères.

Voir Ruines du château ※** ✕.

Paris 867 – Carqueiranne 13 – Draguignan 91 – Hyères 12 – La Londe-des-Maures 18 – •Toulon 27.

Voir plan de Giens à Hyères

Le Provençal, ✆ 94 58 20 09, ≤, 🍽, « Parc ombragé en terrasses », ⛱, 🎾 – 🛗 🅿. ⓓ E. 🚫 rest X **v**
22 mars-20 oct. – SC : **R** 130 – **50 ch** ☕ 216/499 – P 298/421.

Relais du Bon Accueil 🐚, ✆ 94 58 20 48, ≤, 🍽, « Jardin fleuri » – 📺 🛁wc 🚿wc 📞 🅿 X **s**
fermé 5 nov. au 15 déc. – **R** 85/200 – ☕ 25 – **10 ch** 260/300 – P 300/390.

Le Tire Bouchon, ✆ 94 58 24 61, ≤, 🍽 – ⓓ VISA X **a**
fermé 15 déc. à fin janv. – SC : **R** *(fermé mardi soir et merc.)* 63/83.

La GIETTAZ 73 Savoie 74 ⑦ – 535 h. alt. 1 100 – ✉ **73590** Flumet.

Paris 577 – Albertville 27 – Annecy 56 – Bonneville 39 – Chambéry 76 – Flumet 6 – Megève 16.

Relais des Aravis, ✆ 79 32 91 78, ≤ – 🛗 🛁wc 📞 🅿. 🚫 rest
20 juin-10 sept. et 15 déc.-25 avril – SC : **R** 55/157 – ☕ 17 – **27 ch** 85/158 – P 155/210.

Flor'Alpes, ✆ 79 32 90 88, ≤, 🌳 – 🛁 🚿wc 🅿. 🚫
1er juin-30 sept. et 20 déc.-30 avril – SC : **R** 58/90 🍷 – ☕ 15 – **11 ch** 75/110 – P 135/160.

Les Vernes 🐚, au Plan NE : 3,5 km ✆ 79 32 92 68, ≤ – 🛁wc 🚿 🅿. 🚫
15 juin-15 sept. et 20 déc.-20 avril – SC : **R** 55/60 – ☕ 15 – **15 ch** 85/150 – P 150/180.

GIGARO 83 Var 84 ⑰ – rattaché à La Croix-Valmer.

GIGNAC 34150 Hérault 83 ⑥ – 3 228 h. alt. 53.

ℹ Office de tourisme pl. Gén.-Claparède ✆ 67 57 58 83.

Paris 790 – Béziers 50 – Clermont-l'Hérault 11 – Lodève 24 – •Montpellier 30 – Sète 44.

Commerce, 1 bd Pasteur ✆ 67 57 50 97 – 🛁wc
fermé 22 déc. au 2 fév. et dim. – SC : **R** 65 bc/210 bc – ☕ 16 – **17 ch** 66/160 – P 165/210.

H. Capion avec ch, rte Montpellier ✆ 67 57 50 83 – 🚿wc 📞. AE ⓓ E VISA. 🚫 ch
fermé 15 janv. au 28 fév., dim. soir et lundi hors sais. – SC : **R** 135/178 – ☕ 25 – **8 ch** 130/270 – P 425/645.

Aub. du Vieux Moulin, O : 1,5 km par N 109 ✆ 67 57 52 77 – 🅿. AE VISA. 🚫
fermé 1er oct. au 15 nov. et mardi – SC : **R** 60/180.

à Aniane NE : 5 km sur D 32 – ✉ **34150** Gignac.

Voir Grotte de Clamouse** et gorges de l'Hérault* NO : 4 km, G. Causses.

Clamouse, ✆ 67 57 71 63 – 🚿
SC : **R** *(fermé lundi hors sais.)* 51/160 🍷 – ☕ 16,50 – **10 ch** 97/161 – P 168/206.

GIGONDAS 84 Vaucluse 81 ② – 648 h. alt. 400 – ✉ **84190** Beaumes-de-Venise.

Paris 667 – Avignon 39 – Nyons 31 – Orange 18 – Vaison-la-Romaine 15.

Les Florets 🐚, E : 1,5 km par VO ✆ 90 65 85 01, 🍽 – 🛁wc 🚿wc 📞 🅿. ⓓ
fermé janv., fév. et merc. – **15 ch**.

à Montmirail S : 6 km par D 7 et rte Vacqueyras – ✉ **84190** Beaumes-de-Venise :.

Voir Clocher* de la chapelle N.-D. d'Aubune SE : 5 km, G. Provence.

Montmirail M 🐚, ✆ 90 65 84 01, ≤, parc, ⛱ – 🛁wc 🚿wc 📞 🅿 – 🏛 25 à 50. AE ⓓ VISA
1er mars-1er déc. – SC : **R** *(fermé lundi)* 90/150 – ☕ 20 – **46 ch** 197/260.

GIMBELHOF 67 B.-Rhin 57 ⑲ – rattaché à Lembach.

GIMEL-LES-CASCADES 19 Corrèze 75 ⑨ G. Périgord.

Voir Site* – Cascades** dans le parc Vuillier – Trésor* de l'église.

GIMONT 32200 Gers 82 ⑥ G. Pyrénées – 2 950 h. alt. 154.

ℹ Syndicat d'Initiative (juil.-août) ✆ 62 67 77 87.

Paris 742 – Agen 85 – Auch 26 – Castelsarrasin 59 – Montauban 70 – St-Gaudens 73 – •Toulouse 53.

Château Larroque 🐚, rte Toulouse ✆ 62 67 77 44, Télex 531135, ≤, 🍽, « Parc » – 🅿 – 🏛 30 à 200. AE ⓓ VISA ·
fermé 2 au 31 janv. – SC : **R** 130/220 – ☕ 33 – **13 ch** 250/380 – P 450.

Coin du Feu, bd Nord ✆ 62 67 71 56 – 🅿
fermé lundi soir et mardi – SC : **R** 68 bc/165.

GINASSERVIS 83 Var 84 ④ – 779 h. alt. 450 – ✉ **83560** Rians.

Paris 785 – Aix-en-Provence 50 – Brignoles 49 – Draguignan 67 – Manosque 24.

Le Bastier ⑤, O : 2 km par rte St-Paul ✆ **94 80 11 78**, ≤, parc, – TV wc ☎ & Ⓟ – 500. AE ⓓ E VISA
SC : **R** 83/239 – ☕ 30 – **24 ch** 250/300 – P 390.

GIROMAGNY **90200** Ter.-de-Belf. 66 ⑧ **G. Vosges** – 3 694 h. alt. 476.

ℹ Syndicat d'Initiative à la Mairie ✆ 84 27 14 18.

Paris 513 – Belfort 12 – Lure 30 – Masevaux 21 – ♦Mulhouse 46 – Thann 41 – Le Thillot 32.

X **Saut de la Truite** avec ch, **N : 7 km D 465 - alt. 701** ✆ **84 29 32 64**, ≤, – wc Ⓟ. ⓓ E VISA. ch
fermé 20 nov. au 20 déc., jeudi soir et vend. – SC : **R** 56/140 – ☕ 16 – **8 ch** 90/135 – P 175.

GIRONDE-SUR-DROPT **33** Gironde 79 ② – rattaché à La Réole.

GIROUSSENS **81** Tarn 82 ⑨ – rattaché à Lavaur.

GISORS **27140** Eure 55 ⑧⑨ **G. Normandie** – 8 859 h. alt. 58.

Voir Château fort★★ Y – **Église St-Gervais et St-Protais**★ Z **E.**

ℹ Office de Tourisme pl. Carmélites ✆ 32 55 20 28.

Paris 70 ③ – Beauvais 32 ② – Évreux 67 ④ – Mantes-la-J. 38 ③ – Pontoise 36 ③ – ♦Rouen 58 ⑤.

GISORS

Cappeville (R.) .... Y 6
Dauphine (R.) .... Z 10
Frères-Planquais (R. des) .... YZ 23
Paris (R. de) .... Z
Vienne (R. de) .... YZ 34

Argilières (R. des) .... Y 2
Baléchoux (R.) .... Z 3
Blanmont (Pl. de) .... YZ 4
Caroline (Pl.) .... Z 7
Chambord (R. de) .... Z 8
Champ-Fleury (R. du Grand) .... Z 9
Dieppe (R. de) .... Z 12
Durand (R. P.) .... Z 14
Epte (R. de l') .... Y 16
Fontaines (R. des) .... YZ 22
Gare (Av. de la) .... Y 24
Hospice (R. de l') .... Z 25
Libération (R. de la) .... Z 26
Monument (Av. du) .... Y 27
Neaufles (R. du Fg-de) .... Z 28
Ometeau-Ferré (Av. de l') .... Y 29
St-Gervais (R.) .... Z 30
St-Ouen (R.) .... Z 32
Troësne (R. de) .... Y 33
Vierge-Dorée (Pt de la) .... Z 35

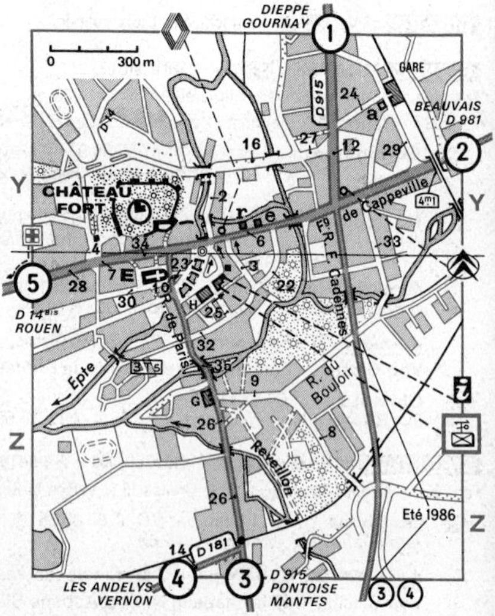

Moderne, pl. Gare ✆ **32 55 23 51** – wc wc ☎ Ⓟ. E VISA — Y **a**
SC : **R** *(fermé 14 juil. au 7 août, 20 déc. au 7 janv., dim. soir et lundi)* 49/148 – ☕ 20 – **30 ch** 115/215.

XX **Host. des 3 Poissons,** 13 r. Cappeville ✆ **32 55 01 09** – — Y **r**
fermé juin, lundi soir et mardi – SC : **R** 62/130.

XX **Le Cappeville,** 17 r. Cappeville ✆ **32 55 11 08** – AE E VISA — Y **e**
fermé 25 août au 15 sept., 5 au 25 janv., mardi soir et merc. – SC : **R** 68/105.

à Bazincourt-sur-Epte N : 6,5 km – ✉ **27140** Gisors :

Château de la Rapée ⑤, ✆ **32 55 11 61**, ≤, « parc » – wc wc ☎ Ⓟ. AE ⓓ VISA.
fermé 16 au 31 août, 20 janv. au 1er mars, mardi soir d'oct. à Pâques (sauf hôtel) et merc. – SC : **R** 119/150 – ☕ 30 – **10 ch** 230/340 – P 418/534.

CITROEN P.M.S., 2 r. Dieppe ✆ 32 55 22 29 N
PEUGEOT-TALBOT SCAG, Trie-Château (Oise) par ② ✆ 44 49 75 11
RENAULT gar. Dumorlet, 38 rte de Dieppe par ① ✆ 32 55 22 56

RENAULT Gar. Chales, 3 r. Cappeville ✆ 32 55 21 66

Berry-Pneus, 24 fg Cappeville ✆ 32 55 27 64
Bertault, 4 r. Pré-Nattier ✆ 32 55 17 51

GIVET 08600 Ardennes 53 ⑨ G. Champagne, Ardennes – 7 728 h. alt. 103.

Voir Centrales nucléaires des Ardennes★ à Chooz par ③ : 6 km.

Office de Tourisme pl. Tour Victoire, (juil.-août) ☎ 24 55 03 54 et à la Mairie ☎ 24 55 06 84.

Paris 267 ③ – Avesnes-sur-Helpe 72 ④ – Charleville-Mézières 55 ③ – Hirson 68 ④ – Namur 47 ①.

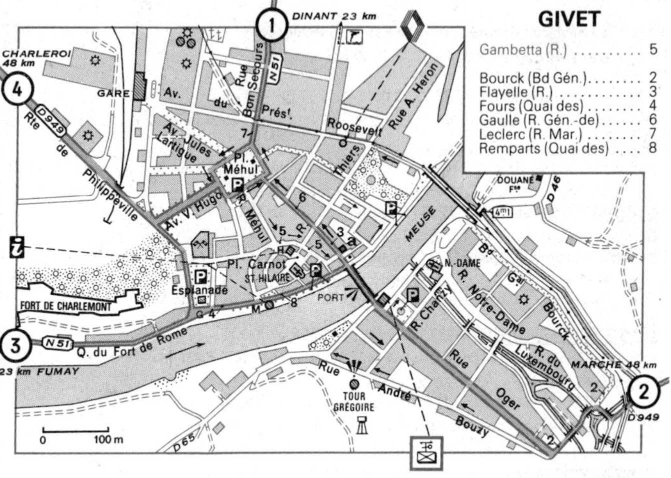

✕✕ **Baudoin,** 2 pl. 148e R.I. **(a)** ☎ **24 55 00 70.**

RENAULT Gar. Franco-Belge, 23 av. Roosevelt ☎ 24 55 01 85 N

GIVORS 69700 Rhône 74 ⑪ G. Vallée du Rhône – 20 554 h. alt. 161.

Paris 478 ② – ♦Lyon 22 ② – Rive-de-Gier 15 ⑤ – Vienne 12 ②.

GIVORS

Barbusse (Pl. H) .... B 2
Gambetta (R.) .... B
Salengro (R. R.) .... B
Victor-Hugo (R.) .... B 24

Bourg (R. du) .... B 3
Cachin (R. Marcel) .... A 4
Carnot (Pl.) .... B 5
Denfert-Rochereau (R.) .... B 6
Gizard (Chemin de) .... A 7
Idoux (R. Édouard) .... A 8
Jaurès (Pl. Jean) .... B 9

Liauthaud (R. J.) .... AB 10
Ligonnet (R. Jean) .... AB 12
Longarini (R. J.) .... B 13
Mas (R. Marie) .... B 14
Montrond (R. de) .... A 15
Pétetin (R. H.) .... A 16

Projetée (R.) .... B 17
République (R. de la) .... B 18
Sémard (R. Pierre) .... AB 19
St-Gérald (R.) .... B 20
Verreries (R. des) .... B 23
Vieille-du-Bourg (R.) .... B 25

au Nord par ① : 2,5 km – ✉ **69520** Grigny :

XXX **Les Sources** avec ch, chemin de Grigny ✆ 78 73 05 61, ≤, parc – wc ☎ – 30. AE E VISA
fermé en fév., lundi midi (hors sais.) et dim. soir – SC : **R** 90/190 – ☕ 26 – **10 ch** 260/300.

à Loire-sur-Rhône par ④ : 5 km – ✉ **69700** Givors :

XX **Camerano,** ✆ 78 73 20 07 – AE E VISA
fermé août, dim. soir et lundi – SC : **R** 76/244.

XX Francizod avec ch, ✆ 78 73 20 06, – – **4 ch**.

PEUGEOT-TALBOT Central-Gar., 9 r. Victor-Hugo ✆ 78 73 00 88
PEUGEOT-TALBOT Gar. Moret, 31 r. de Dobëln, les Vernes par ① ✆ 78 73 01 69
RENAULT Chavanne, 42 r. J.-Ligonnet ✆ 78 73 09 80
Comptoir du Pneu, 16 r. M.-Cachin ✆ 78 73 15 13

GIVRY 71640 S.-et-L. 69 ⑨ G. Bourgogne – 3 280 h. alt. 220.

Bureau de Tourisme Halle Ronde (21 juin-7 sept.).

Paris 353 – Autun 48 – Chagny 15 – Chalon-sur-Saône 9 – Mâcon 67 – Montceau-les-Mines 37.

Halle, pl. Halle ✆ 85 44 32 45 – rest . AE E VISA
fermé nov., dim. soir et lundi – SC : **R** 42/140 – ☕ 17 – **10 ch** 88/132 – P 190/273.

GIVRY-EN-ARGONNE 51330 Marne 56 ⑲ – 545 h. alt. 176.

Paris 233 – Bar-le-Duc 33 – Châlons-sur-M. 44 – Ste-Ménehould 16 – Verdun 60 – Vitry-le-François 35.

L'Espérance, ✆ 26 60 00 08
fermé dim. soir – SC : **R** 45/130 – ☕ 14,50 – **7 ch** 60/130 – P 130/150.

RENAULT Lallemand, Les Charmontois ✆ 26 60 00 47
Louis, r. Gare ✆ 26 60 01 48

GLANDELLES 77 S.-et-M. 61 ⑫ – alt. 40 – ✉ 77167 Bagneaux-sur-Loing.

Paris 87 – Melun 39 – Montargis 26 – Nemours 7 – Pithiviers 46 – Sens 49.

XX **Les Marronniers** N 7, ✆ (1) 64 28 07 04, – VISA
fermé 1er au 23 août, 15 au 31 janv., mardi soir et merc. – SC : **R** 70/250.

XX **La Glandelière,** S : 1 km N 7 ✆ (1) 64 28 10 20, – . VISA
fermé 15 au 30 sept., 15 au 28 fév., lundi soir, jeudi soir et mardi – SC : **R** 57/135.

GLÉNIC 23 Creuse 72 ⑩ – rattaché à Guéret.

GLUGES 46 Lot 75 ⑱⑲ – rattaché à Martel.

GOLBEY 88 Vosges 62 ⑯ – rattaché à Épinal.

GOLDBACH 68 H.-Rhin 66 ⑨ – 134 h. alt. 650 – ✉ 68760 Willer-sur-Thur..

Paris 451 – Colmar 51 – Gerardmer 52 – Thann 7,5 – Le Thillot 41.

Goldenmatt , par Col Amic N : 4 km ✆ 89 82 32 86, ≤ – wc
Pâques-15 nov. – SC : **R** 75/190 – ☕ 30 – **13 ch** 120/220.

GOLFE-JUAN 06 Alpes-Mar. 84 ⑨, 195 ㉟㊴ G. Côte d'Azur – ✉ 06220 Vallauris.

Office de Tourisme 84 av. Liberté ✆ 93 63 73 12.

Paris 907 – Antibes 5 – Cannes 6 – Grasse 21 – ♦Nice 27.

Le Petit Trianon M sans rest, 18 av. Liberté ✉ 06350 Golfe Juan ✆ 93 63 70 51 – wc ☎ . VISA.
fermé 20 oct. au 20 déc. – SC : ☕ 30 – **14 ch** 200/350.

Beau Soleil M , impasse Beausoleil par N 7 ✆ 93 63 63 63, – wc wc ☎ .
20 mars-12 oct. – SC : **R** (pour résidents seul.) 80 – ☕ 20 – **30 ch** 260 – P 260.

Les Jasmins, N 7 ✆ 93 63 80 83, Télex 970935, – rest wc wc ☎ – 30. AE VISA
fermé nov. – SC : **R** 80, carte le midi – ☕ 20 – **37 ch** 137/396 – P 298/345.

M'Hôtel Lauvert M sans rest, impasse des Hameaux de Beausoleil par N 7 ✆ 93 63 46 06, , – cuisinette wc ☎
15 janv.-15 oct. – SC : ☕ 21 – **28 ch** 255.

De Crijansy, av. J.-Adam ✆ 93 63 84 44, – wc wc ☎ – 25.
fermé 15 oct. au 20 déc. – SC : **R** 90/180 – ☕ 22 – **20 ch** 205/230 – P 250/260.

Golfe sans rest, bd Plage ✆ 93 63 71 22, ≤ – wc wc ☎ . AE VISA
fermé 20 oct. au 20 déc. – SC : ☕ 19 – **18 ch** 170/235.

Palm H., 17 av. Palmeraie ✆ 93 63 72 24, , – wc wc ☎. E VISA
SC : **R** 65/90 – ☕ 20 – **26 ch** 220 – P 250/270.

XX ❀ **Tétou,** à la plage ✆ 93 63 71 16, ≤, – ▤ Ⓟ
fermé 15 oct. au 20 déc., 1er au 20 mars et merc. – SC : **R** *(du 20 déc. au 1er mars déj. seul.)* carte environ 360
Spéc. Bouillabaisse, Langouste grillée, Poissons. **Vins** Bellet, Bandol.

XX **Nounou,** à la plage ✆ 93 63 71 73, ≤, – Ⓟ. AE
fermé 15 nov. au 26 déc. et jeudi sauf le soir en juil.-août – SC : **R** 112/300.

XX **Bistrot du Port,** au port ✆ 93 63 70 64 – ▤. VISA.
1er mars-30 nov. et fermé dim. soir et lundi sauf du 15 juin au 15 sept. – SC : **R** (dîner seul. du 15 juin au 15 sept.) 170.

XX **Relais Impérial** avec ch, **21 r. L.-Chabrier** ✆ **93 63 70 36,** – wc. AE E VISA
fermé 12 nov. au 19 déc. – SC : **R** 78/119 – **10 ch**.

XX **Chez Christiane,** au port ✆ 93 63 72 44, – AE VISA
fermé dim. soir du 1er nov. au 20 déc. et mardi sauf juil.-août – SC : **R** (déj. seul. du 2 janv. au 23 mars) 150/230.

X **Bruno,** au port ✆ 93 63 72 12,
fermé 10 nov. au 15 déc., merc. et le soir du 15 déc. à Pâques – SC : **R** 60/120.

GOMETZ-LE-CHATEL 91 Essonne 60 ⑩, 196 ㉚, 101 ㉝ – 1 408 h. – ✉ **91940** Les Ulis.

Paris 33 – Chartres 58 – Evry 31 – Rambouillet 26.

XX **Four à Pain,** 83 rte Chartres ✆ (1) 60 12 30 10 – VISA.
fermé 14 juil. au 15 août, 1er au 12 janv., sam. et dim. – SC : **R** (nombre de couverts limité - prévenir) carte 105 à 155.

GONCELIN 38570 Isère 77 ⑤⑥ – 1 467 h. alt. 242.

Paris 553 – Albertville 60 – Allevard 10 – Chambéry 29 – ♦Grenoble 28.

XX **Clos du Château,** ✆ 76 71 72 04, – Ⓟ
fermé août, dim. soir, lundi et soirs de fêtes – SC : **R** 95/150.

GORDES 84220 Vaucluse 81 ⑬ G. Provence – 1 607 h. alt. 373.

Voir Site★ – Château : cheminée★, musée Vasarely★ – Abbaye de Sénanque★ NO : 4 km – Pressoir★ dans la bastide au musée du vitrail Frédéric Duran S : 5 km.

Office de Tourisme pl. Château (1er avril-30 sept.) ✆ 90 72 02 75.

Paris 716 – Apt 20 – Avignon 38 – Carpentras 34 – Cavaillon 17 – Sault 35.

Domaine de l'Enclos Ⓜ, rte de Sénanque ✆ **90 72 08 22, Télex 432119,** ≤ le Lubéron, – TV Ⓟ. AE.
15 mars-15 nov. – SC : **R** *(fermé lundi)* carte 190 à 270 – 60 – **6 ch** 600/1 300, 4 appartements 1 300.

La Mayanelle , ✆ **90 72 00 28,** ≤ **Le Luberon** – wc wc. AE E VISA
fermé 2 janv. au 28 fév., lundi soir sauf hôtel et mardi – SC : **R** carte 100 à 185 – 30 – **10 ch** 160/300.

Le Gordos sans rest, **rte Cavaillon : 1,5 km** ✆ **90 72 00 75,** ≤, – wc wc Ⓟ
début mars-fin oct. – SC : 25 – **15 ch** 200/275.

Aub. de Carcarille , E : 2,5 km sur D 2 ✆ **90 72 02 63,** – wc Ⓟ. ch
fermé 20 nov. au 30 déc. et vend. – SC : **R** 55/115 – 18 – **11 ch** 150/210 – P 260/320.

au NO : 2 km par rte abbaye de Senanque – ✉ **84220** Gordes :

XXX ❀ **Les Bories** (Rousselet) avec ch, ✆ **90 72 00 51, « Pittoresque aménagement dans de vieilles cabanes en pierre »** – wc Ⓟ. ch
fermé déc. et merc. – SC : **R** (déj. seul.) (nombre de couverts limité - prévenir) carte 175 à 265 – 40 – **4 ch** 250/400
Spéc. Bourride de baudroie, Gibier (15 oct. au 28 fév.), Nougat glacé au coulis d'abricots. **Vins** Châteauneuf-du-Pape, Tavel.

PEUGEOT-TALBOT Gar. JPC, ✆ 90 72 00 24

GORGES voir au nom propre des gorges.

GORRON 53120 Mayenne 59 ⑲⑳ – 2 892 h. alt. 172.

Paris 265 – Alençon 74 – Domfront 28 – Fougères 32 – Laval 47 – Mayenne 22.

XX **Bretagne** avec ch, ✆ **43 04 63 67,** – wc wc Ⓟ. E VISA
fermé 20 déc. au 20 janv., dim. soir (sauf hôtel) et lundi du 15 oct. au 15 mars – SC : **R** 56/112 – 17,50 – **12 ch** 65/122 – P 140/200.

GORZE 57 Moselle 57 ⑬ G. Alsace et Lorraine – 1 254 h. alt. 240 – ✉ 57130 Ars-sur-Moselle.
Paris 314 – Jarny 20 – ♦Metz 19 – Pont-à-Mousson 21 – St-Mihiel 42 – Verdun 52.

XX **Host. du Lion d'Or** avec ch, ✆ 87 52 00 90, – wc wc. E VISA
fermé vacances de fév., dim. soir d'oct. à avril et lundi – SC : **R** 60/220 – 15 – **10 ch** 80/128 – P 170/200.

GOUAREC 22570 C.-du-N. 58 ⑱ – 1 209 h. alt. 130.
Voir Collection de minéraux★ au moulin de Bothoa SE : 5 km, **G. Bretagne.**
Paris 473 – Carhaix-Plouguer 31 – Guingamp 46 – Loudéac 37 – Pontivy 28 – St-Brieuc 51.

Blavet, ✆ 96 24 90 03, – wc wc. AE E VISA
fermé fév., 22 au 29 déc., dim. soir et lundi sauf juil.-août – SC : **R** 60/240 – 18 – **15 ch** 80/270 – P 167/340.

CITROEN Darcel, ✆ 96 24 91 49 N
RENAULT Martin B., ✆ 96 24 90 28 N

GOUESNACH 29 Finistère 58 ⑮ – 1 487 h. alt. 33 – ✉ 29118 Bénodet.
Paris 556 – Bénodet 6 – Concarneau 23 – Pont-l'Abbé 16 – Quimper 13 – Rosporden 28.

Aux Rives de l'Odet, ✆ 98 54 61 09, – wc wc
fermé 20 sept. au 25 oct. et lundi du 1er oct. au 31 mai – SC : **R** 65/80 – 12,50 – **35 ch** 75/145 – P 135/180.

La GOUESNIÈRE 35 I.-et-V. 59 ⑥ – 908 h. alt. 22 – ✉ 35350 St-Méloir-des-Ondes.
Paris 385 – Dinan 23 – Dol-de-Bretagne 12 – Lamballe 57 – ♦Rennes 61 – St-Cast 36 – St-Malo 12.

✿ **Gare** (Tirel et Guérin), à la Gare N : 1,5 km D 76 ✆ 99 89 10 46, – TV – 150. AE
fermé 15 déc. au 15 janv. – SC : **R** *(fermé dim. soir du 1er oct. au 31 mars)* (dim. et fêtes prévenir) 83/180 – 20 – **50 ch** 87/190, 5 appartements – P 212/360
Spéc. Homard à l'armoricaine, Nage d'huîtres et de St.-Jacques, Cotriade.

GOULETS (Grands) 26 Drôme 77 ③④ G. Alpes.
Voir Gorges★★★.

GOUMOIS 25 Doubs 66 ⑱ – 126 h. alt. 490 – ✉ 25470 Trévillers.
Voir Corniche de Goumois★★, G. Jura.
Paris 530 – ♦Besançon 95 – Bienne 44 – Montbéliard 53 – Morteau 48.

✿ **Taillard**, ✆ 81 44 20 75, alt. 605, ←, – wc wc . AE E VISA. rest
1er mars-30 oct. et fermé merc. en mars et oct. – SC : **R** 90/240 – 23 – **17 ch** 100/240 – P 225/280
Spéc. Caquelon de morilles à la crème, Truite "Belle Goumoise", Jambon de montagne fumé au genièvre. Vins Arbois, Arlay.

Moulin du Plain, N : 5 km ✉ 25470 Trévillers ✆ 81 44 41 99, ← – wc wc . E. rest
1er mars-11 nov. – SC : **R** 67/121 – 18 – **22 ch** 90/156 – P 174/190.

X **Pont,** ✆ 81 44 22 66 – E
fermé fin nov. à mi-fév., mardi soir et merc. sauf juil-août – SC : **R** 70/210.

GOUPILLIÈRES 14 Calvados 55 ⑪ – rattaché à Thury-Harcourt.

GOURDON SP 46300 Lot 75 ⑱ G. Périgord (plan) – 5 076 h. alt. 256.
Voir Cuve baptismale★ dans l'église des Cordeliers – Grottes de Cougnac★ : salle des Colonnes★★ NO : 3 km.
Office de Tourisme Allées République (hors saison matin seul.) ✆ 65 41 06 40.
Paris 554 – Bergerac 96 – Brive-la-Gaillarde 66 – Cahors 46 – Figeac 66 – Périgueux 97.

Host. de la Bouriane, pl. Foirail ✆ 65 41 16 37, – wc wc .
fermé 2 janv. au 15 mars – SC : **R** *(fermé lundi sauf le soir en juil.-août et dim. soir)* 78/180 – 22 – **22 ch** 175/200 – P 220/240.

Bissonnier et Bonne Auberge, bd Martyrs ✆ 65 41 02 48 – rest wc . ch
fermé 28 nov. au 2 janv. – SC : **R** 48/78 – 20 – **25 ch** 120/160 – P 185/190.

Promenade sans rest, bd Galiot de Genouilhac ✆ 65 41 05 41 – wc wc
fermé 1er au 15 mai – SC : 18 – **15 ch** 70/220.

X **Terminus** avec ch, av. Gare ✆ 65 41 03 29, , – wc. AE E VISA
fermé 26 au 31 mai, 13 au 31 oct., 23 au 28 déc. et lundi hors sais. – SC : **R** 50/170 – 17 – **14 ch** 80/140 – P 160/190.

CITROEN Cassagnès, rte de Cahors, ✆ 65 41 12 03
RENAULT S.A.B.A.G., rte du Vigan, ✆ 65 41 10 24
Quercy Pneus rte de Salviac ✆ 65 41 00 71

GOURETTE 64 Pyr.-Atl. 85 ⑰ **G. Pyrénées** – alt. 1 400 – Sports d'hiver : 1 330/2 380 m 3 21 – ✉ 64440 Laruns.

Voir Site★ – Col d'Aubisque ★★ N : 4 km.

Office de Tourisme (1er juil.-31 août et 15 déc.-15 avril) ✆ 59 05 12 17, Télex 570317.

Paris 827 – Argelès-Gazost 34 – Eaux-Bonnes 8 – Laruns 14 – Lourdes 47 – Pau 51.

Pene Blanque M, ✆ 59 05 11 29, ←, – TV wc wc ☎ P. rest
1er juil.-31 août et 20 déc.-Pâques – SC : **R** 58/130 – ☐ 16 – **20 ch** 130/198 – P 220/233.

Boule de Neige M, ✆ 59 05 10 05, ← – TV wc wc ☎.
10 juil.-31 août (sans rest.) et 20 déc.-Pâques – SC : **R** 59/158 – ☐ 17 – **18 ch** 188/198 – P 220/233.

GOURGUE 65 H.-Pyr. 85 ⑨ – rattaché à Capvern-les-Bains.

GOURIN 56110 Morbihan 58 ⑰ **G. Bretagne** – 5 186 h. alt. 119.

Syndicat d'Initiative pl. Victoire (1er juil.-31 août) ✆ 97 23 50 55.

Paris 511 – Carhaix-Plouguer 20 – Concarneau 44 – Pontivy 55 – Quimper 43 – Vannes 98.

La Chaumière, 3 r. Libération ✆ 97 23 43 02 – wc wc. ch
fermé 1er au 8 mai, 20 sept. au 15 oct., 24 déc. au 2 janv. et sam. du 1er juil. au 30 août – SC : **R** 50/130 – ☐ 23 – **11 ch** 73/170 – P 150/220.

Cornouaille, face Eglise ✆ 97 23 40 31 – . VISA
SC : **R** 40/52 – ☐ 10,50 – **15 ch** 42/77 – P 125/135.

Parchemin-Pneus, ✆ 97 23 44 66

GOURNAY-EN-BRAY 76220 S.-Mar. 55 ⑧ **G. Normandie** – 6 515 h. alt. 94.

Syndicat d'Initiative 4 Porte de Paris (30 juin-sept.) ✆ 35 90 28 34.

Paris 95 ③ – Amiens 75 ① – Les Andelys 37 ④ – Beauvais 30 ② – Dieppe 74 ⑦ – Gisors 25 ③ – ♦Rouen 50 ⑤.

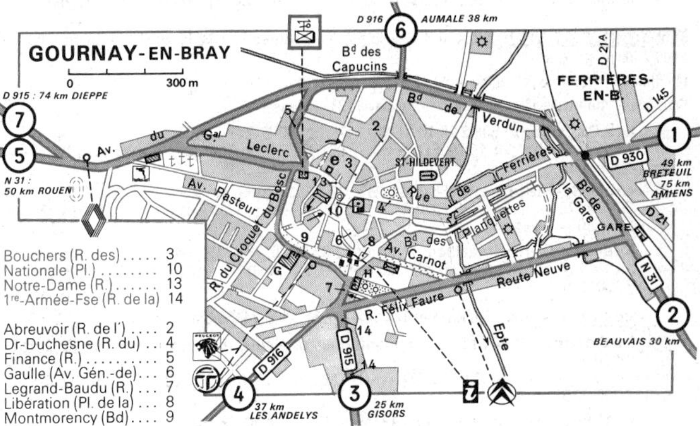

Le Cygne M sans rest., 20 r. Notre Dame **(e)** ✆ 35 90 27 80 – wc wc ☎ P. AE E VISA.
SC : ☐ 24 – **29 ch** 130/220.

CITROEN Central Gar., 30 r. F.-Faure ✆ 35 90 00 75
FIAT Gar. Moderne, Bd Montmorency ✆ 35 90 00 84
FORD Prévost, 52 av. Gén.-Leclerc ✆ 35 90 01 46

PEUGEOT-TALBOT Normandie Autom., 9 bd Montmorency ✆ 35 90 04 53 N ✆ 35 90 00 56
RENAULT Gournay-Autos, av. Gén.-Leclerc ✆ 35 90 04 77 N

Raban, r. des Bouchers ✆ 35 90 01 50

GOUVIEUX 60 Oise 56 ⑪, 196 ⑦⑧ – rattaché à Chantilly.

GOUZON 23230 Creuse 73 ① **G. Périgord** – 1 387 h. alt. 378.

Paris 355 – Aubusson 29 – La Châtre 55 – Guéret 31 – Montluçon 34.

Beaune, ✆ 55 62 20 01 – wc
fermé 3 nov. au 3 déc. et dim. soir du 15 sept. au 1er mai – SC : **R** 49/135 – ☐ 15 – **16 ch** 60/175 – P 150/220.

Le GRALLET 17 Char.-Mar. 71 ⑮ – rattaché à St-Palais-sur-Mer.

GRAMAT 46500 Lot 75 ⑲ G. Périgord – 3 838 h. alt. 305.

Office de Tourisme pl. République (Pentecôte-15 sept.) ✆ 65 38 73 60.

Paris 545 – Brive-la-Gaillarde 57 – Cahors 56 – Figeac 35 – Gourdon 39 – St-Céré 20.

Lion d'Or, pl. République ✆ 65 38 73 18 – wc wc. VISA
fermé 15 déc. au 15 janv. – SC : **R** *(fermé lundi de nov. à fév.)* 75/200 – 27 – **15 ch** 175/285.

Centre, pl. République ✆ 65 38 73 37 – wc wc. E VISA
fermé 20 au 27 janv., vacances de fév. et sam. hors sais. – SC : **R** 60/200 – 17 – **15 ch** 110/180.

Le Relais Gourmand avec ch, 2 av. Gare ✆ 65 38 83 92, – . VISA
fermé lundi sauf juil.-août – SC : **R** 91/148 – 15 – **11 ch** 86/121 – P 160/176.

au Nord-Ouest : 4,5 km par N 140 – ✉ **46500** Gramat :

Château de Roumégouse, ✆ 65 33 63 81, ←, , parc – . AE VISA. rest
24 mars-15 nov. – SC : **R** *(fermé mardi)* 110/230 – 40 – **11 ch** 250/520 – P 480/510.

OPEL Gar. Zenoni, ✆ 65 38 74 78 | RENAULT Blaya, ✆ 65 38 72 15

GRAMBOIS 84 Vaucluse 84 ③ – 709 h. – ✉ **84240** La Tour-d'Aigues.

Paris 762 – Aix-en-Prov. 34 – Apt 39 – Avignon 84 – Forcalquier 36 – Lourmarin 24 – Manosque 23.

Host. des Tilleuls, D 956 ✆ 90 77 93 11, –
fermé 24 juin au 7 juil., 1er au 21 janv., mardi soir et merc. – **R** 45/98.

Le GRAND BALLON 68 H.-Rhin 62 ⑱ G. Alsace et Lorraine – alt. 1 424 – ✉ **68760** Willer-sur-Thur.

Voir ✻*** 30 mn.

Paris 456 – Cernay 23 – Colmar 48 – Gérardmer 44 – Guebwiller 31 – •Mulhouse 40 – Thann 19.

Gd Ballon, ✆ 89 76 83 35, ← montagnes et plaine d'Alsace –
fermé 15 nov. au 15 déc. – SC : **R** 57/164 – 18 – **20 ch** 74/115 – P 165/175.

Le GRAND-BORNAND 74450 H.-Savoie 74 ⑦ G. Alpes – 1 695 h. alt. 950 – Sports d'hiver : 1 000/2 100 m 1 36.

Office de Tourisme pl. Église ✆ 50 02 20 33, Télex 385907.

Paris 565 – Albertville 46 – Annecy 32 – Bonneville 23 – Megève 35.

Les Saytels, ✆ 50 02 20 16 – wc. AE E VISA
1er juil.-15 sept. et 15 déc.-15 avril – SC : **R** 58/113 – 18 – **29 ch** 212/244 – P 195/253.

Croix St-Maurice, ✆ 50 02 20 05 – wc wc
20 juin-15 sept. et Noël-Pâques – SC : **R** (résidents seul.) 63/80 – 18 – **21 ch** 126/185 – P 184/245.

Everest H., rte Chinaillon : 1 km ✆ 50 02 20 35, ← – . rest
fin juin-début sept. et 20 déc.-20 avril – SC : **R** 50/56 – 16 – **17 ch** 80/100 – P 160/175.

au Chinaillon N : 5,5 km par D 4 – alt. 1 280 – ✉ **74450** Grand-Bornand

Le Cortina, ✆ 50 27 00 22, ← montagnes et pistes – wc wc . E VISA. rest
1er juil.-31 août et 20 déc.-20 avril – SC : **R** 65/190 – 20 – **30 ch** 185/205 – P 205/235.

L'Alpage avec ch, ✆ 50 27 00 49, ← – wc. E VISA
15 déc.-15 avril – SC : **R** carte 110 à 150 – 18 – **11 ch** 135/180 – P 183/209.

GRANDCAMP-MAISY 14450 Calvados 54 ③ ④ – 1 356 h.

Paris 298 – •Caen 57 – Cherbourg 71 – St-Lô 38.

Duguesclin, ✆ 31 22 64 22, ← – wc wc . VISA
fermé 16 au 24 oct. et 15 janv. au 5 fév. – SC : **R** *(fermé merc. du 15 oct. au 15 mars)* 60/120 – 20 – **26 ch** 75/175 – P 160/200.

GRAND COLOMBIER 01 Ain 74 ⑤ G. Jura – alt. 1 534.

Voir ✻*** – Point de vue du Grand Fenestrez** S : 5 km.

Dans ce guide

un même symbole, un même caractère,
imprimés en rouge ou en noir, en maigre ou en **gras**
n'ont pas tout à fait la même signification
Lisez attentivement les pages explicatives (p. 16 à 23).

La GRANDE-COMBE 30110 Gard 80 ⑦⑧ – 8 452 h. alt. 195.
Paris 721 – Alès 14 – Aubenas 78 – Florac 57 – Nîmes 59 – Vallon-Pont-d'Arc 55 – Villefort 44.

à La Favède SO : 2,5 km par D 283 – ✉ **30110** La Grand-Combe :

Aub. Cévenole ⛰, ✆ 66 34 12 13, ←, parc, ⛱, ⛱ – ⌂wc ⌂wc ☎ P. E. ✱ ch
23 mars-3 nov. – SC : **R** 125/190 – ☕ 28 – **16 ch** 190/260 – P 700/1 000 (pour 2 pers.).

au NO : 6 km par rte de Florac – ✉ **30110** La Grand Combe :

Lac, ✆ 66 34 12 85 – P. ✱ ch
fermé oct. et vend. du 1er nov. au 31 mai – SC : **R** 52/105 ♁ – ☕ 14 – **10 ch** 66/88 – P 145/175.

Escoffier-Pneus, quartier des Beaumes les Salles du Gardon ✆ 66 34 17 21

La GRANDE-MOTTE 34280 Hérault 83 ⑧ **G. Causses** (plan) – 3 939 h. – Casino.
9, 9, 9 La Camargue.
Office de Tourisme pl. 1er octobre-1974 ✆ 67 56 62 62, Télex 480791.
Paris 754 – Aigues-Mortes 11 – Lunel 16 – ♦Montpellier 20 – Nîmes 44 – Palavas-les-F. 15 – Sète 53.

Frantel M, 140 r. Port ✆ 67 56 90 81, Télex 480241, ← littoral, ⛱, ⛱ – ⌂ TV ☎ P – 60 à 100. AE ⦿ E VISA
15 mars-30 nov. – SC : **R** 105/155 – ☕ 35 – **135 ch** 265/480.

Azur M ⛰ sans rest, ✆ 67 56 56 00, ←, ⛱ – ▤ TV ⌂wc ⌂wc ☎ P – 40. ⦿ VISA. ✱
1er mars-31 oct. – SC : ☕ 25 – **17 ch** 330/350.

Le Quetzal M ⛰ sans rest, allée Jardins ✆ 67 56 61 10, ⛱, ⛱ – ⌂ TV ⌂wc ☎ ⛟ P – 25 à 120. AE ⦿ VISA
1er avril-30 nov. – SC : ☕ 27 – **52 ch** 350.

Europe M sans rest, près des PTT ✆ 67 56 62 60, ⛱ – ⌂wc ⌂wc ☎ ♿ P. ✱
28 mars-5 oct. – SC : ☕ 24 – **34 ch** 200/275.

XXX **Alexandre-Amirauté,** ✆ 67 56 63 63, ←, ⛱ – ▤ P. ✱
fermé vacances de nov., 8 janv. au 16 fév., dim. soir et lundi hors sais. – SC : **R** 160/300.

Le GRAND-PRESSIGNY 37350 I.-et-L. 68 ⑤ **G. Châteaux de la Loire** – 1 185 h. alt. 61.
Voir Musée de Préhistoire★ dans le château.
Paris 292 – Le Blanc 43 – Châteauroux 77 – Châtellerault 29 – Loches 33 – ♦Tours 67.

Aub. Savoie-Villars, pl. Savoie-Villars ✆ 47 94 96 86 – ⌂wc P. AE E VISA
fermé 10 janv. au 10 mars, mardi soir et merc. du 1er sept. au 15 mars – SC : **R** 50/165 ♁ – ☕ 18 – **8 ch** 100/160 – P 170.

XX **Espérance** avec ch, rte Descartes ✆ 47 94 90 12 – P. AE VISA. ✱ ch
fermé le soir en janv. et lundi – **R** 55/230 ♁ – ☕ 25 – **10 ch** 110/133 – P 180.

CITROEN Viet, ✆ 47 94 90 25 RENAULT Jouzeau, ✆ 47 94 95 08

GRAND-QUEVILLY 76 S.-Mar. 55 ⑥ – rattaché à Rouen.

GRAND-VABRE 12 Aveyron 76 ⑪ – 528 h. alt. 213 – ✉ **12320** St-Cyprien-sur-Dourdou.
Paris 617 – Aurillac 51 – Entraygues-sur-Truyère 23 – Figeac 52 – Rodez 42 – Villefranche-de-R. 63.

Gorges du Dourdou, ✆ 65 69 83 03, ⛱ – ⌂wc ⌂wc ☎. E VISA
fermé déc. et janv. – SC : **R** 40/160 – ☕ 14 – **18 ch** 135/150 – P 130/170.

GRAND VALTIN 88 Vosges 62 ⑱ – rattaché à Gérardmer.

GRANE 26 Drôme 77 ⑫ – 1 232 h. alt. 177 – ✉ **26400** Crest.
Paris 590 – Crest 8 – Montélimar 31 – Privas 28 – Valence 29.

XXX **Giffon** ⛰ avec ch, ✆ 75 62 60 64, ⛱ – ▤ rest TV ⌂wc ⌂wc ☎. AE ⦿ E VISA
fermé 17 nov. au 8 déc., lundi (sauf fêtes) et dim. soir de nov. à avril – SC : **R** 90/220 – ☕ 24 – **9 ch** 152/196.

GRANGES-LES-BEAUMONT 26 Drôme 77 ② – rattaché à Romans-sur-Isère.

GRANGES-LES-VALENCE 07 Ardèche 77 ⑫ – rattaché à Valence.

GRANGES-SAINTE-MARIE 25 Doubs 70 ⑥ – rattaché à Malbuisson.

Les GRANGETTES 25 Doubs 70 ⑥ – 144 h. alt. 900 – ✉ **25160** Malbuisson.
Paris 450 – ♦Besançon 70 – Champagnole 42 – Morez 57 – Pontarlier 12.

Bon Repos, ✆ 81 89 41 89, ←, ⛱ – ⌂wc ⌂wc ⛟ P. ✱
1er avril-1er oct., 20 déc.-vacances de Pâques et fermé lundi hors sais. – SC : **R** 62/105 – ☕ 15 – **32 ch** 123 – P 145/176.

GRANS 13450 B.-du-R. 84 ② – 3 095 h.

Paris 727 – Aix-en-Provence 35 – Arles 41 – ♦ Marseille 52 – Salon de Provence 5,5.

XX **Aub. les Eyssauts,** rte St-Chamas ✆ 91 55 93 24, ☂ – ▤ ⓟ. AE ⓓ VISA
fermé vacances de fév., dim. soir et lundi – SC : **R** 90/190.

A l'hôtel : la tranquillité est l'affaire de tous, donc de chacun.

GRANVILLE 50400 Manche 59 ⑦ **G. Normandie** – 15 015 h. – Casino Z.

Voir Site★ – Le tour des remparts★ : place de l'Isthme ⇐★ Z.

18 ✆ 33 50 23 06 à Bréville par ① : 5,5 km ; 9 de Bréhal ✆ 33 61 60 73 par ① : 15 km.

Office de Tourisme 15 r. G.-Clemenceau ✆ 33 50 02 67.

Paris 347 ② – Avranches 26 ③ – ♦Caen 107 ② – Cherbourg 104 ① – Coutances 29 ① – St-Lô 56 ① – Vire 56 ②.

GRANVILLE

Clemenceau (R. G.) . **Z** 3
Couraye (R.) . . . . **Z**
Juifs (R. des) . . . . **Z**
Lecampion (R.) . . . . . **Z**
Leclerc (R. Gén.) . . . **Y**
Poirier (R. Paul) . . . . . **Z** 15

Briand (Av. A.) . . . . . **Y** 2
Desmaisons (R. C.) . **Z** 4
Estouteville (R. d') . . **Y** 6
Foch (Pl. Mar.) . . . . . **Z** 7
Granvillais (R. des Amiraux) . **Z** 8

Hauteserves (Bd d') . **Z** 9
Hérel (R. de) . . . . **Y** 10
Libération (Av.) . . . . . **Z** 12
Orléans (Pl. d') . . . . . **Z** 14
St-Sauveur (R.) . . . . . **Z** 16
Ste-Geneviève (R.) . . **Z** 17
Saintonge (R.) . . . . . **Z** 18
Terreneuviers (Bd) . . **Y** 21

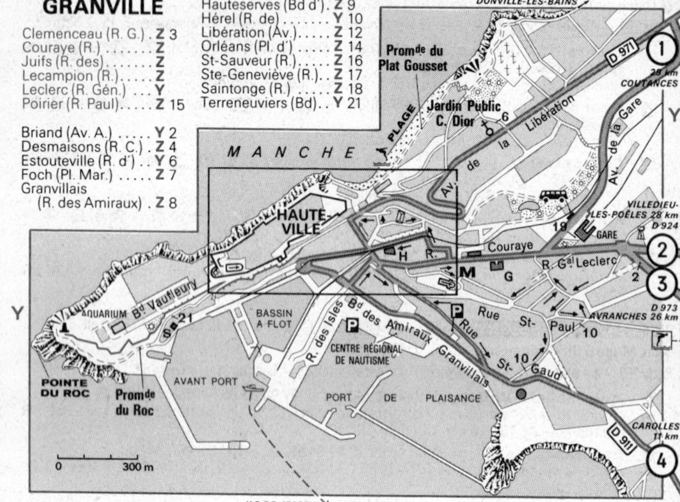

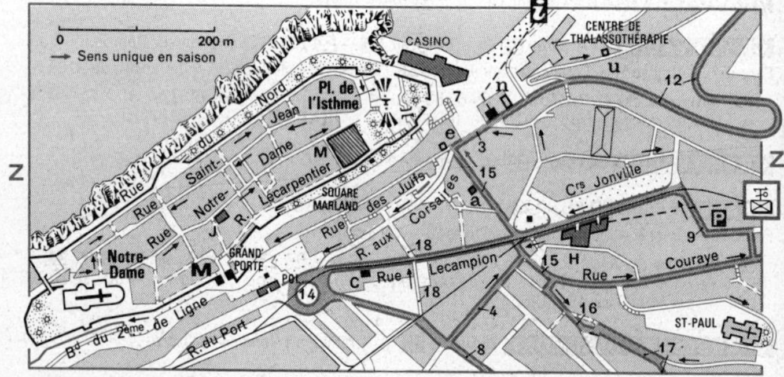

🏨 **Bains,** 19 r. G.-Clemenceau ✆ 33 50 17 31, ⇐ – 🛗 ⊟wc ⋔ ☎. AE ⓓ E VISA
fermé janv. – SC : **La Potinière** *(fermé janv., fév., dim. soir et lundi)* **R** 71/143 – ☕ 22 – **56 ch** 129/295. Z **n**

🏨 **Michelet** 🔇 sans rest, 5 r. J.-Michelet ✆ 33 50 06 55 – ⊟wc ⋔wc ☎. E VISA
SC : ☕ 15 – **20 ch** 66/180. Z **u**

🏨 **H. les Gourmets** sans rest, 1 r. G.-Clemenceau ✆ 33 50 19 87 – 🛗 ⊟wc ⋔wc ☎. AE E VISA
fermé 1er janv.-1er fév. – SC : ☕ 15 – **19 ch** 67/190. Z **e**

XX **Normandy-Chaumière** avec ch, **20 r. Dr-Paul-Poirier ✆ 33 50 01 71,** – wc. AE E VISA. ch **Z a**
fermé 1er au 23 oct., vacances de Noël, mardi soir sauf juil.-août et merc. – **SC : R** 64/133 – 16,50 – **7 ch** 151/168 – P 204/242.

XX **Le Phare,** 11 r. Port ✆ **33 50 12 94,** ←, – AE E VISA **Y s**
fermé 15 déc. au 20 janv., merc. soir sauf juil.-août et jeudi – **SC : R** 60/132.

à Bréville-sur-Mer par ① : 5 km – ✉ **50290** Bréhal :

La Mougine des Moulins à Vent sans rest, **sur D 971 ✆ 33 50 22 41,** ←, « jardin fleuri » – . AE E VISA
SC : 22 – **7 ch** 191/230.

Aub. des Quatre Routes, ✆ **33 50 20 10** – wc. VISA. ch
fermé merc. sauf juil.-août ; hôtel ouvert : Pâques-30 sept. ; rest. fermé : 5 au 25 mars et 8 au 31 déc. – **SC : R** 42/75 – 12,50 – **7 ch** 90/110 – P 180/190.

ALFA-ROMEO, DATSUN Depince, rte de Longueville à Bréville ✆ 33 50 30 39
AUSTIN, FIAT, ROVER Deneux, 63 av. Matignon ✆ 33 50 02 12
CITROEN Manche Auto, Zone Ind. par ② ✆ 33 50 69 76 ✆ 33 58 01 84
FIAT Gar. de la Côte, 190 rte Coutances, Donville ✆ 33 50 08 50
FORD Gar. Gosselin, Zone Ind., r. du Mesnil ✆ 33 50 43 42
PEUGEOT-TALBOT Roussel, rte de Villedieu-les-Poëles par ② ✆ 33 50 11 92
RENAULT S.O.R.E.V.A, av. des Vendéens par ③ ✆ 33 90 64 99
V.A.G. Central-Auto, 25 av. de la Libération ✆ 33 50 34 27

Lorin, 106 r. W.-Churchill ✆ 33 50 02 55

GRASSE **06130** Alpes-Mar. 84 ⑧, 195 ㉔ **G. Côte d'Azur – 38 360 h. alt. 333.**

Voir Vieille ville★: Place du Cours ★ Y, musée d'Art et d'Histoire de Provence★ Y M1: ←★ – Toiles★ de Rubens dans l'anc. cathédrale Y B – Salle Fragonard★ dans la Villa-Musée Fragonard Y M3 – Parc de la Corniche ←★★ 30 mn Z – Jardin de la Princesse Pauline ←★ Z K.

Env. Montée au col du Pilon ←★★ 9 km par ④.

de Valbonne ✆ 93 42 00 08 SE : 11 km.

Office de Tourisme 6 pl. Foux ✆ 93 36 03 56, Télex 470871.

Paris 909 ② – Cannes 17 ② – Digne 117 ④ – Draguignan 56 ③ – ♦Nice 42 ②.

Plan page suivante

Panorama sans rest, **2 pl. Cours ✆ 93 36 80 80, Télex 470871** – wc wc. AE VISA **Y u**
SC : 22 – **36 ch** 230/275.

Bellevue, 14 av. Riou-Blanquet ✆ **93 36 01 96** – wc wc. rest
fermé nov. – **SC : R** 85 – **30 ch** 109/255 – P 215/290. **X a**

XX **Amphitryon,** 16 bd V.-Hugo ✆ **93 36 58 73** – AE E VISA **Y s**
fermé 31 mars au 6 avril, 11 au 31 août, 24 déc. au 3 janv., dim. et fêtes – **SC : R** 93/195.

X **Maître Boscq,** 13 r. Fontette ✆ **93 36 45 76** **X k**
fermé 29 juin au 6 juil., lundi hors sais., dim. et fêtes – **SC : R** 58/78.

à Magagnosc par ① : 5 km – ✉ **06520** Magagnosc.
Voir ←★ du cimetière de l'église St-Laurent.

Campanile, au Pré du Lac ✉ **06740 Châteauneuf-Grasse ✆ 93 42 55 55, Télex 470092** – wc . VISA
SC : **R** 61 bc/82 bc – 23 – **41 ch** 194/215.

XX **Chantecler,** ✆ **93 36 20 64,** ←, –
fermé merc. – **SC : R** 115/170.

X **La Petite Auberge** avec ch, ✆ **93 42 75 32,** ← –
fermé juil., vacances de fév., le soir (sauf hôtel) en hiver et merc. – **SC : R** 62/90 – **5 ch** (pens. seul.) – P 150/180.

route de Cannes : 5 km par ② – ✉ **06130** Grasse :

XX **Les Arômes** avec ch, ✆ **93 70 42 01,** – wc . VISA
fermé 1er déc. au 1er fév. – **SC : R** *(fermé sam. sauf le soir en juil.-août)* 72/150 – 15 – **7 ch** 160/190 – P 170/220.

à St-Jacques par ③ : 3 km – ✉ **06130** Grasse :

X **La Serre,** 20 av. F.-Raybaud ✆ **93 70 80 89** – VISA
fermé janv., dim. soir et lundi – **R** 55/115.

à Cabris : 5 km par D 4 - Z – alt. 545 – ✉ **06530** Peymeinade.
Voir Site★ – ←★★ des ruines du château.

Horizon , ✆ **93 60 51 69,** ← – wc wc. AE . ch
15 mars-15 oct. – **SC : R** *(fermé merc.)* 70 – 20 – **18 ch** 110/220 – P 195/250.

XX **Lou Vieil Casteou,** ✆ **93 60 50 12,**
fermé 1er nov. au 15 déc. et jeudi sauf juil. et août – **R** 65/165.

à Opio E : 6,5 km par D 7 - Z.

Env. Gourdon : Site★★ – Place ⩽★★ – Château : musée de Peinture naïve★, terrasse supérieure ⩽★★ N : 10 km.

Mas des Géraniums ⛭, rte San-Peyre ✉ 06650 Le Rouret ✆ 93 77 23 23, ⩽, ⛱, ⛱ – ⛫ 🅟
2 fév.-30 sept. – SC : **R** *(fermé dim. soir)* 70/150 – ☕ 18 – **8 ch** 70/100 – P 180/195.

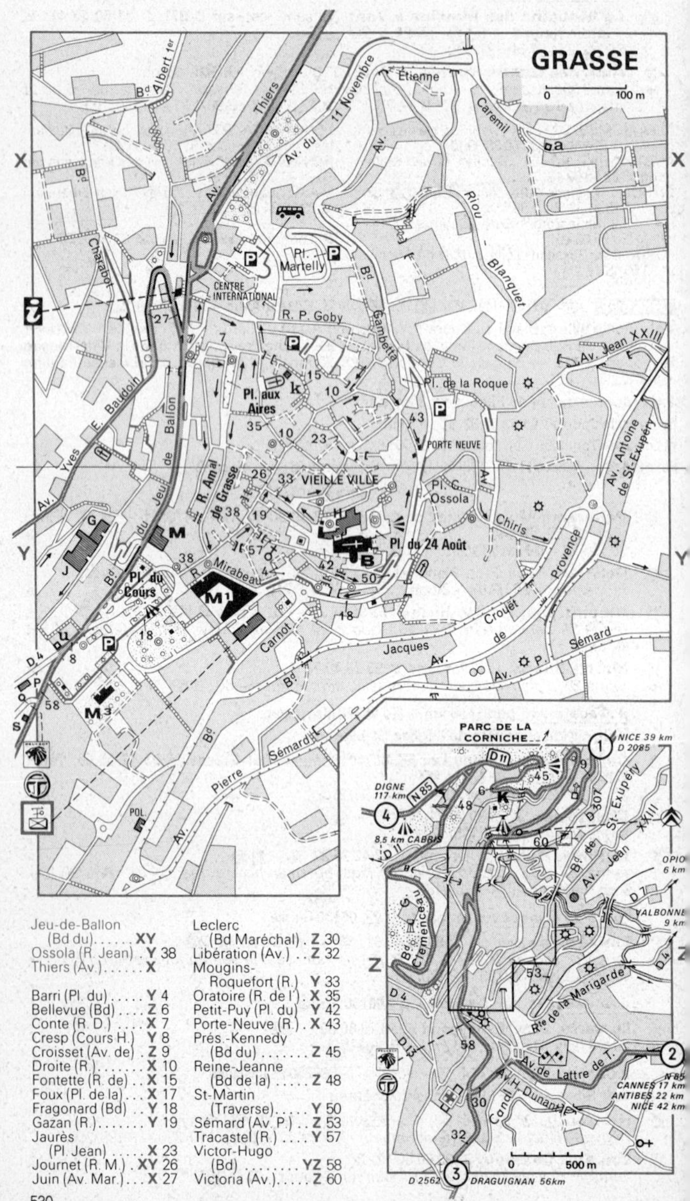

à Plascassier SE : 6 km par D 4 - Z – ✉ **06130** Grasse :

Les Mouliniers, ✆ **93 60 10 37,** – wc **P**. VISA
fermé 20 déc. au 15 janv. – **SC** : **R** 60/105 – ☕ 20 – **10 ch** 89/128 – P 164/185.

Quo Vadis avec ch, ✆ **93 60 10 08,** ←, – ch wc **P**. VISA.
fermé janv. – **SC** : **R** *(fermé lundi hors sais.)* 90/160 – ☕ 23 – **6 ch** 200/250 – P 270/300.

Relais de Sartoux avec ch, **rte Valbonne** ✉ **06370 Mouans-Sartoux** ✆ **93 60 10 57,** – wc **P**. VISA
fermé mi-janv. à mi-fév. et merc. (sauf hôtel) de sept. à juin – **SC** : **R** 93/130 – ☕ 20 – **12 ch** 185/220 – P 280.

CITROEN Gar. Riviéra, 19 av. Victoria, rte de Nice ✆ 93 36 64 64
CITROEN Gar. 4-Chemins, rte Cannes par ② 99 av. G.-Pompidou ✆ 93 70 45 96
PEUGEOT-TALBOT Gar. Licastro, rte Draguignan à Peymeinade par ③ ✆ 93 09 02 56 et av. Ste-Lorette

PEUGEOT-TALBOT Grasse-Autom., 6 bd E.-Zola ✆ 93 36 36 50

Europneu, 17 bd Gambetta ✆ 93 36 33 70
Tosello, Le Moulin de Brun ✆ 93 70 16 48

GRATOT **50** Manche **54** ⑫ – rattaché à Coutances.

Le GRAU-DU-ROI **30240** Gard **83** ⑧ **G. Provence** – 4 204 h..

Office de Tourisme bd Front-de-Mer ✆ 66 51 67 70, Télex 485024.

Paris 755 – Aigues-Mortes 6 – Arles 53 – Lunel 21 – ♦Montpellier 26 – Nîmes 47 – Sète 59.

Acacias (annexe - 17 ch), **21 r. Égalité** ✆ **66 51 40 86,** – wc wc VISA. ch
15 mars-25 oct. et fermé merc. hors sais. – **SC** : **R** 54/162 – ☕ 18,50 – **27 ch** 102/185 – P 180/220.

Nouvel H. sans rest, **quai Colbert** ✆ **66 51 41 77,** ← – wc wc .
1er avril-30 sept. – **SC** : ☕ 20 – **21 ch** 140/210.

Le Palangre, **56 quai Ch.-de-Gaulle** ✆ **66 51 76 30**
1er avril-31 oct. – **SC** : **R** 66/180.

à Port Camargue S : 3 km par D 62B – ✉ **30240** Grau-du-Roi :

Le Spinaker M, **pointe Môle** ✆ **66 51 54 93,** ←, – rest wc **P**. E VISA
fermé 12 au 28 nov., 11 janv. au 18 fév. – **SC** : **R** *(fermé dim. soir et lundi hors sais.)* 175/235 – ☕ 30 – **20 ch** 295.

Le Chabian M, ✆ **66 51 44 33, Télex 480806,** ←, – cuisinette wc **P** – 40 à 80. E VISA. rest
15 mars-19 oct. – **SC** : **R** 90/130 – **42 ch** ☕ 315/404 – P 350/385.

L'Amarette, **Centre Commercial Camargue 2 000** ✆ **66 51 47 63,** ←
ouvert week-end seul. du 15 nov. au 15 fév. et fermé 15 au 31 déc. et merc.hors sais. – **SC** : **R** 110/165.

GRAUFTHAL **67** B.-Rhin **57** ⑰ – rattaché à Petite-Pierre.

GRAULHET **81300** Tarn **82** ⑩ **G. Causses** – 13 649 h. alt. 166.

Paris 699 ① – Albi 37 ② – Castelnaudary 60 ④ – Castres 30 ③ – Gaillac 19 ① – ♦Toulouse 58 ⑤.

GRAULHET

Jean-Jaurès (R.) 14
Mercadial (Pl. du) 19

Albigot (Bd) 2
Beauséjour (R.) 4
Dr-Bastié (R.) 7
Europe (Av. de l') 8
Gambetta (R.) 9
Gaulle (Av. Charles-de) 10
Genève (Bd de) 12
Jaurès (Av. Amiral) 13
Jourdain (Pl. du) 15
Liberté (Bd de la) 17
Mégisserie (R. de la) 18
Notre-Dame-Val-d'Amour 20
Peseignes (R. des) 21
Résistance (Av. de la) 24
St-François 25
St-Roch (Chemin) 27
Sidobre (Av. du) 28
Voûtes (Chemin des) 30

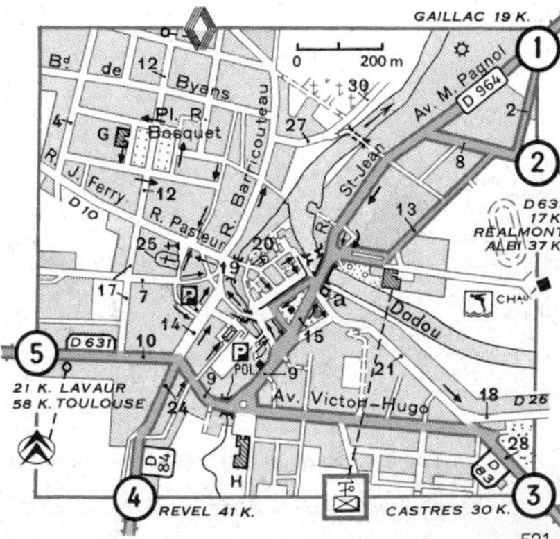

Le Grandgousier, 6 pl. Jourdain **(a)** ✆ 63 34 50 32 – |$| TV ⇔wc ⋒ ☎. ⓓ VISA. ✻ rest
SC : **R** *(fermé 1er au 21 août et dim.)* 60/160 – ⊆ 19,50 – **21 ch** 145/225 – P 283/305.

XX **La Rigaudié,** E : 1,5 km par D26 ✆ 63 34 50 07, ⛱ – **P**. AE ⓓ VISA. ✻
fermé août, 22 déc. au 2 janv., sam. et dim. soir – SC : **R** 80/200 ♁.

ALFA-ROMEO, OPEL Gar. Joffre, 3 r. Mégisserie ✆ 63 34 50 22
CITROEN Graulhet Autom., 47 ter av. Ch.-de-Gaulle ✆ 63 34 51 44
FIAT Gar. Miquel, 9A rue Colonel Naudy ✆ 63 34 64 72
FORD Gar. Arquier, 15 bis av. de l'Europe ✆ 63 34 70 41
PEUGEOT-TALBOT S.I.V.A. rte de Realmont par ② ✆ 63 34 70 22
RENAULT Grigolato, 33 bis bd de Genève ✆ 63 34 66 43
Ⓜ Solapneu, 47 av. Ch. de Gaulle ✆ 63 34 54 24

La GRAVE 05320 H.-Alpes 77 ⑦ **G. Alpes** – 453 h. alt. 1 450 – Sports d'hiver : 1 450/3 200 m ⛷1 ⛷5 ⛷.

Voir Situation★★ – Téléphérique ≤★★★ – Combe de Malaval★ O : 6 km.

Env. Oratoire du Chazelet ≤★★★ NO : 6 km.

ℹ Office de Tourisme (fermé mai et oct.) ✆ 76 79 90 05.

Paris 639 – Briançon 39 – Gap 126 – ♦Grenoble 77 – Col du Lautaret 11 – St-Jean-de-Maurienne 66.

La Meijette, ✆ 76 79 90 34, ≤, ⛱ – ⇔wc ⋒wc ☎ **P**. ✻ rest
20 mai-30 sept., 1er mars-15 avril et fermé mardi hors sais. – SC : **R** 68/100 ♁ – ⊆ 20 – **18 ch** 150/240.

Le Castillan, ✆ 76 79 90 04, ≤, ⛱ – ⇔wc ⋒wc ☎. VISA
25 mai-28 sept. et 20 déc.-20 avril – SC : **R** 59/150 – ⊆ 15 – **43 ch** 90/145 – P 160/220.

GRAVESON 13690 B.-du-R. 80 ⑳ – 2 276 h..

Paris 703 – Avignon 13 – Carpentras 41 – Cavaillon 28 – ♦Marseille 102 – Nîmes 37.

Cadran Solaire ⛱ sans rest, ✆ 90 95 71 79 – ⇔wc ⋒wc ☎ **P**. E VISA
SC : ⊆ 16 – **10 ch** 110/160.

RENAULT Gar. Eletti et Massacèse, ✆ 90 95 74 27

GRAY 70100 H.-Saône 66 ⑭ **G. Jura** – 8 313 h. alt. 221.

Voir Collection de dessins★ de Prud'hon au musée Baron-Martin M.

ℹ Office de Tourisme Ile Sauzay ✆ 84 65 14 24.

Paris 361 ⑤ – ♦Besançon 46 ③ – ♦Dijon 49 ⑤ – Dole 44 ④ – Langres 56 ① – Vesoul 58 ②.

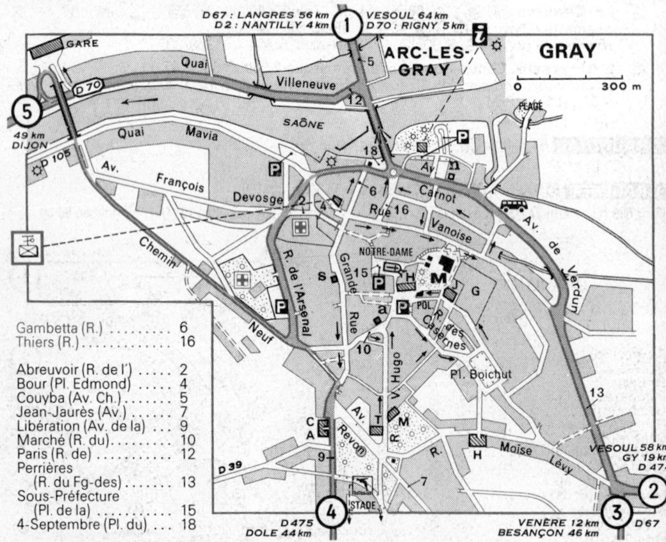

Le Fer à Cheval Ⓜ sans rest, 9 av. Carnot **(n)** ✆ 84 65 32 55 – ⇔wc ☎ **P**. AE ⓓ E VISA
fermé 3 au 17 août et 24 déc. au 3 fév. – SC : ⊆ 14 – **39 ch** 108/179.

XX **Relais de la Prévôté,** r. Marché **(a)** ✆ 84 65 10 08, « Demeure du 16e s. » – AE ⓓ E VISA
fermé dim. soir et lundi – SC : **R** 60/125 ₰.

X **Cratô,** 65 Grande Rue **(s)** ✆ 84 65 11 75 – E VISA
fermé 12 au 31 août et merc. – SC : **R** 65/93 ₰.

à ***Nantilly*** O : 4 km par ① et D 2 – ✉ **70100** Gray :

Relais de Nantilly M ⛰, ✆ 84 65 20 12, Télex 362888, « Parc », ⛱, 🎾 – TV P – 🎪 40. AE ⓓ E VISA. ✂ rest
1er avril-20 oct. – SC : **R** 170/250 – ☕ 40 – **16 ch** 310/520, 3 appartements 950.

à ***Rigny*** par ① D 70 et D 2 : 5 km – ✉ **70100** Gray :

Château de Rigny ⛰, ✆ 84 65 25 01, Télex 362926, « Parc aménagé en bordure de la Saône », ⛱, 🎾 – TV ☎ 🚗 P. AE ⓓ E VISA. ✂ rest
fermé 6 au 30 janv. – SC : **R** 135/200 – ☕ 30 – **24 ch** 220/400 – P 420/500.

à ***Aubigney*** par ④, D 475 et D 22 : 14 km – ✉ **70140** Pesmes :

XX **Aub. Vieux Moulin** ⛰ avec ch, ✆ 84 31 21 16, 🌳 – ⌂wc 🚿 ☎ P. AE ⓓ
fermé 15 déc. à fin janv. – SC : **R** 160/260 – ☕ 35 – **7 ch** 180/250.

FORD Bailly, Chaussée d'Arc ✆ 84 65 07 06
PEUGEOT-TALBOT Gar. Boffy, à Arc les Gray par ① ✆ 84 64 80 79
RENAULT Autom. de la Saône, à Ancier par ② ✆ 84 65 48 77
V.A.G. Gar. de la Croisée, 4 av. C.-Couyba, Arc-les-Gray par ① ✆ 84 65 34 12

La GRÉE-PENVINS 56 Morbihan 63 ⑬ – voir à Sarzeau.

GRENADE-SUR-L'ADOUR 40270 Landes 82 ① – 2 132 h. alt. 55.

Paris 721 – Aire-sur-l'Adour 18 – Mont-de-Marsan 15 – Orthez 51 – St-Sever 14 – Tartas 33.

Lion d'Or, N 124 ✆ 58 45 92 53 – ✂
fermé 20 sept. au 8 oct. – SC : **R** 30/70 ₰ – ☕ 11 – **7 ch** 60/85 – P 110.

PEUGEOT, TALBOT Gar. de l'Adour, ✆ 58 45 91 45
RENAULT Gar. Dargelos, ✆ 58 45 92 62 N ✆ 58 45 94 68

GRENDELBRUCH 67 B.-Rhin 62 ⑧⑨ – 972 h. alt. 555 – ✉ **67190** Mutzig.

Voir Signal de Grendelbruch ✻★ SO : 2 km puis 15 mn, **G. Alsace et Lorraine.**

Paris 424 – Erstein 32 – Molsheim 22 – Obernai 16 – Sélestat 39 – ♦Strasbourg 42.

La Couronne, rte Schirmeck ✆ 88 97 40 94 – ⌂wc 🚿 P
fermé fin oct.-30 nov. – SC : **R** 40/110 ₰ – ☕ 15,50 – **11 ch** 90/160 – P 136/160.

GRENOBLE P 38000 Isère 77 ⑤ **G. Alpes** – 159 503 h. com. urbaine 394 789 h. alt. 214.

Voir Fort de la Bastille ✻★★ **par téléphérique** CV – **Vieille ville★** CVX : **Palais de Justice★** CV **J** – **Patio★ de l'Hôtel de Ville** DY – **Crypte★ de l'église St-Laurent** CV **D** – **Musées : des Beaux-Arts★★** DX **M1, Dauphinois★** CV **M2.**

✈ de Grenoble-St-Geoirs ✆ 76 65 48 48 par ⑩ : 45 km.

🚗 ✆ 76 47 50 50.

ℹ Office de Tourisme et Accueil de France (Informations, change et réservations d'hôtels, pas plus de 5 jours à l'avance), 14 r. République ✆ 76 54 34 36, Télex 980718 et à la Gare – A.C. 4 pl. Grenette ✆ 76 44 41 54.

Paris 564 ⑩ – Bourg-en-Bresse 142 ⑩ – Chambéry 55 ③ – ♦Genève 144 ③ – ♦Lyon 104 ⑩ – ♦Marseille 281 ⑩ – ♦Nice 334 ⑦ – ♦St-Étienne 139 ⑩ – Torino 235 ③ – Valence 99 ⑩.

Plans pages suivantes

Park H., 10 pl. Paul-Mistral ✆ 76 87 29 11, Télex 320767, « Beaux aménagements intérieurs » – 🛗 ▤ TV ☎ ♿ – 🎪 60. AE ⓓ E VISA DY **w**
fermé 9 au 24 août et 24 déc. au 4 janv. – SC : **la Taverne de Ripaille** *(fermé sam. soir et dim. midi)* **R** carte environ 140 – ☕ 38 – **56 ch** 475/790, 3 appartements 1 290.

Lesdiguières (École hôtelière), 122 cours Libération ✉ 38100 ✆ 76 96 55 36, Télex 320306, « Parc » – 🛗 ☎ 🚗 P. AE ⓓ E VISA. ✂ rest T **m**
fermé août et 18 déc. au 4 janv. – SC : **R** 100/126 – ☕ 24 – **36 ch** 190/315.

Angleterre sans rest, 5 pl. V.-Hugo ✆ 76 87 37 21, Télex 320297 – 🛗 TV ☎. AE ⓓ E VISA CX **z**
SC : **70 ch** ☕ 230/380.

Terminus sans rest, 10 pl. Gare ✆ 76 87 24 33, Télex 980904 – 🛗 ☎. E VISA
fermé 26 juil. au 25 août – ☕ 20 – **50 ch** 120/230. BX **e**

Alpotel, 12 bd. Mar.-Joffre ✆ 76 87 88 41, Télex 320884 – 🛗 ▤ ch TV ⌂wc ☎ – 🎪 25 à 150. AE ⓓ E VISA CY **d**
SC : **R** 53 ₰ – ☕ 30 – **88 ch** 270/305.

Patrick H. M sans rest, 116 cours Libération ✉ 38100 ✆ 76 21 26 63, Télex 320320 – 🛗 TV ⌂wc ☎ P – 🎪 30. AE ⓓ E VISA T **a**
SC : ☕ 26 – **40 ch** 210/306.

Belalp sans rest, 8 av. V.-Hugo ✉ 38170 Seyssinet ✆ 76 96 10 27 – wc wc. AE E VISA ST **h**
fermé 3 au 25 août – SC : 17 – **30 ch** 150/220.

Rive Droite Ⓜ, 20 quai France ✆ 76 87 61 11, Télex 320232 – wc wc 30. AE VISA BV **u**
fermé 24 déc. au 2 janv. – SC : **R** 50/145 – **56 ch** 185/240.

Porte de France Ⓜ sans rest, 27 quai C.-Bernard ✆ 76 47 39 73 – wc wc. AE E VISA BV **k**
SC : 21 – **40 ch** 160/225.

Alpes Ⓜ sans rest, 45 av. F.-Viallet ✆ 76 87 00 71 – wc wc. AE
SC : 16 – **42 ch** 142/189. BX **z**

Tilleuls Ⓜ sans rest, 236 cours Libération ✆ 76 09 17 34 – wc.
fermé 4 au 31 août – SC : 15 – **27 ch** 160/190. T **s**

Savoie, 52 av. Alsace-Lorraine ✆ 76 46 00 20, Télex 320635 – wc wc. AE E VISA BX **s**
SC : **R** 75/121 - **Taverne de Savoie R** carte 80 à 115 – 18 – **86 ch** 159/286 – P 254/330.

Gallia sans rest, 7 bd Mar.-Joffre ✆ 76 87 39 21 – wc wc. AE E VISA CY **s**
fermé 1er au 25 août – SC : 18 – **35 ch** 96/230.

Trianon sans rest, 3 r. P.-Arthaud ✆ 76 46 21 62 – wc wc. AE E VISA
SC : 16 – **37 ch** 90/172. BY **f**

Ibis Ⓜ, 5 r. Miribel ✆ 76 47 48 49, Télex 320890, – wc – 50. E VISA
SC : **R** carte environ 85 – 20 – **71 ch** 190/227. CX **e**

Stendhal sans rest, 5 r. Dr-Mazet ✆ 76 46 21 44 – wc wc. VISA BX **x**
fermé 4 au 22 août, 24 déc. au 5 janv. – SC : 17 – **38 ch** 88/187.

Lux sans rest, 6 r. Crépu ✆ 76 46 41 89 – wc. BX **a**
SC : 15,50 – **27 ch** 85/173.

XXX **Thibaud,** 25 bd A.-Sembat ✆ 76 43 01 62 – AE E VISA CY **n**
fermé dim. et fêtes – SC : **R** 90/210.

XXX ❀ **Poularde Bressane** (Piccinini), 12 pl. P.-Mistral ✆ 76 87 08 90 – AE E
fermé 24 juil. au 24 août, sam. midi et dim. sauf fériés – SC : **R** 98/178 DY **w**
Spéc. Ravioli d'écrevisses, Turbotin aux tomates cerises, Poularde de Bresse en vessie. **Vins** Gamay, Apremont.

XX ❀ **Le Pommerois** (Bouissou), 1 pl. Herbes ✆ 76 44 30 02 – VISA CV **m**
fermé lundi et le midi en août – SC : **R** 165/235
Spéc. Crêpes d'écrevisses aux champignons (juil. à nov.), Escalope de loup, Chausson de lapereau à la crème de truffes.

XX ❀ **Aub. Bressane** (Décher), 38 ter r. Beaublache (angle 40 cours J.-Jaurès) ✆ 76 87 64 29 – BX **r**
fermé lundi du 15 juil. au 15 août, dim. et fériés – SC : **R** 120/175
Spéc. Gratin de queues d'écrevisses (sauf mars-avril et mai), Mousse de féra Nantua, Poulet de Bresse au vinaigre. **Vins** Crépy, Gamay.

XX **Chat Botté,** 22 r. Nicolas Chorier ✆ 76 21 16 44 – AE VISA BY **k**
fermé août, sam. (sauf le soir hors saison) et dim. – SC : **R** 88/180.

XX **La Madelon,** 55 av. Alsace-Lorraine ✆ 76 46 36 90. AE VISA BX **n**
fermé dim. – SC : **R** carte 95 à 180.

X **A ma Table,** 92 cours J.-Jaurès ✆ 76 96 77 04 BY **t**
fermé août, sam. midi, dim., lundi et fêtes – SC : **R** (nombre de couverts limité - prévenir) 122/183.

X **Concorde,** 9 bd Gambetta ✆ 76 46 63 64 – AE BX **g**
fermé 28 juil. au 3 sept., dim. soir et sam. – SC : **R** 46/89.

X **Au Bon Petit Coin,** 48 av. Alsace-Lorraine ✆ 76 87 54 27 – VISA BX **v**
fermé 15 juil. au 15 août, 7 au 14 janv., dim. soir et lundi – SC : **R** 60/130.

à Echirolles - T – 37 501 h. – ✉ **38130** Echirolles :

Dauphitel Ⓜ, av. Grugliasco ✆ 76 23 24 72, Télex 980612, – wc – 30 à 60. AE E VISA. rest T **e**
fermé 25 déc. au 1er janv. – SC : **R** *(fermé sam. midi et dim. midi ; en août dîner seul.)* 68 – 18 – **68 ch** 185/220.

au Centre des Congrès et Alpexpo - T – ✉ **38100** Grenoble :

Mercure Ⓜ, ✆ 76 09 54 27, Télex 980470, – – 180. AE E VISA T **v**
R carte environ 120 – 34 – **100 ch** 310/368.

à St-Martin-le-Vinoux : 2 km par A 48 et N 75 - S – 5 251 h. – ✉ **38950** St-Martin-le-Vinoux

XXX ❀ **Pique-Pierre** avec ch, ✆ 76 46 12 88, – . VISA S **p**
fermé août, 28 avril au 4 mai, dim. soir et lundi – **R** 95/250 – 15 – **10 ch** 85
Spéc. Foie gras frais de canard, Escalope de turbot en papillote, Fricassée de sole aux pleurotes. **Vins** Marestel, Pinot rouge.

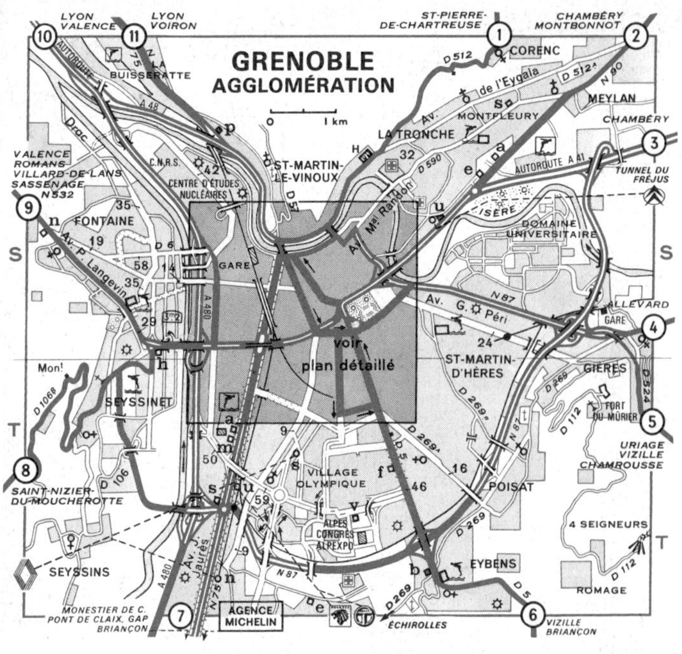

RÉPERTOIRE DES RUES DU PLAN DE GRENOBLE

Blanchard (R.) **CX**
Bonne (R. de) **CX** 10
Foch (Bd Mar.) **BY**
Grande-Rue . . **CX**
Grenette (Pl.) . **CX**
Lafayette (R.) . **CX**
Poulat (R. F.) . . **CX** 48
V.-Hugo (Pl.) . . **CX**

Abbé-Grégoire (R.) **AY**
Aimon-de-Chissé (R.) . . **DV**
Albert-1er (Av.) **CY**
Alliés (R. des) **BZ**
Allobroges (Quai) . . . . . . **DV** 2
Alma (R. de l') **DX**
Als.-Lorr. (Av.) **BX**
Ampère (R.) . . **AY**
Arago (R.) . . . . **AV**
Augereau (R.) **BY**
Balzac (R.) . . . . **BZ**
Barrès (R. M.) **DZ**
Bart (R. J.) . . . . **DZ**
Bastille (Pl.) . . . **BX** 3
Bayard (R.) . . . **DX** 4
Belgrade (R.) . **CX** 5
Berriat (Cours) **BX**
Berthelot (Av.) **CZ**
Beyle-Stendhal (R.) **CX** 6
Bir-Hakeim (Pl.) . . . . **DX** 7
Bistesi (R. J.) . . **DY** 8
Bizanet (R.) . . . **DV**
Blum (Av. L.) . . . . **T** 9
Boissieux (R.) **BY**
Bouchayer (R.) **AZ**
Bourget (R. P.) **CZ**
Briand (Av. A.) FONTAINE . . . **S** 14
Briand (Pl. A.) **BV**
Brosse (Q. Cl.) **CV** 15
Cachin (Av. M.) **T** 16
Casimir-Périer (R.) . . **CX** 17
Champollion (R.) . . . . **DX** 18
Chanrion (R. J.) . . **DX**
Charrel (R.) . . . . . **AY**
Chorier (R. N.) . . . **AY**
Claudel (R. P.) . . . **DZ**
Cl.-Bernard (Q.) . **BV**
Clemenceau (Bd G.) . . . . **DY**
Condillac (R.) . . . **CX**
Condorcet (R.) . . . **BY**
Créqui (Quai) . . . . **BX**
Croizat (Av. A.) FONTAINE . . . . . **S** 19
Croizat (Av. A.) ST-MARTIN D'H **S** 24
Denf.-Roch. (R.) **BX** 25
Déportés-du-11-Nov.-43 (R.) **CZ**
Diables-Bleus (Bd des) . . . . . . **DY**
Diderot (R.) . . . . . **AX**
Dr-Bordier (R.) . . **CZ**
Dr-Calmette (R.) **AY**
Dr-Girard (Pl.) . . . **DV**
Dr-Mazet (R.) . . . **BX** 26
Dormoy (R. M.) . . **AX**
Drac (R. du) . . . . . **AY**
Driant (Bd Col.) . . **DY**
Eaux-Claires (R.) **AZ**
Esclangon (R.) **AVX**
Esplanade . . . . . . **BV**
Eygala (Av. de l') . . **S**
Fantin-Latour (R.) . . . . **DY** 27
Faure (R. E.) . . . . . **DX**
Flandrin (R. J.) . . . **DX**
Flaubert (R. G.) . . **CZ**
Fourier (R.) . . . . . . **DX** 28
France (Q. de) . . . **BV**
France (R. A.) . . . . **AZ**
Fr.-Desaire (Bd) . . . **S** 29
Gambetta (Bd) . . **BX**
Gautier (Pl. F.) . . . **AX**
Gay-Lussac (R.) . **DZ**
Genin (R. Cl.) . . . . **DY**
Graille (Q. de) . . . **BV**
Grande-Rue LA TRONCHE . . . **S** 32
Gueymard (R.) . . . **BV**
Haxo (R.) . . . . **DY**
Hébert (R.) . . . . . . **DX** 34
Hoche (R.) . . . . . . **CY**
Irvoy (R.) . . . . **BY**
Jaurès (Av. J.) ÉCHIROLLES . . . **T**
Jaurès (Crs J.) . . . **BX**
Jay (Quai S.) . . . . **CV**
J.-d'Arc (Av.) . . . . **DY**
Joffre (Bd Mar.) . **CY**
Joliot-Curie (Bd) . . **S** 35
Jongkind (Quai) . **DV**
Jouvin (Quai) . . . **CV**
Lachmann (R.) . . . **DV**
Lafontaine (Crs) . **CX**
Lagrange (R. L.) . . **BZ**
Lakanal (R.) . . . . . **BY**
Langevin (Av. P.) . . **S**
Lanoyerie (R.) . . . **BY**
Lavalette (Pl.) . . . **DV** 36
Leclerc (Bd Mar.) **DV**
Lesdiguières (R.) **CX**
L'Herminier (R.) . **DV** 37
Libération (Crs) . . **BZ**
Liberté (R.) . . . . . . **CX** 38
Lyautey (Bd) . . . . **CY**
Lyon (Rte de) . . . . **BV**
Malakoff (R.) . . . . **DX**
Malherbe (Av.) . . **DZ**
Mallifaud (R.) . . . **DY**
Mangin (R. Gén.) **BZ**
Marceau (R.) . . . . **BY**
Martyrs (R. des) . . . **S** 42
Mérimée (R. P.) . . **CZ**
Mistral (Pl. Paul) **DY**
Montorge (R.) . . . **CX** 43
Mortillet (R. de) . . **DV**
Mounier (Quai) . . **CV** 44
Moyrand (R.) . . . . **DY**
N.-Dame (Pl.) . . . **CV**
Pain (Bd Jean) **DXY**
Pasteur (Pl.) . . . . . **CY**
Péguy (R. Ch.) . . **ABZ**
Péri (Av. G.) . . . . **S**
Péri (R. G.) . . . . **BXY** 45
Perrière (Quai) . **CV**
Perrot (Av. J.) . . . . **T** 46
Ponsard (R.) . . . **DZ**
Poste (R.) . . . . . . **CX** 47
Prés.-Carnot (R. du) . . . . . . **CX** 49
Prévost (R. J.) . . **BY**
Randon (Av.) . . . **DV**
Raspail (R.) . . . . **AY**
Rey (Bd Ed.) . . . . **BX**
Rey (R. Joseph) **BY**
Reynier (R. A.) . . . **T** 50
Rhin-et-Danube (Av.) . **AZ**
Rivet (Pl. G.) . . . . **CY**
St-André (Pl.) . . **CV** 53
St-Bruno (Pl.) . . **AX**
St-Ferjus (R.) . . **DX**
Ste-Claire (Pl.) . **CX**
Sémard (R. P.) . **AX**
Sembat (Bd A.) **CY**
Servan (R.) . . . . **DX**
Sidi-Brahim (R.) . . . . **BZ**
Stalingrad (R.) . . **CZ**
Strasbourg (R.) **CY** 54
Tarze (R. H.) . . . . **AV**
Taulier (R. F.) . . . **CV** 55
Thiers (R.) . . . . . **BY**
Thomas (R. R.) . **AX**
Très-Cloîtres (R.) . . . . **DV** 56
Turenne (R.) . . . **BY**
Vallier (Bd J.) . . **AY**
Valmy (Av. de) **DY**
Vaucanson (Pl.) **CX** 57
Vercors (Av. du) FONTAINE . . . . **S** 58
Vercors (R. du) . **AX**
Verdun (Pl. de) . **DX**
Verlaine (Av. P.) . . **T** 59
Viallet (Av. F.) . . **BX**
Vicat (R.) . . . . . . **CX** 64
Villars (R.) . . . . . **DX** 65
Voltaire (R.) . . . . **DX** 66
Zola (R. Émile) . **CZ**

GRENOBLE

Allobroges (Quai) . . . DV 2
Bastille (Pl. de la) . . . . BX 3
Bayard (R.) . . . . DX 4
Belgrade (R. de) . . . . CX 5
Beyle-Stendhal (R.) . . CX 6
Bir-Hakeim (Pl.) . . . . . DX 7
Bistesi (R. Jean) . . . . . DY 8
Bonne (R. de) . . . . CX 10
Brosse (Quai Cl.) . . . . CV 15
Casimir-Périer (R.) . . CX 17
Champollion (R.) . . . . DX 18
Denfert-Rochereau (R.) . . . . BX 25

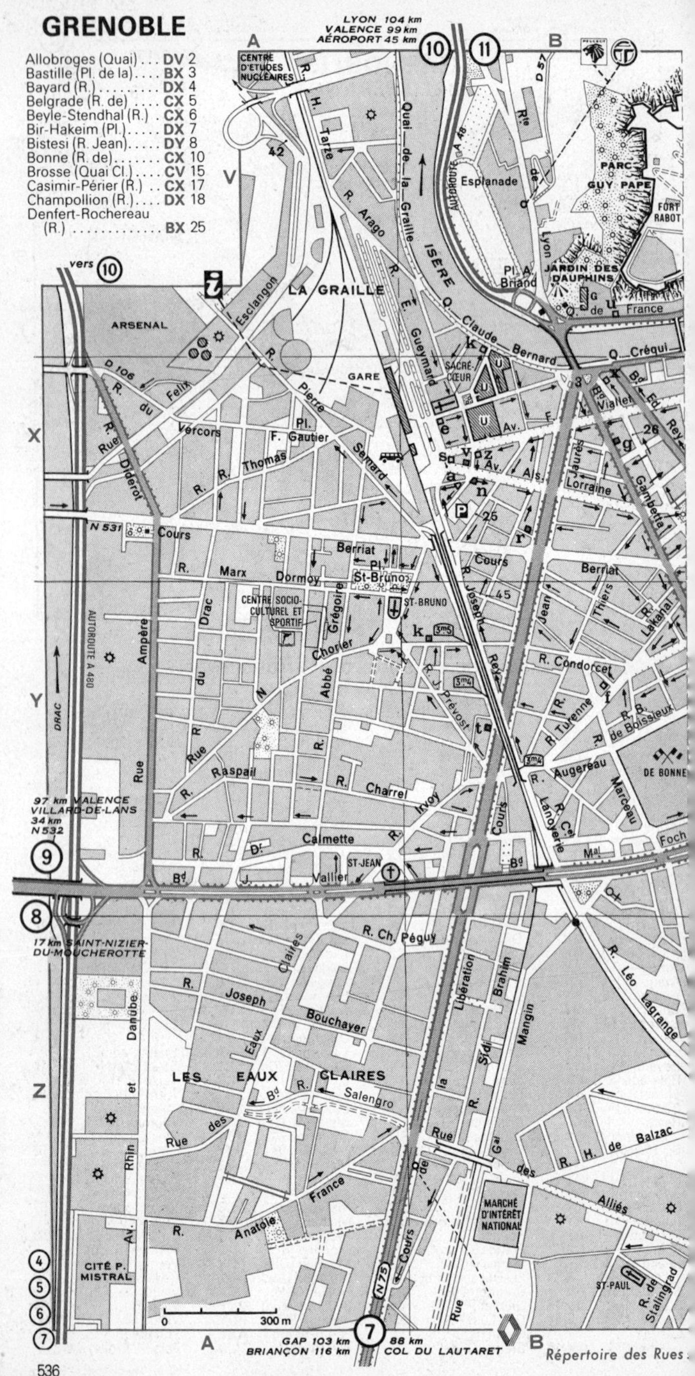

Répertoire des Rues :

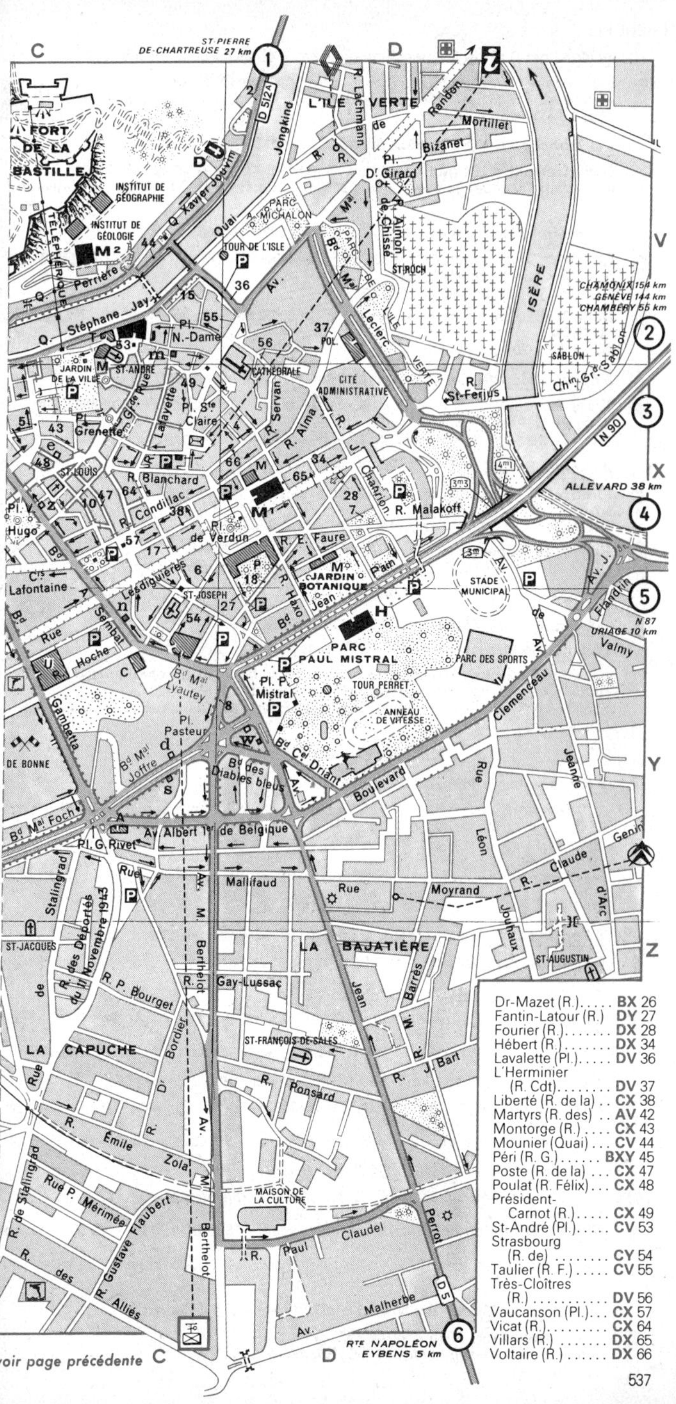

Dr-Mazet (R.) . . . . . **BX** 26
Fantin-Latour (R.) **DY** 27
Fourier (R.) . . . . **DX** 28
Hébert (R.) . . . . **DX** 34
Lavalette (Pl.) . . . . **DV** 36
L'Herminier (R. Cdt) . . . . **DV** 37
Liberté (R. de la) . . **CX** 38
Martyrs (R. des) . . **AV** 42
Montorge (R.) . . . . **CX** 43
Mounier (Quai) . . . **CV** 44
Péri (R. G.) . . . . . . **BXY** 45
Poste (R. de la) . . . **CX** 47
Poulat (R. Félix) . . . **CX** 48
Président-Carnot (R.) . . . . . **CX** 49
St-André (Pl.) . . . . . **CV** 53
Strasbourg (R. de) . . . . **CY** 54
Taulier (R. F.) . . . . . **CV** 55
Très-Cloîtres (R.) . . . . **DV** 56
Vaucanson (Pl.) . . . **CX** 57
Vicat (R.) . . . . **CX** 64
Villars (R.) . . . . **DX** 65
Voltaire (R.) . . . . . . **DX** 66

voir page précédente C D

au Nord par D 57 rte Clémencière - S : 4 km – ✉ **38950** St-Martin-le-Vinoux :

Bellevue Ⓜ, ✆ 76 87 68 17, ← – ⇔wc ⋒wc ☎ Ⓟ. E VISA. ✻ ch
fermé 3 au 25 août et 23 déc. au 2 janv. – SC : **R** (dîner seul. du lundi au jeudi) 65 ♁ – ☕ 17 – **17 ch** 121/165.

à la Tronche - S – ✉ **38700** La Tronche :

XXX **Trois Dauphins,** 24 bd Chantourne ✆ 76 54 49 73, ♣ – ▤ Ⓟ. ◑ E VISA S **u**
fermé sam. (sauf déj.) de sept. à juin et dim. – SC : **R** 105/140 **Snack R** carte environ 125.

à Meylan : 3 km par N 90 - S – 14 606 h. – ✉ **38240** Meylan :

Alpha Ⓜ, 34 av. Verdun ✆ 76 90 63 09, Télex 980444, ♣, ⛱ – ⇅ ▤ rest TV ☎ ♿ Ⓟ – ♟ 40 à 120. AE ◑ E VISA S **e**
SC : **R** 95 ♁ – ☕ 31 – **60 ch** 294/320.

Belle Vallée sans rest, 2 av. Verdun ✆ 76 90 42 65 – ▤ TV ⇔wc ☎ ⇔ Ⓟ. AE ◑ E VISA S **a**
SC : ☕ 19 – **30 ch** 210/265.

à Corenc-Montfleury : 3 km par av. Mar.-Randon - S – ✉ **38700** La Tronche :

Trois Roses Ⓜ sans rest, 32 av. Grésivaudan ✆ 76 90 35 09, Télex 980593, ♣ – ⇅ TV ☎ Ⓟ – ♟ 75. AE ◑ E VISA S **s**
fermé 24 déc. au 1er janv. – SC : ☕ 27 – **50 ch** 243/308, 8 appartements 551.

à Eybens par D 5 - T – 5 853 h. – ✉ **38320** Eybens :

Fimotel Ⓜ, à 2 km ✆ 76 24 23 12, Télex 980371, ♣ – ⇅ TV ⇔wc ☎ ♿ Ⓟ. AE ◑ VISA T **f**
R 49/83 ♁ – ☕ 19,50 – **42 ch** 199/217 – P 320/340.

XX **Rustique Auberge** à 5 km, ✆ 76 25 24 70 – Ⓟ. AE E VISA T **b**
fermé 26 juil. au 19 août, 28 déc. au 6 janv., sam. et dim. (sauf fêtes) – SC : **R** 63/140.

Par la sortie ② :

à Montbonnot : 7 km N 90 – ✉ **38330** St-Ismier.

Env. Bec de Margain ←** NE : 13 km puis 30 mn.

XXX ✿ **Les Mésanges** (Achini) ✆ 76 90 21 57, ←, « Jardin et ♣ ombragés » – AE E
fermé août, vacances de fév., dim. soir et lundi – SC : **R** 85/170
Spéc. Foie gras frais, Gratin de queues d'écrevisses, Fricassée de volaille grenobloise. **Vins** Chignin, Crozes-Hermitage.

Par la sortie ⑥ :

à Bresson par D 269C : 8 km – ✉ **38320** Eybens :

XXXX ✿ **Chavant** avec ch, ✆ 76 25 15 14, ♣, « Jardin ombragé » – ▤ TV ⇔wc ☎ Ⓟ – ♟ 25. AE VISA. ✻ rest
fermé 25 au 31 déc. – SC : **R** *(fermé sam midi et merc.)* carte 160 à 230 – ☕ 40 – **7 ch** 380/480
Spéc. Chausson de saumon, Caille Chavant, Ris de veau au miel. **Vins** Abymes de Myans, Cornas.

Par la sortie ⑦ :

à Pont-de-Claix : 8 km – 11 937 h. alt. 251 – ✉ **38800** Pont-de-Claix :

Le Villancourt sans rest, cours St-André ✆ 76 98 18 54 – ⇅ ⇔wc ⋒wc ☎ Ⓟ. ✻
fermé août – SC : ☕ 17,50 – **30 ch** 125/183.

Globe, 1 cours St-André ✆ 76 98 05 25, ♣, ♣ – ⇔wc ⋒wc ☎ ⇔ Ⓟ. VISA. ✻ ch
fermé 1er au 15 août et dim. – SC : **R** 70/248 – ☕ 18 – **13 ch** 105/156 – P 238/268.

à Claix par D 269 : 10,5 km – 5 548 h. – ✉ **38640** Claix :

Les Oiseaux ✆ 76 98 07 74, Télex 320871, ←, ♣, ⛱, ♣ – ⇔wc ⋒wc ☎ ⇔ Ⓟ. ✻
fermé sam. soir et dim. midi du 1er nov. à Pâques – SC : ☕ 20 – **20 ch** 115/250.

à Varces : 13 km – 5 735 h. – ✉ **38760** Varces :

XXX ✿ **L'Escale** avec ch, ✆ 76 72 80 19, ♣, « Jardin ombragé », ♣ – TV ⇔wc ⋒wc ☎ Ⓟ. AE E
fermé dim. soir et lundi du 15 oct. au 15 mars – SC : **R** 198/395 – ☕ 55 – **12 ch** 280/490
Spéc. Gâteau de foie gras aux épinards, Aiguillettes de rouget, Pièce de boeuf en millefeuille.. **Vins** Côtes-du-Rhône.

à St-Paul-de-Varces par N 75 et D 107 : 17 km – ✉ **38760** Varces :

XXX **Aub. Messidor,** ✆ 76 72 80 64, ♣ Ⓟ
fermé fév., mardi soir et merc. – SC : **R** 80 (sauf fêtes)/220.

Par la sortie ⑩ :

A 48 - Echangeur Voreppe : 12 km – ✉ **38340** Voreppe :

Novotel Ⓜ, ✆ 76 50 81 44, Télex 320273, ≤, parc, – ☎ ♿ Ⓟ – 200. AE ⓓ E VISA
R snack carte environ 100 – 31 – **114 ch** 298.

Par la sortie ⑪ :

au Chevalon : 11,5 km – ✉ **38340** Voreppe :

XXX **La Petite Auberge,** ✆ 76 50 08 03, – Ⓟ. AE ⓓ E VISA
fermé 10 août au 2 sept., dim. soir et lundi – **R** 150/220.

MICHELIN, Agence régionale, r. A. Bergès, Z.A., Le Pont de Claix par ⑦ ✆ **76 98 51 54**

ALFA-ROMEO Gar. St-Christophe, 65 bd Gambetta ✆ 76 87 50 71
FIAT Strada, 34-36 av. Félix Viallet ✆ 76 46 19 99
GM-OPEL Porte Ouest Automobile, 63 bd Joseph-Vallier ✆ 76 96 39 26
LANCIA-AUTOBIANCHI Gar. du Quai, 13 quai Cl.-Bernard ✆ 76 87 46 63
OPEL Éts Raymond, 56 bd Foch ✆ 76 87 21 34
PEUGEOT-TALBOT Bernard, 237 cours Libération T u ✆ 76 09 43 54
PEUGEOT-TALBOT G.G.I., 51-53 rte de Lyon BV ✆ 76 46 71 67
RENAULT Succursale, 150 r. Stalingrad T s ✆ 76 40 41 42
RENAULT Galtier, 73 cours Libération BZ ✆ 76 96 69 27
RENAULT Splendid-Gar., 4 r. E.-Delacroix DV ✆ 76 42 74 72
VOLVO Gar. Jeanne d'Arc, 6 bis Ch. Villebois ✆ 76 54 08 92

Gonthier, 3 r. R.-Bank ✆ 76 46 06 04
Gonthier Frères, 47 bd Clemenceau ✆ 76 44 30 71
Piot-Pneu, 27 bd Mar.-Foch ✆ 76 46 69 83
La Station-du-Pneu, 5 r. Génissieu ✆ 76 46 63 63
Tessaro-Pneus, 86 cours J.-Jaurès ✆ 76 46 00 91

Périphérie et environs

BMW Gar. Mar.-Foch, av. de la Houille Blanche à Seyssinet Pariset ✆ 76 96 02 90
CITROEN Filiale, Ricou-Auto, 28 bd de la Chantourne à La Tronche S ✆ 76 42 46 36 N
CITROEN S.A.D.A. 38 av. J-Jaurès à Eybens par ⑥ ✆ 76 24 20 63
DATSUN-NISSAN CEDA, 24 av. de la Houille Blanche à Seyssinet-Pariset ✆ 76 49 49 50
FIAT Gar. de Savoie, 45 bd P.-Langevin, Zone Ind. à Fontaine ✆ 76 27 38 17
FIAT Strada, 104 av. G.-Péri à St-Martin-d'Hères ✆ 76 42 38 18
FORD Gauduel, 46 av. A.-Croizat à Fontaine ✆ 76 26 00 18
FORD Sud Alpes Autom., U2, r. du Béal à St-Martin-d'Hères ✆ 76 25 75 45
LADA, SKODA Rativet, av. Gén.-de-Gaulle à Seyssinet-Pariset ✆ 76 96 79 27
MAZDA Sudautos, 78 cours J.-Jaurès à Echirolles ✆ 76 23 30 63
MERCEDES-BENZ, TOYOTA G.S.M., 117 av. G.-Péri à St-Martin-d'Hères ✆ 76 54 42 18
OPEL Majestic, 109 av. G.-Péri à St-Martin-d'Hères ✆ 76 42 38 18
RENAULT Esso-Service du Moucherotte, 117 cours J.-Jaurès à Échirolles T n ✆ 76 09 16 24
RENAULT Lambert, 24 av. de Romans à Sassenage par ⑨ ✆ 76 27 40 62
V.A.G. Alpes-Sport-Auto, 111 av. G.-Péri à St-Martin-d'Hères ✆ 76 54 52 36 N ✆ 76 96 65 69

Gonthier-Frères, 131 av. G.-Péri à St-Martin-d'Hères ✆ 76 54 36 83
Piot-Pneu, 96 cours J.-Jaurès à Échirolles ✆ 09.11.95 11 r. C.-Kilian, St-Martin-le-Vinoux ✆ 76 87 21 44 et av. G.-Péri à St-Martin-d'Hères ✆ 76 54 36 72
SODA-Pneu, 1 r. du 19 Mars 1962 à Echirolles ✆ 76 22 25 27
La Station-du-Pneu, 37 bd P.-Langevin à Fontaine ✆ 76 26 32 45 et rte de Lyon à St-Martin-le-Vinoux ✆ 76 75 07 66

GRÉOLIÈRES 06 Alpes-Mar. 81 ⑲, 195 ㉔ **G. Côte d'Azur** – 311 h. alt. 820 – ✉ **06620** Le Bar-sur-Loup.

Voir Retable de St-Etienne★ dans l'église.

Paris 846 – Castellane 47 – Grasse 29 – ♦Nice 49 – Vence 27.

Domaine du Foulon , SE : 4 km par rte de Gourdon ✆ **93 59 95 02**, ≤, parc, – wc wc ♿ Ⓟ. AE E VISA
fermé 15 nov. au 15 déc., lundi soir et mardi – SC : **R** 70/120 – 16 – **13 ch** 115/150 – P 200.

GRÉOLIÈRES-LES-NEIGES 06 Alpes-Mar. 81 ⑲, 195 ㉔ alt. 1 450 – ✉ **06620** Le Bar-sur-Loup.

Paris 850 – Castellane 51 – Grasse 47 – ♦Nice 67 – Vence 45.

Alpina , ✆ 93 59 70 19, ≤ – cuisinette wc wc ☎
15 juin-15 sept. et 20 déc.-20 avril – SC : **R** *(fermé merc. en été)* 55/88 – 17,50 – **8 ch** 187/210.

Les hôtels ou restaurants agréables sont indiqués dans le guide par un signe rouge.
Aidez-nous en nous signalant les maisons où, par expérience, vous savez qu'il fait bon vivre.
Votre guide Michelin sera encore meilleur.

... XXXXX ... X

GRÉOUX-LES-BAINS 04800 Alpes-de-H.-Pr 84 ④⑤ G. Côte d'Azur – 1 637 h. alt. 360 – Stat. therm. (fév.-20 déc.) – Casino.

Syndicat d'Initiative pl. Hôtel de ville ☎ 92 78 01 08.

Paris 785 – Aix-en-Provence 51 – Brignoles 58 – Digne 62 – Manosque 15 – Salernes 53.

Villa Borghèse M, ☎ 92 78 00 91, Télex 401513, – 80. AE E VISA. rest
1er mars-30 nov. – SC : **R** 112/180 – 25 – **70 ch** 210/360 – P 340/410.

La Crémaillère M, rte Riez ☎ 92 74 22 29, Télex 420347, – VISA. rest
fermé 15 déc. au 7 fév. – **R** 105/221 – 27 – **53 ch** 263 – P 383/425.

Lou San Peyre M, rte Riez ☎ 92 78 01 14, – wc AE E VISA. rest
25 fév.-25 nov. – SC : **R** 75/150 – 19 – **47 ch** 210 – P 244/330.

Gd Jardin, ☎ 92 74 24 74, parc – wc wc E VISA.
15 mars-26 nov. – SC : **R** 58/120 – 17,50 – **88 ch** 112/182 – P 201/232.

Alpes, ☎ 92 74 24 24, – wc E VISA.
mi-mars-mi-nov. – SC : **R** 65/140 – 16,50 – **43 ch** 90/190 – P 169/232.

RENAULT Gallégo, ☎ 92 78 00 50

GRESSE-EN-VERCORS 38 Isère 77 ⑭ G. Alpes – 204 h. alt. 1 250 – Sports d'hiver : 1 250/1 800 11 – 38650 Monestier-de-Clermont.

Voir Col de l'Allimas ←* S : 2 km.

Syndicat d'Initiative à la Mairie ☎ 76 34 33 40.

Paris 609 – Clelles 19 – •Grenoble 47 – Monestier-de-Clermont 14 – Vizille 43.

Le Chalet M, ☎ 76 34 02 08, ←, – wc wc – 40. E.
15 mai-30 sept. et 15 déc.-15 avril – SC : **R** 65/165 – 19 – **31 ch** 165/230 – P 230/252.

Rochas, ☎ 76 34 31 20 – E.
fermé 31 mars au 14 avril et nov. – SC : **R** 60/135 – 22 – **8 ch** 75/130 – P 170.

GRÉSY-SUR-AIX 73 Savoie 74 ⑮ – rattaché à Aix-les-Bains.

GRÉSY-SUR-ISÈRE 73740 Savoie 74 ⑯ – 587 h. alt. 357.

Env. Site** et ←** du château de Miolans* SO : 7 km, G. Alpes.

Paris 560 – Aiguebelle 13 – Albertville 19 – Chambéry 36 – St-Jean-de-Maurienne 47.

La Tour de Pacoret, NE : 1,5 km par D 201 73460 Frontenex ☎ 79 37 91 59, ← vallée et montagne, – wc wc AE VISA.
1er mars-5 oct. – SC : **R** *(fermé jeudi hors sais.)* (nombre de couverts limité - prévenir) carte environ 120 – 22 – **10 ch** 170/280 – P 230/270.

Commerce, ☎ 79 37 91 61 – .
fermé 1er au 15 mai, 15 au 30 sept. et lundi soir sauf vacances scolaires – **R** 50/75 – 17 – **13 ch** 65/95 – P 150/170.

La GRIÈRE 85 Vendée 71 ⑪ – rattaché à la Tranche.

GRIGNAN 26230 Drôme 81 ② G. Provence (plan) – 1 147 h. alt. 197.

Voir Château** : *.

Syndicat d'Initiative Grande Rue (fermé janv., avril et oct.) ☎ 75 46 56 75.

Paris 632 – Crest 47 – Montélimar 28 – Nyons 23 – Orange 44 – Pont-St-Esprit 37 – Valence 71.

Sévigné sans rest, ☎ 75 46 50 97 – wc wc . E
fermé 1er déc. au 15 janv. et lundi hors sais. – 19 – **20 ch** 68/220.

CITROEN Ferretti, ☎ 75 46 51 78

RENAULT Monier, ☎ 75 46 51 24 ☎ 75 46 53 28

GRIGNY 91 Essonne 61 ①, 101 ㊱ – voir Paris, Environs.

GRIMAUD 83360 Var 84 ⑰ G. Côte d'Azur – 2 911 h. alt. 100.

Office de Tourisme, pl. des Écoles ☎ 94 43 26 98.

Paris 865 – Brignoles 57 – Hyères 45 – Le Lavandou 34 – St-Tropez 10 – Ste-Maxime 13 – Toulon 63.

La Boulangerie M, O : 3 km par D 14 et V.O. ☎ 94 43 23 16, ←, parc, – wc
1er avril-1er oct. – SC : **R** 145 – 29 – **10 ch** 385/510 – P 480/625.

Coteau Fleuri, ☎ 94 43 20 17, ←, – wc wc AE VISA. rest
hôtel : 24 mars-31 oct. ; rest : 15 mai-15 oct. – SC : **R** (dîner seul.) 105/160 – 38 – **14 ch** 315/340.

XXX ❀ **Les Santons** (Girard), ✆ 94 43 21 02, « Cadre provençal » – ▤. AE ⓓ VISA
27 mars-15 oct. et fermé merc. sauf juil. août – SC : **R** carte 290 à 380
Spéc. Terrine d'agneau aux aubergines, Escalopines de baudroie au basilic et choux verts, Agneau de Sisteron aux herbes de Provence. **Vins** Bandol, Le Luc.

X **Café de France,** ✆ 94 43 20 05, 🍴 – VISA
fermé nov., déc., janv. et mardi – SC : **R** 70.

Sécurité-Pneus, N98, St-Pons-les-Mures ✆ 94 56 36 02

GRISOLLES 82170 T.-et-G. 82 ⑦ – 2 619 h. alt. 110.

Paris 675 – Auch 76 – Castelsarrasin 29 – Gaillac 61 – Montauban 24 – ♦Toulouse 30.

🏨 **Relais des Garrigues,** N 20 ✆ 63 67 31 59, 🍴 – ⎍wc ☎ 🚗 Ⓟ – 🪑 40. AE E
fermé 5 janv. au 10 fév. et lundi – SC : **R** 60/160 – ☕ 24 – **27 ch** 80/185 – P 210/300.

RENAULT Gar. Catazzo, ✆ 63 30 33 39 N ✆ 63 30 32 39

GRIVE 38 Isère 74 ⑬ – rattaché à Bourgoin-Jallieu.

GROIX (Ile de) ★ 56590 Morbihan 58 ⑫ **G. Bretagne** – 2 605 h..

Voir Site★ de Port-Lay – Trou de l'Enfer★.

Accès : Transports maritimes pour **Port-Tudy** (en été **réservation indispensable** pour le passage des véhicules).

⛴ depuis **Lorient.** En 1985 : de fin juin au 1er sept., 8 services quotidiens ; hors saison, 2 à 5 services quotidiens - Traversée 45 mn – Voyageurs 61 F (AR), autos aller 125 à 296 F par Cie Morbihannaise de Navigation, bd A.-Pierre ✆ 97 21 03 97.

Syndicat d'Initiative Port Tudy (1er juin-31 août) ✆ 97 05 53 15.

XX **Ty Mad** avec ch, au port ✆ 97 05 80 19, ← – ⎍wc ☎ Ⓟ. AE VISA. ✻ rest
mars-oct. – SC : **R** 47/190 – ☕ 17 – **12 ch** 80/190 – P 160/200.

X **Aub. du Pêcheur,** r. Gén. de Gaulle ✆ 97 05 80 14 – VISA
R 45/130 ♁.

GROLÉJAC 24 Dordogne 75 ⑰ – 541 h. alt. 80 – ✉ **24250** Domme.

Paris 549 – Gourdon 13 – Périgueux 78 – Sarlat la Caneda 12.

🏠 **Le Grillardin,** ✆ 53 28 11 02, 🍴 – ⛀wc ⎍wc ☎ Ⓟ. ✻
fermé 26 oct. au 5 nov., vacances de fév. et merc. d'oct. à avril – SC : **R** 50/110 ♁ – ☕ 15,50 – **12 ch** 78/168 – P 129/188.

GROSLÉE 01 Ain 74 ⑭ – 267 h. alt. 237 – ✉ **01680** Lhuis.

Paris 480 – Belley 21 – Bourg-en-B. 68 – ♦Lyon 70 – La Tour-du-Pin 27 – Vienne 74 – Voiron 44.

X **Penelle,** à Port de Groslée SO : 1 km sur D 19 ✆ 74 39 71 01, ←, 🍴 – Ⓟ
fermé mi-janv. à mi-fév., lundi soir hors sais. et mardi – SC : **R** 51/150 ♁.

GROTTE voir au nom propre de la grotte.

GROUIN (Pointe du) 35 I.-et-V. 59 ⑥ – rattaché à Cancale.

GRUISSAN 11430 Aude 86 ⑩ **G. Causses** (plan) – 1 594 h. – Casino.

Syndicat d'Initiative bd Pech-Maynaud ✆ 68 49 03 25.

Paris 856 – Carcassonne 72 – Narbonne 14.

🏨 **Corail** M, au port ✆ 68 49 04 43, ← – 🛗 ⛀wc ☎ Ⓟ. AE VISA. ✻ rest
début mars-fin oct. – SC : **R** 68/155 – ☕ 22 – **32 ch** 180/205 – P 242/262.

🏠 **La Plage** sans rest, à la Plage ✆ 68 49 00 75 – ⎍ ☎ Ⓟ. ✻
Pâques-oct. – SC : **17 ch** ☕ 150.

XX **Le Chebek,** au port ✆ 68 49 02 58, 🍴 – AE ⓓ E VISA
1er mars-30 nov., et fermé dim. soir et lundi sauf juil.-août – SC : **R** 75/220.

XX **L'Estagnol,** au village ✆ 68 49 01 27, 🍴. VISA
fermé 15 au 30 mars, 15 au 30 oct. et mardi sauf le soir en sais. – SC : **R** 66/180.

GRURY 71 S.-et-L. 69 ⑯ – 855 h. alt. 298 – ✉ **71760** Issy-l'Évêque.

Paris 328 – Autun 54 – Bourbon-Lancy 16 – Digoin 29 – Mâcon 110.

X **Aub. Vieux-Moulin** avec ch, SO : 0,8 km par D 42 ✆ 85 84 83 15 Ⓟ
fermé 23 août au 8 sept. – SC : **R** 48/90 ♁ – ☕ 11 – **7 ch** 65 – P 120/140.

GUCHAN 65 H.-Pyr. 85 ⑲ – 122 h. alt. 750 – ✉ **65170** St-Lary.

Paris 856 – Arreau 8 – Lannemezan 35 – St-Gaudens 62 – Tarbes 65.

🏠 **Moderne** sans rest., ✆ 62 39 50 10, ← – ⛀wc ⎍ ☎ Ⓟ. ✻
fermé 20 oct. au 20 déc. – SC : ☕ 16 – **24 ch** 130/157.

GUEBERSCHWIHR 68 H.-Rhin 62 ⑱⑲ **G. Alsace et Lorraine** – 727 h – ✉ **68420** Herrlisheim près Colmar.

Paris 458 – Colmar 11 – Guebwiller 18 – •Mulhouse 43 – •Strasbourg 85.

- **Relais du Vignoble et rest. Belle vue** M 🐌, ✆ **89 49 22 22**, ≤, – ⇕ wc ☎ P. E VISA
  fermé fév. et jeudi – SC : **R** 65/130 – 20 – **30 ch** 140/350 – P 220.

GUEBWILLER SP 68500 H.-Rhin 62 ⑱ **G. Alsace et Lorraine** – 11 083 h. alt. 288.

Voir Église St-Léger★ : façade Ouest★★ A **E** – **Église N.-Dame★** B **B** – **Hôtel de Ville★** A **H** – **Vallée de Guebwiller★★ NO.**

Office de Tourisme 5 pl. St-Léger ✆ 89 76 10 63.

Paris 467 ③ – Belfort 55 ③ – Colmar 26 ① – Épinal 113 ④ – •Mulhouse 23 ③ – •Strasbourg 100 ①.

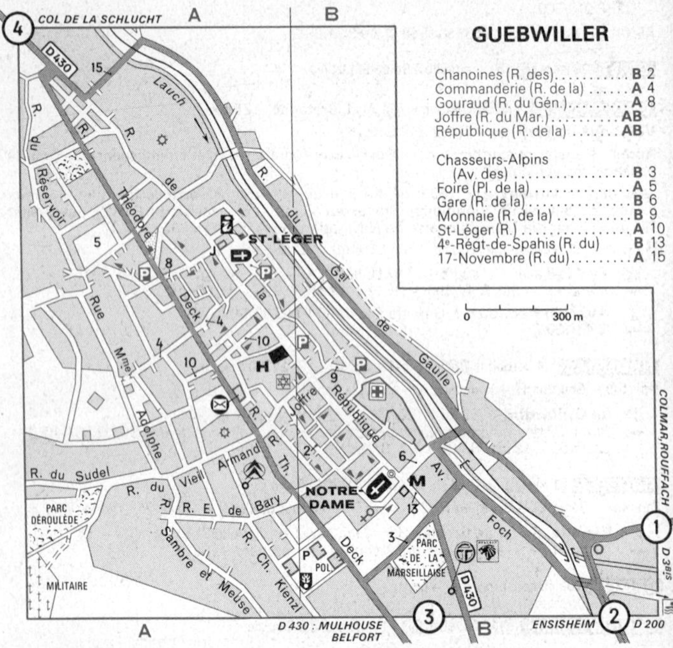

CITROEN Verrier et Klein, 10 a r. Lucerne ✆ 89 76 81 34 N
PEUGEOT-TALBOT Gar. du Parc, 11 rte Soultz ✆ 89 76 83 15
RENAULT Gar. Valdan, Pénétrante N 83 par ① ✆ 89 76 27 27

à Soultz-Haut-Rhin par ③ : 3 km – 5 696 h. – ✉ **68360** Soultz-Haut-Rhin.

Syndicat d'Initiative à la Mairie (1er juil.-31 août) ✆ 89 76 82 44.

- **Aub. Ste-Claire,** pl. Ste-Claire, centre ville ✆ **89 76 02 92** – VISA
  fermé 1er au 15 août et lundi – **R** 35/180.

CITROEN Gar. Mickeler, 4 pl. 17-Novembre ✆ 89 76 82 83 N
PEUGEOT, TALBOT Gar. Muller, 2 r. Marne ✆ 89 76 95 63

à Murbach par ④ et D 40 : 5,5 km – ✉ **68530** Buhl.

Voir Église★★.

- **St-Barnabé** 🐌, ✆ **89 76 92 15, Télex 881 036**, ≤, **« Maison fleurie dans la vallée, jardin »,** – wc wc ☎ P. AE VISA. rest
  SC : **R** 100/250 – 25 – **27 ch** 160/290 – P 230/370.

à Jungholtz par ③ et D 51 : 6 km – ✉ **68500** Guebwiller :

- ✿ **Résidence Les Violettes** (Munsch) 🐌, à Thierenbach ✆ **89 76 91 19**, ≤, – wc wc ☎ P – 25.
  fermé 5 janv. au 4 fév., lundi soir et mardi (sauf hôtel en sais.) – SC : **R** 130/290 – 25 – **12 ch** 200/330
  Spéc. Brioche de foie gras, Turbot au Champagne. **Vins** Tokay, Pinot noir.

XX **Ferme de Thierenbach** ⛰ avec ch, à Thierenbach ✆ 89 76 93 01, 🏞 – ⛀wc 🚿 ☎ 🅿
fermé 15 déc. au 20 fév., dim. soir et lundi – SC : **R** 65/180 🍷 – ☕ 25 – **14 ch** 120/190 – P 240/270.

XX **Biebler** avec ch, ✆ 89 76 85 75, 🏞 – 🅿. AE ⓓ E VISA. ✖ ch
✦ *fermé vend.* – **R** 55/120 🍷 – ☕ 16 – **12 ch** 58/120 – P 130.

XX **Kuentz** avec ch, ✆ 89 76 83 32, 🏞, ⛱ – 🚿 🅿. VISA. ✖
✦ *fermé 1er au 15 déc., 1er au 15 fév. et lundi* – SC : **R** 48/160 🍷 – ☕ 16 – **10 ch** 90/130 – P 150/170.

à Hartmannswiller par ③ et D 5 : 7 km – ✉ **68500** Guebwiller :

🏠 **Meyer,** sur D 5 ✆ 89 76 73 14, ⛱ – ⛀wc 🚿wc ☎ 🅿. E. ✖ ch
SC : **R** *(fermé vend.)* 70/150 🍷 – ☕ 22 – **18 ch** 95/185.

GUÉCÉLARD 72 Sarthe 64 ③ – 1 667 h. alt. 45 – ✉ **72230** Arnage.
Paris 216 – Château-Gontier 73 – La Flèche 25 – Malicorne-sur-Sarthe 22 – ♦Le Mans 17.

XX **La Botte d'Asperges,** N 23 ✆ 43 87 12 03 – 🅿. AE E VISA
✦ *fermé 1er au 15 fév., 1er au 15 juil., mardi soir, merc. soir et jeudi* – SC : **R** 55/85.

à Fillé N : 4 km – ✉ **72210** La Suze-sur-Sarthe :

XX **Aub. du Rallye,** ✆ 43 87 14 08, 🏞 – 🅿. ⓓ VISA
fermé fév., dim. soir et lundi – SC : **R** 85/200.

GUÉMENÉ-PENFAO 44290 Loire-Atl. 63 ⑯ – 4 480 h. alt. 37.
Paris 385 – Châteaubriant 38 – ♦Nantes 62 – Redon 20 – ♦Rennes 61 – St-Nazaire 57.

🏠 **Le Chalet** ⛰, r. Moulins ✆ 40 79 23 38, ⛱ – 🅿
✦ *fermé merc. du 1er oct. au 30 avril* – SC : **R** 50/120 🍷 – ☕ 15 – **14 ch** 60/75 – P 130/150.

GUENROUET 44 Loire-Atl. 63 ⑮ – 2 270 h. alt. 36 – ✉ **44530** St-Gildas-des-Bois.
Paris 402 – ♦Nantes 54 – Nozay 28 – Redon 21 – La Roche-Bernard 29 – St-Nazaire 40.

au Cougou NO : 5 km par D 102 – ✉ **44530** St-Gildas des Bois :

XX **Paradis des Pêcheurs** ⛰ avec ch, ✆ 40 87 64 10, ⛱ – 🅿
✦ *fermé 13 au 29 oct., 13 au 19 janv., dim. soir et lundi* – **R** 45/190 🍷 – ☕ 12 – **6 ch** 65/84 – P 130.

GUÉRANDE 44350 Loire-Atl. 63 ⑭ **G. Bretagne** – 9 475 h. alt. 52.
Voir Le tour des remparts★ – Collégiale St-Aubin★ B.
ℹ Syndicat d'Initiative Tour St-Michel (1er avril-15 sept.) ✆ 40 24 96 71.
Paris 450 ② – La Baule 6 ② – ♦Nantes 77 ② – St-Nazaire 20 ② – Vannes 65 ①.

St-Aubin (Pl.) 17
St-Michel (R.)

Bizienne (Fg) 2
Brière (R. de la) 3
Capucins (R. des) 5
Jean-XXIII (Pl.) 6
Marché-aux-Bois (Pl.) 8
Marhallé (Pl.) 10
Peupliers (R. des) 12
Pourieux (Bd) 13
Psalette (Pl. de la) 14
St-Armel (Fg) 16
St-Michel (Fg) 19
Ste-Anne (Fg) 21
Ste-Anne (Pl.) 22
Saulniers (R. des) 24
Sœurs-Grises (R. des) 25
Tricot (R. du) 27
Vannetaise (R.) 29

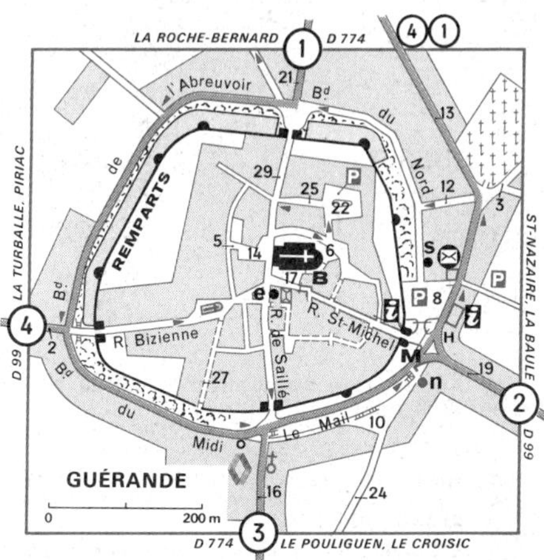

Les plans de villes sont orientés le Nord en haut.

🏠 **Les Remparts** M, bd Nord **(s)** ✆ 40 24 90 69 – ⛀wc 🚿wc ☎. AE E VISA
SC : **R** *(fermé janv., dim. soir et lundi)* 73/150 – ☕ 20 – **8 ch** 210/250.

🏠 **Roc Maria** sans rest, 1 r. Halles **(e)** ✆ 40 24 90 51, « Maison du 15e s. » – ⛀wc. E VISA. ✖
1er avril-10 oct. – SC : ☕ 18 – **9 ch** 170.

XXX **La Collégiale,** 63 fg Bizienne par ④ ✆ 40 24 97 29, ☂, « Jardin fleuri » – AE ⓓ
fermé 22 au 27 déc., le midi en juil.-août, merc. midi et mardi – SC : **R** carte 180 à 280.

X **Ti Marok,** 3 pl. Marhallé **(n)** ✆ 40 24 92 08, **Spécialités marocaines** – ⌘
fermé 25 sept. au 27 oct. et en hiver du lundi au jeudi sauf fériés – **R** carte environ 100.

CITROEN Mercier, 2 r. Letilly par ① ✆ 40 24 90 35
PEUGEOT-TALBOT Cottais, rte la Turballe par ④ ✆ 40 24 90 39
RENAULT Guyot, bd du 19 Mars 1962 par ① ✆ 40 24 92 19
RENAULT Gar. de la Promenade, 3 bd Midi ✆ 40 24 91 39

La GUERCHE-DE-BRETAGNE **35130** I.-et-V. **63** ⑧ **G. Bretagne** – **4 075 h. alt. 76.**

Paris 325 – Angers 82 – Châteaubriand 29 – Château-Gontier 45 – Laval 40 – ♦Rennes 41 – Vitré 22.

La Calèche ⚘, av. Gén.-Leclerc ✆ **99 96 20 36,** ☂ – ⛲ ⓟ. ⓓ E VISA
fermé dim. soir et vend. hors sais. – SC : **R** 39/145 ⅄ – ☕ 15 – **13 ch** 70/150.

CITROEN Lebreton, 17 pl. de Champ de Foire ✆ 99 96 21 20
Billon Pneus, 24 r. 8-Mai ✆ 99 96 22 51

GUÉRET Ⓟ **23000** Creuse **72** ⑨ **G. Périgord** – **16 621 h. alt. 436.**

Voir Salle du Trésor d'orfèvrerie★ du musée Z **M.**

Office de Tourisme 1 av. Ch.-de-Gaulle ✆ 55 52 14 29 - A.C. r. E.-France ✆ 55 52 26 51.

Paris 351 ① – Bourges 122 ① – Châteauroux 83 ① – Châtellerault 153 ⑥ – ♦Clermont-Ferrand 132 ③ – ♦Limoges 82 ④ – Montluçon 65 ② – Poitiers 142 ⑥ – Tulle 137 ④ – Vierzon 141 ①.

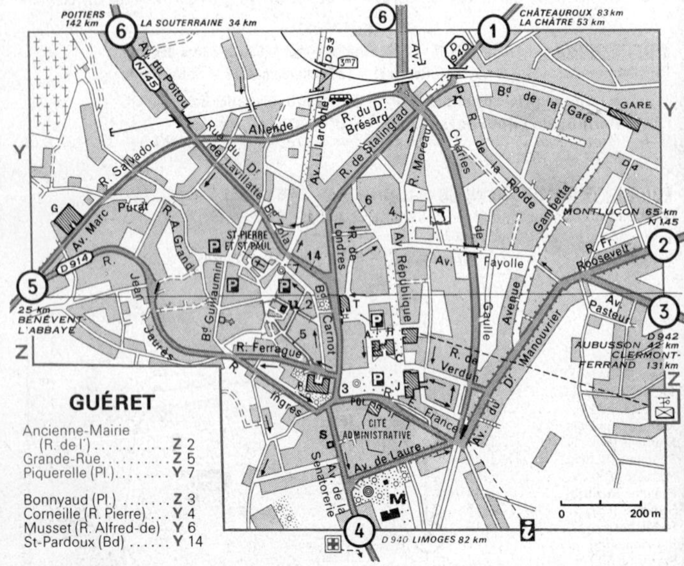

Auclair, 19 av. Sénatorerie ✆ 55 52 01 26, ☂ – ⊟wc ⛲wc ☎ ⇔ ⓟ – ⛰ 30. AE ⓓ E VISA Z **s**
fermé 15 au 31 janv. – SC : **R** *(fermé dim. soir et lundi midi du 15 oct. au 30 mars)* 51/135 ⅄ – ☕ 20 – **33 ch** 89/220 – P 165/260.

Nord, 1 bd Gare ✆ 55 52 71 85 – ⛲ ☎ ⓟ. E VISA. ⌘ Y **r**
fermé 13 au 27 juil., 21 déc. au 4 janv., sam. soir et dim. – SC : **R** 52/90 – ☕ 16 – **33 ch** 61/140 – P 140/170.

X **L'Univers** avec ch, 8 r. Ancienne-Mairie ✆ 55 52 02 03 – ⛲. AE VISA Z **u**
fermé 25 juin au 13 juil. et lundi – SC : **R** 45/140 ⅄ – ☕ 16 – **7 ch** 64/110 – P 150/180.

à Laschamps de Chavanat par ① : 5 km sur D940 – ✉ **23000** Guéret :

X **Chez Peltier,** ✆ 55 52 02 40 – ⓟ
fermé juil., sam et le soir – SC : **R** 35/90 ⅄.

à Glénic par ① : 7,5 km – alt. 400 – ✉ **23000** Guéret :

Moulin Noyé, ✆ 55 52 09 11, – wc wc . VISA
fermé 15 janv. au 15 fév. et lundi (sauf hôtel en saison) – **R** 43/135 – 24 – **32 ch** 76/162 – P 182/206.

à Ste Feyre par ③ : 7 km – ✉ **23000** Guéret :

Touristes, ✆ 55 80 00 07
fermé janv., mardi soir et merc. – SC : **R** 60/150 .

ALFA-ROMEO-TOYOTA Gar. Andrieu, 2 rue du Sénéchal ✆ 55 52 19 38
CITROEN S.A.M.A.T. rte Montluçon, N 145 à Ste-Feyre par ② ✆ 55 52 48 52
FIAT-LANCIA-AUTOBIANCHI Gar. Bellevue, Le Verger RN 145 à Sainte Feyre ✆ 55 52 43 65
FORD Martin M., 15 r. E.-France ✆ 55 52 14 44
PEUGEOT-TALBOT Daraud, ancienne N 145 à Ste-Feyre par ② ✆ 55 52 52 00
RENAULT Gar. St-Christophe, rte de Paris à Cherdemont par ① ✆ 55 52 15 78 N

Gaudon-Pneus, 25 av. Gambetta ✆ 55 52 00 36 N
Godignon-Martin-Pneus, Z.A. rte d'Anzeme ✆ 55 52 01 65

La GUÉRINIÈRE 85 Vendée 67 ① – voir à Noirmoutier.

GUERLESQUIN 29248 Finistère 58 ⑦ – 1 839 h. alt. 250.

Paris 524 – Carhaix-P. 43 – Guingamp 39 – Lannion 32 – Morlaix 25 – Plouaret 18 – Quimper 81.

Monts d'Arrée, ✆ 98 72 80 44 – wc wc . ch
fermé 14 déc. au 6 janv. – SC : **R** *(fermé dim. soir et fériés le soir)* 60/115 – 18 – **24 ch** 100/200 – P 160/200.

GUÉTHARY 64 Pyr.-Atl. 78 ⑪⑱ **G. Pyrénées** – 1 042 h. alt. 27 – ✉ **64210** Bidart.

Syndicat d'Initiative à la Mairie ✆ 27 26 56 60.

Paris 787 – ♦Bayonne 15 – Biarritz 9 – Pau 123 – St-Jean-de-Luz 6.

✿ **Brikétenia (Ibarboure),** ✆ 59 26 51 34, ≤, – TV wc .
fermé 2 nov. au 15 déc. et mardi du 1er oct. au 30 juin – **R** 95/210 – 25 – **21 ch** 160/250 – P 210/270
Spéc. Huîtres chaudes au caviar et aux oeufs de saumon, Foie gras de canard poêlé, Fricassée de sole aux langoustines. **Vins** Irouléguy.

Pereria , ✆ 59 26 51 68, ≤, , « Beau jardin ombragé » – wc . rest
1er mars-1er nov. – SC : **R** 55/120 – **30 ch** 100/220, (en sais. pension seul.) – P 185/240.

Madrid avec ch, ✆ 59 26 52 12, –
Pâques-fin sept. – SC : **R** 51/115 – 18 – **7 ch** 80/150.

RENAULT Gar. Labourd, ✆ 59 26 50 52

Le GUÉTIN 18 Cher 69 ③ – alt. 175 – ✉ **18150** La Guerche-sur-l'Aubois.

Paris 249 – Bourges 57 – La Guerche-sur-l'Aubois 10 – Nevers 11 – St-Pierre-le-Moutier 27.

Aub. du Pont-Canal, D 976 ✆ 48 80 40 76. VISA
fermé 2 nov. au 14 déc., 6 janv. au 6 mars, lundi sauf juil.-août et le soir d'oct. à juin – SC : **R** 60/180 .

CITROEN Chailloux, ✆ 48 80 41 15

GUEUGNON 71130 S.-et-L. 69 ⑰ – 10 456 h. alt. 243.

Paris 342 – Autun 51 – Bourbon-Lancy 26 – Digoin 16 – Mâcon 89 – Montceau-les-Mines 28.

Commerce, 1 r. La Fontaine ✆ 85 85 23 23 – wc wc . E VISA
fermé oct. – SC : **R** 70/150 – 27 – **23 ch** 115/250 – P 200/250.

Relais Bourguignon avec ch, 47 r. Convention ✆ 85 85 25 23 – wc . AE E VISA
fermé 3 au 25 août, vacances de fév., dim. soir et lundi – SC : **R** 75/190 – 15 – **8 ch** 95/120.

CITROEN Milli, rte de Digoin ✆ 85 85 06 02 N
PEUGEOT-TALBOT Vadrot, 31 r. du 8-Mai ✆ 85 85 24 31
RENAULT Hermey, 48 r. de la Liberté ✆ 85 85 20 42

Goesin, 11 r. J.-Bouveri ✆ 85 85 25 40

GUEYNARD 33 Gironde 71 ⑧ – rattaché à St-André-de-Cubzac.

GUICHEN 35580 I.-et-V. 63 ⑥ – 5 366 h.

Paris 364 – Châteaubriant 48 – Ploermel 50 – Redon 46 – ♦Rennes 19.

Commerce, 34 r. Gén.-Leclerc ✆ 99 57 01 14, – wc wc . E.
fermé 27 juil. au 12 août – SC : **R** *(fermé sam.)* 46/125 – 15 – **18 ch** 88/165 – P 143/172.

GUIDEL 56520 Morbihan 58 ⑫ – 6 079 h.

Voir St-Maurice : Site★ et ≤★ du pont NO : 5 km, G. Bretagne.

Paris 501 – Concarneau 39 – Lorient 12 – Moëlan-sur-Mer 13 – Quimperlé 12 – Vannes 68.

La Châtaigneraie M sans rest, O : 1 km par D 162 ☎ 97 65 99 93, parc – TV P. E VISA. ※
SC : ☐ 28 – **10 ch** 290.

GUIGNES 77 S.-et-M. 61 ② – 1 978 h alt. 88 – ✉ 77390 Verneuil-l'Étang.

Paris 46 – Coulommiers 32 – Meaux 42 – Melun 15 – Provins 41.

XX **Les Grouettes,** ☎ (1) 64 06 00 07, ≤, parc – P. AE ⊙ E VISA
fermé vacances de fév., dim. soir et lundi – SC : **R** (nombre de couverts limité - prévenir) 188.

GUIGNIÈRE 37 I.-et-L. 64 ⑭⑮ – rattaché à Tours.

GUILLAUMES 06470 Alpes-Mar. 81 ⑨⑲, 195 ③ G. Côte d'Azur – 546 h. alt. 819.

Voir Gorges de Daluis★★ : ≤★★ au S à hauteur des tunnels.

Syndicat d'Initiative à la Mairie (juil.-août) ☎ 93 05 50 13.

Paris 837 – Barcelonnette 63 – Castellane 57 – Digne 95 – Manosque 136 – ♦Nice 98.

Renaissance, ☎ 93 05 50 12, – P. AE
fermé 1er nov. au 15 déc. – SC : **R** 65/80 – ☐ 16 – **20 ch** 70/95 – P 140/150.

GUILLESTRE 05600 H.-Alpes 77 ⑱ G. Alpes – 2 009 h. alt. 1 000.

Voir Pied-la-Viste ≤★ E : 2 km – Peyre-Haute ≤★ S : 4 km puis 15 mn.

Syndicat d'Initiative pl. Salva ☎ 92 45 04 37.

Paris 713 – Barcelonnette 49 – Briançon 35 – Digne 119 – Gap 60.

Barnières II M, ☎ 92 45 04 87, ≤ vallée et montagnes, ⛱, , ※ – |‡| P. ※
fermé 15 oct. au 20 déc. – SC : **R** 75/180 – ☐ 25 – **45 ch** 230 – P 230/250.

Les Barnières I, ☎ 92 45 05 07, ≤ vallée et montagnes, ⛱, , ※ – ⊟wc ☎ P. ※
1er juin-30 sept. – SC : **R** 75/180 – ☐ 25 – **35 ch** 210 – P 210/230.

à Risoul S : 2 km – Sports d'hiver : à Risoul 1 850/2 571 m ≴19 – ✉ 05600 Guillestre

La Bonne Auberge, ☎ 92 45 02 40, ≤ Pelvoux – ⊟wc ⋒wc P. ※ rest
1er juin-20 sept., 23 déc.-3 janv. et 1er fév.-15 mars – SC : **R** 70 – ☐ 17 – **36 ch** 120/133 – P 162/180.

à Mont-Dauphin-Gare NO : 4 km par D902A et N94 – alt. 900 – ✉ 05600 Guillestre :

X **Gare** avec ch, ☎ 92 45 03 08 – ⋒ ☎ P. VISA
fermé sam. du 1er mai au 30 juin et 1er sept. au 24 déc. – SC : **R** 55/125 ♂ – ☐ 16 – **22 ch** 82/160 – P 155/195.

PEUGEOT-TALBOT Gar. du Tourisme, ☎ 92 45 07 09

à La Maison du Roy NE : 5,5 km par D 902 – ✉ 05600 Guillestre :

La Maison du Roy, ☎ 92 45 08 34, ≤, , ※ – ⊟wc ☎ P. VISA
fermé nov. – SC : **R** 55/120 – ☐ 21 – **28 ch** 105/220 – P 200/220.

GUILLIERS 56490 Morbihan 63 ④ – 1 252 h.

Paris 412 – Dinan 59 – Lorient 88 – Ploërmel 13 – ♦Rennes 67 – Vannes 58.

Relais du Porhoët, ☎ 97 74 40 17, – ⊟wc ⋒wc ☎ P. AE ⊙ E VISA
fermé 15 nov. au 1er déc., dim. soir et lundi sauf de juin à sept. et fériés – SC : **R** 50/160 ♂ – ☐ 18 – **15 ch** 90/160 – P 180/260.

Le GUILVINEC 29115 Finistère 58 ⑭ G. Bretagne – 4 108 h.

Paris 576 – Douarnenez 40 – Pont-l'Abbé 11 – Quimper 31.

XX **Centre** avec ch, r. Penmarch ☎ 98 58 10 44, – ⊟wc ⋒wc P. E VISA
fermé fév. et lundi de nov. à fin mars – SC : **R** 48/220 – ☐ 14 – **18 ch** 65/155 – P 150/197.

Besonders angenehme Hotels oder Restaurants
sind im Führer rot gekennzeichnet.
Sie können uns helfen,
wenn Sie uns die Häuser angeben,
in denen Sie sich besonders wohl gefühlt haben.
Jährlich erscheint eine komplett überarbeitete Ausgabe
aller Roten Michelin-Führer.

...

XXXXX ... X

GUINGAMP 22200 C.-du-N. 59 ② G. Bretagne – 9 519 h. alt. 74.

Voir Basilique★.

Office de Tourisme 2 pl. du Vally (1er avril-30 sept.) ✆ 96 43 73 89.

Paris 483 ③ – ♦Brest 113 ⑦ – Carhaix-Plouguer 47 ⑥ – Lannion 32 ⑦ – Morlaix 55 ⑦ – Pontivy 61 ④ – St-Brieuc 31 ③.

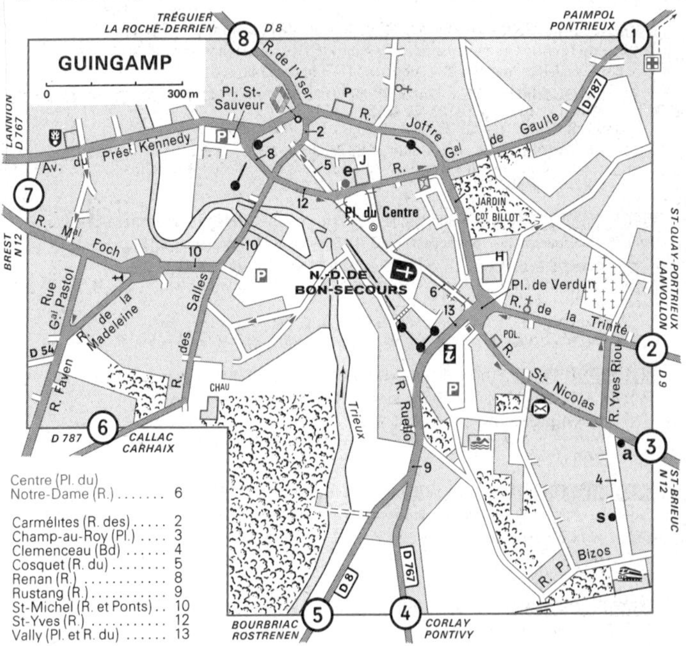

- **D'Armor** M sans rest, 44 bd Clemenceau (s) ✆ 96 43 76 16 – wc wc ☎. AE E VISA.
  SC : ☕ 20 – **23 ch** 150/172.
- **Le Goëland** M sans rest, rte Corlay par ④ ✆ 96 21 09 41, – cuisinette TV wc wc ☎ ♿ P. VISA
  fermé vacances de Noël – SC : ☕ 18 – **30 ch** 135/185.
- **Hermine** M, 1 bd Clemenceau (a) ✆ 96 21 02 56 – wc ☎. VISA
  SC : **R** grill *(fermé 1er au 22 mai, 20 déc. au 5 janv., dim. et fêtes)* 65/80 – ☕ 18 – **12 ch** 100/140.
- XXX **Relais du Roy** avec ch, pl. Centre (e) ✆ 96 43 76 62 – TV wc wc ☎ – 30. AE ⓓ. rest
  fermé vacances de Noël – SC : **R** *(fermé dim. soir et lundi hors sais.)* 75/180 – ☕ 35 – **7 ch** 260/300.

CITROEN Kerambrun, ZAC de Bellevue à Ploumagoar par ③ ✆ 96 43 79 07
FORD Gar. du Vally, pl. du Vally ✆ 96 43 97 84
PEUGEOT, TALBOT Landrau Autom., Zone Ind. de Locmenard à Graces par ⑥ ✆ 96 43 85 59
RENAULT Menguy, 9 r. Carmélites ✆ 96 43 70 40

VOLVO Prigent, 19 r. Pors-en-Quen ✆ 96 43 75 25

Desserrey-Pneus, Zone Ind. de Graces-Guingamp ✆ 96 43 96 82
Yven, 34 r. St-Nicolas ✆ 96 43 73 85

GUISE 02120 Aisne 53 ⑮ G. Flandres, Artois, Picardie – 6 296 h. alt. 97.

Voir Château★.

Paris 173 – Avesnes 39 – Cambrai 47 – Hirson 38 – Laon 38 – St-Quentin 27.

- X **Guise** avec ch, 103 pl. Lesur ✆ 23 61 17 58 – AE E VISA
  fermé 15 au 31 juil. – SC : **R** *(fermé vend. soir et dim. soir)* 51/120 – ☕ 15 – **8 ch** 72/140 – P 165.

CITROEN Ets Deshayes, 72 r. André Godin ✆ 23 61 00 15
PEUGEOT-TALBOT Donnay Autom., 35 r. de Flavigny ✆ 23 61 09 43

RENAULT Gd Gar. de Guise, rte de Laon ✆ 23 60 45 33 N ✆ 23 61 14 98

GUÎTRES 33 Gironde 75 ② G. Côte de l'Atlantique – 1 377 h. alt. 12 – ✉ 33230 Coutras.
Syndicat d'Initiative à l'Hôtel de Ville ☎ 57 49 10 34.
Paris 528 – Angoulême 84 – Blaye 46 – ♦Bordeaux 46 – Libourne 16 – St-André-de-Cubzac 24.

Bellevue sans rest, ☎ 57 69 12 81 – wc. Ⓟ.
fermé 13 sept. au 2 oct. et 1er au 18 fév. – SC : 15 – **11 ch** 62/95.

GUJAN-MESTRAS 33470 Gironde 78 ② G. Côte de l'Atlantique – 8 600 h.
Office de Tourisme 41 av. de Lattre de Tassigny (hors saison matin seul.) ☎ 56 66 12 65.
Paris 633 – Andernos-les-Bains 26 – Arcachon 12 – ♦Bordeaux 48.

La Guérinière M, à Gujan ☎ 56 66 08 78, Télex 541270, – rest wc Ⓟ – 50. AE ⓓ E VISA
SC : **R** 78/205 – 23 – **26 ch** 259/315 – P 301/425.

La Coquille avec ch, à Gujan ☎ 56 66 08 60, – AE
fermé 15 au 30 nov., dim. soir et lundi hors sais. – SC : **R** 55/120 – 17 – **11 ch** 92/150 – P 160/170.

GUNDERSHOFFEN 67 B-Rhin 57 ⑲ – 2 653 h. alt. 173 – ✉ 67110 Niederbronn-les-Bains.
Paris 457 – Haguenau 15 – Sarreguemines 62 – ♦Strasbourg 47 – Wissembourg 34.

Chez Gérard avec ch, à la Gare ☎ 88 72 91 20 – Ⓟ. AE ⓓ E VISA
fermé 30 juil. au 13 août, vacances de fév., mardi soir et merc. – SC : **R** 59/150 – 13 – **4 ch** 54 – P 120.

Au Cygne, 35 Gd Rue ☎ 88 09 56 43 – E VISA
fermé 25 août au 8 sept., 23 fév. au 9 mars, dim. soir et lundi – SC : **R** 67/145.

GYÉ-SUR-SEINE 10 Aube 61 ⑱ – 493 h. alt. 173 – ✉ 10250 Mussy-sur-Seine.
Paris 206 – Bar-sur-Aube 40 – Châtillon-sur-Seine 24 – Tonnerre 51 – Troyes 44.

Voyageurs avec ch, ☎ 25 38 20 09 –
fermé 15 janv. au 15 fév. et merc. – **R** (dim. et fêtes prévenir) 50/110 – 16 – **9 ch** 75/95.

HABÈRE-LULLIN 74 H.-Savoie 70 ⑰ – 395 h. alt. 850 – ✉ 74420 Boëge.
Paris 548 – Annecy 60 – Boëge 6 – Bonneville 29 – ♦Genève 31 – Lullin 10 – Thonon-les-Bains 23.

Aux Touristes, ☎ 50 39 50 42, ≤, – Ⓟ. rest
fermé 1er nov. au 15 déc. et mardi – SC : **R** 55/120 – 15 – **20 ch**, (pension seul.) – P 145/175.

HABÈRE-POCHE 74 H.-Savoie 70 ⑰ – 511 h. alt. 945 – ✉ 74420 Boëge.
Paris 550 – Annecy 62 – Bonneville 31 – ♦Genève 33 – Thonon-les-Bains 21.

Chardet M, à Ramble ☎ 50 39 51 46, ≤, – wc wc Ⓟ. ch
15 juin-1er oct., 15 déc.-15 avril et fermé merc. hors sais. – SC : **R** 67/124 – 15 – **30 ch** 113/175 – P 168/214.

Le Tiennolet, ☎ 50 39 52 18 – AE E VISA
fermé mai, oct., mardi soir et merc. sauf vacances scolaires – SC : **R** 80/150.

au Col de Cou NO : 4 km – ✉ 74420 Boëge.
Voir ≤★, G. Alpes.

Le Gai Logis , ☎ 50 39 52 35, ≤ – Ⓟ. rest
fermé 1er oct. au 20 déc. – SC : **R** 62/120 – 14 – **12 ch** 85/147 – P 148/180.

HAGENTHAL-LE-BAS 68 H.-Rhin 66 ⑩ – 777 h. alt. 360 – ✉ 68220 Hegenheim.
18 privé de Bâle ☎ 89 68 50 91, N : 2 km.
Paris 544 – Altkirch 27 – ♦Bâle 12 – Colmar 74 – ♦Mulhouse 40.

Jenny avec ch, NE : 2,5 km par D 12B près golf ☎ 89 68 50 09, – Ⓟ. ⓓ E VISA
fermé 13 janv. au 7 fév. – SC : **R** *(fermé merc.)* 80/170 – 20 – **10 ch** 60/150 – P 140/160.

HAGETMAU 40700 Landes 78 ⑦ G. Pyrénées – 4 514 h. alt. 25.
Syndicat d'Initiative à la Mairie (juil.-août) ☎ 58 79 33 14.
Paris 737 – Aire-sur-l'Adour 34 – Dax 45 – Mont-de-Marsan 29 – Orthez 25 – Pau 57 – Tartas 35.

Le Jambon avec ch, r. Carnot ☎ 58 79 32 02, – wc . AE VISA
fermé lundi – SC : **R** 55/135 – 10,50 – **10 ch** 67/153.

Relais Basque avec ch, r. P.-Duprat ☎ 58 79 30 64 – . E VISA
fermé 6 au 20 août – **R** *(fermé vend. soir)* 48/84 – 14 – **6 ch** 60/81.

CITROEN Lacourrège, ☎ 58 76 31 80
PEUGEOT, TALBOT Maurin, ☎ 58 79 58 58 N
RENAULT Labadie, ☎ 58 79 38 11
FIAT Gar. Parachini, bret. autoroute, Talange ☎ 57 71 47 30
PEUGEOT, TALBOT Mondelange-Auto, 21 r. de l'Église, Mondelange ☎ 57 71 46 32 N

HAGUENAU <SP> **67500** B.-Rhin **57** ⑲ **G. Alsace et Lorraine** – 29 715 h. alt. 130.

Voir Boiseries★ de l'église St-Nicolas BY.

Office de Tourisme 1 pl. J.-Thierry ✆ 88 73 30 41.

Paris 479 ④ – Baden-Baden 43 ② – Épinal 149 ④ – Karlsruhe 64 ② – Lunéville 117 ④ – ♦Nancy 138 ④ – St-Dié 119 ④ – Sarreguemines 76 ⑥ – ♦Strasbourg 29 ④.

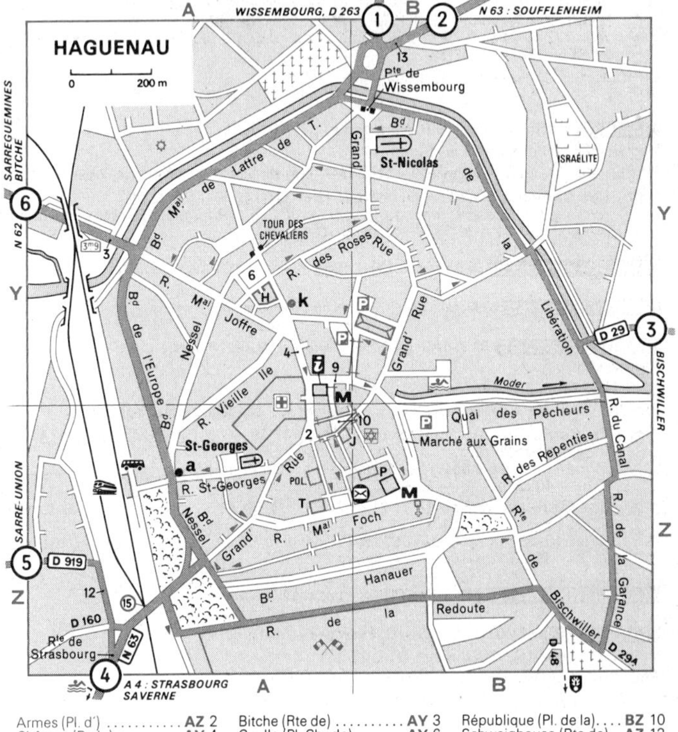

Armes (Pl. d') . . . . **AZ** 2	Bitche (Rte de) . . . . **AY** 3	République (Pl. de la). . . . **BZ** 10
Château (R. du) . . . . **AY** 4	Gaulle (Pl. Ch.-de) . . . . **AY** 6	Schweighouse (Rte de). . **AZ** 12
Grand-Rue. . . . . **ABYZ**	Moder (R. de la) . . . . **AY** 9	Soufflenheim (Rte de) . . . **BY** 13

Europe, 15 av. professeur-R.-Leriche, par ④ ✆ **88 93 58 11, Télex 880566,** – rest wc wc ☎ – 25. AE E VISA
SC : **R** *(fermé dim. soir et sam.)* 60/120 – 19 – **55 ch** 140/214.

National, pl. Gare ✆ **88 93 85 70** – wc . VISA. ch — AZ **a**
SC : **R** *(fermé lundi sauf fériés)* 65/140 – 17 – **26 ch** 100/170.

Barberousse, 8 pl. Barberousse ✆ **88 73 31 09,** – AE E VISA — AY **k**
fermé 28 juil. au 15 août, vacances de fév., dim. soir et lundi – SC : **R** 40/130.

à Schweighouse-sur-Moder par ⑤ : 4 km – 4 134 h. – ✉ **67590** Schweighouse-sur-Moder :

Aub. Cheval Blanc avec ch, 46 r. G.-de-Gaulle ✆ **88 72 76 96** – . VISA
fermé 10 août au 1er sept., 26 déc. au 8 janv., dim. soir (sauf hôtel) et sam. – SC : **R** 50/150 – 19 – **16 ch** 90/130.

par ⑥ 1 km sur N 62 – ✉ **67500** Hagueneau

Climat de France, ✆ **88 73 06 66,** – wc ☎ . E VISA
SC : **R** 45/88 – 18 – **26 ch** 184/205.

CITROEN Gar. Herber, rte Bischwiller BZ ✆ 88 93 38 88
FIAT Gloeckler, 1 bd Europe ✆ 88 73 41 00
PEUGEOT-TALBOT Nord-Alsace-Autom., 121a rte Strasbourg par ④ ✆ 88 93 12 60
RENAULT Grasser, 134 rte Weitbruch par D 48 BZ ✆ 88 93 73 03 ✆ 88 93 02 29

Alsace-Pneus, 4 chemin des Prairies ✆ 88 73 30 79
Kautzmann, 105 rte de Strasbourg ✆ 88 93 11 38
Pneus et Services D.K. 2 rte de Strasbourg ✆ 88 93 93 59

HAM 80400 Somme 53 ⑬ **G. Flandres, Artois, Picardie** – 6 399 h. alt. 62.
Paris 126 – ♦Amiens 67 – Noyon 20 – Péronne 24 – Roye 26 – St-Quentin 20 – Soissons 56.

France (Dumont), pl. Hôtel-de-Ville ☎ 23 81 00 22 – wc wc. AE ⓓ E VISA. ch
fermé 1er au 19 août, 20 au 30 déc., vacances de fév., dim. soir et lundi – SC : **R** 70/150 – 18 – **15 ch** 90/185
Spéc. Terrine de canard, Panaché de poissons beurre blanc, Paupiette bressane forestière.

Valet, 58 r. Noyon ☎ 23 81 10 87 – wc wc Ⓟ. VISA
fermé 13 au 24 août, 23 déc. au 5 janv., sam. et dim. – SC : **R** 42/71 – 12,50 – **24 ch** 54/150 – P 134/195.

CITROEN Gar. de Picardie, 7 r. de Noyon ☎ 23 81 01 86
MERCEDES-SEAT Gar. Valet, 26 rte de Paris à Muille-Villette ☎ 23 81 02 56

HAMBYE 50650 Manche 54 ⑬ **G. Normandie** – 1 241 h. alt. 92.
Voir Ruines de l'abbaye** S : 5 km.
Paris 321 – Coutances 23 – Granville 29 – St-Lô 26 – Tessy-sur-Vire 15 – Villedieu-les-Poêles 17.

XX **Les Chevaliers** avec ch, au bourg D 13 ☎ 33 90 42 09 – ⓓ E VISA
fermé fév., dim. soir et lundi du 15 sept. au 15 juin – **R** (nombre de couverts limité - prévenir) 60/113 – 13,50 – **6 ch** 69/76 – P 200.

HAMEAU du SOLEIL 06 Alpes-Mar. 84 ⑨, 195 ㉕ – rattaché à Cagnes-sur-Mer.

HANAU (Étang de) 57 Moselle 57 ⑰ – rattaché à Philippsbourg.

HARDELOT-PLAGE 62 P.-de-C. 51 ⑪ **G. Flandres, Artois, Picardie** – alt. 12 – ✉ **62152** Neufchâtel-Hardelot.
18 ☎ 21 83 73 10, E : 1 km.
Paris 233 – Arras 109 – Boulogne-sur-Mer 15 – Montreuil 31 – Le Touquet-Paris-Plage 23.

Le Régina Ⓜ, av. François-1er ☎ 21 83 81 88 – TV wc wc ☎ Ⓟ – 70. ⓓ. rest
fermé 10 déc. au 4 fév. – SC : **R** *(fermé dim. soir et lundi sauf juil.-août)* 68/93 – 17,50 – **40 ch** 187/207 – P 240/294.

Écusson, av. François-1er ☎ 21 83 71 52 – TV wc wc ☎ – 50. AE ⓓ E VISA
fermé 15 janv. au 1er mars – SC : **R** *(fermé merc. du 1er nov. au 15 janv.)* 77/160 – 25 – **20 ch** 125/240 – P 234/398.

HARTMANNSWILLER 68 H.-Rhin 66 ⑨ – rattaché à Guebwiller.

HASPARREN 64240 Pyr.-Atl. 85 ③ **G. Pyrénées** – 5 611 h. alt. 90.
Voir Route impériale des Cimes* O : D 22.
Env. Grottes d'Oxocelhaya et d'Isturits** SE : 11 km.
Paris 779 – ♦Bayonne 24 – Cambo-les-B. 10 – Pau 103 – Peyrehorade 32 – St-Jean-Pied-de-Port 33.

Tilleuls, pl. Verdun ☎ 59 29 62 20 – wc ☎. E.
fermé oct. et vend. soir – SC : **R** *(fermé vend. soir, dim. soir et sam.)* 57/95 – 15 – **12 ch** 85/145.

Argia, r. Dr.-J.-Lissart ☎ 59 29 60 24 – wc wc ☎
fermé nov. et lundi – SC : **R** 44/140 – 15 – **20 ch** 90/130 – P 151/183.

HAUT-COMBLOUX 74 H.-Savoie 74 ⑧ – rattaché à Combloux.

HAUTELUCE 73620 Savoie 74 ⑰⑱ **G. Alpes** – 707 h. alt. 1 193 – Sports d'hiver au Col des Saisies : 1 650/2 000 m 18, .
Env. Signal de Bisanne ** O : 11 km.

HAUTERIVES 26390 Drôme 77 ② **G. Vallée du Rhône** – 1 105 h. alt. 298.
Voir Le Palais Idéal*.
Paris 531 – ♦Grenoble 73 – ♦Lyon 71 – Valence 47 – Vienne 41.

Le Relais, ☎ 75 68 81 12, – wc ☎ Ⓟ. rest
fermé 15 janv. à fin fév., vend. soir et lundi sauf juil.-août – SC : **R** 48/160 – 15,50 – **17 ch** 70/130 – P 180/200.

Ne confondez pas :

Confort des hôtels	:	...
Confort des restaurants	:	XXXXX ... X
Qualité de la table	:	, ,

Les HAUTES-RIVIÈRES 08 Ardennes 53 ⑲ G. Champagne, Ardennes – 2 354 h. alt. 163 – ✉ 08800 Monthermé.

Voir Croix d'Enfer <★ S : 1,5 km par D 13 puis 30 mn – Vallon de Linchamps★ N : 4 km.

Paris 247 – Charleville-Mézières 22 – Dinant 55 – Sedan 45.

- **Les Saisons,** ☎ 24 53 40 94 – ⓓ E VISA
  fermé fév., dim. soir et lundi sauf fériés – **R** 49/170.

HAUTEVILLE-LÈS-DIJON 21 Côte-d'Or 66 ⑫ – rattaché à Dijon.

HAUTEVILLE-LOMPNES 01110 Ain 74 ④ – 4 905 h. alt. 815 – Sports d'hiver 900/1 200 m ⛷4 ⛷.

Voir Chute et gorges de l'Albarine★, G. Jura.

ℹ Syndicat d'Initiative à l'Ancienne Mairie ☎ 74 35 39 73.

Paris 465 – Aix-les-Bains 60 – Belley 33 – Bourg-en-Bresse 52 – ♦Lyon 84 – Nantua 31.

- **La Chapelle** ⛰, r. Chapelle ☎ 74 35 20 11, ⛱ – ⇌wc ⋒ ☎ Ⓟ. E VISA
  fermé vacances de nov. et merc. sauf vacances scolaires – SC : **R** 70/160 dîner à la carte ♨ – ☐ 20 – **20 ch** 110/198 – P 185/200.
- **Villa Corbet,** r. des Fontanettes ☎ 74 35 30 04 – Ⓟ. ✻
  fermé oct. – SC : **R** 51/60 ♨ – ☐ 16 – **8 ch** 63/77 – P 146.

au col de la Lèbe rte de Belley : 8 km alt. 905 m – ✉ 01260 Champagne-en-Valromey :

- **Aub. du Col de la Lèbe** ⛰ avec ch, ☎ 79 87 64 54, <, ⛱, ⛱ – ⋒ Ⓟ. ✻ ch
  fermé 20 au 30 juin, 20 au 30 sept., 15 au 30 nov., lundi (sauf juil.-août) et mardi – SC : **R** 60/140 – ☐ 13 – **7 ch** 58/100 – P 150/180.

CITROEN Bouilloud, à Cormaranche-en-Bugey ☎ 74 35 23 08
FORD Gar. Standard, ☎ 74 35 35 56
LADA-SKODA Gar. Lay, ☎ 74 35 37 80
PEUGEOT-TALBOT Gar. Jean Miguet, ☎ 74 35 35 74
PEUGEOT, TALBOT Gar. Deschombeck, ☎ 74 35 30 45
RENAULT Gar. Depierre, ☎ 74 35 31 15 N
RENAULT Gge de l'Albarine, ☎ 74 35 35 63

HAUT-KOENIGSBOURG 67 B.-Rhin 62 ⑱⑲ G. Alsace et Lorraine – alt. 755.

Voir Château★★ : ✻★★.

Le HAVRE SP 76600 S.-Mar. 55 ③ G. Normandie – 197 730 h.

Voir Port★★ EZ – Quartier moderne★ EFYZ : intérieur★★ de l'église St-Joseph★ EZ **E**, pl. de l'Hôtel-de-Ville★ FY, Av. Foch★ EFY – Côte d'Ingouville ✻★ FX **R** – Fort de Ste-Adresse ✻★★ EX – Bd Président-Félix-Faure : table d'Orientation ✻★ à Ste-Adresse A – Musée des Beaux-Arts★ FZ **M1**.

Env. Terrasse d'Orcher★ E : 10 km route Gonfreville-l'Orcher puis 15 mn.

⛳18 ☎ 35 46 36 11 N par ① : 10 km.

✈ du Havre-Octeville ☎ 35 46 09 81, A.

ℹ Office de Tourisme et Accueil de France (Informations et réservations d'hôtels, pas plus de 5 jours à l'avance), pl. Hôtel-de-Ville ☎ 35 21 22 88, Télex 190369 – A.C.O. 49 r. Racine ☎ 35 42.39.32.

Paris 203 ④ – ♦Amiens 179 ③ – ♦Caen 107 ④ – ♦Lille 284 ③ – ♦Nantes 379 ④ – ♦Rouen 87 ③.

Plans pages suivantes

- **Bordeaux** M sans rest, 147 r. L.-Brindeau ☎ 35 22 69 44, Télex 190428 – ⎮ TV ☎. AE ⓓ E VISA. ✻ — FZ **v**
  SC : ☐ 30 – **31 ch** 250/410.
- **Mercure** M, Chaussée d'Angoulême ☎ 35 21 23 45, Télex 190749 – ⎮ ▤ TV ☎ ♿ – 🏛 200. AE ⓓ E VISA — FZ **b**
  R carte environ 120 ♨ – ☐ 35 – **96 ch** 355/440.
- **Le Marly** sans rest, 121 r. Paris ☎ 35 41 72 48 – ⎮ TV ☎. AE ⓓ E VISA — FZ **n**
  SC : ☐ 20 – **36 ch** 125/270.
- **France et Bourgogne,** 21 cours République ☎ 35 25 40 34 – ⎮ ⇌wc ⋒wc ☎ – 🏛 50. AE ⓓ VISA — GY **z**
  R *(fermé sam. sauf fêtes)* 68/90 ♨ – ☐ 19,50 – **31 ch** 132/230.
- **Astoria,** 13 cours République ☎ 35 25 00 03, Télex 190075 – ⎮ TV ⇌wc ⋒wc ☎ Ⓟ. AE ⓓ E VISA — GY **z**
  SC : **R** 55/120 ♨ – ☐ 20 – **35 ch** 180/250.
- **Parisien** sans rest, 1 cours République ☎ 35 25 23 83 – ⎮ TV ⇌wc ⋒ ☎. AE ⓓ E VISA — GYZ **e**
  fermé 20 déc. au 6 janv. – SC : ☐ 18,50 – **22 ch** 112/217.
- **Foch** sans rest, 4 r. Caligny ☎ 35 42 50 69 – ⎮ ⇌wc ⋒wc ☎. AE E VISA. ✻ — EZ **b**
  SC : ☐ 16 – **33 ch** 76/199.
- **Bauza** sans rest, 15 r. G.-Braque ☎ 35 42 27 27 – ⇌wc ⋒wc ☎. ✻ — FY **p**
  SC : ☐ 15,50 – **26 ch** 77/164.
- **Celtic** sans rest, 106 r. Voltaire ☎ 35 42 39 77 – ⋒wc ☎. VISA — FZ **k**
  SC : ☐ 20 – **14 ch** 123/180.

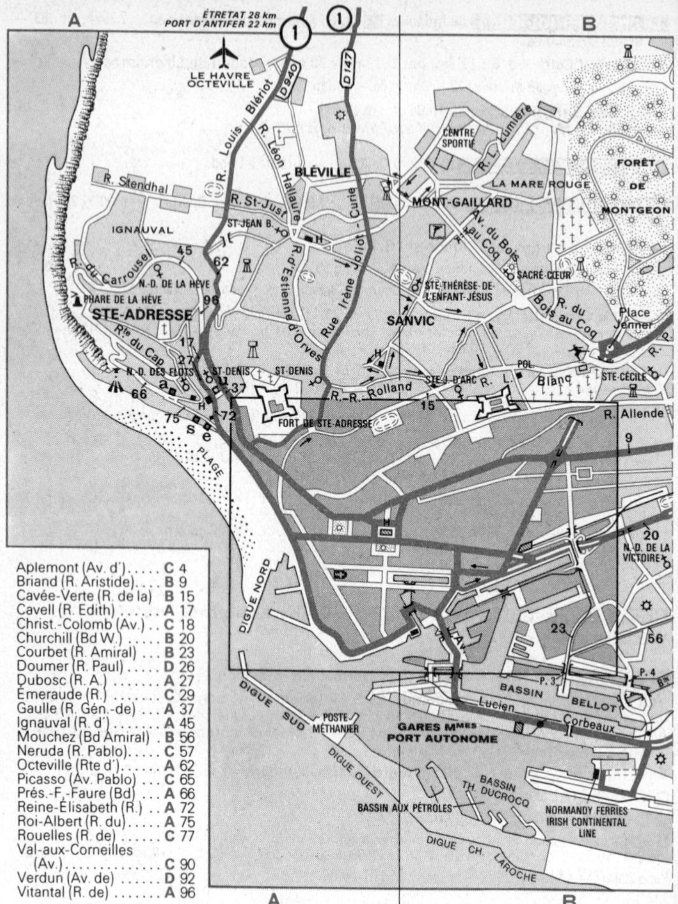

🏨 **H. Petit Vatel** sans rest, 86 r. L.-Brindeau ✆ 35 41 72 07 – ⛀wc ⛉wc ☎. VISA. 🚫 FZ **t**
SC : ☕ 15 – **29 ch** 68/175.

🏨 **Richelieu** sans rest, 132 r. Paris ✆ 35 42 38 71 – ⛀ ⛉wc ☎. VISA FZ **f**
SC : ☕ 18 – **20 ch** 96/217.

🏨 **Voltaire** sans rest, 14 r. Voltaire ✆ 35 41 30 91 – ⛉wc ☎. VISA EFZ **q**
SC : ☕ 16 – **24 ch** 81/137.

🏨 **Séjour Fleuri** sans rest, 71 r. E.-Zola ✆ 35 41 33 81 – ⛉. VISA FZ **u**
SC : ☕ 13 – **29 ch** 67/109.

XXX **Le Monaco** avec ch, 16 r. Paris ✆ 35 42 21 01 – ▤ rest ⛀wc ☎. AE ⓓ E VISA
fermé 1er au 15 sept. et 15 au 28 fév. – **R** *(fermé lundi sauf juil.-août et fériés)* 69/180 – ☕ 19 – **10 ch** 85/247. FZ **s**

XX Petit Vatel, 84 r. L.-Brindeau ✆ 35 41 78 77. VISA FZ **t**

XX **Le Petit Bedon,** 39 r. L.-Brindeau ✆ 35 41 36 81 – AE ⓓ VISA FZ **d**
fermé 14 au 31 juil., 1er au 15 fév., sam. midi et dim. – SC : **R** 91/125.

XX **Cambridge,** 90 r. Voltaire ✆ 35 42 50 24, produits de la mer – AE VISA FZ **h**
fermé 15 juil. au 15 août, Noël au 1er janv., sam. midi, dim. et fêtes – SC : **R** 144 ꝭ.

XX **Buffet Gare,** 28 cours République ✆ 35 26 54 33 – AE ⓓ VISA GYZ **k**
SC : **R** 65.

X **La Petite Auberge,** 32 r. Ste-Adresse ✆ 35 46 27 32 – VISA EY **r**
fermé août, vacances de fév., dim. soir et lundi – SC : **R** 75 (sauf sam. soir)/250.

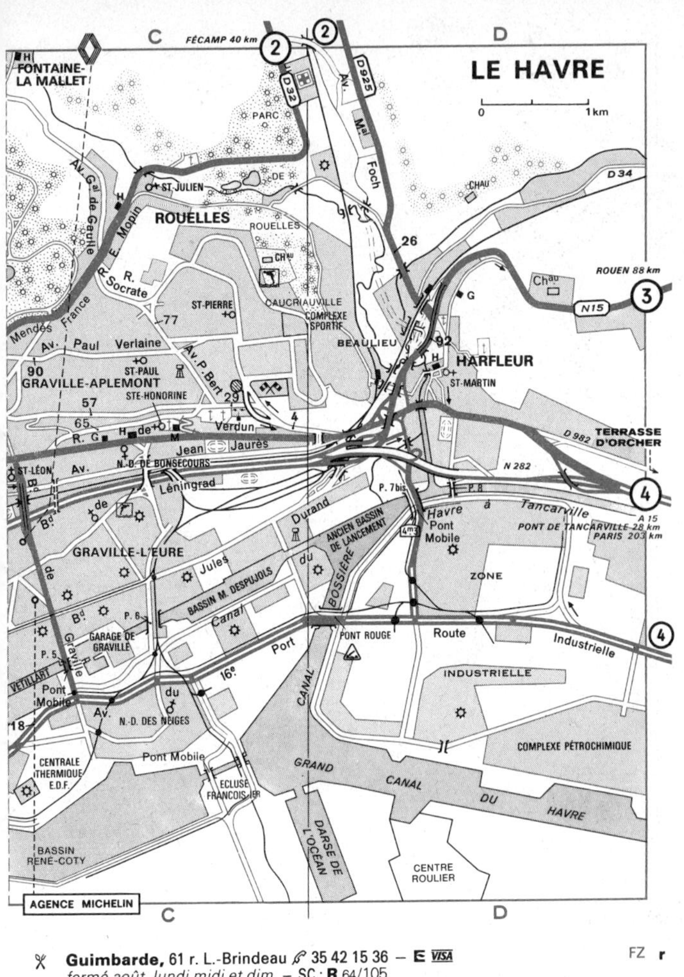

X **Guimbarde,** 61 r. L.-Brindeau ℘ 35 42 15 36 – E VISA — FZ r
fermé août, lundi midi et dim. – SC : **R** 64/105.

X **Bonne Hôtesse,** 98 r. Président-Wilson ℘ 35 21 31 73. AE VISA — EY k
fermé 4 au 31 août, dim. soir et lundi – SC : **R** 48/75.

à Ste-Adresse - A – 8 212 h. – ✉ **76310** Ste-Adresse :

Phares sans rest, 29 r. Gén. de Gaulle ℘ 35 46 31 86 – wc wc ☎ — A u
SC : 15,50 – **26 ch** 77/182.

XXX **Beau Séjour,** 3 pl. Clemenceau ℘ 35 46 19 69, ← – AE E VISA — A e
SC : **R** 85/190.

XXX **Nice-Havrais,** 6 pl. F.-Sauvage ℘ 35 46 14 59, ←. AE E VISA — A a
fermé août et dim. soir – SC : **R** 75/240.

XX **Yves Page,** 7 pl. Clemenceau ℘ 35 46 06 09 – AE E VISA — A s
fermé 10 août au 2 sept., dim. soir et lundi sauf fêtes – SC : **R** 108/185.

à Octeville par ① : 9 km – 3 251 h. – ✉ **76930** Octeville :

X **Le Relais,** r. F.-Faure ℘ 35 46 36 34 – AE E VISA
fermé lundi – SC : **R** 80/120.

au Hode E : 18 km par ④ et D 982 – ✉ **76430** St-Romain-de-Colbosc :

XXX **Dubuc,** D 982 ℘ 35 20 06 97 – P. AE VISA
fermé 5 au 24 août, dim. soir et lundi – SC : **R** carte 210 à 250.

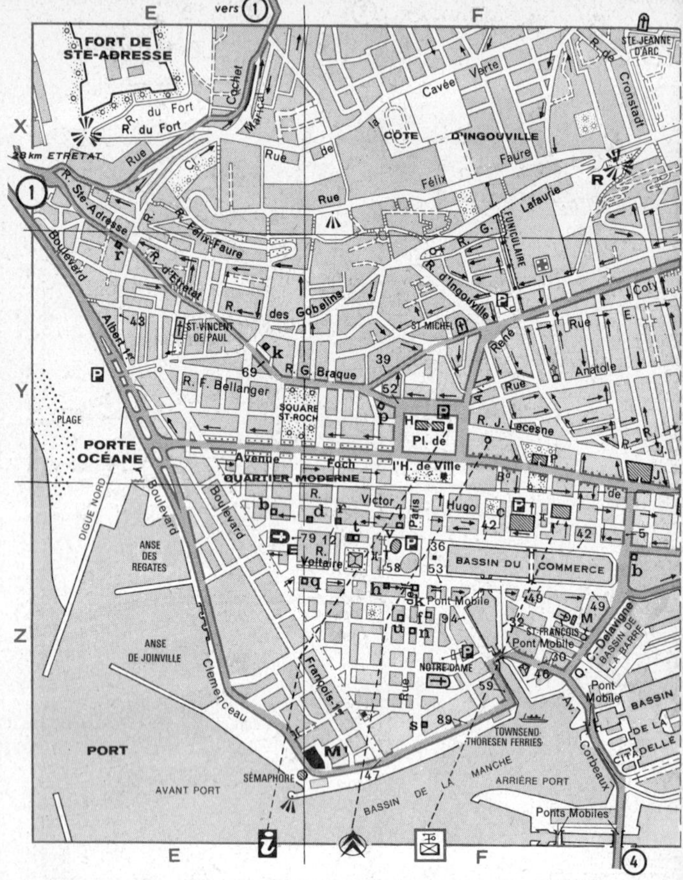

MICHELIN, Agence, 43 r. Desmarais, par N 182 C ✆ **35 25 22 20**

ALFA-ROMEO Thomine, 18 r. Michelet ✆ 35 21 02 33
AUSTIN, JAGUAR, ROVER, TRIUMPH Girardey, 19 r. des Magasins Généraux ✆ 35 26 62 26
BMW Auto 76, 91 r. J.-Lecesne ✆ 35 22 69 69
CITROEN Succursale, 82 r. Ch.-Laffite GY ✆ 35 21 21 21
CITROEN Bailleau et Auber, 10 r. J.-Lecesne FY ✆ 35 42 22 31
CITROEN Palfray, r. A.-Lecomte, Octeville par ① ✆ 35 46 36 19
FORD Cazaux Autom., 32 r. Lamartine ✆ 35 53 13 60
FORD Lesueur, 53 cours République ✆ 35 25 41 16
MERCEDES Lamartine Autom., 10, 12 r. Lamartine ✆ 35 24 46 06
PEUGEOT, TALBOT S.I.A. du Havre, 94 r. Denfert-Rochereau GZ ✆ 35 25 25 05
PEUGEOT Lebigre, Hameau Café Blanc, Octeville par ① ✆ 35 46 36 45
RENAULT Succursale, 239 à 273 bd de Graville C ✆ 35 26 81 21
SEAT Gar. des Halles, 14 bis r. Berthelot ✆ 35 24 08 64
TOYOTA Carrosserie-Océane, 8 r. Dr Piasceki ✆ 35 26 66 43
V.A.G. Le Troadec, 447 r. Curie Zone Emploi Montgaillard ✆ 35 48 00 55
VOLVO Lem-Automobiles, 93 r. Lesueur ✆ 35 43 02 22

Central-Pneu, 26 r. Lesueur ✆ 35 22 40 14
Danton-Pneu, 141 bd Amiral-Mouchez ✆ 35 26 64 64
Legay-Pneus, 34 r. Fleurus ✆ 35 25 07 89
Nicol-Pneus, 12 r. Dumé-d'Aplemont ✆ 35 25 32 85 23 quai Georges V ✆ 35 41 75 89
Norais-Pneus, 203 bd Graville ✆ 35 26 50 68

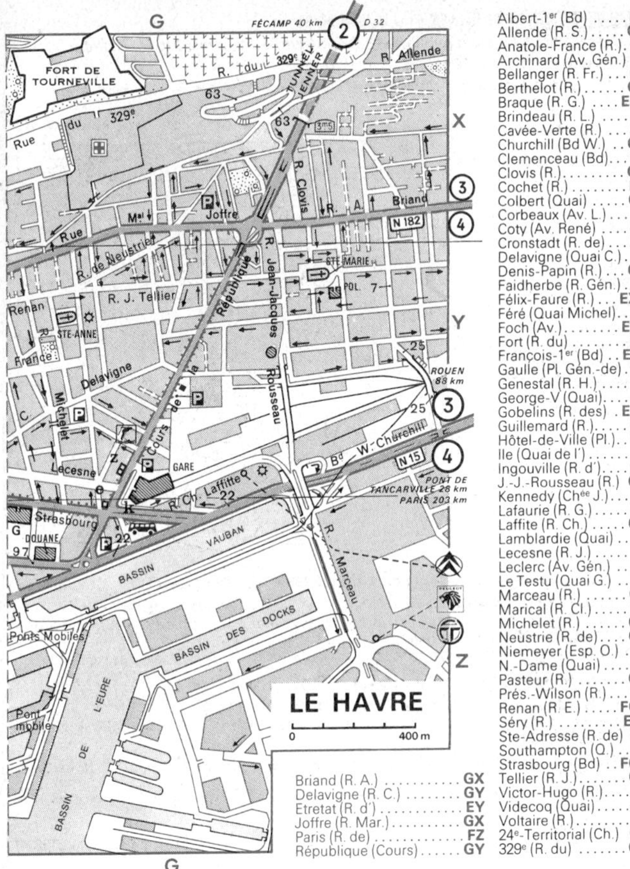

Albert-1er (Bd) ..... **EY**
Allende (R. S.) ..... **GX**
Anatole-France (R.) . **FY**
Archinard (Av. Gén.) **FZ** 5
Bellanger (R. Fr.) ... **EY**
Berthelot (R.) ...... **GY** 7
Braque (R. G.) .... **EFY**
Brindeau (R. L.) .... **FZ** 12
Cavée-Verte (R.) ... **FX**
Churchill (Bd W.) .. **GY**
Clemenceau (Bd) ... **EZ**
Clovis (R.) .... **GX**
Cochet (R.) .... **EX**
Colbert (Quai) ..... **GZ** 22
Corbeaux (Av. L.) ... **FZ**
Coty (Av. René) .... **FY**
Cronstadt (R. de) .. **FX**
Delavigne (Quai C.) . **FZ**
Denis-Papin (R.) ... **GY** 25
Faidherbe (R. Gén.) . **FZ** 30
Félix-Faure (R.) ... **EXY**
Féré (Quai Michel) .. **FZ** 32
Foch (Av.) .... **EFY**
Fort (R. du) .... **EX**
François-1er (Bd) .. **EFZ**
Gaulle (Pl. Gén.-de) . **FZ** 36
Genestal (R. H.) .... **FY** 39
George-V (Quai) .... **FZ** 42
Gobelins (R. des) . **EFY**
Guillemard (R.) ..... **EY** 43
Hôtel-de-Ville (Pl.) .. **FY**
Ile (Quai de l') ...... **FZ** 46
Ingouville (R. d') .... **FY**
J.-J.-Rousseau (R.) **GY**
Kennedy (Chée J.) ... **FZ** 47
Lafaurie (R. G.) ..... **FX**
Laffite (R. Ch.) ...... **GY**
Lamblardie (Quai) .. **FZ** 49
Lecesne (R. J.) ..... **FY**
Leclerc (Av. Gén.) .. **FY** 52
Le Testu (Quai G.) .. **FZ** 53
Marceau (R.) .... **GZ**
Marical (R. Cl.) ..... **EX**
Michelet (R.) .... **GY**
Neustrie (R. de) ..... **GY**
Niemeyer (Esp. O.) . **FZ** 58
N.-Dame (Quai) .... **FZ** 59
Pasteur (R.) .... **GX** 63
Prés.-Wilson (R.) ... **EY** 69
Renan (R. E.) ..... **FGY**
Séry (R.) .... **EFZ** 79
Ste-Adresse (R. de) **EX**
Southampton (Q.) .. **FZ** 89
Strasbourg (Bd) .. **FGY**
Tellier (R. J.) .... **GY**
Victor-Hugo (R.) .... **FZ**
Videcoq (Quai) ..... **FZ** 94
Voltaire (R.) .... **FZ**
24e-Territorial (Ch.) **GZ** 97
329e (R. du) .... **GX**

HAYBES 08 Ardennes 53 ⑱ **G. Champagne, Ardennes** – 2 145 h. alt. 117 – ✉ **08170** Fumay.

Paris 246 – Charleville-Mézières 35 – Fumay 2,5 – Givet 20 – Rocroi 21.

- **St-Hubert,** ℘ 24 41 11 38 – wc ⋔. VISA. ✻
SC : **R** 38/138 ♂ – ☐ 13 – **19 ch** 65/159 – P 112/188.

- **Robinson** ⛰, SE : 1 km par VO ℘ 24 41 11 73, ≤ – **P**. VISA. ✻
fermé 15 janv. au 15 fév., vend. soir et lundi – SC : **R** 55/150 – ☐ 15 – **9 ch** 67 – P 140/160.

- XX **Ermitage Moulin Labotte** ⛰ avec ch, E : 2 km par D 7 et VO ℘ 24 41 13 44, ☂, parc – wc ⋔ **P**. ✻ ch
SC : **R** carte 120 à 170 – ☐ 20 – **8 ch** 98/185.

La HAYE-DU-PUITS 50250 Manche 54 ⑫ – 1 798 h. alt. 38.

Voir Mont Castre ≤★ E : 5 km puis 30 mn.

Env. Abbatiale★★ de Lessay S : 8 km, **G. Normandie.**

Syndicat d'Initiative r. Emile-Poirier (1er juil.-31 août) ℘ 33 46 01 42 et à la Mairie ℘ 33 46 00 04.

Paris 334 – Barneville-Carteret 19 – Carentan 24 – Coutances 29 – St-Lô 44 – Valognes 26.

- **Gare** ⛰, ℘ 33 46 04 22, ☂ – AE ⓓ E VISA
fermé 15 déc. au 15 janv., vend. soir et sam. hors sais. – SC : **R** 45/98 – ☐ 18 – **12 ch** 71/106 – P 142/162.

CITROEN Hardel, à St-Symphorien-le-Valois ℘ 33 46 03 55
PEUGEOT Leclerc, ℘ 33 46 01 99
RENAULT Beuve, ℘ 33 46 02 88

HAZEBROUCK 59190 Nord 51 ④ – 20 494 h. alt. 28.

Env. Cassel : site★ et jardin public ✻★★ NO : 14 km, G. Flandres, Artois, Picardie.

A.C. 31 pl. Gén.-de-Gaulle ☎ 28 41 92 66.

Paris 239 ② – Armentières 28 ② – Arras 59 ④ – Dunkerque 41 ① – Ieper 34 ① – ♦Lille 42 ②.

HAZEBROUCK

Église (Grande-Rue de l') 8
Gaulle
(Pl. du Général-de) 12
Leclerc (R. du Mar.) 14
Nationale (R.) 19

Aire (R. d') 2
Clef (R.) 3
Clocher (R. du) 4
Donckèle (R.) 6
Dunkerque (R. de) 7
Gare (R. de la) 10
Haute-Loge (Av. de la) 13
Masson-Beau (Av.) 15
Merville (R. de) 16
Moulin (R. du) 18
Notre-Dame (R.) 20
Pont (R. du) 22
Rivage (R. du) 23
Salengro (Place Roger) 25
Verdun (R. de) 26
Vieux-Berquin (R. de) 28

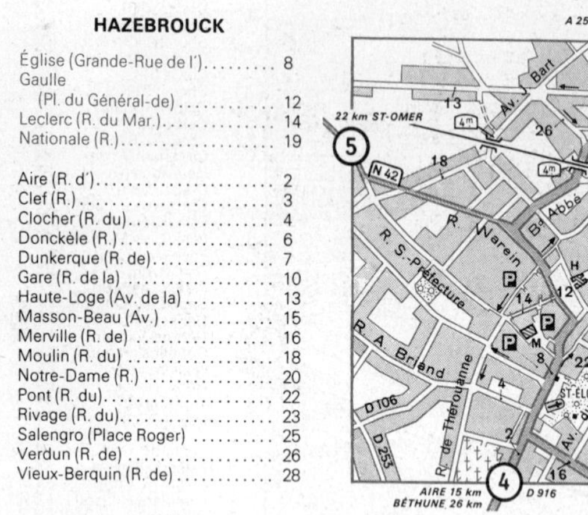

à Longue Croix NO : 8 km par N 42 et D 238 – ✉ 59190 Hazebrouck :

XX ✿ **Aub. de la Longue Croix** (Maerten), ☎ 28 41 93 34, – Ⓟ.
fermé 23 au 30 juin, début déc. à début janv., dim., lundi et fêtes le soir et mardi – SC : **R** 130/140 (dîner sur réservation seul. et à la carte)
Spéc. Foie gras de canard, Bar au beurre d'huîtres, Magret de canard au vinaigre de framboises.

à La Motte au Bois par ③ : 5,5 km – ✉ 59190 Hazebrouck :

XX **Aub. de la Forêt** avec ch, ☎ 28 41 80 90 – wc. AE VISA
fermé mi-déc à mi-janv., dim. soir, fériés le soir et lundi – SC : **R** 62/190 – ☕ 16 – **14 ch** 90/190.

CITROEN Caron Dodon, 88 rte de Borre par ② ☎ 28 41 83 73
FORD Gar. Hazebrouckois, 216 r. du Vieux Berquin ☎ 28 41 40 08
PEUGEOT-TALBOT Gar. Delaire-Dubus, 28 rte de Borre par ② ☎ 28 48 03 17
RENAULT Gar. de la Lys, 223 r. Notre-Dame par ①
V.A.G. Auto-Expo, av. de St-Omer ☎ 28 41 55 46

Ⓜ François-Pneus, 199 r. de Merville ☎ 28 41 59 46

HÉDÉ 35630 I.-et-V. 59 ⑯ G. Bretagne – 470 h. alt. 100.

Paris 369 – Avranches 64 – Dinan 29 – Dol-de-Bretagne 31 – Fougères 49 – ♦Rennes 23.

XX **Vieille Auberge,** N 137 ☎ 99 45 46 25, , « Cadre rustique, jardin » – Ⓟ. AE ⓓ
fermé 25 au 31 août, fév., dim. soir et lundi – SC : **R** 119.

XX **Host. Vieux Moulin** avec ch, N 137 ☎ 99 45 45 70, – wc ☎ Ⓟ. ⓓ VISA
fermé 15 au 22 sept., 20 déc. au 20 janv., dim. soir et lundi – SC : **R** 63/180 – ☕ 18 – **14 ch** 90/180.

CITROEN Modern-Gar., 21 r. des Forges ☎ 99 45 45 69
RENAULT Delacroix, N 137 ☎ 99 45 46 23

HEM 59 Nord 51 ⑯ – rattaché à Roubaix.

HENDAYE 64700 Pyr.-Atl. 85 ① G. Pyrénées – 11 112 h.

Voir Grand crucifix★ dans l'église St-Vincent BY B – Corniche basque★★ par ①.

ℹ Office de Tourisme 12 r. Aubépines ☎ 59 20 00 34.

Paris 807 ② – Pau 141 ② – St-Jean-de-Luz 14 ② – S.Sébastián 23 ③.

Plan page ci-contre

à Hendaye Plage :

🏨 **Liliac** sans rest, Rond-Point ☎ 59 20 02 45 – wc wc ☎. AE ⓓ E VISA
SC : ☕ 22 – **22 ch** 216/235. BX **m**

🏨 **Pohoténia,** rte Corniche par ① ☎ 59 20 04 76, , – wc wc ☎ Ⓟ. VISA.
fermé janv. – SC : **R** 95/140 – ☕ 20 – **52 ch** 145/185 – P 230/250.

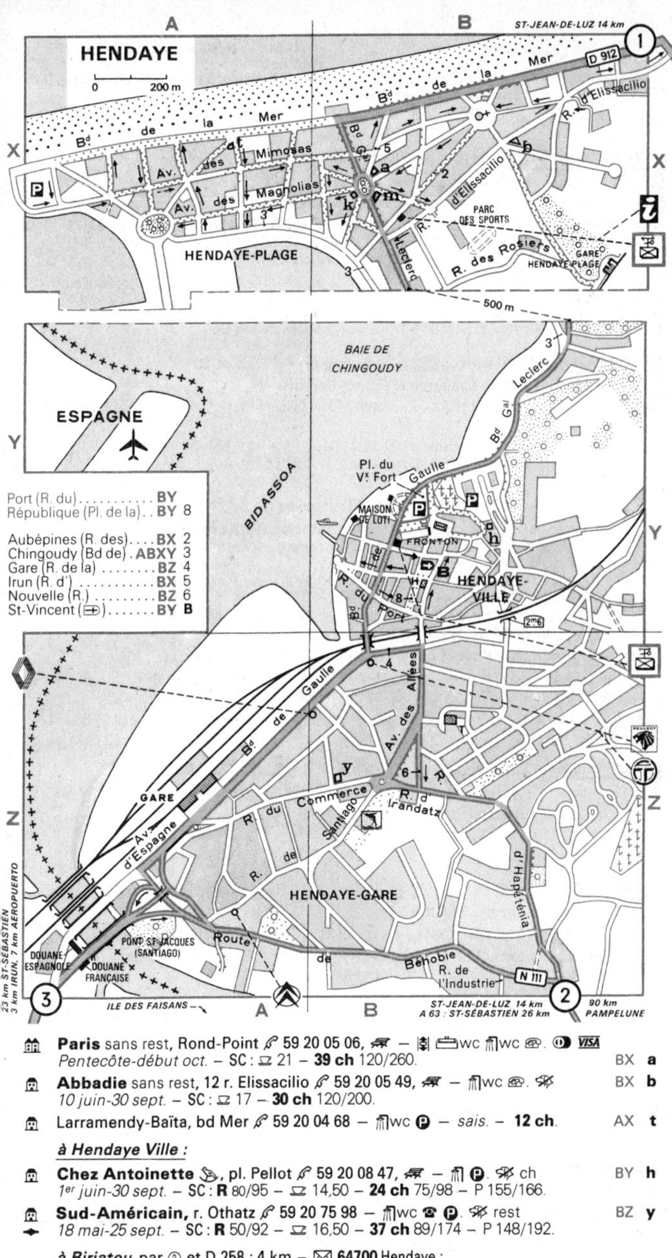

Paris sans rest, Rond-Point ✆ 59 20 05 06, ⚐ – |‡| ⇔wc ⋒wc ☎. ⓓ VISA
Pentecôte-début oct. – SC : ☕ 21 – **39 ch** 120/260. BX **a**

Abbadie sans rest, 12 r. Elissacilio ✆ 59 20 05 49, ⚐ – ⋒wc ☎. ✗
10 juin-30 sept. – SC : ☕ 17 – **30 ch** 120/200. BX **b**

Larramendy-Baïta, bd Mer ✆ 59 20 04 68 – ⋒wc [P] – *sais.* – **12 ch**. AX **t**

à Hendaye Ville :

Chez Antoinette ⟡, pl. Pellot ✆ 59 20 08 47, ⚐ – ⋒ [P]. ✗ ch BY **h**
1er juin-30 sept. – SC : **R** 80/95 – ☕ 14,50 – **24 ch** 75/98 – P 155/166.

Sud-Américain, r. Othatz ✆ 59 20 75 98 – ⋒wc ☎ [P]. ✗ rest BZ **y**
18 mai-25 sept. – SC : **R** 50/92 – ☕ 16,50 – **37 ch** 89/174 – P 148/192.

à Biriatou par ② et D 258 : 4 km – ✉ **64700** Hendaye :

XXX ✿ **Bakéa** (François) ⟡ avec ch, ✆ 59 20 76 36, ≤, ⚐, « Terrasse ombragée sur la vallée » – ⇔wc ⋒wc ☎ [P]. [AE] ⓓ [E] VISA. ✗ ch
6 mai-30 sept. – SC : **R** 100/150 – ☕ 22 – **15 ch** 180/240 – P 624/664 (pour 2 pers.)
Spéc. Terrine de foie gras frais, Homard grillé à l'estragon, Turbotin au beurre blanc. **Vins** Jurançon, Irouléguy.

CITROEN Gar. de la Place, 41 r. de Santiago ☏ 59 20 00 86
OPEL Pivot, 16 rte Behobie ☏ 59 20 03 93
PEUGEOT, TALBOT Laguillon, 23 av. de la Gare BZ ☏ 59 20 70 86 et Z.I. Joncaux, r. Industrie ☏ 59 20 18 63

RENAULT Hendaye-Autos, 49 bd de-Gaulle ☏ 59 20 78 61
Gar. Bidassoan, bd Gén.-Leclerc ☏ 59 20 00 23

HENIN-BEAUMONT **62110** P.-de-C. **51** ⑮ – 26 212 h. alt. 31.

Syndicat d'Initiative 174 r. Pasteur ☏ 21 75 08 07.

Paris 196 – Arras 26 – Béthune 30 – Douai 12 – Lens 9 – ♦Lille 32.

Novotel, échangeur Autoroute A1 ✉ 62950 Noyelles-Godault ☏ 21 75 16 01, Télex 110352, , , – ☎ – 50 à 200. AE E VISA
R snack carte environ 100 – 34 – **79 ch** 291/323.

FORD Gar. Universel, 590 bd A.-Schweitzer ☏ 21 75 06 10
PEUGEOT-TALBOT Beaumont-Automobiles, Zone Ind., bd Darchicourt ☏ 21 75 16 50

RENAULT Sandrah, 1230 rte de Douai ☏ 21 75 03 78 N ☏ 21 20 29 15
V.A.G. Gar. St-Christophe, 195 r. Libération à Montigny-en-Gohelle ☏ 21 20 22 04

HENNEBONT **56700** Morbihan **63** ① **G. Bretagne** – 13 103 h. alt. 22.

Voir Tour-clocher★ de la basilique N.-D.-de-Paradis.

Paris 484 – Concarneau 59 – Lorient 10 – Pontivy 48 – Quiberon 42 – Quimperlé 26 – ♦Rennes 137 – Vannes 46.

France, 17 av. Libération ☏ **97 36 21 82** – wc . VISA
fermé oct., dim. soir et sam. hors sais. – SC : **R** 61/149 – 17,50 – **25 ch** 75/121 – P 214/261.

au Sud par D 781 : 4 km – ✉ **56700** Hennebont :

❀❀ **Château de Locguénolé et Résidence de Kernavien** , ☏ **97 76 29 04,** Télex 950636, ≤, « Dans un parc en bordure de rivière », , – ☎ – 25. AE E VISA. rest
1er mars-15 nov. – SC : **R** *(fermé lundi hors sais. sauf fériés)* 180/450 et carte – 42 – **32 ch** 390/898, 4 appartements 1 400 – P 623/1 174
Spéc. Goujonnettes de rouget et sole à l'aïoli de poivrons, Galettes de sarrazin au crabe et au tourteau, Gribiche de jarret et pied de veau.

à Brandérion à l'ouest par N 165 : 7 km – ✉ **56700** Hennebont :

L'Hermine M sans rest, ☏ **97 32 92 93** – wc wc
fermé 15 déc. au 15 mars – SC : 21 – **9 ch** 242/262.

RENAULT Gar. Jean-Hello, 66-68 av. République ☏ 97 36 21 17 N

Jubin-Pneus, ZI Ker André ☏ 97 36 16 88

HERBAULT **41190** L.-et-Ch. **64** ⑥ – 1 005 h. alt. 138.

Paris 197 – Blois 16 – Château-Renault 18 – Montrichard 36 – Vendôme 26.

XX **Trois Marchands,** ☏ **54 46 12 18** – E VISA
fermé lundi soir et mardi – SC : **R** 52/135.

CITROEN Hallouin, ☏ 54 46 13 13

RENAULT Beauclair, ☏ 54 46 12 16

Les HERBIERS **85500** Vendée **67** ⑮ **G. Côte de l'Atlantique** – 12 494 h. alt. 109.

Voir Mont des Alouettes ≤★★ N : 2 km.

Paris 374 – Bressuire 47 – Chantonnay 27 – Cholet 25 – Clisson 34 – La Roche-sur-Yon 40.

Relais, 18 r. Saumur ☏ **51 91 01 64** – wc ☎ – 30 à 100. AE E VISA
fermé 1er au 20 sept. et sam. hors sais. – SC : **R** 40/90 – 17 – **21 ch** 58/100 – P 145/185.

X **Mont des Alouettes,** N : 2 km N 160 ☏ **51 67 02 18,** ≤ – . E VISA
fermé 8 au 21 oct., 8 au 21 fév. et lundi soir – SC : **R** 48/135.

CITROEN Martineau, 40 av. G.-Clemenceau à Ardelay ☏ 51 91 07 50
PEUGEOT-TALBOT Gar. du Bocage, rte de Cholet ☏ 51 91 04 12 N
RENAULT Herbretaise Autos, 2 r. de l'Industrie ☏ 51 91 01 71

RENAULT Gar. des Alouettes, 75 r. Saumur ☏ 51 91 05 46
RENAULT Vrignaud, la Tisonnière ☏ 51 91 08 87 N

Metayer Pneus, ZA de la Buzenière ☏ 51 91 19 08

HÉRIMONCOURT **25310** Doubs **66** ⑱ – 3 540 h. alt. 365.

Paris 490 – Belfort 27 – ♦Besançon 87 – Montbéliard 13.

Hôtel 2000, pl. Peugeot ☏ **81 30 83 07** – wc wc ☎ – 50. AE E VISA.
– *fermé 13 au 31 août, vacances de fév., dim. soir et lundi midi* – SC : **R** 56/220 – 25 – **21 ch** 149/185 – P 193/220.

à Roches-lès-Blamont SO : 4 km par D 122 – ✉ **25310** Hérimoncourt :

XX ❀ **Aub. de la Charrue d'Or** (Piguet), ☏ **81 35 18 40,** – . AE E VISA
fermé fév., dim. soir et lundi sauf fériés – SC : **R** (prévenir) 98/280
Spéc. Tartare de saumon, Cuisses de grenouilles à la coque, Langues d'agneau à l'estragon. **Vins** Côtes du Jura, Pinot blanc.

HÉRISSON (Cascades du) *** 39 Jura 70 ⑮ **G. Jura.**

Ressources hôtelières : voir à Bonlieu et à Ilay.

HERM 40 Landes 78 ⑯ – 617 h. alt. 67 – ✉ 40180 Dax.

Paris 726 – Bayonne 51 – Castets 15 – Dax 17 – Mont-de-Marsan 65.

- **Paix** 🐦, rte Magescq ✆ 58 74 32 17, 🌳 – ⇔wc ⋒ Ⓟ. ✂ rest
  fermé janv. et lundi soir – SC : **R** 47/190 – ☕ 11 – **10 ch** 67/120 – P 125/165.
- **Poste** 🐦, ✆ 58 74 32 24 – ⋒ Ⓟ
  fermé fév. – SC : **R** 55/90 – ☕ 15 – **8 ch** 70/120 – P 145/160.

HERMENT 63470 P.-de-D. 73 ⑫ – 363 h. alt. 823.

Paris 425 – Aubusson 48 – ♦Clermont-Ferrand 55 – Le Mont-Dore 43 – Montluçon 92 – Ussel 43.

- **Souchal,** rte Giat ✆ 73 22 10 55 – ⇔wc ☎ Ⓟ. E
  SC : **R** 38/100 🍷 – ☕ 16,50 – **18 ch** 65/145 – P 120/150.

HÉROUVILLE-ST-CLAIR 14 Calvados 55 ⑫ – rattaché à Caen.

HESDIN 62140 P.-de-C. 51 ⑫⑬ **G. Flandres, Artois, Picardie** – 3 031 h. alt. 26.

Paris 194 ③ – Abbeville 35 ③ – Arras 56 ② – Boulogne-sur-Mer 61 ④ – ♦Lille 89 ②.

HESDIN

Ponts sur la Canche (de la R. Fréville à la rue de l'Ancien Temple charge maxi : 9 t sur 2 essieux.

Armes (Pl. d') . . . . A 3
Arras (R. d') . . . . B 4
Paroisse (R. de la) . . AB 26
St-Omer (R. de) . . . . . A 31
Tripier (R. du Gén.) . . . B 34

Ancien Temple (R.) . . A 2
Bassins (Av. des) . . . . B 5
Bras-d'Or (R. du) . . . . B 6
Brebion (Bd L.) . . . . . . A 7
Catteau (R. H.) . . . . . . A 8
Charles-Quint (R.) . . AB 10
Clemenceau (R. G.) . . B 12
Domont (Bd) . . . . B 14
Fressin (R.) . . . . A 16
Fréville (R.) . . . . B 17
Jacquemont (R.) . . . AB 21
Leclerc (Av. du Gén.) B 22
Lereuil (R.) . . . . A 24
Pavillon-Doré (R. du) . A 28
République (Av. de) . A 29
Richelieu (Bd) . . . . A 30
Sébastopol (Bd) . . . . . B 32
Stade (Av. du) . . . . B 33
Union (R. de l') . . . . . . A 36
8-Mai (Pl. du) . . . . A 37
11-Novembre (Bd du) B 38

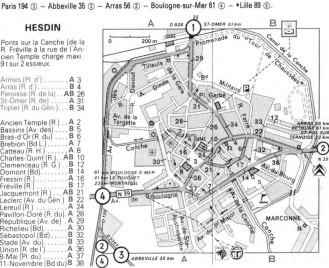

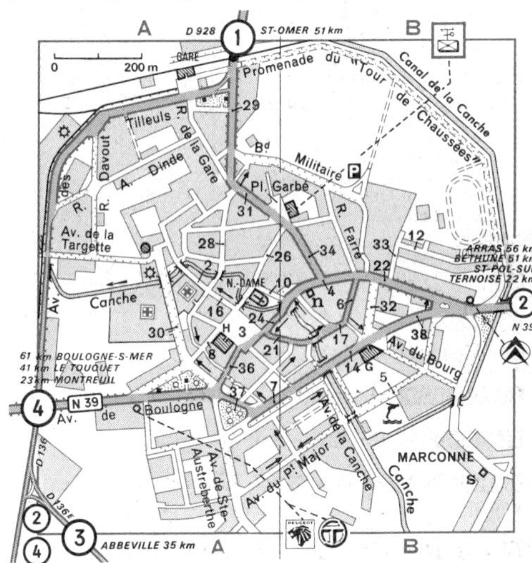

- **Trois Fontaines** Ⓜ 🐦, 16 rte Abbeville à Marconne ✆ 21 86 81 65, 🌳 – ⇔wc ☎ ♿ Ⓟ. AE E VISA — B s
  R 58/125 🍷 – ☕ 18 – **10 ch** 170/230 – P 220/250.
- XX **H. Rotisserie des Flandres** avec ch, 22 r. Arras ✆ 21 86 80 21 – ⇔wc ⋒ ☎ Ⓟ. AE VISA — B n
  fermé mi-déc. à mi-janv. – SC : **R** 51/145 🍷 – ☕ 19 – **14 ch** 75/210.

CITROEN Ficheux, 33 av. Mar.-Leclerc ✆ 21 86 91 74
PEUGEOT-TALBOT Gar. Faustin, 24 av. de Boulogne ✆ 21 86 92 96
RENAULT Gar. Hesdinois, 5 av. Arras, Marconne par ② ✆ 21 86 96 44 🅽

Ⓜ La Maison du Pneu, 3 pl. Garbé ✆ 21 86 86 19
Au pneu Hesdinois, rte de St.-Pol ✆ 21 86 83 97

HESINGUE 68 H.-Rhin – rattahcé à St-Louis.

HEUDICOURT-SOUS-LES-CÔTES 55 Meuse 57 ⑫ – rattaché à St. Mihiel.

HIÈRES-SUR-AMBY 38118 Isère 74 ⑬ – 835 h. alt. 216.

Paris 463 – Belley 59 – ♦Grenoble 94 – ♦Lyon 42 – Meximieux 28 – La Tour-du-Pin 45 – Vienne 51.

- X **Val d'Amby** avec ch, ✆ 74 95 12 76, 🌳 – ⋒ ☎ 🚗
  fermé 25 août au 17 sept., 1er au 19 mars et merc. – SC : **R** 45/135 🍷 – ☕ 15 – **13 ch** 54/85.

HINSINGEN 67 B.-Rhin 57 ⑯ – 96 h. alt. 230 – ✉ **67260** Sarre-Union.
Paris 406 – St-Avold 35 – Sarrebourg 37 – Sarreguemines 22 – •Strasbourg 90.

La Grange du Paysan, ✆ 88 00 91 83, Spéc. alsaciennes de campagne – Ⓟ. E VISA – *fermé lundi* – SC : **R** 59/178 ♁.

HIRMENTAZ 74 H.-Savoie 70 ⑰ – rattaché à Bellevaux.

HIRSON 02500 Aisne 53 ⑯ **G. Flandres, Artois, Picardie** – 11 788 h. alt. 192.

Office de Tourisme 3 r. Guise (fermé sept.) ✆ 23 58 03 91.

Paris 191 ④ – Avesnes-sur-Helpe 31 ① – Cambrai 69 ① – Charleville-Mézières 53 ③ – St-Quentin 65 ① – Vervins 18 ④.

Feutry avec ch, 86 av. Gare **(u)** ✆ 23 58 16 45 – AE ⓓ E VISA. *fermé vacances de fév., dim. soir et lundi* – SC : **R** 48/133 – ☕ 14 – **17 ch** 62/93.

au SO par D 963 et D 36 : 7 km – ✉ **02140** Vervins :

Domaine du Tilleul Ⓜ, ✆ 23 98 48 00, parc, – ☎ ♿ Ⓟ – 50. AE ⓓ E VISA
fermé janv. – SC : **R** *(fermé dim. soir)* 90/140 – ☕ 25 – **14 ch** 200 – P 300/400.

CITROEN Deshayes et Courtois, 43 bis r. Ch.-de-Gaulle ✆ 23 58 18 86
FORD Branquart, 78 r. Ch.-de-Gaulle ✆ 23 58 10 62
RENAULT Houdez, 138 av. Joffre ✆ 23 58 08 96 N

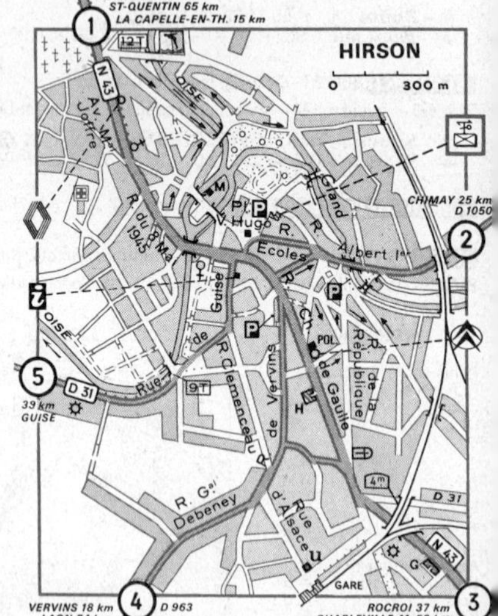

Joncourt, 47 bis r. Ch.-de-Gaulle ✆ 23 58 00 90

HIRTZBACH 68 H.-Rhin 66 ⑨ – rattaché à Altkirch.

Le HODE 76 S.-Mar. 55 ④ – rattaché au Havre.

Le HOHNECK 88 Vosges 62 ⑱ **G. Alsace et Lorraine** – alt. 1 361.
Voir ✻★★★.

HOHROD 68 H.-Rhin 62 ⑱ – rattaché à Hohrodberg.

HOHRODBERG 68 H.-Rhin 62 ⑱ **G. Alsace et Lorraine** – alt. 750 – ✉ **68140** Munster.
Voir ≤★★.
Paris 438 – Colmar 27 – Gérardmer 37 – Guebwiller 47 – Munster 7,5 – Le Thillot 57.

Roess ✆ 89 77 36 00, ≤ montagnes, – wc wc – Ⓟ – 40. ch
fermé 4 nov. au 19 déc. – SC : **R** 70/136 ♁ – ☕ 18 – **24 ch** 76/180 – P 149/205.

Panorama ✆ 89 77 36 53, ≤ vallée et montagne – wc wc Ⓟ. rest
fermé 1er nov. au 20 déc., 10 au 31 janv., mardi soir et merc. – SC : **R** 55/110 ♁ – ☕ 18 – **15 ch** 115/155 – P 195/215.

à Hohrod S : 5 km D5 B1 – ✉ **68140** Munster :

Beau Site ✆ 89 77 31 55, ≤, – . rest
fermé nov., janv. et merc. sauf vacances scolaires – SC : **R** 45/150 ♁ – ☕ 18 – **13 ch** 110/140.

Le HOHWALD 67 B.-Rhin 62 ⑨ **G. Alsace et Lorraine** – 407 h. alt. 575 – Sports d'hiver : 600/1 050 m 3 – ✉ **67140** Barr.
Env. Le Neuntelstein ≤★★ N : 6 km puis 30 mn – Champ du Feu ✻★★ SO : 14 km.
Paris 433 – Lunéville 87 – Molsheim 30 – St-Dié 46 – Sélestat 26 – •Strasbourg 47.

Gd Hôtel ✆ 88 08 31 03, ≤, parc, – Ⓟ – 45. AE ⓓ E VISA. rest
fermé mi-nov. au 20 déc. et début janv. à début fév. – SC : **R** 62/200 ♁ – ☕ 26 – **73 ch** 116/290 – P 228/425.

🏨 **Marchal** 🐦, ✆ **88 08 31 04**, <, 🌳 – 🛁wc 🚿wc ☎ 🅟. VISA. 🐕 rest
fermé nov., 1er au 20 déc., 1er au 7 mars et mardi – **SC : R** 75/105 🍷 – ☕ 15 – **17 ch** 115/190 – P 145/190.

🏨 **Aub. de l'Ilsbach** 🐦, **SE : 2 km par D 425** ✆ **88 08 31 47**, ☂, 🌳 – 🅟
◆ *fermé 11 nov. au 20 déc., 5 janv. au 6 fév. et mardi* – **SC : R** 60/150 🍷 – ☕ 16 – **8 ch** 90/160 – P 170/200.

au col du Kreuzweg **SO : 5 km par D 425** – ✉ **67140** Barr :

🏨 **Zundelkopf** 🐦, ✆ **88 08 30 41**, <, 🌳 – 🛁wc 🚿 🅟
fermé 19 oct. au 30 nov. et 9 au 20 mars – **SC : R** (pour résidents seul.) – ☕ 22 – **22 ch** 75/132 – P 160/185.

HOLNON 02 Aisne **53** ⑬ – rattaché à St-Quentin.

HONDAINVILLE 60 Oise **55** ⑩ – 318 h. alt. 43 – ✉ **60250** Mouy.
Paris 67 – Beauvais 22 – Chantilly 30 – Clermont 11 – Creil 23 – L'Isle-Adam 34.

XX **Vert Pommier**, ✆ **44 56 53 60**, 🌳 – VISA
fermé 4 au 25 août, dim. soir et lundi – **R** 79.

HONFLEUR 14600 Calvados **55** ③④ **G. Normandie** – 8 376 h.
Voir Vieux bassin★★ AB – **Église Ste-Catherine★ et clocher★** A **D** – **Côte de Grâce★★ : calvaire** ✳**★★** A **E.**
ℹ Office de Tourisme 33 cours Fossés ✆ 31 89 23 30.
Paris 199 ① – ◆Caen 63 ② – ◆Le Havre 57 ① – Lisieux 34 ② – ◆Rouen 76 ①.

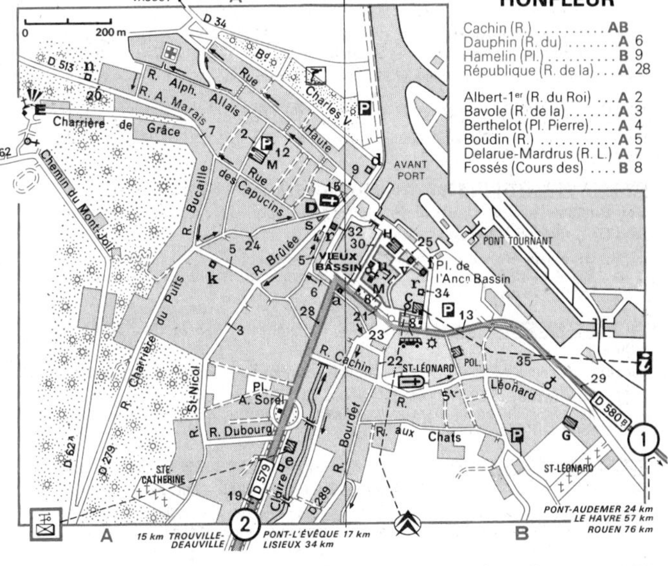

Homme-de-Bois (R. de l') A 12
Le-Paulmier (Quai) .... B 13
Logettes (R. des).......... A 15
Manuel (Cours Albert) .... A 19
Marais (Rte A.) .... A 20
Montpensier (R.) .... B 21
Notre-Dame (R.) .... B 22
Porte-de-Rouen (Pl. de la) B 23
Puits (R. du) .... A 24
Quarantaine (Quai de la) .. B 25
Revel (R. Jean)........... B 29
St-Étienne (Quai) .... B 30
Ste-Catherine (Quai) .... AB 32
Tour (Quai de la) .... B 34
Vases (R. des) .... B 35

🏨 **Ferme St-Siméon et son Manoir** 🐦, rte A.-Marais ✆ **31 89 23 61**, **Télex 171031**, <, ☂, **« Parc ombragé dominant l'estuaire »**, 🎾 – 🛁wc ☎ ♿ 🅟. VISA.
🐕 ch — A **n**
SC : R *(fermé merc. midi sauf fériés de nov. à mars)* carte 255 à 410 – ☕ 55 – **32 ch** 830/1 300, 6 appartements.

🏨 **L'Ecrin** 🐦 sans rest, 19 r. E.-Boudin ✆ **31 89 32 39**, 🌳 – 📺 ☎ 🅟. AE ⓓ E VISA
SC : ☕ 25 – **15 ch** 290/450. — A **k**

🏨 **La Tour** Ⓜ sans rest, **3 quai Tour** ✆ **31 89 21 22** – 🛗 🛁wc ☎. VISA. 🐕 — B **r**
fermé 22 nov. au 22 déc. – **SC :** ☕ 20 – **48 ch** 230.

Cheval Blanc, quai Passagers ☎ 31 89 13 49, ← – wc wc ☎. B **d**
1er mars-15 nov. – SC : **R** *(fermé lundi)* 160 – **35 ch** 250/350 – P 550/580.

Dauphin sans rest, 10 pl. P.-Berthelot ☎ 31 89 15 53 – wc ☎. VISA. A **s**
fermé janv. – SC : 20 – **30 ch** 180/220.

Castel Albertine sans rest, 19 cours Albert-Manuel ☎ 31 98 85 56, – TV wc wc ☎ P. AE VISA A **e**
fermé 20 nov. au 10 déc., 15 au 31 janv. et merc. hors sais. – SC : 36 – **12 ch** 315/520.

Au Vieux Honfleur, 13 quai St-Étienne ☎ 31 89 15 31, ←, – AE E VISA
fermé 15 janv. au 15 fév. et merc. hors sais. – SC : **R** carte 150 à 210. B **u**

L'Absinthe, 10 quai Quarantaine ☎ 31 89 39 00, . AE VISA B **v**
fermé 12 nov. au 21 déc., lundi soir et mardi hors sais. – SC : **R** 102/159.

L'Ancrage, 12 r. Montpensier ☎ 31 89 00 70, ←, – E VISA A **a**
fermé janv., mardi soir hors sais. et merc. – SC : **R** 74/105.

Deux Ponts, 20 quai Quarantaine ☎ 31 89 04 37, – AE E VISA B **f**
fermé 15 nov. au 15 déc. et jeudi – SC : **R** 65/160.

Carlin, 32 pl. P.-Berthelot ☎ 31 89 39 69 – VISA A **r**
fermé janv. et merc. – SC : **R** 60/155.

à Equemauville par ② : 3,5 km – ✉ **14600** Honfleur :

Le Marélot, ☎ 31 89 37 68, – AE E VISA
fermé dim. soir sauf juil.-août et lundi – SC : **R** 65/160.

à Pennedépie O : 5 km par D 513 A – ✉ **14600** Honfleur :

Moulin St-Georges, ☎ 31 89 12 00, – P
fermé 15 nov. au 15 déc., mardi soir et merc. – SC : **R** 55.

à Barneville par ②, D 62 et D 279 : 6 km – ✉ **14600** Honfleur :

Aub. de la Source , ☎ 31 89 25 02, ←, , – wc wc P. VISA
fév.-15 nov. et fermé merc. – SC : **R** 100 – 18 – **11 ch** 170/220.

CITROEN Gar. Thiers, 17 pl. Thiers ☎ 31 89 08 01
PEUGEOT-TALBOT Gar. du Port, Rte Jean de Vienne par ①, ☎ 31 89 16 13
RENAULT Gar. de l'Estuaire, cours J.-de-Vienne par ① ☎ 31 89 18 67
Gar. du Cours, 16 cours Manuel ☎ 31 89 02 02
Honfleur-Pneus, Zone Ind. ☎ 31 89 20 37

HÔPITAL-CAMFROUT

HÔPITAL-CAMFROUT 29 Finistère 58 ⑤ – 1 422 h. alt. 8 – ✉ **29224** Daoulas.

Voir Daoulas : enclos paroissial★ et cloître★ de l'abbaye N : 4,5 km, G. Bretagne.

Paris 567 – ♦Brest 25 – Morlaix 59 – Quimper 48.

Diverres-Bernicot, ☎ 98 20 01 01 – wc
fermé 14 au 28 sept. – SC : **R** *(fermé dim. soir du 1er oct. au 15 avril)* 47/122 – 15,50 – **18 ch** 65/127.

L'HÔPITAL-ST-BLAISE

L'HÔPITAL-ST-BLAISE 64 Pyr.-Atl. 85 ⑤ **G. Pyrénées** – 64 h. alt. 159 – ✉ **64130** Mauléon-Licharre.

Paris 814 – Cambo-les-B. 75 – Oloron-Ste-Marie 17 – Orthez 36 – Pau 50 – St-Jean-Pied-de-Port 53.

Touristes, ☎ 59 66 53 04, – P
fermé 24 fév. au 17 mars et lundi sauf juil.-août – SC : **R** 50/65 – 15 – **12 ch** 55/65 – P 125/130.

L'HÔPITAL-SUR-RHINS

L'HÔPITAL-SUR-RHINS 42 Loire 73 ⑧ – alt. 430 – ✉ **42132** St-Cyr-de-Favières.

Paris 398 – ♦Lyon 78 – Montbrison 55 – Roanne 9 – ♦St-Étienne 68 – Thizy 20.

Le Favières, ☎ 77 64 80 30, – wc wc . VISA
fermé 11 au 17 août, janv., vend. soir (sauf juil.-août) et sam. – SC : **R** 58/165 – 17 – **16 ch** 93/155.

Les HÔPITAUX-NEUFS

Les HÔPITAUX-NEUFS 25370 Doubs 70 ⑦ **G. Jura** – 265 h. alt. 1 000 – Sports d'hiver : 900/1 430 m 33, .

Voir Le Morond ★ SO : 3 km puis télésiège.

Env. Mont d'Or ★★ S : 11 km puis 30 mn.

Syndicat d'Initiative ☎ 81 49 13 81.

Paris 452 – ♦Besançon 76 – Champagnole 46 – Morez 56 – Mouthe 18 – Pontarlier 18.

Robbe, ☎ 81 49 11 05, – wc wc P. E. rest
28 juin-7 sept. et 20 déc.-10 avril – SC : **R** 43/69 – 14 – **21 ch** 69/111 – P 134/156.

à Métabief O : 3 km par D 49 – ✉ **25370** les Hopitaux Neufs :

Étoile des Neiges sans rest., ☎ 81 49 11 21, ← – wc wc P. E VISA.
1er juin-30 sept. et 1er déc.-15 avril – SC : 15 – **15 ch** 120/145

CITROEN Drezet, ☎ 81 49 10 56 N

HORBOURG 68 H.-Rhin 62 ⑲ – rattaché à Colmar.

L'HORME 42 Loire 73 ⑲ – rattaché à St-Chamond.

L'HOSPITALET 09390 Ariège 86 ⑮ – 171 h. alt. 1 436.
Paris 844 – Andorre-la-Vieille 43 – Ax-les-Thermes 18 – Bourg-Madame 37 – Foix 60.

Puymorens, ✆ 61 64 23 03 –
SC : **R** 53/72 – 13 – **14 ch** 47/80 – P 130/160.

HOSSEGOR 40150 Landes 78 ⑰ **G. Côte de l'Atlantique** – Casino.
Voir Le lac*.
✆ **58 43 56 99 SE : 0,5 km.**
Office de Tourisme pl. Pasteur ✆ 58 43 72 35.
Paris 755 – ♦Bayonne 20 – ♦Bordeaux 167 – Dax 35 – Mont-de-Marsan 83.

Beauséjour ⛭, av. Genets par av. Tour-du-Lac ✆ **58 43 51 07,** – ✆ Ⓟ. rest
5 juin-17 sept. – SC : **R** (dîner seul.) 115/130 – 26 – **45 ch** 182/340.

Mercédès, av. Tour-du-Lac ✆ **58 43 52 23,** – VISA. rest
15 juin-15 sept. – SC : **R** 90/140 – 28 – **40 ch** 155/380 – P 300/400.

Ermitage ⛭, allée Pins-Tranquilles ✆ **58 43 52 22,** – wc wc ✆ Ⓟ.
Pâques-1er juin (hôtel seul.) et 1er juin-15 sept. – SC : **R** (dîner seul.) 80 – 24 – **12 ch** (½ pens. seul. en sais.) – ½ p 204/214.

Plage ⛭, ✆ **58 43 50 12,** ≤ – wc ✆. VISA. rest
1er juin-15 sept. – SC : **R** 70/100 – 25 – **30 ch** 110/280 – P 250/290.

Hélianthes ⛭ sans rest, av. Côte-d'Argent ✆ **58 43 52 19,** – wc wc ✆
22 mars-12 oct. – SC : 18 – **19 ch** 133/210.

Huîtrières du Lac avec ch, av. Touring-Club ✆ **58 43 51 48,** ≤ – wc wc ✆ Ⓟ.
1er mars-1er déc. et fermé merc. hors sais. sauf fêtes – SC : **R** 95/220 – 16,50 – **9 ch** 130/165.

L'Amiral, av. P.-Lahary ✆ **58 43 51 85** – AE VISA
fermé 20 oct. au 12 nov., 23 déc. au 3 janv., mardi soir et merc. – SC : **R** 108/125.

PEUGEOT-TALBOT Gar. de l'Avenue, ✆ 58 43 50 38

HOUAT (Ile de) 56 Morbihan 63 ⑫ **G. Bretagne** – 390 h. – ✉ **56170** Quiberon.
Accès par Transports maritimes.
depuis **Quiberon.** En 1985 : du 15 juin au 8 sept. 4 à 5 services quotidiens ; hors saison 1 à 2 services quotidiens - Traversée 1 h. – 61 F (AR) - Renseignements : Cie Morbihannaise de navigation, ✆ 97 50 06 90.

La Sirène Ⓜ ⛭, ✆ **97 30 68 05, Télex 730993,** – TV wc wc ✆. AE E VISA
1er avril-5 nov. – **R** 88/200 – 25 – **13 ch** 335/675.

Iles ⛭ avec ch, ✆ **97 30 68 02,** ≤ – AE E VISA. rest
avril-oct. – SC : **R** 45/92 – 13 – **10 ch** 68/80.

Les HOUCHES 74310 H.-Savoie 74 ⑧ **G. Alpes** – 1 766 h. alt. 1 008 – Sports d'hiver : 1 000/1 900 2 12 .
Voir Bellevue ** SO par téléphérique puis Nid d'Aigle ≤** par tramway du Mont-Blanc – **Env.** Parc du Balcon de Merlet** : ≤** NE : 9 km puis 30 mn.
Office de Tourisme pl. Église ✆ 50 55 50 62, Télex 385000.
Paris 588 – Annecy 85 – Bonneville 48 – Chamonix 8 – Megève 28.

Chris-Tal Ⓜ, ✆ **50 54 50 55,** ≤, – wc wc ✆ Ⓟ. VISA
1er mai-5 oct., 20 déc.-20 avril et fermé merc. sauf du 15 juin au 15 sept. – SC : **R** 58/80 – 18 – **28 ch** 185/205 – P 190/235.

Bellevarde, ✆ **50 55 51 85,** ≤, – wc ✆ Ⓟ. VISA. ch
10 juin-15 sept. et 18 déc.-15 avril – SC : **R** 44/150 – 16 – **25 ch** 200/215 – P 190/225.

Beau Site et rest. Le Pêle, ✆ **50 55 51 16,** ≤, – TV wc ✆ Ⓟ. E VISA. rest
15 mai-15 oct. et 10 déc.-fin mars – SC : **R** 50/150 – **18 ch** 210/250 – P 240/290.

aux Chavants O : 4 km – ✉ **74310** Les Houches :

Schuss ⛭, ✆ **50 54 40 75,** ≤, – wc Ⓟ. VISA. rest
15 juin-15 sept. – **R** (dîner seul.) 60/80 – 17 – **9 ch** 80/166.

au Prarion par télécabine – alt. 1 890 – Sports d'hiver : 1 600/1 900 m 2 11 – ✉ **74170** St-Gervais – **Voir** ** 30 mn.

Le Prarion ⛭, alt. 1 860 ✆ **50 93 47 01,** sur sommets, glaciers et vallée – wc ✆ – *1er juil.-7 sept. et 20 déc.-20 avril* – SC : **R** 75/160 – 29 – **19 ch** 79/330 – P 255/450.

HOUDAN 78550 Yvelines 60 ⑧, 196 ⑭ G. Environs de Paris (plan) – 2 973 h. alt. 104.
Syndicat d'Initiative à la Mairie ☎ (1) 30 59 60 19.
Paris 62 – Chartres 51 – Dreux 21 – Évreux 47 – Mantes-la-Jolie 27 – Rambouillet 28 – Versailles 41.

XXX ✿ **La Poularde** (Vandenameele) N 12 ☎ (1) 30 59 60 50, ⛱, ⛟ – Ⓟ. AE VISA
fermé 18 au 29 août, 8 au 19 fév., merc. soir et jeudi – SC : **R** carte 165 à 270
Spéc. Noix de ris de veau Matignon, Queue de boeuf en fougasse bordelaise, Millefeuille aux trois fromages.

XX **Plat d'Étain** avec ch, r. Paris ☎ (1) 30 59 60 28 – ⛀wc ☎. VISA. ✻ ch
fermé 1er au 15 août, lundi soir et mardi – SC : **R** 87/165 – ☕ 25 – **7 ch** 155/265.

XX **Welcome Auberge,** O : 0,7 km sur N 12 ☎ (1) 30 59 60 34 – Ⓟ. ✻
fermé sept., mardi soir et merc. – SC : **R** 53/100.

à Maulette E : 2 km sur N 12 – ✉ **78550** Houdan :

X **La Bonne Auberge,** rte Paris ☎ (1) 30 59 60 84 – Ⓓ VISA
fermé 18 août. au 4 sept., merc. et jeudi – SC : **R** 50/130 ♁.

à Bazainville E : 4,5 km par N 12 – ✉ **78550** Houdan :

XXX ✿ **Relais du Pavé** (M. Marguerite) avec ch, ☎ (1) 34 87 61 52, ⛱, « Bungalows dans un parc fleuri » – ⛀wc ☎ Ⓟ – 🏛 60. VISA. ✻ ch
fermé août, lundi soir et mardi – **R** carte 210 à 290 – ☕ 30 – **8 ch** 350
Spéc. Assiette de Monseigneur, Paupiettes de St-Jacques (oct. à fin mars), Dessert Guillaume Tell.

PEUGEOT-TALBOT Guillemin, à Maulette ☎ (1) 30 59 60 37

HOUDELAINCOURT 55 Meuse 62 ② – 370 h. alt. 299 – ✉ **55130** Gondrecourt-le-Château.
Paris 259 – Bar-le-Duc 39 – ♦Nancy 64 – Neufchâteau 34 – St-Dizier 54 – Toul 41.

XX **Aub. du Père Louis** avec ch, ☎ 29 89 64 14, ⛱ – ⚲wc ☎ Ⓟ. AE Ⓓ E. ✻ ch
fermé 4 au 11 août, 25 déc. au 1er janv., dim. soir et lundi – SC : **R** 66/250 ♁ – ☕ 16 – **9 ch** 90/170 – P 170/220.

HOUILLES 78 Yvelines 55 ⑳, 196 ⑯ – voir à Paris, Environs.

HOULGATE 14510 Calvados 55 ② G. Normandie – 1 784 h. – Casino.
Voir Falaise des Vaches Noires★ au NE – ⛳ Clair Vallon ☎ 31 91 06 97.
Office de Tourisme bd Belges ☎ 31 91 33 09 et r. d'Axbridge (juil.-août) ☎ 31 91 06 28.
Paris 219 – ♦Caen 28 – Deauville-Trouville 15 – Lisieux 30 – Pont-L'Évêque 23.

🏠 **Centre** sans rest, 31 r. Bains ☎ 31 91 18 15, ⛟ – ⛀wc ⚲wc ☎. AE Ⓓ VISA
1er mai-1er oct., vend., sam. et dim. du 1er oct. au 2 janv. et du 20 fév. au 1er mai – SC : ☕ 16 – **22 ch** 70/180.

XX **Ferme du Lieu Marot** 🐌 avec ch, 21 rte Vallée par D 24 ☎ 31 91 19 44, ⛱, « Au milieu des pommiers, jardin » – ⛀wc ⚲wc. VISA
fermé 15 nov. au 15 déc., 10 au 31 janv. et merc. hors sais. – SC : **R** 95/155 – ☕ 18 – **11 ch** 155/245 – P 250/270.

XX **Ferme des Aulnettes** 🐌 avec ch, rte Corniche ☎ 31 91 22 28, ⛱, ⛟ – ⛀wc ⚲ Ⓟ – 🏛 40
fermé du 1er au 25 oct., 1er déc. au 25 mars, lundi soir et mardi hors sais. – SC : **R** 98/182 – ☕ 15,50 – **9 ch** 82/134 – P 165/205.

XX **1900** avec ch, 17 r. Bains ☎ 31 91 07 77 – ⚲wc ☎. AE Ⓓ E VISA. ✻ ch
fermé 12 nov. au 4 déc., lundi soir et mardi hors vacances scolaires – SC : **R** 62/150 – ☕ 15 – **8 ch** 75/160 – P 193/235.

Dupont, ☎ 31 91 53 85

Le HOURDEL 80 Somme 52 ⑥ G. Flandres, Artois, Picardie – ✉ **80410** Cayeux-sur-Mer.
Paris 190 – Abbeville 27 – ♦Amiens 72 – Dieppe 58 – Le Tréport 30.

X **Le Parc aux Huîtres** avec ch, ☎ 22 26 61 20 – AE Ⓓ E VISA
fermé déc. et janv., mardi soir et merc. sauf juil.-août – SC : **R** 60/150 – ☕ 16 – **7 ch** 72/125 – P 165.

HOURTIN 33990 Gironde 71 ⑰ G. Côte de l'Atlantique – 3 598 h. alt. 19.
Office de Tourisme r. des Ecoles (1er juin-15 sept.) ☎ 56 41 65 57.
Paris 555 – Andernos-les-Bains 53 – ♦Bordeaux 62 – Lesparre-Médoc 17 – Pauillac 26.

🏠 **Le Dauphin** Ⓜ, pl. Église ☎ 56 09 11 15, ⛱, ⛱ – ⛀wc ⚲wc ☎. VISA
1er avril-30 oct. – SC : **R** 58/139 ♁ – ☕ 17,50 – **20 ch** 182/216 – P 199/257.

CITROEN Galharret, ☎ 56 41 61 18

HUELGOAT 29218 Finistère 58 ⑥ G. Bretagne (plan) – 2 090 h. alt. 175.
Voir Site★★ – Rochers★★ – Forêt★ – Gouffre★ E : 2 km puis 15 mn – Roche cintrée ≤★ E : 1 km puis 15 mn.
Env. St-Herbot : clôture★★ de l'église★ SO : 7 km.
Office de Tourisme pl. Mairie (juin à sept.) ☎ 98 99 72 32.
Paris 521 – Carhaix-Plouguer 22 – Châteaulin 36 – Landerneau 47 – Morlaix 29 – Quimper 56.

An Triskell sans rest, rte Pleyben ✆ 98 99 71 85, – P
fermé 15 nov. au 15 déc. – SC : 20 – **11 ch** 105/135.

à Locmaria-Berrien-Gare SE : 7 km par D 764 – ✉ **29218** Huelgoat :

XX **Aub de la Truite** avec ch, ✆ **98 99 73 05, ←, Meubles bretons,** – wc P
fermé janv., fév., dim. soir et lundi sauf juil.-août – SC : **R** (dim. prévenir) 115/300, dîner à la carte – 20 – **6 ch** 90/150.

HUEZ 38 Isère **77** ⑥ – rattaché à Alpe d'Huez.

HUNINGUE 68 H.-Rhin **66** ⑩ – rattaché à St-Louis.

HYÈRES 83400 Var **84** ⑮⑯ **G. Côte d'Azur** – 41 739 h. alt. 40.

Voir ←★ **de la place St-Paul** Y **49 – Jardins Olbius Riquier★** V – ←★ **du parc St-Bernard** Y – **Chapelle N.-D. de Consolation★** V **N** : **verrières★,** ←★ **de l'esplanade S : 3 km – Sommet du Fenouillet** ☼★ **NO : 4 km puis 30 mn.**

18 de Valcros ✆ **94 66 81 02 par ① : 16 km.**

✈ **Toulon-Hyères** ✆ **94 57 41 41 SE : 4 km** V.

Office de Tourisme Rotonde J.-Salusse av. Belgique ✆ 94 65 18 55, Télex 400280 et Chalet rte Toulon (15 juin-15 sept.) ✆ 94 65 33 40.

Paris 855 ③ – Aix-en-Provence 99 ③ – Cannes 122 ③ – Draguignan 81 ③ – ♦Toulon 18 ③.

Plans page suivante

Du Portalet sans rest, **4 r. Limans** ✆ **94 65 39 40** – wc wc — Y **r**
SC : 14,50 – **18 ch** 72/173.

Central sans rest, **17 av. J.-Clotis** ✆ **94 65 03 45,** – wc wc . VISA. — YZ **e**
fermé janv. – SC : 16,50 – **16 ch** 129/172.

Mozart sans rest, **26 av. A.-Denis** ✆ **94 65 09 45** – wc — Y **t**
fermé nov. – SC : 17 – **13 ch** 95/175.

XXX **Le Roy Gourmet, 11 r. J.-Ribier** ✆ **94 65 02 11** – . AE E VISA — Z **d**
fermé lundi soir et mardi non fériés hors sais. – SC : **R** 128/275.

XX **Le Tison d'Or, 1 r. Galliéni** ✆ **94 65 01 37** – AE E VISA — Z **a**
fermé dim. soir et lundi – SC : **R** 95.

XX **Le Delfin's, 7 r. Roux-Seigneuret** ✆ **94 65 04 27** – AE E VISA — Y **u**
fermé 15 janv. au 15 fév., dim. soir et merc. soir hors sais. – **R** 75/140.

X **Asia, 28 av. A.-Denis** ✆ **94 65 01 95, Cuisine vietnamienne** – — Y **t**
fermé 1er au 15 août, 1er au 15 mars et merc. – SC : **R** 65/90.

Hyères-Plage SE : 5 km - X – ✉ **83400** Hyères :

Pins d'Argent M , ✆ **94 57 63 60, parc,** – TV wc wc P. AE VISA — X **f**
SC : **R** *(fermé merc. sauf juil.-août)* 120 – 32 – **20 ch** 210/450.

Thalassa M sans rest, ✆ **94 57 24 85** – TV wc P. AE E VISA — X **e**
SC : 22 – **22 ch** 210/249.

à Costebelle S : 3 km - V – ✉ **83400** Hyères :

XX **La Québécoise** (Host. Provençale) avec ch, ✆ **94 57 69 24,** – wc . AE E VISA — V **w**
fermé nov., dim. soir et lundi hors sais. – SC : **R** 140/250 – 25 – **10 ch** 180/250 – P 275/350.

à Ayguade-Ceinturon SE : 4 km - V – ✉ **83400** Hyères :

Reine Jane, au port ✆ **94 66 32 64,** ←, – . E VISA — V **x**
fermé 15 nov. au 1er déc., 5 au 15 janv. et jeudi hors sais. – SC : **R** 75/118 – 23,50 – **15 ch** 95/214 – P 441/560 (pour 2 pers.).

X **Le Mérou** avec ch, bd Marine ✆ **94 66 41 81,** – P — V **p**
fermé 1er janv. au 15 fév. et vend. – SC : **R** 58/115 – **8 ch** 106.

sur N 98 par ① : 6 km – ✉ **83400** Hyères :

XX **Vieille Aub. St-Nicolas** avec ch, ✆ **94 66 40 01,** – TV wc P – 50
fermé 2 janv. au 1er fév. – **R** *(fermé dim. soir et lundi hors sais.)* carte 130 à 195 – 24 – **11 ch** 115/215.

à l'Almanarre S : 6 km - X – ✉ **83400** Hyères :

Port-Hélène sans rest, ✆ **94 57 72 01,** ← – cuisinette wc P. VISA — X **b**
SC : 13,50 – **12 ch** 90/195.

Voir aussi ressources hôtelières de *Giens* S : 12 km (X)

ALFA-ROMEO Rivarel 58 av. Gambetta ✆ 94 65 16 96
FORD Gar. d'Azur, Lot. Picon, rte Moutonne ✆ 94 57 47 67
PEUGEOT-TALBOT Gar. Ortelli, Quartier Gare, chemin de la Villette ✆ 94 57 69 16
RENAULT SERMA, 1 r. du Soldat-Ferrari ✆ 94 65 33 05

Pasero-Pneus, Pont de la Vilette ✆ 94 57 69 44 et 26 bd L.-Bourgeois ✆ 94 41 30 01
Pneu-Leca, av. G.-St-Hilaire ✆ 94 57 56 10

HYÈRES GIENS

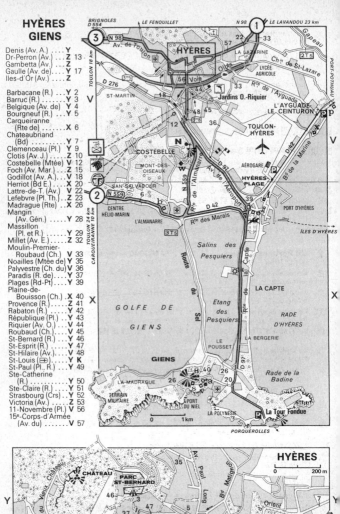

Denis (Av. A.) .... Y
Dr-Perron (Av.) ... Z 13
Gambetta (Av.) ... Z
Gaulle (Av. de).... Y 17
Iles-d'Or (Av.) .... Z

Barbacane (R.) ... Y 2
Barruc (R.) .... Y 3
Belgique (Av. de) Y 4
Bourgneuf (R.) ... Y 5
Carqueiranne (Rte de) .... X 6
Chateaubriand (Bd) .... Y 7
Clemenceau (Pl.) Y 9
Clotis (Av. J.) ..... Z 10
Costebelle (Mtée) V 12
Foch (Av. Mar.) ... Z 15
Godillot (Av. A.)... V 18
Herriot (Bd E.) ..... X 20
Lattre-de-T. (Av.) V 22
Lefebvre (Pl. Th.) .. Z 23
Madrague (Rte) .. X 26
Mangin (Av. Gén.) ..... Y 28
Massillon (Pl. et R.) ...... Y 29
Millet (Av. E.) ..... Z 32
Moulin-Premier-Roubaud (Ch.) V 33
Noailles (Mtée de) Y 35
Palyvestre (Ch. du) V 36
Paradis (R. de).... Y 37
Plages (Rd-Pt) .... Y 39
Plaine-de-Bouisson (Ch.) . X 40
Provence (R.) ..... Z 41
Rabaton (R.) ...... Y 42
République (Pl.) .. Y 43
Riquier (Av. O.) ... V 44
Roubaud (Ch.) .... V 45
St-Bernard (R.) ... Y 46
St-Esprit (R.) ...... Y 47
St-Hilaire (Av.) .... V 48
St-Louis (⊕) ...... Y K
St-Paul (Pl., R.) .... Y 49
Ste-Catherine (R.) .... Y 50
Ste-Claire (R.) ..... Y 51
Strasbourg (Crs) .. Y 52
Victoria (Av.) ...... Z 53
11-Novembre (Pl.) V 56
15e-Corps-d'Armée (Av. du) .... V 57

BRIGNOLES D 554
LE FENOUILLET
N 98
LE LAVANDOU 23 km
TOULON 18 km
HYÈRES
LA LAZARINE
Ch.in de St-Lazare
LYCÉE AGRICOLE
Rte de l'Ayguade
PORT-POTHUAU
D 276
ST-MARTIN
Jardins O.-Riquier
L'AYGUADE-LE CEINTURON
COSTEBELLE
MONT-DES-OISEAUX
TOULON-HYÈRES
AÉROGARE
HYÈRES-PLAGE
SAN SALVADOUR
N 559
Bd de la Marine
CENTRE HÉLIO-MARIN
L'ALMANARRE
Rte des Marais
D 42
PORT D'HYÈRES
ÎLES D'HYÈRES
TOULON 24 km
CARQUEIRANNE 10 km
Salins des Pesquiers
Route du Sel
Rte de la Capte
LA CAPTE
GOLFE DE GIENS
Etang des Pesquiers
RADE D'HYÈRES
LE POUSSET
LA BERGERIE
GIENS
D 97
Rade de la Badine
LA MADRAGUE
TERRAIN MILITAIRE
PORT DU NIEL
LA POLYNÉSIE
La Tour Fondue
0 1 km
PORQUEROLLES

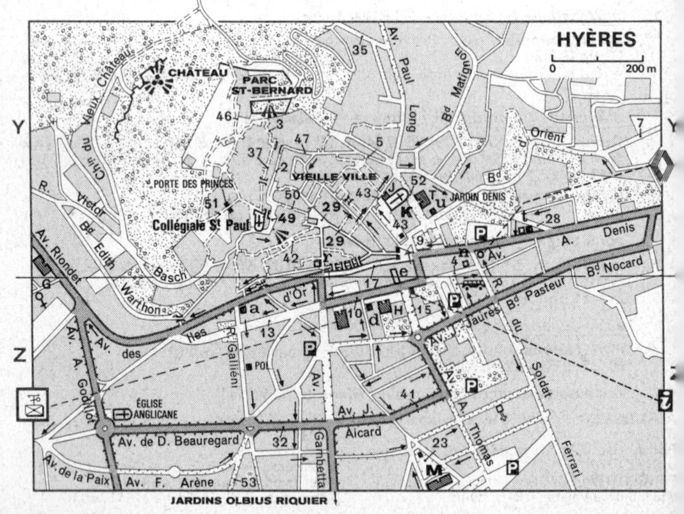

HYÈRES (Iles d') ★★★ 83 Var 84 ⑯⑰ – voir à Porquerolles et à Port-Cros.

HYÈVRE-PAROISSE 25 Doubs 66 ⑰ – rattaché à Baume-les-Dames.

IBARRON 64 Pyr.-Atl. 85 ② – rattaché à St-Pée-sur-Nivelle.

IGÉ 71 S.-et-L. 70 ⑪ – 669 h. alt. 264 – ✉ **71960** Pierreclos.
Paris 393 – Cluny 11 – Mâcon 14 – Tournus 30.

Château d'Igé, ✆ 85 33 33 99, Télex 351915, – ☎ Ⓟ. AE ⓓ E VISA. rest
15 mars-5 nov. et week-ends du 5 fév. au 15 mars – SC : **R** 180 dîner à la carte – 45 – **14 ch** 260/450, 4 appartements 750.

ILAY 39 Jura 70 ⑮ – alt. 777 – ✉ **39150** St-Laurent-en-Grandvaux.
Paris 429 – Champagnole 20 – Lons-le-Saunier 37 – Morez 22 – St-Claude 38.

Aub. du Hérisson, Carrefour D 75-D 39 ✆ 84 25 58 18, – Ⓟ.
15 mars-15 oct. et fermé merc. hors sais. – SC : **R** 63/145 – 16,50 – **14 ch** 83/154 – P 155/210.

ILBARRITZ 64 Pyr.-Atl. 78 ⑪⑱ – rattaché à Bidart.

ILE voir au nom propre de l'Ile.

ILLHAEUSERN 68 H.-Rhin 62 ⑲ – 557 h. alt. 176 – ✉ **68150** Ribeauvillé.
Paris 442 – Artzenheim 15 – Colmar 17 – St-Dié 51 – Sélestat 13 – ♦Strasbourg 60.

La Clairière M sans rest, rte Guémar ✆ 89 71 80 80, – TV ☎ Ⓟ
fermé janv., fév. et lundi soir en nov., déc. et mars – SC : 30 – **24 ch** 270/400.

XXXXX ✿✿✿ **Aub de l'Ill** (Haeberlin), ✆ 89 71 83 23, « Élégante installation au bord de l'Ill, ← jardins fleuris » – Ⓟ. AE ⓓ
fermé 30 juin au 10 juil., 2 fév. au 2 mars, lundi (sauf le midi en été) et mardi – **R** (prévenir) carte 235 à 305
Spéc. Salade de joues de porc au foie d'oie, Suprême de sandre piqué de saumon fumé, Filet de chevreuil aux champignons des bois (juin à janv.). **Vins** Riesling, Sylvaner.

ILLIERS-COMBRAY 28120 E.-et-L. 60 ⑰ **G. Châteaux de la Loire** – 3 453 h. alt. 162.
Paris 114 – Brou 13 – Châteaudun 29 – Chartres 25 – ♦Le Mans 95 – Nogent-le-Rotrou 35.

Moulin de Montjouvin, SO : 2 km rte Brou ✆ 37 24 32 32, – wc ☎ Ⓟ – 50 à 200. ⓓ E
fermé 20 déc. au 20 janv., 28 juil. au 10 août et merc. – SC : **R** 58/200 – 18 – **19 ch** 160/200 – P 270.

RENAULT Gar. Thomas, ✆ 37 24 33 33 N ✆ 37 21 94 39

ILLIERS-L'ÉVÊQUE 27770 Eure 60 ⑦ – 617 h. alt. 133.
Paris 95 – Dreux 14 – Évreux 30 – Nonancourt 9 – Verneuil-sur-Avre 30 – Vernon 44.

Aub. de la Lisière Normande, ✆ 37 48 11 05, – wc
SC : **R** *(fermé dim. soir et lundi)* 59/148 – 23 – **10 ch** 73/153 – P 180/240.

ILLKIRCH-GRAFFENSTADEN 67 B.-Rhin 62 ⑩ – rattaché à Strasbourg.

IMPHY 58160 Nièvre 69 ④ – 4 930 h. alt. 184.
Paris 251 – Château-Chinon 64 – Decize 23 – La Machine 23 – Nevers 11 – St-Pierre-le-Moutier 22.

XX **Château de Marigny,** N : 1,5 km sur N 81 ✆ 86 68 71 87, – Ⓟ. VISA
fermé 7 janv. au 4 fév., 5 au 19 août et lundi – SC : **R** (déj. seul.) 63/135.

CITROEN Imphy-Auto, RN81 à Sauvigny-les-Bois ✆ 86 68 74 86
PEUGEOT-TALBOT Gar. Jarno, 4 r. Paul Vaillant Couturier ✆ 86 68 73 45
RENAULT Gge Bruhat, 95 r. Paul Vaillant Couturier, ✆ 86 68 74 85

IMSTHAL 67 B.-Rhin 57 ⑰⑱ – rattaché à La Petite-Pierre.

INGERSHEIM 68 H.-Rhin 87 ⑰ – rattaché à Colmar.

INGRANDES 49 M.-et-L. 63 ⑲ **G. Châteaux de la Loire** – 1 450 h. alt. 19 – ✉ **49170** St-Georges-s.-Loire.
Voir S : Route★ de Montjean-sur-Loire à St-Florent-le-Vieil (D 210).
Office de Tourisme à la Mairie ✆ 41 39 20 21.
Paris 321 – Ancenis 21 – Angers 32 – Châteaubriant 55 – Château-Gontier 58 – Cholet 48.

XX **Chez Baudouin,** au pont rive gauche ✉ 49410 St-Florent-le-Vieil ✆ 41 39 20 25, ← – Ⓟ
fermé dim. soir – SC : **R** 64/127.

INNENHEIM 67 B.-Rhin 62 ⑨ – 862 h. alt. 150 – ✉ **67880** Krautergersheim.
Paris 486 – Molsheim 11 – Obernai 10 – Sélestat 30 – •Strasbourg 20.

Au Cep de Vigne, N 422 ℘ 88 95 75 45, ⛰ – |‡| ⊟wc ⋒wc ☎ ♿ Ⓟ – 🏟 100. E VISA. ⚘
fermé 15 au 28 fév. et lundi – SC : **R** 72/145 🍷 – ☕ 16,50 – **25 ch** 140/187 – P 165/205.

INOR 55 Meuse 56 ⑩ – 214 h. alt. 175 – ✉ **55700** Stenay.
Paris 249 – Carignan 17 – Longwy 64 – Sedan 27 – Verdun 53.

Faisan Doré Ⓜ, ℘ 29 80 35 45, ⛰ – |‡| ⊟wc ☎ Ⓟ. E VISA. ⚘ ch
fermé vend. du 1er oct. au 30 avril – SC : **R** 38/155 🍷 – ☕ 17,50 – **13 ch** 155/180 – P 200.

CITROEN Champeaux, à Stenay ℘ 29 80 31 19 FORD Gar. Tribut, à Stenay ℘ 29 80 31 13

L'ISERAN (Col de) 73 Savoie 74 ⑲ **G. Alpes** – alt. 2 770 – ✉ **73150** Val-d'Isère.
Voir ⋞★ – Belvédère de la Tarentaise ☀★★ NO : 3,5 km puis 15 mn – Belvédère de la Maurienne ⋞★ S : 3,5 km.
Paris 672 – Bonneval-sur-Arc 14 – Chambéry 148 – Lanslebourg-Mont-Cenis 33 – Val d'Isère 16.

ISIGNY-SUR-MER 14230 Calvados 54 ⑬ **G. Normandie** – 3 159 h. alt. 4.
Paris 299 – Bayeux 31 – •Caen 59 – Carentan 11 – Cherbourg 61 – St-Lô 28.

France, 17 r. E.-Demagny ℘ 31 22 00 33 – cuisinette ⊟wc ⋒wc ☎ ♿ Ⓟ – 🏟 25. AE ⓓ VISA
15 fév.-15 nov. et fermé vend. hors sais. sauf fêtes – SC : **R** 52/102 🍷 – ☕ 20 – **19 ch** 110/215 – P 220/266.

Commerce, 5 r. E.-Demagny ℘ 31 22 01 44 – Ⓟ
fermé fév., dim. soir et lundi (sauf saison et fériés) – SC : **R** 50/91 – ☕ 15 – **10 ch** 65/115 – P 150/177.

PEUGEOT Etasse, ℘ 31 22 02 52 RENAULT Isigny Gar., ℘ 31 22 02 33 N

L'ISLE-ADAM 95290 Val-d'Oise 55 ⑳, 196 ⑥ **G. Environs de Paris** – 9 479 h. alt. 36.
Voir Chaire★ de l'église St-Martin.
ℹ Office de Tourisme 1 av. Paris ℘ (1) 34 69 09 76.
Paris 39 ② – Beauvais 42 ① – Chantilly 23 ① – Pontoise 13 ③ – Taverny 11 ③.

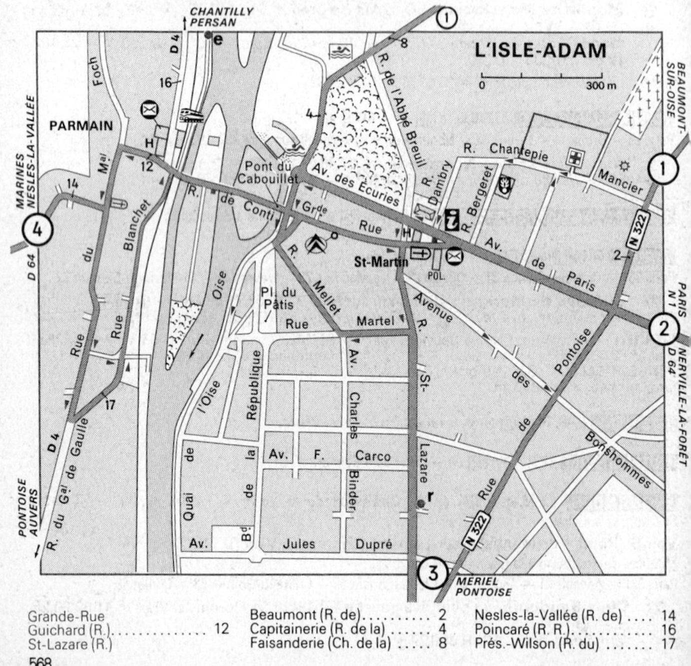

✕ **Relais Fleuri,** 61 bis r. St-Lazare **(r)** ☎ (1) 34 69 01 85, terrasse, jardin – VISA
fermé 15 au 31 août, 12 au 30 janv., lundi soir et mardi – SC : **R** 62/134.

à Parmain : 2 km – 4 561 h. – ✉ **95620** Parmain :

✕ **Aub. de Jouy,** chemin de Halage **(e)** ☎ (1) 34 73 03 42, ≤, terrasse – Ⓟ. VISA
fermé 10 au 25 sept., 17 au 30 déc., merc. soir et jeudi – SC : **R** 119.

CITROEN Crocqfer, 6 Gde-Rue ☎ (1) 34 69 00 01
FORD Hauviller, 59 et 61 r. St-Lazare ☎ (1) 34 69 00 91
PEUGEOT-TALBOT Pétillon, 12 r. de Beaumont par ① ☎ (1) 34 69 01 13
RENAULT Gar. Ile de France 60 av. de Paris par ② ☎ (1) 34 69 05 66

L'ISLE-D'ABEAU **38** Isère **74** ⑬ – rattaché à Bourgoin-Jallieu.

ISLE-DE-NOÉ **32** Gers **82** ④ – 564 h. alt. 137 – ✉ **32300** Mirande.

Paris 718 – Auch 21 – Condom 44 – Tarbes 57.

✕ **Aub. de Gascogne** avec ch, ☎ **62 64 17 05.** ✗chiens
◆ *fermé 5 nov. au 5 déc. et merc.* – SC : **R** 45/135 ₰ – ☕ 14,50 – **7 ch** 70/130.

L'ISLE-JOURDAIN **32600** Gers **82** ⑥⑦ – 4 365 h. alt. 150.

Paris 708 – Auch 43 – Montauban 57 – ♦Toulouse 35.

🏨 **Host. du Lac** Ⓜ, O : 1 km sur N 124 ☎ **62 07 03 91,** ≤, terrasse, jardin – 🛁wc 🚿 ☎ Ⓟ
◆ – 🏛 30. VISA
fermé 1er au 31 janv. et lundi du 1er oct. au 31 mai – SC : **R** 50/180 – ☕ 20 – **28 ch** 160/200 – P 270/320.

CITROEN Gar. de l'Esplanade, ☎ 62 07 02 57
PEUGEOT-TALBOT Rigal, ☎ 62 07 03 16 Ⓝ ☎ 62 07 05 58
RENAULT Gar. Gascogne-Sce ☎ 62 07 13 07

L'ISLE-JOURDAIN **86150** Vienne **72** ⑤ **G. Côte de l'Atlantique** – 1 355 h. alt. 135.

Paris 375 – Bellac 37 – Confolens 26 – Montmorillon 32 – Poitiers 56 – Ruffec 53.

🏠 **Paix,** ☎ **49 48 70 38** – 🚿 Ⓟ. E VISA
◆ SC : **R** *(fermé vend. soir)* 36/83 ₰ – ☕ 12,50 – **12 ch** 60/98 – P 115.

CITROEN Gar. Foussier, ☎ 49 48 88 24 Ⓝ ☎ 49 48 74 20
PEUGEOT-TALBOT Rigaud, ☎ 49 48 70 37 Ⓝ
RENAULT Perrin, ☎ 49 48 70 22 Ⓝ

L'ISLE-SUR-LA-SORGUE **84800** Vaucluse **81** ⑫⑬ **G. Provence** (plan) – 13 205 h. alt. 59.

Voir Décoration intérieure★ de l'église – Église★ du Thor O : 5 km.

ℹ Office de Tourisme pl. Église ☎ 90 38 04 78.

Paris 697 – Apt 32 – Avignon 23 – Carpentras 17 – Cavaillon 10 – Orange 41.

🏨 **Les Névons** Ⓜ ⛰ sans rest., ☎ **90 20 72 00,** piscine, jardin – 🛗 ▤ 🛁wc 🚿wc ☎ ♿ 🚗 Ⓟ – 🏛 30. VISA. ✗chiens
fermé 16 déc. au 15 janv. – SC : ☕ 20 – **26 ch** 180/240.

à l'Est : 4 km sur D 25 (rte Fontaine-de-Vaucluse) – ✉ **84800** L'Isle-sur-la-Sorgue :

✕✕ **Rascasse d'Argent,** ☎ 90 20 33 52 – Ⓟ
◆ *fermé déc., lundi et mardi* – SC : **R** 50/126.

au Nord 6 km sur D 938 – ✉ **84740** Velleron :

🏨 **Host. La Grangette,** ☎ **90 20 00 77,** ⛰ dans la campagne, ≤, parc, terrasse, piscine, tennis – 📺 🛁wc 🚿wc ☎ Ⓟ – 🏛 30. AE ⓓ VISA
SC : **R** 120/260 – ☕ 35 – **17 ch** 250/400 – P 840/890 (pour 2 pers.).

CITROEN Roquebrune, rte d'Apt ☎ 90 38 18 48 Ⓝ
PEUGEOT-TALBOT Éts Joly, rte de Carpentras ☎ 90 20 62 85
PEUGEOT-TALBOT Gar. Manni, Quai de la Charité ☎ 90 38 00 97
RENAULT Gar. de la Sorgue, 9 av. 4-Otages ☎ 90 38 00 41
Ⓜ Magnan-Pneus, Zone Ind., rte du Thor ☎ 90 38 00 89

ISOLA 2000 **06** Alpes-Mar. **81** ⑩, **195** ⑤ – alt. 2 000 – Sports d'hiver : 2 000/2 610 m 🚡1 ⛷21 – ✉ **06420** St-Sauveur-s.-Tinée.

Voir Vallon de Chastillon★ O, **G. Côte d'Azur.**

ℹ Office de Tourisme ☎ 93 23 10 50, Télex 461666.

Paris 828 – Barcelonnette 92 – ♦Nice 94 – St-Martin-Vésubie 60.

🏨 **Le Chastillon** Ⓜ ⛰, ☎ **93 23 10 60, Télex 970507,** ≤ – 🛗 📺 ☎ 🚗 – 🏛 150. AE ⓓ E VISA. ✗ rest
15 déc.-20 avril – SC : **R** 80/120 – ☕ 30 – **51 ch** 300/350 – P 660.

🏨 **Pas du Loup** Ⓜ ⛰, galerie marchande ☎ **93 23 11 71, Télex 970507,** ≤, terrasse – 🛗 📺 🛁wc ☎ Ⓟ. AE ⓓ E VISA. ✗ rest
15 déc.-20 avril – SC : **R** 70/120 – ☕ 30 – **97 ch** 235/335 – ½ p 455.

ISPAGNAC 48400 Lozère 80 ⑥ **G. Causses** – 601 h alt. 518.

Paris 606 – Florac 9,5 – Mende 35 – Millau 73.

Le Vallon, ✆ 66 44 21 24 – wc wc ☎ P
SC : **R** 40/90 – ☕ 14 – **15 ch** 110/130 – P 160/250.

ISPES 40 Landes 78 ⑬ – rattaché à Biscarosse.

Les ISSAMBRES 83380 Var 84 ⑱

Paris 881 – Draguignan 39 – St-Raphaël 13 – Ste-Maxime 10 – Toulon 83.

à San-Peire-sur-Mer – ✉ 83380 Les Issambres :

Provençal, ✆ 94 96 90 49, ≤, – wc ☎ P. VISA
Pâques-oct. – SC : **R** 100/200 – ☕ 23 – **28 ch** 188/260.

au Parc des Issambres – ✉ 83380 Les Issambres :

Quiétude, ✆ 94 96 94 34, ≤, – wc wc ☎ P. E
fév.-15 oct. – SC : **R** 60/90 – ☕ 20 – **20 ch** 130/185 – P 228/255.

Pointe des Issambres – ✉ 83380 Les Issambres :

La Réserve avec ch, ✆ 94 96 90 41, ≤, – ch wc P. VISA
1er avril-1er oct. – SC : **R** 110/230 – ☕ 22 – **6 ch** 175/250.

à la Calanque des Issambres – ✉ 83380 Les Issambres :

La Cigale avec ch, ✆ 94 96 91 15, ≤ mer, – wc wc P. VISA
Pâques-fin sept. – SC : **R** 142 – **7 ch**, (1/2 pens. seul.) – 1/2 p 264/309.

à La Gaillarde – ✉ 83606 Fréjus :

Host. Caravelle sans rest, ✆ 94 81 24 03, ≤, – wc ☎ P.
22 mars-19 oct. – SC : ☕ 21 – **10 ch** 216/280.

En mars 1987, ce guide ne sera plus valable. Achetez le guide de l'année !

ISSOIRE SP 63500 P.-de-D. 73 ⑭⑮ **G. Auvergne** – 15 383 h. alt. 386.

Voir Église St-Austremoine** : chevet** **B**.

Office de Tourisme à la Mairie ✆ 73 89 03 54 et pl. d'Espagne (15 juin-31 août) ✆ 73 89 15 90.

Paris 421 ① – Aurillac 127 ③ – •Clermont-Ferrand 37 ① – •Lyon 191 ① – Millau 212 ③ – Le Puy 93 ③ – Rodez 186 ③ – •St-Étienne 162 ① – Thiers 56 ① – Tulle 175 ④ – Vichy 86 ①.

Le Pariou, 18 av. Kennedy **(e)** ✆ 73 89 22 11, – wc wc ☎ P – 25. E VISA. rest
fermé 22 sept. au 15 oct., 20 déc. au 6 janv. et hôtel sam. et dim. sauf juil.-août – SC : **R** *(fermé dim. sauf le soir en juil.-août et sam.)* 45/87 – ☕ 15 – **29 ch** 74/148.

Floride sans rest, rte Solignat S : 1 km par D 32 ✆ 73 89 04 25 – TV wc ☎ P. VISA
fermé 15 déc. au 15 janv. et lundi – SC : ☕ 14 – **17 ch** 126/145.

Terminus sans rest., 15 av. Gare **(n)** ✆ 73 89 22 34 – wc ☎
fermé vacances de Noël, 27 avril au 20 mai et dim. du 1er oct. au 30 juin – SC : ☕ 13,50 – **15 ch** 90/140.

Tourisme sans rest, 13 av. Gare **(n)** ✆ 73 89 23 68 – ☎.
fermé oct. – SC : ☕ 13 – **13 ch** 87/121.

Le Relais, 1 av. Gare **(a)** ✆ 73 89 16 61 – AE VISA.
fermé 15 au 30 oct., dim. soir et lundi d'oct. à juin – SC : **R** 45/120 .

Berbiziale (R.) . 2
Châteaudun (R. de) 5
Gambetta (R.) . 8
Pont (R. du) . . 10
Ponteil (R. du) . 12
République (Place de la) 13
Buisson (Bd A.) 3
Cibrand (Bd J) 6
Manlière (Bd) 9
S.-Préfecture (Bd de la) . . 15
Triozon-Bayle (Bd) 16

à Parentignat par ② : 4 km – ✉ 63500 Issoire.

Voir Château*.

Tourette , ✆ 73 55 01 78, – wc wc ☎ P – 25. E VISA. ch
fermé vacances de nov., 20 déc. au 4 janv., vacances de fév., vend. soir et sam. sauf du 1er juil. au 20 sept. – SC : **R** 54/149 – ☕ 16 – **31 ch** 105/168 – P 182/205.

au Broc par ③ : 5 km – ✉ **63500** Issoire :

✕ **Host. les Vigneaux** avec ch, N 9 ✆ **73 89 10 90**, ≤, ⛱ – ⌂wc Ⓟ. E VISA
fermé dim. soir et lundi – SC : **R** 60/120 – ☕ 15 – **7 ch** 112/124.

à Sarpoil par ②, D 996 et D 999 : 11 km – ✉ **63490** Sauxillanges :

✕✕ ✿ **La Bergerie** (Bath), ✆ **73 71 02 54**, ⚘ – Ⓟ
fermé janv., fév., 16 au 22 juin, 1er au 7 sept., dim. soir et merc. – SC : **R** (diner prévenir) carte 170 à 270
Spéc. Foie gras poêlé, Omble chevalier du lac Pavin (oct. à déc.), Symphonie de desserts. **Vins** Châteaugay.

CITROEN Arverne-Autom., rte Clermont par ① ✆ 73 55 07 07
FORD Guidat, 49 Rte de St Germain ✆ 73 89 16 51
PEUGEOT-TALBOT Gar. Morette, 66 av. Kennedy ✆ 73 55 02 44
RENAULT S.I.C.R.A., rte de Clermont par ① ✆ 73 89 22 56

V.A.G. Issoire-Autos, rte de St-Germain-Lembron ✆ 73 89 23 08

Ⓜ Estager-Pneu, 33 bd Triozon-Bayle ✆ 73 89 18 39 et 63 bd Kennedy ✆ 73 89 18 83

ISSONCOURT **55 Meuse** 56 ⑳ – **63 h. alt. 276** – ✉ **55220 Souilly.**
Paris 264 – Bar-le-Duc 28 – St-Mihiel 29 – Verdun 24.

✕ **Relais de la Voie Sacrée** avec ch, N 35 ✆ **29 70 70 46** – ⌂wc ☎ Ⓟ. E VISA
fermé 22 déc. au 26 janv., dim. soir de nov. à mars et lundi soir – SC : **R** 60/190 ♁ – ☕ 16 – **7 ch** 110/150 – P 210/230.

ISSOUDUN ◁SP▷ **36100 Indre** 68 ⑨ **G. Périgord** – **15 166 h. alt. 129.**
Voir Musée St-Roch : arbre de Jessé★ dans la chapelle et apothicairerie★ M.
ℹ Office de Tourisme pl. St Cyr ✆ 54 21 74 57 et à l'Hôtel de Ville ✆ 54 21 74 02.
Paris 246 ① – Bourges 38 ② – Châteauroux 29 ⑤ – ♦Tours 125 ① – Vierzon 34 ①.

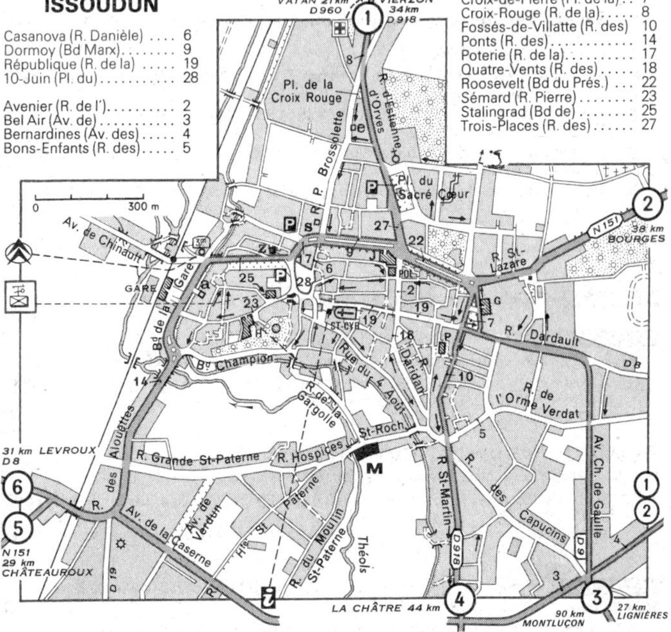

🏨 **France et rest. Les Trois Rois,** 3 r. P.-Brossolette **(s)** ✆ **54 21 00 65**, **Télex 751422**, ⛱ – 📺 ⌂wc ⌂wc ☎ ♿ Ⓟ. AE ⓓ E VISA
fermé 21 janv. au 1er mars – SC : **R** *(fermé sam. du 15 nov. au 15 mars)* 50/300 – ☕ 29 – **24 ch** 180/250 – P 320/400.

tourner →

Berry sans rest, 88 r. P.-Brossolette **(e)** 54 21 20 51 – . VISA
fermé vacances de fév. et dim. soir hors sais. – SC : 23 – **16 ch** 80/140.

Gare, 7 bd Gare **(a)** 54 21 11 59 – . E VISA
fermé 6 au 13 avril, 24 au 31 août, 18 déc. au 2 janv. et dim. – SC : **R** 56/125 – 15 – **18 ch** 71/125 – P 155/165.

XXX **Aub. de la Cognette** (Nonnet) (ch. prévues en juin), **bd Stalingrad (z)** 54 21 21 83 – AE E VISA
fermé 18 août au 10 sept., 5 au 23 janv., dim. soir et lundi sauf fériés – **R** (prévenir) 130/330
Spéc. Turban d'écrevisses (juil. à janv.), Foie de veau au miel et citron. **Vins** Bourgueil, Reuilly.

à Diou par ① : 12 km – **36260** Reuilly :

XX **L'Aubergeade,** rte Issoudun 54 49 22 28, parc, – . E VISA
fermé 18 août au 3 sept., 22 déc. au 5 janv., merc. soir et dim. soir – SC : **R** carte 115 à 170.

CITROEN Gar. Lexteriat, 38 bd de Stalingrad 54 21 02 28
OPEL-GM Poy J., 79 r. des Alouettes 54 21 23 53
PEUGEOT-TALBOT Gar. Lamy, Rte de Châteauroux à St-Aoustrille par ⑤ 54 21 03 24
RENAULT Cousin, rte de Bourges N 151 par ② 54 21 06 92
Central-Pneu, rte Bourges N 151 54 21 02 68
Giraud, 38 av. Chinault 54 21 27 33

ISSY-L'ÉVÊQUE 71760 S.-et-L. 69 ⑯ – 1 062 h. alt. 325.

Paris 742 – Autun 46 – Bourbon-Lancy 23 – Gueugnon 16 – Montceau-les-Mines 39.

X **Voyageurs** avec ch, 85 89 85 35 – . E
fermé 1er au 18 juil. et lundi – SC : **R** 38/85 – 10,50 – **8 ch** 65/85 – P 130/140.

ISTRES 13800 B.-du-R. 84 ① G. Provence – 30 360 h. alt. 8.

Office de Tourisme 30 allées J.-Jaurès 42 55 50 00.

Paris 742 – Arles 41 – ♦Marseille 57 – Martigues 15 – St-Rémy-de-P. 39 – Salon-de-Provence 20.

Le Castellan M sans rest, pl. Ste-Catherine 42 55 13 09 – wc .
SC : 15 – **17 ch** 115/140.

Aystria-Tartugues M sans rest, chemin de Tartugues 42 56 44 55 – wc .
16,50 – **10 ch** 140/190.

Baumes M sans rest, rte Pierre du Pebro 42 55 02 63 – wc wc .
SC : 15 – **10 ch** 116/131.

Peyreguet sans rest, bd J.J. Prat 42 55 04 52 – wc . E
SC : 15,50 – **25 ch** 80/120.

Escale sans rest, bd Ed. Guizonnier 42 55 01 88, – wc wc . VISA
SC : 17 – **20 ch** 85/135.

XX **St-Martin,** Port des Heures Claires, SE : 3 km 42 56 07 12, – .
fermé du 1er au 15 oct., vacances de fév., mardi soir et merc. hors sais. – SC : **R** 125/160.

CITROEN Gar. Clavel, bd J.-J.-Prat 42 55 00 65
Morcel, 12 ch. de Tivoli 42 56 34 46

ITTENHEIM 67 B.-Rhin 62 ⑨ – rattaché à Strasbourg.

ITTERSWILLER 67 B.-Rhin 62 ⑨ – 262 h. alt. 250 – 67140 Barr.

Paris 432 – Erstein 24 – Mittelbergheim 4 – Molsheim 24 – Sélestat 14 – ♦Strasbourg 41 – Villé 13.

Arnold M , 88 85 51 58, Télex 870550, <, – TV – 60. AE VISA.
ch – SC : **R** Winstub Arnold *(fermé dim. soir hors sais. et lundi)* 95/185 – 26 – **27 ch** 250/325 – P 350/390.

ITTEVILLE 91760 Essonne 61 ①, 196 ㊸ – 3 546 h. alt. 60.

Paris 48 – Arpajon 12 – Corbeil-Essonnes 19 – Étampes 19 – Melun 33.

XX **Aub. de l'Épine,** N : 3 km, au domaine de l'Épine (29 r. Gén.-Leclerc) (1) 64 93 10 75, –
fermé 5 août au 5 sept., 1er au 20 fév., lundi soir, mardi soir et merc. – SC : **R** 100/150.

ITXASSOU 64 Pyr.-Atl. 85 ③ G. Pyrénées – 1 297 h. alt. 39 – 64250 Cambo-les-Bains.

Voir Église★.

Paris 793 – Bayonne 24 – Cambo-les-B. 4,5 – Pau 118 – St-Jean-de-Luz 32 – St-Jean-Pied-de-Port 31.

Chêne , 59 29 75 01, <, , – wc
fermé 15 janv. au 15 fév. et mardi sauf juil.-août – SC : **R** 55/115 – 16 – **16 ch** 120/140 – P 195/250.

Fronton, 59 29 75 10, – wc wc . VISA. ch
fermé 1er janv. au 15 fév. et mardi hors sais. – SC : **R** 45/150 – 16,50 – **15 ch** 108/165 – P 150/190.

IVRY-LA-BATAILLE **27540** Eure 55 ⑰, 196 ⑬ **G. Normandie** – 2 065 h. alt. 64.
Paris 82 – Anet 7,5 – Dreux 24 – Évreux 35 – Mantes-la-Jolie 24 – Pacy-sur-Eure 17.

Gd St-Martin, 9 r. d'Ezy ✆ 32 36 41 39 – wc ⋒ ☎. VISA. ✻ ch
fermé janv., dim. soir et lundi sauf fériés – SC : **R** 87/240 – ☕ 20 – **10 ch** 120/250 – P 260/380.

XXX ✿ **Moulin d'Ivry,** 10 r. Henri-IV ✆ 32 36 40 51, ←, ⛱, « Jardin et terrasse au bord de l'Eure » – Ⓟ. AE VISA
fermé fév., le soir (sauf vend. et sam.) d'oct. à janv., dim. soir et lundi – SC : **R** 130/200
Spéc. Foie gras frais de canard, Ris de veau aux écrevisses (juil à janv.), Aiguillette de canard au cidre.

IZERNORE **01580** Ain 74 ④ – 975 h. alt. 470.
Paris 453 – Bourg-en-Bresse 39 – ♦Lyon 96 – Nantua 9,5 – Oyonnax 15.

Michaillard, ✆ 74 76 96 46 – wc ⋒ ☎ 🚗 Ⓟ. ✻ ch
fermé 1er au 15 sept. – SC : **R** 48/100 🍷 – ☕ 15 – **12 ch** 70/160 – P 140/180.

IZIER **21** Côte-d'Or 66 ⑫ – rattaché à Genlis.

IZOARD (Col d') **05** H.-Alpes 77 ⑱ **G. Alpes** – alt. 2 360.
Voir Belvédères ✳ 15 mn – Casse Déserte** S : 2 km.**
Paris 700 – Briançon 22.

JALLAIS **49510** M.-et-L. 67 ⑥ – 3 167 h. alt. 95.
Paris 339 – Ancenis 38 – Angers 50 – Cholet 17 – ♦Nantes 58 – Saumur 67.

Vert Galant, 1 r. J.-de-Saymond ✆ 41 64 20 22 – wc ⋒wc ☎. AE E VISA. ✻ ch
fermé 20 déc. au 5 janv. – SC : **R** 55/172 🍷 – ☕ 15 – **16 ch** 70/157.

La JALOUSIE **14** Calvados 55 ⑫ – rattaché à Caen.

JANZÉ **35150** I.-et-V. 63 ⑦ – 4 507 h. alt. 85.
Paris 336 – Châteaubriant 32 – Laval 63 – Redon 64 – ♦Rennes 25 – Vitré 30.

X **Lion d'Or,** 30 r. A.-Briand ✆ 99 47 03 21 – ⓓ E VISA
fermé 2 au 16 sept., vacances de fév., dim. soir et lundi – SC : **R** 45/115 🍷.

RENAULT Gar. Brunet, ✆ 99 47 03 05

JARCY **91** Essonne 61 ①, 196 ㉘ – voir à Varennes-Jarcy.

JARGEAU **45150** Loiret 64 ⑩ – 3 389 h. alt. 108.
Golf Club du Val de Loire ✆ 38 59 25 15 NO : 3 km.
Office de Tourisme (15 juin-15 sept.) ✆ 38 59 83 42.
Paris 121 – Châteauneuf-sur-Loire 8 – ♦Orléans 19 – Pithiviers 38 – Romorantin-Lanthenay 70.

Cygne, à St-Denis-de-l'Hôtel N : 1 km ✉ 45550 St-Denis-de-L'Hôtel ✆ 38 59 02 43 – wc ⋒ ☎ Ⓟ. E VISA
SC : **R** *(fermé vend. soir de sept. à juin)* 38/91 – ☕ 13,50 – **12 ch** 63/120.

FORD Perronnet, ✆ 38 59 71 55 N

PEUGEOT-TALBOT Mousset, ✆ 38 59 70 06

JARNAC **16200** Charente 72 ⑫ **G. Côte de l'Atlantique** – 4 917 h. alt. 27.
Office de Tourisme, pl. Château ✆ 45 81 09 30.
Paris 452 – Angoulême 29 – Barbezieux 27 – ♦Bordeaux 112 – Cognac 15 – Jonzac 38 – Ruffec 53.

X **Château,** pl. Château ✆ 45 81 07 17 – E VISA
fermé 17 août au 5 sept., 15 au 28 fév., sam. midi, dim. soir et lundi – SC : **R** 71/116 dîner à la carte 🍷.

à Bourg-Charente O : 6 km par N 141 et VO – ✉ **16200** Jarnac :

XX **La Ribaudière,** ✆ 45 81 30 54, ←, ⛱, 🌳 – Ⓟ. AE VISA
fermé dim. soir et lundi – SC : **R** 58/100.

à Fleurac NE : 10 km par N 141 et D 157 – ✉ **16200** Jarnac :

Domaine de Fleurac 🐎, ✆ 45 81 78 22, ←, ⛱, « Parc » – wc ☎ Ⓟ – 🏛 40. ⓓ E VISA. ✻ rest
fermé 15 déc. au 31 janv., dim. soir et lundi du 15 sept. au 15 mai – SC : **R** 150/200 – ☕ 30 – **16 ch** 140/400.

CITROEN Gar. Soleta, ✆ 45 81 02 74
RENAULT Tournat, ✆ 45 81 10 63

RENAULT Gar. Vitrac, à Souillac ✆ 45 81 07 66 N ✆ 45 81 31 50

JAUNAY-CLAN 86130 Vienne 68 ⑬⑭ – 4 630 h. alt. 65.

Voir Peintures murales★ du château de Dissay NE : 5 km, G. Côte de l'Atlantique.

Paris 323 – Châtellerault 21 – Chinon 67 – Parthenay 50 – Poitiers 13 – Saumur 84 – Thouars 59.

Centre, pl. Fraternité ✆ 49 52 05 45 – 🖨 ⋔ Ⓟ. AE E VISA
fermé janv., dim. et fêtes – SC : **R** 50/85 🍷 – ☕ 15 – **24 ch** 75/131 – P 160/170.

JAUSIERS 04 Alpes-de-H.-P. 81 ⑧ **G. Alpes** – 1 049 h. alt. 1 220 – ✉ **04400** Barcelonnette.

Paris 744 – Barcelonnette 8 – Digne 95 – Guillestre 41 – St-Étienne-de-Tinée 50 – St-Paul 14.

Bel Air, ✆ 92 81 06 35 – ⋔wc ☎ Ⓟ. 🐕
fermé 15 au 31 mai et 15 au 30 nov. – SC : **R** (dîner seul.) 55/60 – ☕ 18 – **17 ch** 190.

JAVRON 53 Mayenne 60 ① – 1 299 h. alt. 201 – ✉ **53250** Javron-les-Chapelles.

Paris 227 – Alençon 36 – Bagnoles-de-l'Orne 25 – ♦Le Mans 67 – Mayenne 25.

XX **La Terrasse,** ✆ 43 03 41 91 – Ⓟ. E VISA. 🐕
fermé 24 fév. au 9 mars et 3 au 9 juil. – SC : **R** 50/160.

PEUGEOT-TALBOT Gar. Goupy, ✆ 43 03 40 39

JENZAT 03 Allier 73 ④ **G. Auvergne** – 431 h. alt. 323 – ✉ **03800** Gannat.

Paris 346 – Chantelle 9,5 – Gannat 7,5 – Montluçon 64 – Moulins 55 – St-Pourçain-sur-Sioule 24.

Pont, ✆ 70 56 80 88, 🌳 – ⋔ Ⓟ. VISA
SC : **R** 50/150 🍷 – ☕ 18 – **12 ch** 86/120 – P 160/170.

JERSEY (Ile de) ★ Ile anglo-normande 54 ⑤

Accès : Transports maritimes pour St-Hélier (réservation indispensable) en 1985 :.

⛴ depuis **St-Malo :** par cargo pour les autos (1 service hebdomadaire) - Aller de 432 à 636 F - par hydroglisseur pour les voyageurs (1 à 6 départs quotidiens suivant saison) - Traversée 1 h - 207 F (AR dans la journée) Renseignements : Morvan fils, gare maritime ✆ 99 56 42 29 (St-Malo) – par car-ferry (2 services quotidiens en saison, 3 à 4 départs hebdomadaires hors saison) - Traversée 2 h 30 - Autos : aller 415 à 625 F ; Voyageurs : 207 F (AR dans la journée) Renseignements : Emeraude Ferries, gare maritime du Naye ✆ 99 81 61 46 (St-Malo) – Plusieurs de ces services assurent une liaison avec Guernesey.

⛴ depuis **St-Malo :** début avril au 7 oct., 1 à 2 services quotidiens - Traversée 1 h 30 - 195 F (AR dans la journée), par Vedettes Armoricaines, gare maritime de la Bourse ✆ 99 56 48 88 et de mars à nov., 1 à 2 départs quotidiens - Traversée 1 h 15 - 207 F (AR dans la journée), par Vedettes Blanches, gare maritime de la Bourse ✆ 99 56 63 21.

⛴ depuis **Granville :** d'avril à fin sept., 1 service quotidien suivant marées - Traversée 1 h 45 - 185 F (AR dans la journée) par Vedettes Armoricaines, 12 r. G.-Clemenceau ✆ 33 50 77 45 et d'avril à sept., 1 service quotidien - Traversée 1 h 15 - 195 F (AR dans la journée) par Vedettes Vertes Granvillaises, 1 r. Le Campion ✆ 33 50 16 36.

⛴ Pour **Gorey,** en 1985 depuis **Carteret :** d'avril à sept., 1 à 2 services quotidiens suivant marées - Traversée 40 mn - 195 F (AR dans la journée) par Service Maritime, Carteret ✆ 33 53 81 17.

⛴ depuis **Portbail :** d'avril à sept., 1 service quotidien - Traversée 50 mn - 195 F (AR dans la journée) par Service Maritime Carteret ✆ 33 53 81 17.

Service aérien avec Paris (Charles-de-Gaulle) ✆ (1) 45 35 61 61 et Dinard ✆ 99 46 22 81 par Jersey Européan Airways, avec Cherbourg par Aurigny Air Services ✆ 33 22 91 32 et avec Deauville ✆ 31 88 31 28.

Curiosités et ressources hôtelières - v. Guide Rouge Michelin : **Great Britain and Ireland**

JOB 63990 P.-de-D. 73 ⑯ **G. Auvergne** – 1 065 h. alt. 630.

ℹ Syndicat d'Initiative Mairie ✆ 73 82 07 36.

Paris 429 – Ambert 9 – Chalmazel 28 – ♦Clermont-Ferrand 83 – Thiers 48.

Voyageurs, ✆ 73 82 07 54 – 🖨 🚗. VISA
fermé 2 au 20 janv. et merc. – SC : **R** 50/150 🍷 – ☕ 17 – **17 ch** 65/180 – P 160/175.

JOIGNY 89300 Yonne 65 ④ **G. Bourgogne** – 10 488 h. alt. 101.

Voir Vierge au sourire★ dans l'égl. St-Thibault A **E** – **Côte St-Jacques** ≤★ **1,5 km par** D 20 A.

ℹ Office de Tourisme quai H.-Ragobert ✆ 86 62 11 05.

Paris 148 ⑤ – Auxerre 27 ③ – Gien 74 ⑤ – Montargis 59 ⑤ – Sens 30 ⑥ – Troyes 76 ②.

Plan page ci-contre

❀ **Modern'H Frères Godard** Ⓜ, av. Robert-Petit ✆ 86 62 16 28, Télex 801693, 🌳, 🏊 – 📺 ☎ 🚗 Ⓟ – 🏛 30. AE ⓓ E VISA A e
SC : **R** (dim. et fêtes prévenir) 142/273 – ☕ 28 – **21 ch** 252/278
Spéc. Cassolette d'escargots, Canard à la "Gaston Godard", Maillotine. **Vins** Bourgogne aligoté, Coulanges.

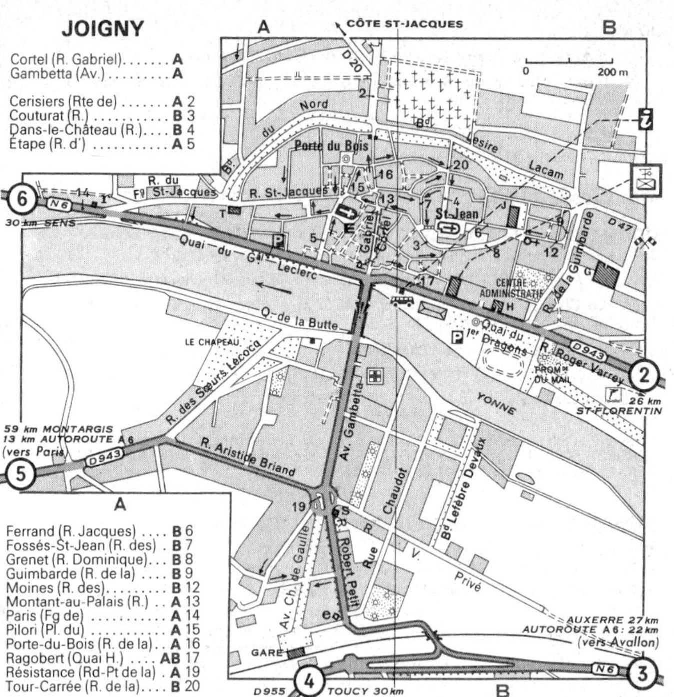

XXXX ✽✽✽ **A la Côte St-Jacques** (Lorain) avec ch, **14 fg Paris** ✆ **86 62 09 70, Télex 801458, « Belle décoration intérieure »**, – TV wc wc ☎. AE ⓓ VISA — A r
fermé 5 au 27 janv. – **R** (dim. prévenir) 360/380 et carte – ☑ 55 – **18 ch** 250/420
Spéc. Saumon sauvage en vessie (saison), Bar au beurre de truffes, Trois desserts au chocolat. **Vins** Chablis.

à la Résidence M ≤, ✆ **86 62 09 70**, – TV ☎. AE ⓓ VISA
fermé 5 au 27 janv. – **SC** : ☑ 55 – **7 ch** 980/1 080, 8 appartements.

X **Paris Nice** avec ch, **rd-Point Résistance** ✆ **86 62 06 72** – wc ☎. E VISA — A s
fermé janv., dim. soir et lundi – **SC** : **R** 60/121 – ☑ 14 – **10 ch** 77/165.

CITROEN Joigny Automobile, N 6 à Champlay par ③ ✆ 86 62 06 45
OPEL Blondeau, 6 fg Paris ✆ 86 62 05 02
PEUGEOT-TALBOT Gd Gar. de Paris, 24 fg Paris par ⑥ ✆ 86 62 12 25
RENAULT S.A.J.A., rte de Migennes par ② ✆ 86 62 22 00 N
V.A.G. Autom. Fournet, 29 r. Aristide Briand ✆ 86 62 09 21
Jeandot, 9 av. R.-Petit ✆ 86 62 18 84

JOINVILLE 52300 H.-Marne 62 ① G. Champagne, Ardennes – 5 091 h. alt. 188.

Syndicat d'Initiative r. A.-Briand (1er juil.-août).

Paris 236 – Bar-sur-Aube 47 – Chaumont 43 – Neufchâteau 51 – St-Dizier 31 – Toul 73 – Troyes 93.

Nord, **r. C.-Gillet** ✆ **25 96 10 97** – wc wc. E VISA
fermé 1er au 15 oct., 20 fév. au 1er mars et lundi – **SC** : **R** 51/105 – ☑ 16 – **18 ch** 71/145 – P 160/180.

XX **Soleil d'Or** avec ch, **9 r. Capucins** ✆ **25 96 15 66** – wc wc ☎. AE ⓓ E VISA
fermé 5 au 20 fév., dim. soir hors sais. et lundi – **SC** : **R** 76/220 – ☑ 16 – **9 ch** 140/180.

XX **Poste** avec ch, **pl. Grève** ✆ **25 96 12 63** – wc wc. AE ⓓ E VISA
fermé 10 janv. au 10 fév. et jeudi sauf de mai à oct. – **SC** : **R** 50/150 – ☑ 14 – **11 ch** 65/130.

tourner →

à Autigny-le-Grand N : 6 km sur N 67 – ✉ **52300** Joinville :

XX **Host. Moulin de la Planchotte** avec ch, ☏ 25 95 14 39, ≤, parc, – TV wc ☎ P. AE E VISA
fermé 1er au 14 oct. et 24 déc. au 8 janv. – SC : **R** carte 110 à 170 – ☕ 20 – **4 ch** 150/230 – P 270/350.

RENAULT Roux, ☏ 25 96 01 93 N

JOINVILLE-LE-PONT **94** Val-de-Marne 61 ①, 101 ㉗ – voir à Paris, Environs.

JONZAC SP **17500** Char.-Mar. 71 ⑥ **G. Côte de l'Atlantique** – 4 873 h. alt. 40.

Syndicat d'Initiative au Château (15 juin-15 sept.) et à la Mairie ☏ 46 48 04 11.

Paris 512 – Angoulême 56 – ♦Bordeaux 85 – Cognac 34 – Libourne 80 – Royan 58 – Saintes 41.

Le Club sans rest, pl. Église ☏ **46 48 02 27** – wc wc ☎. E VISA. SC : ☕ 15,50 – **15 ch** 65/145.

à Clam N : 6 km – ✉ **17500** Jonzac.

Voir Abside★ de l'église de Marignac N : 4 km.

XX **Vieux Logis,** ☏ **46 48 15 11,** – P. E VISA
fermé 13 nov. au 20 déc. et lundi hors sais. – **R** 80/112.

CITROEN Mallet, ☏ 46 48 00 04
PEUGEOT-TALBOT Belot, ☏ 46 48 08 77
RENAULT Martin, ☏ 46 48 06 11 N ☏ 46 48 16 62

Service pneus Jonzacais, au bourg à St-Germain-de-Lusignan ☏ 46 48 33 80

JOSSELIN **56120** Morbihan 63 ④ **G. Bretagne** – 2 740 h. alt. 59.

Voir Château★★ B – **Basilique N.-D.-du-Roncier★** B **B.**

Syndicat d'Initiative pl. Congrégation (1er juin-15 sept.) ☏ 97 22 36 43 et mairie ☏ 97 22 24 17.

Paris 421 ② – Dinan 75 ① – Lorient 73 ④ – ♦Rennes 72 ② – St-Brieuc 75 ⑤ – Vannes 42 ④.

JOSSELIN

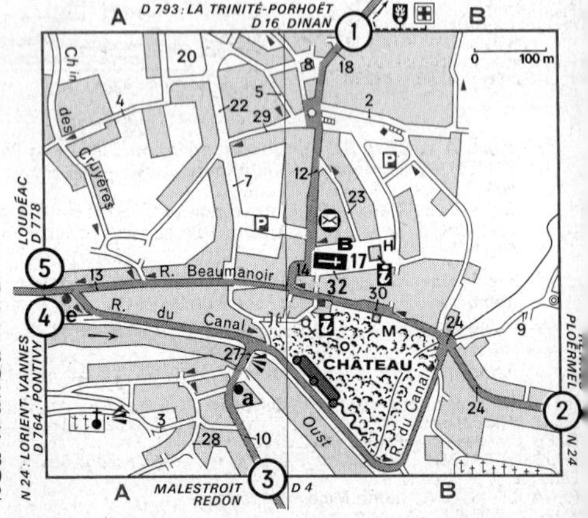

Château, 1 r. Gén.-de-Gaulle ☏ **97 22 20 11,** ≤ château – wc wc ☎ P – 30 à 50. E VISA A a
fermé 10 déc. au 15 janv. et lundi sauf hôtel du 1er juil. au 15 sept. – SC : **R** 55/160 – ☕ 20 – **36 ch** 100/210 – P 230/310.

XX **Commerce,** 9 r. Glatinier ☏ **97 22 22 08,** ≤ – E VISA A e
fermé mars et merc. – SC : **R** 52/140.

CITROEN Gar. Joubard, par ④ ☏ 97 22 23 04

PEUGEOT-TALBOT Gar. Chouffeur, Z.I. de la Rochette par ④ ☏ 97 22 22 80

JOUCAS 84 Vaucluse 81 ⑬ – 210 h. alt. 248 – ✉ 84220 Gordes.
Paris 721 – Apt 15 – Avignon 42 – Carpentras 30 – Cavaillon 21.

✿ **Mas des Herbes Blanches** M ⛰, N 2,5 km sur D 102A ✆ 90 72 00 74, Télex 432045, ≤ le Lubéron, ☂, ⛱, 🌳 – TV ☎ P. AE ⓓ E VISA
7 mars-16 nov. – SC : **R** *(fermé merc. midi et mardi en mars et nov.)* 165, dîner à la carte – ☕ 48 – **14 ch** 560/615 –
Spéc. Millefeuille de foie gras au jus de truffes, Filet de St-Pierre sauce vierge, Rouelles de rognon de veau à la ciboulette. **Vins** Côtes-du-Lubéron, Côtes-du-Rhône.

Phebus M ⛰, rte Murs ✆ 90 72 07 04, ≤ Lubéron, ☂, « dans la garrigue », ⛱, 🎾 – TV 🛁wc ☎ P. AE ⓓ VISA
15 mars-15 nov. – SC : **R** 160/200 – ☕ 40 – **16 ch** 350/450.

Host. des Commandeurs ⛰, ✆ 90 72 00 05, ≤ – 🚿wc ☎ P. VISA
fermé 1er janv. au 28 fév. et merc. – SC : **R** 60/95 🍷 – ☕ 16 – **12 ch** 95/147 – P 178/250.

JOUÉ-LÈS-TOURS 37 I.-et-L. 64 ⑮ – rattaché à Tours.

JOUGNE 25 Doubs 70 ⑦ **G. Jura** – 866 h. alt. 1 010 – Sports d'hiver : 900/1 380 m ⛷13 ⛷ – ✉ 25370 Les Hôpitaux-Neufs.
Paris 454 – •Besançon 78 – Champagnole 48 – Lausanne 47 – Morez 58 – Pontarlier 20.

Poste, ✆ 81 49 12 37, ≤, ☂ – 🚿wc ☎. E VISA. ✻ rest
30 avril-30 sept., 15 déc.-20 avril et fermé merc. – SC : **R** 55/135 🍷 – ☕ 18,50 – **15 ch** 100/160 – P 160/210.

Bonjour, ✆ 81 49 10 45, ≤ – 🛁wc 🚿wc ☎ 🚗. VISA. ✻
15 juin-15 sept. et 18 déc.-Pâques – SC : **R** 55/120 🍷 – ☕ 18 – **18 ch** 90/155 – P 155/205.

Deux Saisons, ✆ 81 49 00 04, ≤ – 🛁wc 🚿wc ☎ P. ⓓ VISA. ✻ rest
1er juin-31 oct. et 19 déc.-15 avril – SC : **R** 49/90 🍷 – ☕ 15 – **21 ch** 88/145 – P 180/210.

Suchet, N 57 ✆ 81 49 10 38 – 🚿 P. ⓓ E
fermé 1er au 20 juin, 12 sept. au 20 oct., vend. du 20 oct. au 15 déc. et du 15 avril au 1er juin – SC : **R** 47/75 – ☕ 13,50 – **16 ch** 67/120 – P 135/150.

à Entre-les-Fourgs SE : 4,5 km par D423 – ✉ 27370 Les Hôpitaux-Neufs :

Les Petits Gris ⛰, ✆ 81 49 12 93, ≤, ☂, 🌳 – 🛁wc 🚿wc. E. ✻ ch
fermé 21 sept. au 12 oct. – SC : **R** *(fermé merc.)* 50/125 🍷 – ☕ 22 – **16 ch** 105/160 – P 180/220.

La JOUVENTE 35 I.-et-V. 59 ⑥ – rattaché à Dinard.

JOUY-SUR-EURE 27 Eure 55 ⑰ – rattaché à Pacy-sur-Eure.

JOYEUSE 07260 Ardèche 80 ⑧ **G. Vallée du Rhône** – 1 410 h. alt. 180 – ℹ Syndicat d'Initiative (1er juil.-31 août) ✆ 75 39 56 76 – Paris 652 – Alès 52 – Mende 97 – Privas 52.

Les Cèdres M, ✆ 75 39 40 60, 🌳 – 🛁wc 🚿wc ☎ P – 🏛 50. ⓓ E
10avril-10 oct. – SC : **R** 47/100 – ☕ 17 – **40 ch** 183/233 – P 220.

RENAULT Gar. Duplan, ✆ 75 39 43 91

JUAN-LES-PINS 06160 Alpes-Mar. 84 ⑨, 195 ㊱㊴㊵ **G. Côte d'Azur** – Casino B.
ℹ Syndicat d'Initiative 51 bd Ch.-Guillaumont ✆ 93 61 04 98, Télex 970103.
Paris 915 ② – Aix-en-Provence 160 ② – Cannes 9 ③ – •Nice 24 ①.

Plan page suivante

Belles Rives, bd Baudoin ✆ 93 61 02 79, Télex 470984, ≤, ☂, 🏖 – 🛗 ▤ ch TV ☎. AE. ✻ rest B **d**
27 mars-10 oct. – **R** carte 180 à 270 – ☕ 55 – **42 ch** 800/1 350.

✿✿ **Juana et rest. La Terrasse** ⛰, la Pinède av. G.-Gallice ✆ 93 61 08 70, Télex 470778, ☂, ⛱, 🏖, 🌳 – 🛗 ▤ ch TV ☎ 🚗 P – 🏛 30 B **f**
20 mars-31 oct. – **R** *(fermé le midi du 1er juil. au 31 août)* carte 275 à 405 – ☕ 55 – **45 ch** 640/1 910, 5 appartements
Spéc. Salade tiède de langoustines, Poissons au jus acidulé au basilic, Gratin tiède de fraises des bois. **Vins** Bandol, Bellet.

Hélios et rest Le Relais M, av. Dautheville ✆ 93 61 55 25, Télex 970906, 🏖 – 🛗 ▤ TV ☎ 🚗 – 🏛 60. AE ⓓ VISA. ✻ rest A **b**
26 mars-19 oct. – SC : **R** 190/260 – **70 ch** ☕ 800/1 350 – P 780/1 000.

Beauséjour ⛰ sans rest, av. Saramartel ✆ 93 61 07 82, ⛱, 🌳 – 🛗 P. AE ⓓ B **n**
28 avril-1er oct. – SC : ☕ 45 – **30 ch** 500/860.

Parc et rest. la Tête d'Or, av. G.-de-Maupassant ✆ 93 61 61 00, ☂, 🌳 – 🛗 TV ☎ P – 🏛 25 – **27 ch**. A **k**

Passy sans rest, 15 av. Louis-Gallet ✆ 93 61 11 09 – 🛗 TV ☎ 🚗 P. VISA A **k**
1er fév.-1er nov. – SC : ☕ 22 – **36 ch** 260/420.

Welcome M ⛰ sans rest, 7 av. Dr-Hochet ✆ 93 61 26 12, 🌳 – 🛗 P. AE ⓓ E VISA
mars-oct. – SC : ☕ 28 – **30 ch** 225/410. B **y**

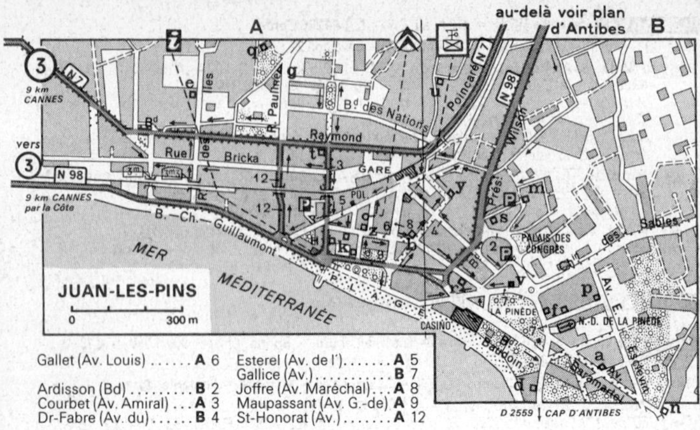

Mimosas sans rest, r. Pauline 93 61 04 16, « Parc, beaux arbres », – wc wc . A **q**
mars-oct. – SC : 28 – **38 ch** 290/360.

Ste-Valérie, r. Oratoire 93 61 07 15, , – wc wc . AE VISA. rest B **p**
Pâques-20 oct. – SC : **R** 92 – 21 – **32 ch** 225/400 – P 285/370.

Courbet sans rest, 33 av. Amiral-Courbet 93 61 15 94 – wc wc . AE A **k**
Pâques-oct. – SC : **27 ch** 280/420.

Alexandra, r. Pauline 93 61 01 36, , – wc wc . E. rest
15 mars-15 oct. – SC : **R** (dîner seul.) 85 – 20 – **20 ch** 78/300. A **g**

Les Orangers, 65 chemin Fournel Badine 93 61 23 16, , – wc wc . VISA. B **u**
15 fév.-31 oct. – SC : **R** 60/80 snack le midi – 20 – **26 ch** 260/360.

Pré Catelan, 22 av. Lauriers 93 61 05 11, , – wc wc . AE VISA. rest B **m**
SC : **R** *(fermé 1er oct. au 15 mars)* 105 – 25 – **18 ch** 240/350 – P 300/330.

Régence, 2 av. Amiral-Courbet 93 61 09 39, – wc wc . AE VISA
15 mars-15 oct. – SC : **R** 65/95 – 18 – **20 ch** 190/250. A **t**

Palais des Congrès (ex. Sarajan) sans rest, 4 av. Palmiers 93 61 04 29 – wc wc . B **s**
3 fév.-5 nov. – SC : 20 – **18 ch** 210/285.

Juan Beach, 5 r. Oratoire 93 61 02 89, , , – wc wc .
mars-oct. – SC : **R** 85 – 16 – **30 ch** 80/240, (en sais. pension seul) – P 240/280. B **f**

Emeraude, av. Saramartel 93 61 09 67, – wc wc . AE VISA
fév.-nov. – SC : **R** (dîner seul.) 84 – 21 – **22 ch** 210/360. B **a**

Mexicana sans rest, 20 r. Dr-Dautheville 93 61 31 34 – wc . E VISA
SC : 11 – **15 ch** 194. B **r**

Esterel, 21 r. des Iles 93 61 08 67, – wc A **e**
fermé 15 nov. au 15 déc. – SC : **R** *(fermé dim. soir et lundi)* 130/190 – 20 – **15 ch** 185/277.

Eden H. sans rest, 16 av. L.-Gallet 93 61 05 20 – wc wc A **z**
5 fév.-5 nov. – 14 – **17 ch** 110/240.

XX **Le Perroquet,** av. G.-Gallice 93 61 02 20 – AE VISA B **v**
fermé 1er déc. au 15 janv. et merc. – SC : **R** 95/125.

CITROEN Gar. St-Charles, 6 r. St-Charles 93 61 08 16

JUJURIEUX **01 Ain** 74 ③ – 1 492 h. – **01450** Poncin :.

Paris 441 – Belley 58 – Bourg-en-Bresse 28 – Lyon 64 – Nantua 34 – Villefranche-sur-Saône – 67.

X **A La Bonne Table,** 74 36 93 22 – **9 ch**.

RENAULT Gar. Gordon, 74 36 84 88 Gar. Rota, 74 36 91 22

JULIÉNAS **69840** Rhône 74 ① **G. Vallée du Rhône** – 642 h. alt. 256.

Paris 410 – Bourg-en-Bresse 55 – Lyon 65 – Mâcon 17 – Villefranche-sur-Saône 38.

X **Chez la Rose** avec ch, pl. Marché 74 04 41 20 – . E VISA. ch
fermé 8 au 16 fév. et mardi – SC : **R** 55/97 – 17 – **12 ch** 63/160 – P 220/230.

JULLOUVILLE 50610 Manche 59 ⑦ **G. Normandie** – 948 h.

Syndicat d'Initiative sur CD 911 (15 juin-15 sept.) ✆ 33 61 82 48.

Paris 355 – Avranches 22 – Granville 8 – St-Lô 64.

Casino ⑤, ✆ **33 61 82 82,** ← – wc wc ☎ Ⓟ – 80 à 150. VISA. ✻ rest
30 avril-14 sept. – SC : **R** 75/130 – ☕ 18,50 – **57 ch** 89/220 – P 195/275.

JUMIÈGES 76118 S.-Mar. 55 ⑤ **G. Normandie** – 1 634 h. alt. 10.

Voir Ruines de l'abbaye★★★.

Bacs de Jumièges ✆ 35 37 24 23 ; de Mesnil-sous-Jumièges ✆ 35 23 88 05 ; de Yainville ✆ 35 37 21 06.

Paris 166 – Caudebec-en-Caux 15 – ♦Rouen 28.

JUNGHOLTZ 68 H.-Rhin 66 ⑨ – rattaché à Guebwiller.

JURANÇON 64 Pyr.-Atl. 85 ⑥ – rattaché à Pau.

JUVIGNY-SOUS-ANDAINE 61 Orne 60 ① – 1 015 h. alt. 200 – ✉ **61140** Bagnoles-de-l'Orne.

Paris 241 – Alençon 50 – Argentan 49 – Bagnoles-de-l'Orne 9,5 – Domfront 11 – Mayenne 38.

Forêt, ✆ **33 38 11 77** – Ⓟ
fermé janv. – **R** 40/90 – ☕ 12 – **23 ch** 66/97 – P 125/137.

Au Bon Accueil avec ch, ✆ **33 38 10 04** –
fermé fév., mardi soir et merc. sauf juil.-août – SC : **R** 46/160 – ☕ 15 – **8 ch**.

JUVISY-SUR-ORGE 91 Essonne 61 ① – voir à Paris, Environs.

KAYSERSBERG 68240 H.-Rhin 62 ⑱ **G. Alsace et Lorraine** (plan) – 2 712 h. alt. 242.

Voir Église★ : retable★★ – Hôtel de ville★ – Pont fortifié★ – Maison Brief★.

Office du Tourisme à l'Hôtel de Ville ✆ 89 78 22 78.

Paris 433 – Colmar 11 – Gérardmer 52 – Guebwiller 35 – Munster 26 – St-Dié 46 – Sélestat 26.

Résidence Chambard M ⑤, r. Gén.-de-Gaulle ✆ **89 47 10 17, Télex 880272** – ☎ Ⓟ – 25. AE ⓓ E VISA
fermé 1er au 15 déc. et 1er au 21 mars – SC : **R** voir rest. **Chambard** – ☕ 30 – **20 ch** 320/450.

Remparts M ⑤ sans rest, ✆ **89 47 12 12,** ←, – TV wc ☎ Ⓟ – 30. AE E VISA
SC : ☕ 20 – **30 ch** 150/250.

Arbre vert (annexe Belle Promenade M 14 ch), r. Haute-du-Rempart ✆ **89 47 11 51** – wc ☎. ✻
fermé 15 janv. au 28 fév. et lundi (sauf hôtel du 1er avril au 30 oct.) – SC : **R** 68/150 – ☕ 19 – **23 ch** 130/180.

Château, r. Gén.-de-Gaulle ✆ **89 78 24 33** – wc
fermé 26/6 au 5/7, 4 au 20/12, 10/1 au 1er/2, 20/2 au 1er/3, merc. soir hors sais. et jeudi – SC : **R** 53/145 – ☕ 16 – **12 ch** 75/220.

XXX ✿ **Chambard** (Irrmann), r. Gén.-de-Gaulle ✆ **89 47 10 17, Télex 880272** – Ⓟ. AE ⓓ E VISA
fermé 1er au 21 mars, 1er au 15 déc., dim. soir et lundi sauf fériés – **R** 150/270
Spéc. Foie gras frais en boudin, Fricassée de la mer, Mousse Chambard. **Vins** Riesling, Pinot gris.

XX **Lion d'Or,** r. Gén.-de-Gaulle ✆ **89 47 11 16, « Beau décor intérieur »** – E VISA
fermé 15 janv. à début mars, mardi soir et merc. – SC : **R** 60/200.

à Kientzheim E : 3 km par D 28 – ✉ **68240** Kaysersberg.

Voir Pierres tombales★ dans l'église.

Host. Abbaye d'Alspach ⑤, ✆ **89 47 16 00** – wc wc ☎ Ⓟ. E VISA. ✻ ch
fermé 15 janv. au 15 fév. – SC : **R** *(fermé jeudi soir et merc.)* (dîner seul.) carte environ 75 – ☕ 18 – **20 ch** 130/200.

PEUGEOT-TALBOT Hiltenfinck, ✆ 89 78 23 08

KERSAINT 29 Finistère 58 ③ – rattaché à Ploudalmézeau.

KIENTZHEIM 68 H.-Rhin 62 ⑱⑲ – rattaché à Kaysersberg.

KIFFIS 68 H.-Rhin 66 ⑳ – 214 h. alt. 560 – ✉ **68480** Ferrette.

Paris 538 – Altkirch 31 – ♦Bâle 34 – Belfort 59 – Colmar 90 – Montbéliard 58.

X **Aub. du Jura** ⑤ avec ch, ✆ **89 40 33 33,** ←, – wc ☎ Ⓟ. E. ✻
fermé 18 août au 7 sept., 10 fév. au 2 mars et lundi – SC : **R** 50/125 – ☕ 25 – **8 ch** 110/170 – P 152/170.

KLINGENTHAL 67 B.-Rhin 62 ⑨ – rattaché à Obernai.

Le KREMLIN-BICÊTRE 94 Val-de-Marne 101 ㉖ – voir à Paris, Environs.

KREUZWEG (Col du) 67 B.-Rhin 62 ⑧⑨ – rattaché au Hohwald.

KRUTH 68820 H.-Rhin 62 ⑱ – 1 002 h. alt. 492.

Voir Cascade St-Nicolas★ SO : 3 km par D 13b1 G. Alsace et Lorraine.

Paris 429 – Colmar 62 – Gérardmer 38 – Thann 18 – Le Thillot 32.

Aub. de France, rte Oderen ✆ 89 82 28 02, ←, – wc wc ☎ P. E VISA
fermé 1er nov. au 10 déc. et jeudi – SC : **R** 40/100 – 15 – **16 ch** 95/140 – P 150/160.

FIAT Gar. Weber, ✆ 89 82 26 57 N — RENAULT Gar. Rothra, ✆ 89 82 26 90

LABABAN 29 Finistère 58 ⑭ – rattaché à Pouldreuzic.

LABALME 01 Ain 74 ④ – rattaché à Cerdon.

LABAROCHE 68910 H.-Rhin 62 ⑱ – 1 483 h. alt. 750.

Paris 438 – Colmar 14 – Gérardmer 51 – Munster 25 – St-Dié 52.

Tilleul M, ✆ 89 49 84 46 – wc wc P. AE. ch
fermé janv. – **R** 46/65 – 20 – **14 ch** 165 – P 180.

Aub. La Rochette avec ch, **rte des Trois Epis** ✆ **89 49 80 40,** ←, – wc P. ch
fermé 3 janv. au 6 fév. et merc. d'oct. à mars – SC : **R** 60/97 – 17,50 – **8 ch**, (½ pens. seul.) – ½ p 142/157.

PEUGEOT Gar. Girard, à Correaux ✆ 89 49 82 68 N ✆ 89 49 82 76 — RENAULT Robino, ✆ 89 49 80 52

LABARTHE-INARD 31 H.-Gar. 86 ② – 614 h. alt. 326 – ✉ **31800** St-Gaudens.

Paris 786 – Boussens 15 – St-Gaudens 9,5 – St-Girons 34 – ♦Toulouse 81.

Host. du Parc, N 117 ✆ 61 89 08 21, – wc P. VISA
fermé 20 janv. à fin fév. et lundi du 1er oct. au 30 juin sauf fêtes – SC : **R** 46 bc/160 – 14,50 – **14 ch** 103/180.

La Tuilière, N 117 ✆ 61 89 08 51, – wc P – 40. AE VISA
fermé merc. sauf vacances scolaires – SC : **R** 44/130 – 18 – **20 ch** 120/180 – P 155.

LABARTHE-SUR-LÈZE 31 H.-Gar. 82 ⑱ – 2 110 h. – ✉ **31120** Portet-sur-Garonne.

Paris 723 – Muret 6 – Pamiers 45 – ♦Toulouse 20.

Poêlon, ✆ 61 08 68 49, – VISA.
fermé août, 2 au 12 janv., mardi midi, dim. soir et lundi – SC : **R** 120.

LABASTIDE-BEAUVOIR 31 H.-Gar. 82 ⑲ – 536 h. alt. 262 – ✉ **31450** Montgiscard.

Paris 728 – Carcassonne 79 – Castres 56 – Pamiers 56 – ♦Toulouse 23.

Aub. du Courdil, ✆ 61 81 82 55 – P. VISA
fermé 3 janv. au 8 fév. et lundi – SC : **R** 54/150.

LABASTIDE-MURAT 46240 Lot 75 ⑱ **G. Périgord** – 732 h. alt. 447.

Paris 562 – Brive-la-Gaillarde 74 – Cahors 34 – Figeac 47 – Gourdon 22.

Climat de France M, ✆ 65 21 18 80, – TV wc ☎ . E VISA
SC : **R** 52/115 – 18,50 – **20 ch** 200/221 – P 223/297.

CITROEN Bessières, ✆ 65 31 10 26 — RENAULT Courdesses, ✆ 65 31 10 03

LABATUT 40 Landes 78 ⑦ – 1 034 h. alt. 46 – ✉ **40300** Peyrehorade.

Paris 769 – ♦Bayonne 46 – Dax 27 – Mont-de-Marsan 74 – Orthez 20 – Sauveterre-de-Béarn 23.

Paris Gascogne, N 117 ✆ 58 98 18 26 – P – **6 ch**.

Aub. du Bousquet, N117 ✆ 58 98 18 24, – P. AE VISA.
fermé 1er au 8 oct., 2 au 30 janv., lundi soir et mardi – SC : **R** 60/130.

LABÉGUDE 07 Ardèche 76 ⑱⑲ – rattaché à Vals-les-Bains.

LABLACHÈRE 07230 Ardèche 80 ⑧ – 1 392 h. alt. 256.

Paris 655 – Alès 49 – Mende 94 – Privas 55 – Pont-St-Esprit 71.

Le Commerce, ✆ 75 36 61 80, – . E. ch
fermé janv. – SC : **R** 45/150 – 13 – **20 ch** 70/110 – P 135/148.

à Maison-Neuve : Sud 8 km par D 104 – ✉ **07230** Lablachère :

Relais de la Vignasse, ✆ 75 39 31 91, ←, – wc wc P. AE E. rest
fin mars-oct. – SC : **R** (hiver s'informer) 65/210 – 20 – **17 ch** 165/255 – P 230/270.

LABOUHEYRE 40210 Landes 78 ④ – 2 850 h. alt. 70.

Paris 671 – Biscarrosse 37 – ♦Bordeaux 83 – Castets 42 – Mimizan 28 – Mont-de-Marsan 53.

Unic M, rte de Bordeaux ✆ **58 07 00 55** – wc. VISA
fermé 30 oct. au 18 nov., 22 déc. au 3 janv., dim. soir et lundi – SC : **R** 62/150 – 19 – **9 ch** 115/172.

MERCEDES-BENZ, V.A.G. Gar. Lafargue, ✆ 58 07 00 41

PEUGEOT-TALBOT Gar. Sentaurens ✆ 58 07 01 12

LAC voir au nom propre du lac.

LACANAU-OCÉAN 33680 Gironde 71 ⑱ **G. Côte de l'Atlantique.**

Voir Étang de Lacanau★ E : 5 km.

de l'Ardilouse ✆ 56 03 25 60, E : 2 km.

Paris 592 – Andernos-les-Bains 42 – Arcachon 83 – ♦Bordeaux 59 – Lesparre-Médoc 52.

Étoile d'Argent, ✆ **56 03 21 07,** – wc. rest
fermé 15 nov. au 31 déc. – SC : **R** 65/95 – 16,50 – **19 ch** 100/150 – P 185/210.

PEUGEOT-TALBOT Barre, ✆ 56 03 53 07
RENAULT Brun J.-Pierre, ✆ 56 03 20 12

RENAULT Brun Philippe, à Lacanau-Médoc ✆ 56 03 52 10

LACAPELLE-BARRÈS 15 Cantal 76 ⑬ – 105 h. alt. 1 000 – ✉ **15230** Pierrefort.

Paris 553 – Aurillac 42 – Entraygues-sur-Truyère 49 – Murat 52 – Raulhac 11 – St-Flour 55.

Nord, ✆ **71 73 40 44,** – E VISA. rest
1er mai-1er déc. et vacances de fév. – SC : **R** 36/60 – 12 – **13 ch** 63/73 – P 120/125.

LACAPELLE-MARIVAL 46120 Lot 75 ⑲⑳ **G. Périgord** – 1 337 h. alt. 400.

Office de Tourisme Château (1er juil.-31 août) ✆ 65 40 81 11 (hors sais. : ✆ 65 40 83 39).

Paris 565 – Aurillac 82 – Cahors 65 – Figeac 21 – Gramat 20 – Rocamadour 31 – Tulle 82.

Terrasse, ✆ **65 40 80 07,** – wc wc. AE E. rest
1er avril-15 déc. – SC : **R** 52/185 – 18 – **23 ch** 80/210 – P 160/190.

CITROEN Carrayrou, ✆ 65 40 80 09 N

LACAUNE 81230 Tarn 83 ③ **G. Causses** – 3 422 h. alt. 800 – Casino.

Syndicat d'Initiative ✆ 63 37 04 98.

Paris 706 – Albi 68 – Béziers 86 – Castres 47 – Lodève 84 – Millau 78 – ♦Montpellier 126.

H. Fusiès, r. République ✆ **63 37 02 03** – wc wc – 30. AE E VISA
fermé 21 déc. au 21 janv., vend. soir et sam. de nov. à avril – SC : **R** 48/260 – 13 – **60 ch** 65/186 – P 180/245.

Glacier, pl. Vierge ✆ **63 37 03 28,** – wc. AE VISA
fermé 21 janv. au 21 fév., vend. soir et sam. midi d'oct. à Pâques – SC : **R** 50/174 – 15 – **20 ch** 85/165 – P 160/185.

CITROEN Milhau, ✆ 63 37 06 08
FORD Lacaune-Pneus, ✆ 63 37 00 80
PEUGEOT-TALBOT Gar. Moderne, ✆ 63 37 00 16 N

RENAULT Central Garage, ✆ 63 37 03 30

LACAVE 46 Lot 75 ⑱ – 249 h. alt. 103 – ✉ **46200** Souillac.

Voir Grottes★ – Site★ du château de Belcastel O : 2,5 km, **G. Périgord.**

Paris 534 – Brive-La-Gaillarde 49 – Cahors 63 – Gourdon 26 – Rocamadour 12 – Sarlat-La-Canéda 41.

Château de la Treyne sans rest, O : 3 km par D 43 et voie privée ✆ **65 32 66 66,** <, , « dans un parc dominant la rivière », – wc wc – 25. AE E
15 mars-15 nov. – SC : **R** (dîner seul. pour résidents) 180 – 45 – **11 ch** 350/550.

Pont de l'Ouysse avec ch, ✆ **65 37 87 04,** <, – wc . E VISA
1er mars-11 nov. et fermé lundi du 1er mars au 1er juil. – SC : **R** 100/200 – 30 – **12 ch** 160/200.

LACOURTENSOURT 31 H.-Gar. 82 ⑧ – rattaché à Toulouse.

LACQ 64 Pyr.-Atl. 85 ⑥ **G. Pyrénées** – 564 h. alt. 117 – ✉ **64170** Artix.

Voir Exploitation de gisements de gaz naturel.

Paris 787 – Aire-sur-L'Adour 57 – Oloron-Ste-M. 33 – Orthez 16 – Pau 25 – St-Jean-Pied-de-Port 86.

Relais du Sidobre, ✆ **63 50 60 06** – rest wc wc – 100. AE E VISA
SC : **R** 56/160 – 18 – **26 ch** 123/196 – P 175/184.

LADON 45 Loiret 61 ⑪ – 1 102 h. alt. 91 – ✉ **45270** Bellegarde.

Paris 110 – Châteauneuf-sur-Loire 30 – Gien 43 – Montargis 16 – •Orléans 55 – Pithiviers 29.

Cheval Blanc, ✆ 38 95 51 79 – 🚗 P. VISA
fermé lundi – SC : **R** 43/90 ₰ – ☕ 10,50 – **9 ch** 69/104.

CITROEN Gar. Central, ✆ 38 95 50 11
PEUGEOT-TALBOT Gar. du Parc, ✆ 38 95 50 13 N
RENAULT Bossard, ✆ 38 95 51 87

LAFFREY 38 Isère 77 ⑤ **G. Alpes** – 211 h. alt. 910 – ✉ **38220** Vizille.

Voir Prairie de la Rencontre★ (monument Napoléon) au Sud – <★ de la chapelle du Sapey NE : 4 km puis 15 mn.

ℹ Syndicat d'Initiative (juil.-août) ✆ 76 73 91 08.

Paris 587 – •Grenoble 24 – La Mure 14 – Vizille 7,5.

XX **Humblot** avec ch, ✆ **76 73 14 18,** 🌳 – 🏠
20 mai-20 oct. – SC : **R** 48/98 – ☕ 14 – **12 ch** 83/105 – P 145.

XX **Parc** avec ch, ✆ **76 73 12 98,** 🌳, **parc** – 🏠 P. AE E
fermé oct., mardi soir et merc. hors sais. ; du 1er nov. au 1er mai : hôtel fermé sauf vacances scolaires – SC : **R** 45/85 ₰ – ☕ 13 – **11 ch** 85/124 – P 135/155.

LAGARRIGUE 47 L.-et-G. 79 ⑭ – 212 h. alt. 37 – ✉ **47190** Aiguillon.

Paris 631 – Agen 34 – Marmande 32 – Nérac 30 – Villeneuve-sur-Lot 37.

XX **Aub. des Quatre Vents,** par D278 et VO : 4,5 km ✆ **53 79 62 18,** <, 🌳 – P. AE ⓓ E VISA
fermé sept., sam. midi, dim. soir et lundi – SC : **R** 100/180.

LAGNY-SUR-MARNE 77400 S.-et-M. 56 ⑫, 196 ㉑㉒, 101 ⑳ **G. Environs de Paris** – 18 268 h. alt. 44.

Voir Galerie★ du château de Guermantes S : 3 km par D 35 BZ.

ℹ Office de Tourisme cours Abbaye ✆ (1) 64 30 68 77.

Paris 33 ③ – Meaux 21 ② – Melun 42 ③ – Provins 60 ② – Senlis 51 ①.

LAGNY SUR-MARNE

Gambetta (R.) . . . . **AYZ**
Marchés (R. des) . . . . **BZ** 10
St-Denis (R.) . . . . **BYZ**
Vacheresse (R.) . . . . **ABZ**

Chemin-de-Fer (R. du) . . . **BY** 2
Delambre (R.) . . . . **BY** 3
Foch (R. Mar.) . . . . **BY** 4
Galliéni (Bd du Mar.) . . . . **BZ** 5
Gare (R. de la) . . . . **AY** 6
Gaulle (Bd du Gén.-de) . . **AZ** 7
Le Paire (R. J.) . . . . **AYZ** 8
St-Laurent (R.) . . . . **BZ** 16

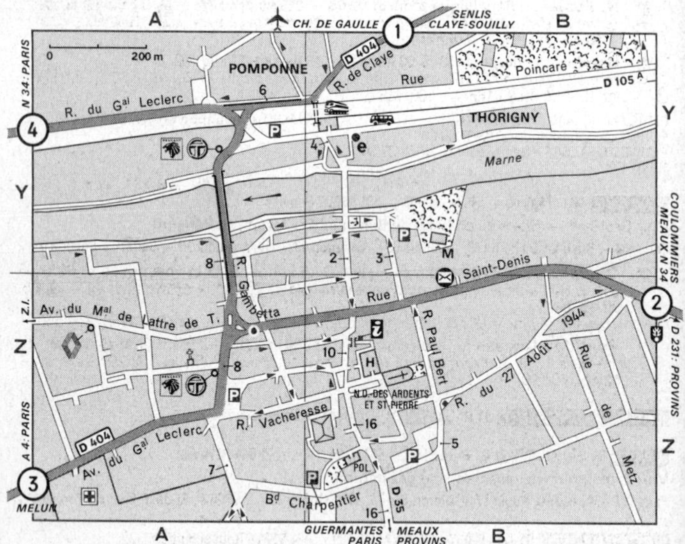

à Thorigny – 7 670 h. – ✉ **77400** Lagny :

XX **St-Martin,** 6 r. Gare ✆ (1) **64 30 00 55** – P. AE ⓓ VISA BY **e**
fermé 15 juil. au 15 août, dim. soir et lundi – **R** 70/220.

à Montévrain par ② : 3 km – ✉ **77144** Montévrain :

XX **Bonne Auberge,** ✆ (1) 64 30 25 09 – **P**. AE E VISA
fermé 9 au 30 juil., vacances de Noël, mardi soir et merc. – SC : **R** 80/210.

CITROEN Yvois, 57 av. Leclerc à St-Thibault-des-Vignes par ③ ✆ (1) 64 30 53 67
FORD Gar. Jamin, 34 av. Gén.-Leclerc ✆ (1) 64 30 02 90 N
PEUGEOT-TALBOT Métin Marne, 2 av. du Gén.-Leclerc, Pomponne ✆ (1) 64 30 30 30
PEUGEOT-TALBOT Queillé, 34 r. J.-Le-Paire ✆ (1) 64 30 06 74
PEUGEOT-TALBOT Queille, 127-129 r. Gén.-Leclerc par ③ ✆ (1) 64 30 06 74
RENAULT Marquet, 31 av. de Lattre de Tassigny ✆ (1) 64 30 03 44 N ✆ 64 30 20 54

La Centrale du Pneu, 13 r. Pont-Hardy ✆ (1) 64 30 55 00

LAGUIAN **32** Gers **82** ⑨ – **250** h. alt. **320** – ✉ **32170** Miélan.

Voir Puntous de Laguian ✻★★ O : 2 km, **G. Pyrénées.**

Paris 783 – Aire-sur-l'A. 63 – Auch 44 – Lannemezan 49 – Mirande 19 – St-Gaudens 78 – Tarbes 29.

XX **Host. des Puntous,** O : 1,5 km ✆ **62 67 52 51** – **P**
fermé 20 oct. au 30 nov., lundi soir et mardi – SC : **R** 40/100 ⅓.

LAGUIOLE **12210** Aveyron **76** ⑬ **G. Auvergne** – **1 235** h. alt. **1 004** – Sports d'hiver : **1 200/1 407** ⟡8 ⛷.

Voir Église ✻★.

Paris 552 – Aurillac 82 – Espalion 24 – Mende 85 – Rodez 56 – St-Flour 64.

Gd Hôtel Auguy, ✆ **65 44 31 11** – ⧉ ⌂wc ⌂wc ☎ ⇔. VISA
fermé 1er nov. au 15 déc., 13 au 22 avril, dim. soir et lundi sauf du 15 juin au 15 sept. et vacances scolaires – SC : **R** 65/150 ⅓ – ☕ 14,50 – **33 ch** 114/183 – P 165/220.

Régis, ✆ **65 44 30 05** – ⌂wc ⌂wc ☎ **P**
fermé 1er au 10 juin, 1er au 26 oct. et vend. sauf juil.-août – SC : **R** 56/115 ⅓ – ☕ 14,50 – **15 ch** 80/165 – P 180.

XXX ✿ **Lou Mazuc** (Bras) M avec ch, ✆ **65 44 32 24** – ⧉ TV ⌂wc ⌂wc ☎. AE. ✻
1er avril-mi-oct. et fermé dim. soir et lundi sauf juil.-août – SC : **R** (nombre de couverts limité - prévenir) 80/260 – ☕ 30 – **13 ch** 130/320
Spéc. Sauté de queues d'écrevisses (juil. à oct.), Filet de lapin aux truffes, Assiette de gourmandises. **Vins** Marcillac.

à Soulages-Bonneval O : 5 km par D 541 – ✉ **12210** Laguiole :

Aub. du Moulin, ✆ **65 44 32 36,** ≤, 🌳 – ⌂ **P**
fermé janv., dim. de Noël à Pâques et vend. hors sais. – SC : **R** 45/75 ⅓ – ☕ 13 – **12 ch** 68/105 – P 145/160.

CITROEN Gar. Charles, ✆ 65 44 34 40
RENAULT Gar. Troussillie, ✆ 65 44 32 21 N

La LAIGNE **17** Char.-Mar. **71** ② – **272** h. alt. **15** – ✉ **17170** Courçon.

Paris 435 – Fontenay-le-Comte 39 – Niort 30 – Rochefort 44 – La Rochelle 33.

XX **Aub. Aunisienne,** ✆ **46 01 64 70** – ⓓ E VISA
fermé lundi soir de sept. à juin et mardi sauf le midi en juil.-août – **R** 42/150 ⅓.

RENAULT Relais de Laigne, ✆ 46 01 64 66 N ✆ 46 07 28 36

à Benon O : 4 km par N 11 – ✉ **17170** Courçon :

Relais de Benon M ⛓, carrefour N 11 et D 116 ✆ **46 01 61 63,** Télex **791172**, 🏊, 🌳, 🎾 – TV ⌂wc ☎ **P** – 🏛 250. AE ⓓ E VISA
SC : **R** 63/160 – ☕ 21 – **30 ch** 195/230.

LAIGNES **21330** Côte-d'Or **65** ⑦ – **1 008** h. alt. **220**.

Paris 230 – Avallon 62 – Chatillon-sur-Seine 17 – ♦Dijon 88 – Tonnerre 32 – Troyes 66.

XX **L'Échauguette,** ✆ **80 81 47 69,** 🌳 – E
fermé 15 au 30 nov., vacances de fév., dim. soir et lundi – SC : **R** 89/220.

PEUGEOT-TALBOT Gar. Baubant, ✆ 80 81 46 57 N
RENAULT Gar. Voisot Gossmann, ✆ 80 81 40 37 N

LALACELLE **61** Orne **60** ② – **282** h. alt. **272** – ✉ **61320** Carrouges.

Voir Mont des Avaloirs ✻★ S : 5 km, **G. Normandie.**

Paris 210 – Alençon 19 – Argentan 35 – Carrouges 12 – Domfront 42 – Falaise 57 – Mayenne 42.

XX **La Lentillère** avec ch, E : 1,5 km sur N 12 ✆ **33 27 38 48,** 🌳 – ⌂ ☎ **P**. ⓓ E VISA
fermé fév., lundi (sauf juil.-août) et dim. soir – SC : **R** 42/170 – ☕ 14 – **8 ch** 70/95.

Utilisez toujours les **cartes Michelin** récentes.
Pour une dépense minime vous aurez des informations sûres.

LALINDE 24150 Dordogne 75 ⑮ – 2 954 h. alt. 46.

Paris 575 – Bergerac 22 – Brive-La-Gaillarde 99 – Cahors 89 – Périgueux 59 – Villeneuve-sur-Lot 60.

La Forge, pl. Victor Hugo ✆ 53 24 92 24 – TV ⇔wc ⋒wc ☎. AE ⓓ E VISA
fermé vacances scolaires de Noël et de fév. – SC : **R** *(fermé lundi du 1er sept. au 30 juin)* 40/205 – ☕ 19,50 – **15 ch** 161/214 – P 250/330.

CITROEN Groupierre, ✆ 53 61 03 67
PEUGEOT-TALBOT Arbaudie, ✆ 53 61 00 22 N
RENAULT Vergnolles, ✆ 53 61 16 16 N

LALOUVESC 07520 Ardèche 76 ⑨ **G. Vallée du Rhône** – 487 h. alt. 1 050 – **Voir** ✱★.

Paris 556 – Annonay 25 – Lamastre 27 – Privas 83 – St-Agrève 31 – Tournon 42 – Yssingeaux 43.

Beau Site, ✆ 75 67 82 14, ≤ montagnes – ⇔wc ⋒wc ☎. AE ⓓ
1er avril-30 sept. – SC : **R** 57/135 – ☕ 17,50 – **33 ch** 86/205 – P 185/235.

Relais du Monarque, ✆ 75 67 80 44, ≤ montagnes, ⛱ – ⇔wc ⋒ ☎. AE ⓓ
8 mai-1er oct. – SC : **R** 50/125 – ☕ 17 – **20 ch** 92/190 – P 180/240.

Vivarais sans rest, ✆ 75 67 81 41 – ⋒
15 mai-15 sept. – SC : ☕ 16 – **14 ch** 78/143.

LAMAGDELAINE 46 Lot 79 ⑧ – rattaché à Cahors.

LAMALOU-LES-BAINS 34240 Hérault 83 ④ **G. Causses** – 2 813 h. alt. 200 – Stat. therm. – Casino.

ℹ Office de Tourisme av. Charcot ✆ 67 95 64 17.

Paris 844 – Béziers 39 – Lacaune 54 – Lodève 38 – ♦Montpellier 80 – St-Affrique 79 – St-Pons 37.

Gd H. Mas, ✆ 67 95 62 22, parc, ⛱, ⚔ – |♦| cuisinette ⇔wc ⋒wc ☎ ♿ Ⓟ – 🏛 80. ⓓ E VISA
fermé 6 janv. au 25 fév. – SC : **R** 45/150 – ☕ 16 – **40 ch** 90/185 – P 170/225.

Belleville, av. Charcot ✆ 67 95 61 09, ⛱ – |♦| ⇔wc ⋒wc ☎ ♿ Ⓟ – 🏛 40. E VISA
SC : **R** 42/145 🍷 – ☕ 15,50 – **44 ch** 77/170 – P 140/240.

Commerce sans rest, ✆ 67 95 63 14 – ⋒wc ☎ 🚗
1er avril-31 oct. – SC : ☕ 13 – **24 ch** 60/105.

aux Aires E : 4 km par D 160 – ✉ 34600 Bédarieux :

Grange, ✆ 67 95 68 45 – Ⓟ. E VISA
SC : **R** 52/120.

PEUGEOT-TALBOT Gd Gar. des Cévennes, ✆ 67 95 64 22 N

LAMASTRE 07270 Ardèche 76 ⑲ **G. Vallée du Rhône** – 3 068 h. alt. 373.

Env. Ruines du château de Rochebloine ≤★★ 12 km par ⑥ puis 15 mn.

ℹ Syndicat d'Initiative r. F.-Hérold (Pâques-sept.) ✆ 75 06 48 99.

Paris 581 ① – Privas 56 ③ – Le Puy 73 ⑤ – ♦St-Étienne 94 ⑤ – Valence 40 ② – Vienne 91 ①.

Château d'Urbilhac 🐦, par ③ : 2 km ✆ 75 06 42 11, ≤ montagnes, ⛱, parc, 🏊, ⚔ – ⇔wc ⋒wc ☎ 🚗 Ⓟ. AE ⓓ E VISA
1er mai-30 sept. – SC : **R** 150/220 – ☕ 35 – **14 ch** 200/400.

❁ **Midi** (Perrier), pl. Seignobos **(e)** ✆ 75 06 41 50, ⛱ – ⇔wc ⋒wc ☎ – 🏛 25. AE E VISA
1er mars-15 déc. et fermé dim. soir et lundi (sauf juil.-août) et fériés – SC : **R** 140/310 – ☕ 28 – **20 ch** 100/240 – P 280/320
Spéc. Salade tiède aux foies de canard, Pain d'écrevisses (saison), Soufflé glacé aux marrons de l'Ardèche. **Vins** St-Péray, St-Joseph.

Commerce, pl. Rampon **(u)** ✆ 75 06 41 53, ⛱ – ⇔wc ⋒wc ☎ 🚗. ✗ rest
mars-oct. – SC : **R** 55/200 – ☕ 18,50 – **23 ch** 95/215 – P 155/225.

LAMASTRE

Bancel (R. D.) . 2
Charras (R. F.) 3
Descours (Av.) 4
Serres (Av. O.-de) . 5

Négociants, pl. Rampon **(t)** ✆ 75 06 41 34, ⛱ – ⋒wc 🚗. VISA
30 mars-12 nov. – SC : **R** 45/130 🍷 – ☕ 12,50 – **30 ch** 74/169 – P 126/157.

à Desaignes NO : 7 km par ⑤ – ✉ 07570 Desaignes :

Voyageurs, ✆ 75 06 61 48, ⛱, ⚔ – ⋒wc 🚗 Ⓟ. ✗ rest
15 mars-30 sept. – SC : **R** 46/110 – ☕ 13 – **20 ch** 90/170 – P 135/180.

CITROEN Gar.Moderne, ✆ 75 06 44 24
FIAT-LANCIA-AUTOBIANCHI Gar. Montabonnel, ✆ 75 06 53 94 N ✆ 75 06 56 22
FORD Ferraton, ✆ 75 06 41 56 N
PEUGEOT-TALBOT Rugani, ✆ 75 06 42 20 N
PEUGEOT-TALBOT Traversier, ✆ 75 06 42 12 N ✆ 75 06 46 38
RENAULT Chareyre-Autos, ✆ 75 06 43 32 N

LAMATH 54 M.-et-M. 62 ⑥ – rattaché à Lunéville.

LAMBALLE 22400 C.-du-N. 59 ④⑭ **G. Bretagne** – 4 867 h. alt. 55.

Voir Haras★

Office de Tourisme 2 pl. Martray (1er juin-15 sept.) ✆ 96 31 05 38.

Paris 432 ② – Dinan 40 ② – Pontivy 63 ③ – Redon 114 ② – ♦Rennes 81 ② – St-Brieuc 21 ④ – St-Malo 55 ① – Vannes 105 ③.

LAMBALLE

Bario (R.)	3	Beloir (Pl. du)	4	Hurel (R. du Bg)	25
Cartel (R. Ch.)	8	Boucouets (R. des)	7	Jeu de Paume (R. du)	26
Dr-A.-Calmette (R. du)	15	Caunelaye (R. de la)	9	Leclerc (R. Gén.)	29
Martray (Pl. du)	32	Champ-de-Foire (Pl. du)	12	Marché (Pl. du)	30
Val (R. du)	43	Charpentier (R. Y.)	14	N.-Dame (R.)	33
		Dr-Lavergne (R. du)	16	Poincaré (R.)	34
		Foch (R. Mar.)	19	St-Jean (R.)	37
		Gesle (Ch. de la)	23	St-Lazare (R.)	38
Augustins (R. des)	2	Grand Boulevard (R. du)	24	Villedeneu (R.)	45

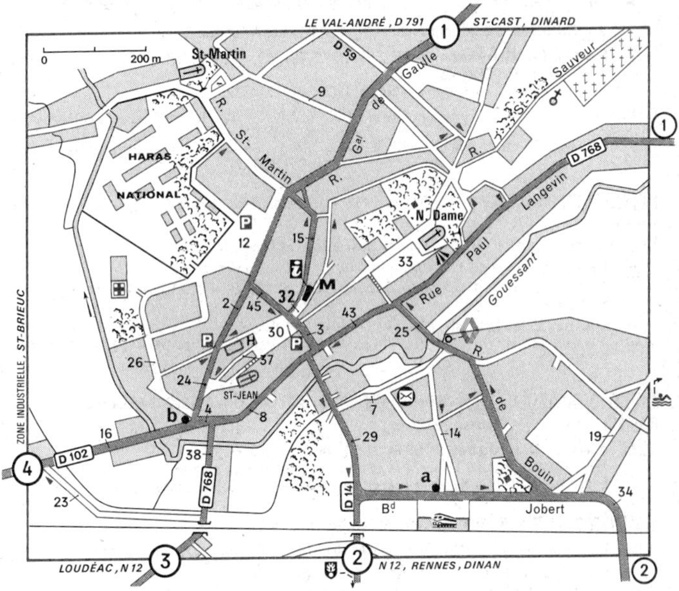

Les Alizés M, par ④ : 2 km ✆ 96 31 16 37, Télex 740719, ☂, ☼ – ▤ rest TV ⇌wc ☎ ♿ 🅟 – 🏛 120. AE E VISA
SC : **R** 60/150 – ☕ 21 – **32 ch** 180/227.

Angleterre et Gare M, 29 bd Jobert **(a)** ✆ 96 31 00 16 – ⇅ ⇌wc ⋔wc ☎ – 🏛 25. AE ⓓ E VISA
SC : **R** *(fermé fév., dim. soir et lundi midi du 1er oct. au 1er avril sauf fêtes)* 62/160 ♁ – ☕ 22 – **35 ch** 75/210.

La Tour d'Argent (Annexe M, ⛭ - 16 ch), 2 r. Dr-Lavergne **(b)** ✆ 96 31 01 37 – ⇌wc ⋔wc ☎. AE ⓓ E VISA
fermé 14 au 29 juin, 18 oct. au 2 nov. et sam. (sauf hôtel en juil.-août) – SC : **R** 58/150 ♁ – ☕ 17,50 – **30 ch** 83/200 – P 190/250.

à la Poterie E : 3,5 km par D 28 – ✉ **22400** Lamballe :

Aub. Manoir des Portes ⛭, ✆ 96 31 13 62, ☂, ☼ – TV ⇌wc ☎ 🅟 – 🏛 25. AE ⓓ VISA
fermé 1er janv. au 28 fév. – SC : **R** *(fermé dim. soir et lundi du 30 sept. au 30 juin)* 85 – ☕ 26 – **15 ch** 210/345 – P 340/425.

CITROEN Armor-Auto, Zone Ind. par ④ ✆ 96 31 04 32
PEUGEOT-TALBOT Léna, 26 r. Dr Lavergne, par ④ ✆ 96 31 01 40
RENAULT Le Moal et Poirier, 1 r. Bouin ✆ 96 31 02 83 N

Andrieux Pneus, rte de St-Brieuc ✆ 96 31 05 33
Desserrey-Pneus, rte de Dinard ✆ 96 31 03 11

LAMBESC 13410 B.-du-R. 84 ② G. Provence – 5 353 h.

Paris 730 – Aix-en-Provence 21 – Apt 38 – Cavaillon 30 – •Marseille 51.

XXX **Moulin de Tante Yvonne,** r. Raspail ☎ 42 28 02 46, « Ancien moulin à huile du 15e s »
fermé 29 juil. au 28 août, 28 janv. au 27 fév., mardi, merc. et jeudi – SC : **R** (prévenir) carte 200 à 240.

PEUGEOT-TALBOT Gar. Favre-Nicolin, N 7 ☎ 42 92 94 94

LAMOTTE-BEUVRON 41600 L.-et-Ch. 64 ⑨ – 4 405 h. alt. 114.

Syndicat d'Initiative Mairie (sais.) ☎ 54 88 00 28.

Paris 167 – Blois 59 – Gien 57 – •Orléans 36 – Romorantin-Lanthenay 40 – Salbris 20.

Monarque, av. H.-de-Ville ☎ 54 88 04 47 – wc P. AE E VISA
fermé 18 au 27 août, 1er au 28 fév., mardi soir et merc. – SC : **R** 62/165 – 17 – **12 ch** 89/197 – P 205/235.

XX **Host de la Cloche** avec ch, av. République ☎ 54 88 02 20, – P. AE E VISA
fermé lundi soir hors sais. et mardi – SC : **R** 55/148 – 15,50 – **8 ch** 58/90.

au Rabot NO : 8 km par N 20 – ✉ **41600** Lamotte-Beuvron :

Motel des Bruyères, N 20 ☎ 54 88 05 70, – TV wc wc ☎ P – 80. E VISA
SC : **R** 55/110 – 16,50 – **50 ch** 85/220 – P 214/325.

CITROEN Germain, 15 av. Hôtel de Ville ☎ 54 88 04 49
PEUGEOT-TALBOT Labé, 29 av. Vierzon ☎ 54 88 03 54
RENAULT gar. du stade, 68 av. d'Orléans ☎ 54 88 08 88 N
V.A.G. Gar. Gorin, 14 ter av. de la République ☎ 54 88 00 21

LAMOURA 39 Jura 70 ⑮ – 379 h. alt. 1 156 – Sports d'hiver : 1 160/1 500 m 10 – ✉ **39310** Septmoncel.

Paris 483 – •Genève 48 – Gex 31 – Lons-le-Saunier 78 – St-Claude 17.

La Spatule, ☎ 84 42 60 23, ← – wc wc P. VISA.
15 juin-15 sept. et 15 déc.-15 avril – SC : **R** 65/98 – 19 – **25 ch** 105/160 – P 162/198.

Dalloz, ☎ 84 42 61 45, ← – wc P. ch
1er juin-1er oct. et 15 déc.-Pâques – SC : **R** 45/105 – 16 – **27 ch** 90/155 – P 140/180.

LAMPAUL-PLOUARZEL 29 Finistère 58 ③ – 1 583 h. alt. 33 – ✉ **29229** Plouarzel.

Paris 618 – •Brest 24 – Ploudalmézeau 15.

XXX ❀ **Aub. du Kruguel,** ☎ 98 84 01 66, – P. AE E.
fermé 1er au 15 sept., 3 au 24 fév., dim. soir, jeudi midi et merc. – SC : **R** 125/200
Spéc. Petit gâteau de foie blond, Filet de bar au beurre rouge, Selle d'agneau farcie en croûte.

LAMURE-SUR-AZERGUES 69870 Rhône 73 ⑨ – 1 065 h. alt. 385.

Paris 444 – Chauffailles 26 – •Lyon 52 – Roanne 56 – Tarare 36 – Villefranche-sur-Saône 30.

Ravel, ☎ 74 03 04 72, – P. AE VISA
fermé 3 au 30 nov. et vend. d'oct. à mai – SC : **R** 57/150 – 15 – **10 ch** 73/130 – P 150/180.

X Commerce avec ch, ☎ 74 03 05 00 – – **10 ch.**

LANCIEUX 22770 C.-du-N. 59 ⑤ G. Bretagne – 1 156 h..

Voir Ploubalay : château d'eau ** S : 4 km.

Paris 423 – Dinan 21 – Dol-de-Bretagne 32 – Lamballe 40 – St-Brieuc 60 – St-Cast 19 – St-Malo 18.

Mer, r. Plage ☎ 96 86 22 07 – wc wc P. E VISA
fermé 1er déc. au 10 fév. – SC : **R** *(fermé sam. soir et dim. du 1er nov. au 10 fév.)* 46/90 – 16,50 – **20 ch** 75/200 – P 135/175.

RENAULT Popovic, 14 r. Nat ☎ 96 86 22 28

LANÇON-PROVENCE 13 B.-du-R. 84 ② – rattaché à Salon-de-Provence.

LANCRANS 01 Ain 74 ⑤ – rattaché à Bellegarde-sur-Valserine.

LANDERNEAU 29220 Finistère 58 ⑤ G. Bretagne – 15 531 h. alt. 21.

Voir Enclos paroissial* de Pencran S : 3,5 km Z.

18 d'Iroise ☎ 98 85 16 17 SE : 5 km par r. J.-L.-Rolland Z.

Office de Tourisme Pont de Rohan (matin seul. hors sais.) ☎ 98 85 13 09.

Paris 580 ⑤ – •Brest 20 ④ – Carhaix-Plouguer 62 ② – Morlaix 44 ⑤ – Quimper 63 ③.

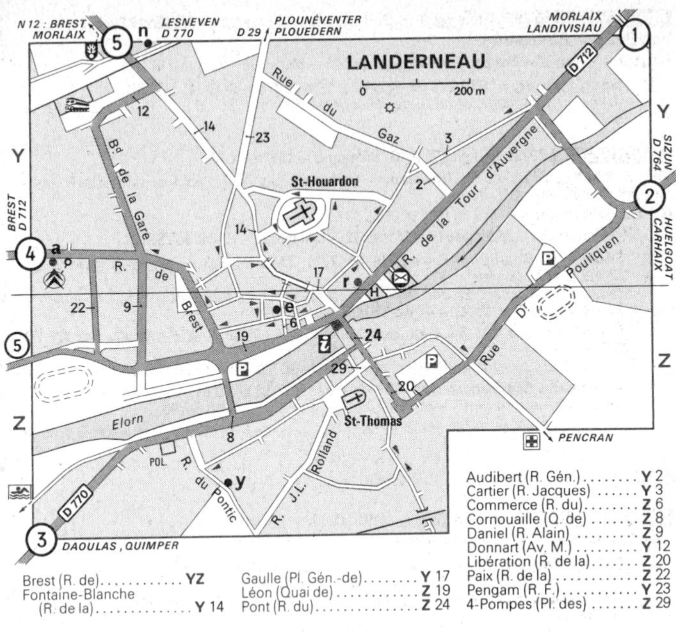

Brest (R. de) . . . . YZ
Fontaine-Blanche (R. de la) . . . . Y 14
Gaulle (Pl. Gén.-de) . . . . Y 17
Léon (Quai de) . . . . Z 19
Pont (R. du) . . . . Z 24
Audibert (R. Gén.) . . . . Y 2
Cartier (R. Jacques) . . . . . . Y 3
Commerce (R. du) . . . . Z 6
Cornouaille (Q. de) . . . . Z 8
Daniel (R. Alain) . . . . Z 9
Donnart (Av. M.) . . . . Y 12
Libération (R. de la) . . . . Z 20
Paix (R. de la) . . . . Z 22
Pengam (R. F.) . . . . Y 23
4-Pompes (Pl. des) . . . . Z 29

Clos du Pontic M, r. Pontic ✆ 98 21 50 91, parc – TV ⇔wc ⋒wc ☎ ♿ **P**. E VISA — Z **y**
SC : **R** *(fermé vacances de Noël, sam. midi, dim. soir et lundi)* 69/240 – ☕ 19 – **32 ch** 155/250.

Belle Aurore sans rest, **13 r. Commerce** ✆ **98 21 62 62** – ⋒wc ☎. VISA — Z **e**
fermé dim. d'oct. à mai – SC : ☕ 20 – **14 ch** 132/154.

Orient Express sans rest, **25 r. Kennedy** ✆ **98 21 63 21** – ⋒wc ☎ **P**. VISA — Y **n**
fermé dim. d'oct. à mai – SC : ☕ 22 – **10 ch** 110/165.

XXX **L'Amandier** avec ch, **55 r. de Brest** ✆ **98 85 10 89** – TV ⇔wc ⋒wc ☎. AE ⓪ E VISA. rest — Y **a**
R *(fermé 1er au 15 août, dim. soir et lundi)* 120/300 – ☕ 22 – **8 ch** 180/260 – P 400/540.

XX **Mairie,** 9 r. Tour-d'Auvergne ✆ **98 85 01 83** – E VISA — Y **r**
fermé 1er au 15 juil., 15 nov. au 1er déc. et mardi – SC : **R** 46/130 ♁.

à La Roche Maurice par ① et C1 : 5 km – ✉ **29220** Landerneau.
Voir Enclos paroissial★.

XX **Aub. Vieux Château,** ✆ **98 20 40 52** – E
fermé 7 au 24 nov. et 28 fév. au 10 mars – SC : **R** (déj. seul.) 64/174 ♁.

CITROEN Gd Gar. Ouest, 49 r. Brest ✆ 98 85 10 90
PEUGEOT-TALBOT Automobiles-de-l'Elorn, rte de Sizun par ② ✆ 98 21 41 80
RENAULT S.A.G.A., 4 r. de la Marne par ④ ✆ 98 85 01 26 N
V.A.G. Gar. St-Christophe, 4 et 30 Bd Gare, ✆ 98 85 00 29 N
Velghe, 25 r. de Guèbrient ✆ 98 85 01 56

LANDERSHEIM 67 B.-Rhin 62 ⑨ – 111 h. alt. 191 – ✉ 67700 Saverne.

Paris 462 – Haguenau 35 – Molsheim 22 – Saverne 13 – ♦Strasbourg 25.

XXX ✿ **Aub du Kochersberg,** ✆ **88 69 91 58,** – ▤ **P**. AE ⓪ E VISA
fermé 29 juil. au 20 août, vacances de fév., dim. soir, mardi et merc. – SC : **R** (déj. à partir de 13 h.) 140 bc/260
Spéc. Panaché de foie d'oie, Filet de sandre strasbourgeoise, Parfait fraise au coulis de rhubarbe (en sais.). **Vins** Sylvaner.

LANDEVANT 56690 Morbihan 63 ② – 1 794 h. alt. 29.

Paris 477 – Auray 15 – Hennebont 14 – Lorient 23 – Vannes 33.

XX **La Forestière,** rte Nostang : 1 km ✆ **97 56 90 55** – **P**
fermé 1er au 15 oct., fév., dim. soir et lundi – SC : **R** 85/160.

LANDÉVENNEC 29 Finistère 58 ④⑤ G. Bretagne – 377 h. alt. 80 – ✉ 29127 Plomodiern.

Voir Site★ – Belvédère ≤★.

Paris 582 – ♦Brest 52 – Châteaulin 33 – Douarnenez 45 – Morlaix 70 – Quimper 54.

Beau Séjour, ☎ 98 29 70 65, ≤, – wc wc ☎ P. E VISA.
fermé 10 au 30 janv. et lundi du 1er sept. au 30 mai – SC : **R** 65/170 – ☐ 22 – **27 ch** 96/185.

LANDIVISIAU 29230 Finistère 58 ⑤ G. Bretagne – 8 057 h. alt. 76.

Voir Porche★ de l'église St-Thivisiau – Lampaul-Guimiliau : enclos paroissial★, intérieur★★ de l'église★ SE : 4 km.

Office de Tourisme à l'Hôtel de Ville ☎ 98 68 03 50.

Paris 559 – ♦Brest 38 – Landerneau 16 – Morlaix 22 – Quimper 72 – St-Pol-de-Léon 23.

Léon, 3 pl. Champ-de-Foire ☎ 98 68 00 11, Télex 940333 – wc wc ☎ P. AE ⓓ E VISA. rest
fermé 1er au 15 nov., 25 déc. au 5 janv., dim. soir (sauf hôtel) et sam. d'oct. à avril – SC : **R** 60/160 – ☐ 23 – **44 ch** 150/252 – P 215/260.

Étendard sans rest, 8 r. Gén.-de-Gaulle ☎ 98 68 06 60 – wc wc ☎ P. ⓓ E VISA.
fermé 15 déc. au 15 janv. et dim. hors sais. – SC : ☐ 19 – **30 ch** 99/190.

La Grande Maison avec ch, 12 r. St-Guénal ☎ 98 68 00 61 – P. E
fermé dim. soir et lundi – SC : **R** 51/80 – ☐ 14,50 – **8 ch** 65/96.

CITROEN Kerzil, 64 r. Gén.-de-Gaulle ☎ 98 68 01 17

Desserrey-Pneus, 7 allée de la Croix ☎ 98 68 13 88

LANESTER 56 Morbihan 63 ① – rattaché à Lorient.

LANFROICOURT 54 M.-et-M. 57 ⑭ – 119 h. alt. 226 – ✉ 54760 Leyr.

Paris 329 – Custines 16 – ♦Metz 43 – ♦Nancy 20 – Pont-à-Mousson 30.

XXX ✿ **Aub. des Capucines** (Gérardin), ☎ 83 31 81 18, – P
fermé 1er au 15 août, 14 au 28 fév., mardi et merc. – SC : **R** 125/240
Spéc. Confit froid de lapereau, Blanc de sandre au velouté de menthe, Marcassin aux champignons sauvages.

LANGEAC 43300 H.-Loire 76 ⑤ G. Auvergne – 4 733 h. alt. 507.

Office de Tourisme pl. Hôtel de Ville (Pâques, mai-30 sept.) ☎ 71 77 05 41.

Paris 482 – Brioude 29 – Mende 95 – Le Puy 41 – St-Chély-d'Apcher 62 – St-Flour 51.

à Reilhac N : 3 km par D 585 – ✉ 43300 Langeac :

Val d'Allier, ☎ 71 77 02 11 – P. rest
fermé Noël-Jour de l'An, dim. soir et sam. du 15 nov. au 15 mars – SC : **R** 50/ 90 – ☐ 13,50 – **10 ch** 80/135 – P 270/326.

CITROEN Flandy, ☎ 71 77 05 14
FIAT Comte, 43 av. Danton ☎ 71 77 01 49
PEUGEOT-TALBOT Gar. Arsac, 77 av. Mar.-de-Lattre-de-Tassigny ☎ 71 77 02 89

RENAULT S.A.M.V.A.L., rte du Puy ☎ 71 77 04 07
Conze, rte de St-Flour ☎ 71 77 07 07

LANGEAIS 37130 I.-et-L. 64 ⑭ G. Châteaux de la Loire – 4 142 h. alt. 53 – **Voir Château★★ appartements★★★ – Parc★ du château de Cinq-Mars-la-Pile NE : 5 km par N 152.**

Syndicat d'Initiative à la Mairie (1er juin-15 sept.) ☎ 47 96 58 22.

Paris 259 – Angers 83 – Château-la-Vallière 31 – Chinon 31 – Saumur 41 – ♦Tours 25.

✿ **Hosten et rest. Langeais,** 2 r. Gambetta ☎ 47 96 82 12 – wc ☎ . AE ⓓ – *fermé 22 juin au 10 juil., 10 janv. au 1er fév., lundi soir et mardi* – SC : **R** carte 155 à 245 – ☐ 32 – **12 ch** 120/280
Spéc. Blanquette de sole et turbot, Canette à l'orange, Crêpes au coulis de cassis. **Vins** Vouvray, Chinon.

Duchesse Anne, 10 r. Tours ☎ 47 96 82 03, , – wc wc ☎ P. AE E VISA. rest
fermé 15 au 31 oct., fév., dim. soir et lundi hors sais. – SC : **R** 90/180 – ☐ 25 – **22 ch** 100/220 – P 300/420.

à St-Michel-sur-Loire SO : 5 km sur N 152 – ✉ 37130 Langeais :

Aub. de la Bonde, ☎ 47 96 83 13 – wc ☎ P. E VISA
fermé 15 déc. au 15 janv. et sam. (sauf veille fête) du 1er juil. au 15 sept. – SC : **R** 52/126 – ☐ 14 – **13 ch** 85/150.

CITROEN Vincent, ☎ 47 96 86 68
PEUGEOT-TALBOT Denis, ☎ 47 96 80 49
RENAULT Balester et Exposito, ☎ 47 96 82 10

Robles, ☎ 47 96 81 60

LANGOGNE 48300 Lozère 76 ⑰ G. Auvergne – 4 025 h. alt. 912.

Voir Chapiteaux★ de l'église.

Office de Tourisme 15 bd Capucins (vacances scolaires) ☎ 66 69 01 38.

Paris 548 – Alès 106 – Aubenas 62 – Mende 50 – Le Puy 42 – Villefort 49.

🏨 **Voyageurs,** rte Nîmes ✆ **66 69 00 56** – ⇔wc ⌂wc ☎. VISA
fermé 22 au 27 sept., 20 déc. au 27 janv. et dim. hors sais. sauf fêtes – **SC : R** 40/115 🍷 – ☕ 14 – **14 ch** 108/190.

CITROEN Philip, 20 av. Foch ✆ 66 69 05 82
FORD De Cecco, ✆ 66 69 02 37
RENAULT Blanquet, 69 av. Foch ✆ 66 69 11 55 **N**

Ⓜ Prouhèze, 43 av. Foch ✆ 66 69 09 30
R.I.P.A., 38 av. Dr.-Conturie ✆ 66 69 05 45

LANGON ⟨SP⟩ **33210** Gironde **79** ② **G. Côte de l'Atlantique** – 6 308 h. alt. 22.

i Office de Tourisme allées J.-Jaurès ✆ 56 62 34 00.

Paris 626 – Bergerac 79 – ♦Bordeaux 47 – Libourne 52 – Marmande 38 – Mont-de-Marsan 83.

🏨 **Modern,** 3 pl. Gén.-de-Gaulle ✆ **56 63 06 65** – ⇔wc ⌂wc ☎ **P**. AE
SC : R brasserie *(fermé merc.)* carte environ 80 🍷 – ☕ 14,50 – **14 ch** 80/135.

XXX ✿ **Claude Darroze** M avec ch, **95 cours Gén.-Leclerc** ✆ **56 63 00 48,** 🏞 – TV ⇔wc ⌂wc ☎ **P**. AE ⓓ E VISA. ✗ ch
fermé 10 oct. au 10 nov. et dim. soir hors sais. – **SC : R** 140/260 – ☕ 26 – **16 ch** 160/260
Spéc. Foie gras de canard, Poissons, Gibier (en sais.). **Vins** Sauternes, Graves.

XX **Grangousier,** 2 rte d'Auros ✆ **56 63 30 59,** 🏞 – **P**. AE ⓓ
SC : R 58/160 🍷.

CITROEN Gar. d'Aquitaine, N 113 à Toulenne ✆ 56 63 55 37
PEUGEOT-TALBOT Doux et Trouillot, 50 r. J.-Ferry ✆ 56 63 50 47
RENAULT Sade Langon, Mazères ✆ 56 63 44 69

Ⓜ Saphore, 40 cours de Lattre-De-Tassigny ✆ 56 63 02 02

LANGRES

Diderot (R.) . . . . YZ
Roussat (R. Jean) . . . . . Y 35
Ziegler (Pl.) . . . . Y 45

Aubert (R.) . . . . Y 2
Barbier-d'Aucourt (R.) . Y 3
Belle-Allée (La) . . . . Y 4
Boulière (R.) . . . . Y 5
Canon (R.) . . . . Y 6
Chavannes (R. des) . . . Z 10
Chlore (R. Constance) . Y 12
Coutellerie (R. de la) . . Y 13
Crémaillère (R. de la) . . Y 14
Croisette (R. de la) . . . . Y 15
Denfert-Rochereau (R.) . . . . . Z 16
Durand (R. Pierre) . . . . Y 17
Gambetta (R.) . . . . Y 18
Grand-Bie (R. du) . . . . . Y 19
Grand-Cloître (R. du) . . Y 20
Grouchy (Pl. Col. -de) . . Z 21
Jenson (Pl.) . . . . Z 23
Lambert-Payen (R.) . . . Y 24
Leclerc (R. Général) . . . Y 25
Longe-Porte (R.) . . . . . . X 27
Mance (Square J.) . . . . Y 28
Marne (R. de la) . . . . . . Y 29
Minot (R.) . . . . Z 31
Morlot (R. Card.) . . . . . . Y 32
Roger (R.) . . . . Y 33
St.-Didier (R.) . . . . Y 36
Terreaux (R. des) . . . . . Y 37
Tournelle (R. de la) . . . . Y 39
Turenne (Av. de) . . . . . . Z 40
Turenne (R. de) . . . . Y 41
Ursulines (R. des) . . . . . Y 43
Walferdin (R.) . . . . Y 44

PORTES :

Boulière . . . . Y
Gallo-Romaine . . . . Y
Henri-IV . . . . Y
Hôtel-de-Ville . . . . Y
Moulins . . . . Z
Neuve . . . . Y

TOURS :

Longe-Porte X
Navarre et d'Orval . . . . Z
Petit-Saut X
Piquante X
St-Ferjeux . . . . Z
St-Jean X

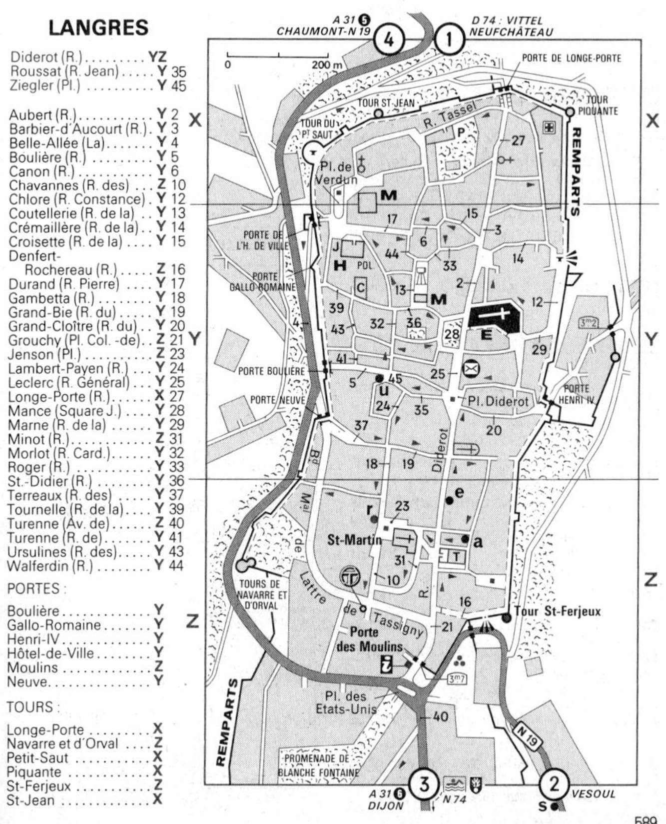

LANGRES <SP> **52200** H.-Marne **66** ③ **G. Champagne, Ardennes** – 11 147 h. alt. 466.
Voir Site★★ – Cathédrale★ Y E.

Office de Tourisme pl. Bel'Air ☎ 25 85 03 32.

Paris 289 ④ – Auxerre 156 ④ – ♦Besançon 102 ③ – Chaumont 35 ④ – ♦Dijon 68 ③ – Dole 99 ③ – Épinal 115 ① – ♦Nancy 136 ① – Troyes 129 ④ – Vesoul 75 ② – Vittel 72 ①.

Plan page précédente

Gd H. Europe, 23 r. Diderot ☎ 25 85 10 88 – wc wc ☎ P. AE O E VISA
hôtel et rest. fermés 21/04 au 5/05, 29/09 au 20/10 et dim. soir ; rest. : fermé lundi sauf le soir de juin à oct. – SC : **R** 80/125 – 18 – **28 ch** 68/168 – P 185/225. Z e

Cheval Blanc, 4 r. Estrés ☎ 25 85 07 00 – TV wc wc ☎. E VISA Z a
fermé 2 janv. au 2 fév. et merc. – SC : **R** 52/140 – 17 – **22 ch** 86/200.

Lion d'Or, rte Vesoul ☎ 25 85 03 30, <, – wc wc P. VISA Z s
fermé fin déc. à fin janv., vend. soir (sauf rest. en juil.-août) et sam. midi – SC : **R** 53/160 – 16 – **14 ch** 114/170.

Poste sans rest, 10 pl. Ziégler ☎ 25 85 10 51 – wc P Y u
fermé 20 au 29 sept., 10 au 30 nov., 22 fév. au 3 mars et dim. hors sais. – SC : 22 – **35 ch** 73/160.

Aub. Jeanne d'Arc avec ch, 26 r. Gambetta ☎ 25 85 03 18 – wc Z r
fermé 15 oct. au 20 nov., lundi soir et mardi midi – SC : **R** 48/100 – 18 – **9 ch** 70/85.

à Sts-Geosmes par ③ : 4 km – ✉ **52200** Langres :

Aub. des Trois Jumeaux avec ch, ☎ 25 85 03 36 – wc wc . E VISA
fermé nov. et lundi (sauf fériés) – SC : **R** 85/130 – 18 – **10 ch** 90/145.

BMW, V.A.G. Europe Gar., rte Chaumont ☎ 25 85 03 78
CITROEN Lingon, rte Dijon à St-Geosmes par ③ ☎ 25 85 11 83
FORD Noirot Autom., rte de Dijon à St-Geosmes, ☎ 25 85 29 19
PEUGEOT-TALBOT Gar. Berthier, rte de Dijon à St-Geosmes par ③ ☎ 25 85 02 13

TALBOT Gar. Bel-Air, bd de-Lattre-De-Tassigny ☎ 25 85 02 28

Langres Pneus, 1 av. Cap.-Baudoin ☎ 25 85 36 31

LANGRUNE-SUR-MER **14830** Calvados **54** ⑯ **G. Normandie** – 1 349 h.

Syndicat d'Initiative, Promenade A. Briand (1er juil.-31 août).

Paris 254 – Arromanches 20 – Bayeux 27 – Cabourg 30 – ♦Caen 16.

L'Océanide, 58 r. Gén.-Leclerc ☎ 31 96 32 50 – wc P. AE VISA. ch
avril-déc. et fermé mardi en hiver – SC : **R** 56/125 – 20 – **20 ch** 120/200 – P 220/270.

PEUGEOT-TALBOT Gar. Bourdon, ☎ 31 97 02 45 N

LANGUEUX **22** C.-du-N. **59** ③ – rattaché à St-Brieuc.

LANNEMEZAN **65300** H.-Pyr. **85** ⑨⑲ – 7 403 h. alt. 585.

de Lannemezan et Capvern-les-Bains ☎ 62 98 01 01 par ② : 4 km.

Syndicat d'Initiative pl. République (fermé matin hors saison) ☎ 62 98 08 31.

Paris 824 ④ – Auch 66 ② – Bagnères-de-Luchon 54 ② – St-Gaudens 30 ② – Tarbes 35 ④.

Pyrénées, rte Tarbes (u) ☎ 62 98 01 53, Télex 532807 – wc wc ☎ P. AE O E VISA
SC : **R** 56/140 – 20 – **31 ch** 170/200 – P 160/250.

CITROEN Gd Gar. du Plateau, rte de Tarbes par r. Clemenceau ☎ 62 98 05 91
OPEL Gar. des Pyrénées, 13 ter rte de Tarbes ☎ 62 98 01 87
PEUGEOT-TALBOT Laffitte, 610 r. G.-Clemenceau ☎ 62 98 33 34
RENAULT Auto-Sce-des-4-Vallées, 459-500 r. Alsace-Lorraine ☎ 62 98 03 88 N
V.A.G. Dambax, 430 r. du 8-Mai-1945 ☎ 62 98 35 45

Ibos, 227 rte La Barthe, Zone Ind. ☎ 62 98 09 78
Laborie, 538 r. du 8-Mai-1945 ☎ 62 98 01 67

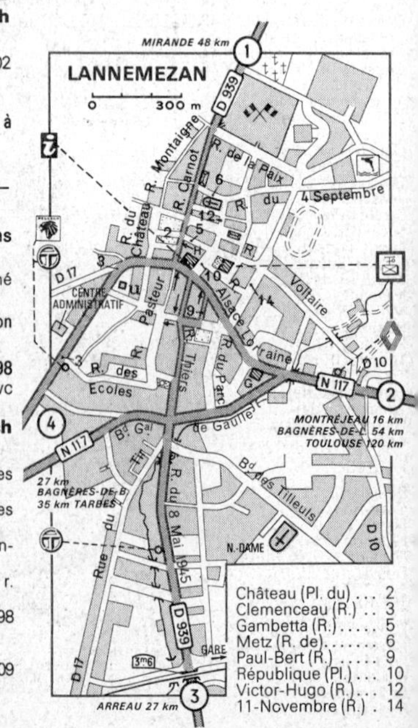

LANNILIS 29214 Finistère 58 ④ – 3 939 h. alt. 85.
Paris 600 – •Brest 23 – Brignogan 24 – Landerneau 30 – Lesneven 17 – Morlaix 63 – Quimper 91.

à Paluden N : 2 km par D 13 – ✉ **29214** Lannilis :

XX **Relais de l'Aber,** rte Plouguerneau ☏ 98 04 01 21, ← – AE ⓓ E. ✻
fermé 3 au 24 nov. et lundi – SC : **R** 46/114 ♁.

CITROEN Ségalen, ☏ 98 04 02 32 N

LANNION <SP> **22300** C.-du-N. 59 ① **G. Bretagne** – 17 228 h. alt. 23.
Voir Maisons anciennes★ (pl. Gén.-Leclerc Y 17) – Église de Brélévenez★ Y.
18 **de St-Samson ☏ 96 23 87 34, par ① et D 11 : 9,5 km.**
✈ **de Lannion : T.A.T. ☏ 96 48 42 92 N par ① : 2 km.**
ℹ Office de Tourisme quai d'Aiguillon ☏ 96 37 07 35.
Paris 515 ③ – •Brest 96 ⑤ – Lorient 150 ③ – Morlaix 38 ⑤ – Quimper 117 ⑤ – St-Brieuc 63 ③.

LANNION

Augustins (R. des) . . . . **Z** 3
Centre (Pl. du) . . . . **Y** 5
Pont-Blanc (R. Geoffroy-de) . . . . **Z** 25

Aiguillon (R. d') . . . . **Z** 2
Buzulzo (R. de) . . . . **Z** 4
Chapeliers (R. des) . . . . **Y** 6
Cie-Roger-Barbé (R.) . . . . . **Y** 7
Coudraie (R. de la) . . . . **Y** 8
Du Guesclin (R.) . . . . **Z** 9
Frères-Lagadec (R. des) . . . **Z** 12
Keriavily (R. de) . . . . **Z** 14
Kermaria (R. et Pont) . . . . . . **Z** 16
Le-Dantec (R. F.) . . . . **Y** 18
Letaillandier (R. E.) . . . . **Z** 20
Mairie (R. de la) . . . . **Y** 21
Palais-de-Justice (Allée du) . . . . **Z** 24
Pors an Prat (R. de) . . . . **Y** 26
Roud Ar Roc'h (R. de) . . . . . **Z** 28
St-Malo (R. de) . . . . **Z** 29
St-Nicolas (R.) . . . . **Z** 30
Trinité (R. de la) . . . . **Y** 32

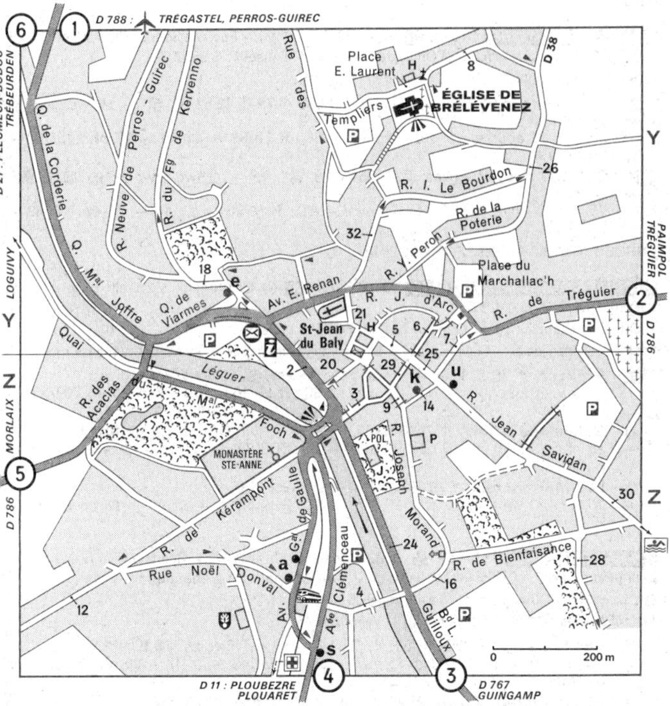

🏠 **Climat de France** ♨, par ① : 3 km ☏ 96 48 70 18, ≈ – TV ⇔wc ☎ ♿ P. E VISA
SC : **R** 54/92 ♁ – ☕ 22 – **47 ch** 196/205.

🏠 **Porte de France** sans rest, 5 r. J.-Savidan ☏ 96 46 54 81 – ⇔wc ⋔wc ☎ P. VISA Z **u**
SC : ☕ 25 – **9 ch** 180/230.

🏠 **Terminus,** 30 av. Gén.-de-Gaulle ☏ 96 37 03 67 – ⋔wc ☎. E VISA. ✻ ch Z **a**
fermé 15 déc. au 5 janv. – SC : **R** *(fermé dim. soir et lundi)* 46/110 ♁ – ☕ 18 – **16 ch** 75/150.

Bretagne, 32 av. Gén.-de-Gaulle ✆ 96 37 00 33 – ⊟ ⫪ ☎. ⓓ VISA Z a
SC : **R** *(fermé en oct., dim. soir et sam.)* 45/125 ⫰ – ☕ 16 – **12 ch** 75/150.

L'Arrivée sans rest, 15 rte Ploubezre ✆ 96 37 00 67 – ⊟wc ☎. ✻ Z s
fermé 20 déc. au 6 janv. – ☕ 20 – **12 ch** 75/120.

Kan An Dour, 7 r. Keriavily ✆ 96 37 14 23 – AE E Z k
fermé 1er au 10 sept. et lundi de sept. à juin – SC : **R** 72/200.

Le Serpolet, 1 r. F.-Le Dantec ✆ 96 46 50 23. ✻ Y e
fermé 20 avril au 5 mai, 14 au 29 sept., 1er au 6 janv., sam. midi hors sais., dim. soir et lundi – SC : **R** 52/141.

au Yaudet par ⑤ et D 88A : 8,5 km – ✉ **22300** Lannion :

Genêts d'Or, ✆ 96 35 24 17 – ℗. VISA. ✻ rest
fermé 15 janv. au 1er mars, dim. soir et lundi hors sais. – SC : **R** 55/115 – ☕ 16 – **14 ch** 70/110 – P 165/170.

AUSTIN, ROVER Gar. le Morvan, 69 rte de Tréguier ✆ 96 37 03 84
CITROEN Sylvestre, rte de Morlaix par r. des Frères-Lagadec Z ✆ 96 37 04 33 N ✆ 96 37 21 05
DATSUN-NISSAN Loas, rte de Morlaix, Plou-lec'h ✆ 96 37 08 81
FORD Gar. Corre, rte de Perros-Guirec ✆ 96 48 45 41
OPEL Gar. Guillou, rte de Guingamp ✆ 96 37 09 88
PEUGEOT-TALBOT Gd Gar. de Lannion, rte de Perros-Guirec par ① ✆ 96 48 52 71
RENAULT Gar. des Côtes d'Armor, rte de Guingamp par r. St-Nicolas Z ✆ 96 37 00 23 N
VOLVO Fontaine Autom., bd L.-Guilloux ✆ 96 46 50 06

Desserrey-Pneus, rte de Perros-Guirec ✆ 96 48 44 11
Trégor Pneus, rte du Rusquet ✆ 96 48 58 36

LANS-EN-VERCORS 38 Isère 77 ④ – 1 127 h. alt. 1 020 – Sports d'hiver : 1 400/1 983 m ⛷15 ⛸ – ✉ **38250** Villard-de-Lans – Office de Tourisme pl. Église ✆ 38 95 42 62.
Paris 578 – ♦Grenoble 27 – Villard-de-Lans 9 – Voiron 41.

La Source, à Bouilly SO : 3 km par D 531 ✆ 76 95 42 52, ⩽, ⛱ – ⊟wc ⫪wc ☎ ℗. ✻ rest
1er juil.-31 août et 25 déc.-Pâques – SC : **R** 58/88 – ☕ 18 – **17 ch** 125/162 – P 185/210.

Col de l'Arc, pl. Église ✆ 76 95 40 08, ⛱, ✂ – ⊟wc ⫪wc ☎ ℗. AE E VISA. ✻ rest
15 mai-30 sept. et 15 déc.-20 avril – SC : **R** 53/96 – ☕ 18 – **24 ch** 70/148 – P 170/195.

CITROEN Gar. des Gorges, ✆ 76 95 42 24 N

LANSLEBOURG-MONT-CENIS 73480 Savoie 77 ⑨ **G. Alpes** – 552 h. alt. 1 400 – Sports d'hiver : 1 400/2 800 m ⛷1 ⛷22.
Office de Tourisme de Val Cenis ✆ 79 05 23 66, Télex 980213.
Paris 647 – Briançon 87 – Chambéry 124 – St-Jean-de-Maurienne 54 – Torino 93 – Val-d'Isère 49.

Alpazur, ✆ 79 05 93 69 – ⊟wc ⫪wc ☎ 🚗 ℗. AE ⓓ E VISA. ✻ rest
1er juin-20 sept. et 20 déc.-20 avril – SC : **R** 88/168 – ☕ 27 – **24 ch** 209/250 – P 260/320.

Relais des 2 Cols, ✆ 79 05 92 83, ⩽, 🏊 – ⊟wc ⫪wc ☎ ℗. ⓓ VISA
25 mai-25 sept. et 20 déc.-10 avril – SC : **R** 60/84 – ☕ 20 – **30 ch** 100/200 – P 170/230.

Les Marmottes, ✆ 79 05 93 67 – ⊟ ⫪ 🚗. VISA
10 juin-20 sept. et 20 déc.-20 avril – SC : **R** 60/93 ⫰ – ☕ 17 – **16 ch** 82/158 – P 163/197.

LANSLEVILLARD 73 Savoie 77 ⑨ **G. Alpes** – 371 h. alt. 1 479 – Sports d'hiver (voir à Lanslebourg-Mont-Cenis) – ✉ **73480** Lanslebourg – **Voir** Chapelle St-Sébastien★.
Office de Tourisme (20 déc.-13 avril) ✆ 79 05 92 43.
Paris 650 – Briançon 90 – Chambéry 127 – Val-d'Isère 46.

Les Prais ⛰, ✆ 79 05 93 53, ⩽, 🏊, ⛱ – ⊟wc ⫪wc ☎. ⓓ E. ✻ rest
15 juin-15 sept. et 20 déc.-15 avril – SC : **R** 62/145 – ☕ 18 – **26 ch** 160/200, (en hiver pension seul.) – P 230/260.

Grand Signal, ✆ 79 05 91 24, ⩽, ⛱ – ⊟wc ⫪wc ☎ ℗. VISA
15 juin-15 sept. et 20 déc.-15 avril – SC : **R** 57/89 – ☕ 17,50 – **18 ch** 133/184 – P 198/224.

Les Mélèzes M ✆ 79 05 93 82, ⩽ – ⊟wc ☎ ℗. ✻
20 juin-10 sept. et 20 déc.-20 avril – SC : **R** 68/95 – ☕ 22 – **16 ch** 120/200 – P 206/242.

Etoile des Neiges, ✆ 79 05 90 41, ⩽ – ⊟wc ⫪wc ☎ ℗. VISA
15 juin-15 sept. et 20 déc.-20 avril – SC : **R** 65/105 – ☕ 18 – **24 ch** 140/165 – P 210/240.

LANTOSQUE Voir après le plan de Laon.

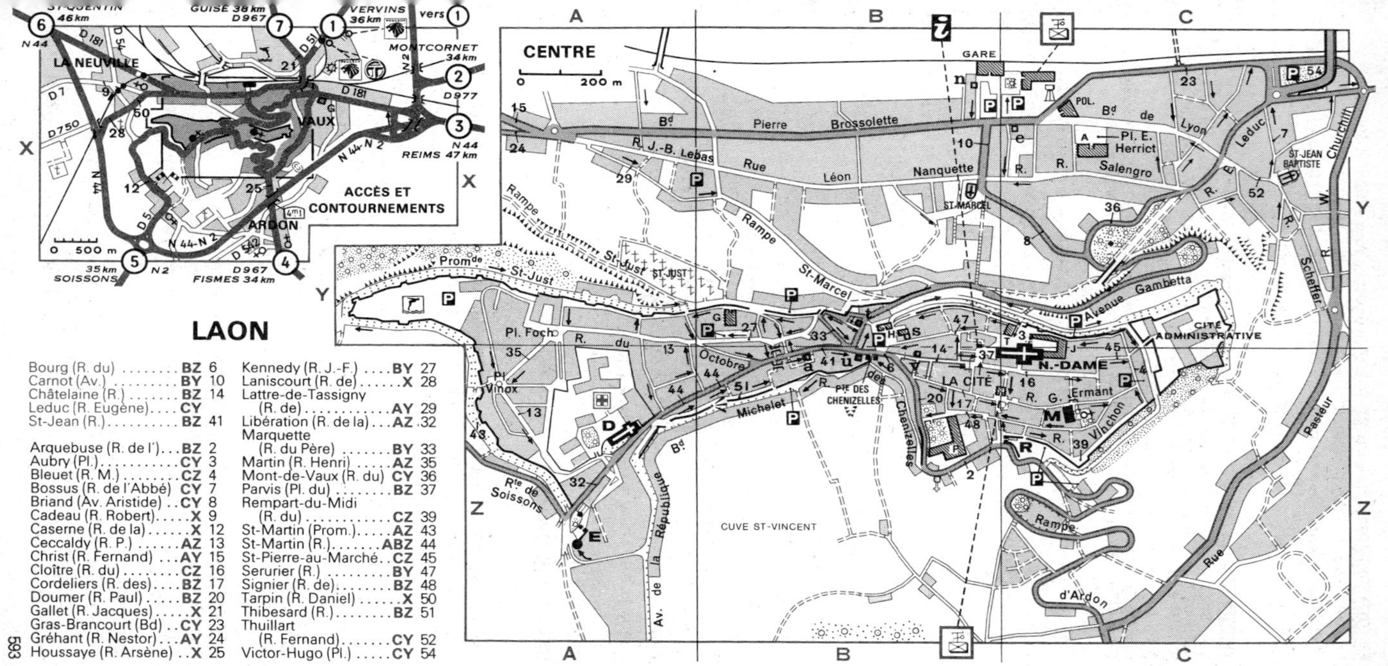

LAON

Bourg (R. du)	BZ	6		Kennedy (R. J.-F.)	BY	27
Carnot (Av.)	BY	10		Laniscourt (R. de)	X	28
Châtelaine (R.)	BZ	14		Lattre-de-Tassigny (R. de)	AY	29
Leduc (R. Eugène)	CY			Libération (R. de la)	AZ	32
St-Jean (R.)	BZ	41		Marquette (R. du Père)	BY	33
				Martin (R. Henri)	AZ	35
Arquebuse (R. de l')	BZ	2		Mont-de-Vaux (R. du)	CY	36
Aubry (Pl.)	CY	3		Parvis (Pl. du)	BZ	37
Bleuet (R. M.)	CZ	4		Rempart-du-Midi (R. du)	CZ	39
Bossus (R. de l'Abbé)	CY	7		St-Martin (Prom.)	AZ	43
Briand (Av. Aristide)	CY	8		St-Martin (R.)	ABZ	44
Cadeau (R. Robert)	X	9		St-Pierre-au-Marché	CZ	45
Caserne (R. de la)	X	12		Serurier (R.)	BY	47
Ceccaldy (R. P.)	AZ	13		Signier (R. de)	BZ	48
Christ (R. Fernand)	AY	15		Tarpin (R. Daniel)	X	50
Cloître (R. du)	CZ	16		Thibesard (R.)	BZ	51
Cordeliers (R. des)	BZ	17		Thuillart (R. Fernand)	CY	52
Doumer (R. Paul)	BZ	20		Victor-Hugo (Pl.)	CY	54
Gallet (R. Jacques)	X	21				
Gras-Brancourt (Bd)	CY	23				
Gréhant (R. Nestor)	AY	24				
Houssaye (R. Arsène)	X	25				

LANTOSQUE 06450 Alpes-Mar. 84 ⑲, 195 ⑰ G. Côte d'Azur – 772 h. alt. 510.

Paris 966 – ♦Nice 49 – Puget-Théniers 53 – St-Martin-Vésubie 15 – Sospel 42.

XX **L'Ancienne Gendarmerie** avec ch, D 2565 ✆ 93 03 00 65, ←, – wc wc ☎ P. AE ①.
fermé 5 nov. au 5 janv. – SC : **R** *(fermé lundi)* 110/160 dîner à la carte – 26 – **10 ch** 200/325 – P 300/400.

LAON P 02000 Aisne 56 ⑤ G. Flandres, Artois, Picardie – 29 074 h. alt. 83 à 18.

Voir Site★★ – **Cathédrale N-Dame**★★ : nef★★★ CYZ – **Rempart du Midi et porte d'Ardon**★ CZ **R** – **Église St-Martin**★ AZ **D** – **Porte de Soissons**★ AZ **E** – **Rue Thibesard** ←★ BZ 51 – **Musée et chapelle des Templiers**★ CZ **M** – **Circuit du Laonnois**★ par D 7 X.

Office de Tourisme pl. Parvis ✆ 23 20 28 62.

Paris 136 ⑤ – ♦Amiens 117 ⑥ – Charleroi 121 ① – Charleville-Mézières 105 ① – Compiègne 73 ⑤ – Mons 107 ① – ♦Reims 47 ③ – St-Quentin 46 ⑥ – Soissons 35 ⑤ – Valenciennes 99 ⑦.

Plan page précédente

Angleterre, 10 bd Lyon ✆ 23 23 04 62, Télex 145580 – wc ☎ P – 35. AE ① E VISA CY **e**
SC : **R** *(fermé dim. en hiver et sam. midi)* 60/110 – 22 – **30 ch** 125/270 – P 275/320.

Les Chevaliers sans rest, 3 r. Serurier ✆ 23 23 43 78 – wc ☎. AE ① E VISA
fermé 15 fév. au 10 mars – SC : 17 – **15 ch** 110/185. BY **s**

Commerce sans rest, 13 pl. Gare ✆ 23 79 10 38 – wc ☎. VISA BY **n**
fermé 21 déc. au 10 janv. et dim. d'oct. à mars – SC : 17,50 – **23 ch** 163.

XX **Bannière de France** avec ch, 11 r. F.-Roosevelt ✆ 23 23 21 44 – wc wc ☎ – 100. AE ① E VISA. BY **t**
fermé 20 déc. au 20 janv. – SC : **R** 65 bc/190 – 19,50 – **18 ch** 80/275 – P 220/320.

XX **Le Chatelain,** 35 r. Chatelaine ✆ 23 79 69 69 – AE E VISA BZ **v**
fermé 22 au 29 sept., 24 déc. au 2 janv., dim. soir et lundi – SC : **R** 75/200 .

XX **Chenizelles,** 1 r. Bourg ✆ 23 23 02 34 – AE E VISA BZ **u**
fermé lundi soir – SC : **R** 59/120 .

X Chateaubriand, 7 bis pl. St.-Julien ✆ 23 20 46 77 BZ **a**

à Etouvelles par ⑤ : 7 km rte Paris – ✉ 02000 Laon :

XX **Au Bon Accueil,** ✆ 23 20 62 09, , – P
fermé vacances de fév. et merc. sauf fêtes – **R** 72 bc/150 .

ALFA-ROMEO Sport-Tourisme, 54 bd Gras-Brancourt ✆ 23 79 42 44
FIAT Gar. Colbeaux, 5 pl. V.-Hugo ✆ 23 23 08 78
FORD S.I.C.B., 121 av. Mendes France ✆ 23 79 14 08
PEUGEOT-TALBOT Tuppin, 132 av. Mendes France ✆ 23 23 50 36
RENAULT S.O.D.A.L. av. Mendès-France par ① ✆ 23 23 24 35
V.A.G. Gar. St-Marcel, 45 bd Gras-Brancourt ✆ 23 23 41 72

Fischbach Pneu, 10 bd Gras-Brancourt ✆ 23 23 02 27

LAPALISSE 03120 Allier 73 ⑥ G. Auvergne – 3 673 h. alt. 299.

Voir Château★★.

Syndicat d'Initiative pl. Ch.-Bécaud (15 juin-20 sept.) ✆ 70 99 08 39.

Paris 342 – Digoin 45 – Mâcon 125 – Moulins 50 – Roanne 48 – St-Pourçain-sur-Sioule 31.

Bourbonnais, pl. 14-Juillet ✆ 70 99 04 11, –
fermé 10 au 25 mars, 10 au 30 nov., dim. soir du 1er déc. au 31 mars et lundi – SC : **R** 47/150 – 16 – **12 ch** 73/138.

XX **Galland** avec ch, pl. République ✆ 70 99 07 21 – wc wc ☎ . ① E
fermé janv. et merc. – SC : **R** (dim. et fêtes - prévenir) 78/180 – 17 – **8 ch** 120/220.

XX **Lion des Flandres** avec ch, r. Prés.-Roosevelt ✆ 70 99 06 75 – ☎. ch
fermé 15 au 31 déc., 15 au 31 janv. et lundi – SC : **R** 56/141 – 16 – **7 ch** 81/125.

CITROEN Henry, ✆ 70 99 02 77
FIAT Gar. Rollet, 7 pl. 14 Juillet ✆ 70 99 08 66
PEUGEOT-TALBOT Cantat-Bardon, ✆ 70 99 00 77
RENAULT Dupereau, ✆ 70 99 01 01 N

LAPEYRADE 40 Landes 79 ⑫ – ✉ 40240 Labastide d'Armagnac.

Paris 690 – Aire-sur-l'Adour 54 – Marmande 53 – Mont-de-Marsan 43 – Nérac 39.

XX L'Escale avec ch, sur D933 ✆ 58 93 61 16, , parc, – wc ☎ P
14 ch.

LAPLEAU 19550 Corrèze 76 ① – 516 h. alt. 500.

Paris 475 – Égletons 18 – Mauriac 27 – Neuvic 18 – Pleaux 32 – Tulle 50 – Ussel 39.

Touristes, ✆ 55 27 52 06, – P.
SC : **R** *(fermé sam. soir et dim. hors sais. sauf fêtes)* 52/83 – 13 – **20 ch** 64/86 – P 145/165.

LAPOUTROIE 68650 H.-Rhin 62 ⑱ – 1 911 h. alt. 450.

Paris 425 – Colmar 19 – Munster 29 – Ribeauvillé 21 – St-Dié 37 – Sélestat 34.

du Faudé M, ✆ 89 47 50 35, ⊠, 🌳 – ⇔wc ⋒wc ☎ P – 🏔 60. E VISA
fermé 12 nov. au 1er déc. et 3 au 15 mars – SC : **R** 60/180 🍷 – ☕ 16 – **27 ch** 90/160.

Les Alisiers 🌿, S : 3 km ✆ 89 47 52 82, ≤, 🌳 – ⇔wc ⋒wc ☎ P. VISA
fermé 15 nov. au 25 déc., lundi soir et mardi (sauf hôtel de mai à sept.) – SC : **R** 80/150 🍷 – ☕ 20 – **12 ch** 130/200 – P 200/235.

Au Vieux Moulin M sans rest, ✆ 89 47 56 55 – 🛗 ⋒wc ☎ P. ⓓ VISA
fermé nov. – SC : ☕ 17 – **20 ch** 140/165.

RENAULT Batot, Hachimette ✆ 89 47 54 44

LAPTE 43 H.-Loire 76 ⑧ – 1 163 h. alt. 848 – ✉ **43200** Yssingeaux.

Paris 561 – Bourg-Argental 40 – Le Puy 41 – ♦St-Étienne 61 – Yssingeaux 14.

XX **Les Peupliers** avec ch, ✆ 71 59 37 68 – ⋒ 🚗 P
fermé 15 oct. au 15 nov., dim. soir et lundi – SC : **R** 52/130 – ☕ 15 – **8 ch** 80 – P 150/160.

LAQUEUILLE 63820 P.-de-D. 73 ⑬ – 402 h. alt. 1 000.

Paris 425 – Aubusson 79 – ♦Clermont-Ferrand 42 – Mauriac 71 – Le Mont-Dore 15 – Ussel 44.

Les Clarines, à la Gare O : 3 km par N 89 et D 82 ✆ 73 22 00 43, 🌳, 🌳 – ⇔wc ⋒wc ☎ 🚗. AE E VISA
fermé 7 au 23 avril, 11 nov. au 5 fév., merc. soir et jeudi en mars et oct. – SC : **R** 70/120 – ☕ 20 – **15 ch** 122/300.

Commerce, à la Gare O : 3 km par N 89 et D 82 ✆ 73 22 00 03, 🌳, 🌳 – TV ⇔wc ⋒ ☎ 🚗 P. E VISA
fermé oct. et dim. soir hors sais. – SC : **R** 70/110 – ☕ 16 – **14 ch** 80/170 – P 160/220.

LARAGNE-MONTÉGLIN 05300 H.-Alpes 81 ⑤ – 3 647 h. alt. 573.

Paris 686 – Barcelonnette 88 – Gap 39 – Sault 63 – Serres 17 – Sisteron 17.

Chrisma M sans rest, rte de Grenoble ✆ 92 65 09 36 – ⇔wc ⋒wc ☎ 🚗 P. E VISA
mai-oct. – ☕ 20 – **19 ch** 143/162.

Le Globe, pl. Aires ✆ 92 65 15 81 – ⇔wc ⋒ ☎. E VISA
fermé janv. et dim. sauf le midi de juil. à oct. – SC : **R** 65/95 🍷 – ☕ 20 – **10 ch** 117/137 – P 166/185.

Les Terrasses, av. Provence ✆ 92 65 08 54, ≤, 🌳, 🌳 – ⇔ ⋒ 🚗 P. AE E VISA
1er mai-1er oct. – SC : **R** 50/105 🍷 – ☕ 15 – **17 ch** 60/150 – P 130/190.

CITROEN Gar. des Alpes, ✆ 92 65 04 79 RENAULT Lambert, ✆ 92 65 00 05 N

LARCEVEAU 64 Pyr.-Atl. 85 ④ – 424 h. alt. 262 – ✉ **64120** St-Palais.

Paris 810 – ♦Bayonne 69 – Pau 86 – St-Jean-Pied-de-Port 16 – St-Palais 15.

Espellet, ✆ 59 37 81 91, 🌳 – ▤ rest ⇔wc ⋒wc P. VISA. ⛔ rest
fermé fév. et mardi sauf juil.-août – SC : **R** 54/95 🍷 – ☕ 14,50 – **19 ch** 55/130 – P 135/155.

PEUGEOT, TALBOT Gar. Thambo, ✆ 59 37 80 37 N

LARCHE 04540 Alpes-de-H.-Pr 81 ⑨ – 91 h. alt. 1 700 – Sports d'hiver : 1 700/2 100 m ⛷3.

Paris 762 – Barcelonnette 26 – Cuneo 74 – Digne 113 – Guillestre 45 – St-Étienne-de-Tinée 68.

Paix, ✆ 92 84 31 35, ≤ – ⋒wc ☎ P
21 juin-29 sept. et 26 déc.-17 avril – SC : **R** 50/120 – ☕ 18 – **22 ch** 120/185 – P 160/230.

LARCHE 19600 Corrèze 75 ⑧ – 1 170 h. alt. 95.

Paris 500 – Brive-la-Gaillarde 11 – Cahors 100 – Périgueux 62 – Sarlat-la-Canéda 40 – Tulle 40.

Les Glycines, ✆ 55 85 30 12, ≤, 🌳, 🌳 – ⇔wc ⋒wc
fermé 20 déc. au 20 janv. – SC : **R** *(fermé dim. soir sauf du 1er juin au 30 sept.)* 45/80 🍷 – ☕ 12 – **10 ch** 50/150 – P 140/160.

Le LARDIN-ST-LAZARE 24 Dordogne 75 ⑦ – 2 041 h. alt. 90 – ✉ **24570** Condat.

Paris 491 – Brive-la-Gaillarde 27 – Lanouaille 38 – Périgueux 46 – Sarlat-la-Canéda 36.

Sautet, ✆ 53 51 27 22, ≤, « Jardin fleuri », 🎾 – 🛗 TV ⇔wc ⋒wc ☎ P – 🏔 80 à 150. AE VISA. ⛔ rest
fermé 20 déc. au 6 janv., vacances de fév., sam. midi de Pâques à oct., sam. et dim. d'oct. à Pâques – SC : **R** 73/245 – ☕ 20 – **38 ch** 105/250 – P 170/250.

XX **Aub. de l'Aérodrome,** à l'aérodrome de Condat-sur-Vézère S : 3 km par D 704 et VO ✆ 53 51 27 80, ≤, 🌳 – ▤ P. AE E VISA
fermé vacances de fév., dim. soir et mardi soir du 1er octobre au 1er mai et lundi – SC : **R** 115/220.

LARDY 91510 Essonne 61 ⑩, 196 ㊷ ㊸ – 3 028 h. alt. 75.

Paris 48 – Arpajon 9 – Corbeil-Essonnes 23 – Étampes 13 – Évry 29 – Fontainebleau 44.

X **Aub. de l'Espérance,** Gde-Rue (pl. Église) ✆ (1) 64 56 40 82 – AE ⓓ VISA
fermé dim. soir et lundi – **R** 120/190.

LARGENTIÈRE 07110 Ardèche 80 ⑧ **G. Vallée du Rhône** – 2 478 h..

Syndicat d'Initiative (fermé après-midi hors sais.) ✆ 75 39 14 28.

Paris 646 – Aubenas 16 – Alès 64 – Privas 46.

Le Chêne Vert, à Rocher N : 3,5 km par D 5 ✆ 75 88 34 02, ←, – wc
wc ☎ ℗
fermé 2 janv. au 15 mars – SC : **R** 49/120 – ☕ 16 – **15 ch** 105/200 – P 150/200.

CITROEN Gar. Olek, ✆ 75 39 17 47 RENAULT Gar. Soboul, ✆ 75 39 13 65

LARMOR-PLAGE 56260 Morbihan 63 ① **G. Bretagne** – 6 381 h.

Paris 499 – Lorient 6 – Quimperlé 27 – Vannes 60.

Beau Rivage, plage de Toulhars ✆ 97 65 50 11, ← – wc wc ☎ ℗. AE ⓓ E VISA
fermé 27 oct. au 2 déc. – SC : **R** *(fermé dim. soir et lundi)* 65/200 – ☕ 17 – **18 ch** 71/165 – P 185/250.

LARRAU 64 Pyr.-Atl. 85 ⑭ – 298 h. alt. 636 – ✉ 64560 Licq-Athérey.

Paris 839 – Oloron-Ste-Marie 42 – Pau 75 – St-Jean-Pied-de-Port 70 – Sauveterre-de-Béarn 67.

Despouey, ✆ 59 28 60 82, , – ℗.
1er fév.-15 nov. – SC : **R** 50/75 – ☕ 11,50 – **15 ch** 75/100 – P 120/145.

LARUNS 64440 Pyr.-Atl. 85 ⑯ – 1 465 h. alt. 531.

Paris 807 – Argelès-Gazost 48 – Lourdes 51 – Oloron-Ste-Marie 32 – Pau 37.

Ossau, pl. Mairie ✆ 59 05 30 14 – wc ☎. VISA
fermé 21 au 27 avril et mardi hors sais. – SC : **R** 55/105 – ☕ 17 – **12 ch** 85/150 – P 190/250.

X **Aub. Bellevue,** ancienne rte Pau ✆ 59 05 31 58, ←, – ℗. VISA
fermé 2 janv. au 15 fév., mardi soir et merc. sauf vacances scolaires – SC : **R** 56/110.

LASALLE 30460 Gard 80 ⑰ – 1 040 h. alt. 260.

Paris 737 – Alès 30 – Florac 71 – ♦Montpellier 60 – Nîmes 64 – St-Jean-du-Gard 18 – Le Vigan 43.

des Camisards, ✆ 66 85 20 50, – wc wc ☎ ℗. E
avril-nov. – SC : **R** 47/103 – ☕ 14,50 – **20 ch** 87/200 – P 185/200.

Parc, ✆ 66 85 27 17, , –
fermé 1er nov. à Pâques, mardi et merc. sauf du 1er juin au 15 sept. – SC : **R** *(fermé mardi soir et merc. du 15 sept. au 31 mai et le soir du 15 oct. au 1er mai)* 46 bc/87 – ☕ 13 – **8 ch** 74/90 – P 140/150.

LASCHAMPS-DE-CHAVANAT 23 Creuse 72 ⑩ – rattaché à Guéret.

LATILLÉ 86 Vienne 68 ⑬ – 1 239 h. alt. 149 – ✉ 86190 Vouillé.

Paris 348 – Châtellerault 48 – Parthenay 31 – Poitiers 26 – St-Maixent-l'École 37 – Saumur 84.

Centre, ✆ 49 51 88 75 – wc wc ☎ – 30. E VISA
fermé 1er au 15 janv. – SC : **R** 50/110 – ☕ 13 – **12 ch** 60/120 – P 150/180.

LATOUR-DE-CAROL 66 Pyr.-Or. 86 ⑯ – 436 h. alt. 1 248 – ✉ 66760 Bourg-Madame.

Paris 873 – Andorre la Vieille 58 – Ax-les-Thermes 47 – Font-Romeu 19 – ♦Perpignan 108.

XX ✿ **La Valdotène,** à Yravals, S : 0,5 km ✆ 68 04 84 46 – ⓓ E VISA.
fermé oct. et mardi hors sais. – SC : **R** (nombre de couverts limité – prévenir) 100/300
Spéc. Escalope de saumon à la menthe sauvage, Filet d'agneau en croûte à la fleur de lavande, Pêche feuilletée.

LATRONQUIÈRE 46210 Lot 75 ⑳ – 654 h. alt. 650.

Paris 570 – Aurillac 45 – Cahors 87 – Figeac 28 – Lacapelle-Marival 22 – St-Céré 28 – Sousceyrac 12.

Tourisme sans rest, ✆ 65 40 33 60 – wc wc ☎
mai-oct. – SC : ☕ 25 – **40 ch** 150/190.

CITROEN Jauliac, ✆ 65 40 25 12

La LATTE (Fort) 22 C.-du-N. 59 ⑤ **G. Bretagne** – ✉ 22240 Pléherel.

Voir Site★★ – ☀★★.

Paris 442 – Matignon 14.

The best tyres in the world

The story of Michelin is the history of the motor vehicle. Most of the important developments in tyre technology have been originated by Michelin: this started with the first detachable cycle tyre in 1892. In 1948 the introduction of the first radial, Michelin X, heralded a concept that inside two decades was to change the standards of tyre performance for ever.

In earlier days the introduction of new types was uncommon. Today, with more rigorous demands from both manufacturer and driver, there is something new from Michelin nearly every year. Family cars, fast cars, exotic cars, ordinary roads, motorways, off-the-road, winter roads: there is a Michelin for every driver in every condition.

The MX Range

The car tyre range today is bigger than ever before. In 1983 a whole new range was launched: MX for family cars, MXL low profile for the sport derivatives, MXV for performance cars.

MX

MX was introduced as a replacement for the world famous XZX and is made in 80 series. The multi-siped tread pattern ensures rapid water dispersal, providing excellent grip, particularly in wet conditions. No compromises have been made in the design so the long mileage associated with Michelin radials is maintained. With MX the advantages of previous Michelin radials have been maintained, including the retention of low rolling resistance providing excellent fuel economy.

MXL

MXL was developed as a tyre for the sportier saloon. Many top of the range cars and sports derivatives are fitted with low profile tyres as original equipment. MXL will out perform other tyres of this type. Sizes are available in 60, 65 and 70 Series and either S rated (180 km/h: 113 mph) or T rated (190 km/h: 120 mph).

MXL give superb grip in all conditions; broad grooves lead from the tread centre to the shoulders, ensuring efficient water clearance for good wet road grip. The tyre has the usual Michelin attributes of long life, coupled with excellent fuel economy.

MXV

MXV tyres have been designed specifically for many of the truly fast sports cars that require low profile, high performance tyres. After a short period the MXV has already gained an enviable reputation with manufacturers, tyre dealers and motorists.

To give positive grip at high speeds great attention has been paid to tread design: broad, deep circumferential grooves ensure excellent water dispersal and transverse grooves link the crown to the shoulder to give extra clearance. As with all Michelin radials, MXV tyres have a low rolling resistance and therefore save fuel.

MXV will progressively replace most XAS and XVS sizes and are available in 60, 65, 70 and 80 series.

TRX AND TDX TYRES

A further development in radial tyre technology came in the mid '70s with the launch of Michelin TRX. Because there are certain inherent disadvantages with the conventional design of tyre and rim, Michelin returned to basics and redesigned the tyre/wheel assembly as a unit. With standard profile rims the near vertical flange imposes stresses to the sidewall which results in a reversal of the direction in sidewall movement above the top edge of the flange. This results in an awkward 'S' shaped distortion of the sidewall. The TR rim has a gently sloping flange that allows the casing to adopt a natural 'C' curve. With the TR concept, stresses

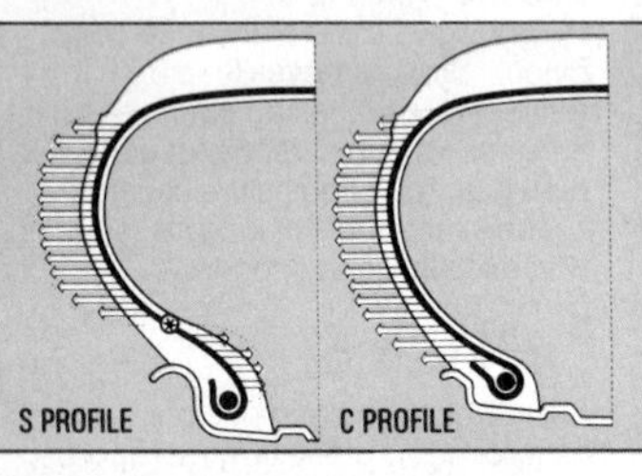

within the tyre are equalised; performance is enhanced, mileage increased due to more even wear and fuel economy improved. And even thoug TRX tyres are all low profile tyres the is no reduction in comfort comparec with more conventional tyres becau there is a longer sidewall flexing are

In 1983 an additional developme to the TR principle was announced; is called TDX. This new tyre takes th TRX concept further with changes t the bead area. The bead has an exte ded toe which locates in a channel i the rim base. With this development the TR design a limited run-on capab is added to the already considerabl advantages of the TRX tyre: the tyre

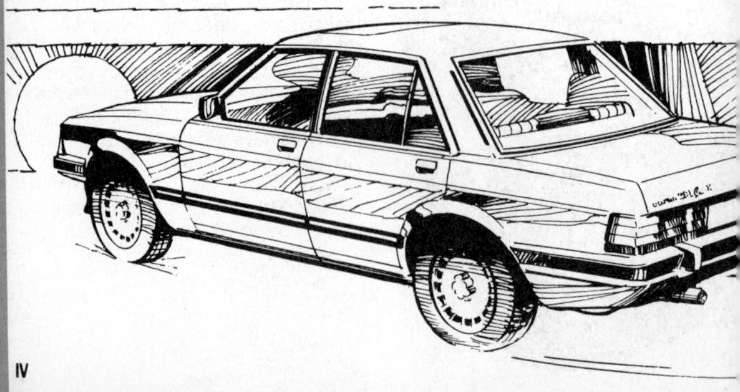

is added to the already considerable advantages of the TRX tyre: the tyre cannot leave the rim after a sudden deflation because the bead toe cannot be dislodged, so the car can always be brought to a safe stop. TDX is the great new tyre for the future and means total safety, security and peace of mind.

OTHER TYRES IN THE RANGE

The comparatively new MX Series, plus TRX and TDX, represent the great bulk of Michelin car tyres sold today. Nevertheless there are of course many other types of tyre for every possible type of application in the total Michelin car tyre range.

Although the great mass of drivers seldom use their cars on anything other than tarmac roads, wet or dry, there are still those people that need extra traction. Service engineers for water, gas, electricity and land line authorities, rally enthusiasts, drivers operating in areas of heavy snowfalls, including mountain rescue teams and even certain types of farm representative, all these need something extra that conventional tread patterns cannot give. Then there are the international rally cars on which Michelin has been so successful in recent years.

The list is endless, and all are catered for by Michelin. The Michelin car tyre range taken in its entirety must offer the widest choice in the world today.

MICHELIN MAPS & GUIDES

At the end of the last century motor cars were still a rarity, horse power still meant a flying mane, steel-bound wheels and a hard ride. But if motor cars were rare, route maps were almost unheard of and guide books with hotels and restaurants just didn't exist.

The development of the pneumatic tyre was the one factor without which the motor car would have remained a noisy, slow and cumbersome toy with little future. The tyre gave life to the motor car and provided fast long-distance travel to the masses in a relatively short space of time. André Michelin, one of the Company's founders, sensed the need for accurate information and in 1900 published the first Hotel and Restaurant Guide for France. The whole vast Michelin range of maps and guides available today stems from this first publication.

HOTEL & RESTAURANT GUIDES

This Hotel and Restaurant Guide to France is one of a world famous rang of similar publications. The complete list is: Benelux, France, Germany, Gre Britain and Ireland, Italy, Main Cities Europe and Spain and Portugal.

The guides are all prepared to the same standards and updated annual Easy to understand (and to remembe symbols give details of the size and grade of the hotel or restaurant and th varying facilities available (see the reference pages at the front of this guide).

There is also another special guid for the visitor to France who prefers th open air life, also revised annually – th is Camping and Caravaning in France

GREEN TOURIST GUIDES

The first touring guides appeared before the First World War. In those days they did not have a standard format; the shape and binding varied from guide to guide. Some of the earliest guides were of places that even today a visit is still an adventure. The guide of the Sunny Countries featured parts of North Africa as well as Southern Europe

Within a year of Armistice Day a special series of tourist books was published that today are collector's pieces; these are the Guides to the Battlefields. In words and pictures the horror and destruction at Amiens and Arras, Lille, the Marne Campaigns and Rheims, Soissons, the Somme, Verdun, Ypres and Yser helped a multitude of visitors to fully appreciate what had happened.

Today there are guides to important cities: Paris, London, Rome, New York; to countries: Canada, Portugal, Spain, Austria, Germany, Greece, Italy, Belgium-Luxembourg, and Switzerland, the regions of France, Great Britain, The West Country and our latest Scotland and New England. And of course all the Guides are to the same standard and with the familiar green covers.

All Green Tourist Guides are revised and updated regularly (but not necessarily annually).

MAPS

The Michelin archives contain many maps produced by the Company shortly after the first Michelin red guide, in other words some 80 years ago. Like the Guide, the early maps were of France. However as the coverage of the guides spread to cover the Mediterranean area and the British Isles so did the maps. Indeed in those areas that have never been blessed with motorways an old Michelin map is still quite usable (if you ignore the size of the towns and villages) because they were produced to such accuracy.

The range and scope of Michelin maps increases all the time and today covers the whole of Europe and Africa. Indeed the Michelin Africa maps are the only truly motoring maps of that vast continent.

Setting aside the rather special maps; of specific areas, geologic regions of France, city environs, historic events etc., the map range divides into three categories: main roads, regional maps and detailed maps. A one sheet map covers Europe from east to west and as far north as Bergen. There are main road maps of the whole of western Europe. The biggest expansion in new Michelin maps at this time is of the regional maps. The British Isles are covered completely by five maps; there is a regional map for each significant part of France so that the whole country is covered. Spain and Portugal, the Benelux countries, Switzerland and Austria are already in the series and th next countries to be tackled will be Ita and West Germany. The detailed map are primarily of France and the countr is in 37 sheets.

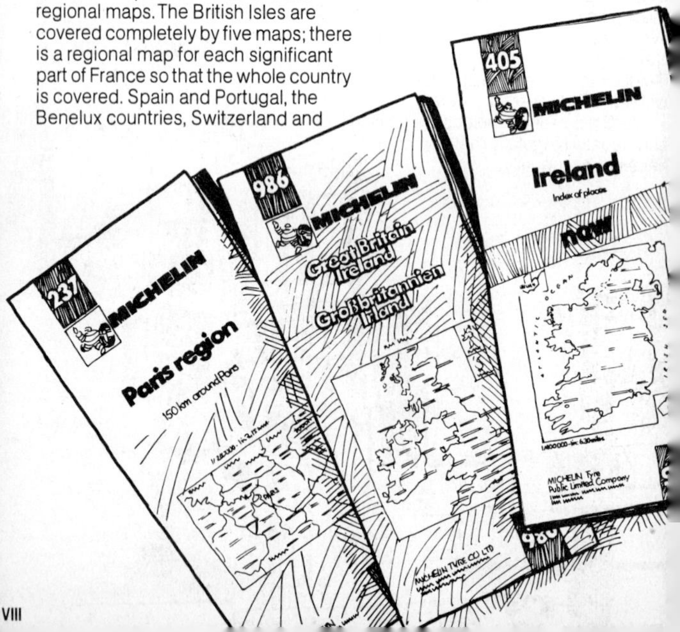

We have said that the Michelin maps are for motorists; we believe tha they are the only maps designed and produced with the driver in mind. The are famous not only for what they include but also for what is omitted. There is none of the clutter so often associated with some other maps which can make reference so difficult. On regional maps there is a handsome overlap from sheet to sheet so that no town or place is on the join.

Motorist does of course mean every type of driver from tourist to businessman and we are all both at some time or another. And truck drivers need good maps too. Because Michelin maps set out to cater for all drivers, the extra references are for all sorts of people. You will find a cross reference against any place where we recommend a hotel or restaurant in our appropriate hotel guide, and equally detail a place of natural beauty or other tourist attraction.

We could go on, but it is sufficient to say that we believe that, like our tyres, our maps and guides are the best too. Changes are never made for cosmetic reasons but rather because our constant reviews, our research and the help we get from our customers keep us up to date and on our toes.

EUROPE
GREAT BRITAIN

AUSTRIA
BENELUX
FRANCE
GERMANY
GREECE
IRELAND
ITALY
PORTUGAL
SPAIN
SWITZERLAND
YUGOSLAVIA

AFRICA

The Rally Scene

Let us look back just 100 years to 1884. Karl Benz was just about to patent his first motor vehicle. The age of the motor car was about to begin. In just two decades from this date the advances were enormous. From a slow, cumbersome, eratic and unreliable alternative to the horse drawn carriage came the monsters and the landaulets, the sport and the elegance, that were Edwardian motoring. It is hard to believe that so much could have happened so quickly, from nothing to 10 litres of thundering Delage or 12 litres of Itala and many many more.

Without the pneumatic tyre none of this could have happened. Cars would have remained slow and heavy to withstand the shocks transmitted from the road.

But something was needed to get through to ordinary people. Sport was the answer and motor sport was to capture the imagination in a couple of years. Artists like Montaut saw the thrills and recorded them on canvas, and today we can see the fear on the face

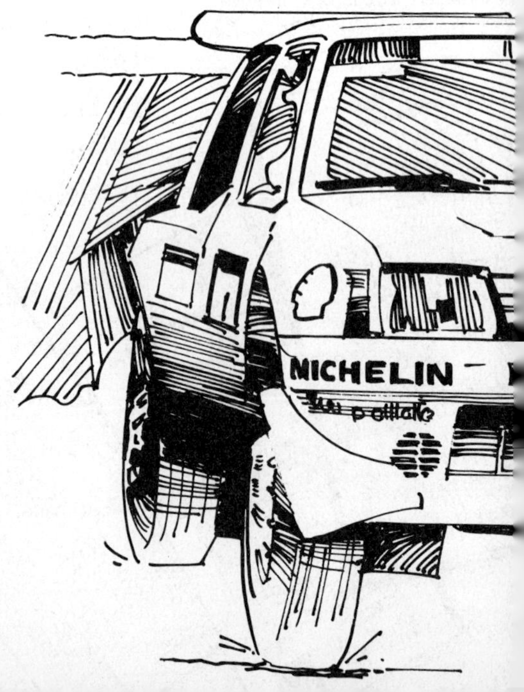

of the mechanic. Gordon Bennett of other adventures and sporting fame presented a cup for his own race and all the long distance events of those early years, culminating in the Paris-Madrid, were organised. You can see many of those races recorded on the tile frieze that graces the walls of Michelin House in London's Chelsea, the Michelin commercial offices in the U.K. from 1910 to 1985.

In those early days, like today, Michelin was the world's leading tyre manufacturer. So we were into racing in a very serious way. In fact we remained involved until the 1920s, by which time it was decided that at least for the present competition involvement was no longer appropriate.

However, 40 years on, a decision was made to re-enter competitive sport. The time was ripe to show the world that Michelin radials would more than hold their own in the toughest rallies and the most severe test of all, the Formula 1 race circuits. And so it was proved.

MICHELIN'S seven seasons in Formula One saw 59 victories, three Constructors and three Drivers Championship plus establishing radial tyre technology in the pinnacle of motor racing.

Rallying is now receiving Michelin's full attention. The 1985 season has seen Michelin equipped teams dominating the World Rally Championship, British Open Series and the British National Series.

On two wheels Michelin radial technology has assisted America's Freddie Spencer to the first ever double World Championship 250 cc and 500 cc; and established radial tyres at the pinnacle of motorcycling racing.

Michelin's record speaks for itself.

Les LAUMES 21150 Côte-d'Or 65 ⑧⑱ G. Bourgogne – alt. 248.

Voir Mont Auxois★ : ※★ E : 4 km.

Paris 249 – Avallon 55 – ♦Dijon 67 – Montbard 14 – Saulieu 43 – Semur-en-Auxois 13 – Vitteaux 19.

Lesprit, ✆ 80 96 00 46, – wc ⋒wc ☎ Ⓟ. VISA
SC : **R** 62/142 – 16,50 – **24 ch** 69/159.

FORD Gar. Maufront, à Venarey les Laumes ✆ 80 96 05 50 N

LAURIÈRE 24 Dordogne 75 ⑥ – rattaché à Périgueux.

LAURIS 84360 Vaucluse 84 ② – 1 810 h. alt. 182.

Paris 730 – Aix-en-Provence 38 – Apt 23 – Avignon 54 – Cadenet 6 – Cavaillon 27 – Manosque 54.

XX **La Chaumière** avec ch, ✆ 90 68 01 29, ≤ vallée de la Durance, – wc ⋒wc ☎. AE ⓓ E VISA
fermé 6 janv. au 13 fév. – SC : **R** *(fermé merc. midi et mardi)* 98/146 – 22 – **12 ch** 170/250.

CITROEN Gaillardon, ✆ 90 68 09 27 N

LAUTARET (Col du) 05 H.-Alpes 77 ⑦ G. Alpes – alt. 2 058 – ✉ **05220** Le Monêtier-les-Bains.

Voir ※★★.

Env. Col du Galibier ※★★★ N : 7,5 km.

Paris 650 – Briançon 28 – ♦Grenoble 88 – Lanslebourg-Mont-Cenis 81 – St-Jean-de-Maurienne 55.

Glaciers , ✆ 92 24 42 21, ≤ – wc ☎ Ⓟ
7 juin-20 sept. – SC : **R** 59/84 – 20 – **40 ch** 84/181 – P 187/230.

LAUTENBACH 68610 H.-Rhin 62 ⑱ G. Alsace et Lorraine – 1 372 h. alt. 396.

Voir Église★.

Paris 464 – Colmar 34 – Gérardmer 53 – Guebwiller 8 – ♦Mulhouse 31.

XX **A la Truite,** à Lautenbach-Zell ✉ 68610 Lautenbach ✆ 89 76 32 57, – Ⓟ. ⓓ E VISA
fermé fév., mardi soir et merc. – **R** 93/173 .

LAUTERBOURG 67630 B.-Rhin 57 ⑳ – 2 467 h. alt. 115.

Paris 519 – Haguenau 41 – Karlsruhe 23 – ♦Strasbourg 63 – Wissembourg 19.

XXX ✿ **La Poêle d'Or** (Gottar), 35 r. Gén. Mittelhauser ✆ 88 94 84 16, – AE ⓓ
fermé 31 juil. au 7 août, janv., vend. midi et jeudi – SC : **R** carte 185 à 255
Spéc. Foie gras aux raisins, Sandre au vin blanc, Ris de veau aux écrevisses (juin à fév.).. Vins Riesling, Pinot Noir.

LAVAGNAC 33 Gironde 75 ⑫ – alt. 10 – ✉ **33350** Castillon-la-Bataille.

Paris 590 – Bergerac 55 – ♦Bordeaux 40 – Langon 38 – Libourne 16 – Marmande 49.

Chez Clovis, ✆ 57 40 16 03, – ⋒ Ⓟ
fermé 18 nov. au 6 déc., 15 fév. au 4 mars et lundi du 1er oct. au 15 juin – SC : **R** 70/200 – 14 – **15 ch** 73/95.

LAVAL P 53000 Mayenne 63 ⑩ G. Châteaux de la Loire – 53 766 h. alt. 70.

Voir Vieux château★ AZ **D** : charpente★★ du donjon, musée d'art naïf★ – Vieille ville★ AZ – Les quais★ – Jardin de la Perrine★ ABZ – Chevet★ de la basilique BZ **E**.

9 ✆ 43 53 48 70 N : 7 km par D 544 BY.

Office de Tourisme pl. du 11-Nov. ✆ 43 53 09 39 - A.C.O. 7 pl. J.-Moulin ✆ 43 56 12 57.

Paris 278 ① – Angers 74 ④ – ♦Caen 144 ① – ♦Le Havre 249 ① – ♦Le Mans 84 ① – ♦Nantes 130 ⑤ – Poitiers 210 ④ – ♦Rennes 75 ⑦ – ♦Rouen 236 ① – St-Nazaire 154 ⑤ – ♦Tours 141 ③.

Plan page suivante

Ouest H., 3 r. J.-Ferry ✆ 43 53 11 71 – TV wc ⋒wc ☎ Ⓟ. AE ⓓ E VISA
fermé 25 déc. au 1er janv. – SC : **R** *(fermé sam. et dim.)* (dîner seul.) 50/100 – 16,50 – **30 ch** 100/220 – P 250/300. ABY **s**

Ibis M, rte de Mayenne par ① ✆ 43 53 81 82, Télex 721094 – TV wc ☎ ♿ Ⓟ – 60. E VISA
SC : **R** *(fermé dim. du 15 oct. au 15 mars)* carte environ 85 – 20 – **51 ch** 185/220 – P 255/325.

Impérial H. sans rest, 61 av. R.-Buron ✆ 43 53 55 02 – wc ⋒wc ☎ . AE ⓓ E VISA. BY **h**
fermé 3 au 28 août et 24 déc. au 4 janv. – SC : 17 – **32 ch** 110/245.

St-Pierre, 95 av. R.-Buron ✆ 43 53 06 10 – wc ⋒wc ☎ . VISA BY **f**
fermé 15 août au 6 sept., 24 déc. au 6 janv. et sam. – SC : **R** 45/145 – 17 – **14 ch** 85/165.

Le Zeff sans rest, 2 carrefour aux Toiles ✆ 43 53 17 68 – wc ⋒. AE VISA AY **e**
fermé en août – SC : 18 – **17 ch** 75/130.

XX ⊛ **Bistro de Paris** (Lemercier), **67 r. Val de Mayenne** ✆ **43 56 98 29** – VISA. ✂
fermé 4 au 31 août, vacances de fév., sam. midi et dim. – **SC** : **R** carte 140 à 160
Spéc. Saumon cru au poireau, Magret de canard aux poires, Marquise au chocolat. AZ **k**

XX ⊛ **Gerbe de Blé** (Portier) avec ch, **83 r. V.-Boissel** ✆ **43 53 14 10** – wc. AE ⓓ VISA. ✂ BZ **n**
fermé 4 au 18 août, 5 au 21 janv., dim. soir et lundi – **SC** : **R** 120/220 – 22 – **10 ch** 105/177
Spéc. Saumon frais fumé (mars-oct.), Foie gras frais de canard, Matelote d'anguille et brochet. **Vins** Chinon, Champigny.

XX **La Rousine,** rte Tours par ③ : **3,5 km** ✆ **43 56 73 42** – Ⓟ. AE E VISA
fermé 16 août au 1er sept., vacances de fév., dim. soir et lundi – **SC** : **R** 65/150 ₰.

XX **A la Bonne Auberge** avec ch, **168 r. Bretagne par** ⑥ ✆ **43 69 07 81** – wc ⋒ ☎. AE E VISA
fermé 4 au 25 août, 21 au 28 déc., vend. soir, dim. soir et sam. – **SC** : **R** 60/160 ₰ – 15 – **15 ch** 74/150.

MICHELIN, Agence, r. Robert Vauxion ZAC des Alignés par ⑥ ✆ **43 69 00 09**

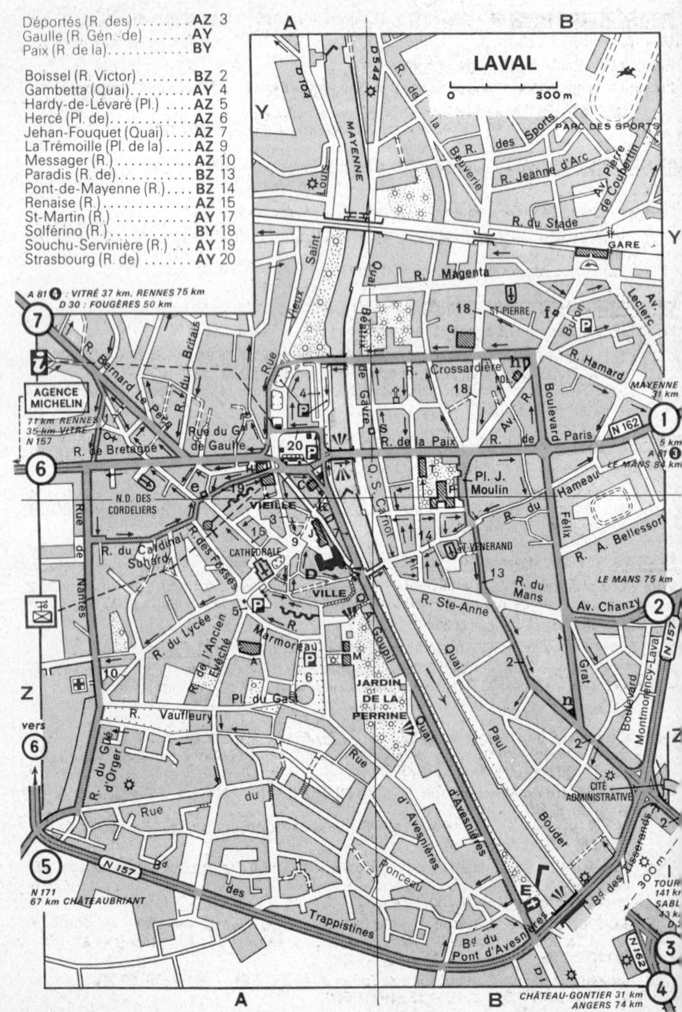

ALFA-ROMEO VOLVO Gar. Chassay, Rte de Rennes, ℘ 43 69 19 69
AUSTIN-ROVER Gar. de Nantes, 17 r. de Nantes ℘ 43 69 02 83
BMW Gar. Bassaler Bd de Buffon ℘ 43 53 31 59 **N** ℘ 43 69 32 32
CITROEN Brilhault, 137 r. Bretagne par ⑥ ℘ 43 69 19 00 **N**
FORD Gar. C.E.D.A, 205 bd des Trappistines ℘ 43 53 00 87
MERCEDES-BENZ Patard, 86 r. Paris ℘ 43 53 17 58

PEUGEOT Gd Gar. du Maine, Av. de Paris, St-Berthevin par ⑥ ℘ 43 69 09 81
RENAULT Hardy, de Paris à St-Berthevin par ⑥ ℘ 43 69 26 69 **N**
V.A.G. Gar. des Pommeraies, 36 rte de Mayenne ℘ 43 53 08 04 **N**

Sodipneus, 4 r. du Laurier ℘ 43 53 10 04
Tricard, rte Rennes, St-Berthevin ℘ 43 69 15 08

Le LAVANCHER 74 H.-Savoie **74** ⑨ – rattaché à Chamonix.

Le LAVANDOU 83980 Var **84** ⑯ **G. Côte d'Azur** – 4 275 h.

18 de Valcros ℘ 94 66 81 02 par ② : 15 km.

Office de Tourisme quai G.-Péri ℘ 94 71 00 61.

Paris 878 ② – Cannes 103 ① – Draguignan 78 ① – Ste-Maxime 42 ① – ♦Toulon 41 ②.

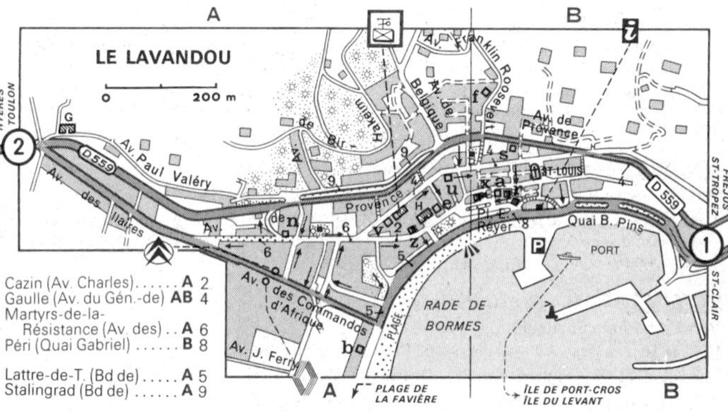

Cazin (Av. Charles) ...... A 2
Gaulle (Av. du Gén.-de) AB 4
Martyrs-de-la-Résistance (Av. des) .. A 6
Péri (Quai Gabriel) .... B 8
Lattre-de-T. (Bd de) ..... A 5
Stalingrad (Bd de) ...... A 9

Espadon sans rest, pl. E.-Reyer ℘ **94 71 00 20**, ← – A **e**
fermé 1er déc. au 31 janv. – SC : 22 – **22 ch** 260/300.

La Petite Bohème, av. F.-Roosevelt ℘ **94 71 10 30**, – wc wc rest B **f**
30 avril-13 oct. – SC : **R** 85/105 – 20 – **19 ch** 160/250 – P 225/315.

La Lune sans rest, av. Gén.-de-Gaulle ℘ **94 71 04 20** – wc wc. AE E VISA. A **v**
1er mai-30 sept. – SC : 18 – **24 ch** 250/300.

Beau Rivage sans rest., bd Front-de-Mer ℘ **94 71 11 09**, ←, – wc wc. VISA. A **b**
1er avril-10 oct. – SC : **25 ch** 250/360.

L'Escapade, chemin du Vannier ℘ **94 71 11 52** – wc wc. VISA. B **s**
SC : **R** *(juin-sept.)* (dîner seul.) carte environ 100 – 19 – **17 ch** 150/220.

La Ramade M, 16 r. Patron-Ravello ℘ **94 71 20 40** – TV wc. AE VISA B **a**
fermé 12 nov. au 24 déc. et 10 au 25 janv. – SC : **R** *(fermé mardi soir et merc.)* 85/100 – 25 – **20 ch** 170/290 – P 299/336.

Neptune sans rest, av. Gén.-de-Gaulle ℘ **94 71 01 01** – wc. AE E VISA A **u**
15 mars-31 oct. – SC : 19,50 – **35 ch** 130/205.

Terminus sans rest, pl. Gare Autobus ℘ **94 71 00 62** – wc wc A **n**
avril-oct. – SC : 14 – **25 ch** 90/180.

XXX ✿ **Au Vieux Port,** quai G.- Péri ℘ **94 71 00 21**, – AE VISA B **r**
fermé 10 janv. au 12 mars, dim. soir et mardi sauf du 18 avril au 1er oct. – SC : **R** carte 220 à 315
Spéc. Salade tiède de langoustines et asperges, Flan de moules à l'essence de morilles, Magret de canard au miel et épices. **Vins** Bandol, Gassin.

XX **Vinrich Hervé,** 22 r. Patron-Ravello ℘ **94 71 06 43**, ← – AE E VISA B **r**
fermé mardi soir et merc. – SC : **R** 140/250.

XX **La Bouée,** 2 av. Ch.-Cazin ℘ **94 71 11 88**, AE E VISA A **z**
fermé janv. et merc. – SC : **R** 85/150.

X **Denise et Michel,** 6 r. Patron-Ravello ℘ **94 71 12 81** B **x**
23 mars-1er nov. ; fermé jeudi midi et lundi sauf le soir en sais. – SC : **R** 70/98.

à la Favière S : 2 km - A– ✉ **83230** Bormes-les-Mimosas :

Plage, ✆ **94 71 02 74,** ... – wc wc ... ℗
20 mars-1er oct. – SC : **R** 63/98 – ☐ 16 – **45 ch** 146/199 – P 219/255.

à St-Clair par ① : 3 km – ✉ **83980** Le Lavandou :

Belle Vue ..., ✆ **94 71 01 06,** ≤, ... – wc wc ... ℗. AE E VISA. ...
mars-oct. – SC : **R** 120/180 – ☐ 25 – **19 ch** 200/450 – P 320/450.

L'Orangeraie Ⓜ sans rest, ✆ **94 71 04 25,** ... – cuisinette ... wc wc ☎ ℗. AE ① VISA
14 juin-15 sept. – ☐ 28 – **18 ch** 200/330.

Roc H. Ⓜ ... sans rest, ✆ **94 71 12 07,** ≤ – wc wc ... ℗
25 mars-20 oct. – SC : ☐ 22 – **26 ch** 240/300.

Flots Bleus et Mar é Souléou ..., ✆ **94 71 00 93,** ≤, ..., ... – wc wc ... ℗. ... rest
25 mars-28 sept. – SC : **R** 68/110 – ☐ 19,50 – **40 ch** 92/247, (en sais. pension seul.) – P 204/295.

La Bastide sans rest, ✆ **94 71 01 56,** ... – wc ... ℗. AE ① E
fév.- fin oct. – SC : ☐ 18 – **15 ch** 140/160.

à La Fossette-Plage par ① : 3 km – ✉ **83980** Le Lavandou :

83 Hôtel Ⓜ, ✆ **94 71 20 15,** ≤côte et mer, ..., ..., ..., ... – ... TV ☎ ℗. ...
fin mars-début oct. – SC : **R** 150/200 – ☐ 45 – **28 ch** 660/850.

CITROEN Gar. des Maures, ✆ 94 71 14 93
MERCEDES-BENZ, RENAULT Gar. St-Christophe, ✆ 94 71 14 90
PEUGEOT-TALBOT Central-Gar., av. Mar.-Juin par av. Jules-Ferry A✆ 94 71 10 68

LAVARDAC **47230** L.-et-G. **79** ⑭ **G. Pyrénées** – **2 573 h. alt. 55.**

Paris 646 – Agen 31 – Casteljaloux 25 – Houeillés 24 – Marmande 49 – Nérac 7.

Chaumière d'Albret, rte Nérac ✆ **53 65 51 75,** ..., ... – ℗. ① VISA. ... ch
fermé vacances de fév. et lundi (sauf rest) en juil.-août – SC : **R** 38/125 ... – ☐ 12 – **7 ch** 67/120.

LAVAUR **81500** Tarn **82** ⑨ **G. Pyrénées** – **8 264 h. alt. 140.**

Voir Cathédrale St-Alain★.

ℹ Syndicat d'Initiative à l'Hôtel de Ville pl. Résistance ✆ 63 58 06 71.

Paris 706 – Albi 48 – Castelnaudary 59 – Castres 39 – Montauban 57 – ♦Toulouse 37.

Central H., 7 r. Alsace-Lorraine ✆ **63 58 04 16** – ... ...
fermé lundi du 1er oct. au 30 mai – SC : **R** 40/80 ... – ☐ 14 – **10 ch** 110/145 – P 145.

à St-Lieux-lès-Lavaur NO : 11 km par D 87 et D 631 – ✉ **81500** Lavaur :

Host. du Château de St-Lieux ..., ✆ **63 57 60 87,** parc, ... – TV wc ℗ – ... 30. ... rest
R 47/140 – ☐ 15,50 – **12 ch** 121/200 – P 250.

à Giroussens NO : 10, km par D 87 et D 38 – ✉ **81500** Lavaur :

L'Échauguette avec ch, ✆ **63 41 63 65,** ... – wc. AE ① E VISA
fermé 1er au 15 sept., 1er au 15 fév., et lundi – SC : **R** 55/210 – ☐ 16 – **4 ch** 120/160.

ALFA-ROMEO, AUTOBIANCHI-FIAT-LANCIA Barboule et Laval, 4 et 5 av. G.-Péri ✆ 63 58 08 16
PEUGEOT-TALBOT S.I.V.A., 20 av. G.-Péri ✆ 63 58 03 51
RENAULT Rossoni, La Gravette, rte Toulouse ✆ 63 58 07 20
V.A.G. Rigal, rte de Castres ✆ 63 58 03 83
... Lavaur Pneus, rte Castres ✆ 63 58 25 48
Solapneu, 30 av. G.-Pompidou ✆ 63 58 04 11

LAVAVEIX-LES-MINES **23** Creuse **72** ⑩ – **1 034 h. alt. 387** – ✉ **23150** Ahun.

Voir Moutier d'Ahun : boiseries★★ de l'église NO : 4 km, **G. Périgord.**

Paris 373 – Aubusson 17 – Bourganeuf 36 – Gouzon 20 – Guéret 25 – Montluçon 54 – Pontarion 26.

France, ✆ 55 62 42 26 – ... ℗. ...
fermé 20 déc. au 10 janv. et vend. – SC : **R** (dîner seul. pour résidents) 50 – ☐ 11,50 – **16 ch** 67/83.

For your travels in France, use along with this guide
– the **Michelin Green Guides** (Regions of France)
Picturesque scenery - buildings - scenic routes
– the **Michelin Maps** main road map (scale 1:1 000 000)
and the sectional maps (scale 1:200 000)

LAVEISSIÈRE 15 Cantal 76 ③ – 623 h. alt. 930 – ✉ 15300 Murat.

Paris 499 – Aurillac 45 – Condat 36 – Le Lioran 6 – Murat 5,5.

Le Vallagnon, rte Murat ☎ 71 20 02 38, ≤, – wc wc ☎ P. E VISA
fermé 11 au 17 mai, 3 nov. au 8 déc. et lundi d'oct. à déc. et de mars à mai – SC : **R** 45/115 – 18 – **30 ch** 93/135 – P 125/170.

Cheval Blanc, ☎ 71 20 02 51, – wc
1er juin-30 sept. et Noël-Pâques – SC : **R** 50/80 – 20 – **20 ch** 100/160 – P 140/180.

Bellevue, ☎ 71 20 01 22, ≤, – wc P. rest
1er juin-15 sept., vacances scolaires et week-end – SC : **R** 46/70 – 17 – **24 ch** 76/150 – P 125/160.

LAVELANET 09300 Ariège 86 ⑤ – 8 433 h. alt. 515.

Office de Tourisme Foyer Municipal ☎ 61 01 22 20.

Paris 801 – Andorre 117 – Carcassonne 66 – Foix 27 – •Perpignan 109 – •Toulouse 105.

Espagne, 20 r. J.-Jaurès ☎ 61 01 00 78, – wc wc ☎. AE E VISA
SC : **R** 50/88 – 18 – **23 ch** 69/175 – P 171/267.

RENAULT Autorama, 47 av. Léon-Blum ☎ 61 01 15 78
Gar. Vidal, rte de Mirepoix ☎ 61 01 00 84

Comptoir Pyrénéen des Pneus, 88 av. Gén.-de-Gaulle ☎ 61 01 03 58

LAVIGNOLLE 33 Gironde 78 ② – rattaché au Barp.

LAVIOLLE 07 Ardèche 76 ⑱ – 148 h. alt. 680 – ✉ 07530 Antraigues-sur-Volane.

Paris 649 – Aubenas 21 – Lamastre 51 – Mezilhac 8 – Privas 42 – Le Puy 72.

Plantades, rte Antraigues S : 2 km D 578 ☎ 75 38 71 58, ≤, , – P
fermé 5 nov. au 15 déc. – SC : **R** 48/80 – 15 – **10 ch** 75/100 – P 150/160.

LAVOÛTE-SUR-LOIRE 43 H.-Loire 76 ⑦ **G. Vallée du Rhône** – 614 h. alt. 568 – ✉ 43800 Vorey.

Voir Christ★ dans l'église – Château de Lavoûte-Polignac : souvenirs de famille★.

Paris 503 – Ambert 68 – Brioude 62 – Le Puy 13 – •St-Étienne 75.

Nouvel H. Accarion, ☎ 71 08 50 08, – P. rest
1er avril-1er oct. – SC : **R** 78/90 – 13 – **30 ch** 79/140.

LAYRAC 47 L.-et G. 79 ⑮ – rattaché à Agen.

La LÉCHÈRE 73 Savoie 74 ⑰ **G. Alpes** – alt. 461 – Stat. therm. (1er avril-27 oct.) – ✉ 73260 Aigueblanche.

Office de Tourisme (1er avril-30 oct.) ☎ 79 22 51 60.

Paris 592 – Albertville 21 – Celliers 19 – Chambéry 68 – Moûtiers 6.

Radiana , ☎ 79 22 61 61, ≤, parc – wc wc P. E VISA. rest
1er fév.-31 oct. – SC : **R** 92/118 – 22 – **80 ch** 136/345 – P 240/425.

La Darentasia et Sabaudia, ☎ 79 22 50 55 – cuisinette wc ☎
hôtel : début fév.-27 oct. ; rest : 25 mars-27 oct. – SC : **R** 62/160 – **45 ch** 170/230.

Les LECQUES 83 Var 84 ⑭ **G. Côte d'Azur** – ✉ 83270 St-Cyr-sur-Mer.

Office de Tourisme ☎ 94 26 13 46.

Paris 814 – Bandol 10 – Brignoles 56 – La Ciotat 8 – •Marseille 39 – •Toulon 29.

Gd Hôtel , ☎ 94 26 23 01, Télex 400165, ≤, « Parc fleuri », – ☎ P. AE E VISA. rest
26 avril-11 oct. – SC : **R** 110/185 – 30 – **58 ch** 380/530 – P 290/450.

Chanteplage M, ☎ 94 26 16 55, ≤ – wc ☎. E. rest
15 mars-15 oct. – SC : **R** 80/120 – 18 – **20 ch** 208/268 – P 248/268.

Petit Nice , ☎ 94 26 22 91, – wc P. rest
fermé 5 déc. au 5 janv. et merc. du 1er nov. au 31 mars – SC : **R** (résidents seul.) 76 – 15,50 – **31 ch** 88/236 – P 168/284.

Pins , à La Madrague SE : 1,5 km ☎ 94 26 28 36, ≤ – wc . rest
avril-fin sept. – SC : **R** (résidents seul.) – 20 – **20 ch** 150/200 – P 194/220.

Tapis de Sable sans rest, rte Madrague ☎ 94 26 26 34, ≤ – wc wc P. E.
15 mars-30 sept. – SC : **16 ch** 236/278.

XX **Le Boucanier,** à la Madrague : 1,5 km ☎ 94 26 49 45, ≤, – VISA
fermé 15 oct. au 1er déc. et mardi – SC : **R** 180/250.

PEUGEOT-TALBOT Gar. Iori, à St-Cyr-sur-Mer ☎ 94 26 23 80

Marro, Quartier Banette à St-Cyr-sur-Mer ☎ 94 26 31 09

LECTOURE 32700 Gers 82 ⑤ **G. Pyrénées** – 4 424 h. alt. 182.

Voir Site★ – Promenade du bastion ≤★.

Syndicat d'Initiative Cour Hôtel de Ville ℘ 62 68 76 98.

Paris 693 – Agen 36 – Auch 35 – Condom 23 – Montauban 74 – ♦Toulouse 94.

- **Bouviers,** 8 r. Montebello ℘ 62 68 71 69 – AE VISA
  fermé lundi – **R** 50/180.
- **Le Gascogne** avec ch, rte Agen ℘ 62 68 77 57, – E. ch
  fermé 15 déc. au 15 janv. et lundi – SC : **R** 40/118 – 15 – **5 ch** 73/100 – P 150/210.

LEGÉ 44650 Loire-Atl. 67 ⑬ – 3 485 h. alt. 94.

Paris 409 – Cholet 61 – Clisson 34 – ♦Nantes 40 – La Roche-sur-Yon 30 – Les Sables-d'Olonne 51.

- **Cheval Blanc,** pl. du Gén.-Charette ℘ 40 04 99 29 – P. E. rest
  SC : **R** 48/145 – 18 – **8 ch** 76/100.
- **Étoile d'Or,** r. Chaussée ℘ 40 04 97 29 – P AE E VISA
  fermé 1er au 22 sept. et lundi hors sais. – SC : **R** 49/160.

PEUGEOT-TALBOT Gar. Chevalier-Serre, 26 r. de la Chaussée ℘ 40 04 97 09

RENAULT Gar. Charrier, ℘ 40 26 67 32

LELEX 01 Ain 70 ⑮ – 203 h. alt. 900 – Sports d'hiver : 900/1 680 m 1 9 – ✉ 01410 Chezery-Forens.

Paris 496 – Bourg-en-Bresse 100 – Gex 28 – Morez 37 – Nantua 43 – St-Claude 32.

- **Crêt de la Neige,** ℘ 50 20 90 15, ≤, – wc wc P. E. rest
  28 juin-10 sept. et 20 déc.-15 avril – SC : **R** 60/130 – 18 – **28 ch** 90/200 – P 178/227.
- **Mont-Jura,** ℘ 50 20 90 53 – wc P. rest
  17 mai-27 oct., 20 déc.-14 avril et fermé dim. soir et lundi hors sais. – SC : **R** 55/140 – 16 – **14 ch** 70/160 – P 195/230.
- **Centre,** ℘ 50 20 90 81, ≤ – wc P
  fermé 20 avril au 15 juin, vend. soir et sam. hors sais. – SC : **R** 57/118 – 17 – **21 ch** 140/170 – P 196/216.

LEMBACH 67510 B.-Rhin 57 ⑲ **G. Alsace et Lorraine** – 1 539 h. alt. 190.

Env. Château de Fleckenstein★★ NO : 7 km.

Syndicat d'Initiative 45 rte Bitche ℘ 88 94 43 81.

Paris 461 – Bitche 32 – Haguenau 24 – Niederbronn-les-B. 19 – ♦Strasbourg 56 – Wissembourg 15.

- **Vosges du Nord** M sans rest, 59 rte Bitche ℘ 88 94 43 41 – wc wc .
  fermé 20 au 31 août et lundi – SC : 12,50 – **8 ch** 95/110.
- XXX ❀ **Aub. Cheval Blanc** (Mischler), ℘ 88 94 41 86, – wc P. E VISA.
  fermé 8 au 28 fév., 18 août au 5 sept., lundi et mardi – SC : **R** 100/250
  Spéc. Farandole des foies d'oie chauds, Blanc de turbot au sabayon d'oursins, Noisettes de chevreuil à la moutarde de fruits rouges (1er juin au 1er fév.). **Vins** Pinot blanc.

à Gimbelhof N : 10 km par D 3 et RF – ✉ **67510** Lembach :

- **Ferme Gimbelhof** , ℘ 88 94 43 58, ≤ – P. E.
  fermé 15 nov. au 25 déc. – SC : **R** *(fermé lundi et mardi)* 46/68 – 10 – **7 ch** 56/67 – P 119.

BMW, CITROEN Gar. Weisbecker, ℘ 88 94 41 96 N

PEUGEOT Gar. Herrmann, ℘ 88 94 43 93 N

LEMPDES 43410 H.-Loire 76 ⑤ – 1 567 h. alt. 439.

Voir O : Gorges de l'Alagnon★, G. Auvergne.

Paris 440 – Aurillac 108 – ♦Clermont-Ferrand 54 – Le Puy 74 – St-Flour 52.

RENAULT Gd Gar. de l'Allagnon, ℘ 71 76 51 10 N ℘ 71 76 53 62

LENS SP 62300 P.-de-C. 51 ⑮ – 38 307 h. alt. 38.

Env. Mémorial canadien de Vimy★ 9 km par ④, G. Flandres, Artois, Picardie.

A.C. pl. Roger-Salengro ℘ 21 28 34 89.

Paris 203 ② – Arras 18 ④ – Béthune 18 ⑤ – Douai 22 ② – ♦Lille 34 ① – St-Omer 66 ⑤.

Plan page ci-contre

- **Lensotel et rest. L'Escarpolette,** Centre commercial Lens 2 par ⑥ : 3,5 km ✉ 62880 Vendin-le-Viel ℘ 21 78 64 53, Télex 120324, , , – TV P – 50 à 100. AE E VISA
  SC : **R** 60/170 – 25 – **70 ch** 215/275 – P 325.
- **Lutetia** sans rest, 29 pl. République ℘ 21 28 02 06 – wc wc . B **s**
  SC : 14,50 – **23 ch** 71/138.
- Chez Robert, 13 r. Paris ℘ 21 28 07 29 – VISA B **e**
- **Beffroy,** 15 av. de Varsovie ℘ 21 43 56 65 – . E VISA. B **k**
  fermé 1er au 15 août, dim. soir et sam. – **R** carte 90 à 160.

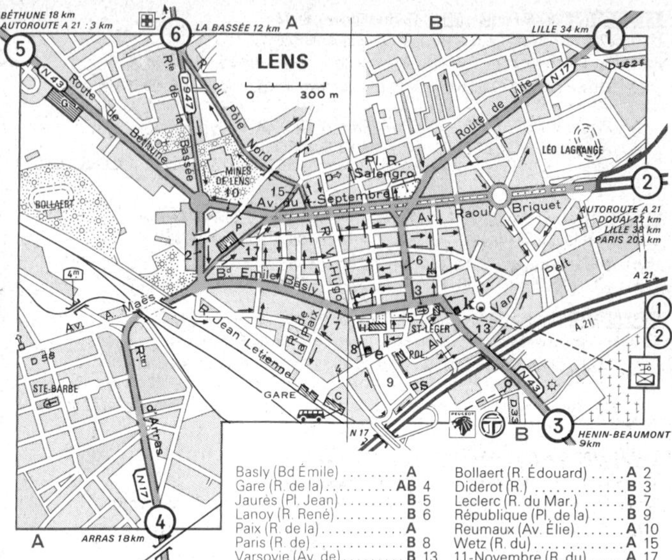

ALFA-ROMEO Arauto, 44 rte de Lille, Loison ☎ 21 70 61 63
AUSTIN-ROVER Gar. Verdier, 2 ter rte de Lille à Loison ☎ 21 70 62 66
BMW Basile, 148 rte Lille à Loison ☎ 21 78 45 45
CITROEN SO.CA.LE., 2 rte Béthune, Loos-en-Gohelle par ⑤ ☎ 21 70 15 76 🅽
FIAT Delambre, 42 rte Arras ☎ 21 28 32 06
FORD Lallain, Rd-Pt Bollaert ☎ 21 28 43 21
MERCEDES-BENZ, OPEL Thirion, 60 av. A.-Maes ☎ 21 43 01 96
PEUGEOT-TALBOT S.A.C.I., 52 r. Douai ☎ 21 08 22 00
PEUGEOT-TALBOT Wantiez, N à Loison par ① ☎ 21 70 17 65

RENAULT Evrard, 75 av. J.-Jaurès à Liévin par D 58 A ☎ 21 43 42 44
RENAULT Guilbert-Lens, 50 rte de Lille, Loison par ① ☎ 21 70 19 68
RENAULT S.A.N.E.G, rte de Lens à Carvin par ① ☎ 21 37 18 07
SEAT Artois Autom., 79 av. Van-Pelt ☎ 21 28 38 07

Debove, 275 bd H.-Martel, Avion ☎ 21 28 02 25
François Pneus 16 r. de Lille à Annay ☎ 21 70 62 05
La Maison du Pneu, 346 rte de Lille ☎ 21 78 62 78

LENT **01** Ain **74** ③ – rattaché à Bourg-en-Bresse.

LENTILLY **69** Rhône **73** ⑲ – 2 539 h. alt. 350 – ✉ **69210** L'Arbresle.
Paris 453 – L'Arbresle 7,5 – ♦Lyon 20 – Villefranche-sur-Saône 25.

Relais de la Diligence avec ch, **N 7** ☎ **74 01 71 26**, – wc wc Ⓟ. VISA
fermé nov. et merc. – SC : **R** 58/150 – 18 – **10 ch** 110/130.

LÉON **40550** Landes **78** ⑯ – 1 363 h. alt. 15.
Voir Courant d'Huchet★ en barque NO : 1,5 km, G. Côte de l'Atlantique.
Syndicat d'Initiative à l'hôtel de ville (juil.-août) ☎ 58 48 76 03.
Paris 727 – Castets 14 – Dax 28 – Mimizan 41 – Mont-de-Marsan 74 – St-Vincent-de-Tyrosse 30.

Lac, au Lac NO : 1,5 km ☎ **58 48 73 11**, – wc Ⓟ.
23 mars-1er oct. – SC : **R** 46/60 – 12 – **16 ch** 75/130 – P 170/180.

CITROEN Ducasse, ☎ 58 48 73 10
RENAULT Modern'Gar. ☎ 58 48 74 34

LÉPIN-LE-LAC **73** Savoie **74** ⑮ – rattaché à Aiguebelette (Lac d').

LÉRINS (Iles de) ★★ **06** Alpes-Mar. **84** ⑨ – voir à Ste-Marguerite et à St-Honorat.

LESCAR **64** Pyr.-Atl. **85** ⑥ – rattaché à Pau.

LESCHERAINES **73340** Savoie **74** ⑯ – 425 h. alt. 650.
Paris 551 – Aix-les-Bains 27 – Albertville 54 – Annecy 27 – Chambéry 28.

Joly, rte Col de Plainpalais ☎ **79 63 30 45**, – Ⓟ.
22 ch.

LESCONIL 29138 Finistère 58 ⑭ **G. Bretagne** – alt. 12.

Office de Tourisme r. Pasteur (15 juin-15 sept.) ☎ 98 87 86 99.

Paris 574 – Douarnenez 42 – Guilvinec 10 – Loctudy 8 – Pont-l'Abbé 9 – Quimper 29.

Dunes, ☎ 98 87 83 03, ← – ascenseur wc wc ☎ P – 50. AE ⊙ E VISA. rest
20 mars-15 oct. – SC : **R** 67/250 – 19 – **50 ch** 90/260 – P 180/270.

Plage, ☎ 98 87 80 05 – ascenseur wc wc ☎ P – 25 – **28 ch**.

Atlantic, ☎ 98 87 81 06, – P. AE E. rest
fermé 1er au 15 oct. et 20 déc. au 10 janv. – SC : **R** 58/170 – 17 – **23 ch** 96/148 – P 170/220.

LESCUN 64 Pyr.-Atl. 85 ⑮ **G. Pyrénées** – 208 h. alt. 900 – ✉ **64490** Bedous.

Voir ☼** 30 mn – Paris 858 – Lourdes 90 – Oloron-Ste-Marie 36 – Pau 69.

Pic d'Anie ⑤, ☎ 59 34 71 54, ←, – wc ☎. ch
1er avril-20 sept. – SC : **R** 50/150 – 17 – **19 ch** 95/200 – P 150/200.

LESMONT 10 Aube 61 ⑧ – 281 h. alt. 112 – ✉ **10500** Brienne-le-Château.

Paris 181 – Bar-sur-Aube 33 – St-Dizier 54 – Troyes 31 – Vitry-le-François 43.

Aub. Munichoise, D 960 ☎ 25 92 45 33, – AE ⊙ E VISA
fermé 15 sept. au 15 oct., 1er au 15 mars, mardi soir et merc. – SC : **R** 90/170.

CITROEN Relais Champagne, D 960 ☎ 25 92 46 29 N

RENAULT Millon, D 960 ☎ 25 92 45 13

LESNEVEN 29260 Finistère 58 ④⑤ – 7 087 h. alt. 80.

Voir Le Folgoët : église** SO : 2 km, **G. Bretagne.**

Paris 585 – ♦Brest 26 – Landerneau 15 – Morlaix 48 – Quimper 78 – St-Pol-de-Léon 32.

Breiz Izel sans rest, 25 r. Four ☎ 98 83 12 33 – wc wc.
fermé 22 sept. au 15 oct. – SC : 14 – **24 ch** 70/140.

à Pont-du-Châtel NE : 4 km par D 110 – ✉ **29260** Lesneven :

Week-End, ☎ 98 83 10 57 – wc ☎ P. E VISA.
fermé janv. et lundi midi – SC : **R** 52/115 – 16 – **13 ch** 128/155 – P 173.

CITROEN Crauste-Guilliec, 31 r. Gén.-de-Gaulle ☎ 98 83 00 34

RENAULT Colliou, 7 bis r. Jérusalem ☎ 98 83 01 50

LESPARRE-MÉDOC SP 33340 Gironde 71 ⑦ – 4 270 h. alt. 4.

Office de Tourisme pl. Mairie (saison) ☎ 56 41 05 02.

Paris 542 ④ – Arcachon 127 ② – Blaye (Bac) 36 ① – ♦Bordeaux 64 ② – Royan (Bac) 38 ④.

par ④ : 0,5 km – ✉ **33340** Lesparre-Médoc :

La Mare aux Grenouilles, ☎ 56 41 03 46, ←, , – P. AE ⊙ VISA
fermé lundi du 1er oct. au 1er mars – SC : **R** 82/93.

RENAULT Larrouquere, ☎ 56 41 00 95 N ☎ 56 41 61 07

J.-J.-Rousseau (R.)	14	Gambetta (Pl.)	9
		Gramont (R. de)	10
		Jaurès (Cours J.)	12
Alineys (R. des)	2	Lattre-de-T. (Crs de)	16
Briand (R. A.)	4		
Clemenceau (Pl.)	6	Palais-de-Justice (R)	17
Église (R. de l')	7	Pasteur (R.)	18
Foch (Pl. Mar.)	8	St-Exupéry (R. A.-de)	20

LESQUIN 59 Nord 51 ⑯ – rattaché à Lille.

LESTELLE-BÉTHARRAM 64 Pyr.-Atl. 85 ⑦ **G. Pyrénées** – 1 293 h. alt. 300 – ✉ **64800** Nay.

Paris 792 – Laruns 35 – Lourdes 16 – Nay 8,5 – Oloron-Ste-Marie 45 – Pau 23.

Touristes, ☎ 59 61 27 61, – wc ☎. E VISA
fermé 2 janv. au 20 fév. et lundi sauf de juil. à sept. – SC : **R** 40/160 – 15 – **14 ch** 65/170 – P 142/170.

Central avec ch, ☎ 59 61 27 18, – wc ☎. AE
fermé début oct. à début nov., mardi et merc. hors sais. – SC : **R** 46 bc/125 – 16,50 – **12 ch** 64/140 – P 150/175.

au SE : 3 km par N 637 et rte des Grottes – ✉ **64800** Nay :

Le Vieux Logis ⑤, ☎ 59 71 94 87, ←, « parc » – wc P. E
hôtel : 1er mars-1er nov. ; rest. : 1er mars-15 janv. – SC : **R** 57/170 – 13 – **15 ch** 65/135 – P 180/200.

LEUCATE 11370 Aude 86 ⑩ G. Pyrénées – 1 968 h. alt. 21.

Voir ☼★ du sémaphore du Cap E : 2 km.

Syndicat d'Initiative, Centre Commercial du Port ✆ 68 40 91 31.

Paris 880 – Carcassonne 86 – Narbonne 37 – ♦Perpignan 34 – Port-la-Nouvelle 19.

✕ **Jouve** M avec ch, sur la Plage ✆ 68 40 02 77, ≤, – wc. E VISA. ch
16 mars-12 oct. – SC : **R** *(fermé lundi sauf juil.-août)* 61/120 – 18 – **7 ch** 190/220.

LEUGNY 89 Yonne 65 ④ – 333 h. alt. 225 – ✉ **89130** Toucy.

Paris 169 – Auxerre 21 – Avallon 58 – Clamecy 35 – Cosne-sur-Loire 52 – Joigny 39.

✕ **Aub. Cheval Blanc** avec ch, ✆ 86 47 61 09. E VISA
fermé merc. – SC : **R** 40/100 – 10,50 – **3 ch** 64 – P 137.

LEVALLOIS-PERRET 92 Hauts-de-Seine 196 ⑲ – voir à Paris, Environs.

LEVENS 06 Alpes-Mar. 84 ⑲, 195 ⑯ G. Côte d'Azur – 1 800 h. alt. 570 – ✉ **06670** St-Martin-du-Var – **Voir** ≤★.

Syndicat d'Initiative à l'Hôtel de Ville ✆ 93 79 70 22.

Paris 953 – Antibes 44 – Cannes 54 – ♦Nice 23 – Puget-Théniers 48 – St-Martin-Vésubie 37.

La Vigneraie ⑤, SE : 1,5 km ✆ 93 79 70 46, – wc ⋒wc ⓟ. E
12 janv.-12 oct. – SC : **R** 55/90 – 15 – **18 ch** 80/150 – P 150/190.

Malausséna, ✆ 93 79 70 06 – wc ⋒. E. ch
fermé 1er nov. au 10 déc. – SC : **R** 75/150 – 20 – **12 ch** 140/210 – P 180/230.

✕ **Les Santons,** ✆ 93 79 72 47, ≤
fermé 23 juin au 2 juil., 29 sept. au 8 oct., 5 janv. au 11 fév. et merc. – SC : **R** (prévenir) 72/160.

LEVERNOIS 21 Côte-d'Or 69 ⑨ – rattaché à Beaune.

LEVIER 25270 Doubs 70 ⑥ – 1 843 h. alt. 717.

Paris 432 – ♦Besançon 47 – Champagnole 36 – Pontarlier 20 – Salins-les-Bains 23.

Guyot, ✆ 81 49 50 56, parc, – ⋒ ⓟ – 30
fermé 12 nov. au 12 déc. – SC : **R** 38/90 – 13 – **30 ch** 70/126 – P 110/140.

CITROEN, MERCEDES Cassani, ✆ 81 89 53 45 PEUGEOT Cordier Ch., ✆ 81 89 52 06

LEVROUX 36110 Indre 68 ⑧ G. Périgord – 3 126 h. alt. 141.

Paris 257 – Blois 76 – Châteauroux 21 – Châtellerault 96 – Loches 63 – Vierzon 47.

Cloche et St-Jacques, r. Nationale ✆ 54 35 70 43 – wc ⋒wc. VISA. ch
fermé 1er fév. au 1er mars, lundi soir et mardi – SC : **R** 65/180 – 24 – **28 ch** 95/200 – P 220/260.

CITROEN Bailly, ✆ 54 35 70 30
PEUGEOT-TALBOT Bottin, 15 r. Gambetta ✆ 54 35 70 28
RENAULT Tranchant, ✆ 54 35 71 45

LÉZARDRIEUX 22740 C.-du-N. 59 ② G. Bretagne – 1 859 h. alt. 32.

Voir Phare du Bodic : plate-forme ≤★ NE : 3km.

Paris 500 – Guingamp 32 – Lannion 28 – Paimpol 5 – St-Brieuc 51 – Tréguier 10.

Relais Brenner M ⑤, au Pont ✆ 96 20 11 05, Télex 740676, ≤, « parc fleuri sur le Trieux » – ⓟ. AE ⓓ E VISA
SC : **R** *(23 mars-3 nov.)* 136/190 – 40 – **27 ch** 240/480 – P 530/755.

Pont sans rest, ✆ 96 20 10 59 – wc ⋒wc. ⓓ E VISA
SC : 18 – **15 ch** 122/165.

✕✕ **du Trieux,** ✆ 96 20 10 70 – E VISA
fermé 15 au 28 sept., vacances de fév., dim. soir et merc. sauf juil.-août – SC : **R** 60/140.

CITROEN Gar. Corle, r. du Pont ✆ 96 20 10 28 N

LÉZIGNAN-CORBIÈRES 11200 Aude 83 ⑬ – 7 681 h. alt. 51.

Office de Tourisme pl. de la République ✆ 68 27 05 42.

Paris 868 – Carcassonne 38 – Narbonne 21 – Prades 109.

Tassigny et rest. Tournedos, pl. de-Lattre-de-Tassigny ✆ 68 27 11 51 – wc ⓟ. VISA
fermé 10 au 25 sept., lundi (sauf hôtel) et dim. soir – SC : **R** 52 bc/95 bc – 15 – **16 ch** 107/170.

CITROEN Armero, bd L.-Castel ✆ 68 27 11 57
FORD Attard H., 12 av. Gén.-de-Gaulle ✆ 68 27 02 42 N
LANCIA-AUTOBIANCHI Gar. Bernada, 42 av. Wilson ✆ 68 27 00 35 N ✆ 68 27 01 17
PEUGEOT-TALBOT Belmas, Zone Ind. de Gaujac, rte de Fabrézan ✆ 68 27 01 66
RENAULT Lézignan-Auto, 63 av. G.-Clemenceau ✆ 68 27 02 93
Condouret, 35 av. Mar.-Joffre ✆ 68 27 01 72

LEZOUX 63190 P.-de-D. 73 ⑮ G. Auvergne – 4 793 h. alt. 351.

Env. Moissat-Bas : Châsse de St-Lomer** dans l'église S : 5,5 km.

Syndicat d'Initiative Mairie ✆ 73 73 01 00.

Paris 396 – Ambert 59 – ♦Clermont-Ferrand 27 – Issoire 43 – Riom 26 – Thiers 16 – Vichy 42.

Voyageurs avec ch, pl. Hôtel-de-Ville ✆ 73 73 10 49 – wc ☎. ch
fermé 15 sept. au 20 oct., 10 au 17 fév., dim. soir et lundi – SC : **R** 66/185 – 14,50 – **10 ch** 74/160.

à Bort-l'Étang SE : 8 km par D 223 et D 115 – ✉ 63190 Lezoux :

Château de Codignat , O : 1 km ✆ 73 68 43 03, ←, , parc, – TV P. AE E VISA
mars-4 nov. – SC : **R** *(fermé mardi midi et jeudi midi sauf fêtes)* 200/260 – 45 – **11 ch** 500/850, 3 appartements 1 100.

CITROEN Mercier, ✆ 73 73 10 34 | PEUGEOT-TALBOT Rozière, ✆ 73 73 10 98

Pour une demande de renseignements ou de réservation auprès d'un hôtelier, il est d'usage de joindre un timbre-réponse.

LIANCOURT 60140 Oise 56 ① – 6 112 h. alt. 105.

Paris 72 – Beauvais 35 – Chantilly 19 – Compiègne 32 – Creil 10 – Senlis 20.

Host. Parc avec ch, av. Ile-de-France ✆ 44 73 04 99, – TV wc wc ☎ P. AE VISA
fermé dim. soir sauf hôtel – SC : **R** 58/120 – 20 – **14 ch** 95/228.

à Rantigny SO : 2 km – ✉ 60290 Rantigny :

Chalet Normand sans rest, pl. Gare ✆ 44 73 33 16 – wc ☎ P
SC : 12,50 – **12 ch** 58/181.

LIBOURNE SP 33500 Gironde 75 ⑫ G. Côte de l'Atlantique – 23 312 h. alt. 15.

Office de Tourisme pl. A.-Surchamp ✆ 57 51 15 04.

Paris 575 ⑤ – Agen 131 ③ – Angoulême 97 ② – Bergerac 61 ③ – ♦Bordeaux 31 ④ – Mont-de-Marsan 135 ③ – Pau 199 ③ – Périgueux 90 ② – Royan 116 ⑤ – Saintes 112 ⑤ – Tarbes 219 ③.

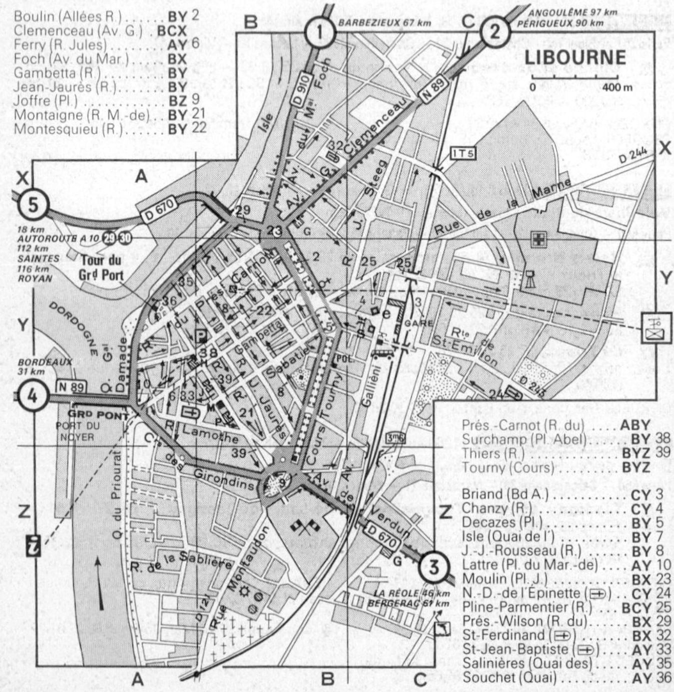

Boulin (Allées R.) . . . . . . BY 2
Clemenceau (Av. G.) . BCX
Ferry (R. Jules) . . . . AY 6
Foch (Av. du Mar.) . . . . . . BX
Gambetta (R.) . . . . BY
Jean-Jaurès (R.) . . . . BY
Joffre (Pl.) . . . . BZ 9
Montaigne (R. M.-de) . . BY 21
Montesquieu (R.) . . . . . . BY 22

Prés.-Carnot (R. du) . . . . ABY
Surchamp (Pl. Abel) . . . . . BY 38
Thiers (R.) . . . . BYZ 39
Tourny (Cours) . . . . BYZ

Briand (Bd A.) . . . . CY 3
Chanzy (R.) . . . . CY 4
Decazes (Pl.) . . . . BY 5
Isle (Quai de l') . . . . BY 7
J.-J.-Rousseau (R.) . . . . . . BY 8
Lattre (Pl. du Mar.-de) . . . . AY 10
Moulin (Pl. J.) . . . . BX 23
N.-D.-de l'Épinette (⊞) . . CY 24
Pline-Parmentier (R.) . . . BCY 25
Prés.-Wilson (R. du) . . . . . BX 29
St-Ferdinand (⊞) . . . . . . BX 32
St-Jean-Baptiste (⊞) . . . . AY 33
Salinières (Quai des) . . . . AY 35
Souchet (Quai) . . . . AY 36

Parc sans rest, 109 av. Galliéni ✆ **57 51 18 42**, – wc wc. VISA CY **s**
18 – **12 ch** 52/195.

Gare, 43 r. Chanzy ✆ **57 51 06 86** – wc CY **e**
fermé nov. – **R** *(fermé dim.)* 58/81 – 20 – **10 ch** 94/136.

à Galgon par ① et D 18E : 11,8 km – ✉ **33133** Galgon :

Clo-Luc, ✆ **57 84 36 16** – Ⓟ. AE ⓓ E VISA
fermé mardi – SC : **R** 45/92.

rte Périgueux par ② : 9,5 km – ✉ **33230** Coutras :

Gril de Dallau, ✆ **57 24 32 48** – Ⓟ. AE ⓓ VISA
fermé 1er au 22 oct., vacances de fév., mardi soir et merc. – SC : **R** carte 135 à 205.

CITROEN Libourne Autom., rte de Bergerac par ③ ✆ 57 51 62 18
FIAT SA Maltord, 12 av. G.-Clemenceau ✆ 57 51 61 88
FORD Solica, rte Bordeaux à Arveyres ✆ 57 51 34 96
PEUGEOT-TALBOT Agence Centrale Autom. Libournaise 142 av. Gén.-de-Gaulle par ③ ✆ 57 51 40 81
RENAULT Bastide, Zone Ind. Ballastière, rte d'Angoulême par ① ✆ 57 51 52 53 N
V.A.G. Europe-Auto, av. Gén.-de-Gaulle ✆ 57 51 43 85

Central-Pneu, 113 av. G.-Pompidou ✆ 57 51 24 24
Comptoir Libournais du Pneu, 77 av. G.-Clémenceau ✆ 57 51 17 09
Desserrey Pneus, av. Gen.-de-Gaulle, rte castillon ✆ 57 51 66 03
Inter-Pneu, 9 quai des Salinières ✆ 57 51 03 22
Pneus Service, av. Libération à Port du Noyer ✆ 57 51 54 56

LICQ-ATHÉREY

64560 Pyr.-Atl. 85 ⑮ – 250 h. alt. 275.

Paris 828 – Oloron-Ste-Marie 32 – Pau 65 – St-Jean-Pied-de-Port 60 – Sauveterre-de-Béarn 48.

Touristes, ✆ **59 28 61 01**, ←, – wc wc Ⓟ – 40
SC : **R** 55/95 – 20 – **24 ch** 110/200 – P 160/230.

LIÈPVRE

68660 H.-Rhin 62 ⑱ – 1 536 h. alt. 273.

Paris 417 – Colmar 36 – Ribeauvillé 23 – St-Dié 30 – Sélestat 14.

Aub. Aux Deux Clefs M, rte de Rombach-le-Franc ✆ **89 58 93 29**,
– wc. ⓓ E VISA. ch
fermé 20 déc. au 15 janv. – SC : **R** *(fermé sam. midi et vend.)* carte 100 à 160 –
18,50 – **11 ch** 150/200.

A la Vieille Forge, à Bois l'Abbesse E : 3 km rte Sélestat ✆ **89 58 92 54** – Ⓟ. AE
ⓓ E VISA
fermé 24 juin au 12 juil., 11 au 29 nov., lundi soir et mardi – SC : **R** 88/178.

RENAULT Gar. André, ✆ 89 58 90 29 N ✆ 89 58 90 86
TOYOTA Gerber, ✆ 89 58 92 03

LIESSIES

59 Nord 53 ⑥ **G. Flandres, Artois, Picardie** – 515 h. alt. 220 – ✉ **59740** Solre-le-Château.

Voir Lac du Val Joly★ E : 5 km.

Paris 215 – Avesnes-sur-Helpe 14 – Charleroi 45 – Hirson 24 – Maubeuge 24.

Château de la Motte, S : 1 km par VO ✆ **27 61 81 94**, ←, parc – wc Ⓟ
– 50. ch
fermé 20 déc. au 10 fév. et dim. soir – SC : **R** (dîner sur commande) 72/132 – 18
– **10 ch** 88/177 – P 157/193.

LIEUREY

27560 Eure 55 ⑭ – 1 083 h. alt. 170.

Paris 159 – Bernay 18 – Évreux 57 – Lisieux 28 – Pont-Audemer 15 – Pont-l'Évêque 27.

Bras d'Or avec ch, ✆ **32 57 91 07**, – wc Ⓟ.
fermé janv., dim. soir du 1er oct. au 18 mai et lundi – SC : **R** 60/180 – 20 –
13 ch 100/192.

CITROEN Testu, ✆ 32 57 93 47
RENAULT Deschamps, ✆ 32 57 91 77 N
RENAULT Gar. Lidor, ✆ 32 57 90 67

LIFFRÉ

35340 I.-et-V. 59 ⑰ – 4 206 h. alt. 105.

Paris 348 – Avranches 65 – Dinan 64 – Fougères 30 – Mont-St-Michel 57 – ♦Rennes 17 – Vitré 27.

La Reposée M, SO : 2 km N 12 ✆ **99 68 31 51**, « Parc », – Ⓟ –
30 à 150. AE E VISA
SC : **R** 60/190 – 20 – **25 ch** 107/250 – P 270/320.

✿ **Hôtellerie Lion d'Or** (Kérever), face église ✆ **99 68 31 09**, « Jardin » – AE E
VISA
fermé mardi midi et lundi – SC : **R** 150/250 **Le Jardin** (grill) **R** 95
Spéc. Cassolette de langoustines à la menthe, Turbot au coulis de poivrons, Suprêmes de pigeon et foie gras en paupiette.

LIGNY-EN-BARROIS 55500 Meuse 62 ② – 5 709 h. alt. 225.

A.C. 16 r. Morlaincourt ✆ 29 78 42 98.

Paris 236 – Bar-le-Duc 16 – Neufchâteau 57 – St-Dizier 32 – Toul 46.

Nouvel H. M sans rest., pl. Église ✆ 29 78 01 22 – wc ☎. *fermé 27 déc. à 26 janv. et sam. du 1er nov. au 28 fév.* – SC: 17,50 – **26 ch** 130/177.

Syracuse, 29 r. États-Unis ✆ 29 78 48 70 – E VISA *fermé 8 au 16 oct., 23 déc. au 15 janv. et vend.* – SC: **R** 67/114.

LIGNY-EN-CAMBRÉSIS 59 Nord 53 ⑭ – rattaché à Cambrai.

LIGNY-LE-CHÂTEL 89144 Yonne 65 ⑤ G. Bourgogne – 1 020 h. alt. 149.

Paris 181 – Auxerre 25 – Sens 59 – Tonnerre 27 – Troyes 63.

Aub. du Bief, ✆ 86 47 43 42, – Ⓟ. AE ⓓ E VISA *fermé 5 au 10 juin, 1er au 12 oct., 1er au 15 janv., lundi soir et mardi sauf juil.-août* – SC: **R** 90/195.

LIGUEIL 37240 I.-et-L. 68 ⑤ G. Châteaux de la Loire – 2 426 h. alt. 77.

Paris 277 – Le Blanc 55 – Châteauroux 78 – Châtellerault 36 – Chinon 53 – Loches 18 – ♦Tours 57.

Le Colombier avec ch, ✆ 47 59 60 83 – wc – 30 *fermé 1er au 8 sept., 1er janv. au 4 fév. et vend.* – SC: **R** 35/120 – 12,50 – **13 ch** 56/115 – P 111/137.

à Cussay SO : 3,5 km – ✉ 37240 Ligueil :

Aub. du Pont Neuf, ✆ 47 59 66 37, – wc Ⓟ. E VISA *fermé fév. et lundi* – SC: **R** 50/140 – 14 – **10 ch** 85/145 – P 170/190.

PEUGEOT-TALBOT Gar. Tourne, ✆ 47 59 60 27 N ✆ 47 59 61 77 RENAULT Gar. Chapet, ✆ 47 59 64 10 N

LILETTE 86 Vienne 68 ⑤ – rattaché à Descartes (I.-et-L.).

LILLE P 59000 Nord 51 ⑯ G. Flandres, Artois, Picardie – 157 632 h. communauté urbaine 1 072 802 h. alt. 21.

Voir Le Vieux Lille★ EFY : Vieille Bourse★★ FY, Hospice Comtesse★ (voûte en carène★★) FY **B**, rue de la Monnaie ★ FY 142, demeure de Gilles de la Boé★ FY **E** – Église St-Maurice★ FY **K** – Citadelle★ BUV – Porte de Paris★ FZ **D** – ≤★ du beffroi FZ **H** – Musée des Beaux-Arts★★ FZ **M1** – Musée d'Art Moderne★★ à Villeneuve d'Ascq E : 4,5 km par D 941 KT **M2**.

des Flandres ✆ 20 72 20 74 par ② : 4,5 km HS ; du Sart ✆ 20 72 02 51 par ② : 7 km JS ; de Brigode à Villeneuve d'Ascq ✆ 20 91 17 86 par ③ : 9 km KT ; de Bondues ✆ 20 37 80 03 par ① : 9,5 km HS.

de Lille-Lesquin, ✆ 20 95 92 00 par ④ : 8 km JU.

✆ 20 74 50 50.

Office de Tourisme et Accueil de France (Informations et réservations d'Hôtels, pas plus de 5 jours à l'avance) palais Rihour ✆ 20 30 81 00, Télex 110213 - et Gare S.N.C.F. A.C. r. Faidherbe ✆ 20 55 29 44.

Paris 219 ④ – Bruxelles 116 ② – Gent 71 ② – Luxembourg 312 ④ – ♦Strasbourg 554 ④.

Plans pages suivantes

Royal sans rest, 2 bd Carnot ✉ 59800 ✆ 20 51 05 11, Télex 820575 – TV ☎ – 30. AE ⓓ E VISA FY **h**
SC: 31 – **102 ch** 250/395.

Bellevue sans rest, 5 r. J.-Roisin ✉ 59800 ✆ 20 57 45 86, Télex 120790 – TV ☎ – 100. AE VISA FY **z**
SC: 30 – **80 ch** 187/380.

Carlton sans rest, 3 r. Paris ✉ 59800 ✆ 20 55 24 11, Télex 110400 – TV ☎ – 30 à 50. AE ⓓ E VISA FY **n**
SC: 35 – **65 ch** 300/420.

Paix sans rest, 46 bis r. Paris ✉ 59800 ✆ 20 54 63 93 – wc wc. FY **r**
SC: 19,50 – **35 ch** 108/185.

Nord-Motel M sans rest, 46 r. Fg-d'Arras par ⑤ ✆ 20 53 53 40 – wc wc ☎. E VISA HU
SC: 15,50 – **80 ch** 128/190.

Strasbourg sans rest, 7 r. J-Roisin ✉ 59800 ✆ 20 57 05 46 – wc wc. AE ⓓ VISA FY **d**
SC: 16,50 – **46 ch** 158/220.

Univers sans rest, 19 pl. Reignaux ✉ 59800 ✆ 20 06 99 69 – TV wc wc. VISA FY **k**
SC: 19 – **56 ch** 130/290.

Central sans rest, 51 r. Faidherbe ✉ 59800 ✆ 20 06 31 57 – wc FY **b**
SC: 18 – **35 ch** 95/184.

XXX ✿✿ **Flambard** (Bardot), 79 r. d'Angleterre ✉ 59800 ✆ 20 51 00 06, « Maison 17e s. du Vieux Lille » – AE ⓓ EY r
fermé 3 août au 1er sept., 2 au 8 janv., dim. soir et lundi – SC : **R** 200/400 et carte
Spéc. Terrine de turbot et sole, Oeuf coque à la crème de truffes (fin déc. à mars), Mignon de boeuf au vin de Graves.

XXX ✿ **Paris,** 52 bis r. Esquermoise ✉ 59800 ✆ 20 55 29 41 – AE ⓓ EY f
fermé début août à début sept. et dim. soir – SC : **R** carte 195 à 265
Spéc. Coquilles St-Jacques (sais.), Salpicon de homard, Foie gras de canard.

XXX ✿ **A L'Huîtrière,** 3 r. Chats-Bossus ✆ 20 55 43 41 – ▤. AE ⓓ E VISA FY g
fermé 22 juil. au 3 sept. et dim. et fériés le soir – SC : **R** carte 190 à 300
Spéc. Produits de la mer, Fricassée de homard, Turbot en waterzoï.

XXX ✿ **Le Compostelle,** 4 r. St-Étienne ✉ 59800 ✆ 20 54 02 49, « Relais flamand du16e s. » – ▤. AE ⓓ E VISA EFY t
fermé dim. midi de mai à sept. – **R** 105/142
Spéc. Foie gras frais de canard, Turbot braisé au miel et à l'orange, Gâteau aux noix.

XXX ✿ **Le Restaurant,** 1 pl. Sébastopol ✆ 20 54 23 13 – AE ⓓ E VISA EZ k
fermé 24 déc. au 6 janv., sam. midi, dim. et fériés. – SC : **R** 180/250
Spéc. Soupe de moules (sept. à mars), Foie de canard au chou rouge et cassonade, Chariot de desserts.

XXX **Le Varbet,** 2 r. Pas ✉ 59800 ✆ 20 54 81 40 – AE ⓓ VISA EFY t
fermé 14 juil. au 18 août, 23 déc. au 4 janv., dim., lundi et fériés – SC : **R** carte 195 à 225.

XXX **La Belle Époque** (The Queen Victoria) (1er étage), 10 r. Pas ✉ 59800 ✆ 20 54 51 28 – ▤. AE ⓓ E VISA EY n
fermé dim. soir – **R** carte 195 à 250.

XXX **Le Club,** 16 r. Pas ✉ 59800 ✆ 20 57 01 10 – AE ⓓ E VISA EY n
fermé fin juil. à début sept., dim. soir et lundi – SC : **R** 99/161.

XX **La Petite Taverne,** 9 r. Plat ✉ 59800 ✆ 20 54 79 36 – AE VISA FZ w
fermé 15 juil. au 7 août, mardi soir et merc. – SC : 75/175.

XX ✿ **La Devinière** (Waterlot), 61 bd Louis XIV ✉ 59800 ✆ 20 52 74 64 – ▤. AE ⓓ VISA DV t
fermé 4 au 17 août, sam. midi et dim. – SC : **R** (prévenir) carte 165 à 235
Spéc. Feuilleté de moëlle, Oeufs coque de petits escargots, Canard sauvageon.

XX **La Laiterie,** 138 av. Hippodrome : à Lambersart NO : 2 km ✉ 59130 Lambersart ✆ 20 92 79 73, ⛱, 🌳 – Ⓟ. AE ⓓ E VISA AV s
fermé dim. soir et lundi soir – SC : **R** 95/220.

XX **Rôt. Le Féguide,** pl. Gare ✉ 59800 ✆ 20 06 15 50 – AE ⓓ VISA FY
✈ **R** *(fermé dim. soir)* 85/150 🍷, **Buffet Gare R** 42/65 🍷.

XX **Le Gastronome,** 69 r. Hôpital Militaire ✉ 59800 ✆ 20 54 47 43, « Caves du 17e s. » – AE ⓓ E VISA EY u
fermé 1er août au 1er sept. – SC : **R** 90/240.

XX **Charlot II,** 26 bd J.B.Lebas ✆ 20 52 53 38, produits de la mer – AE ⓓ E VISA FZ m
fermé août, sam. midi, dim. soir et lundi – SC : **R** 190 bc/90

XX **Alcide,** 5 r. Débris St-Étienne ✉ 59800 ✆ 20 55 06 61 – AE E VISA FY v
fermé juil., vacances de fév., vend. soir, dim. soir et sam. – **R** 59/86 🍷.

XX **La Verdière,** 25 r. Plat ✉ 59800 ✆ 20 54 67 66 – AE VISA FZ r
fermé dim. soir – SC : **R** 70/150 🍷.

XX Chez Roger, 45 r. Gde-Chaussée ✉ 59800 ✆ 20 55 48 70 FY s

X **La Coquille,** 60 r. St-Étienne ✉ 59800 ✆ 20 54 29 82, « Maison du 17e s. » – AE EY e
fermé août, 1er au 7 janv., lundi midi et dim. – SC : **R** 93/139 🍷.

X **Chez Bernard,** 65 r. de la Barre ✉ 59800 ✆ 20 57 06 53 – AE VISA EY a
fermé 20 juil. au 19 août, vacances de fév., dim. et lundi – **R** 120 bc/300 bc.

X **A la Bascule,** 12 r. Cambrai ✆ 20 52 44 55 – AE ⓓ E VISA CX d
fermé août, sam. soir et dim. – SC : **R** 75/102.

à Villeneuve d'Ascq E : 4,5 km par D 941 – 59 868 h. – ✉ **59650** Villeneuve d'Ascq :

🏠 **Campanile,** av. Canteleu, La Cousinerie ✆ 20 91 83 10, Télex 133335 – ⛀wc ☎ ♿ Ⓟ. VISA KT
SC : **R** 61 bc/82 bc – ☕ 23 – **50 ch** 181/202.

XX **Le Chantilly,** 98 av. Flandre ✆ 20 72 40 30 – Ⓟ. AE ⓓ E VISA JS
fermé juil., vend. soir et sam. – 80/125 🍷.

XX **Vieille Forge,** 160 r. Lannoy au Recueil ✆ 20 05 50 75, 🌳 – Ⓟ. AE ⓓ E VISA KT
fermé merc. soir – SC : **R** 105/200.

à Marcq-en-Baroeul par ② : 4,5 km – 35 520 h. – ✉ **59700** Marcq-en-B. :

🏨 **Holiday Inn** Ⓜ 🐎, av. Marne ✆ 20 72 17 30, Télex 132785, 🏊 – 🛗 ▤ 📺 ☎ ♿ Ⓟ – 🎪 25 à 400. AE ⓓ E VISA JS
SC : **Grill la Braise R** carte 110 à 175 – 🍷 – **Coffee-Shop R** carte environ 85 – ☕ 34 – **125 ch** 330/370.

XX **Septentrion,** Parc du château Vert-Bois N : 1,5 km par N 17 ✆ 20 46 26 98, « dans un parc » – Ⓟ. AE ⓓ VISA JS
fermé août, vacances de fév., dim. soir, jeudi soir et lundi – SC : **R** carte 120 à 200.

LILLE ROUBAIX TOURCOING

Arras (R. du Fg-d') ...... **HU** 9
Bois (Av. du) .... **GT** 27
Carnot (Bd)
  MOUVAUX .... **JS** 35
Carnot (R.)
  WATTRELOS......... **LS** 36
Chanzy (R.)............. **JU**
Clemenceau (Bd) HEM .. **KS**
Clemenceau (Bd)
  MARCQ............. **HS**
Clemenceau (R.)
  WATTIGNIES .... **HU** 42
Colbert (R.)............. **KT**
Courbet (R. Gén.) .... **GU** 52
Croix (R. de)............ **KS** 56
Defaux (R. J.-B.)......... **JT** 59
Delescaux (R. Henri) .... **GT** 62
Déportés (R. des) .... **LS** 63
Doumer (R. Paul) .... **GU**
Dunkerque (Av. de) ..... **GT**
Fg-des-Postes (R. du) ... **GU** 76
Flandre (Av. de)......... **JS** 79
Foch (R. Mar.)
  LOOS.............. **GU**
Foch (Av. Mar.)
  MARCQ .... **HJS** 80
Gambetta (R.) .... **JU** 83
Gaulle (R. Gén.-de)
  LA MADELEINE...... **HS** 85
Gaulle (R. Gén.-de)
  MONS.............. **JT** 86
Gaulle (R. Gén.-de)
  WATTIGNIES .... **GU** 87
Grand-Rue .... **LR** 89
Guesde (R. J.) HEM ..... **KS**
Guesde (R. J.) LYS ...... **LS** 92
Guesde (R. J.)
  WATTRELOS .... **LS**
Hem (R. d') .... **KS**
Jacquart (R.)........... **JT** 104
Jaurès (Av.)
  RONCHIN.......... **HU**
Lalau (R.)............ **HS** 113
Lambert (Av. Oscar) ... **GU** 116
Lannoy (R. de) LILLE.... **JT** 117
Lattre-de-T. (Av. de) ... **GS**
Lebas (R. J.-B.) .... **LS** 120
Leclerc (R. Gén.) HEM.. **KS** 122
Leclerc (R. Gén.) LYS ... **LS** 123
Leclerc (R. Gén.)
  ST-ANDRÉ .... **GS**
Legrand (R. Pierre) ..... **HT** 126
Lille (R. de) LANNOY ... **LS** 127
Lille (R.) MARQUETTE . **HS** 128

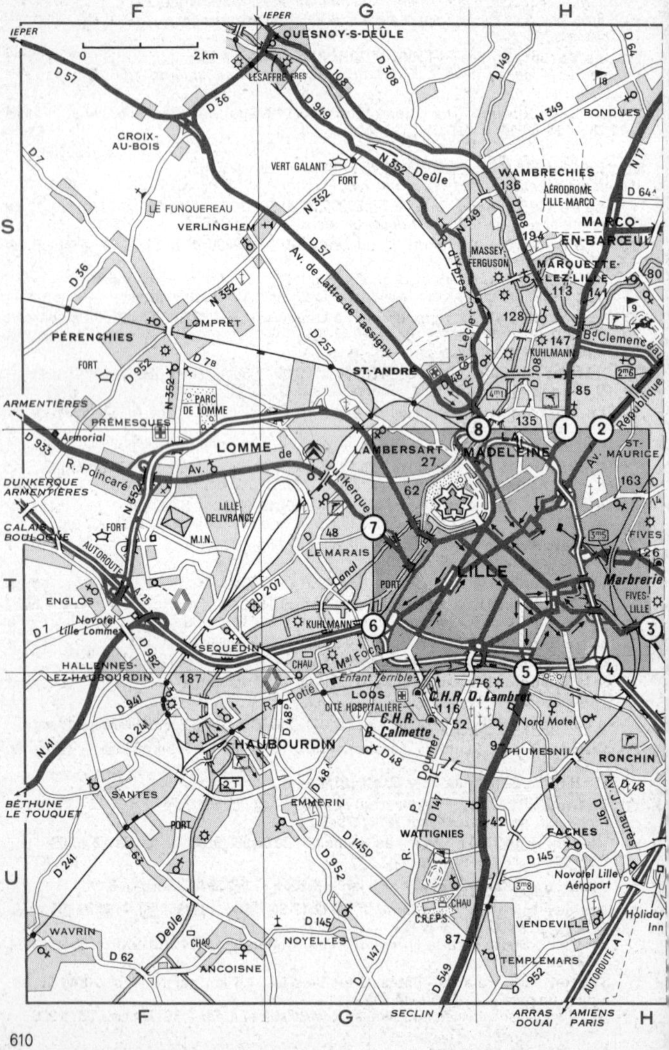

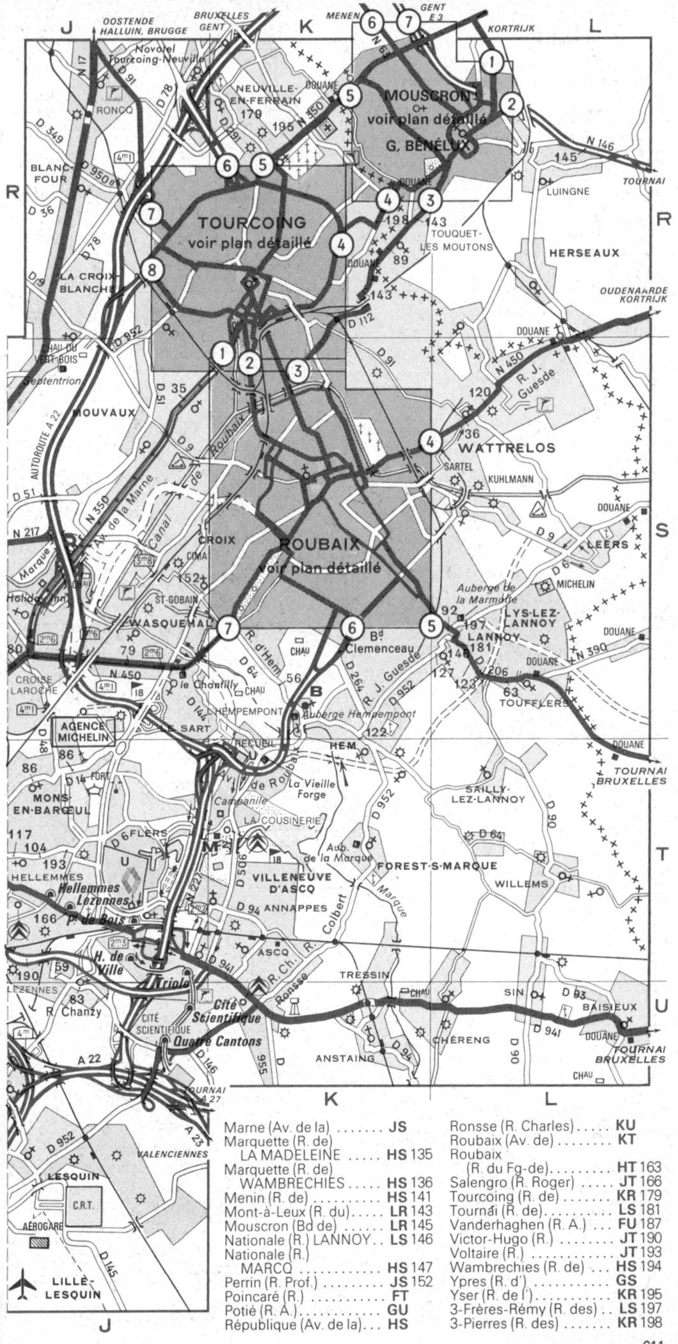

OOSTENDE HALLUIN, BRUGGE
BRUXELLES GENT
MENEN
GENT E 3
KORTRIJK
J
K
L
R
S
T
U
Novotel Tourcoing-Neuville
NEUVILLE-EN-FERRAIN
RONCQ
MOUSCRON
voir plan détaillé
G. BÉNÉLUX
DOUANE
TOURNAI
LUINGNE
BLANC-FOUR
TOURCOING
voir plan détaillé
TOUQUET-LES MOUTONS
HERSEAUX
LA CROIX-BLANCHE
OUDENAARDE KORTRIJK
CHAU DU VERT BOIS
Septentrion
MOUVAUX
AUTOROUTE A 22
R. J. Guesde
WATTRELOS
SARTEL
KUHLMANN
Av. de la Marne
Canal de Roubaix
CROIX
CIMA
ROUBAIX
voir plan détaillé
LEERS
Auberge de la Marmotte
MICHELIN
Holiday Inn
ST-GOBAIN
WASQUEHAL
LYS-LEZ-LANNOY
LANNOY
R. d'Hem
Bd Clemenceau
CHAU
CROISE LAROCHE
le Chantilly
R. J. Guesde
TOUFFLERS
AGENCE MICHELIN
L'HEMPEMPONT
LE SART
Auberge Hempempont
RECUEIL
HEM
Av. de Roubaix
La Vieille Forge
TOURNAI BRUXELLES
MONS-EN-BARŒUL
Campanile
SAILLY-LEZ-LANNOY
FORT
LA COUSINERIE
FLERS
Aub. de la Marque
FOREST-S-MARQUE
HELLEMMES
VILLENEUVE D'ASCQ
WILLEMS
Hellemmes Lezennes
P. de Bois
ANNAPPES
Marque
Colbert
H. de Ville
Triolo
ASCQ
R. Ch. Ronsse
TRESSIN
LEZENNES
Cité Scientifique
R. Chanzy
CITÉ SCIENTIFIQUE
Quatre Cantons
SIN
BAISIEUX
CHÉRENG
ANSTAING
TOURNAI BRUXELLES
A 22
TOURNAI A 27
A 23
VALENCIENNES
LESQUIN
C.R.T.
AÉROGARE
LILLE-LESQUIN

LILLE

Alsace (Bd) .... CDX
Arras (R. d') CX
Artois (R. d') CX
Ballon (R. du) .... DU
Bapaume (R. de) .... CX 12
Bassée (R. de la) ...... AVX
Bateliers (R. des) .... CU 13
Becquart (Av.) .... ABU
Beethoven (Av.) .... AX 14
Belfort (Bd de) .... DX
Bernos (R.) .... DV 18
Béthune (R. du Fg de) ... AX 19
Bigo-Danel (Bd) .... BV 21
Blanqui (R.) .... DV 22
Boilly (R.) .... DV 25
Bois (Av. du) .... ABU
Bonte (R. Auguste) ..... AU
Buisson (R. du) .... DU
Cambrai (R. de) .... CDX
Carrel (R. Armand) ...... DX 38
Churchill (Av. W.) ...... CU
Colbert (R.) .... BV
Colpin (R. du Lt) ...... BUV 45
Cordonnier (R. Denis) ... DX 51
Coubertin (Bd P. de) ... CDU
Courmont (R.) .... CX 53
Cuvier (Av.) .... BV 57
Debierre (R. Ch.) .... DV 58
Défenseurs de Lille (Bd) .... CDX 60
Delescaux (Av. H.) .... AU
Destrée (Av. Julien) ..... DV 65
Dr-Calmette (Bd) .... DV 67
Dorez (Pl. B.) .... BX 68
Douai (R. de) .... CDX
Dubuisson (Bd Émile) .... DV 69
Dunkerque (Av. de) ...... AV
Esquermes (R. d') .... BX
Fébvrier (Pl. J.) .... CX 78
Gambetta (R. Léon) ..... BV
Gand (R. de) .... CU
Gaulle (R. du Gén.-de) .. CU 85
Guérin (R. Camille) ..... DV 90
Guesde (R. Jules) .... BX
Halle (R. de la) .... CU 93
Hippodrome (Av. de l') .... AUV
Isly (R. d') .... ABX

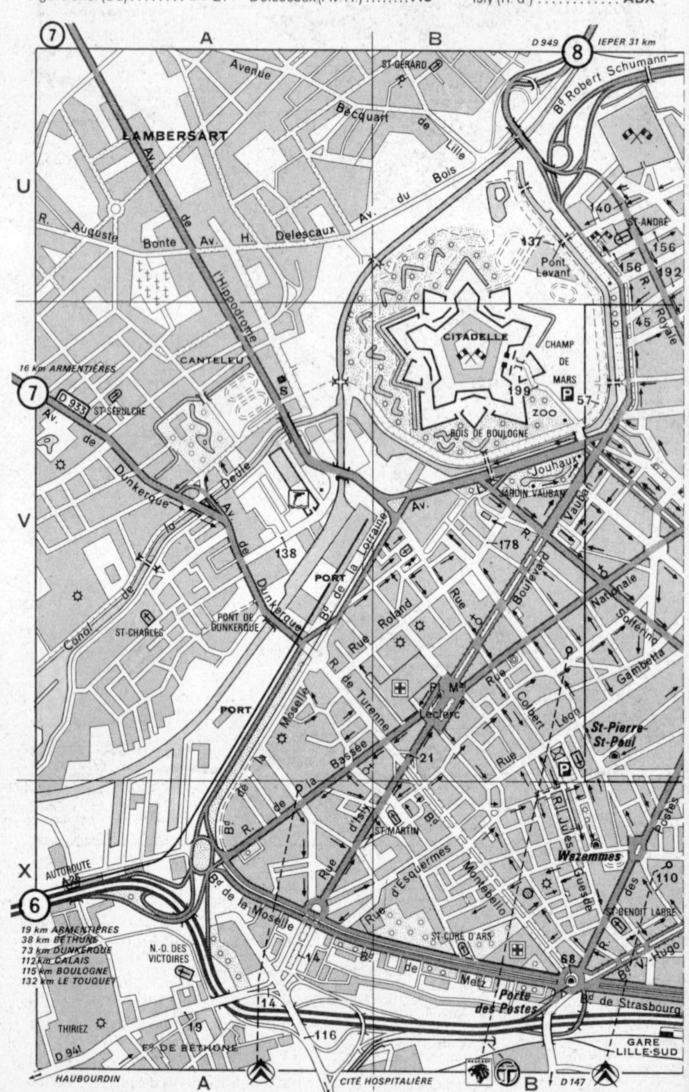

Jacquet (R. Eugène) . . . **DV**
Javary (R.) . . . . **DV** 105
Jouhaux (Av. L.) . . . . **BV**
Justice (R. de la) . . . . **BX** 110
Lagrange (Av. Léo) . . . . **AV** 112
Lamarck (R.) . . . . **DV** 115
Lambret (Av. Oscar) . . . **AX** 116
Lebas (Bd J.-B.) . . . . . . **CVX** 119
Leclerc (Pl. Mar.) . . . . . . **BV**
Le Corbusier (R.) . . . . . **CDV** 124
Lefèvre (R. G.) . . . . **DV** 125
Legrand (R. P.) . . . . **DV**
Lille (R. de) . . . . **BU**
Long Pot (R. du) . . . . . **DVX**
Lorraine (Bd de la) . . . **ABV**
Louvière (R. de la) . . . . . **DU**
Marronniers
(Allée des) . . . . **BU** 137
Marx-Dormoy (Av.) . . . . **AV** 138
Maubeuge (R. de) . . . . . **DX** 139
Max (Av. Adolphe) . . . . . **BU** 140
Metz (Bd de) . . . . **BX**
Montebello (Bd) . . . . **BX**
Moselle (Bd de la) . . . **AVX**
Mottez (R. F.) . . . . **DV** 144
Nationale (R.) . . . . **BCV**
Palissy (R. B.) . . . . **DV** 150
Perrin (Av. J.) . . . . **DX**
Pont Neuf (R. du) . . . . . . **CU** 154
Postes (R. des) . . . . . . **BCX**
Prés.-Hoover (Bd du) . . **DV** 155
Prés. Kennedy
(Av. du) . . . . **CDV**
Princesse (R.) . . . . **BU** 156
République
(Av. de la) . . . . **DU**
Roland (R.) . . . . **ABV**
Roubaix (R. du Fg de) . . **DV**
Royale (R.) . . . . **BUV**
St-Armand (R.) . . . . **DX** 165
St-Gabriel (R.) . . . . **DV**
Schuman (Bd Robert) . . **BU**
Solférino (R.) . . . . . . **BCVX**
Strasbourg (Bd de) . . . **BCX**
Toul (R. de) . . . . **BV** 178
Trévise (R. de) . . . . **CDX**
Turenne (R. de) . . . . **ABV**
Valenciennes (R. de) . . . **DX** 185
Vauban (Bd) . . . . **BV**
Verdun (Bd de) . . . . **DX** 189
Victor-Hugo (Bd) . . . . **BCX**
Voltaire (R.) . . . . **BCU** 192
43e-Rég.-d'Infanterie
(Av. du) . . . . **BV** 199

LILLE

Béthune (R. de) ...... **FYZ**
Esquermoise (R.) ..... **EFY**
Faidherbe (R.) .... **FY** 74
Gambetta (R. Léon) .... **EZ**
Gaulle (Pl. Gén.-de)
(Grand Place) .... **FY** 84
Grande Chaussée
(R. de la) .... **FY** 88
Monnaie (R. de la) ..... **FY** 142
Nationale (R.) .... **EYZ**
Neuve (R.) .... **FY** 148

Amiens (R. d') .... **FZ** 6
Anatole-France (R.) .... **FY** 7
Angleterre (R. d') ...... **EY**
Aris (R. des) .... **FY**
Barre (R. de la) .... **EY**
Basse (R.) .... **EFY**
Bettignies (R. L. de) .... **FY** 20
Bourse (R. de la) .... **FY** 28
Brûle-Maison (R.) ...... **EFZ**
Buisses (R. des) .... **FY** 33
Carnot (Bd) .... **FY**
Casernes (R. des) .... **FY** 40
Chats-Bossus (R. des) .. **FY** 41
Colbrant (R.) .... **EZ**
Collégiale (R. de la) .... **EY** 43
Comédie (R. de la) ..... **FY** 47

Comtesse (R.) .... **FY** 49
Courtrai (Q. de) .... **FY**
Cuvier (Av.) .... **EY**
Danel (R. L.) .... **EY**
Delory (R. G.) .... **FZ**
Esplanade
(Façade de l') .... **EY**
Flandre (R. de) .... **EZ**
Foch (Av.) .... **EY**
Fosses (R. des) .... **FY** 81
Gosselet (R.) .... **FZ**
Guérin (R. Camille) ..... **FZ** 90
Halloterie (R. de la) .... **EY** 95
Hôpital-Militaire (R.) ... **EY** 98
Inkermann (R.) .... **EZ**
Jacquart (Pl.) .... **FZ** 103
Jacquemars-
Giélée (R.) .... **EYZ**
Jardins (R. des) .... **FY** 104
Jean-Bart (R.) .... **FZ**
Jeanne-d'Arc (Pl.) ...... **FZ** 107
Jean-sans-Peur (R.) .... **EZ**
Lebas (Bd J.-B.) .... **FZ** 119
Leblanc (R. Nicolas) .... **EZ** 121
Liberté (Bd de la) ..... **EYZ**
Lombart (R. du) .... **FY** 129
Louis XIV (Bd) .... **FZ**
Maillotte (R.) .... **FZ** 132
Manneliers (R. des) .... **FY** 134
Marronniers (Av. des) .. **EY**
Masséna (Q.) .... **EZ**
Mendès France (Pl.) .... **EY** 137

Molinel (R. du) .... **FYZ**
Paris (R. de) .... **FYZ**
Philippe-le-Bon (Pl.) .... **EZ** 153
Postes (R. des) .... **EZ**
Président-Kennedy
(Av. du) .... **FZ**
Pyramides (R. des) ..... **EZ** 157
Réduit (R. du) .... **FZ** 158
République (Pl. de la) . **EFZ** 159
Richebé (Pl.) .... **EFZ** 160
Rihour (Pl.) .... **FY** 161
Roisin (R. Jean) ...... **EFY** 162
Roubaix (R. de) .... **FY**
Royale (R.) .... **EY**
St-Génois (R.) .... **FY** 168
St-Jacques (R.) .... **FY**
St-Sauveur (R.) .... **FZ** 170
St-Venant (Av. Ch.) ... **FYZ** 172
Ste-Catherine (R.) ..... **EY** 173
Sans Pavé (R.) .... **FY** 174
Sec-Arembault (R. du) .. **FY** 175
Solférino (R.) .... **EZ**
Tanneurs (R. des) ..... **FYZ** 176
Tenremonde (R.) .... **EY**
Théâtre (Pl. du)
(Petite Place) .... **FY** 177
Thiers (R.) .... **EY**
Tournai (R. de) .... **FY** 180
Trois-Mollettes (R. des) **EY** 182
Urbanistes (R. des) .... **FY**
Valmy (R. de) .... **FZ**
Vauban (Bd) .... **EY** 188

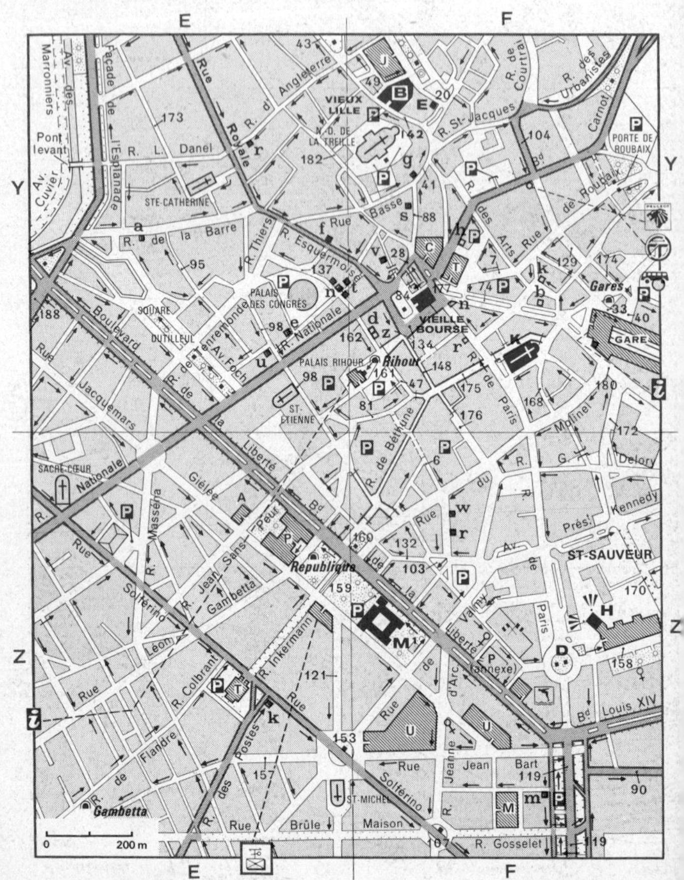

à Loos SO : 4 km par D 941 – 21 537 h. – ✉ **59120** Loos :

XX **L'Enfant Terrible,** 25 r. Mar.-Foch ✆ 20 07 22 11 – VISA GU
fermé 5 au 25 août, vacances de fév., dim. soir et lundi – SC : **R** 150/285.

à l'Aéroport de Lille-Lesquin par ④ : 8 km - JU – ✉ **59810** Lesquin :

Holiday Inn M, ✆ 20 97 92 02, Télex 132051, – – 25 à 1 000. AE VISA HU
SC : **Grill La Flamme R** carte 115 à 155 - **Snack Angus R** carte environ 85 – 34 – **212 ch** 330/370.

Novotel Lille Aéroport M, ✆ 20 97 92 25, Télex 820519, – rest – 25 à 200. AE E VISA HU
R snack carte environ 100 – 32 – **92 ch** 328/351.

à Englos par ⑥ : 7,5 km par échangeur de Lomme – ✉ **59320** Haubourdin :

Novotel Lille Lomme M, au Sud-Est ✆ 20 07 09 99, Télex 132120, – rest – 30 à 300. AE E VISA FT
R snack carte environ 100 – 34 – **115 ch** 294/320.

Mercure Lille Lombe M, au N : 1 km par N 352 ✆ 20 92 30 15, Télex 820302, – rest wc wc – 200. AE E VISA FT
R carte environ 120 – 30 – **90 ch** 220/320.

à Prémesques par ⑦ : 10 km – ✉ **59840** Pérenchies :

XXX ❀ **Armorial** (Lepelley), sur D 933 ✆ 20 08 84 24, ←, « Parc et pièces d'eau » – AE VISA – *fermé 28 juil. au 14 août, 5 au 30 janv., dim. soir, mardi soir et merc.* – SC : **R** 180/330 FT
Spéc. Foie gras de canard, Ragoût des argonautes, Suprême de volaille..

à La Neuville par ⑤, N 49, D 925, D 62 et C 3 : 18 km – ✉ **59239** Thumeries :

XX **Leu Pindu,** 1 r. Gén.-de-Gaulle ✆ 20 86 82 21, « Grand jardin à l'orée de la forêt » –
fermé août, vacances de fév., dim. et fêtes – SC : **R** (déj. seul.) 93/180.

MICHELIN, Agence régionale, r. des Châteaux, Z.I de la Pilaterie à Wasquehal JS ✆ 20 98 40 48

CITROEN Succursale, 145 r. Wazemmes BX ✆ 20 30 87 96 N ✆ 20 52 07 85
CITROEN Gar. Janssens, 20 r. de Mulhouse CX ✆ 20 52 71 28
CITROEN Gar. St-Christophe, 20 r. Bonté-Pollet AX ✆ 20 93 69 31
LADA, SKODA, VOLVO Gar. V.D.B., 8 r.J.-du-Solier ✆ 20 57 37 79
PEUGEOT-TALBOT S.I.A.-Nord, 50 bd Carnot FY ✆ 20 06 92 04
PEUGEOT-TALBOT S.I.A.N., 58 r. des Stations BV ✆ 20 30 87 80
RENAULT Crépin, 95 r. de Douai DX ✆ 20 52 52 48
V.A.G. Gar. Continental, 289 r. Gambetta ✆ 20 30 81 72

Dewitte, 20 r. d'Isly ✆ 20 93 50 54
Laloyer, 62 r. Abélard ✆ 20 53 40 34
Matthys, 10 r. Colbert ✆ 20 57 49 31
Multy-Pneus, 32 bis r. Charles-Quint ✆ 20 30 97 79
Pneus et Services D.K, 148 bis r. d'Esquermes ✆ 20 93 71 36
Vulcanord, 177 r. d'Artois, 30 r. L.-Bergot ✆ 20 52 48 41

Périphérie et environs

ALFA-ROMEO, FERRARI Auto 2000, 96 allée Gabriel à Marcq-en-Baroeul ✆ 20 72 26 00
BMW Autolille, 873 av. de la République à Marcq en Baroeul ✆ 20 72 90 72
CITROEN Succursale, 187 av. République à La Madeleine DU ✆ 20 55 17 10
CITROEN Cabour, 449 av. de Dunkerque à Lomme GT ✆ 20 92 33 62 N ✆ 20 78 82 29
CITROEN Villeneuve Automobiles, La Cousinerie à Villeneuve d'Ascq KT ✆ 20 91 27 62
CITROEN Fayen, 186 r. des Fusillés à Villeneuve d'Ascq KU ✆ 20 34 53 05
FIAT France Auto, angle bd Ouest r. Fives à Villeneuve-d'Ascq ✆ 20 04 01 30
FORD Flandres autos Sud, Face Novotel Lesquin à Faches Thumesnil ✆ 20 87 13 13
FORD Flandres-Autom, 70 r. Louis-Delos à Marcq-en-Baroeul ✆ 20 55 07 70
MERCEDES-BENZ C.I.C.A., 1033 av. République à Marcq-en-Baroeul ✆ 20 72 39 39 N ✆ 20 07 19 57
OPEL-GM Baillet, 330 r. Roger-Salengro à Hellemmes ✆ 20 04 12 36
OPEL-GM Eurauto, Centre Commercial, rte de Sequedin à Englos ✆ 20 93 73 73
RENAULT Succursale, 140 av. République à La Madeleine DU ✆ 20 55 54 55 N
RENAULT Gar. de l'Heurtebise, 162 r. A.-Potié à Haubourdin GTU ✆ 20 07 27 44 et Centre Commercial à Englos FT ✆ 20 09 25 55 N ✆ 20 07 19 57
RENAULT Gar. V.R.A.L.E., Pont de bois à Villeneuve d'Ascq JT ✆ 20 91 20 35
RENAULT Gar. Wacrenier, bd Hentges à Seclin par N 49 GU ✆ 20 90 12 32
TOYOTA Autodis, 116 r. Jules Guesde à Villeneuve d'Ascq ✆ 20 04 33 33
V.A.G Delroy Autom., 512 av. de Dunkerque à Lambersart ✆ 20 09 46 07
V.A.G. Gar. du Château, av. Champollion à Villeneuve d'Ascq ✆ 20 47 30 00

François-Pneus, 331 av. du Gén.-de-Gaulle à Hallennes ✆ 20 07 70 44 et 614 av. Dunkerque à Lomme ✆ 20 09 12 55
Prévost, 322 r. Gén.-de-Gaulle, à Mons-en-Baroeul ✆ 20 04 88 08
Reform'Pneus, 261 bis av. République à La Madeleine ✆ 20 55 52 70 et r. de la Croix-Bougard, Centre Routier à Lesquin ✆ 20 97 22 01
Rénova-Pneu, Zone Ind. Séclin, r. Mont Templemars à Noyelles Séclin ✆ 20 90 65 54
Seeuws, 29 r. J.-Ferry à Hellemmes ✆ 20 56 87 70
Vasseur pneus, 3 r. E.-Blondeau à Haubourdin ✆ 20 07 26 72
Wattelle, 111 r. Gén.-de-Gaulle à La Madeleine ✆ 20 55 67 55

LILLEBONNE 76170 S.-Mar. 55 ④⑤ G. Normandie – 9 675 h. alt. 32.

Bac de Quillebeuf : renseignements ✆ 32 57 51 05.

Office de Tourisme 4 r. Pasteur (juil.-15 sept., Pâques et Pentecôte) ✆ 35 38 08 45.

Paris 187 ④ – Bolbec 8 ① – •Le Havre 37 ④ – Honfleur 40 ④ – Lisieux 62 ④ – •Rouen 52 ②.

France, 1 bis r. République (a) ✆ 35 38 04 88, – wc P. AE E VISA
fermé dim. soir – SC : **R** 83/155 – 13,50 – **20 ch** 56/161 – P 210/313.

à Norville par ③ et D 81 : 10 km – ✉ 76330 N.-D.-de-Gravenchon :

Aub. de Norville avec ch, ✆ 35 39 91 14 – P. VISA. ch
SC : **R** *(fermé vend. et sam. midi)* 44/125 – 15 – **10 ch** 88/128.

LILLEBONNE

Gambetta (R. L.) . . 2
Havre (R. du) 3
Messager (R. H.) . 4
Pasteur (R.) 5

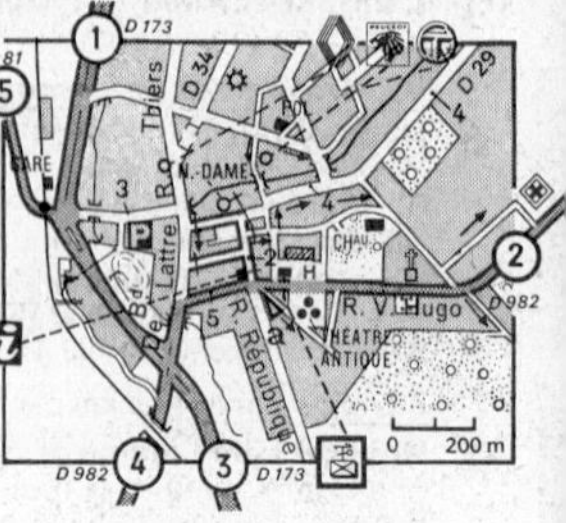

FIAT, LANCIA-AUTOBIANCHI Evrard, 15 r. Pasteur ✆ 35 38 00 68
PEUGEOT-TALBOT Raimbourg, 8 r. Dr-Léonard ✆ 35 38 05 22

RENAULT Legay, av. R.-Coty par ② ✆ 35 38 39 53 N
RENAULT Dajon, 23 ter r. Thiers ✆ 35 38 01 47

LIMERZEL 56 Morbihan 63 ④ – 1 229 h. – ✉ 56220 Malansac.

Paris 432 – • Nantes 85 – Ploërmel 42 – Redon 30 – Vannes 37.

Aub. Limerzelaise, ✆ 97 66 20 59, – E VISA
fermé 1er au 15 fév., lundi soir et mardi – SC : **R** 55/250.

LIMOGES P 87000 H.-Vienne 72 ⑰ G. Périgord – 144 082 h. alt. 294.

Voir Cathédrale★ BZ B – Église St-Michel-des-Lions★ AY D – Musées : A. Dubouché★★ (porcelaines) AY Municipal★ (émaux★★) BZ M – 18 9 ✆ 55 30 21 02 par ④ : 3 km.

de Limoges-Bellegarde, ✆ 55 00 10 37 par ⑥ : 10 km.

Office de Tourisme et Accueil de France (Informations et réservations d'hôtels, pas plus de 5 jours à l'avance) bd Fleurus ✆ 55 34 46 87, Télex 580705 et Aire de Repos Grossereix (juil.-août) - A.C. 33 bd L.-Blanc ✆ 55 34 32 06.

Paris 397 ① – Angoulême 103 ⑥ – •Bordeaux 221 ⑥ – •Clermont-Ferrand 178 ② – •Dijon 416 ② – Montluçon 137 ② – •Montpellier 432 ④ – •Nantes 302 ⑥ – Poitiers 119 ⑦ – •Toulouse 308 ④.

Plans pages suivantes

Royal Limousin M sans rest, pl. République ✆ 55 34 65 30, Télex 580771 – – 100 à 200. AE E VISA — BY **u**
SC : 35 – **76 ch** 299/375.

Luk H. M, 29 pl. Jourdan ✆ 55 33 44 00, Télex 580704 – wc – 40. AE E VISA — BY **x**
fermé 15 au 31 déc. – SC : **R** *(fermé dim. soir)* 50/80 – **53 ch** 240/295 – P 380/490.

Le Richelieu M sans rest, 40 av. Baudin ✆ 55 34 22 82 – wc wc . VISA – SC : 22 – **27 ch** 110/190. — AZ **a**

Caravelle M sans rest, 21 r. A.-Barbès ✉ 87100 ✆ 55 77 75 29 – wc wc . E VISA — BX **x**
SC : 21 – **31 ch** 149/200.

Jeanne-d'Arc sans rest, 17 av. Gén.-de-Gaulle ✆ 55 77 67 77, Télex 580011 – wc wc P – 30. AE E VISA — BY **s**
fermé 20 déc. au 6 janv. – SC : 21 – **55 ch** 180/290.

Orléans Lion d'Or sans rest, 9 cours Jourdan ✆ 55 77 49 71 – wc wc . AE E VISA — BY **t**
fermé 21 déc. au 6 janv. – SC : 19 – **42 ch** 82/259.

Le Petit Paris, 48 bis av. Garibaldi ✆ 55 77 39 82 – wc wc — BX **s**
fermé 15 déc. au 2 janv., vend., sam. et dim. hors sais. – SC : **R** 55/85 – 16,50 – **18 ch** 90/160.

Europe, 2 pl. Wilson ✆ 55 34 23 72 – wc wc . E VISA. ch — BZ **a**
fermé 15 déc. au 15 janv. et sam. – SC : **R** 50/103 – 15,50 – **23 ch** 50/150.

Le Carlin sans rest, 12 r. Pétiniaud-Dubos ✉ 87100 ✆ 55 77 39 75 – . VISA — BX **v**
SC : 12,50 – **18 ch** 68/99.

L'Aiglon sans rest, 8 r. Crucifix ✉ 87100 ✆ 55 77 39 13 – . E VISA — AX **y**
fermé 3 au 24 août et dim. – SC : 13 – **17 ch** 64/179.

Deux Atres, 17 r. Gén.-Bessol ✉ 87100 ✆ 55 79 64 54 – AE VISA — BX **e**
fermé 26 juil. au 17 août, 1er au 15 fév., sam. midi et dim. – SC : **R** 80/300.

L'Odyssée, 17 r. Charles-Michels ✆ 55 34 58 55 – AE E VISA — BZ **n**
fermé 14 au 31 août – SC : **R** *(fermé dim.)* 96/215.

Cantaut, 10 r. Rafilhoux ✆ 55 33 34 68 – AE — BY **d**
fermé vacances de fév. – SC : **R** 99/350.

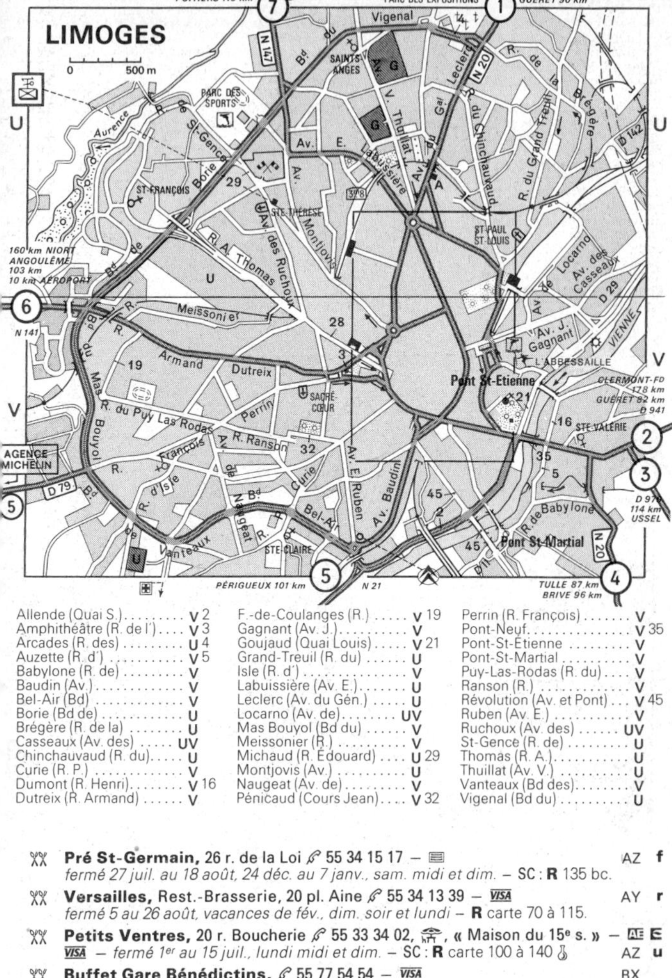

Allende (Quai S.) .... V 2
Amphithéâtre (R. de l') .... V 3
Arcades (R. des) .... U 4
Auzette (R. d') .... V 5
Babylone (R. de) V
Baudin (Av.) V
Bel-Air (Bd) V
Borie (Bd de) .... U
Brégère (R. de la) .... U
Casseaux (Av. des) ..... UV
Chinchauvaud (R. du) ..... U
Curie (R. P.) V
Dumont (R. Henri) .... V 16
Dutreix (R. Armand) V

F.-de-Coulanges (R.) ..... V 19
Gagnant (Av. J.) V
Goujaud (Quai Louis) ..... V 21
Grand-Treuil (R. du) ...... U
Isle (R. d') V
Labuissière (Av. E.) .... U
Leclerc (Av. du Gén.) ..... U
Locarno (Av. de) .... UV
Mas Bouyol (Bd du) V
Meissonier (R.) V
Michaud (R. Édouard) .... U 29
Montjovis (Av.) .... U
Naugeat (Av. de) V
Pénicaud (Cours Jean) .... V 32

Perrin (R. François) V
Pont-Neuf .... V 35
Pont-St-Étienne V
Pont-St-Martial V
Puy-Las-Rodas (R. du) V
Ranson (R.) V
Révolution (Av. et Pont) ... V 45
Ruben (Av. E.) V
Ruchoux (Av. des) ...... UV
St-Gence (R. de) .... U
Thomas (R. A.) .... U
Thuillat (Av. V.) .... U
Vanteaux (Bd des) V
Vigenal (Bd du) .... U

XX **Pré St-Germain,** 26 r. de la Loi ✆ 55 34 15 17 – ▤ — AZ **f**
fermé 27 juil. au 18 août, 24 déc. au 7 janv., sam. midi et dim. – SC : **R** 135 bc.

XX **Versailles,** Rest.-Brasserie, 20 pl. Aine ✆ 55 34 13 39 – VISA — AY **r**
fermé 5 au 26 août, vacances de fév., dim. soir et lundi – **R** carte 70 à 115.

XX **Petits Ventres,** 20 r. Boucherie ✆ 55 33 34 02, ☂, « Maison du 15e s. » – AE E VISA – *fermé 1er au 15 juil., lundi midi et dim.* – SC : **R** carte 100 à 140 🍷 — AZ **u**

XX **Buffet Gare Bénédictins,** ✆ 55 77 54 54 – VISA — BX
R 59/93 🍷.

Par la sortie ①

Z.I. Nord Quartier du Lac : 4 km – ✉ **87100** Limoges :

Novotel 🐎, ✆ 55 37 20 98, Télex 580866, ☂, 🏊, 🌳, 🎾 – 🛗 ▤ rest TV ☎ ♿ **P** – 🧑‍🏫 25 à 200. AE ◑ E VISA
R snack carte environ 100 🍷 – ☕ 34 – **90 ch** 278/304.

rte de Paris : 9 km – ✉ **87100** Limoges :

La Résidence, ✆ 55 39 90 47, parc, ☂ – 🛁wc 🚿wc ☎ 🚗 **P** – 🧑‍🏫 70. VISA. 🐕 ch
fermé 2 au 8 sept., fév. et sam. du 1er oct. au 1er mars – **R** 80/180 – ☕ 20 – **20 ch** 140/190.

Par la sortie ③

à Feytiat : 5 km – ✉ **87220** Feytiat :

Mas Cerise M 🐎, ✆ 55 00 26 28, ≤, ☂, 🌳 – TV 🛁wc 🚿wc ☎ 🚗 **P** – 🧑‍🏫 60. AE ◑ E VISA. 🐕 rest
fermé août – SC : **R** *(fermé dim. soir et lundi)* 95/230 – ☕ 22 – **15 ch** 165/197 – P 370

LIMOGES

Clocher (R. du) .... **AY** 13
Consulat (R. du) .... **AY** 15
Jaurès (R. Jean) ..... **ABYZ** 25
République (Pl. de la) ... **BY** 43

Aine (Pl. d') .... **AY**
Arènes (Pl. des) .... **AY**
Bac (R. Théodore) .... **BX**
Bancs (Pl. des) .... **AZ**
Barbès (R. Armand) ...... **BX**
Baudin (Av.) .... **AZ**
Bénédictins (Av. des) ... **BY**
Berthet (R. Élie) .... **ABY** 8
Boucherie (R. de la) ..... **AZ** 10
Bugeaud (Cours) .... **BY**
Carnot (Bd) .... **ABY**
Carnot (Pl. Sadi) .... **BX**
Châteauroux (R. de) ..... **BX**
Chénieux (R. François) .. **AX**
Chinchauvaud (R. du) ... **BX**

Cité (Bd de la) .... **BYZ**
Combes (R. des) .... **AY**
Corderie (Bd de la) ...... **BZ**
Dubouché (R. A.) .... **AY**
Dumas (Av. Georges) .... **BZ**
Dussoubs (Pl. D.) .... **AY**
Ferrerie (R.) .... **AY** 17
Fleurus (Bd) .... **BY**
Fontaines-des-Barres (Pl) **AY** 18
Gambetta (Bd) .... **AZ**
Garibaldi (Av.) .... **AX**
Gaulle (Av. Gén.-de) .... **BY**
Gay-Lussac (Cours) ...... **BX**
Guesde (R. Jules) .... **BZ** 22
Hte-de-la-Comedie (R.) . **AY** 24
Haute-Vienne (R.) .... **AZ**
Isly (R. d') .... **BY**
Jacobins (Pl. des) .... **BZ**
Jourdan (Pl.) .... **BY**
Lemoine (Av. G. et V.) ... **AX**
Libération (Av. de la) .. **ABY**
Louis-Blanc (Bd) .... **BZ**
Louvrier-de-Lajolais (R.). **AY** 27

Marceau (Pl.) .... **BX**
Maupas (R. du) .... **BY**
Mauvendière (R. de la) .. **AY** 28
Midi (Av. du) .... **AZ**
Montmailler (R.) .... **AY**
Neuve-St-Étienne (R.) ... **BZ** 31
Perin (R. Georges) ...... **BY** 34
Petiniaud-Beaupeyrat (R) **AZ**
Pont-St-Martial (R. du) .. **BZ**
Porte-Panet (R.) .... **BZ** 37
Porte-Tourny (R.) .... **BY** 38
Préfecture (R. de la) ..... **AY** 39
Présidial (Pl.) .... **AY**
Rafilhoux (R.) .... **BY** 42
St-Martial (R.) .... **BY** 46
Tarrade (Av. A.) .... **AX**
Temple (Cours du) .... **AY** 49
Tourny (Carrefour) ...... **BY** 50
Turgot (R.) .... **AY**
Vergniaud (Cours) ..... **BXY**
Victor-Hugo (Bd) .... **AY**
Vigne-de-Fer (R.) .... **AZ** 51
Wilson (Pl.) .... **BYZ**

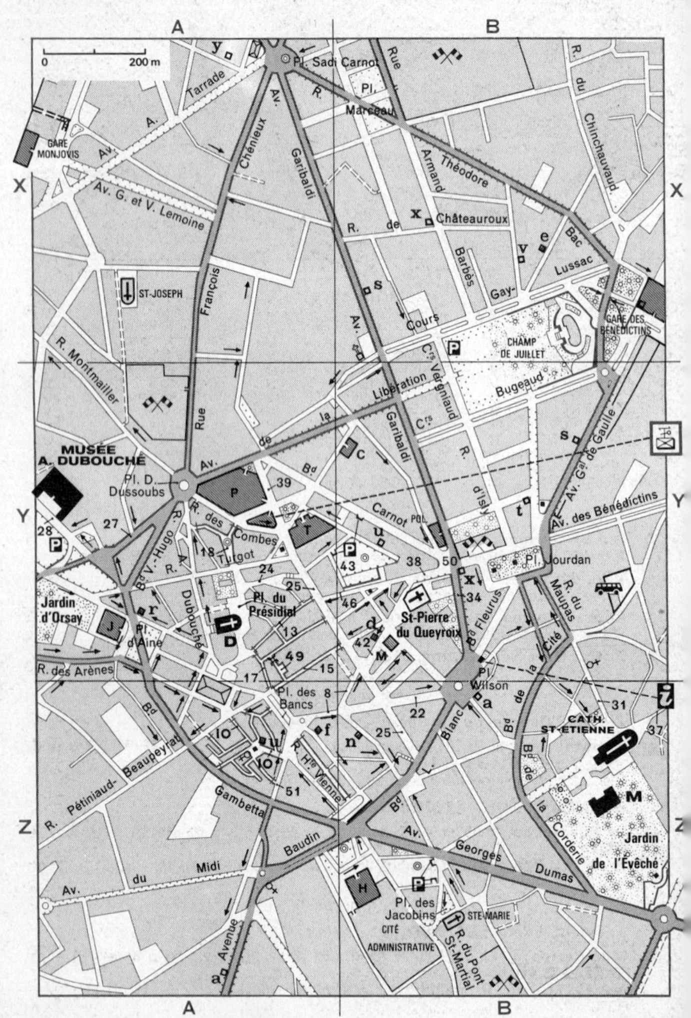

sur rte d'Eymoutiers : 10 km – ✉ **87220** Feytiat :

XX **Aub. du Bonheur,** ✆ 55 00 28 19, « Collection d'objets anciens », parc – Ⓟ
fermé 6 août au 8 oct. et merc. – SC : **R** 97/128.

Par la sortie ⑦

à Couzeix : 5 km – 5 139 h. – ✉ **87270** Couzeix :

X **Relais St-Martial** avec ch, N 147 ✆ 55 39 33 50 – ⋔ Ⓟ. E VISA
fermé dim. soir – SC : **R** 49/120 ⅓ – ☕ 14,50 – **12 ch** 80/101 – P 172.

sur N 147 : 10,5 km – ✉ **87510** Nieul :

XX **Les Justices** avec ch, sur N 147 ✆ 55 75 84 54, 🏞 – ⋔wc Ⓟ
fermé 2 janv. au 3 fév., dim. soir et lundi sauf fêtes à midi – SC : **R** carte 120 à 170 – ☕ 30 – **3 ch** 100.

à St-Martin-du-Fault par N 147 et D 35 : 12 km – ✉ **87510** Nieul :

XXX ✿ **La Chapelle St-Martin** Ⓜ 🔇 avec ch, ✆ 55 75 80 17, ≤, 🎾, « Gentilhommière dans un parc » – 🛁wc ☎ 🚗 Ⓟ – 🏛 30. 🐕 rest
fermé 1er au 8 août, janv. et fév. – SC : **R** *(fermé dim. soir en nov., déc. et lundi)* (nombre de couverts limité - prévenir) carte 215 à 275 – ☕ 40 – **9 ch** 350/420
Spéc. Crudité de saumon à l'huile d'olive, Joues de raie sautées, Carré d'agneau en croûte de sel.

MICHELIN, Agence régionale, Av. des Courrières à Isle par D 78 – V – ✆ **55 05 18 18**

ALFA-ROMEO-MAZDA-INNOCENTI Centre-Ouest-Automobiles, 1 r. de Liège ✆ 55 34 10 90
AUSTIN, MORRIS, ROVER, TRIUMPH Stema, N 20 à Crochat ✆ 55 06 15 15
BMW Gar. Fraisseix J.-, 213 r. de Toulouse ✆ 55 30 42 70
CITROEN Central Gar., r. F.-Bastiat, Z.A.C. de Beaubreuil par ① ✆ 55 37 23 09
CITROEN Gar. Baudin, 176 av. Baudin V ✆ 55 34 15 74
FORD Gar. Fraisseix E.-, RN 20 à Crochat ✆ 55 30 46 47
MERCEDES-BENZ Gar. Jourdan, av. L.-Armand, Zone Ind. Nord ✆ 55 38 16 17
OPEL-GM-US Gén.-Autom. du Limousin, rte de Toulouse, Crochat ✆ 55 30 84 84
PEUGEOT-TALBOT Gds Gar. Limousin, rte de Toulouse, Zone Ind. Magré par ④ ✆ 55 30 65 35
PEUGEOT-TALBOT Guyot, r. F.-Perrin, Le Moulin Blanc par D 79 V ✆ 55 01 34 52
RENAULT Renault-Limoges, av. L.-Armand, Zone Ind. Nord par ① ✆ 55 37 58 25 Ⓝ ✆ 55 50 79 79
SEAT Royal-Gar., Zone Ind. de Ponteix à Feytiat ✆ 55 31 14 14
TOYOTA Gar. Carnot, 9 av. E.-Labussière ✆ 55 77 48 06
V.A.G. Gar. Auto-Sport, r. Serpollet Zone Ind. Nord ✆ 55 37 17 80
V.A.G Gar. Auto-Sport, à Feytiat ✆ 55 31 23 85
VOLVO Gar. Desbordes, 229 av. Gén.-Leclerc ✆ 55 37 17 71

Ⓜ Charles, 5 bis bd Corderie ✆ 55 34 31 69
Estager-Pneu, 56 av. Gén.-Leclerc ✆ 55 38 42 43 et 5 r. A. Comte Zone Ind. Nord ✆ 55 38 10 71
Faucher, 55-59 r. Th.-Bac ✆ 55 77 27 02
Longequeue-Pneus, 8 r. F.-Chénieux ✆ 55 77 48 37
Omnium-Pneus, 61 av. Gén.-Leclerc ✆ 55 77 52 88
Pneus et Caoutchouc, 230 av. Baudin ✆ 55 34 51 21 et 33 av. des Bénédictins ✆ 55 33 32 33
Relais-Pneu, 11 av. G.-Péri ✆ 55 34 55 13
Talandier pneus, rte de Buxerolles à Couzeix ✆ 55 36 40 05
Transac-Pneus, 43 r. F.-Chénieux ✆ 55 77 60 14

CONSTRUCTEUR : RENAULT Véhicules Industriels, rte du Palais ✆ **55 77 58 35**

☞ *Michelin n'accroche pas de panonceau aux hôtels et restaurants qu'il signale.*

LIMONEST 69760 Rhône **74** ⑪ – 2 244 h. alt. 400.

Paris 447 – L'Arbresle 17 – ♦Lyon 13 – Villefranche-sur-Saône 18.

XX **Puy d'Or** avec ch, au S : 3 km par D 42 ✆ 78 35 12 20, ≤ – ⋔ Ⓟ. AE E VISA
fermé 5 au 10 août, 4 au 31 oct., mardi soir et merc. – SC : **R** 80/180 ⅓ – ☕ 19 – **7 ch** 125/145.

XX **La Gentil'Hordière,** ✆ 78 35 94 97, 🍽 – AE VISA
fermé 3 au 31 août, sam. midi et dim. sauf fêtes. – SC : **R** 115/220.

LIMOUX <SP> 11300 Aude **86** ⑦ **G. Pyrénées** – 10 885 h. alt. 172.

ℹ Office de Tourisme Promenade Tivoli (fermé matin hors sais.) ✆ 68 31 11 82.

Paris 931 ① – Carcassonne 24 ① – Foix 67 ③ – ♦Perpignan 101 ② – ♦Toulouse 95 ①.

Plan page suivante

🏠 **Moderne et Pigeon,** 1 pl. Gén.-Leclerc **(a)** ✆ 68 31 00 25 – 🛁wc ⋔wc ☎. AE ⓓ VISA
fermé 15 déc. au 15 janv. – SC : **R** *(fermé lundi)* 55/140 – ☕ 15,50 – **29 ch** 75/200 – P 200/256.

X **Maison de la Blanquette,** prom. du Tivoli **(e)** ✆ 68 31 01 63 – ▤. E
fermé oct. et merc. soir – SC : **R** 55 bc/150 bc.

tourner →

sur rte de Castelnaudary par ① et D 623 : 13 km – ✉ **11240** Belvèze du Razes :

Relais Touristique de Belvèze avec ch, carrefour D 623 - D 18 ☏ 68 69 08 78 – rest wc wc ☎ Ⓟ. AE ⦿ E
SC : **R** *(fermé dim. soir et lundi)* 60/130 – 15 – **7 ch** 115/130 – P 180/230.

ALFA-ROMEO, OPEL Bardavio, 22 av. A.-Chenier ☏ 68 31 02 43
CITROEN Nivet, rte Perpignan par ② ☏ 68 31 06 00
FIAT Lachèze, 13 av. Fabre-d'Eglantine ☏ 68 31 34 66 N
FORD Huillet, 25 av. Fabre-d'Églantine ☏ 68 31 01 48
MERCEDES Gar. Blanquer, Z.I. de Quillan ☏ 68 31 12 85
PEUGEOT-TALBOT Gar. de Flassian, rte Carcassonne par ① ☏ 68 31 21 92
RENAULT Limoux-Autom., rte Carcassonne par ① ☏ 68 31 08 87 N
V.A.G A.L.B., rte d'Alet ☏ 68 31 44 50

Figuères-Pneus, rte d'Alet, Zone Ind. ☏ 68 31 13 84

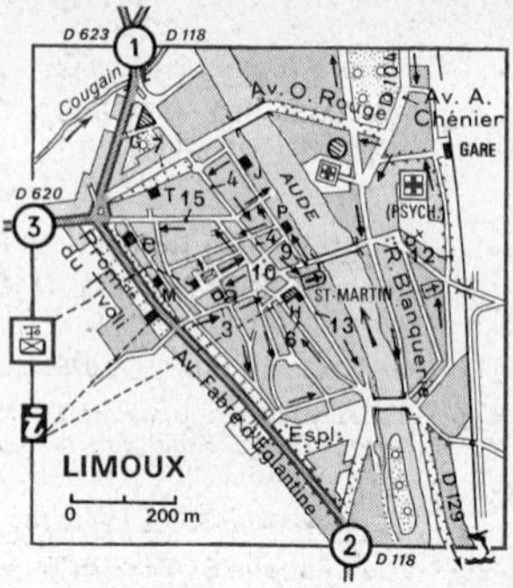

Goutine (R. de la) . 3
Jaurès (R. J.) 4
Mairie (R. de la) .. 6
Pont-Neuf (R. du) . 9
République (Pl.) . 10
St-Martin (R.) ... 13
Toulzane (R.) ... 15
Maronniers (Av.) . 7
Ronde (Ch. de) .. 12

LINTHAL 68 H.-Rhin 62 ⑱ – 523 h. alt. 425 – ✉ **68610** Lautenbach.
Paris 466 – Colmar 37 – Gérardmer 52 – Guebwiller 11 – ♦Mulhouse 34.

A la Truite de la Lauch, ☏ 89 76 32 30, – wc wc Ⓟ. VISA. rest
fermé 15 nov. au 15 déc. et merc. sauf juil.-août – SC : **R** 50/150 – 16 – **16 ch** 65/160 – P 160/185.

LIOCOURT 57 Moselle 57 ⑭ – 129 h. alt. 290 – ✉ **57590** Delme.
Paris 358 – Château-Salins 17 – ♦Metz 28 – Pont-à-Mousson 30 – St-Avold 48.

Au Savoy, ☏ 87 01 36 72 – AE ⦿ E VISA
fermé fév., lundi soir et mardi – SC : **R** 83/184.

Le LION D'ANGERS 49220 M.-et-L. 63 ⑳ **G. Châteaux de la Loire** – 2 775 h. alt. 32.
Voir Haras de L'Isle Briand★ E : 1 km.
Paris 290 – Ancenis 52 – Angers 22 – Château-Gontier 21 – La Flèche 51.

Voyageurs, ☏ 41 95 30 08 – wc
fermé 2 au 18 oct. et 15 janv. au 6 fév. – SC : **R** *(fermé lundi de fin oct. à fin juin)* 40/130 – 16 – **13 ch** 75/150 – P 120/170.

LION-SUR-MER 14780 Calvados 55 ② **G. Normandie** – 1 824 h.
Syndicat d'Initiative bd Calvados (1er juil.-31 août) ☏ 31 97 20 53.
Paris 247 – Arromanches 25 – Bayeux 32 – Cabourg 25 – ♦Caen 16 – Ouistreham-Riva-Bella 6.

Moderne, ☏ 31 97 20 48 – . rest
Pâques-fin sept. et fermé dim. soir et lundi sauf juil.-août – SC : **R** 55/120 – 13,50 – **14 ch** 75/120 – P 148/166.

RENAULT Boutry, ☏ 31 97 20 21 N
RENAULT Gar. de l'Espérance, à Hermanville-sur-Mer ☏ 31 97 28 62

Le LIORAN 15 Cantal 76 ③ **G. Auvergne** – alt. 1 153 – Sports d'hiver à Super-Lioran SO : 2 km – ✉ **15300** Murat.
Voir Gorges de l'Alagnon★ NE : 2 km puis 30 mn – Col de Cère ≤★ SO : 4 km.
Paris 505 – Aurillac 39 – Condat 42 – Murat 12 – St-Jacques-des-Blats 6.

Aub. du Tunnel avec ch, ☏ 71 49 50 02 – wc wc Ⓟ. ⦿ E
1er juil.-1er oct. et 22 déc.-1er mai – SC : **R** 42/65 – 15,50 – **18 ch** 128/150 – P 180/190.

à Super-Lioran SO : 2 km par D 67 – Sports d'hiver : 1 250/1 850 m 1 23 – ✉ **15300** Murat.
Voir Plomb du Cantal ★★ par téléphérique.
Office de Tourisme (16 juin-15 sept., 15 déc.-15 avril et matin hors sais.) ☏ 71 49 50 08, Télex 990575.

Gd H. Anglard et du Cerf , ☏ 71 49 50 26, Télex 990575, ≤ Monts du Cantal ☎ Ⓟ. AE E
8 au 20 mai, 10 juil.-30 sept. et 20 déc.-15 avril – SC : **R** 65/155 – 18 – **38 ch** 125/250 – P 190/270.

Remberter ⛰, ☎ 71 49 50 28, ≤ – 🛗 ⛀wc ⛲wc ☎ 🅟. **E**. ⛔ rest
28 juin-13 sept. et 20 déc.-15 avril – **SC** : **R** 44/117 – ☕ 15,50 – **32 ch** 108/177 – P 169/220.

Rocher du Cerf ⛰, ☎ 71 49 50 14, ≤, 🌳 – ⛲wc 🅟
22 juin-8 sept. et 18 déc.-15 avril – **SC** : **R** 45/83 🍷 – ☕ 17,50 – **11 ch** 93/138 – P 143/192.

Le LIOUQUET 13 B.-du-R. 84 ⑭ – rattaché à La Ciotat.

LISIEUX 14100 Calvados 55 ⑬ **G. Normandie** – 25 823 h. alt. 49 – Pèlerinage (fin sept.).

Voir Cathédrale St-Pierre★ BY.

Office de Tourisme 11 r. Alençon ☎ 31 62 08 41, Télex 170169.

Paris 174 ② – Alençon 91 ④ – Argentan 58 ④ – ♦Caen 49 ⑥ – Cherbourg 170 ⑥ – Dieppe 139 ① – Evreux 72 ② – ♦Le Havre 79 ① – ♦Le Mans 140 ④ – ♦Rouen 82 ②.

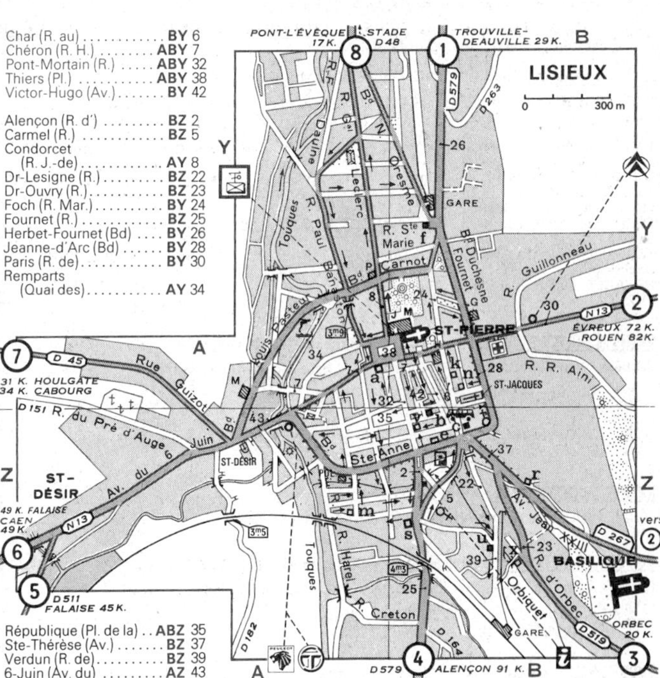

Char (R. au) . . . . BY 6
Chéron (R. H.) . . . . ABY 7
Pont-Mortain (R.) . . . . . ABY 32
Thiers (Pl.) . . . . ABY 38
Victor-Hugo (Av.) . . . . BY 42

Alençon (R. d') . . . . BZ 2
Carmel (R.) . . . . BZ 5
Condorcet (R. J.-de) . . . . AY 8
Dr-Lesigne (R.) . . . . BZ 22
Dr-Ouvry (R.) . . . . BZ 23
Foch (R. Mar.) . . . . BY 24
Fournet (R.) . . . . BZ 25
Herbet-Fournet (Bd) . . . . BY 26
Jeanne-d'Arc (Bd) . . . . . . BY 28
Paris (R. de) . . . . BY 30
Remparts (Quai des) . . . . AY 34

République (Pl. de la) . . ABZ 35
Ste-Thérèse (Av.) . . . . BZ 37
Verdun (R. de) . . . . BZ 39
6-Juin (Av. du) . . . . AZ 43

Place sans rest, 67 r. H.-Chéron ☎ 31 31 17 44, Télex 171862 – 🛗 📺 ⛀wc ⛲wc ☎ ♿ 🚗. AE ⓓ E VISA — AY **a**
SC : ☕ 30 – **33 ch** 250/340.

Espérance et rest. Pays d'Auge, 16 bd Ste-Anne ☎ 31 62 17 53, Télex 171845 – 🛗 ⛀wc ⛲wc ☎ 🚗. AE ⓓ E VISA — BZ **e**
1er mai-30 sept. – **SC** : **R** 80 – ☕ 24 – **100 ch** 160/245.

Gd H. Normandie, 11 bis r. au Char ☎ 31 62 16 05, Télex 170269 – 🛗 ⛀wc ⛲wc ☎ 🚗. AE ⓓ E VISA — BY **k**
1er mai-30 sept. – **SC** : **R** 49/140 – ☕ 21 – **70 ch** 165/230.

Coupe d'Or, 49 r. Pont-Mortain ☎ 31 31 16 84 – 📺 ⛀wc ⛲wc ☎. AE ⓓ E VISA — BZ **v**
SC : **R** *(fermé sam. en hiver)* 76/165 – ☕ 20 – **18 ch** 106/260 – P 234/301.

Maris-Stella, 56 bis r. Orbec ☎ 31 62 01 05 – ⛀wc ⛲ ☎ 🅟 – 🏊 30. AE E VISA
fermé janv. – **SC** : **R** *(fermé sam. midi et dim. soir)* 60/170 – ☕ 18 – **17 ch** 95/195 – P 180/300. — BZ **x**

St-Louis sans rest, 28 r. A.-Briand ☎ 31 62 06 50 – ⛀wc ⛲wc ☎. E VISA. ⛔
fermé janv. – **SC** : ☕ 17 – **17 ch** 100/150. — BY **n**

tourner →

Terrasse H., 25 av. Ste-Thérèse ✆ 31 62 17 65 – wc wc. AE E VISA
15 mars-15 nov. et fermé merc. hors sais. – SC : **R** 60/95 – 18 – **17 ch** 70/150 – P 200/320. BZ **r**

St-Michel sans rest, 22 r. Bocage ✆ 31 62 05 90 – P. VISA. AZ **m**
fermé dim. en hiver – SC : 16 – **24 ch** 73/110.

Capucines sans rest, 6 pl. Fournet ✆ 31 62 28 34 – wc. BZ **s**
SC : 22 – **18 ch** 60/140.

XXX **Ferme du Roy,** par ① : 2,5 km ✆ **31 31 33 98, « Ancienne ferme, jardin »** – P VISA.
fermé 1er au 9 juil., 18 déc. au 18 janv., dim. soir et lundi – SC : **R** (prévenir) 97/160.

XXX **Parc,** 21 bd Herbert-Fournet ✆ **31 62 08 11, « Ancienne salle d'orgues »,** – P. AE VISA BY **f**
fermé 15 nov. au 15 déc., mardi soir et merc. – SC : **R** 105.

XX **Acacias,** 13 r. Résistance ✆ **31 62 10 95** – AE E VISA BZ **b**
fermé dim. soir et lundi sauf fêtes – SC : **R** 61/115.

XX **Aub. du Pêcheur,** 2 bis r. Verdun ✆ **31 31 16 85** – AE E VISA BZ **u**
fermé oct., merc. et jeudi – **R** 66/170.

à Manerbe par ⑦ : 7 km – ✉ **14340** Cambremer :

XX **Pot d'Étain,** ✆ **31 61 00 94, « Jardin fleuri »** – P. AE E VISA.
fermé 1er au 8 sept., janv., fév., mardi soir et merc. – SC : **R** 60/250.

BMW Générale Automobile, 69 r. de Paris ✆ 31 62 82 22
CITROEN Succursale, 41 r. de Paris ✆ 31 31 15 75 N ✆ 31 62 81 00
FIAT Meslin, 5 r. Ste-Marie ✆ 31 62 04 52
FORD Gar. des Loges, 41 r. Fournet ✆ 31 62 26 17
PEUGEOT-TALBOT Gar. Jonquard Lorant 61 bd Ste-Anne ✆ 31 31 00 71
RENAULT Gar. du Parc, rte N 13 par ② ✆ 31 31 28 76
V.A.G. Gar. Lepelletier, 118 r. Fournet ✆ 31 31 49 58
VOLVO Richard, 57 bd Ste-Anne, ✆ 31 62 02 78

Ollitrault-Pneus, 5 bis r. du Marché-aux-Bestiaux ✆ 31 62 29 10
Renov.-Pneu, 29 r. de Paris ✆ 31 62 03 04

LISLE-SUR-TARN 81310 Tarn 82 ⑨ G. Causses – 3 420 h. alt. 127.

Paris 684 – Albi 31 – Lavaur 21 – Montauban 44 – Rabastens 8 – •Toulouse 45.

Princinor, sur N 88 ✆ 63 33 35 44 – P
11ch.

X **Le Romuald,** 6 r. Port ✆ **63 33 38 85** – AE VISA
fermé sept., lundi et mardi – SC : **R** 43/120.

LISON (Source du) ★★★ 25 Doubs 70 ⑤ G. Jura.

Voir Grotte Sarrazine★★ NO 30 mn – Creux Billard★ S 15 mn.

LISTRAC-MÉDOC 33 Gironde 71 ⑧ – 1 521 h. alt. 44 – ✉ 33480 Castelnau.

Paris 551 – Arcachon 88 – Blaye 9 – •Bordeaux 34 – Lesparre-Médoc 30.

X **France** avec ch, ✆ **56 58 03 68** – P
SC : **R** 55/150 – 17 – **7 ch** 75/130.

LIVAROT 14140 Calvados 55 ⑬ – 2 759 h. alt. 64.

Paris 192 – Alençon 72 – Bernay 39 – •Caen 47 – Falaise 36 – Lisieux 18 – Orbec 22.

Vivier, pl. G.-Bisson ✆ **31 63 50 29,** – wc wc P. VISA
SC : **R** *(fermé dim. soir d'oct. à fin mars et lundi sauf fériés)* 53/102 – 18 – **11 ch** 90/233 – P 190/235.

CITROEN S.E.R.V.A.L., ✆ 31 63 50 51 N

LIVERDUN 54460 M.-et-M. 62 ④ G. Alsace et Lorraine – 6 110 h. alt. 203.

Voir Site★.

18 de Nancy-Aingeray ✆ 83 24 53 87 SO : 2 km.

Paris 300 – •Metz 56 – •Nancy 16 – Pont-à-Mousson 25 – Toul 19.

XXX ✿ **des Vannes et sa Résidence** (Simunic) avec ch, 6 r. Porte-Haute ✆ 83 24 46 01, ≤ boucle de la Moselle – wc – 60. AE VISA. ch
fermé 1er fév. au 8 mars et lundi sauf fériés – **R** 135/275 – 35 – **9 ch** 210/320
Spéc. Homard, Turbot aux aromates, Ris de veau à l'étuvée de légumes.. **Vins** Côtes de Toul.

A la Résidence , **« Jardin étagé en terrasses »,** – wc. AE VISA. ch
fermé 1er fév. au 8 mars, et lundi – SC : 35 – **6 ch** 250/320.

XXX **Golf Val Fleuri,** rte Villey-St Étienne ℘ 83 24 53 54, ⛱, « Au bord de l'eau » — Ⓟ. E VISA
fermé 2 janv. au 1er fév. et merc. hors sais. sauf fériés – **R** 98/153.

XX **Host. Gare,** ℘ 83 24 44 76 – E VISA
fermé 15 juil. au 4 août et mardi sauf fériés – **R** 85/145.

à Aingeray SO : 6 km par D 90 – ✉ **54460** Liverdun :

XX **La Poêle d'Or,** 1 r. Liverdun ℘ 83 23 22 31 – E VISA
fermé 1er au 15 sept., fév., dim. soir et lundi – SC : **R** 63/165 🍷.

LIVRY-GARGAN 93 Seine-St-Denis 56 ⑪, 101 ⑱ – voir à Paris, Environs.

La LLAGONNE 66 Pyr.-Or. 86 ⑯ – rattaché à Mont-Louis.

LLO 66 Pyr.-Or. 86 ⑯ – rattaché à Saillagouse.

A la carte

Dans les restaurants à « prix fixes », il est généralement possible de se faire servir aussi à la carte.

LOCHES SP 37600 I.-et-L. 68 ⑥ G. Châteaux de la Loire – 7 019 h. alt. 72.

Voir Cité médiévale** Z : château** B, donjon** D, église St-Ours* E, Porte Royale* F – Hôtel de ville* ZH.

Env. Portail* de la Chartreuse du Liget E : 10 km par ②.

ℹ Office de Tourisme pl. Marne ℘ 47 59 07 98.

Paris 255 ① – Blois 65 ① – Châteauroux 70 ③ – Châtellerault 54 ④ – ♦Tours 41 ①.

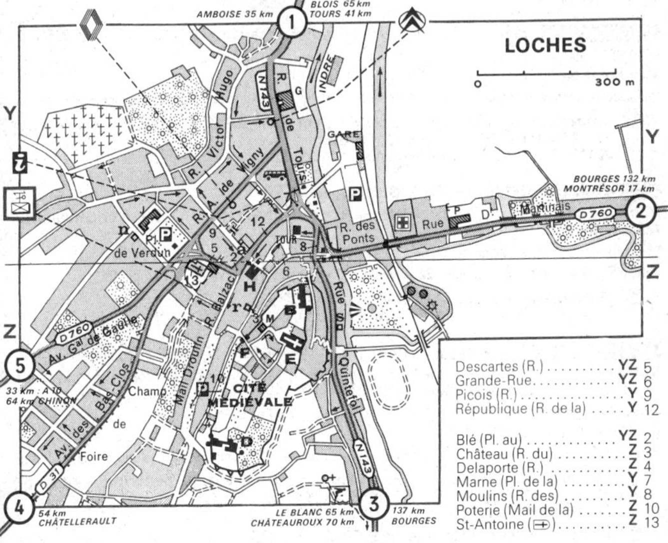

🏨 **Luccotel** M 🐦, r. Lézards, par ⑤ : 1,5 km ℘ 47 91 50 50, Télex 752054, ≤ – ⛋wc ☎ ♿ Ⓟ – 🏛 100. VISA. 🚫 rest
fermé janv. – SC : **R** 65/160 – ☕ 21 – **42 ch** 168/220.

🏨 **France,** 6 r. Picois ℘ 47 59 00 32, ⛱ – TV ⛋wc ⛆wc ☎ 🚗 – 🏛 40. VISA
fermé 21 au 27/4, 3/1 au 9/2, dim. soir et lundi midi (sauf fériés) de 9 à fin 6 et vend. soir d'oct. à Pâques – SC : **R** 46/85 – ☕ 16,50 – **22 ch** 60/175. Y **a**

🏨 **George Sand,** 39 r. Quintefol ℘ 47 59 39 74, ≤, ⛱ – ⛋wc ⛆wc ☎. E VISA
SC : **R** 55/150 – ☕ 18 – **17 ch** 130/180 – P 300/320. Z **s**

🏨 **Château** 🐦 sans rest, 18 r. Château ℘ 47 59 07 35 – ⛋wc ⛆wc. 🚫 Z **r**
17 mars-31 déc. – SC : **10 ch** 80/210.

🏠 **Moderne** sans rest, 21 pl. Verdun ℘ 47 59 05 06 – 🚫 Y **n**
SC : ☕ 16 – **10 ch** 80/130.

CITROEN Loches-Automobiles, 17 r. de Tours ℰ 47 59 07 50
CITROEN Barreau, 87 r. St-Jacques par ① ℰ 47 59 06 60 N
PEUGEOT-TALBOT Lorillou, N 143, Tivoli par ③ ℰ 47 59 00 41
RENAULT Chebassier, 8 r. A.-de-Vigny ℰ 47 59 00 77

V.A.G. Blineau, Zone Ind. par ① ℰ 47 59 06 88 N ℰ 47 59 08 55

Ⓜ Touraine, rte Loches à Perrusson ℰ 47 59 03 86

LOCMARIA-BERRIEN 29 Finistère 58 ⑥ – rattaché à Huelgoat.

LOCMARIAQUER 56740 Morbihan 63 ⑫ **G. Bretagne** – 1 279 h. alt. 16.

Voir Table des Marchands★★ et Grand menhir★★ puis dolmens de Mané Lud★ et de Mané Rethual★ – Tumulus de Mané-er-Hroech★ S : 1 km – Dolmen des Pierres Plates★ SO : 2 km – Pointe de Kerpenhir ≤★ SE : 2 km.

Syndicat d'Initiative (15 juin-8 sept.) ℰ 97 57 33 05.

Paris 487 – Auray 13 – Quiberon 31 – La Trinité 8,5.

Lautram (annexe M 🐘 -10 ch wc wc), ℰ **97 57 31 32** – . rest
fin mars-fin sept. – SC : **R** 45/152 – ☕ 14 – **25 ch** 107/168 – P 150/220.

L'Escale, ℰ 97 57 32 51, ≤ – wc ☎. ⓓ E VISA
7 mai-20 sept. – SC : **R** 68/132 – ☕ 14 – **12 ch** 126/197 – P 160/209.

LOCMINÉ 56500 Morhihan 63 ③ **G. Bretagne** – 3 672 h. alt. 100.

Syndicat d'Initiative 30 r. Gén.-de-Gaulle (fin juin-fin août) ℰ 97 60 09 90.

Paris 445 – Concarneau 94 – Lorient 49 – Pontivy 24 – Quimper 110 – ♦Rennes 97 – Vannes 28.

L'Argoat, rte Vannes ℰ **97 60 01 02** – TV wc wc ☎. VISA
fermé 20 déc. au 20 janv. et sam. hors sais. – SC : **R** 47/140 🍷 – ☕ 18,50 – **22 ch** 130/200 – P 175/224.

Ⓜ Rio, ℰ 97 60 01 24

LOCQUIGNOL 59 Nord 53 ⑤ **G. Flandres, Artois, Picardie** – 320 h. alt. 150 – ✉ **59530** Le Quesnoy.

Voir Forêt de Mormal★.

Paris 230 – Avesnes-sur Helpe 22 – Le Cateau 21 – ♦Lille 79 – Maubeuge 25 – Valenciennes 26.

XXX **Host. La Touraille** 🐘 avec ch, S : 1 km sur D 233 ℰ **27 49 05 55, Télex 810195,** ≤, , parc – TV wc ☎ P. ⓓ VISA
R 109/210 – ☕ 28 – **7 ch** 235/340 – P 280/340.

LOCQUIREC 29241 Finistère 58 ⑦ **G. Bretagne** – 1 061 h.

Voir Église★ – **Le tour de la pointe de Locquirec★ 30 mn – Table d'orientation de Marc'h Sammet ≤★ O : 3 km.**

Office de Tourisme (fermé du 1er oct. au 31 déc.) ℰ 98 67 40 83.

Paris 536 – Guingamp 53 – Lannion 22 – Morlaix 22 – Plestin-les-Grèves 6 – Quimper 98.

Pennenez sans rest, ℰ **98 67 42 21,** –
1er avril-30 sept. – SC : ☕ 17 – **26 ch** 88/130.

LOCRONAN 29 Finistère 58 ⑮ **G. Bretagne** – 704 h. alt. 150 – ✉ **29136** Plogonnec.

Voir Place★★ – Église et chapelle du Pénity★★ – Montagne de Locronan ✳★ E : 2 km – Kergoat : vitraux★ de la chapelle NE : 3,5 km.

Env. Guengat : vitraux★ de l'église S : 10 km par D 63 et D 56.

Office de Tourisme ℰ 98 91 70 14.

Paris 570 – ♦Brest 63 – Briec 21 – Châteaulin 16 – Crozon 38 – Douarnenez 10 – Quimper 17.

H. Au Fer à Cheval 🐘, SO : 1 km par D 63 et V.O. ℰ 98 91 70 67, – TV wc ☎ P – 🏛 30 à 100. AE ⓓ E VISA. rest
SC : **R** 55/160 – ☕ 16 – **35 ch** 150/220 – P 220/260.

Prieuré, ℰ 98 91 70 89 – wc P – 🏛 40. E VISA. ch
fermé oct. et lundi hors sais. – SC : **R** 55/200 🍷 – ☕ 16 – **15 ch** 80/205 – P 174/228.

XX **Rest. Au Fer à Cheval,** pl. Église ℰ 98 91 70 74 – AE ⓓ E VISA
SC : **R** 49/200 🍷.

au NO : 3 km par C 10 – ✉ **29127** Plomodiern :

Manoir de Moëllien 🐘, ℰ 98 92 50 40, ≤, – TV wc ☎ ♿ P. ⓓ E VISA
fermé 12 nov. au 22 déc. et 3 janv. au 20 mars – SC : **R** *(fermé merc. du 1er oct. au 31 mars)* 62/180 – ☕ 30 – **10 ch** 250 – P 290/320.

LOCTUDY 29125 Finistère 58 ⑮ **G. Bretagne** – 3 560 h.

Voir Intérieur★ de l'église – Château de Kerazan-en-Loctudy★ NO : 2,5 km.

Syndicat d'Initiative pl. Mairie (15 juin-15 sept. et fermé matin de janv. au 15 juin) ☎ 98 87 53 78.

Paris 571 – Douarnenez 39 – Guilvinec 12 – Pont-L'Abbé 6 – Quimper 26.

Le Rafiot sans rest, **sur le Port** ☎ **98 87 42 57** – wc wc ☎
SC : ☕ 18 – **9 ch** 179/230.

Garage L'Helgoualc'h, ☎ 98 87 53 55

LODÈVE ◈ **34700** Hérault 83 ⑤ **G. Causses** – **8 557 h. alt. 165.**

Voir Ancienne cathédrale St-Fulcran★ E.

Office de Tourisme 7 pl. République ☎ 67 44 07 56.

Paris 814 ② – Alès 99 ① – Béziers 64 ② – Millau 61 ① – ♦Montpellier 54 ② – Pézenas 41 ②.

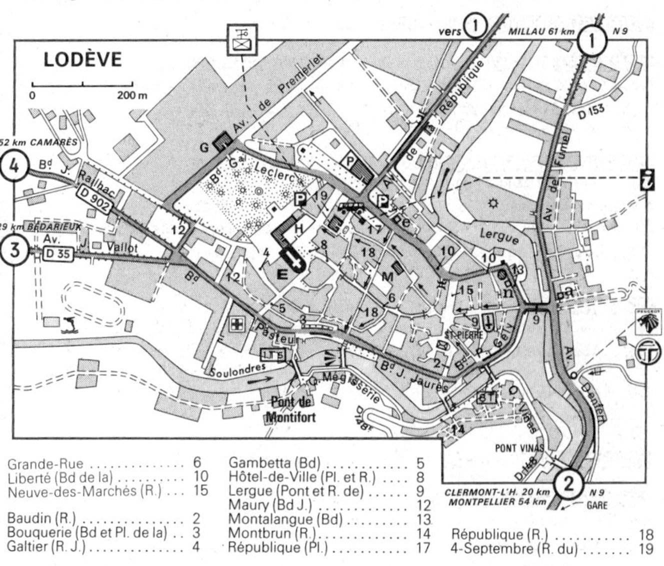

Croix Blanche, 6 av. Fumel **(a)** ☎ **67 44 10 87** – wc ☎ **P**. rest
1er avril-30 nov. – SC : **R** (dîner seul.) 40/96 – ☕ 15 – **32 ch** 71/140.

Paix, 11 bd Montalangue **(n)** ☎ **67 44 07 46** – rest wc ☎ . **E** VISA
fermé 1er janv. au 1er fév., dim. soir et lundi du 1er oct. au 1er mai – SC : **R** 45/110 – ☕ 13,50 – **18 ch** 57/132.

Nord, 18 bd Liberté **(e)** ☎ **67 44 10 08,** – wc wc ☎ . AE **E** VISA
fermé nov. et sam. – SC : **R** 40/88 – ☕ 12,50 – **19 ch** 69/171.

à St-Jean de la Blaquière par ② et D 144E : 14 km – ✉ **34700** Lodève :

Aub. du Sanglier M , E : 3,5 km par rte de Rabieux et VO ☎ **67 44 70 51,** ≤, , « Dans la garrigue », parc, , – wc ☎ **P**. VISA. ch
15 mars-1er nov. – SC : **R** *(fermé mardi et merc.)* 100/200 – ☕ 30 – **10 ch** 300 – P 700 (pour 2 pers.).

à Lunas par ③ rte de Bédarieux : 15 km – ✉ **34650** Lunas :

XXX **Manoir du Gravezon,** ☎ **67 23 81 58,** . VISA
fermé 16 janv. au 28 fév. et le soir hors sais. sauf sam. et dim. – SC : **R** 63/200 .

PEUGEOT-TALBOT Ryckwaert, 6 av. Denfert ☎ 67 44 02 49 **N** ☎ 67 96 07 31

LODS 25930 Doubs 70 ⑥ **G. Jura** – 337 h. alt. 380.

Paris 450 – Baume-les-Dames 53 – ♦Besançon 38 – Levier 22 – Pontarlier 22 – Vuillafans 4,5.

Truite d'Or, ☎ **81 60 95 48,** ≤, – wc ☎ **P**. **E** VISA
fermé 15 déc. au 1er fév. et lundi hors sais. sauf vacances scolaires – SC : **R** 60/160 – ☕ 16 – **14 ch** 75/150 – P 130/200.

LOGELHEIM 68 H.-Rhin 62 ⑲ – rattaché à Colmar.

LOGIS NEUF 01 Ain 74 ② – ✉ **01310** Polliat.
Paris 409 – Bourg-en-Bresse 15 – ♦Lyon 75 – Mâcon 19 – Villefranche-sur-Saône 48.

Aub. Sarrasine, rte Bourg E : 1 km ✆ 74 30 25 65, Télex 375830, – wc
fermé janv., merc. et jeudi sauf juil.-août et vacances scolaires – SC : **R** 140/190 – 38 – **10 ch** 280/560.

Bresse avec ch, ✆ 74 30 27 13, – wc wc – 30 à 50. VISA
fermé oct., dim. soir et lundi – SC : **R** 50/150 – 17 – **15 ch** 76/160 – P 213/297.

LOGRON 28 E.-et-L. 60 ⑰ – 491 h. alt. 170 – ✉ **28200** Châteaudun.
Paris 127 – Bonneval 11 – Brou 11 – Chartres 41 – Châteaudun 11.

Aub. St-Nicolas, ✆ 37 98 98 02
fermé 21 déc. au 21 janv., dim. soir et lundi – SC : **R** 47/72.

LOIRE-SUR-RHÔNE 69 Rhône 74 ⑪ – rattaché à Givors.

LOMPNIEU 01 Ain 74 ④ – 115 h. alt. 670 – ✉ **01260** Champagne-en-Valromey.
Paris 486 – Aix-les-Bains 46 – Belley 29 – Bourg-en-Bresse 75 – ♦Lyon 112 – Nantua 35.

Clair Soleil , ✆ 79 87 70 42, – . VISA.
SC : **R** 48/120 – 20 – **15 ch** 68/160 – P 130/180.

La LONDE-LES-MAURES 83250 Var 84 ⑯ – 5 448 h. alt. 25.
18 de Valcros ✆ 94 66 81 02 NE : 5,5 km.
Office de Tourisme av. Albert-Roux (1er avril-15 sept.) ✆ 94 66 88 22.
Paris 864 – Draguignan 81 – Hyères 9,5 – Le Lavandou 13 – St-Tropez 42 – Ste-Maxime 46.

Lou Cantoun, r. A.-Thomas ✆ 94 66 84 25 – wc
SC : **R** 43/119 – 12,50 – **10 ch** 139/215 – P 182.

LONDINIÈRES 76660 S.-Mar. 52 ⑮ – 1 166 h. alt. 78.
Paris 151 – Blangy-sur-Bresle 25 – Dieppe 27 – Neufchâtel-en-Bray 15 – Le Tréport 30.

Aub. du Pont avec ch, ✆ 35 93 80 47 – wc wc . E. ch
fermé 25 janv. au 28 fév. – SC : **R** 77/107 – 15,50 – **13 ch** 90/165 – P 180/220.

CITROEN Hardiville, ✆ 35 93 80 22 N
PEUGEOT-TALBOT Boutleux, ✆ 35 93 80 48
RENAULT Courtaud, ✆ 35 93 80 81 N
Windal, à Fréauville ✆ 35 93 80 27

LONGCHAMP 73 Savoie 74 ⑰ – voir à St-Francois-Longchamp.

LONGEVILLE-LÈS-ST-AVOLD 57740 Moselle 57 ⑮ – 3 673 h.
Paris 370 – ♦Metz 44 – ♦Nancy 70 – Saarbrücken 33 – ♦Strasbourg 129.

Moulin d'Ambach, NO : 2,5 km par D 25 ✆ 87 92 18 40 – . E VISA
fermé 1er au 21 août, 1er au 7 janv., lundi soir et mardi – SC : **R** 75/170 .

LONGEVILLE-SUR-MER 85560 Vendée 71 ⑪ – 1 940 h.
Syndicat d'Initiative r. G.-Clemenceau (15 juin-15 sept.) ✆ 51 33 34 64.
Paris 454 – Luçon 27 – La Roche-sur-Yon 28 – Les Sables-d'Olonne 27 – La Tranche-sur-Mer 11.

Plage, S : 3 km par D 105 et D 91 ✆ 51 33 30 49 – . E
15 mai-30 sept. – SC : **R** 50/100 – 13 – **29 ch** 70/110 – P 135/185.

LONGJUMEAU 91 Essonne 60 ⑩, 101 ㉟ – voir à Paris, Environs.

LONGNY-AU-PERCHE 61290 Orne 60 ⑤ **G. Normandie** – 1 650 h. alt. 165.
Paris 136 – L'Aigle 28 – Alençon 60 – Mortagne-au-Perche 18 – Nogent-le-Rotrou 32.

France avec ch, ✆ 33 73 64 11 – . E VISA
fermé dim. soir et lundi – SC : **R** 70/185 – 20 – **10 ch** 100/135 – P 200/220.

LONGPONT 02 Aisne 56 ③④ – rattaché à Villers-Cotterêts.

LONGUEAU 80 Somme 52 ⑧ – rattaché à Amiens.

LONGUE-CROIX 59 Nord 51 ④ – rattaché à Hazebrouck.

LONGUES 63 P.-de-D. 73 ⑭ – rattaché à Vic-le-Comte.

Restaurants, die preiswerte Mahlzeiten servieren, sind mit einer Raute gekennzeichnet.

LONGUYON **54260** M.-et-M. **57** ② – **7 029 h.** alt. 218 – A.C. 37 r. Hôtel de Ville ✆ 82 39 52 41.

Paris 315 ③ – ♦Metz 69 ② – ♦Nancy 114 ② – Sedan 69 ④ – Thionville 54 ② – Verdun 48 ③.

XXX ✿ **Lorraine et rest. Le Mas** (Tisserant) avec ch, face gare **(e)** ✆ 82 39 50 07 – TV ⇔wc ☎ – 30 à 120. AE ⓓ E VISA
fermé 5 janv. au 6 fév. – **SC : R** *(fermé lundi sauf du 1er juil. au 25 sept.)* 80/230 – ☕ 19 – **15 ch** 77/206
Spéc. Langoustines en feuilleté, St-Jacques au flan d'asperges (15 fév.-20 juin), Chariot de desserts. **Vins** Côtes de Toul.

XX **Buffet Gare, (r)** ✆ 82 39 50 85 – P AE ⓓ E VISA
fermé 8 au 30 sept., 1er au 16 mars et vend. soir sauf juil.-août – **SC : Rôtisserie R** 150/200 & **Brasserie R** 48/90 &.

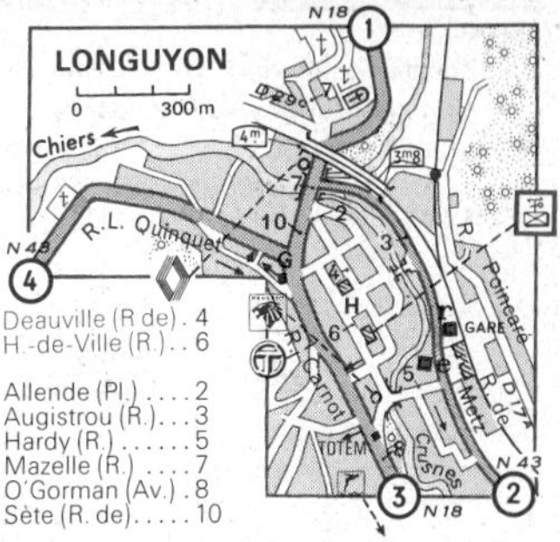

*à **Beuveille*** par ② et D 18 : 8 km – ✉ **54620** Pierrepont :

X **La Grillade,** ✆ 82 89 75 06 –
fermé 16 au 31 août, fév., lundi soir et mardi – **SC : R** 40/83 &.

PEUGEOT-TALBOT Gar. de l'Est, 75 r. Hôtel de Ville ✆ 82 39 50 67

RENAULT Longuyon Autom., 6 r. Mazelle ✆ 82 39 50 66

LONGWY **54400** M.-et-M. **57** ② G. Alsace et Lorraine – **17 482 h.** alt. 225 à 385.

Syndicat d'Initiative Gare routière (après-midi seul.) ✆ 82 24 27 17 - A.C. 4 r. A.-Mézières ✆ 82 24 35 82.

Paris 333 ④ – Luxembourg 31 ② – ♦Metz 66 ③ – Sedan 87 ④ – Thionville 41 ③ – Verdun 66 ④.

*à **Longwy-Bas :***

Central H. sans rest, 6 r. Carnot **(n)** ✆ 82 24 33 89 – ⇔wc ⋔ ☎. VISA
SC : ☕ 20 – **24 ch** 78/182.

Parc sans rest, 3 r. E.-Thomas **(e)** ✆ 82 24 29 23 – ⇔wc ⋔wc ☎. E VISA
SC : ☕ 14 – **36 ch** 84/150.

*à **Longwy-Haut :***

XX **La Cigogne** avec ch, 106 rte de Longwy **(a)** ✉ 54350 Mont-St-Martin ✆ 82 23 32 76 – ⇔. E VISA
fermé lundi soir – **SC : R** 62/150 & – ☕ 16 – **7 ch** 65/90 – P 160.

*à **Cosnes et Romain** O :* 2 km par D 43 – ✉ **54400** Longwy :

XX **Aub. des Trois Canards,** ✆ 82 24 35 36, – P. AE ⓓ E VISA
fermé 16 août au 8 sept., dim. soir et lundi – **SC : R** 60 bc/123

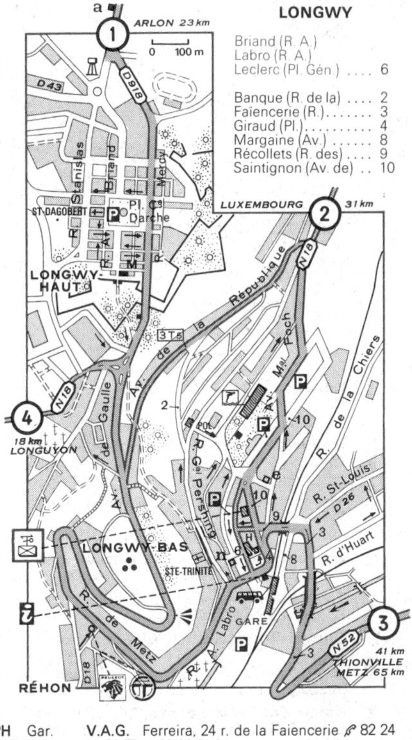

ALFA-ROMEO, Central-Auto, 206 r. de Longwy à Réhon ✆ 82 24 34 06
AUSTIN, MORRIS, ROVER, TRIUMPH Gar. Pacci, 22 r. J.-B.-Blondeau à Mont-St-Martin ✆ 82 23 35 05
FORD SAUTEME, à Bellevue ✆ 82 23 21 60
LADA-SKODA Gar. Inglebert R., 50 r. Als.-Lorraine à Longlaville ✆ 82 24 33 96
PEUGEOT-TALBOT Sogaja Delouche, 51 r. de Metz ✆ 82 24 29 46
RENAULT Robert, rte de Metz déviation Haucourt à Mexy par ③ ✆ 82 24 56 61

V.A.G. Ferreira, 24 r. de la Faiencerie ✆ 82 24 31 82 ✆ 82 23 51 91
Damato Pneus, av. de Saintignon ✆ 82 24 23 45

Leclerc-Pneu, 36 r. de la Chiers ✆ 82 24 40 79

LONS-LE-SAUNIER P 39000 Jura 70 ④⑭ **G. Jura** – 21 886 h. alt. 255 – Stat. therm. (1er mai-oct.).

Voir Rue du Commerce★ BY – Grille★ de l'hôpital BY **B**.

Env. Creux de Revigny★ 7,5 km par ②.

Office de Tourisme ✆ 84 24 65 01 A.C. 1 r. Pasteur ✆ 84 24 20 63.

Paris 392 ⑥ – ◆Besançon 87 ① – Bourg-en-Bresse 61 ⑤ – Chalon-sur-Saône 64 ⑥ – ◆Dijon 100 ① – Dole 51 ① – ◆Genève 113 ② – ◆Lyon 123 ⑤ – Mâcon 82 ⑤ – Pontarlier 77 ②.

🏨 **Genève,** 39 av. J.-Moulin ✆ 84 24 19 11 – 🛗 TV ⛀wc ⋒wc ☎ 🅟. AE ⓓ E VISA. ⚹ ch — BY **a**
SC : **R** 75/135 – ☕ 23 – **42 ch** 125/310 – P 240/330.

🏨 **Nouvel H.** sans rest, 50 r. Lecourbe ✆ 84 47 20 67 – TV ⛀wc ⋒wc ☎ 🅟. AE ⓓ VISA — AY **r**
fermé dim. hors sais. – SC : ☕ 19 – **23 ch** 90/210.

🏨 **Motel Solvan** 🐎 sans rest., bd Europe (près piscine) ✆ 84 24 40 50 – ⛀wc ☎ 🅟
fermé 23 déc. au 2 janv. – SC : ☕ 13,50 – **26 ch** 86/125.

🏨 **Gambetta** sans rest, 4 bd Gambetta ✆ 84 24 41 18 – ⋒wc ☎ 🅟. ⓓ E VISA. ⚹ — BZ **s**
fermé 24 déc. au 2 janv. et dim. hors sais. – SC : ☕ 15 – **24 ch** 94/140.

🏠 **Excelsior H.** sans rest, 3 r. Pasteur ✆ 84 24 02 82 – ⚹ — BY **u**
SC : ☕ 14,50 – **17 ch** 58/78.

XX **Cheval Rouge** avec ch, 47 r. Lecourbe ✆ 84 47 20 44 – ⛀wc ⋒ ☎ 🚗. ⓓ E VISA. ⚹ — AY **n**
fermé 5 au 25 nov., mardi en juil. et août (sauf hôtel) et sam. hors sais. – SC : **R** 75/220 🍷 – ☕ 21 – **19 ch** 80/225 – P 200/330.

X **Relais des Trois Bornes,** 11 pl. Perraud ✆ 84 47 26 75 — BY **t**
fermé 3 au 12 mai, 3 au 22 sept., 20 au 28 déc., vend. soir, dim. soir et sam. – SC : **R** 60/125.

à Courlans par ⑥ et N 78 : 6 km – ✉ **39570** Lons-le-Saunier :

XXX ✿ **Aub. de Chavannes** (Carpentier), ✆ 84 47 05 52, ☂, 🪑 – 🅟. AE ⓓ
fermé 26 juin au 10 juil., janv., mardi et merc. – SC : **R** (nombre de couverts limité - prévenir) 120/250
Spéc. Filet de lapin fermier, Suprême de poularde de Bresse fourré de béatilles, Pigeon de Bresse au chou vert. **Vins** Étoile, Pupillin.

à Crançot par ② et D 471 : 10 km – ✉ 39570 Lons-le-Saunier :

Belvédère ⟡, ✆ 84 48 22 18, ≤, – wc ⓟ. AE ⓓ E VISA
fermé 10 au 20 oct., 2 au 31 janv., dim. soir et lundi du 1er sept. au 30 avril – SC : **R** 64/200 – ▭ 17 – **9 ch** 65/160 – P 150/200.

MICHELIN, Agence, Z.I. de Perrigny 805 r. de la Lieme, par ② ✆ **84 24 06 74**

BMW Parizon, à Messia ✆ 84 47 05 45
CITROEN ets Baud, bd de l'Europe Z I par r. du Château d'Eau BY ✆ 84 43 18 17
DATSUN Labet, Le Rocher à Montmorot ✆ 84 47 20 28
FORD Gar. Lecourbe, 58 bis r. Lecourbe ✆ 84 47 20 13
LANCIA-AUTOBIANCHI, SEAT Gar. Rouget-de-l'Isle, 5 r. L.-Rousseau ✆ 84 24 24 78
OPEL Gar. des Sports, r. V.-Berard, Zone Ind. ✆ 84 43 16 40
RENAULT S.O.R.E.C.A., 47 av. C.-Prost par ② ✆ 84 24 40 67 N
V.A.G. Thevenod, rte Champagnole, Zone Ind., Perrigny ✆ 84 24 41 58
Gar. Revelut, av. du Stade ✆ 84 24 05 93

Faivre, 4 r. Sébile ✆ 84 24 09 80
Lehmann, à Messia sur Sorne
Pneu 39, 32 av. C. Prost ✆ 84 43 16 91
Quillot, 6 bd Duparchy ✆ 84 47 12 63
Thévenod-Pneus, 13 bis av. Thurel ✆ 84 24 08 71

LOOS 59 Nord 51 ⑯ – rattaché à Lille.

LORAY 25 Doubs 66 ⑰ – rattaché à Orchamps-Vennes.

LORGUES 83510 Var 84 ⑥ G. Côte d'Azur – 5 478 h. alt. 239.

Paris 851 – Brignoles 33 – Draguignan 13 – St-Raphaël 43 – ♦Toulon 75.

Aub. Josse, rte Carcès ✆ 94 73 73 55 – ⓓ E VISA
fermé vacances de Noël, mardi soir et merc. hors sais. – SC : **R** 45/95.

LORIENT 56100 Morbihan 63 ① G. Bretagne – 64 675 h. alt. 16.

Voir Base sous-marine★ AZ – Intérieur★ de l'église N.-D.-de-Victoire BY E.

de Lorient Lann-Bihoué, Air Inter ✆ 97 37 60 22 par D 162 AZ : 8 km.

Office de Tourisme pl. Jules-Ferry ✆ 97 21 07 84 – A.C.O. Morbihan 22 r. Poissonnière ✆ 97 21 03 07.

Paris 493 ③ – ♦Brest 136 ③ – ♦Nantes 166 ③ – Quimper 66 ③ – ♦Rennes 144 ③ – St-Brieuc 116 ③ – St-Nazaire 132 ③ – Vannes 55 ③.

Plan page suivante

Richelieu M sans rest, 31 pl. J.-Ferry ✆ 97 21 35 73, Télex 950810 – TV – 60. AE ⓓ E VISA — BZ **m**
SC : ▭ 27 – **58 ch** 275/325.

Bretagne, 6 pl. Libération ✆ 97 64 34 65 – . AE ⓓ E VISA. rest — AY **n**
R *(fermé 23 déc. au 20 janv. et dim.)* 68/200 – ▭ 24 – **34 ch** 130/250.

Léopol M sans rest, 11 r. W. Rousseau ✆ 97 21 23 16 – wc wc — BY **r**
fermé 23 déc. au 6 janv. – SC : ▭ 17,50 – **32 ch** 133/190.

Atlantic et Centre sans rest, 33 r. Du Couëdic ✆ 97 64 13 27 – TV wc wc ⓟ – 25. AE ⓓ E VISA — BY **x**
fermé 20 déc. au 5 janv. – SC : ▭ 19 – **26 ch** 165/250.

Cléria sans rest, 27 bd Mar.-Franchet d'Esperey ✆ 97 21 04 59 – wc wc . AE VISA — AY **k**
fermé 18 déc. au 6 janv. – SC : ▭ 15 – **36 ch** 136/198.

H. Victor-Hugo sans rest., 36 r. L.-Carnot ✆ 97 21 16 24 – TV wc . AE ⓓ E VISA — BZ **f**
SC : ▭ 14 – **30 ch** 90/178.

Duguesclin ⟡ sans rest, 24 r. Duguesclin ✆ 97 21 02 16 – TV wc ⓟ. E VISA — AZ **d**
SC : ▭ 14 – **24 ch** 92/175.

St-Michel sans rest, 9 bd Mar.-Franchet-d'Esperey ✆ 97 21 17 53 – wc wc . VISA — AY **z**
fermé 24 déc. au 1er janv. et dim. d'oct. à mars – SC : ▭ 15 – **22 ch** 70/160.

Armor sans rest, 11 bd Mar. Franchet d'Esperey ✆ 97 21 73 87 – wc . E VISA — AY **e**
SC : ▭ 15,50 – **21 ch** 77/176.

Christina ⟡ sans rest, 10 r. Poulorio ✆ 97 21 33 92 – wc wc . E VISA
SC : ▭ 14,50 – **15 ch** 80/160. — AY **v**

Arvor, 104 r. L.-Carnot ✆ 97 21 07 55 – wc . — AZ **x**
fermé 22 déc. au 6 janv. – SC : **R** *(fermé dim. hors sais.)* 60/100 – ▭ 15 – **20 ch** 70/130 – P 170/200.

tourner →

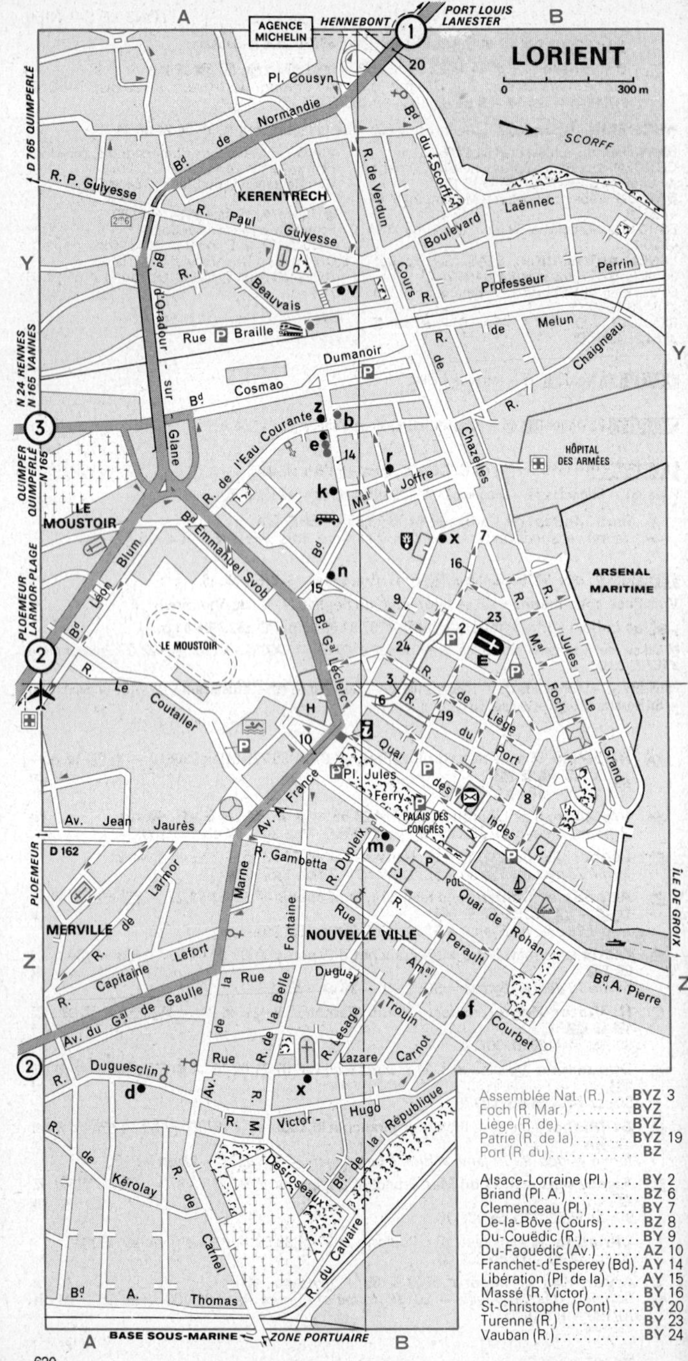
LORIENT
0
300 m
AGENCE MICHELIN
HENNEBONT
PORT LOUIS
LANESTER
D 765 QUIMPERLÉ
N 24 RENNES
N 165 VANNES
QUIMPER
QUIMPERLÉ
N 165
PLOEMEUR
LARMOR-PLAGE
PLOEMEUR
D 162
ÎLE DE GROIX
BASE SOUS-MARINE
ZONE PORTUAIRE
SCORFF
KERENTRECH
LE MOUSTOIR
MERVILLE
NOUVELLE VILLE
HÔPITAL DES ARMÉES
ARSENAL MARITIME
PALAIS DES CONGRÈS
Pl. Cousyn
Bd de Normandie
R. P. Guiyesse
R. Paul Guiyesse
R. de Verdun
Bd du Scorff
Boulevard Laënnec
R. Professeur Perrin
Cours Chazelles
R. de Melun
R. Chaigneau
R. Beauvais
Rue Braille
Dumanoir
Bd Cosmao
Bd d'Oradour-sur-Glane
R. de l'Eau Courante
Mal Joffre
Bd Emmanuel Svob
Bd Léon Blum
Bd Gal Leclerc
R. Le Coutaller
R. de Liège
R. du Port
R. Mal Foch
R. Jules Le Grand
Quai des Indes
Pl. Jules Ferry
Av. A. France
Av. Jean Jaurès
R. Gambetta
R. Dupleix
Rue Perault
Quai de Rohan
Bd A. Pierre
R. de Larmor
R. Capitaine Lefort
Marne
Fontaine
Duguay Trouin
Amal Courbet
Av. du Gal de Gaulle
Rue de la Belle
R. de la Rue
R. Lesage
Rue Lazare Carnot
Duguesclin
R. Victor-Hugo
Bd de la République
R. M. Desroseaux
R. de Kérolay
R. de Carnel
R. du Calvaire
Bd A. Thomas
Assemblée Nat. (R.) . . . BYZ 3
Foch (R. Mar.) . . . . BYZ
Liège (R. de) . . . . BYZ
Patrie (R. de la) . . . . BYZ 19
Port (R. du) . . . . BZ
Alsace-Lorraine (Pl.) . . . . BY 2
Briand (Pl. A.) . . . . BZ 6
Clemenceau (Pl.) . . . . . . BY 7
De-la-Bôve (Cours) . . . . . BZ 8
Du-Couëdic (R.) . . . . BY 9
Du-Faouëdic (Av.) . . . . . . AZ 10
Franchet-d'Esperey (Bd). AY 14
Libération (Pl. de la) . . . . AY 15
Massé (R. Victor) . . . . BY 16
St-Christophe (Pont) . . . . BY 20
Turenne (R.) . . . . BY 23
Vauban (R.) . . . . BY 24

XXX **Le Poisson d'Or,** 1 r. Maître Esvelin ✆ 97 21 57 06 – AE ⓓ E VISA BZ **m**
fermé vacances de fév. et de nov., dim. (sauf dîner en juil.-août) et sam. midi – **SC** : **R** 75/150.

XX **Arcades,** 11 bd Mar. Franchet d'Esperey ✆ 97 21 17 42 – AE ⓓ VISA AY **e**
fermé dim. – **SC** : **R** 57/125.

XX **Le Pic,** 2 bd Mar.-Franchet d'Espérey ✆ 97 21 18 29 – AE VISA AY **b**
fermé en mars, en juin, en déc., sam. midi et jeudi – **R** 56/95 ⅃.

XX **Rest. Victor-Hugo,** 36 r. L.-Carnot ✆ 97 64 26 54 – AE ⓓ E VISA BZ **f**
fermé 6 au 31 oct., lundi en juil.-août, sam. midi et dim. du 1er sept. au 30 juin – **SC** : **R** 62/210.

XX **Cornouaille,** 13 bd Mar.-Franchet-d'Esperey ✆ 97 21 23 05 – AE ⓓ E VISA.
fermé 15 au 30 sept., 15 au 31 mars et lundi – **SC** : **R** 55/125 ⅃. AY **s**

X **Relais de la Gare,** ✆ 97 21 10 88. E AY
fermé 15 au 30 mars, 15 au 30 sept. et sam. – **SC** : **R** 40/100 ⅃.

à Lanester par ① : 5 km – 22 297 h. – ✉ **56850** Caudan :

Novotel M, zone commerciale Kerpont-Bellevue ✆ 97 76 02 16, Télex 950026, – rest TV ☎ ♿ P – 25 à 60. AE ⓓ E VISA
R snack carte environ 100 ⅃ – 30 – **60 ch** 289/325.

Kerous M sans rest, 74 av. A.-Croizat ✆ 97 76 05 21 – wc wc ☎ P. AE ⓓ E VISA.
SC : 15 – **20 ch** 130/165.

Ibis M sans rest, zone commerciale Kerpont-Bellevue ✆ 97 76 40 22 – TV wc ☎ ♿ P. E VISA
SC : 21 – **40 ch** 209/245.

MICHELIN, Agence régionale, r. Arago, Z.I. Kerpont, direction d'Hennebont après Lanester par ① à Caudan ✆ **97 76 03 60**

BMW Auto-Port, 37 r. Du-Couëdic ✆ 97 64 33 98 N ✆ 97 37 03 33
CITROEN S.C.A.O., Zone Ind. Kerpont à Lanester par ① ✆ 97 76 08 73 N ✆ 97 37 03 33
FIAT Ker'Autos, Zone Ind. Kerpont à Lanester ✆ 97 76 03 44
MERCEDES-BENZ Gar. Hyvair, rte de Quimperlé, Zone Ind. de Keryado ✆ 97 83 00 90 N ✆ 97 37 03 33
OPEL G.A.M. ZI Kerpont à Lanester ✆ 97 76 74 11
PEUGEOT-TALBOT Chrétien, Zone Com. de Bellevue à Caudan par ① ✆ 97 76 13 56 N ✆ 97 37 03 33
RENAULT Court, Zone Ind. Kerpont à Caudan par ① ✆ 97 76 25 24 N ✆ 97 37 03 33
V.A.G. Auto-Ouest, ZA de Kergoussel à Caudan ✆ 97 76 07 21 N ✆ 97 37 03 33

Lorans-Pneus, 1 bd L.-Blum ✆ 97 37 72 00
Morbihannaise de Pneus, 68 av. A.-Croizat à Lanester ✆ 97 76 03 02

LORP-SENTARAILLE 09 Ariège 86 ③ – rattaché à St-Girons.

LORREZ-LE-BOCAGE 77710 S.-et-M. 61 ⑬ – 970 h. alt. 102.
Paris 98 – Fontainebleau 28 – Melun 45 – Montargis 32 – Nemours 18 – Sens 32.

XX **Host. Gd Cerf,** r. M.-Bery ✆ (1) 64 31 51 05
fermé mardi soir et merc. – **SC** : **R** 50/120.

LORRIS 45260 Loiret 65 ① **G. Châteaux de la Loire** – 2 592 h. alt. 120.
Voir Église N.-Dame★.
Office de Tourisme 11 r. Gambetta ✆ 38 92 42 76.
Paris 124 – Gien 26 – Montargis 22 – ♦Orléans 49 – Pithiviers 41 – Sully-sur-Loire 18.

Sauvage, ✆ 38 92 43 79 – wc ☎. ⓓ E
fermé 7 au 27 oct., fév., et vend. sauf juil.-août – **SC** : **R** 62/185 – 15 – **9 ch** 78/210 – P 160/235.

X **Point du Jour,** 25 pl. Mail ✆ 38 92 40 21 – VISA
fermé janv. et lundi – **R** 55/92 ⅃.

CITROEN Pivoteau, ✆ 38 92 40 43 N
RENAULT Delaveau, ✆ 38 92 40 02 N

LOSNE 21 Côte-d'Or 70 ③ – rattaché à St-Jean-de-Losne.

LOSTANGES 19 Corrèze 75 ⑨ – 147 h. alt. 326 – ✉ **19500** Meyssac.
Paris 521 – Brive-la-Gaillarde 38 – Figeac 78 – Tulle 31.

XX **L'Orée des Bois,** NE : 2 km par D 163 ✆ 55 25 43 79, – P. AE ⓓ
fermé 15 janv. au 15 fév. et merc. sauf juil.-août – **SC** : **R** 85/250.

LOUARGAT 22540 C.-du-N. 59 ① – 2 224 h. alt. 185.
Voir Menez-Bré ✵★ NE : 3,5 km, G. Bretagne.
Paris 497 – Guingamp 14 – Lannion 26 – Morlaix 41 – St-Brieuc 45.

Manoir du Cleuziou, NO : 4 km par D 33A et VO ✆ 96 43 14 90, – wc ☎ P
15 mars-20 oct. – **SC** : **R** 135/195 – 25 – **25 ch** 205/245.

RENAULT Le Mogne, ✆ 96 43 15 67

LOUDÉAC 22600 C.-du-N. 58 ⑲ **G. Bretagne** – 10 756 h. alt. 161.

Syndicat d'Initiative pl. Gén.-de-Gaulle (fermé matin) ✆ 96 28 25 17, Télex 740631.

Paris 436 – Carhaix-Plouguer 67 – Dinan 77 – Pontivy 22 – ♦Rennes 85 – St-Brieuc 42.

France Ⓜ, 1 r. Cadélac ✆ **96 28 00 15, Télex 740631** – wc wc ☎ Ⓟ – 100. AE E VISA
fermé 21 déc. au 5 janv. – **SC** : **R** *(fermé sam. midi et dim. sauf le soir en sais.* 45/160 – 20 – **40 ch** 67/260 – P 150/280.

Voyageurs, 10 r. Cadélac ✆ **96 28 00 47** – wc wc ☎ – 50
32 ch.

à La Prénessaye **E : 7 km sur N 164 – ✉ 22210** Plémet :

Motel d'Armor Ⓜ, ✆ **96 25 90 87,** – TV wc wc ☎ Ⓟ. E VISA.
SC : **R** *(fermé dim. soir hors sais.)* 47/140 – 20 – **10 ch** 150/220.

CITROEN Gar. Central, 14 r. Lavergne ✆ 96 28 00 46
PEUGEOT-TALBOT Gar. Lebreton, 23 r. de Pontivy ✆ 96 28 00 59
RENAULT Michard, pl. Gén.-de-Gaulle ✆ 96 28 00 07

Desserrey-Pneus, Z.I. du Kersuguet St-Bugan ✆ 96 28 05 73

LOUDUN 86200 Vienne 67 ⑨ **G. Châteaux de la Loire** – 8 234 h. alt. 88.

Voir Tour carrée ☀★.

Office de Tourisme à l'Hôtel de Ville ✆ 49 98 15 96.

Paris 313 ① – Angers 77 ⑤ – Châtellerault 49 ② – Parthenay 56 ③ – Poitiers 55 ③ – ♦Tours 72 ①.

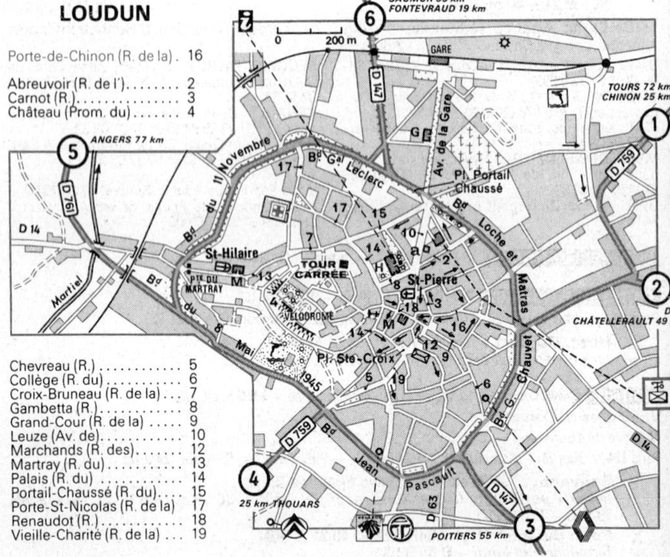

Mercure Ⓜ sans rest, **40 av. de Leuze (a)** ✆ **49 98 19 22** – TV wc ☎ Ⓟ. AE ⓓ E VISA
SC : 19 – **29 ch** 177/217.

CITROEN Gar. Terradillos, r. des Artisans ✆ 49 98 34 30
PEUGEOT-TALBOT Gar. Charbonnier, 28 bd Jean-Pascault ✆ 49 98 11 50
RENAULT Guérin, 2 bd G.-Chauvet ✆ 49 98 12 93 N ✆ 49 98 06 46

V.A.G. Autom. Loudunaise, 9 bd G.-Chauvet ✆ 49 98 15 57
Pneurénov, 17 bd G.-Chauvet ✆ 49 98 01 22

LOUÉ 72540 Sarthe 60 ⑫ – 1 915 h. alt. 80.

Paris 228 – Alençon 61 – Angers 81 – Laval 50 – ♦Le Mans 28.

✿✿ **Ricordeau** (Laurent) , ✆ **43 88 40 03, Télex 722013,** – ☎ Ⓟ – 80. AE ⓓ E VISA
fermé janv., mardi et merc. midi sauf fériés – **R** 160/350 – 48 – **22 ch** 180/550 – P 480/750
Spéc. Volaille de Loué, Pigeon en ballotine aux lentilles, Pavé d'enfant sage. **Vins** Vouvray.

La LOUE (Source de) *** 25 Doubs 70 ⑥ G. Jura.

Voir Vallée de la Loue NO.**

Env. Belvédères de Renédale <* 15 mn et du Moine de la Vallée * NO : 7, 5 km.**

LOUGÉ-SUR-MAIRE 61 Orne 60 ② – rattaché à Écouché.

LOUHANS 71500 S.-et-L. 70 ⑬ **G. Bourgogne** – 4 198 h. alt. 181.

Office de Tourisme (fermé matin hors saison) av. du 8-Mai-1945 avec A.C. ✆ 85 75 05 02.

Paris 378 – Bourg-en-Bresse 56 – Chalon-sur-Saône 37 – •Dijon 83 – Dole 69 – Tournus 29.

- **Boivin** avec ch, à **St-Usuge par D 13 : 6 km** - ✉ **71500 Louhans** ✆ **85 72 10 95** – ⇌ P. VISA
  fermé 10 sept. au 10 oct. et lundi sauf le soir en juil. et août – SC : **R** 47/125 – ☕ 16 – **8 ch** 58/115 – P 145/165.

à Sagy SE : 7 km par D 21 – ✉ **71580** Sagy :

- **La Grotte** ⛰, ✆ 85 74 02 33 – ⇌wc ⋒wc ☎ P. AE E VISA
  SC : **R** 52 🍷 – ☕ 19 – **18 ch** 130/240.

à Beaurepaire-en-Bresse E : 14 km par N 78 – ✉ **71580** Sagy :

- **Aub. Croix Blanche,** ✆ **85 74 13 22,** 🌳 – ⇌wc ☎ P. AE ⓓ E VISA
  fermé 1er au 8 sept., 15 nov. au 20 déc., lundi (sauf hôtel) et dim. soir hors saison – SC : **R** 65/125 🍷 – ☕ 19 – **15 ch** 115/170 – P 235/258.

CITROEN Gar. Chevrier, ✆ 85 75 11 56
PEUGEOT-TALBOT Gar. Hengy, ✆ 85 75 23 59
Moine, Chateaurenaud ✆ 85 75 01 97
Bayle Pneus, Chateaurenaud ✆ 85 75 04 41
Collet, Chateaurenaud ✆ 85 75 12 82

La LOUPE 28240 E.-et-L. 60 ⑥ – 3 709 h. alt. 208.

Paris 130 – Chartres 38 – Dreux 43 – Mortagne-au-Perche 41 – Nogent-le-Rotrou 22.

- **Chêne Doré,** pl. Hôtel-de-Ville ✆ **37 81 06 71** – ⇌wc ⋒wc P – 🏛 25. AE ⓓ
  fermé 28 juil. au 13 août, 23 déc. au 20 janv. et lundi – SC : **R** 75/120 🍷 – ☕ 25 – **14 ch** 90/150 – P 180/220.

CITROEN Leproust, ✆ 37 81 00 69
PEUGEOT-TALBOT Gonsard, ✆ 37 81 08 05
RENAULT St-Thibault-Auto, ✆ 37 81 06 23
N ✆ 37 81 02 77

LOURDES 65100 H.-Pyr. 85 ⑱ **G. Pyrénées** – 17 619 h. alt. 410 – Pèlerinage (15 août).

Voir Château fort* AY **: musée pyrénéen*, salle d'honneur du Pyrénéisme* – Basilique souterraine St-Pie X** AYZ **B – Pic du Jer *** 1,5 km par ③ et funiculaire puis 20 mn – Le Béout ** 1 km par ③ et téléphérique.**

✈ de Tarbes-Ossun-Lourdes ✆ 62 32 92 22 par ① : 11 km.

Office de Tourisme avec A.C. pl. du Champ-Commun ✆ 62 94 15 64.

Paris 802 ① – •Bayonne 145 ⑤ – Pau 40 ⑤ – St-Gaudens 83 ① – Tarbes 19 ①.

Plan page suivante

- **Gallia et Londres** M, 26 av. B.-Soubirous ✆ **62 94 35 44, Télex 521424,** 🌳 – |‡| ▤ rest ☎. AE ⓓ VISA — AZ **k**
  15 avril-15 oct. – SC : **R** 90/100 – ☕ 35 – **90 ch** 350/600 – P 350/500.
- **Gd H. de la Grotte,** 66 r. de la Grotte ✆ **62 94 58 87, Télex 531937,** < – |‡| ▤ rest ☎ 🚗 P. AE ⓓ E VISA — AZ **y**
  23 mars-25 oct. – SC : **R** 90/150 – **86 ch** ☕ 270/470 – P 440/585.
- **Espagne,** 9 av. Paradis ✆ **62 94 50 02, Télex 520066,** <, 🌳 – |‡| ▤ rest P – 🏛 80. AE ⓓ E VISA. ✻ — AZ **e**
  20 avril-15 oct. – SC : **R** 75 – **92 ch** 235/300 – P 240/310.
- **Jeanne d'Arc,** 1 r. Alsace-Lorraine ✆ **62 94 35 42** – |‡| P — AZ **w**
  Pâques-20 oct. – SC : **R** 65 – ☕ 20 – **156 ch** 285/363 – P 310/410.
- **Excelsior,** 83 bd Grotte ✆ **62 94 02 05, Télex 520343,** < – |‡| ▤ rest ♿ 🚗 P. AE ⓓ E VISA — AY **h**
  27 mars-15 oct. – SC : **R** 86/100 – **80 ch** ☕ 214/299 – P 256/300.
- **Ambassadeurs,** 66 bd de la Grotte ✆ **62 94 32 85,** < – |‡| P. AE ⓓ E VISA. ✻ rest — AY **h**
  15 avril-5 nov. – SC : **R** 82/155 – **50 ch** ☕ 262/350 – P 295/400.
- **Impérial,** 3 av. Paradis ✆ **62 94 06 30, Télex 530802,** <, 🌳 – |‡| ▤ rest. AE ⓓ E VISA. ✻ rest — AZ **f**
  15 avril-15 oct. – SC : **R** 100 – ☕ 27 – **100 ch** 250/450 – P 350/480.
- **Galilée-Windsor,** 10 av. Peyramale ✆ **62 94 21 55, Télex 521424** – |‡| ▤ rest 🚗. AE VISA — AZ **n**
  30 mars-20 oct. – SC : **R** 63/76 – ☕ 26 – **170 ch** 300/350 – P 250/350.
- **Christina** M, 42 av. Peyramale ✆ **62 94 26 11, Télex 531062,** <, 🌳 – |‡| ⇌wc ⋒wc ☎ 🚗 – 🏛 50. AE ⓓ E VISA. ✻ rest — AZ **z**
  avril-oct. – SC : **R** 75 – **210 ch** ☕ 196/278 – P 268/320.
- Panorama, 13 r. Ste-Marie ✆ 62 94 33 04 – |‡| ⇌wc ⋒wc ☎ ♿ – 🏛 40 — AZ **r**
  118 ch.

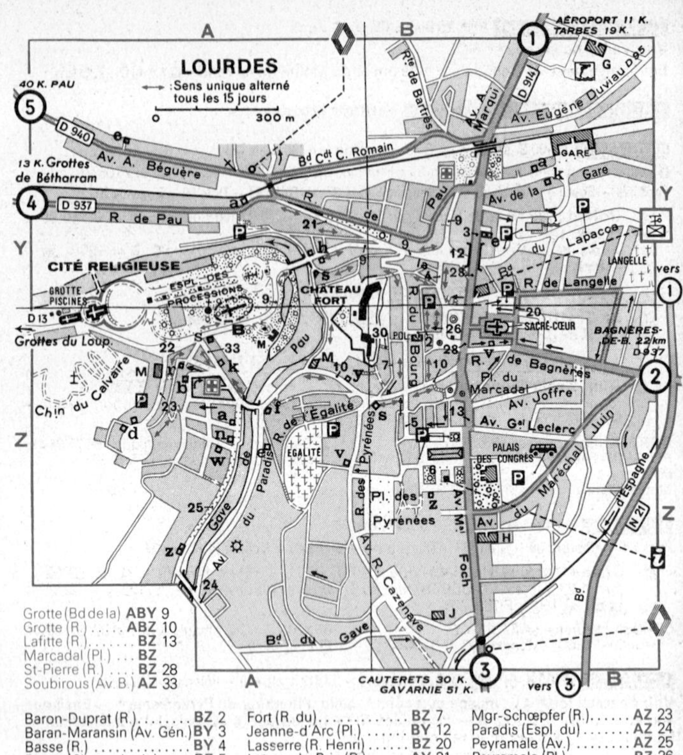

Roissy Ⓜ, 16 av. Mgr-Schoepfer ✆ 62 94 13 04 – lift wc wc ☎ Ⓟ. ✻ ch — AZ **d**
Pâques-15 oct. – SC : **R** 59 – ☕ 22 – **70 ch** 187/261 – P 261/311.

N.-D. de France, 8 av. Peyramale ✆ 62 94 91 45, Télex 521891, ≤ – lift ▤ rest wc wc ☎. VISA. ✻ rest — AZ **a**
Pâques-10 oct. – SC : **R** 58/65 – ☕ 19 – **74 ch** 180/220 – P 200/280.

Miramont, 40 av. Peyramale ✆ 62 94 70 00, Télex 520841, ≤ – lift ▤ rest wc ☎ Ⓟ. AE E VISA. ✻ — AZ **z**
20 mars-20 oct. – SC : **R** 65 – ☕ 22 – **94 ch** 146/250 – P 235/265.

Golgotha, 4 r. Reine-Astrid ✆ 62 94 00 03 – lift wc wc ☎. ✻ — AZ **d**
28 mars-15 oct. – SC : **R** 58 – ☕ 22 – **118 ch** 180/261 – P 261/315.

Beauséjour sans rest, 16 av. Gare ✆ 62 94 38 18, ☁ – lift wc wc ☎ Ⓟ. AE. ✻ — BY **k**
1er avril-30 oct. – ☕ 17 – **44 ch** 140/220.

Ste-Rose, 2 r. Carrières-Peyramale ✆ 62 94 30 96 – lift wc wc ☎ Ⓟ. ✻ **100 ch.** — AZ **b**

Lutetia, 19 av. Gare ✆ 62 94 22 85, Télex 521702 – lift wc wc ☎ Ⓟ. AE ⓓ E VISA — BY **a**
fermé 5 janv. au 6 fév., 3 au 9 mars – SC : **R** 48/65 – ☕ 20 – **47 ch** 115/220 – P 180/245.

Orly sans rest, 9 bis av. Maransin ✆ 62 94 28 21 – lift wc wc ☎ — BY **e**
1er avril-31 oct. – SC : ☕ 15 – **18 ch** 135/175.

N.-D. de Sarrance, 7 r. Bagnères ✆ 62 94 09 83 – lift wc wc ☎ 🚗. VISA — BZ **v**
fermé nov. – SC : **R** *(1er juil.-15 oct.)* 65 – ☕ 17 – **42 ch** 205 – P 222.

Vallée, 28 r. Pyrénées ✆ 62 94 71 71 – lift wc wc ☎ 🚗. AE VISA. ✻ rest — AZ **v**
1er avril-10 oct. – SC : **R** 51/67 – ☕ 16 – **60 ch** 135/190 – P 172/199.

Majestic, 9 av. Maransin ✆ 62 94 27 23 – lift wc wc ☎ ♿. ✻ rest — BY **e**
15 avril-15 oct. – SC : **R** 58 – ☕ 17 – **36 ch** 80/190 – P 149/190.

Aquitaine, 1 r. Pyrénées ✆ 62 94 20 31 – wc wc ☎. AE VISA — BZ **s**
fermé 15 nov. au 6 fév. – SC : **R** 32/66 – ☕ 16 – **24 ch** 129/159 – P 172/188.

H. Albret et rest. Taverne de Bigorre, 21 pl. Champ-Commun ✆ 62 94 75 00 – |♦| ⇔wc ⋒wc ☎. E VISA BZ z
fermé 1er au 31 janv. – SC : **R** *(fermé lundi du 1er déc. au 30 mars)* 40/120 – ☕ 16 – **27 ch** 160/172 – P 165/195.

N.-D.-de Lorette, 12 rte Pau ✆ 62 94 12 16 – ⋒wc Ⓟ. ✻ AY a
Pâques-15 oct. – SC : **R** 55/100 – ☕ 16,50 – **20 ch** 53/140 – P 154/195.

Arts sans rest, 89 r. de la Grotte ✆ 62 94 91 25 – |♦| ⇔wc ⋒wc ☎. AE. ✻
15 avril-10 oct. – SC : ☕ 15,50 – **13 ch** 135/166.

L'Ermitage, pl. Mgr Laurence ✆ 62 94 08 42 – AE ⓓ E VISA AZ s
1er mai-15 oct. – **R** 65/180.

Aub. Maurice Prat avec ch, 22 av. A.-Béguère ✆ 62 94 01 53 – ⇔wc ⋒wc Ⓟ
fermé 15 déc. au 1er mars et lundi sauf du 1er mars au 15 oct. – SC : **R** 57/92 – ☕ 21 – **14 ch** 190/210 – P 210/231. AY e

Gave, 17 quai St-Jean ✆ 62 94 14 33 – AE AY s
Pâques-15 oct. – SC : **R** 63/130.

à Lugagnan par ③ : 3 km – ✉ **65100** Lourdes :

Trois Vallées ⊗, ✆ 62 94 73 05, ⚘, ✂ – ⇔wc ⋒wc ☎ Ⓟ. ✻ rest
fermé 1er au 15 déc. et 1er janv. au 5 fév. – SC : **R** 48/95 ₰ – ☕ 18 – **32 ch** 62/134 – P 120/172.

à Saux par ① : 3 km – ✉ **65100** Lourdes :

Relais Pyrénéen ⊗ avec ch, ✆ 62 94 29 61, ←, ⛱, ⚘ – ⇔wc ⋒ ☎ Ⓟ. AE. ✻ – *fermé janv.* – SC : **R** 80 – ☕ 17,50 – **11 ch** 135/230.

à Adé par ① : 6 km – ✉ **65100** Lourdes :

Le Virginia, ✆ 62 94 66 18, ⚘ – ▤ rest TV ⇔wc ☎ ♿ 🚗 Ⓟ. E VISA. ✻ rest
fermé 18 déc. au 15 janv. – SC : **R** 60/125 – ☕ 28 – **46 ch** 95/250 – P 205/280.

Dupouey, ✆ 62 94 29 62 – 🚗 Ⓟ. VISA. ✻
fermé 5 au 31 janv. – SC : **R** 41/150 – ☕ 16 – **39 ch** 106/200 – P 160/215.

à Orincles NE : 12 km par D 937 et D 407 – ✉ **65380** Ossun :

Scierie ⊗, rte Paréac ✆ 62 35 40 88, ⛆, ⚘ – ⋒ ☎ Ⓟ
29 juin-31 août – SC : **R** 55/77 – ☕ 14 – **10 ch** 65/96.

Miramont sans rest., ✆ 62 35 41 02 – cuisinette ⋒wc ☎ Ⓟ. E
SC : ☕ 16 – **10 ch** 140/150.

CITROEN T.D.A., rte de Tarbes par ① ✆ 62 94 32 32 N ✆ 62 93 87 72
FORD Gar. Allué, 27 av. A.-Marqui ✆ 62 94 07 23
LANCIA-AUTOBIANCHI, TOYOTA, VOLVO Gar. Jara, ZI Saux, rte Tarbes ✆ 62 94 67 31
PEUGEOT-TALBOT Boutes, 102 av. A.-Marqui par ① ✆ 62 94 75 68
RENAULT R.E.N.O.P.A.C., 25 av. F.-Lagardère ✆ 62 94 70 50
RENAULT Gar. Vincent, 4 av. A.-Béguère ✆ 62 94 07 89
◉ Bigorre-Pneus, 27 av. F.-Lagardère ✆ 62 94 06 70

LOURES-BAROUSSE 65370 H.-Pyr. 85 ⑳ – 586 h. alt. 455.

Paris 850 – Luchon 29 – St-Gaudens 17 – Tarbes 59 – ♦Toulouse 107.

Host. des Vallées ⊗, rte Barbazan ✆ 62 99 20 34, ⚘ – ⇔wc ⋒wc ☎ Ⓟ
1er fév.-31 oct. et fermé dim. soir et lundi sauf juil.-août – SC : **R** 60/112 – ☕ 17 – **13 ch** 75/162 – P 170/200.

LOURMARIN 84 Vaucluse 84 ③ G. Provence – 858 h – ✉ 84160 Cadenet.

Voir Château ★.

Paris 765 – Apt 18 – Aix-en-Provence 38 – Cavaillon 31 – Manosque 52 – Salon-de-Provence 35.

Guilles M ⊗ sans rest., par D 56 et VO : 1,5 km ✆ 90 68 30 55, ←, parc, ⛆, ✂ – cuisinette ⇔wc ☎ Ⓟ. AE ⓓ E VISA
SC : ☕ 25 – **21 ch** 170/300.

LOURY 45470 Loiret 60 ⑲⑳ – 1 413 h. alt. 126.

Paris 104 – Chartres 73 – Châteauneuf-sur-Loire 19 – Étampes 53 – ♦Orléans 19 – Pithiviers 24.

Relais de la Forge, N 152 ✆ 38 65 60 27 – AE E VISA
fermé 1er au 15 juil. et lundi – SC : **R** 45/170 ₰.

LOUVECIENNES 78 Yvelines 55 ⑳, 101 ⑫ ⑬ – voir à Paris, Environs.

LOUVIE-JUZON 64 Pyr.-Atl. 85 ⑯ – 1 023 h. alt. 412 – ✉ 64260 Arudy.

Paris 796 – Laruns 11 – Lourdes 40 – Oloron-Ste-Marie 21 – Pau 26.

Forestière M ⊗, rte Pau ✆ 59 05 62 28, ←, ⛱, ⚘ – ⇔wc ☎ Ⓟ. AE ⓓ E VISA
SC : **R** 75/110 ₰ – ☕ 25 – **15 ch** 180/250 – P 545/600.

Dhérété ⊗, ✆ 59 05 61 01, ←, ⚘ – ⋒wc ☎ 🚗 Ⓟ. ✻
fermé 15 oct. au 1er déc. et lundi hors sais. – SC : **R** 55/110 – ☕ 14,50 – **18 ch** 85/148 – P 140/210.

CITROEN Rignol, à Arudy ✆ 59 05 60 23 N N ✆ 59 05 72 34
PEUGEOT-TALBOT Versavaud, à Arudy ✆ 59 05 60 70
RENAULT Orensanz, à Arudy ✆ 59 05 61 93 N

LOUVIERS **27400 Eure 55 ⑯⑰ G. Normandie – 19 413 h. alt. 15.**

Voir Église N.-Dame★ : oeuvres d'art★ BY E.

du Vaudreuil ✆ 32 59 02 60, NE par D 313 BX et D 77 : 6,5 km.

Office de Tourisme 10 r. Mar.-Foch ✆ 32 40 04 41.

Paris 108 ③ – Les Andelys 22 ③ – Bernay 51 ⑤ – Lisieux 75 ⑤ – Mantes 50 ③ – ♦Rouen 33 ②.

LOUVIERS

Foch (R. Mar.) . . . . BY 5
Gaulle (R. Gén.-de) . . . . AY 6
Matrey (R. du) . . . . AY 9
Quai (R. du) . . . . BY 14

Anc. Combattants d'Afrique du N. (R. des) BY 2
Champ-de-Ville (Pl.) . . . AY 3
Dr-Postel (Av. du) . . . . . BZ 4
Jaurès (Pl. Jean) . . . . BZ 8
Mendès-France (R.P.) . . BY 10
Petit Frontin (R. du) . . . . AZ 12
Porte-de-l'Eau (Pl.) . . . . BY 13
Rempart (R. du) . . . . BY 15
République (Pl. de la) . . AY 17

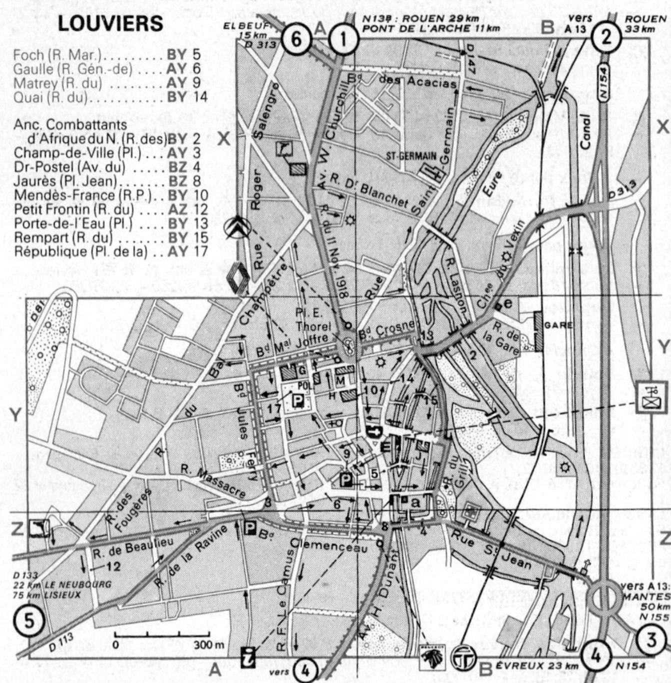

P.L.M. M, par ② : 3,5 km près échangeur A 13 - N 15 (Louviers Nord) ✉ 27100 Val de Reuil ✆ 32 59 09 09, Télex 180540, – ⊡ ☎ & P – 80. AE ⓓ E VISA
R carte environ 150 – 30 – **58 ch** 272/308.

Host. de la Poste, 11 r. Quatre-Moulins ✆ 32 40 01 76, – TV wc ☎. VISA BY **a**
R *(fermé dim. soir et lundi)* 51/102 – 20 – **16 ch** 140/250.

Clos Normand, 16 r. Gare ✆ 32 40 03 56 – E VISA BY **e**
fermé dim. sauf Pâques et Pentecôte – **SC : R** 70/105.

à Acquigny par ④ : 5 km – ✉ **27400** Louviers :

L'Hostellerie, sur D 71 ✆ 32 50 20 05 – P. VISA.
fermé 4 au 24 août, 20 fév. au 3 mars, dim. soir et lundi – **SC : R** 85.

à Vironvay par ③ : 5 km – ✉ **27400** Louviers – **Voir Église ≤★.**

Les Saisons, ✆ 32 40 02 56, « Pavillons dans un jardin », – TV wc ☎ P – 30. ⓓ E VISA. ch
fermé 16 au 23 août et 28 janv. au 28 fév. – **SC : R** *(fermé dim. soir et lundi)* 86/210 – 28 – **10 ch** 278/310, 5 appartements 485 – P 495/625.

à St-Pierre-du-Vauvray E : 8 km par D 313 - BX – ✉ **27430** St-Pierre-du-Vauvray :

Host. St-Pierre M, ✆ 32 59 93 29, ≤, – ⊡ TV ☎ P. ⓓ VISA
fermé janv. et fév. – **SC : R** *(fermé lundi soir et mardi)* 130/270 – 30 – **13 ch** 280/380 – P 450/520.

CITROEN Cambour-Automobiles, 4 pl. E.-Thorel ✆ 32 40 37 01
FIAT Gar. Pillet, rte des Falaises à Le Vaudreuil ✆ 32 59 15 62
PEUGEOT-TALBOT Dubreuil, 4 pl. J.-Jaurès ✆ 32 40 02 28

RENAULT Duchemin, 1 pl. E.-Thorel ✆ 32 40 15 97

Rallye-Pneus, 49 r. de Paris ✆ 32 40 21 16

LOUVIGNÉ-DU-DÉSERT **35420** I.-et-V. **59** ⑲ – **4 467 h. alt. 178.**

Paris 337 – Alençon 103 – Dol-de-Bretagne 51 – Fougères 16 – Mayenne 50.

Manoir, pl. Ch.-de-Gaulle ✆ **99 98 53 40, Télex 741235,** – wc wc ☎ Ⓟ. E VISA
SC : **R** 77/160 – 21 – **21 ch** 140/170.

RENAULT Couasnon, ✆ 99 98 01 24

LOUVIGNY **14** Calvados **55** ⑪ – rattaché à Caen.

LOYETTES **01980** Ain **74** ⑬ – **1 713 h. alt. 193.**

Paris 468 – Bourg-en-Bresse 52 – Bourgoin-Jallieu 28 – ♦Lyon 33 – La Tour-du-Pin 43 – Vienne 49.

XXX ✿ **Terrasse** (Antonin), pl. Église ✆ **78 32 70 13,** ←, – AE VISA.
fermé vacances de nov., 10 au 28 fév., dim. soir et lundi – SC : **R** (dim. et fêtes prévenir) 100/320
Spéc. Terrine de lapin à la vieille prune, Assiette de petite pêche, Tournedos Perigueux.

LUBBON **40** Landes **79** ⑫⑬ – **95 h. alt. 147** – ✉ **40240** La Bastide d'Armagnac.

Paris 686 – Aire-sur-l'Adour 59 – Condom 54 – Mont-de-Marsan 49 – Nérac 35.

Au Bon Coin (chez Jeanne), D 933 ✆ **58 93 60 43,** – Ⓟ
fermé sept., vend. soir et sam. sauf juil.-août – **R** 35/65 – 15 – **14 ch** 54/60.

LUBERSAC **19210** Corrèze **75** ⑧ – **2 441 h. alt. 355.**

Paris 450 – Brive-la-Gaillarde 58 – ♦Limoges 53 – Périgueux 74 – Tulle 49.

Le Rubeau, rte Limoges ✆ **55 73 56 57** – . VISA. ch
fermé nov. – **R** 48/85 – 13,50 – **14 ch** 68/155 – P 140/155.

PEUGEOT-TALBOT Gar. Ravel Daniel, ✆ 55 73 57 68

RENAULT Sudrie, ✆ 55 73 55 41

Le LUC **83340** Var **84** ⑯ – **6 068 h. alt. 168.**

Office de Tourisme pl. Verdun (sais.) ✆ 94 60 74 51 et à l'Hôtel de Ville (hors sais.) ✆ 94 60 70 51.

Paris 835 – Cannes 75 – Draguignan 28 – St-Raphaël 43 – Sainte-Maxime 49 – ♦Toulon 53.

XXX **Host. du Parc** avec ch, r. J.-Jaurès ✆ **94 60 70 01,** – TV wc wc Ⓟ. AE E VISA
fermé 28 avril au 8 mai, 12 nov. au 12 déc., lundi soir et mardi sauf du 14 juil. au 15 août – SC : **R** 130/210 – 26 – **12 ch** 120/260.

à l'Ouest : 4 km par N 7 – ✉ **83340** Le Luc :

La Grillade au feu de bois M , ✆ **94 69 71 20, antiquités,** ←, **parc,** – TV wc wc ☎ Ⓟ. AE E VISA
SC : **R** (nombre de couverts limité - prévenir) 120 – 23 – **9 ch** 210/280.

LUCÉ **28** E.-et-L. **60** ⑦, **196** ㉛ – rattaché à Chartres.

LUC-EN-DIOIS **26310** Drôme **77** ⑭ **G. Alpes** – **473 h. alt. 580.**

Paris 649 – Die 19 – Gap 76 – Nyons 66 – Serres 46 – Valence 84.

Levant, ✆ **75 21 33 30,** – wc Ⓟ. rest
1er fév.-28 sept. – SC : **R** 50/102 – 16,50 – **16 ch** 83/195, (en sais. pension seul.) – P 168/220.

LUCHÉ-PRINGÉ **72** Sarthe **64** ③ **G. Châteaux de la Loire** – **1 433 h. alt. 34** – ✉ **72800** Le Lude.

Voir Château★ de Gallerande NO : 2,5 km.

Syndicat d'Initiative à la Mairie ✆ 43 45 44 50.

Paris 240 – La Flèche 13 – Le Lude 10 – ♦Le Mans 39.

Aub. du Port des Roches , au Port des Roches E : 2 km par D 13 et D 214 ✆ **43 45 44 48,** – wc Ⓟ. .
fermé dim. soir et mardi – SC : **R** 70/120 – 20 – **13 ch** 130/200 – P 180/210.

LUCHON 31 H.-Gar. 85 ⑳ **G. Pyrénées** – 3 602 h. alt. 630 – Stat. therm. (26 mars-21 oct.) – Sports d'hiver à Superbagnères : 1 420/2 260 m 1 15 – Casino Y – ✉ **31110** Bagnères-de-Luchon.

Env. Vallée du Lys★ SO : 5,5 km par D 125 et D 46 – Kiosque de Mayrègne ★ 9 km par ③ – Hospice de France★★ SE : 11 km par D 125.

9 ☏ 61 79 03 27 X.

Office de Tourisme 18 allées Étigny ☏ 61 79 21 21, Télex 530139.

Paris 879 ① – Bagnères-de-Bigorre 81 ① – St-Gaudens 46 ① – Tarbes 89 ① – ✦Toulouse 136 ①.

Corneille , 5 av. A.-Dumas ☏ 61 79 36 22, Télex 520347, ≤, « Résidence dans un parc, beaux aménagements intérieurs » – ☎ Ⓟ. AE ⓓ VISA. ✻ rest Y **u**
25 mars-21 oct. – SC : **R** 85/100 – ☕ 23 – **52 ch** 250/420, 3 appartements 600 – P 280/460.

Poste et Golf, 29 allées Étigny ☏ 61 79 00 40, Télex 520018, , – ☎ Ⓟ – 30 à 120 Y **n**
56 ch.

Bains, 75 allées Étigny ☏ 61 79 00 58 – wc wc ☎ Ⓟ. AE. ✻ rest
fermé 20 oct. au 20 déc. – SC : **R** 79 - **Pizzeria R** carte environ 90 – ☕ 22 – **52 ch** 138/230 – P 223/325. YZ **e**

Paris, 9 cours Quinconces ☏ 61 79 13 70 – wc ☎ Ⓟ. ✻ rest Z **v**
15 avril-15 oct. – SC : **R** 70 – ☕ 18,50 – **36 ch** 172 – P 235/258.

Étigny, face Établt Thermal ☏ 61 79 01 42, – wc wc ☎. ✻ rest
21 mars-21 oct. – SC : **R** 62/78 – ☕ 21 – **58 ch** 170/235 – P 215/290. Z **k**

Métropole, 40 allées Étigny ☏ 61 79 38 00 – wc wc ☎. ✻ rest
25 mars-15 oct., vacances de Noël et de fév. – SC : **R** 80 – ☕ 18 – **60 ch** 60/185 – P 200/260 Y **r**

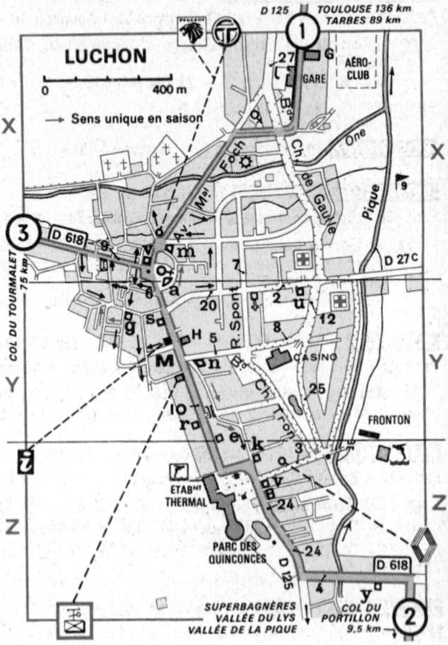

Royal H., 1 cours Quinconces ☏ 61 79 00 62 – wc ☎. ✻ rest Z **v**
25 mai-5 oct. – SC : **R** 68 – ☕ 17 – **48 ch** 80/165 – P 170/220.

Beau Site, 11 cours Quinconces ☏ 61 79 02 71, – wc ☎ Ⓟ. ✻ rest
1er mai-15 oct. – SC : **R** 72/80 – ☕ 17,50 – **24 ch** 152/190 – P 220/260. Z **v**

Panoramic et rest Pub Gourmand, 6 av. Carnot ☏ 61 79 30 90 – TV wc wc ☎ X **v**
fermé 11 nov. au 20 déc. et janv. – SC : **R** 58/90 – ☕ 21 – **30 ch** 135/230.

La Rencluse, à St-Mamet ✉ 31110 Bagnères-de-Luchon ☏ 61 79 02 81, – wc wc ☎ Ⓟ. ✻ rest Z **y**
1er mai-6 oct. et vacances scolaires d'hiver – SC : **R** 50/84 – ☕ 15 – **30 ch** 98/184 – P 207/273.

Deux Nations, 5 r. Victor-Hugo ☏ 61 79 01 71 – wc ☎ Y **g**
SC : **R** 55/134 – ☕ 17,50 – **27 ch** 71/115 – P 148/189.

Concorde, 12 allées Étigny ☏ 61 79 00 69 – wc ☎. AE VISA. ✻ rest Y **s**
fermé 20 oct. au 20 déc. – **R** 45/90 – ☕ 21 – **23 ch** 92/180 – P 170/280.

Henri Sors, 1 av. Carnot ☏ 61 79 00 47, – wc. ✻ rest X **m**
24 mars-18 oct. – SC : **R** 76 – ☕ 14,50 – **45 ch** 88/178 – P 140/175.

Bon Accueil, 1 pl. Joffre ☏ 61 79 02 20 – wc wc ☎. AE VISA XY **a**
fermé 20 oct. au 20 déc. – SC : **R** 50/130 – ☕ 17 – **28 ch** 87/193 – P 184/261.

Carnot (Av.)	Y 6	Colomic (R.)	X 7
Dr-Germès (R. du)	X 9	Dardenne (Bd)	Y 8
Étigny (Allées d')	Y 10	Fontan (Bd Amédée)	Y 12
		Lamartine (R.)	Y 20
Alexandre-Dumas (Av.)	Y 2	Quinconces (Cours des)	Z 24
Bains (Allées des)	Z 3	Rostand (Bd Edmond)	Y 25
Barrau (Av. J.)	Z 4	Toulouse (Av. de)	X 27
Boularan (R. Jean)	Y 5		

CITROEN Bardaji, av. Rémy-Comet par av. de Toulouse X ☏ 61 79 16 93 N

FORD Gar. Rubiella, à Montauban de Luchon ☏ 61 79 08 56

PEUGEOT-TALBOT Gar. Bedin, pl. Comminge ☏ 61 79 01 35

RENAULT Gar. Elissalde, 24 allée des Bains ☏ 61 79 00 20

LUÇON 85400 Vendée 71 ⑪ **G. Côte de l'Atlantique – 9 500 h. alt. 10.**

Voir Cathédrale N.-Dame★ B E – **Jardin Dumaine★** A.

Office de Tourisme 7 pl. Gén.-Leclerc ✆ 51 56 36 52 et à l'Hôtel de Ville ✆ 51 85 05 00.

Paris 467 ① – Cholet 84 ① – Fontenay-le-C. 29 ① – La Rochelle 41 ② – La Roche-sur-Yon 32 ⑤.

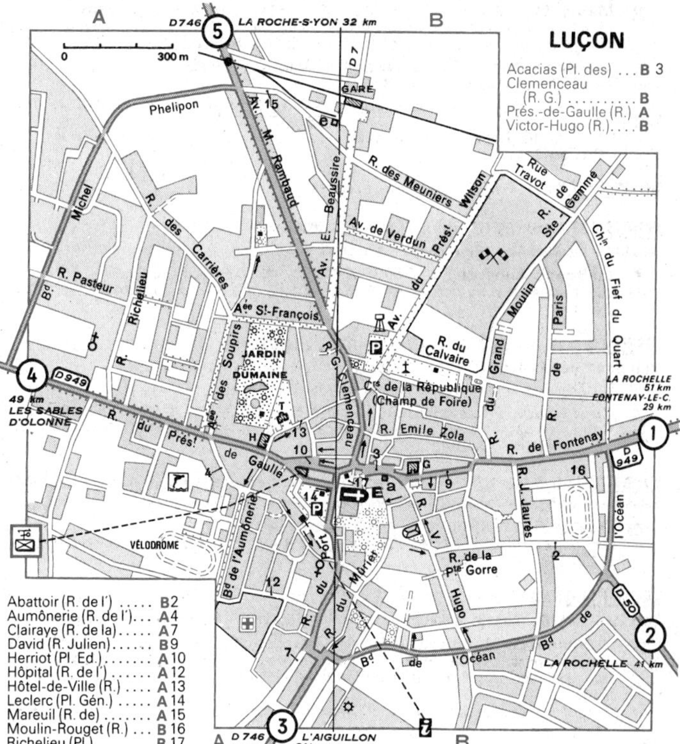

Bordeaux et rest Les Saisons M, 14 pl. Acacias ✆ 51 56 01 35 – rest TV wc ☎. AE ⓓ VISA. ch B **a**
fermé lundi (sauf hôtel) et dim. soir du 1er sept. au 15 juin – SC : **R** *(fermé 15 au 30 sept.)* 72/170 – ☕ 19,50 – **24 ch** 178/248 – P 263.

Voyageurs, pl. Gare ✆ 51 56 11 71 – ⓟ A **e**
fermé 23 juin au 7 juil., vacances de Noël, sam. soir et dim. sauf juil.-août – SC : **R** 50/150 – ☕ 16 – **11 ch** 78/130.

CITROEN Gar. Murs, rte de Fontenay par ① ✆ 51 56 01 29
FORD Verger, 2 quai Ouest ✆ 51 56 01 17
RENAULT Gar. Rallet, rte Fontenay par ① ✆ 51 56 18 21
V.A.G. Perocheau, 62 r. Gén.-de-Gaulle ✆ 51 56 01 87 N
Luçon-Pneus, 18 pl. de la Poissonnerie ✆ 51 56 89 63

LUC-SUR-MER 14530 Calvados 54 ⑯ **G. Normandie – 2 609 h. – casino.**

Voir Parc municipal★.

Syndicat d'Initiative, pl. Petit-Enfer (15 juin-15 sept.) ✆ 31 97 32 71.

Paris 254 – Arromanches 22 – Bayeux 28 – Cabourg 29 – ◆Caen 16.

Beau Rivage, ✆ 31 96 49 51, <, – wc wc ☎ ⓟ. VISA.
22 mars-25 oct. – SC : **R** 67/135 – ☕ 20 – **25 ch** 90/200.

CITROEN François, ✆ 31 97 31 04

This symbol indicates restaurants serving a plain meal at a moderate price.

LE LUDE 72800 Sarthe 64 ③ G. Châteaux de la Loire – 4 495 h. alt. 48.

Voir Château★ (spectacle son et lumière★★★).

Syndicat d'Initiative pl. F. de Nicolay (1er juin-7 sept.) et 8 r. Boeuf (15 oct.-31 mai) ☎ 43 94 62 20.

Paris 242 – Angers 62 – Chinon 62 – La Flèche 20 – ♦Le Mans 44 – Saumur 47 – Tours 52.

Maine, 24 av. Saumur ☎ 43 94 60 54, – wc wc ☎ . E VISA
fermé 12 au 24 sept., 20 déc. au 20 janv., lundi (sauf hôtel) du 1/3 au 2/11, dim. soir et sam. du 2/11 au 1/3 – SC : **R** 84/130 – 19 – **24 ch** 90/200 – P 170/220.

La Renaissance, 2 av. Libération ☎ 43 94 63 10 – VISA
fermé dim. soir et lundi – SC : **R** 45/110.

PEUGEOT-TALBOT Virfollet, rte de Tours ☎ 43 94 63 86 N
RENAULT Gar. Charpentier, av. de Talhouet ☎ 43 94 63 13 N
V.A.G. Grosbois, à La Pointe ☎ 43 94 60 89 N ☎ 43 94 90 49

LUGAGNAN 65 H.-Pyr. 85 ⑱ – rattaché à Lourdes.

LUGOS 33 Gironde 78 ③ – 415 h. alt. 35 – ✉ 33830 Belin.

Paris 644 – Arcachon 42 – ♦Bayonne 138 – ♦Bordeaux 54.

La Bonne Auberge , ☎ 56 88 02 05, , – wc wc
fermé fin sept. à mi-oct., – SC : **R** *(fermé lundi)* 60/200 – 20 – **14 ch** 120/140 – P 200.

LUGRIN 74 H.-Savoie 70 ⑱ – 1 417 h. alt. 411 – ✉ 74500 Évian.

Voir Site★ de Meillerie E : 4 km, G. Alpes.

Paris 560 – Annecy 90 – Évian-les-Bains 6 – St-Gingolph 11.

Tour Ronde, à Tourronde NO : 1,5 km ☎ 50 76 00 23, ← – wc wc .
1er fév.-1er oct. et fermé dim. soir et lundi de fév. à début juin – SC : **R** 52/119 – 15 – **26 ch** 94/177 – P 131/183.

LULLIN 74 H.-Savoie 70 ⑰ – 469 h. alt. 850 – Sports d'hiver : 1 050/1 350 m 5 – ✉ 74470 Bellevaux – Paris 558 – Annecy 70 – Bonneville 40 – ♦Genève 41 – Thonon-les-Bains 18.

Poste, ☎ 50 73 81 10, – wc wc .
1er juin-21 sept., et 18 déc.-Pâques – SC : **R** 60/100 – 15 – **24 ch** 80/128 – P 155/180.

LUMBRES 62380 P.-de-C. 51 ③ – 4 352 h. alt. 47.

Paris 258 – Aire 26 – Arras 86 – Boulogne-sur-Mer 40 – Hesdin 42 – Montreuil 48 – St-Omer 13.

XXX ✿ **Moulin de Mombreux** (Gaudry) avec ch, O : 2 km par N 42 et VO 16 ☎ 21 39 62 44, parc, « Ancien moulin au bord de l'eau » – . AE E VISA
fermé 20 déc. au 1er fév., dim. soir et lundi – **R** (dim. prévenir) 150/220 – 20 – **6 ch** 70/140
Spéc. Petite nage de la mer du Nord, Medaillons de lotte et langoustines au safran, Gibier (en saison).

PEUGEOT-TALBOT Gar. Basquin, rte Nationale ☎ 21 39 64 25 N
RENAULT Gar. Pouchain, 68 r. H.-Russel ☎ 21 39 63 54 N
V.A.G. Gar. Podevin 20 rte Nationale ☎ 21 39 64 32

LUNAS 34 Hérault 83 ④ – rattaché à Lodève.

LUNEL 34400 Hérault 83 ⑧ – 15 716 h. alt. 11.

Office de Tourisme pl. Martyrs de la Résistance ☎ 67 71 01 37.

Paris 738 ② – Aigues-Mortes 15 ③ – Alès 55 ① – Arles 46 ② – ♦Montpellier 25 ④ – Nîmes 31 ②.

La Clausade , 48 av. Colonel-Simon (e) ☎ 67 71 05 69, – wc ☎ . E VISA.
fermé 20 déc. au 4 janv. – SC : **R** *(fermé sam. et dim.)* 60/120 – 20 – **10 ch** 165/175.

au Pont de Lunel par ② : 3,5 km sur N 113 – ✉ 34400 Lunel :

Les Mimosas, ☎ 67 71 25 40 – wc . AE E VISA
fermé 20 déc. au 20 janv. – SC : **R** 42/120 – 24 – **25 ch** 133/200.

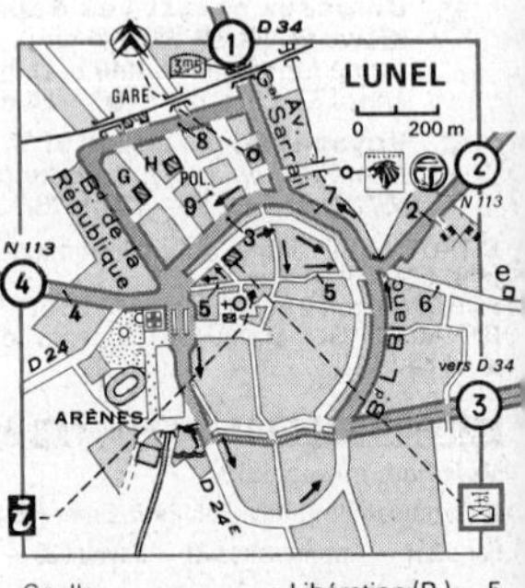

LUNEL

Gaulle (Av. Gén.-de) .. 2
Lafayette (Bd) 3
Lattre-de-Tassigny (Av. de) 4
Libération (R.) .. 5
Simon (Av. Col.) 6
Strasbourg (Bd) 7
Verdun (R.) 8
V-Hugo (Av.) ... 9

CITROEN Brunel, av. Gén.-Sarrail ☎ 67 71 11 48
PEUGEOT TALBOT Gar. du Midi, 10 r. Edgar-Quinet ☎ 67 71 11 10
RENAULT Figère, rte de la Mer par ③ ☎ 67 71 00 06
V.A.G. Gar. des Fournels, rte Montpellier, Zone Ind. ☎ 67 71 10 59

LUNÉVILLE <SP> **54300** M.-et-M. **62** ⑥ **G. Alsace et Lorraine** – 23 231 h. alt. 230.

Voir Château* Z – **Parc des Bosquets*** Z – **Boiseries* de l'église St-Jacques** Z **B**.

Office de Tourisme au Château ✆ 83 74 06 55 - A.C. 38 r. d'Alsace ✆ 83 74 06 67.

Paris 337 ⑤ – Épinal 61 ④ – ♦Metz 78 ① – ♦Nancy 35 ⑤ – Neufchâteau 83 ⑤ – St-Dié 50 ③ – St-Dizier 132 ⑤ – Sarreguemines 88 ① – ♦Strasbourg 127 ② – Vittel 75 ④.

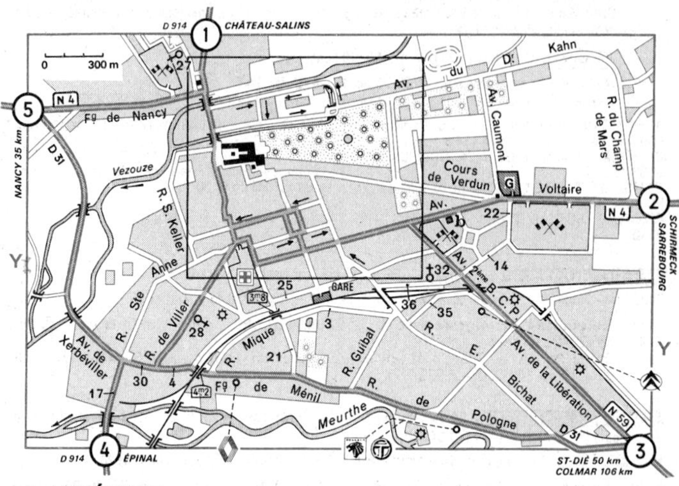

LUNÉVILLE

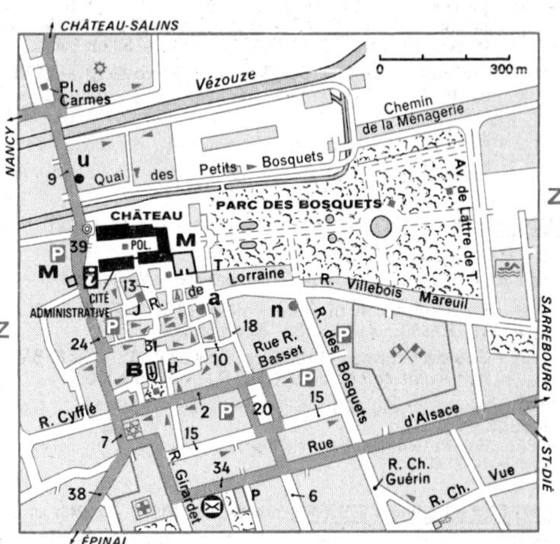

Des Pages sans rest, 8 r. Chanzy ✆ 83 74 11 42 – wc wc ☎ P. AE VISA — Z **u**
SC : ☐ 15 – **28 ch** 120/178.

Le Voltaire avec ch, 8 av. Voltaire ✆ 83 74 07 09, – wc wc ☎ – 50. AE ① E VISA — Y **b**
SC : **R** *(fermé dim. soir et lundi)* 65/145 – ☐ 15 – **10 ch** 110/140 – P 220/240.

Georges de la Tour, 18 r. Lorraine ✆ 83 73 44 04, , – AE VISA — Z **a**
fermé 15 au 31 juil., vacances de fév., dim. soir et merc. – SC : **R** 65/150.

Bosquets, 2 r. Bosquets ✆ 83 74 00 14 – E VISA — Z **n**
fermé 22 fév. au 22 mars, vend. soir et sam. – SC : **R** 78/155.

à Moncel-lès-Lunéville par ③ : 2,5 km – ✉ **54300** Lunéville :

Relais St Jean, N 59 ✆ 83 74 08 65 – P. VISA
fermé de Noël au 1er janv., merc. soir, dim. et fériés – SC : **R** 50/170.

tourner →

au Sud : 5 km par av. de Xerbeviller – ✉ 54300 Lunéville :

XXX ✿ **Château d'Adomenil** (Million) ch prévues, ✆ **83 74 04 81**, « parc » – P. AE ⓓ E VISA
fermé 1er au 7 juil., 15 janv. au 15 fév., dim. soir et lundi – SC : **R** (nombre de couverts limité-prévenir) 140/300
Spéc. Salade gourmande de l'océan, Noisettes de chevreuil aux poires (oct. à fév.), Soufflé chaud à la mirabelle. **Vins** Côtes de Toul.

à Lamath S : 8 km par ④ – ✉ 54300 Lunéville :

XX **Aub. de la Mortagne**, ✆ 83 73 06 85 – P. AE VISA
fermé 15 juil. au 4 août, vacances de fév., dim. soir et merc. – SC : **R** 90/220.

ALFA-ROMEO-MAZDA Gar. du Champ de Mars à Chanteheux ✆ 83 74 11 13
CITROEN Nouveau Gar., 24 Quai Selestat ✆ 83 73 00 75
PEUGEOT-TALBOT S.A.M.I.A., r. de la Pologne ✆ 83 73 10 78
RENAULT SODIAL, 95 fg de Menil ✆ 83 74 15 01 N
V.A.G. Gar. Fleurantin, ZAC à Chanteheux ✆ 83 74 20 52

Lunéville Inter Pneu Sces rte de Contournement ✆ 83 74 04 30

LUPPÉ-VIOLLES 32 Gers 82 ② – 136 h. alt. 135 – ✉ 32110 Nogaro.

Paris 726 – Auch 70 – Condom 55 – Mont-de-Marsan 37 – Roquefort 43 – Tarbes 66.

XX **Relais de l'Armagnac** avec ch, ✆ **62 09 04 54**, – TV wc ☎ P – 25.
AE E VISA. rest
fermé 1er janv. au 7 fév., dim. soir et lundi (sauf juil.-août-sept.) – SC : **R** 55/172 – 25 – **10 ch** 140/220 – P 225/280.

LURBE-ST-CHRISTAU 64 Pyr.-Atl. 85 ⑥ **G. Pyrénées** – 250 h. alt. 330 – Stat. therm. à St-Christau (1er avril-31 oct.) – ✉ 64660 Asasp.

Paris 831 – Laruns 32 – Lourdes 61 – Oloron-Ste-Marie 9 – Pau 42 – Tardets-Sorholus 28.

Relais de la Poste et H. du Parc, à **St-Christau** ✆ **59 34 40 04**, Télex **550656**, ≤, Parc, – cuisinette wc ☎ P – 30 à 80. rest
1er avril-1er oct. – SC : **R** 72/151 – 17 – **39 ch** 158/221 – P 305/438.

Vallées, ✆ 59 34 40 01, – wc P – 25 à 60
fermé 10 janv. au 25 mars – SC : **R** 40/90 – 12,50 – **21 ch** 74/160 – P 147/168.

Passez à table aux heures normales de repas.
Vous faciliterez le travail de la cuisine et du personnel de salle.

LURE 70200 H.-Saône 66 ⑦ **G. Jura** – 10 497 h. alt. 293.

Office de Tourisme 6 r. Font ✆ 84 62 80 52.

Paris 394 – Belfort 33 – Épinal 74 – Gérardmer 66 – Montbéliard 35 – Vesoul 30.

Commerce, 40 pl. Gare ✆ 84 30 12 63 – TV wc ☎
SC : **R** 55/155 – 18 – **30 ch** 85/200.

XX **Écu de France**, 41 pl. Gare ✆ **84 62 94 61** – AE E VISA
fermé dim. soir et lundi – SC : **R** carte 135 à 180.

CITROEN Gd Gar. des Allées, 65 r. Carnot ✆ 84 30 23 23
OPEL Gar. St-Georges, à Roye ✆ 84 30 20 88 N ✆ 84 30 21 69
RENAULT Gar. Pierrat, à Mélisey ✆ 84 20 83 12 N

LUSSAC-LES-CHÂTEAUX 86320 Vienne 68 ⑮ – 2 224 h. alt. 90.

Paris 355 – Bellac 42 – Châtellerault 51 – Montmorillon 12 – Niort 110 – Poitiers 36 – Ruffec 65.

Montespan M sans rest, ✆ **49 48 41 42** – wc wc ☎ P
fermé sam. hors sais. – SC : 16 – **11 ch** 118/152.

Paix, face Église ✆ **49 48 40 81** –
fermé lundi du 15 oct. au 1er mars – SC : **R** 45/65 – 12 – **7 ch** 68/96.

XX **Aub. du Connestable Chandos** avec ch, au pont de Lussac O : 2 km sur N 147 ✆ 49 48 40 24 – wc P. AE ⓓ E VISA
fermé 6 au 13 oct., 9 fév. au 3 mars et lundi sauf fériés – SC : **R** 61/180 – 15 – **7 ch** 98/155.

à Civaux NO : 6 km sur D 749 - **G. Côte de l'Atlantique** – ✉ 86320 Lussac-les-Châteaux.

Voir Cimetière-nécropole★.

Aub. de la Cascade, ✆ **49 48 45 04**, ≤, – wc wc P – 40.
fermé 15 au 30 nov., fév. et vend. du 1er nov. au 28 fév. – SC : **R** 66/166 – 16 – **21 ch** 80/200.

LUTHÉZIEU 01 Ain 74 ④ – rattaché à Artemare.

LUTTENBACH 68 H.-Rhin 62 ⑱ – rattaché à Munster.

LUTTER 68 H.-Rhin 66 ⑩⑳ – rattaché à Ferrette.

LUTZELBOURG 57820 Moselle 62 ⑧ – 768 h. alt. 225.

Voir Plan incliné★ de St-Louis-Arzviller SO : 3,5 km, G. Alsace et Lorraine.

Paris 438 – Lunéville 74 – ♦Metz 113 – Saverne 10 – ♦Strasbourg 49.

- **Vosges,** ✆ 87 25 30 09 –
  fermé 13 janv. au 15 mars et merc. sauf juil.-août – SC : **R** 42/140 – 16,50 – **22 ch** 72/170 – P 120/180.

LUX 71 S.-et-L. 69 ⑨ – rattaché à Chalon-sur-Saône.

LUXEUIL-LES-BAINS 70300 H.-Saône 66 ⑥ **G. Alsace et Lorraine** – 10 531 h. alt. 306 – Stat. therm. (7 avril-25 oct.) – Casino.

Voir Hôtel Cardinal Jouffroy★ B – Hôtel des Échevins★ M – Anc. Abbaye St-Pierre★ E – Maison François1er★ F.

Office de Tourisme 1 r. Thermes ✆ 84 40 06 41.

Paris 368 ⑤ – Belfort 51 ③ – Épinal 56 ① – St-Dié 83 ① – Vesoul 28 ③ – Vittel 71 ⑤.

- **Beau Site,** 18 r. Thermes **(u)** ✆ 84 40 14 67, « jardin fleuri » – wc wc E VISA. rest
  fermé 24 au 31 déc., vend. soir et sam. du 8 nov. au 1er avril – SC : **R** 63/115 – 16,50 – **44 ch** 115/240 – P 210/268.
- **Métropole** sans rest, r. Thermes **(e)** ✆ 84 40 03 67, – cuisinette wc wc
  1er mai-30 sept. – SC : 18 – **44 ch** 178/210.
- **Thermes** sans rest, r. Thermes **(e)** ✆ 84 40 03 67, – cuisinette wc wc
  1er mai-30 sept. – SC : 18 – **21 ch** 151/181.
- **France,** 6 r. G. Clemenceau **(s)** ✆ 84 40 13 90, – wc . AE E VISA
  fermé janv., lundi (sauf hôtel) d'oct. au 30 avril et dim. soir – SC : **R** 60/115 – 17 – **20 ch** 72/208 – P 180/280.
- **Parc** sans rest, 6 r. Thermes **(n)** ✆ 84 40 03 67 – cuisinette wc
  1er mai-30 sept. – SC : 18 – **35 ch** 65/141.
- **Rest. des Thermes,** r. Thermes **(e)** ✆ 84 40 18 94 – VISA.
  fermé 1er au 15 oct., dim. soir hors sais. et merc. soir – SC : **R** 42/99.

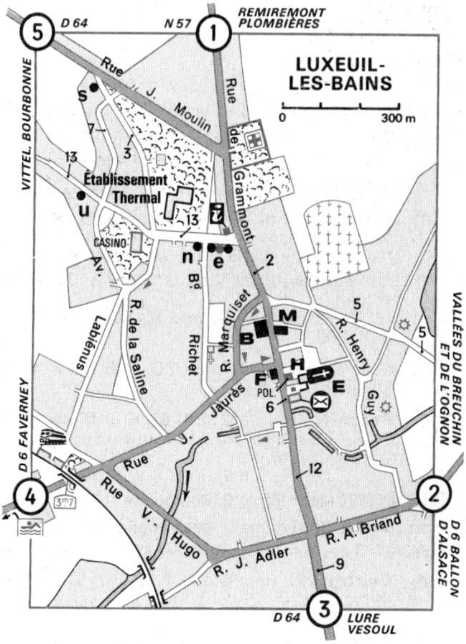

LUXEUIL-LES-BAINS

Carnot (R.)	2	Gambetta (R.)	5
Genoux (R. V.)	6	Hoche (R.)	7
Prés.-Jeanneney (R. du)	12	Maroselli (Allées A.)	9
Clemenceau (R. G.)	3	Thermes (R. des)	13

AUSTIN-ROVER-OPEL Gar. Marchal, 5 r. du Parc ✆ 84 40 11 80

RENAULT Brunella, à Froideconche par ② ✆ 84 40 48 88 N ✆ 84 40 16 99

V.A.G. Hajmann, r. Martyrs de la Résistance ✆ 84 40 23 17

La Maison du Pneu Mariotte, r. des Martyrs de la Résistance ✆ 84 40 27 01

LUXEY 40 Landes 78 ⑪ G. Côte de l'Atlantique – 731 h. alt. 79 – ✉ 40430 Sore.

Paris 665 – Belin 50 – •Bordeaux 77 – Langon 54 – Mimizan 73 – Mont de Marsan 43 – Roquefort 37.

XX **Relais de la Haute Lande** avec ch, ✆ 58 08 02 30 – wc P. E VISA
fermé 13 janv. au 22 fév., dim. soir et lundi du 1er sept. au 30 juin – SC : R 63/165 – 11,50 – **8 ch** 103/130 – P 130/150.

LUYNES 37230 I.-et-L. 64 ⑭ G. Châteaux de la Loire – 3 925 h. alt. 53.

Voir Église★ au Vieux-Bourg de St-Etienne de Chigny O : 3 km.

Syndicat d'Initiative à l'Hôtel de Ville ✆ 47 55 50 31.

Paris 247 – Angers 97 – Château-La-Vallière 28 – Chinon 45 – Langeais 14 – Saumur 55 – •Tours 13.

Domaine de Beauvois, NO : 4 km par D 49 ✆ 47 55 50 11, Télex 750204, ←, parc, – P – 40. E VISA. rest
fermé mi janv. à mi mars – SC : R 210/295 – 53 – **35 ch** 705/950, 6 appartements
Spéc. Blanc de turbot au coulis de homard, Beuchelle à la Tourangelle, Soufflé aux reinettes et calvados. Vins Bourgueil, Vouvray.

LUZARCHES 95270 Val-d'Oise 56 ⑪, 196 ⑧ G. Environs de Paris – 2 559 h. alt. 70.

Paris 32 – Chantilly 10 – Montmorency 18 – Pontoise 30 – St-Denis 21.

Château de Chaumontel, à Chaumontel NE : 0,5 km ✆ (1) 34 71 00 30, ←, « Parc ombragé et fleuri » – wc P – 40 à 100. AE. ch
fermé 21 juil. au 22 août et 2 au 8 janv. – R 135/140 – 25 – **20 ch** 140/520 – P 350/550.

LUZ-ST-SAUVEUR 65120 H.-Pyr. 85 ⑱ G. Pyrénées – 1 159 h. alt. 711 – Sports d'hiver 1 700/2 200 m 16.

Voir Église fortifiée★.

Office de Tourisme pl. 8-Mai ✆ 62 92 81 60, Télex 530420.

Paris 833 – Argelès-Gazost 18 – Cauterets 22 – Lourdes 31 – Tarbes 51.

Europe sans rest, D 921 ✆ 62 92 80 02, – wc wc . AE.
15 juin-10 sept. – SC : 16 – **25 ch** 90/170.

à Esquièze-Sère : au Nord – ✉ 65120 Luz-St-Sauveur :

Touristic, ✆ 62 92 82 09, – wc wc P. AE E VISA.
ouvert vacances scolaires et week-ends d'hiver ; hôtel : 1er juil.-15 sept., rest. : 12 juil.-25 août – SC : R (dîner seul.) carte environ 80 – 25 – **20 ch** 160/200.

Le Montaigu, rte Vizos ✆ 62 92 81 71, ←, – wc wc P. E VISA. rest
1er juin-28 sept. et 26 déc.-30 avril – SC : R 70/120 – 21 – **23 ch** 155/185 – P 170/190.

à St-Sauveur-les-Bains SO : 1,5 km – alt. 737 – Stat. therm. (15 mai-30 sept.) – ✉ 65120 Luz-St-Sauveur :

Perce-Neige, ✆ 62 92 81 82, ← – P.
1er juin-25 sept. et Noël à Pâques – SC : R (1/2 pens. seul.) – 16 – **22 ch** 100/180 – 1/2 p 120/140.

LUZY 58170 Nièvre 69 ⑥ G. Bourgogne – 2 807 h. alt. 272.

Env. Ternant : triptyques★★ dans l'église SO : 14 km.

Paris 310 – Autun 34 – Chalon-sur-Saône 83 – Moulins 64 – Nevers 78 – Roanne 100.

Centre, 26 r. République ✆ 86 30 01 55 – . E VISA
fermé dim. soir et lundi midi sauf juil.-août – SC : R 42/120 – 12 – **11 ch** 60/120.

XX **Ecole Buissonnière,** NE : 6,5 km par N81 ✆ 86 30 11 54 – P
fermé mardi du 15 oct. au 15 avril – R 46/150.

CITROEN Gar. Lemoine, ✆ 86 30 06 61
FIAT Gar. Poynter, ✆ 86 30 06 86
PEUGEOT-TALBOT Bondoux, ✆ 86 30 01 53
PEUGEOT-TALBOT Gar. Doridot, ✆ 86 30 01 21
RENAULT Deline, ✆ 86 30 00 00
RENAULT Saurat, ✆ 86 30 04 77

LYON P **69000** Rhône **74** ⑪⑫ **G. Vallée du Rhône** – 418 476 h. Communauté urbaine 1 173 797 h. alt. 169.

Voir Site*** – Le Vieux Lyon** BX : rue Juiverie* 65, rue St-Jean* 92, hôtel de Gadagne* **M1**, Maison du Crible* **D** – Primatiale St-Jean* : choeur** BX – Basilique N.-D.-de-Fourvière ✻**, ≤* BX – Chapiteaux* de la Basilique St-Martin d'Ainay BYZ – Tour-lanterne* de l'église St-Paul BV – Vierge à l'Enfant* dans l'église St-Nizier CX – Parc de la Tête d'Or* HRS : roseraie* **R** – Fontaine* de la Place des Terreaux CV – Traboules* du Quartier Croix-Rousse CUV – Arches de Chaponost* FT - Montée de Garillan* BX – Théâtre de Guignol BX **N** – Musées : des Tissus*** CZ **M2**, Civilisation gallo-romaine** (table claudienne***) BX **M3**, Beaux-Arts** CV **M4**, Arts décoratifs** CZ **M5**, Imprimerie et Banque** CX **M6** , Guimet d'histoire naturelle* DU **M7**, Marionnette* BX **M1**, Historique* : lapidaire* BX **M1**, Apothicairerie* (Hospices civils) CY **M8**.

Env. Rochetaillée : Musée de l'automobile Henri Malartre* par ⑫ : 12 km.

9 9 9 de Villette d'Anthon ✆ 78 31 11 33 par ③ : 21 km. ; 18 de Verger-Lyon ✆ 78 02 84 20 par ⑥.

✈ de Lyon-Satolas ✆ 78 71 92 21 par ⑤ : 27 km – 🚗 ✆ 78 92 50 50.

i Office de Tourisme et Accueil de France (Informations, change et réservations d'hôtels, pas plus de 5 jours à l'avance), pl. Bellecour ✆ 78 42 25 75, Télex 330032 et Centre d'Echange de Perrache A.C. 7 r. Grolée ✆ 78 42 51 01.

Paris 460 ⑪ – •Bâle 387 ⑪ – •Bordeaux 547 ⑩ – •Genève 159 ② – •Grenoble 104 ⑤ – •Marseille 315 ⑦ – •St-Étienne 55 ⑦ – •Strasbourg 480 ⑪ – Torino 300 ⑤ – •Toulouse 534 ⑦.

Plans : Lyon p. 2 à 7

Hôtels

Sauf indication spéciale, voir emplacement sur Lyon p. 6

Centre-Ville (Bellecour-Terreaux) :

Sofitel M, 20 quai Gailleton, ✉ 69002, ✆ 78 42 72 50, Télex 330225, ≤ – ▯ ▤ TV ☎ 🚗 – 🧑 200. AE ◑ E VISA. ✻ rest CY **k**
SC : rest. **Les Trois Dômes** (au 8e étage) **R** carte 230 à 320 - **Sofi Shop** (rez-de-chaussée) **R** carte environ 110 🍷 – ☕ 63 – **184 ch** 570/980, 6 appartements.

Gd Hôtel Concorde, 11 r. Grolée, ✉ 69002, ✆ 78 42 56 21, Télex 330244 – ▯ ▤ TV ☎ 🚗 – 🧑 80. AE ◑ E VISA. ✻ rest DX **e**
SC : **Le Fiorelle** (Grill) *(fermé dim.)* **R** 70/95 🍷 – ☕ 38 – **140 ch** 310/630.

Royal, 20 pl. Bellecour, ✉ 69002, ✆ 78 37 57 31, Télex 310785 – ▯ ▤ ch TV ☎ – 🧑 40. AE ◑ E VISA CY **d**
SC : **R** Grill 85 🍷 – ☕ 34 – **95 ch** 240/580.

Gd H. des Beaux-Arts sans rest, 75 r. Prés.-E.-Herriot, ✉ 69002, ✆ 78 38 09 50, Télex 330442 – ▯ ▤ TV ☎. AE ◑ E VISA CX **t**
SC : ☕ 30 – **79 ch** 236/409.

Carlton sans rest, 4 r. Jussieu, ✉ 69002, ✆ 78 42 56 51, Télex 310787 – ▯ ▤ ch TV ☎. AE ◑ E VISA CX **y**
SC : ☕ 30 – **93 ch** 242/410.

La Résidence sans rest, 18 r. Victor-Hugo, ✉ 69002, ✆ 78 42 63 28, Télex 900950 – ▯ TV 🛁wc 🚿wc ☎ – 🧑 40. AE VISA CY **s**
SC : ☕ 17 – **63 ch** ☕ 162/178.

Globe et Cécil sans rest., 21 r. Gasparin ✉ 69002 ✆ 78 42 58 95, Télex 305184 – ▯ 🛁wc 🚿wc ☎ – 🧑 60. AE ◑ VISA CY **b**
SC : ☕ 22 – **65 ch** 120/250.

Gd H. des Terreaux sans rest., 16 r. Lanterne ✉ 69001 ✆ 78 27 04 10, Télex 310273 – ▯ 🛁wc 🚿wc ☎. AE ◑ E VISA CV **u**
SC : ☕ 24 – **50 ch** 87/255.

Moderne sans rest, 15 r. Dubois, ✉ 69002, ✆ 78 42 21 83 – ▯ TV 🚿wc ☎
SC : ☕ 18,50 – **31 ch** 81/218. CX **n**

Bayard sans rest, 23 pl. Bellecour, ✉ 69002, ✆ 78 37 39 64 – 🚿wc ☎. ✻ CY **g**
SC : ☕ 17 – **15 ch** 130/170.

Perrache :

Bordeaux sans rest, 1 r. Bélier, ✉ 69002, ✆ 78 37 58 73, Télex 330355 – ▯ TV ☎. AE ◑ E VISA BZ **y**
SC : ☕ 21 – **87 ch** 153/271.

Bristol sans rest, 28 cours Verdun, ✉ 69002, ✆ 78 37 56 55, Télex 330584 – ▯ TV ☎ – 🧑 45. AE ◑ E VISA. ✻ BZ **y**
SC : ☕ 19 – **131 ch** 110/250.

Axotel et rest. Le Chalut M, 12 r. Marc-Antoine Petit ✉ 69002 ✆ 78 42 17 18, Télex 380736, 🌳 – ▯ TV 🛁wc ☎ 🚗 **P** – 🧑 25 à 130. AE ◑ E VISA
SC : **R** *(fermé 1er au 30 août)* 110/148 – ☕ 21 – **130 ch** 195/240. Lyon p. 4 BZ **r**

Verdun sans rest, 82 r. Charité ✉ 69002 ✆ 78 37 34 71, Télex 330949 – ▯ TV 🛁wc 🚿wc ☎. AE ◑ E VISA. ✻ rest BCZ **m**
SC : ☕ 21 – **32 ch** 105/235.

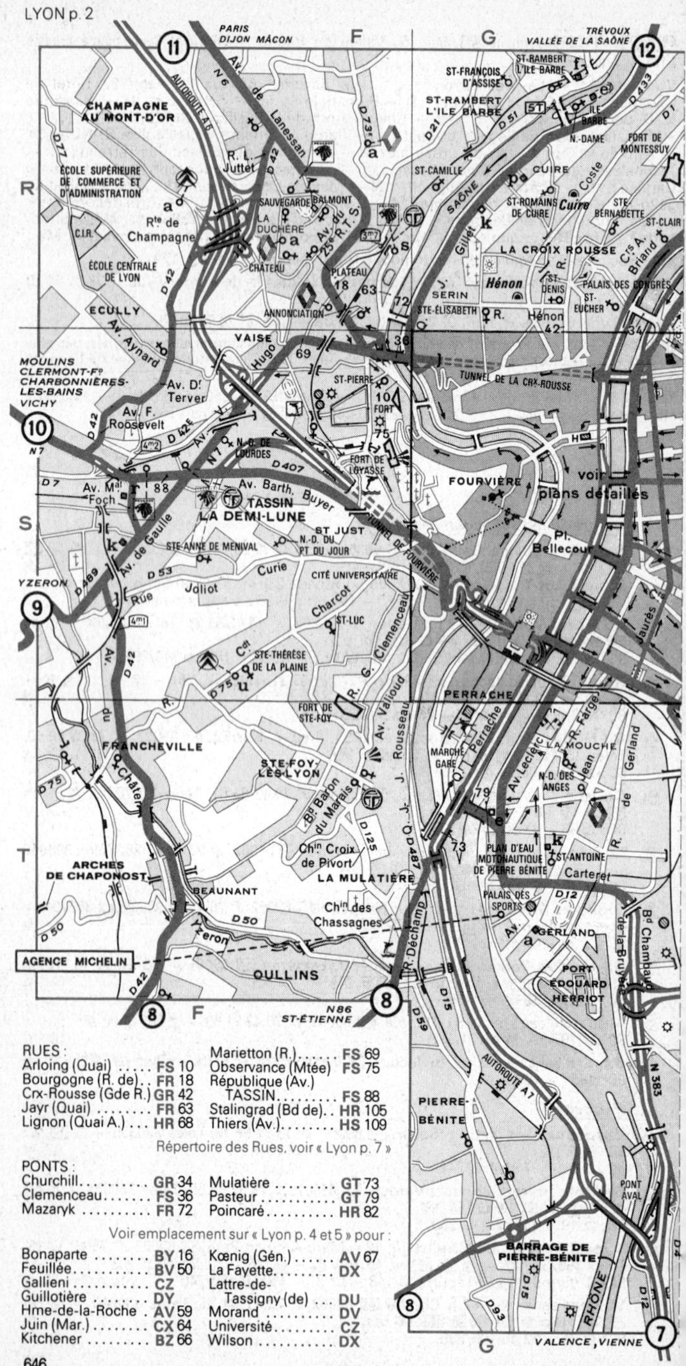

RUES :

- Arloing (Quai) ..... FS 10
- Bourgogne (R. de).. FR 18
- Crx-Rousse (Gde R.) GR 42
- Jayr (Quai) .... FR 63
- Lignon (Quai A.) ... HR 68
- Marietton (R.)...... FS 69
- Observance (Mtée) FS 75
- République (Av.) TASSIN.......... FS 88
- Stalingrad (Bd de).. HR 105
- Thiers (Av.)........ HS 109

Répertoire des Rues, voir « Lyon p. 7 »

PONTS :

- Churchill.......... GR 34
- Clemenceau....... FS 36
- Mazaryk .... FR 72
- Mulatière .... GT 73
- Pasteur .... GT 79
- Poincaré.......... HR 82

Voir emplacement sur « Lyon p. 4 et 5 » pour :

- Bonaparte .... BY 16
- Feuillée............ BV 50
- Gallieni .... CZ
- Guillotière .... DY
- Hme-de-la-Roche . AV 59
- Juin (Mar.) .... CX 64
- Kitchener .... BZ 66
- Kœnig (Gén.) ...... AV 67
- La Fayette......... DX
- Lattre-de-Tassigny (de) ... DU
- Morand .... DV
- Université......... CZ
- Wilson .... DX

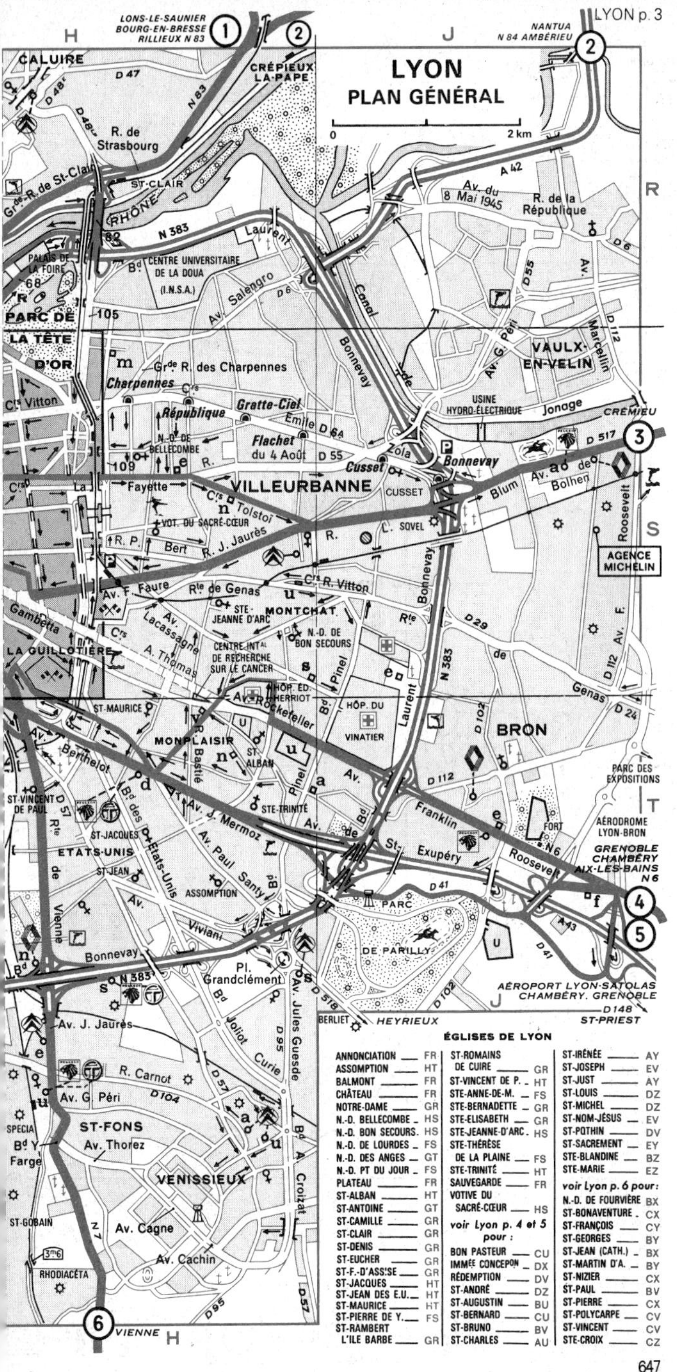

ÉGLISES DE LYON

ANNONCIATION — FR
ASSOMPTION — HT
BALMONT — FR
CHÂTEAU — FR
NOTRE-DAME — GR
N.-D. BELLECOMBE — HS
N.-D. BON SECOURS. HS
N.-D. DE LOURDES — FS
N.-D. DES ANGES — GT
N.-D. PT DU JOUR — FS
PLATEAU — FR
ST-ALBAN — HT
ST-ANTOINE — GT
ST-CAMILLE — GR
ST-CLAIR — GR
ST-DENIS — GR
ST-EUCHER — GR
ST-F.-D'ASS.SE — GR
ST-JACQUES — HT
ST-JEAN DES E.U. — HT
ST-MAURICE — HT
ST-PIERRE DE Y. — FS
ST-RAMBERT L'ILE BARBE — GR
ST-ROMAINS DE CUIRE — GR
ST-VINCENT DE P. — HT
STE-ANNE-DE-M. — FS
STE-BERNADETTE — GR
STE-ELISABETH — GR
STE-JEANNE-D'ARC. HS
STE-THÉRÈSE DE LA PLAINE — FS
STE-TRINITÉ — HT
SAUVEGARDE — FR
VOTIVE DU SACRÉ-CŒUR — HS

voir Lyon p. 4 et 5 pour :

BON PASTEUR — CU
IMMÉE CONCEPON — DX
RÉDEMPTION — DV
ST-ANDRÉ — DZ
ST-AUGUSTIN — BU
ST-BERNARD — CU
ST-BRUNO — BV
ST-CHARLES — AU
ST-IRÉNÉE — AY
ST-JOSEPH — EV
ST-JUST — AY
ST-LOUIS — DZ
ST-MICHEL — DZ
ST-NOM-JÉSUS — EV
ST-POTHIN — DV
ST-SACREMENT — EY
STE-BLANDINE — BZ
STE-MARIE — EZ

voir Lyon p. 6 pour :

N.-D. DE FOURVIÈRE BX
ST-BONAVENTURE. CX
ST-FRANÇOIS — CY
ST-GEORGES — BY
ST-JEAN (CATH.) — BX
ST-MARTIN D'A. — BY
ST-NIZIER — CX
ST-PAUL — BV
ST-PIERRE — CX
ST-POLYCARPE — CV
ST-VINCENT — CV
STE-CROIX — CZ

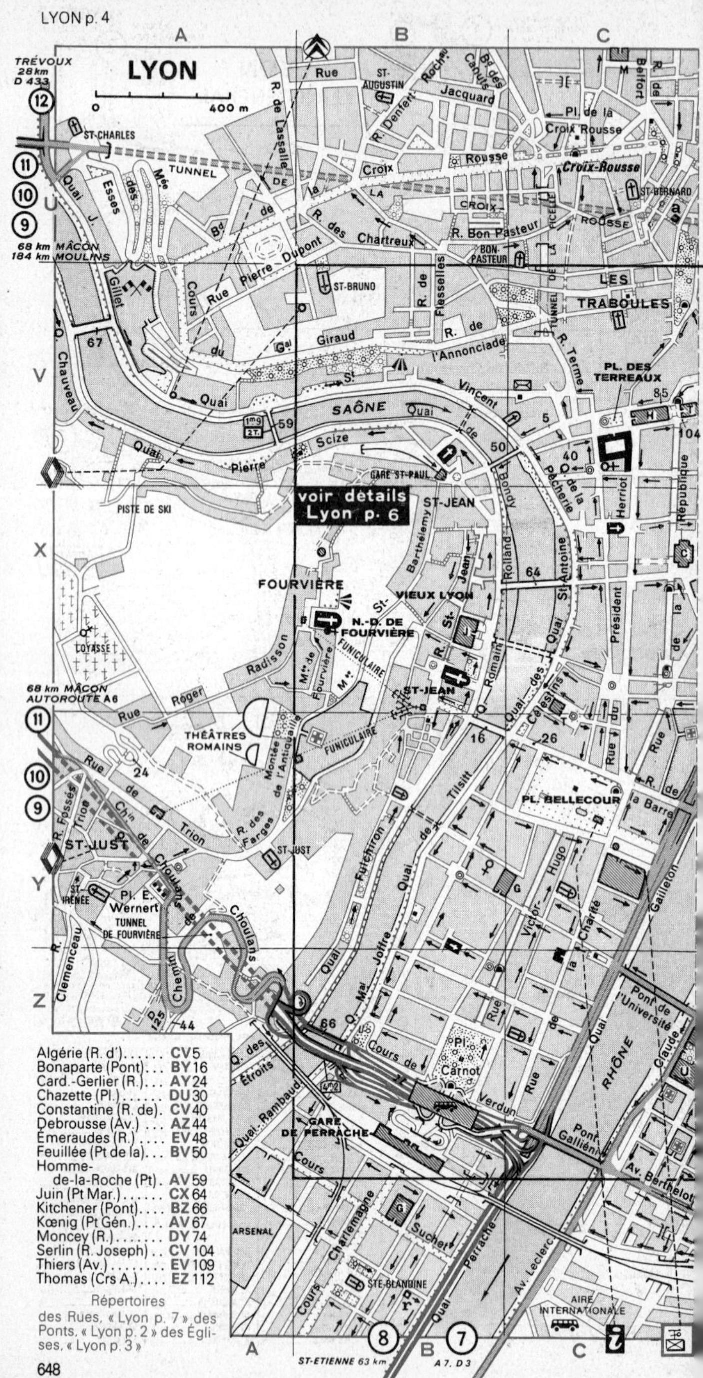

Répertoires des Rues, « Lyon p. 7 » des Ponts, « Lyon p. 2 » des Églises, « Lyon p. 3 »

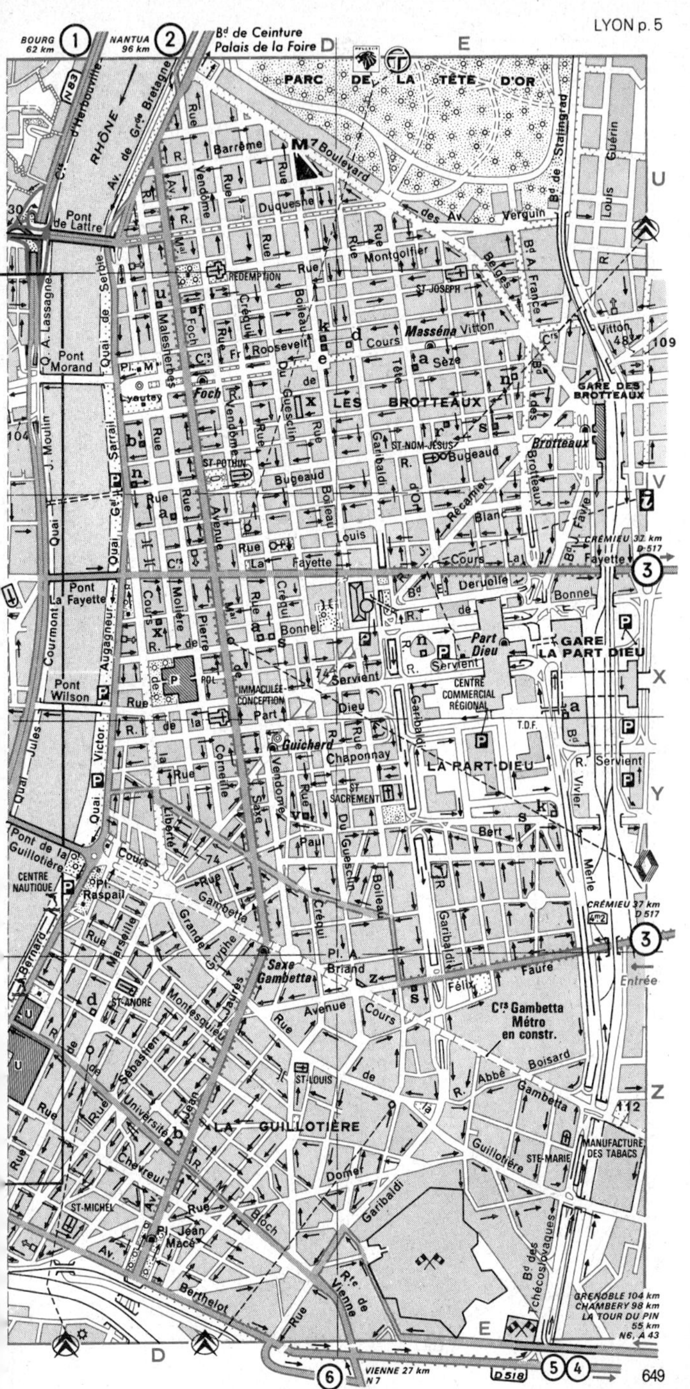
BOURG 62 km
NANTUA 96 km
Bd de Ceinture
Palais de la Foire
PARC DE LA TÊTE D'OR
RHÔNE
LES BROTTEAUX
GARE DES BROTTEAUX
GARE LA PART DIEU
CENTRE COMMERCIAL RÉGIONAL
LA PART-DIEU
LA GUILLOTIÈRE
MANUFACTURE DES TABACS
CRÉMIEU 37 km D 517
GRENOBLE 104 km
CHAMBERY 98 km
LA TOUR DU PIN 55 km
N6, A 43
VIENNE 27 km N 7
Crs Gambetta Métro en constr.
Entrée

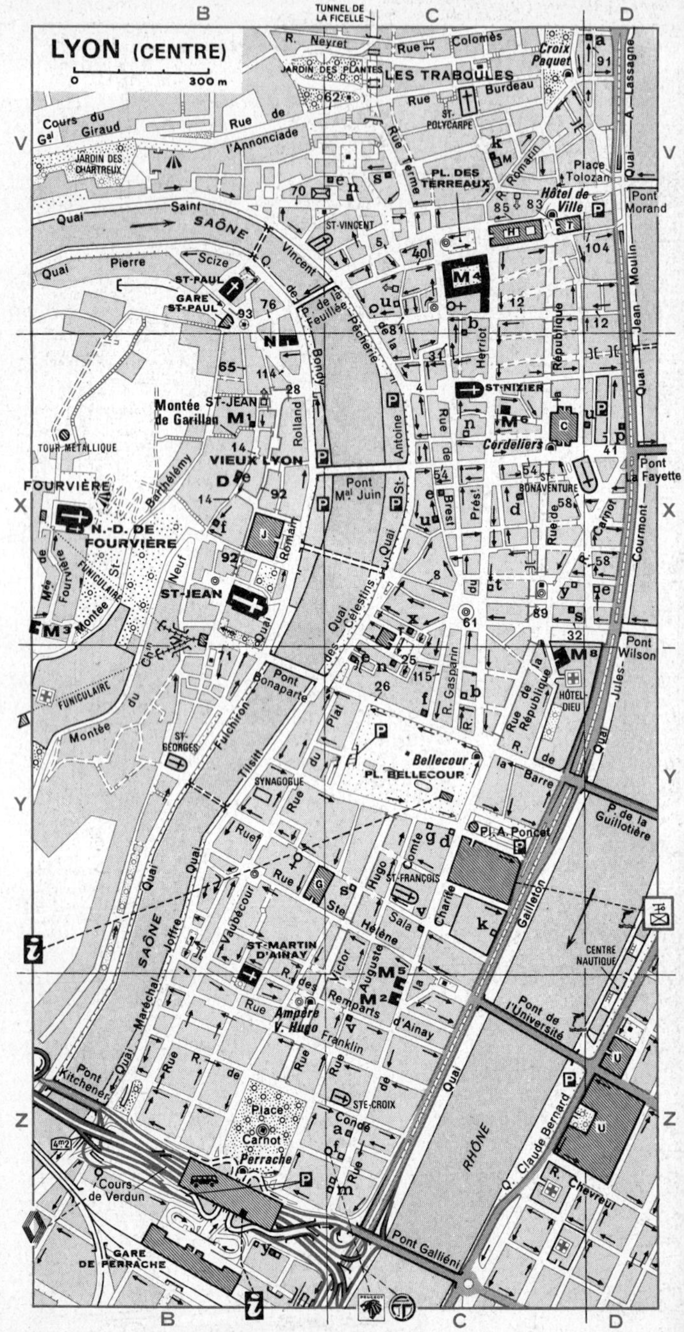
LYON (CENTRE)
0
300 m
TUNNEL DE LA FICELLE
JARDIN DES PLANTES
LES TRABOULES
Croix Paquet
PL. DES TERREAUX
Hôtel de Ville
Pont Morand
SAÔNE
ST-PAUL
GARE ST-PAUL
Montée de Garillan
VIEUX LYON
FOURVIÈRE
N.-D. DE FOURVIÈRE
TOUR MÉTALLIQUE
ST-NIZIER
Cordeliers
ST-BONAVENTURE
Pont La Fayette
Pont Mal Juin
ST-JEAN
FUNICULAIRE
Pont Bonaparte
Pont Wilson
HÔTEL-DIEU
ST-GEORGES
SYNAGOGUE
PL. BELLECOUR
Bellecour
Pl. A. Poncet
P. de la Guillotière
ST-FRANÇOIS
CENTRE NAUTIQUE
ST-MARTIN D'AINAY
Pont de l'Université
Pont Kitchener
STE-CROIX
Place Carnot
Perrache
Cours de Verdun
GARE DE PERRACHE
RHÔNE
Pont Galliéni

RÉPERTOIRE DES RUES DU PLAN DE LYON

Guillotière (Gde-R.) . p. 5 EZ
Jaurès (Av. Jean) . . . p. 5 DZ
La Part-Dieu . . . . . . p. 5 EY
République (R.) . . . . p. 6 CX
Terme (R.) . . . . p. 6 CV
Victor-Hugo (R.) . . . . p. 6 CY
Vitton (Cours) . . . . . . p. 5 EV

Abbé-Boisard (R.) . . p. 5 EZ
Alnay (Remp. d') . . . p. 6 CZ
Albon (Pl.) . . . . p. 6 CX 4
Algérie (R. d') . . . . . . p. 6 CV 5
Ambroise-Croizat (Bd) . . . . . . p. 3 HT
Anc.-Préfect. (R) . . . p. 6 CX 8
Annonciade (R.) . . . . p. 6 BV
Antiquaille (Mtée) . . p. 4 AY
Arloing (Quai) . . . . . . p. 2 FS 10
Augagneur (Quai) . . p. 5 DX
Aynard (Av. E.) . . . . . p. 2 FS
Baron-du-Marais (Bd) . . . p. 2 FT
Barre (R. de la) . . . . . p. 6 CY
Barrême (R.) . . . . p. 5 DU
Bastié (R. M.) . . . . . . p. 3 HT
Bât-d'Argent (R.) . . . p. 6 CV 12
Belfort (R. de) . . . . . . p. 4 CU
Belges (Bd des) . . . . p. 5 EU
Bellecour (Pl.) . . . . . . p. 6 CY
Berthelot (Av.) . . . . . p. 5 DZ
Bloch (R. Marc) . . . . p. 5 DZ
Blum (R. Léon) . . . . . p. 3 JS
Bœuf (R. du) . . . . p. 6 BX 14
Boileau (R.) . . . . p. 5 DV
Bolhen (Av. de) . . . . p. 3 JS
Bondy (Quai de) . . . . p. 6 BX
Bonnel (R. de) . . . . . p. 5 DX
Bonnevay (Bd L.) . . . p. 3 JS
Bon-Pasteur (R.) . . . p. 4 CU
Bourgogne (R. de) . . p. 2 FR 18
Brest (R. de) . . . . p. 6 CX
Briand (Pl. A.) . . . . . . p. 5 EZ
Briand (Crs A.) CUIRE . . . . p. 2 GR
Brotteaux (Bd des) . . p. 5 EV
Bugeaud (R.) . . . . . . p. 5 DV
Burdeau (R.) . . . . p. 6 CV
Buyer (Av. Barth.) . . . p. 2 FS
Cachin (Av. M.) . . . . p. 3 HT
Cagne (Av. J.) . . . . . . p. 3 HT
Canuts (Bd des) . . . . p. 4 BU
Card. Gerlier (R.) . . . p. 4 AY 24
Carnot (Pl.) . . . . p. 6 BZ
Carnot (R.) . . . . p. 6 DX
Carnot (R.) ST-FONS . . . . p. 3 HT
Carteret (Av. J.) . . . . p. 2 GT
Célestins (Pl. des) . . p. 6 CY 25
Célestins (Q. des) . . p. 6 CX
Chambaud-de-la-Bruyère (Bd) . . . . . p. 2 GT
Chambonnet (R.) . . . p. 6 CY 26
Champagne (Rte de) p. 2 FR
Change (Pl. du) . . . . p. 6 BX 28
Chaponnay (R.) . . . . p. 5 EY
Charcot (R. Cdt) . . . . p. 2 FS
Charité (R. de la) . . . p. 6 CY
Charlemagne (Crs) . p. 4 BZ
Charpennes (Gde R.) . . . . p. 3 HS
Chartreux (R. des) . . p. 4 BU
Chassagnes (Ch.) . . p. 2 FT
Châter (Av. du) . . . . . p. 2 FT
Chauveau (Quai) . . . . p. 4 AV
Chazette (Pl. L.) . . . . p. 5 DU 30
Ch.-Neuf (Montée) . p. 6 BX
Chenevard (R. P.) . . . p. 6 CX 31
Chevreul (R.) . . . . p. 6 DZ
Childebert (R.) . . . . . p. 6 CX 32
Choulans (Ch. de) . . p. 4 AY
Cl.-Bernard (Quai) . . p. 6 CZ
Clemenceau (R.) . . . p. 4 AZ
Colomès (R.) . . . . . . p. 6 CV
Comte (R. A.) . . . . . . p. 6 CY
Condé (R. de) . . . . . . p. 6 CZ
Constantine (R.) . . . . p. 6 CV 40
Cordeliers (Pl.) . . . . . p. 6 DX 41
Corneille (R. P.) . . . . p. 5 DY
Coste (R.) . . . . p. 2 GR
Courmont (Quai J.) . p. 6 DX
Créqui (R.) . . . . p. 5 DX
Crx-de-Pivort (Ch.) . . p. 2 FT
Croix-Rousse (Bd) . . p. 4 BU
Croix-Rousse (Gde-Rue) . . . . p. 2 GR 42
Croix-Rousse (Pl.) . . p. 4 CU
Debrousse (Av.) . . . . p. 4 AZ 44
Déchamp (R. S.) . . . p. 2 GT
Deruelle (Bd) . . . . . . p. 5 EX
Denf.-Roch. (R.) . . . . p. 4 BU
Dr-Terver (Av.) . . . . . p. 2 FS
Domer (R.) . . . . p. 5 EZ
Du-Guesclin (R.) . . . . p. 5 DV
Dupont (R. Pierre) . . p. 4 BU
Duquesne (R.) . . . . . p. 5 DU
Émeraudes (R. des) p. 5 EV 48
Esses (Montée des) p. 4 AU
États-Unis (Bd) . . . . p. 3 HT
Étroits (Quai des) . . . p. 4 AZ
Farges (R. des) . . . . . p. 4 AY
Farge (Bd Yves) . . . . p. 3 HT
Farge (R. Yves) . . . . p. 2 GT
Favre (Bd Jean) . . . . p. 5 EX
Félix-Faure (Av.) . . . p. 5 EZ
Flesselles (R. de) . . . p. 4 BV
Foch (Av. Mar.) . . . . p. 5 DV
Foch (Av. Mar.) TASSIN . . . . p. 2 FS
Fourvière (Mtée de) p. 6 BX
France (Bd A.) . . . . . p. 5 EV
Franklin (R.) . . . . p. 6 CZ
Fulchiron (Quai) . . . . p. 6 BY
Gailleton (Quai) . . . . p. 6 CY
Gambetta (Cours) . . p. 5 DY
Garibaldi (R.) . . . . . . p. 5 EX
Gasparin (R.) . . . . . . p. 6 CY
Gaulle (Av. de) . . . . . p. 2 FS
Genas (Rte de) . . . . . p. 3 JS
Gerland (R. de) . . . . . p. 2 GT
Gillet (Quai J.) . . . . . . p. 4 AU
Giraud (Crs Gén.) . . . p. 6 BV
Grandclément (Pl.) . p. 3 HT
Gde-Bretagne (Av.) . p. 5 DU
Grenette (R.) . . . . p. 6 CX 54
Grolée (R.) . . . . p. 6 DX 58
Gryphe (R. S.) . . . . . . p. 5 DZ
Guérin (R. L.) . . . . . . p. 5 EU
Guesde (Av. J.) VÉNISSIEUX . . . . p. 3 HT
Henon (R.) . . . . p. 2 GR
Herbouville (Crs d') . p. 5 DU
Jacobins (Pl. des) . . p. 6 CX 61
Jacquard (R.) . . . . . . p. 4 BU
Jardin-Plantes (R.) . . p. 6 CV 62
Jaurès (Av.) ST-FONS . . . . p. 3 HT
Jaurès (R. Jean) VILLEURBANNE . p. 3 HS
Jayr (Quai) . . . . p. 2 FR 63
J.-J.-Rousseau (Q.) . p. 2 FT
Joffre (Quai Mar.) . . p. 6 BZ
Joliot-Curie (R.) . . . . p. 2 FS
Joliot-Curie (Bd) VÉNISSIEUX . . . . p. 3 HT
Juiverie (R.) . . . . p. 6 BX 65
Juttet (R. L.) . . . . p. 2 FR
Lacassagne (Av.) . . . p. 3 HS
La-Fayette (Cours) . . p. 5 EX
Lanessan (Av. de) . . p. 2 FR
Lassagne (Quai A.) . p. 6 DV
Lassalle (R. Ph.-de) . p. 4 AU
Leclerc (Av.) . . . . p. 4 CZ
Liberté (Cours) . . . . . p. 5 DY
Lignon (Quai A.) . . . . p. 3 HR 68
Louis-Blanc (R.) . . . . p. 5 EX
Lyautey (Pl. Mar.) . . . p. 5 DV
Macé (Pl. Jean) . . . . p. 5 DZ
Malesherbes (R.) . . . p. 5 DV
Marcellin (Av. P.) . . . p. 3 JS
Marietton (R.) . . . . . . p. 2 FS 69
Marseille (R. de) . . . p. 5 DY
Martinière (R.) . . . . . p. 6 BV 70
Max (Av. Adolphe) . p. 6 BY 71
Merle (Bd Vivier) . . . p. 5 EY
Mermoz (Av. Jean) . p. 3 HT
Molière (R.) . . . . p. 5 DX
Moncey (R.) . . . . p. 5 DY 74
Montesquieu (R.) . . . p. 5 DZ
Montgolfier (R.) . . . . p. 5 EU
Moulin (Quai J.) . . . . p. 6 DV
Neyret (R.) . . . . p. 6 BV
Observance (Mtée) . p. 2 FS 75
Octavio-Mey (R.) . . . p. 6 BV 76
Part-Dieu (R.) . . . . . p. 5 DX
Paul-Bert (R.) . . . . . . p. 5 EY
Pêcherie (Quai) . . . . p. 6 CX
Péri (Av. Gabriel) ST-FONS . . . . . . p. 3 HT
Péri (Av. Gabriel) VAULX-EN-V. . . p. 3 JR
Perrache (Quai) . . . . p. 4 BZ
Pinel (Bd) . . . . p. 3 HT
Plat (R. du) . . . . p. 6 BY
Platière (R. de la) . . p. 6 CV 81
Poncet (Pl. A.) . . . . . p. 6 CY
Pradel (Pl. Louis) . . . p. 6 CV 83
Prés.-Herriot (R.) . . . p. 6 CX
Puits-Gaillot (R.) . . . p. 6 CV 85
Radisson (R.) . . . . . . p. 4 AX
Rambaud (Quai) . . . . p. 4 AZ
Raspail (Pl.) . . . . p. 5 DY
Récamier (R. J.) . . . . p. 5 EX
République (Av.) TASSIN . . . . p. 2 FS 88
République (Pl.) . . . . p. 6 CX 89
République (R.) VAULX-EN-V. . . p. 3 JR
Rockefeller (Av.) . . . p. 3 HT
Romain-Rolland (Quai) . . p. 6 BX
Romarin (R.) . . . . p. 6 CV
Roosevelt (Crs F.) . . p. 5 DV
Roosevelt (Av. F.) BRON . . . . p. 3 JT
Roosevelt (Av. F.) DECINES . . . . . . p. 3 JS
Roosevelt (Av. F.) ECULLY . . . . p. 2 FS
Royale (R.) . . . . p. 6 DV 91
St-Antoine (Quai) . . p. 6 CX
St-Barthélemy (Mtée) . . . . p. 6 BX
St-Clair (Gde R.) . . . . p. 3 HR
St-Exupéry (Av.) . . . p. 3 JT
St-Jean (R.) . . . . p. 6 BX 92
St-Paul (Pl.) . . . . p. 6 BV 93
St-Vincent (Quai) . . . p. 6 BV
Ste-Hélène (R.) . . . . p. 6 CY
Sala (Rue) . . . . p. 6 CY
Salengro (Av. R.) VILLEURBANNE p. 3 JR
Santy (Av. Paul) . . . . p. 3 HT
Sarrail (Quai Gén.) . . p. 5 DV
Saxe (Av. Mar. de) . . p. 5 DY
Scize (Quai Pierre) . p. 6 BV
Serbie (Quai de) . . . p. 5 DV
Serlin (R. J.) . . . . p. 6 DV 104
Servient (R.) . . . . p. 5 DX
Sèze (R. de) . . . . p. 5 EV
Stalingrad (Bd de) . . p. 5 EU
Strasbourg (R. de) . . p. 3 HR
Suchet (Cours) . . . . . p. 4 BZ
Tchécoslovaques (Bd des) . . . . p. 5 EZ
Terreaux (Pl. des) . . p. 6 CV
Tête-d'Or (R.) . . . . . . p. 5 EV
Thiers (Av.) . . . . p. 5 EV 109
Thomas (Crs A.) . . . . p. 5 EZ 112
Thorez (Av. M.) . . . . . p. 3 HT
Tilsitt (Quai) . . . . p. 6 BY
Tolozan (Pl.) . . . . p. 6 DV
Tolstoï (Crs) . . . . p. 3 HS
Trion (R. de) . . . . p. 4 AY
Université (R.) . . . . . p. 5 DZ
Valioud (Av.) . . . . p. 2 FS
Vaubécour (R.) . . . . . p. 6 BY
Vendôme (R.) . . . . . . p. 5 DV
Verdun (Cours de) . . p. 6 BZ
Verguin (Av.) . . . . . . p. 5 EU
Vernay (R. Fr.) . . . . . p. 6 BX 114
V.-Hugo (Av.) TASSIN . . . . p. 2 FS
Vienne (Rte de) . . . . p. 5 EZ
Vitton (Crs Richard) . . . p. 3 JS
Viviani (Av.) . . . . p. 3 HT
Wernert (Pl. E.) . . . . p. 4 AY
Zola (R. Émile) . . . . . p. 6 CY 115
Zola (Cours Émile) VILLEURBANNE p. 3 JS
4-Août (R. du) . . . . . . p. 3 JS
8-Mai-1945 (Av.) . . . p. 3 JR
25e-R.T.S. (Av.) . . . . p. 2 FR

Répertoire des Ponts et des Églises, voir « Lyon p. 2 et 3 ».

Simplon sans rest, 11 r. Duhamel, ✉ 69002, ☎ 78 37 41 00 – ⎮ ⇨wc ⋒wc ☎
SC : **38 ch** ▭ 109/240. CZ **f**

des Savoies sans rest, 80 r. Charité, ✉ 69002, ☎ 78 37 66 94 – ⎮ ⋒wc ☎. ◑ VISA CZ **m**
fermé 24 au 31 déc. – SC : **46 ch** ▭ 92/221.

La Croix-Rousse : *voir emplacement sur Lyon p. 2*

Lyon Métropole M, 85 quai J-Gillet ✉ 69004 ☎ 78 29 20 20, Télex 380198, ⛱, ⛱, ✂ – ⎮ ▤ TV ☎ ♿ ⇨ P – 🎪 700. AE ◑ E VISA GR **k**
Les Eaux Vives R 105/155 – **Le Grill R** carte environ 105 ♂ – ▭ 25 – **119 ch** 313/365.

Les Brotteaux : *voir emplacements sur Lyon p. 5*

Roosevelt M sans rest, 25 r. Bossuet ✉ 69006, ☎ 78 52 35 67, Télex 300295 – ⎮ cuisinette ▤ TV ☎ ⇨ P – 🎪 60. AE ◑ E VISA DV **x**
SC : ▭ 25 – **87 ch** 252/315.

Olympique sans rest, 62 r. Garibaldi ✉ 69006 ☎ 78 89 48 04 – ⎮ ⇨wc ⋒wc ☎. VISA EV **d**
SC : ▭ 15,50 – **23 ch** 161/178.

Britania sans rest, 17 r. Prof.-Weill, ✉ 69006, ☎ 78 52 86 52 – ⎮ ⇨wc ⋒wc ☎
SC : ▭ 16,50 – **22 ch** 161/190. EV **n**

La Part-Dieu : *voir emplacements sur Lyon p. 5*

Frantel M, 129 r. Servient (32e étage) ✉ 69003 ☎ 78 62 94 12, Télex 380088, ≤ Lyon, vallée du Rhône – ⎮ ▤ TV ☎ ♿ ⇨ – 🎪 300. AE ◑ E VISA EX **n**
SC : rest. **L'Arc-en-Ciel** *(fermé 12 juil. au 19 août, lundi midi et dim.)* **R** carte 185 à 245 – **La Ripaille** (Grill) (rez de chaussée) *(fermé vend. soir et sam.)* **R** 69/115 ♂ – ▭ 45 – **242 ch** 475/600.

Mercure M, 47 bd Vivier-Merle ✉ 69003 ☎ 72 34 18 12, Télex 306469 – ⎮ ▤ TV ☎ ♿ ⇨ – 🎪 150. AE ◑ E VISA EX **a**
R carte environ 120 ♂ – ▭ 33 – **124 ch** 330/380.

Athéna La Part-Dieu M sans rest., 45 bd Vivier-Merle ✉ 69003 ☎ 72 33 70 04, Télex 306412 – ⎮ ⇨wc ☎ ⇨. VISA EX **a**
SC : ▭ 24 – **122 ch** 230/245.

Créqui M sans rest, 158 r. Créqui ✉ 69003 ☎ 78 60 20 47 – ⎮ TV ⇨wc ☎. VISA
SC : ▭ 26 – **28 ch** 228/262. DX **s**

Ibis, pl. Renaudel ✉ 69003 ☎ 78 95 42 11, Télex 310847, ⛱ – ⎮ TV ⇨wc ☎ ♿ ⇨ – 🎪 40. E VISA EY **k**
SC : **R** 60/70 ♂ – ▭ 19,50 – **144 ch** 202/247.

La Guillotière : *voir emplacements sur Lyon p. 5*

Gd H. Helder et Institut sans rest, 38 r. de Marseille ✉ 69007 ☎ 78 72 09 39, Télex 306411 – ⎮ TV ⇨wc ⋒wc ☎. AE ◑ VISA DZ **d**
SC : – **110 ch** ▭ 195/240.

Urbis Université M sans rest, 51 r. Université, ✉ 69007, ☎ 78 72 78 42, Télex 340455 – ⎮ ▤ TV ⇨wc ⋒wc ☎ ⇨ P. AE ◑ E VISA DZ **b**
SC : ▭ 26 – **53 ch** 234/268.

Columbia sans rest, 8 pl. A.-Briand, ✉ 69003, ☎ 78 60 54 65 – ⎮ ▤ TV ⇨wc ⋒wc ☎ ⇨. AE ◑ E VISA EZ **z**
SC : ▭ 22 – **66 ch** 185/210.

Gerland : *voir emplacements sur Lyon p.2*

Mercure M, 70 av. Leclerc ✉ 69007 ☎ 78 58 68 53, Télex 305484, ⛱, ⛱ – ⎮ ▤ TV ☎ ♿ ⇨ – 🎪 450. AE ◑ E VISA GT **e**
R carte environ 120 ♂ – ▭ 32 – **194 ch** 330/450.

Ibis M, 68 av. Leclerc ✉ 69007 ☎ 78 58 30 70, Télex 305483, ⛱, ⛱ – ⎮ ▤ rest TV ⇨wc ☎ ♿ ⇨ – 🎪 35. E VISA GT **e**
SC : **R** carte environ 85 – ▭ 25 – **129 ch** 233/276.

Monchat-Monplaisir : *voir emplacements sur Lyon p. 3*

Park H. P.L.M M, 4 r. Prof.-Calmette, ✉ 69008, ☎ 78 74 11 20, Télex 380230, ⛱ – ⎮ TV ☎ ⇨ – 🎪 30. AE ◑ VISA HT **v**
SC : **le Patio** *(fermé sam., dim. et fériés)* **R** 85 bc – ▭ 30 – **70 ch** 275/320.

Lyon-Est M sans rest, 104 rte Genas, ✉ 69003, ☎ 78 54 64 53 – ⎮ ▤ TV ⇨wc ⋒wc ☎ ⇨ P. AE ◑ E VISA HS **u**
SC : ▭ 23 – **42 ch** 130/270.

Lacassagne sans rest, 245 av. Lacassagne, ✉ 69003, ☎ 78 54 09 12 – ⎮ ▤ TV ⇨wc ⋒ ☎ ⇨. AE ◑ E HS **s**
SC : ▭ 16 – **40 ch** 111/207.

Laennec ⛰ sans rest, 36 r. Seignemartin, ✉ 69008, ☎ 78 74 55 22 – TV ⇨wc ☎ ⇨. VISA HT **n**
SC : ▭ 25 – **14 ch** 237/330.

à Villeurbanne : voir emplacements sur Lyon p. 3

Congrès et rest le Grand Camp. M, pl. Cdt Rivière ✉ 69100 Villeurbanne ✆ 78 89 81 10, Télex 370216 – |$| ▤ TV ☎ – 120. AE ⓓ E VISA HS **m**
R *(fermé dim. et fériés)* 63/155 – 20 – **132 ch** 250.

Athena-Tolstoï, 90 cours Tolstoï ✉ 69100 Villeurbanne ✆ 78 68 81 21, Télex 330574 – |$| wc ☎ P – 200. VISA. rest HS **n**
SC : **R** *(fermé sam. et dim.)* 70/106 – 19 – **137 ch** 190/231.

Alsace sans rest, 15 cours Tolstoï ✉ 69100 Villeurbanne ✆ 78 84 97 04 – |$| wc wc ☎. AE ⓓ E VISA HS **e**
fermé août – SC : 17 – **32 ch** 110/190.

Restaurants

Sauf indication spéciale, voir emplacements sur Lyon p. 6

XXXXX ✿✿✿ **Paul Bocuse,** pont de Collonges N : 12 km par bords Saône (D433, D51) ✉ 69660 Collonges-au-Mont-d'Or, ✆ 78 22 01 40, Télex 375382, « Elégante installation » – ▤ P. AE ⓓ VISA Lyon p. 2 GR
R 280/400 et carte
Spéc. Soupe aux truffes noires, Loup farci à la mousse de homard, Volaille de Bresse en vessie. **Vins** Pouilly-Fuissé, Brouilly.

XXX ✿ **Tour Rose** (Chavent), 16 r. Boeuf, ✉ 69005, ✆ 78 37 25 90, « Maison du 17e s. dans le vieux Lyon » – ▤. AE ⓓ E VISA BX **e**
fermé dim. – **R** 180/350
Spéc. Saumon mi-cuit au fumoir, Bisque d'oursins, Noisettes d'agneau rôties. **Vins** St-Véran, Brouilly.

XXX ✿✿ **Orsi,** 3 pl. Kléber, ✉ 69006, ✆ 78 89 57 68, Télex 305965, « Décor élégant » – ▤. AE VISA Lyon p. 5 DV **e**
fermé août, sam. du 1er mai au 31 juil., dim. et fêtes – SC : **R** 180/260 et carte
Spéc. Aiguillettes de canard aux champignons, Filets de sandre en papillote, Pigeonneau de Bresse en cocotte. **Vins** St-Véran, St-Amour.

XXX ✿✿ **Vettard,** 7 pl. Bellecour, ✉ 69002, ✆ 78 42 07 59 – ▤. AE ⓓ VISA CY **f**
fermé 19 juil. au 18 août, sam. soir en juin, juil. et dim. – **R** (au rest.) 210/300 et carte - **Café Neuf R** carte environ 125
Spéc. Loup à l'huile d'olive et vinaigre de Xérès, Quenelle de brochet, Poulet de Bresse en chemise. **Vins** Chiroubles, Mâcon Vire..

XXX ✿ **Henry,** 27 r. Martinière, ✉ 69001, ✆ 78 28 26 08, fresques murales – ▤ CV **n**

XXX ✿✿ **Nandron,** 26 quai J.-Moulin, ✉ 69002, ✆ 78 42 10 26 – ▤. AE ⓓ E VISA
fermé 26 juil. au 24 août, vend. soir et sam. – **R** 150/300 et carte DX **p**
Spéc. Quenelles de brochet, Terrine de champignons, Ris de veau aux truffes. **Vins** Brouilly, St-Véran.

XXX ✿ **Bourillot,** 8 pl. Célestins, ✉ 69002, ✆ 78 37 38 64 – ▤. AE ⓓ VISA CY **n**
fermé 30 juin au 29 juil., 24 déc. au 2 janv., dim. et fériés – **R** 150/200
Spéc. Homard sauté en escabèche, Volaille de Bresse Marie, Soufflé glacé au chocolat. **Vins** Côteaux du Lyonnais.

XXX ✿✿ **Léon de Lyon** (Lacombe), 1 r. Pleney, ✉ 69001, ✆ 78 28 11 33, « Ambiance Lyonnaise » – ▤. VISA CVX **b**
fermé 23 déc. au 8 janv., lundi midi, dim. et fériés – **R** 150/310 et carte
Spéc. Filets de rouget poêlés, Chartreuse de ris de veau aux choux, Aile de poularde farcie au foie gras. **Vins** Beaujolais-Villages, Mâconnais.

XXX ✿ **Mère Brazier,** 12 r. Royale, ✉ 69001, ✆ 78 28 15 49, « Ambiance Lyonnaise » – ▤. AE ⓓ VISA DV **a**
fermé août, sam. midi et dim. – **R** (▤ 1er étage) 175/200
Spéc. Fonds d'artichaut au foie gras, Quenelle au gratin, Volaille demi-deuil. **Vins** St.-Joseph, Montagnieu.

XXX ✿ **Aub. de Fond-Rose** (Brunet), 23 quai Clemenceau, ✉ 69300, Caluire ✆ 78 29 34 61, , « Jardin » – P. AE ⓓ E VISA Lyon p. 2 GR **p**
fermé fév., lundi du 1er oct. au 30 avril et dim. soir – **R** 165/320
Spéc. Marinade de rouget, Filet de loup aux herbes, Cuisses de canard aux poires. **Vins** St-Véran, Brouilly.

XXX **Cazenove,** 75 r. Boileau ✉ 69006 ✆ 78 89 82 92 – ▤. AE VISA Lyon p. 5 DV **k**
fermé août, sam. et dim. – SC : **R** carte 140 à 240.

XXX ✿ **Daniel et Denise** (Léron), 2 r. Tupin, ✉ 69002, ✆ 78 37 49 98 – ▤. AE ⓓ VISA
fermé août, dim., lundi midi et fêtes – **R** 115/300 CX **e**
Spéc. Terrine de homard, Gratin de queues d'écrevisses (juil. à avril), Filet d'agneau en croûte. **Vins** Chiroubles, St-Joseph.

XXX **Le Rocher,** quartier St-Rambert, 8 quai R.-Carrié, ✉ 69009, ✆ 78 83 99 72, – P. VISA Lyon p.2 GR **f**
fermé 12 août au 2 sept., 24 déc. au 6 janv., sam. (sauf le soir de mai à oct.) et dim. – SC : **R** 103/243.

XXX ✿ **Le Quatre Saisons** (Bertoli), 15 r. Sully ✉ 69006 ✆ 78 93 76 07 – ▤. AE ⓓ VISA Lyon p. 5 DV **u**
fermé août, sam. sauf le soir du 1er août au 31 mai, dim. et fériés – **R** 150/210
Spéc. Foie gras, Rognon de veau cuit dans sa graisse, Nougatine glacée. **Vins** Chiroubles, St Véran.

XXX ✿ **Les Fantasques,** 47 r. Bourse, ✉ 69002, ✆ 78 37 36 58 – ▤. AE VISA DX **u**
fermé 9 au 25 août et dim. – **R** 145/250
Spéc. Terrine de homard, Rouget en papillote, St.-Jacques. **Vins** Mâcon, Brouilly.

XX **Le Gourmandin,** 156 r. P.-Bert ✉ 69003 ☎ 78 62 78 77 – ▤. AE ⓓ VISA
fermé 25 juil. au 28 août, sam., dim. et fériés – SC : **R** 108/240. Lyon p. 5 EY **s**

XX ✿ **Chez Gervais** (Lescuyer), 42 r. P.-Corneille, ✉ 69006, ☎ 78 52 19 13 – ▤. AE ⓓ E VISA Lyon p. 5 DX **a**
fermé juil., sam. du 1er mai au 15 sept., dim. et fêtes – SC : **R** 135/350
Spéc. Salade de ris de veau, Fricassée de volaille au vinaigre de framboises, Coupe Florence. **Vins** Chiroubles, St-Joseph.

XX **Tante Alice,** 22 r. Remparts-d'Ainay, ✉ 69002, ☎ 78 37 49 83 – ▤. AE CZ **v**
fermé Pâques, 18 juil. au 25 août, 25 déc. au 2 janv., vend. soir et sam. – **R** 64/140 ♁.

XX **Chevallier,** 40 r. du Sergent-Blandan, ✉ 69001, ☎ 78 28 19 83 – VISA CV **s**
fermé sept., 15 au 27 fév., mardi et merc. – SC : **R** 74/134.

XX **la Soupière,** 14 r. Molière ✉ 69006 ☎ 78 52 75 34 – VISA Lyon p. 5 DV **b**
fermé août, 24 déc. au 2 janv., dim. et lundi – SC : **R** 90/160.

XX Garioud, 14 r. Palais Grillet ✉ 69002 ☎ 78 37 04 71 – ▤ CX **d**

XX **Léonard-Vanotti,** 2 r. Stella ✉ 69002 ☎ 78 37 43 76 – ▤. AE VISA CX **s**
fermé 13 au 31 juil., vacances de fév., lundi midi et dim. – SC : **R** 100/220.

XX **Les Grillons,** 18 r. D.-Vincent à **Champagne-au-Mont-d'Or** par ⑪, ✉ 69410 Champagne, ☎ 78 35 04 78, ☂ – ⓟ. AE ⓓ E VISA
fermé 3 au 21 nov., dim. soir et lundi – **R** 95/179.

XX **Au Petit Col,** 68 r. Charité, ✉ 69002, ☎ 78 37 25 18 – ▤. AE VISA CZ **a**
fermé 19 juil. au 18 août, 24 déc. au 2 janv., dim. soir et lundi – SC : **R** 71/134.

XX **Christian Grisard,** 158 r. Cuvier ✉ 69006 ☎ 78 24 77 98 – VISA Lyon p.5 EV **r**
fermé 3 août au 1er sept., dim. et lundi – SC : **R** 98/220.

XX ✿ **Fédora** (Judeaux), 249 r. M. Mérieux ✉ 69007 ☎ 78 69 46 26, ☂, ☂ – AE ⓓ E VISA Lyon p. 2 GT **k**
fermé sam. midi et dim. – **R** 95/159 ♁.

XX **J.-C.-Pequet,** 59 pl. Voltaire ✉ 69003 ☎ 78 95 49 70 – AE ⓓ E VISA
fermé 15 au 31 juil., 24 déc. au 2 janv., sam. et dim. – SC : **R** 85/125. Lyon p. 5 DY **v**

XX **La Pastourelle,** 51 r. Tête-d'Or, ✉ 69006, ☎ 78 24 90 89 – AE ⓓ VISA
fermé août, sam. (sauf le soir d' oct. à avril), dim.et fêtes – SC : **R** 100/135. Lyon p. 5 EV **a**

XX **Aub. de l'Ile,** quartier St-Rambert, Ile Ste-Barbe ✉ 69009 ☎ 78 83 99 49 – ⓟ. VISA. ❀ Lyon p. 2 GR **e**
fermé du 8 au 22 sept., 19 janv. au 2 fév., dim. soir et lundi – SC : **R** 97/170 ♁.

XX **Michel Froidevaux,** 3 r. Bugeaud ✉ 69006 ☎ 78 24 49 51 – VISA
fermé 14 juil. au 15 août, dim. et lundi – SC : **R** 78/160. Lyon p. 5 DV **n**

XX **Chez Rose,** 4 r. Rabelais, ✉ 69003, ☎ 78 60 57 25 – ▤. AE ⓓ E VISA. ❀
fermé dim. – SC : **R** 88/139. Lyon p. 5 DX **x**

XX **La Mère Vittet, Brasserie Lyonnaise** ouvert jour et nuit, 26 cours Verdun, ✉ 69002, ☎ 78 37 20 17, Télex 305559 – ▤. AE ⓓ E VISA BZ **y**
R 75/165 ♁.

XX **La Tassée,** 20 r. Charité, ✉ 69002, ☎ 78 37 02 35 – ⓓ VISA CY **v**
fermé 24 déc. au 3 janv. et dim. – **R** 75/165 ♁.

XX **Argenson,** 90 av. Tony Garnier, ✉ 69007 ☎ 78 72 64 53, ☂ – ⓟ. E VISA GT **a**
fermé 14 août au 2 sept. et dim. – SC : **R** (déj. seul.) 65/180.

XX **La Voûte,** 11 pl. A.-Gourju, ✉ 69002, ☎ 78 42 01 33 – ▤. AE ⓓ CY **e**
fermé 5 au 28 juil. et dim. – SC : **R** 76/118.

X **Chez Jean-François,** 2 pl. Célestins ✉ 69002 ☎ 78 42 08 26 – CX **x**
fermé à Pâques, 25 juil. au 25 août, dim. et fériés – SC : **R** 59/95 ♁.

X **Cortassa,** 20 r. Sully ✉ 69006 ☎ 78 89 07 09 – AE ⓓ E VISA Lyon p.5 DV **f**
fermé 4 au 18 août, sam., dim. et fériés – SC : **R** 110.

X **Boeuf d'Argent,** 29 r. Boeuf, ✉ 69005, ☎ 78 42 21 12. VISA. ❀ BX **f**
fermé août, dim. (sauf le midi en hiver) et lundi – SC : **R** 66/110.

X **La Pinte à Gones,** 59 r. Ney, ✉ 69006, ☎ 78 24 81 75 – VISA Lyon p. 5 EV **s**
fermé 4 au 24 août, sam. midi et dim. – **R** 63/124.

X **La Bonne Auberge "Chez Jo",** 48 av. Félix-Faure, ✉ 69003, ☎ 78 60 00 57 – ▤. AE ⓓ VISA Lyon p. 5 EZ **s**
fermé août, sam. soir et dim. – SC : **R** 80/120.

X **Le Blandan,** 28 r. Sergent Blandan ✉ 69001 ☎ 78 28 76 43 – VISA CV **e**
fermé 15 juil. au 18 août, sam. midi et lundi – SC : 65/110.

X **Le Bistrot de Lyon,** 64 r. Mercière ✉ 69002 ☎ 78 37 00 62 – ▤. VISA CX **u**
fermé 23 déc. au 8 janv., sam. midi, dim. et fériés – **R** carte environ 130.

X **Pied de Cochon,** 9 r. St-Polycarpe, ✉ 69001, ☎ 78 28 15 31 – AE ⓓ VISA CV **k**
fermé août, sam. (sauf le soir hors sais.) et dim. – SC : **R** 83/195.

Environs

à Bron – 41 500 h. – ✉ **69500** Bron :

Novotel M, r. Lionel Terray ☎ 78 26 97 48, Télex 340781, 🌳, 🏊 – 🛗 ▤ TV ☎ ♿ P – 🏛 25 à 700. AE ◉ E VISA Lyon p. 3 JT **f**
R carte environ 115 🍷 – ☕ 35 – **196 ch** 312.

Hostel M, 36 av. Doyen Jean Lépine ☎ 78 54 31 34, Télex 330694 – 🛗 TV 🛁wc ☎ ♿ – 🏛 100. E VISA Lyon p. 3 JS **e**
SC : **R** 48/95 🍷 – ☕ 21 – **140 ch** 181/241.

Dau Ly 🐦 sans rest, 28 r. de Prévieux ☎ 78 26 04 37 – TV 🛁wc 🚿wc ☎ 🚗 P. AE VISA Lyon p. 3 JT **e**
SC : ☕ 18 – **22 ch** 162/225.

Lyon-Bron 🐦 sans rest, 7 r. Essarts ☎ 78 74 24 73 – 🛁wc 🚿wc ☎ P. VISA
SC : ☕ 14 – **40 ch** 138/190. Lyon p. 3 HJT **a**

à Pierre-Bénite – 9 469 h. – ✉ **69310** Pierre-Bénite :

Europe sans rest, 67 bd Europe ☎ 78 50 55 55 – 🛗 🛁wc 🚿wc ☎ P
SC : ☕ 14 – **34 ch** 117/170. Lyon p. 2 GT **b**

à Tassin-la-Demi-Lune 5 km par D 407 – 15 034 h. – ✉ **69160** Tassin-la-Demi-Lune :

XXX **Les Tilleuls,** 146 av. Ch.-de-Gaulle ☎ 78 34 19 58, 🌳 – P. AE VISA
fermé 16 au 26 août, vacances de fév., dim. soir et lundi sauf fériés – SC : **R** 85/210 🍷. Lyon p.2 FS **k**

XX **Chateaubriand,** 12 av. Mar.-Foch ☎ 78 34 15 64, 🌳, 🌲 – P. AE ◉ E VISA
fermé 24 au 31 mars, août, merc. soir, dim. soir et samedi – SC : **R** 72/220.
Lyon p.2 FS **r**

à Collonges-au-Mont-d'Or : voir Lyon p. 9

au Mont-Cindre N : 14 km par D 21 - GR – ✉ **69450** St-Cyr :

XX **Ermitage,** ☎ 78 47 20 96, ≤ Lyon et monts du Lyonnais, 🌳 – AE E VISA
fermé janv., fév., mardi et merc. – SC : **R** 80/200.

Par la sortie ① :

à Crépieux-la-Pape : 7 km par N 83 et N 84 – ✉ **69140** Rillieux-la-Pape :

XXX ✿ **Larivoire** (Constantin), ☎ 78 88 50 92, ≤, 🌳 – P. AE ◉ VISA
fermé 2 au 9 sept., 11 fév. au 4 mars, lundi soir et mardi – SC : **R** 125/210
Spéc. Huîtres chaudes au Montagnieu (sept. à avril), Fricassée de volaille au vinaigre, Pigeonneau aux raisins. **Vins** Montagnieu, Côteaux du Lyonnais.

à Sathonay-Camp N : 9 km par D 48 – ✉ **69580** Sathonay-Camp :

Val de Saône sans rest, 1 allée P.-Delorme ☎ 78 23 71 45 – 🛁wc 🚿 ☎ P
SC : ☕ 15,50 – **24 ch** 99/214.

Par la sortie ⑤ :

à St-Priest : 12 km par N 6 et D 148 - JT – 42 913 h. – ✉ **69800** St-Priest :

Moderne M, 64 rte Heyrieux ☎ 78 20 47 46 – 🛗 TV 🛁wc ☎ P. AE ◉ VISA
fermé août – SC : **R** voir rest. **Monnet** – ☕ 20 – **35 ch** 210/300.

X **Monnet,** 7 r. A.-Briand ☎ 78 20 15 19, 🌳 – P. AE ◉ VISA. 🐕
fermé août, sam. soir et dim. – SC : **R** 75/150 🍷.

à l'aérogare de Satolas : 27 km par A 43 – ✉ **69125** Lyon Satolas Aéroport :

Méridien M, 3e étage ☎ 78 71 91 61, Télex 380480, ≤ – 🛗 ▤ TV ☎ – 🏛 250. AE ◉ E VISA
SC : **R** voir rest. **La Gde Corbeille et Aub. Le Pichet** – ☕ 39 – **120 ch** 390/480.

XXX **La Gde Corbeille,** 1er étage ☎ 78 71 91 62, ≤ – ▤. AE ◉ VISA
fermé août et sam. – SC : **R** 155/190.

X **Aub. le Pichet** (brasserie), 1er étage ☎ 78 71 91 62 – ▤. VISA
SC : **R** 85 🍷.

Par la sortie ⑧

à Brignais 12 km par N 86 – 9 577 h. – ✉ **69530** Brignais :

Restotel des Barolles M, Route de Lyon ☎ 78 05 24 57, 🌲 – TV 🛁wc ☎ ♿ P. AE ◉ VISA. 🐕 ch
SC : **R** *(fermé 11 au 17 août, 22 déc. au 2 janv., lundi soir et dim.)* carte 140 à 190 🍷 – ☕ 20 – **13 ch** 180/190.

tourner →

Par la sortie ⑩ :

à Charbonnières-les-Bains : 8 km par N 7 – 3 973 h. alt. 240 – Stat. therm. – Casino – ✉ 69260 Charbonnières-les-Bains :

Mercure Ⓜ, N 7 ☎ 78 34 72 79, Télex 900972, – ▤ TV ⇔wc ☎ Ⓟ – 25 à 75. AE ⓓ E VISA
R _(fermé sam. et dim.)_ (dîner seul.) carte environ 120 – 27 – **60 ch** 229/275.

Beaulieu sans rest, 19 av. Gén.-de-Gaulle ☎ 78 87 12 04 – ⇔wc ☎ Ⓟ – 100. AE ⓓ
SC : 17,50 – **40 ch** 141/179.

XX **Gigandon,** 5 av. Gén.-de-Gaulle ☎ 78 87 15 51 – AE VISA
fermé août, 24 déc. au 1er janv., dim. soir et lundi – SC : **R** 75/190.

Par la sortie ⑪ :

Porte de Lyon - Échangeur A6 N 6 Sortie Limonest N : 10 km – ✉ 69570 Dardilly :

Novotel Lyon-Nord Ⓜ, ☎ 78 35 13 41, Télex 330962, – ▤ TV ☎ Ⓟ – 150. AE ⓓ E VISA
R carte environ 100 – 35 – **107 ch** 309/320.

Best Western Ⓜ, ☎ 78 35 70 20, Télex 900006, – ▤ TV ☎ Ⓟ – 350. AE ⓓ E VISA
SC : Grill la Braise **R** 80/250 – 39 – **204 ch** 320/450.

Mercure Ⓜ, ☎ 78 35 28 05, Télex 330045, – ▤ rest TV ☎ Ⓟ – 250. AE ⓓ E VISA
R carte environ 120 – 33 – **175 ch** 205/285.

Campanile, ☎ 78 35 48 44, Télex 310155 – TV ⇔wc ☎ Ⓟ. VISA
SC : **R** 61 bc/82 bc – 23 – **46 ch** 194/215.

XX **Le Panorama,** à Dardilly-le-Haut, face église, ✉ 69570 Dardilly, ☎ 78 47 40 19, – AE VISA
fermé juil., vacances de fév. dim. soir, lundi soir et mardi – SC : **R** 161/300.

Voir aussi ressource hôtelière de _Mionnay_ par ① : 20 km

MICHELIN, Agences régionales, r. Jean-Pierre Chevrot (7e) GT ☎ 78 69 49 48 et 42-44 av. R.-Salengro ZA Poudrette à Vaulx-en-Velin JS ☎ 72 37 33 63

1er Arrondissement

CITROEN Gar. Manutention, 8 quai St-Vincent AV ☎ 78 28 21 14
RENAULT Haond S.A.L.A. 12 pl. Chartreux BV ☎ 78 28 62 33

Demal, 19 quai St-Vincent ☎ 78 28 20 80

2e Arrondissement

PEUGEOT-TALBOT Gar. Duhamel, 9 r. Duhamel BCZ ☎ 78 42 01 67

RENAULT Gar. de Verdun, 6 cours Verdun BZ ☎ 78 37 26 31

3e Arrondissement

ALFA-ROMEO Marsonetto, 292 à 296 cours Lafayette ☎ 78 53 33 33
FORD Veyet, 82 bd Vivier-Merle ☎ 78 60 25 28
RENAULT Gar. Atlas, 29 r. de Bonnel DX ☎ 78 60 15 63
RENAULT, Bonhomme, 37 r. Bonnel DX a ☎ 78 60 53 00
TOYOTA S.I.D.A.T., 32-34 r. Danton ☎ 78 95 35 64
V.A.G. Gar. Bouteille, 195 av. Félix-Faure ☎ 78 54 13 24 N ☎ 78 69 22 22

V.A.G. Gacon, 85 r. P.-Corneille ☎ 78 60 94 13
VOLVO Filiale, 87-89 av. F.-Faure ☎ 78 95 40 04

Deshayes Pneus, 13 r. Louise ☎ 78 54 47 91
19 r. François-Garcin ☎ 78 95 25 74
Gaudry-Pneu, 43-45 Cours A.-Thomas, ☎ 78 53 25 73
Métifiot, 70 r. des Rancy ☎ 78 60 36 93
Piot-Pneu, 234 cours Lafayette ☎ 72 33 68 77

4e et 5e Arrondissements

RENAULT Gar. Choulans, 25 r. Basses-Verchères (5e) AY ☎ 78 36 24 11
Gar. Crotta, 44 quai J.-Gillet (4e) ☎ 78 29 81 38

Charcot-Pneus, 20 r. Jeunet (5e) ☎ 78 36 05 29
Métifiot, 5 pl. Tabareau ☎ 78 39 16 54

6e Arrondissement

BMW Gar. des Emeraudes, 192 av. Thiers ☎ 78 52 80 21
CITROEN Gar. Métropole, 115 r. Bugeaud EV ☎ 78 52 01 10 N ☎ 78 53 50 42
MERCEDES-BENZ Satal, 55 av. Mar. Foch ☎ 78 89 23 41

PEUGEOT-TALBOT S.L.I.C.A., 141 r. Vendôme DX ☎ 78 52 64 64

Briday-Pneus, 55 bd Brotteaux ☎ 78 52 04 89

7e Arrondissement

ALFA-ROMEO Gar. J.-Macé, 24 r. Renan ✆ 78 72 34 58
AUSTIN-ROVER Kennings, 70 à 76 r. Marseille ✆ 78 58 16 53
CITROEN Succursale, 35 r. Marseille DZ ✆ 78 69 81 84 **N** ✆ 78 72 13 99
CITROEN Montveneur, 212 Gde r. de la Guillotière EZ ✆ 78 72 31 25
FERRARI-JAGUAR STAL, 36 r. Université ✆ 78 72 31 13
FIAT Duchenaud, 56 rte de Vienne ✆ 78 72 37 34
FORD Galliéni-Automobiles, 47 av. Berthelot ✆ 78 72 02 27
HONDA-VOLVO Clamagirand, 32 r. Aguesseau ✆ 78 72 40 27
RENAULT Prost, 244 av. Jean-Jaurès GT ✆ 78 72 61 46

Boson, 31 r. Béchevelin ✆ 78 72 93 89
Gar. des Hirondelles Briday-Pneus, 190 av. Berthelot ✆ 78 72 41 76
Piot-Pneu, 70 r. C.-Marot ✆ 78 72 64 10

8e Arrondissement

LADA, SKODA Gar. Rockefeller, 16 av. Rockefeller ✆ 78 74 15 06
PEUGEOT-TALBOT Auto du Bachut, 322 av. Berthelot HT **d** ✆ 78 74 18 09

Métifiot, 71 av. J.-Mermoz ✆ 78 74 08 09
Tessaro-Pneus, 22 bis r. A.-Lumière ✆ 78 00 73 25

9e Arrondissement

ALFA-ROMEO-**OPEL** Marsonetto-Vaise, 79 r. Marietton ✆ 78 83 84 44
PEUGEOT, TALBOT S.L.I.C.A.-Duchère, 9 av. la Duchère FR ✆ 78 35 38 46
PEUGEOT, TALBOT SLICA, 6 r. J.-Carret FR **s** ✆ 78 83 95 40
RENAULT Succursale, 4 r. St-Simon FR ✆ 78 64 81 00
RENAULT Gar. de Rochecardon, 138 r. de St-Cyr FR **a** ✆ 78 83 71 15
V.A.G. Gar. Excelsior, 40 r. de Bourgogne ✆ 78 83 50 58

Briday-Pneus, 48 r. Bourgogne ✆ 78 83 77 76
Desfêtes-Pneus, 113 r. Marietton ✆ 78 83 76 95

Brignais

P.B.A. rte d'Irigny Zone Ind. Nord ✆ 78 05 33 04

Bron

FORD Gar. de l'Aviation, 127 av. F.-Roosevelt et 20 av. C.-Rousset ✆ 78 26 83 93
PEUGEOT Dunand, 250 av. F.-Roosevelt JT ✆ 78 26 06 53
RENAULT Faucon, 3 r. Alsace-Lorraine JT ✆ 78 26 80 17

S.N.D., 17 av. Salvador-Allendé ✆ 78 26 55 49

Caluire

CITROEN Auto-Gar. de Caluire, 2 av. L.-Dufour HR ✆ 78 23 24 54

Deshayes-Pneus, 134 Gde-Rue St-Clair ✆ 78 23 07 97

Dardilly

Briday-Pneus, Porte Lyon, Échangeur A6 N6, sortie Limonest Nord ✆ 78 35 58 50

Ecully

CITROEN Succursale, 5 r. J.-M.-Vianney FR **a** ✆ 78 33 52 00 **N** ✆ 78 69 22 22

Meyzieu

AUSTIN-ROVER Gar. Mortier, 118 r. République ✆ 78 04 10 11
PEUGEOT Gar. des Servizières, 116 r. de la République par ③ ✆ 78 31 40 59

Rillieux

BMW Gar. Maublanc, Zone Ind. ✆ 78 88 83 97 **N** ✆ 78 88 39 19
CITROEN Succursale, av. Hippodrome, Zone Ind. par D 48E HR ✆ 78 88 62 22
PEUGEOT-TALBOT Maunand, av. Hippodrome par D 48E HR ✆ 78 88 54 74

Saint-Fons

CITROEN Gar. J.-Jaurès, 52 av. J.-Jaurès HT **e** ✆ 78 70 94 61
PEUGEOT-TALBOT Gar. Centre, 12 av. G.-Péri HT **u** ✆ 78 70 94 62

Saint-Priest

CITROEN Gar. du Stade, 40 r. H.-Maréchal par D 518 JT ✆ 78 20 23 92
PEUGEOT-TALBOT Gar. Laval, 30 rte de Lyon par D 518 JT ✆ 78 20 07 85
RENAULT Bombagi, 37 rte d'Heyrieux par D 518 JT ✆ 78 20 19 59
RENAULT Gar. de Provence, 9 r. de Provence par D 518 JT ✆ 78 20 29 39

Comptoir du Pneu, 10 bis r. A.-Briand ✆ 78 20 29 28
Gar. des Hirondelles-Briday-Pneus 52 r. L.-Pradel Zone Ind. à Corbas ✆ 78 20 98 56
Gaudry-Pneu, 200 rte Grenoble ✆ 78 90 73 77

Sainte-Foy-lès-Lyon

CITROEN Gar. de la Plaine, 117 bis r. Cdt-Charcot FS **u** ✆ 78 59 62 15

Tassin-la-Demi-Lune

FIAT, LANCIA-AUTOBIANCHI Gar. D'Alaî, 223 av. Ch.-de-Gaulle ✆ 78 34 32 52
PEUGEOT-TALBOT Tassin Automobiles, 100 av. République FS ✆ 78 34 31 36
RENAULT Gar. Méjat, 11 pl. P.-Vauboin FSs ✆ 78 34 23 50

Jamet-Pneus, 142 av. De-Gaulle ✆ 78 34 33 00

Vaulx-en-Velin

FIAT Oliver, 29 r. Sigmund-Freud ✆ 78 80 68 43
PEUGEOT S.L.I.C.A., 38 av. de Bohlen JSa ✆ 72 37 13 13
RENAULT Succursale Lyon-Est, 52 av. de Bohlen JS ✆ 72 37 31 15

V.A.G. Gar. Excelsior, r. J.-M. Merle ✆ 78 80 68 93

Piot-Pneu, 178 av. R.-Salengro ✆ 72 37 54 35

Vénissieux

CITROEN Baroud, 346 av. Ch.-de-Gaulle HTs ✆ 78 74 23 40
CITROEN Gar. du Centre, 50-52 bd Laurent-Gérin HTu ✆ 72 50 09 61
CITROEN Gar. Galichet, 43 r. Carnot HTa ✆ 72 50 40 33
FIAT Molière, bd L.-Bonnevay ✆ 78 00 86 40
PEUGEOT-TALBOT S.L.I.C.A., 2 r. Frères-Bertrand HTs ✆ 78 00 33 34

RENAULT Succursale Lyon-Sud, 364 rte Vienne HTn ✆ 78 00 55 15 N

Métifiot, 55 av. J.-Guesde ✆ 78 74 32 23
Piot-Pneu, 69 r. A.-Sentuc, ZAC l'Arsenal ✆ 72 51 05 08

Villeurbanne

AUSTIN-ROVER Gar. de la Perralière, 206 r. du 4 août ✆ 78 84 71 30
CITROEN Badel, 38 r. F.-Chirat HS ✆ 78 54 58 50
MERCEDES-BENZ SALTA, 37 r. Verlaine ✆ 78 84 81 44
OPEL-GM-US Omnium-Gar., 95 r. Magenta ✆ 78 84 65 24
V.A.G. Bouteille, 92-102 cours E.-Zola ✆ 78 85 19 17

Comptoir du Pneu, 27 r. J.-Jaurès ✆ 78 54 84 53

Dorcier, r. du Boulevard ✆ 78 89 78 08
Engel, 5 r. J.-Jaurès ✆ 78 54 65 23
Ets Cintas, 10 r. Sylvestre ✆ 78 52 59 42
Lyon-Pneus, 68 cours E.-Zola ✆ 78 68 30 10
La Maison des Pneus, 42 à 46 r. A.-Perrin ✆ 78 53 28 52
Pneu-Shop, 263 r. F.-de-Pressensé ✆ 78 68 99 26
Rhône-Pneus, 80 cours Tolstoï ✆ 78 84 95 24
Teco-Pneu, 53 r. A.-France ✆ 78 84 68 63
Valente, 11 r. A.-France ✆ 78 24 97 07

CONSTRUCTEUR : Renault Véhicules Industriels, Tour du Crédit Lyonnais, 129 r. Servient EX 69003 LYON et Vénissieux HT ✆ **78 76 81 11**

LYONS-LA-FORÊT **27480 Eure 55 ⑧ G. Normandie – 734 h. alt. 109.**

Voir Forêt ** **– N.-D.-de la Paix ≤* O : 1,5 km.**

Syndicat d'Initiative à la Mairie ✆ 32 49 60 87.

Paris 102 – Les Andelys 20 – Forges-les-Eaux 29 – Gisors 29 – Gournay-en-Bray 25 – ◆Rouen 36.

La Licorne, ✆ **32 49 62 02,** « jardin fleuri » – wc ⓟ – 35. AE ① E VISA. ch
fermé 15 déc. au 21 janv., dim. soir et lundi d'oct. à fin avril – **SC : R** 120/275 – 23 – **22 ch** 250/400 – P 310/460.

XX **Gd Cerf** avec ch, ✆ **32 49 60 44,** – wc wc. E VISA
fermé 15 janv. au 15 fév., mardi et merc. – **SC : R** 150/200 – 22 – **8 ch** 170/200.

LYS-CHANTILLY **60 Oise 56 ⑪, 196 ⑦⑧ – rattaché à Chantilly.**

LYS-LEZ-LANNOY **59 Nord 51 ⑯ – rattaché à Roubaix.**

MACÉ **61 Orne 60 ③ – rattaché à Sées.**

MACHILLY **74 H.-Savoie 70 ⑯ – rattaché à St-Cergues.**

La MACHINE (Col de) **26 Drôme 77 ⑬ – rattaché à St-Jean-en-Royans.**

MÂCON P **71000 S.-et-L. 69 ⑲ G. Bourgogne – 38 719 h. alt. 175.**

Voir Apothicairerie* de l'Hôtel-Dieu BY **B – Musée des Ursulines*** BY **M1.**

Env. Clocher* de l'église de St-André par ② : 8,5 km.

18 de la Commanderie ✆ 85 30 40 24 par ② : 7 km.

Office de Tourisme et A.C. 187 r. Carnot ✆ 85 38 06 00, Télex 800762 – Maison Mâconnaise des Vins (dégustation et machon bourguignon), av. de-Lattre-de-Tassigny ✆ 85 38 36 70 BY.

Paris 393 ① – Bourg-en-Bresse 34 ② – Chalon-sur-Saône 58 ① – ◆Lyon 68 ③ – Roanne 97 ④.

Frantel Ⓜ, 26 r. Coubertin par ① : 0,5 km N ☎ 85 38 28 06, Télex 800830, ← – 🛗 TV ☎ P – 🏛 30. AE ⓓ E VISA
SC : rest. **Le St-Vincent** *(fermé sam. midi et dim. midi)* **R** carte 110 à 190 – ☕ 33 – **63 ch** 268/392.

Bellevue, 416 quai Lamartine ☎ 85 38 05 07, Télex 800837 – 🛗 TV ♿ 🚗 P. AE ⓓ E VISA — BZ **u**
SC : **R** 90/150 – ☕ 32 – **30 ch** 150/450.

Terminus, 91 r. Victor-Hugo ☎ 85 39 17 11, Télex 351938 – 🛗 TV 🛁wc 🚿wc ☎ 🚗. AE ⓓ E VISA — AZ **t**
SC : **R** 74/105 – ☕ 25 – **48 ch** 140/265 – P 210/270.

Genève, 1 r. Bigonnet ☎ 85 38 18 10, Télex 351934 – 🛗 TV 🛁wc 🚿wc ☎ 🚗 – 🏛 60. AE ⓓ E VISA — AZ **g**
SC : **R** 78/108 🍷 – ☕ 23 – **62 ch** 88/253 – P 226/277.

Nord sans rest, 313 quai Jean-Jaurès ☎ 85 38 08 68 – 🛗 🛁wc 🚿wc ☎. AE ⓓ VISA — BY **a**
SC : ☕ 19 – **21 ch** 100/157.

XXX **Aub. Bressane,** 114 r. 28-Juin-1944 ☎ 85 38 07 42 – E VISA — BY **s**
SC : **R** 70/172.

XX **Rocher de Cancale,** 393 quai J.-Jaurès ☎ 85 38 07 50 – AE ⓓ E VISA — BZ **r**
fermé 1er au 22 juil., 2 au 17 janv., sam. midi, dim. soir et lundi – SC : **R** 68/185.

XX **Pierre,** 7 r. Dufour ☎ 85 38 14 23 — BZ **n**
fermé 1er au 15 janv., dim. soir et lundi – SC : **R** 55/100 🍷.

XX **La Maison de Terre,** 9 Gde-Rue de la Coupée à Charnay-lès-Mâcon par ④ ✉ 71850 Charnay-lès-Mâcon ☎ 85 34 73 96 – AE VISA
fermé 14 juil. au 5 août, dim. soir et lundi – SC : **R** 78/180.

tourner →

MÂCON

Barre (Pl. de la) . . . **AYZ** 2
Barre (R. de la) . . . . . **BZ** 3
Laguiche (R. Ph.) . . . **BZ** 8
Lamartine (R.) . . . . **BYZ** 9
Poissonnière (Pl.) . . **BZ** 13
Pont (R. du) . . . . **BZ** 14
Sigorgne (R.) . . . . . . **BZ** 19

Dombey (R.) . . . . **BZ** 5
Gaulle (Av. du Gén.-de-) **BY** 6
Paix (Square de la) . . . **BY** 10
Perrier (R.) . . . . **AY** 12
Préfecture (R.) . . . . . **BY** 15
St-Étienne (Pl.) . . . . **BY** 17
St-Nizier (R.) . . . . **BZ** 18
Strasbourg (R. de) . . **BY** 20
Ursulines (R. des) . . **BY** 21
11-Novembre 1918 (R. du) . . . . **ABZ** 22
28-Juin 1944 (R.) . . . **BY** 24

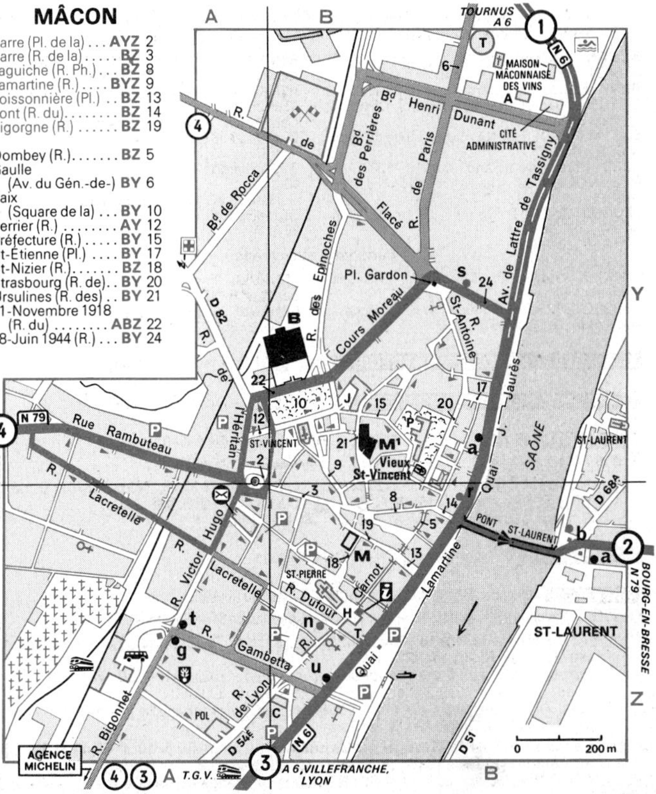

Rive gauche à St-Laurent (Ain) Est du plan – ✉ **01620** St-Laurent :

Beaujolais sans rest, face pont St-Laurent ✆ 85 38 42 06 – wc. AE E VISA. ✻
fermé 15 sept. au 1er oct., 24 déc. au 1er janv. et dim. sauf juil-août – SC : ☕ 14 – **16 ch** 90/122. BZ **a**

XX **Le Saint-Laurent,** 1 quai Bouchacourt ✆ 85 38 32 03, ←, – AE ⓞ VISA
fermé 5 au 20 août, 15 nov. au 10 déc., dim. soir et lundi – SC : **R** 98/190 ♨. BZ **b**

par ① : 4 km N 6 – ✉ **71000** Mâcon :

Motel La Vieille Ferme, ✆ 85 38 46 93, Télex 351995, ←, – TV wc ☎ ♿ P – 30. ⓞ VISA
SC : **R** *(fermé du 24 au 31 déc.)* 59/120 ♨ – ☕ 17 – **32 ch** 223/257 – P 200/350.

à l'Échangeur A6-N6 de Mâcon Nord 7 km par ① – ✉ **71000** Mâcon :

Novotel M, ✆ 85 36 00 80, Télex 800869, – ▤ rest TV ☎ ♿ P – 25 à 150. AE ⓞ E VISA
R snack carte environ 100 ♨ – ☕ 24 – **106 ch** 283/325.

de la Tour, ✆ 85 36 02 70, – wc ☎ P. AE VISA. ✻ rest
SC : **R** 61/145 ♨ – ☕ 25 – **19 ch** 145/185 – P 207/247.

sur autoroute A6 (aire de St-Albain) N : par ① : 14 km – ✉ **71260** Lugny :

Sofitel M, ✆ 85 33 19 00, Télex 800881, – ▤ TV ☎ ♿ P – 40 à 80. AE ⓞ E VISA – SC : **R** grill (dîner seul.) 104/130 – ☕ 38 – **100 ch** 332/478.

sur rte de Bourg-en-Bresse par ② : 4,5 km – ✉ **01750** Replonges (01 Ain) :

La Huchette M, N 79 ✆ 85 31 03 55, Télex 800787, ←, parc, « Décor élégant », – TV ☎ ♿ P. AE ⓞ E VISA
fermé 20 nov. au 10 déc. – SC : **R** 130 – ☕ 40 – **12 ch** 350/420.

à l'Échangeur A6 - N6 de Mâcon Sud par ③ : 6 km – ✉ **71570** Chaintré :

Ibis M, ✆ 85 36 51 60, Télex 351926 – TV wc ☎ ♿ P. AE E VISA
SC : **R** carte environ 85 ♨ – ☕ 22 – **45 ch** 190/255.

Voir aussi ressources hôtelières de : *Fuissé* par ④ : 8 km, *Romanèche-Thorins par* ③ *: 17 km, Vonnas* par ② : 19 km, *Thoissey* par D 51 : 16 km.

AUSTIN, ROVER Bois, 39 r. Lacretelle ✆ 85 38 64 31
BMW Favède, 20 r. Lacretelle ✆ 85 38 46 05
CITROEN Gar. Central, 62 r. de Lyon D54E AZ ✆ 85 38 01 74
FIAT, MERCEDES-BENZ Duval, 53 rte de Lyon ✆ 85 34 80 00 N
FORD Corsin, N 6 à Sancé ✆ 85 38 73 33
OPEL, VOLVO Gar. Chauvot, rte Lyon N 6 ✆ 85 34 98 98
PEUGEOT-TALBOT Gounon, 89 rte de Lyon par ③ ✆ 85 29 14 14
RENAULT Gar. du Nord, N 6, Km 400 par av. Gen.-de-Gaulle BY ✆ 85 38 04 13
RENAULT Succursale, Carr. Europe par ③ ✆ 85 38 25 50
Gar. Alloin, 30 pl. St-Clément ✆ 85 34 25 55 N ✆ 85 34 56 91

Gouillardon-Gaudry, 71 rte Lyon ✆ 85 34 70 10
Guillaud, 9 av. Mon Repos ✆ 85 38 10 47
La Maison du Pneu, 4 quai des Marans ✆ 85 38 32 21

Périphérie et environs

CITROEN Autom du Maconnais, ZAC des Platières à Sance par ① ✆ 85 34 91 00
PEUGEOT-TALBOT Romand, N 6 à Crèches-sur-Saône par ③ ✆ 85 37 11 37
RENAULT Perrin, N 6 à Crèches-sur-Saône par ③ ✆ 85 37 12 61
RENAULT Laurent, N 6 à Crèches-sur-Saône par ③ ✆ 85 37 11 61

La MADELAINE-SOUS-MONTREUIL 62 P.-de-C. 51 ⑫ – rattaché à Montreuil.

La MADRAGUE-DE-MONTREDON 13 B.-du-R. 84 ⑬ – rattaché à Marseille.

MAFFLIERS 95 Val d'Oise 55 ⑳, 106 ⑦ – 948 h. alt. 160 – ✉ 95560 Montsoult.

Paris 29 – Beaumont-sur-Oise 11 – Beauvais 47 – Pontoise 22 – Senlis 34.

Novotel Château de Maffliers M, ✆ (1) 34 73 93 05, Télex 695701, ←, parc, – ▤ rest TV ☎ ♿ P – 25 à 160. AE ⓞ E VISA
R snack carte environ 130 ♨ – ☕ 35 – **80 ch** 381/404.

MAGAGNOSC 06 Alpes-Mar. 84 ⑧ – rattaché à Grasse.

MAGESCQ 40 Landes 78 ⑯ – 1 149 h. alt. 25 – ✉ 40140 Soustons.

Paris 726 – Bayonne 45 – Castets 12 – Dax 16 – Mont-de-Marsan 64 – Soustons 11.

❀❀ **Relais de la Poste** (Coussau) M, ✆ 58 47 70 25, parc, – ▤ rest ☎ P – 25. AE ⓞ. ✻ ch
fermé 11 nov. au 24 déc., lundi soir et mardi sauf juil.-août – SC : **R** (week-end et saison - prévenir) 220/250 et carte – ☕ 38 – **12 ch** 320/450
Spéc. Foie gras de canard aux raisins, Poêlée de langoustines aux girolles (juin à oct.), Magret de pigeon aux cèpes. **Vins** Vin des Sables, Tursan.

XX **Le Cabanon et la Grange au Canard,** N : 0,8 km sur N 10 ✆ 58 47 71 51, « Demeure landaise rustique », – P. AE E VISA. ✻
fermé 15 au 30 oct. et lundi – SC : **R** 80/200 - **La Grange au Canard R** carte 190 à 250.

MAGLAND 74 H.-Savoie 74 ⑦⑧ – rattaché à Cluses.

MAGNAC-BOURG 87 H.-Vienne 72 ⑱ – 905 h. alt. 453 – ✉ **87380** St-Germain-les-Belles.
Paris 426 – ♦Limoges 29 – St-Yrieix-la-Perche 27 – Uzerche 27.

Midi, N 20 ☎ 55 00 80 13, – wc . AE E VISA
fermé 15 janv. au 15 fév., 15 au 30 nov. et lundi hors sais. – SC : **R** 60/150 – 16 – **11 ch** 80/200 – P 180/200.

XX **Voyageurs** avec ch, N 20 ☎ 55 00 80 36 – . E VISA
fermé mardi sauf vacances scolaires – SC : **R** 50/160 – 16 – **10 ch** 60/125 – P 180/230.

XX **Aub. Étang** avec ch, ☎ 55 00 81 37, – wc . E VISA
fermé 12 au 19 oct., 10 fév. au 10 mars, dim. soir et lundi hors sais. – SC : **R** 49/170 – 13,50 – **15 ch** 70/145 – P 160/200.

au SE : 6 km sur N 20 – ✉ **87380** St-Germain-les-Belles :

XX **Tison d'Or** avec ch, ☎ 55 71 83 64 – wc wc . AE E VISA
fermé dim. soir et mardi hors sais. – SC : **R** 40/160 – 15 – **10 ch** 60/150.

MAGNE 74 H.-Savoie 74 ⑯ – rattaché à St-Jorioz.

MAGNY-COURS 58 Nièvre 69 ③④ – rattaché à Nevers.

MAGNY-EN-VEXIN 95420 Val-d'Oise 55 ⑱⑲, 196 ③ – 4 559 h. alt. 75.
18 de Villarceaux ☎ (1) 34 67 73 83 SO : 9 km.
Paris 59 – Beauvais 47 – Gisors 16 – Mantes-la-Jolie 22 – Pontoise 27 – ♦Rouen 64 – Vernon 28.

XX **Cheval Blanc,** r. Carnot ☎ (1) 34 67 00 37 – VISA
fermé août, vacances de fév., merc. et le soir sauf sam. – SC : **R** 58 bc/86.

CITROEN Gar. de la Place d'Armes, ☎ (1) 34 67 00 70
Blasquez, ☎ (1) 34 67 01 86

MAÎCHE 25120 Doubs 66 ⑱ **G. Jura** – 4 344 h. alt. 775.
Syndicat d'Initiative Hôtel de Ville (vacances scolaires) ☎ 81 64 11 88.
Paris 488 – ♦Bâle 102 – Belfort 60 – ♦Besançon 75 – Montbéliard 42 – Pontarlier 60.

Panorama M , Côteau St-Michel ☎ 81 64 04 78, ← – wc wc – 40
fermé 15 au 30 avril, 5 au 26 déc., dim. soir et lundi d'oct. à Pâques sauf vacances scolaires – SC : **R** 90/250 – 19 – **32 ch** 155/245 – P 190/245.

CITROEN Cartier, ☎ 81 64 01 75
PEUGEOT Gar. Glasson, ☎ 81 64 00 12
PEUGEOT-TALBOT Gar. Boibessot, ☎ 81 64 09 21
TOYOTA Schell, ☎ 81 64 08 73 N

MAILLANE 13 B.-du-R. 81 ⑪⑫ – rattaché à St-Rémy-de-Provence.

MAILLEZAIS 85420 Vendée 71 ① **G. Côte de l'Atlantique** – 939 h. alt. 14.
Voir Ancienne abbaye de Maillezais★.
Paris 435 – Fontenay-le-Comte 15 – Niort 29 – La Rochelle 47 – La Roche-sur-Yon 72.

St Nicolas et rest. Le Collibert, r. Dr Darroux ☎ 51 00 74 45 – wc wc . E VISA
SC : **R** 40/152 – 20 – **16 ch** 110/220 – P 210.

CITROEN Gar. Thouard, ☎ 51 00 74 68

MAILLY-LE-CHÂTEAU 89660 Yonne 65 ⑤ **G. Bourgogne** – 501 h. alt. 170.
Voir ←★ de la terrasse.
Paris 194 – Auxerre 30 – Avallon 30 – Clamecy 22 – Cosne-sur-Loire 73.

Le Castel , pl. Église ☎ 86 40 43 06, – wc wc . E VISA
1er mars-15 nov. et fermé hôtel: mardi soir et merc. du 1/10 au 1/4 ; rest.: mardi soir du 1/10 au 1/4 et merc. – SC : **R** 71/130 – 20 – **12 ch** 120/230.

Les MAILLYS 21 Côte-d'Or 66 ⑬ – rattaché à Auxonne.

MAISOD 39 Jura 70 ⑭ **G. Jura** – 162 h. alt. 521 – ✉ **39260** Moirans-en-Montagne.
Voir Belvédère du Regardoir ←★ SE : 4 km puis 15 mn.
Paris 429 – Bourg-en-Bresse 73 – Lons-le-Saunier 31 – Nantua 48 – St-Claude 28.

X **Relais du Lac** avec ch, ☎ 84 42 00 34 – . VISA
fermé 12 nov. au 1er déc., 15 au 30 mars, mardi soir hors sais. (sauf hôtel) et merc. – **R** 38/125 – **5 ch** 55/78 – P 120.

MAISON-DU-ROY 05 H.-Alpes 77 ⑱ – rattaché à Guillestre.

MAISON-JEANNETTE 24 Dordogne 75 ⑤ – ✉ 24140 Villamblard.

Paris 553 – Bergerac 23 – Périgueux 24 – Vergt 11.

Tropicana, ☏ 53 82 98 31, – wc – 50. AE E
fermé 10 déc. au 1er fév. – SC : **R** 45/166 – 17,50 – **23 ch** 129/196 – P 226/275.

MAISON NEUVE 07 Ardèche 80 ⑧ – rattaché à Lablachère.

MAISON-NEUVE 16 Charente 72 ⑭ – rattaché à Angoulême.

MAISONS-ALFORT 94 Val-de-Marne 61 ①, 101 ㉗ – voir à Paris, Environs.

MAISONS-LAFFITTE 78 Yvelines 55 ⑳, 101 ⑬ – voir à Paris, Environs.

MAIZIÈRES-LÈS-METZ 57 Moselle 57 ④ – rattaché à Metz.

MALAUCÈNE 84340 Vaucluse 81 ③ **G. Provence** – 331 h. alt. 377.

Voir O : Dentelles de Montmirail★.

Office de Tourisme pl. Mairie (15 juin-15 sept.) ☏ 90 65 22 59.

Paris 675 – Avignon 42 – Carpentras 18 – Vaison-la-Romaine 9,5.

Le Siècle, ☏ 90 65 11 37,
fermé 12 nov. au 28 déc., lundi soir et mardi – SC : **R** 41/86.

CITROEN Gar. Meffre, ☏ 90 65 20 26 RENAULT Gar. du Ventoux, ☏ 90 65 20 23

MALAY-LE-PETIT 89 Yonne 61 ⑭ – rattaché à Sens.

MALBUISSON 25160 Doubs 70 ⑥ **G. Jura** – 372 h. alt. 900.

Voir Lac de St-Point★.

Syndicat d'Initiative Lac St-Point (vacances scolaires) ☏ 81 69 31 21.

Paris 446 – ♦Besançon 74 – Champagnole 40 – Pontarlier 16 – St-Claude 73 – Salins-les-Bains 49.

Le Lac, ☏ 81 69 34 80, Télex 360713, ≤, – . E VISA
fermé 17 nov. au 13 déc. sauf week-ends et 6 au 18 janv. – SC : **R** 60/200 – 20 – **55 ch** 103/234 – P 190/250.

Les Terrasses, ☏ 81 69 30 24, ≤, – wc wc – 30. AE E VISA. rest
fermé 15 nov. au 15 janv. et lundi hors sais. – SC : **R** 82/220 – 28 – **23 ch** 170/240 – P 240/300.

Bon Accueil, ☏ 81 69 30 58, – wc wc . rest
26 avril-fin oct., 20 déc.-15 avril et fermé merc. hors sais. – SC : **R** 49/110 – 14 – **16 ch** 79/115 – P 135/170.

Belle-Vue, ☏ 81 69 30 89 – wc . AE VISA
fermé 15 au 30 avril, 1er au 18 déc., 3 au 18 janv. ; hôtel : lundi soir et mardi sauf vacances scolaires – SC : **R** *(fermé mardi sauf le soir en vacances scolaires et lundi soir)* 75/250 – 16,50 – **12 ch** 85/200 – P 150/200.

aux Granges-Ste-Marie SO : 2 km par D 437 – ✉ 25160 Malbuisson :

Pont, ☏ 81 69 34 33, ≤, – wc . AE E.
10 mai-1er oct., 15 déc.-13 avril et fermé dim. soir et lundi hors sais. – SC : **R** 55/120 – 19,50 – **24 ch** 74/200 – P 163/202.

La MALÈNE 48 Lozère 80 ⑤ **G. Causses** – 197 h. alt. 452 – ✉ 48210 Ste-Enimie.

Voir O : les Détroits★★ et cirque des Baumes★★ (en barque).

Syndicat d'Initiative ☏ 66 48 51 16.

Paris 599 – Florac 41 – Mende 41 – Millau 42 – Séverac-le-Ch. 32 – Le Vigan 81.

Manoir de Montesquiou, ☏ 66 48 51 12, ≤, , « Belle demeure du 15e siècle », – wc wc . . rest
1er avril-15 oct. et fermé lundi midi (sauf hôtel) d'avril à juin – SC : **R** 90/150 – 23 – **12 ch** 186/186.

au Château de la Caze★ NE : 5,5 km sur D 907 bis – ✉ 48210 Ste-Enimie :

❀ **Château de la Caze** , ☏ 66 48 51 01, , « Château du 15e s. au bord du Tarn, parc » – . AE VISA. rest
1er mai-mi oct. – SC : **R** *(fermé mardi)* carte 230 à 350 – 45 – **14 ch** 400/590
Spéc. Ecrevisses (juin à mi-oct.), Truite soubeyrane, Magret de canard.
A la Ferme, ≤ Château – SC : 6 appartements 690.

MALESHERBES 45330 Loiret 61 ⑪ **G. Environs de Paris** – 5 014 h. alt. 140.

Syndicat d'Initiative r. Pilonne ☏ 38 34 81 94.

Paris 74 – Étampes 27 – Fontainebleau 26 – Montargis 49 – ♦Orléans 62 – Pithiviers 19.

Écu de France, pl. Martroi ☏ 38 34 87 25 – . AE VISA
SC : **R** *(fermé jeudi)* 52/150 – 16,50 – **12 ch** 68/126 – P 145/210.

à Buthiers (77 S.-et-M.) S : 2 km – ✉ **77760** La Chapelle-la-Reine :

XX **Roches Gourmandes,** ℘ (1) 64 24 14 00 – E VISA
fermé 15 au 30 nov., mardi soir et merc. – SC : **R** 58/90.

CITROEN Amant, 20 av. du Gén.-Leclerc ℘ 38 34 84 56
PEUGEOT-TALBOT Gar. Thomas Marcel, 17 r. Adolphe Cochery ℘ 38 34 81 41
RENAULT Gar. Central, 39 av. Gén.-Patton ℘ 38 34 60 36
Thouard, 2 av. Gén.-de-Gaulle ℘ 38 34 81 62

MALMAISON 92 Hauts-de-Seine 55 ⑳, 196 ⑯ – voir Paris, Environs (Rueil).

MALO-LES-BAINS 59 Nord 51 ④ – rattaché à Dunkerque.

MALVAL (Col de) 69 Rhône 73 ⑲ – rattaché à Vaugneray.

MALVILLE 38 Isère 74 ⑭ – ✉ **38510** Morestel.
Paris 478 – Bourg-en-Bresse 64 – ♦Grenoble 78 – ♦Lyon 64 – Morestel 10.

Aub. Le Couray, ℘ 74 97 72 33, ← – ⇔ ⋔wc ☎ **P**
23 ch.

Le MALZIEU-VILLE 48140 Lozère 76 ⑮ – 924 h. alt. 860.
Paris 524 – Mende 58 – Millau 116 – Le Puy 75 – Rodez 108 – St-Flour 36.

Voyageurs, rte de Saugues ℘ 66 31 70 08 – ⇔wc ☎ **P**
fermé janv. et dim. soir hors sais. – SC : **R** 48/80 – ☐ 17 – **18 ch** 150/170 – P 156/170.

CITROEN Gar. Vidal, ℘ 74 31 71 85

MAMERS ⟨SP⟩ 72600 Sarthe 60 ⑭ **G. Normandie** – 6 747 h. alt. 128.
Syndicat d'Initiative pl. République (fermé matin hors sais.) ℘ 43 97 60 63.
Paris 184 ① – Alençon 25 ⑤ – ♦Le Mans 45 ④ – Mortagne 24 ① – Nogent-le-Rotrou 37 ②.

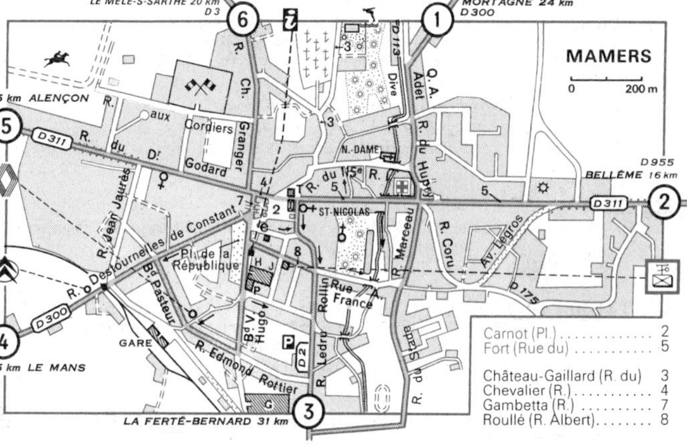

XX **Bon Laboureur** avec ch, 1 r. P.-Bert **(e)** ℘ 43 97 60 27 – ⇔wc ⋔wc ☎ ⇐. AE ⓓ E VISA
fermé vacances de fév., vend. soir et sam. midi d'oct. à mai – SC : **R** 44/125 – ☐ 17 – **10 ch** 90/185 – P 165/265.

au Perrou (61 Orne) par ② : 6 km – ✉ **61360** Pervenchères

XX **Petite Auberge,** ℘ 33 73 11 34, 余, ⇐ – **P**
fermé vacances de fév. et mardi – SC : **R** 50/160.

CITROEN Autos du Saosnois, 103 rte du Mans ℘ 43 97 60 17 **N** ℘ 43 97 98 77
PEUGEOT Gar. du Saosnois, rte de Bellème à Suré par ② ℘ 43 97 64 92 **N**
RENAULT Foullon-Dragon Le Magasin à St Rémy-des-Monts par ③ ℘ 43 97 63 03
RENAULT Leblond, 22 r. Rosette ℘ 43 97 60 45

MANCIET 32 Gers 82 ③ – rattaché à Eauze.

MANDELIEU 06210 Alpes-Mar. 84 ⑧, 195 ㉞㊲ G. Côte d'Azur – 14 333 h. alt. 15 à 120.

Voir N : Route de Mandelieu <★★.

Golf-Club de Cannes-Mandelieu ✆ 93 49 55 39 S : 2 km.

Office de Tourisme Mandelieu-La-Napoule, av. Cannes ✆ 93 49 14 39 (Mandelieu) et r. J.-Aulas ✆ 93 49 95 31 (La Napoule).

Paris 894 – Brignoles 87 – Cannes 8 – Draguignan 54 – ♦Nice 38 – St-Raphaël 32.

- **Domaine d'Olival** M sans rest, 778 av. Mer ✆ 93 49 31 00, – cuisinette wc ☎ . AE
  20 janv.-20 oct. – SC : 42 – **3 ch** 690, 15 appartements 1 000/1 350.
- **Plaza** M sans rest., 308 av. Cannes ✆ 93 49 41 03, Télex 461592 – wc ☎ . E VISA
  fermé 19 déc. au 15 janv. – SC : 16 – **52 ch** 220/325.
- **Sant'Angelo** sans rest, 681 av. Mer ✆ 93 49 28 23, <, – cuisinette wc wc
  SC : **26 ch** 240/300, 7 appartements 420/530.
- **Pavillon des Sports,** rte Fréjus ✆ 93 49 50 86 – . VISA. rest
  SC : **R** *(fermé dim. midi)* 50/125 – 19 – **14 ch** 115/160 – P 182/205.
- **Les Ormes,** 320 av. Cannes ✆ 93 49 45 52 – VISA
  fermé janv. et vend. d'oct. à juin – SC : **R** 59/120 .

Voir aussi ressources hôtelières de ***La Napoule*** S : 3 km

FIAT Ohio-Gar., rte de Fréjus, N 7 ✆ 93 49 53 89

Massa-Pneus, N 7, Pont de la Siagne ✆ 93 47 17 70

MANE 31 H.-Gar. 86 ② – 1 126 h. alt. 320 – ✉ **31260** Salies-du-Salat.

Paris 783 – St-Gaudens 24 – St-Girons 22 – ♦Toulouse 78.

- **France,** ✆ 61 90 54 55 – wc wc – 80
  fermé oct. et vend. – SC : **R** 45 bc/60 – 14 – **20 ch** 69/145 – P 130/160.

MANERBE 14 Calvados 55 ⑬ – rattaché à Lisieux.

MANIGOD 74 H.-Savoie 74 ⑦ – 538 h. alt. 950 – ✉ **74230** Thônes.

Voir Vallée de Manigod★★, G. Alpes – Syndicat d'Initiative à la Mairie ✆ 50 02 95 02.

Paris 559 – Albertville 40 – Annecy 26 – Bonneville 38 – La Clusaz 18 – Megève 38 – Thônes 6.

- **Chalet H. Croix Fry** , rte du Col de la Croix-Fry 5,5 km ✆ 50 02 05 06, < montagnes, – wc wc ☎ . rest
  15 juin-8 sept. et 20 déc.-12 avril – SC : **R** 80/200 – 23 – **13 ch** 220/300 – P 260/290.

au Col de La Croix-Fry NE : 7 km – ✉ **74230** Thônes :

- **Rosières** , ✆ 50 02 05 18, < – wc wc . E
  8 juin-28 sept. et 15 déc.-Pâques – SC : **R** 48/86 – 15,50 – **17 ch** 100/132 – P 155/185.

MANO 40 Landes 78 ③ – 92 h. alt. 63 – ✉ **40410** Pissos.

Paris 637 – Belin 24 – ♦Bordeaux 51 – Castets 80 – Langon 52 – Mont-de-Marsan 69 – Roquefort 63.

- **Selons** sans rest, ✆ 58 07 71 51 –
  1er juin-30 sept. et fermé lundi – SC : 11 – **7 ch** 57/83.

MANOSQUE 04100 Alpes-de-H.-Pr 81 ⑮ G. Côte d'Azur – 19 546 h. alt. 387 – Voir Porte Saunerie★ – <★ du Mont d'Or NE : 1,5 km – <★ de la chapelle St-Pancrace SO : 2 km.

Office de Tourisme et A.C. pl. Dr.-P.-Joubert ✆ 92 72 16 00.

Paris 770 ③ – Aix-en-P. 53 ② – Avignon 92 ③ – Digne 58 ① – Grenoble 196 ① – ♦Marseille 85 ②.

Plan page ci-contre

- **Rose de Provence** M, rte de Sisteron par ① ✆ 92 87 56 28, <, – wc ☎ . AE E VISA
  fermé 8 janv. au 8 fév. – SC : **R** 99 – 22 – **16 ch** 195/215 – P 335/385.
- **Le Sud** M, av. Gén. de Gaulle - Sud-Est du plan ✆ 92 87 78 58 – wc ☎ – 60. AE E VISA. rest
  fermé 20 déc. au 15 janv. – SC : **R** 52/75 – 20 – **35 ch** 167/195.
- **Campanile,** par ① ✆ 92 87 59 00 – rest wc . VISA
  SC : **R** 61 bc/82 bc – 23 – **30 ch** 181/202.
- **François 1er** sans rest, 18 r. Guilhempierre **(n)** ✆ 92 72 07 99 – wc . E VISA
  SC : 14,50 – **25 ch** 74/144.
- **Versailles** sans rest, 17 av. Jean-Giono **(e)** ✆ 92 72 12 10 – wc wc
  SC : 14,50 – **20 ch** 78/195.
- **Terreau** sans rest, 21 pl. Terreau **(v)** ✆ 92 72 15 50 – wc wc . VISA.
  fermé dim. soir du 15 oct. au 31 mars – SC : 17 – **21 ch** 70/175.
- **André,** 21 bis pl. Terreau **(v)** ✆ 92 72 03 09 – . E VISA
  fermé 31 mai au 1er juil., dim. soir du 15 sept. au 1er juil. et lundi – **R** 40/118.

MANOSQUE

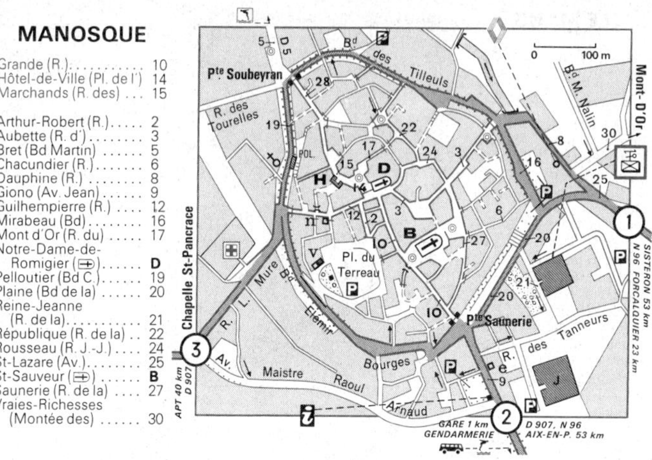

route de Sisteron par ① : 4 km – ✉ **04100** Manosque :

Motel des Quintrands, ☎ 92 72 08 86, Cuisine indonésienne, – wc. AE E VISA
SC : **R** *(fermé merc.)* carte environ 100 – 18 – **20 ch** 130/160.

à La Fuste SE : 6,5 km sur D 4 par D 907 – ✉ **04210** Valensole :

XXX ❀ **Host. de la Fuste** (Jourdan) avec ch, ☎ **92 72 05 95**, ≤, « parc » – wc. AE E VISA
fermé 12 nov. au 17 déc., dim. soir et lundi du 15 sept. au 30 juin sauf fériés – SC : **R** (nombre de couverts limité - prévenir) 160/320 – 50 – **10 ch** 280/800
Spéc. Truite à la nage, Gigot de poulette au gingembre, Lièvre farci à la royale (sept.-fin mars). **Vins** Rians, Palette.

à Villeneuve par ① : 11 km – ✉ **04130** Volx :

Mas St-Yves, ☎ 92 78 42 51, ≤, parc, – wc. E.
fermé 20 déc. au 20 janv. – SC : **R** *(fermé lundi)* (dîner seul.) 64 – 14,50 – **13 ch** 120/175.

à St-Maime N : 12 km par ① et D13 – ✉ **04300** St-Maime :

XX **Bois d'Asson**, ☎ 92 79 51 20, – AE VISA
fermé 27 août au 4 sept., fév. et merc. – SC : **R** 125.

CITROEN Alpes de Provence Autom., rte de Marseille par ② ☎ 92 72 09 94
FORD Gar. Chailan, N 96, rte de Marseille ☎ 92 72 41 70
PEUGEOT-TALBOT Gar. Renardat Autom., rte de Marseille par ② ☎ 92 87 87 90
RENAULT Mistral Autom, rte de Marseille par ② ☎ 92 72 03 32
RENAULT Roubaud, 14 r. Dauphine ☎ 92 72 06 09

Manosque-Pneus, 30 av. J.-Giono ☎ 92 72 03 43
Meizenq-Pneus, Zone Ind. de Saint-Joseph, av. du 1er Mai ☎ 92 72 36 61
Piot-Pneu, quartier des Ponches, N 96 ☎ 92 87 72 00

Le MANS P **72000** Sarthe 60 ⑬, 64 ③ **G. Châteaux de la Loire** – 150 331 h. Communauté urbaine 192 058 h. - alt. 51.

Voir Cathédrale★★ : chevet★★★ BV – Le Vieux Mans★★ : maison de la Reine Bérengère★ BV **M2** – Église de la Couture★ : Vierge★★ BX **B** – Église Ste-Jeanne-d'Arc★ BY **E** – Musée de Tessé★ BV **M1** – Abbaye N.-D. de l'Épau★ : 4 km par D 152 Z – Musée de l'Automobile★ : 5 km par ⑤.

☎ **43 42 00 36** par ⑤ : 11 km – **Circuit des 24 heures et circuit Bugatti** : 5 km par ⑤.

Office de Tourisme 38 pl. République ☎ 43 28 17 22, Télex 720006 – A.C.O. Circuit des 24 heures ☎ 43 72 50 25.

Paris 202 ③ – Angers 89 ⑥ – ♦Le Havre 222 ⑩ – ♦Nantes 178 ⑥ – ♦Rennes 154 ⑧ – ♦Tours 82 ⑤.

Plans pages suivantes

❀ **Moderne**, 14 r. Bourg-Belé ☎ 43 24 79 20 – TV. AE E VISA BY **k**
R 100/170 – 25 – **32 ch** 200/250
Spéc. Terrine de caneton aux pistaches, Fricassée de langouste ou homard, Soufflés chauds. **Vins** St-Nicolas-de-Bourgueil.

Concorde, 16 av. Gén.-Leclerc ☎ 43 24 12 30, Télex 720487 – TV – 45. AE E VISA AX **b**
SC : **R** carte 175 à 250 – 36 – **64 ch** 195/360, 4 appartements 430.

LE MANS

Ballon (R.) .... Z 3
Bertinière (R. de la) .. Z 8
Bollée (Av.) .... Z 12
Brossolette (Bd P.) ... Z 19
Carnot (Bd) .... Z 21
Cogner (R. du) ...... Z 26
Cugnot (Bd N.) ...... Z 29
Demorieux (Bd) ..... Z 30
Dr-Mac (Av. du) ..... Z 33
Durand (Av. G.) ...... Z 34
Estienne-d'Orves (Bd d') .... Z 40
Gèneslay (Av. F.) .... Z 43
Grande-Maison (R.) .. Z 44
Lefaucheux (Bd P.) ... Z 47
Maillets (R. des) ..... Z 49
Mariette (R. de la) .... Z 52
Monthéard (R. de) ... Z 54
Pied-Sec (R. de) ..... Z 59
Polygone (Rue du) ... Z 62
Rhin-et-Danube (Av.) .... Z 65
Riffaudières (Bd) .... Z 67
Rubillard (Av.) .... Z 69
St-Aubin (R.) .... Z 71
Tironneau (Pl. A.) .... Z 76

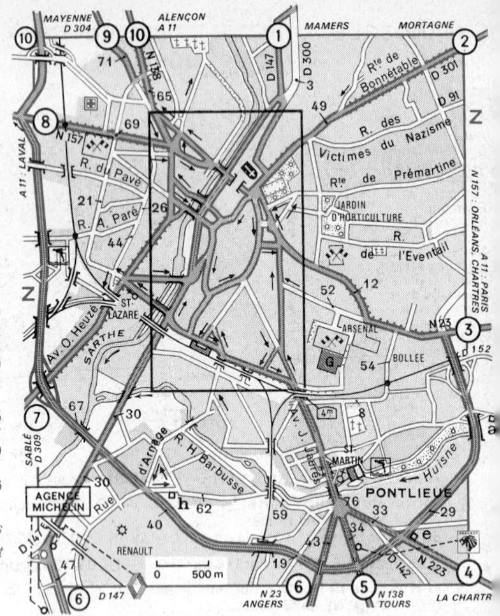

Pour bien lire les plans de villes, voir signes et abréviations p. 23.

Chantecler [M] sans rest, 50 r. Pelouse ✆ 43 24 58 53 – ascenseur wc wc ☎ P — AY f
SC : 18 – **36 ch** 120/235.

Anjou sans rest, 27 bd Gare ✆ 43 24 90 45 – ascenseur wc wc ☎ P. E VISA — AY s
SC : 17 – **30 ch** 109/188.

L'Escale [M] sans rest, 72 r. Chanzy ✆ 43 84 55 92 – ascenseur wc wc ☎. AE ⓓ E VISA — BY u
fermé 20 déc. au 3 janv. – SC : 15 – **47 ch** 100/165.

Central sans rest, 5 bd R.-Levasseur ✆ 43 24 08 93 – ascenseur wc wc ☎ – 25 à 70. AE ⓓ E VISA — BX d
SC : 18 – **55 ch** 169/189.

Ibis [M], Quai Ledru-Rollin ✆ 43 23 18 23, Télex 722035, ←, – ascenseur TV wc ☎ ♿ P – 25 à 70. E VISA — AX a
SC : **R** carte environ 100 – 24 – **83 ch** 205/242.

Fimotel [M], r. Pointe ✉ 72100 ✆ 43 72 27 20, Télex 722092, , parc – ascenseur TV wc ☎ ♿ P – 25 à 30. AE ⓓ VISA — Z h
SC : **R** 54/90 – 22 – **42 ch** 200/235.

Élysée sans rest, 7 r. Lechesne ✆ 43 28 83 66 – wc wc ☎. — AY m
fermé 16 au 31 août – SC : 18 – **14 ch** 100/200.

Commerce sans rest, 41 bd Gare ✆ 43 24 85 40 – wc ☎. AE ⓓ E VISA — AY
SC : 16 – **31 ch** 94/170.

Étoile sans rest, 19 r. Gougeard ✆ 43 81 98 23 – wc ☎ P. VISA — BX
fermé 3 au 26 août – SC : 17 – **12 ch** 100/200.

XXX ✿ **Le Grenier à Sel** (Plunian), 26 pl. Éperon ✆ 43 23 26 30 – AE VISA. — AX
fermé du 3 au 24 août, vacances de fév., dim. et fêtes – SC : **R** 150
Spéc. Tartare de saumon frais, Charlotte d'agneau aux aubergines (mai à sept.), Marquise au chocolat. Vins Savennières, Saumur-Champigny.

XX **La Grillade,** 1 bis r. C.-Blondeau ✆ 43 24 21 87 – AE VISA — BX
fermé 20 au 30 juil. et dim. du 1er oct. au 31 mars – SC : **R** 70/186.

XX **Feuillantine,** 19 bis r. Foisy ✆ 43 28 00 38 – P. VISA — AY
fermé 20 déc. au 5 janv., sam. soir et dim. – SC : **R** 60/115.

XX **La Ciboulette,** 14 r. Vieille Porte ✆ 43 24 65 67 – E VISA — AX
fermé 4 au 22 août, sam. et dim. – SC : **R** carte 130 à 200.

XX **Gd Cerf,** 8 quai Amiral Lalande ✆ 43 24 16 83 — AX
fermé sam. midi et dim. – SC : **R** carte 75 à 200.

X **Le Séquoia,** 2 r. V.-Bonhommet ✆ 43 24 73 11 – AE ⓓ E VISA — AX
fermé vend. soir et sam. midi – SC : **R** 52/135.

X **Renaissance,** 114 av. Gén.-Leclerc ✆ 43 24 98 38 – VISA — AY
fermé août, dim. soir et lundi – SC : **R** 64/140.

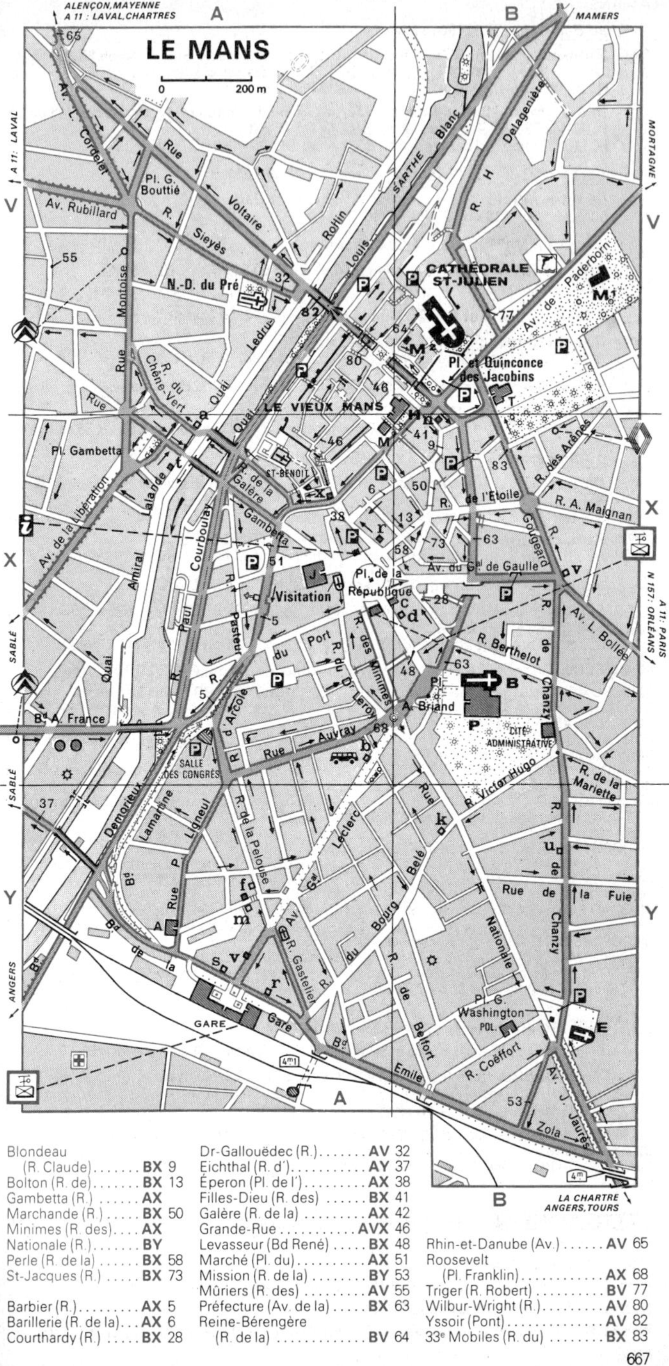
LE MANS
0
200 m
ALENÇON, MAYENNE
A 11 : LAVAL, CHARTRES
MAMERS
MORTAGNE
A 11: LAVAL
A 11: PARIS
N 157: ORLÉANS
SABLÉ
ANGERS
LA CHARTRE
ANGERS, TOURS
A
B
V
X
Y
Av. L. Cordelet
Pl. G. Bouttié
Av. Rubillard
Rue Voltaire
R. Sieyès
Rollin
Louis Blanc
SARTHE
R. H. Delagenière
CATHÉDRALE ST-JULIEN
Av. de Paderborn
M¹
M²
N.-D. du Pré
Ledru
Rue Montoise
R. du Chêne-Vert
Quai
Pl. et Quinconce des Jacobins
LE VIEUX MANS
ST-BENOIT
R. de la Galère
Gambetta
Pl. Gambetta
Lalande
Av. de la Libération
Courboulay
Amiral
R. de l'Etoile
R. A. Maignan
R. des Arènes
Gougeard
Av. du Gal de Gaulle
Pl. de la République
Visitation
R. Pasteur
Paul
Port
R. du Dr Leroy
R. des Minimes
R. Berthelot
Av. L. Bollée
Chanzy
Pl. A. Briand
CITÉ ADMINISTRATIVE
R. Victor Hugo
R. de la Mariette
Bd A. France
Quai
R. d'Arcole
Rue Auvray
SALLE DES CONGRÈS
Demorieux
Lamartine
Ligneul
R. de la Pelouse
Leclerc
Rue Belé
Av. Gal
R. du Bourg
Nationale
Rue de Chanzy
Rue de la Fuie
Pl. G. Washington
POL.
R. Gastelier
R. de Belfort
R. Coëffort
Av. J. Jaurès
Zola
Bd Emile
GARE
Bd de la Gare
4m1
4m

au Sud-Est – ✉ 72100 Le Mans :

Novotel Ⓜ, bd R.-Schumann par av. Bollée et Rocade Sud ✆ 43 85 26 80, Télex 720706, ☂, ⛱, – ▮ TV ☎ ♿ Ⓟ – 🅰 250. AE ⓓ E VISA Z **a**
R snack carte environ 100 🍷 – ☕ 35 – **94 ch** 289/309.

Ibis Le Mans-Est, r. Clément Marot par av. J.-Jaurès et av. Dr. Mac ✆ 43 86 14 14, Télex 720651 – wc ☎ ♿ Ⓟ – 🅰 30. E VISA Z **e**
SC : **R** *(fermé dim.)* carte environ 85 🍷 – ☕ 19,50 – **49 ch** 174/210.

par ③ N 23 et r. de l'Éventail : 4 km – ✉ 72000 Le Mans :

La Pommeraie 🐦 sans rest, ✆ 43 85 13 93, « Jardin fleuri » – wc wc ☎ Ⓟ
SC : ☕ 14,50 – **35 ch** 72/138.

par ⑧ sur N 157 : 4 km – ✉ 72000 Le Mans :

XX **Aub. de la Foresterie,** rte de Laval ✆ 43 28 69 92, ☂ – Ⓟ. ⓓ VISA
fermé dim. soir et lundi – **R** 70/184.

à Changé par ③ et D 152 : 7 km – 4 193 h. – ✉ 72560 Changé :

XX **Cheval Blanc,** ✆ 43 40 02 62 – VISA
fermé 4 au 27 août, 2 au 14 janv., mardi soir et merc. – SC : **R** 105/155.

à Neuville-sur-Sarthe par ①, D 47 et C 2 : 9 km – ✉ 72190 Coulaines :

XX **Vieux Moulin,** ✆ 43 21 31 84, <, ☂ – ▤
fermé 12 janv. au 1er mars, mardi du 1er oct. au 31 mars et lundi – SC : **R** 88/165.

à Arnage par ⑥ et N 23 : 9 km – ✉ 72230 Arnage :

Campanile, Z. I. Sud ✆ 43 21 81 21, Télex 722803 – wc ☎ ♿ Ⓟ – 🅰 30. E VISA
SC : **R** 61 bc/82 bc – ☕ 23 – **42 ch** 181/202.

XXX **Aub. des Matfeux,** ✆ 43 21 10 71, – Ⓟ. AE ⓓ E VISA
fermé 15 au 31 juil., janv., dim. soir, lundi et soirs de fêtes – SC : **R** 99/260.

à Savigné-l'Évêque par ② : 12 km – ✉ 72460 Savigné-l'Évêque :

Floréal (annexe Rés. St-Edmond 🐦), ✆ 43 27 50 19 – wc wc ☎ ♿ – Ⓟ – 🅰 250. E VISA
SC : **R** *(fermé août et dim. soir)* 50/155 🍷 – ☕ 21 – **30 ch** 85/270 – P 205/380.

MICHELIN, Agence, 54 à 58 r. Pierre Martin Zone Ind. Sud Z ✆ **43 72 15 85**

ALFA-ROMEO Gueguen et Rivière, 19 r. R.-Persigand ✆ 43 84 33 61
AUSTIN-ROVER Equipneu, 74 r. Bourg Belé ✆ 43 24 57 90
BMW Le Mans-Sud-Auto, Zone Ind. Sud, rte d'Allonnes ✆ 43 85 00 11 N ✆ 43 85 66 99
CITROEN Succursale, bd P.-Lefaucheux, Zone Ind. Sud par D147 Z ✆ 43 84 20 90
CITROEN Loinard, 49-51 bd A.-France ✆ 43 28 12 84
CITROEN Morin, 85 r. Montoise ✆ 43 28 17 88
FIAT SADAM, 186 av. O.-Heuzé ✆ 43 24 13 82
LADA, SKODA Gar. Droguet, 17 r. J.-Macé ✆ 43 84 15 45
MAZDA S.O.V.M.A., 124 r. Chanzy ✆ 43 84 53 08
MERCEDES BENZ Sarthe-Automobiles, 58 r. de Belfort ✆ 43 24 87 30 N ✆ 43 85 52 91
OPEL-G.M. Le Mans-Autos 24, Zone Ind. Sud, rte d'Allonnes ✆ 43 84 54 60 N ✆ 43 85 66 99
PEUGEOT-TALBOT Gds Gar. de la Sarthe, bd. P. Lefaucheux, Zone Ind. Sud par D 147 Z ✆ 43 86 02 74
PEUGEOT Cheron, 125 av. G.-Durand ✆ 43 84 05 99
PORSCHE-MITSUBISHI Gar. Courage, 155 bd Demorieux ✆ 43 24 58 75
RENAULT Succursale, 261 bd Demorieux ✆ 43 24 12 24
RENAULT Gar. des Jacobins, 8 r. du Cirque ✆ 43 81 73 50
V.A.G. Robineau, r. L.-Breguet, Zone Ind. Sud ✆ 43 86 22 39 N ✆ 43 85 66 99

Ⓜ Equipneu, 74 r. Bourg-Belé ✆ 43 24 57 90
Interpneus, Zone Ind. Sud rte d'Allonnes ✆ 43 85 84 31
Jambie-Pneus, 26 av. O.-Heuzé ✆ 43 24 75 82
Le Royal, 6 pl. Gambetta ✆ 43 24 27 74

MANSLE 16230 Charente 72 ③④ – 1 532 h. alt. 60.

Paris 418 – Angoulême 26 – Cognac 55 – ♦Limoges 92 – Poitiers 84 – St-Jean-d'Angély 60.

Trois Saules 🐦, à St-Groux NO : 2,5 km ✆ 45 20 31 40, parc – wc ☎ Ⓟ. VISA
fermé 9 au 17 nov., 23 fév. au 3 mars, dim. soir (sauf hôtel en sais.) et lundi midi – SC : **R** 43/125 – ☕ 15 – **10 ch** 92/120 – P 130/145.

CITROEN Croizard-Brillat, ✆ 45 22 20 97 N ✆ 45 20 33 16
PEUGEOT-TALBOT Gar. Central, ✆ 45 22 20 06
PEUGEOT-TALBOT Gar. Suire-Huguet ✆ 45 20 30 31 N

MANTES-LA-JOLIE ⟨SP⟩ 78200 Yvelines 55 ⑱, 196 ⑮ G. Environs de Paris – 43 585 h.

Mantes-la-Ville : 16 710 h. alt. 34.

Voir Collégiale N.-Dame★ BB.

⛳18 ⛳18 du Prieuré à Sailly-en-Vexin ✆ (1) 34 76 70 12 par ① : 12 km.

🅸 Office de Tourisme pl. Jean-XXIII ✆ (1) 34 77 10 30.

Paris 60 ② – Beauvais 69 ① – Chartres 79 ④ – Évreux 44 ④ – ♦Rouen 81 ④ – Versailles 43 ②.

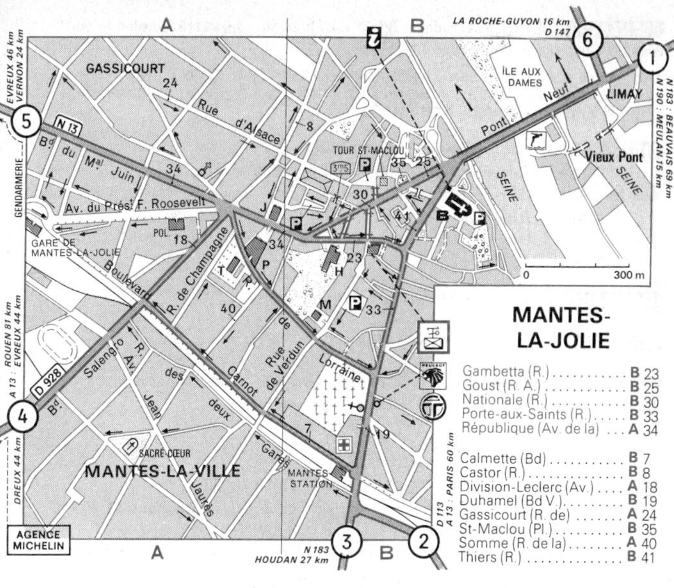

à ***Follainville*** NO : 3 km par ① et VO – ✉ **78520** Limay :

XXX ✿ **La Feuilleraie** (Ballester), près Église ☎ (1) 34 77 17 66, ☂, ☂ – VISA
fermé 4 au 29 août, lundi et mardi – SC : **R** carte 180 à 230
Spéc. Fricassée de champignons des bois, Crépinette de pigeon aux choux et truffes, Millefeuille aux fruits.

à ***Senneville*** par ② et D 158 : 6 km – ✉ **78930** Guerville :

XX **Aub. de Senneville,** ☎ (1) 30 42 63 02, ☂, ☂
fermé 2 au 8 avril, 4 août au 3 sept., dim. soir et mardi soir – SC : **R** carte 150 à 190.

à ***St-Martin-la-Garenne*** par ⑥ et D 147 : 6 km – ✉ **78520** Limay :

X **Aub. St-Martin,** rte de Mantes ☎ (1) 34 77 58 45 – VISA
fermé 3 août au 3 sept., 15 au 31 janv., lundi et mardi – SC : **R** 85/110.

à ***Rosay*** par ③ : 10 km sur N 183 – ✉ **78790** Septeuil :

XX **Aub. de la Truite,** ☎ (1) 34 76 30 52, ☂ – AE VISA
fermé 18 au 31 août, 5 au 19 fév., dim. soir, merc. soir et lundi – SC : **R** 135/250.

MICHELIN, Agence, Z.A.C. des Brosses, r. des Graviers à Magnanville par ④ ☎ **(1) 34 77 00 53**

AUSTIN, ROVER Dupille, Rte de Dreux à Magnanville ☎ (1) 34 77 28 08
BMW J.H.-Guerbois Autos, 2 r. Gameline ZI Buchelay ☎ (1) 34 94 69 77
CITROEN Nord-Ouest Auto, 87 bd Salengro à Mantes-la-Ville par ④ ☎ (1) 34 77 04 30
FIAT Gar. de L'Avenue, 4 r. de la Somme ☎ (1) 34 77 02 00
FORD Gd Gar. Chantereine, 2 r. Chantereine à Mantes-la-Ville ☎ (1) 34 77 31 75
MERCEDES , **TOYOTA** Gar. Mongazons Rte de Dreux à Magnanville ☎ (1) 34 77 10 75
OPEL Buchelay Autos, 11 r. Ouest. ZI Buchelay à Mantes la Ville ☎ (1) 30 92 41 11

PEUGEOT-TALBOT Centre Autom. Mantais, 13 bd Duhamel ☎ 34 77 08 27
RENAULT Succursale, 6 r. de l'Ouest à Mantes la Ville par ④ ☎ (1) 30 92 92 93
V.A.G. S.E.A.M.A., 24 rte de Houdan à Mantes-la-Ville ☎ (1) 34 77 11 57

Ⓜ Bertault, 45 r. des Martraits ☎ (1) 34 77 11 88
Marsat-Au Service du Pneu, 141 bd Mar.-Juin ☎ (1) 30 94 07 40

MANTHELAN 37 I.-et-L. 68 ⑤ – 1 093 h. alt. 106 – ✉ **37240** Ligueil.

Paris 266 – Bléré 28 – Châtellerault 53 – Chinon 48 – Ligueil 11 – Loches 16 – ♦Tours 32.

Moderne, ☎ 47 92 80 17, parc – ⋔. **E**.
fermé 23 août au 16 sept., dim. et lundi – SC : **R** 44 bc/67 ⅄ – ☕ 16 – **10 ch** 68/103 – P 140/152.

CITROEN Blanchet, ☎ 47 92 82 39

RENAULT Theret, ☎ 47 92 80 46

Pour un bon usage des plans de ville, voir les signes conventionnels p. 23.

MANZAC-SUR-VERN 24 Dordogne 75 ⑤ – 422 h. alt. 90 – ✉ **24110** St-Astier.

Paris 546 – Bergerac 35 – •Bordeaux 107 – Périgueux 19.

✗ **Lion d'Or** avec ch, ✆ 53 54 28 09, – ⇔wc ⋒wc. AE ⓓ E VISA
fermé 2 au 24 nov., vacances de fév., dim. soir (sauf hôtel) et merc. hors sais. – SC : **R** 51/140 – ☕ 12,50 – **8 ch** 77/125 – P 166.

MANZAT 63410 P.-de-D. 73 ③④ – 1 480 h. alt. 629.

Env. Méandre de Queuille** O : 12 km puis 15 mn, **G. Auvergne.**

Paris 383 – Aubusson 78 – Châtelguyon 16 – •Clermont-Fd 36 – Gannat 35 – Montluçon 67 – Ussel 92.

La Bonne Auberge, près église ✆ 73 86 61 67 – ⋒. VISA. rest
fermé oct. et lundi – SC : **R** 50/120 ⅓ – ☕ 15 – **9 ch** 80/100 – P 150/160.

CITROEN Gendre, ✆ 73 86 61 45

MARBOUÉ 28 Eure-et-Loire 60 ⑰ – rattaché à Châteaudun.

MARÇAY 37 I.-et-L. 67 ⑨ – rattaché à Chinon.

La MARCHE 58 Nièvre 69 ③ – 482 h. alt. 202 – ✉ **58400** La Charité-sur-Loire.

Paris 218 – La Charité-sur-Loire 4 – Nevers 20 – Pougues-les-Eaux 9.

✗ **Les Routiers,** ✆ 86 70 14 11 –
fermé 5 au 15 mars et merc. – SC : **R** 41/110.

MARCIGNY 71110 S.-et-L. 73 ⑦ **G. Bourgogne** – 2 551 h. alt. 250.

Voir Charpente* de la tour du Moulin – Église* de Semur-en-Brionnais SE : 5 km.

ℹ Office de Tourisme à la Mairie (1er juin-31 oct.) ✆ 85 25 03 51.

Paris 363 – Charolles 29 – Chauffailles 26 – Digoin 25 – Lapalisse 37 – Mâcon 82 – Roanne 30.

à St-Martin-du Lac S : 3 km – ✉ **71110** Marcigny :

✗ Relais du Lac, ✆ 85 25 21 45.

à Ste-Foy E : 9 km – ✉ **71110** Marcigny :

Le Brionnais , ✆ 85 25 83 27 – Ⓟ. VISA
fermé fin août au 7 sept., vacances de fév., dim. soir et lundi – SC : **R** 48/200 – ☕ 15 – **7 ch** 66/104 – P 155.

CITROEN Gar. du Centre, ✆ 85 25 09 71
N ✆ 85 25 07 88
PEUGEOT-TALBOT Gar. Moderne, ✆ 85 25 04 12
RENAULT Gar. Vachet, ✆ 85 25 08 04

MARCILLAC-LA-CROISILLE 19320 Corrèze 75 ⑩ – 777 h. alt. 560.

Paris 474 – Argentat 26 – Égletons 17 – Mauriac 40 – Tulle 30.

au Pont du Chambon SE : 15 km par D 978 et D 13 – ✉ **19320** Marcillac-la-Croisille :

✗✗ **Au Rendez-vous des Pêcheurs** avec ch, ✆ 55 27 88 39, – ⋒ Ⓟ. VISA
fermé 12 nov. au 20 déc., vend. soir et sam. midi hors sais. – SC : **R** 52/140 – ☕ 15 – **11 ch** 70/82 – P 135/150.

MARCKOLSHEIM 67390 B.-Rhin 62 ⑲ **G. alsace et Lorraine** – 3 124 h. alt. 172.

Paris 446 – Colmar 22 – Sélestat 15 – •Strasbourg 62.

Aigle, 28 r. Mar.-Foch ✆ 88 92 50 02, – ⇔wc ⋒wc ☎
fermé vacances de fév. – SC : **R** *(fermé lundi)* 60/160 ⅓ – ☕ 18 – **17 ch** 95/180 – P 230/270.

MARCQ-EN-BAROEUL 59 Nord 51 ⑯ – rattaché à Lille.

La MARE d'OVILLERS 60 Oise 55 ⑳ – alt. 148 – ✉ **60570** Andeville.

Paris 53 – Beauvais 23 – Clermont 24 – Senlis 35.

✗✗ **Aub. du Thelle,** N. 1 ✆ 44 08 62 44, – Ⓟ. VISA
fermé mardi soir et merc. – SC : **R** 55/200.

MARENNES 17320 Char.-Mar. 71 ⑭ **G. Côte de l'Atlantique** – 4 549 h. alt. 10.

Voir ※* de la tour de l'église.

Env. Remparts** de Brouage NE : 6,5 km – Pont de la Seudre - Péage en 1985 : moto 1 F, auto 15 F (conducteur et passagers compris), camion de 13 à 56 F.

ℹ Syndicat d'Initiative pl. Chasseloup Laubat (15 juin-15 sept.) ✆ 46 85 04 36 et à la Mairie ✆ 46 85 25 55.

Paris 493 – Rochefort 22 – La Rochelle 54 – Royan 30 – Saintes 40.

à Bourcefranc-le-Chapus NO : 5 km – 2 794 h. – ✉ **17560** Bourcefranc-le-Chapus.
Voir A la pointe du Chapus ≤★ sur le pont d'Oléron NO : 3 km.

❀ **Les Claires** (Suire) Ⓜ, ✆ **46 85 08 01, Télex 792055,** ≤, – wc wc ☎ Ⓟ – 30. AE ⓞ E VISA
SC : **R** 130/170 – 32 – **19 ch** 250/320 – P 400/450
Spéc. Blanquette d'huîtres aux langoustines et pâtes fraîches, Filet de bar au vin de Bordeaux, Gougeonnettes de sole à l'embeurrée de choux.

Terminus, au port du Chapus ✆ **46 85 02 42,** ≤ – wc. E VISA
fermé 13 oct. au 10 nov. et 26 janv. au 1er fév. – SC : **R** *(fermé lundi soir hors sais.)* 45/120 – 16 – **10 ch** 116/145 – P 200.

CITROEN Gar. Poitevin, ✆ 46 85 04 75 N ✆ 46 85 20 84
PEUGEOT-TALBOT Gar. Delavoix, ✆ 46 85 00 59
RENAULT Maîtrehut, à Bourcefranc-le-Chapus ✆ 46 85 03 72
Maison du C/c, ✆ 46 85 00 08

MARGAUX **33460** Gironde **71** ⑧ **G. Côte de l'Atlantique** – 1 371 h.
Paris 552 – ♦ Bordeaux 22 – Lesparre-Médoc 20.

❀ **Relais de Margaux** Ⓜ, NE par VO : 2 km ✆ **56 88 38 30, Télex 572530,** ≤, parc, – TV ☎ Ⓟ – 30 à 100. AE ⓞ VISA
fermé 2 au 23 janv. – **R** 150/400 – 50 – **18 ch** 600/900, 3 appartements
Spéc. Foie de canard chaud aux raisins, Escalope de loup au vin de Médoc, Noisettes d'agneau de Pauillac à la moutarde. **Vins** Margaux, Entre-Deux-Mers.

XX **Aub. Le Savoie,** ✆ **56 88 31 76,** –
fermé 20 déc. au 20 janv. et dim. – SC : **R** 50/90.

à Soussans NO : 3 km sur D 2 – ✉ **33460** Margaux :

XX **Larigaudière,** ✆ **56 88 74 02,** – Ⓟ
fermé 15 nov. au 15 déc., et lundi en hiver – SC : **R** 90/130.

MARIGNANE **13700** B.-du-R. **84** ⑫ **G. Provence** – 31 213 h. alt. 13.
Voir Canal souterrain du Rove★ SE : 3 km.
de Marseille-Marignane Air France ✆ **42 89 90 10.**
Office de Tourisme 4 bd Frédéric Mistral ✆ 42 09 78 83.
Paris 756 – Aix-en-Provence 27 – ♦Marseille 28 – Martigues 15 – Salon-de-Provence 37.

St André Ⓜ, av. R.-Corrao ✆ **42 09 04 11** – wc wc Ⓟ – 30 à 60. VISA
SC : **R** *(fermé août, sam. et dim.)* (dîner seul.) 49/71 – 16 – **24 ch** 145/210, 3 appartements 360.

Ibis Ⓜ, av. 8-Mai-1945 ✆ **42 88 35 35, Télex 440052** – TV wc ☎ Ⓟ – 30. E VISA
SC : **R** *(fermé dim.)* carte environ 85 – 19,50 – **35 ch** 174/220.

à l'aéroport au N – ✉ **13700** Marignane :

Sofitel Ⓜ, ✆ **42 89 91 02, Télex 401980,** – TV ☎ Ⓟ – 50 à 400. AE ⓞ E VISA
rest. **Le Clipper** *(fermé août, sam., dim. et fériés)* **R** carte 150 à 215 - **café de Provence R** carte environ 100 – 41 – **177 ch** 455/545, 3 appartements 975.

XX **Romarin,** aérogare (1er étage) ✆ **42 89 04 76, Télex 441171** – AE ⓞ VISA
SC : **R** 96/195.

à Vitrolles N : 8 km – 22 739 h. – ✉ **13127** Vitrolles – **Voir ★ 15 mn.**

Novotel Ⓜ, carrefour D 9 et A 7 ✆ **42 89 90 44, Télex 420670,** – TV ☎ Ⓟ – 25 à 200. AE ⓞ E VISA
R snack carte environ 100 – 32 – **163 ch** 289/309.

CITROEN SADAM, av. 8-Mai-1945 ✆ 42 89 92 90
PEUGEOT-TALBOT Provence-Auto-Service, 45 av. 8-Mai-1945 ✆ 42 88 54 54
RENAULT Marignane-Auto, av. 8-Mai-1945 ✆ 42 89 93 94
Gay-Pneus, 29 1er Av., Zone Ind. à Vitrolles ✆ 42 89 06 97

MARIGNIER **74** H.-Savoie **74** ⑦ – 3 679 h. – ✉ **74130** Bonneville.
Syndicat d'Initiative à la Mairie ✆ 50 34 60 22.
Paris 550 – Annecy 50 – Bonneville 9 – Chamonix 49 – Cluses 7 – Megève 35 – Morzine 29.

X **Le Pontvys,** ✆ **50 34 63 58,** – Ⓟ. AE VISA
fermé 15 au 31 août, dim. soir et lundi soir – SC : **R** 65 (sauf fêtes)/150.

MARIGNY **50570** Manche **54** ⑬ – 1 440 h. alt. 71.
Paris 315 – Carentan 27 – Coutances 16 – St-Lô 12.

XX **Poste,** ✆ **33 55 11 08** – VISA.
fermé 10 sept. au 1er oct., 19 au 25 janv., dim. soir et lundi – SC : **R** 85/225.

RENAULT Gar. Rihouey, ✆ 33 55 15 28

MARINGUES 63350 P.-de-D. 73 ⑤ G. Auvergne – 2 487 h. alt. 315.

Paris 376 – ♦Clermont-Ferrand 31 – Lezoux 15 – Riom 19 – Thiers 25 – Vichy 27.

XX **Clos Fleuri** avec ch, rte Clermont ✆ 73 68 70 46, « jardin ombragé » – wc wc . E. ch
fermé 15 janv.-15 fév. dim., soir et lundi du 15 sept. au 15 juin. – SC : **R** 56/150 – 15 – **12 ch** 80/160 – P 150/175.

PEUGEOT-TALBOT Larzat et Meyronne, ✆ 73 68 70 50

PEUGEOT-TALBOT Chabannes, ✆ 73 68 70 69 N

MARIOL 03 Allier 73 ⑤ – 629 h. alt. 280 – ✉ **03270** St-Yorre.

Paris 363 – ♦Clermont-Ferrand 59 – Moulins 71 – Randan 14 – Riom 41 – Thiers 23 – Vichy 14.

Touristes, ✆ 70 41 20 87 – E.
fermé oct. et merc. – SC : **R** 43/68 – 12 – **10 ch** 48/80 – P 120/130.

MARLE 02250 Aisne 53 ⑮ G. Flandres, Artois, Picardie – 2 727 h. alt. 79.

Paris 158 – Guise 23 – Laon 22 – Rethel 56 – St-Quentin 42 – Vervins 15.

Host. du Vilpion, ✆ 23 20 01 68 – . ch
fermé 12 au 31 août et dim. soir – SC : **R** 60/120 – 18 – **8 ch** 80/100.

CITROEN Ets Lefèvre, ✆ 23 20 00 99

MARLENHEIM 67520 B.-Rhin 62 ⑨ – 2 822 h. alt. 184.

Paris 466 – Haguenau 35 – Molsheim 12 – Saverne 19 – ♦Strasbourg 20.

Host. Reeb, ✆ 88 87 52 70, – rest wc wc – 25. AE E VISA. ch
fermé 6 au 30 janv. et jeudi sauf hôtel en sais. – SC : **R** 55/230 – 19 – **35 ch** 150/170 – P 210/250.

XXX ✿✿ **Host. du Cerf** (Husser) avec ch, ✆ 88 87 73 73, , – wc wc – 25. AE VISA
fermé 6 au 22 janv., lundi et mardi – SC : **R** 220/310 et carte – 30 – **19 ch** 120/250

Spéc. Roulades de turbot aux vermicelles, Millefeuille de filet de boeuf à la duxelle de champignons, Crêpes chaudes farcies aux griottes. **Vins** Edelzwicker, Vorlauf.

XX **Aub. du Kronthal,** carrefour N 4 - D 422 ✆ 88 87 50 25 – . E VISA
fermé 15 juil. au 15 août, 23 déc. au 1er janv., dim. soir et lundi – SC : **R** 45/250 .

MARLIEUX 01 Ain 74 ② – 682 h. alt. 270 – ✉ **01240** St-Paul-de-Varax.

Paris 428 – Bourg-en-Bresse 21 – ♦Lyon 43 – Villefranche-sur-Saône 36.

X **Lion d'Or** avec ch, ✆ 74 42 85 15 – wc . AE E VISA. ch
fermé fév. et lundi – SC : **R** 75/148 – 20 – **8 ch** 135/145 – P 200/215.

CITROEN Gar. Clerc, ✆ 74 42 85 13

MARLY-LE-ROI 78 Yvelines 55 ⑲, 101 ⑫ – voir à Paris, Environs.

MARMAGNE 71 S.-et-L. 69 ⑧ – 1 306 h. alt. 311 – ✉ **71710** Montcenis.

Paris 311 – Autun 20 – Chalon-sur-Saône 48 – Le Creusot 10 – Mâcon 87 – Montceau-les-Mines 23.

Rose des Vents, à St-Symphorien O : 2 km par D 61 ✆ 85 78 20 86 – . VISA
fermé 1er au 15 janv. – SC : **R** 40/110 – 15 – **17 ch** 65/80 – P 110/120.

XX **Vieux Jambon** avec ch, rte Creusot ✆ 85 78 20 32 – . VISA
fermé 1er au 20 sept., 8 au 20 fév., dim. soir et lundi – SC : **R** 55/130 – 15 – **11 ch** 58/82 – P 120.

RENAULT Gar. Détang, D 61 à St-Symphorien-de-Marmagne ✆ 85 54 40 43 N

MARMANDE SP 47200 L.-et-G. 79 ③ G. Côte de l'Atlantique – 17 345 h. alt. 32.

Office de Tourisme pl. Clemenceau (hors saison après-midi seul.) ✆ 53 64 32 50.

Paris 599 ④ – Agen 58 ② – Bergerac 58 ① – ♦Bordeaux 90 ③ – Libourne 65 ④.

Plan page ci-contre

Capricorne M, rte d'Agen par ② ✆ 53 64 16 14, – TV wc – 60. AE E VISA B e
fermé 24 déc. au 4 janv. – SC : **R** 65/180 – 19 – **32 ch** 162/190 – P 255/267.

Aub. de Guyenne, 9 r. Martignac ✆ 53 64 01 77 – . E VISA B a
fermé 15 déc. au 15 janv. (sauf rest), 25 oct. au 3 nov., dim. soir et lundi de sept. à mai – SC : **R** 50/160 – 15 – **16 ch** 55/170 – P 170/195.

à Mauvezin-sur-Gupie N : 6 km par D 708 et D 115 – ✉ **47200** Marmande :

X **Poulet à la Ficelle,** ✆ 53 94 21 26, –
SC : **R** (nombre de couverts limité, prévenir) 89.

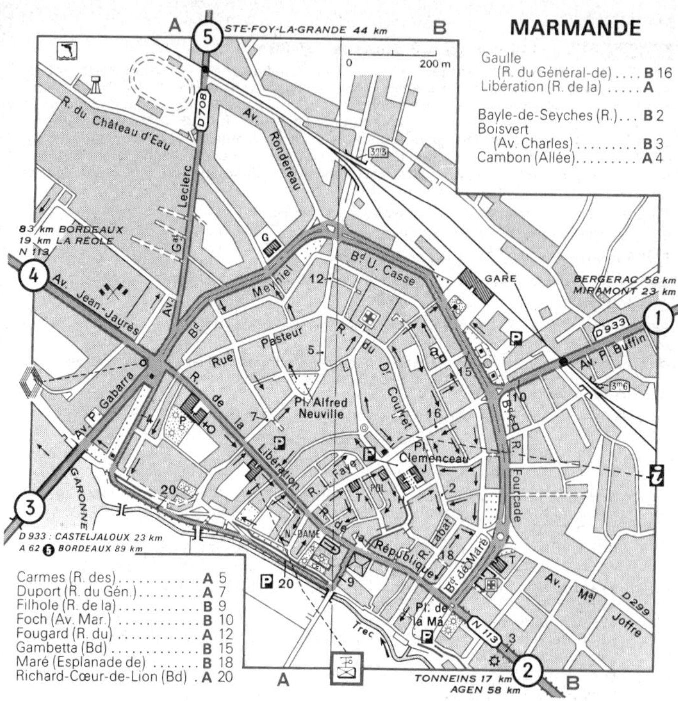

CITROEN Baudrin, rte Bordeaux, Ste-Bazeille par ④ ℘ 53 64 30 53 N
FIAT Gar. Diné, rte Bordeaux ℘ 53 64 27 21
FORD Auto Aquitaine, rte Bordeaux ℘ 53 64 75 71
OPEL Lamat, 1 bd Dr-Fourcade ℘ 53 64 26 10
PEUGEOT-TALBOT Guyenne et Gascogne Autom., 95 av. J.-Jaurès par ④ ℘ 53 64 34 47
PEUGEOT-TALBOT Mayet, 94 av. J.-Jaurès par ④ ℘ 53 64 30 24

RENAULT Deldon, pl. Lestang ℘ 53 64 14 39
VOLVO Lagroye, à St-Pardoux-du-Breuil ℘ 53 64 10 09

Ⓜ La Maison du Pneu, 37 av. Jean-Jaurès ℘ 53 64 23 52
Relais Marmandais, 123 av. Jean Jaurès ℘ 53 64 23 63

MARMOUTIER **67440** B.-Rhin 62 ⑨ **G. Alsace et Lorraine** – 2 024 h. alt. 230.
Voir Église★★.
Paris 453 – Molsheim 21 – Saverne 6 – ♦Strasbourg 33 – Wasselonne 8.

XX **Deux Clefs** avec ch, ℘ 88 70 61 08 – wc ☎
fermé 1er au 10 juil., 1er au 29 fév., dim. soir (sauf hôtel) hors sais. et lundi – SC : **R** 40/160 – 11 – **15 ch** 65/160 – P 130/180.

MARNAY-SUR-MARNE **52** H.-Marne 62 ⑫ – 187 h. – ✉ **52800** Nogent-en-Bassigny.
Paris 270 – Bourbonne-les-Bains 47 – Chaumont 15 – Langres 20.

X **Vallée** avec ch, N 19 ℘ 25 31 10 11, – Ⓟ. VISA
fermé sept., mardi soir et merc. – SC : **R** 38/110 – 12,50 – **7 ch** 55/94 – P 130/160.

MARNE-LA-VALLÉE **77** S.-et-M. 56 ⑫, 196 ㉑ – voir à Paris, Environs.

MARQUION **62** P.-de-C. 53 ③ – rattaché à Cambrai.

MARQUISE **62250** P.-de-C. 51 ① – 4 793 h. alt. 39.
Paris 297 – Arras 118 – Boulogne-sur-Mer 13 – ♦Calais 21 – St-Omer 47.

XX **Grand Cerf**, av. Ferber ℘ 21 92 84 53 – Ⓟ.
Ⓜ Clinique du Pneu, ℘ 21 92 86 61

MARSANNAY-LA-CÔTE **21** Côte-d'Or 66 ⑫ – rattaché à Dijon.

MARSEILLE P 13 B.-du-R. 84 ⑬ G. Provence – 878 689 h.

Voir Basilique N.-D.-de-la-Garde ※*** BY – La Canebière** CV – Vieux Port** ABVX – Corniche Président-J.-F.-Kennedy** AYZ – Port moderne** AT – Palais Longchamp* DU – Basilique St-Victor* : crypte** AX – Ancienne cathédrale de la Major* AU **N** – Parc du Pharo ≤* AX – Belvédère St-Laurent ≤* AV **E** – Musées : Grobet-Labadié** DU **M4**, Cantini* : galerie de la Faïence de Marseille et de Moustiers** CX **M3**, Beaux-Arts* et Histoire naturelle* (palais Longchamp) DU **M**, Archéologie méditerranéenne* : collection d'antiquités égyptiennes** (Château Borely) CZ **M7**, Docks romains* ABV **M2**, Vieux Marseille* AV **M1**.

Env. Route en corniche** de Callelongue S : 13 km BZ.

Excurs. : Château d'If** (※***) 1 h 30.

18 d'Aix-Marseille ☎ 42 24 20 41 par ① : 22 km.

✈ de Marseille-Marignane Air France ☎ 91 89 90 10 par ① : 28 km.

☎ 91 08 50 50.

pour la Corse : Société Nationale Maritime Corse-Méditerranée, 61 bd des Dames (2e) ☎ 91 56 32 00 AU.

Office de Tourisme et Accueil de France (Informations et réservations d'hôtels, pas plus de 5 jours à l'avance), 4 Canebière, 13001, ☎ 91 54 91 11, Télex 430402 et gare St-Charles ☎ 91 50 59 18 - A.C. 143 cours Lieutaud, 13006, ☎ 91 47 86 23.

Paris 776 ① – •Lyon 315 ① – •Nice 187 ② – Torino 407 ② – •Toulon 64 ② – Toulouse 404 ①.

Plans : Marseille p. 2 à 5

Sauf indication spéciale, voir emplacements sur Marseille p. 4 et 5

Sofitel Vieux Port M, 36 bd Ch.-Livon, ✉ 13007, ☎ 91 52 90 19, Télex 401270, restaurant panoramique ≤ Vieux Port, – 100 à 450. AE E VISA — AX **n**
rest. **les Trois Forts** *(fermé août)* **R** carte 185 à 260 - **Le Jardin** *(fermé sam. et dim. du 15 sept. au 15 juin)* **R** carte environ 120 – 45 – **219 ch** 415/855, 3 appartements.

Frantel M, r. Neuve St-Martin, ✉ 13001, ☎ 91 91 91 29, Télex 401886, – 400. AE E VISA — BUV **g**
SC : rest. **L'Oursinade** *(fermé 25 juil. au 1er sept., di* **R** carte 185 à 250 **L'Oliveraie** (Grill) *(fermé vend. soir et sam. soir)* **R** carte environ 100 – 42 – **200 ch** 440/546, 4 appartements 900.

P.L.M. Beauvau sans rest, 4 r. Beauvau ✉ 13001 ☎ 91 54 91 00, Télex 401778 – AE E VISA — BV **r**
SC : 50 – **71 ch** 450/570.

Concorde-Prado M, 11 av. Mazargues, ✉ 13008, ☎ 91 76 51 11, Télex 420209 – – 80. AE E VISA — Marseille p. 3 DZ **r**
SC : **R** 100/150 – 42 – **100 ch** 425/468.

Résidence Bompard sans rest, 2 r. Flots-Bleus, ✉ 13007, ☎ 91 52 10 93, Télex 400430, – cuisinette – 40. AE — Marseille p. 2 AZ **e**
SC : 25 – **47 ch** 225/295.

Gd H. Noailles, 66 Canebière, ✉ 13001, ☎ 91 54 91 48, Télex 430609 – ch – 30 à 60. AE E VISA — CV **x**
SC : **R** *(fermé dim.)* 160 – 30 – **70 ch** 250/460, 4 appartements 550.

Gd H. Genève sans rest, 3 bis r. Reine-Élisabeth, ✉ 13001, ☎ 91 90 51 42, Télex 440672 – VISA. — BV **e**
SC : 21 – **45 ch** 128/286, 4 appartements 337.

Castellane M sans rest, 31 r. Rouet ✉ 13006 ☎ 91 79 27 54 – wc . AE VISA — DY **f**
SC : 28 – **55 ch** 221/291.

Européen sans rest, 115 r. Paradis, ✉ 13006, ☎ 91 37 77 20 – wc wc — CY **u**
fermé août – SC : 18 – **43 ch** 120/210.

Manhattan, 3 pl. Rome, ✉ 13006, ☎ 91 54 35 95 – wc wc – 80. AE E VISA — CX **w**
SC : **R** *(fermé août, sam. midi et dim.)* 68/250 – 22 – **41 ch** 190/280.

Rome et St Pierre sans rest, 7 cours St-Louis, ✉ 13001, ☎ 91 54 19 52, Télex 430641 – wc wc . AE E VISA — CV **y**
SC : 22 – **63 ch** 114/278.

Petit Louvre, 19 Canebière, ✉ 13001, ☎ 91 90 13 78 – wc wc . AE E VISA. rest — CV **q**
SC : **R** *(fermé dim. du 1er nov. au 31 mars)* 75/110 – 22 – **33 ch** 174/278 – P 310/360.

Paris-Nice sans rest, 23 bd Athènes ✉ 13001, ☎ 91 90 13 22 – wc wc . AE E VISA — CU **a**
fermé 1er déc. à début janv. – SC : 20 – **33 ch** 104/348.

Sélect H. sans rest, 4 allées Gambetta ✉ 13001, ☎ 91 62 41 26 – wc wc – 80. AE E VISA — CU **k**
SC : 22 – **66 ch** 170/230.

Ibis M, 6 r. Cassis ✉ 13008 ℘ 91 78 59 25, Télex 400362 – wc – 40. E VISA Marseille p. 3 DZ **e**
SC : **R** carte environ 85 – 19,50 – **119 ch** 190/241.

Sud sans rest, 18 r. Beauvau ✉ 13001 ℘ 91 54 38 50 – wc BX **n**
SC : 18 – **24 ch** 165/230.

Martini sans rest, 5 bd G.-Desplaces, ✉ 13003, ℘ 91 64 11 17 – wc . AE. CU **b**
SC : 18 – **40 ch** 107/196.

XXX ✿ **Jambon de Parme,** 67 r. La Palud, ✉ 13006, ℘ 91 54 37 98 – . AE E VISA
fermé 12 juil. au 18 août, dim. soir et lundi – **R** carte 150 à 220 CX **s**
Spéc. Salade aux deux saumons, Filets de chapon au safran, Blancs de volaille au sabayon de poireaux. **Vins** Cassis, Bandol.

XXX **Max Caizergues,** 11 r. G.-Ricard ✉ 13006 ℘ 91 33 58 07 – . AE VISA.
fermé 15 juil. au 15 août, sam. midi et dim. – SC : **R** carte 160 à 270. CX **g**

XXX **Au Pescadou,** 19 place Castellane, ✉ 13006, ℘ 91 78 36 01, produits de la mer – – *fermé juil., août et dim. soir de nov. à fin juin* – **R** carte 110 à 220. CY **v**

XXX **La Ferme,** 23 r. Sainte, ✉ 13001, ℘ 91 33 21 12 – . AE VISA BX **m**
fermé août, 29 déc. au 4 janv., sam. midi, dim. et fêtes – SC : **R** carte 160 à 210.

XXX **Chez Benoît,** 26 cours Julien ✉ 13006 ℘ 91 92 47 47 – . VISA CV **r**
fermé 13 juil. au 18 août, dim. et lundi midi – SC : **R** 85.

XXX **Brasserie New-York Vieux Port,** 7 quai Belges ✉ 13001 ℘ 91 33 60 98 – . AE E VISA BX **e**
SC : **R** carte environ 160 .

XX ✿ **Michel,** 6 r. Catalans, ✉ 13007, ℘ 91 52 64 22, ≤ – VISA Marseille p. 2 AX **e**
fermé juil., mardi et merc. – **R** carte 255 à 400
Spéc. Bouillabaisse, Bourride, Poissons et langouste grillés. **Vins** Cassis, Meyreuil.

XX ✿ **Calypso,** 3 r. Catalans, ✉ 13007, ℘ 91 52 64 00, ≤ – VISA Marseille p. 2 AX **p**
fermé août, dim. et lundi – **R** carte 250 à 310
Spéc. Bouillabaisse, Bourride, Poissons et langouste grillés. **Vins** Palette, Cassis.

XX **Chez Caruso,** 158 quai Port, ✉ 13002, ℘ 91 90 94 04, ≤, , Spécialités italiennes – AE – *fermé 15 oct. au 15 nov., dim. soir et lundi* – SC : **R** carte 140 à 190. AV **q**

XX **Miramar,** 12 quai Port, ✉ 13002, ℘ 91 91 10 40, – . AE E VISA BV **v**
fermé 2 au 25 août, 23 déc. au 8 janv. et dim. – **R** carte 150 à 240 .

XX **Dominique Panzani,** 17 r. Montgraud ✉ 13006 ℘ 91 54 72 72 – . VISA.
fermé 8 au 26 août, 24 déc. au 5 janv., le soir en août, sam., dim. et fériés – SC : **R** carte 135 à 200. CX **d**

XX **Maison du Beaujolais,** 2 pl. Sébastopol, ✉ 13004, ℘ 91 34 61 38 – . AE E VISA Marseille p. 3 EU **a**
fermé 15 au 30 août et dim. – SC : **R** 100/200.

XX **Chez Antoine** (Pizzeria), 35 r. Musée, ✉ 13001, ℘ 91 54 02 64 – . VISA CV **k**
fermé 28 juil. au 31 août et mardi – SC : **R** carte 100 à 175.

XX **Le Chaudron Provençal,** 48 r. Caisserie ✉ 13002 ℘ 91 91 02 37 – . AE VISA
fermé 1er au 15 juil., 25 au 31 déc. et dim. – SC : **R** carte environ 180. AV **k**

XX **Béarnais,** 16 r. S.-Torrents, ✉ 13006, ℘ 91 37 01 96 – VISA CY **a**
fermé fin juil. à fin août, dim. et fêtes – **R** 98.

XX **Piment Rouge,** 20 r. Beauvau, ✉ 13001, ℘ 91 33 19 84, Cuisine Moyen-Orient – AE E VISA. BX **n**
fermé août et dim. – SC : **R** carte environ 150.

X **La Charpenterie,** 22 r. Paix ✉ 13001 ℘ 91 54 22 89 – AE E VISA BX **d**
fermé 14 juil. au 15 août, sam. midi, dim. et fêtes – SC : **R** carte 70 à 140.

Sauf indication spéciale, voir emplacements sur Marseille p. 2

sur la Corniche :

Concorde-Palm Beach M , 2 promenade Plage, ✉ 13008, ℘ 91 76 20 00, Télex 401894, ≤, , , – – 450. AE E VISA
SC : **La Réserve R** 120/180 - **grill Les Voiliers R** 100/110 – 42 – **145 ch** 425/468, 3 appartements. AZ **s**

✿✿ **Le Petit Nice** (Passedat) M , anse de Maldormé (hauteur 160 corniche Kennedy), ✉ 13007, ℘ 91 52 14 39, Télex 401565, , « Villas dominant la mer, beaux aménagements intérieurs », – ch . AE VISA. rest
fermé 1er janv. au 8 fév. – **R** *(fermé lundi)* 350 et carte – 59 – **10 ch** 670/1 000, 8 appartements AZ **d**
Spéc. Loup de ligne en huile d'olive, Ragoût phocéen aux pistils de safran, Feuillant caramélisé aux fruits de saison. **Vins** Bandol, Coteaux d'Aix.

XX **Chez Fonfon,** 140 vallon des Auffes, ✉ 13007, ℘ 91 52 14 38, ≤ – AE VISA
fermé oct., 23 déc. au 2 janv., sam. et dim. – **R** carte environ 225. AY **t**

XX **L'Epuisette,** vallon des Auffes, ✉ 13007, ℘ 91 52 17 82, ≤, – AE VISA AY **n**
fermé janv., sam. et dim. – **R** (nombre de couverts limité - prévenir) carte 190 à 270.

XX **Peron,** 56 corniche Prés.-Kennedy, ✉ 13007, ℘ 91 52 43 70, ≤ entrée du port et château d'If, – . AE E VISA AY **m**
fermé janv., dim. soir et lundi – **R** carte 120 à 205.

RÉPERTOIRE DES RUES

Aix (R. d') . . . . p. 4 **BU**
Canebière (La) . . . . . . p. 5 **CV**
Gaulle (Pl. Gén.-de) . . p. 4 **BV** 31
Paradis (R.) . . . . p. 5 **CX**
St-Ferréol (R.) . . . . p. 5 **CX**
St-Pierre (R.) . . . . p. 5 **DX**

Antholne (R. d') . . . . . p. 2 **AT**
Athènes (Bd d') . . . . . p. 5 **CU** 2
Aubagne (R. d') . . . . . p. 5 **CX**
Aune (Bd A.) . . . . p. 4 **BY**
Baille (Bd) . . . . p. 5 **DY**
Barbusse (R. H.) . . . . . p. 4 **BV** 3
Barry (Bd) . . . . p. 3 **ET**
Belges (Quai des) . . . p. 4 **BV** 5
Belles-Écuelles (R.) . . . . . . p. 4 **BU** 6
Belsunce (Cours) . . . . p. 5 **CV**
Benedit (R.) . . . . p. 3 **DT**
Bir-Hakeim (R.) . . . . . p. 4 **BV** 8
Blancarde (Bd de la) . p. 3 **EU**
Bompard (Bd) . . . . . . p. 4 **AY**
Bourdet (Bd M.) . . . . . p. 5 **CU** 13
Breteuil (R.) . . . . p. 4 **BY**
Briançon (Bd de) . . . . p. 3 **BT** 14
Brun (R. Roger) . . . . . p. 5 **DY**
Busquet (R.) . . . . p. 5 **DY** 15
Caisserie (R.) . . . . p. 4 **AV**
Camas (R. du) . . . . p. 5 **DV**
Cantini (Av. Jules) . . . p. 5 **DY**
Capelette (Av. de la) . p. 3 **EZ**
Castellane (Pl.) . . . . . . p. 5 **CY**
Catalans (R. des) . . . . p. 2 **AX** 16
Chartreux (Av. des) . . p. 3 **EU** 17
Chave (Bd) . . . . p. 5 **DV**
Chutes-Lavie(Av.) . . . p. 3 **ET**
Colbert (R.) . . . . p. 4 **BU** 18
Corderie (Bd de la) . . p. 4 **AX**
Corinthe (Av.de) . . . . p. 5 **DY**
Corniche Président J.-F.-Kennedy . . . . p. 2 **AZ**
Corse (Av. de la) . . . . p. 4 **AY**
Curiol (R.) . . . . p. 5 **CV**
Dames (Bd des) . . . . . p. 4 **BU**
Delphes (Av. des) . . . p. 5 **DY** 20
Delpuech (Bd) . . . . . . p. 5 **DY** 21
Dessemond (R. Cap.) p. 4 **AY** 22
Dr-Escat (R.) . . . . p. 5 **CY**
Dragon (R.) . . . . p. 4 **BY**
Dugommier (Bd) . . . . p. 5 **CV** 23
Dunkerque (Bd de) . . p. 2 **AT**
Endoume (R. d') . . . . . p. 4 **AY**
Est.-d'Orves (Crs) . . . p. 4 **BX** 25
Eugène-Pierre (Bd) . . p. 5 **DV**
Évêché (R. de l') . . . . . p. 4 **AU**
Extérieur (Bd) . . . . p. 2 **AT** 26
Fabres (R. des) . . . . . . p. 5 **CV** 27
Fauchier (R.) . . . . p. 4 **BU**
Ferrari (R.) . . . . p. 5 **DX**
Flammarion (Bd C.) . . p. 5 **DU**
Foch (Av. Mar.) . . . . . . p. 3 **EU**
Fort-du-Sanct. (R.) . . p. 4 **BY** 29
Fort-N.-Dame (R.) . . . p. 4 **BX**
Friedland (R.) . . . . p. 5 **DY**
Gambetta (Allées) . . . p. 5 **CU**
Garibaldi (Bd) . . . . p. 5 **CV** 30
Gênes (R. de) . . . . p. 5 **DY**
Gouffé (Cours) . . . . . . p. 5 **DY**
Grand'Rue . . . . p. 4 **BV** 33
Grignan (R.) . . . . p. 4 **BX** 34
Guesde (Pl. Jules) . . . p. 4 **BU**
Guibal (R.) . . . . p. 3 **DT**
Héros (R. des) . . . . p. 5 **CU**
Honnorat (R.) . . . . p. 5 **CU**
Iéna (R. d') . . . . p. 5 **DY** 35
Italie (R. d') . . . . p. 5 **CY**
Jaurès (Pl. Jean) . . . . p. 5 **DV**
Jeanne-d'Arc (Bd) . . . p. 3 **EX**
Joliette (Pl., Quai, R.) . p. 4 **AU**
Julien (Cours) . . . . p. 5 **CX**
Lazaret (Quai du) . . . . p. 2 **AT**
Leblanc (R.V.) . . . . p. 4 **AU** 40
Leclerc (Av. Gén.) . . . p. 5 **CU**
Libération (Bd de la) . p. 5 **DU**
Liberté (Bd de la) . . . . p. 5 **CU** 42
Lieutaud (Cours) . . . . p. 5 **CX**
Livon (Bd Charles) . . . p. 4 **AX**
Lodi (R. de) . . . . p. 5 **DY**
Longchamp (Bd) . . . . p. 5 **DU**
Loubière (R. de la) . . . p. 5 **DX**
Marceau (Pl.) . . . . p. 4 **BU**
Menpenti (R.) . . . . p. 5 **DY**
Michelet (Bd) . . . . p. 3 **DZ**

Moisson (R.F.) . . . . . . p. 4 **BU** 45
Montricher (Bd) . . . . . p. 5 **DU** 46
Moulin (Bd Jean) . . . . p. 3 **EX** 47
National (Bd) . . . . p. 5 **DU**
Nationale (R.) . . . . p. 5 **CU**
Nedelec (Bd Ch.) . . . . p. 5 **CU**
Notre-Dame (Bd) . . . . p. 4 **BY** 48
Panier (R. du) . . . . p. 4 **AU**
Paris (Bd de) . . . . p. 3 **BT**
Pasteur (Av.) . . . . p. 4 **AX**
Pelletan (Av. C.) . . . . . p. 4 **BU** 49
Périer (Bd) . . . . p. 3 **CZ**
Philipon (Bd) . . . . p. 5 **DU** 51
Plage (Prom. de la) . . p. 3 **BZ**
Plombières (Bd de) . . p. 3 **CT**
Pologne (Pl. de) . . . . . p. 5 **DY** 52
Port (Quai du) . . . . p. 4 **BV**
Prado (Av. du) . . . . p. 5 **CY**
Puget (Cours Pierre) . p. 4 **BX**
Pyat (R. Félix) . . . . p. 3 **BT**
Rabatau (Bd) . . . . p. 3 **EZ**
Raynouard (Trav.) . . . p. 5 **DY** 53
République (R.) . . . . . p. 4 **BV**
Rive-Neuve (Quai) . . . p. 4 **BX**
Roches (Av. des) . . . . p. 2 **AZ**
Rolland (R. du Cdt) . . p. 3 **CZ**
Rome (R. de) . . . . p. 5 **CY**
Roosevelt (Cours F.) . p. 5 **DU**
Roucas-Blanc (Ch.) . . p. 4 **AY**
Rouet (R. du) . . . . p. 5 **DY**
Sadi-Carnot (Pl.) . . . . p. 4 **BU** 54
St-Jean (Av. de) . . . . . p. 4 **AV**
St-Just (Av. de) . . . . . . p. 3 **ET**
St-Laurent (R.) . . . . . . p. 4 **AV** 55
St-Louis (Cours) . . . . . p. 5 **CV** 56
St-Savournin (R.) . . . . p. 5 **DV**

Sainte (R.) . . . . p. 4 **BX**
Ste-Barbe (R.) . . . . . . p. 4 **BU** 57
Ste-Cécile (R.) . . . . . . p. 5 **DY**
Ste-Marguerite (Bd) . p. 3 **EZ**
Ste-Marthe (Ch. de) . . p. 3 **DT**
Ste-Philomène (R.) . . p. 5 **CY** 58
Sakakini (Bd) . . . . p. 3 **EV**
Salengro (Av. R.) . . . . p. 3 **BT**
Salvator (Bd L.) . . . . . p. 5 **CX**
Sémard (Av. P.) . . . . . p. 5 **CU**
Sembat (R. M.) . . . . . . p. 5 **CV** 60
Schlœsing (Bd) . . . . . p. 3 **EZ**
Shuman (Av. R.) . . . . . p. 4 **AU**
Strasbourg (Bd) . . . . . p. 3 **CT** 61
Tapis-Vert (R.) . . . . . . p. 5 **CV**
Teisseire (Bd R.) . . . . p. 3 **EZ**
Tellène (Bd) . . . . p. 4 **AY**
Terrusse (R.) . . . . p. 5 **DV**
Thierry (Cours J.) . . . . p. 5 **DU**
Tilsit (R.) . . . . p. 5 **DX**
Timone (Av. de la) . . . p. 3 **EY**
Toulon (Av. de) . . . . . p. 5 **DY**

Tourette (Quai) . . . p. 4 **AU** 62
Vallon-l'Oriol (Ch.) p. 2 **AZ**
Vauban (Bd) . . . . . . p. 4 **BY**
Vaudoyer (Av.) . . . . p. 4 **AV** 64
Vertus (R. des) . . . p. 5 **DX**
Victor-Hugo (Pl.) . . p. 5 **CU**
Voltaire (Bd) . . . . . . p. 5 **CU**
3-Mages (R.) . . . . . p. 5 **CV**

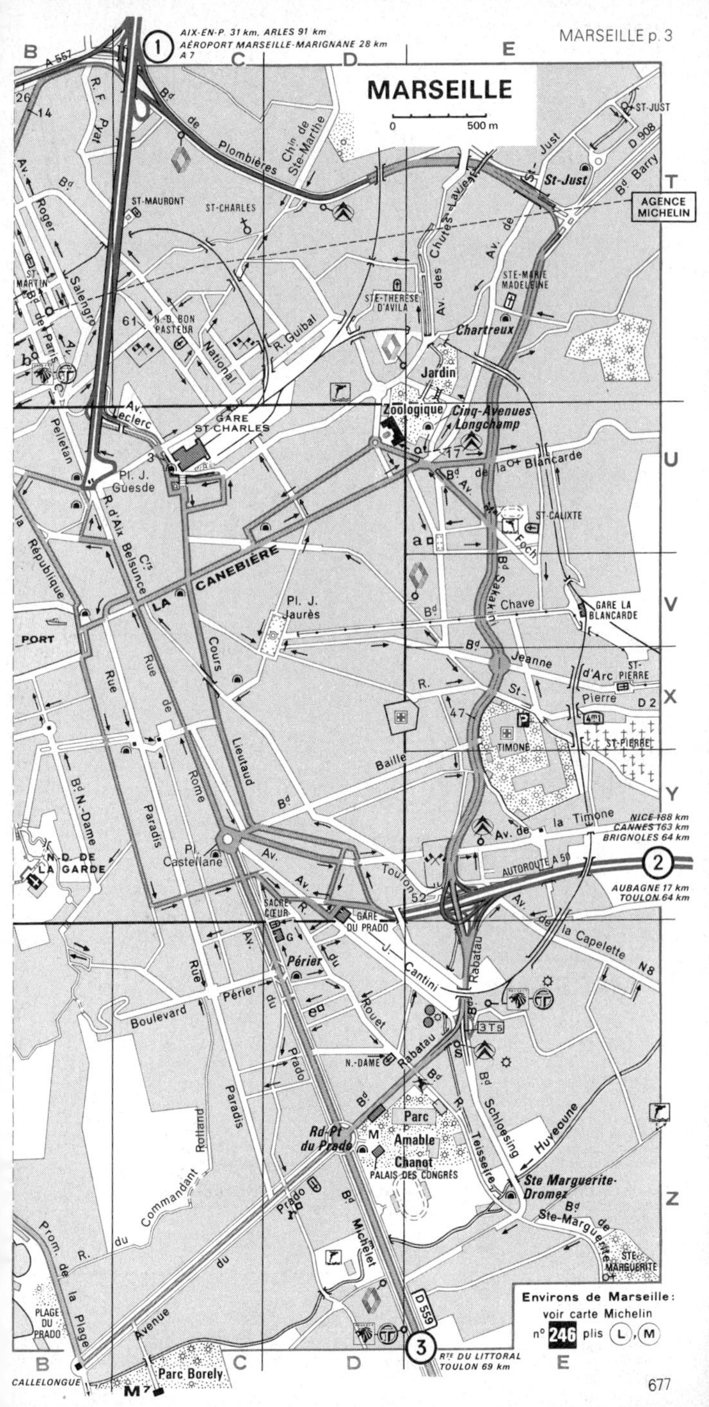
MARSEILLE
0
500 m
AIX-EN-P. 31 km, ARLES 91 km
AÉROPORT MARSEILLE-MARIGNANE 28 km
A 7
A 557
NICE 188 km
CANNES 163 km
BRIGNOLES 64 km
AUBAGNE 17 km
TOULON 64 km
RTE DU LITTORAL
TOULON 69 km
AGENCE MICHELIN
AUTOROUTE A 50
D 559
D 908
D 2
N 8
3 T 5
Bd de Plombières
Chin de Ste-Marthe
R. F. Pyat
Av. Roger Salengro
Bd National
R. Guibal
ST-MAURONT
ST-CHARLES
ST-MARTIN
N.-D. BON PASTEUR
STE-THÉRÈSE D'AVILA
Av. des Chutes-Lavie
Av. de St-Just
St-Just
ST-JUST
Bd Barry
STE-MARIE MADELEINE
Chartreux
Jardin
Zoologique
Cinq-Avenues Longchamp
GARE ST CHARLES
Av. Leclerc
Pelletan
Pl. J. Guesde
R. d'Aix
Cours Belsunce
LA CANEBIÈRE
Bd de la Blancarde
Av. Foch
ST-CALIXTE
Bd Sakakini
Bd Chave
GARE LA BLANCARDE
Pl. J. Jaurès
Bd Jeanne d'Arc
R. St-Pierre
ST-PIERRE
TIMONE
PORT
la République
Rue de Rome
Cours Lieutaud
Bd Baille
Rue Paradis
Bd N.-Dame
N.D. DE LA GARDE
Pl. Castellane
Av. de Toulon
Av. de la Timone
Av. de la Capelette
SACRÉ CŒUR
GARE DU PRADO
Av. du Prado
Périer
Rue Périer
Boulevard Périer
R. du Rouet
Av. J. Cantini
Bd Rabatau
N.-DAME
Rue Paradis
Bd Rabatau
Parc Amable Chanot
PALAIS DES CONGRÈS
Rd-Pt du Prado
Bd Rabatau
R. Teisseire
Bd Schloesing
Huveaune
Ste Marguerite-Dromez
Bd de Ste-Marguerite
STE-MARGUERITE
Rolland
R. du Commandant Rolland
Bd Michelet
Prado
Avenue du Prado
Prom. de la Plage
PLAGE DU PRADO
Parc Borely
CALLELONGUE
B
C
D
E
T
U
V
X
Y
Z
Environs de Marseille:
voir carte Michelin
n° 246 plis L, M

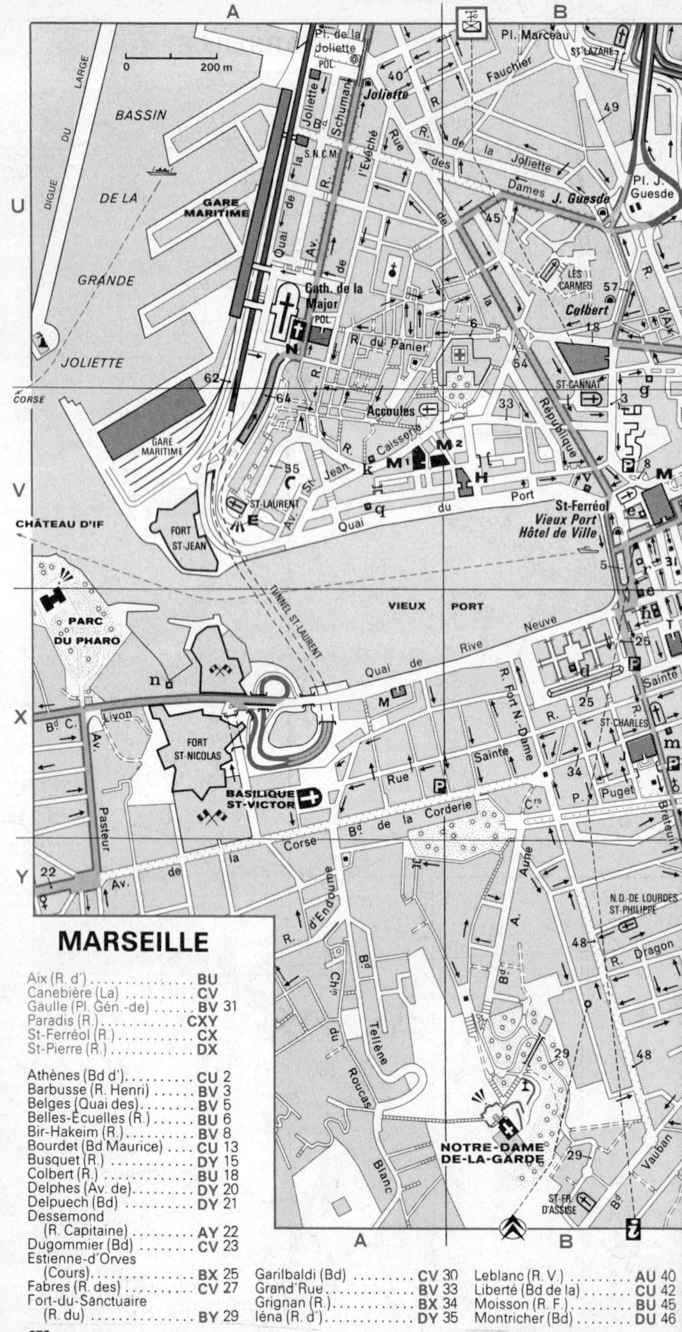

MARSEILLE

Aix (R. d')	**BU**
Canebière (La)	**CV**
Gaulle (Pl. Gén.-de)	**BV** 31
Paradis (R.)	**CXY**
St-Ferréol (R.)	**CX**
St-Pierre (R.)	**DX**

Athènes (Bd d')	**CU** 2
Barbusse (R. Henri)	**BV** 3
Belges (Quai des)	**BV** 5
Belles-Écuelles (R.)	**BU** 6
Bir-Hakeim (R.)	**BV** 8
Bourdet (Bd Maurice)	**CU** 13
Busquet (R.)	**DY** 15
Colbert (R.)	**BU** 18
Delphes (Av. de)	**DY** 20
Delpuech (Bd)	**DY** 21
Dessemond (R. Capitaine)	**AY** 22
Dugommier (Bd)	**CV** 23
Estienne-d'Orves (Cours)	**BX** 25
Fabres (R. des)	**CV** 27
Fort-du-Sanctuaire (R. du)	**BY** 29
Garibaldi (Bd)	**CV** 30
Grand'Rue	**BV** 33
Grignan (R.)	**BX** 34
Iéna (R. d')	**DY** 35
Leblanc (R. V.)	**AU** 40
Liberté (Bd de la)	**CU** 42
Moisson (R. F.)	**BU** 45
Montricher (Bd)	**DU** 46

Notre-Dame (Bd) .... **BY** 48	Sadi-Carnot (Pl.) .... **BU** 54	Ste-Philomène (R.) ..... **CY** 58
Pelletan (Av. C.) .... **BU** 49	St-Laurent (R.) .... **AV** 55	Sembat (R. Marcel) ..... **CU** 60
Philipon (Bd) .... **DU** 51	St-Louis (Crs) .... **CV** 56	Tourette (Quai) .... **AU** 62
Raynouard (Traverse) ... **DY** 53	Ste-Barbe (R.) .... **BU** 57	Vaudoyer (Av.) .... **AV** 64

à l'Est 10 km par ② et sortie La Penne-St-Menet :

Novotel M, à St-Menet, ✉ 13011, ✆ **91 43 90 60, Télex 400667,** – 250. AE ① E VISA
R snack carte environ 100 – 32 – **131 ch** 289/315.

à la Madrague-de-Montredon **10 km par prom. Plage - Marseille p. 3 -** BZ :

XX **Mont-Rose,** 38 bd Mt-Rose, ✉ **13008,** ✆ **91 73 17 22,** ≤ **corniche et les îles,** – P. AE ① VISA
fermé merc. et dim. soir – **SC** : **R** (hors sais. déj. seul.) 60/120.

MICHELIN, Agence régionale, 20 r. Clary (3e) BT ✆ **91 95 90 48**

1er et 2e Arrondissements

BMW Gar. Station 7, 42 bd de Dunkerque (2e) ✆ 91 91 92 42
CITROEN Succursale, 30 crs Lieutaud (1er) CX ✆ 91 54 91 31
PEUGEOT-TALBOT S.I.A.P-Nord, 27 bd de Paris (2e) BT b ✆ 91 91 90 65
RENAULT Gar. des Capucines, 59 allées Gambetta (1er) CU ✆ 91 64 00 57

Pneus et Services Phocéens, 33 r. Roger Salengro

3e et 4e Arrondissements

CITROEN Succursale, 53 bd Guiguou (3e) DT ✆ 91 84 40 40
HONDA Gar. M.A.C.M., 1 bd Sakakini (4e) ✆ 91 34 81 80
RENAULT Succursale 137 bd de Plombières (3e) CT ✆ 91 02 70 02
RENAULT Barthélémy, 125 à 135 bd Flammarion (4e) DET ✆ 91 95 90 37

Denizon, 34 bd Battala (3e) ✆ 91 02 40 40
Escoffier-Pneus, 21 bd Briançon (3e) ✆ 91 50 77 91

5e Arrondissement

RENAULT Gd Gar. de Verdun, 11 r. Verdun EV ✆ 91 94 91 25

Diff. Comm. Accessoires, 15 r. Ste-Cécile ✆ 91 78 63 58
Pneus et services Phocéens, 60 r. Louis Astruc ✆ 91 42 50 83

6e et 7e Arrondissements

BMW Bernabeu, 50 av. du Prado (6e) ✆ 91 37 54 66
CITROEN Didier, 83 r. J.- Moulet (6e) BY ✆ 91 37 59 46
FORD Agence Centrale, 52 à 56 av. Prado (6e) ✆ 91 37 92 10
MERCEDES-BENZ Paris Méditerranée Auto, 166 cours Lieutaud (6e) ✆ 91 94 91 40
RENAULT Pharo-Saint-Lambert 6 r. Taddéï (7e) AY ✆ 91 52 90 10
VOLVO Volvo-France, 27 av. J.-Cantini (6e) ✆ 91 79 91 36

Giordanengo, 28 cours Gouffé (6e) ✆ 91 79 36 16

8e Arrondissement

ALFA-ROMEO Alfa-Provence, 241 av. du Prado ✆ 91 79 91 44
CITROEN Succursale, 96 bd Rabatau EZ s ✆ 91 79 90 20
FIAT Gar. St-Maurice, 444 r. Paradis ✆ 91 77 67 48
FORD Agence Centrale, 36 bd Michelet ✆ 91 77 97 06
LANCIA-AUTOBIANCHI S.O.D.I.A., 150 av. du Prado ✆ 91 53 55 22
OPEL GM Auto Service Réparation, 3 et 5 bd Rabatau ✆ 91 79 91 13
PEUGEOT-TALBOT Succursale, 204 bd Michelet DEZ ✆ 91 22 11 22
RENAULT Succursale, 134 bd Michelet DZ ✆ 91 77 69 00
Gar. Bernasconi, 365 r. Paradis ✆ 91 77 03 39

Central-Pneus, 104 av. Cantini ✆ 91 79 79 86
Omnica, 4 r. R.-Teissère Pl. Rabatau ✆ 91 79 18 12

9e, 10e et 11e Arrondissements

CITROEN Amoretti, 8 bd Aguillon (9e) par bd Ste-Marguerite EZ ✆ 91 75 19 79
CITROEN Jean Fils, 19 av. de la Timone (10e) EY ✆ 91 78 17 52
FERRARI, HONDA Gar. Pagani, 47 bd Cabot (9e) ✆ 91 82 06 66
FIAT Ets Manzon, 33 av. Capelette (10e) ✆ 91 79 91 91
MERCEDES-BENZ M.A.S.A., 108 bd Pont-de-Vivaux (10e) ✆ 91 79 56 56
PEUGEOT-TALBOT DARL'MAT 37 av. J.-Lombard (11e) par D 2 EX ✆ 91 94 91 21

Alberola, 4 pont de Vivaux (10e) ✆ 91 79 75 81
Omnica, 37 r. Capit.-Galinat (10e) ✆ 91 78 10 13
Pneus 2000, 322 bd Romain Rolland ✆ 91 26 16 17
Pneus 2000, 7 av. de la Capelette (10e) ✆ 91 78 39 03 et 322 bd Romain Rolland (9e) ✆ 91 26 16 17

12e, 13e et 14e Arrondissements

V.A.G. Gar. de la Rose, 212 av. de la Rose (13e) ✆ 91 66 14 81
V.A.G. S.O.D.R.A., 1 chemin Ste-Marthe (14e) ✆ 91 50 19 30

Aymo-Pneus, 80 bd Barry St-Just (13e) ✆ 91 66 25 12
Gay, 47 bd Burel (14e) ✆ 91 95 91 13
Omnica, 15 bd Gay-Lussac (14e) ✆ 91 98 90 11
Sirvent-Pneus, 194 bd D.-Casanova (14e) ✆ 91 67 22 20

15e et 16e arrondissements

FORD Marseille-Nord-Automobiles, 64 r. de Lyon (15e) ✆ 91 95 90 42
PEUGEOT-TALBOT Gar. Gastaldi, 44 rte Nationale de St-Antoine (15e) par N 8 AT ✆ 91 51 32 37
RENAULT Ets Lodi, 124 rte Nationale, la Viste (15e) par N 8 AT ✆ 91 69 90 71

RENAULT Coquillat, 89 bd Jean-Labro, St-André (16e) par N 8 AT ✆ 91 46 08 07
Gar. Corradi, 111 r. Condorcet, St-André (16e) ✆ 91 46 50 77

Sirvent, Compt. Pneu, 428 rte Nationale, St-Antoine (15e) ✆ 91 51 24 13

Banlieue

Relais des Pennes, les Pennes-Mirabeau ✆ 91 02 71 26

MARSSAC-SUR-TARN 81 Tarn 82 ⑩ – rattaché à Albi.

MARTAILLY-LÈS-BRANCION 71 S.-et-L. 69 ⑲ – rattaché à Tournus.

MARTEL 46600 Lot 75 ⑱ **G. Périgord** – 1 441 h. alt. 225.

Voir Place des Consuls★ – Belvédère de Copeyre ≤★ sur cirque de Montvalent★ SE : 4 km.

Syndicat d'Initiative à la Mairie ✆ 65 37 30 03.

Paris 521 – Brive-la-Gaillarde 33 – Cahors 81 – Figeac 59 – Gourdon 44 – St-Céré 32 – Sarlat-la-C. 44.

Turenne et rest. Le Quercy, ✆ 65 37 30 30, – wc. AE.
1er mars-31 nov. – SC : **R** 54/170 – 15 – **18 ch** 70/180 – P 160/180.

à Gluges : S : 5 km par N 140 – ✉ **46600** Martel – **Voir Site★.**

Falaises, ✆ 65 37 33 59, – wc ☎. VISA. ch
1er mars-30 nov. et week-ends de déc. – SC : **R** 63/150 – 18 – **16 ch** 85/165 – P 170/235.

MARTIEL 12 Aveyron 79 ⑳ – rattaché à Villefranche-de-Rouergue.

MARTIGUES 13500 B.-du-R. 84 ⑫ **G. Provence** – 42 039 h.

Voir Pont St-Sébastien ≤★ **B** – Étang de Berre★ – Viaduc autoroutier de Caronte★ – Chapelle N.-D.-des-Marins ★ 3,5 km par ④.

Office de Tourisme quai Paul-Doumer ✆ 42 80 30 72.

Paris 757 ② – Aix-en-Provence 45 ② – Arles 52 ④ – ♦Marseille 40 ② – Salon-de-Provence 35 ①.

St-Roch M, ancienne rte Port de Bouc **(x)** ✆ 42 80 19 73, ≤, Parc – wc. AE E VISA
SC : **R** 80/110 – 30 – **39 ch** 235/280.

Eden sans rest, bd É.-Zola **(a)** ✆ 42 07 36 37 – wc. E VISA
fermé 22 déc. au 4 janv. – SC : 28 – **38 ch** 140/195.

Campanile M, par ① : 1,5 km rte Istres ✆ 42 80 14 00, Télex 401378 – wc ☎ – 50. VISA
SC : **R** 61 bc/82 bc – 23 – **42 ch** 194/215.

Clair H. sans rest, bd M.-Cachin **(e)** ✆ 42 07 02 43 – wc.
fermé 21 déc. au 2 janv. – SC : 16 – **39 ch** 63/138.

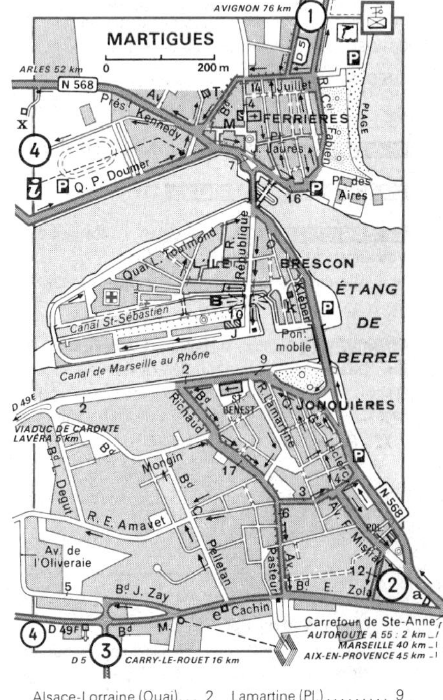

Alsace-Lorraine (Quai)	2	Lamartine (Pl.)	9
Belges (Esplanade des)	3	Libération (Pl. de la)	10
Denfert (R. Colonel)	4	Lorto (Av. P. di)	12
Font-Sarade (Chemin de)	5	Martyrs (Pl. des)	14
Gambetta (R.)	6	Tessé (Quai Marcel)	16
Girondins (Quai des)	7	4-Septembre (Cours du)	17

XX **Le Mirabeau,** 8 pl. Mirabeau **(k)** ✆ 42 80 52 38 – VISA
fermé dim. soir et lundi – SC : **R** carte environ 170.

FORD Autom. de Provence, 48 av. F.-Mistral ✆ 42 81 08 63
RENAULT Gar. Auto service-Martigues, rte de Fos Quartier St-Jean ✆ 42 06 09 92
RENAULT Aragon, av. J.-Macé ✆ 42 07 03 54
Maison du Pneu, 26 espl. des Belges ✆ 42 07 07 71 et Zone Ind. Sud
Morcel, av. Fleming ✆ 42 80 44 49
Omnica, Puits de Pouane, N 568 ✆ 42 06 63 27

MARTIMPRÉ 88 Vosges 62 ⑰ – rattaché à Gérardmer.

MARTIN-ÉGLISE 76 S.-Mar. 52 ④ – rattaché à Dieppe.

MARTRES-TOLOSANE 31 H.-Gar. 82 ⑯ **G. Pyrénées** – 1 925 h. alt. 264 – ✉ **31220** Cazères-sur-Garonne.

Paris 766 – Auch 84 – Auterive 45 – Pamiers 68 – St-Gaudens 29 – St-Girons 39 – •Toulouse 61.

Castet, face gare ✆ 61 90 80 20, ⛱, ⛱, – TV ⇔wc ⋔wc ☎ P. ⓓ VISA
fermé en oct. – SC : **R** *(fermé lundi du 1er oct. à fin mai)* 47/80 – ☕ 15 – **18 ch** 90/139 – P 150/160.

MARVEJOLS **48100** Lozère 80 ⑤ **G. Auvergne** (plan) – 6 013 h. alt. 651.

Voir Porte de Soubeyran★.

Syndicat d'Initiative av. Brazza (1er juin-1er sept.) ✆ 66 32 02 14.

Paris 556 – Espalion 72 – Florac 53 – Mende 29 – Millau 73 – Rodez 85 – St-Chély-d'Apcher 33.

Europe, 16 bd Chambrun ✆ 66 32 02 31 – ⎮ ⇔wc ⋔ ☎ P. AE E VISA
fermé 20 déc. au 1er fév., dim. soir et lundi midi du 15 oct. au 30 avril – SC : **R** 42/105 – ☕ 18 – **36 ch** 110/160 – P 160/180.

Gare et Rochers , pl. Gare ✆ 66 32 10 58, ← – ⎮ ⇔wc ⋔ ☎ . AE ⓓ E
fermé 15 janv. au 15 fév. – SC : **R** *(fermé sam. hors sais. sauf vacances scolaires)* 40/72 – ☕ 13,50 – **30 ch** 55/165 – P 137/168.

CITROEN Rel du Gévaudan, rte de St-Flour, ✆ 66 32 15 62
CITROEN Gar. du Soubeyran, ✆ 66 32 15 62
FIAT-OPEL Gar. Vigouroux rte de Nasbinals, ✆ 66 32 13 25
FORD Garde, ✆ 66 32 01 04
PEUGEOT-TALBOT Rouvière, ✆ 66 32 00 88
Vulc Lozérienne, 26 bd de Chambrun ✆ 66 32 07 11

MARZAL (Aven de) ★★ 07 Ardèche 80 ⑨ **G. Vallée du Rhône.**

MAS-BLANC-DES-ALPILLES 13 B.-du-R. 81 ⑪ – rattaché à St-Rémy-de-Provence.

Le MAS-D'AZIL **09290** Ariège 86 ④ – 1 404 h. alt. 292.

Voir Grotte★★ S : 1,5 km, G. Pyrénées.

Paris 763 – Auch 112 – Foix 37 – Montesquieu-Volvestre 24 – Pamiers 35 – St-Girons 24.

RENAULT Renaille, ✆ 61 68 93 71

MASEVAUX **68290** H.-Rhin 66 ⑧ **G. Alsace et Lorraine** – 3 328 h. alt. 405.

Env. Descente du col du Hundsrück ←★★ NE : 13 km.

Office de Tourisme 36 Fossé Flagellants (saison) ✆ 89 82 41 99.

Paris 522 – Altkirch 30 – Belfort 23 – Colmar 57 – •Mulhouse 29 – Thann 22 – Le Thillot 37.

XX **Aigle d'Or** avec ch, pl. G.-Clemenceau ✆ 89 82 40 66 – ⋔wc. ⓓ E VISA. ch
fermé 8 sept. au 9 oct., 2 au 31 janv., lundi soir et mardi – SC : **R** 88/150 – ☕ 18,50 – **8 ch** 81/125 – P 116/138.

XX **Host. Alsacienne** avec ch, r. Foch ✆ 89 82 45 25 – ⋔wc P
fermé 1er au 28 juil., 25 oct. au 5 nov., 20 fév. au 3 mars, dim. soir et lundi sau août-sept. – **R** 51/135 – ☕ 15 – **9 ch** 113/127 – P 138.

MASLACQ 64 Pyr.-Atl. 78 ⑧ – rattaché à Orthez.

La MASSANA Principauté d'Andorre 86 ⑭ – voir à Andorre.

MASSAT 09320 Ariège 86 ③④ **G. Pyrénées** – 598 h. alt. 650.
Env. Sommet de Portel ** NE : 9,5 km puis 15 mn.
Paris 823 – Ax-les-Thermes 56 – Foix 46 – St-Girons 28.

RENAULT Gar. Moles, ✆ 61 96 95 34 N ✆ 61 96 97 00

MASSIAC 15500 Cantal 76 ④ **G. Auvergne** – 2 212 h. alt. 537.
Office de Tourisme r. Paix (juin-sept.) ✆ 71 23 07 76.
Paris 458 – Aurillac 86 – Brioude 22 – Issoire 38 – Murat 35 – St-Flour 30.

Gd H. Poste, N 9 ✆ 71 23 02 01, Télex 990989, – wc wc ✆ – 30. AE E VISA
fermé 7 nov. au 20 déc. et merc. sauf juil.-août – SC : **R** 47/130 – 19 – **36 ch** 130/183.

Mairie, r. A.-Chalvet ✆ 71 23 02 51, – wc wc . AE E VISA. rest
fermé 20 nov. au 20 déc., 6 janv. au 10 mars et lundi hors sais. – SC : **R** 42/160 – 16 – **23 ch** 92/160 – P 150/175.

CITROEN Auto-Gar. Brunet, pl. Pupilles de la Nation ✆ 71 23 02 23
PEUGEOT-TALBOT Richard, av. de Clermont ✆ 71 23 02 25
RENAULT Gar. Delmas, RN 9 Le Gravairas ✆ 71 23 02 11 N

MASSILLY 71 S.-et-L. 69 ⑲ – 429 h. alt. 235 – ✉ **71250** Cluny.
Env. Cormatin : château* : cabinet Ste Cécile**, 6 km au N par D 981, **G. Bourgogne.**
Paris 382 – Chalon-sur-Saône 45 – Charolles 45 – Mâcon 32 – Montceau-les-Mines 40 – Tournus 31.

Orée du Bois, D 117 ✆ 85 50 00 25, – . VISA.
fermé fév. et lundi – **R** 50/70 .

MASSONGY 74 H.-Savoie 70 ⑯ – rattaché à Douvaine.

MATHAY 25 Doubs 66 ⑱ – 1 646 h. alt. 342 – ✉ **25700** Valentigney.
Paris 489 – Baume-les-Dames 51 – •Besançon 84 – Montbéliard 12 – Morteau 59.

Aub. du Vieux Puits, ✆ 81 35 28 06, , –
fermé 22 déc. au 1er fév., lundi soir et mardi – SC : **R** 60/100 .

CITROEN Gar. Leyval, ✆ 81 35 28 07

MATHEFLON 49 M.-et-L. 64 ① – rattaché à Seiches-sur-le-Loir.

MATIGNON 22550 C.-du-N. 59 ⑤ – 1 609 h. alt. 41.
Paris 427 – Dinan 30 – Dol-de-Bretagne 45 – Lamballe 24 – St-Brieuc 45 – St-Cast 6 – St-Malo 31.

Poste, ✆ 96 41 02 20, – wc. E VISA
fermé 15 au 30 sept., 15 fév. au 1er mars et sam. du 15 sept. au 15 juin – SC : **R** 45/100 – 14,50 – **15 ch** 78/135 – P 140/170.

RENAULT Hamon, ✆ 96 41 02 31 N

MAUBEUGE 59600 Nord 53 ⑥ **G. Flandres, Artois, Picardie** – 36 156 h. alt. 134.
Office de Tourisme Porte de Bavay ✆ 27 62 11 93 - A.C. Porte de France, av. Gare ✆ 27 64 62 34.
Paris 241 ⑤ – Charleville-Mézières 102 ④ – Mons 20 ① – St-Quentin 84 ④ – Valenciennes 39 ⑤.

Plan page suivante

Mercure M, par ④ : 4 km ✉ 59720 Louvroil ✆ 27 64 93 73, Télex 110696, , , – ch TV ✆ – 130. AE E VISA
R *(fermé sam. et dim.)* carte environ 120 – 30 – **59 ch** 250/280.

Gd Hôtel, 1 porte de Paris ✆ 27 64 63 16 – TV wc ✆ . AE E VISA
R 62/220 – 19,50 – **31 ch** 109/265 – P 230/330. B **b**

route de Mons par ① : 7 km – ✉ **59600** Maubeuge :

Aux Trois Entêtés, ✆ 27 64 85 29 – . AE E VISA
fermé dim. soir et lundi sauf fériés – SC : **R** 80 bc/170 .

ALFA-ROMEO, LADA Gar. de l'Etoile, 69 rte d'Elesmes ✆ 27 64 60 43
CITROEN Deshayes, 18 bd de Jeumont ✆ 27 62 07 12
FORD Auto-Service Colau, 11 r. de Keyworth à Feignies ✆ 27 64 71 09
Auto-Sécurité, 103 bis r. des Minières ✆ 27 64 97 91
Multy-Pneus, r. P.-de-Coubertin ✆ 27 64 96 12
Pneus et Services D.K, 13 Porte de Paris ✆ 27 62 17 65

MAUBEUGE

Albert-1er (R.) . . . . B 2
France (Av. de) . . . . B
Gare (Av. de la) . . . . A
Mabuse (Av.) . . . . B 12
Mail de la Sambre . . . . . . AB 14

Paillot (R. G.) . . . . B 21
Roosevelt (Av. Franklin) . AB 28
Vauban (Pl.) . . . . B 29
145e-Régt-d'Inf. (R. du) . . . B 31

Concorde (Pl. de la) . . . . . . B 4
Coutelle (R.) . . . . A 5

Intendance (R. de l') . . . . . . B 10
Mabuse (Pl.) . . . . B 13
Musée (R. du) . . . . B 18
Nations (Pl. des) . . . . B 19
Pasteur (Bd) . . . . A 24
Porte-de-Bavay (Av.) . . . . . A 25
Provinces-Françaises (Av.) B 26

Les pastilles numérotées des plans de ville ①, ②, ③ sont répétées sur les cartes Michelin à 1/200 000. Elles facilitent ainsi le passage entre les cartes et les guides Michelin.

MAUBUISSON 33 Gironde **71** ⑱ – alt. 15 – ✉ **33121** Carcans.
Paris 575 – ♦Bordeaux 58 – Lacanau-Océan 14 – Lesparre-Médoc 37.

- **Lac,** ☎ 56 03 30 03, – wc . ch
  mars-oct. – SC : **R** 70/115 – 25 – **39 ch** 130/210 – P 213/249.

à Carcans-Plage NO : 4,5 km par D 3E – ✉ **33121** Carcans-Ville :

- **Océan,** ☎ 56 03 31 13 – wc . rest
  1er avril-30 sept. – SC : **R** carte 75 à 150 – 16 – **14 ch** 135/190.

MAULÉON **79700** Deux-Sèvres **67** ⑥⑯ – 3 161 h. alt. 187.
Paris 353 – Cholet 23 – ♦Nantes 74 – Niort 80 – Parthenay 54 – La Roche-sur-Yon 66 – Thouars 46.

- **Europe,** 15 r. Hôpital ☎ 49 81 40 33 – wc wc . VISA
  fermé 21 déc. au 2 fév. et lundi du 15 sept. au 15 juin – SC : **R** 49/130 – 14 – **11 ch** 65/165 – P 177/307.
- **Terrasse**, 7 pl. Terrasse ☎ 49 81 47 24 – . E VISA. rest
  fermé 22 mars au 20 avril, vend., sam. et dim. sauf juil.-août – SC : **R** 50/106 – 11,50 – **15 ch** 64/120 – P 175/203.

CITROEN Gar. Olivier, ☎ 49 81 47 75 N   RENAULT Gar. Lebeau, ☎ 49 81 40 53 N

MAULÉON-LICHARRE 64130 Pyr.-Atl. 85 ④⑤ **G. Pyrénées** – 4 308 h. alt. 141.

Office de Tourisme 10 r. J.-B.-Heugas (fermé après-midi hors saison) ☎ 59 28 02 37.

Paris 809 – Oloron-Ste-M. 30 – Orthez 40 – Pau 63 – St-Jean-Pied-de-Port 40 – Sauveterre-de-B. 28.

- **Bidegain,** r. Navarre ☎ 59 28 16 05, – wc. AE E VISA
  fermé 24 au 30 nov., 15 déc. au 15 janv., vend. soir (sauf hôtel) et dim. de nov. à mai – SC : **R** 45/120 – 13 – **30 ch** 78/180 – P 175/239.
- **Host. du Château,** r. Navarre ☎ 59 28 19 06, – wc. AE VISA
  fermé 15 janv. au 15 fév. – SC : **R** 49/97 – **36 ch** 115/140 – P 160.
- **Ekhi-Éder,** pl. de la Liberté ☎ 59 28 16 23, – wc wc. VISA
  fermé 23 sept. au 8 oct. et dim. soir hors sais. – SC : **R** 60/105 – 15 – **20 ch** 65/130 – P 145/180.

CITROEN Gar. Sarrazin, ☎ 59 28 10 97 N ☎ 59 28 17 46
PEUGEOT Sarlang, ☎ 59 28 07 61
PEUGEOT-TALBOT Armagnague, ☎ 59 28 03 92
RENAULT Cachés, à Chéraute ☎ 59 28 18 28
RENAULT Gar. le Rallye, ☎ 59 28 13 70

MAULETTE 78 Yvelines 60 ⑧, 196 ⑭ – rattaché à Houdan.

MAURE-DE-BRETAGNE 35330 I.-et-V. 63 ⑤⑥ – 2 496 h. alt. 35.

Paris 383 – Châteaubriant 57 – Ploërmel 33 – Redon 35 – ♦Rennes 38.

- **Centre** sans rest, 2 pl. Poste ☎ 99 34 91 52 – wc wc
  SC : 15,50 – **20 ch** 92/155.

PEUGEOT-TALBOT Gar. Lecoq, ☎ 99 34 92 44

MAUREILLAS-LAS-ILLAS 66 Pyr.-Or. 86 ⑲ – 1 727 h. alt. 120 – ✉ **66400** Céret.

Paris 934 – Gerona 76 – ♦Perpignan 29 – Port-Vendres 31 – Prades 56.

à Las Illas SO : 11 km par D 13 – ✉ **66400** Las Illas :

- **Hostal dels Trabucayres** avec ch, ☎ 68 83 07 56, ≤,
  fermé janv., lundi soir et mardi de nov. à avril – SC : **R** 50 bc/196 bc – 14,50 – **4 ch** 78 – P 164.

CITROEN Gar. Coste, ☎ 68 83 06 10
RENAULT Gar. Alcala, ☎ 68 83 33 14

MAUREPAS 78310 Yvelines 60 ⑨, 196 ㉘ – 18 786 h. alt. 170.

Paris 38 – Dreux 52 – Mantes-la-Jolie 37 – Montfort-L'Amaury 13 – Rambouillet 19 – Versailles 19.

- **Mercure Versailles Maurepas** M, ville nouvelle E : 5 km, 1 rocade Camargue ☎ (1) 30 51 57 27, Télex 695427, – rest – 200. AE E VISA
  R carte environ 120 – 30 – **91 ch** 300/320.

MAURES (Massif des) ★★★ 83 Var 84 ⑯⑰⑱ **G. Côte d'Azur.**

MAURIAC SP 15200 Cantal 76 ① **G. Auvergne** (plan) – 4 776 h. alt. 722.

Voir Basilique★.

Env. Barrage de l'Aigle★★ : 11 km par ④, **G. Périgord.**

Office de Tourisme pl. G. Pompidou ☎ 71 67 30 26.

Paris 486 – Aurillac 57 – Le Mont-Dore 76 – ♦Clermont-Ferrand 113 – Le Puy 177 – Tulle 80.

- **Écu de France,** 6 av. Ch.-Périé ☎ 71 68 00 75 – wc. VISA. ch
  11 mars-24 déc. et fermé dim. hors sais. – SC : **R** 62/140 – 19 – **26 ch** 135/190 – P 200/250.
- **Central,** (Annexe M - 14 ch wc), r. République ☎ 71 68 01 90 – wc. E VISA.
  SC : **R** *(fermé 10 au 30 nov. et sam. hors sais.)* 60/87 – 18 – **35 ch** 103/206 – P 170/220.
- **Voyageurs et Bonne Auberge,** rte Aurillac ☎ 71 68 01 01 – wc wc. E
  fermé dim. hors sais. – SC : **R** 54/90 – 19 – **20 ch** 89/189 – P 191/254.

CITROEN-FORD Tillet, av. d'Aurillac ☎ 71 68 03 53 N
PEUGEOT-TALBOT Mouret, rte de Clermont ☎ 71 68 06 24
RENAULT Balmisse, à Le Vigean ☎ 71 68 06 77 N
Haag, av. Fernand Talandier ☎ 71 68 09 81

MAURON 56430 Morbihan 59 ⑮ – 3 365 h. alt. 81.

Paris 401 – Dinan 48 – Josselin 27 – Loudéac 43 – Redon 60 – St-Brieuc 68 – Vannes 66.

- **Brambily,** pl. Mairie ☎ 97 22 61 67 – wc
  fermé 15 sept. au 15 oct., dim. soir et lundi – SC : **R** 45/100 – 15,50 – **19 ch** 60/140.

CITROEN Payoux, ☎ 97 22 60 21

MAURS 15600 Cantal 76 ⑪ G. Auvergne – 2 582 h. alt. 280.

Voir Buste-reliquaire★ dans l'église.

Office de Tourisme pl. Champ de Foire (saison) ☎ 71 46 73 72.

Paris 581 – Aurillac 45 – Entraygues-sur-Truyère 49 – Figeac 22 – Rodez 60 – Tulle 98.

Périgord M, av. Gare ☎ 71 49 04 25 – wc ☎ P. E. rest
fermé nov., vend. soir et sam. – **R** 58/115 – 20 – **17 ch** 130/140 – P 180/200.

Plaisance, pl. Champ-de-Foire ☎ 71 49 02 47 – ⋒. E VISA. rest
fermé sam. d'oct. à mai – SC : **R** 40/110 – 16 – **10 ch** 90/130 – P 130/150.

CITROEN Gar. Central, ☎ 71 49 01 95
PEUGEOT-TALBOT Balitrand, ☎ 71 49 02 04
N
RENAULT Gar. Lavigne, ☎ 71 49 00 20

MAUSSANE-LES-ALPILLES 13520 B.-du-R. 84 ① – 1 514 h. alt. 28.

Paris 716 – Arles 19 – ♦Marseille 82 – Martigues 44 – St-Rémy-de-P. 9,5 – Salon-de-Provence 28.

Touret M sans rest, ☎ 90 97 31 93, – wc ⋒wc ☎ P.
fermé fév. – SC : 20 – **16 ch** 200/220.

L'Oustaloun, ☎ 90 97 32 19 – wc ⋒wc P. AE
fermé 2 janv. au 15 mars – SC : **R** *(fermé merc.)* 80/110 – 19 – **12 ch** 95/190.

La Pitchoune, pl. Église ☎ 90 97 34 84, . VISA
fermé 7 au 14 nov., 1er au 21 fév. et vend. – SC : **R** 52 bc/120 .

MAUVEZIN 32120 Gers 82 ⑥ – 1 707 h. alt. 157.

Paris 728 – Agen 71 – Auch 30 – Montauban 56 – ♦Toulouse 59.

La Rapière, ☎ 62 06 80 08 – AE E VISA.
fermé oct., mardi soir sauf juil.-août et merc. – SC : **R** 70/170 .

RENAULT Gar. Douard ☎ 62 06 80 11

MAUVEZIN-SUR-GUPIE 47 L.-et-G. 79 ③ – rattaché à Marmande.

MAUZAC 24 Dordogne 75 ⑮⑯ – 678 h. alt. 49 – ✉ **24150** Lalinde.

Paris 555 – Bergerac 29 – Brive-la-Gaillarde 95 – Périgueux 63 – Sarlat-la-Canéda 53.

La Métairie , à Millac N : 2,5 km ☎ 53 22 50 47, ←, , parc, – wc ⋒wc ☎ P. AE E VISA
22 mars-1er janv. et hôtel : fermé mardi du 15 oct. au 1er janv. – SC : **R** *(fermé merc. du 15 oct. au 1er janv. et mardi)* 95/220 – 38 – **10 ch** 324/402 – P 367/428.

Poste, ☎ 53 22 50 52, ←, – wc P. VISA
1er mars-1er nov. – SC : **R** 45/120 – 14 – **18 ch** 90/180 – P 140/160.

MAUZÉ-SUR-LE-MIGNON 79210 Deux-Sèvres 71 ② – 2 409 h. alt. 21.

Paris 428 – Niort 23 – Rochefort 37 – La Rochelle 40.

Relais de la Fourche en Pré, rte de Niort ☎ 49 26 32 36 – ⋒ P.
fermé 21 déc. au 11 janv., 10 au 23 fév., dim. soir et lundi sauf du 14 juil. au 15 août – SC : **R** 45/93 – 13 – **10 ch** 59/92 – P 151.

France, ☎ 49 26 30 15 – wc ⋒ P. ch
fermé 20 déc. au 10 janv., sam. soir et dim. d'oct. à avril – SC : **R** 39/73 – 11,50 – **8 ch** 56/90 – P 160/190.

MAVALEIX 24 Dordogne 72 ⑯ – rattaché à La Coquille.

MAYENNE SP 53100 Mayenne 59 ⑳ G. Normandie – 14 298 h. alt. 124.

Voir Ancien château ←★ B.

Office de Tourisme pl. 9-juin-1944 (fermé après-midi hors saison) ☎ 43 04 19 37.

Paris 252 ② – Alençon 61 ② – Flers 56 ① – Fougères 44 ⑤ – Laval 31 ④ – ♦Le Mans 89 ④.

Plan page ci-contre

Gd Hôtel, 2 r. A.-de-Loré (a) ☎ 43 04 37 35 – wc ⋒wc ☎ P. E VISA
fermé 25 déc. au 8 janv. – SC : **R** 65/111 – 18,50 – **29 ch** 94/230 – P 221/282.

Croix Couverte M avec ch, par ② : 2 km ☎ 43 04 32 48, – wc ⋒wc ☎ P. AE E VISA
fermé 25 au 30 déc. – SC : **R** 65/140 – 16 – **11 ch** 120/188 – P 220/280.

BMW Bassaler, 92 r. P.-Lintier ☎ 43 04 15 84
N ☎ 43 69 32 32
CITROEN Succursale, rte d'Ernée par ⑤ ☎ 43 04 36 71 N ☎ 43 04 34 72
PEUGEOT-TALBOT Mallecot, 622 bd P. Lintier ☎ 43 04 10 76
RENAULT Mayenne-Auto, av Gutemberg par ③ ☎ 43 04 58 86
VAG Rel. des Pommeraies, rte de Laval ☎ 43 04 26 40

SOS PNEUS, 10 r. Réaumur, ☎ 43 00 01 95
Tricard, 412 bd P.-Lintier ☎ 43 04 19 47

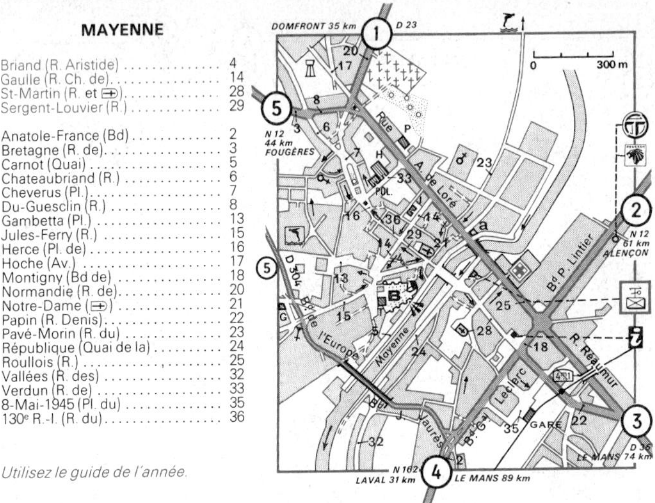

MAYET 72360 Sarthe 64 ③ – 2 876 h. alt. 74.

Voir Forêt de Bercé★ NE : 5 km, G. Châteaux de la Loire.

Paris 227 – Château-la-Vallière 29 – La Flèche 31 – ♦Le Mans 29 – ♦Tours 59 – Vendôme 80.

- ✕ **Aub. des Tilleuls,** pl. Hôtel de Ville ☎ 43 44 60 12
  fermé 15 au 30 août, fév. et merc. – SC : **R** (déj. seul. sauf dim.) 41/95 ₰.
- ✕ **Glauser** avec ch, r. E.-Termeau ☎ 43 44 60 40, – Ⓟ. ch
  fermé 1er au 12 juil., 1er au 10 nov., 24 au 31 janv., vend., jeudi soir et dim. soir – SC : **R** 46/100 ₰ – 13,50 – **4 ch** 67/83.

Le MAYET-DE-MONTAGNE 03250 Allier 73 ⑥ **G. Auvergne** – 1 941 h. alt. 545.

Syndicat d'Initiative, r. Église (fermé janv.) ☎ 70 59 75 24.

Paris 365 – Lapalisse 23 – Moulins 73 – Roanne 49 – Thiers 43 – Vichy 26.

- **Relais du Lac,** S : 0,5 km sur D 7 ☎ 70 59 70 23, ← – Ⓟ.
  fermé oct. et mardi de nov. à mai. – SC : **R** 42/85 ₰ – 17 – **10 ch** 75/97 – P 139.

CITROEN Gar. St-Christophe ☎ 70 59 70 42 RENAULT Tartarin, ☎ 70 59 70 61

MAZAGRAN 57 Moselle 57 ⑭ – rattaché à Metz.

MAZAMET 81200 Tarn 83 ⑪⑫ **G. Causses** – 13 337 h. alt. 241.

de la Barouge ☎ 63 61 08 00 par ① : 3,5 km.

Office de Tourisme et A.C. Maison Fuzier, r. des Casernes ☎ 63 61 27 07.

Paris 747 ④ – Albi 60 ④ – Béziers 86 ① – Carcassonne 47 ② – Castres 18 ④ – ♦Toulouse 82 ③.

Plan page suivante

- **Le Gd Balcon,** 1 square G.-Tournier ☎ 63 61 01 15 – wc wc ☎ – 80. AE ◑ E VISA. rest Z **a**
  fermé 27 juil. au 27 août et dim. – SC : **R** *(fermé dim. soir et lundi)* 89/240 **brasserie** *(fermé dim. soir)* **R** carte environ 90 ₰ – 29 – **24 ch** 260/300.
- **H. Jourdon,** 7 av. A.-Rouvière ☎ 63 61 56 93 – rest TV wc wc ☎. VISA. Y **e**
  SC : **R** *(fermé dim.)* 55 *(sauf fêtes)*/185 ₰ – 24 – **11 ch** 175/195.

à Bout-du-Pont-de-Larn par ① et D 54 : 2 km – ✉ **81660** Pont-de-Larn :

- XXX **La Métairie Neuve** Ⓜ avec ch, ☎ 63 61 23 31, – TV wc ☎ Ⓟ. ◑ VISA
  fermé 1er au 15 août et 20 déc. au 20 janv. – SC : **R** *(fermé sam.)* (en sem. dîner seul.) 72/220 ₰ – 25 – **7 ch** 165/250.

par ①, D 109 et D 54 : 5 km – ✉ **81660** Pont-de-Larn :

- **Host. du Château de Montlédier** Ⓜ , ☎ 63 61 20 54, ←, « Parc » – ☎ Ⓟ – 60. AE ◑ VISA. rest
  fermé janv., dim. sauf le soir de Pâques au 30 oct. et lundi midi – SC : **R** 150 – 38 – **10 ch** 330/480.

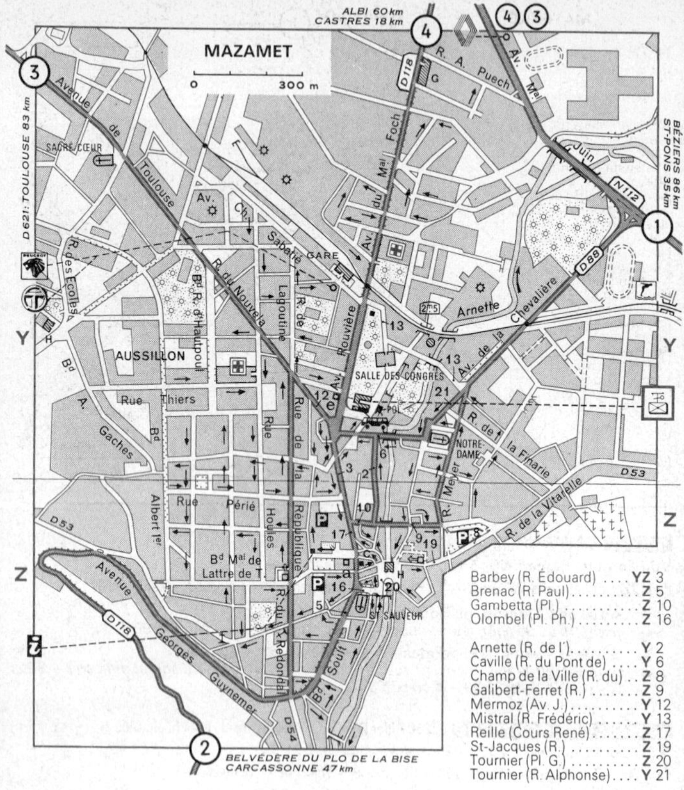

Barbey (R. Édouard)	YZ 3
Brenac (R. Paul)	Z 5
Gambetta (Pl.)	Z 10
Olombel (Pl. Ph.)	Z 16
Arnette (R. de l')	Y 2
Caville (R. du Pont de)	Y 6
Champ de la Ville (R. du)	Z 8
Galibert-Ferret (R.)	Z 9
Mermoz (Av. J.)	Y 12
Mistral (R. Frédéric)	Y 13
Reille (Cours René)	Z 17
St-Jacques (R.)	Z 19
Tournier (Pl. G.)	Z 20
Tournier (R. Alphonse)	Y 21

ALFA-ROMEO, OPEL Auto Garage, 11 r. Cormouls-Houlès ☎ 63 61 06 94
CITROEN Nègre, Zone Ind. Rougearié à Aussillon par ③ ☎ 63 61 39 41
FORD Amalric et Raynaud, 19 r. Nouvela ☎ 63 61 04 22
PEUGEOT-TALBOT Gd Gar. Gare, av. Ch.-Sabatier ☎ 63 61 01 89
RENAULT Labessant, av. Mal Juin ☎ 63 61 13 19

TOYOTA Gar. C.I.P.L., à Caucalières ☎ 63 61 29 44

Cousinié-Pneus, 14 rue République ☎ 63 61 80 17
Martin, 11 r. Meyer ☎ 63 61 00 77
P.A.P.I.-Pneus, N 112, La Richarde ☎ 63 61 07 32
Solapneu, 29 av. Mal Juin ☎ 63 61 08 98

MAZAN 84 Vaucluse 81 ⑬ – rattaché à Carpentras.

MAZET-ST-VOY 43520 H.-Loire 76 ⑧ – 1 106 h. alt. 1 043.
Paris 575 – Lamastre 37 – ♦St-Étienne 69 – Le Puy 40 – Yssingeaux 17.

L'Escuelle, ☎ 71 65 00 51, – wc wc
fermé 3 au 15 nov., 3 janv. au 6 fév., dim. soir et lundi – SC : **R** 54/95 – 16 – **11 ch** 95/160 – P 170/204.

RENAULT Gar. Ruel, ☎ 71 65 01 92 ☎ 71 65 03 55

MÉAUDRE 38 Isère 77 ④ – rattaché à Autrans.

Les hôtels ou restaurants agréables
sont indiqués dans le guide par un signe rouge.
Aidez-nous en nous signalant les maisons où,
par expérience, vous savez qu'il fait bon vivre.
Votre guide Michelin sera encore meilleur.

MEAUX 77100 S.-et-M. 56 ⑫⑬, 196 ㉒ ㉓ G. Environs de Paris – 45 873 h. alt. 52.

Voir Centre épiscopal★ ABY : cathédrale★ **B**, ≤★ de la terrasse des remparts.

Office de Tourisme 2 r. Notre-Dame ☎ 64 33 02 26.

Paris 54 ③ – Châlons-s-M. 117 ② – Compiègne 69 ⑤ – Melun 57 ③ – ♦Reims 96 ② – Troyes 140 ③.

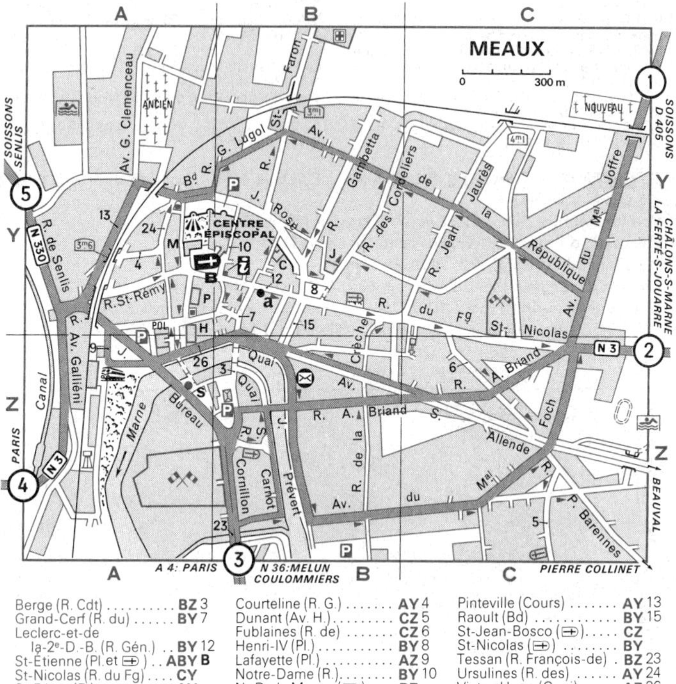

Sirène ⊗, 33 r. Gén.-Leclerc ☎ (1) 64 34 07 80, demeure du 18e siècle – ⇔wc ☎ P – 🏛 60. AE ⓞ VISA — BY **a**
SC : **R** *(fermé dim. soir)* 100/195 – ⊑ 21 – **16 ch** 92/259.

Richemont M, quai Grande Ile ☎ (1) 60 25 12 10, ≤, ☂ – |‡| ⇔wc ☎ ♿ ⇔ P – 🏛 25. E VISA — AZ **s**
SC : **R** *(fermé dim. et fériés)* 62/81 🍷 – ⊑ 25 – **42 ch** 185/207.

Champ de Mars, 16 av. Victoire par ② ☎ (1) 64 33 13 96 – E VISA
fermé août, lundi soir et mardi – **R** carte 130 à 230.

à Varreddes par ① : 6 km – ✉ **77910** Varreddes :

Aub. Cheval Blanc M avec ch, D 405 ☎ (1) 64 33 18 03, ☂, ⚘ – TV ⇔wc ⋔wc ☎ P. AE ⓞ VISA
fermé août, dim. soir et lundi – SC : **R** 150/250 – ⊑ 30 – **10 ch** 198/230.

Au Petit Nain, 7 r. Orsoy ☎ (1) 64 33 18 12, ☂ – E VISA
fermé 16 juil. au 8 août, vacances de fév., mardi soir, jeudi soir et merc. – SC : **R** 105/160.

à Germigny-l'Évêque par ① et D 97 : 8 km – ✉ **77910** Varreddes :

Le Gonfalon M ⊗ avec ch., 2 r. Église ☎ (1) 60 25 29 29, ≤, ☂, ⚘ – TV ⇔wc ☎ P. AE ⓞ E VISA
fermé 1er janv. au 2 fév. – SC : **R** *(fermé lundi soir du 1er avril au 1er nov., dim. soir et lundi du 1er nov. au 1er avril)* 150/280 – ⊑ 25 – **10 ch** 200/260.

à Sancy-lès-Meaux par ③ et D 228 : 12 km – ✉ **77580** Crécy-la-Chapelle :

La Catounière ⊗, 1 r. Église ☎ (1) 60 25 71 74, ≤, ☂, « Parc », ⛱, ✂ – TV ⇔wc ☎ P. ⓞ E
fermé 18 au 31 août et 12 nov. au 1er déc. – SC : **R** carte 150 à 220 – ⊑ 25 – **11 ch** 210/240.

ALFA ROMEO-LADA-TOYOTA Trouble, 21 r. Sadi Carnot à Villenoy ℰ (1) 64 34 07 44
AUSTIN-ROVER Prieur 20 av. H.-Dunant. ℰ (1) 60 25 28 11
BMW Sodela 12 r. Buttes Blanches Zone Ind. ℰ (1) 60 09 35 35
CITROEN Filiale Pipart, 101 av. de la Victoire, Zone Ind. par ② ℰ (1) 64 34 90 90
FIAT, LANCIA-AUTOBIANCHI Gar. de la Résidence, rte de Melun à Mareuil-les-Meaux ℰ (1) 64 34 10 25
FORD Gar. Brie et Picardie, 44 r. de la Crèche ℰ (1) 64 34 06 51
MERCEDES-BENZ Compagnon, 137 av. de la Victoire ℰ (1) 64 33 05 52
OPEL Meaux Autom., 40, r. des Cordeliers ℰ (1) 60 25 32 00
PEUGEOT-TALBOT Métin, 81 av. Roosevelt par ② ℰ (1) 64 33 20 00
RENAULT Vance, 37 av. Roosevelt par ② ℰ (1) 64 34 90 76
V.A.G. Gar. Carnot, 26 et 67 av. F.-Roosevelt ℰ (1) 60 25 10 66

Central-Pneumatiques, Zone Ind. 57 av. de la Victoire ℰ (1) 64 34 12 67
Ets Vernières, 101 r. du Fg-St-Nicolas ℰ (1) 64 34 44 48
Ile-de-France Pneum., 180 r. du Fg-St-Nicolas ℰ (1) 64 33 29 79

MEGÈVE **74120** H.-Savoie **74** ⑦⑧ **G. Alpes** – **5 375 h. alt. 1 113** – **Sports d'hiver : 1 067/2 350 m** 6 35, – Casino AY.

Voir **Rochebrune Super-Megève** ✲★ **1 km puis téléphérique** AZ.

Env. **Mont d'Arbois, au terminus du téléphérique** ✲★★★ BZ.

18 du Mont d'Arbois ℰ **50 21 29 79, E : 2 km** BY.

Altiport de Megève-Mont-d'Arbois ℰ **50 21 41 33, SE : 7 km** BZ.

Office de Tourisme r. Poste ℰ 50 21 27 28, Télex 385532 et réservations hôtels ℰ 50 21 29 52.

Paris 582 ① – **Albertville 31** ② – **Annecy 60** ② – **Chamonix 36** ① – ♦**Genève 69** ①.

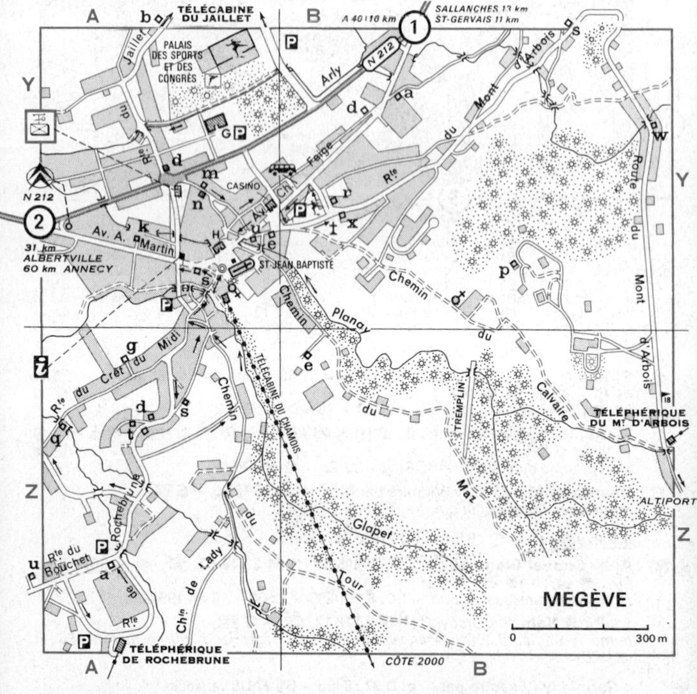

Mont-Blanc Ⓜ, pl. Église ℰ 50 21 20 02, Télex 385854, « Élégante décoration et rest. sur terrasse intérieure », – – 40. AE ⓓ E VISA AY **s**
fermé 15 avril au 17 mai et 27 sept. au 25 oct. – **R** 180/200 - **Les Enfants Terribles** (fresques de J. Cocteau) **R** carte 180 à 200 – 57 – **60 ch** 950/3 000, 7 appartements – P 1 000/1 550.

Chalet-Mt-d'Arbois Ⓜ , rte Mt-d'Arbois ℰ 50 21 25 03, Télex 309335, ≤, , , – . AE ⓓ E VISA. rest BY **p**
fermé 14 avril au 15 juin – SC : **R** 165/350 – **12 ch** 650/1 000 – P 800/900.

Coin du Feu, rte Rochebrune ℰ 50 21 04 94 – . VISA AZ **t**
1er juil.-7 sept. et 20 déc.-10 avril – SC : **R** snack le soir – **23 ch** 350/480.

Le Triolet ⛰, rte Bouchet ✆ 50 21 08 96, ←, « Beau chalet fleuri », 🌳 – ☎ 🚗. VISA. ✻ rest — AZ **u**
mi juin-mi sept. et mi-déc.-Pâques – SC : **R** 160/260 – ☕ 48 – **10 ch** 500/850, 3 appartements 1 200 – P 800/1 200.

Vieux Moulin, ✆ 50 21 22 29, 🍴, ⛱, 🌳 – ☎ Ⓟ. ✻ rest — AY **k**
15 mai-20 sept. et 15 déc.-15 avril – SC : **R** 120 – **33 ch** ☕ 230/420.

La Résidence Ⓜ, rte Bouchet ✆ 50 21 43 69, Télex 385164, ←, ⛱, 🎾 – 🛗 📺 ☎ 🚗 – 🏛 50. AE ⓓ E VISA. ✻ rest — AZ **a**
25 juin-10 sept. et 15 déc.-15 avril – SC : **R** 95/150 – **56 ch** ☕ 385/1 100 – P 480/720.

Fer à Cheval, rte du Crêt ✆ 50 21 30 39, 🌳 – 🛗 ☎ Ⓟ. VISA. ✻ rest — BY **a**
28 juin-12 sept. et 15 déc.-Pâques – SC : **R** snack (dîner seul.) carte environ 110 – **30 ch** ☕ 300/430.

Parc sans rest, ✆ 50 21 05 74, ←, 🌳 – 🛗 Ⓟ — AY **m**
fin juin-début sept. et Noël-Pâques – SC : **48 ch** ☕ 270/420.

Mont-Joly ⛰, rte Crêt du Midi ✆ 50 21 26 14, ←, 🌳 – ☎ Ⓟ. ⓓ VISA. ✻
5 juin-10 sept. et 20 déc.-6 avril – SC : **R** 115/180 – **25 ch** ☕ 290/400 – P 337/425. — AZ **q**

Beau Site, rte Mt-d'Arbois ✆ 50 21 07 78, ←, 🌳 – 🛗 ☎ Ⓟ — BY **w**
27 ch.

La Prairie Ⓜ sans rest, av. Ch.-Feige ✆ 50 21 48 55, ← – 🛗 🛁wc 🚿wc ☎ 🚗 Ⓟ. AE ⓓ VISA — BY **d**
20 juin-15 sept. et 20 déc.-15 avril – SC : ☕ 24 – **25 ch** 265/319.

St-Jean Ⓜ ⛰, chemin du Maz ✆ 50 21 24 45, ←, 🌳 – 🛁wc 🚿wc ☎ Ⓟ. ✻
1er juil.-15 sept. et 15 déc.-15 avril – SC : **R** 70 – ☕ 22 – **15 ch** 165/275 – P 245/270. — BZ **e**

Alpina sans rest, place Casino ✆ 50 21 54 77 – 🛁wc ☎. AE ⓓ E VISA. ✻
1er juil.-30 sept. et 1er nov.-30 avril – SC : **12 ch** ☕ 350. — AY **e**

Coeur de Megève sans rest, ✆ 50 21 25 30 – 🛗 🛁wc 🚿wc ☎. ✻ — AY **u**
fermé mai – SC : **27 ch** ☕ 230/420.

Week-End sans rest, rte Rochebrune ✆ 50 21 26 49 – 🛁wc 🚿wc ☎. AE ⓓ E VISA — AZ **d**
15 juin-20 sept., 15 déc.-30 avril et week-ends de sept. à nov. – SC : **16 ch** ☕ 269/305.

Sapins ⛰, rte Rochebrune ✆ 50 21 02 79, 🌳 – 🛁wc 🚿wc ☎. ✻ rest — AZ **s**
20 juin-10 sept. et 20 déc.-15 avril – SC : **R** 93/154 – ☕ 20 – **20 ch** 161/247 – P 230/287.

Clos Joli, rte Sallanches par ① ✆ 50 21 20 48 – 🛁wc 🚿wc ☎ Ⓟ. E. ✻ rest
fermé 31 oct. au 10 déc. – SC : **R** 56/63 – ☕ 22 – **24 ch** 122/230 – P 245/255.

La Patinoire sans rest, rte Mont-d'Arbois ✆ 50 21 11 33 – 📺 🛁wc ☎ — BY **x**
SC : ☕ 18 – **14 ch** 225/320.

Fleur des Alpes, rte Jaillet ✆ 50 21 11 42, ←, 🌳 – 🛁wc 🚿 ☎ Ⓟ. ✻ rest
15 juin-15 sept. et 1er déc.-20 avril – SC : **R** 60/110 – ☕ 20 – **21 ch**, (pension seul.) – P 220/280. — AY **b**

L'Estellan, rte Mt-d'Arbois ✆ 50 21 03 48, ←, 🌳 – 🛁wc 🚿wc ☎ — BY **s**
20 juin-15 sept. et 15 déc.-20 avril – SC : **R** 80 – ☕ 20 – **17 ch** 220/240, (en été pension seul.) – P 250/280.

Roseaux ⛰ sans rest., ✆ 50 21 24 27, ←, 🌳 – 🛁wc 🚿wc ☎ Ⓟ. ✻ — AZ **g**
1er juil.-31 août et 20 déc.-Pâques – SC : ☕ 18 – **11 ch** 200/226.

Perce Neige, rte Rochebrune ✆ 50 21 22 13 – 🛁wc ☎ Ⓟ. ✻ rest — AZ **t**
1er juil.-15 sept. et 15 déc.-15 avril – SC : **R** 62 – ☕ 20 – **20 ch** 120/220 – P 183/239.

Les Mourets ⛰, rte Odier par rte Jaillet - AY - ✆ 50 21 04 76, ← – 🛗 🛁wc 🚿wc ☎ 🚗 Ⓟ. ✻ rest
16 juin-15 sept. et 20 déc.-15 avril – SC : **R** 70/90 – ☕ 22 – **20 ch** 232/262 – P 222/276.

Rond-Point d'Arbois, rte Mt-d'Arbois ✆ 50 21 17 50 – 🛁wc 🚿wc ☎. AE ⓓ VISA — BY **r**
1er juin-15 sept., vacances de Toussaint et 1er déc.-30 avril – SC : **R** 63/95 – ☕ 21 – **13 ch** 135/205, (en hiver pension seul.) – P 193/246.

Chez Nano 's, r. d'Arly ✆ 50 21 02 18 – ⓓ VISA. ✻ — AY **d**
5 juil.-30 sept. et 15 déc.-15 avril – SC : **R** 140 dîner à la carte.

✿ **Capucin Gourmand** (Barbin), rte Crêt-du-Midi - AZ - ✆ 50 21 01 98 – AE ⓓ E
23 juin-fin sept., 15 déc.-fin avril et fermé lundi hors sais. – SC : **R** (en saison prévenir) carte 180 à 255
Spéc. Flan de foies de volailles et de foie gras, Pigeon de Bresse en crapaudine, Désirs du gourmand. Vins Seyssel, Mondeuse.

Tire-Bouchon, ✆ 50 21 14 73 — AY **n**
fin juin-fin oct., fin nov.-15 mai et fermé lundi hors vacances scolaires – SC : **R** carte environ 140 🍷.

au Sud-Est 7,5 km par rte Mont-d'Arbois - BZ – alt. 1 450 – ✉ **74120** Megève :

Cote 2000, ✆ 50 21 31 84, ←, 🍴 – VISA
juil.-août, Noël-Pâques et fermé mardi en été – SC : **R** 100/175 🍷.

CITROEN Mont-Blanc Gar., r. A.-Martin ℘ 50 21 05 72
FIAT, LANCIA-AUTOBIANCHI Gar. Gachet, rte Sallanches ℘ 50 21 21 23 N
FORD Gar. du Crèt du Midi Praz-sur-Arly ℘ 50 21 90 30 N ℘ 50 21 40 84
MERCEDES V.A.G. Gar. du Christomet, rte Albertville ℘ 50 21 00 27 N
RENAULT Gar. des Alpes, rte Sallanches par ① ℘ 50 21 05 70

MEHUN-SUR-YÈVRE 18500 Cher 64 ⑳ G. Périgord – 7 178 h. alt. 120.

Syndicat d'Initiative pl. 14-juillet (juil.-août : après-midi seul.) ℘ 48 57 35 51.

Paris 226 – Bourges 17 – Cosne-sur-Loire 72 – Gien 77 – Issoudun 32 – Vierzon 16.

Croix-Blanche, 164 r. Jeanne-d'Arc ℘ 48 57 30 01, – P. VISA. rest
fermé 15 au 25 sept., 20 déc. au 20 janv., dim. soir et lundi – SC : **R** 54/140 – 19,50 – **20 ch** 82/180 – P 145/257.

Interpneus, r. Magloire Faiteau ℘ 48 57 33 13

Le MÊLE-SUR-SARTHE 61170 Orne 60 ④ – 800 h. alt. 155.

Paris 169 – L'Aigle 37 – Alençon 22 – Argentan 43 – Bellême 25 – Mamers 20 – Mortagne-au-P. 16.

Poste, ℘ 33 27 60 13, parc – wc P – 50. E VISA
fermé 1er au 15 oct., 15 au 31 janv., dim. soir et lundi midi – SC : **R** 45/170 – 13 – **19 ch** 70/170.

PEUGEOT Gar. Vallée, ℘ 33 27 62 04
RENAULT Gd Gar. Moderne, ℘ 33 27 60 07

MELLE 79500 Deux-Sèvres 72 ⑦ G. Côte de l'Atlantique (plan) – 4 575 h. alt. 119.

Voir Église St-Hilaire*.

Syndicat d'Initiative pl. Poste (10 juin-31 oct.) ℘ 49 27 00 23.

Paris 397 – Niort 28 – Poitiers 56 – Ruffec 40 – St-Jean-d'Angély 45 – St-Maixent-l'École 24.

Voyageurs, av. Cdt Bernier ℘ 49 27 00 53 –
fermé 11 au 31 août, 22 déc. au 4 janv., vend. soir, dim. et fériés – SC : **R** 40/68 – 13 – **13 ch** 68/105 – P 140/160.

CITROEN Station de la Croix St Leger ℘ 49 27 00 29
PEUGEOT-TALBOT Bailly, ℘ 49 27 00 70

MELOISEY 21 Côte-d'Or 70 ① – 291 h. alt. 350 – ✉ 21190 Meursault.

Paris 323 – Arnay-le-Duc 30 – Autun 46 – Beaune 10 – Chalon-sur-Saône 40.

Renaissance, ℘ 80 26 00 76 – P. VISA
fermé 1er janv. au 15 fév. et merc. – SC : **R** 45/80.

MELUN P 77000 S.-et-M. 61 ②, 196 ㊺ G. Environs de Paris – 36 218 h. alt. 54.

Office de Tourisme 2 av. Gallieni ℘ (1) 64 37 11 31.

Paris 48 ⑧ – Auxerre 120 ⑤ – Châlons-sur-Marne 146 ② – Chartres 103 ⑧ – Meaux 57 ② – Montargis 67 ⑤ – ♦Orléans 104 ⑥ – ♦Reims 145 ② – Sens 70 ⑤ – Troyes 124 ③.

Plan page ci-contre

Gd Monarque-Concorde M, par ⑤ : 2,5 km rte Fontainebleau ℘ (1) 64 39 04 40, Télex 690140, , parc, – rest P – 150. AE E VISA
SC : **R** 145/180 – 36 – **50 ch** 306/390 – P 480/565.

Commerce, 16 r. Carnot ℘ (1) 64 37 01 22 – wc P – 30 à 100 AY **n**
R 51/87 – 13,50 – **16 ch** 85/135.

Ibis, 81 av. Meaux ℘ (1) 60 68 42 45, Télex 691779 – wc P – 30. E VISA X **a**
SC : **R** carte environ 85 – 19,50 – **74 ch** 180/224 – P 333/360.

Aub. Vaugrain (Desroys du Roure), 1 r. Vannerie ℘ (1) 64 52 08 23 – AE VISA AY **r**
fermé dim. soir et lundi – SC : **R** carte 200 à 280
Spéc. Bar en croûte, Ragoût de filet de veau aux épinards, Civet de lièvre (30 sept. au 30 nov.).

Caves de Touraine, 8 quai Joffre ℘ (1) 64 37 03 48 – AE E VISA AZ **e**
fermé 15 juil. au 14 août, dim. soir et lundi – SC : **R** 103/155.

à Vaux-le-Pénil par ③ – ✉ 77000 Melun :

Climat de France M, 338 r. R. Hervillard ℘ (1) 64 52 71 81 – wc P – 25. E VISA
SC : **R** 54/95 – 20 – **42 ch** 220/226 – P 216/253.

à Dammarie-les-Lys par ⑤ – 19 879 h. – ✉ 77190 Dammarie-les-Lys :

Campanile M, 346 r. B. de Poret ℘ (1) 64 37 51 51, Télex 691621 – wc P – 30. VISA
SC : **R** 61 bc/82 bc – 23 – **50 ch** 181/202.

tourner →

MELUN

Street	Square	No.
Carnot (R.)	AY	6
Doumer (R. Paul)	BY	13
Miroir (R. du)	AY	25
Pouteau (R. René)	BY	34
St-Ambroise (R.)	AZ	
St-Aspais (R. et ⊕)	BY	41
St-Étienne (R.)	AZ	43
Alsace-Lorr. (Q.)	BZ	2
Chartrettes (Rte des)	X	3
Chasse (R. de la)	X	7
Corbeil (Av. de)	X	8
Courtille (R. de la)	BZ	9
Courtilleraies (Av.)	X	10
Gaulle (Av. Gén.-de)	X	18
Godin (Av. E.)	AZ	19
Jaurès (Av. J.)	X	20
Leclerc (Av. Mar.)	X	22
Libération (Av. de la)	X	23
Mare-aux-Champs (R. de la)	X	24
Montagne-du-Mée (R. de la)	AY	26
Montaigne (Av.)	X	27
N.-Dame (Pl. et ⊕)	BZ	32
Pompidou (Av. G.)	X	33
Prés.-Despatys (R.)	AY	35
Résistance (Av.)	X	37
Rossignol (Q. H.)	X	39
St-Liesne (R.)	X	44
Vaux (R. de)	X	45
Voisenon (Rte de)	X	46
Voltaire (Quai)	X	48
13e-Dragons (Av.)	X	49
31e-d'Inf. (Av. du)	X	50

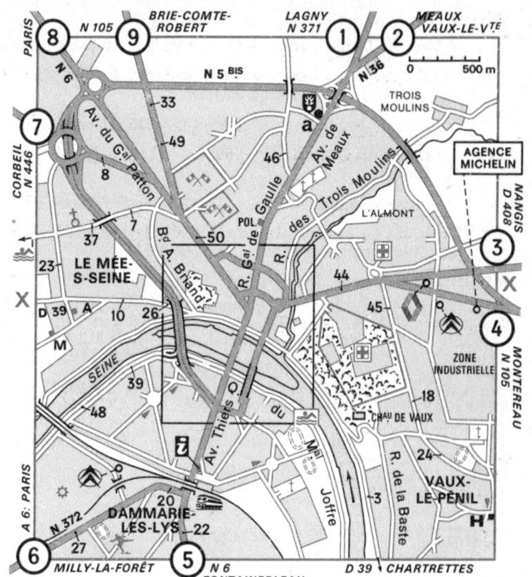

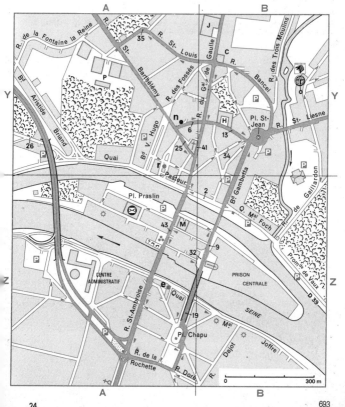

à Vert-St-Denis par ⑧ : 5 km – 4 489 h. – ✉ **77240** Cesson :

XX **A l'Attaque du Courrier de Lyon,** N 6 ☎ (1) 60 63 22 24, 🍽 – **P**. VISA
fermé dim. soir – **R** 130 bc/280 bc.

au Plessis-Picard par ⑧ : 8 km – ✉ **77550** Moissy Cramayel :

XX **La Mare au Diable,** ☎ (1) 60 63 17 17, 🍽, 🏊, 🎾 – **P**. AE ⓓ VISA
R 150/300.

à Crisenoy par ② : 10 km – ✉ **77390** Verneuil l'Etang :

XX **Aub. de Crisenoy,** Grande Rue ☎ (1) 64 38 83 06 – **P**. VISA
SC : **R** (déj. seul. sauf sam.) carte 105 à 170.

MICHELIN, Agence, 399 r. du Mar. Juin à Vaux-le-Pénil Z. I. X ☎ (1) 64 39 23 23

CITROEN Succursale, 100 rte de Montereau à Vaux-le-Penil ☎ (1) 64 37 92 10 **N**
CITROEN Dufus, 536 r. Frères-Thibault, Dammarie-les-Lys ☎ (1) 64 37 09 62
FORD Gd gar. de la Gare, N 6 ZAC les Caves, Vert-St-Denis ☎ (1) 60 68 22 57
MERCEDES-BENZ SEGAC, 11 av. Gén.-Patton ☎ (1) 60 68 86 45
OPEL Gar. de Brie et Champagne, 27 rte Montereau ☎ (1) 64 39 37 08
PEUGEOT **TALBOT** Chabert, 9 r. Flammarion ☎ (1) 64 52 07 48
PEUGEOT, TALBOT Duport-Automobiles, N 6, Vert-St-Denis par ⑧ ☎ (1) 60 68 69 70
RENAULT Escobrie-Melun, 23 rte Montereau ☎ (1) 64 39 95 77 **N**

Ⓜ La Centrale de Pneu, 11 r. de Ponthierry ☎ (1) 64 37 20 99
Piot-Pneu, 22 r. Mar-Juin, Zone Ind. à Vaux-le-Pénil ☎ (1) 64 39 12 63

MENARS 41 L.-et-Ch. **64** ⑦ – rattaché à Blois.

MENDE **P** **48000** Lozère **80** ⑤⑥ **G. Causses** – 12 113 h. alt. 731.

Voir Cathédrale★ ZB – Pont N.-Dame★ YD.

i Syndicat d'Initiative avec A.C. 16 bd Soubeyran ☎ 66 65 02 69.

Paris 575 ① – Alès 110 ③ – Aurillac 159 ① – Gap 306 ② – Issoire 154 ① – Millau 83 ③ – Montélimar 155 ② – Le Puy 92 ② – Rodez 108 ③ – Valence 179 ②.

MENDE

Angiran (R. d') .... Z 3
Beurre (Pl. au) .... Z 10
Droite (R.) .... Z 23
Préfecture (Pl. de la) ...... Z 32
République (R. et Pl. de la). Z 34
Soubeyran (R. du) .... Z 40

Aigues-Passes (R. d') ..... Z 2
Arnault (Bd Lucien) .... Y 4
Basse (R.) .... YZ 6
Beauregard (R.) .... Y 7
Berlière (Pont de) .... Y 8
Bourillon (Bd Henri) ...... Z 12
Britexte (Bd) .... Z 13
Capucins (Bd des) .... Y 14
Chanteronne (R.) .... Y 16
Chaptal (Pl.) .... Z 17
Chastel (R. du) .... Y 18
Chicanette (R. de la) ...... Z 19
Collège (R. du) .... Y 21
Doumer (Allée Paul) ...... Y 22
Écoles (R. des) .... Z 24
Gaulle (Pl. Charles de) .... Z 28
Notre-Dame (R.) .... YZ 29
Pont (R. du) .... Y 30
Roussel (Bd Th.) .... YZ 36
Roussel (Pl. Th.) .... Y 37
Soubeyran (Bd de) .... Z 38
Urbain V (Pl.) .... Z 41
8-Mai-1945 (Av. du) ...... Y 42

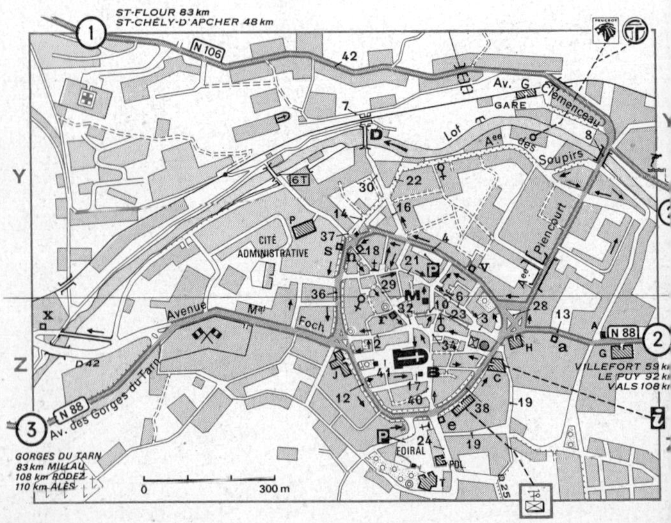

Lion d'Or M, 12 bd Britexte ✆ 66 49 16 46, Télex 480302, ☂, ⛱, – ▯ cuisinette TV ☎ P – 40. AE ① E VISA. ✻ rest Z a
15 mars-15 nov. – SC : **R** *(fermé dim. et lundi midi hors sais.)* 82/185 – ☕ 25 – **40 ch** 190/335.

Urbain V M, 9 bd Th.-Roussel ✆ 66 49 14 49 – ▯ TV wc ☎ P – 30. AE E VISA. ✻ rest Y s
fermé déc. et dim. – SC : **R** 60/140 ⅌ – ☕ 19 – **60 ch** 160/240.

Pont Roupt (annexe 12 ch wc), av. 11-Novembre ✆ 66 65 01 43 – wc wc ☎ P. ✻ Z x
1er mars-15 déc. et fermé sam. hors sais. – SC : **R** 50/110 – ☕ 18 – **40 ch** 130/250 – P 190/240.

France, 9 bd L.-Arnault ✆ 66 65 00 04 – wc ☎. VISA Y v
fermé 15 déc. au 31 janv. – SC : **R** *(fermé dim. soir et lundi hors sais.)* 55/120 – ☕ 18 – **28 ch** 80/220 – P 210/290.

Paris sans rest, 2 bd Soubeyran ✆ 66 65 00 03 – ▯ wc wc ☎ P Z e
1er avril-5 nov. – SC : ☕ 17 – **50 ch** 70/220.

Remparts sans rest, pl. Th.-Roussel ✆ 66 65 02 29 – wc ☎ P Y n
SC : ☕ 16,50 – **15 ch** 130/160.

La Gogaille, 5 r. Notre-Dame ✆ 66 65 08 79 Z r
fermé dim. soir et lundi hors sais. – SC : **R** 52/95.

CITROEN Majorel et Fils, 27 av. Gorges-du-Tarn par ③ ✆ 66 49 11 22 N ✆ 66 65 27 03
FORD Mende-Autom., 56 av. du 8-Mai 1945 ✆ 66 65 14 17
PEUGEOT-TALBOT Giral, 7 allée des Soupirs ✆ 66 49 00 15
RENAULT Pagès, Zone Artisanale, av. du 11-Novembre par D42 Z ✆ 66 49 15 58 N
TOYOTA Gar. Marquiran, 32 quartier Fontanilles ✆ 66 65 01 68
V.A.G. Gar. Barbut, rte de Chabrits Z.A ✆ 66 65 07 58

Escoffier-Pneus, 25 av. des Gorges du Tarn ✆ 66 65 08 69
Vulc Lozérienne, 9 bd Britexte ✆ 66 65 03 98

MÉNERBES 84560 Vaucluse 84 ② **G. Provence** – 1 027 h. alt. 224.

Voir <★ du chevet de l'église.

Paris 718 – Aix-en-Provence 60 – Apt 22 – Avignon 40 – Carpentras 37 – Cavaillon 19.

Host. Le Roy Soleil M, N : 2 km par D 3 et VO ✆ 90 72 25 61, <, ☂, ⛱, – wc wc ☎ P. ✻ rest
15 mars-15 nov. et fermé mardi midi – SC : **R** 180/250 – ☕ 40 – **10 ch** 280/450 – P 400/500.

MENETOU-RATEL 18 Cher 65 ⑫ – 506 h. alt. 311 – ✉ **18300** Sancerre.

Paris 198 – Bourges 52 – La Charité-sur-Loire 35 – Cosne-sur-Loire 16 – Salbris 65 – Sancerre 9.

Maillet, rte de Sancerre ✆ 48 54 09 53 – P. ✻
fermé 22 déc. au 10 janv., 2 au 16 mars et lundi – SC : **R** (déj. seul.) 76/102.

CITROEN Maillet, ✆ 48 54 09 53

MÉNEZ-HOM 29 Finistère 58 ⑮ **G. Bretagne** – alt. 330.

Voir ✻★★★ – Site★ de Trégarvan N : 10 km.

Paris 564 – Châteaulin 14.

Le MÉNIL 88 Vosges 66 ⑧ – rattaché au Thillot.

MENNETOU-SUR-CHER 41320 L.-et-Ch. 64 ⑲ **G. Châteaux de la Loire** – 938 h. alt. 90.

Voir St-Loup : chaire de prieur★ dans l'église O : 3,5 km.

Paris 214 – Blois 58 – Montrichard 57 – Romorantin-Lanthenay 17 – Salbris 27 – Vierzon 16.

Host. Lion d'Or, ✆ 54 98 01 13 – wc ☎. ① E VISA
fermé 15 janv. au 15 fév., 10 au 17 oct., dim. soir et lundi hors sais. – SC : **R** 59/143 ⅌ – ☕ 17,50 – **18 ch** 97/184 – P 185/228.

PEUGEOT Métisvier, ✆ 54 98 01 18
Louis, ✆ 54 98 02 27

MENTHON-ST-BERNARD 74 H.-Savoie 74 ⑥ **G. Alpes** – 1 178 h. alt. 482 – ✉ **74290** Veyrier-du-Lac.

Voir Château de Menthon★ : <★ E : 2 km.

18 **du lac d'Annecy** ✆ **50 60 12 89, S : 1 km.**

Syndicat d'Initiative (fermé après-midi hors sais.) ✆ 50 60 14 30.

Paris 542 – Albertville 37 – Annecy 9 – Bonneville 45 – Megève 52 – Talloires 4,5 – Thônes 13.

Palace H., au bord du lac ✆ 50 60 12 86, Télex 385292, ☂, « < Lac et montagne, plage privée, parc, » – ▯ P – 40 à 100. AE ① VISA. ✻ rest
25 mai-30 sept. – SC : **R** 160/180 – ☕ 31 – **93 ch** 210/524 – P 345/495.

Beau Séjour, ✆ 50 60 12 04, parc – wc wc ☎ P. ✻ rest
Pâques-fin sept. – SC : **R** 90/120 (dîner résidents seul.) – ☕ 25 – **18 ch** 187/240.

MENTON 06500 Alpes-Mar. 84 ⑩⑳, 195 ㉘ G. Côte d'Azur – 25 449 h. alt. 16 – Casino du Soleil AZ.

Voir Site★★ – Bord de mer et vieille ville★★ : Promenade du Soleil★★ ABYZ, **Parvis St-Michel★★, Église St-Michel★** BY **F**, **Façade★ de la Chapelle de la Conception** BY **B**, **<★ de la jetée** BV, **<★ du Vieux cimetière** BX **D** – **Musée du Palais Carnolès★** AX **M1** – **Garavan★** BV – **Jardin botanique exotique★** BV **E** – **Salle des mariages★ de l'Hôtel de Ville** BY **H** – **Statuettes féminines★ du musée municipal** BY **M2** – **<★ du jardin des Colombières** BV – **Vallée du Careï★ par ①.**

Env. Monastère de l'Annonciade ※★ N : 6 km AV – **Gorbio : site★ NO : 9 km.**

Office de Tourisme avec A.C. "Palais de l'Europe" av. Boyer ☎ 93 57 57 00.

Paris 961 ③ – Aix-en-P. 206 ① – Cannes 63 ① – Cuneo 102 ① – Monte-Carlo 12 ③ – ♦Nice 30 ③.

Plans page ci-contre

Chambord [M] sans rest, 6 av. Boyer ☎ 93 35 94 19 – |≡| ▤ TV ☎ ⇔. AE ⓓ
SC : **40 ch** ▭ 250/390. AY **a**

Princess et Richmond [M], 617 prom. Soleil ☎ 93 35 80 20, < – |≡| ▤ TV ☎ Ⓟ. AE ⓓ VISA. ✻ rest AZ **s**
fermé 4 nov. au 20 déc. – SC : **R** (snack au dîner sur demande) – ▭ 25 – **44 ch** 225/320.

Europ H. [M] sans rest, 35 av. Verdun ☎ 93 35 59 92 – |≡| ▤ TV ☎ ⇔. AE ⓓ E VISA AY **v**
SC : ▭ 20 – **33 ch** 260/320.

Magali [M] sans rest, 10 r. Villarey ☎ 93 35 73 78 – |≡| ⇔ BY **k**
43 ch.

Napoléon, 29 Porte de France ☎ 93 35 89 50, Télex 470312, <, ⛱ – |≡| ▤ TV ☎ Ⓟ. AE ⓓ E VISA. ✻ rest BV **e**
fermé 1er nov. au 16 déc. – SC : **R** 137/250 – ▭ 30 – **40 ch** 300/410 – P 380/450.

Prince de Galles [M] sans rest., 4 av. Gén.-de-Gaulle ☎ 93 28 21 21, < – |≡| ⇔wc ⫪wc ☎ Ⓟ. AE ⓓ E VISA. ✻ AX **e**
SC : ▭ 22 – **68 ch** 190/275.

Méditerranée [M], 5 r. République ☎ 93 28 25 25, Télex 461361 – |≡| TV ⇔wc ☎ ♿ ⇔ – 🏋 30. ⓓ VISA BY **m**
SC : **R** 75 – ▭ 24 – **90 ch** 290/320.

Aiglon, 7 av. Madone ☎ 93 57 55 55, ⛱, ✿ – |≡| TV ⇔wc ☎ Ⓟ. AE E VISA
fermé 5 nov. au 19 déc. – SC : **R** (le soir snack en chambre pour résidents) – ▭ 25 – **32 ch** 180/320. AZ **b**

Le Moderne sans rest, 1 cours Georges V ☎ 93 57 20 02 – |≡| ⇔wc ⫪ ☎. AE ⓓ
fermé 13 oct. au 15 janv. – SC : **31 ch** ▭ 220/250. AZ **e**

Dauphin, 28 av. Gén.-de-Gaulle ☎ 93 35 76 37, <, ⛱ – |≡| ⇔wc ⫪wc ☎ Ⓟ. VISA. ✻ AX **y**
fermé 25 oct. au 20 déc. – SC : **R** snack (dîner seul. pour résidents) – **30 ch** ▭ 150/300.

Viking, 2 av. Gén.-de-Gaulle ☎ 93 57 95 85, <, ⛱ – |≡| ▤ ch ⇔wc ⫪wc ☎. AE ⓓ VISA AX **e**
SC : **R** *(fermé 1er nov. au 1er janv. et merc. hors sais.)* 80/170 – ▭ 21 – **36 ch** 310/342 – P 340/370.

Beau Rivage sans rest, 1 av. Ibanez ☎ 93 28 08 08, Télex 970339, < – |≡| ▤ TV ⇔wc ☎ Ⓟ. AE VISA BV **r**
fermé 6 nov. au 20 déc. – SC : **40 ch** ▭ 365.

Orly, 27 Porte de France ☎ 93 35 60 81, <, ⛱ – ⇔wc ⫪wc ☎ Ⓟ BV **e**
fermé 15 nov. au 27 déc. – SC : **R** *(fermé mardi hors sais.)* 68/110 – ▭ 25 – **25 ch** 190/300 – P 240/380.

Amirauté sans rest, 3 Porte de France ☎ 93 35 59 41 – |≡| ⇔wc ⫪wc ☎. VISA
fermé 25 nov. au 22 déc. – SC : ▭ 24 – **18 ch** 176/214. BX **s**

Pin Doré sans rest, 16 av. F.-Faure ☎ 93 28 31 00, <, ⛱, ✿ – |≡| ⇔wc ⫪wc ☎ Ⓟ. AE ⓓ VISA BY **r**
fermé 20 nov. au 15 janv. – SC : **42 ch** ▭ 185/290.

Stella-Bella, 850 prom. Soleil ☎ 93 35 74 47, < – ⇔wc ⫪wc ☎. VISA. ✻ rest
fermé 15 oct. au 20 déc. – SC : **R** *(fermé lundi)* 70 – ▭ 22 – **26 ch** 280 – P 220/245. AZ **u**

Londres, 15 av. Carnot ☎ 93 35 74 62, ✿ – |≡| ⇔wc ⫪wc ☎. VISA. ✻ rest
fermé 15 oct. au 22 déc. – SC : **R** *(fermé merc.)* 85/110 – ▭ 20 – **26 ch** 150/200 – P 206/230. AZ **d**

Le Globe, 21 av. Verdun ☎ 93 35 73 03 – |≡| ⇔wc ⫪wc ☎. ✻ ch AY **r**
fermé 10 nov. au 27 déc. – SC : **R** *(fermé lundi du 28 déc. à fin juil.)* 70/140 – ▭ 17,50 – **24 ch** 124/190 – P 278/344.

XXX **Chez Mireille-l'Ermitage** avec ch, prom. Soleil ☎ 93 35 77 23, <, ⛱ – TV ⇔wc ⫪wc ☎. AE VISA AZ **v**
SC : **R** 100/220 – ▭ 25 – **21 ch** 220/290 – P 295/340.

XX **Aub. des Santons** ⛰ avec ch, à l'Annonciade 2,5 km par VO ☎ 93 35 94 10, <, ✿ – ⇔wc. AE VISA AV **r**
fermé 15 nov. au 15 déc., dim. soir et lundi sauf fériés – SC : **R** 95/250 – ▭ 19 – **10 ch** (pens. seul.) – P 200/290.

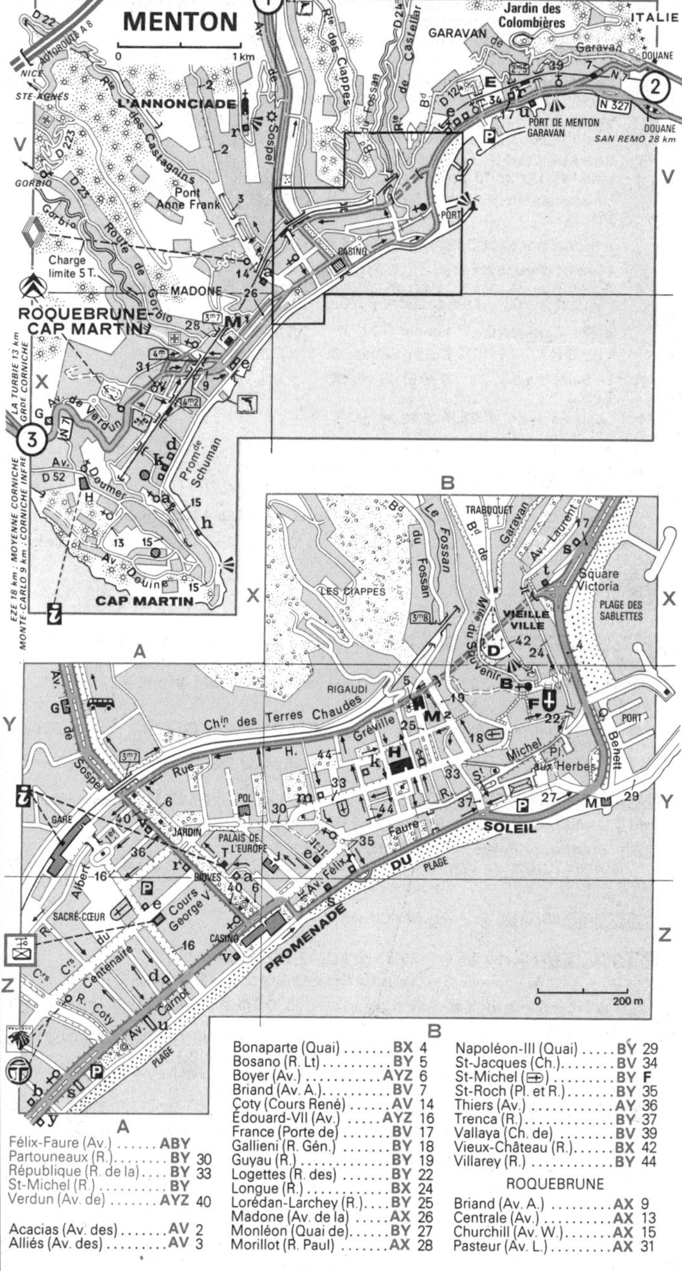

Félix-Faure (Av.)	**ABY**	
Partouneaux (R.)	**BY**	30
République (R. de la)	**BY**	33
St-Michel (R.)	**BY**	
Verdun (Av. de)	**AYZ**	40
Acacias (Av. des)	**AV**	2
Alliés (Av. des)	**AV**	3
Bonaparte (Quai)	**BX**	4
Bosano (R. Lt)	**BY**	5
Boyer (Av.)	**AYZ**	6
Briand (Av. A.)	**BV**	7
Coty (Cours René)	**AV**	14
Édouard-VII (Av.)	**AYZ**	16
France (Porte de)	**BV**	17
Gallieni (R. Gén.)	**BY**	18
Guyau (R.)	**BY**	19
Logettes (R. des)	**BY**	22
Longue (R.)	**BX**	24
Lorédan-Larchey (R.)	**BY**	25
Madone (Av. de la)	**AX**	26
Monléon (Quai de)	**BY**	27
Morillot (R. Paul)	**AX**	28
Napoléon-III (Quai)	**BY**	29
St-Jacques (Ch.)	**BV**	34
St-Michel (⊞)	**BY**	**F**
St-Roch (Pl. et R.)	**BY**	35
Thiers (Av.)	**AY**	36
Trenca (R.)	**BY**	37
Vallaya (Ch. de)	**BV**	39
Vieux-Château (R.)	**BX**	42
Villarey (R.)	**BY**	44

ROQUEBRUNE

Briand (Av. A.)	**AX**	9
Centrale (Av.)	**AX**	13
Churchill (Av. W.)	**AX**	15
Pasteur (Av. L.)	**AX**	31

Les plans de villes sont orientés le Nord en haut.

XX **Paris-Palace,** 2 av. F.-Faure ✆ 93 35 86 66, ←, 🌳 – AE ⓓ E VISA — BZ s
fermé 1er nov. au 15 déc. et le soir de déc. à fin fév. – **R** 68/160.

XX **La Calanque,** 13 square Victoria ✆ 93 35 83 15, 🌳 — BX t
fermé 28 oct. au 27 nov., mardi soir et merc. – SC : **R** 82/135.

XX **Le Galion,** port de Garavan ✆ 93 35 89 73, 🌳, cuisine italienne – — BV u
fermé 15 oct. au 15 déc. et mardi – SC : **R** carte 110 à 160.

XX **Table du Roy,** 31 av. Cernuschi ✆ 93 57 38 38 – AE E VISA — AV a
fermé 1er au 15 déc., dim. soir et lundi – SC : **R** 95/160.

X **Bec Fin,** 11 av. F.-Faure ✆ 93 35 94 73 — BY e
fermé 15 déc. au 15 janv. et merc. – SC : **R** 63/100.

X L'Hacienda, rte Gorbio : 3,5 km ✆ 93 35 84 44, 🌳, produits de la ferme, ⛱ – Ⓟ. VISA — AV

à Monti par ① et D 2566 : 5 km – ✉ **06500** Menton :

XX **Pierrot-Pierrette** avec ch, ✆ 93 35 79 76, ← – ⋒
fermé 2 au 15 mai, 1er déc. au 15 janv. et lundi – SC : **R** (déj. seul. du 1er nov. à Pâques) 96/158 – **3 ch** ⊐ 230 – P 250.

à Ste-Agnès NO : 11 km par D 22 - AV – ✉ **06500** Menton.
Voir Site★ – ←★★ – Col St-Sébastien ←★ O : 1 km.

Le Saint Yves 🐦, ✆ 93 35 91 45, ←, 🌳 – ⋒wc
7 ch.

X Logis Sarrasin, ✆ 93 35 86 89, ←, 🌳.

à Castillon par ① : 12 km – ✉ **06500** Menton :

La Bergerie 🐦, ✆ 93 04 00 39, ← – ⊟wc ☎
1er avril-30 sept. – SC : **R** 86/113 – ☕ 13 – **14 ch** 206/232.

Voir aussi ressources hôtelières de ***Roquebrune-Cap-Martin*** par ③ : 5 km

FORD Idéal Gar., 1 av. Riviéra ✆ 93 35 79 20
PEUGEOT-TALBOT Impérial Gar., 18 av. Cochrane ✆ 93 35 76 29
RENAULT Gar. des Tennis, 55 av. Cernuschi ✆ 93 28 07 10 Ⓝ ✆ 93 35 94 00
Ⓢ Vulcania, 9 rue Loredan Larchey ✆ 93 35 50 57

Les MENUIRES

73 Savoie **77** ⑦⑧ **G. Alpes** – alt. 1 700 – Sports d'hiver : 1 660/2 850 m ⛷9 ⛷33 ⛷ – ✉ **73440** St-Martin-de-Belleville.

ℹ Office de Tourisme ✆ 79 08 20 12, Télex 980084 et au Reberty (10 déc.-1er mai) ✆ 79 00 60 25.

Paris 624 – Chambéry 100 – Moûtiers 27.

de l'Oisans et Aub. de Lanau 🐦, ✆ 79 00 62 96 – TV ⊟wc ⋒wc ☎. AE ⓓ VISA. ✗ ch
10 déc.-20 avril – SC : **R** (dîner seul.) 100 – **20 ch** ⊐ 280/460.

MÉOUNES-LES-MONTRIEUX

83 Var **84** ⑮ – 928 h. alt. 275 – ✉ **83136** La Roquebrussanne.

Paris 821 – Aix-en-Provence 66 – Brignoles 22 – ♦Marseille 57 – ♦Toulon 28.

France, pl. Eglise ✆ 94 33 98 02, 🌳 – ⊟ ⋒. ✗ ch
fermé 10 janv. au 20 fév., mardi soir et merc. sauf juil.-août – SC : **R** 90/150 – ☕ 22 – **8 ch** 110/160.

MERCUÈS

46 Lot **79** ⑧ – rattaché à Cahors.

MERCUREY

71 S.-et-L. **69** ⑨ – 2 028 h. alt. 241 – ✉ **71640** Givry.

Paris 346 – Autun 40 – Chagny 12 – Chalon-sur-Saône 13 – Le Creusot 28 – Mâcon 72.

XXX ❀ **Hôtellerie du Val d'Or** (Cogny) avec ch, D 978 ✆ 85 47 13 70, ⛱ – ▤ rest TV ⊟wc ⋒ ☎ 🚗. VISA. ✗
fermé 25/8 au 5/9, 8/12 au 5/1, mardi midi du 15/3 au 15/11, dim. soir du 15/11 au 15/3 et lundi sauf fériés – SC : **R** 75/240 – ⊐ 24 – **12 ch** 165/240
Spéc. Bar fourré au foie gras, Charolais maître de chai, Pâtisseries. Vins Rully, Mercurey.

MERDRIGNAC

22230 C.-du-N. **59** ⑭ – 2 936 h. alt. 149.

Paris 410 – Dinan 45 – Josselin 33 – Lamballe 37 – Loudéac 26 – Ploërmel 37 – St-Brieuc 56.

X **Univers** avec ch, r. Nationale ✆ 96 28 41 15 – Ⓟ. E VISA. ✗ ch
fermé 21 juin au 12 juil., vacances de fév., jeudi en saison, vend. soir et sam. hors sais. – **R** 50/145 ♂ – ⊐ 17 – **9 ch** 70/115.

RENAULT Hergnot, ✆ 96 28 41 23 — Gar. de l'Hivet, ✆ 96 28 41 69

MÉRIBEL-LES-ALLUES 73550 Savoie 74 ⑱ **G. Alpes.**
Voir Sommet de la Saulire ✳** **SE par télécabine.**
⛳9 ✆ 79 08 60 49 NE : 4,5 km.
Altiport ✆ **79 08 61 33, NE : 4,5 km.**
ℹ Office de Tourisme de la vallée des Allues ✆ 79 08 60 01, Télex 980001.
Paris 615 – Albertville 44 – Annecy 89 – Chambéry 91 – ♦Grenoble 128 – Moûtiers 18.

à Méribel – alt. 1 700 – Sports d'hiver : 1 450/2 700 m 🚡11 ⛷31, 🎿 – ✉ **73550** Méribel-les-Allues :

Gd Coeur Ⓜ, ✆ 79 08 60 03, Télex 309 623, ←, 🍽, 🏊 (été) – 🛗 📺 ☎ 🅿. AE ⓓ VISA. ✻ rest
1er juil.-31 août et 15 déc.-15 avril – SC : **R** 110/250 – ☕ 33 – **35 ch**, 4 appartements – 1/2 p 500/620.

Orée du Bois 🐎, ✆ 79 00 50 30, ←, 🏊 (été), 🍽 – 🛗 🛁wc 🚿wc ☎. VISA. ✻
1er juil.-31 août et 15 déc.-vacances de printemps – SC : **R** 85/105 – **28 ch** ☕ 345/395 – P 245.

Adray Télé-Bar 🐎, sur les pistes (accès piétonnier) ✆ **79 08 60 26**, ←, 🍽 – 🛁wc ☎
20 déc.-15 avril – SC : **R** 90 🍷 – ☕ 27 – **17 ch** 150/380 – P 250/380.

Belvédère 🐎, sur les pistes (accès piétonnier) ✆ **79 08 65 53**, ←, 🍽 – 📺 🛁wc 🚿wc ☎. ✻ ch
15 déc.-15 avril – SC : **R** 92 – ☕ 22 – **15 ch** (pens. seul.) – P 285/385.

La Chaudanne, ✆ **79 08 61 76, Télex 980474,** ← – cuisinette 🛁wc 🚿wc ☎ 🚗 🅿. VISA. ✻ rest
juil.-août et déc.-1er mai – SC : **R** 55/100 🍷 – ☕ 27,50 – **45 ch** 260/404 – P 282/392.

L'Estanquet, ✆ 79 08 65 43 – AE ⓓ VISA
15 déc.-15 avril – SC : **R** 110/180.

à l'Altiport NE 4,5 km – ✉ **73550** Méribel les Allues :

H. Altiport Ⓜ 🐎, ✆ **79 00 52 32, Télex 980456**, ←, 🍽, 🏊 (été), « décor savoyard », 🎾 – 🛗 📺 ☎ 🚗 – 🏛 50 à 100. AE VISA. ✻
1er juil.-31 août et 15 déc.-20 avril – **R** carte 180 à 280 – ☕ 50 – **42 ch** (1/2 pens. seul.) – 1/2 p 595.

au Mottaret S : 6 km - ⑧ 77 – ✉ **73550** Méribel-les-Allues :

Ruitor Ⓜ 🐎 sans rest, ✆ **79 00 48 48, Télex 980832**, ← – 🛗 📺 ☎ 🚗 🅿. AE ⓓ VISA
20 déc.-mi-avril – SC : ☕ 38 – **50 ch** 242/594.

Tarentaise Ⓜ 🐎, ✆ 79 00 42 43, ←, 🍽 – ☎ 🚗 – 🏛 50
45 ch.

Mottaret Ⓜ 🐎, ✆ **79 00 47 47, Télex 980473**, ←, 🍽 – ☎ 🚗 – 🏛 60. ⓓ VISA. ✻ rest
1er juin-15 sept. et 1er déc.-3 mai – SC : **R** 85/150 – **42 ch** ☕ 350/500.

Les Arolles Ⓜ 🐎, ✆ 79 00 40 40, ← – 🛗 🛁wc 🚿wc ☎ – 🏛 120. ✻
15 déc.-20 avril – SC : **R** 90/130 – ☕ 32 – **48 ch** (1/2 pens., seul.) – 1/2 p 350/550.

MÉRIGNAC 33 Gironde 71 ⑨ – rattaché à Bordeaux.

MERKWILLER-PECHELBRONN 67 Bas-Rhin 57 ⑲ **G. Alsace et Lorraine** – 776 h. alt. 376 – ✉ **67250** Soultz-sous-Forets.
Paris 467 – Haguenau 16 – ♦Strasbourg 48 – Wissembourg 22.

Aub. Baechel-Brunn, ✆ 88 80 78 61 – ✻
fermé 15 août au 6 sept., 15 au 30 janv., lundi soir et mardi – SC : **R** 70/150.

MERLEBACH 57 Moselle 57 ⑯ – voir à Freyming-Merlebach.

MERVENT 85 Vendée 67 ⑯ – rattaché à Fontenay-le-Comte.

MERVILLE-FRANCEVILLE-PLAGE 14810 Calvados 55 ② – 1 309 h.
Paris 230 – Arromanches-les-Bains 41 – Cabourg 6 – ♦Caen 19.

Chez Marion avec ch, ✆ **31 24 23 39** – 🛁wc 🚿wc ☎. AE ⓓ E VISA
fermé 1er au 21 oct., janv., lundi soir et mardi sauf vacances scolaires – SC : **R** 98/180 – ☕ 16 – **18 ch** 117/280 – P 220/326.

MERY-CORBON 14 Calvados 54 ⑰ – 621 h. alt. 19 – ✉ **14370** Argences.
Paris 203 – ♦Caen 23 – Falaise 44 – Lisieux 29.

Relais du Lion d'Or, au Lion d'Or S : 3 km sur N 13 ✆ 31 23 65 30 – 🅿. E VISA
fermé 22 déc. au 21 janv., mardi soir et merc. – SC : **R** 57/87.

MÉRY-SUR-SEINE 10170 Aube 61 ⑥ – 1 286 h. alt. 82.

Paris 137 – Châlons-sur-M. 70 – Nogent-sur-Seine 33 – Sézanne 31 – Troyes 29 – Vitry-le-François 70.

Au Bon Coin, ☎ 25 21 20 39
fermé 15 sept. au 8 oct. et dim. soir – SC : **R** 43/85 ♁ – ☕ 12 – **11 ch** 72/95 – P 125.

RENAULT Gar. Flizot, ☎ 25 21 20 46

MESCHERS-SUR-GIRONDE 17132 Char.-Mar. 71 ⑮ G. Côte de l'Atlantique – 1 649 h. alt. 22.

Syndicat d'Initiative (15 juin-15 sept.) ☎ 46 02 70 39.

Paris 513 – Blaye 80 – Jonzac 54 – Pons 37 – La Rochelle 83 – Royan 11 – Saintes 42.

XX **Grottes de Matata,** ☎ 46 02 70 02, ≤, « Cavernes creusées dans une falaise dominant l'estuaire », – VISA.
15 juin-15 sept. – SC : **R** 125/135.

PEUGEOT-TALBOT Gar. Carpier, ☎ 46 02 70 27 N

Le MESNIL-ESNARD 76 S.-Mar. 55 ⑥⑦ – rattaché à Rouen.

MESNIL-ST-PÈRE 10 Aube 61 ⑰ G. Champagne, Ardennes – 332 h. alt. 130 – ✉ 10140 Vendeuvre-sur-Barse.

Voir Lac et forêt d'Orient★★.

Paris 182 – Bar-sur-Aube 31 – Châtillon-sur-Seine 55 – St-Dizier 75 – Troyes 22 – Vitry-le-François 71.

Aub. du Lac et Rest. Vieux Pressoir, ☎ 25 41 27 16, – wc wc ☎ P. AE E VISA.
fermé 2 au 19 janv., dim. soir et lundi du 15 sept. au 15 mars – SC : **R** 100/250 – ☕ 16.50 – **15 ch** 156/230 – P 220/270.

Le MESNIL-SUR-OGER 51 Marne 56 ⑯ G. Champagne, Ardennes – 1 204 h. alt. 134 – ✉ 51190 Avize.

Paris 143 – Châlons-sur-Marne 28 – Epernay 14 – ♦ Reims 38 – Vertus 5,5.

XXX **Le Mesnil,** ☎ 26 57 95 57 – P. AE ⓓ E VISA.
fermé 10 août au 4 sept., vacances de fév., lundi soir et merc. – SC : **R** (dim. prévenir) 90/255.

RENAULT Gar. Ewen, ☎ 26 57 52 25

MESNIL-VAL 76 S.-Mar. 52 ⑤ – ✉ 76910 Criel-sur-Mer.

Paris 175 – Dieppe 27 – Le Tréport 4,5.

Vieille Ferme , ☎ 35 86 72 18, , , – wc ☎ P – 30. AE E VISA
fermé 6 au 26 janv. – SC : **R** 100/220 – ☕ 20 – **34 ch** 165/280 – P 250/310.

Les MESNULS 78 Yvelines 60 ⑨, 196 ㉘ – 770 h. alt. 110 – ✉ 78490 Montfort-l'Amaury.

Paris 48 – Dreux 39 – Mantes-la-Jolie 36 – Rambouillet 14 – Versailles 27.

XXX ✿ **Toque Blanche** (Philippe), 12 Grande-rue ☎ (1) 34 86 05 55, , – P. AE ⓓ VISA
fermé août, 23 au 29 déc., dim. soir et lundi – SC : **R** carte 190 à 270
Spéc. Huîtres chaudes au cerfeuil (saison), Ragoût de pleurotes, Escalope de ris de veau à la crème.

MESSAC 35480 I.-et-V. 63 ⑥ – 2 309 h. alt. 11.

Paris 366 – Bain-de-B. 10 – Châteaubriant 39 – Nozay 34 – Ploërmel 51 – Redon 34 – ♦Rennes 42.

X **Poste et Gare** avec ch, ☎ 99 34 61 04 – wc. E VISA
fermé 7 au 27 oct. et mardi sauf juil.-août – SC : **R** 39/145 ♁ – ☕ 17 – **8 ch** 79/119 – P 130/180.

MESSERY 74 H.-Savoie 70 ⑯ – 844 h. alt. 420 – ✉ 74140 Douvaine.

Paris 538 – Annecy 67 – Bonneville 37 – ♦Genève 22 – Thonon-les-Bains 19.

Bellevue, ☎ 50 94 70 55, ≤, – ☎ P. E. rest
fermé 1er au 15 oct. et mardi – SC : **R** 45/100 ♁ – ☕ 16 – **22 ch** 60/110 – P 150/170.

Troènes, ☎ 50 94 70 30, – P
1er mai-1er oct. et fermé merc. sauf juil.-août – SC : **R** 48/83 – ☕ 15 – **16 ch** 72/124 – P 130/142.

MÉTABIEF 25 Doubs 70 ⑥ – voir ressources hôtelières à *Jougne* et aux *Hôpitaux Neufs*.

MÉTHAMIS 84 Vaucluse 81 ⑬ – 330 h. – ✉ 84570 Mormoiron.

Paris 697 – Apt 36 – Carpentras 17.

X **Lou Roucas,** ☎ 90 61 81 04, – E.
fermé sept., jeudi sauf juil.-août et le soir d'oct. à mars – SC : **R** 45/130 ♁.

METZ P 57000 Moselle 57 ⑬⑭ G. Alsace et Lorraine – 118 502 h. alt. 173.

Voir Cathédrale St-Etienne*** CDV – Porte des Allemands* DV – Esplanade* CV – Place St-Louis* DVX – Église St-Maximin* DVX L – Narthex* de l'église St-Martin DX B – ≤* du Moyen Pont CV – Musée d'Art et d'Histoire** DV M1.

de Cherisey ☎ 87 77 70 18 par ⑤ : 14 km.

de Metz-Frescaty : ☎ 87 65 41 11, SO : 6 km – ☎ 87 36 50 50.

Office de Tourisme et Accueil de France (Informations et réservations d'hôtels, pas plus de 5 jours à l'avance), pl. d'Armes, ☎ 87 75 65 21, Télex 860411 et Bureau Gare ☎ 87 65 76 69 - A.C. 10 r. Ferme St-Ladre ☎ 87 66 80 15.

Paris 331 ① – Bonn 241 ① – Bruxelles 283 ① – •Dijon 263 ⑦ – •Lille 396 ① – Luxembourg 64 ① – •Nancy 56 ⑦ – •Reims 188 ① – Saarbrücken 67 ③ – •Strasbourg 163 ③ – Trier 98 ①.

Plans pages suivantes

Sofitel M, pl. Paraiges ☎ 87 74 57 27, Télex 930328, – 30 à 200. AE E VISA — DV t
rest Le Rabelais R carte 135 à 220 – 40 – **94 ch** 330/415, 3 appartements 720.

Frantel M, 29 pl. St-Thiébaut ☎ 87 36 17 69, Télex 930417 – 30 à 250. AE E VISA — DX d
SC : rest. **les 4 Saisons** *(fermé 24 déc. au 1er janv., sam. midi et dim.)* **R** carte 110 à 180 – 35 – **112 ch** 308/512.

Royal-Concorde M, 23 av. Foch ☎ 87 66 81 11, Télex 860425 – 60. AE E VISA — DX s
SC : **R** 145 – **Caveau R** carte environ 120 – 37 – **75 ch** 262/395, 5 appartements 756.

Bristol M sans rest, 7 r. La Fayette ☎ 87 66 74 22 – wc wc . E — CX u
fermé Noël au 1er janv. – SC : 16,50 – **67 ch** 70/207.

Central Urbis M sans rest, 3 bis r. Vauban ☎ 87 75 53 43, Télex 930281 – wc . E VISA — DX b
SC : 19 – **72 ch** 191/245.

Cécil sans rest, 14 r. Pasteur ☎ 87 66 66 13 – wc wc . VISA — CX x
SC : 17,50 – **39 ch** 135/190.

Foch sans rest, 8 pl. R.-Mondon ☎ 87 74 40 75, Télex 860489 – wc . AE — CX v
SC : 15,50 – **42 ch** 84/176.

Gare sans rest, 20 r. Gambetta ☎ 87 66 74 03, Télex 861317 – wc wc . AE E VISA — DX q
SC : 16 – **40 ch** 89/205.

Métropole sans rest, 5 pl. Gén.-de-Gaulle ☎ 87 66 26 22 – wc wc . AE VISA – SC : 16 – **80 ch** 100/152. — DX q

Ibis M, 47 r. Chambière, quartier Pontiffroy ☎ 87 31 01 73, Télex 930278 – wc – 40. E VISA — DV e
SC : **R** carte environ 85 – 19,50 – **79 ch** 174/221.

La Pergola sans rest, 13 rte Plappeville, ✉ 57050, ☎ 87 32 52 94, – wc wc – 30 — AY h
SC : 15 – **30 ch** 75/160.

Moderne sans rest, 1 r. La Fayette ☎ 87 66 57 33 – wc wc . AE E VISA – SC : 15,50 – **43 ch** 98/161. — CX m

Lutèce, 11 r. Paris ☎ 87 30 27 25 – . E VISA — AY n
fermé 20 déc. au 15 janv. et dim. – SC : **R** *(fermé sam., dim. et fêtes)* 60/95 – 15,50 – **21 ch** 73/140 – P 208/274.

XXX **La Dinanderie,** 2 r. Paris ☎ 87 30 14 40 – AE VISA — AY k
fermé 8 au 22 août, 24 déc. au 2 janv., vacances de fév., dim. et lundi – **R** 185/195.

XX **Ville de Lyon,** 7 r. Piques ☎ 87 36 07 01 – . AE E VISA — DV a
fermé 27 juil. au 26 août, dim. soir et lundi – **R** 83/150.

XX **Au Retour du Pêcheur,** 1 r. Pont des Morts ☎ 87 32 43 12, – AE VISA — CV f
fermé mardi soir et merc. sauf du 20 mai au 20 sept. – SC : **R** 130/165.

XX **L'Aubergerie,** 18 r. des Augustins ☎ 87 75 54 76 – AE E VISA — DX p
fermé 1er au 20 août, 1er au 10 janv., dim. soir et lundi – SC : **R** 70/140.

XX **La Gargouille,** 29 pl. de Chambre ☎ 87 36 65 77 – VISA — CV r
fermé lundi midi et dim. – SC : **R** 155 bc/235 bc.

par ③ et ancienne rte de Sarrebrück : 3 km – ✉ **57070** Metz :

XXX **Crinouc** avec ch, 79 r. Gén.-Metman ☎ 87 74 12 46 – wc – 40. AE E VISA
rest. fermé 15 au 31 juil., 15 au 24 déc., dim. soir et merc. – SC : **R** 145/215 – 21 – **10 ch** 180/280.

à Borny E : 3 km par D 4 - BZ – ✉ **57070** Metz :

XXX ✲ **Belle-Vue** (Krompholtz), 58 rue Pange (près Palais des Congrès) ☎ 87 37 10 27 – . AE VISA.
fermé 21 juil. au 14 août, 9 au 23 fév., sam. midi, dim. soir et lundi – SC : **R** (nombre de couverts limité-prévenir) 165/255
Spéc. Feuillantine de St-Jacques au Noilly (nov. à mars), Ris de veau à la fondue d'oignons, Gratin meringué aux fruits. **Vins** Perlé de Toul.

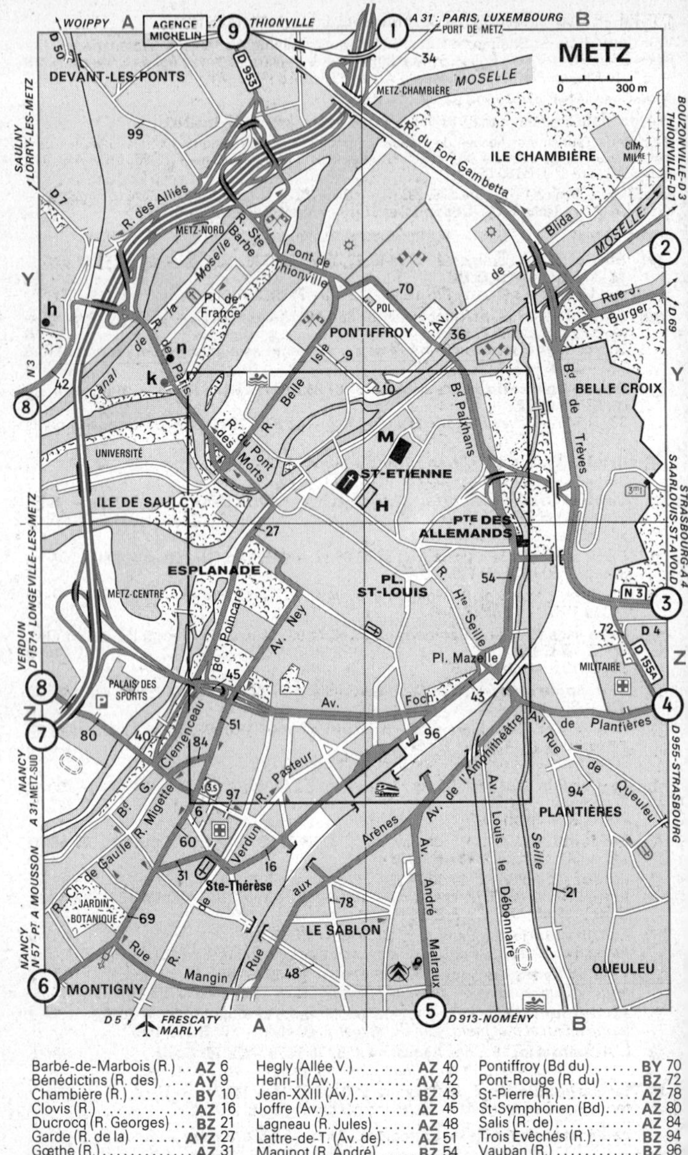

Barbé-de-Marbois (R.) . . AZ	6	Hegly (Allée V.) . . . . AZ	40	Pontiffroy (Bd du) . . . . . . BY	70
Bénédictins (R. des) . . . . AY	9	Henri-II (Av.) . . . . AY	42	Pont-Rouge (R. du) . . . . . BZ	72
Chambière (R.) . . . . BY	10	Jean-XXIII (Av.) . . . . BZ	43	St-Pierre (R.) . . . . AZ	78
Clovis (R.) . . . . AZ	16	Joffre (Av.) . . . . AZ	45	St-Symphorien (Bd) . . . . . AZ	80
Ducrocq (R. Georges) . . . BZ	21	Lagneau (R. Jules) . . . . . . AZ	48	Salis (R. de) . . . . AZ	84
Garde (R. de la) . . . . AYZ	27	Lattre-de-T. (Av. de) . . . . AZ	51	Trois Évêchés (R.) . . . . . . BZ	94
Gœthe (R.) . . . . AZ	31	Maginot (R. André) . . . . . BZ	54	Vauban (R.) . . . . BZ	96
Grange-aux-Dames (R.) . . BY	34	Nancy (Av. de) . . . . AZ	60	Verlaine (R.) . . . . AZ	97
Grilles (Pont des) . . . . BY	36	Pont-à-Mousson (R. de) . AZ	69	Woippy (R. de) . . . . AY	99

METZ

Ambroise-Thomas (R.) .. CV 2
Clercs (R. des) CV
En Fournirue .... DV
Fabert (R.) .... CV 21
Jardins (R. des) .... DV
Palais (R. du) .... CV 63
Petit-Paris (R. du) ...... CV 64
St-Louis (Pl.) .... DVX
Schuman (Av. R.) CX
Serpenoise (R.) CV
Tête d'Or (R. de la) ..... DV 91

Armes (Pl. d'.) .... DV 3
Augustins (R. des) ...... DX 5
Belle-Isle (R.) .... CV 7
Chambière (R.) .... DV 10
Chambre (Pl. de) .... CV 12
Chanoine-Collin (R.) .... DV 13
Charlemagne (R.) .... CX 15
Coëtlosquet (R. du) ..... CX 18
Coislin (Pl.) .... DX 19
Faisan (R. du) .... CV 22
Fontaine (R. de la) ...... DX 24
Gaulle (Pl. du Gén. de) .. DX 28
George (Pl. du Roi) ...... CX 30
Gde-Armée (R. de la) ... DV 33
Hache (R. de la) .... DV 39
Hegly (Allée V.) .... CX 40
La Fayette (R.) .... CX 46
Lasalle (R.) .... DX 49
Lattre-de-T. (Av. de) .... CX 51
Leclerc-de-H. (Av.) ..... CX 52
Mondon (Pl. R.) .... CX 57
Morts (Pont des) .... CV 58
Nancy (Av. de) .... CX 60
Paix (R. de la) .... CV 61
Pierre-Hardie (R. de la) .. CV 66
Poncelet (R.) .... CV 67
Prés. Kennedy (Av.) ..... CX 73
République (Pl. de la) ... CX 75
St-Eucaire (R.) .... DV 76
St-Simplice (Pl.) .... DV 79
St-Thiébault (Pl.) .... DX 81
Ste-Marie (R.) .... CV 82
Salis (R. de) .... CX 84
Sérot (Bd Robert) .... CV 85
Serpenoise (Porte) ...... CX 87
Taison (R.) .... DV 88
Tanneurs (R. des) .... DV 90
Trinitaires (R. des) ...... DV 93
Verlaine (R.) .... CX 97

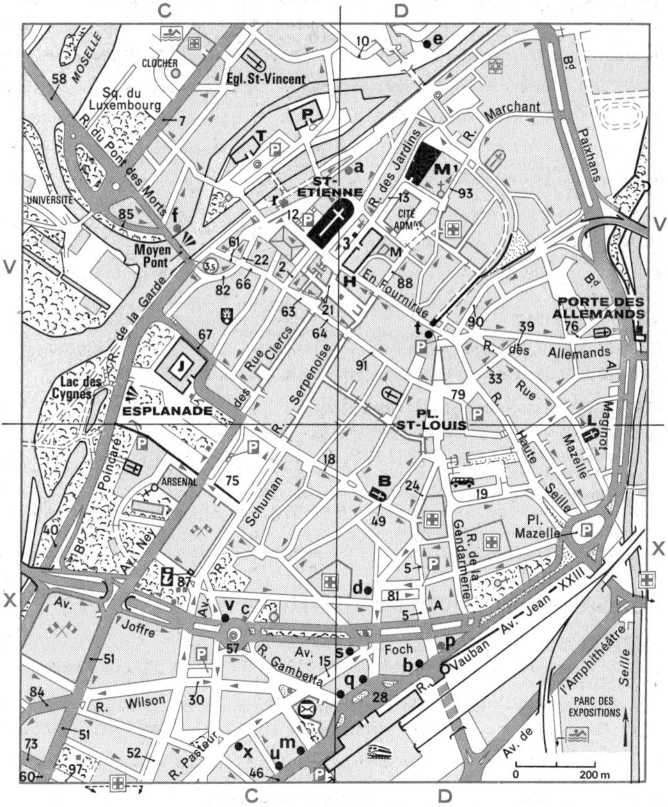

à Montigny-lès-Metz S : 3 km par D 5 (rte de l'Aéroport) - AZ – 23 731 h. – ✉ **57158** Montigny-lès-Metz :

Air sans rest, 54 bis r. Franiatte ✆ 87 63 30 22 – wc wc ☎ 🚗
SC : ☕ 16,50 – **21 ch** 105/150.

Franiatte sans rest, 14 r. Franiatte ✆ 87 63 76 13 – wc ☎ Ⓟ. E VISA
fermé 15 déc. au 5 janv. et dim. – SC : ☕ 18 – **27 ch** 65/130.

à Plappeville par ⑥ et D 103 : 5 km – ✉ **57050** Metz :

XX **La Grignotière,** 50 r. Gén. de Gaulle ✆ 87 30 36 68 – AE ⓓ VISA
fermé 1er au 20 juil., 15 au 30 janv., dim. soir et lundi sauf fériés – SC : **R** 100/120.

par D 50 AY : 5 km – ✉ **57140** Woippy :

Mercure M, ✆ 87 32 52 79, Télex 860891, – ☰ TV ☎ ♿ Ⓟ – 150. AE ⓓ E VISA – **R** carte environ 120 – ☕ 33 – **83 ch** 278/326.

à Maizières-les-Metz par ① et A 31 : 10 km – ✉ **57210** Maizières :

Novotel Ⓜ, ✆ 87 80 41 11, Télex 860191, ♨, ⛱, 🌳 – 🛗 📺 ☎ ♿ 🅿 – 🏛 25 à 350. AE ⓪ E VISA
R snack carte environ 100 🍷 – ☕ 33 – **128 ch** 289/320.

à Rugy N : 12 km par D 1 - BY – ✉ **57640** Argancy :

La Bergerie Ⓜ 🐑 avec ch., ✆ **87 77 82 27,** 🌳 – 📺 🛁wc 🚿wc ☎ 🅿 – 🏛 50. E VISA
SC : **R** carte environ 130 – ☕ 17,50 – **22 ch** 169/210.

à Mazagran par ③ et D 954 : 13 km – ✉ **57530** Courcelles-Chaussy :

Aub. de Mazagran, ✆ **87 64 01 11** – 🅿. AE VISA. 🐕
fermé mardi soir et merc. – SC : **R** 85/240.

MICHELIN, Agence, 59 rte Thionville D 953, Woippy par ⑨ ✆ **87 31 17 81**

ALFA-ROMEO Jacquot, 17 r. R.-Schumann, Longeville-lès-Metz ✆ 87 32 53 06
AUSTIN-ROVER Gar. Jactard, à Scy Chazelles ✆ 87 60 56 32
BMW, OPEL Eurauto, 191 r. Gén.-Metman ✆ 87 36 15 82
CITROEN Filiale, 71 av. A. Malraux ✆ 87 65 51 33
FIAT Gar. Corroy, 6 r. Chaponost à Moulins-lès-Metz ✆ 87 62 32 15
FORD Meckel, 200 r. Pont-à-Mousson à Montigny-les-Metz ✆ 87 62 42 22
FORD Romanazzi, 11 r. des Drapiers, ZIL Borny ✆ 87 74 44 91
MERCEDES-BENZ Succursale, 130 rte Thionville ✆ 87 32 53 49
NISSAN Gangloff, 63 rte de Thionville à Woippy ✆ 87 30 00 31
PEUGEOT TALBOT Jacquot, 2 r. P.-Boileau par ⑨ ✆ 87 32 52 90 Ⓝ
PEUGEOT-TALBOT Mosellane-Autom., 199 r. Gén. Metmann par ③ ✆ 87 74 17 90 Ⓝ
RENAULT Succursale, 50 r. Gén.-Metman par ③ ✆ 87 76 22 22 Ⓝ
RENAULT Chevalier, 57 bd St-Symphorien, à Longeville par ⑧ ✆ 87 66 80 22
V.A.G. Gar. de la Lorraine, 195 r. Gén.-Metman ✆ 87 36 15 83
V.A.G Philippe Automobiles, à Augny ✆ 87 66 91 11
Germain, 21 r. Pasteur ✆ 87 66 56 96

Ⓜ Fok-Pneus, 117 av. Strasbourg ✆ 87 36 15 98
Fok Pneus, à Augny ✆ 87 66 81 88
Pneu-Frein, 116 rte de Thoinville à Woippy ✆ 87 30 12 86
Laglasse, 53 r. Haute-Seille ✆ 87 36 00 42
Leclerc-Pneu, 57 av. Abbaye St-Eloy ✆ 87 32 53 17
Leclerc-Pneu, 3 pl. Mondon ✆ 87 65 49 33
Leclerc-Pneu, Zone Ind. Nord à Hauconcourt ✆ 87 80 49 80
Metz-Pneus, 100 av. Strasbourg ✆ 87 74 16 28

CONSTRUCTEUR : Renault Véhicules Industriels, à Batilly ✆ **87 22 34 99**

METZERAL 68380 H.-Rhin 62 ⑱ – 1 006 h. alt. 484.

Paris 452 – Colmar 26 – Gérardmer 40 – Guebwiller 45 – Thann 41.

Aux Deux Clefs 🐑, ✆ **89 77 61 48,** ← – 🛁wc 🚿 🅿. ⓪ E VISA. 🐕 rest
1er avril-31 oct. – SC : **R** (pension seul.) – ☕ 17 – **14 ch** 120/200 – P 150/200.

Pont avec ch, ✆ **89 77 60 84,** ♨ – 🚿wc 🅿. 🐕
fermé 15 nov. au 25 déc. et lundi – **R** 50/150 🍷 – ☕ 22 – **6 ch.** (1/2 pens. seul.) 4 appartements – 1/2 p 140/160.

CITROEN Gar. Jaeglé, ✆ 89 77 60 26
RENAULT Friederich, r. Principale à Sondernach ✆ 89 77 60 02

MEUDON 92 Hauts-de-Seine 60 ⑩, 101 ㉔ – voir à Paris, Environs.

MEULAN 78250 Yvelines 55 ⑲, 196 ④⑯ – 8 938 h. alt. 25.

⛳18 du Prieuré, à Sailly-en-Vexin ✆ (1) 34 76 70 12 par D 913 : 12 k ; ⛳9 ⛳18 de Seraincourt ✆ (1) 34 75 47 28 par D 913 : 3,5 km.

Paris 46 – Beauvais 60 – Mantes-la-Jolie 19 – Pontoise 17 – Rambouillet 56 – Versailles 30.

Grande Pinte avec ch, **25 r. Clemenceau** ✆ **(1) 34 74 15 10,** 🌳 – 🛁wc 🚿wc ☎ 🚗 🅿. AE ⓪ VISA
fermé août, vacances de fév., lundi soir (sauf hôtel) et mardi – SC : **R** 129/149 – ☕ 21 – **10 ch** 80/165.

L'Augustine, 67 r. Mar.-Foch ✆ **(1) 30 99 19 00** – AE ⓪ VISA
fermé août et dim. – **R** 200/300.

CITROEN Gar. des Sports, 6 r. du Stade ✆ (1) 34 74 00 22
Nony Pneus, 22 av. Col. Fabien à Gargenville ✆ (1) 30 93 65 27

Ⓜ Meulan-Pneu, 41 bis av. Gambetta ✆ (1) 34 74 84 44

aux Mureaux : au Sud – 31 819 h. – ✉ **78130** Les Mureaux :

Avenir, 7 r. Seine ✆ **(1) 34 74 02 58** – 🅿. VISA
fermé août, vacances de fév., lundi soir et mardi – SC : **R** 78/145.

CITROEN Mureaux Autom., 14 r. Ampère ✆ (1) 34 74 01 95
PEUGEOT-TALBOT Basse-Seine-Autos, 2 av. Seine ✆ (1) 30 99 77 11
RENAULT Pottier, 4 r. A.-Briand par r. P.-Danwer ✆ (1) 34 74 17 92
Ⓜ La Station du Pneu, 90 av. Mar.-Foch ✆ (1) 34 74 19 28

MEUNG-SUR-LOIRE 45130 Loiret 64 ⑧ G. Châteaux de la Loire – 5 659 h. alt. 100.

Voir Église St-Liphard*.

Syndicat d'Initiative 42 r. J.-de-Meung ✆ 38 44 32 28.

Paris 145 – Beaugency 6 – Blois 40 – ♦Orléans 18.

- **Aub. St-Jacques** avec ch, r. Gén.-de-Gaulle ✆ 38 44 30 39 – wc. AE E VISA
  fermé 12 au 27 oct., 21 janv. au 5 fév. et lundi – SC : **R** 53/112 – 17 – **12 ch** 63/100 – P 155/290.

MEURSAULT 21190 Côte-d'Or 69 ⑨ G. Bourgogne – 1 646 h. alt. 243.

syndicat d'Initiative (15 juin-15 sept.) ✆ 80 21 25 90.

Paris 321 – Autun 42 – Beaune 8 – Chagny 10 – ♦Dijon 47 – Saulieu 60.

- **Motel Au Soleil Levant** M, rte Beaune ✆ 80 21 23 47, ← – wc wc
  – SC : **R** *(fermé 20 nov. au 20 déc.)* 47/96 – 15 – **33 ch** 108/163.
- **Chevreuil,** ✆ 80 21 23 25, – wc . AE
  fermé 15 déc. au 15 fév. – SC : **R** 118/155 – 20 – **20 ch** 105/186.
- **Relais de la Diligence,** à la gare E : 2,5 km par D 23 ✆ 80 21 21 32 – . AE
  fermé janv. mardi soir, et merc. – SC : **R** 50/110.

MEUSE (Méandres de la) ** 08 Ardennes 53 ⑱⑲ G. Champagne, Ardennes.

MEXIMIEUX 01800 Ain 74 ③ – 4 254 h. alt. 226.

Paris 451 – Bourg-en-Br. 35 – Chambéry 98 – ♦Genève 121 – ♦Grenoble 109 – ♦Lyon 39.

- ✿ **Claude Lutz** avec ch, ✆ 74 61 06 78, , – wc wc – 50
  fermé 15 au 25 juil., 13 oct. au 5 nov., vacances de fév., dim. soir et lundi – **R** 100/210 – 19 – **16 ch** 100/200
  Spéc. Salade tiède de carpe, Velouté de grenouilles cressonnière, Pavé de charolais au Gamay. **Vins** Gamay, Chardonnay.

au Pont de Chazey-Villieu E : 3 km sur N 84 – ✉ 01800 Meximieux :

- **Chez la Mère Jacquet** M avec ch, ✆ 74 61 94 80, , – TV wc . VISA
  fermé 1er au 7 août, 15 déc. au 15 janv., dim. soir et lundi sauf fériés – SC : **R** 100/295 – 25 – **12 ch** 130/225.
- **Le Chalet de Bresse,** ✆ 74 61 94 68, – . AE E VISA
  fermé 15 nov. au 15 déc. – SC : **R** 65/155.

PEUGEOT Gar. du Centre, ✆ 74 61 06 00
PEUGEOT, TALBOT Gar. Chabran, ✆ 74 61 18 09
RENAULT Gar. Paviot, ✆ 74 61 07 89

MEYLAN 38 Isère 77 ⑤ – rattaché à Grenoble.

MEYMAC 19250 Corrèze 73 ⑪ G. Périgord – 2 783 h. alt. 702.

Syndicat d'Initiative pl. Hôtel de Ville (1er juil.-31 août) ✆ 55 95 18 43 et à la Marie (hors saison) ✆ 55 95 10 15.

Paris 437 – Aubusson 57 – ♦Limoges 97 – Neuvic 29 – Tulle 52 – Ussel 17.

- **Modern' H.,** av. Limousine ✆ 55 95 10 19, – wc
  fermé nov. et sam. hors sais. – SC : **R** 55/130 – 20 – **30 ch** 70/130 – P 150/170.

CITROEN Vergne ✆ 55 95 11 36
PEUGEOT-TALBOT Longerinas, ✆ 55 95 10 32

MEYRARGUES 13650 B.-du-R. 84 ③ G. Provence – 2 406 h. alt. 206.

Paris 751 – Aix-en-Provence 15 – Apt 43 – Cavaillon 51 – Manosque 38 – ♦Marseille 47 – Rians 24.

- **Château de Meyrargues** avec ch, ✆ 42 57 50 32, ←, « Château fortifié dominant la vallée, parc » – wc – 100. AE
  1er fév.-1er nov. et fermé dim. soir et lundi sauf hôtel – SC : **R** 140/245 – 41 – **14 ch** 380.

MEYRUEIS 48150 Lozère 80 ⑤⑮ G. Causses – 1 078 h. alt. 706.

Voir NO : Gorges de la Jonte**.

Env. Aven Armand*** NO : 11 km – Grotte de Dargilan** NO : 8,5 km.

Office de Tourisme Tour de l'Horloge (1er juin-15 sept.) ✆ 66 45 60 33.

Paris 623 – Florac 35 – Mende 57 – Millau 42 – Rodez 101 – Sévérac-le-Château 60 – Le Vigan 57.

- **Château d'Ayres** , E : 1,5 km par D 57 ✆ 66 45 60 10, ←, « parc », – . AE VISA
  23 mars-30 oct. – SC : **R** 98/187 – 28 – **24 ch** 285/420 – P 298/488.
- **Renaissance** , ✆ 66 45 60 19, « Maison du 16e s. », – TV wc . AE E VISA
  fermé 2 janv. au 1er mars – SC : **R** 60/160 – 22 – **20 ch** 180/300 – P 237/312.
- **Gd H. Europe et Mont Aigoual,** ✆ 66 45 60 05, , – wc wc . rest
  1er avril-1er nov. – SC : **R** 56/74 – 19 – **50 ch** 98/119 – P 147/159.

St-Sauveur, ✆ 66 45 62 12, – wc. VISA
hôtel : 1er mars-15 nov. ; rest. : 15 mai-30 sept. – SC : **R** grill carte environ 80 – 17 – **14 ch** 96/134 – P 185/204.

France, ✆ 66 45 60 07, – wc wc. rest
1er avril-1er oct. – SC : **R** 47/95 – 16 – **45 ch** 120/150.

Family H., ✆ 66 45 60 02 – wc wc
1er avril-1er nov. – SC : **R** 40/102 – 14,50 – **33 ch** 64/108 – P 122/146.

CITROEN Giraud, ✆ 66 45 60 04

MEYSSAC 19500 Corrèze 75 ⑨ **G. Périgord** – 1 255 h. alt. 220.

Paris 511 – Brive-la-Gaillarde 23 – St-Céré 39 – Tulle 45.

Relais du Quercy avec ch, ✆ 55 25 40 31, – AE E VISA
SC : **R** *(fermé vend. soir sauf vacances scolaires)* 42/145 – 16 – **11 ch** 70/160 – P 150/175.

MÉZANGERS 53 Mayenne 60 ⑪ – rattaché à Evron.

MÈZE 34140 Hérault 83 ⑯ **G. Causses** – 5 742 h. alt. 6.

Syndicat d'Initiative r. Massaloup (sais.) ✆ 67 43 93 08.

Paris 789 – Agde 20 – Béziers 41 – Lodève 54 – ♦Montpellier 34 – Pézenas 18 – Sète 18.

de Thau sans rest. ✆ 67 43 83 83 – wc wc. VISA
SC : 16 – **13 ch** 150/170.

Barbecue, 38 r. Port ✆ 67 43 84 99, cadre rustique – AE VISA
fermé 5 janv. au 5 fév., le midi sauf dim. et fêtes du 1er juin au 15 sept., dim. soir et lundi – SC : **R** 54/140.

à Bouzigues NE : 4 km par N 113 et VO – ✉ **34140** Mèze :

Motel Côte Bleue M, ✆ 67 78 31 42, ←, – 40. ch
fermé fév. – SC : **R** voir rest. **Côte Bleue** – 25 – **32 ch** 210/270.

Côte Bleue, ✆ 67 78 30 87, ←, , dégustation de coquillages –
fermé 15 au 22 oct., fév., dim. soir et lundi en juil.-août, mardi soir et merc. de sept. à fin juin – SC : **R** (en saison prévenir) carte 150 à 210.

Rolouis-Pneum, 35 rte de Pézenas ✆ 67 43 93 38

MÉZENC (Mont) 07 Ardèche et 43 H.-Loire 76 ⑱ **G. Vallée du Rhône** – alt. 1 754.

Voir ☼***.

Accès par la Croix de Boutières ← (1 h 1/2 AR) ou par la Croix de Peccata (1 h AR).**

MÉZÉRIAT 01660 Ain 74 ② – 1 879 h. alt. 197.

Paris 410 – Bourg-en-Bresse 20 – Mâcon 20 – Villefranche-sur-Saône 45.

Les Bessières avec ch, ✆ 74 30 24 24, – wc . VISA
fermé 15 déc. au 24 janv., dim. soir et lundi sauf juil.-août – SC : **R** 75/121 – 19 – **6 ch** 95/190 – P 240/280.

MÉZILHAC 07810 Ardèche 76 ⑱⑲ **G. Vallée du Rhône** – 167 h. alt. 1 130.

Voir Piton de la Croix ☼**.

Env. Gerbier de Jonc** NO : 14 km.

Paris 624 – Aubenas 29 – Lamastre 43 – Privas 34 – Le Puy 64.

Cévennes , ✆ 75 38 78 01, ← –
avril-sept. et fermé jeudi en avril-mai – SC : **R** 37/80 – 12 – **22 ch** 52/65 – P 110/120.

MÉZOS 40 Landes 78 ⑮ – 810 h. alt. 45 – ✉ **40170** St-Julien-en-Born.

Paris 705 – ♦Bordeaux 117 – Castets 23 – Mimizan 16 – Mont-de-Marsan 62 – Tartas 50.

Boucau, ✆ 58 42 61 38, – AE .
1er mars-31 oct. et fermé dim. soir et lundi hors sais. – SC : **R** 50/125.

Verdier, ✆ 58 42 61 27, – . VISA
fermé 15 janv. au 28 fév., dim. soir et lundi sauf juil.-août – SC : **R** 39/118 .

MIALET 30 Gard 80 ⑰ – rattaché à Anduze.

MIDI DE BIGORRE (Pic du) 65 H.-Pyr. 85 ⑱ **G. Pyrénées** – alt. 2 865 – ✉ **65200** Bagnères-de-Bigorre.

Voir ☼*** – Observatoire.

Accès par le col du Tourmalet, route taxée, puis téléphérique.

Paris 845 – La Mongie 9,5.

MIEUSSY 74 H.-Savoie 74 ⑦ G. Alpes – 1 169 h. alt. 636 – ✉ 74440 Taninges.

Syndicat d'Initiative ✆ 50 43 02 72.

Paris 551 – Annecy 62 – Bonneville 21 – Chamonix 59 – ♦Genève 38 – Megève 44 – Morzine 26.

Accueil Savoyard ⛰, ✆ 50 43 01 90, ← – wc wc ☎ P. E VISA
fermé 24 au 30 juin, oct., vend. soir (sauf rest.) et sam. d'oct. à mai hors vacances de Noël et Pâques – SC : **R** 43/100 – ☕ 13 – **19 ch** 72/116 – P 121/171.

RENAULT Gar. Jacquard, ✆ 50 43 00 86

MIGENNES 89400 Yonne 65 ⑤ – 8 151 h. alt. 87.

Office de Tourisme pl. E.-Laporte ✆ 86 80 03 70.

Paris 157 – Auxerre 21 – Joigny 9,5 – Nogent-sur-Seine 78 – St-Florentin 18 – Seignelay 12.

XX **Paris** avec ch, 57 av. J.-Jaurès ✆ 86 80 23 22 – wc ☎. ⓓ E VISA
fermé 26 juil. au 24 août, 3 au 19 janv., vend. soir et sam. – SC : **R** 65/155 ₰ – ☕ 15,50 – **10 ch** 94/150.

PEUGEOT-TALBOT Prudhomme, 17 allée de l'Industrie ✆ 86 80 02 60 N ✆ 86 80 03 03
RENAULT Farion Autom., 44 av. E.-Branly ✆ 86 80 05 44 N ✆ 86 80 36 62
RENAULT S.A.J.A., 148 av. Jean-Jaurès ✆ 86 80 20 40

MIJOUX 01 Ain 70 ⑮ – rattaché à Faucille (Col de la).

MILLAU SP 12100 Aveyron 80 ⑭ G. Causses – 22 256 h. alt. 379.

Env. Gorges du Tarn*** 21 km par ① – Canyon de la Dourbie** 8 km par ②.

Office de Tourisme av. Alfred-Merle ✆ 65 60 02 42.

Paris 629 ① – Albi 113 ③ – Alès 138 ③ – Béziers 125 ③ – Carcassonne 213 ③ – ♦Clermont-Ferrand 249 ① – ♦Montpellier 115 ③ – Nîmes 168 ③ – Rodez 71 ④ – ♦Toulouse 189 ③.

Plan page suivante

✿ **International** (Pomarède) Ⓜ, 1 pl. Tine ✆ 65 60 20 66, Télex 520629, ← – ▯ TV ☎ P – 50 à 250. AE ⓓ E VISA — BY y
SC : **R** *(fermé janv., dim. soir et lundi hors sais.)* 95/250 – ☕ 25 – **110 ch** 180/365 – P 292/310
Spéc. Colvert aux baies de genièvre, Ris d'agneau aux écrevisses, Suprême de St-Pierre en vert de laitue. **Vins** Faugères, St-Saturnin.

✿ **La Musardière** Ⓜ, 34 av. République ✆ 65 60 20 63, « Parc » – ▯ ☎. AE ⓓ VISA — AY v
Pâques-4 nov. – SC : **R** *(fermé lundi sauf août.)* (dim. et fêtes prévenir) 80/190 – ☕ 40 – **12 ch** 300/420 – P 440/490
Spéc. Escalope de foie de canard chaud, Marmite de baudroie, Salmis de colvert. **Vins** Montagnac, Gaillac perlé.

Cévenol H. et rest. Pot d'Etain Ⓜ, 115 r. Rajol ✆ 65 60 74 44, – ▯ wc ☎ ♿ P. AE ⓓ VISA. rest — BY k
fermé 20 janv. au 20 fév. – SC : **R** *(fermé dim. soir et lundi hors sais.)* 64/144 ₰ – ☕ 18,50 – **42 ch** 183/200 – P 215/245.

Moderne, 11 av. J.-Jaurès ✆ 65 60 59 23 – ▯ wc wc ☎ P. AE ⓓ E VISA
1er avril-30 sept. – SC : **R** grill carte environ 70 ₰ – ☕ 19 – **45 ch** 89/163 – P 220/250. — BY n

La Capelle ⛰ sans rest, 7 pl. Fraternité ✆ 65 60 14 72 – wc ☎. VISA.
Pâques-18 avril et 12 mai-1er oct. – SC : ☕ 16,50 – **46 ch** 80/165. — BY b

Larzac sans rest, r. E.-Lauret ✆ 65 60 68 55 – ▯ wc wc ☎ P. VISA
SC : ☕ 15 – **49 ch** 130/155.

Jalade sans rest, 18 bis av. Alfred-Merle ✆ 65 60 62 00 – ▯ wc wc ☎. VISA
SC : ☕ 19 – **23 ch** 150/184. — AY e

Cristal sans rest, 5 pl. Mandarous ✆ 65 60 02 18 – ▯ wc wc ☎ — AY d
fermé 2 au 26 nov., 3 au 16 mars et dim. du 30 sept. au 1er juil. – SC : ☕ 16 – **15 ch** 96/140.

Commerce sans rest, 8 pl. Mandarous ✆ 65 60 00 56 – ▯ wc ☎. VISA — BY h
fermé 25 au 31 déc. – SC : ☕ 15 – **17 ch** 84/145.

Causses, 56 av. J.-Jaurès ✆ 65 60 03 19 – wc — BY s
SC : **R** *(fermé nov., dim. soir et sam. hors sais.)* 40/85 ₰ – ☕ 15 – **22 ch** 68/115 – P 153/175.

XX **J. Jannet,** 15 r. Saint-Martin ✆ 65 60 74 89, – E VISA — AZ t
fermé merc. sauf fériés – SC : **R** 75/170.

XX **Capion,** 3 r. J.-F.-Alméras ✆ 65 60 00 91 – AE E VISA — AY f
fermé 2 au 29 janv. et lundi – SC : **R** 60/134 ₰.

XX **Buffet de France,** pl. gare ✆ 65 60 09 04, – AE E VISA — AY
fermé fév., mardi (sauf juil.-août) et jeudi soir – SC : **R** 80/140 ₰.

XX **La Braconne,** 7 pl. Mar.-Foch ✆ 65 60 30 93, – AE ⓓ VISA — BZ r
fermé 1er déc. au 5 janv., dim. soir et lundi – SC : **R** 76/95 ₰.

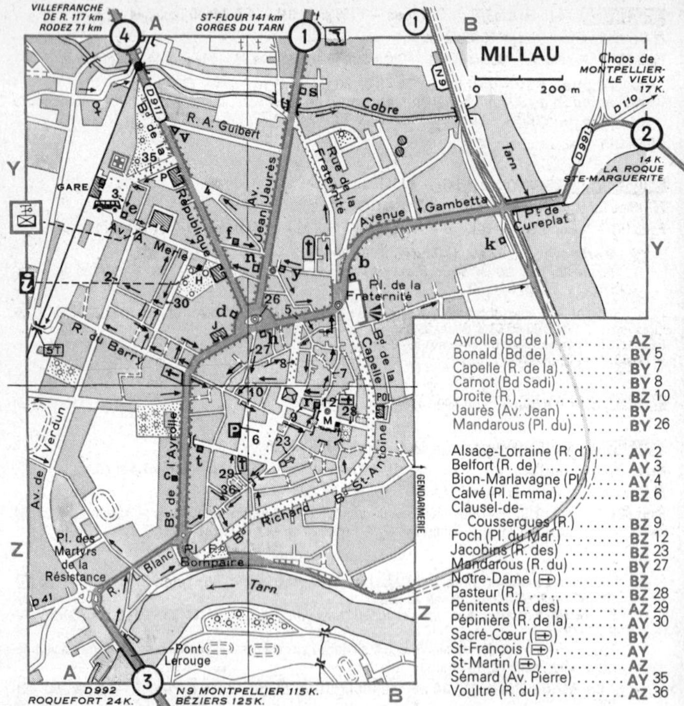

par ③ rte St-Affrique : 2 km :

Château de Creissels ⛰, ✆ 65 60 16 59, ←, parc, 🍴 – ⇔wc ⚲wc ☎ ℗. AE ⓓ E VISA
fermé fév. et merc. du 1er nov. au 30 mars – SC : **R** *(fermé sam. midi et merc. sauf juil.-août)* 80/150 ♂ – ☐ 19 – **30 ch** 125/200 – P 190/230.

ALFA-ROMEO, V.A.G. Gar. Martel, rte de Creissels ✆ 65 60 00 60
CITROEN Monju, av. de Calès par D41 AZ ✆ 65 60 15 98 **N** ✆ 65 60 67 02
FORD Alric, rte de Montpellier ✆ 65 60 41 44
MERCEDES-BENZ Bruguière, rte de St-Affrique à Creissels ✆ 65 60 11 07
PEUGEOT-TALBOT Pujol, 85 av. J.-Jaurès par ① ✆ 65 60 09 21

RENAULT C.A.N.O. av. du Pont Lerouge par ③ ✆ 65 60 70 88

Ⓜ Lassale, 15 av. Gambetta ✆ 65 60 27 85
Millau Pneu, 50 av J.-Jaurès ✆ 65 60 04 56
Pneus-2000, 8 av. Martel ✆ 65 60 09 77
Treillet Pneus, 325 r. E.-Delmas ✆ 65 60 05 56 **N**

MILLEMONT

78 Yvelines 60 ⑧, 196 ⑮ – 142 h. – ✉ 78890 Garancières.
Paris 52 – Dreux 31 – Mantes 28 – Rambouillet 26 – Versailles 31.

XX **Aub. de la Malvina** ⛰ avec ch, la haute Perruche ✆ (1) 34 86 45 76, 🍴, 🌳 – VISA. ✻ ch – *fermé nov., merc. soir et jeudi sauf fériés* – SC : **R** carte 120 à 210 – ☐ 14 – **5 ch** 87/200.

MILLY-LA-FORÊT

91490 Essonne 61 ⑪, 196 ㊹ **G. Environs de Paris** – 3 795 h. alt. 65.
Voir Parc de Courances** N : 5 km.
Env. Les Trois Pignons* : ←** E : 9 km puis 30 mn.
Paris 60 – Étampes 25 – Évry 33 – Fontainebleau 19 – Melun 22 – Nemours 29.

XXX ✿ **Le Moustier** (Gauthier), 41 bis r. Langlois ✆ (1) 64 98 92 52, « Belle salle voûtée » – VISA
fermé 18 août au 10 sept., 22 déc. au 7 janv., lundi et mardi sauf fériés – **R** 128/236
Spéc. Terrine de pigeon, Ragoût de cèpes ou girolles (saison), Foie gras chaud aux têtes de cèpes (sept. à déc.).

à Auvers (S.-et-M.) S : 4 km par D 948 – ✉ 77123 Le Vaudoué :

XX **Aub. Auvers Galant,** ✆ (1) 64 24 51 02, 🍴 – E VISA
fermé janv., lundi soir et mardi – **R** 85/160.

MIMET 13 B.-du-R. 84 ⑬ G. Provence – 2 531 h. alt. 510 – ✉ **13120** Gardanne.

Voir Terrasse <*.

Paris 773 – Aix-en-Provence 19 – ♦Marseille 28 – St-Maximin-la-Ste-Baume 36 – ♦Toulon 69.

✗ **Host. du Puech** avec ch, ✆ 42 58 91 06, < – 🚿 wc. VISA
fermé 1er au 20 oct., 14 fév. au 8 mars, mardi soir (sauf hôtel) et merc. – SC : **R** 58/145 – ☕ 16 – **11 ch** 115/175 – P 180/250.

MIMIZAN 40200 Landes 78 ⑭ G. Côte de l'Atlantique – 7 472 h. alt. 43 – Casino.

Paris 698 – Arcachon 65 – ♦Bayonne 98 – ♦Bordeaux 111 – Dax 73 – Langon 107 – Mont-de-M. 75.

à Mimizan-Bourg :

✗✗ ✿ **Au Bon Coin** (Caule) avec ch, au lac N : 1,5 km ✆ 58 09 01 55, <, – 🛁wc 🚗 P. AE VISA
fermé fév., dim. soir et lundi – SC : **R** 100/250 – ☕ 40 – **8 ch** 250/560
Spéc. Terrine de langoustines, saumon et filet de sole, Panaché de poissons, Grand dessert "Folie". **Vins** Madiran, Tursan.

CITROEN Brustis, ✆ 58 09 09 81
PEUGEOT, TALBOT Gar. Dupiau, ✆ 58 09 00 37
RENAULT Gar. Poisson, ✆ 58 09 08 73

à Mimizan-Plage O : 6 km par D 626 – ✉ **40200** Mimizan-Plage.
ℹ Office de Tourisme av. M.-Martin ✆ 58 09 11 20.

Plage Nord :

Côte d'Argent, 4 av. M.-Martin ✆ 58 09 15 22, < océan, rest. panoramique – ☎ P. AE ⓓ E VISA
20 mai-fin sept. – SC : **R** 80/120 – ☕ 25 – **40 ch** 275/374 – P 354/403.

Bellevue, 34 av. M.-Martin ✆ 58 09 05 23 – 🛁wc 🚿wc ☎ P. rest
mars-oct. – SC : **R** (dîner seul.) 59/83 – ☕ 14,50 – **36 ch** 76/180.

Forêt, 39 av. M.-Martin ✆ 58 09 09 06, – 🚿wc P.
1er avril-1er nov. – SC : **R** (1/2 pens. seul.) – ☕ 16 – **9 ch** 110/130.

France, 18 av. Côte-d'Argent ✆ 58 09 09 01 – 🛁wc 🚿 ☎ P. VISA.
1er mai-30 sept. – SC : **R** (1/2 pens. seul.) – ☕ 13 – **17 ch** 111/164 – 1/2 p 143/164.

✗ **Etche Gorria,** ✆ 58 09 09 10, < – P. AE VISA.
1er mars-30 nov. et fermé vend. soir et sam. sauf de juin à sept. – **R** 113/150.

Plage Sud :

Parc M, 6 r. Papeterie ✆ 58 09 13 88, – TV 🛁wc 🚿wc ☎ P. VISA. rest
fermé 15 déc. au 1er fév., vend. soir et sam. du 20 sept. au 1er avril – SC : **R** 75/150 – ☕ 20 – **16 ch** 120/180 – P 220/250.

Mermoz , 16 av. Courant ✆ 58 09 09 30, < – 🛁wc 🚿wc ☎. AE ⓓ E VISA.
20 mai-20 sept. – SC : **R** (dîner seul.) 80/110 – ☕ 16,50 – **18 ch** 155/260.

Fusains, ✆ 58 09 08 06 – rest 🛁wc 🚿wc ☎. VISA.
avril-fin sept. – SC : **R** (1/2 pens. seul.) – ☕ 22 – **9 ch** 144/191 – 1/2 p 177/200.

Émeraude des Bois , ✆ 58 09 05 28 – 🛁wc 🚿wc P. VISA.
15 mai-15 sept. – SC : **R** (dîner seul.) 84 – ☕ 16 – **14 ch** 89/172.

RENAULT Gar. Caignieu, 8 r. Papeterie ✆ 58 09 08 84

MINDIN 44 Loire-Atl. 67 ① – rattaché à St-Brévin-les-Pins.

MINERVE 34 Hérault 83 ⑬ G. Causses – 112 h. – ✉ **34210** Olonzac.

Paris 868 – Béziers 45 – Carcassonne 45 – Narbonne 33 – St-Pons 28.

✗ **Relais Chantovent** avec ch, ✆ 68 91 22 96 – E VISA. ch
fermé 15 au 30 oct. et lundi sauf juil.-août – SC : **R** 50/125 – ☕ 15 – **5 ch** 100/120 – P 160.

MIONNAY 01 Ain 74 ② – 796 h. alt. 288 – ✉ **01390** St-André-de-Corcy.

Paris 458 – Bourg-en-Bresse 42 – ♦Lyon 20 – Meximieux 25 – Montluel 15 – Villefranche-sur-S. 27.

✗✗✗✗ ✿✿✿ **Alain Chapel** avec ch, ✆ 78 91 82 02, Télex 305605, , « Jardin fleuri » – 🛁wc ☎ P
fermé janv., mardi midi et lundi sauf fêtes – **R** 280/500 et carte – ☕ 70 – **13 ch** 550/725
Spéc. Gratin de cèpes (15 sept.-15 nov.), Petite tripière de pieds et ris de veau (15 avril-15 oct.). **Vins** Chardonnay du Bugey, Fleurie.

MIONS 69780 Rhône 74 ⑫ – 6 044 h. alt. 219.

Paris 484 – Bourgoin-Jallieu 31 – ♦Lyon 15 – Vienne 22.

✗✗ **Parc** avec ch, r. de la Libération ✆ 78 20 16 41, – rest 🚿 ☎ P – 25. VISA
R *(fermé août, dim. soir et lundi)* 56/180 ♨ – ☕ 13 – **20 ch** 69/97.

MIRAMAR 06 Alpes-Mar. 84 ⑧, 195 ㉞ G. Côte d'Azur – ✉ 06590 Théoule.

Voir Pointe de l'Esquillon ≤** NE : 1 km puis 15 mn.

Paris 904 – Cannes 15 – Grasse 26 – ♦Nice 47 – St-Raphaël 25.

St-Christophe, ✆ 93 75 41 36, Télex 470878, ≤, « Beau jardin », ⛱, 🎾 – 🛗 ☎ 🚗 🅟 – 🏊 25. AE ⓪ E VISA. ✻ rest
24 mars-30 oct. – SC : **R** 90/250 – **40 ch** ☕ 475/780.

Tour de l'Esquillon, ✆ 93 75 41 51, accès plage par télécabine privée, « Beau jardin et ≤ mer », 🎾 – ☎ 🚗 🅟. AE ⓪ E VISA. ✻
1er fév.-10 oct. – SC : **R** 140/280 – ☕ 35 – **25 ch** 450/550, 5 appartements.

Corniche d'Or, 10 bd de l'Esquillon ✆ 93 75 40 12, ≤, 🌳, ⛱ – 🛁wc 🚿wc ☎. VISA. ✻ rest
1er avril-fin sept. – SC : **R** 70/130 – ☕ 20 – **30 ch** 270, (en sais. pension seul.) – P 260/270.

Mas Provençal sans rest, ✆ 93 75 40 20, ⛱, 🎾 – 🛁wc 🚿wc ☎ 🅟. AE ⓪ VISA
sais. – **23 ch**.

XX **Père Pascal,** N 98 ✆ 93 75 40 11, ≤, 🌳 – 🅟. AE ⓪ E VISA
1er fév.-15 oct. et fermé jeudi sauf juil.-août – SC : **R** 85/135.

MIRAMAS 13140 B.-du-R. 84 ① – 20 692 h. alt. 49.

ℹ Office de Tourisme pl. J.-Jaurès ✆ 90 58 08 24.

Paris 733 – Arles 36 – ♦Marseille 66 – Martigues 24 – St-Rémy-de-Provence 33 – Salon-de-Pr. 11.

Borel sans rest, 37 r. L.-Pasquet ✆ 90 58 18 73 – 🛁wc 🚿 🅟
SC : ☕ 15 – **22 ch** 80/150.

X **La Piscine,** ✆ 90 58 02 13, 🌳 – E
fermé oct., fév., dim. soir et lundi – SC : **R** 68/190.

MIRANDE 32300 Gers 82 ⑭ G. Pyrénées – 4 150 h. alt. 174.

ℹ Office de Tourisme r. Évéché ✆ 62 66 68 10.

Paris 727 – Auch 25 – Mont-de-Marsan 99 – Tarbes 48 – ♦Toulouse 103.

Pyrénées, 5 r. d'Etigny ✆ 62 66 51 16 – 🛁wc 🚿 🚗 🅟. AE ⓪ E VISA
SC : **R** 60/140 – ☕ 18,50 – **22 ch** 80/250 – P 200/320.

RENAULT Central Garage, ✆ 62 66 50 19

MIRANDOL-BOURGNOUNAC 81 Tarn 80 ⑪ – rattaché à Carmaux.

MIREBEAU 21310 Côte-d'Or 66 ⑬ – 1 426 h. alt. 202.

Paris 337 – Châtillon-sur-Seine 94 – ♦Dijon 25 – Dole 47 – Gray 24 – Langres 60.

Aub. Marronniers, ✆ 80 36 71 05 – 🛁 🚿. VISA
fermé 20 déc. au 10 janv. – SC : **R** *(fermé vend. soir et dim. soir)* 72/94 🍷 – ☕ 15 – **11 ch** 73/120.

XX **Host. La Gandeule** avec ch, pl. Église ✆ 80 36 70 79, 🌳 – 🛁wc ☎ 🚗. AE ⓪ E VISA
fermé 18 au 22 juin, 10 au 20 fév. et merc. – SC : **R** 63/200 🍷 – ☕ 20 – **7 ch** 92/187.

PEUGEOT-TALBOT Gar. de la Poste, ✆ 80 36 74 27 N

RENAULT Hinsinger, ✆ 80 36 71 15 N ✆ 80 36 74 45

MIREPOIX 09500 Ariège 86 ⑤ G. Pyrénées – 3 578 h. alt. 303.

Voir Place principale★.

Paris 782 – Carcassonne 47 – Castelnaudary 31 – Foix 34 – Limoux 33 – Pamiers 23 – Quillan 44.

Commerce, près Église ✆ 61 68 10 29, 🌳 – 🛁wc 🚿wc ☎. E VISA
fermé 1er au 15 oct. et janv. – SC : **R** *(fermé sam. sauf juil.-août)* 57/160 🍷 – ☕ 14,50 – **32 ch** 65/156 – P 136/175.

RENAULT Jean, ✆ 61 68 15 64

Service de L'Hers, ✆ 61 68 15 76

MIRIBEL-LES-ÉCHELLES 38 Isère 74 ⑮ – 1 442 h. alt. 580 – ✉ 38380 St-Laurent-du-Pont.

Paris 526 – Belley 54 – Chambéry 28 – Les Échelles 5 – La Tour-du-Pin 39 – Voiron 14.

X **Les Trois Biches** avec ch, ✆ 76 55 28 02 – 🛁. E
fermé 23 juin au 4 juil., 28 août au 8 sept., 14 au 25 mars et merc. sauf juil.-août – SC : **R** 48/145 – ☕ 16 – **9 ch** 100/120 – P 155/165.

PEUGEOT-TALBOT Montagnat ✆ 76 55 27 38

RENAULT Gar. des Cimes, ✆ 76 55 26 68

MIRMANDE 26 Drôme 77 ⑫ – rattaché à Saulce-sur-Rhône.

MISY-SUR-YONNE 77 S.-et-M. 61 ⑬ – 404 h – ✉ 77130 Montereau-sur-Yonne.

Paris 97 – Fontainebleau 32 – Melun 42 – Provins 32 – Sens 27.

XX **La Gaule,** ✆ (1) 64 31 31 11, 🌳 – VISA
fermé 28 juil. au 4 août, 22 déc. au 22 janv. et lundi – **R** (déj. seul.) carte 160 à 200.

MISSILLAC 44160 Loire-Atl. 63 ⑮ G. Bretagne – 3 886 h. alt. 30.

Voir Retable★ dans l'église – Site★ du château de la Bretesche O : 1 km.

18 de la Bretesche ✆ 40 88 30 03, O : 2 km.

Paris 419 – ♦ Nantes 61 – Redon 24 – St-Nazaire 35 – Vannes 53.

Golf de la Bretesche ⑤, O : 1 km par D 2 ✆ 40 88 30 05, ←, parc, ⛱, ✗ – Ⓟ – 60. VISA. ✻ rest
fermé fév. – SC : **R** 91/209 – ⊐ 27 – **27 ch** 291/394 – P 480/502.

MITTELBERGHEIM 67 B.-Rhin 62 ⑨ G. Alsace et Lorraine – 647 h. alt. 205 – ✉ 67140 Barr.

Paris 495 – Barr 2 – Erstein 22 – Molsheim 20 – Sélestat 17 – ♦Strasbourg 37.

XX **Winstub Gilg** avec ch, ✆ 88 08 91 37 – ⇔wc ☎ Ⓟ. AE ⓓ. ✻
fermé 25 juin au 2 juil., 5 janv. au 4 fév., mardi soir et merc. – SC : **R** 116/250 🍷 – ⊐ 14 – **11 ch** 125/150.

XX **Am Lindeplatzel,** ✆ 88 08 10 69, 🏠 – AE E VISA
fermé vacances de fév. et jeudi – SC : **R** 42/120 🍷.

MITTERSHEIM 57 Moselle 57 ⑯ – 632 h. alt. 233 – ✉ 57930 Fenetrange.

Paris 408 – ♦Metz 74 – ♦Nancy 61 – Sarrebourg 22 – Sarre-Union 20 – Saverne 41.

XX **L'Escale** Ⓜ avec ch, rte Dieuze ✆ 87 07 67 01, ←, 🏠, 🌳 – ⇔wc ☎ Ⓟ. ⓓ E VISA. ✻ ch
fermé 15 janv. au 25 fév. – SC : **R** *(fermé merc. sauf juil.-août)* 60/140 🍷 – ⊐ 14 – **13 ch** 100/160 – P 140/185.

MIZOËN 38 Isère 77 ⑥ – rattaché au Freney-d'Oisans.

MODANE 73500 Savoie 77 ⑧ G. Alpes – 4 877 h. alt. 1 057 – Sports d'hiver : 1 550/2 730 m 2 11.

Tunnel du Fréjus : Péage (1985) aller simple : autos 57 à 115 F, camions 285 à 570 F - Tarifs spéciaux AR pour autos camions.

Office de Tourisme pl. Replaton ✆ 79 05 22 35.

Paris 624 – Chambéry 101 – Lanslebourg-Mont-Cenis 23 – Col du Lautaret 58 – St-Jean-de-Maur. 31.

Perce Neige, cours J.-Jaurès ✆ 79 05 00 50 – |‡| ⇔wc ⋒wc ☎. E. ✻
fermé 1er au 15 mai et 19 oct. au 2 nov. – SC : **R** 51/71 🍷 – ⊐ 18 – **18 ch** 126/178 – P 183/210.

Voyageurs, face gare pl. Sommeiller ✆ 79 05 01 39 – |‡| ⇔wc ⋒wc ☎. ⓓ E. ✻
fermé 15 oct. au 15 nov. et dim. sauf juil. et août – SC : **R** 55/150 🍷 – ⊐ 17 – **19 ch** 126/175 – P 200/240.

CITROEN Gar. du Fréjus, ✆ 79 05 02 60 N

PEUGEOT-TALBOT Bellussi J.-P., ✆ 79 05 07 68 N

MOËLAN-SUR-MER 29116 Finistère 58 ⑪⑫ G. Bretagne – 6 501 h. alt. 52.

Office de tourisme r. des Moulins (Pâques, 15 juin-15 sept. et matin hors sais.) ✆ 98 39 67 28.

Paris 514 – Carhaix-Plouguer 68 – Concarneau 26 – Lorient 25 – Quimper 45 – Quimperlé 10.

✿ **Les Moulins du Duc** Ⓜ ⑤, NO : 2 km ✆ 98 39 60 73, Télex 940080, ←, « Moulins dans un cadre de verdure, parc », ⛱, ✗ – ☎ Ⓟ. AE ⓓ E VISA. ✻ rest
fermé 15 janv. au 28 fév. et merc. (sauf hôtel) du 1er nov. au 15 janv. – SC : **R** 165/285 – **22 ch** ⊐ 420/700, 5 appartements 980
Spéc. Huîtres aux endives et citron vert, Bar en papillote aux coquillages, Pigeonneau au foie gras et aux choux.

MOELLESULAZ 74 H.-Savoie 74 ⑥ – rattaché à Annemasse.

MOERNACH 68 H.-Rhin 66 ⑨ – rattaché à Ferrette.

MOINES (Ile aux) ★ 56780 Morbihan 63 ⑫⑬ G. Bretagne – 590 h.

Accès par transports maritimes .

⛴ depuis Port-Blanc. En 1985, départs toutes les 1/2 h. – Traversée 5 mn – 6,50 F (AR). Renseignements : Gilbert Thébaud ✆ 97 26 31 45.

⛴ depuis Vannes. En 1985, de Pâques à fin sept., 2 à 5 services quotidiens – Traversée 1 h. – 35 F (AR). – Renseignements : Vedettes Vertes Gare Maritime ✆ 97 63 79 99.

X **San Francisco,** ✆ 97 26 31 20, ←, 🏠
1er avril-30 sept. – SC : **R** 57/83.

X **Chez Charlemagne,** ✆ 97 26 32 43 – AE ⓓ E VISA
1er avril-1er nov. et fermé mardi – SC : **R** 119 bc/77.

MOIRANS 38430 Isère 77 ④ – 6 373 h. alt. 192.

Paris 545 – Chambéry 51 – •Grenoble 23 – •Lyon 83 – Valence 75.

✗ **Beauséjour,** rte Grenoble ✆ 76 35 30 38, 🍴 – 🅟. AE E VISA
fermé 16 août au 10 sept., 1er au 10 fév., lundi soir, mardi soir et merc. – SC : **R** 70/260.

CITROEN Peretti, Zone Artisanale ✆ 76 35 31 00

PEUGEOT-TALBOT Gar. de la Gare, av. de la Gare ✆ 76 35 30 51

MOISSAC 82200 T.-et-G. 79 ⑯⑰ **G. Périgord** – 11 408 h. alt. 76 – **Voir Église St-Pierre★ : portail méridional★★★, cloître★★** – **Env. Boudou ✻★ 7 km par ③.**

🅘 Office de Tourisme pl. Durand-de-Bredon (fermé matin hors saison) ✆ 63 04 01 85.

Paris 710 ① – Agen 43 ③ – Auch 86 ② – Cahors 72 ① – Montauban 31 ① – •Toulouse 71 ②.

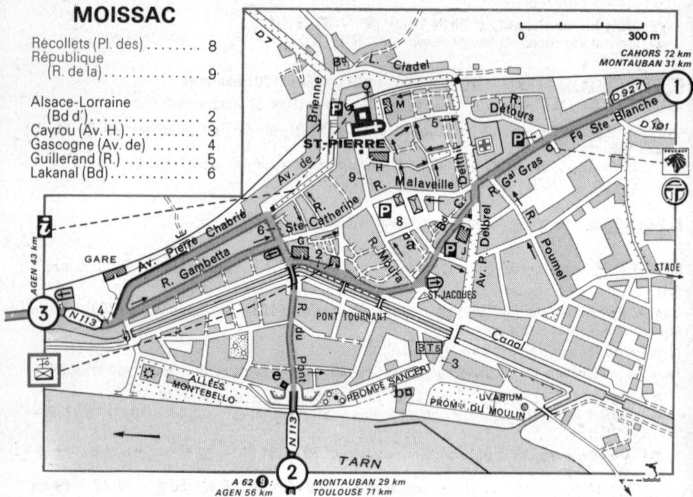

Moulin de Moissac 🐎, pl. Moulin **(b)** ✆ 63 04 03 55, Télex 521615, ≤ Tarn, 🍴 – 🛗 📺 ☎ 🅟 – 🏛 50. AE ⓓ E VISA
SC : **R** 65/250 – **45 ch** ☕ 250/500 – P 200/420.

Chapon Fin, pl. Récollets **(a)** ✆ 63 04 04 22 – 🛁wc 🚿wc ☎. AE ⓓ E VISA
fermé 1er nov. au 7 déc. – SC : **R** *(fermé lundi)* 60/160 – ☕ 19 – **32 ch** 118/240.

✗✗ **Pont-Napoléon** avec ch, au pont **(e)** ✆ 63 04 01 55 – 🛁wc 🚿wc ☎ 🚗 – 🏛 40. VISA
fermé 5 au 15 juin, 15 déc. au 15 janv., lundi soir du 1er oct. au 1er juil. et mardi – **R** 60/180 🍷 – ☕ 16 – **15 ch** 60/180.

FORD Moissac-Autos, rte Bordeaux ✆ 63 04 01 51

PEUGEOT-TALBOT Dujay pl. Ste Blanche ✆ 63 04 18 31

Ⓜ Taquipneu, "La Dérocade" ✆ 63 04 07 85

Station-Isel-Pneus, 24 r. Gén.-Gras ✆ 63 04 03 18

MOISSAC-BELLEVUE 83 Var 84 ⑥ – rattaché à Aups.

Le MOLAY-LITTRY 14330 Calvados 54 ⑭ **G. Normandie** – 2 522 h.

Paris 282 – Bayeux 14 – •Caen 42 – Cherbourg 82 – St-Lô 25.

Château du Molay Ⓜ 🐎, rte d'Isigny ✆ 31 22 90 82, Télex 171912, 🍴, « Parc », 🏊, 🎾 – 🛗 ☎ 🅟 – 🏛 30. AE ⓓ E VISA. ✻ rest
fermé 1er déc. au 28 fév. – SC : **R** 130/220 – ☕ 30 – **38 ch** 300/580 – P 335/460.

MOLINES-EN-QUEYRAS 05390 H.-Alpes 77 ⑲ **G. Alpes** – 375 h. alt. 1 762 – Sports d'hiver : 1 750/2 450 m ⛷7 – 🅘 Bureau du Tourisme ✆ 92 45 83 22.

Paris 724 – Briançon 46 – Gap 87 – Guillestre 27 – St-Véran 5,5.

Le Cognarel Ⓜ 🐎, au Coin E : 3 km par D 205 et VO ✆ 92 45 81 03, ≤ – 🛁wc 🚿wc ☎. AE ⓓ VISA
22 juin-7 sept. et 20 déc.-10 avril – SC : **R** 64/120 – ☕ 21 – **27 ch** 206 – P 205/230.

L'Équipe 🐎, rte St-Véran ✆ 92 45 83 20, ≤ – 🛁wc 🚿wc ☎ 🅟. AE ⓓ E VISA
7 juin-15 sept. et 20 déc.-13 avril – SC : **R** 47/98 🍷 – ☕ 21 – **22 ch** 180 – P 228.

MOLITG-LES-BAINS 66 Pyr.-Or. 86 ⑰ **G. Pyrénées** – 180 h. alt. 500 – Stat. therm. (1er avril-30 nov.) – ✉ **66500** Prades.

Paris 960 – ♦Perpignan 50 – Prades 7 – Quillan 53.

🏨 ✿ **Château de Riell** M 🐦, ✆ 68 05 04 40, Télex 500705, ≤, parc, ⛱, 🏊, 🎾 – 🛗 cuisinette 📺 ☎ 🚗 🅿 – 🎪 70. AE VISA. ✱ rest
1er avril-4 nov. – **R** 215/300 – ☕ 48 – **21 ch** 650/700, 3 appartements 920 – P 915/1 075
Spéc. Fricassée d'escargots à la catalane, Suprême de barbue grillé, Crème brûlée aux fruits. **Vins** Rivesaltes, Côtes du Roussillon.

🏨 **Grand Hotel** 🐦, ✆ 68 05 00 50, ≤, parc, 🏊, 🎾 – 🛗 ⇔wc ⋒wc ☎ 🚗 🅿 – 🎪 150. VISA. ✱ rest
1er avril-31 oct. – SC : **R** 84 – ☕ 21 – **56 ch** 102/382.

MOLLANS-SUR-OUVÈZE 26 Drôme 81 ③ **G. Provence** – 690 h. alt. 279 – ✉ **26170** Buis-les-Baronnies – Paris 678 – Buis-les-Baronnies 10 – Carpentras 30 – Vaison-la-Romaine 12.

🏨 **St-Marc** M 🐦, ✆ 75 28 70 01, ⛱, 🏊, 🌳, 🎾 – 🛗 ⇔wc ⋒wc ☎ ♿ 🅿. VISA
SC : **R** *(fermé janv. et lundi du 1er oct. au 31 mars)* 60/88 🍷 – ☕ 22 – **38 ch** 126/235 – P 240/266.

PEUGEOT-TALBOT Gar. Magnet, ✆ 75 28 71 42

MOLLKIRCH 67 B.-Rhin 62 ⑨ – 451 h. alt. 325 – ✉ **67190** Mutzig.

Paris 431 – Molsheim 14 – Saverne 39 – ♦Strasbourg 37.

🏨 **Fischhutte** 🐦, rte Grendelbruch : 3,5 km ✆ 88 97 42 03, ≤ – ⇔wc ⋒wc ☎ 🅿 – 🎪 30. ✱
fermé 25 janv. au 10 mars – SC : **R** *(fermé lundi soir et mardi du 1er sept. au 30 juin)* 50/120 🍷 – ☕ 20 – **18 ch** 120/220 – P 160/250.

MOLOY 21 Côte-d'Or 66 ⑪ – 207 h. alt. 327 – ✉ **21120** Is-sur-Tille.

Paris 291 – Avallon 100 – Châtillon-sur-Seine 61 – Dijon 34 – Langres 61 – Saulieu 81.

✕ **Host. de l'Ignon** avec ch, ✆ 80 75 12 33 – ⋒wc 🅿. 🔘
fermé 15 janv. au 16 fév. et vend. midi – SC : **R** 45/85 – ☕ 13,50 – **10 ch** 56/120.

MOLSHEIM ⟨SP⟩ **67120** B.-Rhin 62 ⑨ **G. Alsace et Lorraine** – 6 998 h. alt. 200.

Voir Le Metzig★ **D**.

🅸 Office de Tourisme à l'Hôtel de Ville ✆ 88 38 11 61.

Paris 475 ① – Lunéville 99 ④ – St-Dié 65 ④ – Saverne 28 ① – Sélestat 34 ③ – ♦Strasbourg 27 ③.

MOLSHEIM
0 300 m
Saverne (R.) . . . 2
Strasbourg (R.) 3

🏨 **Diana** M 🐦, pont de la Bruche **(n)** ✆ 88 38 51 59, Télex 890559, ⛱, 🌳 – 🛗 📺 ☎ 🚗 🅿 – 🎪 30 à 50. AE 🔘 E VISA
SC : **R** (rest.) 84/230 🍷 – **La Taverne** *(fermé dim. midi et sam.)* **R** carte environ 90 🍷 – ☕ 26 – **43 ch** 160/225 – P 352.

🏨 **Centre et Aub. Chartreuse** 🐦, 1 r. St-Martin **(r)** ✆ 88 38 54 50 – ⇔wc ⋒wc ☎ 🅿. VISA
SC : **R** *(fermé 12 au 22 nov., 24 déc. au 2 janv., sam. midi et vend.)* 60/200 🍷 – ☕ 15 – **29 ch** 110/200.

✕ **Aub. Cheval Blanc** avec ch, 5 pl. Hôtel de Ville **(a)** ✆ 88 38 16 87 – ⇔wc ⋒wc ☎. AE 🔘 VISA
fermé fév. – SC : **R** *(fermé mardi soir et merc.)* 70/210 🍷 – ☕ 12,50 – **13 ch** 66/130.

CITROEN Krantz, 6 av. de la Gare ✆ 88 38 11 57 N
PEUGEOT, TALBOT Kenck, 2 r. Gén.-de-Gaulle ✆ 88 38 10 97
RENAULT Wietrich, D 422 par ③ ✆ 88 38 21 62

MOMMENHEIM 67 B.-Rhin 57 ⑲ – rattaché à Brumath.

MONACO (Principauté de) 84 ⑩, 195 ㉗㉘ **G. Côte d'Azur** – 27 700 h. alt. 65 – Casino.

Paris 955 ⑤ – Menton 12 ② – ♦Nice (par la Moyenne Corniche) 18 ④ – San Remo 44 ①.

Plans pages suivantes

Monaco Capitale de la Principauté – ✉ **98000** Monaco.

Voir Jardin exotique★★ DZ : ≤★ – Grotte de l'Observatoire★ DZ **E** – Jardins St-Martin★ EFZ – Ensemble de primitifs niçois★★ dans la cathédrale EZ **B** – Christ gisant★ dans la chapelle de la Miséricorde EZ **D** – Place du Palais★ EZ **35** – Palais du Prince★ EZ – Musées : océanographique★★ FZ **M2** (aquarium★★, ≤★★ de la terrasse), d'anthropologie préhistorique★ DZ **M1**, napoléonien et des archives monégasques★ EZ **M4**.

Circuit automobile urbain - A.C. M. 23 bd Albert-1er ✆ 93 30 32 20, Télex 469003.

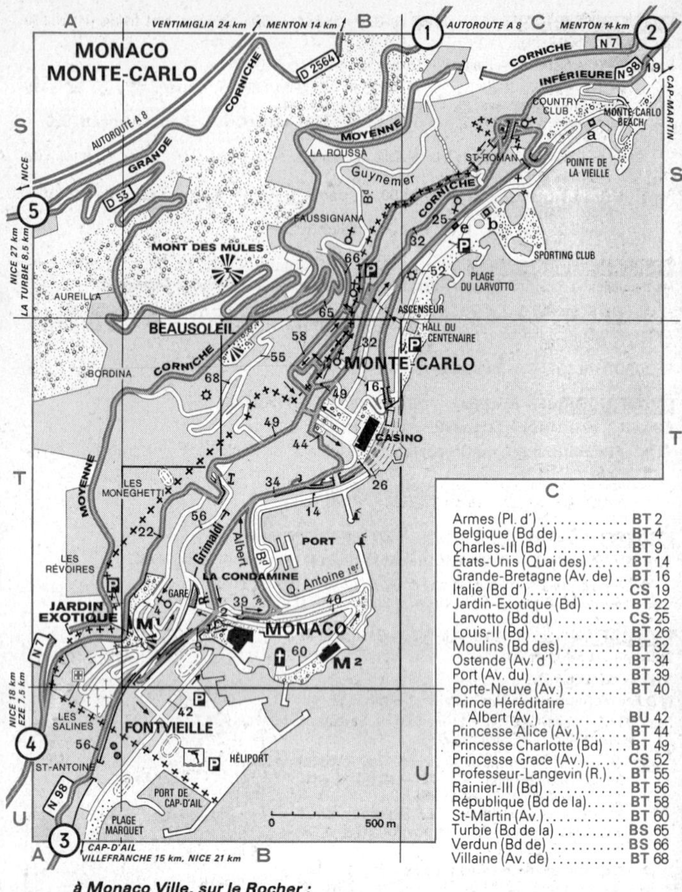

Armes (Pl. d')	BT 2
Belgique (Bd de)	BT 4
Charles-III (Bd)	BT 9
États-Unis (Quai des)	BT 14
Grande-Bretagne (Av. de)	BT 16
Italie (Bd d')	CS 19
Jardin-Exotique (Bd)	BT 22
Larvotto (Bd du)	CS 25
Louis-II (Bd)	BT 26
Moulins (Bd des)	BT 32
Ostende (Av. d')	BT 34
Port (Av. du)	BT 39
Porte-Neuve (Av.)	BT 40
Prince Héréditaire Albert (Av.)	BU 42
Princesse Alice (Av.)	BT 44
Princesse Charlotte (Bd)	BT 49
Princesse Grace (Av.)	CS 52
Professeur-Langevin (R.)	BT 55
Rainier-III (Bd)	BT 56
République (Bd de la)	BT 58
St-Martin (Av.)	BT 60
Turbie (Bd de la)	BS 65
Verdun (Bd de)	BS 66
Villaine (Av. de)	BT 68

à Monaco Ville, sur le Rocher :

✕ Castelroc, pl. Palais ✆ 93 30 36 68, ←, 🏖 — EZ **p**

à la Condamine – ✉ La Condamine :

🏨 **Terminus** Ⓜ, 9 av. Prince Pierre ✆ **93 30 20 70** – 🛗 ▤ 🛁wc 🚿wc ☎ – 🏃 35. ✱ rest — DZ **a**
SC : **R** *(fermé 15 oct. au 15 nov. et sam.)* 75/200 – ☕ 25 – **54 ch** 245/300.

FERRARI-HONDA Monaco-Motors, 11 r. Princesse-Florestine ✆ 93 30 27 22
MERCEDES-BENZ SAMGF 1 bd Charles-III ✆ 93 30 49 05
V.A.G. Gar. du Pont, 35 bd Rainier III, Ste-Dévote ✆ 93 30 82 03

Ⓟ Vulca-Pneus, 11 bd Charles-III ✆ 93 30 43 12

Monte-Carlo Centre mondain de la Principauté - Grand casino FX, Casino du Sporting Club CS, Casino Loews FX – ✉ Monte-Carlo.

Voir Terrasse★★ du Grand casino FX – **Musée de poupées et automates★** FV **M5.**

⛳ **de Monte-Carlo Golf Club** ✆ **93 41 09 11 par : ④ 11 km.**

ℹ Direction Tourisme et Congrès, 2 A bd Moulins ✆ 93 30 87 01, Télex 469760.

🏨🏨🏨🏨🏨 ✿ **Paris,** pl. Casino ✆ **93 50 80 80, Télex 469925,** ←, 🏖, **« Salle à manger Empire »,** 🏊, 🌳 – 🛗 ▤ ch 📺 ☎ ♿ Ⓟ – 🏃 50. AE ⓪ E VISA. ✱ rest — FX **y**
R *(fermé 30 sept. au 4 déc., 7 janv. au 15 avril et merc.)* 380/480 – voir **Grill** ci-après – ☕ 75 – **210 ch** 1 300/1 600, 38 appartements
Spéc. Millefeuille de truffe, Papillote de filets de loup à l'échalote, Filet d'agneau à la crème d'estragon. **Vins** Cuers, La Londe.

🏨🏨🏨🏨🏨 **Hermitage,** square Beaumarchais ✆ **93 50 67 31, Télex 479432,** ←, 🏖, **« Salle à manger de style baroque »,** 🏊 – 🛗 ▤ 📺 ☎ Ⓟ – 🏃 80. AE ⓪ E VISA. ✱ rest
R 205/270 – ☕ 75 – **244 ch** 900/1 400, 16 appartements. — FX **r**

MONACO
MONTE-CARLO

Albert-1er (Bd) . . . . EYZ
Grimaldi (R.) . . . . DEY
Moulins (Bd des) . . . . FV 32
Ostende (Av. d') . . . . FX 34
Princesse Caroline (R.) . . EZ 48
Pcesse Charlotte (Bd) . . . EX 49

Armes (Pl. d') . . . . EZ 2
Basse (R.) . . . . EZ 3
Castro (R. Col.-de) . . . . . . EZ 7
Comte-Félix-Gastaldi (R.) . . . . EZ 10
Kennedy (Av. J.-F.) . . . . . . EX 23
Larvotto (Bd du) . . . . FV 25
Major (Rampe) . . . . EZ 27
Palais (Pl. du) . . . . EZ 35
Pêcheurs (Ch. des) . . . . . . FZ 37
Princesse Grace (Av.) . . . . FV 52
Princesse Marie-de-Lorraine (R.) . . . . . . FZ 54
Suffren-Reymond (R.) . . . EY 64

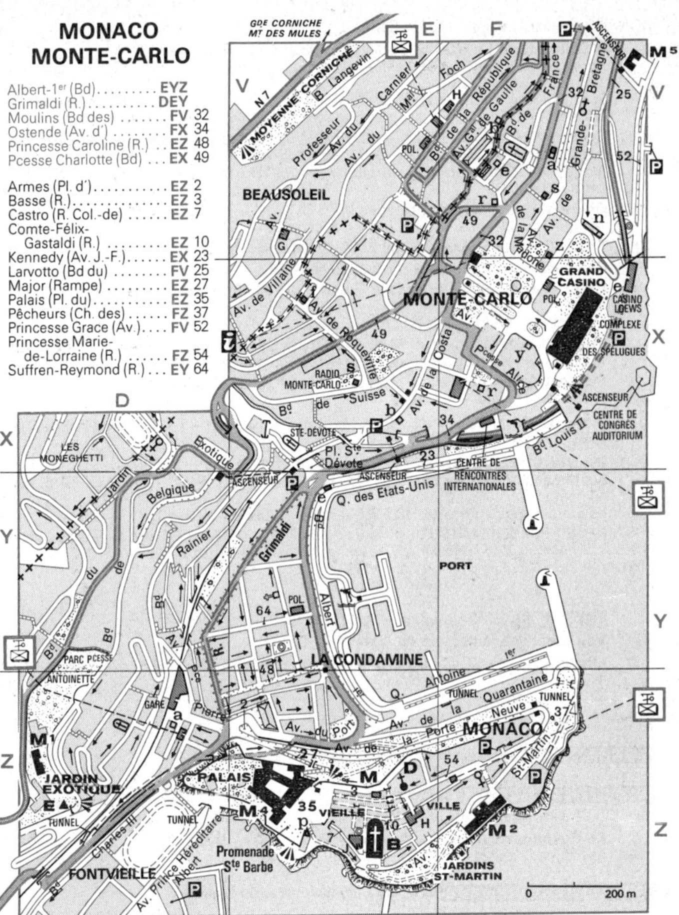

Loews M, av. Spélugues ☎ 93 50 65 00, Télex 479435, ≤, casino et cabaret sur place, – 50 à 1 100 — FX **e**
Le Foie Gras - L'Argentin - Le Pistou - Café de la mer – 580 ch, 68 appartements.

✿ **Mirabeau** M, 1 av. Princesse-Grace ☎ 93 25 45 45, Télex 479413, ≤, – 80. AE ① E VISA. ✻ rest — FV **n**
R 175/270 – ☐ 70 – **96 ch** 750/1 150, 5 appartements
Spéc. Fetuccini aux langoustines, Filets de rougets en matelote, Suprêmes de pigeon en cœur.

Beach Plaza M, av. Princesse-Grace, à la Plage du Larvotto ☎ 93 30 98 80, Télex 479617, ≤, « Bel ensemble balnéaire », – 30 à 300. AE ① E VISA. ✻ rest — CS **b**
SC : **R** 200/300 – ☐ 70 – **311 ch** 900/1 350, 9 appartements.

Balmoral sans rest, 12 av. Costa ☎ 93 50 62 37, Télex 479436, ≤ – ch AE ① E VISA. ✻ — EX **b**
SC : ☐ 35 – **68 ch** 250/500.

Louvre sans rest, 16 bd Moulins ☎ 93 50 65 25, Télex 479645 – ch wc ① E VISA. ✻ — FV **a**
SC : **35 ch** ☐ 467/555.

Alexandra sans rest, 35 bd Princesse-Charlotte ☎ 93 50 63 13, Télex 489286 – wc AE ① VISA — FV **r**
SC : ☐ 29 – **55 ch** 159/396.

tourner →

XXXX ✪ **Dominique Le Stanc,** 18 bd. Moulins ☎ 93 50 63 37 – AE ⓓ VISA FV **a**
fermé 1er au 15 nov., lundi (sauf le soir en juil.-août) et dim. midi – **R** (dîner seul. en juil.-août) 280/360
Spéc. Ravioli aux artichauts, asperges et langoustines (janv. à mai), Courgette au homard et truffes (mai à oct.), Pêches rôties aux pistaches (mai à oct.). **Vins** Bellet, Côtes de provence.

XXX **Grill de l'Hôtel de Paris,** pl. Casino ☎ 93 50 80 80, « Grill-rôtisserie sur le toit avec ≤ sur la Principauté » – ▤ Ⓟ. AE ⓓ E VISA. ✻ FX **y**
fermé 8 au 22 déc., et lundi sauf juil. et août – **R** (dîner seul du 1er juin au 5 sept.) carte 300 à 400.

XXX **Bec Rouge,** 11 av. Gde Bretagne ☎ 93 30 74 91 – ▤. AE ⓓ E VISA FV **s**
fermé 20 au 30 juin et 4 au 31 janv. – **R** carte 190 à 285.

XX Toula, 20 bd de Suisse ☎ 93 50 02 02, ☂, cuisine italienne – ▤ EX **s**

XX Rampoldi, 3 av. Spélugues ☎ 93 30 70 65 – ▤ FV **z**

XX **Chez Gianni,** 39 av. Princesse Grace ☎ 93 30 46 33, cuisine italienne – AE ⓓ VISA CS **e**
fermé fév. et mardi – SC : **R** carte 170 à 255.

XX **du Port,** quai Albert 1er ☎ 93 50 77 21, ≤, ☂, cuisine italienne – ▤. AE ⓓ E VISA
fermé 4 nov. au 4 déc. et lundi – SC : **R** 150/320 dim. et fêtes carte seul.. EY **e**

X **Polpetta,** 6 av. Roqueville ☎ 93 50 67 84, ☂, cuisine italienne EX **f**
fermé fév. et mardi – SC : **R** 80.

à Monte-Carlo Beach (06 Alpes-Mar.) par ① : 2,5 km – ✉ **06190** Roquebrune-Cap-Martin :

🏨 **Monte-Carlo Beach H.** Ⓜ ⛰, ☎ 93 78 21 40, ≤ sur mer et Monaco, « Remarquable ensemble balnéaire, ⛱, ⛵ » – 🛗 ▤ ch TV ☎ Ⓟ – 🏛 30. AE ⓓ E VISA. ✻ rest CS **a**
26 mars-13 oct. – **R** carte 180 à 310 – ☕ 75 – **46 ch** 1 250/1 400.

AUSTIN-FORD-PORSCHE-MITSUBISHI Auto Riviera, r. des Genets ☎ 93 50 63 26
AUTOBIANCHI Sangiorgio, 41 bd Italie ☎ 93 50 66 63
BLF British-Motors, 3 et 4 impasse des Carrières ☎ 93 30 24 85

Beausoleil 06240 Alpes-Mar. – 11 664 h. alt. 95.
Voir Mont des Mules ✲★ N : 1 km puis 30 mn.

🏨 **Olympia** sans rest, 17 bis bd Gén.-Leclerc ☎ 93 78 12 70 – 🛗 🛁wc 🚿wc ☎. VISA. ✻ FV **b**
☕ 14 – **32 ch** 65/155.

Ⓟ Sera-Technic-Pneu, 38 r. des Martyrs ☎ 93 78 59 16

MONBAZILLAC 24 Dordogne 75 ⑭⑮ – rattaché à Bergerac.

MONCEAUX-LE-COMTE 58 Nièvre 65 ⑮ – 168 h. – ✉ **58190** Tannay.
Paris 230 – Avallon 43 – Château-Chinon 47 – Clamecy 21 – Nevers 68.

X **Le Poteau,** rte Corbigny, S : 2 km ☎ 86 20 15 93 – VISA
◆ *fermé janv., fév. et lundi hors sais.* – SC : **R** 60/200.

MONCEL-LÈS-LUNÉVILLE 54 M.-et-M. 62 ⑥ – rattaché à Lunéville.

MONCHEL-SUR-CANCHE 62 P.-de-C. 51 ⑬ – rattaché à Frévent.

MONCRABEAU 47 L.-et-G. 79 ⑭ – 823 h. alt. 93 – ✉ **47600** Nérac.
Paris 666 – Agen 41 – Condom 11 – Mont-de-Marsan 82 – Nérac 13.

🏨 **Le Phare** ⛰, ☎ 53 65 42 08, ☂ – 🛁 ☎. AE VISA. ✻ ch
◆ *fermé 7 au 31 oct., 17 fév. au 1er mars et mardi de sept. à juin* – SC : **R** 60/160 – ☕ 15 – **7 ch** 78/170 – P 145/180.

MONDEVILLE 14 Calvados 55 ⑫ – rattaché à Caen.

MONDOUBLEAU 41170 L.-et-Ch. 60 ⑮⑯ G. Châteaux de la Loire – 1 694 h. alt. 135.
Paris 176 – Blois 60 – Chartres 73 – Châteaudun 39 – ◆Le Mans 63 – ◆Orléans 89.

🏨 **Grand Monarque,** r. Chrétien ☎ 54 80 92 10, ☂ – 🚿wc ☎ 🚗 Ⓟ. E VISA
◆ *fermé 22 déc. au 10 janv., dim. soir et lundi sauf fériés* – SC : **R** 65/156 – ☕ 20 – **10 ch** 95/136 – P 137/168.

CITROEN Gd Gar. du Mail, ☎ 54 80 92 16 N
PEUGEOT Gar. Hérisson, ☎ 54 80 90 81 N
RENAULT Gar. Bellanger, ☎ 54 80 72 34
RENAULT Daumas, Sarge sur Braye ☎ 54 23 72 71 N
V.A.G. Gar. de l'Ormeau, ☎ 54 80 92 66

Pour des repas simples à prix modiques
choisissez les établissements marqués d'un losange 🏨 X ◆ ◆

MONESTIER-DE-CLERMONT 38650 Isère 77 ⑭ **G. Alpes** – 774 h. alt. 832.

Syndicat d'Initiative Parc Municipal (15 juin-15 sept. le matin seul.) ☎ 76 34 06 20.

Paris 595 – •Grenoble 33 – La Mure 33 – Settes 74.

- **Au Sans Souci**, à St-Paul-lès-Monestier NO : 1,5 km D 8 - alt. 800 ☎ 76 34 03 60, ←, parc, – wc wc ☎ . AE VISA
  fermé janv., dim. soir et lundi sauf vacances scolaires – SC : **R** 50/150 – 17 – **16 ch** 80/210 – P 200.
- **Modern**, ☎ 76 34 07 35, « parc » – wc wc ☎ . rest
  25 janv.-7 nov. – SC : **R** 56/120 – 18 – **22 ch** 105/250 – P 168/198.

CITROEN Gar. Central, ☎ 76 34 04 15
PEUGEOT-TALBOT Gar. des Alpes, ☎ 76 34 08 20 N ☎ 76 34 00 89
RENAULT Gar. du Baconnet, ☎ 76 34 05 13 N

Le MONÊTIER-LES-BAINS 05 H.-Alpes 77 ⑦ – rattaché à Serre-Chevalier.

La MONGIE 65 H.-Pyr. 85 ⑱⑲ **G. Pyrénées** – alt. 1 800 – Sports d'hiver : 1 800/2 500 m 3 25 – ✉ 65200 Bagnères-de-Bigorre.

Voir Le Taoulet ← N par téléphérique.**

Syndicat d'Initiative (1er juil.-30 avril) ☎ 62 91 93 05 Télex 521984.

Paris 836 – Arreau 39 – Bagnères-de-Bigorre 25 – Lourdes 47 – Luz-St-Sauveur 22 – Tarbes 46.

- **La Mandia**, ☎ 62 91 93 49, Télex 521424, ← – wc wc ☎ . AE VISA
  20 déc.-Pâques – SC : **R** 78/90 – 30 – **50 ch** 250/500 – P 300/400.
- **Sol y Neou**, ☎ 62 91 93 22, ← – wc wc ☎. AE VISA
  15 déc.-Pâques – SC : **R** 75/85 – 30 – **44 ch** 250/350 – P 280/370.
- **Pourteilh**, ☎ 62 91 93 33, ← – wc ☎ . AE VISA. rest
  15 déc-20 avril – SC : **R** 70/100 – 19 – **40 ch** 220/315 – P 256/303.
- **Pic d'Espade**, ☎ 62 91 92 27, ← – wc ☎ – 100.
  1er juil.-30 sept. et 1er déc.-30 avril – SC : **R** 60 – 20 – **36 ch** 200/230 – P 200/250.
- **La Crête Blanche**, ☎ 62 91 92 49, ← – wc ☎. AE. rest
  15 déc.-15 avril – SC : **R** 70 – 18 – **25 ch** 215 – P 223/245.

MONGRÉSIN 60 Oise 56 ⑪, 196 ⑧ – rattaché à Chantilly.

MONISTROL-SUR-LOIRE 43120 H.-Loire 76 ⑧ **G. Vallée du Rhône** – 5 438 h. alt. 602.

Paris 539 – Firminy 18 – Le Puy 48 – •St-Étienne 30 – Yssingeaux 21.

- **La Madeleine**, av. St-Étienne ☎ 71 66 50 05 – . ch
  fermé 1er au 8 oct., 22 déc. au 1er fév., vend. soir et sam. hors sais. – SC : **R** 50/130 – 16 – **14 ch** 70/150 – P 170/280.

CITROEN Fourgon, 18 av. de la Libération ☎ 71 66 50 66

MONNAIE 37380 I.-et-L. 64 ⑮ – 2 250 h. alt. 113.

Paris 230 – Château-Renault 15 – •Tours 15 – Vouvray 11.

- **Soleil Levant**, ☎ 47 56 10 34 – VISA
  fermé fév. et mardi – SC : **R** 60/150.

RENAULT Viemont, ☎ 47 56 10 13
Gar. Lussier, ☎ 47 56 10 25 N

MONNETIER 74 H.-Savoie 74 ⑥ – rattaché à St-Jorioz.

MONNETIER-MORNEX 74560 H.-Savoie 74 ⑥ **G. Alpes** – 1 292 h. alt. 700.

De Monnetier : Paris 527 – Annecy 49 – Bonneville 28 – •Genève 14 – St-Julien-en-Genevois 19.

à Monnetier – alt. 700.

- **Chaumière**, ☎ 50 39 60 04,
  fermé 15 sept. au 15 oct. et merc. du 15 sept. au 15 juin – SC : **R** 58/100 – 16 – **15 ch** 94/120 – P 170.

MONPAZIER 24540 Dordogne 75 ⑯ **G. Périgord** – 533 h. alt. 190.

Voir Place centrale*.

Office de Tourisme à la Mairie ☎ 53 22 60 38.

Paris 564 – Bergerac 45 – Périgueux 79 – Sarlat-la-Canéda 50.

- Londres sans rest, ☎ 53 22 60 64 – wc ☎ – *sais.* – **10 ch**.

MONS 83 Var 84 ⑧, 195 ㉒ **G. Côte d'Azur** – 296 h. alt. 804 – ✉ 83440 Fayence.

Voir Site* – ← de la place St-Sébastien.**

Paris 904 – Castellane 42 – Draguignan 49 – Fayence 14 – Grasse 41 – St-Raphaël 51.

- **Aub. Provençale**, ☎ 94 76 38 33, ← Esterel et littoral,
  fermé nov. et merc. – SC : **R** 55/66.

MONSÉGUR 33580 Gironde 79 ③ – 1 612 h. alt. 69.

Paris 583 – Bergerac 54 – Castillonnès 48 – Langon 33 – Libourne 49 – Marmande 33 – La Réole 14.

Gd Hôtel, ✆ 56 61 60 28 – ⋔. ✻ ch
SC : **R** *(fermé lundi midi en oct.)* 37/120 ⅓ – ☕ 12,50 – **10 ch** 60/130 – P 120/140.

CITROEN Durand, ✆ 56 61 60 92

PEUGEOT-TALBOT Vigneau, ✆ 56 61 61 37

MONT voir au nom propre.

MONTAIGU 85600 Vendée 67 ④ – 4 689 h. alt. 48.

Paris 385 – Cholet 36 – Fontenay-le-C. 78 – ♦Nantes 34 – Noirmoutier 84 – La Roche-sur-Yon 37.

Voyageurs, rte Nantes ✆ 51 94 00 71, – wc ⋔wc ☎. AE ⓓ E VISA
fermé 23 déc. au 6 janv. et sam. hors sais. – SC : **R** 61/180 – ☕ 21 – **28 ch** 90/350.

Centre, pl. Champ-de-Foire ✆ 51 94 00 27 – ⋔wc. ✻ ch
hôtel : fermé 1er au 10 mai, 11 oct. au 3 nov., 25 déc. au 2 janv., dim. et fériés – SC : **R** *(fermé 1er au 10 mai, 11 oct. au 3 nov., 1er au 8 fév., et dim.)* 53/94 ⅓ – ☕ 16 – **18 ch** 63/166.

PEUGEOT-TALBOT Beauvois, Zone Ind., rte de Nantes ✆ 51 94 04 97

RENAULT Gar. Chagneau et Piveteau, à Bouf-féré ✆ 51 94 02 05

MONTAIGU-DE-QUERCY 82150 T.-et-G. 79 ⑯ – 1 536 h. alt. 186.

Paris 613 – Agen 40 – Cahors 47 – Moissac 33 – Montauban 54 – Villeneuve-sur-Lot 30.

Vieux Relais avec ch, pl. Hôtel de Ville ✆ 63 94 46 63 – ⋔wc. E VISA
fermé 5 janv. au 25 fév., dim. soir et lundi hors sais. – SC : **R** 65/160 ⅓ – ☕ 35 – **3 ch** 105/160.

PEUGEOT-TALBOT Gar. Sztandéra ✆ 63 94 47 20

MONTAIGUT-SUR-SAVE 31 Hte-Garonne 82 ⑦ – 724 h. alt. 124 – ✉ 31530 Levignac.

Paris 693 – Auch 58 – Montauban 42 – ♦Toulouse 24.

Host. Le Ratelier avec ch, ✆ 61 85 43 36, ≤, – TV ⋔ ☎ Ⓟ. AE ⓓ E VISA
SC : **R** *(fermé mardi)* 52/119 ⅓ – ☕ 19 – **13 ch** 163/227 – P 190/319.

MONTALIVET LES BAINS 33 Gironde 71 ⑯ – ✉ 33930 Vendays.

Paris 532 – ♦Bordeaux 85 – Lesparre-Médoc 21 – Soulac-sur-Mer 18.

Marin, ✆ 56 41 32 07, – ⋔. ✻
avril-début oct. – **R** 65/135 – ☕ 21 – **14 ch** 120/160 – P 250.

Clef des Champs, rte Vendays E : 5 km par D 102 et VO ✉ 33930 Vendays ✆ 56 41 71 11, – Ⓟ. VISA
fermé le midi en semaine en juil.-août sauf fériés et mardi soir de sept. à juin – **R** (en janv. et fév. prévenir) carte 140 à 190.

MONTARGIS SP 45200 Loiret 61 ⑫ G. Bourgogne – 17 629 h. alt. 88.

Voir Collection Girodet★ du musée ZH.

Office de Tourisme pl. du Pâtis ✆ 38 98 00 87.

Paris 113 ① – Autun 204 ② – Auxerre 79 ② – Bourges 115 ④ – Chartres 118 ⑤ – Chaumont 218 ② – Fontainebleau 51 ① – Nevers 125 ④ – ♦Orléans 71 ⑤ – Sens 51 ② – Vierzon 112 ④.

Plan page ci-contre

Lyon, 74 r. Coquillet ✆ 38 85 30 39, – ⋔wc ☎ Ⓟ. VISA Y v
SC : **R** *(fermé 3 au 12 août, dim. soir et lundi)* 60/200 – ☕ 23 – **22 ch** 85/232.

Gd H. de France sans rest, 54 pl. République ✆ 38 98 01 18 – wc ⋔ ☎
SC : ☕ 15,50 – **25 ch** 62/180. Z e

❀ **Gloire** (Jolly) avec ch, 74 av. Gén. de Gaulle ✆ 38 85 04 69 – rest wc ⋔ ☎. ✻ Y m
fermé 15 au 27 août, 1er au 27 fév., mardi soir et merc. – SC : **R** 108/180 – ☕ 15,50 – **15 ch** 84/162

Spéc. Fondant Louisette au coulis de tomates, Saumon et loup au persil, Pigeon en robe verte. Vins Sancerre.

Coche de Briare avec ch, 72 pl. République ✆ 38 85 30 75 – ⋔wc. ✻ ch
fermé 30 juin au 15 juil., 2 au 25 fév., lundi soir et mardi – SC : **R** 61/170 – ☕ 14 – **13 ch** 87/135. Z a

à Amilly par ③ : 5 km – 10 125 h. – ✉ 45200 Montargis :

Le Belvédère sans rest, 192 r. Jules-Ferry ✆ 38 85 41 09, – wc ⋔wc ☎ Ⓟ
fermé 15 au 31 août – SC : ☕ 14 – **22 ch** 63/139.

Aub. Écluse, Rte Mormant ✆ 38 85 44 24 – Ⓟ. VISA. ✻
fermé 25 au 31 août, vacances de Noël, dim. soir et lundi – SC : **R** 63/135.

par ④ : 6,5 km – ✉ 45200 Montargis :

Relais du Miel, rte Nevers ✆ 38 85 32 02 – Ⓟ
SC : **R** carte environ 95 ⅓.

MONTARGIS

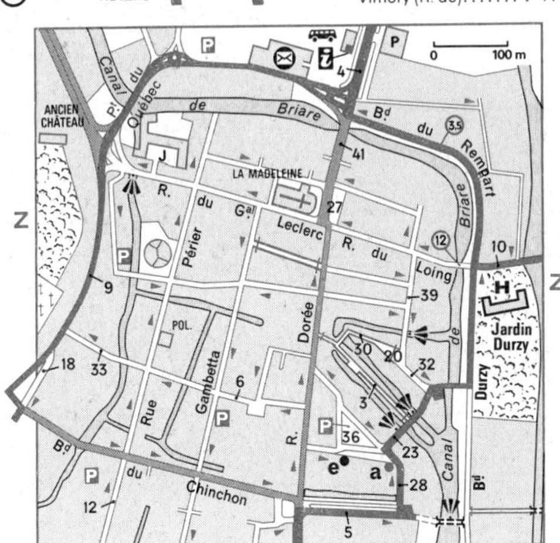

à Oussoy-en-Gatinais SO : 15 km par D 42 – ✉ **45290** Nogent-sur-Vernisson :

✗ **Aub. la Petite Billardière,** ☎ 38 96 22 59 – Ⓟ
fermé 1er août au 3 sept., 22 au 31 déc. et mardi – **SC** : **R** (déj. seul. sauf vend. et sam.) 62/112.

LADA, SKODA C.B.A., 5 bd des Belles-Manières ☎ 38 93 30 56

Ⓜ Dominicé, 64 r. J.-Jaurès ☎ 38 93 38 33
Théron-Pneus, 3 r. de Nevers ☎ 38 85 12 80

Périphérie et environs

CITROEN S.M.A., 1176 av. d'Antibes à Amilly par ④ ☎ 38 85 73 25 🅽 ☎ 38 93 14 89
PEUGEOT-TALBOT Corre, N 60 à Villemandeur par ⑤ ☎ 38 85 03 29 🅽 ☎ 38 93 06 66
RENAULT Basty, 39 av. Gén.-Leclerc à Chalette-sur-loing ☎ 38 85 02 82

V.A.G. Gar. St-Christophe, 330 av. d'Antibes à Amilly ☎ 38 85 22 84

Ⓜ La Maison du Pneu, 180 rte de Viroy à Amilly ☎ 38 85 31 28

MONTARGIS-DE-SEILHAC **19** Corrèze **75** ⑨ – rattaché à Seilhac.

Une réservation confirmée par écrit est toujours plus sûre.

MONTASTRUC-LA-CONSEILLÈRE 31380 H.-Gar. 82 ⑧ – 1 857 h. alt. 234.

Paris 700 – Castres 65 – Gaillac 35 – Montauban 51 – ♦Toulouse 20.

Relais de la Conseillère, N 88 ✆ 61 84 21 23 – wc wc ☎ Ⓟ – 25.
E VISA
R 40/125 – 15 – **27 ch** 80/120.

Le MONTAT 46 Lot 79 ⑱ – rattaché à Cahors.

MONTAUBAN P 82000 T.-et-G. 79 ⑰⑱ **G. Périgord** – 53 147 h. alt. 87.

Voir Musée Ingres★★ BY **M1** – **Place Nationale**★ BY – **Dernier Centaure mourant**★ **(bronze de Bourdelle)** BY **F.**

Office de Tourisme 2 r. Collège Montauban ✆ 63 63 60 60 - A.C. allée Mortarieu (chambre de commerce) ✆ 63 63 22 35.

Paris 652 ① – Agen 74 ⑤ – Albi 73 ② – Auch 86 ④ – Cahors 61 ① – ♦Toulouse 53 ③.

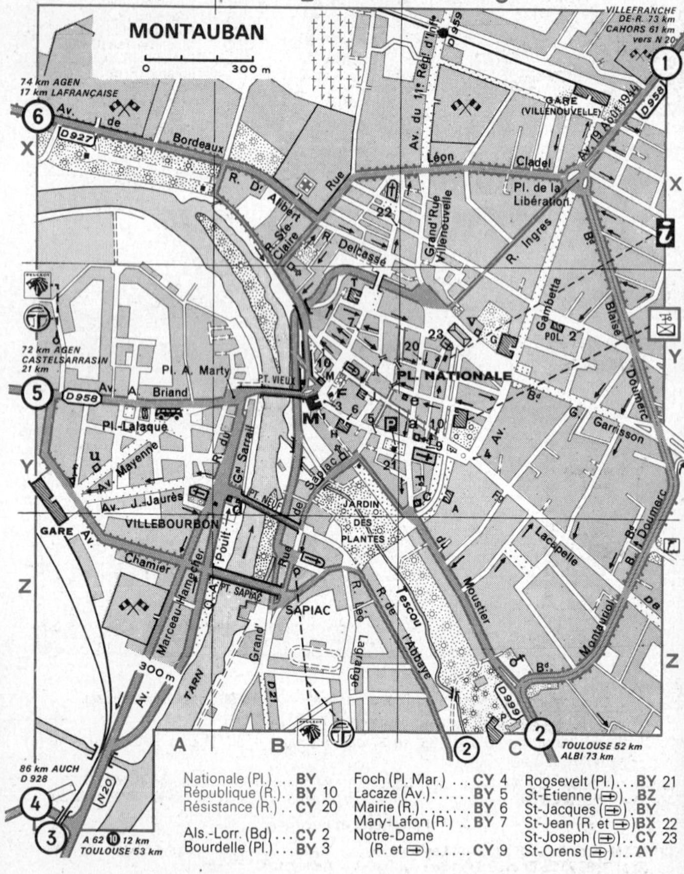

Nationale (Pl.) . . . **BY**
République (R.) . . **BY** 10
Résistance (R.) . . **CY** 20

Als.-Lorr. (Bd) . . . **CY** 2
Bourdelle (Pl.) . . . **BY** 3

Foch (Pl. Mar.) . . . **CY** 4
Lacaze (Av.) . . . . . . **BY** 5
Mairie (R.) . . . . **BY** 6
Mary-Lafon (R.) . . **BY** 7
Notre-Dame (R. et ⊞) . . . . . . **CY** 9

Roosevelt (Pl.) . . . **BY** 21
St-Étienne (⊞) . . **BZ**
St-Jacques (⊞) . **BY**
St-Jean (R. et ⊞) **BX** 22
St-Joseph (⊞) . . **CY** 23
St-Orens (⊞) . . . **AY**

Ingres M sans rest, 10 av. Mayenne ✆ **63 63 36 01, Télex 520319** – ☎ Ⓟ. AE ⓓ E VISA AY **u**
SC : 26 – **31 ch** 260/310.

Host. Les Coulandrières M, rte Castelsarrasin par ⑤ : **4 km** ✉ **82290** La Ville-Dieu-du-Temple ✆ **63 67 47 47**, « Parc fleuri, » – ch wc ☎ Ⓟ – 35. AE ⓓ E VISA
fermé dim. soir du 1er au 30 avril – **SC** : **R** 96/170 – 27 – **21 ch** 300 – P 407/580.

Prince Noir Ⓜ sans rest, pl. Prax-Paris ✆ 63 63 10 10, Télex 520362. – ⇅ ⇔wc ⋔wc ☎ ⇔ Ⓟ – 30. E VISA — CY v
SC : ☕ 22 – **33 ch** 155/200.

Midi, 12 r. Notre-Dame ✆ 63 63 17 23 – ⇅ ▤ rest TV ⇔wc ⋔wc ☎ – 60. AE ⊕ E VISA — CY a
SC : **R** 62/180 – ☕ 21 – **49 ch** 92/250 – P 220/310.

Orsay et rest. La Cuisine d'Alain, face gare ✆ 63 63 00 57, ☂ – ⇅ ⇔wc ⋔wc ☎ ⇔. ⊕ E VISA — AY f
fermé 5 au 11 mai, 1er au 14 juil., 24 déc. au 1er janv., dim. et fériés. – SC : **R** *(fermé dim. et lundi midi)* 78/225 – ☕ 19 – **20 ch** 140/210 – P 235/270.

Delmas, 10 r. Michelet ✆ 63 63 03 74 – AE ⊕ E VISA — CY e
fermé août, dim. soir et lundi – SC : **R** 53/129.

Chapon Fin, 1 pl. St-Orens ✆ 63 63 12 10. VISA — BY d
fermé 12 juil. au 12 août, vend. soir et sam. – SC : **R** 52/200.

ALFA-ROMEO, TOYOTA Suères, 46 r. L.-Cladel ✆ 63 03 42 06
CITROEN Larroque, N 20, Z.I. Nord par ① ✆ 63 03 15 30
FORD S.E.T.A.M., 1724 av. Toulouse ✆ 63 63 04 83
MERCEDES-BENZ Gar. Hamecher, Zone Ind. Sud, rte Toulouse ✆ 63 63 07 70
PEUGEOT-TALBOT Macard, r. du Bac ✆ 63 63 03 33
PEUGEOT-TALBOT Schievene, Pl. du 22 Septembre ✆ 63 63 33 21
RENAULT Tarn-et-Garonne Autom., rte Paris par ① ✆ 63 03 23 23
V.A.G. Delpoux, Zone Ind. Sud, rte de Toulouse ✆ 63 63 70 88
Almayrac et Despoux, 200 r. Camp d'Aviation ✆ 63 63 44 52

Doumerc-Pneus, 281 av. de Toulouse ✆ 63 63 09 76
Le Palais du Pneu, 17 pl. Lalaque ✆ 63 63 15 80
Pereira, 52 av. du Xe-Dragon ✆ 63 03 53 98
Taquipneu, 69 av. Gambetta ✆ 63 03 30 14

MONTAUROUX 83 Var 84 ⑧, 195 ㉓ G. Côte d'Azur – 1 997 h. alt. 350 – ✉ 83440 Fayence.

Syndicat d'Initiative à l'Hôtel de Ville ✆ 94 76 43 08.

Paris 894 – Cannes 35 – Draguignan 40 – Fréjus 28 – Grasse 20.

La Marjolaine ⑤, ✆ 94 76 43 32, ≤, ☂, ⛱ – ⇅ ⇔wc ⋔wc ☎. AE ⊕ VISA
hôtel : fermé 4 nov. au 15 déc. et 6 janv. au 15 mars ; rest. : fermé 6/1 au 6/2 et merc. du 1/11 au 15/3 – SC : **R** 83/140 – ☕ 17 – **17 ch** 102/187 – P 185/237.

rte de Draguignan S : 4 km – ✉ 83440 Fayence :

La Bécassière, ✆ 94 76 43 96, ☂, ⛱ – Ⓟ. AE ⊕ VISA
fermé oct., dim. soir de sept. à fin juin et lundi sauf le soir en juil.-août – SC : **R** 70/128.

au lac de St-Cassien au Sud par D 37 et VO : 5 km – ✉ 83440 Fayence :

Aub. du Puits Jaubert ⑤ avec ch, ✆ 94 76 44 48, ≤ parc, ☂, « Ancienne bergerie du 15e s. » – ⇔wc ⋔wc ☎ Ⓟ. E VISA
fermé 17 au 25 juin, 21 au 30 oct. et 20 janv. au 13 fév. – SC : **R** *(fermé mardi)* 89/167 – ☕ 18 – **8 ch** 115/150 – P 252/282.

MONTBARD ⟨SP⟩ 21500 Côte-d'Or 65 ⑦ G. Bourgogne – 7 916 h. alt. 211.

Voir Parc Buffon★ – Env. Ancienne abbaye de Fontenay★★ 6 km par ③.

Syndicat d'Initiative avec A.C. r. Carnot (1er avril-30 sept. et après-midi hors sais.) ✆ 80 92 03 75.

Paris 235 ④ – Autun 101 ④ – Auxerre 73 ④ – ♦Dijon 75 ③ – Troyes 101 ②.

MONTBARD

Liberté (R. de la) 20

Buffon (Pl.) 2
Daubenton (R.) 3
Debussy (R. A.) 4
Debussy (R. F.) 6
Faubourg (R. du) 7
Foch (Av. du Mar.) 8
Gambetta (Pl.) 9
Gibez (Av. A.) 12
Guillaume (R.) 15
Hugot (R. A.) 16
Lattre-de-Tassigny (R. Mar. de) 18
Leclerc (Av. Mar.) 19
Loye (Av. G.) 21
Parc (R. du) 22
Piot (R.) 23
Thiard (R. J.) 24

Les plans de villes sont orientés le Nord en haut.

Pour bien lire les plans de villes, voir signes et abréviations p. 23.

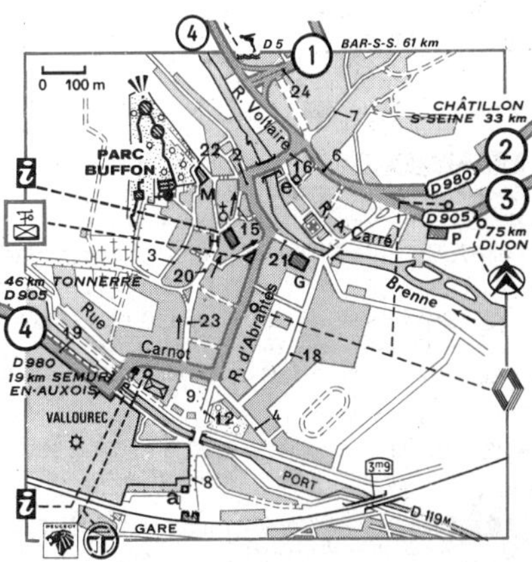

Ecu, 7 r. A.-Carré **(e)** 80 92 11 66 – wc wc. E VISA
fermé sam. du 12 nov. au 1er mars – SC : **R** 70/210 – 18 – **24 ch** 150/230 – P 230/260.

H. Gare, sans rest, 10 av. M.-Foch **(a)** 80 92 02 12 – wc wc – 50. E
fermé 24 déc. au 2 janv. – SC : 17,50 – **20 ch** 65/170.

à St-Rémy par ④ : 4 km – 21500 Montbard :

XXX **St-Rémy,** 80 92 13 44 – . AE E VISA
fermé 21 déc. au 26 janv., lundi et le soir sauf sam., dim. et fêtes – SC : **R** (nombre de couverts limité - prévenir) 48 (sauf sam.)/140.

CITROEN Gar. Monnet, rte Dijon 80 92 06 09

PEUGEOT-TALBOT Gar. Carnot, 7 r. Carnot 80 92 01 83

RENAULT Montbard-Autom., 39 r. Abrantès 80 92 06 23

RENAULT Gar. Guerret, rte de Dijon 80 92 04 07

MONTBAZENS 12220 Aveyron 80 ① – 1 424 h. alt. 472.

Paris 607 – Aurillac 80 – Figeac 28 – Marcillac-Vallon 34 – Rodez 39 – Villefranche-de-Rouergue 26.

Levant, rte Rignac 65 80 60 24, – wc wc .
fermé 22 sept. au 5 oct. – SC : **R** *(fermé dim. soir et lundi midi sauf juil.-août)* 45/110 – 13 – **13 ch** 85/120 – P 126/150.

RENAULT Gar. du Fargal, 65 80 62 23

MONTBAZON 37250 I.-et-L. 64 ⑮ G. Châteaux de la Loire – 3 011 h. alt. 71.

Office de Tourisme à la Mairie 47 26 03 31.

Paris 247 – Châtellerault 60 – Chinon 41 – Loches 32 – Montrichard 40 – Saumur 67 – ♦Tours 13.

Château d'Artigny , SO : 2 km par D 17 47 26 24 24, Télex 750900, parc, « Jardin, sur l'Indre, pavillon au bord de la rivière (8 ch) », – – 30/70. VISA
fermé 1er déc. au 10 janv. – SC : **R** 200/350 – 53 – **48 ch** 495/960, 7 appartements 660/1 100
Spéc. Homard au Chinon et à la moëlle, Veau de lait rôti et chartreuse d'écrevisses, Charlotte aux fruits rouges. **Vins** Sauvignon de Touraine, Chinon.

Domaine de la Tortinière , N : 2 km par N 10 et D 287 47 26 00 19, « dans un parc vallée de l'Indre », – – 30. E VISA. rest
1er mars-15 nov. – SC : **R** *(fermé mardi midi et lundi en mars et du 15 oct. au 15 nov.)* carte 190 à 265 – 40 – **14 ch** 300/540, 7 appartements 550/650
Spéc. Escalope de sandre à la graine de moutarde, Pigeonneau de Touraine rôti, Gratin de fruits de saison. **Vins** Vouvray, Chinon.

Relais de Touraine M , N : 2 km rte Tours 47 26 06 57, , parc – wc wc – 50. AE E VISA
SC : **R** *(fermé dim. soir et lundi)* 100/240 – 25 – **21 ch** 220/260 – P 380/400.

XXX **La Chancelière,** 1 pl. Marronniers 47 26 00 67 – wc . AE VISA
fermé 12 nov. au 1er déc., 2 au 12 janv., dim. soir et lundi sauf fériés – SC : **R** carte 200 à 310
Spéc. Langoustines aux huiles parfumées, Dos de saumon à la fleur de sel, Pigeon rôti aux figues (sept. à fin oct.). **Vins** Chinon, Vouvray.

à l'ouest : 5 km par N 10, D 287 et D 87 – 37250 Montbazon :

XX **Moulin fleuri** avec ch, 47 26 01 12, , « Terrasse au bord de l'Indre », – . AE VISA
fermé 15 au 30 oct., 1er au 20 fév. et lundi sauf fériés – SC : **R** carte 100 à 185 – 22 – **10 ch** 59/171 – P 178/257.

PEUGEOT-TALBOT Gar. Rousseau, 47 26 06 50

MONTBÉLIARD 25200 Doubs 66 ⑧ G. Jura – 33 362 h. alt. 318.

18 de Prunevelle 81 98 11 77 par ④ : 10 km.

Office de Tourisme 1 r. H.-Mouhot 81 94 45 60.

Paris 484 ⑤ – ♦Bâle 72 ③ – Belfort 22 ② – ♦Besançon 81 ⑤ – Pontarlier 108 ⑤ – Vesoul 62 ①.

Plan page ci-contre

Bristol sans rest, 2 r. Velotte 81 94 43 17 – wc wc . VISA.
fermé août – SC : 17 – **39 ch** 85/225. BZ **b**

Joffre sans rest, 34 bis av. Mar.-Joffre 81 94 44 64 – wc wc . E VISA BY **a**
fermé 1er au 15 août, et dim. hors sais. – SC : 15,50 – **30 ch** 148/220.

Ibis M, r. J.-Foillet 81 90 21 58, Télex 361555 – wc – 40. E VISA
SC : **R** *(fermé le midi des dim. et fêtes)* carte environ 85 – 21 – **62 ch** 180/210. BY **v**

France sans rest, 40 r. Audincourt 81 90 21 48, – wc . VISA
SC : 16 – **15 ch** 77/192. BY **e**

XXX **Tour Henriette,** 59 fg Besançon ☎ 81 91 03 24 – AE ⊕ E VISA — AY **r**
fermé 28 juil. au 27 août, dim. (sauf le midi d'août à mai) et lundi soir – **SC** : **R** 97 (sauf fêtes)/270 ₰.

XX **Le Comté,** 18 r. Belfort ☎ 81 91 48 42 – E
fermé 4 au 24 août, 22 déc. au 5 janv., vend. soir, sam. midi et dim. soir – **SC** : **R** 86/135.

X **Bistro au Boeuf,** 1 r. Gén.-Leclerc ☎ 81 91 18 37 – ⊕ E VISA — AZ **u**
fermé jeudi soir et dim. – **R** carte 105 à 170.

tourner →

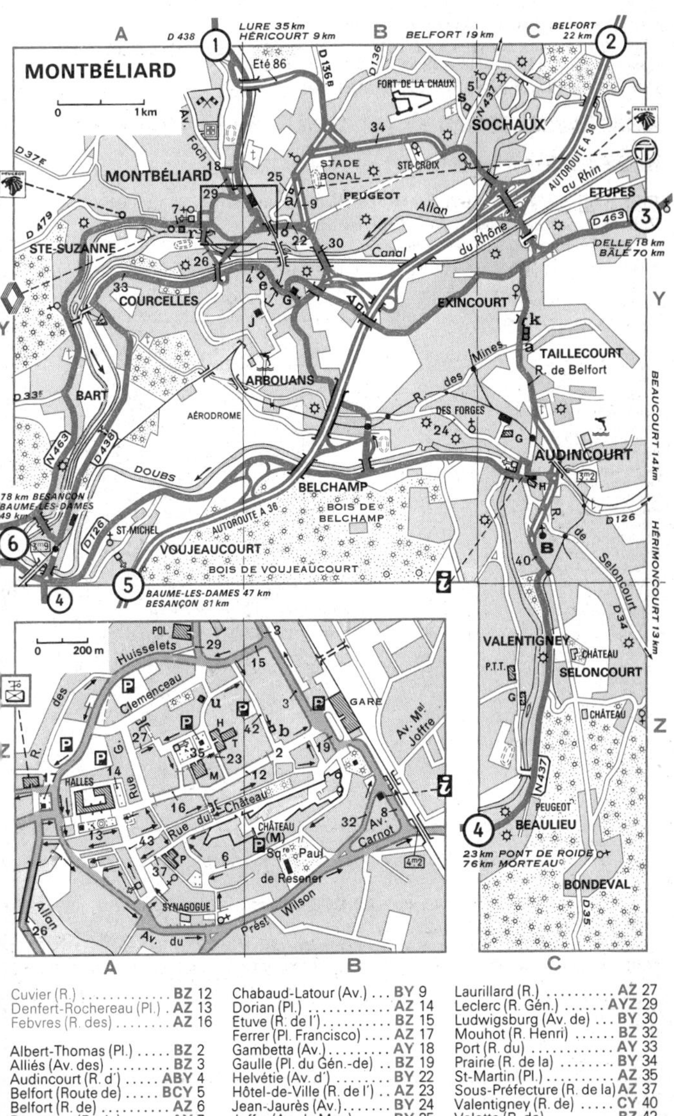

Cuvier (R.) . . . . BZ 12
Denfert-Rochereau (Pl.) . AZ 13
Febvres (R. des) . . . . AZ 16

Albert-Thomas (Pl.) . . . . . BZ 2
Alliés (Av. des) . . . . BZ 3
Audincourt (R. d') . . . . . ABY 4
Belfort (Route de) . . . . . BCY 5
Belfort (R. de) . . . . AZ 6
Besançon (Fg de) . . . . AY 7
Briand (R. Aristide) . . . . . . BZ 8

Chabaud-Latour (Av.) . . . BY 9
Dorian (Pl.) . . . . AZ 14
Etuve (R. de l') . . . . BZ 15
Ferrer (Pl. Francisco) . . . . AZ 17
Gambetta (Av.) . . . . AY 18
Gaulle (Pl. du Gén.-de) . . BZ 19
Helvétie (Av. d') . . . . BY 22
Hôtel-de-Ville (R. de l') . . AZ 23
Jean-Jaurès (Av.) . . . . BY 24
Joffre (Av. du Mar.) . . . . . BY 25
Lalance (R. Ch.) . . . . AYZ 26

Laurillard (R.) . . . . AZ 27
Leclerc (R. Gén.) . . . . . . AYZ 29
Ludwigsburg (Av. de) . . . BY 30
Mouhot (R. Henri) . . . . . . BZ 32
Port (R. du) . . . . AY 33
Prairie (R. de la) . . . . BY 34
St-Martin (Pl.) . . . . AZ 35
Sous-Préfecture (R. de la) AZ 37
Valentigney (R. de) . . . . . CY 40
Velotte (R. de) . . . . BZ 42
Viette (R.) . . . . AZ 43

FIAT Mercier, r. Keller à Arbouans ✆ 81 35 57 62
PEUGEOT-TALBOT Succursale, 16 av. Helvétie ✆ 81 94 52 15
PEUGEOT Gar. de la Croisée, 104 fg. de Besançon ✆ 81 91 05 50

RENAULT Gar. Stiedel et Blazer, 87 fg Besançon ✆ 81 96 75 75 N

Pneus et Services D.K, 7a r. du Port ✆ 81 98 25 29 Z.I. du Charmontet 20 r. Jeanperrin ✆ 81 95 38 33

CONSTRUCTEUR : S.A. des Automobiles Peugeot, BY ✆ **81 91 83 42**

MONTBENOIT **25650** Doubs **70** ⑦ **G. Jura** – 163 h. alt. 782.
Voir Ancienne abbaye★ : stalles★★, niche abbatiale★.
Syndicat d'Initiative (juin-sept.) ✆ 81 38 10 32.
Paris 464 – ♦Besançon 68 – Morteau 17 – Pontarlier 14.

Bon Repos, N : 1,5 km ✆ 81 38 10 77, ←, – wc wc Ⓟ. E VISA
SC : **R** 50/180 – 18 – **19 ch** 170/220 – P 210/220.

PEUGEOT Gar. Querry, ✆ 81 38 11 89 N ✆ 81 38 10 99

MONT-BLANC (Tunnel du) **74** H.-Savoie **74** ⑧⑨ **G. Alpes** – voir à Chamonix-Mont-Blanc.

MONTBONNOT **38** Isère **77** ⑤ – rattaché à Grenoble.

MONTBRISON **42600** Loire **73** ⑰ **G. Vallée du Rhône** – 11 143 h. alt. 394.
Voir Intérieur★ de l'église N.-D.-d'Espérance B.
Office de Tourisme cloître des Cordeliers ✆ 77 58 20 44.
Paris 511 ② – ♦Lyon 95 ③ – Le Puy 105 ③ – Roanne 66 ② – ♦St-Étienne 35 ③ – Thiers 68 ①.

MONTBRISON

Boyer (R. Simon) ... 6
Marché (R. du) ... 16
Tupinerie (R.) ... 32

Astrée (Quai de l') ... 2
Beaune (Pl. E.) ... 3
Bernard (R. M.) ... 4
Bout-du-Monde (R. du) ... 5
Chavassieu (Bd) ... 7
Combattants (Pl. des) ... 8
Gambetta (Bd) ... 9
Hôpital (R. de l') ... 10
Libération (R. de la) ... 13
Madeleine (Bd de la) ... 15
Notre-Dame (R.) ... 17
Palais-de-Justice (R. du) ... 18
Papon (R. Loys) ... 19
Pasteur (R.) ... 20
Pénitents (Pl. et R. des) ... 21
Puy-de-la-Bâtie (R. du) ... 25
République (R. de la) ... 27
St-Jean (R. du Fg) ... 28
St-Jean (R.) ... 29
St-Pierre (R.) ... 30

Pour un bon usage des plans de villes, voir les signes conventionnels p. 23.

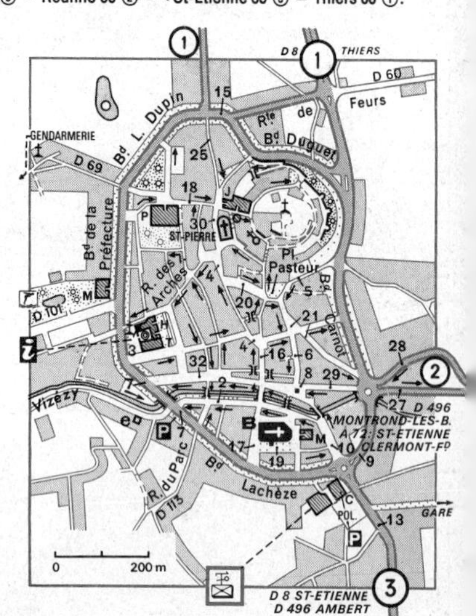

Host. Lion d'Or, 14 quai Eaux-Minérales **(e)** ✆ **77 58 34 66** – wc wc . VISA
fermé 1er au 22 sept., vacances de fév., dim. soir et lundi – SC : **R** 57/220 – 17 – **14 ch** 78/190.

à Champdieu par ① : 4,5 km – **42600** Montbrison – **Voir Église★.**

Le Prieuré, ✆ **77 58 31 21** – Ⓟ.
fermé août, dim. soir, soirs de fêtes et jeudi – SC : **R** 45/220.

FORD Montagny, av. Ch.-de-Gaulle ✆ 77 58 29 99
LADA, SKODA Gar. Dumas, 34 av. Libération ✆ 77 58 15 22
OPEL Forez-Autos, av. P.-Cézanne, Beauregard ✆ 77 58 02 59
OPEL Sabatier, r. des Moulins ✆ 77 58 12 02
PEUGEOT-TALBOT Bourgier, 36 r. République par ② ✆ 77 58 21 55

RENAULT Gar. Mathieu, 8 rte de St-Étienne par ③ ✆ 77 58 30 48 N
V.A.G. Gar. du Parc, 2 rte de St-Étienne ✆ 77 58 15 66

Chasseing-Pneus, 12 bd de la Madeleine ✆ 77 58 26 48
Jamet-Pneus, 4 ter bd L.-Dupin ✆ 77 58 11 66

MONTCABRIER **46** Lot **79** ⑥⑦ – rattaché à Fumel (L.-et-G.).

MONTCEAU-LES-MINES 71300 S.-et-L. 69 ⑰⑱ **G. Bourgogne** – 26 949 h. alt. 287.

Env. Mont-St-Vincent : tour ✻** 12 km par ③.

Office de Tourisme 1 pl. Hôtel de Ville ✆ 85 57 38 51.

Paris 334 ② – Autun 43 ① – Chalon-sur-S. 45 ② – Mâcon 68 ③ – Moulins 90 ④ – Roanne 90 ④.

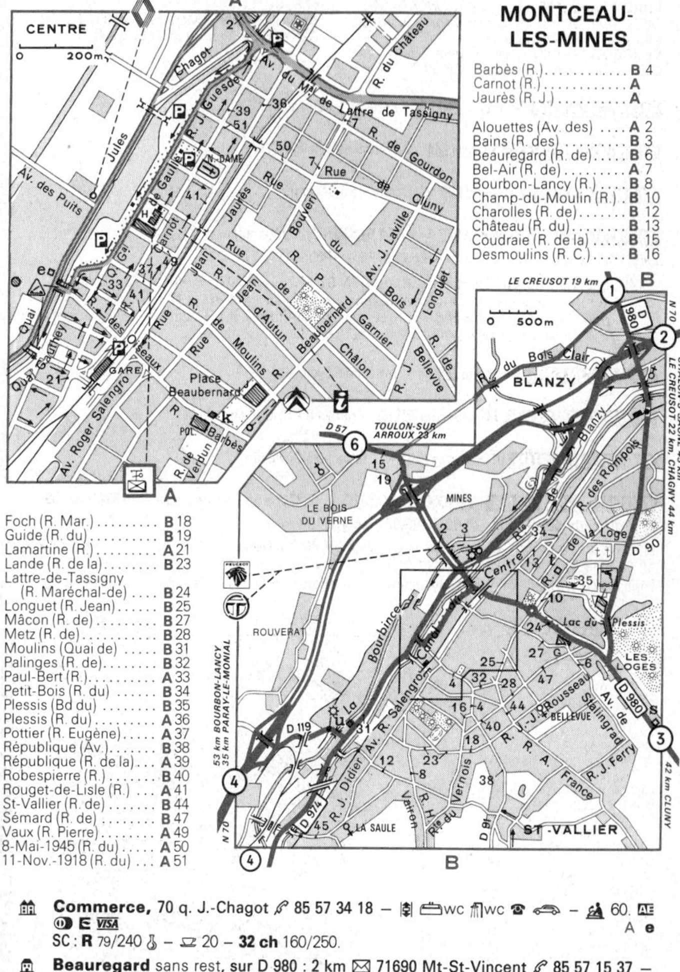

🏨 **Commerce,** 70 q. J.-Chagot ✆ 85 57 34 18 – 🛗 ⇔wc ⋒wc ☎ 🚗 – 🏛 60. AE ① E VISA — A **e**
SC : **R** 79/240 🍷 – ☕ 20 – **32 ch** 160/250.

🏨 **Beauregard** sans rest, sur D 980 : 2 km ✉ 71690 Mt-St-Vincent ✆ 85 57 15 37 – ⋒wc ☎ Ⓟ — B **s**
fermé 31 mars au 7 avril, vacances de Noël et vend. du 1er oct. au 1er avril – SC : ☕ 17,50 – **12 ch** 85/165.

🏨 **Lac** sans rest, 58 r. de la Loge ✆ 85 57 18 22 – ⋒. ✻ — B **t**
SC : ☕ 15,50 – **20 ch** 69/149.

✗✗ **France** avec ch, 7 pl. Beaubernard ✆ 85 57 26 64 – ⇔wc. VISA — A **k**
fermé fin juil. à fin août et lundi – SC : **R** 52/160 – ☕ 18 – **11 ch** 60/149.

✗ **Moulin de Galuzot,** 1,5 km sur D974 ✆ 85 57 18 85 – Ⓟ. E VISA — B **u**
fermé mi-juin à mi-juil., mardi soir et merc. – SC : **R** 50/120 🍷.

par ③ : 4 km sur D 980 :

🏨 **Aub. Plain-Joly,** ✉ 71690 Mont-St-Vincent ✆ 85 57 24 74, 🌳, ✗ – Ⓟ
SC : **R** 44/79 – ☕ 15 – **10 ch** 74/152 – P 140.

MONTCEAU-LES-MINES

ALFA ROMEO-NISSAN-VOLVO Chemarin, rte Express, av. Mar.-Leclerc ℘ 85 57 09 23
CITROEN Repiquet, 57 r. Beaubernard ℘ 85 57 16 45
FIAT Gar. Bon, 9 r. de la Coudraie, Le Bois-du-Verne ℘ 85 57 34 55
FORD Tramoy, 52 r. de la Lande ℘ 85 57 04 11
OPEL Gar. Brenot, rte Express sortie Nord, av. Mar.-Leclerc ℘ 85 57 39 83
PEUGEOT-TALBOT Gar. Rebeuf-Garnier, rte Express, av. Mar. Leclerc ℘ 85 57 29 30

RENAULT Gar. Central, quai J.-Chagot ℘ 85 57 25 17
V.A.G. Gar. Dufour, 124 r. de la Coudraie, Le Bois-du-Verne ℘ 85 57 23 81

Goésin, D 974, Zone Ind. des Alouettes ℘ 85 57 36 01
Okrzesik, bd de la Maugrand ℘ 85 57 47 00
Okrzesik, 9 r. Verdun ℘ 85 57 00 55

MONTCHANIN 71 S.-et-L. 69 ⑧ – rattaché au Creusot.

MONTCHAUVROT 39 Jura 70 ④ – rattaché à Poligny.

MONTCHAVIN 73 Savoie 74 ⑱ – rattaché à Bellentre.

MONTCHENOT 51 Marne 56 ⑯ – ✉ 51500 Rilly-la-Montagne.
Paris 153 – Châlons-sur-Marne 40 – Epernay 16 – •Reims 11.

XXX ✿ **Aub. du Gd Cerf** (Guichaoua), N 51 ℘ 26 97 60 07, ≤, – Ⓟ. AE E VISA
fermé 4 au 27 août, 24 déc. au 2 janv., mardi soir et merc. – **R** 150/270
Spéc. Tian de homard et poisson au vinaigre de Champagne, Estouffade de bar aux légumes, Millefeuille au maroilles. **Vins** Le Mesnil-sur-Oger, Chigny-les-Roses.

MONT-CINDRE 69 Rhône 74 ⑪ – rattaché à Lyon.

MONT-D'ARBOIS 74 H.-Savoie 74 ⑧ – rattaché à St-Gervais.

MONT-DAUPHIN 05 H.-Alpes 77 ⑱ – rattaché à Guillestre.

MONT-DE-MARSAN P 40000 Landes 82 ① **G. Côte de l'Atlantique** – 30 894 h. alt. 58.
Golf club du Marsan ℘ **58 75 63 05 par ① : 10 km.**
Office de Tourisme 22 r. Victor-Hugo ℘ 58 46 40 40, Télex 540742 - A.C. av. du Corps Franc Pommiès à St-Pierre-du-Mont ℘ 58 75 03 24.
Paris 706 ① – Agen 108 ① – •Bayonne 101 ⑥ – •Bordeaux 127 ① – Pau 88 ③ – Tarbes 100 ③.

MONT-DE MARSAN

Bastiat (R. F.) .... ABZ
Dulamon (R. A.) .... AY
Gambetta (R. L.) .... BZ 12
Lesbazeilles (R. A.) .... BZ 18
St-Jean-d'Août (R. et ⊞) .... AY 24

Alsace-Lorraine (R. d') . AZ 2
Bosquet (R. du Mar.) ... AZ 3
Briand (Av. Aristide) .... BZ 4
Brouchet (Allées) ...... BZ 5
Carnot (Av. Sadi) ...... BZ 6
Delamarre (Bd) .... BZ 8
Despiau (R. Ch.) .... AZ 9
Farbos (Av. Henri) ..... AY 10
Gaulle (Pl. Charles-de) ..... BY 13
Gourgues (R. D.-de) ... AY 14
Landes (R. L. des) ...... BZ 15
Lasserre (R. Gén.) ..... AZ 16
Lattre-de-Tassigny (Bd de) .... BY 17
Madeleine (⊞) .... BY
Martinon (R.) .... BZ 19
Pancaut (Pl. J.) .... AZ 20
Poincaré (Pl. R.) .... AY 21
Président-Kennedy (Av. du) .... BZ 22
St-Roch (Pl.) .... BZ 25
8-Mai-1945 (R. du) ..... BY 27
34e-d'Inf. (Av. du) ...... BZ 28

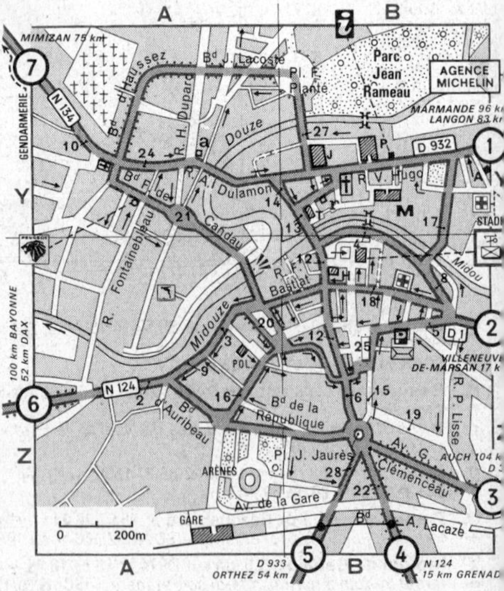

Richelieu, 3 r. Wlerick ℘ 58 06 10 20 – wc wc – 80. AE E VISA BY r
fermé 11 au 22 janv. – SC : **R** 62/180 – 18,50 – **70 ch** 82/175 – P 185/270.

✗ **Le Midou** avec ch, 12 pl. Porte-Campet ✆ **58 75 24 26** – ⋔. AE ⓓ VISA AY **a**
R 55/98 – ☐ 15,50 – **9 ch** 63/108 – P 102.

✗ **Zanchettin** (Rendez-vous des boulistes) avec ch, à **St-Médard par** ② : **3 km**
✆ **58 75 19 52**, ⌂, ⌂ – ⌂wc ⋔wc **P**
fermé 17 août au 9 sept., vacances de fév., lundi (sauf hôtel) et dim. soir – **SC: R** 42/85 – ☐ 12,50 – **9 ch** 85/160 – P 145/185.

MICHELIN, Agence, r. de la Ferme-de-Larrouquère, Zone Ind. par ① ✆ **58 46 29 54**

ALFA-ROMEO, DATSUN Mesplède, 56 av. H.-Farbos ✆ 58 75 98 88
AUSTIN, ROVER Gar. Continental, 839 av. Mar.-Foch ✆ 58 06 32 32
CITROEN Mont-de-Marsan Autom., 1596 av. Mar. Juin par ① ✆ 58 75 12 10
FORD La Hiroire-Auto, 995 bd d'Alingsas ✆ 58 75 36 62
MERCEDES-BENZ, V.A.G. Lafargue, 2316 av. Mar.-Juin ✆ 58 46 17 80

PEUGEOT-TALBOT Labarthe, av. Corps Franc Pommiés à St-Pierre-du-Mont par ⑥ ✆ 58 75 44 55 **N**
PEUGEOT Hiquet, 19 bd Candau ✆ 58 75 02 32
RENAULT Dupeyron, 935 av. Mar.-Juin par ① ✆ 58 46 14 80 **N**

Ⓜ Pedarré Pneus, 14 bd Candau ✆ 58 75 01 18

MONTDIDIER

<SP> **80500** Somme **52** ⑲ **G. Flandres, Artois, Picardie** – **6 282 h. alt. 97.**

i Syndicat d'Initiative pl. Gén.-de-Gaulle ✆ 22 78 09 20.

Paris 108 ③ – ♦**Amiens 40** ⑥ – **Beauvais 49** ⑤ – **Péronne 47** ② – **St-Quentin 64** ②.

MONTDIDIER

Albert-1er (R.) 2
Briand (R. Aristide) 3
Gaulle (Pl. du Gén.-de) 13
Parmentier (R.) 18
République (Pl. de la) 19

Clemenceau (Av. Georges) 4
Collège (R. du) 6
Debeney (Bd) 8
Doumer (Av. Paul) 9
France (R. Anatole) 10
Gambetta (R.) 12
Jaurès (R. Jean) 14
Leclerc (Av.) 15
Leconte (Av. Maurice) 16
Paris (R. de) 17
St-Pierre (R. et ⊞) 21
St-Sépulcre (⊞) 22
Santerre (R. du) 23
Vienne (R. Armand de) 24
Volontaires (Av. des) 26

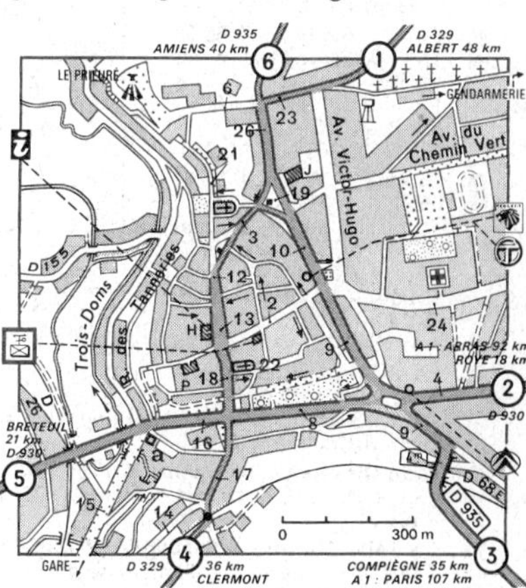

⌂ **Dijon,** 1 pl. 10-Août 1918 **(a)** ✆ **22 78 01 35** – ⋔. **E** VISA
fermé 1er au 22 janv., 14 au 22 août, dim. soir et lundi midi – **SC: R** 50/240 – ☐ 16,50 – **14 ch** 78/140.

CITROEN Bonnement, 1 pl. Mar.-Foch ✆ 22 78 01 43
PEUGEOT-TALBOT Lefevre, 11 pl. Faidherbe ✆ 22 78 00 90 **N** ✆ 22 78 17 38

Ⓜ Leflamand, 30 av. M.-Leconte ✆ 22 37 08 67

Le MONT-DORE

63240 P.-de-D. **73** ⑬ **G. Auvergne** – **2 394 h. alt. 1 050** – **Stat. therm. (15 mai-30 sept.)** – **Sports d'hiver : 1 070/1 850 m** ⛷**2** ⛷**19**, ⛷ – **Casino Z.**

Voir Puy de Sancy ⁂★★★ (voir à Sancy) – **Cascade du Queureuilh**★ **2 km par** ① **puis 30 mn** – **Env. Col de Guéry** ≤★★ **sur roches Tuilière et Sanadoire**★★ **et lac**★ **9 km par** ① – **Col de la Croix-St-Robert** ⁂★★ **6,5 km par** ②.

⛳ **du Rigolet** ✆ **73 65 00 79 par** ③ **: 2,5 km.**

i Office de Tourisme av. Gén.-Leclerc ✆ 73 65 20 21, Télex 990332.

Paris 436 ① – **Aubusson 95** ⑤ – ♦**Clermont-Fd 44** ① – **Issoire 51** ① – **Mauriac 76** ④ – **Ussel 59** ④.

Plan page suivante

⌂ **Panorama** ⌂, av. Libération ✆ **73 65 11 12**, ≤, ⌂ – ⌂ ⌂wc ⋔wc ☎ **P**. VISA.
⌂ rest Z **u**
15 mai-30 sept. et 20 déc.-Pâques – **SC: R** 85/185 – ☐ 21 – **40 ch** 150/260 – P 220/300.

⌂ **Oise,** av. Libération ✆ **73 65 04 68**, ≤ – ⌂wc ⋔wc ☎ Z **p**
15 mai-30 sept. et 20 déc.-Pâques – **SC: R** 70/91 – ☐ 19 – **48 ch** 93/216 – P 186/255.

⌂ **Nouvel H.,** r. J.-Moulin ✆ **73 65 11 34** – ⌂ ⌂wc ⋔wc ☎. AE ⓓ VISA Z **g**
10 mai-30 sept. et 18 déc.-15 avril – **SC: R** 52/92 – ☐ 16,50 – **65 ch** 126/162 – P 200/265.

Castelet, av. M.-Bertrand ✆ 73 65 05 29, ⛶, 🍴 – 🛗 🛁wc ☎ 🅟 – 🏠 50. 🅓 E VISA. ✗ rest
25 mai-30 sept. et 25 déc.-10 avril – SC : **R** 72/130 – 🍵 19 – **38 ch** 180/224 – P 250/300. Y **t**

Cascades, av. G.-Clemenceau ✆ 73 65 01 36, 🍴 – 🚿wc ☎. VISA. ✗
15 mai-25 sept. et 20 déc.-1er avril – SC : **R** 60/100 – 🍵 16 – **25 ch** 50/175 – P 250. Z **z**

Les Mouflons 🌿 sans rest, par ② rte du Sancy : 0,5 km ✆ 73 65 02 90, ≤ – 🚿 ☎ 🅟. E
fermé 18 au 28 avril, et 25 oct. au 15 déc. – SC : 🍵 14 – **29 ch** 76/135.

Paix, r. Rigny ✆ 73 65 00 17 – 🛗 🛁wc 🚿wc ☎. AE 🅓 VISA Z **n**
fermé 8 oct. au 22 déc. – SC : **R** 55/120 – 🍵 15,50 – **36 ch** 120/165 – P 210/250.

Russie, r. Favart ✆ 73 65 05 97 – 🛗 🛁wc ☎. VISA
15 mai-30 sept., vacances de fév. et week-end du 15 déc. à Pâques. – SC : **R** 58/95 🍷 – 🍵 14,50 – **40 ch** 88/140 – P 175/215. Y **a**

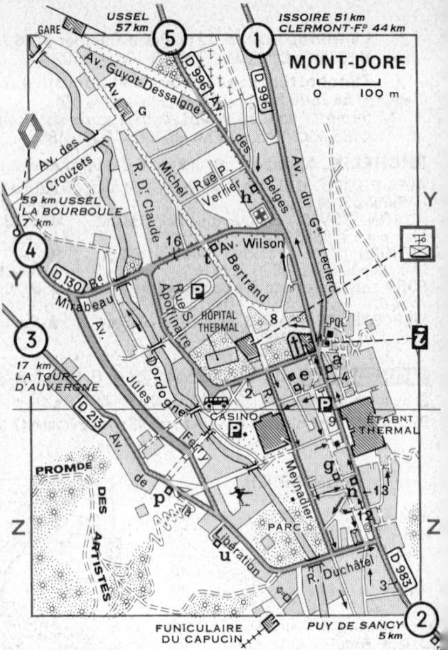

Favart (R.) . . . . **Y** 4	Chazotte (R. Capitaine) **Y** 2
Panthéon (Pl. du) . . . . . **Z** 9	Clemenceau (Av.) . . . . . . **Z** 3
République (Pl. de la) . . **Z** 12	Gaulle (Pl. Ch.-de) . . . . . **Y** 8
Rigny (R.) . . . . **Z** 13	19 Mars 1962 (R. du) . . . **Y** 16

La Ruche, av. Belges ✆ 73 65 05 93 – 🚿 🅟. ✗
20 mai-30 sept., en hiver : week-end et vacances scolaires – SC : **R** 62/90 – 🍵 18 – **25 ch** 70/160 – P 150/210. Y **h**

Mon Clocher, r. Sauvagnat ✆ 73 65 05 41 – 🚿 Y **e**
15 mai-30 sept. et 26 déc.-fin mars – SC : **R** 41/75 🍷 – 🍵 15 – **32 ch** 81/140 – P 160/210.

La Belle Epoque, r. Sauvagnat ✆ 73 65 07 68 – AE 🅓 E VISA Y **e**
fermé 25 oct. au 1er déc. et merc. sauf juil.-août – SC : **R** (nombre de couverts limité, prévenir) 102/155 sauf fêtes.

au Genestoux par ⑤ : 3,5 km sur D 996 – ✉ **63240** Mont-Dore :

Le Pitsounet, ✆ 73 65 00 67, ≤, 🍴 – 🅟
fermé 15 oct. à fin nov. et lundi sauf juil.-août – SC : **R** (nombre de couverts limité - prévenir) 45/80 🍷.

au pied du Sancy par ② : 4 km – ✉ **63240** Mont-Dore :

Puy Ferrand 🌿, ✆ 73 65 18 99, ≤ le Sancy – 🛗 🛁wc 🚿wc ☎ 🅟. AE 🅓 E VISA. ✗ rest
15 mai-30 sept. et 15 déc.-15 avril – SC : **R** 89/180 – 🍵 20 – **43 ch** 190 – P 240/290.

CITROEN Gar. Des Pics, par ② ✆ 73 65 06 38
FORD Gar. Delbos, ✆ 73 65 01 55
RENAULT Gar. des Thermes, 5-7 bd Mirabeau ✆ 73 62 02 33

MONTE-CARLO Principauté de Monaco 84 ⑩, 195 ㉗㉘ – voir à Monaco.

MONTECH 82700 T.-et-G. 79 ⑰ – 2 788 h. alt. 112.
Voir Pente d'eau★ N : 1 km, G. Pyrénées.
Paris 665 – Auch 73 – Beaumont-de-Lomagne 23 – Castelsarrasin 14 – Montauban 13 – ♦Toulouse 48.

Notre Dame, pl. Jean-Jaurès ✆ 63 31 71 45 – 🛁wc 🚿wc ☎. 🅓 E VISA
fermé 1er au 15 nov. – SC : **R** 55/130 – 🍵 17 – **13 ch** 120/160 – P 180/240.

France, ✆ 63 31 70 38 – 🚿. VISA
fermé fév. – SC : **R** *(fermé dim. soir)* 42/120 🍷 – 🍵 13 – **15 ch** 54/122 – P 100/140.

CITROEN Gar. Moderne, ✆ 63 31 70 21

MONTÉLIMAR 26200 Drôme 81 ① G. Vallée du Rhône – 30 213 h. alt. 81.

Env. Site★★ du Château de Rochemaure, 7 km par ⑤ – Pic de Chenavari ≤★★ 13 km par ④ et N 86 puis 30 mn.

Office de Tourisme allées Champs-de-Mars ☏ 75 01 00 20.

Paris 606 ① – Aix-en-Provence 152 ③ – Alès 103 ③ – Avignon 82 ③ – Nîmes 106 ③ – Le Puy 134 ④ – Salon-de-Provence 118 ③ – Valence 46 ①.

Parc Chabaud ⑤, 16 av. d'Aygu ☏ 75 01 65 66, Télex 345324, « Bel aménagement intérieur, parc » – ⎈ TV ☎ ⇔ P – 25 à 200. AE ⓓ VISA Z r
fermé 24 déc. au 1er fév. – SC : **R** *(fermé sam.et dim.)* 200 – ☕ 35 – **22 ch** 375/490.

Relais de l'Empereur, pl. Marx-Dormoy ☏ 75 01 29 00, Télex 345537 – TV ⇔ P. AE ⓓ E VISA
fermé 11 nov. au 20 déc. – SC : **R** 168 – ☕ 32 – **40 ch** 318/488. Z f

Sphinx sans rest, 19 bd Desmarais ☏ 75 01 86 64 – ⇔wc ⇔wc ☎ P. VISA
SC : ☕ 20 – **25 ch** 120/220. Y b

Printemps ⑤, chemin Manche ☏ 75 01 32 63, ☂, ⇔ – ⇔wc ⇔wc ☎ P. ✂ rest Y u
fermé 20 au 26 mai, 9 nov. au 31 janv. et dim. sauf vacances scolaires. – SC : **R** (dîner seul.) 75/160 – ☕ 17 – **16 ch** 100/200.

Beausoleil sans rest, 14 bd Pêcher ☏ 75 01 19 80 – ⇔wc ☎ P Y s
fermé 8 au 26 août – SC : ☕ 16,50 – **16 ch** 100/200.

Briand M ⑤, chemin du Roubion ☏ 75 01 77 99, ⇔, – ⇔wc ⇔wc ☎ ♿ P. VISA Y a
R (dîner résidents seul.) 75/90 – ☕ 20 – **18 ch** 133/193.

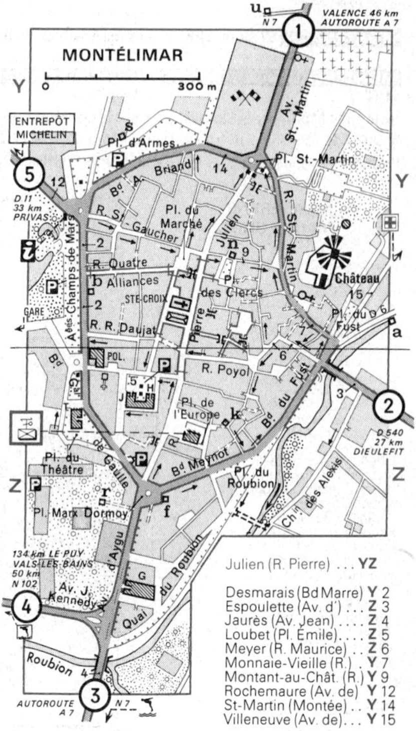

Provence sans rest, rte Marseille par ③ ☏ 75 01 11 67 – ⇔wc ⇔wc ☎ ⇔ P
fermé nov. et sam. de déc. à mars – SC : ☕ 18 – **16 ch** 90/145.

Pierre ⑤ sans rest, 7 pl. Clercs ☏ 75 01 33 16 – ⇔wc Y n
SC : ☕ 15 – **11 ch** 86/130.

Le Grillon, 40 r. Cuiraterie ☏ 75 01 79 02 – AE VISA. ✂ Z k
fermé 15 déc. au 15 janv., dim. midi hors sais. et merc. – **R** 85/120, dîner à la carte.

Par la sortie ③

route de Donzère : 9 km sur D 144A à hauteur échangeur sud – ✉ **26780** Malataverne :

✿ **Domaine du Colombier** (Barette) ⑤, ☏ 75 51 65 86, ≤, parc, ☂, ⛱ – ▤ rest ⇔wc ☎ P – 🏛 30. AE ⓓ VISA
fermé fév. – SC : **R** *(fermé dim. soir sauf résidents et lundi midi hors sais.)* 120/180 – ☕ 40 – **11 ch** 320/400 – P 400/490
Spéc. Terrine de foie gras frais, Poulet fermier aux fruits de mer, Pigeonneau en cocotte. **Vins** Coteaux du Tricastin, Vacqueyras.

MICHELIN, Entrepôt, Z.A. du Meyrol par av. Rochemaure par ⑤ ☏ **75 01 80 91**

ALFA-ROMEO Gar. des Charmettes, r. de la Glacière ☏ 75 01 12 51
AUSTIN-ROVER Gar. du Meyrol, Z.A. du Meyrol ☏ 75 51 80 09
CITROEN Magne, 9 av. J.-Jaurès par ③ ☏ 75 01 20 55 N ☏ 75 51 20 60
FIAT, LANCIA-AUTOBIANCHI Gar. Bernard, Zone Ind., Déviation Poids-Lourds Sud ☏ 75 51 86 75
FORD Peyrouse, Zone Ind. Sud, rte Châteauneuf ☏ 75 01 39 16
OPEL S.A.V.E.R.A., 33 bd du Gal-de-Gaulle ☏ 75 01 08 07

tourner →

PEUGEOT-TALBOT Moulin, rte Marseille, le Grand Pélican par ③ ℘ 75 01 74 99 **N** ℘ 75 01 57 04
RENAULT Ets Jean, rte Valence par ① ℘ 75 01 77 00
RENAULT Sud-Automobile, rte Marseille par ③ ℘ 75 01 33 44

Ayme-Pneus, 71 av. du Teil ℘ 75 01 32 77
Hennion-Pneus, Zone Art. du Meyrol, Déviation Poids-Lourds Nord ℘ 75 01 50 21
Piot-Pneu, 112 av. J.-Jaurès ℘ 75 01 88 11
Plantin-Pneus, 71 av. J.-Jaurès ℘ 75 01 18 33

MONTENACH **57 Moselle 57 ④ – rattaché à Sierck-les-Bains.**

MONTEREAU-FAULT-YONNE **77130** S.-et-M. **61** ⑬, **196** ㊼ **G. Environs de Paris** – **19 557** h. alt. 52.

Voir au N Montereau-Surville : ≤★ sur le confluent de la Seine et de l'Yonne, 15 mn.

Office de Tourisme 2 bis r. Danièle-Casanova ℘ (1) 64 32 07 76.

Paris 88 ④ – Fontainebleau 22 ④ – Meaux 72 ⑤ – Melun 30 ⑤ – Sens 36 ③ – Troyes 97 ③.

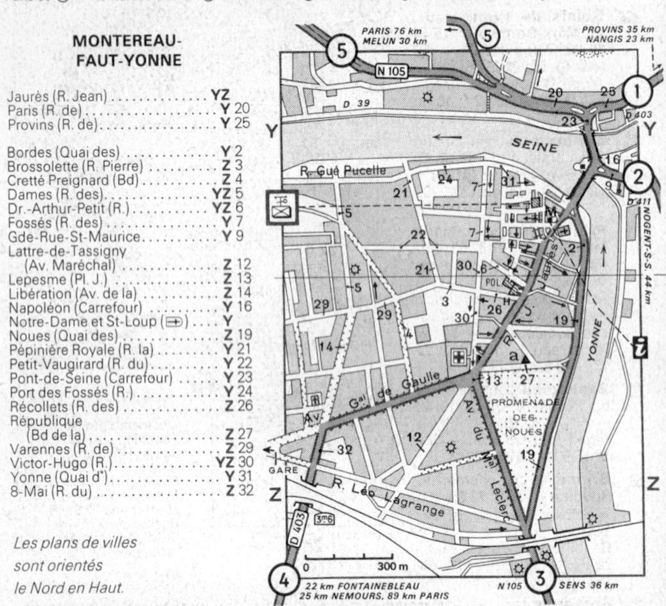

MONTEREAU-FAUT-YONNE

Jaurès (R. Jean) .... **YZ**
Paris (R. de) .... **Y** 20
Provins (R. de) .... **Y** 25

Bordes (Quai des) .... **Y** 2
Brossolette (R. Pierre) .... **Z** 3
Cretté Preignard (Bd) .... **Z** 4
Dames (R. des) .... **YZ** 5
Dr.-Arthur-Petit (R.) .... **YZ** 6
Fossés (R. des) .... **Y** 7
Gde-Rue-St-Maurice .... **Y** 9
Lattre-de-Tassigny (Av. Maréchal) .... **Z** 12
Lepesme (Pl. J.) .... **Z** 13
Libération (Av. de la) .... **Z** 14
Napoléon (Carrefour) .... **Y** 16
Notre-Dame et St-Loup (⊞) .... **Y**
Noues (Quai des) .... **Z** 19
Pépinière Royale (R. la) .... **Y** 21
Petit-Vaugirard (R. du) .... **Y** 22
Pont-de-Seine (Carrefour) .... **Y** 23
Port des Fossés (R.) .... **Y** 24
Récollets (R. des) .... **Z** 26
République (Bd de la) .... **Z** 27
Varennes (R. de) .... **Z** 29
Victor-Hugo (R.) .... **YZ** 30
Yonne (Quai d') .... **Y** 31
8-Mai (R. du) .... **Z** 32

Les plans de villes sont orientés le Nord en Haut.

✗ **Aub. des Noues,** 22 r. Arches ℘ (1) 64 32 05 34, 🍴 — Z a
fermé août, lundi et le soir – SC : **R** 70/150.

à Flagy **par ④ et D 120 : 10 km** – ✉ **77156** Thoury-Ferottes :

✗✗✗ **Au Moulin** avec ch, ℘ (1) 60 96 67 89, 🍴, **« Moulin du 13e s. »,** – wc ☎ **P**. AE ① VISA
fermé 15 au 27 sept., 19 déc. au 23 janv., dim. soir et lundi – SC : **R** 81/161 – **10 ch** 132/228 – P 278/342.

AUSTIN-ROVER Huttepain, 5 et 7 r. E.-Fortin ℘ (1) 64 32 03 16
FORD Gar. Félix, 14 bd Gén.-Leclerc ℘ (1) 64 32 00 76
OPEL Gar. Domergue, 5 r. Habert ℘ (1) 64 32 02 48
PEUGEOT-TALBOT Marro, 11 r. du Chatelet par av. Gén. de Gaulle ℘ (1) 64 32 02 16

RENAULT Coulet, av. 8-Mai-1945 à Varennes-sur-Seine par ④ ℘ (1) 64 32 09 25 **N** ℘ (1) 64 32 09 26

Tous les Pneus, Zone Ind., carrefour Central ℘ (1) 64 32 12 98

MONTEUX **84 Vaucluse 81 ⑫ – rattaché à Carpentras.**

MONTÉVRAIN **77 S.-et-M. 56 ⑫, 196 ㉒ – rattaché à Lagny-sur-Marne.**

MONTFAUCON **25 Doubs 66 ⑮ – rattaché au Besançon.**

MONTFAVET **84 Vaucluse 81 ⑫ – rattaché à Avignon.**

MONTFERRAT 83131 Var 84 ⑦ – 2 536 h.
Voir S : Gorges de Châteaudouble★, G. Côte d'Azur.
Paris 875 – Castellane 44 – Draguignan 15 – Toulon 96.

XX **Ferme du Baudron,** S : 1 km par D 955 ☎ 94 70 91 03, « Cadre rustique », – ⓟ.
fermé 26 oct. au 6 nov., 23 au 31 déc., vacances de fév. et merc. – SC : **R** (nombre de couverts limité - prévenir) 55 et carte le dim.

MONTFORT 35160 I.-et-V. 59 ⑯ – 4 378 h. alt. 43.
Paris 372 – Dinan 39 – Loudéac 62 – Ploërmel 46 – ♦Rennes 22.

Le Relais de la Cane, r. Gare ☎ 99 09 00 07 – E
fermé sam. sauf juil.-août – SC : **R** 42 bc/100 – 13 – **14 ch** 67/160 – P 161/204.

PEUGEOT-TALBOT Montfort-Autos, ☎ 99 09 01 21
PEUGEOT-TALBOT Gar. Radin, ☎ 99 09 01 26
RENAULT Gar. Lory, ☎ 99 09 00 32

MONTFORT-EN-CHALOSSE 40380 Landes 78 ⑦ – 1 055 h. alt. 101.
Paris 742 – Aire-sur-l'Ad. 58 – Dax 18 – Hagetmau 27 – Mont-de-Marsan 43 – Orthez 28 – Tartas 15.

Aux Touzins, E : 1,5 km par D 32 et D 2 ☎ 58 98 60 22, ≤, parc – wc ⓟ – 50. E VISA. ch
fermé 15 janv. au 15 fév. et lundi – SC : **R** 72/127 – 13 – **15 ch** 66/95 – P 148/164.

MONTFORT-L'AMAURY 78490 Yvelines 60 ⑨, 196 ㉗ ㉘ G. Environs de Paris (plan) – 2 674 h. alt. 186.
Voir Église★ – Ancien charnier★ (au cimetière) – Ruines du château ≤★.
Syndicat d'Initiative à l'Hôtel de Ville ☎ (1) 34 86 00 40.
Paris 48 – Dreux 40 – Houdan 19 – Mantes-la-Jolie 36 – Rambouillet 19 – Versailles 28.

XXX ✿ **Les Préjugés,** 18 pl. R.-Brault ☎ (1) 34 86 92 65 – AE ⓓ VISA
fermé janv. et mardi – SC : **R** carte 265 à 330
Spéc. Flan de cresson aux crustacés, Pot-au-feu de foie gras, Crêpes mendiantes.

XX **Chez Nous,** 22 r. Paris ☎ (1) 34 86 01 62 – AE ⓓ VISA
fermé oct., 1er au 10 mars, vend. soir en hiver, dim. soir et lundi – SC : **R** 120/220.

CITROEN Moutou, ☎ (1) 34 86 00 37
RENAULT Gar. de la Gare, à Méré ☎ (1) 34 86 00 96

MONTFRIN 30490 Gard 83 ⑩ – 2 404 h. alt. 21.
Paris 699 – Arles 32 – Alès 59 – Avignon 19 – Nîmes 22.

Aub. du Gardon, ☎ 66 57 54 47, – wc wc ☎ ⓟ – 40. AE ⓓ E VISA. ch
fermé janv. – SC : **R** *(fermé lundi)* 49/135 – 22 – **12 ch** 160/180 – P 240/300.

MONTGAILLARD 65 H.-Pyr. 85 ⑧ – 708 h. alt. 438 – ✉ 65200 Bagnères-de-Bigorre.
Paris 803 – Bagnères-de-Bigorre 8 – Lourdes 15 – Tarbes 13.

Le Mont-Gaillard, rte Bagnères ☎ 62 91 50 73 – ⓟ
fermé 15 janv. au 15 fév. et lundi sauf vacances scolaires – SC : **R** 40/80 – 13 – **10 ch** 74/92 – P 132/140.

MONTGENÈVRE 05 H.-Alpes 77 ⑱ G. Alpes – 459 h. alt. 1 854 – Sports d'hiver : 1 760/2 700 m 2 20 – ✉ 05100 Briançon – de Clavière, ☎ (122) 87.89.17 (Italie) E : 1,8 km.
Office de Tourisme ☎ 92 21 90 22, Télex 440440.
Paris 690 – Briançon 12 – Gap 99 – Lanslebourg-Mont-Cenis 83 – Torino 96.

Rois Mages, ☎ 92 21 92 64, ≤ – wc ☎. AE ⓓ VISA. rest
1er juil.-31 août et 1er déc.-30 avril – SC : **R** 95 – 20 – **42 ch** 177/256 – P 259/324.

Napoléon, ☎ 92 21 92 04, ≤ – wc wc . rest
21 déc.-21 avril – SC : **R** 85/110 – 24 – **40 ch** 170/245, 3 appartements 585 – P 255/310.

Valérie, ☎ 92 21 90 02 – wc wc . rest
15 déc.-15 avril – SC : **R** 85/88 – 22 – **19 ch** 175/236 – P 238/294.

Alpet, ☎ 92 21 90 06, ≤ – wc wc ⓟ
juil.-août et 20 déc.-10 avril – SC : **R** *(fermé le midi en juil.-août)* 48/89 – 17 – **17 ch** 100/187 – P 196/252.

MONTGERON 91 Essonne 61 ①, 101 ㊲ – voir à Paris, Environs.

MONTGUYON 17270 Char.-Mar. 75 ② G. Côte de l'Atlantique – 1 662 h. alt. 60.
Syndicat d'Initiative à la Mairie ☎ 46 04 10 19.
Paris 508 – Barbezieux 31 – Blaye 47 – ♦Bordeaux 64 – Jonzac 34 – Libourne 36 – Ribérac 49.

Poste, ☎ 46 04 19 39, – wc ⓟ – 80 à 120. E VISA
SC : **R** 42 bc/70 bc – **18 ch** 95/120 – P 180/200.

RENAULT Dutour, ☎ 46 04 10 47

MONTHERMÉ 08800 Ardennes 53 ⑱ G. Champagne, Ardennes (plan) – 3 103 h. alt. 140.

Voir Roche aux Sept Villages ≤** S : 3 km – Roc de la Tour ≤** E : 3,5 km puis 20 mn – Longue Roche ≤** NO : 2,5 km puis 30 mn – Roche à Sept Heures ≤* N : 2 km – Roche de Roma ≤* S : 4 km – Les Dames de Meuse* NO : 5 km – E : Vallée de la Semoy*.

Env. Roches de Laifour** NO : 6 km.

Paris 243 – Charleville-Mézières 18 – Fumay 23.

PEUGEOT-TALBOT Modern Gar., 3 r. Dr-Lemaire ℘ 24 53 00 46

RENAULT Domelier, r. Gal-de-Gaulle ℘ 24 53 01 12

MONTHUREUX-SUR-SAÔNE 88410 Vosges 62 ⑭ – 1 111 h. alt. 260.

Paris 327 – Bourbonne-les-B. 21 – Épinal 48 – Luxeuil-les-B. 50 – Neufchâteau 50 – Vittel 27.

Relais des Vosges avec ch, ℘ 29 09 00 45 – E VISA
fermé 10 janv. au 10 fév., dim. soir et lundi – SC : **R** 44/195 – 15 – **10 ch** 76/100 – P 142/160.

MONTI 06 Alpes-Mar. 84 ⑳ – rattaché à Menton.

MONTIGNAC 24290 Dordogne 75 ⑦ G. Périgord – 3 165 h. alt. 77.

Syndicat d'Initiative pl. de Born (15 juin-30 sept.) ℘ 53 51 82 60.

Paris 498 – Bergerac 83 – Brive-la-Gaillarde 38 – ♦Limoges 102 – Périgueux 47 – Sarlat-la-Canéda 25.

Château de Puy Robert (ouverture prévue juin 86) ℘ 53 51 89 24, Télex 309170, P. AE E VISA
1er juin-19 oct. – SC : **R** 150/250 – 45 – **12 ch** 320/650, 3 appartements 900 – P 620/730.

Soleil d'Or M, r. du 4-Septembre ℘ 53 51 80 22, parc, – TV P – 150. VISA
24 mars-25 nov. – SC : **R** *(fermé dim. soir en oct. et nov.)* 75/230 – 30 – **25 ch** 160/300, 10 appartements 300/650 – P 250/300.

Lascaux, av. J.-Jaurès ℘ 53 51 82 81, – wc wc . VISA
23 mars-2 nov. et fermé dim. soir et lundi du 30 mars au 30 juin sauf fêtes – SC : **R** 53/157 – 17 – **16 ch** 80/155 – P 155/180.

FIAT Gar. Blume, ℘ 53 51 81 07

PEUGEOT-TALBOT Dupuy, à Lafon ℘ 53 51 81 78

MONTIGNAC-CHARENTE 16 Charente 72 ⑬ G. Côte de l'Atlantique – 772 h. alt. 78 – ✉ 16330 St-Amant-de-Boixe.

Voir Église* de St-Amant-de-Boixe NE : 1,5 km.

Paris 429 – Angoulême 16 – Cognac 42 – ♦Limoges 103 – Niort 86 – St-Jean-d'Angély 58.

Château sans rest, ℘ 45 39 70 38 –
1er juin-30 sept. et fermé merc. – SC : 12 – **11 ch** 64/80.

MONTIGNY 76 S.-Mar. 55 ⑥ – rattaché à Rouen.

MONTIGNY-AUX-AMOGNES 58 Nièvre 69 ④ – 448 h. alt. 218 – ✉ 58130 Guérigny.

Paris 250 – Château-Chinon 57 – Decize 36 – Nevers 12 – Prémery 29.

Aub. des Amognes, ℘ 86 58 61 97, – P
fermé 17 fév. au 18 mars, 1er au 10 sept., dim. soir et lundi – SC : **R** (prévenir) 50/135.

MONTIGNY-LA-RESLE 89 Yonne 65 ⑤ – 496 h. alt. 153 – ✉ 89230 Pontigny.

Paris 175 – Auxerre 14 – St-Florentin 17 – Tonnerre 32.

Soleil d'Or avec ch, ℘ 86 41 81 21 – wc P. AE E VISA
fermé nov. et lundi sauf le soir de juin à sept. – SC : **R** 43/130 – 12 – **11 ch** 78/124.

MONTIGNY-LE-ROI 52 H.-Marne 62 ⑬ – 1 188 h. alt. 405 – ✉ 52140 Le Val de Meuse.

Paris 286 – Bourbonne-les-Bains 21 – Chaumont 32 – Langres 22 – Neufchâteau 47 – Vittel 50.

Moderne M, ℘ 25 86 10 18 – TV wc – 50. AE E VISA
SC : **R** 62/140 – 21 – **25 ch** 100/185 – P 217/310.

PEUGEOT-TALBOT Gar. Flagez, ℘ 25 86 10 34 N

RENAULT Gar. Rabert, ℘ 25 86 11 15 N ℘ 25 86 16 54

MONTIGNY-LÈS-METZ 57 Moselle 57 ⑬⑭ – rattaché à Metz.

MONTIGNY-SUR-AVRE 28 E.-et-L., 60 ⑥ – 225 h. – ✉ 28270 Brezolles.

Paris 114 – Chartres 51 – Dreux 32 – Verneuil-sur-Avre 8.

L'Anchoïade, ℘ 37 48 27 33 – E VISA
fermé mardi soir et merc. – SC : **R** 70/130.

MONTLHÉRY 91310 Essonne 60 ⑩, 196 ㉚ ㉛, 101 ㉞ **G. Environs de Paris** – 4 819 h. alt. 120.

Voir ✻★ de la tour – Marcoussis : Vierge★ dans l'église O : 3 km.

Autodrome permanent de Linas-Montlhéry SO : 2,5 km.

Office de Tourisme pl. Hôtel de Ville ✆ (1) 69 01 70 11.

Paris 27 – Etampes 24 – Evry 15 – Versailles 26.

AUSTIN-ROVER Gar. de l'Autodrome, ✆ (1) 69 01 00 55
PEUGEOT-TALBOT Paulmier, ✆ (1) 69 01 02 17
RENAULT Gar. Docteur, ✆ (1) 69 01 02 00

MONT-LOUIS 66210 Pyr.-Or. 86 ⑯ **G. Pyrénées** – 420 h. alt. 1 600.

Syndicat d'Initiative r. Marché (vacances scolaires) ✆ 68 04 21 97.

Paris 991 – Andorre-la-Vieille 87 – Carcassonne 118 – Foix 118 – ♦Perpignan 79 – Prades 36.

à la Llagonne N : 3 km par D 118 – ✉ **66210** Mont-Louis :

Commerce ✎, ✆ 68 04 22 04, ≤, – wc ⋒ P. VISA. rest
2 juin-30 sept. et 16 déc.-15 avril – SC : **R** 60/150 ⅄ – ☕ 17 – **30 ch** 90/220 – P 150/290.

à St-Pierre-dels-Forcats S : 3,5 km par D 10 et D 32 – alt. 1 575 – Sports d'hiver : 1 600/2 400 m ≴8 – ✉ **66210** Mont-Louis.

Voir Église★ de Planès SE : 3 km.

Mouli del Riu ✎, ✆ 68 04 20 36, ≤, – wc ⋒wc ☎ P
fermé 30 sept. au 15 déc. et merc. – SC : **R** 55/145 ⅄ – ☕ 19 – **15 ch** 110/170 – P 195/210.

PEUGEOT-TALBOT Gar. Giraud, carr. Monument Brousse à la Cabanasse ✆ 68 04 20 22 N
RENAULT Gar. du Col de la Perche, Col de la Perche,N 116 à la Cabanasse ✆ 68 04 21 81

MONTLOUIS-SUR-LOIRE 37270 I.-et-L. 64 ⑮ **G. Châteaux de la Loire** – 7 003 h. alt. 60.

Syndicat d'Initiative pl. Mairie (mai-sept.) ✆ 47 45 00 16.

Paris 234 – Amboise 13 – Blois 48 – Château-Renault 37 – Loches 42 – Montrichard 28 – ♦Tours 12.

de la Ville, pl. Mairie ✆ 47 50 84 84 – wc ⋒wc ☎ P. VISA
fermé 15 déc. au 15 janv. – SC : **R** *(fermé lundi sauf juil-août)* 64/110 – ☕ 19,50 – **29 ch** 91/204 – P 190/220.

Tourangelle, quai A.-Baillet ✆ 47 50 81 15 – P. E VISA
fermé 23 déc. au 8 janv., dim. soir, mardi soir et merc. – SC : **R** 63/150 ⅄.

MONTLUÇON SP 03100 Allier 69 ⑪⑫ **G. Auvergne** – 51 765 h. alt. 211.

Voir Le Vieux Montluçon★ BY : **intérieur★ de l'église St-Pierre D, esplanade du château ≤★, musée de la Vielle★ M1.**

de Val de cher ✆ **70 06 71 15, N : 17 km.**

Office de Tourisme 1 av. Marx-Dormoy ✆ 70 05 05 92 et 5 pl. Piquand (1er mai-30 sept.) ✆ 70 05 33 76 - A.C. 128 bd Courtais ✆ 70 05 15 52.

Paris 338 ① – Bourges 94 ① – ♦Clermont-Ferrand 90 ③ – ♦Limoges 137 ⑥ – Poitiers 206 ⑧.

Plan page suivante

Univers sans rest, 38 av. Marx-Dormoy ✆ 70 05 33 47 – |$| wc ⋒wc ☎ – 70. AE ⓓ E VISA — AY **k**
SC : ☕ 18 – **53 ch** 77/181.

Gare M sans rest, 42 av. Marx-Dormoy ✆ 70 05 44 22 – wc ⋒wc ☎ P. AE E VISA — AY **t**
fermé 24 déc. au 4 janv. – SC : ☕ 15 – **21 ch** 132/196.

Lion d'Or et Rest. La Crémaillère, 19 r. Barathon ✆ 70 05 00 62 – |$| wc ☎ – 250. E — BZ **a**
SC : **R** *(fermé dim. soir et lundi)* 65/100 ⅄ – ☕ 17 – **41 ch** 85/150.

Celtic sans rest, 1 r. Corneille ✆ 70 05 28 79 – ⋒ ☎ — BZ **e**
fermé dim. hors sais. – SC : ☕ 17 – **27 ch** 68/107.

XXX **Host. du Château St-Jean** ✎ avec ch, rte Clermont près hippodrome ✆ 70 05 04 65, , « En bordure d'un parc », – wc ⋒ ☎ P – 40 à 80. AE ⓓ E VISA — BZ **d**
SC : **R** 135/225 – ☕ 30 – **8 ch** 275/400.

XXX ✿ **Grenier à Sel** (Corlouër), 10 r. Notre-Dame ✆ 70 05 53 79 – AE ⓓ E VISA
fermé 28 juil. au 19 août, dim. soir et lundi – SC : **R** 100 et carte le dim. — BY **n**
Spéc. Fricassée de grenouilles aux cèpes (sept. à déc.), Ris de veau braisé aux asperges (avril à juin), Nougat glacé aux fruits rouges (juin à sept.). **Vins** St-Pourçain.

XX **Aux Ducs de Bourbon,** 47 av. Marx-Dormoy ✆ 70 05 22 79 – ▤. AE ⓓ E VISA
fermé dim. soir et lundi – **R** 76/124. — AY **u**

par ② : 2 km sur N 145 – ✉ **03100** Montluçon :

Bomotel Ⓜ, ✆ 70 05 76 22, Télex 990877, – TV ⇔wc ☎ **P** – 40. VISA
SC : **R** *(fermé lundi)* 45/110 – 17,50 – **20 ch** 180/190.

par ⑥ : 3,5 km sur N 145 – ✉ **03410** Domerat :

Novelta, rte Guéret ✆ 70 03 34 88 – TV ⇔wc ⇔wc ☎ **P** – 60 à 100. E VISA.
SC : **R** *(fermé dim. soir)* 64/135 – 26 – **40 ch** 180/295.

par ① : 7,5 km sur N 144 – ✉ **03410** Domérat :

St-Victor, Rte Bourges ✆ 70 28 80 64, – ch ⇔wc ☎ **P**. ch
SC : **R** 52/85 – 21 – **29 ch** 160/205.

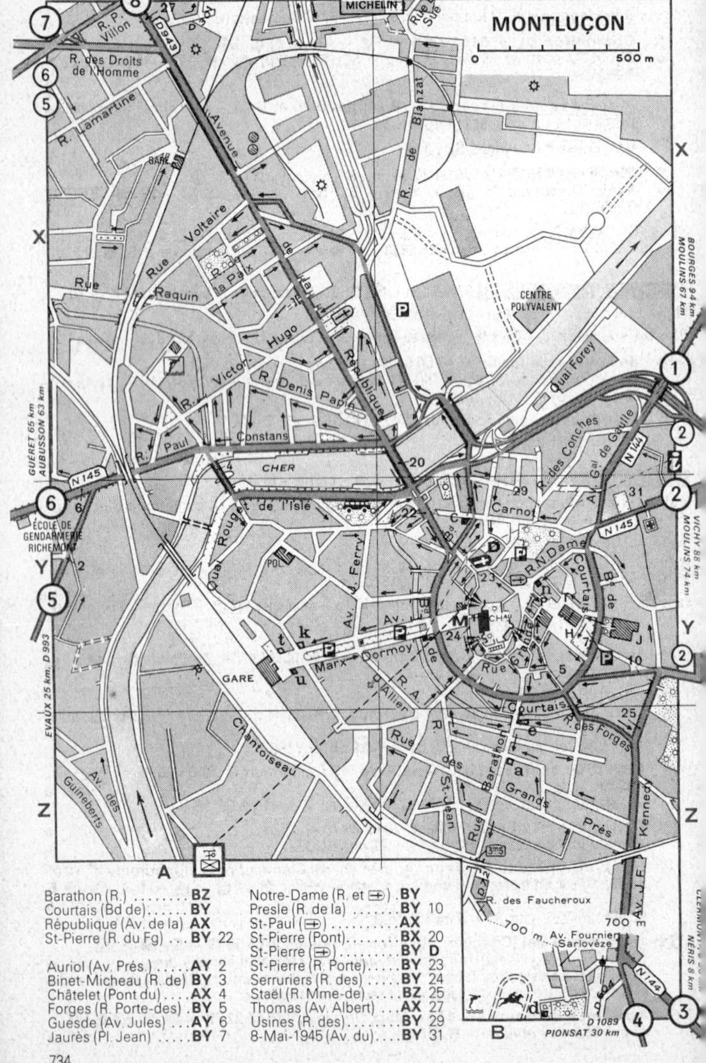

à Estivareilles par ① : 10 km – ✉ 03190 Hérisson :

XX **Lion d'Or** avec ch, N 144 ✆ 70 06 00 35, – wc wc ☎ Ⓟ. E VISA
fermé août, vacances de fév., dim. soir et lundi – SC : **R** 55/160 – 17 – **10 ch** 78/130 – P 145/165.

MICHELIN, Agence, r. Benoist-d'Azy ✆ 70 29 05 76

ALFA-ROMEO-TOYOTA Gar. Andrieu, 21 r. H.-Berlioz ✆ 70 28 41 34
CITROEN Gd Gar. Montluçonnais, 12 r. P.-Sémard par D72 **BZ** ✆ 70 05 32 07
FORD Tallet, 1 r. des Conches ✆ 70 05 68 11
MERCEDES-BENZ Auvity, r. 2 Ecluses, Zone Ind. ✆ 70 29 07 93
OPEL S.I.V.R.A.C., 162 av. Gén.-de-Gaulle ✆ 70 28 39 01
PEUGEOT-TALBOT Gar. Bourbonnais, 10 r. P.-Sémard par D72 **BZ** ✆ 70 05 34 37
RENAULT I.D.E.A., La Cote Rouge rte de Châteauroux à Domerat par ⑧ ✆ 70 29 49 00 N ✆ 70 05 28 80
RENAULT Coopneu, 29 r. Col.-Trabucco par ⑤ ✆ 70 29 42 44
V.A.G. Europe Gar., 18 quai Forey ✆ 70 05 31 33

Central-Pneu, 35 quai L.-Blanc ✆ 70 05 57 57
Godignon, Z.I. r. E.-Sue ✆ 70 29 64 85 N ✆ 70 28 07 95
Estager-Pneu, 14 r. de la Lombardie ✆ 70 05 14 42

MONTLUEL 01120 Ain 74 ② – 5 460 h. alt. 198.

Paris 470 – Bourg-en-B. 44 – Chalamont 20 – ♦Lyon 23 – Meximieux 13 – Villefranche-sur-Saône 39.

Le Petit Casset M sans rest, **à la Boisse SO : 3 km** ✆ **78 06 21 33,** – TV wc ☎ Ⓟ
SC : 30 – **11 ch** 210/250.

X **Vieux Moulin,** 79 Gde-Rue ✆ 78 06 11 90. VISA
fermé août, mardi soir et merc. – SC : **R** 39/140 ₰.

à Ste-Croix N : 5 km par D 61 – ✉ **01120** Montluel :

Chez nous , ✆ 78 06 17 92, , – wc ☎ Ⓟ – 30. E VISA
fermé fév., dim. soir (sauf hôtel) et vend. – SC : **R** 50/160 ₰ – 22 – **16 ch** 68/180 – P 180/230.

MONTMARTIN-SUR-MER 50590 Manche 54 ⑫ – 849 h. alt. 42.

Paris 342 – Coutances 10 – Granville 20 – St-Lô 37 – Villedieu-les-Poêles 33.

Host. du Bon Vieux Temps, ✆ 33 47 54 44 – wc ☎ Ⓟ. VISA
SC : **R** 47/170 ₰ – 15 – **21 ch** 115/160 – P 200/230.

PEUGEOT-TALBOT Gar. des Gravelets, ✆ 33 47 60 15

MONTMÉDY 55600 Meuse 57 ① **G. Alsace et Lorraine** (plan) – 2 324 h. alt. 198.

Voir Remparts★.

Env. Basilique★★ et Recevresse★ d'Avioth N : 8 km.

Syndicat d'Initiative Ville Haute (1er fév.-1er nov.) ✆ 29 80 15 90 - A.C. 13 r. Gén.-de-Gaulle ✆ 29 80 10 06.

Paris 259 – Charleville-Mézières 64 – Longwy 43 – ♦Metz 95 – Verdun 48 – Vouziers 61.

Le Mady, ✆ 29 80 10 87 – . E
fermé fév., dim. soir hors sais. et lundi – SC : **R** 47/105 – 11 – **13 ch** 58/83 – P 110/130.

PEUGEOT-TALBOT Bigorgne, ✆ 29 80 10 34

MONTMÉLIAN 73800 Savoie 74 ⑯ **G. Alpes** – 4 028 h. alt. 285.

Voir ★ du rocher.

Paris 538 – Albertville 35 – Allevard 23 – Chambéry 15 – ♦Grenoble 49 – St-Jean-de-Maurienne 57.

George, rte Nationale 6 ✆ 79 84 05 87 – wc Ⓟ. ch
fermé mai, 11 oct. au 9 déc., mardi (sauf hôtel) et lundi soir – SC : **R** 48/120 ₰ – 15 – **12 ch** 85/135.

XXX **Host. des Cinq Voûtes,** rte Nationale 6 ✆ 79 84 05 78, « Voûtes moyenâgeuses » – Ⓟ. AE E VISA
fermé nov. et merc. soir – **R** 70/250.

XX **L'Arlequin** (Centre technique hôtelier), **rte Nationale 6** ✆ **79 84 21 54,** – Ⓟ.
fermé 1er au 25 juil. et merc. – SC : **R** 55/135.

RENAULT Gar. Novel, ✆ 79 84 04 52

MONTMERLE-SUR-SAÔNE 01090 Ain 74 ① – 2 023 h. alt. 170.

Paris 421 – Bourg-en-Bresse 40 – Chauffailles 48 – •Lyon 49 – Mâcon 29 – Villefranche-sur-Saône 12.

Rivage M, au port ☎ 74 69 33 92 – wc wc ☎ – P – 100. AE E VISA.
fermé 15 nov. au 10 déc., et merc. – SC : **R** 62/200 – 20 – **11 ch** 140/210.

XXX ❀ **Castel de Valrose** (Morillon) avec ch, rte Trévoux ☎ **74 69 30 52**, – wc ☎. AE E VISA
fermé 5 janv. au 5 fév., dim. soir et lundi – SC : **R** 120/250 – 30 – **5 ch** 180/220
Spéc. Salade Compostelle (15 oct. au 31 mars), Gratin de grenouilles et d'écrevisses (juil. à janv.), Pigeonneau périgourdin. **Vins** Beaujolais, Mâcon Lugny.

RENAULT Gar. Perroud-Deschampt, ☎ 74 69 37 20

MONTMEYRAN 26 Drôme 77 ⑫ – 2 037 h. alt. 189 – ✉ **26120** Chabeuil.

Paris 580 – Crest 14 – Romans-sur-Isère 24 – Valence 14.

XX **La Vieille Ferme,** Les Dorelons ☎ **75 59 31 64**, , « **Intérieur rustique** », – P. AE VISA
fermé 1er au 28 août, dim. soir, lundi soir et mardi – SC : **R** (prévenir) 160/210.

MONTMIRAIL 84 Vaucluse 81 ⑫ – rattaché à Gigondas.

MONTMIRAL 26750 Drôme 77 ③ – 437 h. alt. 395.

Paris 567 – La Côte-St-André 36 – Romans-sur-Isère 17 – St-Marcellin 19 – Valence 35.

Voyageurs , ☎ **75 02 29 27**, <, – ch
fermé 6 au 20 oct., 2 au 20 janv. et lundi – SC : **R** 50 bc/90 – 12 – **8 ch** 55/75 – P 130.

MONTMORILLON SP 86500 Vienne 68 ⑮ **G. Côte de l'Atlantique** (plan) – 7 541 h. alt. 105.

Voir Fresques★ de l'église N.-Dame.

Office de Tourisme 21 av. Tribot ☎ 49 91 11 96.

Paris 360 – Angoulême 120 – Châteauroux 85 – •Limoges 82 – Poitiers 48.

France, 2 bd Strasbourg ☎ **49 91 00 51** – wc wc ☎. AE E VISA
fermé janv., dim. soir et lundi – SC : **R** (dim. et fêtes - prévenir) 90/280 – 20 – **25 ch** 105/180.

CITROEN Perrot, 6 r. République ☎ 49 91 00 05
PEUGEOT-TALBOT G.M.G.A., 59 bd Gambetta ☎ 49 91 11 33
RENAULT Robuchon, 1 av. de l'Europe ☎ 49 91 06 44

MONTMORT 51270 Marne 56 ⑮⑯ **G. Champagne, Ardennes** – 420 h. alt. 206.

Env. Fromentières : retable★★ de l'église SO : 11 km.

Paris 123 – Châlons-sur-Marne 46 – Épernay 18 – Montmirail 24 – Sézanne 26.

XX **Cheval Blanc** avec ch, rte Sézanne ☎ **26 59 10 03** – P – 80
fermé 15 fév. au 15 mars et vend. – SC : **R** 55/195 – 18 – **12 ch** 68/130 – P 180/260.

MONT-NOIR 59 Nord 51 ⑤ – rattaché à Bailleul.

MONTOIRE-SUR-LE-LOIR 41800 L.-et-Ch. 64 ⑤ **G. Châteaux de la Loire** (plan) – 4 243 h. alt. 70.

Voir Chapelle St-Gilles★ : peintures murales★★ – Pont <★.

Syndicat d'Initiative r. St-Denis (juil.-août) ☎ 54 85 39 78 et à la Mairie ☎ 54 85 00 29.

Paris 190 – Blois 44 – Château-Renault 20 – La Flèche 81 – St-Calais 23 – Vendôme 19.

Cheval Rouge, pl. Foch ☎ **54 85 07 05** – wc wc ☎ P. E VISA
fermé 26 janv. au 27 fév., mardi soir et merc. – SC : **R** (dim. prévenir) 89/215 – 19 – **17 ch** 66/165.

CITROEN Gar. Val de Loire, ☎ 54 85 01 86
CITROEN Gar. Lecoupt, ☎ 54 85 03 12 N
PEUGEOT Gar. Hervio, ☎ 54 85 02 40 N

MONTPELLIER P 34000 Hérault 83 ⑦ **G. Causses** – 201 067 h. alt. 50.

Voir Vieux Montpellier★★ : Promenade du Peyrou★★ AU : <★ – Musées : Fabre★★ FY**M2**, Atger★ (dans la faculté de médecine) EX.

Env. Zoo de Lunaret★ 7 km par av. Bouisson-Bertrand ABT.

Club de Coulondres ☎ 67 84 13 75 par ⑦.

de Montpellier-Fréjorgues, ☎ 67 65 60 65 SE par ③ : 7 km.

Office de Tourisme 6 r. Maguelone ☎ 67 58 26 04, Télex 480376 et Gare S.N.C.F ☎ 67 92 90 03 – A.C. 3 r. Maguelone ☎ 67 58 44 12.

Paris 759 ② – •Marseille 168 ② – •Nice 323 ② – Nîmes 52 ② – •Toulouse 240 ⑤.

Plans pages suivantes

Métropole, 3 r. Clos-René ✆ 67 58 11 22, Télex 480410, – ch – 200. AE E VISA FZ g
R carte 205 à 270 – 39 – **84 ch** 350/890, 4 appartements.

Frantel M, au Polygone ✆ 67 64 65 66, Télex 480362, – – 400. AE E VISA CU a
rest. **Lou Païrol** *fermé 20 déc. au 5 janv., dim. sauf le soir en juil.-août et sam. midi* **R** carte 140 à 230 – 33 – **116 ch** 330/380.

Noailles sans rest, 2 r. Ecoles-Centrales ✆ 67 60 49 80, demeure 17e s. – AE E VISA FY t
fermé 19 déc. au 12 janv. – SC : 25 – **30 ch** 180/300.

Sofitel M sans rest, au Triangle ✆ 67 54 04 04, Télex 480140 – – 500. AE E VISA CU h
SC : 39 – **98 ch** 350/430.

Novotel M, 125 bis av. Palavas, par ④ Echangeur A9 Montpellier Sud ✆ 67 64 04 04, Télex 490433, – ch – 200. AE E VISA
R snack carte environ 100 – 32 – **97 ch** 357/399.

George V M sans rest, 42 av. St-Lazare ✆ 67 72 35 91, Télex 480953 – . AE E VISA CT a
fermé 23 déc. au 7 janv. – SC : 23 – **39 ch** 200/300.

Myrtes sans rest, 5 av. Lepic ✉ 34100 ✆ 67 42 60 11 – wc wc . VISA. AV b
fermé fév. – SC : 17 – **31 ch** 172/232.

Gd. H. du Midi sans rest., 22 bd Victor-Hugo ✆ 67 92 69 61, Télex 490752, , – ch wc wc . AE E VISA FZ v
SC : 30 – **50 ch** 190/300.

L'Hôtel sans rest, 6 r. Jules-Ferry ✆ 67 58 88 75, Télex 490105 – wc wc . AE E VISA FZ r
SC : 16 – **55 ch** 130/170.

Parc sans rest, 8 r. A.-Bégé ✆ 67 41 16 49 – wc . VISA BT k
SC : 17.50 – **18 ch** 130/230.

Arceaux sans rest, 33 bd Arceaux ✆ 67 92 61 76 – wc wc AU n
SC : 18 – **15 ch** 143/200.

Paix sans rest, 6 r. Loys ✆ 67 66 05 88 – wc wc . VISA FZ b
fermé 25 déc. au 1er janv. – SC : 16 – **26 ch** 75/161.

Comédie sans rest, 1 bis r. Baudin ✆ 67 58 43 64 – wc FY d
SC : 16 – **20 ch** 80/150.

XXX **Réserve Rimbaud,** quartier des Aubes, 820 av. St-Maur ✆ 67 72 52 53, ≤, , « Terrasse au bord de l'eau » – AE VISA. DT e
fermé 1er au 15 janv., dim. soir et lundi – SC : **R** 190/350.

XXX ✿ **Chandelier** (Furlan), 3 r. Leenhardt ✆ 67 92 61 62 – . AE VISA FZ s
fermé 1er au 20 août, 2 au 10 janv., lundi midi et dim. – **R** 100 (sauf fêtes)/200
Spéc. Salade de poule aux pêches, Ragoût de langouste, Magret de canard aux échalotes confites.
Vins Faugères.

XXX **Isadora,** 6 r. du Petit Scel ✆ 67 66 25 23 – AE E VISA EY n
fermé sam. midi et dim. – SC : **R** carte 150 à 190.

XX **L'Olivier,** 12 r. A.-Ollivier ✆ 67 92 86 28 – AE VISA FZ u
fermé 25 juil. au 25 août, dim., lundi et fériés – SC : **R** 85/122.

XX **Ayamé,** 20 pl. Martyrs-de-la-Résistance ✆ 67 60 40 51 – . AE VISA EY t
fermé 1er au 10 juin, 2 au 27 nov, dim. et lundi – **R** 147/250.

XX **Castel Ronceray,** 71 av. de Toulouse, N113 par ⑤ ✆ 67 42 46 30, – . VISA
fermé 4 au 25 août., vacances de fév., dim. et lundi – SC : **R** 63/145.

XX **Table de la Reine,** 8 r. Bras-de-Fer ✆ 67 60 62 80 – AE E VISA EY e
fermé août, dim. et lundi midi – SC : **R** 80/250.

X **Le Louvre,** 2 r. Vieille ✆ 67 60 59 37 – VISA FY q
fermé mai, 15 au 30 oct., dim. et lundi. – SC : **R** 89 bc.

à l'Est : 4 km par D 172 E - DU – ✉ **34000** Montpellier :

Demeure des Brousses , rte de Vauguières ✆ 67 65 77 66, parc – . AE
23 mars-7 avril et 27 avril-5 oct. – SC : **R** voir rest. **le Mas** – 28 – **18 ch** 250/400.

XXX **Le Mas,** rte de Vauguières ✆ 67 65 52 27, – . AE
fermé mi-janv. à mi-fév., dim. soir et lundi – SC : **R** 135/200.

à la Croix-Verte NO par ⑦ : 7 km sur rte de Ganges – ✉ **34000** Montpellier :

Climat, r. Caducée ✆ 67 52 43 33 – wc – 30. E VISA
SC : **R** 51/83 – 18,50 – **42 ch** 187/203.

à Clapiers N par ① : 8 km N 113, D 21 et D 112E – ✉ **34170** Castelnau-le-Lez.
Env. Château de Castries★ NE : 9 km.

Las Courejas , ✆ 67 59 10 93, ≤ côte, , , , – wc wc – 40. E VISA. rest
fermé janv. – SC : **R** *(fermé dim. soir et lundi)* 140/170 – 26 – **30 ch** 264 – P 490/550.

MONTPELLIER

Polygone (Le) . . . . **CU**

Arceaux (Bd des) . . . . **AU** 6

Bazille (R. F.) . . . . **BCV** 12

Bercy (R. de) . . . . **BV** 13

Bonnard (R.) . . . . **AT** 14

Broussonnet (R. A.) . . . . . **AT** 18

Chancel (Av.) . . . . **AT** 25

Citadelle (Allée) . . . . **CU** 26

Clapiès (R.) . . . . **AU** 28

Comte (R. A.) . . . . **AU** 29

Délicieux (R. B.) . . . . **CT** 31

Etats-du-Languedoc (Av. des) . . . . **CU** 35

Fg-Boutonnet (R.) . . . . **BT** 37

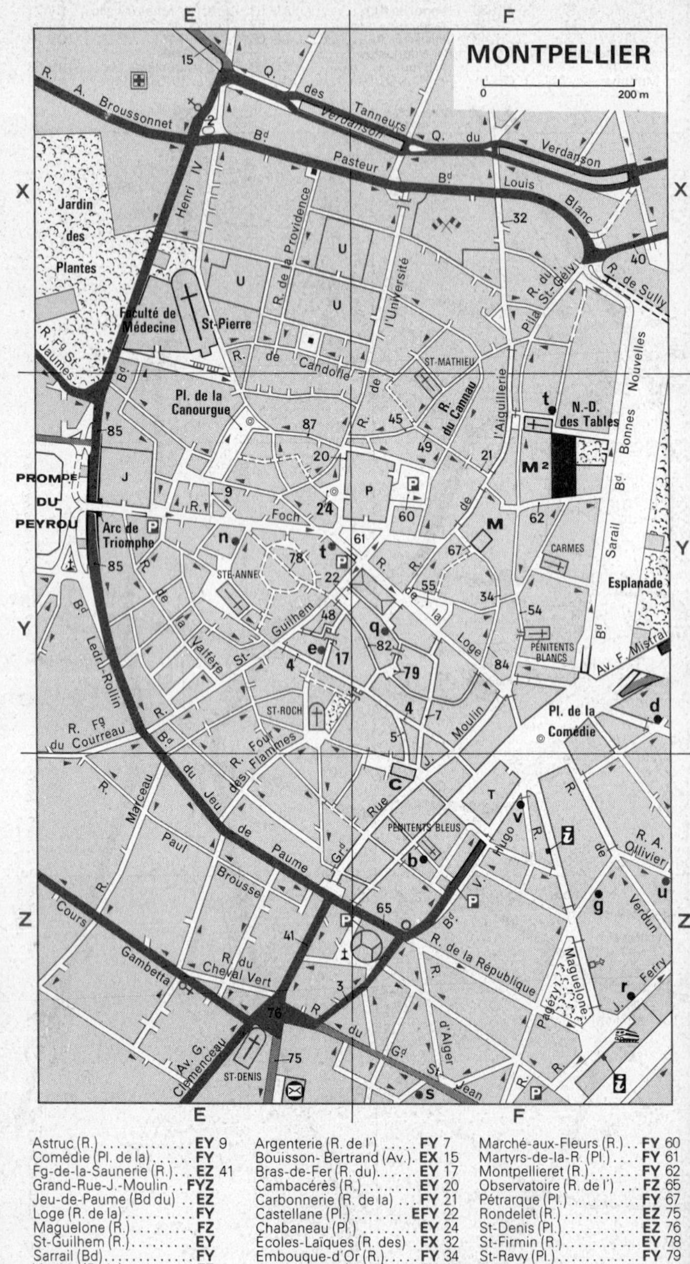

Astruc (R.) . . . . EY 9
Comédie (Pl. de la) . . . . . . FY
Fg-de-la-Saunerie (R.) . . . EZ 41
Grand-Rue-J.-Moulin . . FYZ
Jeu-de-Paume (Bd du) . . EZ
Loge (R. de la) . . . . FY
Maguelone (R.) . . . . FZ
St-Guilhem (R.) . . . . EY
Sarrail (Bd) . . . . FY
Verdun (R. de) . . . . FZ

Albert-1er (Pl.) . . . . EX 2
Anatole-France (R.) . . . . . EZ 3
Ancien-Courrier (R.) . . . EFY 4
Aragon (R. Jacques d') . . FY 5
Argenterie (R. de l') . . . . . FY 7
Bouisson- Bertrand (Av.). EX 15
Bras-de-Fer (R. du) . . . . . . EY 17
Cambacérès (R.) . . . . EY 20
Carbonnerie (R. de la) . . . FY 21
Castellane (Pl.) . . . . EFY 22
Chabaneau (Pl.) . . . . EY 24
Écoles-Laïques (R. des) . FX 32
Embouque-d'Or (R.) . . . . . FY 34
Fg-de-Nîmes (R. du) . . . . FX 40
Fournarié (R.) . . . . FY 45
Friperie (R. de la) . . . . . . EY 48
Girone (R. de) . . . . FY 49
Jacques-Cœur (R.) . . . . . FY 54
Jaurès (Pl. Jean) . . . . FY 55
Marché-aux-Fleurs (R.) . . FY 60
Martyrs-de-la-R. (Pl.) . . . . FY 61
Montpellieret (R.) . . . . . . FY 62
Observatoire (R. de l') . . . FZ 65
Pétrarque (Pl.) . . . . FY 67
Rondelet (R.) . . . . EZ 75
St-Denis (Pl.) . . . . EZ 76
St-Firmin (R.) . . . . EY 78
St-Ravy (Pl.) . . . . FY 79
Trésorier-de-la-Bourse (R.) . . . . FY 82
Trésoriers-de-France (R. des) . . . . . . FY 84
Vialleton (Bd du Pr.) . . . . . EY 85
Vieille-Intendance (R.) . . . EY 87

à Fontfroide-le-Haut NO par ⑦ : 6 km, D 986 – ✉ **34980** St-Clément :

XX Table des Boisseliers ✆ 67 52 17 00 – **P**.

Voir aussi ressources hôtelières à ***La Grande-Motte*** et ***Palavas***

MICHELIN, Agence régionale, 2 bis av. Lepic AV ✆ **67 42 50 99**

ALFA-ROMEO, PORSCHE-MITSUBISHI Mourier, Zone Ind., av. Mas-d'Argelliers ✆ 67 92 33 47
AUSTIN-ROVER Midi-Auto, r. de Montels-Eglise, Zone Ind. ✆ 67 92 19 86
BMW Auto Méditerranée, Zone Ind., 455 r. de l'Industrie ✆ 67 92 97 29
CITROEN succursale, 852 av. de la Mer, rte de Carnon DV ✆ 67 65 73 10
DATSUN-NISSAN Auto contrôle Clémenceau, 19 av. G-Clémenceau ✆ 67 92 95 47
FIAT SODAM, Autoroute de Carnon ✆ 67 65 78 80
FORD Gar. Imbert, rte de Sète à St-Jean-de-Vedas ✆ 67 42 46 22
LADA-SKODA Gar. Guitard, ZI Marché gare, r. mas St-Pierre ✆ 67 58 13 13
MERCEDES-BENZ Chaptal-Auto, 59 av. Toulouse ✆ 67 42 52 44
OPEL France-Auto, 56 av. Marché-Gare, Zone Ind. ✆ 67 92 63 74
PEUGEOT-TALBOT Gds Gar. de l'Hérault, r. de l'Industrie, Zone Ind. par av. des Prés d'Arènes BV ✆ 67 58 94 94
RENAULT Gar. du Sud, 42 rte de Nîmes à Castelnau le Lez par ① ✆ 67 79 44 76
RENAULT Paillade-Autos, av. de l'Europe la Paillade par ⑥ ✆ 67 40 33 38 **N**
RENAULT Succursale, 700 r. de l'Industrie, Z.I. par av. des prés d'Arènes BV ✆ 67 42 00 75 **N** et Place du 8 mai 1945 AV ✆ 67 27 91 21 **N** ✆ 67 42 00 75
TOYOTA C.D.B., 1134 av. Europe à Castelnau-Le-Lez ✆ 67 79 41 71
V.A.G. Languedoc-Autom., 1550 av. de la Justice-de-Castelnau ✆ 67 79 51 01
V.A.G. Montpellier-Autos-Sud, 91 rte de Toulouse ✆ 67 42 93 95 **N** ✆ 67 65 94 17

Ⓜ Ayme-Pneus, 71 av. Mas-d'Argelliers, Zone Ind. ✆ 67 92 72 62
Césare-Pneus, 60 et 62 rte de Toulouse ✆ 67 42 73 22
Escoffier-Pneus, 12 cours Gambetta ✆ 67 92 30 16
Méric et Mazars, 1 av. Lepic ✆ 67 42 55 78
Pneus Leca, 49 rte de Toulouse ✆ 42.54.36 et N 113 Le Crés ✆ 67 70 23 98
Pomarède-Pneus, Zone Ind. av. du Mas-d'Argelliers ✆ 67 92 05 93

MONTPELLIER-LE-VIEUX (Chaos de) ★★★ **12** Aveyron **80** ⑭⑮ **G. Causses** – alt. 830.

MONTPEYROUX **63** P.-de-D. **73** ⑭ **G. Auvergne** – 262 h. alt. 480 – ✉ **63730** Les Martres de Veyre.

Paris 410 – Ambert 64 – ♦Clermont-Ferrand 24 – Issoire 13 – Le Mont-Dore 48 – Thiers 50.

XXX **Aub. de Tralume** avec ch, ✆ **73 96 60 09**, parc – TV ⇔wc ☎ **P**. AE ⓓ E VISA
fermé 1er au 15 déc., janv., dim. soir et lundi du 1er oct. à Pâques – SC : **R** 200/295 – ☕ 30 – **4 ch** 240/320.

MONTPEZAT-DE-QUERCY **82270** T.-et-G. **79** ⑱ **G. Périgord** – 1 412 h. alt. 265.

Voir Tapisseries★★, gisants★ et trésor★ de la collégiale.

ℹ Syndicat d'Initiative, stand sur RN 20 ✆ 63 02 05 65.

Paris 620 – Agen 85 – Albi 86 – Cahors 29 – Montauban 34.

XX ✿ **Depeyre** avec ch, r. République ✆ **63 02 08 41**, – **P**. AE ⓓ. ✗ rest
fermé 16 au 26 juin, 5 au 25 janv. mardi midi en juil.-août, dim. soir et lundi – SC : **R** 250 bc/80 – ☕ 20 – **7 ch** 100/180
Spéc. Salade de poissons, Ragoût de St.-Jacques, Noisettes d'agneau. **Vins** Gaillac, Coteaux du Quercy.

PEUGEOT-TALBOT Rey, ✆ 63 02 07 12
RENAULT Gar. Ringoot ✆ 63 02 08 43

MONTPINCHON **50** Manche **54** ⑫⑬ – rattaché à Coutances.

MONTPON-MÉNESTEROL **24700** Dordogne **75** ③⑬ – 5 742 h. alt. 39.

Paris 531 – Bergerac 42 – Libourne 38 – Périgueux 52 – Ste-Foy-la-Grande 23.

Le Port Vieux, r. André-Malraux. ✆ **53 80 32 18**, ≤, – **P**. ✗ ch
fermé 27 nov. au 5 déc., janv., fév., vend. soir et sam. du 15 sept. au 15 juin – SC : **R** 35/105 – ☕ 18,50 – **6 ch** 69/76 – P 137.

CITROEN Montpon-Autom., 1 av. G.-Pompidou ✆ 53 80 31 00
PEUGEOT-TALBOT Bonnet, 48 rte Périgueux ✆ 53 80 33 57
RENAULT Pommerie, 25 av. Jean-Moulin ✆ 53 80 30 10 **N**
Ⓜ Soubzmaigne - Sce du Pneu, 74 rte Bordeaux ✆ 53 80 37 21

MONTRÉAL **32250** Gers **79** ⑬ – 1 326 h. alt. 98.

Paris 675 – Agen 55 – Condom 15 – Mont-de-Marsan 65 – Nérac 26.

X **Gare,** S : 3 km par D 29 et voie privée ✆ **62 28 43 37** – **P**. AE ⓓ E VISA
fermé janv., jeudi soir et vend. sauf juil.-août – SC : **R** 67/150.

MONTREDON-LABESSONNIE 81360 Tarn 83 ① – 2 167 h. alt. 535.

Paris 723 – Albi 35 – Castres 22 – Gaillac 51 – Lacaune 41 – Réalmont 15.

Host. du Parc, ☎ 63 75 14 08, ⛱, 🚗 – ⋒wc 🚗 – 🏃 50
fermé sept., fév., lundi sauf juil.-août et fériés – SC : **R** 48/120 – ☕ 18 – **15 ch** 75/115 – P 140/160.

CITROEN Rahoux, ☎ 63 75 14 11

MONTRÉJEAU 31210 H.-Gar. 85 ⑳ G. Pyrénées – 3 233 h. alt. 468.

Voir ≤★.

Office de Tourisme pl. Valentin-Abeille (1er juin-30 sept.) ☎ 61 95 80 22 et à la Mairie (hors saison) ☎ 61 95 84 17.

Paris 840 – Auch 76 – Bagnères-de-Luchon 38 – Lannemezan 16 – St-Gaudens 14 – ♦Toulouse 103.

Lecler, av. St-Gaudens ☎ 61 95 80 43, ≤ Pyrénées, 🚗 – ⛀wc ⋒ ☎ 🚗. AE ⓓ E VISA
fermé 6 nov. au 15 déc. et lundi de déc. à Pâques – SC : **R** 60/103 – ☕ 18 – **22 ch** 75/212 – P 207/286.

PEUGEOT-TALBOT Saint-Lary, à Ausson ☎ 61 95 81 50

à Nestier (H.-Pyr.) SO : 9 km par D 938 et D 75 – ✉ 65150 St-Laurent-de-Neste :

Relais du Castéra, ☎ 62 39 77 37, ⛱ – ⋒wc Ⓟ
fermé 15 sept. au 15 oct. – SC : **R** *(fermé mardi du 1er oct. au 1er juin)* 50/120 – ☕ 20 – **14 ch** 120/160 – P 160/190.

à Aventignan (H.-Pyr.) SO : 5 km par D 72 et D 26 – ✉ 65660 Aventignan :

Grottes de Gargas ⛰ avec ch, ☎ 62 99 02 38, 🚗 – Ⓟ. ✂
Pâques-15 sept. et fermé merc. sauf vacances scolaires – SC : **R** (prévenir) 41/66 – ☕ 15,50 – **8 ch** 80/103 – P 127/137.

MONTREUIL ⟨SP⟩ 62170 P.-de-C. 51 ⑫ G. Flandres, Artois, Picardie – 2 948 h. alt. 45.

Voir Site★ – Citadelle★ : ≤★★ – Remparts★ – Mobilier★ de la chapelle de l'Hôtel-Dieu B – Église St-Saulve★ E.

Office de Tourisme pl. Poissonnerie (15 juin-15 sept.) ☎ 21 06 04 27 et à la Mairie (hors sais.) ☎ 21 06 01 33.

Paris 206 ③ – Abbeville 44 ③ – Arras 81 ② – Boulogne-sur-Mer 38 ① – ♦Lille 112 ① – St-Omer 56 ①.

MONTREUIL

Cordonniers (R. des) .. 8
Gaulle (Pl. du Gén.-de) 13
Hérambault (R. d') 17

Bouchers (R. des) 2
Bubourg (R. Victor) 3
Capucins (Chée des) ... 4
Chaîne (R. de la) 5
Change (R. du) 6
Clape-en-Bas (R. du) .. 7
Darnetal (Pl. de) 9
Église (R. de l') 10
Gambetta (Pl.) 12
Grande-Rue-de-la-Ville-Basse ... 14
Juifs (R. des) 18
Leclerc (Av. du Gén.) 19
Ledent (R. P.) 20
Licorne (R. de la) 21
Moulins (R. des) 23
Parvis-St-Firmin (R. du) 26
Petit-Coquempot (R. du) 28
Porte-Becquerelle (R. de la) 29
Potez (R. du Gén.) 30
St-Firmin (Cavée) 32
St-Walloy (Pl.) 36
Ste-Austreberthe (Pl.) . 37
11-Novembre (Av. du) 39

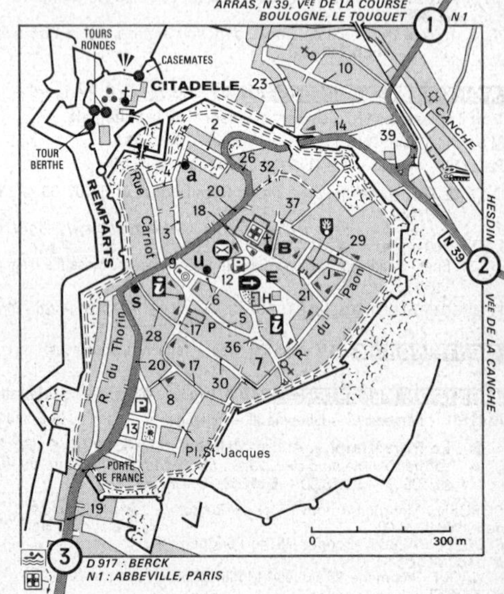

Château de Montreuil ⛰, chaussée Capucins **(a)** ☎ 21 81 53 04, Télex 135205, ⛱, « Belle demeure dans un parc » – ☎ 🚗 – 🏃 25. AE ⓓ E VISA. ✂
fermé 15 au 26 déc. et 2 janv. au 15 fév. – SC : **R** *(fermé jeudi midi sauf juil.-août)* 285 – ☕ 40 – **14 ch** 295/480
Spéc. Terrine de foie gras de canard, Paupiette de sole à l'indienne, Canette de Barbarie au gingembre.

France sans rest, 2 r. Coquempot **(s)** ☎ 21 06 05 36 – wc wc – 100. VISA. ✻
fermé 15 déc. au 15 janv., dim. soir et lundi du 15 sept. au 18 mai – SC : 16 – **14 ch** 75/200.

Central, 7 r. Change **(u)** ☎ 21 86 16 04 – wc ☎. AE E VISA. ✻ ch
fermé 20 déc. au 26 janv. – SC : **R** *(fermé dim. soir et lundi de sept. à juin)* 61/94 – 17,50 – **14 ch** 82/250.

à La Madelaine-sous-Montreuil par ③ et D 139 : 2,5 km – ✉ **62170** Montreuil :

XXX ✿ **Aub. La Grenouillère** (Gauthier), ☎ 21 06 07 22, – . AE VISA
fermé 12 au 22 nov., fév., mardi soir et merc. sauf juil.-août – SC : **R** carte 170 à 210
Spéc. Feuilleté d'escargots et cuisses de grenouilles, Arlequin de pâtes fraîches au blanc de turbot, Assiette de desserts.

Caucheteux, à St-Justin ☎ 21 06 09 97

MONTREUIL 93 Seine-St-Denis 56 ⑪, 101 ⑰ – voir à Paris, Environs.

MONTREUIL-BELLAY 49260 M.-et-L. 67 ⑧ **G. Châteaux de la Loire** (plan) – 4 331 h. alt. 54.
Voir Château★★ – Site ★.
Syndicat d'Initiative pl. Ormeaux (15 juin-15 sept.) ☎ 41 52 32 39.
Paris 309 – Angers 53 – Châtellerault 74 – Chinon 39 – Cholet 61 – Poitiers 80 – Saumur 16.

Splendid (Annexe **Relais du Bellay** , - 26 ch wc wc) r. Dr-Gaudrez ☎ 41 52 30 21 – wc wc ☎ – 30. ✻ rest
fermé 10 au 25 janv. et dim. soir du 15 sept. à Pâques – SC : **R** 55/160 – 30 – **15 ch** 95/220 – P 160/230.

XX **Host. Porte St-Jean,** 432 r. Nationale ☎ 41 52 30 41 – VISA
fermé fév., lundi soir et mardi – SC : **R** 108/172.

RENAULT Herrault, ☎ 41 52 30 20

MONTREUIL-L'ARGILLÉ 27390 Eure 55 ⑭ – 726 h. alt. 172.
Paris 159 – L'Aigle 25 – Argentan 52 – Bernay 21 – Évreux 56 – Lisieux 31 – Vimoutiers 29.

XX **Aub. de la Truite,** ☎ 32 44 50 47
fermé fév., mardi soir et merc. – SC : **R** 60/115.

MONTREVEL-EN-BRESSE 01340 Ain 70 ⑫ – 2 000 h. alt. 230.
Paris 396 – Bourg-en-Bresse 17 – Mâcon 26 – Pont-de-Vaux 21 – St-Amour 26 – Tournus 36.

XX ✿ **Léa** (Monnier), ☎ 74 30 80 84 – AE E VISA
fermé juil., vacances de fév., dim. soir, fériés le soir et merc. – SC : **R** 90/200
Spéc. Gâteau de foies blonds, Poularde de Bresse aux morilles, Marquise au chocolat. **Vins** Gamay du Bugey, Montagnieu.

X **Caveau Bressan,** ☎ 74 30 80 19 – E VISA
fermé 1er au 7 sept., vacances de fév., merc. soir et jeudi sauf juil.-août – SC : **R** 47/110.

CITROEN Gar. Berret, ☎ 74 30 80 06
FIAT gar. Roux, ☎ 74 52 45 46
PEUGEOT-TALBOT Petit, ☎ 74 30 81 01
RENAULT Goyard, à Malafretaz ☎ 74 30 80 62 N

MONTRICHARD 41400 L.-et-Ch. 64 ⑯⑰ **G. Châteaux de la Loire** – 3 786 h. alt. 68.
Voir Donjon★ : ★★.
Office de Tourisme Gds Degrés de Ste-Croix (Rameaux-fin sept.) ☎ 54 32 05 10 et à la Mairie (hors saison) ☎ 54 32 00 46.
Paris 215 – Blois 33 – Châteauroux 88 – Châtellerault 85 – Loches 31 – •Tours 43 – Vierzon 73.

Château de la Menaudière M, à 3 km rte d'Amboise ☎ 54 32 02 44, Télex 751246, ≤, parc – TV ☎ – 25. AE VISA
15 mars-1er déc. et fermé dim. soir et lundi non fériés sauf du 1er mai au 15 oct. – SC : **R** 150/190 – 35 – **25 ch** 200/440.

Tête Noire, 24 r. Tours ☎ 54 32 05 55 – wc wc ☎ . VISA
fermé 4 janv. à début fév. et vend. du 15 oct. au 15 mars – SC : **R** 65/200 – 23 – **39 ch** 100/221 – P 253/330.

Bellevue M, quai du Cher ☎ 54 32 06 17, ≤ – rest wc wc ☎. E VISA
fermé 15 nov. au 21 déc., lundi soir et mardi d'oct. à avril – SC : **R** 77/200 – 24 – **29 ch** 120/250 – P 325/341.

CITROEN Giraudon, ☎ 54 32 15 33
PEUGEOT-TALBOT Ferrand, ☎ 54 32 00 61
RENAULT Gar. Renault, ☎ 54 32 04 84
V.A.G. gar. Bonnamy, ☎ 54 32 00 95

MONTRICOUX 82 T.-et-G. 79 ⑱⑲ **G. Périgord** – 754 h. alt. 105 – ✉ **82800** Négrepelisse.
Voir Bruniquel : site★, vieux bourg★, château ≤★ SE : 5 km.
Paris 642 – Cahors 50 – Gaillac 39 – Montauban 24 – Villefranche-de-Rouergue 57.

Relais du Postillon, S : 0,5 km par D 964 ☎ 63 67 23 58, – . ✻
SC : **R** 50/135 – 17 – **11 ch** 80/110 – P 240/280.

MONTRIOND 74 H.-Savoie 74 ⑧ – rattaché à Morzine.

MONTROC-LE-PLANET 74 H.-Savoie 74 ⑨ – rattaché à Argentière.

MONT-ROLAND 39 Jura 70 ③ – rattaché à Dôle.

MONT-ROND (Sommet du) 01 Ain 70 ⑮ **G. Jura** – alt. 1 600.
Voir ✲★★★.
Accès par télécabine (gare à 0,5 km SO du col de la Faucille).

MONTROND-LES-BAINS 42210 Loire 73 ⑱ **G. Vallée du Rhône** – 3 194 h. alt. 356 – Stat. therm. (15 mai-1er oct.) – Casino.

Paris 497 – ♦Lyon 68 – Montbrison 14 – Roanne 50 – ♦St-Étienne 27 – Thiers 80.

Host. La Poularde (Randoing), ✆ 77 54 40 06 – TV P – 40. AE VISA. rest
fermé 2 au 15 janv., lundi soir et mardi midi – SC : **R** (dim. prévenir) 135/350 et carte – 35 – **15 ch** 180/320
Spéc. Feuilleté d'amourettes, ris de veau et crêtes de coq, Escalope de foie chaud aux navets, Coeur de charolais aux échalotes. **Vins** Chassagne-Montrachet, Fleurie.

Motel du Forez sans rest, **rte Roanne** ✆ **77 54 42 28** – wc P. AE E VISA
SC : 15,50 – **20 ch** 124/173.

Vieux Logis, 4 rte de Lyon ✆ **77 54 42 71,** – VISA
fermé 22 juin au 6 juil., vacances de nov., 1er au 15 fév., dim. soir et lundi – SC : **R** 70/200 .

CITROEN Protière, ✆ 77 54 44 28
PEUGEOT-TALBOT Gar. Swann, ✆ 77 54 40 66
RENAULT Décultieux, ✆ 77 54 41 32
Gar. Souchon, ✆ 77 54 40 57 N

MONTROUGE 92 Hauts-de-Seine 60 ⑩, 101 ㉕ – voir à Paris, Environs.

MONTS 37260 I.-et-L. 64 ⑮ – 5 422 h. alt. 74.

Paris 248 – Châtellerault 60 – Chinon 33 – Loches 39 – Montbazon 7,5 – ♦Tours 21.

Sporting-Gadin avec ch, ✆ **47 26 70 15** – P. VISA
fermé 15 au 30 sept. et 15 fév. au 7 mars – SC : **R** 49/165 – 20 – **13 ch** 65/100.

Le MONT-SAINT-MICHEL 50116 Manche 59 ⑦ **G. Normandie, G. Bretagne** – 80 h..
Voir Abbaye★★★ – Bourg★★ : remparts★★, Grande-Rue★, Jardins de l'Abbaye★, Musée historique : coqs de montres★ – le Mont est entouré d'eau aux pleines mers des grandes marées.

Office de Tourisme Corps de Garde des Bourgeois (1er mars-31 oct.) ✆ 33 60 14 30.

Paris 326 – Alençon 134 – Avranches 22 – Dinan 54 – Fougères 47 – ♦Rennes 66 – St-Malo 52.

Mère Poulard , ✆ **33 60 14 01** – AE . rest
28 mars-30 sept. – SC : **R** 175/450 – **27 ch** – $^1/_2$ p 295
Spéc. Langouste grillée et flambée, Carré d'agneau, Omelette flambée Mère Poulard (dessert).

Mouton Blanc , ✆ **33 60 14 08,** – wc wc
mi-fév.-mi nov. – SC : **R** 65/167 – 17 – **20 ch** 85/210.

Terrasses Poulard, ✆ **33 60 14 09,** ≤ baie, . AE VISA
fermé janv. – SC : **R** 69/129.

à la Digue S : 2 km sur D 976 :

Digue, ✆ 33 60 14 02, Télex 170157, ≤ – wc wc P. AE VISA. ch
hôtel : 15 mars-15 nov.; rest.: 23 mars-20 oct. – SC : **R** 65/170 – 20 – **35 ch** 180/250.

Relais du Roy M, ✆ **33 60 14 25** – wc P. AE. ch
22 mars-15 nov., 6 au 16 fév. – SC : **R** *(fermé mardi)* 50/176 – 21 – **27 ch** 205.

St-Aubert M sans rest, ✆ **33 60 08 74,** – wc P. AE.
1er avril-1er nov. – SC : 17,50 – **27 ch** 187/192.

à Beauvoir S : 4 km par D 976 – ✉ **50170** Pontorson :

Beauvoir, ✆ **33 60 09 39** – wc P
1er fév.-15 oct. et fermé mardi – SC : **R** 50/80 – 14,50 – **19 ch** 160/220 – P 270/300.

Gar. de la Baie, à Beauvoir ✆ 33 60 09 08 N

MONTSALVY 15120 Cantal 76 ⑫ G. Auvergne – 1 035 h. alt. 800.

Voir Puy-de-l'Arbre ✻★ NE : 1,5 km.

Syndicat d'Initiative ✆ 71 49 21 43.

Paris 600 – Aurillac 35 – Entraygues-sur-Truyère 14 – Figeac 57.

Nord M, ✆ 71 49 20 03 – wc wc ☎ P – 80. AE ① E VISA
20 mars-2 janv. – SC : **R** 52/170 – ☕ 16,50 – **30 ch** 85/175 – P 155/191.

Aub. Fleurie, ✆ 71 49 20 02, « Bel ensemble rustique » – . AE ① E VISA
SC : **R** *(15 fév.-15 nov.)* 58/90 ♈ – ☕ 15,50 – **18 ch** 87/120 – P 160/175.

PEUGEOT-TALBOT Cazal, ✆ 71 49 26 65 RENAULT Lacombe, ✆ 71 49 20 27 N
N ✆ 71 47 80 56

MONTSAUCHE 58230 Nièvre 65 ⑯ G. Bourgogne – 746 h. alt. 650.

Voir Lac des Settons★ SE : 5 km.

Paris 257 – Autun 45 – Avallon 54 – Château-Chinon 24 – Clamecy 60 – Nevers 90 – Saulieu 25.

Idéal, ✆ 86 84 51 26, – wc P. ✻ ch
1er avril-4 nov. – SC : **R** 55/105 – ☕ 15 – **15 ch** 100/185 – P 160/200.

CITROEN Bouché-Pillon, ✆ 86 84 52 26

MONT-SAXONNEX 74 H.-Savoie 74 ⑦ G. Alpes – 677 h. alt. 997 – Sports d'hiver : 1 000/ 1 550 m ⚡7 – ✉ 74130 Bonneville.

Voir Église ✻★★ 15 mn.

Paris 552 – Annecy 57 – Bonneville 11 – Chamonix 51 – Cluses 9,5 – Megève 38 – Morzine 39.

Jalouvre , ✆ 50 96 90 67, ←, – P. ✻ rest
fermé 1er au 24 mai et 21 sept. au 1er nov. – SC : **R** 62/94 ♈ – ☕ 16 – **15 ch** 96/108 – P 152/167.

Les MONTS-DE-VAUX 39 Jura 70 ④ – rattaché à Poligny.

MONT-SION (Col du) 74 H.-Savoie 74 ⑥ – rattaché à St-Julien-en-Genevois.

MONTSOREAU 49730 M.-et-L. 64 ⑫⑬ G. Châteaux de la Loire – 454 h. alt. 36.

Voir ✻★★ – Château★ – Église★★ de Candes-St-Martin SE : 1,5 km.

Paris 290 – Angers 64 – Châtellerault 64 – Chinon 18 – Poitiers 79 – Saumur 11 – ♦Tours 56.

Bussy et Diane de Méridor, ✆ 41 51 70 18, ←, – wc wc ☎ P
fermé 15 déc. au 31 janv., mardi sauf le soir en juil-août – SC : **R** 75/160 – ☕ 18 – **19 ch** 65/250 – P 240/320.

Loire avec ch, ✆ 41 51 70 06, – P. E VISA. ✻ ch
fermé 15 janv. au 15 mars, jeudi soir et vend. – **R** 51/100 ♈ – ☕ 14 – **7 ch** 80.

MONT-SOUS-VAUDREY 39380 Jura 70 ④ – alt. 221.

Paris 383 – Arbois 16 – Beaune 71 – Dole 19 – Lons-le-Saunier 40 – Salins-les-Bains 26.

Aub. Jurassienne, rte Léon Guiguard ✆ 84 81 50 17 – P. VISA. ✻
fermé 15 juin au 1er juil. et merc. – SC : **R** 40/120.

MONVIEL 47 L.-et-G. 79 ⑤ – rattaché à Cancon.

MOOSCH 68690 H.-Rhin 66 ⑧⑨ G. Alsace et Lorraine – 1 897 h. alt. 395.

Paris 441 – Colmar 50 – Gérardmer 49 – Thann 7 – Le Thillot 31.

Aux Trois Rois avec ch, ✆ 89 82 34 66, – ☎ P. VISA. ✻ ch
hôtel : 1er mars-30 sept. et fermé mardi soir et merc. – SC : **R** *(fermé 20 déc. au 26 janv., mardi soir et merc.)* 38/155, et dim. dîner à la carte ♈ – ☕ 15 – **8 ch** 65/110 – P 145/150.

V.A.G. Sovra, à Fellering ✆ 89 37 63 90 N ✆ 89 82 63 90

MORANGIS 91 Essonne 61 ①, 101 ㉟ – voir à Paris, Environs.

MORCENX 40110 Landes 78 ⑤ – 5 814 h. alt. 74.

Syndicat d'Initiative à l'Hôtel de Ville ✆ 58 07 80 29.

Paris 698 – Bayonne 89 – ♦Bordeaux 110 – Mimizan 36 – Mont-de-Marsan 39.

Bellevue, ✆ 58 07 85 07 – TV wc ☎ P. ✻ rest
fermé 20 au 30 déc., vend. soir et sam. du 1er oct. au 30 mai – SC : **R** 47/65 ♈ – ☕ 16,50 – **24 ch** 85/170 – P 182/235.

CITROEN Gar. Rieppi, ✆ 58 07 82 10 RENAULT Gar. Samson, à Garrosse ✆ 58 07 81 09 N

MORESTEL 38510 Isère 74 ⑭ G. Vallée du Rhône – 2 816 h. alt. 214.

Paris 480 – Bourg-en-Bresse 67 – Chambéry 51 – ♦Grenoble 68 – ♦Lyon 58 – La Tour-du-Pin 15.

Dubeuf sans rest, ✆ 74 80 06 22, – wc P. VISA
fermé vend. – SC : 18 – **21 ch** 85/180.

France, Gde-Rue ✆ 74 80 04 77 – wc wc . AE E VISA
fermé 15 nov. au 10 déc. – SC : **R** *(fermé dim. soir et lundi sauf vacances scolaires)* 49/185 – 15 – **12 ch** 122/182 – P 234/269.

La Grille, ✆ 74 80 02 88 – P. AE E VISA
fermé 20 déc. au 10 janv., vend. soir et sam. midi du 1er sept. au 30 juin – SC : **R** 48/120 .

CITROEN Gar. Bernard, ✆ 74 80 08 11
RENAULT Lavalette, ✆ 74 80 07 54

MORET-SUR-LOING 77250 S.-et-M. 61 ⑫, 196 ㊻ G. Environs de Paris (plan) – 3 555 h. alt. 70.

Voir Site★.

Office de Tourisme pl. Samois (15 avril-30 sept.) ✆ (1) 60 70 41 66.

Paris 75 – Fontainebleau 10 – Melun 27 – Montereau-faut-Yonne 12 – Nemours 17 – Sens 43.

à Veneux-les-Sablons O : 3,5 km – ✉ 77250 Moret-sur-Loing :

Bon Abri, 90 av. Fontainebleau ✆ (1) 60 70 55 40 – VISA
fermé 9 au 30 sept., 23 déc. au 2 janv., lundi soir et mardi – SC : **R** 59/128.

PEUGEOT-TALBOT Gar. Moderne, ✆ (1) 60 70 50 89

MOREZ 39400 Jura 70 ⑮ G. Jura (plan) – 6 999 h. alt. 702.

Voir Site★ – La Roche au Dade ≤★ 30 mn – O : Gorges de la Bienne★.

Office de Tourisme pl. J.-Jaurès ✆ 84 33 08 73.

Paris 459 – Bourg-en-B. 100 – Champagnole 34 – ♦Genève 55 – Lons-le-Saunier 58 – Pontarlier 70.

Poste, 165 r. République ✆ 84 33 11 03 – wc wc P. AE E VISA
fermé 15 nov. au 20 déc. – SC : **R** *(fermé dim. soir et lundi)* 60/220 – 18 – **45 ch** 92/175 – P 181/230.

Europa, 125 r. République ✆ 84 33 12 08 – wc . VISA
SC : **R** 36/48 – 16,50 – **30 ch** 75/131.

CITROEN, LANCIA-AUTOBIANCHI Lambert, 2 r. V.-Poupin ✆ 84 33 06 72
FORD Gar. Raguin, 144 r. République ✆ 84 33 04 48
PEUGEOT-TALBOT Benier-Rollet, 36 r. République ✆ 84 33 03 55
PEUGEOT-TALBOT Gar. de l'Hôtel de Ville, 1 pl. J.-Jaurès ✆ 84 33 13 04
RENAULT Morez-Autom., 74 r. République ✆ 84 33 14 70 N ✆ 84 60 15 97
Jura-Pneu, 17 r. Lamartine ✆ 84 33 19 97

MORGAT 29 Finistère 58 ⑭ G. Bretagne – ✉ 29160 Crozon.

Voir Phare ≤★ – Grandes Grottes★.

Office de Tourisme bd Plage (1er juin-15 sept.) ✆ 98 27 07 92 et à Crozon Maison Communale (15 oct.-30 mai) ✆ 98 27 21 65.

Paris 591 – ♦Brest 60 – Châteaulin 37 – Douarnenez 49 – Morlaix 78 – Quimper 58.

Ville d'Ys , ✆ 98 27 06 49, ≤ – wc P.
1er avril-30 sept. – SC : **R** 72/235 – 21 – **42 ch** 135/254 – P 170/260.

Julia , ✆ 98 27 05 89, – wc P. E VISA. rest
fermé 15 nov. au 15 janv. – SC : **R** *(fermé vend.)* 65/112 – 16 – **22 ch** 95/165 – P 175/230.

du Kador, ✆ 98 27 05 68 – . E VISA. rest
fermé 15 nov. au 15 déc. et lundi hors sais. – SC : **R** 65/145 – 19,50 – **18 ch** 99/142.

le Roof, bd France Libre ✆ 98 27 08 40, . E
fermé oct. et lundi hors sais. – SC : **R** 75/195.

MORIÈRES-LÈS-AVIGNON 84 Vaucluse 81 ⑫ – rattaché à Avignon.

MORILLON 74 H.-Savoie 74 ⑧ – rattaché à Samoëns.

MORLAAS 64160 Pyr.-Atl. 85 ⑦ – 2 486 h. alt. 295.

Paris 764 – Pau 12 – Tarbes 38.

Glisia, 43 r. Bourg-Neuf ✆ 59 33 41 12 – wc wc P. E. ch
fermé nov. et dim. – SC : **R** 45/65 – 16 – **22ch** 74/182 – P 135/168.

Le Bourneuf, 3 r. Bourg-Neuf ✆ 59 33 44 02 – P. E
fermé 13 oct. au 5 nov., dim. soir et lundi – SC : **R** 38/120.

MORLAIX <SP> 29210 Finistère 58 ⑥ **G. Bretagne** – 19 541 h. alt. 61.

Voir Viaduc★ ABY – Grand'Rue★ BZ – Maison "de la Reine Anne★" BZ **B** – Vierge★ dans l'église St-Mathieu BZ – Musée★ BZ **M.**

Env. Calvaire★★ de Plougonven SE : 12 km par le D 9 Z.

Office de Tourisme pl. Otages ✆ 98 62 14 94.

Paris 538 ② – ♦Brest 60 ④ – Quimper 79 ④ – St-Brieuc 86 ②.

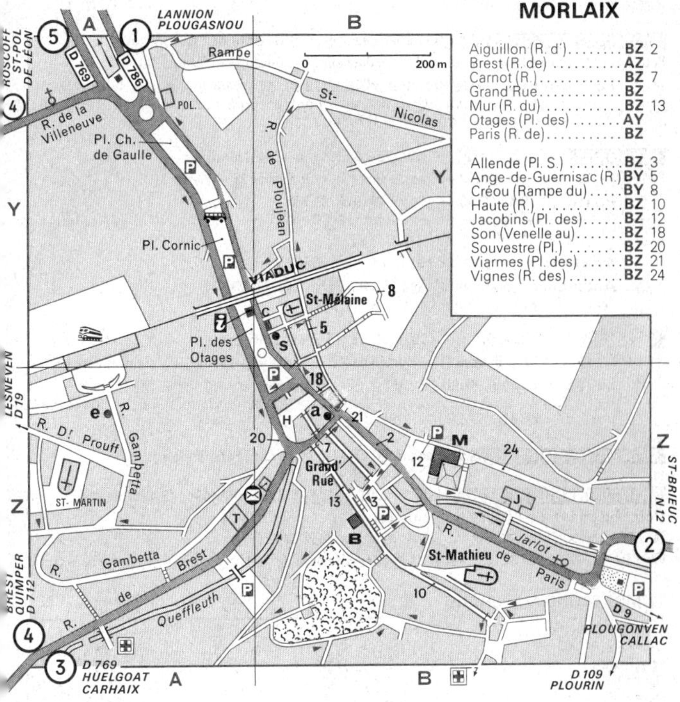

Europe, 1 r. Aiguillon ✆ 98 62 11 99 – ascenseur wc wc ☎ – 35. AE ⓓ E VISA. rest — BZ **a**
fermé 15 déc. au 15 janv. – **Rest. R** 75/165 – **Brasserie R** 54/97 – 20 – **65 ch** 130/450.

Fontaine M sans rest, Z.A. La Boissière, voie express, rte de Lannion ✆ 98 62 09 55 – wc ☎ ♿ Ⓟ. VISA
fermé 15 fév. au 15 mars – SC : 19 – **35 ch** 125/205.

Les Bruyères M sans rest, par ② : 3 km sur D 712 ✆ 98 88 08 68 – wc wc ☎ Ⓟ. VISA
fermé 15 déc. au 15 janv. – SC : 18 – **32 ch** 120/180.

Minimote St-Martin M sans rest, Ctre Com. St-Martin O : 3 km par voie exp. N 12 sort. St Martin des Champs ✆ 98 88 35 30 – TV wc ☎. E VISA
SC : 23 – **22 ch** 180/245.

Marée Bleue, 3 Rampe St-Mélaine ✆ 98 63 24 21 – E VISA — BY **s**
fermé mi-nov. à début déc., fév. (sauf vac. scol.), sam. midi d'avril à oct., dim. soir de nov. à mars et lundi – SC : **R** 52 (sauf sam.)/160.

Aub. des Gourmets, 90 r. Gambetta ✆ 98 88 06 06 – AE ⓓ E VISA — AZ **e**
fermé 15 oct. au 15 nov. et lundi – SC : **R** 46/140.

à St-Antoine-Plouezoch par ① et D 46 : 9 km – ✉ **29252** Plouezoch :

Menez M sans rest., ✆ 98 67 28 85, ←, – wc wc ☎ Ⓟ.
fermé 15 sept. au 20 oct., mai, sam. et dim. hors sais. – SC : 18 – **10 ch** 143/180.

St-Antoine avec ch, ✆ 98 67 27 05 – VISA.
fermé 15 sept. au 15 oct. et lundi – **R** 50/180 – 15 – **10 ch** 85/120 – P 205.

BMW Style Autom., rte de Paris Croix Rouge ✆ 98 63 30 30
CITROEN Gar. du Jarlot, bd St-Martin à St-Martin-des-Champs par r. de la Villeneuve AY ✆ 98 62 09 68 🅽 ✆ 98 88 05 74
FORD Gar. Bourven, rte Paris, La Roseraie ✆ 98 88 18 02
PEUGEOT-TALBOT Gar. de Bretagne, La Croix Rouge, rte Paris par ② ✆ 98 62 03 11
RENAULT Gar. Huitric, La Croix Rouge, rte Paris par ② ✆ 98 62 04 22
V.A.G. Gar. Beyou, à St-Martin-des-Champs, rte de Plouvorn ✆ 98 88 23 80

Simon-Pneus, rte de St-Sève à St-Martin-des-Champs ✆ 98 88 01 43

MORNAC-SUR-SEUDRE 17113 Char.-Mar. 71 ⑭⑮ **G. Côte de l'Atlantique** – 558 h.
Paris 505 – Marennes 23 – Rochefort 36 – La Rochelle 68 – Royan 13 – Saintes 37.

XX **La Gratienne,** rte de Breuillet ✆ 46 22 73 90, ⛱, « jardin fleuri » – **P**. VISA
fermé 15 avril au 7 mai, 10 au 30 déc., merc. et jeudi sauf en juil.-août ; de déc. à Pâques ouvert week-end seul. – **R** 85 🌡.

MORNANT 69440 Rhône 74 ⑪ **G. Vallée du Rhône** – 3 463 h. alt. 367.
Paris 480 – Givors 10 – •Lyon 23 – Rive-de-Gier 13 – •St-Étienne 35 – Vienne 21.

Poste, ✆ 78 44 00 40 – ⇔ ⋒ ☎ 🚗. E VISA
fermé 8 au 22 sept. et 15 au 30 janv. – SC : **R** *(fermé dim. soir et lundi)* 55/180 – ☕ 16 – **12 ch** 75/180 – P 190/250.

à Ravel E : 4 km par D 63 et D 42 – ✉ **69440** Mornant :

XX **Acacias,** rte de Lyon ✆ 78 48 73 06, ⛱ – **P**. AE VISA
fermé fév., mardi et merc. – SC : **R** 90/170.

MORNAS 84 Vaucluse 81 ① – 1 737 h. alt. 38 – ✉ **84420** Piolenc.
Paris 649 – Avignon 42 – Bollène 11 – Montélimar 47 – Nyons 47 – Orange 11 – Pont-St-Esprit 13.

Le Manoir, ✆ 90 37 00 79, ⛱ – ⇔wc ⋒wc ☎ 🚗 **P**. AE E VISA
fermé 15 nov. au 8 déc., 15 au 31 janv., dim. soir et lundi hors sais. – SC : **R** 65/126 – ☕ 19 – **25 ch** 183/270 – P 252/315.

MORSANG-SUR-ORGE 91 Essonne 61 ①, 101 ㊱ – voir à Paris, Environs.

MORTAGNE-AU-PERCHE <SP> 61400 Orne 60 ④ **G. Normandie** – 5 200 h. alt. 255.
Voir Boiseries★ de l'église N.-Dame E.
Office de Tourisme pl. Gén.-de-Gaulle (sais.) ✆ 33 25 04 22.
Paris 155 ① – Alençon 38 ⑥ – Chartres 79 ② – Lisieux 86 ⑥ – •Le Mans 71 ④ – Verneuil 39 ①.

MORTAGNE-AU-PERCHE

Briand (R. Aristide)	2
Déportés (R. des)	3
Fort (R. du)	4
Gaulle (Pl. Gén. de)	5
Guérin (R. du Col.)	6
Leclerc (R. Gén.)	8
Longny (R. de)	9
Mail (R. du)	12
Montcacune (R.)	13
Notre-Dame (R.)	14
Poudrière (R. de la)	16
Quinze-Fusillés (R. des)	17
République (Pl. de la)	19
St-Éloy (R. du Faubourg)	20
St-Langis (R. du Faubourg)	21
Ste-Croix (R.)	22

Les guides Rouges les guides Verts et les cartes Michelin sont complémentaires. Utilisez-les ensemble.

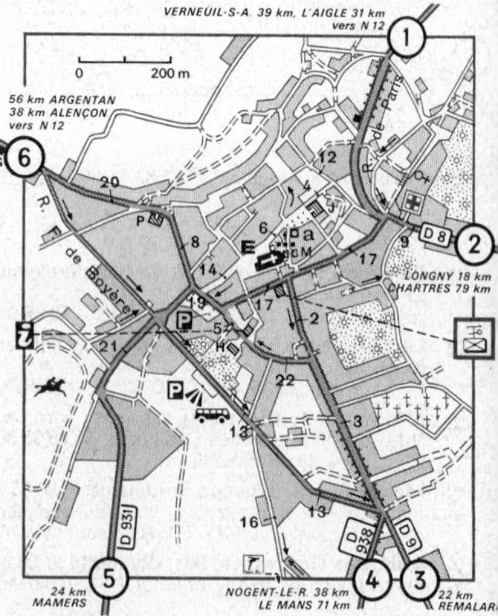

Tribunal 🐎, 4 pl. du Palais **(a)** ✆ 33 25 04 77, ⛱ – TV ⇔wc ☎ – 🧑‍🤝‍🧑 25. E VISA
fermé 23 au 30 déc. – SC : **R** 57/125 – ☕ 16,50 – **15 ch** 94/164 – P 173/210.

au Pin-la-Garenne par ④ : 9 km sur D 938 – ✉ **61400** Mortagne-au-Perche :

XX **La Croix d'Or,** ✆ 33 83 80 33 – **P**. E VISA
fermé 15 nov. au 1er déc., 8 au 23 fév. et lundi – **R** 98/140 🌡.

CITROEN Seram, à St-Langis-lès-Mortagne par ⑥ ✆ 33 25 06 66
FIAT, LANCIA-AUTOBIANCHI Gar. du Perche, ✆ 33 25 12 10
FORD Gd Gar. du Panorama, ✆ 33 25 37 45
PEUGEOT-TALBOT Gar. du Valdieu, à St-Langis-lès-Mortagne par ④ ✆ 33 25 27 00
RENAULT Perche-Autom., par ① ✆ 33 25 21 45
RENAULT Mortagne Automobiles, par ⑥ ✆ 33 25 00 56
V.A.G. Poirier, N 12, Gaillons à St-Hilaire-le-Chatel ✆ 33 25 30 88

MORTAGNE-SUR-GIRONDE 17 Char-Mar. **71** ⑥ **G. Côte de l'Atlantique** – 1 039 h. alt. 51 – ✉ **17120** Cozes.

Voir Chapelle★ de l'Ermitage St-Martial S : 1,5 km.

Paris 508 – Blaye 57 – Jonzac 31 – Pons 25 – La Rochelle 92 – Royan 32 – Saintes 36 – Saujon 28.

Aub. de la Garenne ⑤, ✆ **46 90 63 69**, ≤, – wc ☎ **P**. VISA
23 mars-1er nov. – SC : **R** 59/130 – 15 – **11 ch** 85/168 – P 193/234.

Le Port, à la Rive SO : 2 km ✆ **46 90 60 25** – AE ⓓ VISA
fermé merc. – SC : **R** 48/160 ⅃.

MORTAGNE-SUR-SÈVRE **85290** Vendée **67** ⑤ **G. Côte de l'Atlantique** – 5 359 h. alt. 175.

Paris 359 – Bressuire 40 – Cholet 10 – ♦Nantes 56 – La Roche-sur-Yon 55.

France, pl. Dr-Pichat ✆ **51 67 63 37**, Télex **711403**, – TV wc wc ☎ – 25 à 100. AE ⓓ E VISA
fermé 1er au 15 sept., dim. soir du 1er nov. au 30 mars et sam. – SC : **La Taverne R** 118/250 – **Petite Auberge R** 60/112 ⅃ – 23 – **25 ch** 90/276 – P 204/416.

PEUGEOT-TALBOT, VOLVO Fièvre, ✆ 51 67 60 96
RENAULT Soulard, ✆ 51 67 62 33
Brison, ✆ 51 67 71 31

MORTAIN **50140** Manche **59** ⑨ **G. Normandie** – 3 036 h. alt. 232.

Voir Site★ – Grande Cascade★ – Petite chapelle ≤★ E.

Syndicat d'Initiative r. Bourglopin (1er juil.-1er sept.) et à la Mairie (hors saison) ✆ 33 59 00 51.

Paris 277 ③ – Avranches 36 ① – Domfront 25 ③ – Flers 35 ② – Mayenne 52 ④ – Le Mont-St-Michel 50 ⑤ – St-Lô 63 ① – Villedieu-les-Poêles 34 ①.

Poste, pl. des Arcades **(a)** ✆ **33 59 00 05** – wc wc ☎ . E VISA.
fermé 20 déc. au 1er fév., vend. soir et sam. sauf juil.-août – SC : **R** 55/95 – 15 – **29 ch** 100/170.

Cascades, r. du Bassin **(n)** ✆ **33 59 00 03** – wc wc
fermé 20 déc. au 3 janv., dim. soir et lundi midi – SC : **R** 39/130 – 13,50 – **14 ch**.

CITROEN Dubois-Helleux, ✆ 33 59 01 63 **N**
PEUGEOT-TALBOT Prieur, Le Neufbourg ✆ 33 59 00 14 **N**
RENAULT Langlois, ✆ 33 59 00 53

MORTEAU **25500** Doubs **70** ⑦ **G. Jura** (plan) – 6 699 h. alt. 772.

Office de Tourisme pl. Gare (juin-sept.) ✆ 81 67 18 53.

Paris 480 – ♦Bâle 128 – Belfort 89 – ♦Besançon 67 – Montbéliard 71 – Neuchâtel 38 – Pontarlier 31.

la Guimbarde, 10 pl. Carnot ✆ **81 67 14 12**, – wc wc ☎ **P**. E VISA
SC : **R** *(fermé oct. et lundi midi sauf juil. - août)* 60/140 ⅃ – 18 – **20 ch** 70/190 – P 185/200.

Aub. de la Roche, au pont de la Roche SE : 3 km par D 437 ✉ **25570** Gd Combe Chateleu ✆ **81 68 80 05**, – **P**. E VISA
fermé 5 au 26 janv., dim. soir et lundi – SC : **R** 75/260.

CITROEN Gar. Chuard, Zone Ind., Chemin des Pierres ✆ 81 67 16 78
FORD Gar. Franc-Comtois, La Tanche-les-Fins ✆ 81 67 07 99
PEUGEOT-TALBOT Gar. Central, 17 r. Payot ✆ 81 67 08 12 **N**

MORTEMART 87 H.-Vienne **72** ⑥ **G. Périgord** – 161 h. – ✉ **87330** Mézières-sur-Issoire.

Paris 394 – Bellac 13 – Confolens 30 – ♦Limoges 39 – St-Junien 20.

Le Relais avec ch, D 675 ✆ **55 68 12 09**,
fermé 15 au 30 nov., vacances de fév., mardi soir sauf juil.-août et merc. – SC : **R** 53/116 – 13 – **5 ch** 66/110 – P 147.

MORZINE 74110 H.-Savoie 74 ⑧ **G. Alpes** – 2 888 h. alt. 960 – Sports d'hiver : 1 000/2 275 m 4 42, .

Voir Le Pléney ※★ S : par téléphérique A.

Env. Col du Ranfolly ※★★ S : 10 km B.

Office de Tourisme pl. Crusaz ✆ 50 79 03 45, Télex 385620.

Paris 576 ② – Annecy 93 ② – Bourg-en-B. 185 ② – Chamonix 71 ② – ♦Genève 74 ② – Thonon-les-Bains 33 ①.

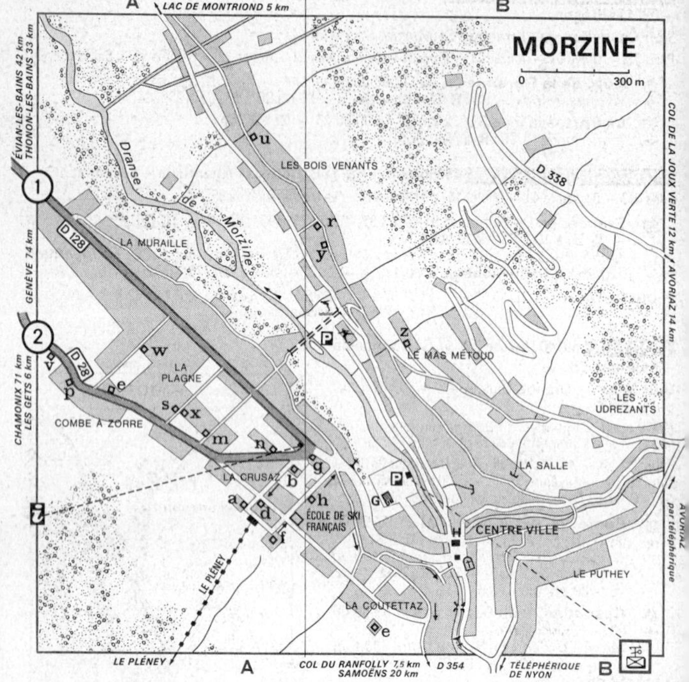

Les Airelles Ⓜ, ✆ 50 79 15 24, Télex 385178, ←, , – ▣ TV ☎ P. AE ⓓ E VISA. ✀ rest — A **b**
15 juin-15 sept. et 10 déc.-Pâques – SC : **R** 90/140 – ☕ 35 – **45 ch** 290/350 – P 330/420.

Le Dahu , ✆ 50 79 11 12, Télex 309514, ←, – ▣ ☎ P — B **z**
fin juin-fin août et 18 déc.-10 avril – SC : **R** 120/145 – ☕ 28 – **26 ch** 160/330 – P 320/440.

Bergerie Ⓜ sans rest, ✆ 50 79 13 69, ←, « Intérieur savoyard », – ▣ cuisinette TV wc wc ☎ . AE VISA — B **h**
fin juin-début sept. et mi-déc.-mi-avril – SC : ☕ 30 – **27 ch** 200/450.

Carlina, ✆ 50 79 01 03, Télex 385596 – wc wc ☎. AE ⓓ E VISA — A **d**
25 juin-1er sept. et 15 déc.-15 avril – SC : **R** 115/250 – **21 ch** ☕ 300/357 – P 300/420.

Le Tremplin, ✆ 50 79 12 31, ←, – ▣ TV wc wc ☎ P. ✀ rest
28 juin-30 août et 20 déc.-11 avril – SC : **R** 140/180 – **36 ch** ☕ 180/440, 4 appartements 550 – P 380/480. — A **a**

Clef des Champs , ✆ 50 79 10 13, ←, – wc wc ☎ P. ✀ rest — B **e**
juil.-début sept. et 15 déc.-Pâques – SC : **R** 70/90 – ☕ 20 – **27 ch** 250 – P 230/280.

Champs Fleuris, ✆ 50 79 14 44, ←, , – ▣ wc wc ☎ P. ✀ rest
25 juin-3 sept. et 18 déc.-10 avril – SC : **R** 115/130 – ☕ 28 – **40 ch** 190/375 – P 310/435. — A **f**

Savoie, NO : 1,5 km par ② ✆ 50 79 13 31, ←, – ▣ wc ☎ P. ✀ rest
1er juil.-5 sept. et 20 déc.-Pâques – SC : **R** 75 – **36 ch** ☕ 150/280 – P 310/340.

Le Concorde, ✆ 50 79 13 05, ←, – ▣ wc ☎ P. ✀ rest — A **e**
fin juin-début sept. et 20 déc.-mi-avril – SC : **R** 62/100 – ☕ 20 – **27 ch** 176/220 – P 185/235.

Le Samoyède M, ☎ 50 79 00 79, 🚗 – 🛗 ⇌wc ⩍wc ☎ P. AE VISA. 🚫 rest
28 juin-30 sept., et vacances de Noël-vacances de Pâques – SC : **R** 63/138 – ☕ 20 – **27 ch** 133/237 – P 231/287. B **g**

Igloo sans rest, ☎ 50 79 15 05, ≤ – 🛗 ⇌wc ☎ 🚗 P A **m**
25 ch.

Combe Humbert sans rest, ☎ 50 79 06 70, ≤ – 🛗 ⇌wc ☎ 🚗 P. AE ◐ VISA
SC : ☕ 16 – **10 ch** 150/200. A **p**

La Renardière sans rest, ☎ 50 79 03 50, ≤, 🚗 – ⇌wc ⩍wc ☎ 🚗 P. VISA
20 juin-20 sept. et 10 déc.-20 avril – SC : ☕ 20 – **19 ch** 135/190. A **v**

Fleur des Neiges, ☎ 50 79 01 23, ≤, 🚗 – 🛗 ⇌wc ⩍wc ☎ P. 🚫 rest A **w**
20 juin-10 sept. et 20 déc.-15 avril – SC : **R** 85/100 – ☕ 22 – **34 ch** 230/260 – P 230/260.

Chamois d'Or, ☎ 50 79 13 78 – ⇌wc ⩍wc ☎ 🚗. 🚫 A **n**
20 déc.-11 avril – SC : **R** 78/98 – ☕ 17 – **25 ch** 109/178 – P 174/240.

Alpina 🔇, ☎ 50 79 05 24, ≤, 🚗 – 🛗 ⇌wc ⩍wc ☎ 🚗 P. 🚫 rest B **y**
28 juin-10 sept. et 20 déc.-15 avril – SC : **R** 68/85 – ☕ 20 – **18 ch** 200/300 – P 240/260.

Beau Regard 🔇, ☎ 50 79 11 05, ≤, 🚗 – ⇌wc ⩍ ☎ P. E. 🚫 ch B **r**
fin juin-début sept. et Noël-Pâques – SC : **R** 70/90 – ☕ 18 – **34 ch** 165/215 – P 185/230.

Bel'Alpe, ☎ 50 79 05 50, ≤, 🚗 – ⩍wc P. 🚫 rest A **x**
1er juil.-4 sept. et 20 déc.-10 avril – SC : **R** 65/75 – ☕ 18 – **22 ch** 140/160 – P 185/205.

Ours Blanc 🔇, ☎ 50 79 04 02, ≤ – ⇌wc ⩍ P. 🚫 rest A **u**
25 juin-7 sept. et 15 déc.-15 avril – SC : **R** 65/75 – ☕ 18 – **20 ch** 60/180 – P 160/205.

La Musardière 🔇 sans rest, ☎ 50 79 13 48, ≤, 🚗 – ⇌wc ⩍wc. 🚫 A **s**
15 juin-15 sept. et 20 déc.-20 avril – SC : ☕ 15 – **10 ch** 120/140.

à Montriond NO : 2 km – ✉ **74110** Morzine :

XX **Aub. du Mont-Rond** 🔇 avec ch, ☎ 50 79 15 31, ≤, 🌳 – ⇌wc ⩍wc ☎ 🚗 P. E VISA. 🚫 ch
fermé 15 au 30 juin, 15 au 30 nov., dim. soir et lundi – SC : **R** 65/90 – ☕ 20 – **18 ch** 142/152 – P 190.

à Avoriaz 1800 NE : 4,5 km : accès par téléphérique ou par D 338 : 14 km – ✉ **74110** Morzine :

Les Dromonts M 🔇, ☎ 50 74 08 11, ≤ – 🛗 TV ☎. AE ◐ E VISA
13 déc.-15 avril – **R** carte 200 à 290 – **40 ch** ☕ 488/850 – P 615/665.

Les Hauts Forts M 🔇, ☎ 50 74 09 11, ≤ montagnes, 🌳 – 🛗 TV ☎
sais. – **50 ch**.

MOTTARET 73 Savoie **77** ⑧ – rattaché à Méribel-les-Allues.

La MOTTE 83920 Var **84** ⑦ – 1 557 h. alt. 72.
Paris 862 – Brignoles 53 – Cannes 59 – Draguignan 10 – St-Raphaël 27 – Ste-Maxime 27.

XX **Les Pignatelles,** rte Bagnols : 1 km ☎ 94 70 25 70, 🚗 – P. AE ◐ VISA
fermé 8 au 22 janv. et merc. – SC : **R** 88/185.

X **Aub. Fleurie,** ☎ 94 70 27 68, ≤, 🌳, « Jardin ombragé au bord de l'eau » – E VISA
fermé 15 déc. au 31 janv. et mardi – SC : **R** 74/107.

La MOTTE-AU-BOIS 59 Nord **51** ⑭ – rattaché à Hazebrouck.

La MOTTE D'AIGUES 84 Vaucluse **84** ③ – 591 h. alt. 385 – ✉ **84240** La Tour d'Aigues.
Paris 754 – Aix-en-Provence 31 – Avignon 76 – Manosque 27.

X **Aub. La Cigale,** ☎ 90 77 63 06 – VISA
fermé 2 janv. au 4 fév. et mardi – SC : **R** 75/119 🍷.

AUSTIN-ROVER Gar. Staiano, D 9, à Sannes ☎ 90 77 75 61

La MOTTE-SERVOLEX 73 Savoie **74** ⑮ – rattaché à Chambéry.

Le MOTTIER 38 Isère **74** ⑬ – 414 h. alt. 450 – ✉ **38260** La Côte-St-André.
Paris 512 – Bourgoin-Jallieu 21 – ♦Grenoble 47 – St-Etienne de St-Geoirs 12 – Vienne 43.

XX **Les Donnières,** ☎ 74 54 42 06 – AE
fermé 15 juil. au 15 août, janv., dim. soir, merc. et jeudi – SC : **R** (nombre de couverts limité - prévenir) carte 70 à 95.

MOUANS-SARTOUX 06370 Alpes-Mar. 84 ⑧, 195 ㉔ – 5 166 h. alt. 125.

Paris 908 – Antibes 15 – Cannes 10 – Grasse 7 – Mougins 4,5 – •Nice 35.

XX **Palais des Coqs,** SO : 2 km par D 409 et VO ✆ 93 75 61 57, « Jardin fleuri » – P. VISA
fermé 9 au 27 juin, 7 au 31 janv., merc. soir d'oct. à juin, vend. midi de juil. à sept. et jeudi – SC : **R** (prévenir) 140/200.

X **Relais Napoléon,** rte Nationale ✆ 93 75 65 08
fermé 15 déc. au 15 janv., dim. soir hors sais. et merc. soir – SC : **R** 45/88.

MOUCHARD 39330 Jura 70 ④⑤ – 1 427 h. alt. 277.

Paris 400 – Arbois 9 – •Besançon 41 – Dole 36 – Lons-le-Saunier 47 – Salins-les-Bains 9.

XX **Chalet Bel'Air** avec ch, ✆ 84 73 80 34, ≤, – TV wc ☎ P. AE ① VISA
rest. seul. : fermé 18 au 26 juin, 12 nov. au 4 déc., merc. et jeudi sauf vacances scolaires – **R** 85/250 – 27 – **7 ch** 103/214.

RENAULT Gar. Conry, ✆ 84 73 82 43 N

MOUDEYRES 43 H.-Loire 76 ⑱ – 132 h. alt. 1 177 – ✉ **43150** Le Monastier-sur-Gazeille.

Paris 594 – Aubenas 63 – Langogne 56 – Le Puy 25 – St-Agrève 41 – Yssingeaux 35.

✿ **Aub. Pré Bossu** (Grootaert) ✆ 71 05 10 70, – wc wc ☎ P. AE VISA. rest
Pâques-11 nov., 25 déc.-4 janv., fév. et fermé mardi et merc. hors sais. – SC : **R** (prévenir) 90/260 – 23 – **10 ch** 135/190
Spéc. Foie gras de canard aux raisins, Truite sauvage aux algues, Assiette de desserts.

MOUGINS 06250 Alpes-Mar. 84 ⑨, 195 ㉔㊳ **G. Côte d'Azur** – 10 197 h. alt. 260.

Voir Site★ – Ermitage N.-D. de Vie : site★, ≤★ SE : 3,5 km.

18 Country-Club de Cannes-Mougins ✆ 93 75 79 13, E : 2 km.

Syndicat d'Initiative pl. du Village ✆ 93 90 15 15.

Paris 905 – Antibes 12 – Cannes 7 – Grasse 11 – •Nice 32 – Vallauris 8.

Mas Candille ✆ 93 90 00 85, ≤, « Jardins en terrasse », – ch ☎ P. AE ① VISA
fermé 18 nov. au 18 déc. – SC : **R** *(fermé mardi sauf le soir en sais. et merc. midi)* 240/270 – 40 – **24 ch** 550/770.

Clos des Boyères chemin de la Chapelle ✆ 93 90 01 58, parc, « Bungalows dans un parc », – cuisinette TV wc ☎ P. AE ① E VISA
31 janv.-1er nov. – SC : **R** *(fermé merc.)* 86 – **35 ch** 425/454, 14 appartements 545/879 – P 365/505.

Arc H. M 1082 rte Valbonne E : 2,5 km ✆ 93 75 77 33, Télex 462190, – TV wc ☎ P – 50. AE E VISA. rest
SC : **R** snack – 33 – **44 ch** 330/370.

XXXX ✿✿✿ **Moulin de Mougins** (Vergé) avec ch, à Notre-Dame-de-Vie SE : 2,5 km par D 3 ✆ 93 75 78 24, Télex 970732, ≤, – rest TV wc ☎ P. AE ① VISA
fermé 15 nov. au 23 déc. et 15 fév. au 25 mars – **R** *(fermé jeudi midi et lundi)* 400 et carte – **3 ch** 600/720
Spéc. Poupeton de fleur de courgette aux truffes, Filets de rougets en barigoule de légumes, Noisettes d'agneau au coulis de truffes. **Vins** Rians.

XXX ✿✿ **Amandier de Mougins,** au Village ✆ 93 90 00 91, – AE ① VISA
fermé 2 janv. au 15 fév., sam. midi et merc. – SC : **R** 255 et carte
Spéc. Terrine de filets de rougets en gelée, Suprême de loup au beurre de basilic, Bouquetière de ris de veau et langoustines à la ciboulette. **Vins** Rians, St.-Tropez.

XXX ✿ **Relais à Mougins** (Surmain), au Village, pl. Mairie ✆ 93 90 03 47, – VISA
fermé déc. à mars, dim. soir et lundi sauf juil.-août – **R** (nombre de couverts limité - prévenir) 175 bc/205 bc (déj. seul.) et carte 260 à 350
Spéc. Foie de canard meunière aux fruits, Saumon vapeur à la vinaigrette, Lotte pochée aux baies roses. **Vins** Bandol.

XX **Ferme de Mougins,** à St-Basile ✆ 93 90 03 74, Télex 970643, – P. AE ① E VISA
fermé 15 nov. au 15 déc., 15 fév. au 15 mars, jeudi midi et lundi sauf juil.-août et fêtes – SC : **R** 200/300.

XX **Aux Trois Étages,** au village ✆ 93 90 01 46, – AE ①
fermé 1er oct. au 20 déc. et jeudi – SC : **R** 120/150.

XX **Le Bistrot,** ✆ 93 75 78 34 –
fermé fin nov. à mi-janv., mardi et merc. (sauf le soir en juil.-août) – SC : **R** 105/120.

X **Feu Follet,** au village, pl. Mairie ✆ 93 90 15 78,
fermé 3 au 26 nov., 3 au 18 mars, dim. soir et lundi hors sais. – SC : **R** 75/120.

PEUGEOT-TALBOT Ortelli, 235 rte du Cannet (Bretelle Autoroute) ✆ 93 45 11 11

MOUGUERRE 64 Pyr.-Atl. 78 ⑱ – rattaché à Bayonne.

MOULEYDIER 24520 Dordogne 75 ⑮ – 970 h. alt. 36.

Paris 563 – Beaumont 19 – Bergerac 10 – Périgueux 47 – Sarlat-la-Canéda 64.

Aub Beau Rivage, rte Lalinde ✆ 53 23 20 21, ← – AE E VISA
fermé 1er au 15 oct., 1er au 15 fév., dim. soir et lundi d'oct. à avril – SC : **R** 43/150 – 14 – **9 ch** 80/150 – P 140/170.

MOULIN-CHABAUD 01 Ain 74 ④ – rattaché à Ceignes.

MOULIN-DES-PONTS 01 Ain 70 ⑬ – rattaché à Coligny.

MOULINS P 03000 Allier 69 ⑭ **G. Auvergne** – 25 548 h. alt. 221.

Voir Cathédrale★ : triptyque★★★, vitraux★★ AY – Jacquemart★ BY **D** – Mausolée du duc de Montmorency★ (chapelle du lycée Banville) AX **B.**

Env. Château de Pomay★ par ③ : 9,5 km.

Office de Tourisme pl. Hôtel de Ville ✆ 70 44 14 14 - A.C. 62 r. Pont-Ginguet ✆ 70 44 00 96.

Paris 292 ① – Bourges 98 ① – Chalon-sur-Saône 145 ③ – Châteauroux 157 ① – ♦Clermont-Ferrand 96 ⑤ – Mâcon 136 ③ – Montluçon 67 ⑥ – Nevers 54 ① – Roanne 98 ④ – Vichy 57 ④.

Plan page suivante

✻ **Paris,** 21 r. Paris ✆ 70 44 00 58, Télex 394853 – rest – 25. AE E VISA. rest — AX **p**
fermé dim. soir et lundi sauf saison et fêtes – SC : **R** (nombre de couverts limité - prévenir) 140/300 et carte – 38 – **19 ch** 210/400, 8 appartements 420/510 – P 550/780
Spéc. Assiette campagnarde de foie de canard, Noisettes d'agneau, Canard "Du Chambet". **Vins** Pouilly-Fumé, Sancerre.

Moderne, 9 pl. J.-Moulin ✆ 70 44 05 06,, Télex 392968 – wc wc – 100 — AY **m**
SC : **R** *(fermé 7 nov. au 10 déc., vend. soir et sam. midi de déc. à mai)* 70/105 – 20 – **44 ch** 165/240 – P 350/400.

Parc, 31 av. Gén.-Leclerc ✆ 70 44 12 25 – wc wc — BZ **a**
fermé 8 au 15 juin, 1er au 15 oct. et 23 déc. au 8 janv. – SC : **R** *(fermé dim. soir et sam.)* 68/150 – 19 – **27 ch** 110/250 – P 230/280.

Dauphin, 59 pl. Allier ✆ 70 44 33 05, Télex 394860, – wc wc
fermé mi-déc. à début-janv. et week-end en hiver – SC : **R** 52/180 – 16 – **65 ch** 116/210. — AY **u**

des Cours, 36 cours J.-Jaurès ✆ 70 44 32 56 – AE E VISA — BY **e**
fermé 1er au 15 juil., 15 au 31 déc., lundi soir et mardi – SC : **R** 95/220.

Jacquemart-Louis, 10 pl. H.-de-Ville ✆ 70 44 32 58, plafond du 14e s. – AE VISA — BY **r**
fermé 14 au 20 avril, 4 au 17 août, 21 déc. au 5 janv., dim. soir et lundi – SC : **R** 100/220.

par ① sur N 7 : 8 km – ✉ **03460** Trévol :

Relais d'Avrilly M, ✆ 70 42 61 43, Télex 990638, parc, – wc – 35. AE E VISA
SC : **R** *(fermé dim. soir d'oct. à avril)* 69/120 – 28 – **42 ch** 229/255 – P 411/511.

par ④ sur N 7 : 3 km – ✉ **03000** Moulins :

Ibis M, ✆ 70 46 71 12, Télex 990638 – wc – 60. E VISA
SC : **R** *(fermé dim. d'oct. à mars)* carte environ 85 – 20 – **43 ch** 181/205.

à Bressolles par ⑤ : 5 km – ✉ **03000** Moulins :

Bateau Ivre, ✆ 70 44 48 00 – E
R 75/185.

à Coulandon par ⑥ et VO : 7 km – ✉ **03000** Moulins :

Le Chalet , ✆ 70 44 50 08, ←, , « parc » – wc wc – 30. E VISA
fermé 15 nov. au 31 janv. et dim. du 1er oct. au 30 avril – SC : **R** (dîner seul.), *(hors saison fermé week-end sauf vacances scolaires)* 59/95 – 18 – **21 ch** 140/240.

CITROEN Dubois-Dallois, rte de Paris à Avermes par ① ✆ 70 44 34 98	RENAULT Gd Gar. Paris-Lyon, N 7 à Avermes par ① ✆ 70 44 30 12 N ✆ 70 20 06 17
FORD Moulins-Automobiles, 70-74 r. de Lyon ✆ 70 44 01 21	RENAULT Vernet, 3 rte de Genetines à Yzeure par ③ ✆ 70 46 07 55
MERCEDES-BENZ Gar. St-Christophe, 119 r. de Paris ✆ 70 44 13 60	Estager-Pneu, 36 rte de Moulins, Avermes ✆ 70 44 11 55
PEUGEOT-TALBOT Maréchal, 46 bd de Courtais ✆ 70 46 07 07	Moulins-Pneus, 103 rte de Lyon ✆ 70 46 31 42
PEUGEOT Gar. Berthommier, 1 r. de Paris ✆ 70 44 33 94	Pagnon-Pneus, 122 rte de Paris N 7, Avermes ✆ 70 44 21 14

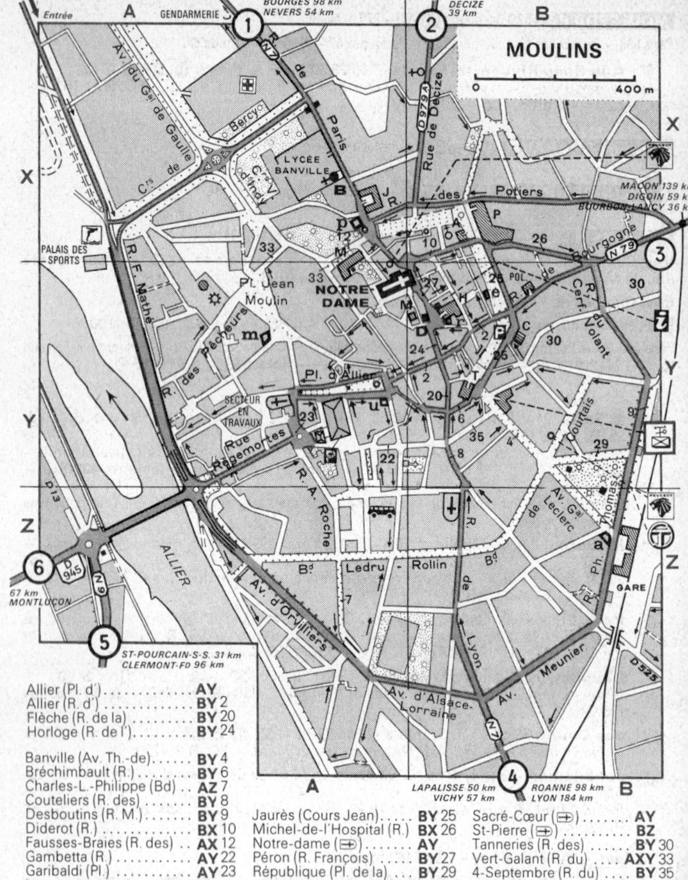

Allier (Pl. d') .... AY
Allier (R. d') .... BY 2
Flèche (R. de la) .... BY 20
Horloge (R. de l') .... BY 24

Banville (Av. Th.-de) ...... BY 4
Bréchimbault (R.) .... BY 6
Charles-L.-Philippe (Bd) .. AZ 7
Couteliers (R. des) .... BY 8
Desboutins (R. M.) .... BY 9
Diderot (R.) .... BX 10
Fausses-Braies (R. des) .. AX 12
Gambetta (R.) .... AY 22
Garibaldi (Pl.) .... AY 23

Jaurès (Cours Jean) ...... BY 25
Michel-de-l'Hospital (R.) BX 26
Notre-dame (⊕) .... AY
Péron (R. François) ...... BY 27
République (Pl. de la) ... BY 29

Sacré-Cœur (⊕) .... AY
St-Pierre (⊕) .... BZ
Tanneries (R. des) ...... BY 30
Vert-Galant (R. du) .... AXY 33
4-Septembre (R. du) .... BY 35

MOULINS-ENGILBERT 58290 Nièvre 69 ⑥ **G. Bourgogne** – 1 732 h. alt. 210.

Paris 277 – Autun 53 – Château-Chinon 16 – Corbigny 38 – Moulins 70 – Nevers 58.

Bon Laboureur, ☎ 86 84 20 55 – wc wc. VISA
fermé 21 fév. au 3 mars – SC : **R** 48/95 ⅌ – ☕ 15 – **20 ch** 57/145 – P 138/170.

CITROEN Gar. Lavalette, ☎ 86 84 21 68
PEUGEOT-TALBOT Gar. Bondoux, ☎ 86 84 24 29
PEUGEOT-TALBOT Perraudin, ☎ 86 84 23 55
RENAULT Gge Pessin, ☎ 86 84 25 13

MOULINS-LA-MARCHE 61380 Orne 60 ④ – 818 h..

Paris 157 – L'Aigle 18 – Alençon 39 – Argentan 47 – Mortagne-au-Perche 17.

Dauphin, Grande Rue ☎ 33 34 50 55 – Ⓟ. E
fermé 1er au 25 sept., vacances de fév., dim. soir et lundi – SC : **R** 44/129 ⅌.

Gar. Bazin, ☎ 33 34 55 33

Le MOULLEAU 33 Gironde 78 ②⑫ – rattaché à Arcachon.

MOURÈZE 34 Hérault 83 ⑤ **G. Causses** – 76 h. alt. 200 – ✉ **34800** Clermont-L'Hérault.
Voir Cirque★★.

Paris 809 – Bédarieux 23 – Clermont-L'Hérault 8 – ♦ Montpellier 49.

Hauts de Mourèze sans rest, ☎ 67 96 04 84, ≤, parc, – wc Ⓟ.
30 mars-15 oct. – SC : ☕ 20 – **10 ch** 150/180.

MOURIÈS 13890 B.-du-R. 84 ① – 2 298 h. alt. 18.

Paris 717 – Arles 24 – Cavaillon 25 – •Marseille 76 – St-Rémy-de-Pr. 16 – Salon-de-Provence 22.

Relais des Baux, ✆ 90 47 50 11, – wc. ch
hôtel ouvert 15/3-30/10 et fermé lundi, rest. fermé 23/9 au 9/10, vacances de fév. et lundi hors sais. – SC : **R** 50/91 – 19 – **9 ch** 100/140 – P 155/174.

Le MOURILLON 83 Var 84 ⑮ – rattaché à Toulon.

Les MOUSSEAUX 78 Yvelines 60 ⑨, 196 ㉘ – rattaché à Pontchartrain.

MOUSTERLIN (Pointe de) 29 Finistère 58 ⑮ – rattaché à Fouesnant.

MOUSTIERS-STE-MARIE 04360 Alpes-de-H.-Pr 81 ⑰ **G. Côte d'Azur** (plan) – 575 h. alt. 631.

Voir Site★★ – Chapelle N.-D.-de-Beauvoir★ – Clocher★ de l'église A.

Syndicat d'Initiative (15 juin-15 sept.) ✆ 92 74 67 84.

Paris 820 – Aix-en-Provence 86 – Castellane 45 – Digne 48 – Draguignan 62 – Manosque 50.

Le Relais, ✆ 92 74 66 10 – . E VISA
1er mars-30 nov., fermé 5 au 12 oct. et vend. hors sais. – SC : **R** 62/94 – 18,50 – **14 ch** 97/158 – P 202/218.

Les Santons, pl. Église ✆ 92 74 66 48, – AE
fermé janv., fév. et mardi – SC : **R** (nombre de couverts limité, prévenir) 124/185.

RENAULT Garage Honorat, ✆ 92 74 66 30 N — Garage Achard, ✆ 92 74 66 24

MOUTHIER-HAUTE-PIERRE 25920 Doubs 70 ⑥ **G. Jura** – 360 h. alt. 430.

Voir Belvédère de Mouthier ≤★★ SE : 2,5 km – Gorges de Nouailles★ SE : 3,5 km – Roche de Haute-Pierre ≤★ N : 5 km puis 30 mn.

Paris 452 – Baume-les-Dames 55 – •Besançon 39 – Levier 27 – Pontarlier 20 – Salins-les-Bains 43.

❀ **La Cascade** (Rolland) M, ✆ 81 62 19 00, ≤ vallée – wc wc . VISA.
fermé 1er au 27 déc. et 5 janv. au 1er fév. – SC : **R** 55/240 – 19 – **23 ch** 140/200 – P 200/240
Spéc. Mouclade oléronaise, Filet de bar sauce caviar, Tourte de pommes à l'antillaise.

MOUTIER-ROZEILLE 23 Creuse 73 ① – rattaché à Aubusson.

MOÛTIERS 73600 Savoie 74 ⑰ **G. Alpes** – 4 798 h. alt. 479.

✆ 79 85 50 50.

Office de Tourisme pl. St-Pierre ✆ 79 24 04 23.

Paris 598 – Albertville 27 – Chambéry 74 – St-Jean-de-Maurienne 64.

Aub. de Savoie M, ✆ 79 24 20 15 – TV wc . VISA
SC : **R** *(fermé en juin, lundi en sais. et sam. hors sais.)* 55/120 – 17 – **20 ch** 150/190.

Ibis M, ✆ 79 24 27 11, Télex 980611, ≤ – wc . E VISA
SC : **R** carte environ 85 – 19,50 – **62 ch** 159/216 – P 298.

Terminus, ✆ 79 22 92 94 – wc . VISA. ch
fermé dim. en mai-juin et oct.-nov. – SC : **R** 60/120 – 20 – **25 ch** 144/183.

Moderne, av. Gare ✆ 79 24 01 15 – . E
fermé 1er au 15 mai, 1er au 15 nov. et dim. – SC : **R** 60/90 – 16,50 – **20 ch** 83/135 – P 180/200.

CITROEN Ets Martin, ✆ 79 24 02 80
FORD Gar. de la Vanoise, ✆ 79 24 20 64
PEUGEOT-TALBOT Petitti, ✆ 79 24 10 66
RENAULT De Prince, à Salins-les-Thermes ✆ 79 24 29 55
La Maison du Pneu ✆ 79 24 21 95

Les MOÛTIERS-EN-RETZ 44 Loire-Atl. 67 ② **G. Côte de l'Atlantique** – 702 h – ✉ **44580** Bourgneuf-en-Retz.

Paris 425 – Challans 38 – • Nantes 47 – St.-Nazaire 40.

Bonne Auberge, av. Mer ✆ 40 82 72 03 – AE VISA.
mi-mars-fin sept. et week-ends d'oct. à mi-nov. et de début fév. à mi-mars – SC : **R** *(fermé lundi)* 51/151.

MOUX 58 Nièvre 65 ⑰ – 708 h. alt. 500 – ✉ **58230** Montsauche.

Paris 265 – Autun 31 – Château-Chinon 30 – Clamecy 75 – Nevers 96 – Saulieu 15.

Beau Site, D 121 ✆ 86 76 11 75, ≤, , –
fermé 18 déc. au 18 janv., dim. soir et lundi soir du 15 nov. au 20 mars – SC : **R** 47/120 – 15 – **24 ch** 65/136 – P 136/156.

CITROEN Gar. Bureau, ✆ 86 76 14 05 N

MOYE 74 H.-Savoie 74 ⑤ – rattaché à Rumilly.

MOYENMOUTIER **88420** Vosges 62 ⑦ **G. Alsace et Lorraine** – 3 498 h. alt. 312.
Voir Église* d'Étival-Clairefontaine O : 5 km.
Paris 379 – Lunéville 41 – St-Dié 15 – •Strasbourg 82.

Host. de l'Abbaye, 33 r. Hôtel de Ville ☎ 29 41 54 31 – . **E** VISA. ch
fermé 30 sept. au 4 nov., vacances de fév., dim. soir (sauf hôtel) et lundi hors sais. – SC : **R** 48/150 – 13 – **12 ch** 69/134 – P 141/176.

MUHLBACH 68 H.-Rhin 62 ⑱ **G. Alsace et Lorraine** – 668 h. alt. 465 – ✉ **68380** Metzeral.
Paris 450 – Colmar 24 – Gérardmer 38 – Guebwiller 41.

Perle des Vosges , ☎ 89 77 61 34, ← – wc wc .
fermé 2 janv. au 2 fév. et merc. hors saison – SC : **R** 58/150 – 16 – **25 ch** 78/190 – P 140/185.

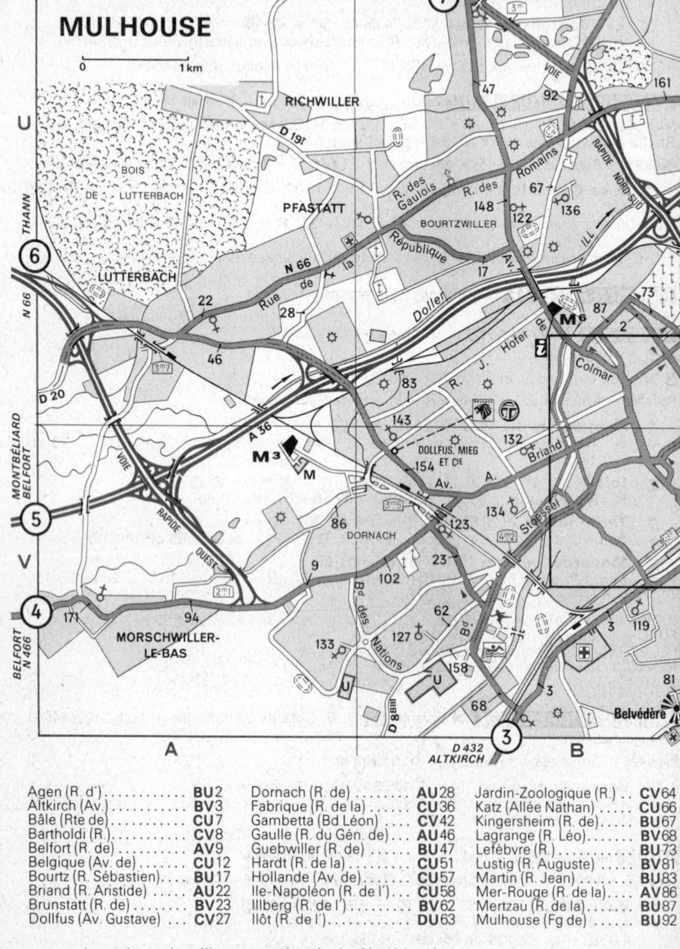

Agen (R. d') . . . . **BU** 2
Altkirch (Av.) . . . . **BV** 3
Bâle (Rte de) . . . . **CU** 7
Bartholdi (R.) . . . . **CV** 8
Belfort (R. de) . . . . **AV** 9
Belgique (Av. de) . . . . **CU** 12
Bourtz (R. Sébastien) . . . . **BU** 17
Briand (R. Aristide) . . . . . . **AU** 22
Brunstatt (R. de) . . . . **BV** 23
Dollfus (Av. Gustave) . . . . **CV** 27
Dornach (R. de) . . . . **AU** 28
Fabrique (R. de la) . . . . . . **CU** 36
Gambetta (Bd Léon) . . . . . **CV** 42
Gaulle (R. du Gén. de) . . . **AU** 46
Guebwiller (R. de) . . . . . . **BU** 47
Hardt (R. de la) . . . . **CU** 51
Hollande (Av. de) . . . . **CU** 57
Ile-Napoléon (R. de l') . . . **CU** 58
Illberg (R. de l') . . . . **BV** 62
Ilôt (R. de l') . . . . **DU** 63
Jardin-Zoologique (R.) . . **CV** 64
Katz (Allée Nathan) . . . . . **CU** 66
Kingersheim (R. de) . . . . . **BU** 67
Lagrange (R. Léo) . . . . **BV** 68
Lefèbvre (R.) . . . . **BU** 73
Lustig (R. Auguste) . . . . . . **BV** 81
Martin (R. Jean) . . . . **BU** 83
Mer-Rouge (R. de la) . . . . **AV** 86
Mertzau (R. de la) . . . . **BU** 87
Mulhouse (Fg de) . . . . **BU** 92

Les plans de ville sont orientés le Nord en haut.

MULHOUSE <SP> 68100 H.-Rhin 66 ⑨⑩ **G. Alsace et Lorraine** – 113 794 h. alt. 240.

Voir Parc zoologique et botanique★★ CV **B** – Place de la Réunion★ EFY 113 : Hôtel de Ville★ FY **H** – Vitraux★ du temple St-Étienne FY **D** – Musées : Automobile★★★ BU **M6**, Français du Chemin de fer★ AV **M3**, de l'Impression sur étoffes★ FZ **M2**, Historique★ (Hôtel de ville) FY **M1**.

Env. Musée du Papier peint★ à Rixheim E : 6 km DV **M7**.

du Rhin à Chalampé ☎ 89 26 07 86 par ① : 19 km.

de Bâle-Mulhouse par ② : 27 km, ☎ 89 69 00 00 à St-Louis (France) et 061 ☎ 57.31.11 à Bâle (Suisse).

☎ 89 46 50 50.

Office de Tourisme 9 av. Mar.-Foch ☎ 89 45 68 31, Télex 881285 et 192 av. Colmar (1er juil.-30 sept.) - A.C. 11 bd Europe ☎ 89 45 38 72.

Paris 539 ⑤ – ◆Bâle 35 ② – Belfort 42 ⑤ – ◆Besançon 136 ⑤ – Colmar 42 ⑧ – ◆Dijon 229 ⑤ – Freiburg 60 ⑨ – ◆Nancy 183 ⑧ – ◆Reims 370 ⑥ – ◆Strasbourg 113 ⑧.

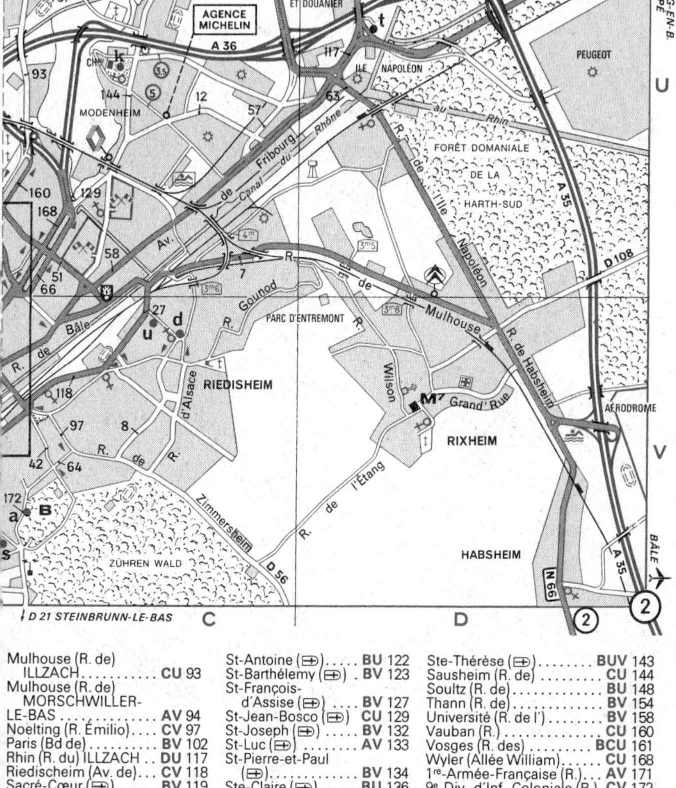

Mulhouse (R. de) ILLZACH .... **CU** 93
Mulhouse (R. de) MORSCHWILLER-LE-BAS .... **AV** 94
Noelting (R. Émilio) .... **CV** 97
Paris (Bd de) .... **BV** 102
Rhin (R. du) ILLZACH .. **DU** 117
Riedischeim (Av. de) ... **CV** 118
Sacré-Cœur (⊞) ...... **BV** 119

St-Antoine (⊞) ..... **BU** 122
St-Barthélemy (⊞) . **BV** 123
St-François-d'Assise (⊞) .... **BV** 127
St-Jean-Bosco (⊞) **CU** 129
St-Joseph (⊞) ..... **BV** 132
St-Luc (⊞) .... **AV** 133
St-Pierre-et-Paul (⊞) .... **BV** 134
Ste-Claire (⊞) ..... **BU** 136

Ste-Thérèse (⊞) .... **BUV** 143
Sausheim (R. de) .... **CU** 144
Soultz (R. de) .... **BU** 148
Thann (R. de) .... **BV** 154
Université (R. de l') .... **BV** 158
Vauban (R.) .... **CU** 160
Vosges (R. des) .... **BCU** 161
Wyler (Allée William) ...... **CU** 168
1re-Armée-Française (R.) ... **AV** 171
9e-Div.-d'Inf.-Coloniale (R.) **CV** 172

Pour bien lire les plans de ville, voir signes et abréviations p. 23.

MULHOUSE

- Colmar (Av. de) .... **EXY**
- Prés.-Kennedy (Av. du) **EFY**
- Sauvage (R. du) .... **FY** 145

- Altkirch (Av. et Pt d') .... **FZ** 3
- Arsenal (R. de l') .... **EY** 4
- Bonbonnière (R.) .... **EY** 13
- Bonnes-Gens (R. des) .. **FZ** 14
- Bons-Enfants (R. des) .. **EY** 18
- Briand (Av. Aristide) .... **EY** 19
- Cloche (Quai de la) ..... **EY** 24
- Dreyfus (R. du Capit.) .. **FX** 29
- Ehrmann (R. Jules) ..... **FZ** 32
- Ensisheim (R. d') .... **FY** 33
- Europe (Pl. de l') .... **FY** 34
- Fleurs (R. des) .... **EZ** 37
- Foch (Av. du Mar.) ..... **FZ** 38
- Franciscains (R. des) ... **EY** 41
- Gaulle (Pl. Gén. de) ...... **FZ** 43
- Guillaume-Tell (Pl.) ...... **FZ** 48
- Heilmann (R. Josué) ... **EXY** 52
- Henner (R. J.-J.) .... **FZ** 53
- Henriette (R.) .... **EY** 56
- Joffre (Av. du Mar.) ...... **FZ** 65
- Lattre-de-T. (Av. Mar. de) **FY** 71
- Leclerc (Av. du Gén.) .... **FZ** 72
- Loi (R. de la) .... **EY** 76
- Loisy (R. du Lt de) .... **FX** 77
- Lorraine (R. de) .... **EY** 78
- Maréchaux (R. des) ..... **EY** 82
- Mertzau (R. de la) .... **EX** 87
- Metz (R. de) .... **FY** 88
- Moselle (R. de la) .... **FY** 91
- Norfeld (R. du) .... **FY** 98
- Oran (Quai d') .... **FZ** 99
- Pasteur (R. Louis) .... **FY** 103
- Poincaré (R.) .... **FZ** 107
- Prés.-Roosevelt (Bd du) **EXY** 108
- Raisin (R. du) .... **EY** 109
- République (Pl. de la) ... **FY** 112
- Réunion (Pl. de la) ..... **FY** 113
- St-Étienne (⊞) .... **EZ** 124
- St-Fridolin (⊞) .... **EX** 128
- Ste-Claire (R.) .... **EZ** 137
- Ste-Geneviève (⊞) .... **FY** 138
- Ste-Jeanne-d'Arc (⊞) . **FX** 139
- Ste-Marie (⊞) .... **EY** 140
- Somme (R. de la) ...... **FY** 146
- Stalingrad (R. de) ...... **FY** 149
- Stoessel (Bd Charles) .. **EZ** 152
- Tanneurs (R. des) ...... **EY** 153
- Tour-du-Diable (R.) ..... **EZ** 155
- Trois-Rois (R. des) ..... **EZ** 156
- Vauban (Pl.) .... **FX** 159
- Wicky (Av. Auguste) ... **FZ** 165
- Wilson (R.) .... **FZ** 166
- Wolf (R. de) .... **FX** 167
- Wyler (Allée William) ... **FX** 168
- Zillisheim (R. de) .... **EZ** 170
- 17-Novembre (R. du) ... **FZ** 173

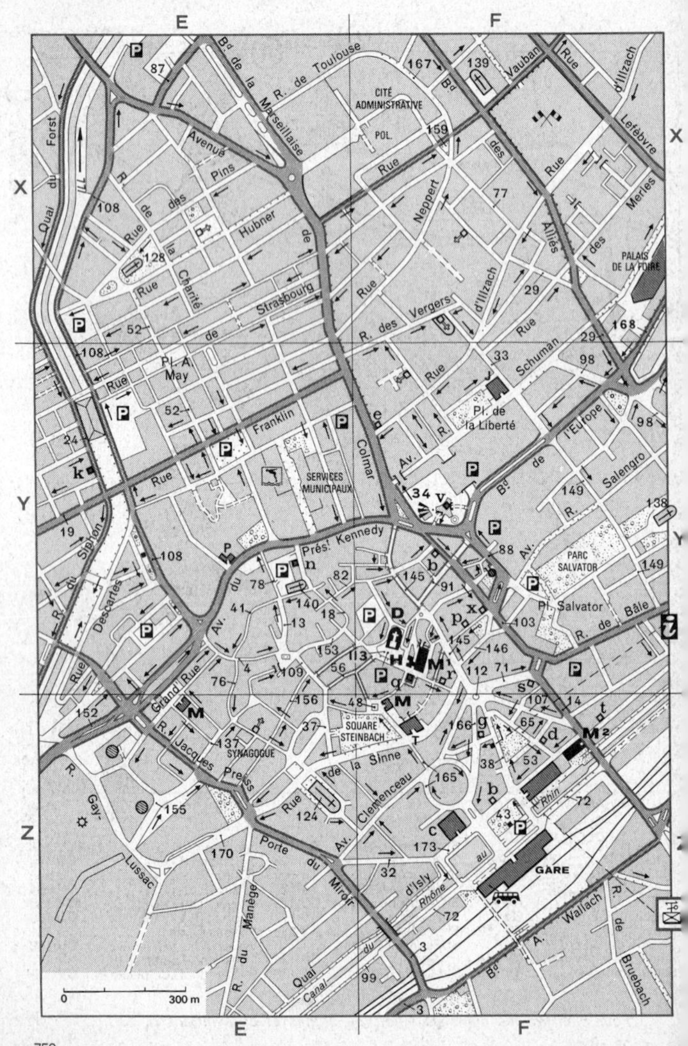

Frantel, 4 pl. Gén.-de-Gaulle ✆ 89 46 01 23, Télex 881807 – rest – 25 à 200. AE E VISA FZ **b**
SC : rest. **L'Alsace** *(fermé 22 déc. au 1er janv., sam. midi et dim.)* **R** 67/149 – 33 – **96 ch** 330/390.

Bourse sans rest, 14 r. Bourse ✆ 89 56 18 44 – wc wc. E VISA
fermé 22 déc. au 4 janv. – SC : 25 – **50 ch** 225/300. FZ **d**

Europe sans rest, 11 av. Mar.-Foch ✆ 89 45 19 18 – wc wc. E VISA FZ **g**
SC : 22 – **50 ch** 120/260.

Wir, 1 porte Bâle ✆ 89 56 13 22 – wc wc. E VISA FY **s**
fermé mi-juin à mi-juil. – **R** *(fermé vend.)* 58/225 – 16 – **40 ch** 102/208.

Salvator sans rest, 29 passage Central ✆ 89 45 28 32, Télex 881643 – wc wc. AE E VISA FY **x**
fermé 20 déc. au 6 janv. – SC : 18 – **39 ch** 120/198.

Musée sans rest, 3 r. Est ✆ 89 45 47 41 – wc wc. E VISA FZ **t**
fermé 20 déc. au 5 janv. – SC : 17 – **43 ch** 107/225.

Bristol sans rest, 18 av. Colmar ✉ 68200 ✆ 89 42 12 31 – wc. AE E VISA FY **e**
fermé 23 déc. au 2 janv. – SC : 21 – **50 ch** 125/270.

Touring H. sans rest, 10 r. Moulin ✆ 89 45 32 84 – wc wc FY **b**
SC : 18 – **30 ch** 91/208.

Bâle sans rest, 19 passage Central ✆ 89 46 19 87 – wc. VISA FY **p**
SC : 17,50 – **31 ch** 101/192.

Paris sans rest, 5 passage H.-de-Ville ✆ 89 45 21 41 – wc wc. AE E VISA FY **r**
SC : 20 – **20 ch** 121/194.

✿ **Aub. de la Tonnelle** (Hirtzlin), 61 r. Mar.-Joffre à **Riedisheim** ✉ 68400 Riedisheim ✆ 89 54 25 77, – . AE VISA CV **u**
fermé 1er au 15 juil., sam. midi et dim. – **R** carte 165 à 225
Spéc. Ecrevisses et vermicelles dans leur bouillon froid safrané, Filet de sandre poêlé au vinaigre de Xérès, Rouelles de lapereau et ris de veau au basilic.

Le Parc, 8 r. V.-Hugo à **Illzach-Modenheim** ✉ 68110 Illzach ✆ 89 56 61 67, – . AE VISA CU **k**
fermé sam. midi, dim. soir et lundi – SC : **R** 110/300.

Poste, 7 r. Gén.-de-Gaulle à **Riedisheim** ✉ 68 400 Riedisheim ✆ 89 44 07 71 – . VISA CV **d**
fermé 14 juil. au 14 août, mardi soir et merc. – SC : **R** 65/185 dîner à la carte.

Au Quai de la Cloche, 5 quai de la Cloche ✆ 89 43 07 81 – AE E VISA EY **k**
fermé 15 juil. au 19 août, 2 au 10 janv., dim. soir et lundi – SC : **R** 90/170.

Relais de la Tour (31e étage), 3 bd Europe ✆ 89 45 12 14, ≤ ville et environs – . AE E VISA FY **v**
SC : **R** 67/155.

Aub. Alsacienne du Zoo, 31 av. 9e Div.-d'Inf.-Coloniale ✆ 89 44 26 91, – . AE E VISA CV **a**
fermé 24 déc. au 1er janv., fév., lundi (sauf le midi en saison) et dim. soir – **R** 80/200.

Belvédère, 80 av. 1ère Division-Blindée par r. Montagne ✆ 89 44 18 79 – AE E VISA CV **s**
fermé 3 au 17 août, vacances de fév., lundi soir et mardi – SC : **R** 128/180.

Guillaume Tell, 1 r. Guillaume-Tell ✆ 89 45 21 58 – AE E VISA FY **q**
fermé 14 juil. au 8 août, 22 déc. au 2 janv., mardi soir et merc. – **R** 40/200.

Aux Caves du Vieux Couvent (Taverne), 23 r. Couvent ✉ 68200 ✆ 89 46 28 79. E VISA EY **n**
fermé 1er au 15 juil., 24 déc. au 1er janv., lundi midi, dim. et fériés – SC : **R** 32/70.

au NE – ✉ **68390** Sausheim :

Sofitel M, ✆ 89 61 85 85, Télex 881311, , , – – 180. AE E VISA DU **r**
rest. **La Tissandière R** carte 145 à 220 – 40 – **100 ch** 330/430.

Novotel Mulhouse-Sausheim M, ✆ 89 61 84 84, Télex 881673, , – rest – 110. AE E VISA DU **s**
R snack carte environ 100 – 32 – **77 ch** 283/314.

Mercure Mulhouse-Sausheim M, ✆ 89 61 87 87, Télex 881757, , – rest – 170. AE E VISA DU **t**
R carte environ 120 – 29 – **97 ch** 278/310.

Ibis M, ✆ 89 61 83 83, Télex 881970, – rest wc – 40 **76 ch**. DU **f**

à Baldersheim, par ⑧ : 8 km – ✉ **68390** Sausheim :

au Cheval Blanc, ✆ 89 45 45 44 – rest wc wc – 30 – **54 ch**.

à Steinbrunn-le-Bas SE : 8,5 km par r. Montagne - CV – ✉ **68440** Habsheim :

XX ✿ **Moulin du Kaegy** (Begat), ✆ **89 81 30 34, « Maison du 16e s., jardin » – Ⓟ.** AE
fermé janv., dim. soir et lundi – **SC** : **R** (nombre de couverts limité - prévenir) 200/360
Spéc. Foie d'oie confit, Aiguillettes de colvert aux airelles (sept. à déc.), Caneton au citron. **Vins** Riesling, Pinot gris.

à Froeningen : SO : 9 km par D 8BIII - BV – ✉ **68720** Illfurth :

XX **Aub. de Froeningen** avec ch, ✆ **89 25 48 48**, ⛱, **« Belle décoration intérieure »**, ⛱ – ⫪wc ☎ Ⓟ
fermé 4 au 25 août, 5 au 19 janv., dim. soir et lundi – **SC** : **R** *(salle à manger fumeurs et non fumeurs)* 90/185 – ☕ 22 – **7 ch** 250/280.

MICHELIN, Agence, 35 av. de Belgique à Illzach CU ✆ **89 61 70 55**

CITROEN SDA Rixheim, 64 rte de Mulhouse à Rixheim ✆ 89 44 40 50
DATSUN Gar. Manu Est, 26 r. Manulaine ✆ 89 52 35 80
FIAT, LANCIA Gar. Hess, 81 av. Colmar ✆ 89 59 33 88
FORD Safor Autom., 56 av. de Belgique à Illzach ✆ 89 61 76 33
FORD Gar. Sax, 12 r. du Couvent ✆ 89 56 52 22
HONDA, MAZDA, VOLVO Gar. Christen, 32 allée Nathan Katz ✆ 89 56 43 33
MERCEDES-BENZ, V.A.G. Générale-Autom., 226 av. de Fribourg, Illzach ✆ 89 61 89 61 🅽 ✆ 89 61 76 88
OPEL-GM Gar. Muller, 23 r. Thann ✆ 89 43 98 88
PEUGEOT, TALBOT S.I.A.M., 22 r. de Thann ✆ 89 43 98 20
RENAULT Gd. Gar Mulhousien, r. Sausheim à Modenheim ✆ 89 46 01 44
TOYOTA Gar. Rémy, 13 r. du Puits ✆ 89 44 42 49
V.A.G. Gar. Schelcher, 27 fg de Mulhouse à Kingersheim ✆ 89 52 45 22

Ⓜ Arni-Hohler, 3 r. L.-Pasteur ✆ 89 45 85 27 et av. Italie, Zone Ind., Illzach ✆ 89 45 85 27
Kautzmann, 276 av. d'Altkirch à Brunstatt ✆ 89 06 08 44
Pneus et Services D. K, 6 r. Amidonniers ✆ 89 42 30 06 et 14 av. de Hollande, Zone Ind., Illzach ✆ 89 61 76 76
Sce Central du Pneu, Ottmann, 58 r. Dollfus ✆ 89 42 15 82

MUNSTER 68140 H.-Rhin 62 ⑱ G. Alsace et Lorraine – 4 740 h. alt. 381.

ℹ Office de Tourisme pl. Salle-des-Fêtes ✆ 89 77 31 80.
Paris 445 ② – Colmar 19 ① – Gérardmer 33 ② – Guebwiller 39 ① – ♦Mulhouse 57 ① – St-Dié 57 ② – ♦Strasbourg 89 ①.

🏨 **Vosges** sans rest, **Grand'Rue (k)** ✆ **89 77 31 41** – ⛀wc ☎. ✻
fermé 19 au 29 mai, vacances de fév. – ☕ 16,50 – **13 ch** 120/170.

XX **Cigogne** avec ch, pl. Marché **(e)** ✆ **89 77 32 27** – ⛀wc ⫪wc ☎. VISA. ✻
fermé 2 au 13 juin, 24 nov. au 12 déc., dim. soir et lundi – **SC** : **R** 60/170 🌡 – ☕ 17 – **10 ch** 80/168.

à Luttenbach SO : 3 km par D 10 et rte forestière – ✉ **68140** Munster :

🏨 **Chêne Voltaire** 🐎, ✆ **89 77 31 74**, ⩽, **« Dans la forêt »** – ⛀wc ⫪wc ☎ 🚗 Ⓟ. ✻ ch
fermé 3 au 15 mars, 15 nov. au 15 janv. – **SC** : **R** (résidents seul.) – ☕ 17 – **19 ch** 75/140 – P 132/168.

MUNSTER

Hohneck (R. du) . . . 2
Luttenbach (R. de) 3
St-Grégoire (R.) . . . 4
Sébastopol (R.) . . . 5

à Breitenbach SO : 4 km par D 10 – ✉ **68380** Metzeral :

X **Cecchetti,** rte Metzeral ✆ **89 77 32 20**, ⛱ – Ⓟ. ⓓ
fermé 12 au 17 nov., janv. et lundi – **R** 50/150 🌡.

à Eschbach-au-Val S : 5,5 km par D 10III – ✉ **68140** Munster :

🏨 **Obersolberg** 🐎, ✆ **89 77 36 49**, ⩽ vallée – ⫪wc ☎ Ⓟ. ✻
fermé 15 oct. au 15 nov. et 18 déc. au 3 janv. – **SC** : **R** *(fermé mardi soir et merc.)* 58/74 – ☕ 17 – **17 ch** 70/153 – P 142/163.

CITROEN Gar. Sary, par ① ✆ 89 77 33 44
PEUGEOT, TALBOT Gar. Schmidt, par ① ✆ 89 77 40 78 🅽
RENAULT Gar. Martin, ✆ 89 77 37 44
RENAULT Gar. St-Grégoire ✆ 89 77 35 08 🅽

MURAT 15300 Cantal 76 ③ G. Auvergne (plan) – 2 813 h. alt. 917.
Voir Église★ de Bredons S : 2,5 km.
Office de Tourisme av. Dr. Mallet ✆ 71 20 09 47.
Paris 493 – Aurillac 51 – Brioude 57 – Issoire 73 – Le Puy 117 – St-Flour 25.

Les Breuils, ✆ 71 20 01 25, – wc ☎. E
1er juin-30 sept. et 15 déc.-30 avril – **R** (1/2 pension seul.) – 17 – **11 ch** 160/250 – 1/2 p 180/250.

Gd H. Messageries (annexe **Le Bredons,** 17 ch) ✆ **71 20 04 04,** – wc ☎. AE VISA
fermé 10 nov. au 10 déc. et sam. d'oct. à mai sauf en fév. – SC : **R** 55/120 – 17 – **21 ch** 70/165 – P 145/165.

à Prat de Bouc SO : 10 km par D 39 – ✉ **15300** Murat :

Le Buron, ✆ 71 73 30 84, ≤ –
4 mai-30 sept. et 20 déc.-20 avril – SC : **R** 43/89.

PEUGEOT-TALBOT Gar. Delrieu, ✆ 71 20 06 22 N
RENAULT Dolly, ✆ 71 20 03 93

MURBACH 68 H.-Rhin 62 ⑱ – rattaché à Guebwiller.

MUR DE BARREZ 12600 Aveyron 76 ⑫ – 1 374 h. alt. 789.
Paris 549 – Aurillac 39 – Rodez 76 – St-Flour 82.

Aub. du Barrez M, ✆ **65 66 00 76** – TV wc P
fermé 8 au 28 janv. et lundi de sept. à juin – SC : **R** 46/125 – 18 – **10 ch** 135/165 – P 230/250.

PEUGEOT-TALBOT Gar. Manhes, ✆ 65 66 02 25
RENAULT Gar. Yerles, ✆ 65 66 02 24

MUR-DE-BRETAGNE 22530 C.-du-N. 58 ⑲ G. Bretagne – 2 165 h. alt. 225.
Voir Rond-Point du lac ≤★ – Lac de Guerlédan★★ O : 2 km.
Syndicat d'Initiative pl. Église (15 juin-15 sept.) ✆ 96 28 51 41 et à l'Hôtel de Ville (hors saison) ✆ 96 28 51 32.
Paris 457 – Carhaix-Pl. 48 – Guingamp 45 – Loudéac 21 – Pontivy 16 – Quimper 98 – St-Brieuc 45.

Aub Grand'Maison (Guillo) avec ch, ✆ **96 28 51 10** – TV wc wc. AE
fermé 23 au 30 juin, fin sept. à fin oct., dim. soir et lundi – SC : **R** (nombre de couverts limité-prévenir) 120/260 – 25 – **15 ch** 120/220
Spéc. Profiteroles au foie gras, Escalope de saumon au vermouth, L'amuse-gourmand.

Les MUREAUX 78 Yvelines 55 ⑲, 196 ⑯ – rattaché à Meulan.

MURET 31600 H.-Garonne 82 ⑰ G. Pyrénées – 16 192 h. alt. 169.
Paris 726 – Auch 74 – St-Gaudens 69 – Pamiers 51 – ♦Toulouse 20.

Aragon sans rest, **15 r. Aragon** ✆ **61 51 11 31** – .
fermé dim. – 15 – **20 ch** 65/115.

CITROEN G.A.M., N 117 ✆ 61 51 01 02
FIAT Sud Garonne Autom., 7 r. Berges, Z.I. Marclan ✆ 61 56 82 82
FORD Llédo, N 117 ✆ 61 51 03 30
MERCEDES Antras Autom., 44 av. Europe ✆ 61 51 00 66 N
RENAULT S.A.D.A.M., N 117 ✆ 61 51 05 44 N
Muret-Pneus, Zone Ind. Jofrery ✆ 61 51 09 39

MUROL 63790 P.-de-D. 73 ⑬⑭ G. Auvergne (plan) – 624 h. alt. 833.
Voir Château★★.
Syndicat d'Initiative à la Mairie ✆ 73 88 62 62.
Paris 425 – Besse-en-Chandesse 11 – ♦Clermont-Fd. 37 – Condat 39 – Issoire 31 – Le Mont-Dore 20.

Parc, ✆ **73 88 60 08,** – wc P – 50. VISA
1er mai-30 sept. – SC : **R** 75/120 – 16 – **45 ch** 145/230, 5 appartements 234 – P 201/250.

Les Volcans M sans rest, ✆ **73 88 60 77** – wc wc ☎ P
15 juin-30 sept. et vacances scolaires – SC : 15,50 – **10 ch** 163/178.

Arvernes sans rest, ✆ **73 88 60 68** – wc P.
15 juin-15 sept. – **11 ch** 62/110.

Univers, ✆ **73 88 60 32** – wc. E VISA
8 mai-15 sept. et 20 déc.-15 avril – SC : **R** 49/105 – 13,50 – **19 ch** 58/111 – P 127/142.

à Beaune-le-Froid NO : 5 km – alt. 1 050 – ✉ **63790** Murol :

Relais des Montagnes, ✆ **73 88 61 48,** ≤, – wc P. VISA rest
10 fév.-30 sept. – SC : **R** 40/82 – 13,50 – **12 ch** 65/125 – P 129/163.

PEUGEOT-TALBOT Pons, ✆ 73 88 60 22
RENAULT Gar. Dabert, ✆ 73 88 63 43

MUS 30121 Gard 83 ⑧ – 565 h. alt. 50 – Paris 730 – ♦ Montpellier 32 – Nîmes 21.

XX **Aub. de la Paillère** ⛰ avec ch, ✆ 66 35 13 33, 🏡 – ⌂wc ⋔wc ☎. VISA. ✗ ch
fermé 29 oct. au 6 nov., fév., mardi soir et merc. du 1er oct. au 30 avril – SC : **R** carte 120 à 185 – ☐ 21 – **7 ch** 181/200.

La MUSE 12 Aveyron 80 ④⑤ – rattaché au Rozier.

MUSSIDAN 24400 Dordogne 75 ④ – 3 236 h. alt. 57.

ℹ Syndicat d'Initiative 9 r. Libération (fermé fév.) ✆ 53 81 04 77.

Paris 528 – Angoulême 84 – Bergerac 25 – Libourne 55 – Périgueux 35 – Ste-Foy-la-Grande 29.

Gd Café sans rest, 1 av. Gambetta ✆ 53 81 00 07 – ⌂wc ⋔wc
SC : ☐ 13 – **11 ch** 50/80.

Midi ⛰, à la gare ✆ 53 81 01 77, 🏡 – ⌂ ⋔wc ☎ Ⓟ. ✗
fermé 7 au 27 avril, 16 au 30 oct., vend. soir et sam. d'oct. à avril sauf fêtes – SC : **R** 55/160 🍷 – ☐ 17 – **10 ch** 85/180 – P 150/220.

XX **Relais de Gabillou,** rte de Périgueux ✆ 53 81 01 42, 🏡 – Ⓟ. AE E VISA
fermé 6 au 19 oct., vacances de fév., dim. soir hors sais. et lundi – SC : **R** 70/190.

CITROEN Gar. Gras, ✆ 53 81 04 18
PEUGEOT, TALBOT Gar. Rousseau, ✆ 53 81 04 47

RENAULT Tarade, à St-Médard-de-Mussidan ✆ 53 81 05 94 N ✆ 53 81 22 89

Service du Pneu, à Lagut ✆ 53 81 02 84

MUTZIG 67190 B.-Rhin 62 ⑨ **G. Alsace et Lorraine** – 5 116 h. alt. 187.

Paris 478 – Obernai 12 – Saverne 31 – Sélestat 35 – ♦Strasbourg 28.

Host. de la Poste, pl. de la Fontaine ✆ 88 38 38 38 – ⌂wc ⋔wc ☎. E VISA. ✗
SC : **R** 75/160 🍷 – ☐ 16,50 – **19 ch** 85/250 – P 250/310.

XX **Aub. Alsacienne au Nid de Cigogne,** r. 18-Novembre ✆ 88 38 11 97
fermé 1er au 11 oct. et 24 déc. au 15 janv., mardi soir et merc. – SC : **R** 42 (sauf sam. soir)/129 🍷.

Kautzmann ✆ 88 38 61 78

Le MUY 83490 Var 84 ⑦ – 5 449 h. alt. 21.

Voir Site★ de la chapelle N.-D.-de-la-Roquette SE : 3,5 km puis 30 mn, G. Côte d'Azur.

ℹ Office de Tourisme rte Callas (hors sais. matin seul.) ✆ 94 45 12 79.

Paris 858 – Brignoles 49 – Cannes 51 – Draguignan 13 – Fayence 34 – Fréjus 16 – Ste-Maxime 24.

La Chêneraie sans rest., rte de Draguignan ✉ 83490 Le Muy ✆ **94 45 14 43, parc,** 🏊 – TV ⌂wc ⋔wc ☎ Ⓟ. VISA
SC : ☐ 21 – **10 ch** 150/220.

MUZILLAC 56190 Morbihan 63 ⑭ – 3 233 h. alt. 23.

Paris 447 – ♦Nantes 85 – Redon 37 – La Roche-Bernard 15 – Vannes 25.

XX **Aub. de Pen-Mur** M avec ch, 20 rte Vannes ✆ 97 41 67 58, 🏡 – ⌂wc ⋔wc ☎ Ⓟ. AE ⓓ E
fermé 16 au 30 nov. – SC : **R** 50/200 – ☐ 17,50 – **24 ch** 85/230 – P 180/250.

à Billiers S : 2,5 km – ✉ **56190** Muzillac :

Glycines, pl. Église ✆ 97 41 64 63, 🏡 – ⋔. VISA. ✗
fermé fév. et lundi hors sais. – SC : **R** 53/174 🍷 – ☐ 14 – **12 ch** 77/99.

à la Pointe de Pen-Lan S : 4,5 km - **G. Bretagne** – ✉ **56190** Muzillac – **Voir** ⩽★.

✿ **H. de Rochevilaine** ⛰, ✆ 97 41 69 27, Télex 950570, ⩽ littoral, « Demeures anciennes avec jardin dominant la côte », 🏊 – ☎ Ⓟ – 🏛 30. AE ⓓ E VISA. ✗ rest
mi-mars-mi-nov. – SC : **R** 180/290 – ☐ 38 – **27 ch** 300/820 – P 565/825.

MYENNES 58 Nièvre 65 ⑬ – rattaché à Cosne-sur-Loire.

NAINTRÉ-LES-BARRES 86 Vienne 68 ④ – rattaché à Châtellerault.

NAJAC 12270 Aveyron 79 ⑳ **G. Causses** – 818 h. alt. 350.

Voir Site★★ – Ruines du château★ : ⩽★.

ℹ Syndicat d'Initiative à la Mairie ✆ 65 65 80 94.

Paris 639 – Albi 54 – Cahors 85 – Gaillac 54 – Montauban 68 – Rodez 86 – Villefranche-de-R. 24.

Belle Rive M ⛰, NO : 2 km par D 39 ✆ 65 65 74 20, ⩽, 🏡, 🏊, 🏡 – ⌂wc ⋔wc ☎ Ⓟ – 🏛 30. ✗ rest
22 mars-13 oct. – SC : **R** 78/150 – ☐ 17 – **39 ch** 95/152 – P 150/183.

Oustal Del Barry, H. Miquel ⛰, ✆ 65 65 70 80, ⩽, 🏡, « Jardin » – |♦| ⌂wc ⋔wc ☎ 🚗. VISA
21 mars-2 nov. et fermé le lundi (sauf fériés) en mars, avril, oct. – SC : **R** 54/165 – ☐ 17 – **28 ch** 110/156 – P 145/180.

NAMPTY 80160 Somme 52 ⑱ – 198 h..

Paris 137 – ♦Amiens 13 – Beauvais 46 – Le Tréport 81.

XX **Le Moulin de Rigauville,** D 8 - Vallée de la Selle ✆ 22 42 12 36 – P. E VISA
fermé août, jeudi soir, dim. soir et lundi – SC : **R** 90/160.

NANÇAY 18 Cher 64 ⑳ **G. Châteaux de la Loire** – 790 h. alt. 140 – ✉ **18330** Neuvy-sur-Barangeon.

Paris 201 – Bonny-sur-Loire 66 – Bourges 36 – Gien 55 – Salbris 14 – Souesmes 13 – Vierzon 20.

XXX **Les Meaulnes** avec ch, ✆ 48 51 81 15, « Mobilier ancien », – wc wc ☎. AE ⓓ VISA
fermé 15 janv. au 5 mars et mardi du 15 oct. au 15 avril – SC : **R** (nombre de couverts limité - prévenir) 95/195 – ▭ 35 – **10 ch** 275/310.

CITROEN Garage Central, ✆ 48 51 80 29

NANCY P 54000 M.-et-M. 62 ⑤ **G. Alsace et Lorraine** – 99 307 h. communauté urbaine 266 000 h alt. 212.

Voir Ensemble 18e s. : Place Stanislas★★★ BY , Arc de Triomphe★ BY **B** – Place de la Carrière★ BY **21** et Palais du Gouvernement★ BX **W** – Palais ducal★★ BX **M1** – Église et Couvent des Cordeliers★ BX **E** : gisant de Philippa de Gueldre★★ – Porte de la Craffe★ AX **F** – Église N.-D.-de-Bon-Secours★ EX **K** – Musées : Historique lorrain★★★ BX **M1**, Beaux-Arts★★ BY **M2**, Ecole de Nancy★ DX **M3**, Zoologie (aquarium tropical★) CY **M4**.

Env. Basilique★★ de St-Nicolas-de-Port par ② : 12 km.

18 de Nancy-Aingeray ✆ 83 24 53 87 par ⑥ : 17 km.

✈ de Nancy-Essey ✆ 83 21 56 90 EV 4,5 km.

✆ 83 56 50 50.

i Office de Tourisme et Accueil de France (Informations et réservations d'hôtels, pas plus de 5 jours à l'avance) 14 pl. Stanislas ✆ 83 35 22 41, Télex 960414 - A.C. 49 pl. Carrière ✆ 83 35 04 65.

Paris 304 ⑤ – Chaumont 115 ④ – ♦Dijon 212 ⑤ – ♦Metz 56 ⑥ – ♦Reims 205 ⑤ – ♦Strasbourg 148 ①.

Plans pages suivantes

Gd H. de la Reine et rest. Stanislas, 2 pl. Stanislas ✆ 83 35 03 01, Télex 960367, « Palais 18e s. sur la Place Stanislas » – TV ☎ – 120. AE ⓓ E VISA. rest — BY **d**
SC : **R** 155 bc/215 – ▭ 55 – **54 ch** 480/1 050.

Frantel M, 11 r. R.-Poincaré ✆ 83 35 61 01, Télex 960034 – TV ☎ – 50 à 300. AE ⓓ E VISA — AY **r**
SC : rest. **La Toison d'Or** *(fermé 14 juil. à début sept., Noël au jour de l'an, sam. midi, et dim.)* **R** carte 160 à 240 , à la Brasserie **Le Thiers** *(fermé sam. soir)* **R** carte environ 95 – ▭ 33 – **112 ch** 290/468.

Europe sans rest, 5 r. Carmes ✆ 83 35 32 10, Télex 960413 – TV wc ☎ . AE ⓓ E VISA — BY **m**
SC : ▭ 21 – **80 ch** 210/265.

Albert 1er-Astoria M sans rest, 3 r. Armée-Patton ✆ 83 40 31 24, Télex 850895, – TV wc wc ☎ P – 50. AE ⓓ E VISA — AY **d**
SC : ▭ 23 – **134 ch** 168/267.

Américain sans rest, 3 pl. A.-Maginot ✆ 83 32 28 53 – TV wc wc ☎. AE ⓓ E VISA — ABY **n**
SC : ▭ 31 – **51 ch** 185/280.

Résidence M sans rest, 30 bd J.-Jaurès ✆ 83 40 33 56 – TV wc wc ☎. VISA — DEX **a**
fermé Noël-1er janv. – SC : ▭ 19,50 – **24 ch** 155/235.

Stanislas sans rest, 22 r. Ste Catherine ✆ 83 37 23 88, Télex 850078 – TV wc ☎ — CY **v**
SC : ▭ 16,50 – **16 ch** 130/193.

Crystal sans rest, 5 r. Chanzy ✆ 83 35 41 55, Télex 850078 – wc wc ☎. AE ⓓ E VISA — AY **a**
SC : ▭ 21 – **38 ch** 105/208.

Cigogne sans rest, 4 bis r. Ponts ✆ 83 32 89 33 – TV wc ☎. AE ⓓ E VISA.
fermé 3 au 24 août et 19 déc. au 2 janv. – ▭ 19,50 – **40 ch** 110/225. — BY **s**

XXe Siècle sans rest, 17 r. St-Dizier ✆ 83 32 91 67 – wc ☎ — BY **f**
SC : ▭ 17,50 – **23 ch** 234.

XXX ✿ **Capucin Gourmand** (Veissière), 31 r. Gambetta ✆ 83 35 26 98, « Décor modern style » – AE VISA — BY **m**
fermé 1er au 15 août, dim. soir et lundi – SC : **R** carte 260 à 355
Spéc. Foie gras, Blanquette de St.-Jacques aux pistils de safran, Galette Lorraine et glace bergamote. **Vins** Gris de Toul.

XXX ✿ **La Gentilhommière,** 29 r. Maréchaux ✆ 83 32 26 44 – . AE ⓓ E VISA
fermé août, vacances de fév., sam., dim. et fériés – SC : **R** carte 160 à 240 — BY **x**
Spéc. Terrine de poularde au foie gras, Filet de lotte aux langoustines, Grand dessert. **Vins** Côtes de Toul.

XXX **Le Goéland,** 27 r. Ponts ✆ 83 35 17 25, produits de la mer – AE ⓓ VISA — BY **e**
fermé 14 au 27 juil., lundi midi et dim. – SC : **R** 103/160.

NANCY

Dominicains (R. des) **BY** 31
Gambetta (R.) . . . . **BY** 35
Grande-Rue. . . . . **BXY** 37
Héré (R.) . . . . **BY** 40
Mazagran (R.) . . . . . . **AY** 53
Mengin (Pl. Henri) . . **BY** 55
Mouja (R. du Pont) . . **BY** 63
Poincaré (R. R.) . . . . . **AY** 71
Point-Central . . . . **BY** 72
Ponts (R. des) . . . . . **BYZ** 73
Raugraff (R.). . . . . **BY** 74
St-Dizier (R.). . . . . **BY**
St-Georges (R.) . . . . . **CY**
St-Jean (R.) . . . . **BY**
Stanislas (R.) . . . . **BY** 100
Trois-Maisons
(R. du Fg des) . . . . **AX** 103

Adam (R. Sigisbert) . **BX** 2
Albert-1er (Bd) . . . . . . **DV** 3
Alliance (Pl. d'). . . . . . **CY** 4
Anatole-France
(Av.). . . . . **DV** 6
Armée-Patton (R.). . . **DV** 7
Auxonne (R. d') . . . . . **DV** 8
Barrès (R. Maurice). . **CY** 10
Barthou (Bd Louis) . . **EX** 12
Bazin (R. H.) . . . . **CY** 13
Braconnot (R.) . . . . . . **BX** 19
Carmes (R. des). . . . . **BY** 20
Carrière (Pl. de la) . . . **BY** 21
Cathédrale (⊞). . . . . **CY** **S**
Chanoine-Jacob (R.) **AX** 23
Clemenceau (Bd G.) . **EX** 25
Craffe (R. de la) . . . . . **AX** 28
Europe (Bd de l') . . . . **DY** 32
Foch (Av.). . . . . **DV** 33
Gaulle (Pl. Gén.-de) . . **BX** 36
Haut-Bourgeois (R.) . **AX** 39
Ile de Corse (R. l') . . . **CY** 41
Jaurès (Bd Jean) . . . . **EX** 42
Jaurès (Bd Jean)
VANDŒUVRE . . . **DX** 43
Jeanne-d'Arc (R.) . . **DEX** 44
Jeanne-d'Arc (Av.)
VANDŒUVRE . . . . **EY** 45
Keller (R. Charles) . . . **AX** 46
Lamour (R. J.) . . . . **AX** 47
Leclerc (Av. Gén.)
VANDŒUVRE. . . . **DY** 49
Loups (R. des) . . . . . . **AX** 51
Mareville (R. de) . . . . **DX** 52
Mirecourt (Route de) **EX** 59
Monnaie (R. de la). . . **BY** 61
Nabécor (R. de) . . . . . **EX** 64
N.-D. de
Bon Secours (⊞) **EX** **K**
N.-D. de Lourdes
(⊞) . . . . **DX** 67
Oudinot (R. Mar.). . . . **EX** 68
Poincaré (R. H.) . . . . . **AY** 70

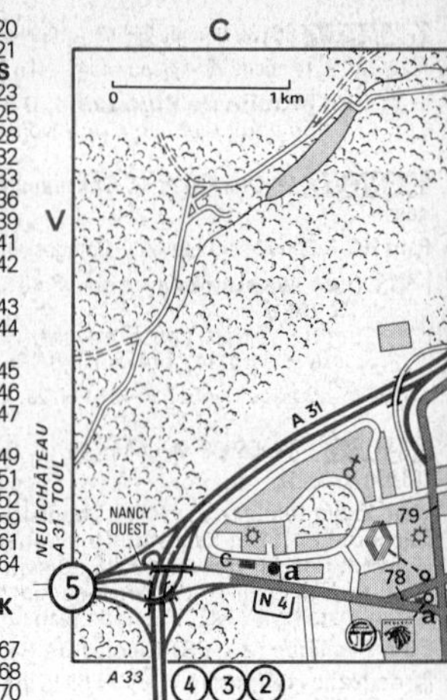

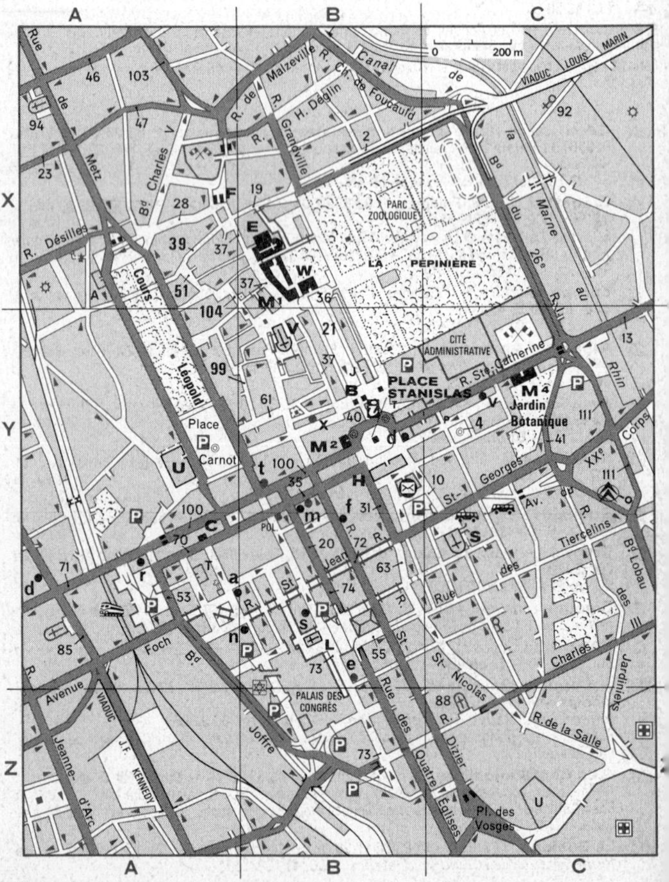

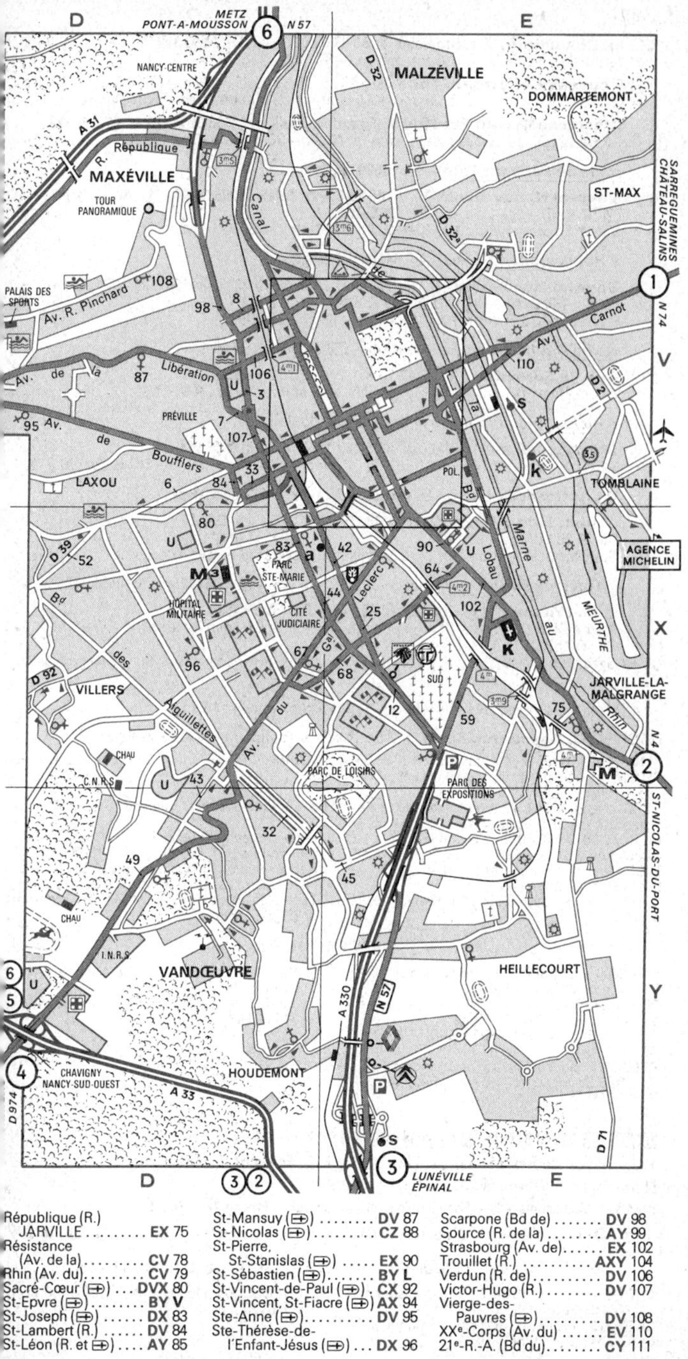

République (R.)
JARVILLE .... EX 75
Résistance
(Av. de la) .... CV 78
Rhin (Av. du) .... CV 79
Sacré-Cœur (⊞) ... DVX 80
St-Epvre (⊞) .... BY V
St-Joseph (⊞) ...... DX 83
St-Lambert (R.) ...... DV 84
St-Léon (R. et ⊞) .... AY 85

St-Mansuy (⊞) .... DV 87
St-Nicolas (⊞) .... CZ 88
St-Pierre,
St-Stanislas (⊞) ...... EX 90
St-Sébastien (⊞) .... BY L
St-Vincent-de-Paul (⊞) . CX 92
St-Vincent, St-Fiacre (⊞) AX 94
Ste-Anne (⊞) .... DV 95
Ste-Thérèse-de-
l'Enfant-Jésus (⊞) ... DX 96

Scarpone (Bd de) .... DV 98
Source (R. de la) .... AY 99
Strasbourg (Av. de) ...... EX 102
Trouillet (R.) .... AXY 104
Verdun (R. de) .... DV 106
Victor-Hugo (R.) .... DV 107
Vierge-des-
Pauvres (⊞) .... DV 108
XXe-Corps (Av. du) ...... EV 110
21e-R.-A. (Bd du) .... CY 111

XX **La Chaumière,** 60 r. Stanislas ✆ 83 37 05 03 – ▤. AE ⓓ E VISA BY **t**
fermé 25 juil. au 17 août, sam. et dim. – SC : **R** 90/145.

X **Nouveaux Abattoirs,** 4 bd Austrasie ✆ 83 35 46 25 – ▤ EV **s**
fermé 26 juil. au 24 août, 20 déc. au 4 janv., sam., dim. et fêtes – **R** 75/125 ♁.

X **Wagon de Martin For Home,** 57 r. des Chaligny ✆ 83 32 32 16 – Ⓟ. ⓓ VISA
fermé 12 juil. au 10 août, sam., dim. et fériés – SC : **R** carte 85 à 150 ♁. EV **k**

route de Paris O : 4 km – ✉ **54520** Laxou :

Novotel Nancy Ouest Ⓜ, ✆ 83 96 67 46, Télex 850988, , , – ▤ rest
TV ☎ ♿ Ⓟ – 25 à 250. AE ⓓ E VISA CV **a**
R snack carte environ 100 ♁ – ☕ 31 – **117 ch** 271/306.

à Houdemont S : 6 km – ✉ **54180** Heillecourt :

Novotel Nancy Sud Ⓜ, rte d'Épinal ✆ 83 56 10 25, Télex 961124, , , –
▤ rest TV ☎ Ⓟ – 250. AE ⓓ E VISA EY **s**
R snack carte environ 100 ♁ – ☕ 31 – **86 ch** 271/306.

rte de Neufchâteau par ④ : 8 km – ✉ **54230** Neuves-Maisons :

XXX **Aub. la Forestière,** ✆ 83 47 26 32, ← – Ⓟ. AE ⓓ E VISA
fermé 1er au 14 avril, 4 au 25 août, dim. soir et lundi – SC : **R** 115/320.

à Richardménil, par ③ : 14 km – ✉ **54630** Flavigny :

XX **Bon Accueil,** rte Messein ✆ 83 54 62 10 – Ⓟ. AE ⓓ E VISA
fermé 27 fév. au 13 mars, 31 juil. au 22 août, merc. soir et jeudi – SC : **R** 75/138 ♁.

à Champenoux par ① : 15 km sur N 74 – ✉ **54280** Seichamps :

XXX ✿ **Aub. Lion d'Or,** ✆ 83 31 61 23, , – AE ⓓ E VISA
SC : **R** 99 bc/225
Spéc. Mousseline de brochet, Lotte Emeline, Noisettes d'agneau en robe des bois.

à Flavigny-sur-Moselle par ③ et N 57 : 16 km – ✉ **54630** Flavigny-sur-Moselle :

XXX ✿ **Le Prieuré** (Roy), ✆ 83 26 70 45, – AE ⓓ E VISA
fermé 25 août au 4 sept., vacances de nov. et de fév., dim. et fériés le soir et merc. –
SC : **R** 155/210
Spéc. Crêpe de sandre fumé, Gratin de grenouilles au chèvre frais (saison), Tourte de pigeon et foie gras de canard.

Voir aussi ressources hôtelières de *Liverdun* par ⑥ : 16 km.

MICHELIN, Agence régionale, 117 bd Tolstoï à Tomblaine EX ✆ **83 21 83 21**

BMW Hazard, 105 bd Austrasie ✆ 83 32 86 68
CITROEN Central Autom. de Lorraine, 11 r. Tapis-Vert CY ✆ 83 32 10 24
FORD Nancy-Laxou Autom., 21 av. de la Résistance à Laxou ✆ 83 98 43 43
MERCEDES-BENZ, OPEL S.O.V.A.N., 260 av. Strasbourg ✆ 83 35 56 34
NISSAN Gar. Lorraine-Auto, 39 av. de la Garenne ✆ 83 40 22 57
V.A.G. Gd Gar. de la Paix, 32 r. Metz ✆ 83 35 51 97
VOLVO Crosne Autom, 65 r. du Crosne ✆ 83 37 16 72

Ⓜ Le Circulaire, 37 r. Sigisbert-Adam ✆ 83 37 06 23
Leclerc-Pneu, r. Maurice Barrés ✆ 83 37 06 57
Leclerc-Pneu, 11 r. A.-Krug ✆ 83 35 28 31
Nancy Pneus, 61 r. des Chaligny ✆ 83 35 42 70
Pneus 54, 7 r. St-Léon ✆ 83 40 14 04
Tyresoles-Sebat-Est, 8 r. Gén.-Landremont ✆ 83 51 20 73

Périphérie et environs

CITROEN Central Autom. de Lorraine, N 57 à Houdemont EY ✆ 83 51 29 30
PEUGEOT, TALBOT S.I.A.L., av. P.-Doumer, Vandoeuvre EX ✆ 83 55 59 42 et 1 av. Résistance, Laxou CV **a** ✆ 83 96 34 21 N ✆ 83 36 54 23
RENAULT Succursale av. Résistance à Laxou CV ✆ 83 96 81 50 et N 57 à Houdemont EY ✆ 83 55 20 05

Ⓜ Boutmy-Pneus, 24 av. Ste-Anne à Laxou ✆ 83 28 54 89
Pneus-Est, 97 av. 69e RI à Essey Les Nancy ✆ 83 21 24 03

NANGIS 77370 S.-et-M. **61** ③, **196** ㊱㊽ – 6 869 h. alt. 130.

Voir Église★ de Rampillon E : 4,5 km par D 62, G. Environs de Paris.

ℹ Syndicat d'Initiative à la Mairie ✆ (1) 64 08 00 50.

Paris 66 – Coulommiers 35 – Fontainebleau 31 – Melun 26 – Provins 22 – Sens 52.

XX **Dauphin** avec ch, 9 bis r. A.-Briand ✆ (1) 64 08 03 57 – wc ☎ Ⓟ. AE ⓓ VISA.
ch
fermé 22 déc. au 7 janv. et dim. soir – SC : **R** 65/190 – ☕ 15 – **12 ch** 63/150.

CITROEN Gar. Barbier, 31 ter r. des Ecoles ✆ (1) 64 08 01 03
CITROEN S.N.M.A. 3 av. Gén.-de-Gaulle ✆ (1) 64 08 00 48 N ✆ (1) 64 08 18 99
RENAULT Bezault, 39 r. de la Libération ✆ (1) 64 08 01 37

NANS-LES-PINS 83860 Var 84 ⑭ – 1 349 h. alt. 430.

Paris 799 – Aix-en-Provence 42 – Brignoles 26 – ♦Marseille 41 – Rians 35 – ♦Toulon 69.

Châteauneuf, au Châteauneuf N : 3,5 km par D 80 et N 560 ✆ 94 78 90 06, Télex 400747, ←, « dans un parc », – TV P – 40. AE ① E VISA
21 mars-31 oct. – SC : **R** 165/210 – ☐ 45 – **29 ch** 350/570, 5 appartements – P 540/700.

RENAULT Gar. Cardillo, ✆ 94 78 92 53

NANS-SOUS-STE-ANNE 25 Doubs 70 ⑤ – 141 h. alt. 365 – ✉ 25330 Amancey.

Paris 423 – ♦Besançon 44 – Pontarlier 35 – Salins-les-Bains 14.

Poste ✆ 81 86 62 57, ←, – ch
fermé 1er nov. au 15 janv., 1er au 15 mars et mardi hors sais. – SC : **R** 39/99 – ☐ 15 – **11 ch** 79/105 – P 125/147.

Nouvel H. ✆ 81 86 61 26, ←, – ①
fermé 15 déc. au 1er fév. – SC : **R** 38/86 – ☐ 15 – **9 ch** 94 – P 130/150.

NANTERRE 92 Hauts de Seine 55 ⑳, 101 ⑬ ⑭ – voir Paris, Environs (Rueil Malmaison).

NANTES P 44000 Loire-Atl. 67 ③ **G. Bretagne** – 247 227 h. communauté urbaine 420 000 h. alt. 8.

Voir Intérieur** de la cathédrale HY – Château ducal** : musées d'art populaire régional* et des Salorges* HY – La ville du 19e s. * : passage Pommeraye* GZ **135**, cours Cambronne* FZ – Jardin des Plantes* HY – Palais Dobrée* FZ – Ancienne île Feydeau* GZ – Belvédère Ste-Anne ←* EZ **S** – Musées : Beaux-Arts** HY **M1**, Histoire naturelle** FZ **M2**, Archéologie régionale* (dans les jardins du palais Dobrée) FZ **M3**, Jules Verne* EZ **M4** – Vallée de l'Erdre* CV.

18 ✆ 40 63 25 82 - AV D 81 : 16 km.

de Nantes-Château Bougon ✆ 40 75 80 00 par D 85 et BX : 8,5 km.

✆ 40 50 50 50.

Office de Tourisme et Accueil de France (Informations, change et réservations d'hôtels, pas plus de 5 jours à l'avance), pl. Change ✆ 40 47 04 51, Télex 710905 – A.C.O. 6 bd G.-Guist'hau ✆ 40 48 56 19.

Paris 378 ⑬ – Angers 89 ⑬ – ♦Bordeaux 327 ④ – ♦Lyon 624 ⑬ – Quimper 226 ⑦ – ♦Rennes 108 ⑩.

Plans pages suivantes

Sofitel M, Ile Beaulieu ✉ 44200 ✆ 40 47 61 03, Télex 710990, ←, – TV P – 150. AE ① E VISA — CX **a**
rest. **La Pêcherie R** carte 160 à 230 – – ☐ 41 – **100 ch** 370/490.

Frantel M, Ile Beaulieu ✉ 44200 ✆ 40 47 10 58, Télex 711440 – rest TV P – 40 à 250. AE ① E VISA — CX **u**
SC : rest. **Le Tillac** *(fermé sam. midi et dim.)* **R** carte 130 à 180 – ☐ 35 – **150 ch** 282/408.

Central H., 4 r. Couëdic ✆ 40 20 09 35, Télex 700666 – rest – 50 à 150. AE ① E VISA — GZ **f**
SC : **R** *(fermé sam.)* 80/116 – ☐ 27 – **123 ch** 186/336.

L'Hôtel M sans rest, 6 pl. Duchesse Anne ✆ 40 29 30 31 – wc AE E VISA — HY **e**
SC : ☐ 23 – **31 ch** 262/283.

Bourgogne sans rest, 9 allée Cdt-Charcot ✆ 40 74 03 34 – TV wc wc AE ① VISA — HY **g**
fermé 20 déc. au 5 janv. – SC : ☐ 21 – **43 ch** 123/313.

Astoria sans rest, 11 r. Richebourg ✆ 40 74 39 90 – TV wc wc — HY **k**
fermé août – SC : ☐ 25 – **45 ch** 195/275.

Colonies sans rest, 5 r. Chapeau-Rouge ✆ 40 48 79 76 – TV wc wc AE ① E VISA — FZ **q**
☐ 23 – **39 ch** 224/239.

Vendée sans rest, 8 allée Cdt-Charcot ✆ 40 74 14 54 – TV wc wc – 40. AE ① E VISA — HY **g**
SC : ☐ 22 – **93 ch** 180/270.

Cholet sans rest, 10 r. Gresset ✆ 40 73 31 04 – wc wc — FZ **b**
SC : ☐ 15 – **38 ch** 110/175.

Gd Hôtel sans rest, 2 r. Santeuil ✆ 40 73 46 68 – wc wc VISA — FZ **p**
SC : ☐ 17 – **43 ch** 142/175.

Trois Marchands, 26 r. A.-Brossard ✆ 40 47 62 00 – TV wc wc – 35. AE ① VISA — GY **b**
SC : **R** 55/150 – ☐ 17 – **64 ch** 140/240 – P 180/280.

Concorde sans rest, 2 allée Orléans ✆ 40 48 75 91 – wc wc ① — GZ **u**
☐ 15,50 – **34 ch** 110/190.

Graslin sans rest, 1 r. Piron ✆ 40 89 16 09 – wc wc AE VISA — FZ **v**
SC : ☐ 14,50 – **46 ch** 77/161.

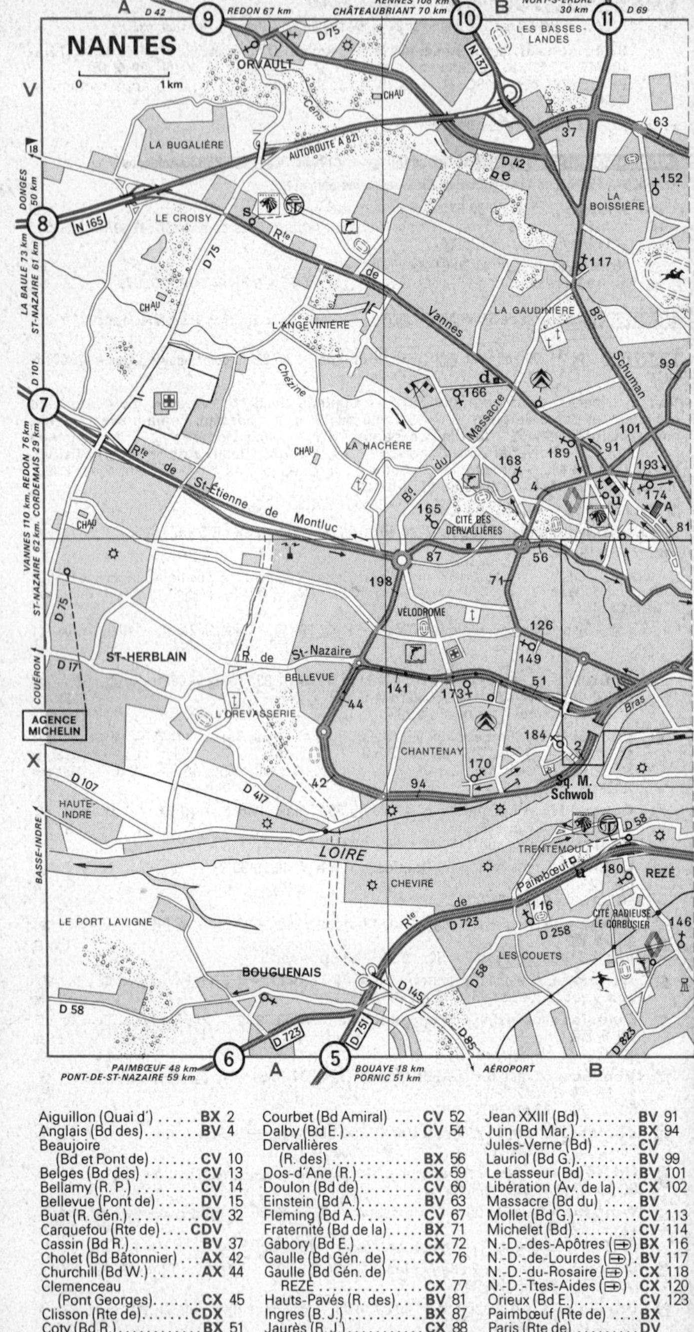

Aiguillon (Quai d') . . . . . . **BX** 2
Anglais (Bd des) . . . . **BV** 4
Beaujoire
(Bd et Pont de) . . . . **CV** 10
Belges (Bd des) . . . . **CV** 13
Bellamy (R. P.) . . . . **CV** 14
Bellevue (Pont de) . . . . . . **DV** 15
Buat (R. Gén.) . . . . **CV** 32
Carquefou (Rte de) . . . . **CDV**
Cassin (Bd R.) . . . . **BV** 37
Cholet (Bd Bâtonnier) . . . **AX** 42
Churchill (Bd W.) . . . . **AX** 44
Clemenceau
(Pont Georges) . . . . **CX** 45
Clisson (Rte de) . . . . **CDX**
Coty (Bd R.) . . . . **BX** 51
Courbet (Bd Amiral) . . . . **CV** 52
Dalby (Bd E.) . . . . **CV** 54
Dervallières
(R. des) . . . . **BX** 56
Dos-d'Ane (R.) . . . . **CX** 59
Doulon (Bd de) . . . . **CV** 60
Einstein (Bd A.) . . . . **BV** 63
Fleming (Bd A.) . . . . **CV** 67
Fraternité (Bd de la) . . . . . **BX** 71
Gabory (Bd E.) . . . . **CX** 72
Gaulle (Bd Gén. de) . . . . . **CX** 76
Gaulle (Bd Gén. de)
REZÉ . . . . **CX** 77
Hauts-Pavés (R. des) . . . . **BV** 81
Ingres (B. J.) . . . . **BX** 87
Jaurès (R. J.) . . . . **CX** 88
Jean XXIII (Bd) . . . . **BV** 91
Juin (Bd Mar.) . . . . **BX** 94
Jules-Verne (Bd) . . . . **CV**
Lauriol (Bd G.) . . . . **BV** 99
Le Lasseur (Bd) . . . . **BV** 101
Libération (Av. de la) . . . **CX** 102
Massacre (Bd du) . . . . . . **BV**
Mollet (Bd G.) . . . . **CV** 113
Michelet (Bd) . . . . **CV** 114
N.-D.-des-Apôtres (⊞) . **BX** 116
N.-D.-de-Lourdes (⊞) . **BV** 117
N.-D.-du-Rosaire (⊞) . . **CX** 118
N.-D.-Ttes-Aides (⊞) . . **CX** 120
Orieux (Bd E.) . . . . **CV** 123
Paimbœuf (Rte de) . . . . . **BX**
Paris (Rte de) . . . . **DV**

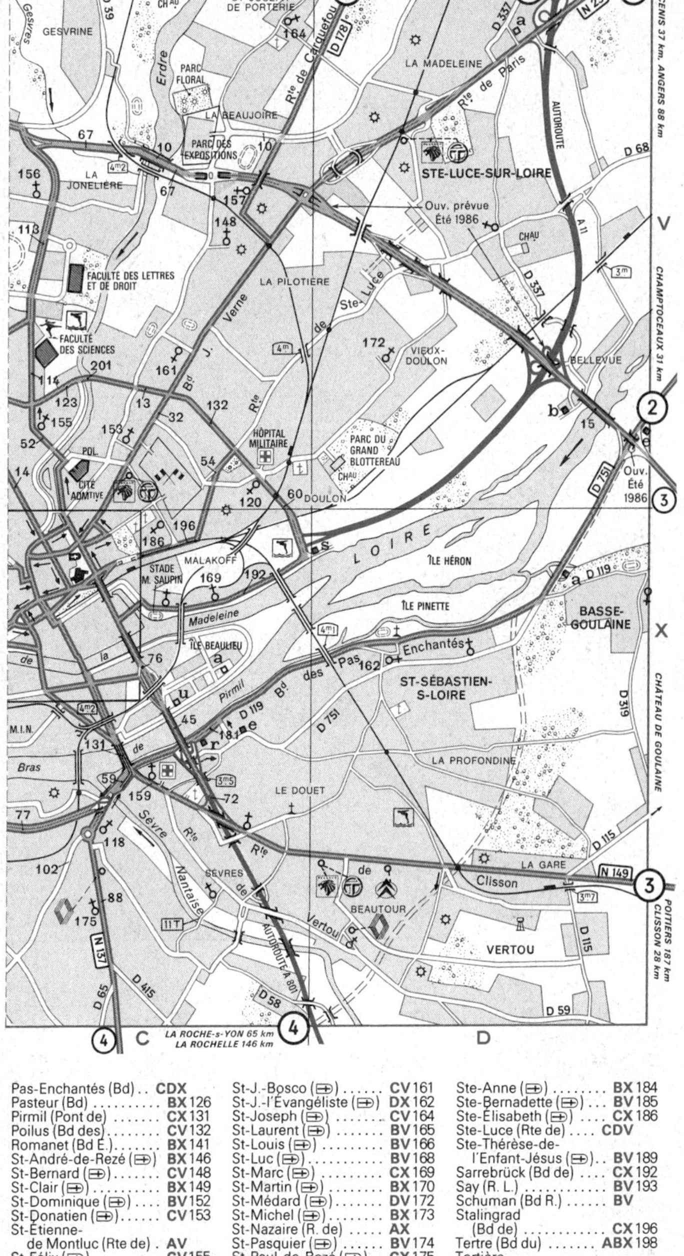

Pas-Enchantés (Bd) . . **CDX**
Pasteur (Bd) . . . . **BX** 126
Pirmil (Pont de) . . . . **CX** 131
Poilus (Bd des) . . . . **CV** 132
Romanet (Bd É.) . . . . **BX** 141
St-André-de-Rezé (⊞) **BX** 146
St-Bernard (⊞) . . . . **CV** 148
St-Clair (⊞) . . . . **BX** 149
St-Dominique (⊞) . . . . **BV** 152
St-Donatien (⊞) . . . . . . **CV** 153
St-Étienne-de Montluc (Rte de) . . **AV**
St-Félix (⊞) . . . . **CV** 155
St-F.-d'Assise (⊞) . . . . **CV** 156
St-Georges (⊞) . . . . . . **CV** 157
St-Jacques (R. et ⊞) . . **CX** 159
St-J.-Bosco (⊞) . . . . . . **CV** 161
St-J.-l'Évangéliste (⊞) **DX** 162
St-Joseph (⊞) . . . . **CV** 164
St-Laurent (⊞) . . . . **BV** 165
St-Louis (⊞) . . . . **BV** 166
St-Luc (⊞) . . . . **BV** 168
St-Marc (⊞) . . . . **CX** 169
St-Martin (⊞) . . . . **BX** 170
St-Médard (⊞) . . . . **DV** 172
St-Michel (⊞) . . . . **BX** 173
St-Nazaire (R. de) . . . . . **AX**
St-Pasquier (⊞) . . . . . . **BV** 174
St-Paul-de-Rezé (⊞) . . **CX** 175
St-Pierre-de-Rezé (⊞) **BX** 180
St-Sébastien (Côte) . . . . **CX** 181
Ste-Anne (⊞) . . . . **BX** 184
Ste-Bernadette (⊞) . . . **BV** 185
Ste-Élisabeth (⊞) . . . . **CX** 186
Ste-Luce (Rte de) . . . . **CDV**
Ste-Thérèse-de-l'Enfant-Jésus (⊞) . . **BV** 189
Sarrebrück (Bd de) . . . . **CX** 192
Say (R. L.) . . . . **BV** 193
Schuman (Bd R.) . . . . . . **BV**
Stalingrad (Bd de) . . . . **CX** 196
Tertre (Bd du) . . . . **ABX** 198
Tortière (Pont de la) . . . . **CV** 201
Vannes (Rte de) . . . . . **ABV**
Vertou (Rte de) . . . . . . **CDX**

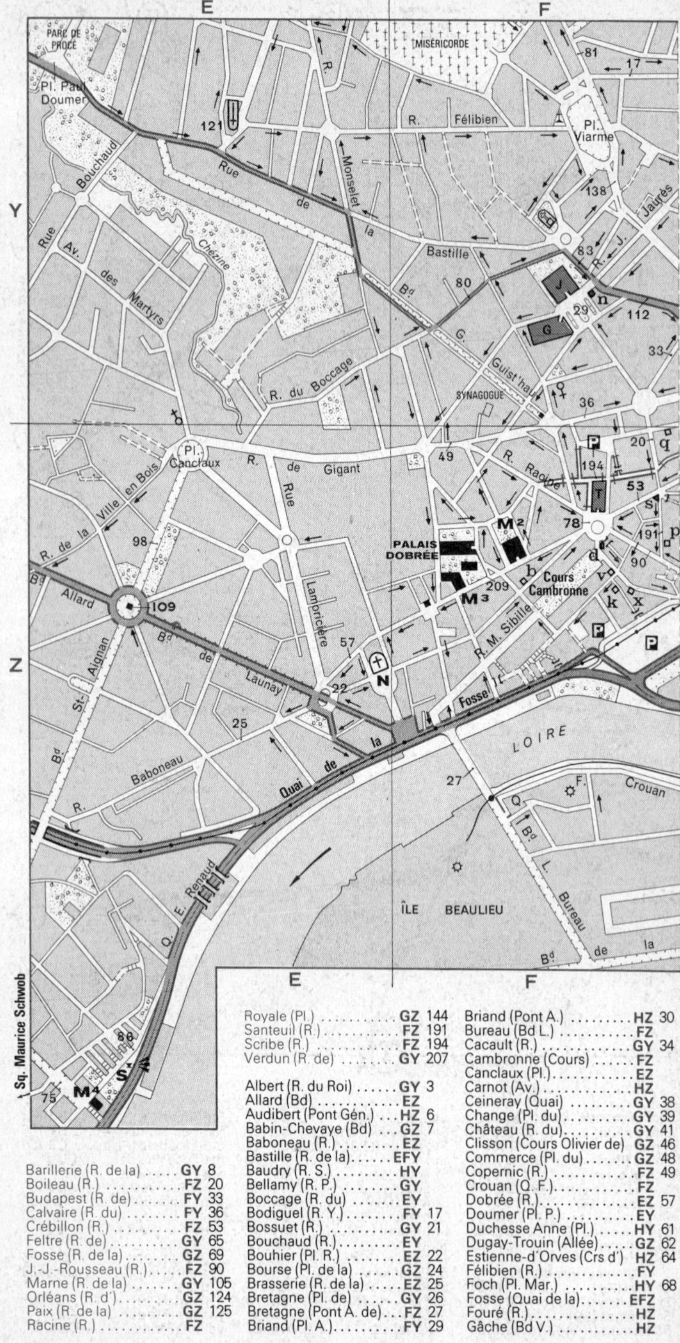

Barillerie (R. de la) . . . . . GY 8
Boileau (R.) . . . . FZ 20
Budapest (R. de) . . . . . . FY 33
Calvaire (R. du) . . . . FY 36
Crébillon (R.) . . . . FZ 53
Feltre (R. de) . . . . GY 65
Fosse (R. de la) . . . . GZ 69
J.-J.-Rousseau (R.) . . . . . FZ 90
Marne (R. de la) . . . . GY 105
Orléans (R. d') . . . . GZ 124
Paix (R. de la) . . . . GZ 125
Racine (R.) . . . . FZ
Royale (Pl.) . . . . GZ 144
Santeuil (R.) . . . . FZ 191
Scribe (R.) . . . . FZ 194
Verdun (R. de) . . . . GY 207

Albert (R. du Roi) . . . . . . GY 3
Allard (Bd) . . . . EZ
Audibert (Pont Gén.) . . . HZ 6
Babin-Chevaye (Bd) . . . GZ 7
Baboneau (R.) . . . . EZ
Bastille (R. de la) . . . . . . EFY
Baudry (R. S.) . . . . HY
Bellamy (R. P.) . . . . GY
Boccage (R. du) . . . . EY
Bodiguel (R. Y.) . . . . FY 17
Bossuet (R.) . . . . GY 21
Bouchaud (R.) . . . . EY
Bouhier (Pl. R.) . . . . EZ 22
Bourse (Pl. de la) . . . . . . GZ 24
Brasserie (R. de la) . . . . EZ 25
Bretagne (Pl. de) . . . . . . GY 26
Bretagne (Pont A. de) . . . FZ 27
Briand (Pl. A.) . . . . FY 29
Briand (Pont A.) . . . . HZ 30
Bureau (Bd L.) . . . . FZ
Cacault (R.) . . . . GY 34
Cambronne (Cours) . . . . . . FZ
Canclaux (Pl.) . . . . EZ
Carnot (Av.) . . . . HZ
Ceineray (Quai) . . . . GY 38
Change (Pl. du) . . . . GY 39
Château (R. du) . . . . GY 41
Clisson (Cours Olivier de) GZ 46
Commerce (Pl. du) . . . . . . GZ 48
Copernic (R.) . . . . FZ 49
Crouan (Q. F.) . . . . FZ
Dobrée (R.) . . . . EZ 57
Doumer (Pl. P.) . . . . EY
Duchesse Anne (Pl.) . . . . HY 61
Dugay-Trouin (Allée) . . . . GZ 62
Estienne-d'Orves (Crs d') HZ 64
Félibien (R.) . . . . FY
Foch (Pl. Mar.) . . . . HY 68
Fosse (Quai de la) . . . . . . EFZ
Fouré (R.) . . . . HZ
Gâche (Bd V.) . . . . HZ

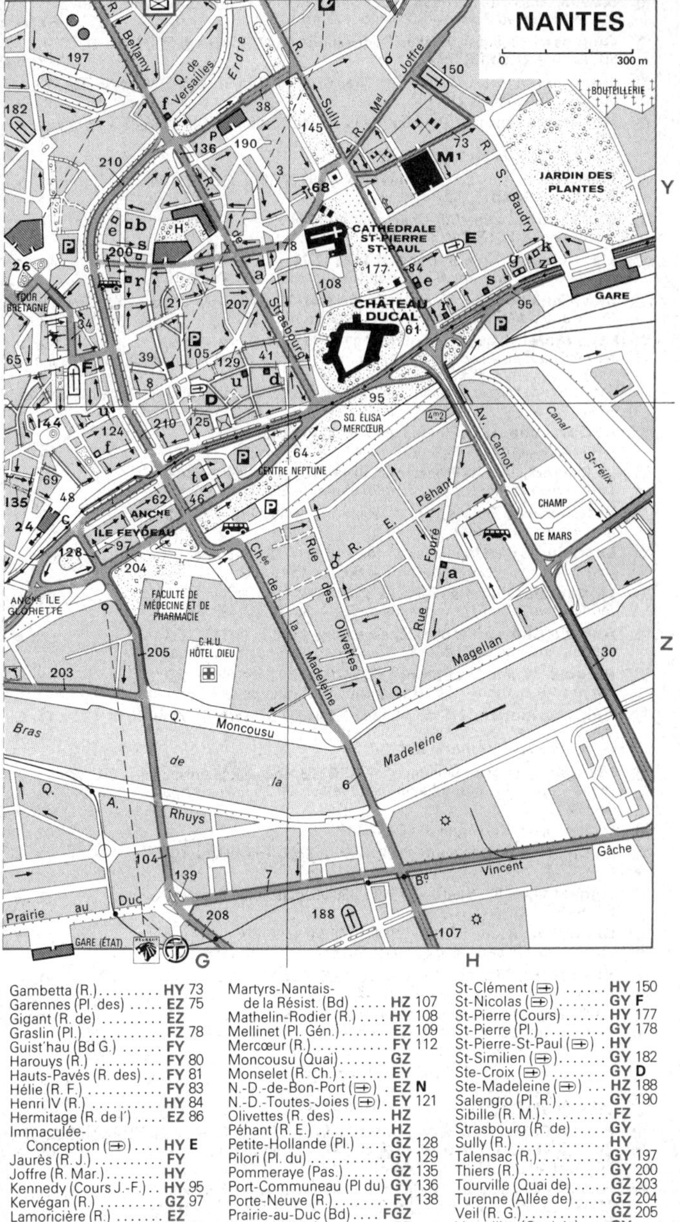

NANTES
0
300 m
G
H
Y
Z
R. Bellamy
Q. de Versailles
Erdre
R. Sully
R. Mal Joffre
JARDIN DES PLANTES
BOUTEILLERIE
CATHÉDRALE ST-PIERRE ST-PAUL
CHÂTEAU DUCAL
R. S. Baudry
GARE
TOUR BRETAGNE
R. de Strasbourg
SQ. ÉLISA MERCŒUR
CENTRE NEPTUNE
Av. Carnot
Canal St-Félix
CHAMP DE MARS
R. E. Péhant
Rue Fouré
Rue des Olivettes
Q. Magellan
ANCNE ÎLE FEYDEAU
ANCNE ÎLE GLORIETTE
FACULTÉ DE MÉDECINE ET DE PHARMACIE
C.H.U. HÔTEL DIEU
Chée de la Madeleine
Q. Moncousu
Bras de la Madeleine
Q. A. Rhuys
Prairie au Duc
GARE (ÉTAT)
Bd Vincent Gâche

Maeva sans rest., 3 r. du Marais ☎ 40 89 60 60 – |$| TV ⇔wc ⋒ ☎. AE ⓓ VISA
fermé 19 déc. au 2 janv. – SC : ☕ 16 – **27 ch** 133/200. GY **s**

Duquesne sans rest, 12 allée Duquesne ☎ 40 47 57 24 – |$| TV ⇔wc ☎. AE VISA
SC : ☕ 20 – **27 ch** 131/190. GY **e**

Terminus sans rest, 3 allée Cdt-Charcot ☎ 40 74 24 51 – |$| ⋒wc ☎. E VISA
SC : ☕ 15,50 – **36 ch** 115/182. HY **z**

Atlantique sans rest, 9 r. Mar. de Lattre de Tassigny ☎ 40 73 85 33 – |$| ⋒wc ☎. VISA FZ **x**
SC : ☕ 15,50 – **28 ch** 110/177.

Fourcroy sans rest, 11 r. Fourcroy ☎ 40 89 37 76 – ⋒wc ☎. ✱ FZ **k**
SC : ☕ 15 – **19 ch** 78/135.

XXX **Coq Hardi,** 22 allée Cdt-Charcot ☎ 40 74 14 25 – AE ⓓ E VISA HY **r**
fermé sam. – SC : **R** 75/185.

XXX **L'Esquinade,** 7 rue St-Denis ☎ 40 48 17 22 – AE ⓓ VISA GY **a**
fermé 10 au 31 juil., jeudi soir, dim. soir et lundi – SC : **R** 100/150.

XXX **San Francisco,** 3 chemin Bateliers ✉ 44300 ☎ 40 49 59 42, ☂ – ⓟ. AE ⓓ VISA
fermé août, dim. soir et lundi – SC : **R** carte 160 à 200. DX **s**

XX ✿ **Les Maraîchers,** 21 r. Fouré ☎ 40 47 06 51 – AE ⓓ VISA. ✱ HZ **a**
fermé 4 août au 4 sept., sam. midi, dim. et lundi – SC : **R** (nombre de couverts limité - prévenir) carte 225 à 285
Spéc. Sauté de homard au basilic, Canard aux huîtres, Les deux saumons à l'oseille. Vins Muscadet, Anjou.

XX **Le Gavroche,** 139 r. Hauts-Pavés ☎ 40 76 22 49 – VISA BV **u**
fermé 8 au 31 août, dim. soir et lundi – SC : **R** 107/180.

XX **Le Colvert,** 14 r. A.-Brossard ☎ 40 48 20 02 – ▤. ⓓ E VISA GY **r**
fermé 15 août au 9 sept., sam. midi et dim. – SC : **R** 114/180.

XX **Rôtisserie du Palais,** 1 pl. A.-Briand ☎ 40 89 20 12 – AE ⓓ VISA FY **n**
fermé dim. – SC : **R** 69/150.

XX **La Vigie,** 18 quai Versailles ☎ 40 20 35 28 – AE ⓓ E VISA GY **n**
fermé sam. midi et dim. soir – SC : **R** carte 150 à 185.

XX **Le Nantais,** 161 r. Hauts-Pavés ☎ 40 76 59 54 – ⓟ BV **t**
fermé 1er au 22 août et vacances de fév. – SC : **R** 78/148.

XX **Aub. du Château,** 5 pl. Duchesse Anne ☎ 40 74 05 51 – VISA HY **e**
fermé 2 au 25 août, 23 déc. au 2 janv., dim. et lundi – SC : **R** 98.

XX **Pergola,** 10 côte St Sébastien ✉ 44200 ☎ 40 34 38 52, ≤. VISA CX **r**
fermé août, et lundi – SC : **R** (déj. seul. sauf vend. et sam.) 85/140.

XX **Aub. Normande,** 175 rte Vannes ✉ 44800 St Herblain ☎ 40 76 51 43 – ⓟ. E VISA BV **d**
fermé dim. soir et lundi – **R** 69/275.

XX **Marignan,** 2 r. Paul Bellamy ☎ 40 20 32 28, spécialités poissons – VISA. ✱
fermé 14 juil. au 15 août, sam. (sauf le soir du 15 nov. au 15 avril) et dim. – SC : **R** 85/115. GY **f**

XX La Sirène, 4 r. Kervégan ☎ 40 47 00 17 GZ **t**

XX **La Cigale,** 4 pl. Graslin ☎ 40 89 34 84, « Brasserie 1900 ». VISA FZ **d**
R 48/87 ♨.

XX **Nguyet Nga,** 5 r. Santeuil ☎ 40 73 39 08, cuisine vietnamienne FZ **s**
SC : **R** 81/115.

X **Christiana,** 3 r. de l'Émery ☎ 40 89 68 31 – AE VISA GY **d**
fermé 1er au 15 sept., vacances de fév. et lundi – SC : **R** 59/130.

X **Voyageurs,** 16 allée Cdt-Charcot ☎ 40 74 02 41 – VISA HY **s**
fermé 1er au 15 janv. – SC : **R** 51/108.

X **Le Change,** 11 r. Juiverie ☎ 40 48 02 28 – VISA. ✱ GY **u**
fermé 15 juil. au 15 août, dim. soir et lundi – SC : **R** 50/150 ♨.

Environs

rte d'Angers et N 23 – ✉ **44470** Carquefou :

P.L.M. Carquefou Ⓜ ⛱, La Madeleine : 9 km ☎ 40 30 29 24, Télex 710962, ☂, ⛱ – |$| ▤ rest TV ☎ ♿ ⓟ – 🏠 30 à 120. AE ⓓ E VISA DV **a**
SC : **R** 50/80 ♨ – ☕ 30 – **77 ch** 310/360 – P 285/380.

Novotel Carquefou Ⓜ ⛱, à la Belle Étoile par ① : 11 km ☎ 40 52 64 64, Télex 711175, ⛱, ⛱ – ▤ rest TV ☎ ♿ ⓟ – 🏠 30 à 150. AE ⓓ E VISA
R snack carte environ 100 ♨ – ☕ 32 – **98 ch** 292/303.

à Carquefou par ⑫ : 10,5 km – 9 674 h. – ✉ **44470** Carquefou :

XXX **Cheval Blanc,** r. 9 août-1944 ☎ 40 50 88 05, salle rustique – VISA
fermé août, dim. soir, mardi soir et lundi – SC : **R** 100/250.

au Pont de Bellevue E : 9 km par A 11 – ✉ **44470** Carquefou :

XXX ✿✿ **Delphin,** ☎ 40 49 04 13, ← – 🅟. AE ⓞ E VISA DV **b**
fermé 11 août au 1er sept., vacances de Noël, dim. soir et lundi – SC : **R** (nombre de couverts limité - prévenir) 145/295 et carte
Spéc. Foie gras chaud, Estouffade de turbot au Muscadet, Ragoût de saumon frais. **Vins** Muscadet sur lie, Gros Plant.

à St-Sébastien : par D 751 : 4 km – 18 357 h. – ✉ **44230** St-Sébastien :

XXX ✿ **Manoir de la Comète** (Thomas-Trophime), 21 av. Libération ☎ 40 34 15 93, 🌳, 🌲 – 🅟. ⓞ VISA CX **e**
fermé 26 juil. au 20 août, vacances de fév., sam. midi et dim. – SC : **R** (nombre de couverts limité, prévenir) 100/280
Spéc. Filet de dorade à l'Anjou rouge, Pigeon en bécasse au lard fumé et choux, Biscuit au chocolat noir.

à Basse-Goulaine par D 119 : 8 km – 4 226 h. – ✉ **44115** Basse-Goulaine :

XXX **Mon Rêve,** sur D 751 ☎ 40 03 55 50, 🌳, « parc et roseraie » – 🅟. AE ⓞ VISA
fermé dim. soir – SC : **R** (dim. prévenir) 98/263. DV **e**

XX **Bénureau,** sur D 751 ☎ 40 03 58 61, 🌲 – 🅟. VISA DX **a**
fermé 4 au 29 août, vacances de fév., dim. et fériés : le soir et lundi – SC : **R** 120/172.

sur D 751 par ② : 15 km – ✉ **44450** St-Julien-de-Concelles :

XX **Aub. Nantaise,** Le Bout des Ponts ☎ 40 54 10 73 – AE E VISA
fermé 1er au 8 sept., 2 au 15 janv., dim. soir et lundi – SC : **R** 80/170.

à La Chebuette par ② : 16 km – ✉ **44450** St-Julien-de-Concelles :

XXX **Clémence,** ☎ 40 54 10 18, 🌲 – 🅟. AE ⓞ VISA
fermé 1er au 15 sept., vacances de fév., dim. soir et lundi – SC : **R** 95/160 dîner à la carte.

à Vertou : 6 km par D 59 DX – ✉ **44120** Vertou :

🏨 **Haute-Forêt** sans rest, bd Europe ☎ 40 34 01 74 – 🛁wc 🚿wc ☎ 🅟 – 🏛 30. ✂ rest
fermé 3 au 17 août et 20 déc. au 12 janv. – SC : ☕ 20 – **27 ch** 145/185.

rte de Poitiers N 149 par ③ : 11 km – ✉ **44115** Basse-Goulaine :

🏨 **La Lande St-Martin,** à Haute-Goulaine ☎ 40 80 00 80, Télex 700520, parc – TV 🛁wc 🚿wc ☎ 🅟 – 🏛 30 à 150. AE ⓞ E VISA
SC : **R** *(fermé dim. soir)* 58/215 – ☕ 20 – **40 ch** 120/225 – P 300/390.

rte des Sables d'Olonne par ④ et D 178 : 12 km – ✉ **44400** Les Sorinières :

🏨 **Abbaye de Villeneuve** 🐦, ☎ 40 04 40 25, Télex 710451, ←, 🌳, « Belle demeure du 18e s., parc », 🏊 – ☎ 🅟 – 🏛 50. AE ⓞ VISA. ✂ rest
R *(fermé merc.)* 140/260 – ☕ 39 – **16 ch** 460/800 – P 580/750.

à Rezé SO : 6 km par D 723 – 33 925 h. – ✉ **44400** Rezé-les-Nantis :

🏨 **Fimotel,** r. Ordronneau, Z.I. de Rezé ☎ 40 04 20 30, Télex 700429 – 🛗 TV 🛁wc ☎ ♿ 🅟 – 🏛 35. AE ⓞ VISA BX **u**
SC : **R** 56/95 🍷 – ☕ 22 – **42 ch** 205/216.

rte de Pornic par ⑤ : 15 km – ✉ **44830** Bouaye :

XX **Les Champs d'Avaux,** ☎ 40 65 43 50 – 🅟. E VISA
fermé 30 sept. au 15 oct., dim. soir et lundi – SC : **R** 80/150 🍷.

à St-Jean-de-Boiseau par D 723 et D 58 : 15 km - AX – 3 627 h. – ✉ **44640** Le Pellerin :

XX ✿ **L'Enclos de la Cruaudière,** ☎ 40 65 66 10, 🌳, « Jardin ombragé » – 🅟. VISA
fermé 1er au 26 août, vacances de fév., dim. et lundi – SC : **R** (nombre de couverts limité - prévenir) 160/200.

à Orvault vers ⑨ par N 137 et D 42 : 7 km – 23 248 h. – ✉ **44700** Orvault :

🏨 ✿ **Domaine d'Orvault** (Bernard) M 🐦, ☎ 40 76 84 02, Télex 700454, 🌳, 🌲, 🎾 – 🛗 TV ☎ ♿ 🅟 – 🏛 25. AE ⓞ VISA BV **e**
SC : **R** *(fermé vacances de fév. et lundi midi)* 145 (sauf fêtes)/310 – ☕ 36 – **29 ch** 320/475 – P 490/575
Spéc. Poêlée de St Jacques ou de langoustines, Marinière de bar aux queues d'écrevisses, Ragoût de ris et rognons de veau aux deux sauces. **Vins** Muscadet, Anjou rouge.

à Sucé-sur-Erdre par ⑪ : 16 km – 4 135 h. – ✉ **44240** La Chapelle-sur-Erdre :

X **Cordon Bleu** avec ch, ☎ 40 77 71 34 – 🚿wc. AE. ✂
fermé 15 août au 6 sept., 2 au 15 janv., dim. soir et lundi – **R** 70/140 – ☕ 20 – **8 ch** 95/200.

MICHELIN, Agence régionale, 13 r. du Rémouleur ZI à St Herblain AX ☎ 40 43 38 06

ALFA-ROMEO Ouest-Autom., 153 r. Hauts-Pavés ✆ 40 76 63 40
AUSTIN, ROVER Armoric-Auto, 2 bis r. Lamoricière ✆ 40 73 12 24
AUSTIN-ROVER Le Moigne, 18 allée Baco ✆ 40 47 77 16
CITROEN Succursale, 26 r. de la Marseillaise BX ✆ 40 46 08 33 **N** ✆ 40 74 68 39
CITROEN Mustière, 82 rte de Vannes BV ✆ 40 76 90 76 **N** ✆ 40 74 66 66
DATSUN-NISSAN SOBA, 58 rte de Vannes ✆ 40 76 05 02
FIAT, LANCIA-AUTOBIANCHI Générale Autom. de l'Ouest, 10 bd J.-Verne ✆ 40 49 32 63
FORD Conté-Tiriau, 16 bd Stalingrad ✆ 40 74 30 11
FORD Gar. Bezard, 136 rte de la Gare à Vertou ✆ 40 34 44 95
HONDA Gar. Victor-Hugo, 14 bd V.-Hugo ✆ 40 47 92 60
INNOCENTI-MAZDA Auto-Sélection, 42 bis r. des Hauts-Pavés ✆ 40 20 21 50
PEUGEOT-TALBOT S.I.A.O., 5 allée Ile-Gloriette GZ ✆ 40 94 76 76
PEUGEOT-TALBOT S.I.A. O., 40 r. de Monaco centre de Gros Rte de Paris DV ✆ 40 52 12 42
PEUGEOT-TALBOT Dugast, 103 bis r. Gén.-Buat CV ✆ 40 74 18 04
PEUGEOT-TALBOT Gar. Monselet, 2 r. de la Pelleterie BV ✆ 40 40 63 74
PEUGEOT-TALBOT Raguideau, 170 rte Clisson DX ✆ 40 34 27 43 **N** ✆ 40 74 66 66
RENAULT Succursale, 68 bd Meusnier-de-Querlon BV ✆ 40 76 39 39
RENAULT Gar. Louis XVI, 41 r. Gambetta HY ✆ 40 74 29 33 **N**
TOYOTA Gar. Grimaud, 12 r. de L'échappée ✆ 40 89 42 79
V.A.G. Auto-Gar. de l'Ouest, 8 r. Sully ✆ 40 29 40 00
VOLVO Générale Automobile, 53 bd V.-Hugo ✆ 40 36 70 10
Dépannage-Autom.-Ouest, 14 r. G.-Clemenceau ✆ 40 74 66 66 **N**

Ⓜ Le Gall, 4 r. Baron ✆ 40 47 66 00
Nantes-Pneumatiques, 83 rte Paris ✆ 40 49 36 19
Sonamia, 6 et 10 quai Henri-Barbusse ✆ 40 74 05 69
Station Magellan, 58 r. Fouré ✆ 40 89 52 00
Technic-Pneus, 6 quai F.-Crouan ✆ 40 47 67 35
Vallée-Pneus, 13 bd Martyrs-Nantais-de-la-Résistance ✆ 40 47 87 14

Périphérie et environs

ALFA-ROMEO-FERRARI Gar. Barteau, r. Ordronneau, Zone Ind. à Rézé ✆ 40 04 11 00
CITROEN Succursale, 9 r. Charles Rivière à Rézé par ④ ✆ 40 75 24 44
CITROEN Gar. Legras, 258 rte de Clisson à Vertou DX ✆ 40 03 00 26
FIAT Loire-Océans-Autos, Bd Marcel Paul à St-Herblain ✆ 40 94 84 14
FORD Sud Loire Autom., 17 bis r. F.-le-Carval à Rézé ✆ 40 75 93 54
LADA St-Herblain Autom, rte de St Etienne de Montluc à St Herblain, ✆ 40 94 87 28
MERCEDES-BENZ Gar. Paris-Maine, 307 rte Vannes à St-Herblain ✆ 40 63 63 89
MERCEDES Europ-Autom., 470 rte de Clisson à Vertou ✆ 40 34 49 40
MERCEDES Station de la Maladrie, Parc Industriel de la Vertonne Z.I. à Vertou ✆ 40 34 15 57
OPEL-GM-US Lafayette Motors, rte de Vannes à St-Herblain ✆ 40 63 70 11
PEUGEOT-TALBOT S.I.A.O., rte de Vannes à Le Croisy AV s ✆ 40 94 76 76
PEUGEOT-TALBOT Blain, 102 r. Sauvestre, rte Rochelle à Rezé par ④ ✆ 40 75 41 34
PEUGEOT-TALBOT Rez'Auto, bd Mar.-De-Lattre-De-Tassigny à Rézé BX ✆ 40 84 34 00
RENAULT Cora, 100 rte des Sorinières à Rezé par ④ ✆ 40 04 08 00
RENAULT Gar. Mecan'auto, 30 r. de la Fontenelle à Vertou DX ✆ 40 34 17 02
RENAULT Gar. Moinet, 25 r. J.-Jaurès à Rezé CX ✆ 40 04 04 00
RENAULT Gar. Dabireau Frères, 25 r. Alexandre-Arnaud à Vertou par D 59 ✆ 40 34 21 04
RENAULT Gar. du Stade, 73 r. de Bel-Etre à Rezé BX ✆ 40 75 43 79
V.A.G. Océan Autos, rte de Vannes le Croisy à Orvault ✆ 40 63 11 01
V.A.G. Nantes Sud Autom., 48 r. E.-Sauvestre à Rezé ✆ 40 75 67 07
V.A.G. Gar. du Centre, 2 r. du Gén.-de-Gaulle à Vertou ✆ 40 33 10 79

Ⓜ Lemaux-Pneu, 67 r. Aristide Briand à Rézé, ✆ 40 75 84 16
Nantex, 2 r. des Cochardières, Zil St-Herblain ✆ 40 94 86 07
Vallée-Pneus, 26 r. de la Dutée, Zone Ind. à St-Herblain ✆ 40 46 27 75

NANTEUIL-LE-HAUDOUIN 60440 Oise 56 ⑫ – 2 461 h. alt. 96.

Paris 53 – Beauvais 71 – Compiègne 36 – Meaux 25 – Senlis 20 – Villers-Cotterêts 25.

XX **Le Bruxelles-Paris** avec ch, ✆ 44 88 00 37 – E VISA
fermé 7 au 27 août, 22 janv. au 2 fév. et merc. sauf fêtes – SC : **R** 56/76 ♖ – **10 ch** ☕ 60/100 – P 160/180.

CITROEN Thuillier et Klaine, ✆ 44 88 00 02 **N**
RENAULT Gar. du Centre, ✆ 44 88 01 43 **N**

NANTILLY 70 H.-Saône 66 ⑬⑭ – rattaché à Gray.

NANTUA ⟨SP⟩ 01130 Ain 74 ④ G. Jura – 3 478 h. alt. 479.

Voir Cluse★★ – Lac★ – Bords du lac ←★.

ℹ Office de Tourisme 3 r. Dr-Mercier (1er juin-15 sept.) ✆ 74 75 00 05.

Paris 467 ② – Aix-les-B. 80 ① – Annecy 66 ① – Bourg-en-B. 54 ② – ♦Genève 64 ① – ♦Lyon 95 ②.

Plan page ci-contre

Embarcadère Ⓜ, av. Sorbiers **(e)** ✆ **74 75 22 88**, ← – TV ☎ Ⓟ – 🏛 35. VISA. ✂ rest – *fermé 20 déc. au 20 janv. et 27 avril au 4 mai* – SC : **R** *(fermé lundi)* 88/220 – ☕ 20 – **50 ch** 180/255.

✿ **France,** 44 r. Dr.-Mercier **(v)** ✆ **74 75 00 55** – TV 🚗 Ⓟ. AE ⓞ VISA
fermé 1er nov. au 20 déc. et vend. sauf fév., juil. et août – SC : **R** carte 160 à 220 – ☕ 26 – **19 ch** 180/320
Spéc. Gratin de queues d'écrevisses (1er juin-31 janv.), Quenelle de brochet Nantua, Fricassée de volaille de Bresse aux morilles à la crème. **Vins** Roussette de Seyssel, Arbois.

Lyon, 19 r. Dr.-Mercier **(a)** ☎ 74 75 17 09 – ⇔wc ⋒wc ☎ ⇔. VISA. ⚘ ch
fermé 1er au 8 juin, 21 au 28 sept., nov., dim. soir et lundi (sauf hôtel en juil.-août) – SC : **R** 75/160 – ☕ 20 – **18 ch** 90/165.

aux Neyrolles par ① : 3 km – alt. 563 – ✉ **01130** Nantua :

XX **Daphnés** avec ch, ☎ **74 75 01 42**, ☂, ⚐ – ⇔wc ⋒wc ☎ ⇔. ⚘ rest
fermé 26 mai au 19 juin, 10 nov. au 31 déc., lundi soir hors sais. et mardi (sauf le soir) en juil. et août – SC : **R** 76/210 – ☕ 22 – **14 ch** 110/200 – P 260/310.

CITROEN Modern'Gar., La Cluse par ② ☎ 74 76 01 61
FORD Pellegrini, ☎ 74 75 02 56 🅽
PEUGEOT Grenard, La Cluse par ② ☎ 74 76 14 80 🅽 ☎ 74 76 14 87
RENAULT Gar. du Lac, 16 rte de Lyon à Port N84 par ② ☎ 74 76 07 33 🅽

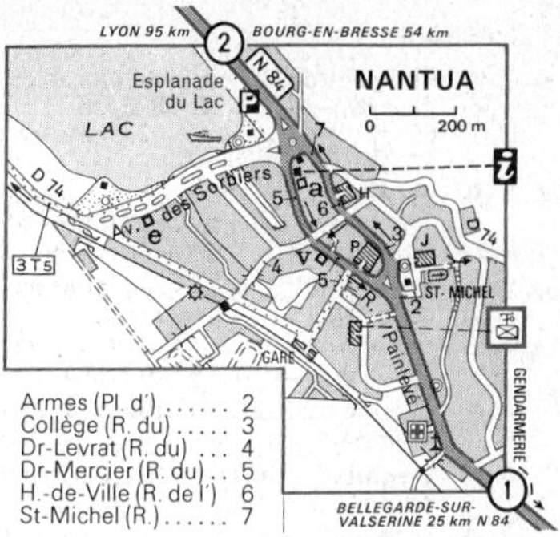

Armes (Pl. d') 2
Collège (R. du) 3
Dr-Levrat (R. du) ... 4
Dr-Mercier (R. du) .. 5
H.-de-Ville (R. de l') 6
St-Michel (R.) 7

⊛ Carronnier-Pneus, rte de Bourg, Zone Ind. Musinet, La Cluse ☎ 74 76 14 19

La NAPOULE-PLAGE 06 Alpes-Mar. 84 ⑧, 195 ㉞㊲ **G. Côte d'Azur** – ✉ **06210** Mandelieu-La-Napoule.

Voir Site★ du château-musée.

⛳ Golf Club de Cannes-Mandelieu ☎ **93 49 55 39, N : 1,5 km.**

ℹ Office de Tourisme Mandelieu-la-Napoule r. J.-Aulas ☎ 93 49 95 31 (La Napoule) et av. Cannes ☎ 93 49 14 39 (Mandelieu).

Paris 897 – Cannes 8 – Mandelieu 4 – ♦Nice 40 – St-Raphaël 34.

Loews Ⓜ, ☎ **93 49 90 00, Télex 461820,** ≤, ☂, ⛱ – 🛗 ▤ TV ☎ ♿ 🅟 – 🏛 100 à 500
183 ch, 27 appartements.

Ermitage du Riou et rest. Lamparo, ☎ **93 49 95 56, Télex 470072,** ≤, **parc,** ⛱ – 🛗 ▤ TV ☎ ♿ 🅟 – 🏛 40. AE ⊙ E VISA
SC : **R** *(fermé 3 nov. au 20 déc.)* 136/185 – **40 ch** ☕ 540/1 045 – P 625/875.

Parisiana sans rest, r. Argentière ☎ **93 49 93 02** – ⇔wc ⋒wc. ⚘
22 mars-10 oct. – SC : ☕ 20 – **12 ch** 175/280.

La Calanque, bd de la Mer ☎ **93 49 95 11,** ≤, ☂ – ⇔wc ⋒wc ☎
20 mars-15 oct. – SC : **R** 63/98 – ☕ 19,50 – **18 ch** 103/210 – P 190/255.

Rocamare, ☎ **93 49 95 36,** ☂ – ⋒ ☎ 🅟. VISA
fermé nov., déc. et merc. – SC : **R** 78 – ☕ 15 – **14 ch** 109/146 – P 208/231.

Corniche d'Or sans rest, pl. de la Fontaine ☎ **93 49 92 51** – ⋒wc. ⚘
10 avril-15 oct. – SC : ☕ 14 – **12 ch** 105/196.

XXXX ✿✿✿ **L'Oasis** (Outhier), ☎ **93 49 95 52, Télex 461389, « Patio ombragé et fleuri »** – ▤
fermé début nov. au 15 déc., lundi soir et mardi – **R** 350/380 et carte
Spéc. Marjolaine de foie gras, Brochette de langoustines aux huîtres de Belon (déc. à juin), Langouste aux herbes thaï. **Vins** Cassis, Bandol.

XX **Lou Castéou,** ☎ **93 49 95 15** – AE ⊙ VISA
fermé 1er nov. au 15 déc., lundi soir et mardi hors sais., mardi midi et merc. midi en sais. – SC : **R** 96/250.

XX **Brocherie II,** au Port ☎ **93 49 80 73,** ≤. E VISA
fermé 5 au 30 janv., lundi soir et mardi hors sais. – SC : **R** 160.

CITROEN Gar. de la Napoule, ☎ 93 49 95 01

NARBONNE ⟨SP⟩ **11100** Aude 83 ⑭ **G. Causses** – 42 657 h. alt. 11.

Voir Le Centre Monumental★ BY : **Cathédrale St-Just★★ (Trésor : tapisserie représentant la Création★★) B, Palais des Archevêques★ H, Donjon Gilles Aycelin★ (✻★) M – Choeur★ de la basilique Saint-Paul** AZ **E – Musées : Art et Histoire★** BY **M, Archéologique★** BY **M, Lapidaire★** BZ **M1.**

Env. Abbaye de Fontfroide★★ **14 km par** ④.

🚗 ☎ **68 62 50 50.**

ℹ Office de Tourisme pl. R.-Salengro ☎ 68 65 15 60.

Paris 847 ② – Béziers 27 ① – Carcassonne 61 ③ – ♦Montpellier 92 ② – ♦Perpignan 64 ③.

Plan page suivante

Novotel Ⓜ ⛰, par ③ : 3 km ☎ **68 41 59 52, Télex 500480,** ☂, ⛱, ⚐ – 🛗 ▤ TV ☎ ♿ 🅟 – 🏛 25 à 200. AE ⊙ E VISA
R snack carte environ 100 ♁ – ☕ 32 – **96 ch** 294/336.

Languedoc, 22 bd Gambetta ✆ 68 65 14 74, Télex 505167 – 🛗 ▤ rest TV ⌂wc ⌂wc ☎ – 🎤 100. AE ⊙ E VISA — BY **b**
SC : **R** *(fermé 2 janv. au 2 fév., vend. soir et sam. du 1er oct. au 1er juil.)* 60/120 🍷 – ☕ 23 – **45 ch** 120/300.

La Résidence sans rest, 6 r. 1er Mai ✆ 68 32 19 41, « bel aménagement intérieur » – ▤ ⌂wc ⌂wc ☎ 🚗. AE VISA. ✂ — AY **r**
fermé 6 janv. au 9 fév. – SC : ☕ 28 – **26 ch** 205/285.

Midi, 4 av. Toulouse ✆ 68 41 04 62, Télex 500401 – 🛗 ⌂wc ⌂wc ☎ 🚗 Ⓟ. AE ⊙ E VISA — AZ **f**
fermé 10 déc. au 10 janv. et dim. sauf hôtel de mai à sept. – SC : **R** *(fermé le midi)* 43/120 🍷 – ☕ 18 – **46 ch** 99/170.

France sans rest, 6 r. Rossini ✆ 68 32 09 75 – ⌂wc ☎ 🚗. VISA — BZ **s**
fermé dim. soir d'oct. à mars – SC : ☕ 18 – **15 ch** 90/175.

Regent 🐚 sans rest, 15 r. Suffren ✆ 68 32 02 41 – ⌂wc ☎. VISA. ✂ — BY **d**
fermé 20 déc. au 12 janv. – SC : ☕ 15,50 – **15 ch** 135/185.

H. Alsace sans rest, 2 av. Carnot ✆ 68 32 01 86 – ⌂wc ⌂ ☎. ✂ — BX **a**
SC : ☕ 12 – **20 ch** 70/135.

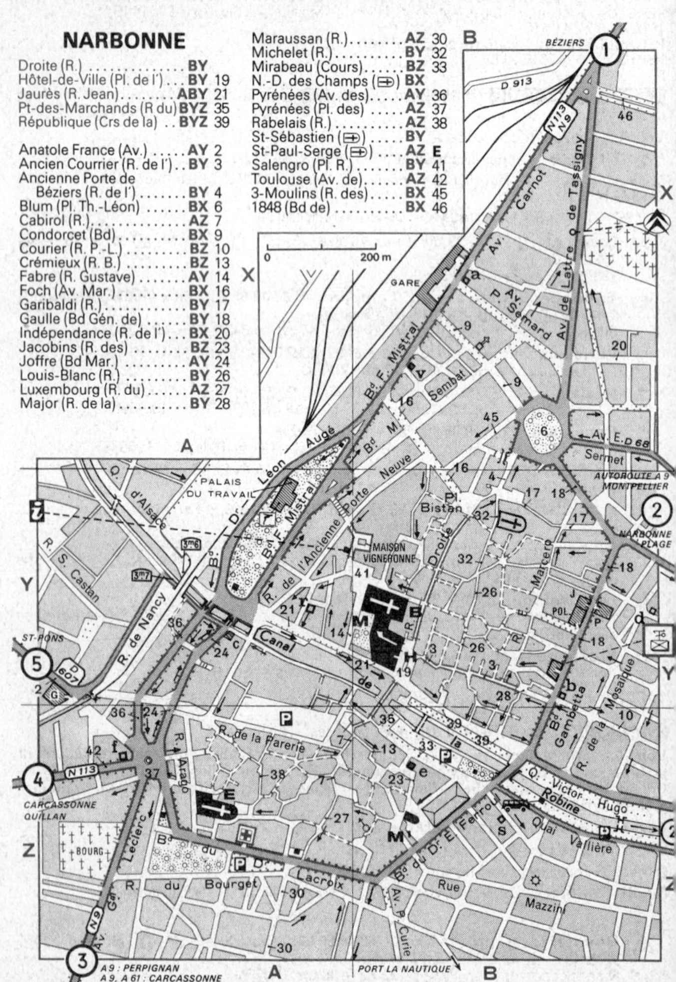

XXX ✿ **Réverbère** (Giraud), 4 pl. Jacobins ✆ 68 32 29 18 – ▤. AE ⓓ VISA — BZ e
fermé 1er fév. au 6 mars, dim. soir et lundi – **R** 150/395
Spéc. Bonbons de foie gras, Homard puce de Méditerranée (mars-nov.), Pigeonneau en éventail. Vins Corbières.

XXX **Rest. Alsace,** 2 av. P.-Sémard ✆ 68 65 10 24 – ▤. AE ⓓ E VISA — BX a
fermé 17 nov. au 17 déc., lundi soir sauf du 15 juil. au 15 sept. et mardi – SC : **R** 51/190 ⅌.

XX **Le Floride,** 66 bd F.-Mistral ✆ 68 32 05 52 – ▤ — BX v
fermé 21 déc. au 11 janv. et dim. – **R** (prévenir) carte 120 à 200.

par la sortie ② :

à Narbonne-Plage par D 168 : 15 km – ✉ **11100** Narbonne-Plage

Caravelle, ✆ 68 49 80 38, ≤, – wc ☎ Ⓟ. E VISA. ✻ rest
1er mai-1er oct. – SC : **R** 75/140 ⅌ – ☕ 17,50 – **24 ch** 117/212 – P 215/226.

De la Clape sans rest, r. Flots Bleus ✆ 68 49 80 15 – wc ☎ Ⓟ. ✻
29 mars-3 nov. – SC : ☕ 20 – **12 ch** 145/191.

à Ornaisons par ④ et D 24 : 14 km – ✉ **11200** Lézignan-Corbières :

Relais Val d'Orbieu ⛰, ✆ 68 27 10 27, ≤, – wc ☎ Ⓟ – 30. AE ⓓ E VISA
15 mars-1er nov. – SC : **R** 155/195 – ☕ 35 – **19 ch** 265/395.

AUSTIN, ROVER, TRIUMPH Fraisse, 33 av. de Toulouse ✆ 68 42 29 15
BMW, OPEL-GM Narbonauto, av. Champ de Mars, Zone Ind. Plaisance ✆ 68 41 14 81 N ✆ 68 32 08 38
CITROEN Plaisance-Autos, N9 par ③ ✆ 68 41 69 62
FIAT Villefranque, 20 bd M.-Sembat ✆ 68 32 30 11
FORD Gar. Jean, 4 bd M.-Sembat ✆ 68 32 02 46
MERCEDES-BENZ, **TOYOTA** Gar. Deville, Zone Ind. de Plaisance ✆ 68 41 22 38
PEUGEOT-TALBOT Audoise, rte de Perpignan, le Peyrou par ③ ✆ 68 41 09 85
RENAULT SANDRA, Complexe Routier Croix-Sud par ③ ✆ 68 41 78 02
V.A.G. Marty, 87 av. Gén.-Leclerc ✆ 68 41 16 10

Brunel, 31 et 33 bd Mar.-Joffre ✆ 68 42 27 53
Ets Escande, 1 av. Toulouse ✆ 68 41 01 03
Piot-Pneu, Z.I., rte de Perpignan ✆ 68 41 23 24

La NARTELLE 83 Var 84 ⑰ – rattaché à Ste-Maxime.

NASBINALS 48260 Lozère 76 ⑭ G. Auvergne – 614 h. alt. 1 180 – Sports d'hiver : 1 200/1 300 m ≰1 ⛷.

Paris 556 – Aumont-Aubrac 23 – Chaudes-Aigues 27 – Espalion 35 – Mende 59 – St-Flour 59.

Route d'Argent, ✆ 66 32 50 03 – . E
SC : **R** 44/105 ⅌ – ☕ 19 – **20 ch** 57/95 – P 105/150.

au Nord par D 12 : 4 km – alt. 1 080 – ✉ **48260** Nasbinals :

Relais de l'Aubrac ⛰, **au Pont de Gournier (carrefour D 12 - D 112)** ✆ **66 32 52 06** – wc ☎ Ⓟ. ✻ rest
fermé 1er oct. au 16 déc. – SC : **R** 34/130 ⅌ – ☕ 20 – **18 ch** 71/100 – P 144/160.

NATZWILLER 67 B.-Rhin 62 ⑧ – 658 h. alt. 540 – ✉ 67130 Schirmeck.

Paris 414 – Barr 30 – Molsheim 38 – St-Dié 45 – ♦Strasbourg 60.

Aub. Metzger, ✆ 88 97 02 42 – wc wc . VISA
fermé 18 nov. au 8 déc.,10 au 16 mars et lundi sauf juil.-août – SC : **R** 40/150 ⅌ – ☕ 15 – **10 ch** 65/129 – P 130/150.

NAUCELLE 12800 Aveyron 80 ① – 2 357 h. alt. 469.

Paris 651 – Albi 48 – Millau 88 – Rodez 33 – St-Affrique 82 – Villefranche-de-Rouergue 51.

Host. Voyageurs, pl. Hôtel de Ville ✆ 65 47 01 34 – wc wc ☎. E
fermé lundi du 15 sept. au 15 mai – SC : **R** 39/79 ⅌ – ☕ 16 – **14 ch** 71/116 – P 142/180.

Unal, à Naucelle Gare sur N 88 ✆ 65 69 21 21, – wc Ⓟ. ⓓ E VISA. ✻ ch
fermé oct., dim. soir et lundi – SC : **R** 45/120 ⅌ – ☕ 14 – **14 ch** 65/100 – P 130/165.

à Castelpers SE : 12,5 km sur D 10 – ✉ **12170** Requista :

XX **Château de Castelpers** ⛰ avec ch, ✆ 65 69 22 61, ≤, « Parc au bord de l'eau » – wc Ⓟ. E. ✻ rest
1er mai-1er oct. – SC : **R** *(fermé mardi)* 85/160 ⅌ – ☕ 23 – **8 ch** 115/270 – P 210/280.

CITROEN Bayol, ✆ 65 47 01 61
PEUGEOT-TALBOT Gar. Serres, ✆ 65 69 21 17

NAUZAN 17 Char.-Mar. 71 ⑮ – rattaché à St-Palais-sur-Mer et à Royan.

NAVACELLES (Cirque de) ★★★ 30 Gard et 34 Hérault 80 ⑯ G. Causses – alt. 323.

Accès par Blandas N : 7 km ou par St-Maurice S : 7,5 km.

NAVAROSSE 40 Landes 78 ⑬ – rattaché à Biscarosse.

NAVARRENX 64190 Pyr.-Atl. 85 ⑤ **G. Pyrénées** – 1 204 h. alt. 125.

Syndicat d'Initiative pl. des Casernes (1er juil.-31 août) ☎ 59 66 14 93 et à la Mairie ☎ 59 66 10 22.

Paris 804 – Oloron-Ste-M. 22 – Orthez 22 – Pau 55 – St-Jean-Pied-de-Port 58 – Sauveterre-de-B. 23.

Commerce, ☎ 59 66 50 16 – wc wc – 30. E
fermé 13 au 19 oct., janv. et sam. sauf juil. et août – SC : **R** 50/130 – 15,50 – **30 ch** 67/155 – P 170/207.

RENAULT Roubit, ☎ 59 66 02 44

NAVES 19 Corrèze 75 ⑨ – rattaché à Tulle.

NAY 64800 Pyr.-Atl. 85 ⑦ – 3 492 h. alt. 352.

Paris 786 – Laruns 33 – Lourdes 25 – Oloron-Ste-Marie 36 – Pau 20 – Tarbes 33.

Voyageurs, pl. Marcadieu ☎ 59 61 04 69 – wc wc – 50
fermé 1er nov. au 1er déc. – SC : **R** 45/95 – 15 – **22 ch** 130/155 – P 175/220.

Aub. Chez Lazare, Les Labassères SO : 3 km par D 36 et D 287 ☎ 59 61 05 26, ←, – wc
fermé du 15 au 31 oct. – SC : **R** *(fermé dim. soir)* 52/100 – 17 – **7 ch** 160/166.

CITROEN Gar. Antony, ☎ 59 61 16 21
PEUGEOT, TALBOT Gar. Manuel, ☎ 59 61 27 67
RENAULT Gar. Fouraa, ☎ 59 61 06 18

NÉANT-SUR-YVEL 56 Morbihan 63 ④ – 835 h. alt. 75 – ✉ **56430** Mauron.

Paris 416 – Dinan 57 – Loudéac 52 – Ploërmel 11 – ♦Rennes 65 – Vannes 57.

Aub. Table Ronde avec ch, ☎ 97 93 03 96 – VISA
fermé 15 au 22 sept., janv. et lundi hors sais. – SC : **R** 40/120 – 16 – **10 ch** 102/141 – P 151/172.

NEAU 53 Mayenne 60 ⑪ – 618 h. alt. 91 – ✉ **53150** Montsûrs.

Paris 267 – Alençon 65 – Laval 26 – ♦Le Mans 70 – Mayenne 22 – Ste-Suzanne 13 – Vaiges 15.

Croix Verte, ☎ 43 98 23 41 – wc wc. VISA
fermé vacances de fév., dim. soir et lundi – SC : **R** 70/145 – 15 – **14 ch** 85/150 – P 145/170.

RENAULT Gar. Terrier, ☎ 43 98 22 37

NEAUPHLE-LE-CHÂTEAU 78640 Yvelines 60 ⑨, 106 ⑯ **G. Environs de Paris** – 2 151 h. alt. 185.

Paris 40 – Dreux 44 – Mantes-la-Jolie 32 – Rambouillet 24 – St-Nom-la-Bretèche 12 – Versailles 18.

Relais St-Nicolas, ☎ (1) 34 89 00 47 – E VISA
fermé merc. – SC : **R** 150/280.

PEUGEOT-TALBOT Cabailh, 7 r. des Frères Lumières à Plaisir ☎ (1) 30 55 17 30 N
RENAULT Gar. des Petits Prés, 16 r. de la Gare à Plaisir ☎ (1) 30 55 80 84

NEAUX 42 Loire 73 ⑧ – rattaché à St-Symphorien-de-Lay.

NÉGRON 37 I.-et-L. 64 ⑯ – rattaché à Amboise.

NEMOURS 77140 S.-et-M. 61 ⑫ **G. Environs de Paris** – 11 676 h. alt. 62.

Voir Musée de Préhistoire de l'Ile de France★ par ②.

Office de Tourisme 17 r. Tanneurs ☎ (1) 64 28 03 95.

Paris 80 ① – Chartres 117 ① – Melun 32 ⑥ – Montargis 37 ① – ♦Orléans 87 ④ – Sens 46 ②.

Plan page ci-contre

Écu de France, 3 r. Paris ☎ (1) 64 28 11 54 – wc wc . AE E VISA — A e
fermé 8 au 31 déc. – **R** 80/220 – 18 – **28 ch** 170/250.

Les Roches, av. L.-Pelletier à St-Pierre ☎ (1) 64 28 01 43, , – wc wc . AE E VISA — A h
fermé 6 au 16 fév. – SC : **R** *(fermé dim. soir et lundi midi)* 70/200 – 22 – **17 ch** 84/224 – P 228/320.

St-Pierre sans rest, 12 av. Carnot ☎ (1) 64 28 01 57 – wc . E — A v
fermé 1er au 15 oct. et 1er au 15 mars – SC : 16,50 – **25 ch** 100/180.

Vieux Moulin, 5 av. Lyon ☎ (1) 64 28 02 98 – VISA — B n
fermé 15 janv. au 5 fév., mardi soir et merc. – SC : **R** 54/150 .

Autoroute A 6 : sur l'aire de service, SE 2 km, accès par A 6 ou D 225 – ✉ 77140 Nemours :

Euromotel M, ☎ (1) 64 28 10 32, Télex 690243, – TV wc – 50. AE E VISA
SC : **R** (rest. d'autoroute à 100 m) – 32 – **102 ch** 231/273.

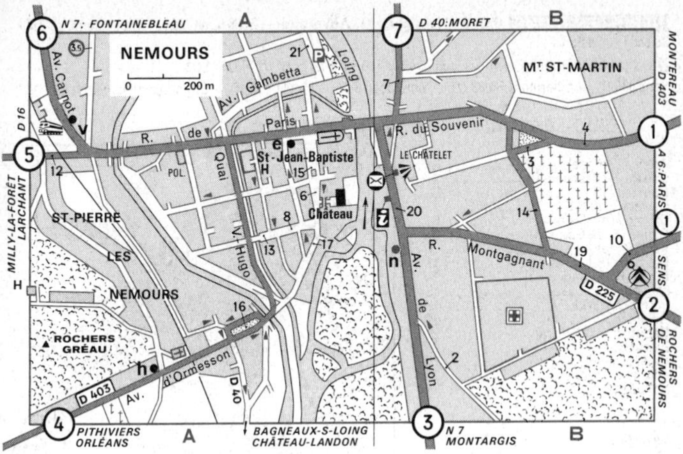

Gautier-1er (R.) . . . . **A** 6
Paris (R. de) . . . . **A**
République (Pl. de la) . . . . . **A** 15
Sanson (R.) . . . . **A** 17

Beauregard (R. de) . . . . **B** 2
Châtelet (R. du) . . . . **B** 3
Gaulle (Av. Gén.-de) . . . . . . **B** 4
Grande-Montagne (R.) . . . . **B** 7
Jaurès (Pl. Jean) . . . . **A** 8
Kennedy (Av. J.-F.) . . . . **B** 10
Larchant (R. de) . . . . **A** 12
Pont-Rouge (R. du) . . . . **A** 13
Rocher Vert (Av. du) . . . . . . **B** 14
St-Pierre (Place) . . . . **A** 16
Stalingrad (Av. de) . . . . **B** 19
Tanneurs (R. des) . . . . **B** 20
Thiers (R.) . . . . **A** 21

CITROEN Nemours Autom., av. J.-F.-Kennedy ℘ (1) 64 28 11 17
PEUGEOT Coffre, 18 av. Kennedy B ℘ (1) 64 28 03 27
PEUGEOT **TALBOT** Malbert, 63 av. Carnot à St-Pierre par ⑥ ℘ (1) 64 28 03 05

RENAULT Brillet, 107 av. Carnot à St-Pierre par ⑥ ℘ (1) 64 28 01 50

Dominicé, 90 r. de Paris ℘ (1) 64 28 11 21

NÉRAC

<SP> **47600** L.-et-G. **79** ⑭ **G. Pyrénées** – 7 268 h. alt. 71.

Office de Tourisme à la Mairie ℘ 53 65 03 89.

Paris 653 ① – **Agen 30** ② – ♦**Bordeaux 128** ① – **Condom 21** ③ – **Marmande 56** ①.

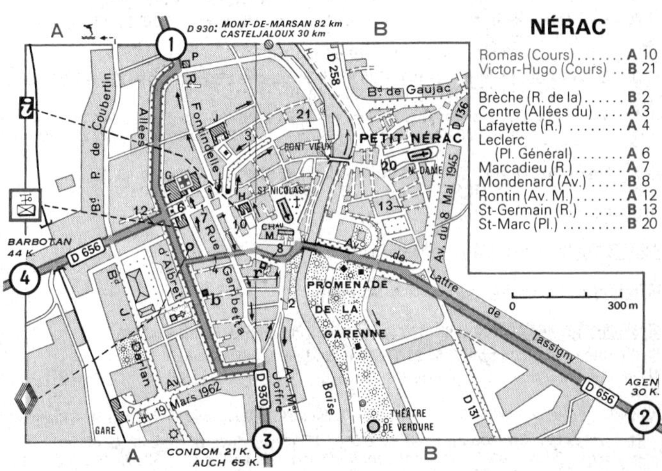

Romas (Cours) . . . . **A** 10
Victor-Hugo (Cours) . . **B** 21

Brèche (R. de la) . . . . . . **B** 2
Centre (Allées du) . . . . **A** 3
Lafayette (R.) . . . . **A** 4
Leclerc (Pl. Général) . . . . **A** 6
Marcadieu (R.) . . . . **A** 7
Mondenard (Av.) . . . . . **B** 8
Rontin (Av. M.) . . . . **A** 12
St-Germain (R.) . . . . . . **B** 13
St-Marc (Pl.) . . . . **B** 20

du Château, 7 av. Mondenard ℘ **53 65 09 05** – wc wc — AB **r**
fermé 1er oct. au 1er nov. – SC: **R** *(fermé dim. soir et lundi midi du 1er nov. au 30 juin)* 60/160 – 17 – **20 ch** 85/185.

d'Albret avec ch, **42 allées d'Albret** ℘ **53 65 01 47** – rest wc wc
fermé sept., 3 au 10 mars et lundi d'oct. à mai – SC: **R** 45/220 – 16 – **20 ch** 70/200 – P 175/265. A **b**

RENAULT Humbert, 62 allées d'Albret ℘ 53 65 00 43

NÉRIS-LES-BAINS 03310 Allier 73 ② G. Auvergne – 2 996 h. alt. 354 – Stat. therm. (2 mai-23 oct.) – Casino.

Office de Tourisme Carrefour des Arènes (15 avril-24 oct.) ✆ 70 03 11 03.

Paris 333 ③ – ♦Clermont-Fd 83 ② – Montluçon 8 ③ – Moulins 74 ① – St-Pourçain-sur-Sioule 59 ①.

NÉRIS-LES-BAINS

Arènes (Bd des) 2
Boisrot-Desserviers (R.) 3
Constans (R.) 5
Cuvier (R.) 7
Dormoy (Av. Marx) 8
Gaulle (R. du Gén.-de) 9
Kars (R. des) 10
Marceau (R.) 12
Migat (R. du Capitaine) 14
Molière (R.) 15
Parmentier (R.) 18
Reignier (Av.) 19
République (Pl. de la) 21
Rieckötter (R.) 23
St-Joseph (R.) 25
Thermes (Pl. des) 27
Voltaire (R.) 29

Pour bien lire les plans de villes, voir signes et abréviations p. 23.

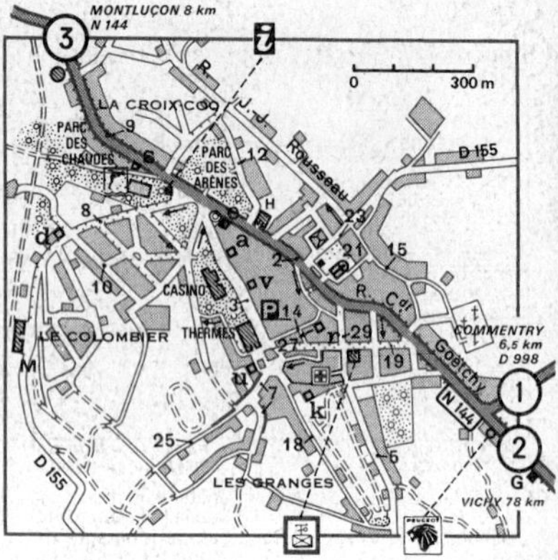

Parc M, 40 r. Boisrot Desserviers **(v)** ✆ 70 03 22 22, – rest TV ☎ – 45 à 100. E VISA
SC : **R** 74/150 – 25 – **59 ch** 220/262 – P 317/531.

Garden, 12 av. Max Dormoy **(d)** ✆ 70 03 21 16, – wc wc ☎ P. E VISA. ch
fermé 25 oct. au 25 nov., 26 janv. au 2 fév., vend. soir et dim. soir du 25 nov. au 1er mai – SC : **R** 55/150 – 19 – **19 ch** 120/180 – P 195/215.

Parc des Rivalles , r. Parmentier **(k)** ✆ 70 03 10 50, parc – wc wc P. rest
1er mai-30 sept. – SC : **R** 64/200 – 18 – **32 ch** 60/190 – P 160/300.

Arènes, 1 av. Gén.-de-Gaulle **(s)** ✆ 70 03 19 02, – wc ☎ P.
1er mai-23 oct. – SC : **R** 48/100 – 19 – **18 ch** 180/230 – P 220/250.

Les Pervenches sans rest, 11 r. Capitaine-Migat **(r)** ✆ 70 03 14 03, – cuisinette wc.
fermé 1er au 15 oct. – SC : 21 – **10 ch** 160/180.

Source , pl. Thermes **(u)** ✆ 70 03 10 20, parc – wc wc P. VISA. rest
2 mai-30 sept. – SC : **R** 62/80 – 14 – **40 ch** 61/144 – P 152/230.

Terrasse, 52 r. Boisrot-Desserviers **(a)** ✆ 70 03 10 42 – wc ☎. rest
hôtel : 1er mai-10 oct., rest. 1er mai - 30 sept. – SC : **R** 55/90 – 19 – **22 ch** 130/178 – P 168/240.

Splendid'H. avec ch, 49 bd Arènes **(e)** ✆ 70 03 10 41 – wc ☎. E VISA
fermé janv. – SC : **R** 49/160 – 18 – **10 ch** 100/160 – P 145/180.

PEUGEOT Contamine, ✆ 70 03 13 22

NERSAC 16 Charente 72 ⑬ – rattaché à Angoulême.

NESTIER 65 H.-Pyr. 85 ⑳ – rattaché à Montréjeau.

NEUF-BRISACH 68600 H.-Rhin 62 ⑲ G. Alsace et Lorraine – 2 205 h. alt. 205.

du Rhin près Chalampé ✆ 89 26 07 86, au Sud par D 468 : 25 km.

Office de Tourisme 6 pl. d'Armes (15 juin-15 sept.) ✆ 89 72 56 66 et à la Mairie (hors sais.) ✆ 89 72 51 68.

Paris 460 – ♦Bâle 66 – Belfort 81 – Colmar 16 – Freiburg 33 – ♦Mulhouse 37 – Sélestat 31 – Thann 46.

Cerf, 11 r. Strasbourg ✆ 89 72 56 03 – TV wc wc ☎ – 30. E VISA
fermé 20 déc. au 15 janv., sam. midi et vend. de nov. à mai. – SC : **R** 46/240 – 16 – **30 ch** 192/230 – P 207/215.

Soleil, 6 r. Bâle ✆ 89 72 51 28 – wc . AE E VISA
fermé fév. – **R** *(fermé dim. soir et lundi)* 55/185 – 14 – **25 ch** 63/170 – P 116/230.

à Biesheim N : 3 km par D 468 – ✉ 68600 Neuf Brisach :

Les Deux Clefs, ✆ 89 72 51 20, – wc wc P – 30. E VISA
fermé 1er au 20 janv. – SC : **R** 72/165 – 16 – **20 ch** 80/180 – P 150/205.

à Vogelgrün E : 5 km par N 415 – ✉ **68600** Neuf-Brisach.

Voir Bief hydro-électrique★ – ≤★ du pont-frontière.

Motel Européen Ⓜ, à la frontière, sur l'ile du Rhin ✆ **89 72 51 57**, – wc wc ☎ 🅿 – 30. AE ① E VISA
fermé fév. – SC : **R** *(fermé dim. soir et lundi)* 55/195 – 16 – **23 ch** 160/220.

PEUGEOT-TALBOT Ebelin-Vonarb, ✆ 89 72 51 76

RENAULT Gar. Haeffeli, Zone Ind. CD 52 à Biesheim ✆ 89 72 54 83

NEUFCHÂTEAU **88300** Vosges **62** ⑬
G. Alsace et Lorraine – 9 086 h. alt. 298.

Voir Escalier★ de l'hôtel de ville H – Groupe en pierre★ dans l'église St-Nicolas K.

i Syndicat d'Initiative à la Mairie ✆ 29 94 14 75.

Paris 293 ① – Belfort 152 ④ – Chaumont 56 ⑥ – Épinal 75 ③ – Langres 69 ⑤ – Verdun 104 ①.

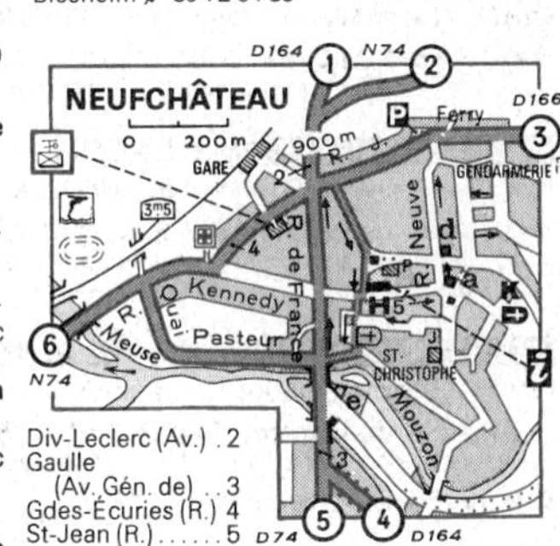

St-Christophe, 1 av. Grande-Fontaine **(e)** ✆ 29 94 16 28 – TV wc wc ☎ 🅿 – 30. rest
SC : **R** 50/140 – 20 – **34 ch** 117/220.

La Boulangerie, 1 pl. Jeanne d'Arc **(a)** ✆ 29 94 12 86 – AE ① E VISA
fermé dim. soir et lundi – **R** 65/100.

L'Amie Lune, 12 r. Neuve **(d)** ✆ 29 94 28 76 – AE ① E VISA
fermé 1er au 15 sept., dim. soir et lundi d'oct. à mai – **R** 65/120.

à Rouvres-la-Chétive par ③ : 10 km – ✉ **88170** Chatenois :

La Frezelle Ⓜ, ✆ 29 94 51 51 – wc wc ☎ 🅿. ① E VISA. ch
fermé 2 au 20 janv. – **R** *(fermé sam.)* 48/120 – 17 – **7 ch** 126/180 – P 252/273.

CITROEN Tassel, rte de Langres par ⑤ ✆ 29 94 10 33 N ✆ 29 94 04 04
FIAT Gar. de l'Etoile, 1 quai Pasteur ✆ 29 94 17 65
PEUGEOT, TALBOT Dutemple-Gaxotte, rte de Langres par ⑤ ✆ 29 94 06 55
RENAULT Gar. Reuchet, 95 av. Gén.-de-Gaulle par ⑤ ✆ 29 94 19 20

RENAULT Reuchet, rte de Nancy par ② ✆ 29 94 05 57

Néo-Pneu, Zone Ind., rte de Frébecourt ✆ 29 94 10 47 N ✆ 29 06 01 06

NEUFCHATEL-EN-BRAY **76270** S.-Mar. **52** ⑮ **G. Normandie** – 5 823 h. alt. 99.

Env. Forêt d'Eawy★★ 10 km par ③.

i Office de Tourisme 6 pl. Notre-Dame (juil.-août) ✆ 35 93 22 96 et à la Mairie ✆ 35 93 00 85.

Paris 137 ② – Abbeville 54 ① – ♦Amiens 71 ① – Dieppe 36 ④ – Gournay 37 ② – ♦Rouen 45 ③.

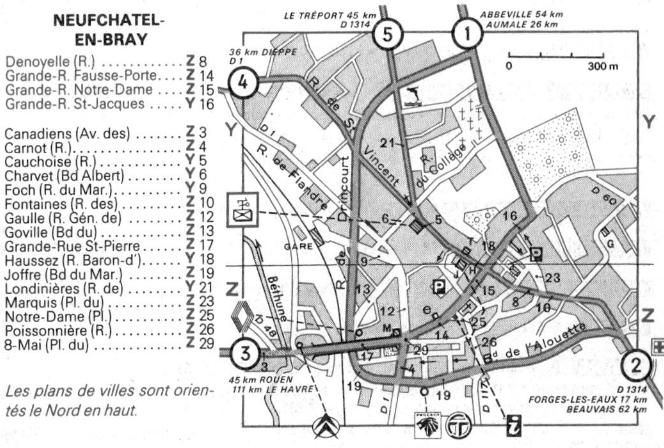

Gd Cerf, 9 Gde-Rue Fausse-Porte ✆ 35 93 00 02 – VISA Z e
fermé 30 juin au 17 juil., 22 déc. au 6 janv., dim. soir et lundi – SC : **R** 57/160.

CITROEN Therier, 1 et 3 Gde-Rue ✆ 35 93 00 75
FIAT, OPEL Petit, 14 rte Londinières ✆ 35 93 01 50
PEUGEOT-TALBOT Delas, 16 bd Joffre ✆ 35 93 01 15
RENAULT Lechopier, 31 Gde r. St-Pierre ✆ 35 93 00 82 N ✆ 35 93 04 76
V.A.G. Lemarchand, 9 rte de Foucarmont ✆ 35 93 02 66

NEUF-MARCHÉ 76 S.-Mar. 55 ⑧ – 514 h. alt. 104 – ✉ 76220 Gournay-en-Bray.

Paris 87 – Les Andelys 35 – Beauvais 31 – Gisors 18 – Gournay-en-Bray 7 – •Rouen 57.

XX **André de Lyon,** D 915 ✆ 35 90 10 01 – VISA
fermé 25 août au 11 sept., 17 fév. au 4 mars et merc. – **R** (déj. seul.) carte 85 à 155.

NEUILLÉ-LE-LIERRE 37 I.-et-L. 64 ⑮⑯ – 404 h. alt. 88 – ✉ 37380 Monnaie.

Paris 216 – Amboise 16 – Château-Renault 10 – Montrichard 34 – Reugny 4,5 – •Tours 26.

X **Aub. de la Brenne,** r. Gare ✆ 47 52 95 05, 斎 – ⓟ. AE VISA
fermé 13 au 20 oct., 19 janv. au 19 fév., dim. soir et lundi – SC : **R** (dim. prévenir) 62/125.

NEUILLY-EN-THELLE 60530 Oise 55 ⑳, 196 ⑦ – 2 400 h. alt. 130.

Paris 49 – Beaumont-sur-Oise 11 – Beauvais 30 – Pontoise 30 – Senlis 26.

Aub. du Centre, ✆ 44 26 70 01 – ⚘
fermé août et 20 au 28 fév. – **R** 49 (sauf dim.)/69 ♂ – ☕ 10 – **8 ch** 75/85.

Merlin Pneus, à Ercuis ✆ 44 26 53 38

NEUILLY-SUR-SEINE 92 Hauts-de-Seine 55 ⑳, 101 ⑭⑮ – voir à Paris, Environs.

NEUVÉGLISE 15260 Cantal 76 ⑭ – 1 112 h. alt. 938.

Env. Château d'Alleuze★★ : site★★ NE : 14 km, G. Auvergne.

Syndicat d'Initiative ✆ 71 23 81 68.

Paris 510 – Aurillac 81 – Entraygues-sur-T. 75 – Espalion 69 – St-Chély-d'Apcher 42 – St-Flour 22.

Central Hôtel (annexe - 14 ch), ✆ 71 23 81 28 – ⇔wc ⋔wc ☎ ⇔ – 🏠 60. AE E. ⚘ rest
fermé 1er au 15 oct. – SC : **R** 45/101 – ☕ 20 – **26 ch** 65/110 – P 130/170.

Poste, ✆ 71 23 80 66 – ⋔wc ⇔ ⓟ – 🏠 120
fermé 1er nov. au 15 déc. – SC : **R** 45/100 ♂ – ☕ 18 – **25 ch** 65/160 – P 125/150.

RENAULT Mabit, ✆ 71 23 81 53
PEUGEOT-RENAULT Gar. Sauret, ✆ 71 23 80 90 N

NEUVIC 19160 Corrèze 76 ① **G. Périgord** – 2 274 h. alt. 610 – ⛳ **d'ussel** ✆ **55 95 93 79.**

Syndicat d'Initiative r. Poste (le matin seul.) ✆ 55 95 88 78.

Paris 460 – Mauriac 26 – Tulle 59 – Ussel 21.

Lac, à Neuvic-Plage E : 3 km ✆ 55 95 81 43, ≤ – ⋔ ⓟ – **14 ch.**

CITROEN Bordas, ✆ 55 95 80 29
RENAULT Potronnat, ✆ 55 95 89 28 N ✆ 55 95 81 68

La NEUVILLE 59 Nord 51 ⑯ – rattaché à Lille.

NEUVILLE-AUX-TOURNEURS 08 Ardennes 53 ⑦ – 239 h. alt. 265 – ✉ 08380 Signy-le-Petit.

Paris 212 – Charleville-Mézières 33 – Hirson 22 – Laon 70 – Rethel 58 – Rocroi 16.

Motel Dubois ⑤, N 43 ✆ 24 54 32 55 – ⋔wc ☎ ⓟ. AE ⓓ E VISA
fermé 15 déc. au 1er fév. – SC : **R** *(fermé lundi midi sauf fériés)* 36/100 – ☕ 13 – **10 ch** 78/111 – P 190.

NEUVILLE-ST-AMAND 02 Aisne 53 ⑭ – rattaché à St-Quentin.

NEUVILLE-SUR-SARTHE 72 Sarthe 60 ⑬ – rattaché au Mans.

NEUVY-SAUTOUR 89 Yonne 61 ⑮ – rattaché à St-Florentin.

NEUZY 71 S.-et-L. 69 ⑯ – rattaché à Digoin.

NEVERS P 58000 Nièvre 69 ③④ **G. Bourgogne** – 44 777 h. alt. 186.

Voir Cathédrale★ Z B – Palais ducal★ Z – Église St-Étienne★ Y D – Porte du Croux★ Z – Faïences de Nevers★ du musée municipal Z M1.

Office de Tourisme 31 r. des Remparts ✆ 86 59 07 03 - A.C. 1 av. Gén.-de-Gaulle-Résidence Carnot ✆ 86 61 27 75.

Paris 238 ① – Bourges 69 ④ – Chalon-sur-Saône 160 ③ – •Clermont-Ferrand 150 ④ – •Dijon 188 ③ – Montargis 125 ① – Montluçon 99 ④ – Moulins 54 ④ – •Orléans 160 ① – Roanne 152 ④.

NEVERS

Commerce (R. du) . . YZ
Gaulle (Av. Gén.-de) . . . . YZ
Nièvre (R. de la) . . . . . Y 20
Pelleterie (R. de la) . . . . Y 24
Préfecture (R. de la) . . Y 27
St-Martin (R.) . . . . Y 40

Ardilliers (R. des) . . . . Y 2
Banlay (R. du) . . . . V 3
Barre (R. de la) . . . . . . Y 4
Bourgeois (R. Mlle) . . V 5
Champ-de-Foire (R. du) . . . . Z 6
Charnier (R. du) . . . . . Y 7
Chauvelles (R. des) . . V 8
Cloître-St-Cyr (R. du) . . . . Z 9
Colbert (Av.) . . . . Y 10
Coquille (Pl. G.) . . . . . . Y 12
Docks (R. des) . . . . . . V 13
Francs-Bourgeois (R.) . Y 14
Gautron-du-Coudray (Bd) . . Y 15
Jacobins (R. des) . . . . Z 16
Lattre-de-Tassigny (Bd Mar. de) . . . . . . V 17
Mantoue (Quai de) . . . . Z 18
Mariniers (Quai des) . . . . Z 19
Ouches (R. des) . . . . YZ 22
Petit-Mouësse (R. du) . . . . X 26
Rempart (R. du) . . . . . Y 29
Renardats (R. des) . . . V 30
République (Bd de la) . . . . X 32
République (Pl. de la) . . . . Z 34
Roy (R.C.) . . . . Y 36
Vaillant Couturier (R. Paul) . . . . V 42
Victor-Hugo (Bd) . . . . Y 44
14-juillet (R. du) . . . . . Z 45

ORLÉANS
MONTARGIS
AUXERRE
CLAMECY
PRÉMERY
D 977
AGENCE MICHELIN
AUTUN
N 81
MÂCON
CHALON-S-SAÔNE
N 7
MOULINS
BOURGES
FOURCHAMBAULT
D 40
MARZY
D 131
D 504
LOIRE
LES MONTAPINS
PONT DE LOIRE
LE BANLAY
Ste-Bernadette
STE-BERNADETTE
Avenue du Mal
R. J. Gautherin
Leclerc
R. de Vauzelles
Fg de Paris
Bd J. Trésaguet
Victor Hugo
Av. Colbert
R. C. Roy
Bd Gautron du Coudray
500 m

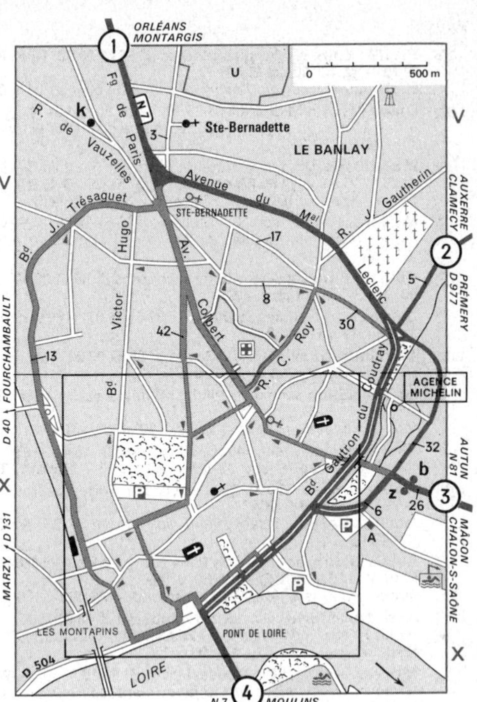

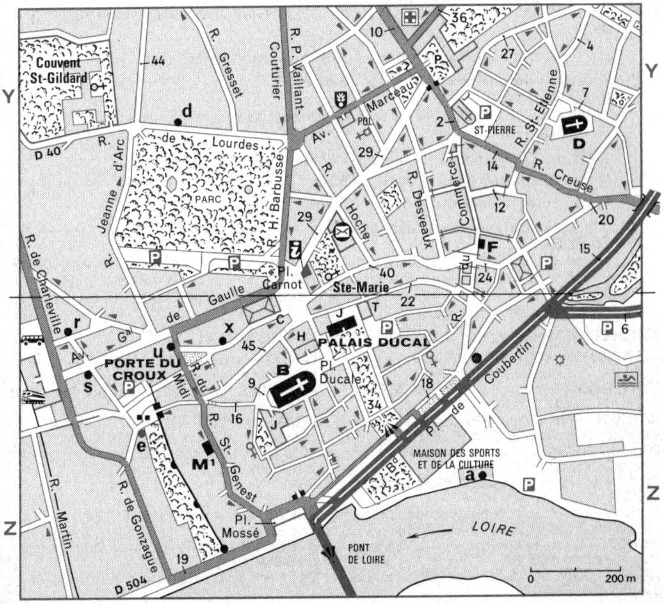

Couvent St-Gildard
R. de Lourdes
PARC
R. Jeanne d'Arc
R. Gresset
R. P. Vaillant-Couturier
R. H. Barbusse
Av. Marceau
R. Hoche
R. Desveaux
R. Commerce
R. St-Etienne
R. Creuse
ST-PIERRE
Pl. Carnot
Ste-Marie
Av. Gal de Gaulle
PALAIS DUCAL
Pl. Ducale
PORTE DU CROUX
R. du Midi
R. St-Genest
Pl. Mossé
R. de Charleville
R. Martin
R. de Gonzague
Bd P. de Coubertin
MAISON DES SPORTS ET DE LA CULTURE
LOIRE
PONT DE LOIRE
D 40
D 504
200 m

P.L.M. Loire Ⓜ, quai Médine ☎ 86 61 50 92, Télex 801112, ← – rest – 80. AE ⓞ E VISA Z a
SC : **R** *(fermé 8 déc. au 12 janv. et sam.)* 90/160 – ☐ 24 – **60 ch** 240/320.

Diane Ⓜ, 38 r. Midi ☎ 86 57 28 10, Télex 801021 – – 30. AE ⓞ E VISA
fermé 21 déc. au 21 janv. – SC : **R** *(fermé dim. midi et lundi)* carte 100 à 145 – ☐ 25 – **30 ch** 220/315. Z u

Magdalena Ⓜ sans rest, rte de Paris par ① : 2 km ☒ 58640 Varennes Vauzelles ☎ 86 57 21 41 – – 70. AE ⓞ E VISA
fermé 20 déc. au 10 janv. – SC : ☐ 19 – **38 ch** 174/266.

Molière sans rest, 25 r. Molière ☎ 86 57 29 96 – wc wc .
fermé 19 déc. au 11 janv. et dim. du 16 nov. au 1er mars – SC : ☐ 18 – **18 ch** 101/160. V k

Villa du Parc sans rest, 16 ter r. Lourdes ☎ 86 61 09 48 – wc wc Y d
SC : ☐ 13,50 – **28 ch** 59/123.

Clèves sans rest, 8 r. St-Didier ☎ 86 61 15 87 – wc . E VISA Z x
☐ 20 – **15 ch** 90/162.

Terminus, 57 av. Gén.-de-Gaulle ☎ 86 57 09 22 – wc wc . E VISA Z s
SC : **R** 52/128 – ☐ 21 – **25 ch** 84/177.

Le Tourbillon sans rest, 100 Fg Mouësse par ③ ☎ 86 61 10 66 – – 60.
fermé 15 août au 15 sept. – ☐ 14 – **20 ch** 63/120.

Thermidor sans rest, 14 r. C.-Tillier ☎ 86 57 15 47 – Z r
fermé 15 déc. au 1er janv. et dim. – SC : ☐ 15 – **17 ch** 61/76.

XXX **Aub. Porte du Croux** avec ch, 17 r. Porte-du-Croux ☎ 86 57 12 71, ←, , – . AE ⓞ E VISA Z e
fermé 15 août au 5 sept., vend. soir et dim. – SC : **R** 93/182 – ☐ 19 – **3 ch** 120/150.

XX **Relais Bleu** avec ch, rte de Paris par ① : 3 km ☒ 58640 Varennes Vauzelles ☎ 86 57 07 41 – wc – 60. E VISA
fermé 7 au 21 janv., 4 au 26 août et lundi – SC : **R** 60/150 – ☐ 15 – **8 ch** 80/140.

XX **Aub. Ste-Marie** avec ch, 25 r. Mouësse ☎ 86 61 10 02 – wc . E VISA
fermé 1er au 7 juil., 25 janv. au 25 fév., dim. soir du 15 juil. au 30 août et lundi – SC : **R** 48/140 – ☐ 13,50 – **17 ch** 65/170. X z

XX **Morvan** avec ch, 28 r. Mouësse ☎ 86 61 14 16 – X b
fermé 1er au 20 juil., 1er au 13 janv., mardi soir et merc. – SC : **R** 75/170 – ☐ 14 – **11 ch** 68/120.

rte des Saulaies : 4 km par D 504 - X – ☒ **58000** Nevers :

La Folie , ☎ 86 57 05 31, parc, – wc wc – 30. E VISA
fermé 15 déc. au 7 janv. – SC : **R** *(fermé vend. et dim. soir sauf juil.-août)* 53/149 – ☐ 17 – **27 ch** 107/202 – P 230/300.

par ① et chemin privé : 5 km – ☒ **58640** Varennes Vauzelles :

Château de la Rocherie , ☎ 86 57 26 79, ←, parc – wc wc – 40. AE ⓞ E VISA
fermé 8 au 25 nov., 2 au 18 janv., dim. soir hors sais. et mardi – SC : **R** 85/175 – ☐ 17 – **15 ch** 125/235.

à Magny-Cours par ④ rte Moulins : 12 km – ☒ **58470** Magny-Cours.
du Nivernais ☎ 86 58 18 30 SE : 3,5 km.
Circuit automobile permanent SE : 3,5 km.

XXX ✿✿ **La Renaissance** (Dray) Ⓜ avec ch, ☎ 86 58 10 40 – wc wc . AE ⓞ E
fermé 29 juin au 7 juil., fin janv. à début mars, dim. soir et lundi sauf fériés – SC : **R** (nombre de couverts limité, prévenir) 170/330 et carte – ☐ 50 – **9 ch** 182/320
Spéc. Coffres de langoustines farcis, Filet de charolais aux morilles, Charrette de desserts. **Vins** Pouilly Fumé, Sancerre rouge.

MICHELIN, Agence, 13 r. du Moulin-d'Écorce X ☎ **86 57 42 44**

ALFA-ROMEO, AUSTIN, MORRIS, TRIUMPH Tenailles, 18 r. Pasteur ☎ 86 59 28 55
BMW, OPEL Verma, 4 av. Colbert ☎ 86 61 03 32
CITROEN Gar. Vincent, RN7 Les Bourdons à Varennes Vauzelles par ① ☎ 86 38 00 75
DATSUN-NISSAN Gar. Doulet, 203 rte de Lyon à Challuy ☎ 86 57 43 76
FIAT Auto Hall, à la Baratte, N 81 St-Eloi ☎ 86 36 22 11
FORD Nevers-Automobiles, Zone Ind. Champ Mâle à Varennes-Vauzelles ☎ 86 38 01 44
HONDA Gar. de la Roseraie, N 7 à Varennes Vauzelles ☎ 86 57 08 67
LADA-SKODA Gar. Kozakowski, 32 r. des Gds Jardins ☎ 86 57 60 51
LANCIA-AUTOBIANCHI Gar. de la Cité, r. M.-Turpin à Vauzelles ☎ 86 57 15 45
MERCEDES Gar. Bezin, r. des Gds Prés ☎ 86 36 06 55
PEUGEOT-TALBOT C.A.T.A.R., rte de Fourchambault par D40 X ☎ 86 57 36 80
RENAULT Ets Decelle, 49 fg de Paris par ① ☎ 86 57 32 53 N
SEAT Nevers gare Autom., 42 av. Gén.-de-Gaulle ☎ 86 57 32 36
VOLVO Gar. Jacquey, ☎ 86 61 12 47

Nevers Pneumatiques, 1 r. du Petit Mouesse ☎ 86 61 02 51
Piot-Pneu, 3 r. de Mouësse ☎ 86 57 76 33

NEYRAC-LES-BAINS 07 Ardèche 76 ⑱ **G. Vallée du Rhône** – alt. 385 – Stat. therm. (mai-sept.) – ✉ **07380** Lalevade-d'Ardèche.

Paris 644 – Aubenas 17 – Langogne 47 – Privas 46 – Le Puy 76 – Vals-les-Bains 13.

Levant, ☎ 75 36 41 07, ←, – wc wc
20 ch.

Les NEYROLLES 01 Ain 74 ④ – rattaché à Nantua.

NICE P **06000** Alpes-Mar. 84 ⑨⑩, 195 ㉖㉗ **G. Côte d'Azur** – 338 486 h. alt. au château 92.

Voir Site★★ – Promenade des Anglais★★ EFZ – Vieux Nice★ : Château ←★★ JZ, Intérieur★ de l'église St-Martin-St-Augustin HY **D**, Escalier monumental★ du Palais Lascaris HZ **K**, Intérieur★ de la cathédrale Ste-Réparate HZ **L**, Église St-Jacques★ HZ **N**, Décors★ de la chapelle Saint-Giaume HZ **R** – Mosaïque★ de Chagall dans la Faculté de droit DZ **U** – A Cimiez : Monastère★ (Primitifs niçois★★ dans l'église) HV **Q**, ruines romaines★ HV – Musées : Marc Chagall★★ GX, Matisse★ HV **M2**, des Beaux-Arts★★ DZ **M**, Masséna★ FZ **M1**, International d'Art Naïf★ AU **M7** – Carnaval★★★ (avant Mardi-Gras) – Mont Alban ←★★ 5 km CT – Mont Boron ←★ 3 km CT – Église St-Pons★ : 3 km BS **Z** – **Env.** Plateau St-Michel ←★★ 9,5 km par ①.

18 de Biot ☎ 93 65 08 48 par ④ : 22 km.

de Nice-Côte d'Azur ☎ 93 21 30 30 AU 7 km.

☎ 93 87 50 50.

pour la Corse : Société Nationale Maritime Corse-Méditerranée, 61 bd des Dames (Marseille) ☎ 91 56 32 00 FZ **D**.

Office de Tourisme avec Accueil de France (Réservations d'hôtels, pas plus de 7 jours à l'avance) av. Thiers ☎ 93 87 07 07, Telex 460042 ; Acropolis Esplanade Kennedy ☎ 93 92 82 82 ; 5 av. Gustave-V ☎ 93 87 60 60 et Nice-Parking près Aéroport ☎ 93 83 32 64 - A.C. 9 r. Massenet ☎ 93 87 18 17.

Paris 931 ⑤ – Cannes 32 ⑤ – Genova 194 ⑨ – ♦Lyon 470 ⑤ – ♦Marseille 187 ⑤ – Torino 220 ⑨.

Plans : Nice p. 2 à 5

Négresco, 37 prom. des Anglais ☎ 93 88 39 51, Télex 460040, ←, « Chambres et salons d'époque : 16e et 18e s., Empire, Napoléon III » – 50 à 400. AE E VISA — FZ **k**
SC : **La Rotonde R** carte 150 à 215 et rest. **Chantecler** voir ci-après – 70 – **140 ch** 1 150/1 800, 10 appartements.

Sofitel Splendid M, 50 bd Victor-Hugo ☎ 93 88 69 54, Télex 460938, « au 8e étage, ← sur la ville » – 30 à 100. AE E VISA. rest
SC : **R** carte 115 à 165 – **116 ch** 440/820, 12 appartements 900/1 200 – P 640/710. — FYZ **g**

Méridien M, 1 prom. des Anglais ☎ 93 82 25 25, Télex 470361, « sur le toit, ← la baie » – 30 à 400. AE E VISA — FZ **d**
SC : **R** carte 185 à 285 – 65 – **314 ch** 700/1 300, 25 appartements.

Beach Régency M, 223 prom. des Anglais ☎ 93 83 91 51, Télex 461635, « sur le toit, ← la baie », – 50 à 400. AE E VISA — AU **k**
SC : **Le Regency R** carte 190 à 250 – **La Promenade** (snack) carte environ 170 – 60 – **305 ch** 720/1 230, 17 appartements.

Frantel M sans rest, 28 av. Notre-Dame ☎ 93 80 30 24, Télex 470662, « au 8e, jardin suspendu au 2e étage, ← » – 25 à 120. AE E VISA
SC : 38 – **200 ch** 370/650. — FXY **q**

Plaza, 12 av. Verdun ☎ 93 87 80 41, Télex 460979, ←, « Terrasse aménagée sur le toit » – 30 à 550. AE E VISA. rest — GZ **f**
SC : **R** 130 – 45 – **186 ch** 600/850 – P 710/1 370.

Continental-Masséna M sans rest, 58 r. Gioffredo ☎ 93 85 49 25, Télex 470192 – 60. E VISA — GZ **k**
SC : 30 – **116 ch** 200/465.

La Pérouse, 11 quai Rauba-Capeu ✉ 06300 ☎ 93 62 34 63, Télex 461411, « ← Nice et la promenade des Anglais », – ch – 30. AE E VISA.
rest — HZ **k**
SC : **R** (snack en été) – 25 – **66 ch** 400/750, 3 appartements 900.

La Malmaison, 48 bd V.-Hugo ☎ 93 87 62 56, Télex 470410 – . AE E VISA. rest — FYZ **e**
SC : **R** 100/150 – **50 ch** 280/440 – P 370/480.

Ambassador M sans rest, 8 av. Suède ☎ 93 87 90 19, Télex 460025, ← – . AE E VISA — FZ **x**
15 fév.-15 nov. – SC : 29 – **45 ch** 375/440.

Grand H. Aston M, 12 av. F.-Faure ☎ 93 80 62 52, Télex 470290, « Terrasse sur le toit » – ch – 50 à 180. AE E VISA. rest — HZ **u**
SC : **R** 105/135 – 40 – **157 ch** 780.

RÉPERTOIRE DES RUES DU PLAN DE NICE

Félix-Faure (Av.) . . p. 5 **GZ** 21
France (R. de) . . . . . p. 4 **DFZ**
Gambetta (Bd) . . . . p. 4 **EXZ**
Gioffredo (R.) . . . . . p. 5 **HY**
Hôtel-des-Postes (R. de l') . p. 5 **HY** 30
Liberté (R. de la) . . p. 5 **GZ** 35
Masséna (Esp., Pl.) p. 5 **GZ**
Masséna (R.) . . . . . p. 5 **GZ** 43
Médecin (Av. J.) . . p. 5 **GY** 44
Paradis (R.) . . . . p. 5 **GZ** 56
Pastorelli (R.) . . . . . p. 5 **GY** 58
République (R.) . . . p. 5 **JX** 64

Alberti (R.) . . . . p. 5 **HY** 2
Alphonse-Karr (R.) p. 4 **FYZ**
Alsace-Lorraine (Jardin d') . . . . . . p. 4 **EZ** 3
Anglais (Prom. des) . . . . . p. 4 **EFZ**
Arène (Av. P.) . . . . . p. 4 **DXY**
Arènes-de-Cimiez (Av.) . . . . p. 5 **HVX**
Armée-des-Alpes (Bd de l') . . . . p. 3 **CT** 4
Armée-du-Rhin (Pl. de l') . . . . p. 5 **JX** 5
Arson (Pl. et R.) . . . p. 5 **JY**
Auber (Av.) . . . . p. 4 **FY**
Auriol (Pont V.) . . . . p. 5 **JV** 7
Barberis (R.) . . . . . . p. 5 **JXY**
Barel (Bd V.) . . . . . . p. 3 **CT**
Barel (Pl. Max) . . . . p. 5 **JY**
Barla (R.) . . . . p. 5 **JY**
Baumettes (Av.) . . . . p. 4 **DZ**
Berlioz (R.) . . . . p. 4 **FY** 12
Besset (Av. C.) . . . . p. 4 **EFV**
Bieckert (Av. E.) . . . p. 5 **HX**
Binet (R. A.) . . . . . . p. 4 **FX**
Bischoffsheim (Bd) p. 3 **CT**
Bonaparte (R.) . . . . . p. 5 **JY**
Borriglione (Av.) . . p. 4 **FV**
Bounin (R. P.) . . . . . p. 4 **FV**
Boyer (Sq. R.) . . . . . p. 4 **EV**
Brancolar (Ch.) . . . . p. 4 **FV**
Carabacel (Bd) . . . . p. 5 **HXY**
Carlone (Bd) . . . . . . p. 2 **AT** 13
Carnot (Bd) . . . . p. 5 **JZ** 14
Cassin (Bd R.) . . . . p. 2 **AU**
Cassini (R.) . . . . p. 5 **JY**
Cavell (Av. E.) . . . . . p. 5 **GV**
Cessole (Bd de) . . . p. 4 **EV**
Châteauneuf (R.) . . p. 4 **DEY**
Cimiez (Bd de) . . . . p. 5 **GVX**
Clemenceau (Av.) . p. 4 **FY**
Congrès (R. du) . . . p. 4 **FZ**
Corniglion-Molinier (Prom.) p. 2 **AU**
Dante (R.) . . . . p. 4 **EZ**
Delfino (Bd Gén.) . . p. 5 **JX**
Desambrois (Av.) . p. 5 **HX** 18
Diables-Bleus (Av. des) . . . . p. 5 **JX** 19
Dubouchage (Bd) . p. 5 **GHY**
Du Gésu (St-Jacques ⊞) p. 5 **HZ** **N**
Dunant (Av.) . . . . . . p. 3 **BS**
Durante (Av.) . . . . . . p. 4 **FY**
Église Russe (⊞) . p. 4 **EX** **X**
Estienne-d'Orves (Av. d') . p. 4 **DEY**
États-Unis (Q.) . . . . p. 5 **GHZ**
Fleurs (Av. des) . . . p. 4 **DEZ**
Flora (Av.) . . . . p. 5 **GVX**
Flirey (Av. de) . . . . . p. 5 **HV**
Foch (Av. Mar.) . . . . p. 5 **GY**
Gal (R. A.) . . . . p. 5 **JXY**
Gallieni (Av.) . . . . . . p. 5 **HJX**
Garibaldi (Pl.) . . . . . p. 5 **HJY**
Garnier (Bd J.) . . . . p. 4 **EFX**
Gaulle (Pl. Ch.) . . . . p. 4 **FX**
Gautier (Pl. P.) . . . . p. 5 **HZ** 25
George-V (Av.) . . . . p. 5 **GVX**
Gorbella (Bd de) . . . p. 4 **EV**
Gounod (R.) . . . . p. 4 **FY**
Grosso (Bd F.) . . . . . p. 4 **DYZ**
Guisol (R. F.) . . . . . . p. 5 **JY**
Guynemer (Pl.) . . . . p. 5 **JZ**
Ile-de-Beauté (Pl.) . p. 5 **JZ** 32
Jaurès (Bd J.) . . . . . p. 5 **HYZ**
Joffre (R. Mar.) . . . . p. 4 **EFZ**
Joly (Corniche A.-de-) . . . . p. 3 **CT**
Levens (Rte de) . . . p. 5 **JV**
Lunel (Quai) . . . . . . p. 5 **JZ** 37
Lyautey (Q. Mar.) . . p. 5 **JVX**
Madeleine (Bd) . . . . p. 2 **AT**
Malausséna (Av.) . . p. 4 **FX**
Marceau (R.) . . . . . . p. 4 **FX**
Matisse (Av. H.) . . . p. 2 **AU**

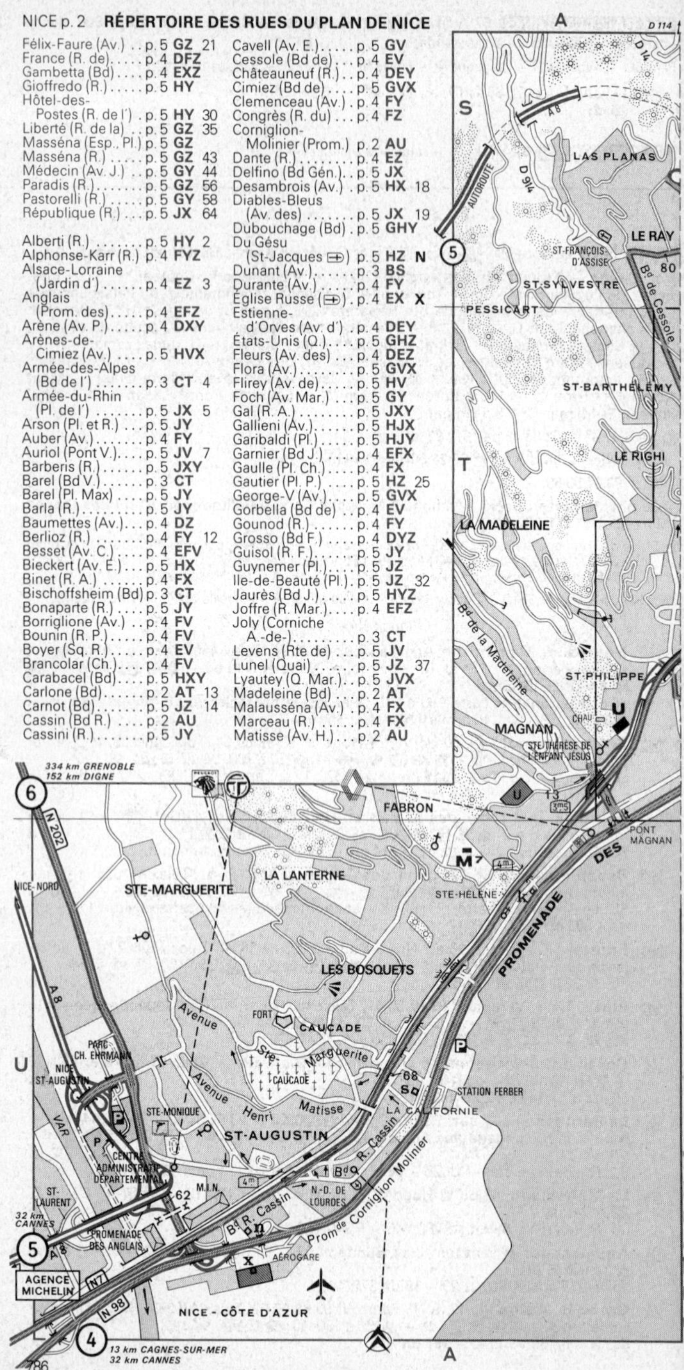

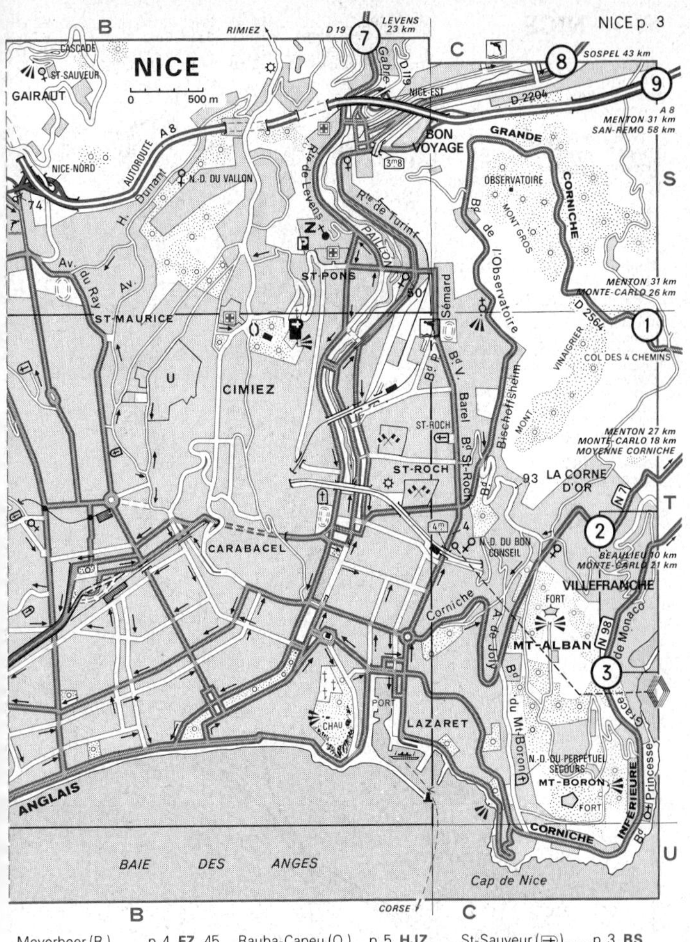

Meyerbeer (R.) . . . . . p. 4 **FZ** 45
Michelet (R.) . . . . p. 4 **FV**
Mont-Boron (Bd) . . . p. 3 **CT**
Monastère (Av., Pl.) . p. 5 **HV** 46
Moulin (Pl. J.) . . . . . . p. 5 **HY** 47
Notre-Dame (⊞) . . p. 2 **FY**
N.-Dame-Auxiliatrice (⊞) . . p. 5 **HJX**
N.-D.-Cimiez (⊞) . . p. 5 **HV Q**
N.-D.-Lourdes (⊞) . p. 2 **AU**
N.-D.-Bon-Conseil (⊞) . . . . . p. 3 **CT**
N.-D.-Bon-Voyage (⊞) . . . . . p. 3 **BS** 50
N.-D.-Port (⊞) . . . . p. 5 **JY** 52
N.-D.-Vallon (⊞) . . . p. 3 **BS**
Observatoire (Bd) . . p. 3 **CST**
Paillon (Prom.) . . . . . p. 5 **HZ**
Papacino (Q.) . . . . . . p. 5 **JZ**
Parc-Impérial (Bd) . . p. 4 **DEX**
Pasteur (Bd) . . . . p. 5 **JV**
Perp.-Secours (⊞) . . p. 3 **CT**
Pessicart (Av.) . . . . . p. 4 **DEX**
Phocéens (Av.) . . . . . p. 5 **GZ** 59
Pilatte (Bd) . . . . p. 5 **JZ**
Pompidou (Bd G.) . . p. 2 **AU** 62
Prince-de-Galles (Bd) . . . p. 5 **GHV**
Princesse Grace de Monaco (Bd) . . p. 3 **CTU**

Rauba-Capeu (Q.) . . p. 5 **HJZ**
Raiberti (R.) . . . . p. 4 **FVX**
Ray (Av. du) . . . . p. 3 **BS**
Raynaud (Bd A.) . . . . p. 4 **FV**
Riquier (Bd) . . . . p. 5 **JY**
Risso (Bd) . . . . p. 5 **JXY**
Rivoli (R) . . . . p. 4 **FZ** 65
Roquebillière (R.) . . . p. 5 **JVX**
Rossini (R.) . . . . p. 4 **FY**
Sacré-Cœur (⊞) . . . p. 4 **FZ** 67
St-Augustin (Av.) . . . p. 2 **AU** 68
St-Augustin (⊞) . . . . p. 5 **HY D**
St-Barthélemy (Av. et ⊞) . . . . p. 4 **EV**
St-Étienne (⊞) . . . . p. 4 **FX**
St-François-d'Assise (⊞) . . . . p. 2 **AS**
St-Jean-Bapt. (Av., ⊞) . . . . p. 5 **HY** 73
St-Jean-l'Évang. (⊞) . . . . p. 3 **BS** 74
St-Joseph (⊞) . . . . . p. 5 **JY**
St-Lambert (Av.) . . . . p. 4 **FV**
St-Paul (⊞) . . . . p. 4 **EX**
St-Philippe (⊞) . . . . . p. 4 **DY** 76
St-Pierre-d'Arène (⊞) . . . . . p. 4 **EZ** 78
St-P.-de-Féric (Ch.) . p. 4 **DY**
St-Pons (⊞) . . . . p. 3 **BS Z**
St-Roch (Bd, ⊞) . . . . p. 3 **CT**

St-Sauveur (⊞) . . . . p. 3 **BS**
St-Sylvestre (Av.) . . . p. 2 **AS** 80
Ste-Hélène (⊞) . . . . p. 2 **AU**
Ste-J.-d'Arc (⊞) . . . . p. 4 **FV B**
Ste-Marguerite (Av.) p. 2 **AU**
Ste-Monique (⊞) . . p. 2 **AU**
Ste-Réparate Cath. (⊞) . . . . p. 5 **HZ L**
Ste-Thérèse-de-l'Enf.-Jésus (⊞) . p. 2 **AT**
Saleya (Cours) . . . . . p. 5 **HZ** 83
Sauvan (R. H.) . . . . . p. 4 **EZ** 84
Ségurane (R.) . . . . . . p. 5 **JY**
Sémard (Bd P.) . . . . . p. 3 **CST**
Séméria (Av. D.) . . . . p. 5 **JV**
Sola (Bd P.) . . . . p. 5 **JX**
Stalingrad (Bd) . . . . . p. 5 **JZ**
Thiers (Av.) . . . . p. 4 **EFY**
Trachel (R.) . . . . p. 4 **FX**
Turin (Rte de) . . . . . . p. 5 **JV**
Tzaréwitch (Bd) . . . . p. 4 **DEY**
Valrose (Av.) . . . . p. 4 **FV**
Vauban (R. Mar.) . . . p. 5 **JV**
Vérany (Bd J.-B.) . . . p. 5 **JV**
Verdun (Av. de) . . . . p. 4 **GZ** 89
Vernier (R.) . . . . p. 4 **FX**
Victor-Hugo (Bd) . . . p. 4 **FYZ**
Walesa (Bd Lech) . . p. 5 **JYZ**
Wilson (Pl.) . . . . p. 5 **HY** 92
2-Corniches (Bd) . . . p. 3 **CT** 93

NICE

ST-BARTHÉLEMY
Av. de St-Barthélemy
Bd de Gorbella
Bounin
Avenue Cyrille Besset
Sq^re R. Boyer
Boulevard
Chemin de Brancolar
Valrose
Av. St-Lambert
R. Michelet
Av. Borriglione
Av. Raynardi
Cessole
Bd Joseph Garnier
Raiberti
Pl. Ch. de Gaulle
P.T.T.
Av. de Pessicart
ST-PAUL
R. A. Binet
GARE DU SUD (C.F.P.)
Av. Malausséna
R. Marceau
Boulevard Gambetta
ST-ÉTIENNE
Vernier
Trachel
Rue
Arène
ST-PHILIPPE
Ouv. 9-1986
GARE NICE-VILLE
Bd du Parc Impérial
Bd du Tzarewitch
Thiers
N.-DAME
Ch. de St-P. de Férié
Av. d'Estienne d'Orves
R. de Châteauneuf
LA BUFFA
Auber
Gounod
Durante
Clemenceau
Rossini
Bd François Grosso
R. Berlioz
Victor Hugo
Mal Joffre
Av. des Fleurs
Rue Dante
R. de France
du Congrès
LES BAUMETTES
Av. des Baumettes
PROMENADE DES ANGLAIS
BAIE DES
N 98
MUSÉE D'ART NAÏF
ÎLE STE-MARGUERITE
300 m

St-Jean-Baptiste (Av., ⊞) .... **HY** 73
St-Philippe (⊞) .... **DY** 76
St-Pierre-d'Arène (⊞) .. **EZ** 78
Ste-Jeanne-d'Arc (⊞) .. **FV B**
Ste-Réparate (Cath. ⊞) . **HZ L**
Saleya (Cours) .... **HZ** 83
Sauvan (R. H.) .... **EZ** 84
Verdun (Av. de) .... **FGZ** 89
Wilson (Pl.) .... **HY** 92

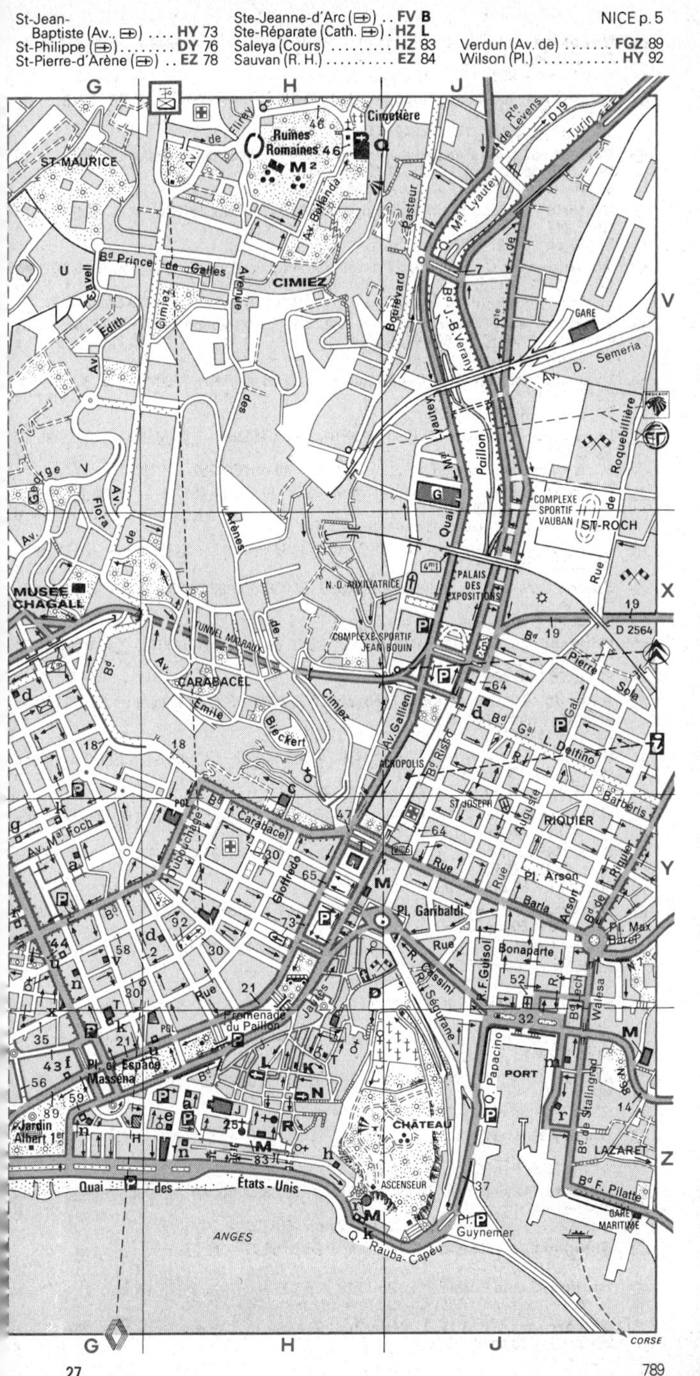

Napoléon sans rest, 6 r. Grimaldi ✆ 93 87 70 07, Télex 460949 – |‡| ▤ TV ☎ ♿. AE ⓓ E VISA FZ r
fermé nov. – SC : ☐ 22 – **80 ch** 250/370.

Atlantic, 12 bd Victor-Hugo ✆ 93 88 40 15, Télex 460840 – |‡| TV ☎ P – 🏛 30 à 80. AE ⓓ E VISA FY d
SC : **R** 95 – ☐ 35 – **123 ch** 340/490 – P 435/720.

Park et rest. Le Passage, 6 av. de Suède ✆ 93 87 80 25, Télex 970176, ≤ – |‡| ▤ rest TV ☎ ♿ – 🏛 80. AE ⓓ E VISA FZ x
SC : **R** *(fermé dim.)* 110 – ☐ 40 – **148 ch** 500/630 – P 535/590.

Victoria sans rest, 33 bd V.-Hugo ✆ 93 88 39 60, Télex 461337, 🌳 – |‡| TV ☎. AE ⓓ E VISA FYZ z
SC : **40 ch** ☐ 280/420.

Westminster Concorde, 27 prom. des Anglais ✆ 93 88 29 44, Télex 460872, ≤, 🍽 – |‡| ▤ rest TV ☎ – 🏛 40 à 350. AE ⓓ E VISA FZ m
SC : Le Farniente *(fermé 1er nov. au 10 déc.)* **R** 160/200 – ☐ 50 – **110 ch** 500/900.

Gd Hôtel de Florence M sans rest, 3 r. P.-Deroulède ✆ 93 88 46 87, Télex 470652 – |‡| ▤ TV ☎. AE ⓓ VISA. ⚘ GY r
SC : **53 ch** ☐ 300/420.

Locarno sans rest, 4 av. Baumettes ✆ 93 96 28 00, Télex 970015 – |‡| ▤ TV 🚗. AE ⓓ E VISA DEZ t
SC : ☐ 20 – **48 ch** 195/310.

Lausanne, 36 r. Rossini ✆ 93 88 85 94, Télex 461269 – |‡| TV ⛀wc ⛆wc ☎. AE ⓓ E VISA FY t
SC : **R** *(fermé nov. et merc.)* 95/130 – ☐ 35 – **40 ch** 300/350 – P 395/420.

Gounod sans rest, 3 r. Gounod ✆ 93 88 26 20, Télex 461705 – |‡| ▤ TV ⛀wc ⛆wc ☎ 🚗. AE ⓓ VISA FYZ g
SC : **45 ch** ☐ 300/420, 5 appartements 520.

Georges M ⛱ sans rest, 3 r. H.-Cordier ✆ 93 86 23 41 – |‡| TV ⛀wc ☏. AE VISA
SC : ☐ 20 – **18 ch** 210/320. DZ e

Suisse sans rest, 15 quai Rauba-Capeu ✉ 06300 ✆ 93 62 33 00, ≤ – |‡| ▤ ⛀wc ⛆wc ☎ HZ r
SC : ☐ 16 – **40 ch** 254.

Windsor sans rest, 11 r. Dalpozzo ✆ 93 88 59 35, Télex 970072, 🏊, 🌳 – |‡| TV ⛀wc ⛆wc ☎. AE ⓓ E VISA FZ f
SC : ☐ 25 – **60 ch** 210/380.

Avenida sans rest, 41 av. J.-Médecin ✆ 93 88 55 03 – |‡| cuisinette ▤ TV ⛀wc ⛆wc ☎. AE ⓓ VISA FY m
☐ 15 – **35 ch** 145/220.

Brice, 44 r. Mar.-Joffre ✆ 93 88 14 44, Télex 470658, 🍽, 🌳 – |‡| TV ⛀wc ⛆wc ☎ – 🏛 30. ⓓ E VISA. ⚘ rest FZ b
SC : **R** 100 – **65 ch** ☐ 260/420 – P 380/460.

Carlton sans rest, 26 bd V.-Hugo ✆ 93 88 87 83 – |‡| ⛀wc ⛆wc ☏. AE ⓓ E VISA
SC : ☐ 19 – **29 ch** 125/285. FY f

New York sans rest, 44 av. Mar.-Foch ✆ 93 92 04 19, Télex 470215 – |‡| ⛀wc ⛆wc ☎. AE ⓓ VISA GY g
SC : ☐ 22 – **52 ch** 270/368.

Chatham sans rest, 9 r. A.-Karr ✆ 93 87 80 61 – |‡| ⛀wc ⛆wc ☏. AE ⓓ E VISA
SC : ☐ 15 – **50 ch** 220/300. FY x

Albert 1er sans rest, 4 av. Phocéens ✉ 06300 ✆ 93 85 74 01, Télex 970575, ≤ – |‡| TV ⛀wc ⛆wc ☏. AE ⓓ E VISA GZ n
SC : **79 ch** ☐ 265/415.

Busby, 38 r. Mar.-Joffre ✆ 93 88 19 41, Télex 461053 – |‡| ⛀wc ⛆wc ☎ ♿. AE ⓓ VISA FZ u
fermé 16 nov. au 20 déc. et sans rest. du 1er juin au 19 déc. – SC : **R** 85/90 – ☐ 15 – **80 ch** 235/420 – P 395/420.

Alfa sans rest, 30 r. Masséna ✆ 93 87 88 63 – |‡| ▤ TV ⛀wc ⛆wc ☎. AE ⓓ E VISA FZ a
SC : ☐ 14 – **38 ch** 170/265.

Harvey sans rest, 18 av. de Suède ✆ 93 96 16 43 – |‡| ▤ ⛀wc ⛆wc ☏. AE ⓓ. ⚘ FZ h
1er fév.-20 oct. – SC : ☐ 13 – **55 ch** 168/240.

Durante ⛱ sans rest, 16 av. Durante ✆ 93 88 84 40, 🌳 – cuisinette TV ⛀wc ⛆wc ☏. ⚘ FY b
fermé 27 oct. au 3 déc. – SC : ☐ 25 – **27 ch** 150/250.

Cigognes sans rest, 16 r. Maccarani ✆ 93 88 65 02 – |‡| TV ⛀wc ⛆wc ☎. ⚘
SC : **32 ch** ☐ 240/255. FY s

Touring, 5 r. de Russie ✆ 93 88 70 15 – TV ⛀wc ⛆wc ☎. AE ⓓ VISA FY h
SC : **R** *(fermé sam.)* 56/98 🍷 – ☐ 13 – **19 ch** 210/240 – P 270.

Univers sans rest, 9 av. J.-Médecin ✆ 93 87 88 81 – |‡| ⛀wc ⛆wc ☏. VISA
SC : ☐ 13 – **78 ch** 105/265. GYZ x

Star H. M sans rest, 14 r. Biscarra ☎ 93 85 19 03 – wc wc ☎. AE ⓓ GY **k**
SC : ☕ 20 – **19 ch** 112/276.

Trianon sans rest, 15 av. Auber ☎ 93 88 30 69 – | TV wc wc ☎. AE ⓓ E VISA FY **u**
SC : ☕ 15 – **32 ch** 176/229.

Nouvel H. sans rest, 19 bis bd V.-Hugo ☎ 93 84 86 85 – | wc wc ☎. AE ⓓ VISA FY **v**
fermé 25 oct. au 15 déc. – SC : ☕ 15 – **51 ch** 98/201.

Pavillon d'Armenonville sans rest, 20 av. Fleurs ☎ 93 96 86 00, – wc wc ☎ Ⓟ. VISA. DEZ **b**
SC : ☕ 21 – **13 ch** 139/280.

Flandres sans rest, 6 r. Belgique ☎ 93 88 78 94 – | wc wc ☎. FX **u**
SC : ☕ 14 – **39 ch** 150/210.

Crillon sans rest, 44 r. Pastorelli ☎ 93 85 43 59 – | wc wc ☎. VISA.
fermé 15 nov. au 15 déc. – SC : **43 ch** ☕ 100/220. GY **u**

XXXX ✿✿ **Chantecler** (Maximin), 37 prom. des Anglais ☎ 93 88 39 51 – ▤. AE ⓓ E VISA FZ **k**
fermé nov. – SC : **R** 280/430 et carte
Spéc. Courgettes aux truffes, Saumon frais au gros sel, Tian de filet d'agneau. **Vins** Cassis, Le Cannet-des-Maures.

XXX ✿ **Ane Rouge** (Vidalot), 7 quai Deux-Emmanuel ✉ 06300 ☎ 93 89 49 63 – AE ⓓ VISA JZ **m**
fermé 14 juil. au 1er sept., sam., dim. et fériés – **R** carte 190 à 295
Spéc. Huîtres plates au champagne, Homard ou langouste Ane Rouge, Ris de veau des gourmets.. **Vins** Bellet, Palette.

XXX ✿ **La Poularde chez Lucullus** (Normand), 9 r. Deloye ☎ 93 85 22 90 – ▤. AE ⓓ E VISA GY **n**
fermé 12 juil. au 17 août et merc. – **R** 140/200
Spéc. Langouste grillée aux herbes (15 mars-30 oct.), Rougets à la sauvage, Capilotade de volaille. **Vins** Gassin, Bellet.

XXX **Florian,** 22 r. A.-Karr ☎ 93 88 86 60. AE VISA FY **k**
fermé 15 au 30 août et dim. – SC : **R** carte 210 à 290.

XXX **Los Caracolès,** 5 r. St-François-de-Paule ✉ 06300 ☎ 93 80 98 23 – ▤. AE E VISA
fermé juil. et 7 au 17 fév. – SC : **R** 120/160. HZ **e**

XX **Les Dents de la Mer,** 2 r. St-François-de-Paule ✉ 06300 ☎ 93 80 99 16, produits de la mer – ▤. AE ⓓ VISA HZ **n**
R 110/190.

XX **Don Camillo,** 5 r. Ponchettes ✉ 06300 ☎ 93 85 67 95, cuisine italienne – ▤. AE ⓓ E VISA HZ **h**
fermé juil. et dim. – **R** carte 115 à 200.

XX **Gourmet Lorrain** avec ch, 7 av. Santa-Fior ✉ 06100 ☎ 93 84 90 78 – ▤ TV ☎. AE VISA FV **a**
R *(fermé août, dim. soir et lundi)* 70/130 – ☕ 14 – **15 ch** 110/160 – P 264/313.

XX **Bon Coin Breton,** 5 r. Blacas ☎ 93 85 17 01 – ▤ GY **v**
fermé août, dim. soir et lundi – SC : **R** 60/140.

XX **Chez les Pêcheurs,** 18 quai des Docks ✉ 06300 ☎ 93 89 59 61, produits de la mer – AE JZ **r**
fermé 1er nov. à mi-déc., mardi soir du 15 déc. au 30 avril, jeudi midi du 1er mai au 31 oct. et merc. – **R** carte 150 à 230.

XX **Aux Gourmets,** 12 r. Dante ☎ 93 96 83 53 – ▤. AE ⓓ VISA EZ **w**
fermé dim. soir et lundi – SC : **R** 56/162.

XX **Albert's Bar,** 1 r. M. Jaubert ☎ 93 53 37 72 – AE ⓓ VISA FZ **a**
fermé août, dim. et fériés – SC : 100 bc/160 bc.

XX **Chez Rolando,** 3 r. Desboutins ☎ 93 85 76 79, cuisine italienne – ▤. AE VISA
fermé dim., fériés, et le midi en juil.-août – **R** carte 110 à 160 ♁. GZ **n**

XX **Le Gd Pavois "Chez Michel",** 11 r. Meyerbeer ☎ 93 88 77 42, produits de la mer – ▤. AE VISA FZ **s**
fermé 1er juil. au 10 août et lundi – SC : **R** carte 125 à 205.

XX St-Moritz, 5 r. Congrès ☎ 93 88 54 90 – ▤ FZ **t**

XX **Bông-Laï,** 14 r. Alsace-Lorraine ☎ 93 88 75 36, cuisine vietnamienne – ▤. AE ⓓ E FX **n**
fermé 2 au 27 déc., lundi et mardi sauf fériés – SC : **R** 108/168.

X **Rivoli,** 9 r. Rivoli ☎ 93 88 12 62 – ▤. AE ⓓ VISA FZ **v**
fermé lundi. – SC : **R** 90/150 ♁.

X **Le St-Laurent,** 12 r. Paganini ☎ 93 87 18 94 – ▤. AE ⓓ VISA FY **n**
fermé 24 juin au 12 juil., 15 au 30 nov. et merc. – SC : **R** 59/82.

X **La Nissarda,** 17 r. Gubernatis ☎ 93 85 26 29 – VISA HY **d**
fermé 15 au 31 juil., vacances de fév. et merc. – SC : **R** 65.

✗ **Mireille,** 19 bd Raimbaldi ✆ 93 85 27 23 – ▤. VISA — GX **d**
fermé 2 juin au 2 juil., 3 au 9 nov., lundi et mardi sauf juil.-août et fêtes – SC : **R** plat unique : paella carte env. 95.

✗ **La Casbah,** 3 r. Dr.-Balestre ✆ 93 85 58 81, couscous — GY **a**
fermé juil., août et lundi – SC : **R** carte environ 100.

✗ **Palladio,** 6 r. Maraldi ✉ 06300 ✆ 93 26 58 55 – AE ◑ VISA — JX **d**
fermé 2 au 25 août, 20 au 28 déc., dim. et fériés – **R** 55/120 ♁.

✗ **La Merenda,** 4 r. Terrasse ✉ 06300, cuisine niçoise – ▤ — HZ **a**
fermé août, fév., sam. soir, dim. et lundi – SC : **R** carte environ 90.

à l'Ouest : 4 km (rte aéroport) – ✉ **06200** Nice :

Ibis Ⓜ, sur N 98 ✆ **93 83 30 30, Télex 461285** – |‡| ▤ rest ▣ ⇔wc ☎ ♿ Ⓟ – ⚑ 55. E VISA — AU **s**
SC : **R** carte environ 85 ♁ – ☕ 25 – **127 ch** 230/253.

à l'Aéroport 7 km – ✉ **06200** Nice :

Holiday Inn Ⓜ, sur N 7 ✆ **93 83 91 92, Télex 970202,** ☂, ⛱ – |‡| ▤ ▣ ☎ ♿ 🚗 – ⚑ 250. AE ◑ E VISA — AU **n**
SC : **R** 135 bc/295 – ☕ 70 – **151 ch** 550/770 – P 660/990.

✗✗✗ **Ciel d'Azur,** 2e étage aérogare ✆ **93 21 36 36, Télex 970011,** ≤ – ▤. AE ◑ VISA
R 140/200.

✗✗ **Grill Soleil d'Or,** 1er étage aérogare ✆ **93 21 36 14,** ≤ – ▤. AE ◑ VISA — AU **x**
SC : **R** carte environ 105 ♁.

au Cap 3000 par ④ : 8 km – ✉ **06700** St-Laurent-du-Var :

Novotel Ⓜ, ✆ **93 31 61 15, Télex 470643,** ☂, ⛱, ⛺ – |‡| ▤ ▣ ☎ ♿ Ⓟ – ⚑ 250. AE ◑ E VISA
R carte environ 100 ♁ – ☕ 37 – **103 ch** 346/417.

à St-Pancrace N : 8 km par D 914 AS – alt. 302 – ✉ **06100** Nice :

✗✗✗ ✿ **Rôtisserie de St-Pancrace,** ✆ 93 84 43 69, ≤, ☂ – Ⓟ. VISA
fermé 6 janv. au 6 fév. et lundi sauf juil.-août et fêtes – **R** carte 200 à 300
Spéc. Frivolités de St Pancrace, Terrine de scampi, Rosette d'agneau au basilic. **Vins** Bellet, Bandol.

✗✗ **Cicion,** ✆ 93 84 49 29, ≤ Nice et littoral, ☂ – Ⓟ
fermé le soir sauf juil.-août – **R** 105/130.

MICHELIN, Agence régionale, Zone Ind., quartier Pugets à St Laurent-du-Var par ⑤ ✆ 93 31 66 09

ALFA-ROMEO IMAC, SOMEDIA, 1 bd Armée-des-Alpes ✆ 93 89 00 32
AUSTIN, **JAGUAR,** ROVER Gar. Méditerranée, 52 r. de France ✆ 93 88 87 51 N ✆ 93 88 67 17
AUSTIN-ROVER FRANCE Kennings, 9 r. Veillon ✆ 93 80 56 83
AUSTIN, ROVER, TRIUMPH Résidence-Auto, 143 bd de Cessole ✆ 93 84 83 27
AUTOBIANCHI-LANCIA Gar. de Touraine, 151 bd de Cessole ✆ 93 51 29 63
BMW Gar. Azur-Autos, 13 r. G.-Garaud, Quart. Riquier ✆ 93 89 36 29
CITROEN Succursale, 74 bd R.-Cassin AU ✆ 93 83 66 66 N ✆ 93 89 80 89 et pl. XVe Corps, complexe J.-Bouin JX ✆ 93 92 26 06 N ✆ 93 89 80 89
DATSUN-NISSAN Gds Gar. Mériterranéens, 45 r. de la Buffa ✆ 93 88 13 27
FORD Gar. Paris-Côte Azur, 11 av. Désambrois ✆ 93 80 04 47
MERCEDES-BENZ Interstar, 83 bd Gambetta ✆ 93 96 15 49
OPEL-GM Michigan-Motors, 3 bd Armée-des-Alpes ✆ 93 89 00 77
PEUGEOT, TALBOT Gds Gar. Nice et Littoral, 132 bd Pasteur HV ✆ 93 62 00 40 et 63 rte de Grenoble AU ✆ 93 83 03 50 N ✆ 93 88 67 17
RENAULT Succursale de Nice Riquier, 2 bd Armée-des-Alpes CT ✆ 93 89 27 57
RENAULT Succursale, 104 bd de la Plage, Cros-de-Cagnes par ④ ✆ 93 31 31 31 N ✆ (1) 42 52 82 82
RENAULT Gd Gar. Gustave-V, 6 av. de Suède (Jardins Albert 1er) FZ ✆ 93 87 85 34
RENAULT Gar. Macagno, 17 av. Californie AU ✆ 93 86 59 81
RENAULT Gar. Viale, 88 av. Cy.-Besset EV ✆ 93 84 44 68
RENAULT Gar. Wilson, 37 r. Hôtel-des-Postes GHY ✆ 93 62 24 11
TOYOTA, VOLVO Gar. Albert 1er, 5 r. Cronstadt ✆ 93 88 39 35
V.A.G. Rivièra-Autos-Sces, 13 et 15 av. de la Californie ✆ 93 86 69 44 N ✆ 93 89 80 89
V.A.G. S.M.A, 146 rte de Turin ✆ 93 55 74 74 N ✆ 93 88 67 17
Gar. Américan-Auto, 38 rte de Turin ✆ 93 89 15 74

Ⓜ Andreasi, 13 bd Stalingrad ✆ 93 89 48 58
Cagnol, 3 r. Gare du Sud ✆ 93 84 52 29
Massa-Pneus, 27, r. Trachel ✆ 93 82 20 85
Nice-Pneu, 14 r. L.-Ackermann ✆ 93 87 49 07
Office du Pneu, 116 bd Gambetta ✆ 93 88 45 84
Omnium-Niçois du C/c 3 r. Maraldi ✆ 93 55 05 60
Piot-Pneu, 68 r. Mar.-Vauban ✆ 93 89 66 76 et angle r. Nicot-de-Villemain et bd P.-Montel ✆ 93 83 10 92

NIDECK (Ruines du château et cascade du) ★★ **67** B.-Rhin **62** ⑧ **G. Alsace et Lorraine.**
Accès : **1 h 15 du D 218.**

NIEDERBRONN-LES-BAINS 67110 B.-Rhin 57 ⑱⑲ **G. Alsace et Lorraine** – 4 446 h. alt. 192 – Stat. therm. – Casino.

Office de Tourisme pl. Hôtel de Ville ☎ 88 09 17 00.

Paris 451 – Haguenau 21 – Sarreguemines 56 – Saverne 38 – ♦Strasbourg 53 – Wissembourg 34.

Gd Hôtel, av. Foch ☎ **88 09 02 60, Télex 890151**, – 100. AE ⓓ E VISA
SC : **R** voir rest. **du Parc** – 30 – **55 ch** 260/300, 5 appartements 470 – P 380/520.

Bristol, pl. H. de Ville ☎ **88 09 61 44** – rest wc wc. AE ⓓ E VISA
SC : **R** *(fermé janv. et merc.)* 80/230 – 20 – **28 ch** 121/220 – P 156/220.

Cully, r. République ☎ **88 09 01 42** – wc wc. AE ⓓ E VISA. ch
SC : **R** *(fermé dim. soir et lundi)* 40/160 – 18 – **38 ch** 84/180 – P 155/210.

Parc, pl. des Thermes ☎ **88 09 68 88**, ≤ – AE ⓓ E VISA
fermé fév. et jeudi sauf fériés – SC : **R** carte 130 à 220.

Muller avec ch, av. Libération ☎ **88 09 70 00**, parc – wc wc. AE ⓓ E VISA. rest
fermé janv. – **R** *(fermé dim. soir et lundi)* 38/155 – 16,50 – **18 ch** 94/160 – P 120/160.

Les Acacias, 35 r. des Acacias ☎ **88 09 00 47**, – E VISA
fermé 23 au 31 déc., fév., lundi soir et mardi sauf juil.-août – SC : **R** 75/130.

à Untermuhlthal (57 Moselle) O : 11 km par D 28 et D 141 – ✉ **57230** Bitche :

L'Arnsbourg, ☎ **87 06 50 85**, – VISA
fermé 1er au 7 juil., 6 janv. au 10 fév., mardi soir et merc. – **R** 95/195.

CITROEN Krebs, ☎ 88 09 03 66
RENAULT Gar. Naegely, ☎ 88 09 00 80 N

NIEDERHASLACH 67 B.-Rhin 62 ⑨ **G. Alsace et Lorraine** – 1 055 h. alt. 255 – ✉ **67190** Mützig – **Voir Église★.**

Paris 479 – Molsheim 15 – St-Dié 54 – Saverne 32 – ♦Strasbourg 39.

Pomme d'Or, face église ☎ **88 50 90 21** – wc wc. AE E VISA.
fermé 13 au 18 oct. ; hôtel : lundi soir et mardi hors sais. ; rest : mardi – SC : **R** 68/120 – 15,50 – **20 ch** 113/195 – P 170/200.

CITROEN Gar. Schnelzauer, ☎ 88 50 91 04 N ☎ 88 50 91 51
RENAULT Gar. Ludwig, ☎ 88 50 90 08 N

NIEDERSCHAEFFOLSHEIM 67 B.-Rhin 57 ⑲ – 1 222 h. alt. 183 – ✉ **67500** Haguenau.

Paris 471 – Haguenau 6 – Saverne 33 – ♦Strasbourg 26.

Au Boeuf Rouge avec ch, ☎ **88 73 81 00**, – wc – 50. AE ⓓ E VISA
fermé 24 juin au 14 juil. et 1er au 12 janv. – SC : **R** *(fermé dim. soir et lundi)* 53/160 – 16 – **16 ch** 64/150 – P 160/180.

NIEDERSTEINBACH 67 B.-Rhin 57 ⑲ **G. Alsace et Lorraine** – 181 h. alt. 225 – ✉ **67510** Lembach.

Paris 451 – Bitche 24 – Haguenau 32 – Lembach 8 – ♦Strasbourg 64 – Wissembourg 23.

Cheval Blanc, ☎ **88 09 25 31**, – wc wc – 30. E VISA.
fermé 1er au 13 déc. et 20 janv. au 1er mars – SC : **R** *(fermé vend. midi hors sais. et jeudi)* 63/190 – 16 – **32 ch** 93/170 – P 145/170.

NIEUIL 16 Charente 72 ⑤ – 934 h. alt. 153 – ✉ **16270** Roumazières-Loubert.

Paris 430 – Angoulême 42 – Confolens 26 – ♦Limoges 65 – Nontron 61 – Ruffec 36.

✿ **Château de Nieuil** (Mme Bodinaud), à l'Est par D 739 et VO ☎ **45 71 36 38, Télex 791230**, ≤, « Belle demeure, parc », – 40. AE VISA
25 avril-12 nov. – SC : **R** *(fermé merc. midi)* (nombre de couverts limité - prévenir) 160/200 – 40 – **11 ch** 360/635, 3 appartements 1050 – P 560/700
Spéc. Farci charentais, Cassolette d'huîtres à la crème d'échalotes, Emincé de boeuf à la crème de champignons.

NIEUL-SUR-MER 17 Char.-Mar. 71 ⑫ – rattaché à la Rochelle.

NIMES P 30000 Gard 80 ⑲ **G. Provence** – 129 924 h. alt. 39.

Voir Arènes★★★ BX – Maison Carrée★★★ BV – Jardin de la Fontaine★★ AV : Tour Magne★, ≤★ – Musées : Antiques★ de la Maison Carrée BV, Archéologie★ BV **M1**, Beaux-Arts★ BX **M2**.

de Campagne ☎ 66 70 17 37 par ⑤ : 11 km.

de Nîmes-Garons ☎ 66 70 06 88 par ⑤ : 8 km.

Office de Tourisme et Accueil de France (Informations et réservations d'hôtels, pas plus de 5 jours à l'avance) 6 r. Auguste ☎ 66 67 29 11, Télex 490926 et 3 pl. Arènes ? 66 21 02 51, Télex 490715 A.C. 6 av. Feuchères ☎ 66 67 28 10.

Paris 710 ② – Aix-en-Provence 105 ④ – Avignon 43 ② – ♦Clermont-Ferrand 391 ② – ♦Grenoble 251 ② – ♦Lyon 249 ② – ♦Marseille 125 ④ – ♦Montpellier 52 ⑥ – ♦Nice 280 ④ – ♦St-Etienne 242 ②.

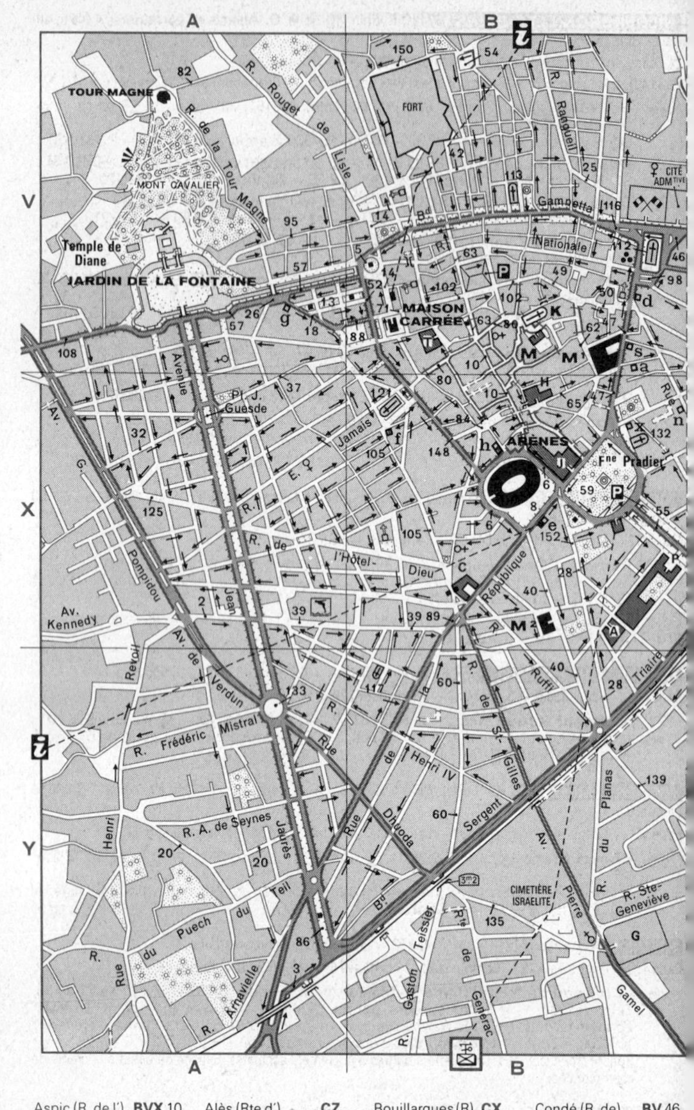
A
B
TOUR MAGNE
MONT CAVALIER
Temple de Diane
JARDIN DE LA FONTAINE
R. de la Tour Magne
R. Rouget de Lisle
FORT
R. Rangueil
CITÉ ADMve
Bd Gambetta
R. Nationale
MAISON CARRÉE
ARÈNES
Fne Pradier
Avenue Jean Jaurès
Pl. J. Guesde
R. Jamais
R. de l'Hôtel-Dieu
Bd Victor-Hugo
R. République
Av. G. Pompidou
Av. Kennedy
Av. de Verdun
R. Frédéric Mistral
R. Reboul
R. Henri
R. A. de Seynes
R. du Puech du Teil
Rue Arnavielle
Rue de la République
R. de Henri IV
Rue Dhuoda
R. de St-Gilles
R. Ruffi
R. Sergent
Rue Triaire
R. Planas
R. du Planas
CIMETIÈRE ISRAELITE
Av. Pierre Gamel
R. Ste-Geneviève
Rte de Générac
R. Gaston Teissier
V
X
Y
M
H
K
G
A
C
M2

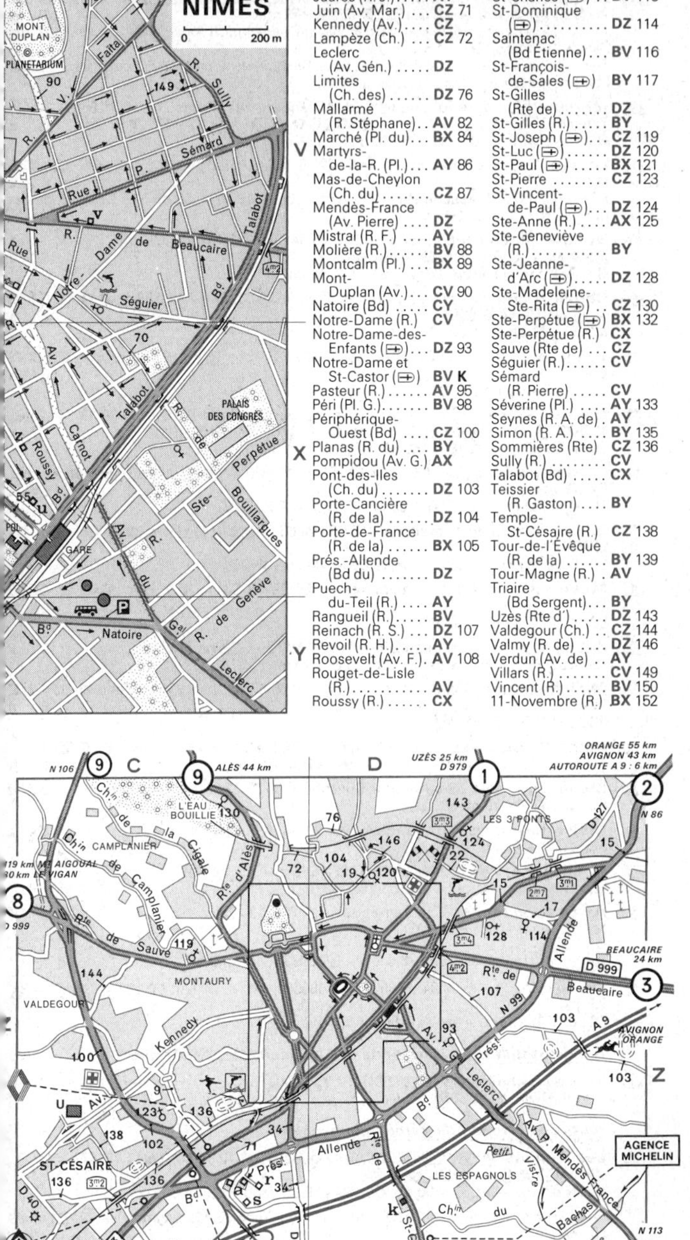

Jamais (R. E.) .... AX
Jardins (R. des) .. CX 70
Jaurès (R. J.) ..... AY
Juin (Av. Mar.) ... CZ 71
Kennedy (Av.) .... CZ
Lampèze (Ch.) ... CZ 72
Leclerc (Av. Gén.) ..... DZ
Limites (Ch. des) ...... DZ 76
Mallarmé (R. Stéphane) .. AV 82
Marché (Pl. du) ... BX 84
Martyrs-de-la-R. (Pl.) ... AY 86
Mas-de-Cheylon (Ch. du) .... CZ 87
Mendès-France (Av. Pierre) .... DZ
Mistral (R. F.) .... AY
Molière (R.) ...... BV 88
Montcalm (Pl.) ... BX 89
Mont-Duplan (Av.) ... CV 90
Natoire (Bd) ..... CY
Notre-Dame (R.) CV
Notre-Dame-des-Enfants (⊞) ... DZ 93
Notre-Dame et St-Castor (⊞) BV K
Pasteur (R.) ...... AV 95
Péri (Pl. G.) .... BV 98
Périphérique-Ouest (Bd) .... CZ 100
Planas (R. du) .... BY
Pompidou (Av. G.) AX
Pont-des-Iles (Ch. du) .... DZ 103
Porte-Cancière (R. de la) ...... DZ 104
Porte-de-France (R. de la) ...... BX 105
Prés.-Allende (Bd du) .... DZ
Puech-du-Teil (R.) .... AY
Rangueil (R.) ..... BV
Reinach (R. S.) ... DZ 107
Revoil (R. H.) ..... AY
Roosevelt (Av. F.). AV 108
Rouget-de-Lisle (R.) .... AV
Roussy (R.) CX
Ruffi (R.) .... BY
St-Baudille (⊞) .. BV 112
St-Charles (⊞) .. BV 113
St-Dominique (⊞) .... DZ 114
Saintenac (Bd Étienne) ... BV 116
St-François-de-Sales (⊞) BY 117
St-Gilles (Rte de) ...... DZ
St-Gilles (R.) ..... BY
St-Joseph (⊞) ... CZ 119
St-Luc (⊞) ...... DZ 120
St-Paul (⊞) ..... BX 121
St-Pierre .... CZ 123
St-Vincent-de-Paul (⊞) ... DZ 124
Ste-Anne (R.) .... AX 125
Ste-Geneviève (R.) .... BY
Ste-Jeanne-d'Arc (⊞) ..... DZ 128
Ste-Madeleine-Ste-Rita (⊞) .. CZ 130
Ste-Perpétue (⊞) BX 132
Ste-Perpétue (R.) CX
Sauve (Rte de) ... CZ
Séguier (R.) CV
Sémard (R. Pierre) CV
Séverine (Pl.) .... AY 133
Seynes (R. A. de) . AY
Simon (R. A.) ..... BY 135
Sommières (Rte) CZ 136
Sully (R.) CV
Talabot (Bd) CX
Teissier (R. Gaston) .... BY
Temple-St-Césaire (R.) CZ 138
Tour-de-l'Évêque (R. de la) ...... BY 139
Tour-Magne (R.) . AV
Triaire (Bd Sergent) ... BY
Uzès (Rte d') ..... DZ 143
Valdegour (Ch.) .. CZ 144
Valmy (R. de) .... DZ 146
Verdun (Av. de) .. AY
Villars (R.) .... CV 149
Vincent (R.) ...... BV 150
11-Novembre (R.) BX 152

Imperator , pl. A.-Briand 66 21 90 30, Télex 490635, , « Jardin fleuri » – 60. AE E VISA. rest AV g
fermé 15 janv. au 15 fév. – SC : **R** *(fermé sam. midi)* 125/250 – 40 – **62 ch** 265/490 – P 555/650
Spéc. Pointes d'asperges et sorbet d'Argenteuil, Feuillantines de grenouilles, Feuilleraie de noix de St.-Jacques homardine. **Vins** Costières du Gard.

Mercure M, bd Périphérique Sud, échangeur A9 Nîmes Ouest 66 84 14 55, Télex 490746, , , , – – 120. AE E VISA CZ a
R carte environ 120 – 30 – **98 ch** 295/340.

Louvre, 2 square Couronne 66 67 22 75, Télex 480218 – . AE E VISA BX x
SC : **R** 55/160 – **Brasserie R** carte environ 135 – 22 – **35 ch** 110/210, 5 appartements 250 – P 215/250.

Novotel M, bd Périphérique Sud 66 84 60 20, Télex 480675, , , – – 25 à 250. AE E VISA CZ a
R snack carte environ 100 – 34 – **96 ch** 289/315.

Cheval Blanc sans rest., pl. Arènes 66 67 20 03, Télex 480856 – ch – 40. AE E VISA BX e
25 – **47 ch** 180/280.

Tuileries M sans rest, 22 r. Roussy 66 21 31 15 – wc . AE E VISA BX n
SC : 25 – **11 ch** 275/300.

Nimotel M, chemin de l'Hostellerie, bd périphérique Sud 66 38 13 84, Télex 490592, , – wc – 60. AE E VISA CZ r
SC : **R** 65/90 – 18 – **160 ch** 170/195.

Carrière, 6 r. Grizot 66 67 24 89, Télex 490580 – wc wc . AE VISA BV a
SC : **R** 45/82 – 17,50 – **55 ch** 130/230 – P 220/230.

Ibis M, chemin de l'Hôtellerie 66 38 00 65 – wc – 100. E VISA CZ s
SC : **R** carte environ 85 – 19,50 – **108 ch** 188/253.

Milan sans rest, 17 av. Feuchères 66 29 29 90 – wc wc . AE E VISA CX u
SC : 13 – **32 ch** 119/165.

Savoy sans rest, 31 r. Beaucaire 66 67 60 17 – wc wc CV v
fermé 21 déc. au 5 janv. – SC : 17,50 – **20 ch** 100/180.

Michel sans rest, 14 bd Amiral-Courbet 66 67 26 23 – wc wc . AE E VISA BV s
SC : 16,50 – **28 ch** 78/177.

Amphithéâtre sans rest, 4 r. Arènes 66 67 28 51 – wc wc . E VISA
fermé 20 déc. au 20 janv. – SC : 15 – **21 ch** 72/150. BX h

Menant sans rest, 22 bd Amiral-Courbet 66 67 22 85 – wc wc BV d
SC : 16,50 – **29 ch** 68/180.

Majestic sans rest, 10 r. Pradier 66 29 24 14 – wc CX z
SC : 13 – **27 ch** 70/140.

R. Le Lisita, 2 bd Arènes 66 67 29 15, – AE VISA BX h
fermé août et sam. – SC : **R** 76/115.

Au Chapon Fin, 3 r. Château-Fadaise 66 67 34 73 BX f
fermé mardi – SC : **R** 80/200.

par ④ et rte Caissargues : 6,5 km – **30230** Bouillargues :

Campanile , 66 84 27 05, Télex 480510, – rest wc – 25. VISA
SC : **R** 61 bc/82 bc – 23 – **50 ch** 194/215.

Rte de St Gilles, S : 2 km par rte de l'Aéroport – **30000** Nîmes :

Mas des Abeilles, 66 38 28 57 – . VISA DZ k
fermé 20 juil. au 20 août, 24 déc. au 2 janv., dim. soir et lundi – **R** 85/145.

route de l'aéroport de Garons par ⑤ : 8 km :

Les Aubuns M , 30132 Caissargues 66 70 10 44, Télex 490573, , , – – 50. E VISA
SC : **R** 88/250 – 30 – **30 ch** 270/294 – P 355/460.

Alexandre avec ch., 30128 Garons 66 70 08 99, ≤, « Parc » – wc . VISA.
fermé 6 au 30 oct., dim. soir, mardi midi et lundi. – SC : **R** 185/240 – 25 – **4 ch** 260.

MICHELIN, Agence, rte de St-Gilles, D 42 DZ 66 84 99 05

ALFA ROMEO Auto-Sport, 2210 rte Montpellier, ✆ 66 84 03 55
AUSTIN, ROVER, TRIUMPH Gar. du Midi, bd Périphérique Sud, Impasse du Doubs ✆ 66 84 07 98
BMW Méridional-Autos, av. Pavlov, Zone Ind. St-Césaire ✆ 66 62 10 90
BMW Gar. Provençal, 2532 rte Montpellier ✆ 66 84 78 11
CITROEN Succursale, 2290 rte Montpellier ✆ 66 84 60 05
FERRARI, FIAT Gar. Europe, 1976 av. du Mar. Juin ✆ 66 84 04 40
FORD Méditerranée-Autom., 655 av. du Mar. Juin ✆ 66 84 08 01
MERCEDES-BENZ SODIRA, 328 rte d'Avignon ✆ 66 26 04 99 N ✆ 66 26 06 24
PEUGEOT TALBOT Gds Gar. du Gard, 1667 av. du Mar.-Juin ✆ 66 84 60 08
RENAULT Succursale, 1412 av. du Mar. Juin ✆ 66 84 60 00
TOYOTA Veyrunes, 29 r. de Beaucaire ✆ 66 21 71 22
V.A.G. S.N.D.A., Périphérique Ouest ✆ 66 23 85 85
VOLVO Courbessac-Autos, 99 r. Favre-de-Thierrens ✆ 66 26 01 21

Comptoir du Pneu, 23 bis bd Sergent-Triaire ✆ 66 84 94 21
Escoffier-Pneus, 2 r. République ✆ 66 67 32 72 et bd Périphérique Sud ✆ 66 84 02 01
Nîmes-Pneus, 103 rte de Beaucaire ✆ 66 26 65 91
Pernia, 88 bd J.-Jaurès ✆ 66 64 08 26
Peysson, 11 r. République ✆ 66 67 34 49
Pneu-Service-Folcher, 55 bd Talabot ✆ 66 67 94 17 et 2722 rte Montpellier ✆ 66 84 85 40
Rigon-Pneus, Arche 18, bd Talabot ✆ 66 84 15 26
Sud-Pneus, 128 bd Sergent Triaire ✆ 66 84 70 94

NIORT P 79000 Deux Sèvres 71 ② G. Côte de l'Atlantique – 60 230 h. alt. 29.

Voir Donjon★ : ☀★ AY B – Ancien Hôtel de Ville★ BY M1.

Env. Château Coudray-Salbart★ 10 km par ①.

Office de Tourisme pl. Poste ✆ 49 24 18 79 - A.C. 1 av. République ✆ 49 24 90 80.

Paris 406 ② – Angers 153 ① – Angoulême 108 ③ – ♦Bordeaux 183 ⑤ – ♦Limoges 160 ③ – ♦Nantes 142 ⑦ – Poitiers 74 ② – Rochefort 61 ⑥ – La Rochelle 63 ⑥ – Les Sables-d'Olonne 110 ⑦.

Plan page suivante

Gd Hôtel sans rest, **32 av. Paris ✆ 49 24 22 21, Télex 791502**, – TV wc wc ☎. AE E VISA. BY **v**
SC : 22 – **40 ch** 190/390.

Paris sans rest, **12 av. Paris ✆ 49 24 93 78** – wc ☎ – 40 BY **n**
fermé 11 au 25 juil. et 20 déc. au 4 janv. – SC : 13,50 – **38 ch** 102/159.

Terminus et Rest. Poêle d'Or, 82 r. Gare ✆ **49 24 00 38** – TV wc wc. AE E VISA BZ **e**
fermé 20 déc. au 5 janv. et sam. du 1er oct. au 1er avril – SC : **R** *(fermé dim. soir et sam.)* 65/220 – 21 – **43 ch** 70/230 – P 260.

Avenue sans rest, **43 av. St-Jean-d'Angély ✆ 49 79 28 42** – wc P. AZ **t**
fermé dim. – SC : 13 – **20 ch** 76/121.

XXX **Relais St-Antoine,** pl. Brèche ✆ **49 24 02 76**, – AE E VISA BY **f**
fermé 5 au 25 juil., vacances de fév. et sam. – SC : **R** 72/280.

XX **Belle Étoile,** **115 quai M.-Métayer (près périphérique ouest)** - AY - **O : 2,5 km** ✆ **49 73 31 29**, ≤, – P. AE VISA
fermé 1er au 15 août, dim. soir et lundi – SC : **R** 70/170.

XX **Cloche d'Or,** 7 r. Brisson ✆ **49 24 01 32** – E VISA AY **x**
fermé 24 déc. au 1er janv. et dim. – SC : **R** 45/98.

XX **Charly's,** 5 av. Paris ✆ **49 24 07 75** – E VISA BY **r**
fermé dim. soir sauf fêtes – SC : **R** 45/195.

rte de La Rochelle par ⑥ : 4,5 km sur N 11 – ✉ **79000** Niort :

XXX **La Tuilerie,** ✆ 49 09 12 45, – P. AE E VISA
fermé dim. soir – SC : **R** 135/300.

à St-Rémy-les-Niort par ⑦ : 6 km sur N 148 – ✉ **79410** Echiré :

Relais du Poitou, ✆ **49 73 43 99** – wc ☎ P. E VISA. rest
fermé 24 déc. au 25 janv. – SC : **R** *(fermé lundi)* 62/135 – 15 – **22 ch** 100/144.

par ② et D 5 : 11 km – ✉ **79260** La Crèche :

Motel des Rocs M, ✆ **49 25 50 38, Télex 790632**, ≤, , parc, – TV ☎ P – 200. AE E VISA
SC : **R** 120/260 – 35 – **51 ch** 300 – P 360/505.

MICHELIN, Agence régionale, 600 av. de Paris par ② ✆ **49 33 00 42**

BMW Gar. Tapy, 45 rte Chauray ✆ 49 33 01 46
CITROEN Niort-Autom., 80 av. St-Jean-d'Angely ✆ 49 79 24 22 N ✆ 49 73 55 10
CITROEN Béchade, 233 av. de Paris par ② ✆ 49 24 09 51
CITROEN Gar. Couvret, 362 av. de Limoges par ③ ✆ 49 24 12 85
FIAT Gar. Thorin, 309 av. de Paris ✆ 49 33 00 55
FORD Genève Occasion, 119 av. Nantes ✆ 49 73 45 20 N ✆ 49 73 55 10
LADA-LANCIA Gar. Beauchamp, 465 av. de Limoges ✆ 49 24 25 05
MERCEDES-BENZ S.A.V.I.A., ZI de St. Liguaire ✆ 49 73 41 90
OPEL Hurtaud, rte de La Rochelle à Bessines ✆ 49 09 13 02

tourner →

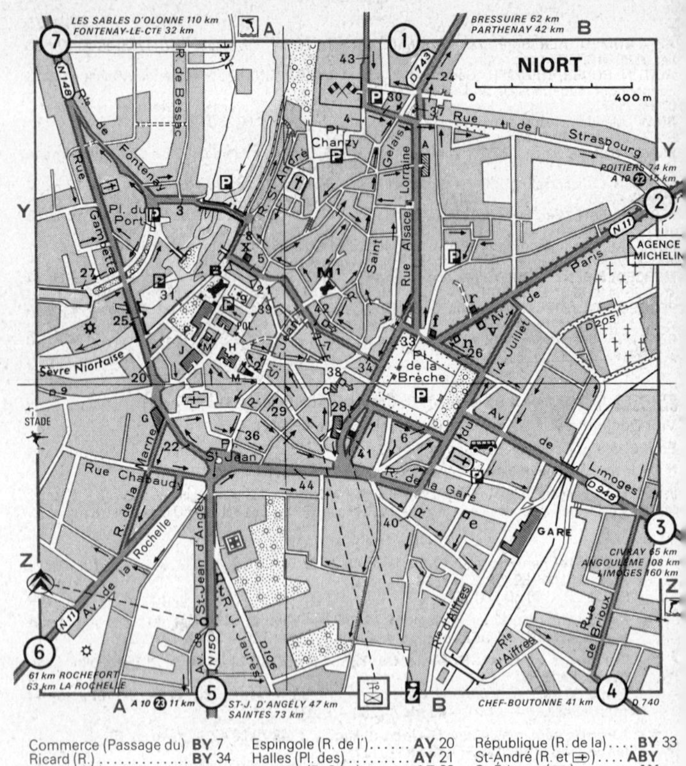

Commerce (Passage du) **BY** 7
Ricard (R.) **BY** 34
St-Jean (R.) **ABY**
Victor-Hugo (R.) **BY** 42

Anc.-Oratoire (R. de l') **AY** 2
Baugier (R.) **AY** 3
Bouteville (R. Th.-de) **BY** 4
Brisson (R.) **AY** 5
Bujault (Av. J.) **BZ** 6
Cronstadt (Quai) **AY** 8
Donjon (Pl. du) **AY** 9
Espingole (R. de l') **AY** 20
Halles (Pl. des) **AY** 21
Largeau (R. Gén.) **AZ** 22
Leclerc (R. Mar.) **BY** 24
Main (Ponts) **AY** 25
Martyrs-Résistance (Av.) **BY** 26
Métayer (Quai M.) **AY** 27
Notre-Dame (⊞) **AZ**
Pérrochon (R. Ernest) **BZ** 28
Petit-Banc (R. du) **ABZ** 29
Pluviault (R.) **BY** 30
Préfecture (Quai de la) **AY** 31
République (R. de la) **BY** 33
St-André (R. et ⊞) **ABY**
St-Étienne (⊞) **AY**
St-Hilaire (⊞) **BZ**
St-Jean (R. Porte) **AZ** 36
Strasbourg (Pl. de) **BY** 37
Temple (Pl. du) **BY** 38
Thiers (R.) **AY** 39
Trois Coigneaux (R. des) **BZ** 40
Verdun (Av. de) **BZ** 41
Vieux-Fourneau (R. du) **BY** 43
24-Février (R. du) **BZ** 44

PEUGEOT-TALBOT Sodan, 475 av. de Paris par ② ✆ 49 33 02 05
RENAULT Central Gar., 674 av. de Paris à Chauray par ② ✆ 49 33 02 25
RENAULT Gar. St-Christophe, 214 av. de Paris par ② ✆ 49 33 34 22
VOLVO Cachet-Giraud, 120 r. du Clou-Bouchet ✆ 49 79 04 34

Gar. Aumonier, à Aiffres ✆ 49 32 02 57

Chouteau, 36 av. de Paris ✆ 49 24 68 81
Pneumatec, 457 bis av. de Paris ✆ 49 33 12 08
Woodman-Pneus, 39 av. de Verdun, ✆ 49 28 14 22

NISSAN-LEZ-ENSÉRUNE 34440 Hérault 83 ⑭ G. Causses – 2 533 h. alt. 21.

Voir Oppidum d'Ensérune★ : musée★, ≤★ NO : 5 km.

Paris 833 – Béziers 11 – Capestang 10 – ♦Montpellier 78 – Narbonne 16 – St-Pons 50.

La Résidence, 35 av. Cave ✆ 67 37 00 63, , – wc . VISA. SC : **R** *(fermé dim. du 1er oct. au 31 mars)* (dîner pour résidents seul.) 60 bc – 17,50 – **19 ch** 132/170.

NOAILLES 60430 Oise 55 ⑩ – 1 766 h. alt. 91.

Paris 60 – Beauvais 15 – Chantilly 28 – Clermont 20 – Creil 28 – Gisors 39 – L'Isle-Adam 27.

XXX **Moulin de Blainville,** à Blainville N : 1 km ✆ 44 03 31 00, , – . AE VISA.
fermé 6 août au 4 sept., mardi et le soir sauf vend. et sam. – **SC : R** carte 110 à 190.

PEUGEOT-TALBOT Bochent, 20 r. de Calais ✆ 44 03 30 25

RENAULT Gar. de Blainville, à Ponchon ✆ 44 03 30 30

NOAILLY 42 Loire 73 ⑦ – 657 h. alt. 307 – ✉ **42640** St-Germain-Lespinasse.
Paris 383 – •Lyon 102 – Moulins 91 – •St-Étienne 94 – Roanne 17.

XX **Lion d'Or,** ✆ 77 66 60 13 – Ⓟ.
fermé août, vacances de fév., mardi et merc. – SC : **R** (prévenir) 107/275.

NOEUX-LES-MINES **62290** P.-de-C. 51 ⑭ – 13 168 h. alt. 31.
Paris 207 – Arras 26 – Béthune 6 – Bully-les-Mines 7,5 – Doullens 48 – Lens 17 – •Lille 37.

Les Tourterelles, 374 rte Nationale ✆ 21 66 90 75, – TV wc wc ☎ Ⓟ – 40. AE ⓓ E VISA
fermé sam. midi et dim. soir – SC : **R** 100/200 – 25 – **18 ch** 100/240 – P 250/400.

X **Paix,** 115 r. Nationale ✆ 21 26 37 66. E VISA
fermé 27 juil. au 27 août, dim. soir, soir de fêtes et sam. – SC : **R** 60/125 .

RENAULT Gar. de la Gohelle, 100 rte Nationale à Sains-en-Gohelle ✆ 21 29 00 30

NOGARO **32110** Gers 82 ② – 2 257 h. alt. 98.
Paris 732 – Agen 87 – Auch 62 – Mont-de-Marsan 42 – Pau 69 – Tarbes 66.

Dubroca, r. d'Artagnan ✆ 62 09 01 03, – . E VISA
fermé 12 déc. au 1er janv. et week-end hors sais. – SC : **R** 49/170 – 14,50 – **12 ch** 76/107 – P 168/200.

CITROEN Bounet Frères, ✆ 62 09 00 39
PEUGEOT-TALBOT Saint-Orens, ✆ 62 09 00 98
RENAULT Gar. Ducourneau, ✆ 62 09 00 80

NOGENT-EN-BASSIGNY **52800** H.-Marne 62 ⑫ – 5 009 h. alt. 400.
Paris 277 – Bourbonne-les-Bains 33 – Chaumont 23 – Langres 23 – Neufchâteau 52 – Vittel 62.

Commerce, pl. Gén.-de-Gaulle ✆ 25 31 81 14 – wc wc
fermé janv. – SC : **R** *(fermé dim. soir et lundi midi)* 45/90 – 14 – **20 ch** 70/124 – P 175/190.

PEUGEOT, TALBOT Ponce, ✆ 25 31 80 44

NOGENT-LE-ROI **28210** E.-et-L. 60 ⑧, 196 ㉖ **G. Environs de Paris** – 3 152 h. alt. 93.
Paris 77 – Ablis 33 – Chartres 29 – Dreux 17 – Maintenon 8 – Mantes-la-Jolie 49 – Rambouillet 26.

XX **Relais des Remparts,** 2 pl. Marché-aux-Légumes ✆ 37 51 40 47, – ⓓ VISA
fermé 15 au 31 août, vacances de fév., dim. soir en hiver, mardi soir et merc. – SC : **R** 63/155 .

à Coulombs par rte de Houdan – ✉ **28210** Nogent-le-Roi :

XX **Relais des Hussards** avec ch, ✆ 37 51 42 16, <, – wc wc Ⓟ – 25. AE ⓓ VISA
fermé 15 janv. au 15 fév., dim. soir et lundi du 1er nov. au 30 mars – SC : **R** 63/185 – 18 – **14 ch** 150/185 – P 220/250.

PEUGEOT Jeunesse, à Chaudon ✆ 37 51 41 47

NOGENT-LE-ROTROU **28400** E.-et-L. 60 ⑮ **G. Normandie** – 13 209 h. alt. 108.
Office de Tourisme 74 r. Gouverneur ✆ 37 52 07 25.
Paris 146 ① – Chartres 55 ① – Châteaudun 53 ③ – •Le Mans 66 ④ – Mortagne-au-Perche 38 ⑤.

Plan page suivante

Dauphin, 39 r. Villette-Gaté **(e)** ✆ 37 52 17 30 – wc wc Ⓟ. E VISA
1er mars-30 nov. et fermé dim. soir et lundi en mars et du 15 oct. au 30 nov. – SC : **R** 70/135 – 20 – **26 ch** 90/215.

Lion d'Or, 28 pl. St-Pol **(r)** ✆ 37 52 01 60 – wc wc Ⓟ – 30. VISA. ch
fermé 6 au 25 août, 24 déc. au 6 janv., dim. soir et lundi – SC : **R** 60/170 – 17 – **14 ch** 120/220.

XXX **Host. de la Papotière,** 3 r. Bourg le Comte **(a)** ✆ 37 52 18 41, – AE ⓓ E VISA
fermé dim. soir et lundi – **R** 70 bc/160.

à Villeray (61 Orne) par ① D 918 et D 10 : 11 km – ✉ **61110** Condeau :

XXX **Moulin de Villeray** M avec ch, ✆ 33 73 30 22, Télex 171779, <, , parc – wc ☎ Ⓟ. AE ⓓ E VISA
fermé 1er déc. au 1er fév., merc. midi et mardi – SC : **R** 200/300 – 35 – **10 ch** 540/640 – P 825/895.

CITROEN Répar. Autos Nogentaise, rte d'Alençon par ⑤ ✆ 37 52 47 48
FORD Gar. de l'Huisne, voie Sofica à Margon ✆ 37 52 05 97
PEUGEOT, TALBOT Thibault, 12 r. du Château ✆ 37 52 13 26
RENAULT N.A.S.A., rte de Paris par ① à Margon ✆ 37 52 58 70 N
RENAULT Auto du Perche, 22 r. du Rhône ✆ 37 52 18 91 N
V.A.G. Gar. Leroy, 4 bis r. Tochon ✆ 37 52 19 95

Breton-Pneus, av. de la Messesselle ✆ 37 52 06 37 et place du 11 août ✆ 37 52 05 65
Nogentaise C/c, 24 pl. 11-Août ✆ 37 52 13 19

NOGENT-LE-ROTROU

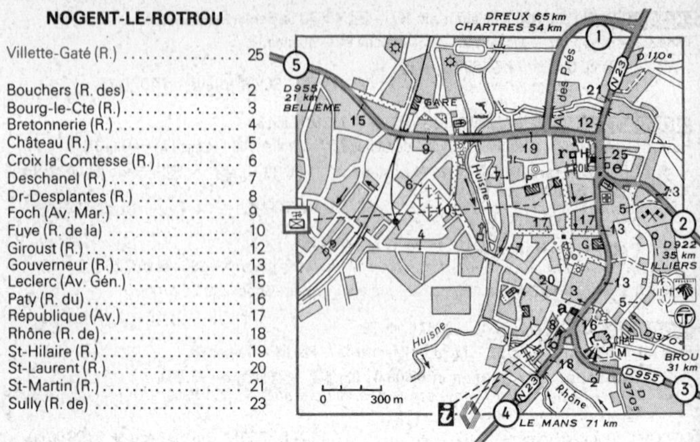

☛ *Les localités dont les noms sont soulignés de rouge sur les cartes Michelin à 1/200 000 sont citées dans ce guide. Utilisez une carte récente pour profiter de ce renseignement régulièrement mis à jour.*

NOGENT-SUR-AUBE 10 Aube 61 ⑦ – 324 h. – ✉ **10240** Ramerupt.

Paris 169 – Châlons-sur-Marne 61 – Romilly-sur-Seine 47 – Troyes 31.

✗ **Assiette Champenoise,** D 441 ☎ 25 37 66 74, « Jardin fleuri » – **P**. E VISA
fermé 28 juil. au 14 août, mardi soir et merc. – SC : **R** (dim. prévenir) 56/105.

NOGENT-SUR-MARNE 94 Val de Marne 56 ⑪, 101 ㉗ – voir Paris, Environs.

NOGENT-SUR-OISE 60 Oise 56 ① – rattaché à Creil.

NOGENT-SUR-SEINE **10400** Aube 61 ④⑤ **G. Champagne, Ardennes** – 5 103 h. alt. 65.

Paris 104 – Châlons-sur-M. 92 – Épernay 82 – Fontainebleau 66 – Provins 18 – Sens 42 – Troyes 56.

Loisirotel M, 19 r. Fossés ☎ 25 39 71 46, – cuisinette wc – 70. VISA
SC : **R** 65 bc/105 – 25 – **44 ch** 185/225.

✗ **Cygne de la Croix,** 22 r. Ponts ☎ 25 39 91 26 – **P**. VISA
fermé 28 juil. au 27 août, 23 déc. au 1er janv., lundi soir, merc. soir et mardi – SC : **R** 56 bc/116

✗ **Beau Rivage** avec ch, r. Villiers-aux-Choux près piscine ☎ 25 39 84 22, – VISA
fermé vend. soir, dim. soir et lundi – SC : **R** 55/150 – 12,50 – **7 ch** 81/125 – P 165/193.

à l'Est : 3 km par N 19 – ✉ **10400** Nogent-sur-Seine :

✗✗ **La Chapelle Godefroy,** ☎ 25 39 88 32, ≤, – **P**. VISA
fermé 1er au 24 août, 25 janv. au 7 fév. et le soir sauf sam. en sais. – SC : **R** 75 (sauf sam. soir)/150.

à Trainel : 10,5 km par D 374 et D 68 – ✉ **10400** Nogent-sur-Seine :

✗✗ **Host. de l'Orvin** avec ch, ☎ 25 39 11 13, – wc. E VISA
fermé fév., lundi (sauf hôtel) et dim. soir – SC : **R** 48/120 – 18 – **6 ch** 140/180 – P 240/360.

CITROEN Gar. Legrand, 48 bis av. Pasteur ☎ 25 39 87 09
PEUGEOT-TALBOT Gar. St-Laurent, 11 bis av. J.-C.-Perrier ☎ 25 39 83 17
RENAULT Gar. Corbin, 16-20 av. Gén.-de-Gaulle ☎ 25 25 84 39

NOGENT-SUR-VERNISSON 45290 Loiret 65 ② – 2 514 h. alt. 125.

Paris 131 – Auxerre 76 – Bonny-sur-Loire 36 – Gien 21 – Montargis 18 – ♦Orléans 72.

✗ **Commerce,** ☎ 38 97 60 37
fermé 25 août au 8 sept., vacances de fév., merc. soir et jeudi – SC : **R** 75/130.

Voir aussi ressources hôtelières des ***Bézards*** S : 5 km sur N 7.

NOIRÉTABLE 42440 Loire 73 ⑯ **G. Auvergne** – 1 998 h. alt. 722.
Syndicat d'Initiative à l'Hôtel de Ville ✆ 77 24 70 12.
Paris 412 – Ambert 55 – ♦Lyon 113 – Montbrison 44 – Roanne 47 – ♦St-Étienne 80 – Thiers 24.

La Chaumière, ✆ 77 24 73 00, parc – wc ⓟ. E VISA
15 mars-2 nov. – SC : **R** 52/170 – 18 – **28 ch** 97/215 – P 180/248.

à St-Julien-la-Vêtre E : 5,5 km sur N 89 – ✉ **42440** Noiretable :

Aquarium, ✆ 77 97 80 72 – ⓟ.

RENAULT Gar. Dejob, ✆ 77 24 70 31 N

NOIRMOUTIER (Ile de) 85330 Vendée 67 ① **G. Côte de l'Atlantique.**

Accès : par le pont routier au départ de Fromentine. Péage, auto et véhicule inférieur à 1,5 t : 8 F, camion et vehicule supérieur à 1,5 t : 10 F.

- par le passage du Gois : 4,5 km

- pendant le premier ou le dernier quartier de la lune par beau temps (vents hauts) d'une heure et demie environ avant la basse mer, à une heure et demie environ après la basse mer

- pendant la pleine lune ou la nouvelle lune par temps normal : deux heures avant la basse mer à deux heures après la basse mer.

- en toutes périodes par mauvais temps (vents bas) ne pas s'écarter de l'heure de la basse mer.

- en hiver : il est conseillé de se renseigner à la subdivision de l'Équipement ✆ 51 68 70 07 (Beauvoir-sur-Mer) ou ✆ 51 39 08 39.

De Noirmoutier-en-l'Ile : Paris 459 – Cholet 120 – ♦Nantes 82 – La Roche-sur-Yon 78.

Noirmoutier-en-l'Ile – 4 758 h. – ✉ **85330** Noirmoutier-en-l'Ile – Office de Tourisme rte du Pont ✆ 51 39 80 71 et quai J.-Bart (vacances scolaires) ✆ 51 39 12 42.

Général d'Elbée, pl. Château ✆ 51 39 10 29, « Bel hôtel particulier du 18e siècle », – 40 – **32 ch**.

Fleur de Sel M, ✆ 51 39 21 59, Télex 701229, ←, – TV wc ⓟ. E VISA. ch
fermé 25 nov. au 4 janv. – SC : **R** 100/145 – 25 – **23 ch** 220/275 – P 260/320.

La Quichenotte, 32 av. J.-Pineau ✆ 51 39 11 77, – wc wc ⓟ
fermé 12 oct. au 30 nov. – SC : **R** *(fermé lundi d'oct. à juin)* 51/126 – 16 – **29 ch** 105/168 – P 190/215.

Gd Four, 1 r. Cure (derrière le château) ✆ 51 39 12 24 – VISA.
fermé 6 au 31 janv., mardi soir hors sais. et merc. – SC : 119.

L'Etier, rte de l'Epine SO : 1 km ✆ 51 39 10 28, – ⓟ. AE
mai-sept., vacances de Pâques et week end en fév. et mars – SC : **R** 55/90.

au Bois de la Chaise E : 2 km – ✉ **85330** Noirmoutier – **Voir Bois★.**

St-Paul, ✆ 51 39 05 63, « Beau jardin », – E VISA. rest
30 mai-25 sept. – SC : **R** 100/155 – 35 – **46 ch** 150/350 – P 330/495.

Les Prateaux, ✆ 51 39 12 52, Télex 711933, – wc wc ⓟ.
15 mars-30 sept. – SC : **R** (sur commande seul.) – 30 – **13 ch** 170/290 – P 245/340.

Les Capucines (annexe M 11 ch wc), ✆ 51 39 06 82, – rest wc wc ⓟ – 30. ch
1er fév.-12 nov. et fermé merc. sauf sais. et vacances scolaires – SC : **R** 70/125 – 20 – **21 ch** 130/300, (en sais. pension seul.) – P 200/310.

L'Épine SO : 3,5 km – ✉ **85740** L'Épine :

Punta Lara M, S : 2 km par D 95 et VO ✆ 51 39 11 58, ←, « Dans une pinède en bordure de mer », – ⓟ – 100 – **60 ch**.

La Guérinière – ✉ **85680** La Guérinière :

La Volière M, sur D 948 ✆ 51 39 82 77, Télex 710111, – wc ⓟ – 150. AE VISA. rest
1er avril-15 nov. – SC : **R** 66/138 – 22 – **37 ch** 189/254.

NOISIEL 77 S.-et-M. 56 ⑫, 196 ㉑, 101 ⑲ – voir Paris, Environs.

NOISY-LE-GRAND 93 Seine-St-Denis 56 ⑪, 101 ⑱ – voir à Paris, Environs.

NOLAY 21340 Côte d'Or 69 ⑨ **G. Bourgogne** – 1 582 h. alt. 324 – **Voir site★** du Château de la Rochepot E : 5 km – **Site★** du Cirque du Bout-du-Monde NE : 5 km.
Syndicat d'Initiative, r. République (1er juil.-31 août) ✆ 80 21 70 86.
Paris 333 – Autun 28 – Beaune 20 – Chalon-sur-Saône 32 – ♦Dijon 64.

Chevreuil, pl. H.-de-Ville ✆ 80 21 71 89, – ⓟ. AE E VISA
fermé déc. et merc. hors sais. – SC : **R** 46/135 – 16 – **9 ch** 75/117 – P 195/210.

NONANCOURT 27320 Eure 60 ⑥⑦ G. Normandie – 1 803 h. alt. 125.

Paris 95 – Châteauneuf-en-Thymerais 26 – Dreux 13 – Evreux 29 – Verneuil-sur-Avre 21.

XX **Gd Cerf,** ✆ 32 58 15 27 – P. AE ① E VISA
fermé dim. soir et lundi – SC : **R** 62/125.

PEUGEOT-TALBOT Léger, ✆ 32 58 02 21

Les NONIÈRES 26 Drôme 77 ⑭ – alt. 850 – ✉ **26410** Châtillon-en-Diois.

Paris 634 – Die 25 – Gap 87 – ♦Grenoble 72 – Valence 90.

Le Mont-Barral ⛰, ✆ 75 21 12 21, ≤, 🏊, 🌳, 🎾 – ⇔wc ⋒ ☎ P – 🏠 50. E
fermé 15 nov. au 20 déc. et mardi – SC : **R** 46/120 – ☕ 18 – **24 ch** 95/140 – P 190/230.

NONTRON ⟨SP⟩ **24300** Dordogne 72 ⑮ G. Périgord – 3 954 h. alt. 182.

ℹ Syndicat d'Initiative Pavillon du Château (juil.-août).

Paris 486 – Angoulême 47 – Libourne 120 – ♦Limoges 69 – Périgueux 49 – Rochechouart 42.

Gd Hôtel, 3 pl. A.-Agard ✆ 53 56 11 22, 🌳 – |$| ⇔wc ⋒ ☎ P – 🏠 50. VISA. ✻
fermé 15 au 31 janv. et dim. soir de nov. à mars – SC : **R** 60/160 ♁ – ☕ 16,50 – **26 ch** 75/200 – P 170/230.

CITROEN Limousin, ✆ 53 56 01 42
FORD Marchives, ✆ 53 56 07 13
PEUGEOT Bayer, ✆ 53 56 00 21
RENAULT Chevalier, ✆ 53 56 01 03

NORT-SUR-ERDRE 44390 Loire-Atl. 63 ⑰ – 5 081 h. alt. 11.

Paris 357 – Ancenis 28 – Châteaubriant 38 – ♦ Nantes 29 – ♦ Rennes 82 – St-Nazaire 62.

X **Bretagne,** 41 r. A.-Briand ✆ 40 72 21 95 – P. VISA
fermé 1er au 7 oct., 1er au 15 mars, dim. soir et lundi – SC : **R** 40/120 ♁.

NORVILLE 76 S.-Mar. 55 ⑤ – rattaché à Lillebonne.

NOTRE-DAME-DE-BELLECOMBE 73850 Savoie 74 ⑦ G. Alpes – 424 h. alt. 1 134 – Sports d'hiver : 1 150/2 030 m ⛷15.

ℹ Office de Tourisme ✆ 79 31 61 40.

Paris 592 – Albertville 24 – Annecy 53 – Bonneville 48 – Chambéry 74 – Megève 11.

Bellevue, ✆ 79 31 60 56, ≤ – ⇔wc ⋒ ☎
15 juin-10 sept. et 18 déc.-15 avril – SC : **R** 60/80 – ☕ 20 – **22 ch** 150/204 – P 176/226.

NOTRE-DAME-DE-BONDEVILLE 76 S.-Mar. 55 ⑥ – rattaché à Rouen.

NOTRE-DAME-DE-GRÂCE 83 Var 84 ⑤ – rattaché à Cotignac.

NOTRE-DAME-DE-L'ESPÉRANCE 22 C.-du-Nord 59 ③ – rattaché à Etables-sur-Mer.

NOTRE-DAME-DE-MONTS 85690 Vendée 67 ⑪ – 1 325 h.

Paris 451 – Challans 23 – ♦Nantes 74 – Noirmoutier-en-l'Ile 25 – Pornic 46 – La Roche-sur-Yon 62.

Plage, ✆ 51 58 83 09, ≤ – ⇔wc ☎ P. AE ① E VISA
fermé 15 déc. au 1er fév., dim. soir et lundi sauf vacances scolaires – SC : **R** 69/140 – ☕ 18 – **39 ch** 91/210 – P 210/264.

XX **Pier'Plot,** rte St-Jean-de-Monts ✆ 51 58 86 48 – P. AE E VISA
fermé merc. du 15 sept. au 1er juin – SC : **R** 70/110.

X **Centre** avec ch, pl. Église ✆ 51 58 83 05 – ⋒wc. E VISA
1er mars-30 nov. – SC : **R** 43/130 ♁ – ☕ 14 – **17 ch** 102/150 – P 153/168.

NOUAN-LE-FUZELIER 41 L.-et-Ch. 64 ⑲ – 2 323 h. alt. 139 – ✉ **41600** Lamotte-Beuvron.

Paris 175 – Blois 58 – Cosne-sur-Loire 72 – Gien 55 – Lamotte-Beuvron 8 – ♦Orléans 44 – Salbris 12.

Charmilles ⛰ sans rest, D 122 ✆ 54 88 73 55, « Parc » – TV ⇔wc ⋒wc ☎ P. VISA. ✻
fermé 15 janv. au 15 mars et lundi en oct., nov., déc. – SC : ☕ 22 – **14 ch** 170/270.

Moulin de Villiers ⛰, rte Chaon NE : 3 km par D 44 ✆ 54 88 72 27, ≤, « En forêt, étang privé », 🌳 – ⇔wc ⋒ P. ✻
fermé 1er au 15 sept., 5 janv. au 20 mars, mardi et merc. en nov. et déc. – SC : **R** 65/135 ♁ – ☕ 17 – **20 ch** 92/195 – P 155/260.

XX **Le Dahu,** 14 r. de la Mare ✆ 54 88 72 88, 🌂, « Jardin » – P. AE E VISA
fermé 16 au 21 juin, 10 fév. au 20 mars, mardi soir et merc. sauf du 1er juil. au 10 sept. – SC : **R** 82/186 ♁.

XX **Le Raboliot,** av. Mairie ✆ 54 88 70 67 – 🏠 60 à 80. AE E VISA
fermé 1er au 20 sept., 13 janv. au 8 fév. et merc. – SC : **R** 57/120 ♁.

RENAULT Michel, ✆ 54 88 74 48

Le NOUVION-EN-THIÉRACHE 02170 Aisne 53 ⑮ – 3 146 h. alt. 185.

Syndicat d'Initiative à l'Hôtel de Ville ✆ 23 97 08 33.

Paris 200 – Avesnes-sur-Helpe 19 – Le Cateau 20 – Guise 21 – Hirson 25 – Laon 63 – Vervins 27.

Paix, r. J.-Vimont-Vicary ✆ **23 97 04 55,** – wc wc ☎ P. E VISA
fermé 27 juil. au 4 août, 21 déc. au 5 janv. et dim. soir – **R** 56/92 – 17,50 – **25 ch** 77/184 – P 190.

Pétion, r. Th.-Blot ✆ **23 97 00 11** – wc wc . ch
fermé 15 janv. au 15 fév. et vend. – SC : **R** 60/110 – 17 – **11 ch** 130/170 – P 180/220.

PEUGEOT Gar. Hannecart, ✆ 23 97 01 05

NOUZERINES 23 Creuse 68 ⑳ – rattaché à Boussac.

NOUZONVILLE 08700 Ardennes 53 ⑱ **G. Nord de la France** – 7 337 h. alt. 142.

Paris 233 – Charleville-Mézières 7,5 – Givet 51 – Rocroi 28.

La Potinière, N : 1 km rte de Joigny-sur-Meuse ✆ **24 53 13 88,** , – P
fermé 2 au 22 sept., 6 au 23 janv., dim. soir et lundi sauf fêtes – **R** 73/125.

CITROEN Gar. Brunet, 14 bd J.-B.-Clément ✆ 24 53 82 08

NOVALAISE 73 Savoie 74 ⑮ – rattaché à Aiguebelette-le-Lac.

NOVES 13550 B.-du-R. 81 ⑫ **G. Provence** – 3 693 h. alt. 43 – Par A 7 : sortie Avignon Sud.

Syndicat d'Initiative à la Mairie ✆ 90 94 14 01.

Paris 691 – Arles 36 – Avignon 13 – Carpentras 29 – Cavaillon 16 – ♦Marseille 91 – Orange 36.

✿ **Aub. de Noves** , NO : 2 km par D 28 ✆ **90 94 19 21, Télex 431312,** , **« Elégante hostellerie aménagée dans un ancien domaine, belle vue »,** , , – ☎ P – 40. AE E VISA
fermé janv. et fév. – **R** *(fermé merc. midi)* 290/320 – 45 – **20 ch** 350/880
Spéc. Huîtres gratinées au Chateauneuf du Pape, Salmis de pigeon, Gratin de fraises des bois. **Vins** Lirac, Chateauneuf du Pape.

NOYAL-SUR-VILAINE 35 I.-et-V. 59 ⑰ – rattaché à Rennes.

NOYON 60400 Oise 56 ③ **G. Flandres, Artois, Picardie** – 14 153 h. alt. 52.

Voir Cathédrale★★ B – **Abbaye d'Ourscamps**★ **5 km par** ④.

Office de Tourisme pl. Hôtel de Ville ✆ 44 44 21 88.

Paris 106 ④ – ♦Amiens 64 ⑥ – Laon 53 ② – Péronne 44 ① – St-Quentin 40 ① – Soissons 37 ③.

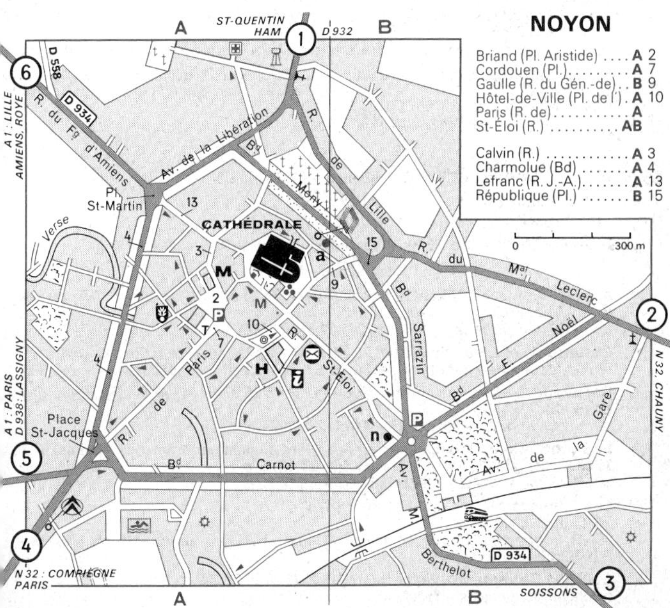

St-Éloi, 81 bd Carnot ✆ 44 44 01 49, Télex 145768 – wc ☎ Ⓟ – 60
31 ch. B **n**

Alliés, 5 bd Mony ✆ 44 44 01 89 A **a**
fermé 3 au 18 sept., 7 au 22 fév., mardi soir et merc. – SC : **R** 39/76 ♁.

à Pont-l'Évêque par ④ : 2,5 km – ✉ **60400** Noyon :

L'Auberge, ✆ 44 44 05 17 – VISA
fermé 14 au 31 juil., 15 au 28 fév., dim. soir et lundi – SC : **R** 76/95.

CITROEN Wargnier, 15 av. Jean-Jaurès ✆ 44 44 05 40
PEUGEOT-TALBOT Gd Gar. de l'Avenue 69 av. J.-Jaurès par ④ ✆ 44 44 10 19
RENAULT Lebaleur, 11 bd Mony ✆ 44 44 14 75
V.A.G. Ets Thiry, 82 bd Carnot ✆ 44 44 02 78
Fischbach-Pneu, 14 pl. de la République ✆ 44 44 01 59

NOZAY 44170 Loire-Atl. 63 ⑰ – 3 189 h. alt. 50.
Paris 381 – Ancenis 45 – Châteaubriant 28 – •Nantes 42 – Redon 40 – •Rennes 66 – St-Nazaire 59.

Gergaud avec ch, rte Nantes ✆ 40 79 47 54, – Ⓟ. ch
fermé 30 juin au 14 juil., fév., dim. soir et lundi – SC : **R** 45/110 ♁ – 15 – **9 ch** 65/110.

NUAILLÉ 49 M.-et-L. 67 ⑥ – rattaché à Cholet.

NUCES 12 Aveyron 80 ② – rattaché à Valady.

NUITS-ST-GEORGES 21700 Côte-d'Or 66 ⑫ G. Bourgogne – 5 461 h. alt. 234.
Syndicat d'Initiative r. Sonays ✆ 80 61 22 47.
Paris 322 – Beaune 17 – Chalon-sur-Saône 45 – •Dijon 22 – Dole 51.

Host. Gentilhommière , rte de Meuilley O : 1,5 km ✆ 80 61 12 06, Télex 350401 – wc Ⓟ. AE E
fermé 1er au 20 janv. (hôtel seul.) – SC : **R** *(fermé lundi)* 99/175 bc – 26 – **20 ch** 200/215.

Ibis M, av. Chambolland ✆ 80 61 17 17, Télex 350954, – wc ☎ ♿ Ⓟ – 50 à 60. E VISA
SC : **R** *(fermé sam. midi)* carte environ 85 ♁ – 20 – **52 ch** 182/210.

✿✿ **Côte d'Or (Crotet)** M avec ch, 1 r. Thurot ✆ 80 61 06 10 – TV wc ☎. ch
fermé 1er au 23 juil., 2 au 20 janv., dim. soir et merc. – SC : **R** 120/350 et carte – 35 – **7 ch** 250/400
Spéc. Escargots en cocotte, Gratin d'écrevisses (saison), Oeufs en meurette. **Vins** Nuits-St-Georges.

CITROEN Gar. Blondeau, ✆ 80 61 02 40 N ✆ 80 61 05 71
MERCEDES-BENZ Gar. Aubin, ✆ 80 61 03 85
PEUGEOT-TALBOT Gar. des Gds Crus, ✆ 80 61 02 23 N
RENAULT Gar. Montelle, ✆ 80 61 06 31
RENAULT Gar. des Guindennes, ✆ 80 61 10 43

NYONS 26110 Drôme 81 ③ G. Provence – 6 293 h. alt. 270.
Voir Rue des Grands Forts★ – Vieux pont★.
Office de Tourisme pl. Libération ✆ 75 26 10 35.
Paris 655 ④ – Alès 106 ③ – Gap 106 ① – Orange 42 ③ – Sisteron 98 ① – Valence 95 ④.

Plan page ci-contre

Alizés M sans rest, 77 av. H. Rochier **(e)** ✆ 75 26 08 11 – wc wc Ⓟ
fermé 25 déc. au 1er fév. – SC : 22 – **22 ch** 160/275.

Colombet, pl. Libération **(a)** ✆ 75 26 03 66 – rest wc wc ☎
fermé début nov. à début janv. – SC : **R** 70/154 – 26 – **30 ch** 98/240 – P 248/336.

Caravelle sans rest, prom. Digue **(s)** ✆ 75 26 07 44, ≤, – TV wc wc Ⓟ.
fermé oct. et merc. – SC : 27 – **11 ch** 223/292.

La Picholine , Prom. de la Perrière (Nord du plan par prom. des Anglais) ✆ 75 26 06 21, ≤, , , – wc Ⓟ. AE E VISA
SC : **R** 90/140 – 22 – **16 ch** 165/290 – P 272/320.

Les Oliviers avec ch, 2 r. Escoffier **(n)** ✆ 75 26 11 44, , – wc Ⓟ. AE E VISA. ch
SC : **R** *(fermé dim. soir du 1er nov. au 30 mars)* 59/149 – 20 – **10 ch** 118/148 – P 190/250.

Le Petit Caveau, 9 r. Victor Hugo **(u)** ✆ 75 26 20 21.
fermé lundi hors sais – **R** 72/240.

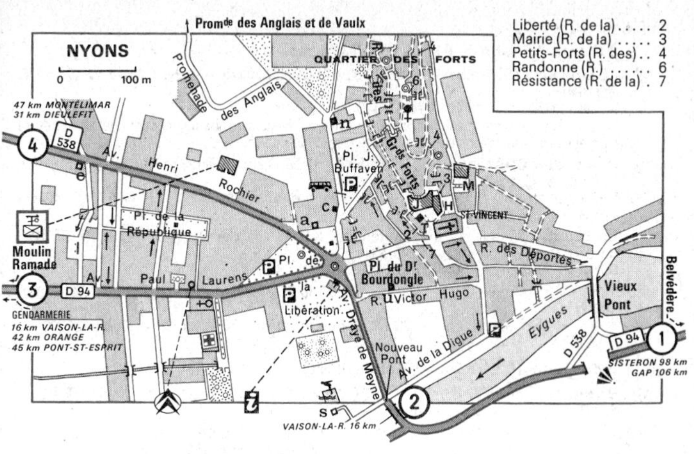

à Aubres par ① : 4 km – ✉ **26110** Nyons :

Aub. du Vieux Village 🐎, ☎ 75 26 12 89, ≤ vallée, 🌳, ⛱, 🌳 – TV ⇔wc ⫽wc ☎ ♿ 🅟 – 🔑 30. AE ⓓ E VISA
SC : **R** *(fermé merc. midi)* (salle à manger réservée aux non fumeurs) 80/190 – ☕ 35 – **14 ch** 222/450 – P 344/500.

CITROEN Monod, ☎ 75 26 12 11 N

PEUGEOT-TALBOT Gar. Hernandez, par ③ ☎ 75 26 00 33

OBENHEIM 67 B.-Rhin 62 ⑩ – 1 130 h. – ✉ **67230** Benfeld.
Paris 507 – Molsheim 32 – Obernai 21 – Sélestat 27 – •Strasbourg 27.

XX **Relais de la Ferme** avec ch, 19 rte de Colmar ☎ 88 98 34 70, 🌳, 🌳 – ⫽wc 🅟. AE ⓓ E VISA
fermé 29 juil. au 12 août, vacances de fév., lundi du 1er oct. au 30 avril et mardi. – SC : **R** 100/160 🍷 – ☕ 11 – **8 ch** 100/140.

RENAULT Gar. Lauffenburger, ☎ 88 98 30 28

OBERHASLACH 67 B.-Rhin 62 ⑨ **G. Alsace et Lorraine** – 1 145 h. alt. 250 – ✉ **67190** Mutzig.
Paris 478 – Molsheim 18 – Saverne 31 – St-Dié 55 – •Strasbourg 40.

Ruines du Nideck, ☎ 88 50 90 14, 🌳 – TV ⇔wc ⫽wc ☎ 🅟. ⓓ E VISA
fermé 12 nov. au 7 déc., 1er au 15 mars, mardi soir et merc. (sauf hôtel) du 1er avril au 30 sept. – SC : **R** 50/180 🍷 – ☕ 15 – **15 ch** 60/190 – P 139/210.

OBERNAI 67210 B.-Rhin 62 ⑨ **G. Alsace et Lorraine** (plan) – 9 444 h. alt. 181.
Voir Place du Marché★★ – Hôtel de ville★ – Tour de la Chapelle★ – Ancienne halle aux blés★ – Maisons anciennes★ – Place★ de Boersch NO : 4 km.
ℹ Office de Tourisme Chapelle du Beffroi ☎ 88 95 64 13.
Paris 486 – Colmar 45 – Erstein 16 – Molsheim 10 – Sélestat 23 – •Strasbourg 30.

Parc 🐎, 169 r. Gén.-Gouraud ☎ 88 95 50 08, Télex 870615, « Cadre alsacien », 🌳 – |⇕| ▤ rest TV ☎ 🅟 – 🔑 80. VISA
fermé 23 juin au 7 juil. et déc. – SC : **R** *(fermé dim. soir et lundi)* 200/220 – ☕ 25 – **45 ch** 210/300 – P 245/315.

Diligence, Résidence Exquisit et Bel Air, 23 pl. Mairie ☎ 88 95 55 69, Télex 880133 – |⇕| ⇔wc ⫽wc ☎. AE E VISA
fermé 20 nov. au 15 déc. – SC : **R** 72/230 🍷 – ☕ 22 – **46 ch** 156/250, 4 appartements 350.

Gd Hôtel, r. Dietrich ☎ 88 95 51 28 – |⇕| TV ⇔wc ☎ – 🔑 50. AE ⓓ E VISA. 🐕
fermé 1er au 7 juil. et 3 au 24 fév. – SC : **R** *(fermé dim. soir et lundi)* 85/150 – ☕ 22 – **24 ch** 185/205 – P 280/300.

Vosges, 5 pl. Gare ☎ 88 95 53 78 – TV ⇔wc ☎. E VISA
SC : **R** *(fermé 13 janv. au 3 fév., 16 au 30 juin, dim. soir du 1er nov. au 30 juin et lundi)* 54/171 🍷 – ☕ 14,50 – **15 ch** 145/165.

Host. Duc d'Alsace, 6 r. de la Gare ☎ 88 95 55 34 – ⇔wc ⫽wc ☎ – 🔑 25. AE ⓓ VISA. 🐕 rest
SC : **R** *(fermé lundi soir)* (dîner seul.) 83/116 🍷 – ☕ 17 – **17 ch** 86/215.

XX **A l'Étoile,** 6 pl. Étoile ☎ 88 95 50 57 – E VISA. 🐕
fermé 1er au 15 déc., fin fév. au 10 mars, mardi midi et lundi du 1er nov. au 1er avril – SC : **R** carte 115 à 175 🍷.

à Ottrott-le-Haut O : 4 km – ✉ 67530 Ottrott :

Beau Site (Schreiber), ✆ 88 95 80 61, Télex 870445 – wc wc ☎ P. AE E VISA. ✻
SC : **R** 150/270 – 20 – **14 ch** 120/245
Spéc. Salade de pigeonneau au vinaigre d'estragon, Filets de truite à la choucroute, Noisettes de chevreuil aux airelles. **Vins** Rouge d'Ottrott, Klevner de Heiligenstein.

Host. des Châteaux M, ✆ 88 95 81 54, Télex 870439 – ch TV wc wc ☎ & P – 30. AE E VISA
fermé 15 janv. au 15 fév. – SC : **R** *(fermé mardi hors sais.)* 77/220 – 17,50 – **35 ch** 177/370 – P 250/300.

Le Moulin M, rte de Klingenthal, NO : 1 km par D 426 ✆ 88 95 87 33, parc – wc ☎ & P. AE E VISA
SC : **R** 80/160 – 20 – **21 ch** 160/230.

Ami Fritz (annexe M <), ✆ 88 95 87 39 – wc wc ☎. E VISA. ✻ ch
fermé 15 déc. au 15 janv. – SC : **R** *(fermé merc.)* 60/150 – 15 – **17 ch** 139/208 – P 193/215.

à Klingenthal, O : 6 km – ✉ 67530 Ottrott :

Vosges, ✆ 88 95 82 86, – TV wc wc ☎ P – 30 à 100. AE VISA
SC : **R** 67/175 – 21 – **51 ch** 215 – P 275.

CITROEN Dagorn, 24 A r. Gén.-Gouraud ✆ 88 95 52 78
FIAT-MAZDA Gar. Gruss, 202a r. Gén.-Gouraud ✆ 88 95 58 48
FORD Gar. Relais des Vosges à Ottrott ✆ 88 95 81 50 N
PEUGEOT, TALBOT Gillmann-Auto, 10 r. Gén.-Gouraud ✆ 88 95 52 56
RENAULT Boudière, 40 r. de Sélestat ✆ 88 95 52 48
RENAULT Haus, r. Gén.-Leclerc ✆ 88 95 53 72 N ✆ 88 50 25 46

OBERSTEIGEN 67 B.-Rhin 62 ⑧ G. Alsace et Lorraine – alt. 500 – ✉ 67710 Wangenbourg.
Voir Vallée de la Mossig* E : 2 km.
Paris 463 – Molsheim 26 – Sarrebourg 32 – Saverne 16 – ♦Strasbourg 38 – Wasselonne 13.

Host. Belle Vue, ✆ 88 87 32 39, <, – ☎ P – 60. AE E VISA. ✻ rest
fermé 10 janv. au 20 fév. – SC : **R** *(fermé lundi en hiver)* 56/180 – 19 – **40 ch** 185/310 – P 187/237.

Au Goldbrunnen, ✆ 88 87 31 01, <, – wc wc ☎ P – 30. VISA
fermé janv. et merc. hors sais. – SC : **R** 45/125 – 14 – **25 ch** 65/120 – P 153/185.

OBERSTEINBACH 67 B.-Rhin 57 ⑱⑲ G. Alsace et Lorraine – 197 h. alt. 239 – ✉ 67510 Lembach.
Paris 451 – Bitche 22 – Haguenau 34 – ♦Strasbourg 66 – Wissembourg 25.

XXX **Anthon** avec ch, ✆ 88 09 25 01, <, – wc P – 30. E
fermé 1er janv. au 1er fév., lundi et mardi – SC : **R** 150/250 – 17 – **7 ch** 145/165
Spéc. Foie gras frais de canard, Filets de sole aux nouilles fraîches, Noisette de chevreuil Grand Veneur. **Vins** Edelzwicker, Pinot gris.

OBJAT 19130 Corrèze 75 ⑧ – 3 295 h. alt. 126.
Paris 478 – Arnac-Pompadour 23 – Brive-la-Gaillarde 19 – ♦Limoges 82 – Tulle 48 – Uzerche 30.

France, 12 av. G.-Clemenceau ✆ 55 25 80 38 – wc ☎ P. VISA
fermé 20 sept. au 5 oct., 20 déc. au 2 janv. et dim. du 15 sept. au 1er juil. – SC : **R** 50/150 – 20 – **15 ch** 75/140 – P 160/180.

XX **Pré Fleuri** (Chouzenoux) avec ch, rte Pompadour ✆ 55 25 83 92, – AE VISA
fermé 10 au 25 janv. et lundi hors sais. – SC : **R** 90/220 – 20 – **7 ch** 115 – P 260/280
Spéc. Omelette fourrée au foie gras, Les trois viandes aux deux sauces, Gratin de fruits à la mousseline d'oranges. **Vins** Cahors, Bergerac.

X **Chez Tony,** pl. Gare ✆ 55 25 02 23 – P. ✻
fermé oct. et lundi – SC : **R** 60/170.

à St-Aulaire par rte des 4 chemins : 3 km – ✉ 19130 Objat :

Bellevue, ✆ 55 25 81 39, <, – ☎ P. VISA. ✻ ch
fermé oct. – SC : **R** *(fermé sam. hors sais.)* 45/120 – 15 – **10 ch** 80/130 – P 140/150.

CITROEN Gar. Vigerie, ✆ 55 25 80 03 N
PEUGEOT-TALBOT Gar. Goubeau, ✆ 55 25 83 56 N
PEUGEOT-TALBOT Gar. Moderne, ✆ 55 25 00 56 N
RENAULT Latournerie, ✆ 55 25 81 73 N

OCHIAZ 01 Ain 74 ⑤ – rattaché à Bellegarde-sur-Valserine.

OCTEVILLE 76 S.-Mar. 55 ③ – rattaché au Havre.

ODEILLO 66 Pyr.-Or. 86 ⑯ – rattaché à Font-Romeu.

OFFENDORF 67 B.-Rhin 57 ⑲ – 1 739 h. alt. 127 – ✉ **67850** Herrlisheim.

Paris 497 – Haguenau 19 – Karlsruhe 65 – Saverne 56 – ♦Strasbourg 21.

XX **A la Forêt du Rhin,** 2 r. Principale ✆ 88 96 49 53 – Ⓟ. AE ⓓ E
fermé 7 au 31 juil., 29 déc. au 8 janv., lundi soir et merc. – SC : **R** 85/145 ♂.

OGNES 02 Aisne 56 ③ – rattaché à Chauny.

OIRON 79 Deux-Sèvres 68 ② **G. Côte de l'Atlantique** – 800 h. alt. 85 – ✉ **79100** Thouars.

Voir Château★ : galerie★★ – Collégiale★.

Paris 327 – Loudun 15 – Parthenay 41 – Poitiers 57 – Thouars 13.

XX **Relais du Château** avec ch, ✆ 49 96 51 14 – Ⓟ. E VISA
fermé 25 août au 9 sept., vacances de fév., dim. soir et lundi – SC : **R** 40/130 ♂ – ☕ 9,50 – **7 ch** 60/74 – P 120/125.

OLARGUES 34390 Hérault 83 ③ **G. Causses** – 529 h. alt. 183.

ℹ Office de Tourisme r. de la Place (juil.-août) ✆ 67 97 71 26.

Paris 861 – Béziers 50 – Lodève 55 – ♦Montpellier 97 – St-Affrique 96 – St-Pons 18.

Domaine de Rieumégé ⛰, rte St-Pons ✆ 67 97 73 99, ≤, ⛱, 🌳, 🎾 – ⛀wc ⛆wc Ⓟ
17 mai-30 sept. – SC : **R** *(fermé dim. soir et merc. soir)* (en sem. dîner seul.) 115/138 – ☕ 32 – **12 ch** 188/258.

Laissac ⛰, av. Gare ✆ 67 97 70 89 – 🚗. 🚫
hôtel : ouvert 1er avril-30 sept. ; rest. : fermé oct. – SC : **R** 50 bc/90 – ☕ 13,50 – **14 ch** 75/95 – P 155/190.

OLBREUSE 79 Deux-Sèvres 72 ① – alt. 39 – ✉ **79210** Mauzé-sur-le-Mignon.

Paris 425 – Niort 21 – La Rochelle 46 – St-Jean-d'Angély 32 – Surgères 17.

Château ⛰, ✆ 49 04 85 74, parc – ⛀wc ⛆wc ☎ ♿ Ⓟ – 🎪 90. AE E VISA
fermé 15 au 30 oct., fév. et lundi hors sais. – SC : **R** 45/180 – ☕ 25 – **11 ch** 207/265.

OLEMPS 12 Aveyron 80 ② – rattaché à Rodez.

OLÉRON (Ile d') ★ 17 Char.-Mar. 71 ⑬⑭ **G. Côte de l'Atlantique.**

Accès par le pont viaduc★. Péage, en 1985 : auto 46 F AR (conducteur et passagers compris), moto 6 F, camions 43 à 145 F.

Du pont : Paris 502 – Marennes 9,5 – Rochefort 31 – La Rochelle 61 – Royan 40 – Saintes 49.

Boyardville – ✉ **17190** St-Georges-d'Oléron.

Pont d'Oléron 15.

XX **Bains** avec ch, ✆ 46 47 01 02, ≤, 🌳 – ⛆wc. AE ⓓ E VISA
18 mai-15 sept. – SC : **R** 67/246 ♂ – ☕ 20 – **10 ch** 108/162 – P 191/235.

CITROEN Brancq, ✆ 46 47 01 61

Le Château-d'Oléron – 3 411 h. – ✉ **17480** Le Château-d'Oléron.

ℹ Office de Tourisme pl. République ✆ 46 47 60 51.

Pont d'Oléron 3.

France, ✆ 46 47 60 07 – ⛀wc ⛆wc. 🚫 ch
fermé 3 au 20 juin, 15 déc. au 1er fév., sam. midi et vend. du 15 sept. au 1er juil. – SC : **R** 43/125 – ☕ 17 – **11 ch** 78/155 – P 150/225.

Le Mail sans rest, bd Thiers ✆ 46 47 61 40 – ⛆wc. VISA
1er fév.-31 oct. et fermé mardi de fév. au 30 mai – SC : ☕ 16.50 – **15 ch** 83/110.

RENAULT Gar. SESOA, ✆ 46 47 67 22 N

La Cotinière – ✉ **17310** St-Pierre-d'Oléron.

Pont d'Oléron 16.

Motel Ile de Lumière M ⛰ sans rest, ✆ 46 47 10 80, ≤, ⛱, 🌳, 🎾 – ⛀wc ⛆wc ☎ Ⓟ
avril-fin sept. – SC : **45 ch** ☕ 260/380.

Face aux Flots, ✆ 46 47 10 05, ≤ – ⛀wc ⛆wc ☎. VISA
fév.-nov. – SC : **R** *(fermé dim. soir et lundi)* 86/148 – ☕ 19 – **20 ch** 91/221 – P 182/286.

XX **Le Vivier** avec ch, 65 r. Port ✆ 46 47 10 31, ≤ – TV ⛀wc ☎. VISA. 🚫 rest
fermé 4 nov. au 1er fév., dim. soir et lundi – SC : **R** 100/220 – ☕ 19 – **8 ch** 330/390 – P 760/828 (pour 2 pers.).

La Remigeasse – ✉ **17550** Dolus.
Pont d'Oléron 10.

Gd Large et rest. Amiral Ⓜ, à la Plage ☎ **46 75 37 89, Télex 790395,** ←, parc, ☐, ✂ – TV ☎ Ⓟ
fin mars-mi oct. – SC : **R** 170/260 – ☐ 45 – **23 ch** 480/1 130, 4 appartements 1 400 (en sais. pens. seul.) – P 630/955
Spéc. Pain de bolets et girolles à la nage de lavagnons, Bavarois de ris de veau à la chair de homard, Bar à la crème de fines claires.

St-Georges-d'Oléron – 2 935 h. – ✉ **17190** St-Georges-d'Oléron.
Pont d'Oléron 20.

XXX **Trois Chapons** (Rolland), ☎ **46 76 51 51** – Ⓟ. E VISA
fermé 15 déc. au 15 janv., lundi soir et mardi sauf juil.-août et vacances scolaires – SC : **R** 98/270
Spéc. Mouclade oléronaise, Filet de bar sauce caviar, Tourte de pommes à l'antillaise.

St-Pierre-d'Oléron – 4 782 h. – ✉ **17310** St-Pierre-d'Oléron – **Voir** Église ✱★.
Office de Tourisme pl. Gambetta (fermé oct. et matin hors saison) ☎ 46 47 11 39.
Pont d'Oléron 14.

Square, ☎ **46 47 00 35,** – wc wc ☎ – 30
15 mars-30 nov. – SC : **R** 90/120 – ☐ 28 – **33 ch** 200/250 – P 300/330.

FORD Gar. Pinaud, RN à St-Pierre-d'Oléron ☎ 46 47 00 33
PEUGEOT, TALBOT Belluteau, pl. Gambetta ☎ 46 47 02 26 N
V.A.G. Pacreau, Zone Ind. rte St Georges ☎ 46 47 13 21

St-Trojan-les-Bains – 1 470 h. – ✉ **17370** St-Trojan-les-Bains.
Office de Tourisme carrefour du Port ☎ 46 76 00 86.
Pont d'Oléron 8.

Novotel Ⓜ, Plage de Gatseau S : 2,5 km ☎ **46 76 02 46, Télex 790910,** ←, **« En forêt près de la mer »,** ☐, ✂ – TV ☎ Ⓟ – 30 à 150. AE E VISA
R carte environ 100 – ☐ 34 – **80 ch** 395/420 – P 687/955.

Les Cleunes Ⓜ sans rest, ☎ **46 76 03 08,** ←, ✂ – wc wc ☎ Ⓟ. E VISA.
15 mars-5 nov. – SC : ☐ 25 – **49 ch** 300.

La Forêt, 16 bd P. Wiehn ☎ **46 76 00 15,** – wc wc ☎ Ⓟ. rest
Pâques-mi-oct. et 21 déc. au 6 janv. – SC : **R** 62/110 – ☐ 21 – **43 ch** 191/215 – P 228/250.

L'Albatros, ☎ **46 76 00 08,** ←, – wc ☎ Ⓟ. rest
23 mars-15 oct., vacances de nov. et vacances de fév. – SC : **R** 59/119 – ☐ 23 – **13 ch** 168/210 – P 254/275.

X **La Marée,** au port ☎ **46 76 04 96,** , **produits de la mer** – E VISA
15 mars-5 nov. et fermé lundi sauf le soir en juil.-août – SC : **R** 80/100.

RENAULT Testard, ☎ 46 76 01 07

Vert-Bois (Plage du) – ✉ **17550** Dolus – **Voir** ←★.
Pont d'Oléron 5,5.

Pins du Vert-Bois, ☎ **46 75 34 98,** , **« Parc fleuri »,** ✂ – Ⓟ – 40. AE VISA. rest
31 mai-21 sept. – SC : **R** carte environ 240 – **Rôt. Alienor** *(dîner seul.)* **R** carte environ 110 – ☐ 42 – **21 ch** – $1/2$ p 360/580.

OLETTE 66360 Pyr.-Or. 86 ⑰ – 532 h. alt. 627.
Paris 969 – Mont-Louis 20 – ♦Perpignan 59 – Prades 16.

XX **La Fontaine** avec ch, ☎ **68 97 03 67,** – ☎ Ⓟ. E VISA
fermé 5 au 31 janv. et merc. – SC : **R** 75/200 – ☐ 14 – **8 ch** 61/180.

OLIVET 45160 Loiret 64 ⑨ **G. Châteaux de la Loire** – 14 489 h. alt. 105.
Office de Tourisme 283 r. Gén.-de-Gaulle (24 mai-15 sept.) ☎ 38 63 49 68 et à la Mairie ☎ 38 63 48 48.
Paris 137 ⑩ – Blois 65 ⑥ – Gien 62 ④ – ♦Orléans 5 – Romorantin-Lanthenay 63 ⑤ – Salbris 51 ⑤.

Voir plan d'Orléans agglomération

Frantel Reine Blanche Ⓜ, 643 r. Reine-Blanche ☎ **38 66 40 51, Télex 760926,** ←, – rest TV ☎ Ⓟ – 200. AE E VISA BY **a**
SC : **R** *(fermé sam. midi)* 75 bc/138 – ☐ 30 – **65 ch** 245/300.

Le Rivage, 635 r. Reine-Blanche ☎ **38 66 02 93,** ←, **« Terrasse au bord de l'eau »,** ✂ – wc wc ☎ Ⓟ – 30. AE E VISA BY **f**
fermé fév. – SC : **R** 120/300 – ☐ 22 – **21 ch** 90/220 – P 300/375.

XXX **Les Quatre Saisons** avec ch, 351 r. Reine Blanche ☎ 38 66 14 30, <, ,
« Terrasse au bord de l'eau » – TV wc ☎ P. VISA BY g
fermé 1er janv. au 15 mars – SC : **R** 150/200 – 30 – **10 ch** 350.

XXX **Madagascar,** 315 r. Reine-Blanche ☎ 38 66 12 58, <, , « Terrasse au bord de l'eau » – P. AE ⓓ E VISA BY g
fermé 20 janv. au 20 fév., mardi soir de sept. à avril et merc. – SC : **R** 85/185.

CITROEN France et Delaroche, r. de Bourges BZ ☎ 38 63 02 62

PORSCHE-MITSUBISHI r. de Bourges ☎ 38 69 33 69

OLLENCOURT 60 Oise 56 ③ – rattaché à Tracy-le-Mont.

Les OLLIÈRES-SUR-EYRIEUX 07360 Ardèche 76 ⑲⑳ – 793 h. alt. 174.

Paris 598 – Le Cheylard 29 – Lamastre 37 – Montélimar 53 – Privas 19 – Valence 34.

XX **Aub. Vallée** avec ch, ☎ 75 66 20 32 – wc wc ☎. E VISA. ch
fermé 16 au 22 sept., 1er fév. au 15 mars, dim. soir et lundi hors sais. – SC : **R** 70/210 – 25 – **7 ch** 150/230.

RENAULT Gar. Sarméo, rte Valence à St-Sauveur-de-Montagut ☎ 75 65 41 44

OLORON-STE-MARIE SP 64400 Pyr.-Atl. 85 ⑤⑥ **G. Pyrénées** – 12 237 h. alt. 221.

Voir Portail de l'église Ste-Marie A D.**

ℹ Office de Tourisme pl. Résistance ☎ 59 39 98 00.

Paris 822 ⑤ – ♦Bayonne 93 ⑤ – Dax 80 ⑤ – Lourdes 61 ② – Mont-de-Marsan 96 ① – Pau 33 ②.

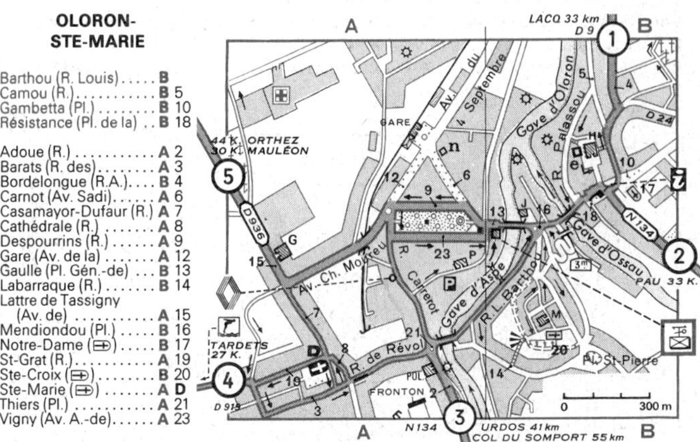

Béarn sans rest, 4 pl. Mairie ☎ 59 39 00 99 – wc wc ☎. AE ⓓ E VISA. B e
fermé fév. et dim. en hiver – SC : 22 – **26 ch** 100/225.

Paix sans rest, 24 av. Sadi-Carnot ☎ 59 39 02 63, – wc ☎ P. A n
SC : 15 – **24 ch** 90/160.

X **Chez Barthélemy,** rte Espagne par ③ ☎ 59 39 03 38 – AE VISA
fermé 22 sept. au 6 oct. et lundi – **R** 48/62 .

à Féas par ④ : 7,5 km – ✉ **64570** Aramits :

La Forgerie du Beau Site , ☎ 59 39 24 87, , – P. E
fermé 15 nov. au 20 déc. et merc. du 15 sept. au 30 mai – SC : **R** 38/90 – 15 – **10 ch** 57/90 – P 115/135.

FIAT-LADA Guiraud, av. Ch.-Moureu ☎ 59 39 02 43 N
FORD Boy, 23 av. T.-Derème ☎ 59 39 02 09

PEUGEOT, TALBOT Tristan, av. de-Lattre-de-Tassigny par ⑤ ☎ 59 39 10 73
RENAULT Haurat, 41 r. Carrérot ☎ 59 39 01 93

OMAHA BEACH 14 Calvados 54 ④⑭ – voir à Vierville-sur-Mer.

OMONVILLE-LA-ROGUE 50 Manche 54 ① – 334 h. alt. 16 – ✉ **50440** Beaumont-Hague.

Paris 384 – Barneville-Carteret 43 – Cherbourg 23 – St-Lô 102.

X **Port,** ☎ 33 52 74 13, <, – P. AE ⓓ E VISA
1er mars-15 déc. et fermé lundi – SC : **R** 55/130 .

ONZAIN 41150 L.-et-Ch. 64 ⑯ – 3 021 h. alt. 67.

Paris 197 – Amboise 20 – Blois 16 – Château-Renault 24 – Montrichard 21 – ♦Tours 44.

- ✿ **Domaine des Hauts de Loire** M, NO : 3 km par D 1 et voie privée ✆ 54 20 72 57, Télex 751547, « Manoir, parc et forêt », – TV ☎ ♿ P – 80. AE E VISA.
  15 mars-1er déc. – SC : **R** 195/300 – 52 – **22 ch** 836/970, 6 appartements 1 150/1 350
  Spéc. Mousse de persil à l'huile de noisettes, Dos de sandre poêlé sauce au Bourgueil. **Vins** Sauvignon, Touraine-Mesland.
- **Château des Tertres**, sans rest, O : 1,5 km par D 58 ✆ 54 20 83 88, ≤, « Gentilhommière dans un parc » – wc wc ☎ P. AE VISA.
  22 mars-2 nov. – SC : 23 – **14 ch** 200/270.

PEUGEOT, TALBOT Gar. Guyader, ✆ 54 20 70 37 N
RENAULT Gar. Lemaire, ✆ 54 20 70 45

OPIO 06 Alpes-Mar. 84 ⑧, 195 ㉔ – rattaché à Grasse.

ORADOUR-SUR-GLANE 87520 H.-Vienne 72 ⑥⑦ **G. Périgord** – 1 941 h. alt. 275.

Voir Bourg incendié par les Nazis le 10 juin 1944 après massacre de sa population.

Paris 403 – Angoulême 86 – Bellac 23 – Confolens 33 – ♦Limoges 22 – Nontron 67.

- **Milord** avec ch, ✆ 55 03 10 35, – P. AE E VISA. ch
  fermé 15 janv. au 15 fév. et merc. d'oct. à mai – SC : **R** 60/100 – 15 – **8 ch** 65/85.

ORANGE 84100 Vaucluse 81 ⑪⑫ **G. Provence** – 27 502 h. alt. 46.

Voir Théâtre antique*** BZ – Arc de Triomphe** AY **E** – Colline St-Eutrope ≤* BZ.

Office de Tourisme pl. Frères Mounet ✆ 90 34 70 88.

Paris 659 ⑤ – Alès 85 ⑤ – Avignon 31 ⑤ – Carpentras 23 ③ – Montélimar 55 ⑤ – Nîmes 55 ⑤.

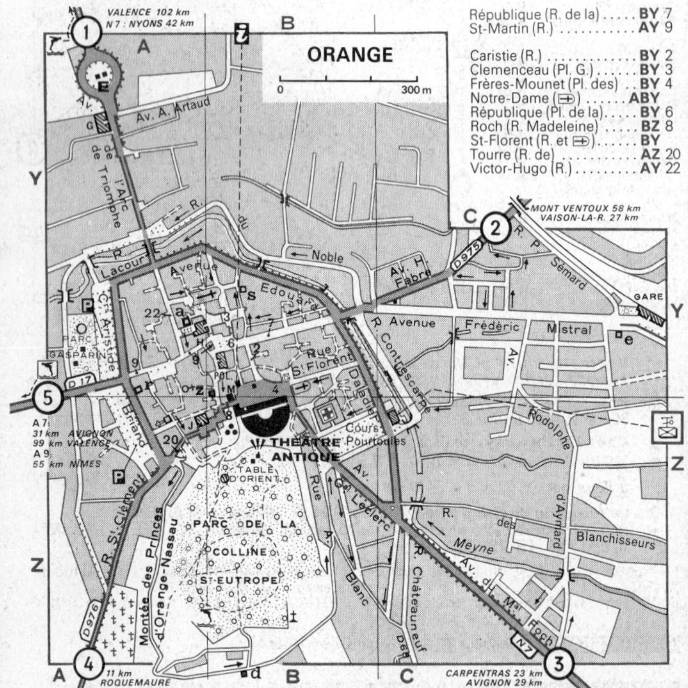

République (R. de la) ..... BY 7
St-Martin (R.) .... AY 9

Caristie (R.) .... BY 2
Clemenceau (Pl. G.) .... BY 3
Frères-Mounet (Pl. des) .. BY 4
Notre-Dame (⊞) ...... ABY
République (Pl. de la) ..... BY 6
Roch (R. Madeleine) ..... BZ 8
St-Florent (R. et ⊞) ...... BY
Tourre (R. de) .... AZ 20
Victor-Hugo (R.) .... AY 22

- **Euromotel** M rte de Caderousse par ⑤ ✆ 90 34 24 10, Télex 431550, – rest TV ☎ P – 30 à 150. AE ⓓ E VISA
  SC : **R** 70/130 – 32 – **99 ch** 240/280 – P 300/320.

Louvre et Terminus, 89 av. F.-Mistral ✆ 90 34 10 08, Télex 431195 – wc wc – 30. VISA CY e
fermé 15 déc. au 15 janv. – SC : **R** *(fermé dim.)* 69/126 – 23 – **34 ch** 150/275.

H. Arène sans rest, pl. Langes ✆ 90 34 10 95 – wc wc. AE E VISA
fermé 1er nov. au 7 déc. – SC : 20 – **30 ch** 170/220. AY a

Glacier sans rest, 46 cours A.-Briand ✆ 90 34 02 01 – wc wc.
fermé 22 déc. au 31 janv. et dim. de nov. à Pâques – SC : 16 – **29 ch** 135/170. AY r

Le Cigalou sans rest, 4 r. Caristié ✆ 90 34 10 07 – wc wc. VISA.
fermé 1er au 15 nov. – SC : 15 – **29 ch** 97/160. BY s

Le Pigraillet, chemin colline St-Eutrope ✆ 90 34 44 25, – . AE
fermé 5 janv. au 15 fév., dim. soir et lundi – SC : **R** 110/160. BZ d

Le Forum, 3 r. Mazeau ✆ 90 34 01 09 – AE E VISA ABY z
fermé 20 déc. au 1er mars, sam. soir et dim. – SC : **R** 90/120.

à Rochegude (26 Drôme) par ①, D 976, D 11 et D 117 : 14 km – ✉ **26790** Rochegude

Château de Rochegude M, ✆ 75 04 81 88, Télex 345661, « Élégante installation, parc, , », – – 100. AE E VISA. rest
15 mars-fin oct. – SC : **R** *(fermé lundi midi)* carte 160 à 280 – 50 – **25 ch** 320/1 000, 4 appartements 1 300.

ALFA-ROMEO Gar. Masoero, rte d'Avignon, N7 ✆ 75 34 62 91
BMW-MAZDA Foch-Autom., 655 av. Mar.-Foch ✆ 75 34 24 35
CITROEN Central Gar. Vauclusien, rte Avignon par ③ ✆ 75 51 65 00
FIAT, LANCIA-AUTOBIANCHI Gemelli, 28 av. Arc-de-Triomphe ✆ 75 34 69 04 N ✆ 75 34 10 28
FORD Carle-Autos, rte d'Avignon N 7 ✆ 75 51 82 41
PEUGEOT TALBOT Balbi, rte de Lyon par ① ✆ 75 34 04 16
PEUGEOT TALBOT Vaucluse-Autos, av.Mar.-Foch par ③ ✆ 75 34 24 11
RENAULT S.O.V.R.A., N 7 rte de Lyon par ① ✆ 75 34 02 68
RENAULT Marquion, av. Charles-de-Gaulle par ⑤ ✆ 75 34 68 44
TOYOTA Chaix, 18 av. Gén.-Leclerc ✆ 75 34 51 01
V.A.G. Orangeoise-Autom., rte de Jonquières ✆ 75 34 61 83

Ayme-Pneus, rte de Caderousse ✆ 75 34 24 65
Lesueur-Pneus, rte de Lyon ✆ 75 34 14 66

ORBEC 14290 Calvados 55 ⑭ G. Normandie (Plan) – 2 832 h. alt. 120.

Syndicat d'Initiative 9 r. République ✆ 31 32 73 73.

Paris 168 – L'Aigle 36 – Alençon 77 – Argentan 52 – Bernay 17 – •Caen 69 – Lisieux 20.

France (Annexe M 11 ch wc), r. Grande ✆ 31 32 74 02, – wc wc. E VISA
fermé 15 déc. au 15 janv. – SC : **R** 62/165 – 16 – **25 ch** 87/250 – P 187/270.

Au Caneton (Ruaux), r. Grande ✆ 31 32 73 32, « Maisons normandes du 17e s. »
fermé oct., fév., lundi soir et mardi – SC : **R** (nombre de couverts limité - prévenir) 200/300
Spéc. Gratin de langouste aux épinards, Caneton "Ma Pomme", Jambon Michodière.

CITROEN Gontier, à la Vespière ✆ 31 32 80 49
PEUGEOT-TALBOT Deparde, à la Vespière ✆ 31 32 83 73 N
RENAULT L'Auto. de Normandie, ✆ 31 32 82 56 N
Gar. Derriennic, ✆ 31 32 83 53

ORBEY 68370 H.-Rhin 62 ⑱ G. Alsace et Lorraine – 3 144 h. alt. 500.

Office de Tourisme à la Mairie ✆ 89 71 30 11.

Paris 430 – Colmar 20 – Gérardmer 41 – Munster 25 – Ribeauvillé 23 – St-Dié 42 – Sélestat 36.

Bois Le Sire et son Motel M, ✆ 89 71 25 25 – wc wc . E
fermé 1er au 20 déc. et 4 au 31 janv. – SC : **R** *(fermé dim. soir et lundi)* 48/212 – 16,50 – **34 ch** 170/185 – P 212/218.

Saut de la Truite, à Remomont NO : 1 km par VO - alt. 589- ✉ 68370 Orbey ✆ 89 71 20 04, ← – wc – 25. VISA.
fermé déc. et janv. – SC : **R** *(fermé merc. sauf juil.-août)* 85/195 – 18 – **22 ch** 115/220 – P 190/240.

Croix d'Or, r. Église ✆ 89 71 20 51 – wc wc. AE E VISA. rest
fermé 15 nov. au 19 déc. et merc. hors sais. – SC : **R** *(fermé lundi midi et merc. midi en saison)* 60/155 – 19 – **19 ch** 110/175 – P 145/195.

à Pairis SO : 3 km sur D 48 II – alt. 700 – ✉ **68370** Orbey.
Voir Lac Noir★ : ←★ 30 mn O : 5 km.

Pairis, ✆ 89 71 20 15, ←, – wc wc . E VISA. rest
fermé 11 nov. au 20 déc., 6 au 21 janv., mardi midi et lundi hors sais. – SC : **R** 70/150 – 17 – **16 ch** 92/210 – P 155/200.

Sources, ✆ 89 71 21 96, ←, , – wc . VISA.
fermé 15 nov. au 15 déc. – **R** *(fermé mardi hors sais.)* 49/150 – 16 – **10 ch** 139/150 – P 216/240.

aux Basses Huttes SO : 5 km par D 48 – ✉ 68370 Orbey :

Wetterer ⛰, ☎ 89 71 20 28 – ⇔wc ⋒wc ⊛ 🅟. VISA. ⚘
fermé 10 nov. au 15 déc. et merc. sauf juil.-août – SC : **R** 65/150 ⅉ – ☐ 17 – **18 ch** 85/175 – P 150/195.

CITROEN Gar. Eberlé, ☎ 89 71 20 35 N ☎ 89 71 23 45

ORCET 63 P.-de-D. 73 ⑭ – rattaché à Clermont-Ferrand.

ORCHAMPS-VENNES 25390 Doubs 66 ⑰ **G. Jura** – 1 461 h. alt. 750.
Paris 460 – Baume-les-Dames 45 – ♦Besançon 47 – Montbéliard 70 – Morteau 17 – Pontarlier 44.

XX **Barrey** avec ch, face à l'église ☎ 81 43 50 97 – ⇔wc ⋒wc ☎ 🅟. E VISA
fermé lundi hors sais. – SC : **R** 45/180 ⅉ – ☐ 16 – **16 ch** 75/140 – P 160/180.

à Fuans E : 3 km par D 461 – ✉ 25390 Orchamps-Vennes :

Patton, ☎ 81 43 51 01, ← – ⇔wc ⊛ 🅟. ⓓ E VISA
fermé 11 nov. au 1er déc., vend. soir et sam. midi du 1er oct. au 1^er^juin – SC : **R** 63/110 ⅉ – ☐ 14 – **10 ch** 75/145 – P 145/170.

à Loray NO : 4,5 km par D 461 – ✉ 25390 Orchamps-Vennes :

Vieille, ☎ 81 43 21 67, ⛱ – ⇔wc ⋒wc 🅟. VISA
fermé 1er au 7 oct. et 6 au 18 janv. – SC : **R** 41/150 ⅉ – ☐ 14,50 – **10 ch** 108/120 – P 128/140.

CITROEN Gar. Droz, ☎ 81 43 51 24
FORD Vernier, ☎ 81 43 52 38 N

ORCHIES 59310 Nord 51 ⑯ – 5 693 h. alt. 38.
Paris 218 – Denain 25 – Douai 20 – ♦Lille 26 – St-Amand-les-Eaux 15 – Tournai 19 – Valenciennes 28.

XX **La Chaumière,** S : 2 km D 957 ☎ 20 71 86 38, ⛱ – 🅟. AE ⓓ E VISA
fermé fév., jeudi soir et vend. – **R** 65 bc/160.

ORCIÈRES 05170 H.-Alpes 77 ⑰ **G. Alpes** – 890 h. alt. 1 439 – Sports d'hiver à Orcières-Merlette: 1 850/2 650 m ⛡2 ⛷25 ⛸ – **Env. Vallée du Drac Blanc**★★ NO : 14 km.
ℹ Office de Tourisme ☎ 92 55 70 39, Télex 401162.
Paris 679 – Gap 33 – ♦Grenoble 115 – La Mure 77 – St-Bonnet 27.

Poste, ☎ 92 55 70 04, ←, ⛱ – ⋒ 🅟. AE
SC : **R** 50/80 – ☐ 18 – **32 ch** 93/130 – P 180/200.

ORCINES 63 P.-de-D. 73 ⑭ – rattaché à Clermont-Ferrand.

ORCIVAL 63 P.-de-D. 73 ⑬ **G. Auvergne** – 381 h. alt. 860 – ✉ 63210 Rochefort-Montagne.
Voir Église★★.
Paris 420 – Aubusson 89 – ♦Clermont-F. 27 – Le Mont-Dore 17 – Rochefort-Montagne 4 – Ussel 57.

Roche, ☎ 73 65 82 31, ⛱ – ⋒wc ☎. ⓓ E. ⚘
15 mai-30 sept. et 15 déc.-15 mars – SC : **R** (1/2 pens. seul.) – ☐ 15 – **9 ch** 110/140 – 1/2 p 140.

Notre-Dame, ☎ 73 65 82 02 – ⇔wc ⋒ ⊛. ⚘
1er avril-15 oct., vacances de Pâques, de Noël, de fév. et fermé merc. hors sais. – SC : **R** (dîner seul. et pour résidents) 37/57 – ☐ 13,50 – **10 ch** 60/153.

L'Ajasserie d'Orcival sans rest, ☎ 73 65 81 54 – VISA. ⚘
1er avril-1er oct. et vacances scolaires – SC : ☐ 15 – **14 ch** 65/120.

Les Bourelles ⛰ sans rest, ☎ 73 65 82 28, ←, ⛱ – ⚘
Pâques-oct. et vacances de fév. – SC : ☐ 15 – **7 ch** 78/105.

ORGELET 39270 Jura 70 ⑭ **G. Jura** – 1 662 h.
Paris 412 – Bourg-en-Bresse 67 – Lons-le-Saunier 20 – Nantua 54 – St-Claude 40.

La Valouse, ☎ 84 25 40 64 – ⇔wc ⋒wc ⊛ 🅟. E VISA
fermé dim. soir et lundi hors sais. – SC : **R** 51/130 ⅉ – ☐ 22 – **16 ch** 90/178 – P 179/250.

CITROEN Gar. Jeunet et Guyot, ☎ 84 25 41 87 N ☎ 84 25 43 09
PEUGEOT-TALBOT Gar. Bernard, ☎ 84 25 42 11
RENAULT Gar. Masini, ☎ 84 25 40 22

ORGEVAL 78630 Yvelines 55 ⑲, 196 ⑰, 101 ⑪ – 3 936 h. alt. 100.
Paris 36 – Mantes-la-Jolie 29 – Pontoise 24 – Rambouillet 47 – St-Germain-en-Laye 11 – Versailles 22.

Novotel Ⓜ, à l'échangeur A 13, D 113 ☎ (1) 39 75 97 60, Télex 697174, ⛱, ⛱, ⛱, ⚘ – ⧉ ▤ TV ☎ ♿ 🅟 – 🏛 200. AE ⓓ E VISA
R carte environ 115 ⅉ – ☐ 34 – **119 ch** 320/341.

OPEL Gar. Paris Deauville, la Maison Blanche, R N ☎ (1) 39 75 85 26

ORGNAC-L'AVEN 07 Ardèche 80 ⑨ – 323 h. alt. 290 – ✉ **07150** Vallon-Pont-d'Arc.

Voir Aven d'Orgnac*** NO : 2 km, **G. Vallée du Rhône.**

Paris 661 – Alès 48 – Aubenas 56 – Pont-St-Esprit 24.

Stalagmites, ☎ 75 38 60 67, – wc P. E.
mars-nov. – SC : **R** 55/90 – ☕ 20 – **18 ch** 75/185 – P 140/180.

ORGON **13660** B.-du-R. 84 ①② **G. Provence** – 2 341 h. alt. 85.

Paris 706 – Avignon 30 – Cavaillon 7 – ♦Marseille 73 – St-Rémy-de-P. 18 – Salon-de-Provence 19.

XX **Relais Basque,** rte nationale ☎ 90 73 00 39, – P.
fermé sam. – SC : **R** (déj. seul.) 75/150 ₰.

ORINCLES 65 H.-Pyr. 85 ⑧ – rattaché à Lourdes.

ORLEANS P **45000** Loiret 64 ⑨ **G. Châteaux de la Loire** – 105 589 h. alt. 110.

Voir Cathédrale* FY **B** : boiseries** – Maison de Jeanne d'Arc* EY **E** – Quai Fort-des-Tourelles <* EY **60** – Musées : des Beaux-Arts** FY **M1**, Historique* EY **M2**.

Env. Olivet : parc floral de la Source** SE : 8 km CZ.

du Val de Loire ☎ 38 59 25 15 par ③ : 17 km.

☎ 38 53 50 50.

Office de Tourisme et Accueil de France (Informations et réservations d'hôtels, pas plus de 5 jours à l'avance) pl. Albert 1er ☎ 38 53 05 95, Télex 781188 - A.C. 24 pl. Martroi ☎ 38 53 43 45.

Paris 130 ⑩ – ♦Caen 255 ⑩ – ♦Clermont-Ferrand 298 ⑤ – ♦Dijon 297 ③ – ♦Limoges 266 ⑤ – ♦Le Mans 137 ⑨ – ♦Reims 265 ② – ♦Rouen 218 ⑩ – ♦Tours 112 ⑧.

Plans pages suivantes

Sofitel M, 44 quai Barentin ☎ 38 62 17 39, Télex 780073, <, – TV ☎ & P – 30 à 100. AE E VISA — DY **t**
rest. **La Vénerie R** carte 140 à 200 ₰ – ☕ 41 – **108 ch** 375/510.

Orléans M sans rest, 6 r. A.-Crespin ☎ 38 53 35 34 – TV wc wc ☎. — EY **t**
SC : ☕ 23 – **18 ch** 180/260.

St-Aignan sans rest, 3 pl. Gambetta ☎ 38 53 15 35 – TV wc wc ☎. AE E VISA — EX **k**
SC : ☕ 22 – **27 ch** 200/245.

Les Cèdres sans rest, 17 r. Mar.-Foch ☎ 38 62 22 92, Télex 782314, – TV wc wc ☎. AE E VISA — DX **a**
SC : ☕ 21 – **35 ch** 140/260.

Marguerite sans rest, 14 pl. Vieux-Marché ☎ 38 53 74 32 – wc wc ☎. VISA — EY **r**
SC : ☕ 15,50 – **25 ch** 96/155.

St-Martin sans rest, 52 bd A.-Martin ☎ 38 62 47 47 – wc wc ☎. VISA — FX **n**
fermé 19 déc. au 4 janv. – SC : ☕ 16,50 – **22 ch** 87/203.

St-Jean sans rest., 19 r. Porte-St-Jean ☎ 38 53 63 32 – wc ☎ P. VISA. — DY **f**
fermé 9 au 25 août – SC : ☕ 14 – **27 ch** 90/156.

XXX ✿✿ **La Crémaillère** (Huyart), 34 r. N.-D.-de-Recouvrance ☎ 38 53 49 17 – . AE — EY **b**
fermé 28 juil. au 25 août, dim. soir et lundi – SC : **R** 190/300 et carte
Spéc. Foie gras frais de canard, Pot-au-feu des pêcheurs, Soufflé chaud aux fruits de saison.

XXX **Les Antiquaires,** 2 r. au Lin ☎ 38 53 52 35 – AE VISA — EY **d**
fermé août, vacances de fév., dim. et lundi – SC : **R** 100/150.

XXX ✿ **La Poutrière,** 8 r. Brèche ✉ 45100 ☎ 38 66 02 30, , « Décor élégant », – P. AE E VISA — BY **s**
fermé 1er au 10 mars, dim. soir et lundi – SC : **R** 125/245
Spéc. Jésus de saumon et sandre à la tomate, Turbot rôti au vinaigre et au miel, Filet de boeuf à la ficelle au raifort.

XX **Lautrec,** 26 pl. Châtelet ☎ 38 54 09 54 – E VISA — EY **e**
fermé 15 au 31 juil., 15 au 28 fév. et dim. – SC : **R** 100/165.

X **Le Bigorneau,** 54 r. des Turcies ☎ 38 68 01 10, produits de la mer – AE VISA
fermé 6 au 21 juil., 16 au 28 fév., dim., lundi et fêtes – SC : **R** carte 130 à 200. — DY **k**

X **Jean,** 64 r. Ste-Catherine ☎ 38 53 40 87 – AE VISA — EY **n**
fermé dim. sauf fêtes – SC : **R** 60/120 ₰.

rte de Blois O : 2 km – ✉ **45140** St-Jean-de-la-Ruelle :

XXX **Aub. de la Montespan** avec ch, ☎ 38 88 12 07, <, « Jardin dominant la Loire », – TV wc ☎ P. VISA — AY **a**
fermé 24 déc. au 1er fév. – SC : **R** 120/185 – ☕ 26 – **8 ch** 196/320.

à St-Jean-de-Braye par ③ : 2,5 km – 13 579 h. – ✉ **45800** St-Jean de Braye :

XX **La Grange,** 205 fg Bourgogne ☎ 38 86 43 36 – P. VISA — CY **a**
fermé 1er au 23 août, 2 au 11 janv., dim. et lundi sauf fêtes – SC : **R** 74/114.

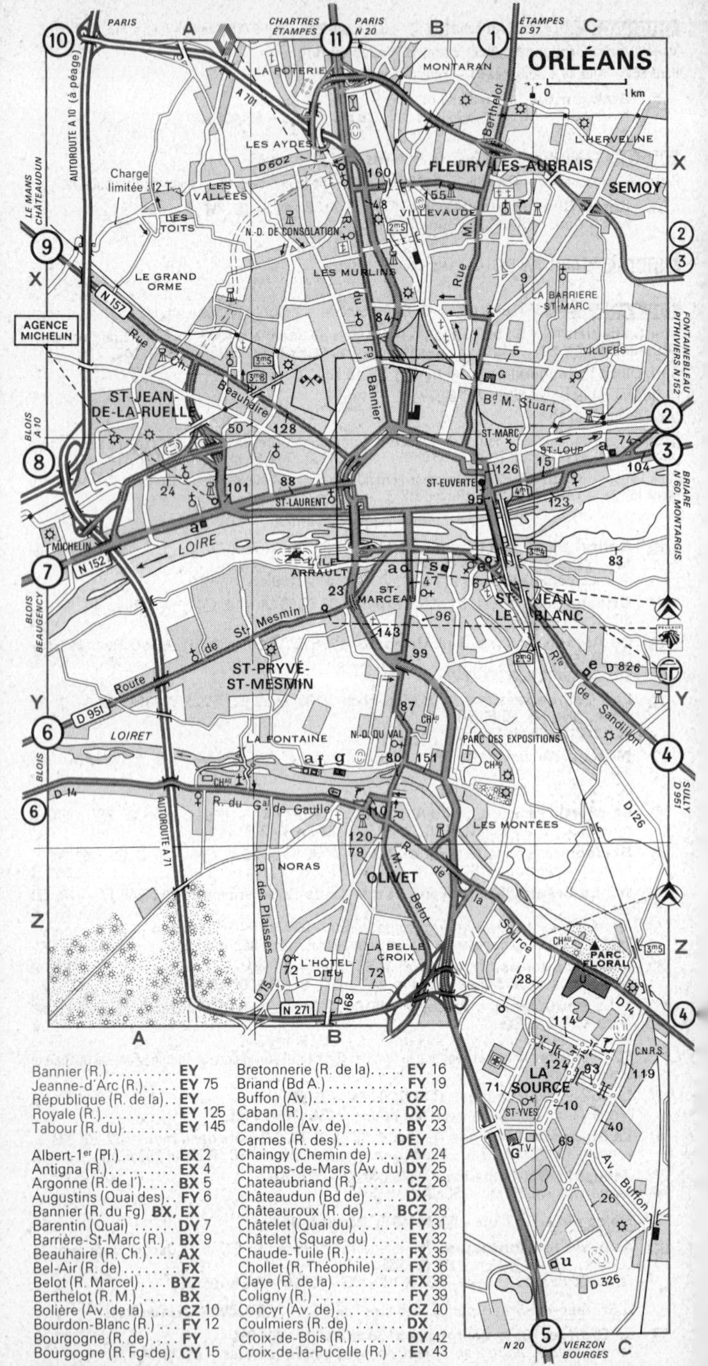

Bannier (R.) .... **EY**
Jeanne-d'Arc (R.) ..... **EY** 75
République (R. de la) .. **EY**
Royale (R.) .... **EY** 125
Tabour (R. du) .... **EY** 145

Albert-1er (Pl.) .... **EX** 2
Antigna (R.) .... **EX** 4
Argonne (R. de l') ..... **BX** 5
Augustins (Quai des) .. **FY** 6
Bannier (R. du Fg) **BX, EX**
Barentin (Quai) ...... **DY** 7
Barrière-St-Marc (R.) . **BX** 9
Beauhaire (R. Ch.) ..... **AX**
Bel-Air (R. de) .... **FX**
Belot (R. Marcel) .... **BYZ**
Berthelot (R. M.) ..... **BX**
Bolière (Av. de la) .... **CZ** 10
Bourdon-Blanc (R.) ... **FY** 12
Bourgogne (R. de) .... **FY**
Bourgogne (R. Fg-de). **CY** 15

Bretonnerie (R. de la) ..... **EY** 16
Briand (Bd A.) .... **FY** 19
Buffon (Av.) .... **CZ**
Caban (R.) .... **DX** 20
Candolle (Av. de) .... **BY** 23
Carmes (R. des) .... **DEY**
Chaingy (Chemin de) .... **AY** 24
Champs-de-Mars (Av. du) **DY** 25
Chateaubriand (R.) ..... **CZ** 26
Châteaudun (Bd de) ..... **DX**
Châteauroux (R. de) .... **BCZ** 28
Châtelet (Quai du) ...... **FY** 31
Châtelet (Square du) .... **EY** 32
Chaude-Tuile (R.) ...... **FX** 35
Chollet (R. Théophile) .... **FY** 36
Claye (R. de la) .... **FX** 38
Coligny (R.) .... **FY** 39
Concyr (Av. de) .... **CZ** 40
Coulmiers (R. de) .... **DX**
Croix-de-Bois (R.) .... **DY** 42
Croix-de-la-Pucelle (R.) .. **EY** 43

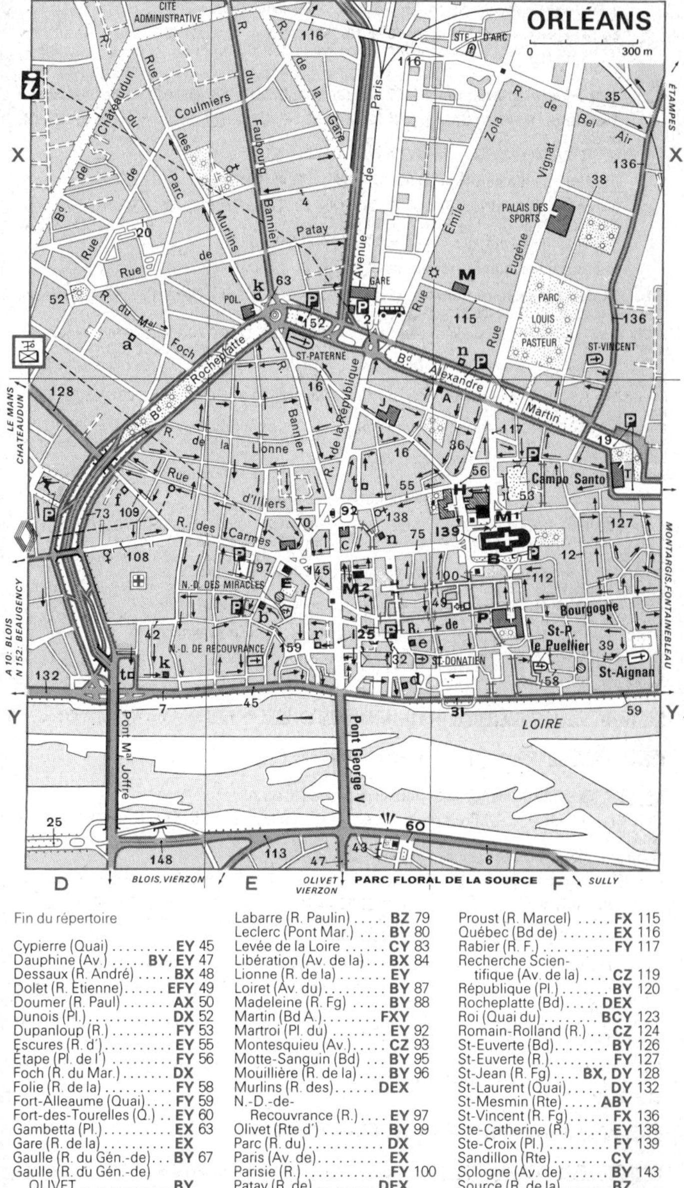

Fin du répertoire

Cypierre (Quai) .... **EY** 45
Dauphine (Av.) ..... **BY, EY** 47
Dessaux (R. André) ..... **BX** 48
Dolet (R. Étienne) ...... **EFY** 49
Doumer (R. Paul) .... **AX** 50
Dunois (Pl.) .... **DX** 52
Dupanloup (R.) .... **FY** 53
Escures (R. d') .... **EY** 55
Étape (Pl. de l') .... **FY** 56
Foch (R. du Mar.) .... **DX**
Folie (R. de la) .... **FY** 58
Fort-Alleaume (Quai) .... **FY** 59
Fort-des-Tourelles (Q.) .. **EY** 60
Gambetta (Pl.) .... **EX** 63
Gare (R. de la) .... **EX**
Gaulle (R. du Gén.-de) ... **BY** 67
Gaulle (R. du Gén.-de)
OLIVET .... **BY**
George-Sand (R.) .... **CZ** 69
George-V (Pont) .... **EY**
Hallebarde (R. de la) .... **EY** 70
Hôpital (Av. de l') .... **BZ** 71
Hôtel-Dieu (R. de l') ..... **BZ** 72
Illiers (R. d') .... **DEY**
Jaurès (Bd Jean) .... **DY** 73
Jean (Av. Capitaine) .... **CY** 74
Joffre (Pont Mar.) .... **DY**

Labarre (R. Paulin) ..... **BZ** 79
Leclerc (Pont Mar.) .... **BY** 80
Levée de la Loire ...... **CY** 83
Libération (Av. de la) ... **BX** 84
Lionne (R. de la) .... **EY**
Loiret (Av. du) .... **BY** 87
Madeleine (R. Fg) ..... **BY** 88
Martin (Bd A.) .... **FXY**
Martroi (Pl. du) .... **EY** 92
Montesquieu (Av.) ..... **CZ** 93
Motte-Sanguin (Bd) ... **BY** 95
Mouillière (R. de la) .... **BY** 96
Murlins (R. des) ...... **DEX**
N.-D.-de-
Recouvrance (R.) .... **EY** 97
Olivet (Rte d') .... **BY** 99
Parc (R. du) .... **DX**
Paris (Av. de) .... **EX**
Parisie (R.) .... **FY** 100
Patay (R. de) .... **DEX**
Paul-Bert (Pl.) .... **AY** 101
Péguy (Av. Ch.) .... **CY** 104
Plaisses (R. des) .... **BZ**
Pte-Madeleine (R.) .... **DY** 108
Porte-St-Jean (R.) ..... **DY** 109
Poste (R. de la) .... **BY** 110
Pothier (R.) .... **FY** 112
Prague (Quai) .... **EY** 113
Prés.-Kennedy (Av.) .... **CZ** 114

Proust (R. Marcel) ..... **FX** 115
Québec (Bd de) .... **EX** 116
Rabier (R. F.) .... **FY** 117
Recherche Scien-
tifique (Av. de la) .... **CZ** 119
République (Pl.) .... **BY** 120
Rocheplatte (Bd) ..... **DEX**
Roi (Quai du) .... **BCY** 123
Romain-Rolland (R.) ... **CZ** 124
St-Euverte (Bd) .... **BY** 126
St-Euverte (R.) .... **FY** 127
St-Jean (R. Fg) .... **BX, DY** 128
St-Laurent (Quai) ..... **DY** 132
St-Mesmin (Rte) ..... **ABY**
St-Vincent (R. Fg) ..... **FX** 136
Ste-Catherine (R.) ..... **EY** 138
Ste-Croix (Pl.) .... **FY** 139
Sandillon (Rte) .... **CY**
Sologne (Av. de) .... **BY** 143
Source (R. de la) ...... **BZ**
Stuart (Bd Marie) ...... **BX**
Trévise (Av. de) .... **DY** 148
Verdun (Av. de) .... **BY** 151
Verdun (Bd de) .... **EX** 152
Verdun (R. de) .... **BX** 155
Vieux-Marché (Pl.) .... **EY** 159
Vignat (R. Eugène) ..... **FX**
Zola (R. Émile) .... **EFX**
11-Octobre (R. du) ..... **BX** 160

à St-Jean-le-Blanc SE : 4 km – 6 549 h. – ✉ **45650** St-Jean-le-Blanc :

Le Marjane, sur D 951 ✆ 38 66 35 13, – wc wc ☎ P CY **e**
fermé 26 déc. au 15 janv. – **SC : R** (snack le soir du lundi au jeudi) – 18 – **24 ch** 100/187.

à St-Hilaire-St-Mesmin SO : 7 km par ⑥ et D 951 – ✉ **45580** St-Hilaire-St-Mesmin :

Escale du Port Arthur, ✆ 38 76 30 36, ←, – TV wc wc ☎ P. AE ⓓ E VISA
SC : R 68/200 – 20 – **19 ch** 123/285 – P 250/320.

au Sud : 11 km carrefour N 20 - CD 326 – ✉ **45100** Orléans :

Novotel M, r. H.-de-Balzac ✆ 38 63 04 28, Télex 760619, – ch TV ☎ P – 25 à 100. AE ⓓ E VISA CZ **u**
R carte environ 100 – 31 – **121 ch** 294/320.

Voir aussi ressources hôtelières d'*Olivet* S : 4,5 km

MICHELIN, Agence régionale, r. du Clos-St-Gabriel, Rd Point P.-Bert à St-Jean-de-la-Ruelle AY ✆ 38 88 02 20

BMW Ets Labesse, 34 fg Madeleine ✆ 38 72 66 66
CITROEN Gar. Dauphine, 18 av. Dauphine BY a ✆ 38 66 03 25
FIAT Diffusion Auto Orléanaise, 54 r. du fg Bannier ✆ 38 54 51 51
LANCIA-AUTOBIANCHI Gar. du Martroi, 29 fg de Bourgogne ✆ 38 62 60 71
MERCEDES-BENZ Gar. Jousselin, 12 r. Jousselin ✆ 38 53 61 04
PEUGEOT-TALBOT Agence Générale Autom., 22 av. St-Mesmin BY ✆ 38 66 10 97
RENAULT Gar. Excelsior, 93 r. Illiers DY ✆ 38 53 41 93
Stat Nil, 19-21 quai du Roi ✆ 38 62 78 32

La Centrale du Pneu, 5 r. Rape ✆ 38 53 57 18
Orléans-Pneu, 42 quai St-Laurent ✆ 38 62 24 54
Interpneus, 44 quai Madeleine ✆ 38 88 68 08

Périphérie et environs

ALFA-ROMEO-NISSAN-DATSUN Auto Val de Loire, 26 r. A.-Dessaux à Fleury-les-Aubrais ✆ 38 43 71 11
CITROEN France et Delaroche, rte Nationale à Saran par ⑪ ✆ 38 73 50 60
CITROEN Stevenel, 33 r. Gén.-de-Gaulle à St-Jean-le-Blanc BY e ✆ 38 66 37 65
FORD Gd Gar. Moderne, 398 fg Bannier à Fleury-les-Aubrais ✆ 38 73 87 80
OPEL Gellet, 55 r. A.-Dessaux à Fleury-les-Aubrais ✆ 38 88 58 85
RENAULT Succursale, 539 fg Bannier à Saran BX ✆ 38 72 69 69 N ✆ 38 73 41 41
V.A.G. Gar. Pillon, 266 fg Bannier à Fleury-les-Aubrais ✆ 38 88 53 29
V.A.G. Gar. Gomez, 25 rte Orléans à la Chapelle St-Mesmin ✆ 38 88 72 73
VOLVO Ets Stalter, 3 r. Mouchetière à St-Jean de la Ruelle ✆ 38 88 39 20

ORLY (Aéroport de Paris) 94 Val-de-Marne 61 ①, 196 ㉗, 101 ㉖ – voir à Paris, Environs.

ORNAISONS 11 Aude 83 ⑬ – rattaché à Narbonne.

ORNANS 25290 Doubs 66 ⑯ G. Jura (plan) – 4 234 h. alt. 315.

Voir Grand Pont ←* – Miroir de la Loue* – O : Vallée de la Loue** – Le Château ←* N : 2,5 km.

Office du Tourisme r. P.-Vernier (15 juin-1er oct.) ✆ 81 62 21 50.

Paris 439 – Baume-les-Dames 41 – ♦Besançon 26 – Morteau 53 – Pontarlier 34 – Salins-les-Bains 38.

XX **France** avec ch, r. P.-Vernier ✆ 81 62 24 44 – wc wc ☎ P. ⓓ VISA. ch
fermé 1er déc. au 15 janv., dim. soir et lundi sauf vacances scolaires – **SC : R** 64/160 – 20 – **31 ch** 114/235 – P 220/290.

rte de Bonnevaux-le-Prieuré NO : 8 km par D 67 et D 280 – ✉ **25660** Saône :

XXX **Moulin du Prieuré** avec ch, ✆ 81 59 21 47, – TV wc ☎ P. AE ⓓ E VISA
fin mars-mi-déc. et fermé dim. soir et lundi sauf de fin juin au 1er sept. – **SC : R** 120/280 – 30 – **8 ch** 275.

CITROEN Gar. Magnin, ✆ 81 62 17 69
PEUGEOT, TALBOT Gar. Poulet, ✆ 81 62 15 24 N ✆ 81 59 24 31
RENAULT Gd Gar. de la Vallée, ✆ 81 62 18 68 N

OROUET 85 Vendée 67 ⑫ – rattaché à St-Jean-de-Monts.

Les ORRES 05 H.-Alpes 81 ⑧ G. Alpes – 429 h. alt. 1 460 – Sports d'hiver : 1 550/2 720 m 1, 19 – ✉ 05200 Embrun.

Comité de Station ✆ 92 44 01 61.

Paris 713 – Barcelonnette 64 – Digne 105 – Embrun 14 – Gap 46.

Les Arolles M, Zone de Prébois ✆ 92 44 01 27, ← – wc wc ☎ P. rest
1er juil.-31 août et 20 déc.-15 avril – **SC : R** carte environ 175 – 25 – **30 ch** 230/260 – P 310/350.

ORTHEZ 64300 Pyr.-Atl. 78 ⑧ **G. Pyrénées** – 10 535 h. alt. 62.

Voir Vieux pont★ AZ.

Office du Tourisme r. Jacobins ✆ 59 69 02 75.

Paris 771 ⑥ – ♦Bayonne 66 ⑤ – Dax 37 ⑥ – Mont-de-Marsan 54 ① – Pau 43 ②.

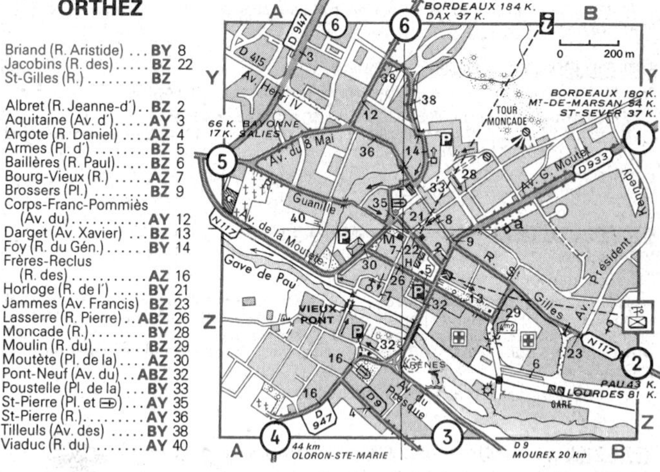

Climat de France Ⓜ, SE : 1,5 km par rte de Pau ✆ 59 69 28 77, ☂ – TV ⇔wc ☎ ♿ ⓟ. AE ⊕ E VISA
SC : **R** 53/110 🍷 – ☕ 20 – **24 ch** 185.

Voyageurs, 8 av. G.-Moutet ✆ 59 69 02 29 – ⇔wc ⋒. ✻ ch — BYZ **a**
SC : **R** *(fermé dim. et fêtes)* (dîner seul.) 59/84 🍷 – ☕ 15 – **10 ch** 68/140.

Aub. St-Loup, 20 r. Pont-Vieux ✆ 59 69 15 40, ☂, « Patio » – AE ⊕ VISA. ✻
fermé le midi (sauf dim.) d'oct. à mai et lundi – SC : **R** 100/172.

à Maslacq par ③ : 6 km – ✉ **64300** Orthez :

Maugouber, ✆ 59 67 60 08, ☂ – ⋒wc ☎ ♿. AE E VISA. ✻ rest
SC : **R** *(fermé sam. et fériés)* 40/150 🍷 – ☕ 12,50 – **28 ch** 72/160 – P 140/230.

CITROEN Béarn-Auto, rte Bayonne par ⑤ ✆ 59 69 08 45 **N** ✆ 59 69 33 59
FIAT Gar. Molia, 26 av. du 8 mai ✆ 59 69 94 55
FORD Diris, 69 r. St-Gilles ✆ 59 69 16 34
PEUGEOT, TALBOT Orthézienne-Automobiles, rte Bayonne par ⑤ ✆ 59 69 08 22

Béarn-Pneus, rte de Pau, N 117 à Castétis ✆ 59 69 06 15

ORVAULT 44 Loire-Atl. 67 ③ – rattaché à Nantes.

OSNY 95 Val-d'Oise 55 ⑲, 196 ⑤ – rattaché à Cergy-Pontoise.

OSQUICH (Col d') 64 Pyr.-Atl. 85 ④ **G. Pyrénées** – alt. 392.

Voir ✻★.

Paris 820 – Mauléon-Licharre 14 – Oloron-Ste-Marie 44 – Pau 77 – St-Jean-Pied-de-Port 26.

Col d'Osquich ⛰, ✉ 64130 Mauléon ✆ 59 37 81 23, ≤, ☂ – ⇔wc ⋒ 🚗 ⓟ
1er juil.-11 nov. et dim. de Pâques au 1er juil. – SC : **R** 50/120 – ☕ 15 – **17 ch** 65/120 – P 120/130.

OSSÈS 64780 Pyr.-Atl. 85 ③ – 678 h. alt. 120.

Paris 812 – Cambo-les-Bains 23 – Pau 117 – St-Étienne-de-Baïgorry 11 – St-Jean-Pied-de-Port 14.

Mendi Alde, ✆ 59 37 71 78 – ⇔wc ⋒wc ☎ ⓟ. VISA
fermé nov. et lundi de déc. à mai – SC : **R** 50/115 🍷 – ☕ 16,50 – **16 ch** 110/130 – P 162/175.

OTTROTT 67 B.-Rhin 62 ⑨ – rattaché à Obernai.

OUCHAMPS 41 L.-et-Ch. 64 ⑰ – 565 h. alt. 92 – ✉ 41120 Les Montils.

Voir Château de Fougères-sur-Bièvre★ NO : 5 km, G. Châteaux de la Loire.

Paris 197 – Blois 16 – Montrichard 17 – Romorantin-Lanthenay 38 – ♦Tours 54.

Relais des Landes Ⓜ, ✆ 54 44 03 33, Télex 751454, ←, parc – ☎ Ⓟ – 30. AE ⓓ E VISA. rest
22 mars-2 nov. – SC : **R** *(fermé merc.)* (dîner seul. sauf dim.) 145/165 – ☕ 35 – **18 ch** 326/435.

OUCQUES 41290 L.-et-Ch. 64 ⑦ – 1 378 h. alt. 118.

Paris 161 – Beaugency 28 – Blois 27 – Châteaudun 30 – ♦Orléans 53 – Vendôme 20.

XX **Commerce** avec ch, ✆ 54 23 20 41 – ▤ rest ⋒wc ☎. E VISA
fermé 20 déc. au 31 janv., dim. soir et lundi sauf fêtes – SC : **R** (dim. prévenir) 65/180 – ☕ 16,50 – **7 ch** 85/170.

CITROEN Aubry, ✆ 54 23 20 40
PEUGEOT-TALBOT Sire, ✆ 54 23 20 35
RENAULT Péan, ✆ 54 23 20 25 N

OUESSANT (Ile d') ★★ 29242 Finistère 58 ② **G. Bretagne** – 1 255 h. alt. 30.

Voir Rochers★★★ – Phare du Stiff ※★★ – Pointe de Pern★.

Accès par transports maritimes.

(voitures, sur demande préalable, en été séjour minimun d'un mois pour le passage) - depuis Brest (1er éperon du port de commerce) avec escales au Conquet et à Molène En 1985 : service quotidien sauf mardi hors saison - Traversée 2 h – Voyageurs : 92 F (AR), autos : 1 008 à 2 016F (AR). Renseignements : Service Maritime Départemental ✆ 98 80 24 68.

X Duchesse Anne avec ch, ✆ 98 48 80 25 – ⋒
8 ch.

OUHANS 25 Doubs 70 ⑥ – 269 h. alt. 640 – ✉ 25520 Goux-les-Usiers.

Paris 461 – ♦Besançon 48 – Pontarlier 18 – Salins-les-Bains 40.

Sources de la Loue, ✆ 81 69 90 06 – ⇔ ⋒. VISA
fermé 15 oct. au 10 nov. et 10 au 31 janv. – SC : **R** 37/110 – ☕ 14,50 – **15 ch** 60/120 – P 150/175.

OUISTREHAM 14150 Calvados 55 ② **G. Normandie** (plan) – 6 313 h. – Casino (Riva Bella).

Voir Église★ d'Ouistreham.

Office de Tourisme Jardins du Casino (1er juin-30 sept.) ✆ 31 97 18 63.

Paris 242 – Arromanches-les-Bains 31 – Bayeux 35 – Cabourg 19 – ♦Caen 14.

au Port d'Ouistreham :

Univers et rest. La Broche d'Argent (annexe 10 ch), ✆ 31 97 12 16 – ⇔wc ⋒wc ☎ Ⓟ – 50. AE ⓓ VISA
fermé 20 au 31 déc. – SC : **R** *(fermé dim. soir sauf juil.-août)* 60/265 – ☕ 17 – **28 ch** 190/230 – P 231/284.

XX **Normandie** avec ch, ✆ 31 97 19 57, – ⇔wc ⋒wc ☎ Ⓟ. AE ⓓ VISA
fermé dim. soir hors sais. – SC : **R** 55/210 – ☕ 19 – **14 ch** 145/210 – P 205/250.

à Riva-Bella :

Chalet sans rest, 74 av. Mer ✆ 31 97 13 06 – TV ⇔wc ☎. VISA
mars-nov. – SC : ☕ 18 – **25 ch** 140/205.

X **Métropolitain,** 1 rte Lion ✆ 31 97 18 61, – AE ⓓ VISA
fermé fin sept. à mi oct., 22 au 28 fév., mardi soir et merc. hors sais. – **R** 69/140.

à Colleville-Montgomery O : 3,5 km par D 35A – ✉ 14880 Hermanville :

XX **Ferme St-Hubert,** ✆ 31 96 35 41, – Ⓟ. AE ⓓ E VISA
fermé 24 déc. au 15 janv., dim. soir et lundi hors sais. – SC : **R** 65/180.

OURSINIÈRES 83 Var 84 ⑮ – rattaché au Pradet.

OUSSE 64 Pyr.-Atl. 85 ⑦ – rattaché à Pau.

OUSSON-SUR-LOIRE 45710 Loiret 65 ② – 595 h. alt. 158.

Paris 162 – Bléneau 27 – Briare 7,5 – Gien 18 – Montargis 50 – ♦Orléans 82.

X **La Chaumière** avec ch, pl. Eglise ✆ 38 31 45 66 – ⋒. E VISA
fermé 1er au 10 sept., 1er janv. au 1er mars et merc. sauf juil.-août – SC : **R** 43/140 – ☕ 15,50 – **6 ch** 92/120.

OUSSOY-EN-GÂTINAIS 45 Loiret 65 ② – rattaché à Montargis.

OUST 09 Ariège 86 ③ – 503 h. alt. 501 – ✉ **09140** Seix.

Paris 823 – Ax-les-Thermes 76 – Foix 61 – Massat 20 – St-Girons 18.

🏨 ✿ **Poste** (Andrieu) 🔇, ☎ 61 66 86 33, « Bel aménagement intérieur », 🏊, 🌳 – 🛁wc 🚿wc ☎ 🅿
15 avril-1er nov. et fermé merc. hors sais. – SC : **R** (juil., août, fêtes et dim. - prévenir) 75/200 – ☕ 25 – **21 ch** 100/195, 6 appartements 250/280 – P 260/360
Spéc. Papillote de saumon aux cèpes, Escalope de ris de veau au coulis de champignons, Pigeon à la crème d'ail. **Vins** Fronton, Jurançon.

RENAULT Gar. de France, ☎ 61 66 82 88

OYE-ET-PALLET 25 Doubs 70 ⑥ – 369 h. alt. 870 – ✉ **25160** Malbuisson.

Paris 459 – ♦Besançon 65 – Champagnole 47 – Morez 63 – Pontarlier 6,5.

🏨 **Parnet Riant Séjour,** ☎ 81 89 42 03, ←, parc – TV 🛁wc 🚿wc ☎ 🚗 🅿. VISA. ✂
fermé 3 déc. au 5 janv., dim. soir et lundi du 16 sept. au 30 juin sauf vacances scolaires – SC : **R** 75/250 – ☕ 25 – **18 ch** 200/260 – P 230/270.

OYONNAX 01100 Ain 70 ⑭ **G. Jura** – 21 832 h. alt. 540.

🅸 Syndicat d'Initiative Centre Culturel Cours Verdun ☎ 74 73 58 13.

Paris 460 ④ – Bellegarde-sur-V. 30 ② – Bourg-en-B. 49 ④ – Lons-le-Saunier 63 ① – Nantua 16 ③.

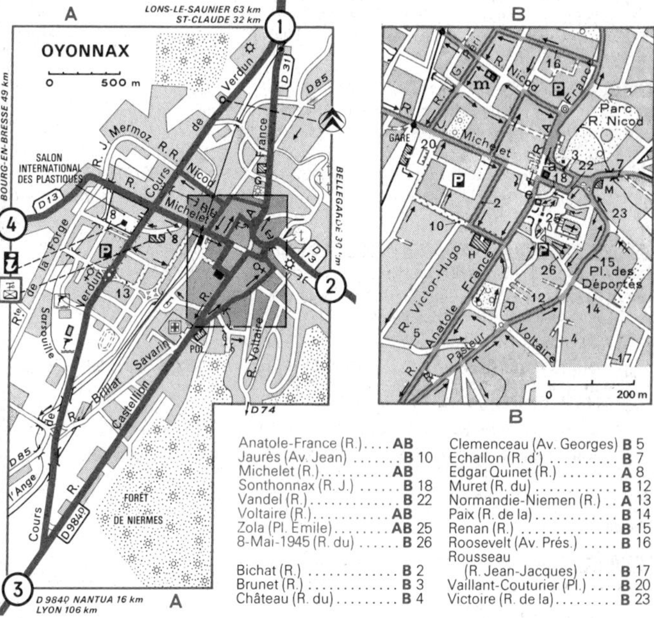

Anatole-France (R.) .... **AB**
Jaurès (Av. Jean) .... **B** 10
Michelet (R.) .... **AB**
Sonthonnax (R. J.) ...... **B** 18
Vandel (R.) .... **B** 22
Voltaire (R.) .... **AB**
Zola (Pl. Émile) .... **AB** 25
8-Mai-1945 (R. du) ...... **B** 26

Bichat (R.) .... **B** 2
Brunet (R.) .... **B** 3
Château (R. du) .... **B** 4

Clemenceau (Av. Georges) **B** 5
Echallon (R. d') .... **B** 7
Edgar Quinet (R.) .... **A** 8
Muret (R. du) .... **B** 12
Normandie-Niemen (R.) .. **A** 13
Paix (R. de la) .... **B** 14
Renan (R.) .... **B** 15
Roosevelt (Av. Prés.) ..... **B** 16
Rousseau (R. Jean-Jacques) ..... **B** 17
Vaillant-Couturier (Pl.) .... **B** 20
Victoire (R. de la) .... **B** 23

🏨 **Gdes Roches** M 🔇 (rest. prévu), rte de Bourg par ④ ☎ 74 77 27 60, ←, 🌳 – 🛗 🛁wc 🚿wc ☎ 🅿. AE ⓓ VISA
SC : ☕ 25 – **41 ch** 130/395.

🏨 **Buffard,** pl. Eglise ☎ 74 77 86 01 – 🛗 🛁wc 🚿 ☎. VISA — B **e**
SC : **R** *(fermé 14 juil. au 15 août, vend. soir et sam.)* 63/128 🍷 – ☕ 20 – **28 ch** 87/228 – P 220/320.

🏨 **Nouvel H,** sans rest, 31 r. Nicod ☎ 74 77 28 11 – 🛗 🛁wc 🚿wc ☎ 🚗. E VISA
SC : ☕ 15 – **37 ch** 62/146. — B **m**

XX **Paris,** 79 r. A.-France ☎ 74 77 01 50 – VISA — B **a**
fermé Pâques, 28 juil. au 25 août, Noël et dim. – SC : **R** (déj. seul.) 85/165 🍷.

X **Châtelet,** 29 r. Nicod ☎ 74 77 05 34 — B **m**
fermé 15 juil. au 31 août et dim. sauf juil.-août – SC : **R** 62/126.

tourner →

Chateau de Brecourt
00 33 232 524 050

au Lac Genin par ② et D 13 : 10 km – ✉ **01130** Nantua.

Voir Site★ du lac★.

Aub. du Lac Genin ⓢ avec ch, ☎ **74 76 08 30**, ←, 🏔 – **P**. ✱
fermé 15 oct. au 1er déc., dim. soir (sauf hôtel) et lundi – **SC : R** 49/57 ✱ – ☕ 14 –
5 ch 59/63 – P 130/157.

CITROEN Gar. Rose, 6 cours de Verdun ☎ 74 77 31 22 **N** ☎ 74 73 76 27
CITROEN Gar. Vailloud, à Bellignat par D 85 ☎ 74 77 24 30
LANCIA-AUTOBIANCHI Gar. Capelli, 178 r. A.-France ☎ 74 77 18 86
OPEL Nat-Autom., 53 r. Castellion ☎ 74 77 26 96
RENAULT Gar. du Lac, rte de St-Claude, zone Ind. Nord par ① ☎ 74 77 46 42 **N** ☎ 74 76 07 33
V.A.G. Central Gar., 4 Cours de Verdun ☎ 74 77 29 10
Gar. Humbert, 15 rte de Marchon ☎ 74 77 03 97
Ⓜ Alain-Pneu, 53 cours de Verdun ☎ 74 73 51 88
Compt. Départemental du Pneu, 53 r. B.-Savarin ☎ 74 77 88 88
Euro-Pneus 46 r. G.-Péri ☎ 74 77 31 30

OZOIR-LA-FERRIÈRE 77330 S.-et-M. 61 ②, 196 ㉝, 101 ㉚ – 13 730 h. alt. 112.

18 9 ☎ (1) 60 28 20 79, O : 2 km.

Paris 34 – Coulommiers 41 – Lagny-sur-M. 21 – Melun 27 – Sézanne 84.

Le Relais d'Ozoir, 73 av. Gén.-de-Gaulle ☎ (1) 60 28 20 33 – **E** VISA
fermé août, mardi soir et merc. – **SC : R** 65/210.

Aub. du Parc, 65 av. Gén. De Gaulle ☎ (1) 60 28 20 19 – VISA
fermé du 1er au 30 août, lundi et mardi – **SC : R** 104.

PEUGEOT,TALBOT Couffignal 38 av. Gén. de-Gaulle ☎ (1) 60 28 20 77
RENAULT Carep, 111 av. Gén.-de-Gaulle ☎ (1) 60 28 30 08

La PACAUDIÈRE 42310 Loire 73 ⑦ – 1 222 h. alt. 368.

Voir Le Crozet : maison Papon★ SO : 2 km, G. **Vallée du Rhône.**

Paris 366 – Chauffailles 49 – Lapalisse 24 – Roanne 24 – ♦St-Étienne 102.

du Lys, ☎ 77 64 35 20 – ⋒wc ☎ 🚗. ✱ ch
fermé 1er au 15 oct. et merc. – **SC : R** 50/180 – ☕ 18,50 – **7 ch** 89/200.

RENAULT Gar. du Centre, ☎ 77 64 30 11 **N**
G PLT LAVENIR, ☎ 77 64 38 31 **N** ☎ 77 64 00 86

PACY-SUR-EURE 27120 Eure 55 ⑰, 196 ① G. Normandie – 3 773 h. alt. 45.

Paris 84 – Dreux 39 – Évreux 18 – Louviers 31 – Mantes-la-Jolie 26 – ♦Rouen 63 – Vernon 13.

Mère Corbeau, face gare ☎ 32 36 98 49, 🏔 – VISA
fermé mi-janv. à mi-fév., mardi soir et merc. – **SC : R** 68/240.

à Douains NE : 6 km par D 181 et D 75 – ✉ **27120** Douains :

Château de Brécourt ⓢ, ☎ 32 52 40 50, Télex 172250, ←, parc, ✱ – ☎ **P** –
50 à 100. AE ⓓ **E** VISA. ✱ ch
SC : R 150/250 – ☕ 45 – **24 ch** 280/605 – P 550/780.

à Jouy-sur-Eure NO : 9 km par D 836 et D 57 – ✉ **27120** Pacy-sur-Eure :

Relais Du Guesclin, pl. église ☎ 32 36 62 75, 🏔, ✱ – AE ⓓ **E** VISA
fermé merc. – **SC : R** (fermé le soir) 100 bc/200 bc.

CITROEN Bouquet, St-Aquilin ☎ 32 36 10 10
PEUGEOT-TALBOT Cl.-Aleth, 13 av. Gén-de-Gaulle ☎ 32 36 10 44
RENAULT Aleth Ch., 123 r. Isambard ☎ 32 36 01 53

PADIRAC 46 Lot 75 ⑲ – 148 h. alt. 360 – ✉ 46500 Gramat.

Paris 546 – Brive-la-Gaillarde 56 – Cahors 65 – Figeac 44 – Gourdon 47 – Gramat 9 – St-Céré 14.

au Village :

Montbertrand ⓢ, ☎ 65 33 64 47, ✱ – ⊟wc ⋒wc ☎ **P**. AE. ✱
Pâques-fin oct. – **SC : R** (dîner seul.) 50/100 – ☕ 17 – **9 ch** 160/180.

au Gouffre N : 2,5 km – ✉ **46500** Gramat.

Voir Gouffre★★★, G. **Périgord.**

Padirac H. ⓢ, ☎ 65 33 64 23, 🏔, ✱ – ⋒ **P**. VISA. ✱ ch
1er avril-12 oct. – **SC : R** 37/145 – ☕ 15 – **25 ch** 60/97.

La Table du Berger et Troglodytique, ☎ 65 33 64 72, ←, 🏔 – **P**
23 mars-fin sept. – **SC : R** (déj. seul. sauf juil.-août) 37/95.

PAILHEROLS 15 Cantal 76 ⑬ – 195 h. alt. 1 040 – ✉ 15800 Vic-sur-Cère.

Paris 537 – Aurillac 35 – Entraygues-sur-Truyère 50 – Murat 44 – Raulhac 12 – Vic-sur-Cère 14.

Aub. des Montagnes ⓢ, ☎ 71 47 57 01, ✱ – ⋒
1er mars-30 sept., vacances scolaires et week-ends du 1er nov. au 1er mars – **SC : R** 45/95 – ☕ 14 – **16 ch** 59/94 – P 118/138.

PAIMPOL 22500 C.-du-N. 59 ② G. Bretagne – 8 367 h. alt. 12.

Voir Abbaye de Beauport★ SE : 2 km par ② – Tour de Kerroc'h ≤★ 3 km par ① puis 15 mn.

Env. Pointe de Minard★★ SE : 11 km par ②.

Syndicat d'Initiative pl. République (sais.) ✆ 96 20 83 16.

Paris 495 ② – Guingamp 28 ④ – Lannion 33 ⑤ – St-Brieuc 45 ②.

PAIMPOL

Martray (Pl. du) 13
République (Pl. de la) ... 16

Bertho (R. Sylvain) 2
Botrel (Sq. T.).......... 3
Église (R. de l')......... 4
Fromal (R. H.).......... 5
Gaulle (Av. Gén.-de).... 7
Islandais (R. des)....... 8
Labenne (R. de)........ 9
Leclerc (R. Gén.) 10
Marne (R. de la)........ 12
Morand (Quai)......... 14
Pasteur (R.)............ 15
St-Vincent (R.)......... 17
Verdun (Pl. de)......... 19
18-Juin (R. du)......... 22

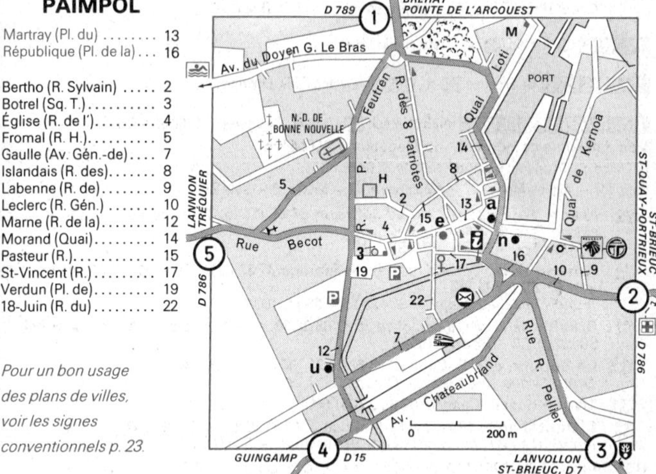

Pour un bon usage des plans de villes, voir les signes conventionnels p. 23.

Marne, 30 r. Marne **(u)** ✆ 96 20 82 16 – wc wc ☎ P
fermé 15 nov. au 5 déc. et vend. hors sais. – SC : **R** 70/145 – 17 – **16 ch** 100/190 – P 200/230.

Goélo sans rest, au Port **(n)** ✆ 96 20 82 74, ≤ – wc ☎.
SC : 15,50 – **32 ch** 57/143.

Chalutiers sans rest, 5 quai Morand **(a)** ✆ 96 20 82 15, ≤ – wc wc
fermé oct. à fév. – SC : 16 – **21 ch** 66/191.

Vieille Tour, 13 r. Église **(e)** ✆ 96 20 83 18 – VISA
fermé 15 nov. au 6 déc., mardi soir et merc. sauf vacances scolaires – **R** 68/260.

à Pors-Even par ① : 5 km – ✉ **22620** Ploubazlanec :

Bocher, ✆ 96 55 84 16 – wc ☎ P.
Pâques-nov. – SC : **R** 73/156 – 17 – **16 ch** 69/203 – P 196/260.

à la Pointe de l'Arcouest par① : 6 km – ✉ **22620** Ploubazlanec :
Voir ≤★★.

Le Barbu , ✆ 96 55 86 98, ≤ Ile de Bréhat, « Jardin avec piscine » – wc wc ☎ P – 30. AE E VISA
25 mars-5 nov. et 20 déc.-2 janv. – SC : **R** 110/300 – 30 – **20 ch** 200/350.

sur rte de Lanvollon, par ③ et D 7 : 11 km – ✉ **22290** Lanvollon :

Château de Coatguélen , ✆ 96 22 31 24, ≤, parc, , – P – 40. AE E VISA. rest
fermé 5 janv. au 25 mars, mardi midi et merc. midi – SC : **R** 200/350 – 35 – **16 ch** 350/600 – P 590/730.

Voir aussi ressources hôtelières de ***Lézardrieux***

CITROEN Gar. Landais, rte de Lanvollon par ③ ✆ 96 20 88 43
FIAT Lasbleiz, 11 r. de la Marne ✆ 96 20 80 42
PEUGEOT-TALBOT Gar. Chapalain, Quai Duguay-Trouin ✆ 96 20 80 55 N

RENAULT Poidevin, rte Lanvollon par ③ ✆ 96 20 73 15 N

Tregor-Pneus, rte de Lanvollon ✆ 96 22 03 18

PAIMPONT 35 I.-et-V. 63 ⑤ G. Bretagne – 1 449 h. alt. 155 – ✉ 35380 Plélan le Grand.
Voir Forêt de Paimpont*.
Paris 389 – Dinan 54 – Ploërmel 22 – Redon 48 – •Rennes 40.

Relais de Brocéliande, ☎ 99 07 81 07, – TV wc wc ☎ P. AE E VISA. rest
SC : **R** *(fermé lundi de nov. à Pâques)* 52/130 – 15 – **18 ch** 85/165 – P 145/190.

XX **Manoir du Tertre,** Le Tertre SO : 4 km par rte de Beignon et VO ☎ 99 07 81 02, parc – P. VISA.
fermé 6 au 22 oct., 3 au 14 fév. et mardi – SC : **R** 65/120.

PAIRIS 68 H.-Rhin 62 ⑱ – rattaché à Orbey.

PALAISEAU 91 Essonne 60 ⑩, 101 ㉞ – voir à Paris, Environs.

PALAVAS-LES-FLOTS 34250 Hérault 83 ⑦⑰ G. Causses – 4 180 h. – Casino.
Voir Ancienne cathédrale* de Maguelone SO : 4 km.
Office du Tourisme à l'Hôtel de Ville ☎ 67 68 02 34.
Paris 767 – Aigues-Mortes 27 – •Montpellier 12 – Nîmes 59 – Sète 28.

Mar y Sol M sans rest, bd Joffre ☎ 67 68 00 46, Télex 485082, ←, – TV wc wc ☎. AE VISA.
SC : 16,50 – **39 ch** 180/260.

Amérique H. M sans rest, av. F.-Fabrège ☎ 67 68 04 39 – wc wc ☎ P. AE E VISA
fermé 17 déc. au 3 janv. – SC : 15 – **33 ch** 160/230.

Brasilia sans rest, 9 bd Joffre ☎ 67 68 00 68, ← – wc wc ☎. AE E VISA
SC : 16,50 – **22 ch** 110/225.

XXX **Le Sphinx,** quai P.-Cunq ☎ 67 68 00 21, – AE VISA
fermé 15 déc. au 21 janv. – **R** carte 150 à 220.

XXX Marine, quai P.-Cunq ☎ 67 68 00 05, .

XX **L'Oustal de la Mar,** av. St-Maurice ☎ 67 68 02 93 – AE VISA
fermé 10 au 20 oct., vacances de fév. et merc. – SC : **R** 74/125.

HONDA-INNOCENTI-MAZDA Suttel-Marine, les 4 canaux, N 586 ☎ 67 68 02 86

La PALLICE 17 Char.-Mar. 71 ⑫ – rattaché à la Rochelle.

PALMAS 12 Aveyron 80 ③ – 216 h. alt. 630 – ✉ 12310 Laissac.
Paris 598 – Espalion 22 – Pont-de-Salars 21 – Rodez 28 – Sévérac-le-Château 24.

Aub. du Vieux Port, ☎ 65 69 62 50, – wc P
fermé sept. – SC : **R** 45/120 – 12 – **10 ch** 60/90 – P 130/140.

La PALMYRE 17 Char.-Mar. 71 ⑮ G. Côte de l'Atlantique – ✉ 17570 Les Mathes.
Voir ←* du phare de la Coubre* NO : 5 km – N : Forêt de la Coubre*.
Paris 520 – Marennes 21 – La Rochelle 85 – Royan 17.

XX **La Barbaque,** ☎ 46 22 40 20, ←, – P
Pâques-20 juin (week-end et fériés seul.) et 20 juin-sept. – SC : **R** 60/150.

PALUDEN 29 Finistère 58 ④ – rattaché à Lannilis.

La PALUD-SUR-VERDON 04 Alpes de H.-Pr 81 ⑰ G. Côte d'Azur – 153 h alt. 890 – ✉ 04120 Castellane.
Paris 840 – Castellane 25 – Digne 68 – Draguignan 61 – Manosque 70.

Le Provence , ☎ 92 74 68 88, ←, – wc P. rest
20 mars-5 nov. – SC : **R** 55/100 – 18 – **15 ch** 114/135 – P 180/190.

Aub. des Crêtes, E : 1 km sur D 952 ☎ 92 74 68 47, – wc ☎ P. E
Pâques-30 sept. – SC : **R** 50/160 – 15 – **12 ch** 98/112 – P 177/195.

PAMFOU 77 S.-et-M. 61 ②, 196 ㊼ – rattaché à Valence-en-Brie.

PAMIERS 09100 Ariège 86 ④⑤ – 11 619 h. alt. 278.
Office de Tourisme pl. du Mercadal ☎ 61 67 04 22.
Paris 767 ① – Auch 125 ① – Carcassonne 70 ② – Castres 96 ① – Foix 19 ② – •Toulouse 64 ①.

Plan page ci-contre

France, 13 r. Hospice ☎ 61 60 20 88 – wc wc ☎ P. VISA ABZ e
fermé 25 déc. au 5 janv. – SC : **R** *(fermé dim. du 1er oct. au 30 avril)* 62/150 – 17 – **33 ch** 100/250 – P 175/230.

Parc, 12 r. Piconnières ☎ 61 67 02 58 – wc wc ☎. VISA BZ r
SC : **R** *(fermé nov. et lundi)* 60/120 – 18 – **12 ch** 60/165.

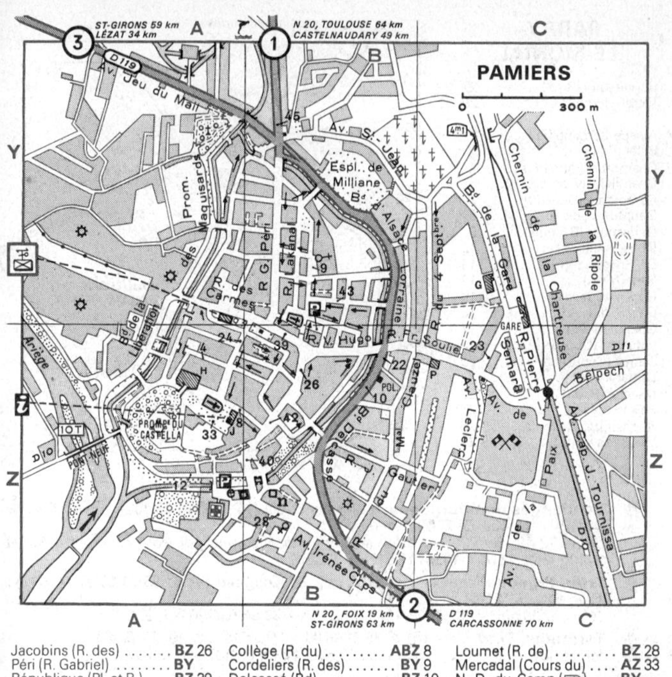

Jacobins (R. des) .... **BZ** 26
Péri (R. Gabriel) .... **BY**
République (Pl. et R.) .... **BZ** 39
Victor-Hugo (R.) .... **BZ**

Bayle (R.) .... **AZ** 4
Cathédrale (⛪) .... **AZ**

Collège (R. du) .... **ABZ** 8
Cordeliers (R. des) .... **BY** 9
Delcassé (Bd) .... **BZ** 10
Dr-J.-P.-Rambaud (Cours) **AZ** 12
Fusillés (Pl. des) .... **BZ** 22
Gare (Av. de la) .... **CZ** 23
Gaulle (R. Ch.-de) .... **AZ** 24

Loumet (R. de) .... **BZ** 28
Mercadal (Cours du) ...... **AZ** 33
N.-D.-du-Camp (⛪) ...... **BY**
St-Antonin (R.) .... **BZ** 40
Soula (Pl. Eugène) .... **BZ** 42
Taillancier (R.) .... **BY** 43
Toulouse (Av. de) .... **BY** 45

ALFA-ROMEO Gar. Brillas, rte Mirepoix, la Tour-du-Crieu ✆ 61 60 13 31
CITROEN Lopez, Côtes de la Cavalerie par ① ✆ 61 67 11 45
FIAT S.C.A.A., 5 rte de Foix ✆ 61 67 12 08
MERCEDES Auto Service, 33 av. Pyrénées à St-Jean-du-Falga ✆ 61 67 05 71
OPEL, GM Gomez, espl. de Milliane ✆ 61 67 26 33

PEUGEOT, TALBOT Labail, N 20 à St-Jean-du-Falga par ② ✆ 61 68 01 00
RENAULT Pamiers-Autom., N 20 à St-Jean-du-Falga par ② ✆ 61 68 01 41

Ⓟ Solapneu, 3 av. la Gare ✆ 61 60 54 34

PANISSIÈRES 42360 Loire 73 ⑱ – 2 944 h. alt. 600.

Paris 492 – •Lyon 58 – Montbrison 40 – Roanne 52 – •St-Étienne 54 – Thiers 84.

Genest, ✆ 77 28 61 23 – Ⓟ
fermé oct. et sam. de sept. à mai – SC : **R** 40/100 🍷 – ☕ 14 – **9 ch** 70/125 – P 135/145.

CITROEN Gar. Central, ✆ 77 28 63 53
PEUGEOT, TALBOT Bailly, ✆ 77 28 64 31 N
RENAULT Péronnet, ✆ 77 28 65 01 N

PANTIN 93 Seine-St-Denis 56 ⑪, 101 ⑯ – voir à Paris, Environs.

PARAMÉ 35 I.-et-V. 59 ⑥ – rattaché à St-Malo.

PARAY-LE-MONIAL 71600 S.-et-L. 69 ⑰ G. Bourgogne – 11 312 h. alt. 245.

Voir Basilique du Sacré-Coeur★★ – Hôtel de ville★ H – Tympan★ du musée du Hiéron M.

ℹ Office de Tourisme pl. Poste ✆ 85 81 10 92.

Paris 369 ⑤ – Autun 79 ⑤ – Mâcon 68 ② – Montceau-les-M. 35 ① – Roanne 53 ④.

Plan page suivante

Motel Grill Le Charollais Ⓜ, par ⑤ : 4 km sur N 79 ✆ **85 81 03 35,** 🌳, 🪑 – ⇔wc ☎ ♿ Ⓟ – 🏋 30. AE
SC : **R** (Grill) 49/110 🍷 – ☕ 23 – **20 ch** 205/245 – P 245/350.

PARAY-LE-MONIAL

République (R.) 27
Victor-Hugo (R.) 29

Alsace-Lorraine (Pl.) 2
Billet (R.) 3
Champ-de-Foire (Pl.) 4
Charolles (av. de) 5
Commerce (Quai du) 7
Dauphin-Louis (Bd) 8
Derischard (R. Louis) 9
Deux-Ponts (R.) 12
Dr. Griveaud (R.) 13
Four (R. du) 14
Gare (Av. de la) 15
Gaz (R. du) 16
Guignaud (Pl.) 17
Industrie (Quai de l') 18
Jaurès (Cours Jean) 20
Lamartine (Pl.) 21
Marché (R. du) 22
Paix (R. de la) 23
Regnier (Bd H. de) 26
Visitation (R.) 30

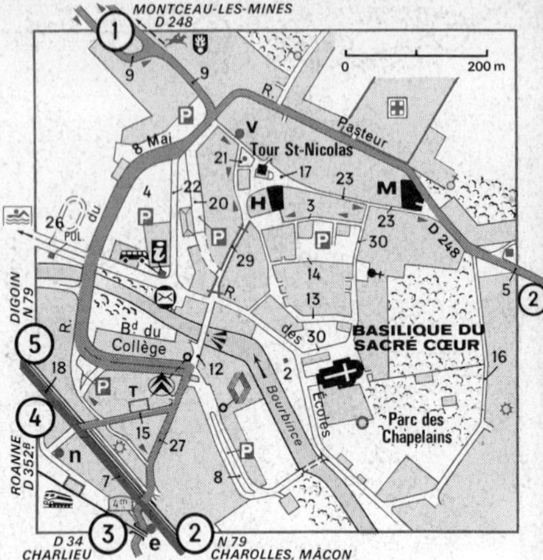

🏨 **Vendanges de Bourgogne,** 5 r. Denis-Papin **(e)** ✆ 85 81 13 43 – ⛾wc ⛾wc ☎ 🚗 **P** – 🏋 100. AE E VISA. ✂ rest
fermé 17 fév. au 20 mars, dim. soir et lundi midi sauf juil.-août et fériés – **SC : R** 58/190 – ☕ 18,50 – **14 ch** 113/176 – P 225/275.

🏨 **Trois Pigeons** (annexe 🏨 15 ch), 2 r. Dargaud **(v)** ✆ 85 81 03 77 – ⛾wc ⛾wc ☎ 🚗. E VISA
1er mars-30 nov. – **SC : R** 73/166 🍷 – ☕ 15 – **33 ch** 52/190 – P 205/315.

🏨 **Terminus,** 57 av. Gare **(n)** ✆ 85 81 08 80 – ⛾wc ☎ 🚗 **P**. AE E VISA
fermé nov. – **SC : R** 53/103 🍷 – ☕ 15,50 – **22 ch** 63/137 – P 185/231.

à l'Est : 3 km sur D 248 – ✉ **71600** Paray-le-Monial :

🏨 **Val d'Or,** ✆ 85 81 05 07, 🍽 – ⛾wc ☎ 🚗 **P**
fermé 1er au 30 oct. et lundi (sauf hôtel en juil.-août) – **SC : R** 45/120 🍷 – ☕ 17 – **17 ch** 83/160 – P 200/230.

BMW Chamaraud, 52 quai Commerce ✆ 85 81 10 31 **N**
CITROEN Lauferon, 16 r. des Deux-Ponts ✆ 85 81 13 41
CITROEN Serieys Modern gar., la Beluze par av. de Charolles ✆ 85 81 09 31 **N**
FORD Narbot, le Rompay RN 79 à Vitry en Charollais ✆ 85 81 41 89 **N**

PEUGEOT Gar. de la Beluze la Beluze par av. de Charolles à Volesvres ✆ 85 81 43 45 **N**
PEUGEOT-TALBOT Henry, N 79, rte de Digoin à Vitry en Charollais par ⑤ ✆ 85 81 13 65
RENAULT Taillardat, 13 bd du Dauphin-Louis ✆ 85 81 44 12

Meyer, 36 r. de la République ✆ 85 81 04 96

PARCEY **39** Jura **70** ③ – rattaché à Dole.

PARENT **63** P.-de-D. **73** ⑭⑮ – rattaché à Vic-le-Comte.

PARENTIGNAT **63** P.-de-D. **73** ⑮ – rattaché à Issoire.

PARENTIS-EN-BORN **40160** Landes **78** ③ **G. Côte de l'Atlantique** – 4 254 h. alt. 32.
Office de Tourisme pl. des Marronniers (fermé après-midi hors sais.) ✆ 58 78 43 60.
Paris 662 – Arcachon 41 – ♦Bordeaux 74 – Mimizan 24 – Mont-de-Marsan 78.

🏨 **Cousseau,** r. St-Barthélemy ✆ 58 78 42 46 – ⛾
fermé 5 au 11 mai, 4 oct. au 2 nov., vend. soir et dim. soir – **SC : R** 39/190 – ☕ 13 – **10 ch** 90/113 – P 130/140.

XX **Poste,** r. 8-Mai-1945 ✆ 58 78 40 23 – AE E VISA
fermé vacances de fév., 26 oct. au 5 nov., 20 déc. au 3 janv. et le sam. du 1er sept. au 30 juin – **SC : R** *(hiver : déj. seul.)* 55/110.

à Gastes SO : 7,5 km par D 652 – ✉ **40160** Parentis-en-Born :

XX **L'Estanquet** 🐦 avec ch, ✆ 58 78 42 00, 🍽 – ⛾ **P**. AE ⓓ VISA
1er juin-30 sept. et fermé mardi sauf juil.-août – **SC : R** 55/180 – ☕ 17 – **8 ch** 95/130 – P 240.

CITROEN Gar. Dumartin, ✆ 58 78 43 00 **N** ✆ 58 78 40 40

RENAULT Gar. Larrieu, ✆ 58 78 43 50 ✆ 58 78 43 50

PARMAIN **95** Val-d'Oise **55** ⑳, **196** ⑥ – rattaché à L'Isle-Adam.

PARIS

et environs

PARIS P 75 Plans : 10, 11, 12 et 14 G. Paris – 2 317 227 h. – Région d'Ile-de-France 9 878 500 h. – alt. Observatoire 60 m – Place Concorde 34 m – ✪ 1

Aérogares urbaines (Terminal) : esplanade des Invalides (7e) ✆ 43.23.97.10 et Palais des Congrès Porte Maillot ✆ 42.99.20.18.

Aéroports : voir à Orly et à Roissy-en-France, rubrique environs.

Trains Autos : Renseignements ✆ 42.61.50.50 – Gare de Lyon ✆ 43.45.92.22 – Gare de l'Est ✆ 42.08.49.90 – Gare d'Austerlitz ✆ 45.84.16.16 – Gare Montparnasse ✆ 45.38.52.29.

Distances : A chacune des localités du Guide est donnée la distance du centre de l'agglomération à Paris (Notre-Dame) calculée par la route la plus pratique.

OFFICES DE TOURISME

Syndicat d'Initiative et Accueil de France :
(tous les jours : en sais. de 9 à 21 h, hors sais. de 9 h à 20 h), 127 av. des Champs-Élysées (8e) ✆ 47 23 61 72 ; Télex 611984 – Informations et réservations d'hôtels (pas plus de 5 jours à l'avance pour la province) – Change : U.B.P., 125 av. des Champs-Élysées ✆ 47 20 77 19.

Hôtesses de Paris :
Gare de l'Est ✆ 46 07 17 73 ; Gare de Lyon ✆ 43 43 33 24 ; Gare du Nord ✆ 45 26 94 82 ; Gare d'Austerlitz ✆ 45 84 66 73 ; Tour Eiffel ✆ 45 51 22 15.

Province et étranger :
Voir adresses dans Index et Plan de Paris Michelin nº 11

CURIOSITÉS

ce qu'il faut surtout voir

RUES – PLACES – JARDINS

Champs-Élysées★★★ F 8, F 9, G 10 – Place de la Concorde★★★ G 11 (Obélisque de Louksor) – Jardin des Tuileries★★ H 12 – Rue du Faubourg St-Honoré★★ G 11, G 12 – Avenue de l'Opéra★★ G 13 – Place Vendôme★★ G 12 – Place des Vosges★★ – Place du Tertre★★ D 14 – Jardin des Plantes★★ – Avenue Foch★ F 7 – Rue de Rivoli★ G 12 – Rue Mouffetard★ – Place de la Bastille (Colonne de Juillet) JK 17 – Place de la République G 17 – Grands Boulevards F 13, F 14.

QUARTIERS ANCIENS

La Cité★★★ (Ile St-Louis, les Quais) J 14, J 15 – Le Marais★★★ – Montmartre★★★ D 14 – Montagne Ste Geneviève★★ (Quartier Latin) K 14.

GRANDS MONUMENTS

Notre Dame★★★ K 15 – Ste Chapelle★★★ J 14 – Arc de Triomphe★★★ F 8 (Place Charles de Gaulle) – Tour Eiffel★★★ J 7 – Invalides★★★ (Eglise du Dôme, tombeau de Napoléon) J 10 – Palais Royal★★ H 13 – La Madeleine★★ G 11 – Opéra★★ F 12 – St-Germain l'Auxerrois★★ H 14 – Conciergerie★★ J 14 – Ecole Militaire★★ K 9 – Luxembourg★★ (palais, jardins) – Panthéon★★ – St Séverin★★ K 14 – St Germain des Prés★★ J 13 – St Etienne du Mont★★ L 15 – St Sulpice★★ K 13 – Hôtel Lamoignon★★ Hôtel Guénégaud★★ (musée de la chasse) – Hôtel de Rohan★★ – Palais Soubise★★ – Sacré Cœur★★ D 14 – Tour Maine Montparnasse★★ – Institut de France★ J 13 – Maison de Radio France★ K 5 – Palais des Congrès★ E 6 – St Roch★ G 13 – Pont Alexandre III★ H 10 – Pont Neuf★ J 14 – Pont des Arts J 13.

GRANDS MUSÉES

Louvre★★★ (le Palais des rois de France★★★ ; Cour Carrée, colonnade de Perrault, façade sur le quai, les « bras » du Louvre, Arc de Triomphe du Carrousel et parterres – Le Musée★★★ : stèle des Vautours, Scribe accroupi, Vénus de Milo, Victoire de Samothrace, Nymphes de Jean Goujon, la Joconde, le Régent...) H 13 – Jeu de Paume★★★ (impressionnistes) G 11 – Arts décoratifs★★ H 13 – Cluny★★ (hôtel et musée : la Dame à la Licorne) K 14 – Rodin★★ (hôtel de Biron) J 10 – Carnavalet★★ – Centre Georges Pompidou★★ (musée d'art moderne) H 15 – Palais de Chaillot (Monuments français★★, musée de l'Homme★★, musée de la Marine★★) H 7 – Palais de la Découverte★★ G 10 – Conservatoire des Arts et Métiers★★ G 16.

K 14, G 10 : *Lettres et chiffres de situation sur les plans de Paris Michelin nº* 10, 11, 12 *ou* 14.

RENSEIGNEMENTS PRATIQUES

BUREAUX DE CHANGE

– Principales banques : ferment à 17 h et sam., dim.
– A l'aéroport d'Orly-Sud : de 6 h 30 à 23 h 30
– A l'aéroport Charles de Gaulle : de 6 h 15 à 23 h 30 (aérogare 1)
de 7 h à 23 h (aérogare 2)

TRANSPORTS

Taxi : faire signe aux véhicules libres (lumière jaune allumée) – Aires de stationnement – De jour et de nuit : appels téléphonés.

Bus-Métro : se reporter au plan de Paris Michelin nº 11. Le bus permet une bonne vision de la ville, surtout pour courtes distances.

POSTES-TÉLÉPHONE

Chaque quartier a un bureau de Postes ouvert jusqu'à 19 h, fermé samedi après-midi et dim.
Bureau ouvert 24 h sur 24 : 52, rue du Louvre.

PRINCIPAUX CENTRES DE COMMERCE

Grands magasins : Boulevard Haussmann, rue de Rivoli, rue de Sèvres.

Commerces de luxe : Faubourg St-Honoré, Rue de la Paix, Rue Royale.

Occasions et antiquités : Marché aux Puces (Porte Clignancourt), Village Suisse (av. de la Motte-Piquet) – Louvre des Antiquaires – Fripiers et brocante : quartier des anciennes Halles.

COMPAGNIES AÉRIENNES FRANÇAISES

Air France	119, Champs Élysées	✆ 45 35 61 61
Air Inter	12, rue de Castiglione	✆ 45 39 25 25
U.T.A.	3, boulevard Malesherbes	✆ 42 66 30 30

DÉPANNAGE AUTOMOBILE

Il existe, à Paris et dans la Région Parisienne, des ateliers et des services permanents de dépannage.

Les postes de Police vous indiqueront le dépanneur le plus proche de l'endroit où vous vous trouvez.

MICHELIN à Paris et en banlieue

Services généraux :

46 av. Breteuil ✆ 45 39 25 00 – 75341 PARIS CEDEX 07 – Télex MICHLIN 270789 F.
Ouverts du lundi au vendredi de 8 h 45 à 16 h 30 (16 h le vendredi).

Agences régionales :

Ouvertes du lundi au vendredi de 8 h à 12 h 15 et de 14 h à 18 h (17 h 45 le vendredi).

Arcueil : 24 bis r. Berthollet ✆ 47 35 13 20 – BP 19 – 94114 ARCUEIL CEDEX.

Aubervilliers : 34 r. des Gardinoux ✆ 48 33 07 58 – BP 79 – 93302 AUBERVILLIERS CEDEX.

Maisons-Alfort : r. Charles-Martigny – Z.I. des Petites Haies – ✆ 48 99 55 60 – BP 50 – 94702 MAISONS ALFORT CEDEX.

Nanterre : 13, 15, 17 r. des Fondrières ✆ 47 21 67 21 – BP 505 – 92005 NANTERRE CEDEX.

Agences :

Buc : 417 av. R. Garros – Z.I. Centre – ✆ 39 56 10 66 – 78530 BUC.

Entrepôts :

Gennevilliers : 121 av. du Vieux Chemin de St-Denis ✆ 47 99 98 82 – 92230 GENNEVILLIERS.

ARRONDISSEMENTS

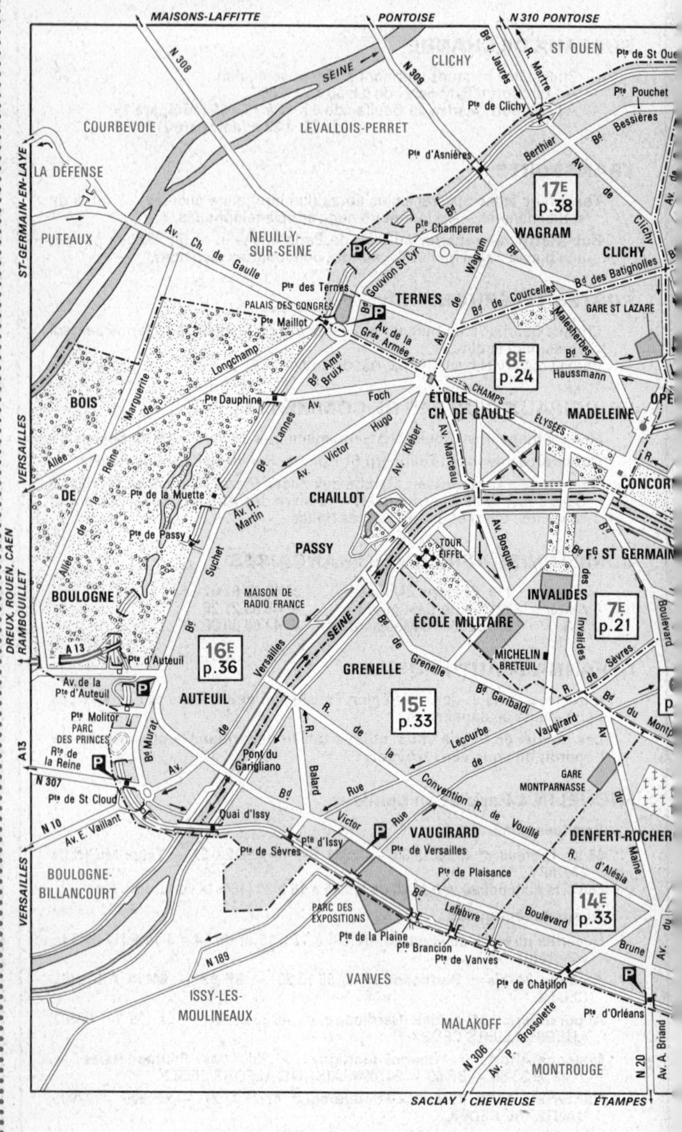

🅿 Parking périphérique public — Limite d'arrondissement

Rue à sens unique

Bd périphérique (Echangeur : ▪ complet, ▫ partiel)

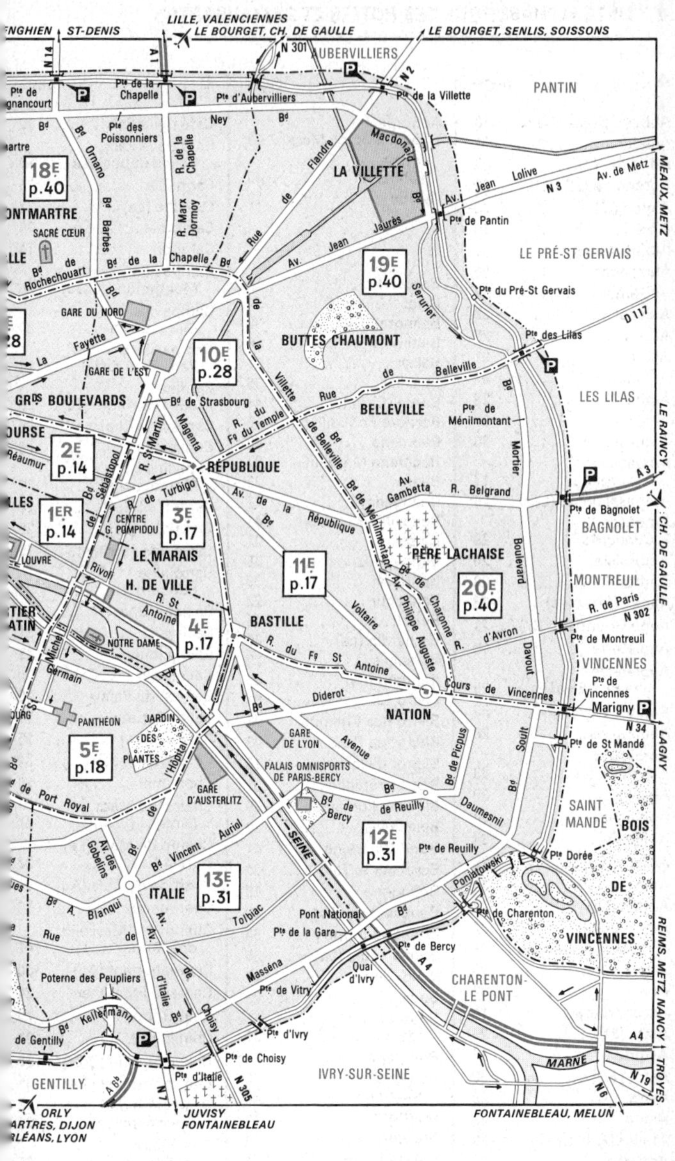

Pour la pratique quotidienne de Paris

Les Plans de Paris MICHELIN

précis - complets - détaillés

10 Plan, 12 Plan avec répertoire, 11 Paris Atlas, 14 plan de Paris

■ LISTE ALPHABÉTIQUE DES HOTELS ET RESTAURANTS

■ RESTAURANTS de PARIS et de la BANLIEUE

Nous vous présentons ci-après une liste d'établissements sélectionnés pour la qualité de leur table ou pour leurs spécialités. Vous trouverez également des adresses pour souper après le spectacle ou pour déjeuner en plein air à Paris ou en banlieue.

Les bonnes tables... à étoiles

3 étoiles

		Arr.	Page
XXXXX	Lucas Carton	8e	26
XXXXX	Taillevent	8e	26
XXXXX	Tour d'Argent	5e	20
XXXX	Jamin	16e	37

2 étoiles

		Arr.	Page
XXXXX	Ambassadeurs	8e	26
XXXXX	Bristol	8e	26
XXXXX	Lasserre	8e	26
XXXXX	Pavillon Elysées	8e	27
XXXXX	Ritz Espadon	1er	15
XXXX	Carré des Feuillants	1er	15
XXXX	Chiberta	8e	27
XXXX	Duc d'Enghien	à Enghien-les-Bains	46
XXXX	Faugeron	16e	37
XXXX	Grand Vefour	1er	15
XXXX	Le Divellec	7e	22
XXXX	Marée (La)	8e	27
XXXX	Michel Rostang	17e	39
XXXX	Pré Catelan	16e	38
XXXX	Trois marches	à Versailles	60
XXXX	Vivarois	16e	37
XXX	Bernardin (Le)	17e	39
XXX	Duquesnoy	6e	20
XXX	Gérard Besson	1er	15
XXX	Guy Savoy	16e	37
XXX	Jacques Cagna	6e	20
XXX	Petit Bedon	16e	37
XXX	Relais Louis XIII	6e	20
XXX	Tastevin (Le)	à Maisons-Laffitte	48
XXX	Vieille Fontaine	à Maisons-Laffitte	48
XX	Ambroisie	5e	20
XX	Michel (Chez)	10e	30

1 étoile

		Arr.	Page
XXXXX	Laurent	8e	26
XXXXX	Ledoyen	8e	26
XXXXX	Régence	8e	26
XXXX	Café de la Paix	9e	30
XXXX	Célébrités	15e	34
XXXX	Comte de Gascogne (Au)	à Boulogne-Billancourt	43
XXXX	Coq Hardi	à Bougival	43
XXXX	Fouquet's Elysées	8e	27
XXXX	Grande Cascade	16e	38
XXXX	Jules Verne	7e	22
XXXX	Lamazère	8e	27
XXXX	Maxim's	à Roissy	53
XXXX	Paris (Le)	6e	20
XXX	Anges (Chez les)	7e	23
XXX	Apicius	17e	39
XXX	Aquitaine (L')	15e	34
XXX	Argonne (L')	7e	22
XXX	Barrière de Clichy (La)	à Clichy	45
XXX	Beauvilliers	18e	41
XXX	Belle époque (La)	à Châteaufort	44
XXX	Boule d'Or (La)	7e	23
XXX	Camélia (Le)	à Bougival	43
XXX	Cantine des Gourmets	7e	23
XXX	Cazaudehore	à St-Germain-en-Laye	56
XXX	Céladon (Le)	2e	15
XXX	Clos de Longchamp	17e	39
XXX	Clovis	8e	27
XXX	Cochon d'Or	19e	41
XXX	Copenhague	8e	27
XXX	Couronne (La)	8e	27
XXX	Dauphin (Le) (Sofitel Bourbon)	7e	22

✿ 1 étoile

XXX	Le Duc	14e	34
XXX	El Chiquito	à Rueil-Malmaison	53
XXX	Étoile d'Or	17e	39
XXX	Ferrero	16e	37
XXX	Flamberge (La)	7e	23
XXX	Florian	à St-Cloud	54
XXX	Goumard	1er	16
XXX	Jacqueline Fénix	à Neuilly	50
XXX	Jardins Lenôtre (Les)	8e	27
XXX	Manoir de Paris	17e	39
XXX	Mercure Galant	1er	15
XXX	Michel Comby	17e	39
XXX	Michel Pasquet	16e	37
XXX	Morot-Gaudry	15e	34
XXX	Nicolas	10e	30
XXX	Olympe	15e	34
XXX	Pressoir (Au)	12e	31
XXX	Relais de Sèvres	15e	34
XXX	Relais des Gardes	à Meudon	49
XXX	Relais Pyrénées	20e	41
XXX	Sormani	17e	39
XXX	Timgad	17e	39
XXX	Toit de Passy	16e	37
XXX	Villars Palace	5e	20
XX	Augusta (Chez)	17e	40
XX	Bistrot de Paris (Le)	7e	23
XX	Bistro 121	15e	34
XX	Bretonnière	à Boulogne-Billancourt	43
XX	Chardenoux	11e	18
XX	Châteaubriant (Au)	10e	30
XX	Conti	16e	37
XX	Coquille (La)	17e	40
XX	Dariole de Viry	à Viry-Chatillon	61
XX	Dodin Bouffant	5e	20
XX	Dôme (Le)	14e	35
XX	Ferme St-Simon	7e	23
XX	Gasnier	à Puteaux	52
XX	Gérard et Nicole	14e	35
XX	Gildo	7e	23
XX	Guyvonne (Chez)	17e	40
XX	Julius	à Gennevilliers	47
XX	Labrousse	7e	23
XX	Miraville	5e	20
XX	Paris (Le)	6e	20
XX	Paul Chêne	16e	37
XX	Paul et France	17e	40
XX	Pauline (Chez)	1er	16
XX	Péché Mignon (Le)	11e	18
XX	Petit Colombier (Le)	17e	39
XX	Petite Auberge (La)	17e	40
XX	Pharamond	1er	16
XX	Pierre Traiteur	1er	16
XX	Pierre Vedel	15e	35
XX	Quai des Ormes	4e	17
XX	Récamier	7e	23
XX	Sousceyrac (A)	11e	18
X	Allard	6e	21
X	Benoît	4e	18
X	Cagouille (La)	14e	35
X	Mère Michel	17e	40
X	Pantagruel	7e	23
X	Petits Pères (Aux)	2e	17
X	Pouilly-Reuilly	au Pré St-Gervais	52
X	Tan Dinh	7e	23

Pour le souper après le spectacle

(Nous indiquons entre parenthèses l'heure limite d'arrivée)

XXXX	Café de la Paix (Relais des Capucines, snack) (1 h 15)	9e	30
XXX	Charlot Ier « Merveille des Mers » (1 h)	18e	41
XXX	Relais Plaza (1 h 30)	8e	27
XX	Baumann (1 h)	17e	39
XX	Baumann Marbeuf (1 h)	8e	27
XX	Bofinger (Brasserie) (1 h)	4e	18
XX	Brasserie Flo (1 h 30)	10e	31
XX	Gd Café Capucines (jour et nuit)	9e	31
XX	Coupe Chou (1 h)	5e	20
XX	Dodin Bouffant (1 h)	5e	20
XX	Dôme (Le) (1 h)	14e	35
XX	Julien (1 h 30)	10e	31
XX	Pavillon Baltard (1 h)	1er	16
XX	Pied de cochon (jour et nuit)	1er	16
XX	Vaudeville (Le) (2 h)	2e	16
X	Au Charbon de Bois (1 h 45)	6e	21
X	Le Pain et le Vin (1 h)	17e	40

Il est conseillé d'avoir une tenue vestimentaire adaptée à la classe et à la réputation de l'établissement choisi.

Le plat que vous recherchez

Une andouillette

Ambassade d'Auvergne	3e	17
Bofinger	4e	18
Bœuf sur le Toit	8e	27
Casimir (Chez)	10e	31
Charbon de Bois (Au)	6e	21
Foux (La)	6e	20
Gasnier	à Puteaux	52
Georges (Chez)	2e	17
Gourmet de l'Isle	4e	18
Grilladin (Au)	6e	20
Joséphine	6e	21
Marlotte	6e	20
Pavillon Baltard	1er	16
Petit Riche	9e	31
Pied de Cochon	1er	16
Pouilly-Reuilly	au Pré St-Gervais	52
Relais Beaujolais	9e	31
Sousceyrac (A)	11e	18
Sybarite (Le)	6e	21
Traversière (Le)	12e	32
Vaudeville	2e	16

Du boudin

Ambassade d'Auvergne	3e	17
Benoît	4e	18
Cochon d'Or	19e	41
Coquille (La)	17e	40
Gourmet de l'Isle	4e	18
Marlotte	6e	20
Moissonnier	5e	21
Pouilly-Reuilly	au Pré St-Gervais	52
Quincy (Le)	12e	32
Taverne Basque	6e	20

Une bouillabaisse

Augusta (Chez)	17e	40
Charlot 1er « Merveille des Mers »	18e	41
Dôme	14e	35
Jarrasse	à Neuilly-sur-Seine	50
Marius et Janette	8e	27
Moulin d'Orgemont	à Argenteuil	42
Senteurs de Provence (Les)	15e	35

Un cassoulet

Allard	6e	21
Benoît	4e	18
Bœuf sur le Toit	8e	27
Gasnier	à Puteaux	52
Julien	10e	31
Lajarrige	17e	40
Lamazère	8e	27
Morens	16e	37
Pyrénées-Cévennes	11e	18
Quercy (Le)	9e	31
Quincy (Le)	12e	32
Relais du Périgord	13e	33
Sarladais	8e	26
Sud-Ouest	5e	20
Taverne Basque (La)	6e	20
Truffière (La)	5e	20
Valéry (Le)	16e	37

Une choucroute

Balzar	5e	21
Baumann-Marbœuf	8e	27
Baumann	17e	39
Bofinger	4e	18
Brasserie Flo	10e	31
Cochon Doré	1er	31
Pavillon Baltard	1er	16
Terminus Nord	10e	31

Un confit

Ambassade d'Auvergne	3e	17
Aub. du Trinquet	à St Mandé	56
Auberge Landaise	à Enghien-les-Bains	46
Cazaudehore	à St-Germain-en-Laye	56
Champ de Mars	7e	23
Chaumière du Petit Poucet	15e	35
Etchegorry	13e	32
Gasnier	à Puteaux	52
Giberne (La)	15e	35
Lajarrige	17e	40
Lamazère	8e	27
Mange Tout (Le)	5e	21
Potinière du Lac (La)	12e	32
Pouilly-Reuilly	au Pré-St-Gervais	52
Pyrénées-Cévennes	11e	18
Quercy (Le)	9e	31
Rabolière (La)	15e	35
Relais Beaujolais	9e	31
Relais des Pyrénées	20e	41
Relais du Périgord	13e	33
Sarladais	8e	28
Taverne Basque	6e	20
Terrasse (La)	à Créteil	46
Valéry (Le)	16e	37

Des coquillages, crustacés, poissons

Arêtes (Les)	6e	20
Armes de Bretagne	14e	34
Atlantique	10e	31
Augusta (Chez)	17e	40
Bernardin (Le)	17e	39
Bœuf sur le Toit	8e	27
Bofinger	4e	18
Cagouille (La)	14e	35
Charlot Ier Merveille des Mers	18e	41
Dodin-Bouffant	5e	20
Dôme (Le)	14e	35
Drouant	2e	15
Duc (Le)	14e	34
Frégate (La)	12e	32
Goumard	1er	16
Huître et la Tarte	à Bougival	43
Jarrasse	à Neuilly-sur-Seine	50
Le Divellec	7e	22
Marée (La)	8e	27
Marius et Janette	8e	27
Mère Michel	17e	40
Pavillon Baltard	1er	16
Pied de Cochon	1er	16
"Pierre" A La Fontaine Gaillon	2e	16
Ty Coz	9e	31

Des escargots

Bourgogne (la)	7e	23
Camélia (Le)	à Bougival	43
Coquille (La)	17e	40
Léon (Chez)	17e	40
Maître Paul	6e	21
Petit Colombier	17e	39
Pouilly-Reuilly	au Pré St-Gervais	52
Sancerre (Le)	19e	41

Une grillade

Bœuf Couronné	19e	41
Clocher du Village (Au)	16e	37
Charbon de Bois (Au)	6e	21
Cochon d'Or	19e	41
Deux Taureaux	19e	41
Georges (Chez)	2e	17
Grilladin (Au)	6e	21
Hilton (Western)	15e	33
Petit Riche	9e	31
Pied de Cochon	1er	16
Sancerre (Le)	19e	41
Taverne Basque (La)	6e	20
Terminus Nord	10e	31
Vaudeville	2e	16

Une paëlla

Etchegorry	13e	32
Pyrénées-Cévennes	11e	18

Des tripes

Foux (La)	6e	20
Pharamond	1er	16
Pied de Cochon	1er	16
Relais du Périgord	13e	33

Des fromages choisis

Androuët	8e	28

Des soufflés

Le Soufflé	1er	16

Spécialités étrangères

Allemandes

Vieux Berlin (Au)	8e	27

Chinoises et Indochinoises

Délices de Szechuen (Aux)	7e	23
Focly	à Neuilly-s-Seine	50
Grand Chinois (Le)	16e	37
Moï (Le)	16e	37
Pagoda	9e	31
P'tite Tonkinoise (La)	10e	31
Tan Dinh	7e	23
Tong-Yen	8e	28
Tsé-Yang	16e	37
Vong (Chez)	1er	16
Vong (Chez)	8e	27

Indiennes

Annapurna	8e	28
Indra	8e	27

Irlandaises

Ferme Irlandaise (La)	1er	16

Japonaises

Kinugawa	1er	16
Nikko (Benkay)	15e	33

Italiennes

Al Dente	8e	28
Chateaubriant (Au)	10e	30
Conti	16e	37
Cour (La)	15e	35
Florence (Le)	7e	23
Gildo (Chez)	7e	23
Main à la Pâte (La)	1er	16
Sormani	17e	39
Stresa	8e	28
Velloni	1er	16

Orientales et Nord Africaines

Al Mounia	16e	37
Caroubier (Le)	15e	35
Michel (Chez)	13e	33
Rose des Sables	8e	28
Timgad	17e	39
Wally	4e	18

Portugaises

Saudade	1er	16

Russes

Datcha Lydie (La)	15e	35
Dominique	6e	21

Scandinaves

Copenhague	8e	27
Olson's	8e	28

Plein air

Bois de Boulogne

XXXX ✿	Grande Cascade	16e	38
XXXX ✿✿	Pré Catelan	16e	38

Champs-Elysées

XXXXX ✿	Laurent	8e	26
XXXXX ✿	Ledoyen	8e	26

Bougival	XXXX ✿	Coq Hardi	43
Champrosay	XX	Bouquet de la Forêt	44
Chennevières	XXX	Écu de France	45
Maisons-Laffitte	XXX ✿✿	Vieille Fontaine	48
»	XXX ✿✿	Tastevin	48
St-Germain-en-L.	XXX ✿	Cazaudehore	56
Sucy-en-Brie	XX	Aub. de Tartarin	54
Vaucresson	XX	La Poularde	57
Le Vésinet	XX	Les Ibis	60

HOTELS, RESTAURANTS

par arrondissements

(Liste alphabétique des Hôtels et Restaurants, voir p. 6 à 9)

G 12 : Ces lettres et chiffres correspondent au carroyage du **Plan de Paris** Michelin nº 10, **Paris Atlas** nº 11, **Plan avec répertoire** nº 12 et **Plan de Paris** nº 14.
En consultant ces quatre publications vous trouverez également les parkings les plus proches des établissements cités.

Opéra, Palais-Royal, Halles, Bourse.
1er et 2e arrondissements.
1er : ✉ 75001
2e : ✉ 75002

Ritz, 15 pl. Vendôme (1er) ☎ **42 60 38 30, Télex 220262, « Jardin intérieur »** – |♦| ▤ TV ☎ ♿ P – 🏛 30 à 80. AE ⓓ E VISA. ✻ rest — G 12
R voir ci-après **Ritz-Espadon** – ☕ 80 – **164 ch** 1 955/2 415, 58 appart.

Inter-Continental, 3 r. Castiglione (1er) ☎ **42 60 37 80, Télex 220114,** ☂ – |♦| ▤ TV ☎ – 🏛 1000. AE ⓓ E VISA. ✻ rest — G 12
SC : **Rôtiss. Rivoli R** 250 - **café Tuileries R** 92 – ☕ 90 – **460 ch** 1 523/1 938, 40 appart.

Meurice, 228 r. Rivoli (1er) ☎ **42 60 38 60, Télex 230673** – |♦| ▤ rest TV ☎ ♿ – 🏛 40 à 80. AE ⓓ E VISA. ✻ rest — G 12
SC : **R** carte 260 à 380 – ☕ 90 – **161 ch** 1 660/2 350, 31 appart.

Lotti, 7 r. Castiglione (1er) ☎ **42 60 37 34, Télex 240066** – |♦| TV ☎ – 🏛 25. AE ⓓ E VISA. ✻ rest — G 12
SC : **R** carte 220 à 300 – ☕ 86 – **126 ch** 1 185/1 690.

Westminster, 13 r. Paix (2e) ☎ **42 61 57 46, Télex 680035** – |♦| ▤ ch TV ☎ 🚗 – 🏛 80. AE ⓓ E VISA — G 12
SC : **R** voir rest. **Le Céladon** ci-après – ☕ 80 – **85 ch** 1 050/1 450, 18 appart.

Résidence St-James et Albany Ⓜ, 202 r. Rivoli (1er) ☎ **42 60 31 60, Télex 213031,** ☂ – |♦| TV ☎ – 🏛 30 à 120 — H 12
rest. **Le Noailles** – **105 ch,** 40 appart.

Louvre-Concorde, pl. A.-Malraux (1er) ☎ **42 61 56 01, Télex 220412** – |♦| ▤ rest TV ☎ ♿ – 🏛 50 à 100. AE ⓓ E VISA — H 13
SC : **R** carte 100 à 195 ♁ – ☕ 55 – **223 ch** 840/1 400.

Édouard VII, 39 av. Opéra (2e) ☎ **42 61 56 90, Télex 680217** – |♦| TV ☎ – 🏛 25. AE ⓓ VISA — G 13
R voir ci-après rest **Delmonico** – **100 ch** ☕ 670/835, 4 appart.

Mayfair Ⓜ sans rest, 3 r. Rouget-de-Lisle (1er) ☎ **42 60 38 14, Télex 240037** – |♦| TV ☎ ♿. AE ⓓ E VISA — G 12
SC : – **53 ch** ☕ 630/900.

France et Choiseul, 239 r. St-Honoré (1er) ☎ **42 61 54 60, Télex 680959,** ☂ – |♦| TV ☎ – 🏛 30 à 200. AE ⓓ E VISA. ✻ rest — G 12
SC : **R** carte 120 à 180 ♁ – ☕ 40 – **120 ch** 750/1 000.

Novotel Paris Halles Ⓜ, 8 pl. M.-de-Navarre (1er) ☎ **42 21 31 31, Télex 216389,** ☂ – |♦| ▤ TV ☎ P – 🏛 40 à 100. AE ⓓ E VISA — H 14
R carte environ 115 ♁ – ☕ 45 – **271 ch** 610/640, 5 appart.

Normandy, 7 r. Échelle (1er) ☎ **42 60 30 21, Télex 670250** – |♦| TV ☎ – 🏛 50. AE ⓓ E VISA — H 13
SC : **R** *(fermé sam. et dim.)* 150 – ☕ 40 – **120 ch** 525/875, 8 appart 875/1 025.

Cusset Ⓜ sans rest, 95 r. Richelieu (2e) ☎ **42 97 48 90, Télex 670245** – |♦| TV ☎. E VISA — F 13
SC : **116 ch** ☕ 380/550.

Cambon Ⓜ sans rest, 3 r. Cambon (1er) ☎ **42 60 38 09, Télex 240814** – |♦| TV ☎. AE ⓓ E VISA — G 12
SC : **44 ch** ☕ 620/880.

François sans rest, 3 bd Montmartre (2e) ☎ **42 33 51 53, Télex 211097** – |♦| TV ☎. AE VISA. ✻ — F 14
SC : ☕ 28 – **64 ch** 550/660, 11 appart. 770.

Favart sans rest, 5 r. Marivaux (2e) **42 97 59 83, Télex 213126** – wc wc F 13
SC : **38 ch** 353/414.

Montana Tuileries sans rest, 12 r. St-Roch (1er) **42 60 35 10, Télex 214404** – wc wc. VISA G 12
SC : 30 – **25 ch** 360/495.

Duminy Vendôme sans rest, 3 r. Mont Thabor (1er) **42 60 32 80, Télex 213492** – wc wc – 40. AE E VISA. G 12
SC : **79 ch** 420/660.

Gaillon-Opéra sans rest, 9 r. Gaillon (2e) **47 42 47 74, Télex 215716** – wc. AE E VISA G 13
SC : 25 – **26 ch** 450/480.

Richepanse sans rest, 14 r. Richepanse (1er) **42 60 36 00, Télex 210811** – wc wc. AE. G 12
SC : **43 ch** 380/420.

Louvre Forum sans rest, 25 r. du Bouloi (1er) **42 36 54 19, Télex 240288** – wc wc. AE VISA. H 14
SC : 20 – **28 ch** 280/350.

Du Piémont sans rest, 22 r. Richelieu (1er) **42 96 44 50** – wc wc. AE E VISA G 13
SC : 21 – **28 ch** 250/420.

Ascot Opéra sans rest, 2 r. Monsigny (2e) **42 96 87 66, Télex 216679** – wc wc. AE E VISA G 13
SC : 25 – **36 ch** 175/420.

Gd H. de Champagne sans rest, 17 r. J.-Lantier (1er) **42 61 50 05, Télex 215955** – wc wc. AE VISA J 14
SC : 30 – **42 ch** 301/402.

Ducs de Bourgogne sans rest, 19 r. Pont-Neuf (1er) **42 33 95 64, Télex 216367** – wc wc. VISA. H 14
SC : 20 – **49 ch** 240/290.

Ducs d'Anjou sans rest, 1 r. Ste-Opportune (1er) **42 36 92 24** – wc wc. VISA H 14
SC : 18,50 – **38 ch** 226/270.

Family sans rest, 35 r. Cambon (1er) **42 61 54 84** – wc wc G 12
SC : 17 – **25 ch** 148/310.

St-Romain sans rest, 7 r. St-Roch (1er) **42 60 31 70** – wc wc G 13
SC : 26 – **33 ch** 450/600.

XXXXX **Ritz-Espadon,** 15 pl. Vendôme (1er) **42 60 38 30,** – AE E VISA. G 12
R carte 310 à 460
Spéc. Omble chevalier (nov.-31 déc.), Canard, Crêpes flambées.

XXXX **Grand Vefour,** 17 r. Beaujolais (1er) **42 96 56 27,** « Ancien café du Palais Royal fin 18e s. » – AE VISA. G 13
fermé août, sam. et dim. – **R** carte 360 à 455
Spéc. Foie gras au naturel, Bar farci, Tournedos à la moelle.

XXXX **Carré des Feuillants** (Dutournier), 14 r. Castiglione (1er) **42 86 82 82** – VISA G 12
fermé sam. et dim. – SC : **R** carte 240 à 340
Spéc. Escabèche de rouget, Volailles à la broche, Feuillantine aux fruits rouges.

XXXX **Drouant,** pl. Gaillon (2e) **47 42 56 61** – AE E VISA G 13
R carte 220 à 320.

XXX **Mercure Galant,** 15 r. Petits-Champs (1er) **42 96 98 89** G 13
fermé sam. midi, dim. et fêtes – **R** carte 200 à 280
Spéc. Turbot aux écrevisses, Poêlée de foie de canard aux raisins, Mille et une feuilles.

XXX **Gérard Besson,** 5 r. Coq Héron (1er) **42 33 14 74** – VISA H 14
fermé 20 déc. au 4 janv., sam., dim. et fêtes – **R** 170 (déj.) et carte 170 à 270
Spéc. Gibier (en saison), Poissons.

XXX **Le Céladon,** 13 r. Paix (2e) **42 61 57 46** G 12
fermé août, sam. et dim. – SC : **R** carte 210 à 370
Spéc. Salade tiède d'huîtres panées et rôties au curry, Escalope de bar à la moelle, Embeurrée de cervelle de veau au porto.

XXX **Delmonico,** 39 av. Opéra (2e) **42 61 44 26, Télex 680217** – AE VISA G 13
fermé dim. – **R** carte 190 à 290.

XXX **Chez Vong,** 10 r. Grande-Truanderie (1er) ✆ 42 96 29 89, cuisine chinoise et vietnamienne – AE ⓓ VISA H 15
fermé dim. – **R** carte 105 à 170.

XXX **"Pierre" A la Fontaine Gaillon,** pl. Gaillon (2e) ✆ 42 65 87 04 – AE ⓓ E VISA
fermé août, sam. midi et dim. – **R** 120/195. G 13

XXX ✿ **Goumard,** 17 r. Duphot (1er) ✆ 42 60 36 07 – ▤. AE ⓓ E VISA G 12
fermé 11 au 17 août, 22 déc. au 5 janv. et dim. – **R** carte 200 à 300
Spéc. Feuilleté de langoustines, St-Jacques marinière (oct. à mai), Fondant chocolat.

XX ✿ **Chez Pauline** (Génin), 5 r. Villedo (1er) ✆ 42 96 20 70 – ▤. VISA G 13
fermé juil., 22 déc. au 2 janv., sam. soir et dim. – **R** (▤ 1er étage) carte 135 à 250
Spéc. Ris de veau en croûte, Foie gras frais, Mariage de champignons sauvages et gibier (sept. à déc.).

XX Bistrot d'Honoré, 36 pl. Marché St-Honoré (1er) ✆ 42 60 03 00 G 12

XX **Aux Trois Turbigo,** 3 r. Turbigo (1er) ✆ 45 08 18 05 – AE ⓓ VISA H 14
fermé août, sam. midi, dim. et fériés – SC : **R** carte 140 à 220.

XX ✿ **Pierre Traiteur,** 10 r. Richelieu (1er) ✆ 42 96 09 17 – AE ⓓ VISA H 13
fermé août, sam. et dim. – **R** carte 165 à 250
Spéc. Terrine de foie gras, Rognon de veau rôti à l'échalote confite, Râble de lièvre (saison).

XX **Velloni,** 22 r. des Halles (1er) ✆ 42 60 12 50, cuisine italienne – AE ⓓ VISA H 14
fermé 10 au 17 août, sam. midi et dim. – SC : **R** carte 140 à 200.

XX **Pavillon Baltard,** 9 r. Coquillère (1er) ✆ 42 36 22 00 – ▤. AE ⓓ E VISA H 14
SC : **R** carte 130 à 200.

XX **La Main à la Pâte,** 35 r. St-Honoré (1er) ✆ 45 08 85 73, cuisine italienne – AE ⓓ VISA H 14
fermé dim. – SC : **R** carte 155 à 225 ♁.

XX **Le Petit Coin de la Bourse,** 16 r. Feydeau (2e) ✆ 45 08 00 08 – AE ⓓ VISA F 14
fermé sam. et dim. – **R** carte 125 à 210.

XX **La Corbeille,** 154 r. Montmartre (2e) ✆ 42 61 30 87 – VISA G 14
fermé 1er au 15 juil., sam. (sauf le soir de sept. à mai) et dim. – SC : **R** carte 180 à 300.

XX **La Barrière Poquelin,** 17 r. Molière (1er) ✆ 42 96 22 19 – AE ⓓ VISA G 13
fermé 1er au 21 août, sam. soir et dim. – **R** carte 150 à 245.

XX **Les Délices du Foie Gras,** 7 r. Gomboust (1er) ✆ 42 61 02 93 – AE VISA G 13
fermé août, sam. midi et dim. – SC : **R** (nombre de couverts limité - prévenir) carte 165 à 265.

XX **Pile ou Face,** 52 bis r. N.-D. des Victoires (2e) ✆ 42 33 64 33 G 14
fermé août, sam., dim. et fêtes – **R** carte 135 à 200.

XX **Le Soufflé,** 36 r. Mt-Thabor (1er) ✆ 42 60 27 19 – ▤. AE ⓓ E VISA G 12
fermé dim. et fêtes – **R** carte 110 à 170.

XX **Saudade,** 34 r. Bourdonnais (1er) ✆ 42 36 30 71, cuisine portugaise – AE ⓓ VISA
fermé 1er août au 6 sept., 23 au 27 déc. et dim. – SC : **R** carte 115 à 185. H 14

XX **Vaudeville,** 29 r. Vivienne (2e) ✆ 42 33 39 31 – AE ⓓ VISA FG 14
R carte 90 à 152 ♁.

XX **La Ferme Irlandaise,** 30 pl. Marché St.-Honoré (1er) ✆ 42 96 02 99 – AE VISA G 12
fermé 20 déc. au 3 janv. et lundi – SC : **R** 130/200.

XX ✿ **Pharamond,** 24 r. Grande-Truanderie (1er) ✆ 42 33 06 72 – AE ⓓ VISA H 15
fermé juil., lundi midi et dim. – **R** carte 140 à 170
Spéc. Tripes à la mode de Caen, St-Jacques au cidre (mi-oct.-début mars), Grillades aux pommes soufflées.

XX **Pied de Cochon** (ouvert jour et nuit), 6 r. Coquillière (1er) ✆ 42 36 11 75 – AE ⓓ VISA H 14
R carte 115 à 190.

XX **Coup de cœur,** 19 r. St Augustin (2e) ✆ 47 03 45 70 – AE ⓓ E VISA G 13
fermé août, sam. midi et dim. – SC : **R** carte 120 à 180.

XX **Kinugawa,** 9 r. Mont Thabor (1er) ✆ 42 60 65 07, Cuisine japonaise – AE E VISA
fermé 10 août au 1er sept., 24 déc. au 5 janv. et dim. – **R** 74/265. G 12

XX **Caveau du Palais,** 19 pl. Dauphine (1er) ✆ 43 26 04 28 – AE VISA J 14
fermé sam. et dim. – **R** carte 140 à 220.

XX **Chez Gabriel,** 123 r. St-Honoré (1er) ✆ 42 33 02 99 – AE ⓓ VISA H 14
fermé août, dim. soir et lundi soir – **R** carte 100 à 160.

XX **Pasadena,** 7 r. du 29-Juillet (1er) ✆ 42 60 68 96 – AE VISA G 12
fermé août, sam. soir et dim. – **R** carte 90 à 155 ♁.

XX **Le Saint Amour,** 8 r. Port Mahon (2e) ✆ 47 42 63 82 – AE ⓓ VISA G 13
fermé sam. (sauf le soir de sept. à juin), dim. et fêtes – **R** 130.

XX ✿ **Aux Petits Pères** (Chez Yvonne), 8 r. N.-D.-des-Victoires (2e) ✆ 42 60 91 73 – AE VISA G 14
fermé août, vacances de fév., sam. et dim. – **R** (prévenir) carte 115 à 170
Spéc. St-Jacques à la provençale (oct.-avril), Ris de veau toulousaine, Faisan (saison) ou pintade aux choux.

X Jéroboam, 8 r. Monsigny (2e) ✆ 42 61 21 71 G 13

X **Chez Georges,** 1 r. Mail (2e) ✆ 42 60 07 11 – ▤. AE ⓓ VISA G 14
fermé dim. et fêtes – **R** carte 115 à 170.

X **Cochon Doré,** 16 r. Thorel (2e) ✆ 42 33 29 70 – ▤ G 15
fermé 10 août au 6 sept. et lundi – SC : **R** 62 bc/128 bc.

X **Louis XIV,** 1bis pl. Victoires (1er) ✆ 42 61 39 44 G 14
fermé août, sam. et dim. – **R** carte 125 à 195.

X **Paul,** 15 pl. Dauphine (1er) ✆ 43 54 21 48 – AE J 14
fermé août, lundi et mardi – **R** carte 110 à 135 ♨.

Bastille, République,
Hôtel de Ville.
3e, 4e et 11e arrondissements.
3e : ✉ 75003
4e : ✉ 75004
11e : ✉ 75011

Holiday Inn Ⓜ, 10 pl. République (11e) ✆ 43 55 44 34, Télex 210651, 🍽 – 🛗 cuisinette ▤ TV ☎ ♿ Ⓟ – 🎤 150. AE ⓓ E VISA G 17
SC : **Belle Époque** (Classique) **R** carte 140 à 220 ♨ – **Le Jardin d'hiver** (Coffee-Shop) **R** carte environ 125 ♨ – **316 ch** ☕ 820/1 180, 17 appart.

Atlantide Ⓜ sans rest, 114 bd Richard-Lenoir (11e) ✆ 43 38 29 29, Télex 216907 – 🛗 TV 🛁wc 🚿wc ☎. AE ⓓ E VISA H 18
fermé août et 24 déc. au 2 janv. – SC : ☕ 28 – **27 ch** 400/480.

Méridional sans rest, 36 bd Richard-Lenoir (11e) ✆ 48 05 75 00, Télex 211324 – 🛗 TV 🛁wc ☎. AE ⓓ E VISA. 🐕 J 18
SC : ☕ 21 – **36 ch** 380/420.

Deux Iles Ⓜ sans rest, 59 r. St.-Louis-en-l'Ile (4e) ✆ 43 26 13 35 – 🛗 TV 🛁wc 🚿wc ☎ K 16
SC : ☕ 28 – **17 ch** 385/485.

Lutèce Ⓜ sans rest, 65 r. St-Louis-en-l'Ile (4e) ✆ 43 26 23 52 – 🛗 🛁wc 🚿wc ☎. 🐕 K 16
SC : ☕ 28 – **23 ch** 485/525.

Bretonnerie sans rest, 22 r. Ste-Croix-de-la-Bretonnerie (4e) ✆ 48 87 77 63 – 🛗 🛁wc 🚿wc ☎. E. 🐕 J 16
SC : ☕ 22 – **29 ch** 231/420.

Vieux Marais sans rest, 8 r. Plâtre (4e) ✆ 42 78 47 22 – 🛗 🛁wc 🚿wc ☎. 🐕 H 16
SC : **30 ch** ☕ 205/340.

Place des Vosges sans rest, 12 r. Biragué (4e) ✆ 42 72 60 46 – 🛗 🛁wc 🚿wc ☎. AE ⓓ E VISA J 17
SC : ☕ 21 – **16 ch** 175/290.

Nord et Est sans rest, 49 r. Malte (11e) ✆ 47 00 71 70 – 🛗 🛁wc 🚿wc ☎. VISA. 🐕
fermé août et 22 déc. au 2 janv. – SC : ☕ 18 – **45 ch** 180/250. G 17

Notre-Dame sans rest, 51 r. Malte (11e) ✆ 47 00 78 76 – 🛗 🛁wc 🚿wc ☎. 🐕
fermé fin juil. à fin août – SC : ☕ 17,50 – **54 ch** 104/218. G 17

XXX **Ambassade d'Auvergne,** 22 r. Grenier St-Lazare (3e) ✆ 42 72 31 22 – ▤. VISA
fermé dim. – SC : **R** carte 130 à 200. H 15

XX ✿ **Quai des Ormes (4e)** (Masraff), 72 quai Hôtel de Ville (4e) ✆ 42 74 72 22 – ▤. VISA J 15
fermé août, sam. et dim. – **R** 140 (déj.) et carte 190 à 260
Spéc. Ravioli de champignons des bois (sept. à mars), St.-Pierre grillé au basilic, Chaud froid de poires aux pistaches.

XX **Le Dômarais,** 53 bis r. Francs-Bourgeois (4e) ✆ 42 74 54 17 – AE ⓓ E VISA J 16
fermé août, 23 déc. au 2 janv., dim. et lundi – SC : **R** carte 170 à 255.

XX **Bofinger,** 5 r. Bastille (4e) ☎ 42 72 87 82 – AE ⓓ E VISA — J 17
R carte 125 à 180 ♂.

XX ❀ **Chardenoux,** 1 r. J.-Vallès (11e) ☎ 43 71 49 52 – VISA — K 20
fermé sam., dim. et fériés – SC : **R** carte 195 à 255
Spéc. Pudding de moëlle de boeuf, Filet d'agneau en croûte, Emincé de poires caramélisées.

XX ❀ **Le Péché Mignon** (Rousseau), 5 r. Guillaume-Bertrand (11e) ☎ 43 57 02 51 – ▤. VISA — H 19
fermé août, vacances de fév., dim. et lundi – SC : **R** carte 160 à 210
Spéc. Bavarois de crustacés au saumon fumé, Blanc de turbot à la vapeur, Aumonière de filet mignon au jus de morilles.

XX ❀ **A Sousceyrac** (Asfaux), 35 r. Faidherbe (11e) ☎ 43 71 65 30 – Ⓟ. AE VISA — J 19
fermé 22 au 31 mars, août, sam. et dim. – **R** carte 150 à 200
Spéc. Foie gras en terrine, Cassoulet (merc. et vend.), Lièvre à la royale (vend. en sais.).

XX **Repaire de Cartouche,** 8 bd Filles-du-Calvaire (11e) ☎ 47 00 25 86 – VISA — H 17
fermé 26 juil. au 24 août, vacances de fév., sam. et dim. – **R** carte 130 à 180.

XX **Coconnas,** 2 bis pl. Vosges (4e) ☎ 42 78 58 16 – AE ⓓ VISA — J 17
fermé 15 déc. au 15 janv., lundi et mardi – **R** carte 200 à 260.

XX **Guirlande de Julie,** 25 pl. des Vosges (3e) ☎ 48 87 94 07 – AE VISA — J 17
fermé fév., lundi et mardi – SC : **R** 166 bc.

XX Wally, 16 r. Le Regrattier (4e) ☎ 43 25 01 39 — K 15

XX **Pyrénées Cévennes,** 106 r. Folie-Méricourt (11e) ☎ 43 57 33 78 — G 17
fermé août, sam. et dim. – **R** carte 130 à 210.

XX **Taverne des Templiers,** 106 r. Vieille-du-Temple (3e) ☎ 42 78 74 67 – AE VISA
fermé août, sam. et dim. – **R** carte 120 à 180. — H 17

XX **Au Gourmet de l'Isle,** 42 r. St-Louis-en-l'Ile (4e) ☎ 43 26 79 27 – ▤ — K 16
fermé 30 juil. au 3 sept., lundi et jeudi – **R** 85.

X ❀ **Benoît,** 20 r. St-Martin (4e) ☎ 42 72 25 76 – Ⓟ — J 15
fermé août, sam. et dim. – SC : **R** carte 225 à 300
Spéc. Soupe de moules, Compotiers de boeuf en salade, Cassoulet maison.

Quartier Latin, Luxembourg, Jardin des Plantes,

5e et 6e arrondissements.
5e : ✉ 75005
6e : ✉ 75006

Lutétia, 45 bd Raspail (6e) ☎ 45 44 38 10, Télex 270424 – |ǂ| ▤ TV ☎ – 🏛 25 à 600. AE ⓓ E VISA — K 12
SC : **R** voir **Le Paris** ci-après – **brasserie Lutétia R** carte environ 150 ♂ – ☕ 50 – **286 ch** 750/1 400, 17 appart.

Victoria Palace ♨, 6 r. Blaise-Desgoffe (6e) ☎ 45 44 38 16, Télex 270557 – |ǂ| TV ☎ 🚗. AE VISA. ✱ — L 11
SC : **R** 130 – **110 ch** ☕ 530/710.

Littré ♨, 9 r. Littré (6e) ☎ 45 44 38 68, Télex 203852 – |ǂ| TV ☎ 🚗 – 🏛 25. AE E VISA. ✱ — L 11
SC : **R** 120 – **96 ch** ☕ 530/660, 4 appart. 790.

Relais Christine Ⓜ ♨ sans rest., 3 r. Christine (6e) ☎ 43 26 71 80, Télex 202606 – |ǂ| ▤ TV ☎ 🚗 – 🏛 25. AE ⓓ VISA — J 14
SC : ☕ 50 – **50 ch** 850/890.

Abbaye St-Germain Ⓜ ♨ sans rest, 10 r. Cassette (6e) ☎ 45 44 38 11, 🌳 – |ǂ| ☎. ✱ — K 12
SC : **45 ch** ☕ 480/580.

Angleterre sans rest, 44 r. Jacob (6e) ☎ 42 60 34 72 – |ǂ| ☎. AE ⓓ VISA. ✱ — J 13
SC : ☕ 25 – **30 ch** 300/650.

Madison H. sans rest, 143 bd St-Germain (6e) ☎ 43 29 72 50, Télex 201628 – |ǂ| ☎. AE VISA. ✱ — J 13
SC : **57 ch** ☕ 255/460.

Odéon H., Ⓜ sans rest, 3 r. Odéon (6e) ☎ 43 25 90 67, Télex 206731 – |ǂ| ☎. AE VISA. ✱ — K 13
SC : ☕ 25 – **34 ch** 370/540.

Scandinavia sans rest, 27 r. Tournon (6e) ✆ 43 29 67 20, « Beau cadre rustique » – wc ☎. K 13
fermé août – SC : 20 – **22 ch** 350/370.

St-Germain-des-Prés sans rest, 36 r. Bonaparte (6e) ✆ 43 26 00 19 – TV wc wc ☎. AE. J 13
SC : 35 – **32 ch** 450/900.

Ferrandi sans rest, 92 r. Cherche-Midi (6e) ✆ 42 22 97 40, Télex 205201 – wc wc ☎. AE VISA L 11
SC : 30 – **42 ch** 310/400.

Panthéon M sans rest., 19 pl. Panthéon (5e) ✆ 43 54 32 95 – TV wc ☎. AE VISA. L 14
SC : 22 – **34 ch** 398/500.

Grands Hommes M sans rest., 17 pl. Panthéon (5e) ✆ 46 34 19 60, Télex 200185 – TV wc ☎. AE VISA. L 14
SC : 22 – **32 ch** 400/500.

des Saints-Pères sans rest., 65 r. des Sts-Pères (6e) ✆ 45 44 50 00, Télex 205424 – wc ☎. J 12
SC : 35 – **37 ch** 350/1 000, 3 appart. 1 000.

Collège de France M sans rest, 7 r. Thénard (5e) ✆ 43 26 78 36 – TV wc wc ☎. AE. K 14
SC : 18,50 – **29 ch** 254/336.

Louis II sans rest., 2 r. St-Sulpice (6e) ✆ 46 33 13 80 – wc wc ☎. AE VISA
SC : 25 – **22 ch** 400/550. K 13

Pas-de-Calais sans rest, 59 r. Sts-Pères (6e) ✆ 45 48 78 74 – wc ☎ J 12
SC : **41 ch** 370/450.

Gd H. des Principautés Unies sans rest, 42 r. Vaugirard (6e) ✆ 46 34 11 80 – wc wc ☎. K 13
fermé août – SC : 25 – **29 ch** 140/360.

Marronniers sans rest, 21 r. Jacob (6e) ✆ 43 25 30 60, – wc wc ☎. J 13
SC : 25 – **37 ch** 337/358.

Aviatic sans rest, 105 r. Vaugirard (6e) ✆ 45 44 38 21, Télex 200372 – TV wc ☎. AE VISA L 11
SC : **43 ch** 370/550.

Delavigne sans rest, 1 r. C.-Delavigne (6e) ✆ 43 29 31 50, Télex 201579 – wc wc ☎. K 13
SC : 23 – **34 ch** 300/390.

Terminus Montparnasse sans rest, 59 bd Montparnasse (6e) ✆ 45 48 99 10, Télex 202636 – TV wc wc ☎. E VISA L 11
fermé août – SC : 29 – **63 ch** 346/446.

d'Isly sans rest, 29 r. Jacob (6e) ✆ 43 26 32 39, Télex 643566 – wc wc ☎. J 13
SC : 25 – **37 ch** 200/360.

Seine sans rest, 52 r. Seine (6e) ✆ 46 34 22 80 – TV wc wc ☎. AE VISA. J 13
SC : **30 ch** 184/368.

Rennes Montparnasse sans rest, 151 bis r. Rennes (6e) ✆ 45 48 97 38, Télex 250048 – TV wc wc ☎. AE E VISA L 12
fermé 1er au 28 août – SC : 30 – **35 ch** 220/420.

Nations sans rest, 54 r. Monge (5e) ✆ 43 26 45 24, Télex 205139 – wc wc ☎. VISA. L 15
SC : 25 – **38 ch** 310/425.

Odéon sans rest, 13 r. St-Sulpice (6e) ✆ 43 25 70 11, Télex 206731 – TV wc wc ☎. AE VISA K 13
SC : 26 – **26 ch** 420/540.

Gd H. Suez sans rest, 31 bd St-Michel (5e) ✆ 46 34 08 02, Télex 202019 – TV wc wc ☎. AE E VISA. K 14
SC : – **49 ch** 183/340.

Albe sans rest, 1 r. Harpe (5e) ✆ 46 34 09 70 – wc wc ☎. K 14
SC : **41 ch** 239/299.

Muséum sans rest, 9 r. Buffon (5e) ✆ 43 31 51 90 – TV wc wc ☎. VISA L 16
SC : 23 – **24 ch** 214/300.

Welcome sans rest, 66 r. Seine (6e) ✆ 46 34 24 80 – wc wc ☎. J 13
SC : 21 – **30 ch** 190/325.

St-Sulpice sans rest, 7 r. C.-Delavigne (6e) ✆ 46 34 23 90 – wc wc ☎. VISA K 13
SC : 19 – **42 ch** 190/270.

XXXXX ✿✿✿ **Tour d'Argent** (Terrail), 15 quai Tournelle (5e) ✆ 43 54 23 31, « Petit musée de la table, ≤ Notre-Dame, dans les caves : spectacle historique sur le vin » – AE ⓓ VISA K 16
fermé lundi – **R** 220 (déj.) et carte 390 à 585
Spéc. Canard au sang Tour d'Argent.

XXXX ✿ **Le Paris,** 45 bd Raspail (6e) ✆ 45 44 38 10. AE ⓓ E VISA K 12
fermé 2 août au 2 sept., dim. et lundi – SC : **R** carte 235 à 340
Spéc. Minute de bar en homardine, Tournedos à la croûte au pot, Chocolatine à la framboise.

XXX ✿✿ **Jacques Cagna,** 14 r. Gds-Augustins (6e) ✆ 43 26 49 39, « Maison du Vieux Paris » – ▤. VISA J 14
fermé août, 24 déc. au 2 janv., sam. et dim. – **R** 190
Spéc. Pétoncles en coquilles, Filet de barbue farci d'huîtres, Canard de Challans aux zestes d'orange et citron.

XXX ✿✿ **Relais Louis XIII,** 1 r. Pont de Lodi (6e) ✆ 43 26 75 96, « Caveau 16e siècle, beau mobilier » – ▤. AE ⓓ E VISA J 14
fermé 3 août au 1er sept., 1er au 8 janv., lundi midi et dim. – **R** carte 260 à 340
Spéc. Dégustation de poissons de petite pêche, Millefeuille de rognons et ris de veau, Crème tiède aux framboises.

XXX ✿ **Villars Palace,** 8 r. Descartes (5e) ✆ 43 26 39 08 – AE ⓓ E VISA L 15
fermé sam. midi – **R** (rest.) carte 225 à 315 - **La Saumoneraie R** 71/100
Spéc. Plateau de poissons marinés, Saumon Villars fumé.

XXX ✿✿ **Duquesnoy,** 30 r. Bernardins (5e) ✆ 43 54 21 13 – AE VISA K 15
fermé août, sam. et dim. – **R** 160 (déj.) et carte 210 à 330
Spéc. Millefeuille de saumon fumé et caviar, Ravioli de tourteau et homard au basilic.

XXX **Chat Grippé,** 87 r. d'Assas (6e) ✆ 43 54 70 00 – ▤. AE VISA LM 13
fermé août, 17 au 23 fév., sam. midi et lundi – **R** carte 170 à 245 ♁.

XX **Aub. des Deux Signes,** 46 r. Galande (5e) ✆ 43 25 46 56, « Cadre médiéval » – AE ⓓ E VISA K 14
fermé dim. et fériés – **R** carte 200 à 300.

XX ✿ **Dodin-Bouffant,** 25 r. F.-Sauton (5e) ✆ 43 25 25 14 – ▤. ⓓ VISA K 15
fermé août, sam. et dim. – **R** carte 170 à 240
Spéc. Feuilleté aux huîtres, Timbale du pêcheur, Ragoût de canard et ris de veau.

XX ✿✿ **Ambroisie** (Pacaud), 65 quai de la Tournelle (5e) ✆ 46 33 18 65 – AE VISA K 15
fermé 10 au 31 août, vacances de fév., dim. et lundi – SC : **R** 190 (déj.) et carte 245 à 360
Spéc. Fonds d'artichaut au foie gras, Queue de boeuf en crépine, Pâtisseries.

XX **Le Pactole,** 44 bd St-Germain (5e) ✆ 46 33 31 31 – AE VISA K 15
fermé sam. midi et dim. – SC : **R** carte 215 à 275.

XX **Sud Ouest,** 40 r. Montagne Ste Geneviève (5e) ✆ 46 33 30 46, « Dans une crypte du 13e s. » – AE ⓓ E VISA K 15
fermé août et dim. – **R** 125/155.

XX ✿ **Miravile** (Keller), 25 quai de la Tournelle (5e) ✆ 46 34 07 78 – AE ⓓ VISA K 15
fermé dim. – SC : **R** carte 200 à 300
Spéc. Terrine de brochet, Filet d'agneau sous croûte de sel, Feuilleté aux fruits.

XX **La Marlotte,** 55 r. Cherche-Midi (6e) ✆ 45 48 86 79. ⛌ K 12
fermé août, sam. et dim. – **R** carte 145 à 200.

XX **Le Clos des Bernardins,** 14 r. Pontoise (5e) ✆ 43 54 70 07 – AE ⓓ VISA K 15
fermé dim. et lundi – SC : **R** carte 165 à 220.

XX **Coupe-Chou,** 11 r. Lanneau (5e) ✆ 46 33 68 69 – VISA K 14
R carte 120 à 200.

XX **Atelier Maître Albert,** 1 r. Maître-Albert (5e) ✆ 46 33 13 78 – ▤ K 15
fermé dim. et fériés – **R** (dîner seul.) 140 bc.

XX **La Truffière,** 4 r. Blainville (5e) ✆ 46 33 29 82 – ▤. AE ⓓ E VISA. ⛌ L 15
fermé 14 juil. au 18 août, vacances de fév. et lundi – **R** carte 160 à 300.

XX **L'Apollinaire,** 168 bd St-Germain (6e) ✆ 43 26 50 30 – ▤. AE ⓓ E VISA J 12
fermé 20 déc. au 5 janv. – **R** carte 155 à 235.

XX **Taverne Basque,** 45 r. Cherche-Midi (6e) ✆ 42 22 51 07 – AE VISA K 12
fermé 10 au 18 août, dim. soir et lundi – **R** carte 115 à 170.

XX **La Foux,** 2 r. Clément (6e) ✆ 43 54 09 53 – ▤. AE K 13
fermé dim. – SC : **R** carte 120 à 200.

XX **Les Arètes,** 165 bd Montparnasse (6e) ✆ 43 26 23 98 – AE VISA M 13
fermé sam. midi et lundi – SC : **R** carte 170 à 265.

XX **Chez Tante Madée,** 11 r. Dupin (6e) ✆ 42 22 64 56 – AE ⓓ K 12
fermé sam. midi et dim. – **R** carte 180 à 260.

XX **Le Sybarite,** 6 r. Sabot (6e) ✆ 42 22 21 56 – ▤. AE ⓓ VISA. ⛌ K 12
fermé sam. midi et dim. – SC : **R** 138.

XX **Au Grilladin,** 13 r. Mézières (6e) ✆ 45 48 30 38 – VISA K 12
fermé 22 mars au 1er avril, août, 23 déc. au 3 janv. lundi midi et dim. – SC : **R** carte 130 à 210.

XX **Joséphine** (Chez Dumonet), 117 r. Cherche-Midi (6e) ✆ 45 48 52 40 – VISA L 11
fermé juil., 22 au 28 déc., sam. et dim. – **R** carte 140 à 250.

XX **Dominique,** 19 r. Bréa (6e) ✆ 43 27 08 80, Cuisine russe – AE ⓓ E VISA L 12
fermé juil. et vacances de fév. – **R** carte 100 à 180.

X ✿ **Allard,** 41 r. St-André-des-Arts (6e) ✆ 43 26 48 23 – AE ⓓ E VISA K 14
fermé août, 24 déc. au 1er janv., sam. et dim. – SC : **R** (nombre de couverts limité - prévenir) carte 180 à 270
Spéc. St.-Jacques au beurre blanc (10 oct. au 15 mai), Canard aux olives.

X **Balzar,** 49 r. Écoles (5e) ✆ 43 54 13 67 – VISA. ⚘ K 14
fermé août et mardi – **R** carte 120 à 165.

X **Moissonnier,** 28 r. Fossés-St-Bernard (5e) ✆ 43 29 87 65 K 15
fermé août, dim. soir et lundi – **R** carte 100 à 150.

X **L'Ange Gourmand,** 31 quai Tournelle (5e) ✆ 43 54 11 31 K 15
fermé lundi midi – SC : **R** 135/180.

X **Au Charbon de Bois,** 16 r. Dragon (6e) ✆ 45 48 57 04 – ▤. AE ⓓ VISA J 12
fermé dim. – SC : **R** carte environ 140.

X **Chez Maître Paul,** 12 r. Monsieur-le-Prince (6e) ✆ 43 54 74 59 – AE ⓓ VISA K 13
fermé août, 24 déc. au 2 janv., dim. et lundi – **R** carte 110 à 150.

X **Xavier Grégoire,** 80 r. Cherche-Midi (6e) ✆ 45 44 72 72 – AE VISA L 11
fermé 10 au 30 août, sam. midi et dim. – SC : **R** carte 155 à 230.

X **Moulin à Vent,** 20 r. Fossés-St-Bernard (5e) ✆ 43 54 99 37 – AE VISA K 15
fermé août et dim. – **R** carte 130 à 200.

X **L'Agronome,** 35 quai Tournelle (5e) ✆ 43 25 44 42 – VISA. ⚘ K 16
fermé sam. midi et dim. – SC : **R** carte 120 à 175.

X **Le Mange Tout,** 30 r. Lacépède (5e) ✆ 45 35 53 93 – ⓓ VISA L 15
fermé 4 au 31 août, lundi midi et dim. – SC : **R** carte 100 à 130.

Faubourg-St-Germain, Invalides, École Militaire.

7e arrondissement.
7e : ✉ 75007

Pont Royal et rest. Les Antiquaires, 7 r. Montalembert ✆ 45 44 38 27, Télex 270113 – ⧉ cuisinette ▤ TV ☎ – 🔔 50. AE ⓓ E VISA J 12
SC : **R** *(fermé août et dim.)* 190 bc – **75 ch** ☕ 720/1 600, 5 appart.

Sofitel Bourbon M, 32 r. St-Dominique ✆ 45 55 91 80, Télex 250019 – ⧉ ▤ TV ☎ ♿ 🚗 – 🔔 50. AE ⓓ E VISA H 10
SC : **R** voir **Le Dauphin** ci-après – ☕ 70 – **112 ch** 1 020/1 250.

Cayré-Copatel M sans rest, 4 bd Raspail ✆ 45 44 38 88, Télex 270577 – ⧉ TV ☎ – 🔔 40. AE ⓓ E VISA J 12
SC : **130 ch** ☕ 724/751.

St-Simon sans rest., 14 r. St-Simon ✆ 45 48 35 66, « Beau mobilier » – ⧉ ☎. ⚘
SC : ☕ 25 – **29 ch** 550/600, 5 appart. 880. J 11

Université sans rest, 22 r. Université ✆ 42 61 09 39 – ⧉ ☎. ⚘ J 12
SC : ☕ 33 – **27 ch** 350/550.

Montalembert sans rest, 3 r. Montalembert ✆ 45 48 68 11, Télex 200132 – ⧉ ☎. E – SC : **61 ch** ☕ 520/690. J 12

La Bourdonnais, 111 av. La Bourdonnais ✆ 47 05 45 42, Télex 201416 – ⧉ TV ☎. ⓓ VISA J 9
SC : **R** voir **La Cantine des Gourmets** ci-après – **56 ch** ☕ 310/420.

Suède sans rest, 31 r. Vaneau ✆ 47 05 00 08, Télex 200596 – ⧉ 🛁wc 🚿wc ☎. AE. ⚘ – SC : **40 ch** ☕ 370/500. K 11

De Varenne M ⚘ sans rest, 44 r. Bourgogne ✆ 45 51 45 55 – ⧉ TV 🛁wc 🚿wc ☎. AE – SC : ☕ 23 – **24 ch** 239/360. J 10

Résidence Elysées Maubourg M sans rest, 35 bd Latour-Maubourg ✆ 45 56 10 78, Télex 206227 – ⧉ TV 🛁wc ☎. AE ⓓ E VISA H 10
SC : **30 ch** ☕ 430/600.

Lenox sans rest, 9 r. Université ✆ 42 96 10 95 – ⧉ TV 🛁wc 🚿wc ☎. AE E VISA
SC : ☕ 25 – **32 ch** 295/420. J 12

Académie sans rest., 32 r. des Sts-Pères ✆ 45 48 36 22, Télex 205650 – ⧉ TV 🛁wc 🚿wc ☎. AE ⓓ E VISA J 12
SC : ☕ 25 – **34 ch** 360/440.

🏨 **Beaugency** Ⓜ sans rest, 21 r. Duvivier ☎ 47 05 01 63, Télex 201494 – ascenseur TV wc wc ☎. AE ⓓ E VISA. 🚫 J 9
SC : **30 ch** ☕ 350/370.

🏨 **St-Germain** sans rest, 88 r. Bac ☎ 45 48 62 92 – ascenseur wc wc ☎. AE. 🚫 J 11
SC : ☕ 23 – **29 ch** 230/460.

🏨 **Bourgogne et Montana,** 3 r. Bourgogne ☎ 45 51 20 22, Télex 270854 – ascenseur wc ☎. AE E VISA H 11
SC : **R** *(fermé sam. et dim.)* 125 – **30 ch** ☕ 330/560, 5 appart 660.

🏨 **Verneuil-St-Germain** sans rest, 8 r. Verneuil ☎ 42 60 24 16 – ascenseur TV wc wc ☎. AE VISA J 12
SC : ☕ 25 – **26 ch** 340/420.

🏨 **Derby H.** sans rest, 5 av. Duquesne ☎ 47 05 12 05, Télex 206236 – ascenseur TV wc wc ☎ – 🧑‍🏫 30. AE ⓓ E VISA J 9
SC : ☕ 30 – **44 ch** 390/410.

🏨 **Lindbergh** sans rest, 5 r. Chomel ☎ 45 48 35 53, Télex 201777 – ascenseur wc wc ☎. AE ⓓ E VISA K 12
SC : ☕ 23 – **26 ch** 270/350.

🏨 **Tourville** Ⓜ sans rest., 16 av. Tourville ☎ 47 05 52 15, Télex 250786 – ascenseur TV wc wc ☎. AE VISA J 9
SC : ☕ 18 – **32 ch** 221/288.

🏨 **Londres** sans rest, 1 r. Augereau ☎ 45 51 63 02, Télex 206398 – ascenseur TV wc wc ☎. AE E VISA. 🚫 J 8
SC : ☕ 25 – **30 ch** 390/490.

🏨 **Solférino** sans rest, 91 r. Lille ☎ 47 05 85 54 – ascenseur wc wc ☎. VISA. 🚫 H 11
fermé 23 déc. au 3 janv. – SC : **34 ch** ☕ 303/360.

🏨 **Chomel** sans rest, 15 r. Chomel ☎ 45 48 55 52, Télex 206522 – wc wc. AE E VISA. 🚫 K 12
SC : ☕ 34 – **23 ch** 370/475.

🏨 **Bersoly's** sans rest, 28 r. Lille ☎ 42 60 73 79 – ascenseur TV wc wc ☎. AE VISA. 🚫 J 13
SC : ☕ 25 – **16 ch** 391/494.

🏠 Mars H. sans rest, 117 av. La Bourdonnais ☎ 47 05 42 30 – ascenseur wc wc ☎ J 9
24 ch.

🏠 **Kensington** sans rest, 79 av. La Bourdonnais ☎ 47 05 74 00 – ascenseur wc wc ☎. AE ⓓ VISA J 9
SC : ☕ 18,50 – **26 ch** 197/258.

🏠 **Turenne** sans rest, 20 av. Tourville ☎ 47 05 99 92, Télex 203407 – ascenseur wc wc ☎. AE VISA J 9
SC : ☕ 22 – **34 ch** 172/308.

🏠 **Résidence d'Orsay** sans rest, 93 r. Lille ☎ 47 05 05 27 – ascenseur wc wc ☎. VISA. 🚫 – *fermé août* – SC : ☕ 22 – **32 ch** 140/290 H 11

🏠 **Champ de Mars** sans rest., 7 r. Champ de Mars ☎ 45 51 52 30 – ascenseur wc wc ☎. VISA J 9
fermé 15 au 28 août – SC : ☕ 18,50 – **25 ch** 260/280.

🏠 **L'Empereur** sans rest, 2 r. Chevert ☎ 45 55 88 02 – ascenseur TV wc wc ☎ J 9
SC : ☕ 19 – **34 ch** 226/300.

🏠 **Muguet** sans rest, 11 r. Chevert ☎ 47 05 05 93 – ascenseur wc wc ☎ J 9
fermé 21 juil. au 1er sept. – SC : ☕ 19 – **43 ch** 120/240.

XXXX ✿✿ **Le Divellec,** 107 r. Université ☎ 45 51 91 96 – AE ⓓ VISA. 🚫 H 10
fermé août, Noël, Jour de l'An, dim. et lundi – **R** carte 240 à 420
Spéc. Huîtres raidies en cassolette, Escalopes de turbotin aux coques, Poêlée de langoustines au foie de canard.

XXXX ✿ **Jules Verne,** 2e étage Tour Eiffel, ascenseur privé pilier sud ☎ 45 55 61 44, Télex 205789, ≤ Paris – ▤. AE VISA. 🚫 J 7
R carte 235 à 315
Spéc. Fricassée de langoustines au curry, Pigeonneau rôti aux bolets, Grand dessert "Jules Verne".

XXX ✿ **L'Argonne,** 84 r. Varenne ☎ 45 51 47 33 – AE ⓓ VISA J 10
fermé août, sam. midi et dim. – SC : **R** carte 230 à 320
Spéc. Filet de rougets, Aiguillette de caneton, Chaud et froid de poires.

XXX ✿ **Le Dauphin** (Sofitel Bourbon), 32 r. St-Dominique ☎ 45 55 91 80 – ▤. AE ⓓ E VISA H 10
SC : **R** carte 225 à 295
Spéc. Salade de langoustines au chou vert, Tronçons de colin rôti aux légumes, Fricassée de ris de veau.

XXX ✿ **Chez les Anges,** 54 bd Latour-Maubourg ✆ 47 05 89 86 – ▤. AE ◑ E VISA J 9
fermé dim. soir et lundi – **R** carte 190 à 295
Spéc. Oeufs en meurette, Feuillantine de bar et de saumon aux épinards, Foie de veau.

XXX ✿ **La Flamberge** (Albistur), 12 av. Rapp ✆ 47 05 91 37 – ▤. AE ◑ E VISA H 8
fermé 2 au 18 août, sam. midi et dim. – SC : **R** carte 205 à 275
Spéc. Baron de lapereau à la menthe et pâtes fraîches (15 fév. au 15 oct.), Gibier (saison), Grande assiette de desserts.

XXX ✿ **La Cantine des Gourmets,** 113 av. de La Bourdonnais ✆ 47 05 47 96 – ▤. AE ◑ VISA J 9
fermé dim. et lundi – SC : **R** carte 195 à 300
Spéc. Biscuit de sardines et olives, Paupiette de raie et saumon fumé, Consommé de ris de veau au potiron.

XXX **La Bourgogne,** 6 av. Bosquet ✆ 47 05 96 78 – AE ◑ VISA H 9
fermé sam. midi et dim. – **R** carte 145 à 230.

XXX ✿ **La Boule d'Or,** 13 bd Latour-Maubourg ✆ 47 05 50 18 – AE ◑ VISA H 10
fermé août, sam. midi et lundi – **R** carte 170 à 240
Spéc. Marbré de poissons aux avocats, Millefeuille de sole et langoustines, Soufflé chaud au citron.

XXX **Beato,** 8 r. Malar ✆ 47 05 94 27, **cuisine italienne** – ▤. AE VISA H 9
fermé août, Noël et 1er janv. – SC : **R** carte 180 à 260.

XX **Chez Françoise,** Aérogare des Invalides ✆ 47 05 49 03 – AE ◑ VISA H 10
fermé août, dim. soir et lundi – **R** carte 125 à 195.

XX ✿ **Récamier** (Cantegrit), 4 r. Récamier ✆ 45 48 86 58 – ◑ E VISA K 12
fermé dim. – **R** carte 190 à 300
Spéc. Oeufs en meurette, Mousse de brochet, Boeuf bourguignon.

XX ✿ **Ferme St-Simon** (Vandenhende), 6 r. St-Simon ✆ 45 48 35 74 – VISA J 11
fermé 1er au 25 août, sam. midi et dim. – **R** 144 bc (déj.) et carte 165 à 240
Spéc. Ravioli d'huîtres (fin déc. à mars), Grillandine "Denise Fabre", Desserts.

XX ✿ **Labrousse,** 4 r. Pierre-Leroux ✆ 43 06 99 39 – ▤. AE VISA K 11
fermé août, dim. et lundi midi – **R** carte 170 à 240
Spéc. Ris de veau et langoustines en salade, Morue à l'ail doux, Pigeonneau en aumônière.

XX **Le Florence,** 22 r. Champ-de-Mars ✆ 45 51 52 69 – AE VISA J 9
fermé juil., dim. et lundi – **R** 100/170.

XX **Le Galant Verre,** 12 r. Verneuil ✆ 42 60 84 56 – AE ◑ E VISA J 12
fermé sam. midi et dim. – **R** carte 170 à 285.

XX ✿ **Bistrot de Paris,** 33 r. Lille ✆ 42 61 16 83, **évocation bistrot 1900** – VISA J 12
fermé sam. midi, dim. et fériés – **R** carte 170 à 220
Spéc. Salade de filets de canard au miel et soja, Daube de pieds de porc aux épices, Tournedos de canard et de volaille.

XX **Vert Bocage,** 96 bd Latour-Maubourg ✆ 45 51 48 64 – AE ◑ VISA J 9
fermé août, sam. et dim. – **R** carte 165 à 250.

XX **Antoine et Antoinette,** 16 av. Rapp ✆ 45 51 75 61 – AE ◑ VISA H 8
fermé sam. et dim. – **R** carte 145 à 215.

XX **Bellecour,** 22 r. Surcouf ✆ 45 51 46 93 – AE ◑ E VISA H 9
fermé 15 août au 1er sept., sam. (sauf le soir) du 1er oct. au 1er juin et dim. – **R** 185/270.

XX **Aux Délices de Szechuen,** 40 av. Duquesne ✆ 43 06 22 55, **cuisine chinoise** – ▤. AE VISA K 10
fermé 5 au 22 août et lundi – SC : **R** carte 100 à 170 ♂.

XX **Chez Ribe,** 15 av. Suffren ✆ 45 66 53 79 – AE ◑ E VISA J 7
fermé sam. et dim. – **R** carte 155 à 260.

XX ✿ **Gildo** (Bellini), 153 r. Grenelle ✆ 45 51 54 12, **cuisine italienne** J 9
fermé 14 juil. au 1er sept., vacances de Noël, dim. et lundi – **R** carte 115 à 170
Spéc. Ravioli, Tagliarini au safran, Rognone trifolato.

XX **Le Champ de Mars,** 17 av. Motte-Picquet ✆ 47 05 57 99 – AE ◑ VISA J 9
fermé 15 juil. au 15 août, mardi soir et lundi – **R** carte 100 à 170.

XX **Quai d'Orsay,** 49 quai d'Orsay ✆ 45 51 58 58 – AE ◑ VISA H 9
fermé 1er au 24 août et dim. – **R** carte 220 à 305.

X ✿ **Pantagruel** (Israël), 20 r. Exposition ✆ 45 51 79 96 – ◑ VISA J 9
fermé août, vacances de fév., sam. midi et dim. – SC : **R** carte 130 à 215
Spéc. Cassolette d'escargots flambés, Soufflé aux oursins (oct. à mars), Filets de sole aux oranges.

X ✿ **Tan Dinh,** 60 r. Verneuil ✆ 45 44 04 84, **cuisine vietnamienne** J 12
fermé 15 au 31 août et dim. – **R** carte 130 à 175
Spéc. Ravioli vietnamiens, Pâtes fraîches aux crevettes piquantes, Emincé de filet de boeuf.

X **La Calèche,** 8 r. Lille ✆ 42 60 24 76 – AE ◑ E VISA J 12
fermé 5 au 28 août, 24 déc. au 5 janv., sam. et dim. – SC : **R** carte 125 à 185.

X **Aub. Champ de Mars,** 18 r. Exposition ✆ 45 51 78 08 – AE ◑ VISA J 9
fermé 4 au 31 août, sam. midi et dim. – **R** carte 105 à 175.

X **Vin sur Vin,** 20 r. Monttessuy ✆ 47 05 14 20 – H 8
fermé 9 au 18 août, sam. midi et dim. – SC : **R** carte environ 140.

Champs-Élysées, St-Lazare, Madeleine.

8e arrondissement.

8e : ✉ 75008

Plaza-Athénée, 25 av. Montaigne ✆ 47 23 78 33, Télex 650092 – 🛗 ▤ 📺 ☎ – 🎤 30 à 100. AE ⓓ E VISA. ✻ rest G 9
R voir rest. **Régence et Relais Plaza** ci-après – ☕ 70 – **218 ch** 1 650/1 950, 44 appart.

Bristol, 112 fg St-Honoré ✆ 42 66 91 45, Télex 280961, ⛱, 🌳 – 🛗 ▤ 📺 ☎ Ⓟ – 🎤 40 à 150. AE ⓓ E VISA. ✻ F 10
SC : **R** voir rest **Bristol** ci-après – ☕ 80 – **155 ch** 1 150/2 600, 45 appart.

Crillon, 10 pl. Concorde ✆ 42 65 24 24, Télex 290204, ⛱ – 🛗 ▤ 📺 ☎ – 🎤 30 à 60. AE ⓓ E VISA. ✻ rest G 11
SC : **L'Obélisque R** carte environ 200 - voir rest. **Les Ambassadeurs** ci-après – ☕ 80 – **146 ch** 1 510/2 200, 41 appart.

George V, 31 av. George-V ✆ 47 23 54 00, Télex 650082, ⛱ – 🛗 ▤ 📺 ☎ – 🎤 500. AE ⓓ E VISA G 8
rest. **Les Princes R** carte 280 à 440 – ☕ 70 – **289 ch** 1 990/2 860, 59 appart.

Prince de Galles, 33 av. George-V ✆ 47 23 55 11, Télex 280627, ⛱ – 🛗 ▤ 📺 ☎ – 🎤 40 à 200. AE ⓓ E VISA. ✻ rest G 8
SC : **R** 210/340 – ☕ 90 – **140 ch** 1 550/2 450, 30 appart.

Royal Monceau, 37 av. Hoche ✆ 45 61 98 00, Télex 650361, ⛱, ⛱ – 🛗 ▤ 📺 ☎ – 🎤 500. AE ⓓ E VISA. ✻ rest E 8
SC : **Le Jardin R** carte 270 à 390 – **Le Carpaccio** *(fermé août)* **R** carte 240 à 350 – ☕ 90 – **220 ch** 1 550/2 255, 40 appart.

La Trémoille, 14 r. La Trémoille ✆ 47 23 34 20, Télex 640344 – 🛗 ▤ rest 📺 ☎. AE ⓓ E VISA G 9
☕ 40 – **97 ch** 950/1 620, 14 appart.

Warwick Ⓜ, 5 r. Berri ✆ 45 63 14 11, Télex 642295 – 🛗 ▤ 📺 ☎ – 🎤 25 à 150. AE ⓓ E VISA F 9
SC : **R** voir rest. **La Couronne** ci-après – ☕ 75 – **144 ch** 1 280/1 950, 4 appart.

Frantel-Windsor Ⓜ, 14 r. Beaujon ✆ 45 63 04 04, Télex 650902 – 🛗 ▤ rest 📺 ☎ – 🎤 25 à 120. AE ⓓ E VISA F 8
SC : voir rest. **Le Clovis** ci-après – ☕ 55 – **135 ch** 800/1 200.

Lancaster, 7 r. Berri ✆ 43 59 90 43, Télex 640991, ⛱ – 🛗 ▤ ch 📺 ☎. AE ⓓ E VISA F 9
R *(fermé sam. et dim.)* carte 250 à 340 – ☕ 80 – **47 ch** 1 000/1 650, 10 appart.

Claridge Bellman Ⓜ, 37 r. François 1er ✆ 47 23 90 03, Télex 641150 – 🛗 ▤ rest 📺 ☎. AE ⓓ VISA. ✻ G 9
SC : **R** *(fermé sam. et dim.)* carte 170 à 250 – ☕ 49 – **42 ch** 625/875.

Château Frontenac, 54 r. P.-Charron ✆ 47 23 55 85, Télex 660994 – 🛗 📺 ☎ – 🎤 30. AE ⓓ E VISA. ✻ G 9
SC : **Pavillon Russe R** carte 185 à 315 – ☕ 48 – **103 ch** 640/890.

Napoléon, 40 av. Friedland ✆ 47 66 02 02, Télex 640609 – 🛗 cuisinette 📺 ☎ – 🎤 30 à100. AE ⓓ E VISA F 8
SC : voir rest. **Napoléon Baumann**-ci-après – ☕ 40 – **108 ch** 650/1 020, 32 appart.

Bedford, 17 r. Arcade ✆ 42 66 22 32, Télex 290506 – 🛗 ▤ rest 📺 ☎ – 🎤 80. E VISA. ✻ rest F 11
SC : **R** *(fermé août, sam. et dim.)* (déj. seul.) 125 bc – **137 ch** ☕ 450/650, 10 appart. 930.

California sans rest, 16 r. Berri ✆ 43 59 93 00, Télex 660634 – 🛗 📺 ☎ – 🎤 35 à 70
185 ch, 3 appart. F 9

Concorde-St-Lazare, 108 r. St-Lazare ✆ 42 94 22 22, Télex 650442 – 🛗 ▤ rest 📺 ☎ – 🎤 100. AE ⓓ E VISA E 12
SC : **Café Terminus R** 200 bc/125 – ☕ 55 – **324 ch** 950/1 500.

Queen Elizabeth, 41 av. Pierre-1er-de-Serbie ✆ 47 20 80 56, Télex 641179 – 🛗 📺 ☎ – 🎤 25. AE ⓓ E VISA G 8
SC : **R** *(fermé dim. et le soir en sem.)* 90 bc/135 bc – ☕ 60 – **60 ch** 800/1 300, 7 appart.

Etap St-Honoré Ⓜ sans rest, 15 r. Boissy d'Anglas ✆ 42 66 93 62, Télex 240366 – 🛗 📺 ☎. AE ⓓ E VISA G 11
SC : ☕ 40 – **105 ch** 450/600, 8 appart. 800.

Royal Malesherbes Ⓜ, 24 bd Malesherbes ✆ 42 65 53 30, Télex 660190 – 🛗 📺 ☎ – 🎤 30. AE ⓓ E VISA F 11
SC : **R** carte environ 160 🍷 – **101 ch** ☕ 690/770.

Royal-Madeleine Ⓜ sans rest, 29 r. Arcade ✆ 42 66 13 81, Télex 641458 – 🛗 📺 ☎. AE ⓓ VISA. ✻ – ☕ 49 – **70 ch** 721/896. F 11

Castiglione, 40 r. Fg-St-Honoré ✆ 42 65 07 50, Télex 240362 – AE E VISA G 11
R carte environ 250 – **98 ch** 1030/1090, 16 appart.

Astor, 11 r. Astorg ✆ 42 66 56 56, Télex 642718 – AE E VISA F 11
SC : **R** *(fermé dim.)* carte 190 à 275 – **128 ch** 720/830.

Résidence Champs-Elysées M sans rest, 92 r. La Boëtie ✆ 43 59 96 15, Télex 650695 – AE E VISA F 9
SC : 38 – **84 ch** 597/850.

Elysées-Marignan sans rest, 12 r. Marignan ✆ 43 59 58 61, Télex 660018 – 100 à 130. AE E VISA G 9
SC : 50 – **57 ch** 965/1 180, 22 appart..

Printemps et rest. Chez Martin, 1 r. Isly ✆ 42 94 12 12, Télex 290744 – 25. E F 12
SC : **R** *(fermé dim.)* 88 bc – **67 ch** 315/715.

Roblin et rest. Le Mazagran, 6 r. Chauveau-Lagarde ✆ 42 65 57 00, Télex 640154 – VISA F 11
R *(fermé août, sam. et dim.)* carte 130 à 200 - **Grill** *(fermé août, sam. et dim.)* **R** carte environ 120 – **70 ch** 457/590.

Vernet, 25 r. Vernet ✆ 47 23 43 10, Télex 290347 – AE E VISA F 8
SC : **R** *(fermé août, sam. et dim.)* 195 – 45 – **63 ch** 690/1 020.

Royal H. sans rest, 33 av. Friedland ✆ 43 59 08 14, Télex 280965 – AE E VISA. F 8
SC : 34 – **57 ch** 562/723.

Concortel sans rest, 19 r. Pasquier ✆ 42 65 45 44, Télex 660228 – AE
SC : 27 – **38 ch** 340/420, 8 appart 520. F 11

Powers sans rest, 52 r. François-1er ✆ 47 23 91 05, Télex 642051 – AE VISA. G 9
SC : 30 – **56 ch** 450/610.

Alison M sans rest, 21 r. Surène ✆ 42 65 54 00, Télex 640435 – wc wc AE E VISA. F 11
SC : 30 – **35 ch** 280/480.

L'Arcade sans rest, 7 r. Arcade ✆ 42 65 43 85 – wc F 11
SC : **47 ch** 290/380.

Bradford sans rest, 10 r. St-Philippe-du-Roule ✆ 43 59 24 20, Télex 648530 – wc wc. F 9
SC : **48 ch** 360/460.

Colisée M sans rest, 6 r. Colisée ✆ 43 59 95 25, Télex 643101 – wc. AE E VISA F 9
SC : **44 ch** 430/590.

St Augustin sans rest, 9 r. Roy ✆ 42 93 32 17, Télex 641919 – wc wc. AE E VISA F 11
SC : 20 – **62 ch** 380/455.

Plaza Haussmann M sans rest, 177 bd Haussmann ✆ 45 63 93 83, Télex 643716 – wc. AE E VISA F 9
SC : 20 – **41 ch** 395/480.

Elysées Ponthieu M sans rest., 24 r. Ponthieu ✆ 42 25 68 70, Télex 640053 – wc wc. AE E VISA F 9
SC : 20 – **62 ch** 395/590.

Angleterre-Champs-Élysées M sans rest, 91 r. La Boétie ✆ 43 59 35 45, Télex 640317 – wc wc. AE VISA F 9
SC : 23 – **40 ch** 225/338.

Royal Alma sans rest, 35 r. Jean-Goujon ✆ 42 25 83 30, Télex 641428 – wc wc. AE VISA. G 9
SC : 30 – **84 ch** 640/915.

Astoria M sans rest, 42 r. Moscou ✆ 42 93 63 53, Télex 210408 – wc wc. AE E VISA D 11
SC : **82 ch** 560/590.

Résidence Saint-Philippe sans rest, 123 r. Fg-St-Honoré ✆ 43 59 86 99 – wc wc. F 9-10
SC : **38 ch** 340/530.

Franklin Roosevelt sans rest, 18 r. Clément-Marot ✆ 47 23 61 66, Télex 614797 – wc wc. AE VISA. G 9
SC : **45 ch** 470/500.

Rond-Point des Champs-Elysées sans rest, 10 r. Ponthieu ✆ 43 59 55 58, Télex 642386 – wc wc. AE E VISA. F 10
SC : – **46 ch** 355/475.

West End sans rest, 7 r. Clément-Marot ✆ 47 20 30 78, Télex 611972 – wc. AE VISA G 9
SC : 35 – **60 ch** 550/850.

Rochambeau sans rest, 4 r. la Boëtie ✆ 42 65 27 54, Télex 640030 – |♯| TV ⇔wc ⋒wc ☎. AE ⓓ E VISA F 11
SC : **50 ch** ☐ 486/530.

Brescia M sans rest, 16 r. Edimbourg ✆ 45 22 14 31, Télex 660714 – |♯| TV ⇔wc ⋒wc ☎ ♿. AE ⓓ E VISA E 11
SC : ☐ 23 – **38 ch** 200/280.

Washington sans rest, 43 r. Washington ✆ 45 61 10 76 – |♯| TV ⇔wc ⋒wc ☎. AE VISA. ✻ F 9
SC : ☐ 22 – **23 ch** 200/350.

Atlantic sans rest, 44 r. Londres ✆ 43 87 45 40, Télex 650477 – |♯| ⇔wc ⋒wc ☎. AE VISA. ✻ E 12
SC : ☐ 24 – **93 ch** 226/355.

Queen Mary sans rest, 9 r. Greffulhe ✆ 42 66 40 50, Télex 640419 – |♯| ⇔wc ⋒wc ☎. ✻ F 12
SC : ☐ 30 – **36 ch** 330/450.

Lido sans rest, 4 passage Madeleine ✆ 42 66 27 37 – |♯| ⇔wc ⋒wc ☎. AE ⓓ E VISA F 11
SC : ☐ 25 – **31 ch** 410/600.

Lord Byron sans rest, 5 r. Chateaubriand ✆ 43 59 89 98, Télex 649662, 🚗 – |♯| TV ⇔wc ⋒wc ☎. ✻ F 9
SC : ☐ 26 – **30 ch** 355/630.

Opal sans rest, 19 r. Tronchet ✆ 42 65 77 97, Télex 217152 – |♯| TV ⇔wc ☎. AE VISA. ✻ F 12
SC : ☐ 27 – **36 ch** 400/470.

Élysées sans rest, 100 r. La Boétie ✆ 43 59 23 46 – |♯| TV ⇔wc ⋒wc ☎. AE ⓓ E VISA F 9
SC : **30 ch** ☐ 345/385.

Ministère sans rest, 31 r. Surène ✆ 42 66 21 43 – |♯| TV ⇔wc ⋒wc ☎ F 11
SC : **32 ch** ☐ 175/385.

Lavoisier-Malesherbes sans rest, 21 r. Lavoisier ✆ 42 65 10 97 – |♯| ⇔wc ⋒wc ☎. ✻ F 11
SC : **32 ch** ☐ 240/296.

XXXXX ✿✿✿ **Lucas-Carton** (Senderens), 9 pl. Madeleine ✆ 42 65 22 90, « Authentique décor 1900 » – VISA. ✻ G 11
fermé 2 au 26 août, 20 déc. au 5 janv., sam. et dim. – **R** carte 365 à 520
Spéc. Escalope de saumon fumé chaude, Foie gras de canard aux choux, Canard poché et rôti au miel.

XXXXX ✿✿ **Bristol,** 112 r. fg St-Honoré ✆ 42 66 91 45 – Ⓟ. AE ⓓ E VISA. ✻ F 10
SC : **R** carte 335 à 420
Spéc. Salade landaise, Escalope de turbot au Sauternes, Nage de St-Pierre aux concombres et citronnelle.

XXXXX ✿✿ **Lasserre,** 17 av. Franklin-D.-Roosevelt ✆ 43 59 53 43, Toit ouvrant – ▤. ✻
fermé 3 août au 1er sept., dim. et lundi – **R** carte 320 à 420 G 10
Spéc. Filets de sole marinière, Ailes de pigeon et chou garni aux cèpes, Charlotte chocolatée aux poires caramélisées.

XXXXX ✿✿✿ **Taillevent,** 15 r. Lamennais ✆ 45 61 12 90 – ▤. ✻ F 9
fermé 26 juil. au 25 août, vacances de fév., sam., dim. et fériés – **R** (nombre de couverts limité - prévenir) carte 290 à 400
Spéc. Cannelloni de cèleri au jus de truffe, Poularde de Bresse Edouard Mignon, Diplomate aux griottes confites.

XXXXX ✿✿ **Les Ambassadeurs,** 10 pl. Concorde ✆ 42 65 24 24, 🍽, « Cadre 18e s. » – AE ⓓ E VISA. ✻ G 11
SC : **R** carte 320 à 500
Spéc. Lamelles de St.-Jacques Sonia Rykiel, Viennoise de turbot aux pignes, Moëlleux de cacao aux quatre épices.

XXXXX ✿ **Ledoyen,** carré Champs-Élysées ✆ 42 66 54 77 – Ⓟ G 10
fermé août et dim. – **R** carte 270 à 380
Spéc. Civet de langouste à la crème d'estragon, Panaché de poissons vigneronne, Faisan en chartreuse à l'alsacienne (saison).

XXXXX ✿ **Laurent,** 41 av. Gabriel ✆ 47 23 79 18 – AE ⓓ. ✻ G 11
fermé sam. midi, dim. et fêtes – **R** 320 bc (déj) et carte 380 à 530
Spéc. Salade de homard, Canard aux deux cuissons, Deux soufflés "Laurent".

XXXXX ✿ **Régence,** 25 av. Montaigne ✆ 47 23 78 33, 🍽 – AE ⓓ E VISA. ✻ G 9
R carte 345 à 430
Spéc. Soufflé de homard, Panaché de la mer, Aiguillettes de canard aux agrumes.

XXXXX ✲✲ **Pavillon Elysée** (Lenôtre), 10 av. Champs-Elysées (1er étage) ✆ 42 65 85 10 – Ⓟ. AE ⓓ VISA G 10
fermé août, sam., dim. et fêtes – **R** carte 350 à 430 – voir rest. **Les Jardins Lenôtre** (rez-de-chaussée) ci-après
Spéc. Canard rouennais Madeleine Brument, Suprême de poule faisane (saison), Saumon sauvage farci de pointes vertes (avril à juil.).

XXXX ✲ **Lamazère,** 23 r. Ponthieu ✆ 43 59 66 66 – ▤. AE ⓓ E VISA. ✂ F 9
fermé août et dim. – **R** carte 260 à 400
Spéc. Truffe Lamazère, Suprême de sole au foie gras, Cassoulet aux trois confits.

XXXX ✲✲ **Chiberta,** 3 r. Arsène-Houssaye ✆ 45 63 77 90 – ▤. AE ⓓ VISA F 8
fermé 2 au 25 août, 25 déc. au 1er janv., sam., dim. et fériés – **R** carte 260 à 370
Spéc. Tartare de saumon, Etuvée de homard jardinière, Rognonnade de filet d'agneau au pistou.

XXXX ✲✲ **La Marée,** 1 r. Daru ✆ 47 63 52 42 – ▤. AE ⓓ E 8
fermé août, sam. et dim. – **R** carte 240 à 360
Spéc. Belons au champagne, Petite marmite marseillaise, Râble de lièvre à la caladoise (oct. à janv.).

XXXX ✲ **Fouquet's Élysées,** 99 av. Champs-Élysées (1er étage) ✆ 47 23 70 60, Télex 648 227 – AE ⓓ E VISA F 8
fermé 15 juil. au 31 août, sam. et dim. – **R** carte 205 à 305
Spéc. Fond d'artichaut et foie gras de canard, Aiguillettes de canard au citron vert, Gratin de langouste et langoustines aux pâtes fraîches.

XXX ✲ **La Couronne,** 5 r. Berri ✆ 45 63 14 11 – AE ⓓ E VISA F 9
fermé dim. – SC : **R** 210
Spéc. Ravioles d'écrevisses à l'estragon, Filet de boeuf au vin rouge et à la moelle, Chariot de desserts.

XXX ✲ **Les Jardins Lenôtre,** 10 av. Champs-Élysées (rez-de-chaussée) ✆ 42 65 85 10 – Ⓟ. AE ⓓ VISA G 10
R 190
Spéc. Pétales de saumon galette bressanne, Queue de boeuf en pot au feu, Charette jardinière de desserts.

XXX ✲ **Copenhague,** 142 av. Champs-Élysées (1er étage) ✆ 43 59 20 41, ☂ – ▤. AE ⓓ E VISA F 8
fermé 27 juil. au 24 août, 1er au 8 janv., dim. et fêtes – **R** carte 190 à 280 ✂
Spéc. Saumon mariné à l'aneth, Canard salé à la danoise, Filets de renne aux navets.

XXX ✲ **Clovis,** 4 r. B.-Albrecht ✆ 45 61 15 32 – AE ⓓ E VISA F 8
fermé août, 25 déc. au 1er janv., sam., dim. et fériés – SC : **R** carte 240 à 300
Spéc. Gelée de poireaux-langoustines et foie gras de canard, Blanc de turbot à la mousseline de crustacés, Emincé de canette de Barbarie rôtie.

XXX **Napoléon Baumann,** 38 av. Friedland ✆ 42 27 99 50 – ▤. AE ⓓ E VISA F 8
R 188 ♁.

XXX **Le Marcande,** 52 r. Miromesnil ✆ 42 65 76 85 – AE ⓓ VISA F 10
fermé 1er au 25 août, sam. et dim. – **R** carte 260 à 335.

XXX **Chez Vong,** 27 r. Colisée ✆ 43 59 77 12, cuisine chinoise et vietnamienne – AE ⓓ VISA F 10
fermé dim. – **R** 150/250.

XXX **Relais-Plaza,** 21 av. Montaigne ✆ 47 23 46 36 – ▤. AE ⓓ E VISA. ✂ G 9
fermé août – **R** carte 220 à 320.

XXX **Indra,** 10 r. Cdt-Rivière ✆ 43 59 46 40, cuisine indienne – AE ⓓ E VISA F 9
fermé sam. midi et dim. – SC : **R** carte 150 à 190.

XXX **Au Vieux Berlin,** 32 av. George-V ✆ 47 20 88 96, cuisine allemande – ▤. AE ⓓ E VISA G 8
fermé sam. et dim. – **R** carte 165 à 220.

XX **Baumann Marbeuf,** 15 r. Marbeuf ✆ 47 20 11 11 – AE ⓓ E VISA G 9
SC : **R** carte 140 à 200 ♁.

XX **Fermette Marbeuf,** 5 r. Marbeuf ✆ 47 20 63 53, « Décor 1900, céramiques et vitraux d'époque » – AE ⓓ E VISA G 9
carte 140 à 200 ♁.

XX **Le Boeuf sur le Toit,** 34 r. Colisée ✆ 43 59 83 80 – ▤. AE ⓓ VISA F 10
R carte 115 à 180.

XX **Le Petit Montmorency,** 5 r. Rabelais ✆ 42 25 11 19 – ▤. E VISA. ✂ F 10
fermé août, sam. du 1er avril au 31 juil. et dim. – SC : **R** carte 220 à 350.

XX **Ruc,** 2 r. Pépinière ✆ 45 22 66 70 – ▤. AE ⓓ E VISA F 11
R (1er étage) carte 180 à 240.

XX **Marius et Janette,** 4 av. George V ✆ 47 23 41 88 – AE VISA F 8
fermé sam. et dim. – **R** carte 230 à 350.

XX **Le Grenadin,** 46 r. Naples ✆ 45 63 28 92 – AE VISA E 11
fermé 8 août au 3 sept., 24 déc. au 6 janv., sam., dim. et fériés – **R** carte 190 à 260.

XX **Chez Bosc,** 7 r. Richepanse ✆ 42 60 10 27 G 12
fermé août, sam., dim. et fériés – **R** carte 150 à 210.

XX **Chez Modeste,** 8 r. Miromesnil ✆ 42 65 20 39 – ▤. VISA — F 10
fermé sam., dim. et fêtes – **R** carte 170 à 240.

XX **Artois,** 13 r. Artois ✆ 42 25 01 10 — F 9
fermé 14 juil. au 1er sept., sam., dim. et fêtes – **R** (prévenir) carte 120 à 170.

XX **St Germain,** 74 av. Champs-Elysées ✆ 45 63 55 45 – AE ⓓ E VISA — G 9
fermé sam., dim. et fêtes – **R** 150/240.

XX **La Dariole,** 49 r. Colisée ✆ 42 25 66 76 – AE ⓓ VISA — F 10
fermé sam., dim. et fêtes – SC : **R** carte 170 à 240.

XX **Tong Yen,** 1 bis r. Jean-Mermoz ✆ 42 25 04 23, cuisine chinoise et vietnamienne – ▤. AE ⓓ E VISA — F 10
fermé 1er au 22 août – **R** carte 150 à 220.

XX **Le Bonaventure,** 35 r. J. Goujon ✆ 42 25 02 58, ⛱, 🌳 – AE VISA. ✈ — G 9
fermé sam. midi et dim. – **R** carte 140 à 200.

XX **Androuët,** 41 r. Amsterdam ✆ 48 74 26 93 – AE ⓓ VISA — E 12
fermé dim. – **R** carte 150 à 200.

XX **Le Sarladais,** 2 r. Vienne ✆ 45 22 23 62 – ▤. E VISA — E 11
fermé août, sam. midi, dim. et fériés – **R** carte 115 à 195.

XX **Chez Max,** 19 r. Castellane ✆ 42 65 33 81 – VISA — F 11
fermé 31 juil. au 3 sept., 24 déc. au 3 janv., jeudi soir, sam., dim. et fériés – **R** carte 170 à 260.

XX **L'Addition,** 10 r. La Trémoille ✆ 47 23 53 53 – AE ⓓ VISA — G 9
R carte 150 à 200.

XX **Le Manoir Normand,** 77 bd Courcelles ✆ 42 27 38 97 – AE ⓓ VISA — E 8
R carte 130 à 190.

XX **Rose des Sables,** 19 r. Washington ✆ 45 63 36 73, cuisine marocaine — F 9
fermé sam. midi et dim. – **R** carte environ 125.

XX **Annapurna,** 32 r. Berri ✆ 45 63 91 56, cuisine indienne – AE ⓓ VISA — F 9
fermé sam. midi et dim. – **R** carte 120 à 185.

XX **Bistro des Champs,** 18 av. F. Roosevelt ✆ 45 62 08 37 – AE VISA — F 10
R carte 150 à 200.

X **Olsson's,** 62 r. P. Charron ✆ 45 61 49 11, cuisine scandinave – AE ⓓ — G 9
R carte 120 à 185.

X **Stresa,** 7 r. Chambiges ✆ 47 23 51 62, cuisine italienne – AE ⓓ — G 9
fermé 10 au 25 août, 20 déc. au 5 janv., sam. soir et dim. – **R** carte 170 à 220.

X **Martin Alma,** 44 r. J.-Goujon ✆ 43 59 28 25, cuisine nord-africaine – VISA — G 9
fermé août, dim. soir et lundi – **R** carte 95 à 150.

X **Le Capricorne,** 81 r. Rocher ✆ 45 22 64 99 – VISA — E 10-11
fermé 29 mars au 6 avril, 2 août au 3 sept., sam., dim. et fériés – **R** carte 85 à 150 🍷.

X **Al Dente,** 182 bd Haussmann ✆ 45 62 88 68, cuisine italienne – VISA — F 8
fermé 10 au 20 août, dim. et fériés – **R** carte 105 à 160.

X **La Petite Auberge,** 48 r. Moscou ✆ 43 87 91 84 – E VISA — D 11
fermé sam. midi et dim. – **R** carte 130 à 190.

Opéra, Gare du Nord, Gare de l'Est, Grands Boulevards.

9e et 10e arrondissements.
9e : ✉ 75009
10e : ✉ 75010

Le Gd Hôtel, 2 r. Scribe (9e) ✆ 42 68 12 13, Télex 220875 – ⛓ ▣ ☎ – 🏛 25 à 500. AE ⓓ E VISA. ✈ rest — F 12
SC : **Le Patio** *(fermé août)* **R** 195 bc carte le dim. – voir **Café de la Paix** ci-après – ☕ 70 – **537 ch** 1 500/1 650, 19 appart.

Scribe Ⓜ, 1 r. Scribe (9e) ✆ 47 42 03 40, Télex 214653 – ⛓ ▤ ▣ ☎ ♿ – 🏛 150. AE ⓓ E VISA. ✈ rest — F 12
SC : **R** carte 175 à 255 – **le Jardin des Muses R** carte environ 145 – ☕ 75 – **206 ch** 990/1 700, 11 appart.

Ambassador, 16 bd Haussmann (9e) ✆ 42 46 92 63, Télex 650912 – ⛓ ▣ ☎ ♿ – 🏛 30. AE ⓓ E VISA. ✈ — F 13
SC : **R** *(fermé juil. et 6 au 26 déc.)* carte environ 180 – **300 ch** ☕ 1200/1600, 4 appart.

Commodore, 12 bd Haussmann (9e) ✆ 42 46 72 82, Télex 280601 – ⛓ ▣ ☎ ♿. AE ⓓ E VISA. ✈ rest — F 13
SC : **R** 160/300 – ☕ 42 – **150 ch** 785/950, 11 appart.

Brébant [M], 32 bd Poissonnière (9e) ✆ 47 70 25 55, Télex 280127 – |‡| ▤ rest TV ☎. AE ⓓ E VISA F 14
R 70/85 – **129 ch** ☕ 510/595.

Terminus Nord sans rest, 12 bd Denain (10e) ✆ 42 80 20 00, Télex 660615 – |‡| TV ☎ ♿ – 🏛 40. AE ⓓ E VISA. ✻ E 15-16
SC : **225 ch** ☕ 390/520.

Astra sans rest, 29 r. Caumartin (9e) ✆ 42 66 15 15, Télex 210408 – |‡| TV ☎. AE ⓓ E VISA F 15
SC : **85 ch** ☕ 500/650.

Blanche Fontaine 🐚 sans rest, 34 r. Fontaine (9e) ✆ 45 26 72 32, Télex 660311 – |‡| TV ☎ 🚗. AE VISA. ✻ D 13
SC : ☕ 30 – **49 ch** 295/420.

St-Pétersbourg sans rest, 33 r. Caumartin (9e) ✆ 42 66 60 38, Télex 680001 – |‡| TV ☎. AE ⓓ VISA F 12
SC : ☕ 25 – **120 ch** 495/520.

Paris Est [M] sans rest, cour d'Honneur (10e) ✆ 42 41 00 33, Télex 217916 – |‡| TV 🛁wc 🚿wc ☎ – 🏛 50 à 450. E VISA E 16
SC : ☕ 21 – **33 ch** 212/435.

Franklin et du Brésil, 19 r. Buffault (9e) ✆ 42 80 27 27, Télex 640988 – |‡| TV ☎. AE ⓓ E VISA. ✻ rest E 14
Les Années Folles *(fermé 15 juil. au 15 août, sam., dim. et fériés)* **R** carte 135 à 185 – **64 ch** ☕ 480/599.

Carlton's H. sans rest, 55 bd Rochechouart (9e) ✆ 42 81 91 00, Télex 640649 – |‡| TV 🛁wc ☎. AE ⓓ E VISA. ✻ D 14
SC : ☕ 26 – **94 ch** 335/370, 6 appart. 450/500.

Gisendre sans rest, 6 r. Fromentin (9e) ✆ 42 80 36 86, Télex 641797 – |‡| TV 🛁wc 🚿wc ☎. AE ⓓ E VISA. ✻ D 13
SC : ☕ 21 – **32 ch** 275.

Caumartin [M] sans rest, 27 r. Caumartin (9e) ✆ 47 42 95 95, Télex 680702 – |‡| TV 🛁wc 🚿wc ☎. AE ⓓ E VISA F 12
SC : **40 ch** ☕ 415/590.

Alpha [M] sans rest, 11 r. Geoffroy Marie (9e) ✆ 45 23 14 04, Télex 643939 – |‡| TV 🛁wc ☎. AE ⓓ E VISA. ✻ F 14
28 ch ☕ 650.

Athènes [M] sans rest, 21 r. d'Athènes (9e) ✆ 48 74 00 55, Télex 640715 – |‡| TV 🛁wc 🚿wc ☎. AE ⓓ VISA. ✻ E 12
☕ 26 – **36 ch** 380.

Chamonix [M] sans rest, 8 r. d'Hauteville (10e) ✆ 47 70 19 49, Télex 641177 – |‡| 🛁wc 🚿wc ☎. AE ⓓ E VISA. ✻ F 15
SC : ☕ 27 – **35 ch** 460/600.

Printania [M] sans rest, 19 r. Château d'Eau (10e) ✆ 42 01 84 20, Télex 215425 – |‡| TV 🛁wc 🚿wc ☎. AE ⓓ E VISA. ✻ F 16
SC : ☕ 25 – **51 ch** 400/500.

Moris [M] sans rest, 13 r. R.-Boulanger (10e) ✆ 46 07 92 08, Télex 212024 – |‡| TV 🛁wc 🚿wc ☎. AE ⓓ E VISA. ✻ G 16
SC : ☕ 25 – **48 ch** 365/430.

Florida sans rest, 7 r. Parme (9e) ✆ 48 74 47 09, Télex 640410 – |‡| TV 🛁wc 🚿wc ☎. AE ⓓ VISA D 12
SC : **31 ch** ☕ 290/450.

Modern' Est sans rest, 91 bd Strasbourg (10e) ✆ 46 07 24 72 – |‡| 🛁wc 🚿wc ☎. ✻ E 16
SC : ☕ 24 – **30 ch** 240/300.

Capucines sans rest, 6 r. Godot de Mauroy (9e) ✆ 47 42 06 37 – |‡| 🛁wc 🚿wc ☎ F 12
SC : ☕ 18,50 – **46 ch** 183/300.

Morny sans rest, 4 r. Liège (9e) ✆ 42 85 47 92, Télex 660822 – |‡| TV 🛁wc ☎. AE ⓓ E VISA E 12
SC : ☕ 20 – **43 ch** 414/454.

London Palace sans rest, 32 bd Italiens (9e) ✆ 48 24 54 64, Télex 642360 – |‡| 🛁wc 🚿wc ☎. AE E VISA. ✻ F 13
SC : ☕ 23 – **48 ch** 268/400.

Gare du Nord sans rest, 33 r. St-Quentin (10e) ✆ 48 78 02 92, Télex 642415 – |‡| 🛁wc 🚿wc ☎. AE E VISA. ✻ E 16
SC : ☕ 22 – **49 ch** 185/380.

Hélios sans rest, 75 r. Victoire (9e) ✆ 48 74 28 64, Télex 641255 – |‡| 🛁wc 🚿wc ☎. AE ⓓ E VISA F 13
SC : ☕ 25 – **50 ch** 288/418.

Baccarat [M] sans rest, 19 r. Messageries ✆ 47 70 96 92, Télex 648895 – |‡| TV 🛁wc 🚿wc ☎. AE ⓓ E VISA E 15
SC : ☕ 25 – **31 ch** 250/550.

Résidence Mauroy M sans rest, 11 bis r. Godot-de-Mauroy (9e) 47 42 50 78 – TV wc wc. AE E VISA — F 12
fermé août – SC : 25 – **26 ch** 220/400.

Florence sans rest, 26 r. Mathurins (9e) 47 42 63 47 – wc wc. AE
SC : 26 – **20 ch** 260/400. — F 12

Royal Médoc sans rest, 14 r. Geoffroy Marie (9e) 47 70 37 33, Télex 660053 – TV wc. AE E VISA. — F 14
SC : **41 ch** 440.

Anjou-Lafayette sans rest, 4 r. Riboutté (9e) 42 46 83 44, Télex 281 001 – wc wc. AE E VISA — E 14
SC : **40 ch** 400/590.

Montréal sans rest, 23 r. Godot-de-Mauroy (9e) 42 65 99 54 – wc wc. AE E VISA — F 12
fermé août – SC : 25 – **14 ch** 210/390, 5 appart. 490.

Français sans rest, 13 r. 8-Mai 1945 (10e) 46 07 42 02, Télex 230431 – wc wc. VISA — E 16
SC : 18 – **71 ch** 200/255.

Peyris sans rest, 10 r. Conservatoire (9e) 47 70 50 83 – wc wc. VISA
SC : **50 ch** 240/300. — F 14

Gd H. Haussmann sans rest, 6 r. Helder (9e) 48 24 76 10, Télex 650018 – TV wc wc. AE. — F 13
SC : **59 ch** 289/404.

Pax H. sans rest, 47 r. Trévise (9e) 47 70 84 75, Télex 650197 – wc wc. VISA
SC : **52 ch** 255/300.

Gd H. Lafayette Buffault sans rest, 6 r. Buffault (9e) 47 70 70 96, Télex 642180 – TV wc wc — E 14
SC : 19 – **47 ch** 168/281.

Campaville Montmartre sans rest, 21 bd Clichy (9e) 48 74 01 12, Télex 643572 – TV wc wc. VISA — D 13
SC : 23 – **84 ch** 226/311.

Victor Massé sans rest, 32 bis r. Victor-Massé (9e) 48 74 37 53 – wc wc. VISA. — E 13
SC : 18,50 – **40 ch** 134/230.

Campaville Montholon sans rest., 11 r. P.-Sémard (9e) 48 78 28 94, Télex 643861 – TV wc wc. VISA — E 15
SC : 23 – **45 ch** 226/311.

Ribouttè-Lafayette sans rest, 5 r. Ribouttè (9e) 47 70 62 36 – wc wc — E 14
SC : 16 – **24 ch** 221/269.

Résidence Magenta sans rest, 35 r. Y.-Toudic (10e) 46 07 63 13 – wc. AE — F 17
SC : 16,50 – **29 ch** 195/226.

Laffon sans rest, 25 r. Buffault (9e) 48 78 49 91 – wc wc. E VISA — E 14
fermé 25 juil. au 25 août – SC : 17 – **46 ch** 91/249.

Fénelon sans rest, 23 r. Buffault (9e) 48 78 32 18 – wc wc. VISA.
SC : 17,50 – **36 ch** 127/254. — E 14

Blanche H. sans rest, 69 r. Blanche (9e) 48 74 16 94 – wc. — D 12
SC : 15 – **53 ch** 68/203.

XXXX ✲ **Café de la Paix,** pl. Opéra (9e) 47 42 97 02 – AE E VISA — F 12
SC : **Rest. Opéra** *(fermé août)* **R** carte 255 à 340 – voir rest. **Café de la Paix – Relais Capucines** ci-après
Spéc. Chartreuse de rouget et homard sauce souveraine, Filet de canette poêlé aux aigres doux, Millefeuille praliné caramélisé.

XXX ✲ **Nicolas,** 12 r. Fidélité (10e) 42 46 84 74 – AE E VISA — F 16
fermé sam. midi – **R** carte 140 à 205
Spéc. Foie gras frais, Canard aux fruits, Tournedos Nicolas.

XX ✲ **Au Chateaubriant,** 23 r. Chabrol (10e) 48 24 58 94, Collection de tableaux – AE VISA. — E 15
fermé août, 9 au 18 fév., dim. et lundi – **R** carte 115 à 235
Spéc. Scampi fritti, Paglia e fieno alla Contadina, Roulades de sole au romarin.

XX ✲✲ **Chez Michel** (Tounissoux), 10 r. Belzunce (10e) 48 78 44 14 – AE VISA
fermé 1er au 24 août, 31 janv. au 15 fév., vend. et sam. – **R** (nombre de couverts limité - prévenir) carte 195 à 340 — E 15
Spéc. Foie gras de canard (sept. à juin), Foie de veau au miel et citron, Crêpes soufflées.

XX **Café de la Paix-Relais Capucines,** pl. Opéra (9e) 47 42 97 02 – — F 12
R snack carte environ 140 .

XX **Grand Café Capucines,** 4 bd Capucines (9e) ✆ 47 42 75 77, (ouvert jour et nuit), décor « Belle époque » – AE ⓓ VISA F 13
R carte 125 à 220 ꝭ.

XX **Mövenpick,** 12 bd Madeleine (9e) ✆ 47 42 47 93 – ▤. AE ⓓ E VISA G 12
R carte environ 110 ꝭ – **Café des Artistes R** 140 à 235.

XX **Atlantique,** 51 bd Magenta (10e) ✆ 42 08 27 20 – ▤. AE ⓓ VISA. ✂ F 16
fermé août, dim. et lundi – **R** carte 180 à 275.

XX **Le Quercy,** 36 r. Condorcet (9e) ✆ 48 78 30 61 – AE ⓓ VISA E 14
fermé août et dim. – SC : **R** carte 135 à 210.

XX **Rest. du Casino,** 41 r. Clichy (9e) ✆ 42 80 34 62 – AE ⓓ E VISA E 12
fermé sam., dim. et fériés – **R** carte 170 à 240.

XX **Chez Casimir,** 6 r. Belzunce (10e) ✆ 48 78 32 53. AE ⓓ VISA E 15
fermé sam. midi et dim. – SC : **R** carte 185 à 250.

XX **Ty Coz,** 35 r. St-Georges (9e) ✆ 48 78 42 95, produits de la mer seulement – AE ⓓ VISA E 13
fermé 11 au 17 août, dim. et lundi – SC : **R** carte environ 180.

XX **Le Saintongeais,** 62 r. fg Montmartre (9e) ✆ 42 80 39 92 – AE VISA E 14
fermé 9 au 25 août, sam. midi et dim. – SC : **R** carte 130 à 170.

XX **Julien,** 16 r. fg St-Denis (10e) ✆ 47 70 12 06, décor "Belle Époque" – AE ⓓ VISA
R carte 110 à 155 ꝭ. F 15

XX **Petit Riche,** 25 r. Le Peletier (9e) ✆ 47 70 68 68, Cadre fin 19e s. – AE VISA F 13
fermé 9 au 31 août et dim. – SC : **R** carte 120 à 175 ꝭ.

XX **Brasserie Flo,** 7 cour Petites-Écuries (10e) ✆ 47 70 13 59, cadre 1900 – ▤. AE ⓓ VISA – SC : **R** carte 90 à 165 ꝭ. F 15

XX **Cartouche Édouard VII,** 18 r. Caumartin (9e) ✆ 47 42 08 82 – AE VISA F 12
fermé 2 au 17 août, sam. et dim. – **R** carte 120 à 180.

XX **Terminus Nord,** 23 r. Dunkerque (10e) ✆ 42 85 05 15 – AE ⓓ VISA E 16
R carte environ 150 ꝭ.

XX **Bistrot Papillon,** 6 r. Papillon (9e) ✆ 47 70 90 03 – AE ⓓ VISA E 15
fermé 31 mars au 6 avril, août, sam., dim. et fêtes – **R** carte 130 à 190.

XX **Pagoda,** 50 r. Provence (9e) ✆ 48 74 81 48, cuisine chinoise et vietnamienne – VISA F 13
fermé dim. en août – **R** carte 70 à 130.

XX **La P'tite Tonkinoise,** 56 fg Poissonnière (10e) ✆ 42 46 85 98, cuisine vietnamienne – VISA F 15
fermé 1er août au 15 sept., dim. et lundi – **R** carte 110 à 140.

X **Relais Beaujolais,** 3 r. Milton (9e) ✆ 48 78 77 91 E 14
fermé août, 24 au 30 mars, sam., dim. et fêtes – SC : **R** carte 85 à 160.

X **La Grille,** 80 fg Poissonnière (10e) ✆ 47 70 89 73 – ⓓ E 15
fermé août, vacances de fév., sam. et dim. – SC : **R** carte 100 à 140.

Bastille, Gare de Lyon, Place d'Italie, Bois de Vincennes.

12e et 13e arrondissements.
12e : ✉ 75012
13e : ✉ 75013

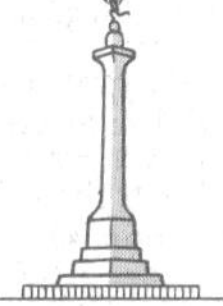

Équinoxe M sans rest, 40 r. Le Brun (13e) ✆ 43 37 56 56, Télex 201476 – ⧉ TV ☎ 🚗. AE ⓓ E VISA N 15
SC : **49 ch** ☕ 380/495.

Paris-Lyon-Palace sans rest., 11 r. Lyon (12e) ✆ 43 07 29 49, Télex 213310 – ⧉ TV ☎ – 🪑 150. AE ⓓ E VISA L 18
SC : ☕ 26 – **128 ch** 345/375.

Modern H. Lyon sans rest, 3 r. Parrot (12e) ✆ 43 43 41 52, Télex 230369 – ⧉ TV ☎. AE VISA. ✂ L 18
SC : ☕ 27 – **53 ch** 240/390.

Relais de Lyon M sans rest, 64 r. Crozatier (12e) ✆ 43 44 22 50, Télex 216690 – ⧉ TV ☎ – 🪑 25. AE ⓓ E VISA. ✂ K 19
SC : ☕ 20 – **34 ch** 350.

Terminus-Lyon sans rest, 19 bd Diderot (12e) ✆ 43 43 24 03, Télex 230702 – ⧉ TV 🛁wc 🚿wc ☎. AE E VISA. ✂ L 18
SC : ☕ 21 – **61 ch** 349/389.

Slavia sans rest, 51 bd St-Marcel (13e) ✆ 43 37 81 25, Télex 205542 – ⧉ TV 🛁wc 🚿wc ☎. ✂ M 16
SC : ☕ 17 – **37 ch** 220/270, 6 appart 325/390.

Gd H. Gobelins sans rest, 57 bd St-Marcel (13e) ✆ 43 31 79 89 – |$| TV ⇔wc ⋔wc ☎ M 16
SC : ▭ 17 – **45 ch** 180/280.

Terrasses sans rest, 74 r. Glacière (13e) ✆ 47 07 73 70 – |$| ⇔wc ⋔wc ☎. VISA. ✻ – SC : ▭ 19 – **52 ch** 130/280. N 14

Corail sans rest, 23 r. Lyon (12e) ✆ 43 43 23 54, Télex 212002 – |$| TV ⇔wc ⋔wc ☎. AE VISA L 18
▭ 19 – **50 ch** 250/340.

Claret, 44 bd bercy (12e) ✆ 46 28 41 31, Télex 217115 – |$| TV ⇔wc ⋔wc ☎ – 40. AE ⦿ E VISA M 19
SC : **R** *(fermé dim.)* carte 90 à 120 – ▭ 30 – **52 ch** 380/600.

Marceau sans rest, 13 r. Jules-César (12e) ✆ 43 43 11 65 – |$| ⇔wc ⋔wc ☎. ✻
SC : ▭ 19 – **51 ch** 101/220. K 17

Timhôtel sans rest, 22 r. Barrault (13e) ✆ 45 80 67 67, Télex 205461 – |$| TV ⇔wc ⋔wc ☎. AE ⦿ E VISA P 15
SC : ▭ 25 – **73 ch** 261/305.

Viator sans rest, 1 r. Parrot (12e) ✆ 43 43 11 00 – |$| ⇔wc ⋔wc ☎. ✻ L 18
SC : ▭ 19 – **45 ch** 155/250.

Jules César sans rest, 52 av. Ledru-Rollin (12e) ✆ 43 43 15 88, Télex 670945 – |$| ⋔wc ☎. ✻ K 18
SC : ▭ 19 – **48 ch** 180/220.

Rubens sans rest, 35 r. Banquier (13e) ✆ 43 31 73 30 – |$| ⇔wc ⋔wc ☎ N 16
63 ch.

Arts sans rest, 8 r. Coypel (13e) ✆ 47 07 76 32 – |$| ⋔wc ☎ N 16
SC : ▭ 16 – **41 ch** 85/220.

Terminus et Sports sans rest, 96 cours Vincennes (12e) ✆ 43 43 97 93 – |$| TV ⇔wc ⋔wc ☎. E VISA. ✻ L 23
SC : ▭ 18 – **43 ch** 130/260.

Résidence des Gobelins sans rest, 9 r. Gobelins (13e) ✆ 47 07 26 90, Télex 206 566 – |$| TV ⇔wc ⋔wc ☎. AE ⦿ VISA N 15
SC : ▭ 18,50 – **32 ch** 211/283.

Nouvel H. sans rest, 24 av. Bel Air (12e) ✆ 43 43 01 81, Télex 240139, ⚘ – ⇔wc ⋔wc ☎. AE ⦿ VISA L 21
SC : ▭ 30 – **28 ch** 148/360.

Palym H. sans rest, 4 r. E.-Gilbert (12e) ✆ 43 43 24 48 – |$| ⋔wc ☎ L 18
SC : ▭ 16 – **51 ch** 136/275.

XXX ✿ **Au Pressoir** (Seguin), 257 av. Daumesnil (12e) ✆ 43 44 38 21 – ▤. VISA M 22
fermé août, vacances de fév., sam. et dim. – SC : **R** carte 190 à 340
Spéc. Damier de foie gras en chaud-froid. Bar en peau et rouelles de céleris, Lapin aux huîtres.

XXX **Train Bleu,** Gare de Lyon (12e) ✆ 43 43 09 06, « Cadre 1900 - fresques évoquant le voyage de Paris à la Méditerranée » – AE ⦿ E VISA L 18
R (1er étage) carte 150 à 205.

XX **Au Trou Gascon,** 40 r. Taine (12e) ✆ 43 44 34 26 – ▤. VISA M 21
fermé 19 juil. au 17 août, 27 déc. au 5 janv., sam. et dim. – SC : **R** (nombre de couverts limité - prévenir) carte 190 à 260.

XX **Sologne,** 164 av. Daumesnil (12e) ✆ 43 07 68 97 – ▤. VISA M 21
fermé dim. et lundi – SC : **R** carte 120 à 220.

XX **La Gourmandise,** 271 av. Daumesnil (12e) ✆ 43 43 94 41 – AE ⦿ VISA M 22
fermé 25 au 31 mars, 15 au 31 août, sam. midi et dim. – SC : **R** carte 165 à 220.

XX **La Frégate,** 30 av. Ledru-Rollin (12e) ✆ 43 43 90 32 – VISA. ✻ L 18
fermé août, vacances de fév., sam. et dim. – **R** carte 160 à 200.

XX **Le Traversière,** 40 r. Traversière (12e) ✆ 43 44 02 10 – AE ⦿ E VISA K 18
fermé août et le soir des dim. et fêtes – **R** carte 130 à 195.

XX **L'Escapade en Touraine,** 24 r. Traversière (12e) ✆ 43 43 14 96 – E VISA L 18
fermé août, sam., dim. et fériés – **R** 100 bc.

XX **Potinière du Lac,** 4 pl. E.-Renard (12e) ✆ 43 43 39 98 – ⦿ VISA N 23
fermé 5 au 15 sept., 9 déc. au 2 janv., dim. soir et lundi – **R** carte 130 à 230.

X **Petit Marguery,** 9 bd. Port-Royal (13e) ✆ 43 31 58 59 – AE ⦿ E VISA M 15
fermé août, 23 déc. au 3 janv., dim. et lundi – SC : **R** carte 150 à 225.

X **Etchegorry,** 41 r. Croulebarbe (13e) ✆ 43 31 63 05 – AE ⦿ E VISA N 15
fermé dim. – **R** carte 105 à 165.

X **Quincy,** 28 av. Ledru-Rollin (12e) ✆ 46 28 46 76 – AE ⦿ L 17
fermé 10 août au 15 sept., sam., dim. et lundi – **R** carte 120 à 190.

✗ **Les Algues,** 66 av. Gobelins (13e) ✆ 43 31 58 22 – AE VISA N 15
fermé août, 24 déc. au 2 janv., dim. et lundi – **R** carte 145 à 190.

✗ **Le Rhône,** 40 bd Arago (13e) ✆ 47 07 33 57, ☂ – AE ◑ VISA N 14
fermé août, sam., dim. et fêtes – **R** (nombre de couverts limité - prévenir) carte 85 à 145 ♁.

✗ **Relais du Périgord,** 15 r. Tolbiac (13e) ✆ 45 83 07 48, ☂ – AE ◑ VISA P 18
fermé 15 août au 15 sept., Noël-Jour de l'An, sam., dim. et fêtes – **R** (nombre de couverts limité-prévenir) carte 140 à 250.

✗ **Chez Michel,** 39 r. Daviel (13e) ✆ 45 80 09 13 – AE VISA P 14
fermé août et dim. – SC : **R** carte 125 à 170 ♁.

Vaugirard, Gare Montparnasse, Grenelle, Denfert-Rochereau.

14e et 15e arrondissements.
14e : ✉ 75014
15e : ✉ 75015

Hilton Ⓜ, 18 av. Suffren (15e) ✆ 42 73 92 00, Télex 200955, ☂ – |♦| ▤ TV ☎ ♿ Ⓟ – 🪑 40 à 1200. AE ◑ E VISA J 7
SC : Rest : **Le Toit de Paris** ≤ Paris, *(fermé août et dim.)* **R** (dîner seulement) carte 260 à 340 – **Western R** 155 - **la Terrasse R** 98 bc – ☕ 70 – **450 ch** 1 263/2 031, 29 appart.

Sofitel Paris Ⓜ, 8 r. L.-Armand (15e) ✆ 45 54 95 00, Télex 200432, piscine intérieure panoramique – |♦| ▤ TV ☎ ♿ 🚗 – 🪑 30 à 1 200. AE ◑ E VISA N 5
SC : rest. **Le Relais de Sèvres** voir ci-après - **La Tonnelle** (Brasserie) **R** carte environ 160 ♁ – ☕ 57 – **618 ch** 750/1 100, 17 appart.

Nikko Ⓜ, 61 quai Grenelle (15e) ✆ 45 75 62 62, Télex 260012, ≤, 🏊 – |♦| ▤ TV ☎ Ⓟ – 🪑 40 à 800. AE ◑ E VISA K 6
SC : voir rest **Les Célébrités** ci-après - **Brasserie Pont Mirabeau R** carte environ 200 - **rest japonais Benkay R** carte 185 à 295 – ☕ 60 – **755 ch** 900/1 500, 9 appart.

Montparnasse Park H. Ⓜ, 19 r. Cdt-Mouchotte (14e) ✆ 43 20 15 51, Télex 200135, ≤, ☂ – |♦| ▤ TV ☎ ♿ Ⓟ – 🪑 25 à 1 400. AE ◑ E VISA. ✗ rest M 11
SC : **Montparnasse 25** *(fermé août)* **R** carte 220/340 – **La Ruche R** 135 ♁ – ☕ 66 – **1 000 ch** 995/1 500, 33 appartements.

P.L.M. St-Jacques Ⓜ, 17 bd St-Jacques (14e) ✆ 45 89 89 80, Télex 270740 – |♦| ▤ TV ☎ 🚗 – 🪑 40 à 1000. AE ◑ E VISA N 13-14
SC : **Café Français** (1er étage) **R** 165/220 – **Le Patio** (3e étage) **R** carte environ 115 ♁ – ☕ 44 – **783 ch** 806/900, 14 appart 1 117/1 300.

Mercure Paris Porte de Versailles Ⓜ, à Vanves r. Moulin ✉ 92170 Vanves ✆ 46 42 93 22, Télex 202195 – |♦| ▤ TV ☎ ♿ Ⓟ – 🪑 350. AE ◑ E VISA P 7
R (brasserie) carte environ 120 ♁ – ☕ 40 – **395 ch** 515/545.

L'Aiglon sans rest, 232 bd Raspail (14e) ✆ 43 20 82 42 – |♦| TV ☎ 🚗. AE VISA. ✗
SC : ☕ 24 – **42 ch** 320/380, 8 appart. 480. M 12

Holiday Inn Ⓜ, porte de Versailles (15e) ✆ 45 33 74 63, Télex 260844 – |♦| ▤ TV ☎ ♿ 🚗 – 🪑 130. AE ◑ E VISA N 7
SC : **R** 90/160 ♁ – ☕ 44 – **90 ch** 600/1000.

Montcalm Ⓜ sans rest, 50 av. F.-Faure (15e) ✆ 45 54 97 27, Télex 203174, 🌳 – |♦| TV 🛁wc ☎. AE ◑ E VISA M 6
SC : **41 ch** ☕ 460/520.

Lenox Ⓜ sans rest, 15 r. Delambre (14e) ✆ 43 35 34 50, Télex 260745 – |♦| TV ☎. AE ◑ VISA M 12
SC : ☕ 25 – **52 ch** 360/520.

Orléans Palace H. sans rest, 185 bd Brune (14e) ✆ 45 39 68 50, Télex 260725 – |♦| TV ☎ – 🪑 35. AE ◑ E VISA R 11
SC : ☕ 22 – **92 ch** 270/360.

Wallace Ⓜ sans rest, 89 r. Fondary ✆ 45 78 83 30, Télex 205277 – |♦| TV 🛁wc ☎. AE ◑ VISA L 8
SC : ☕ 22 – **35 ch** 400/434.

Waldorf Ⓜ sans rest, 17 r. Départ (14e) ✆ 43 20 64 79, Télex 201677 – |♦| TV 🛁wc 🚿wc ☎. AE ◑ VISA. ✗ L 11
SC : ☕ 25 – **30 ch** 360/480.

Versailles Ⓜ sans rest, 213 r. Croix Nivert ✆ 48 28 48 66, Télex 200473 – |♦| TV 🛁wc 🚿wc ☎ ♿. AE VISA N 7
SC : ☕ 25 – **41 ch** 380/450.

Messidor M sans rest, 330 r. Vaugirard (15e) ✆ 48 28 03 74, Télex 204606, – wc wc ☎. VISA M 8
SC : **74 ch** 240/480.

Arès sans rest, 7 r. Gén. de Larminat (15e) ✆ 47 34 74 04, Télex 206083 – TV wc wc ☎. VISA K 8
SC : 20 – **43 ch** 270/325.

Châtillon H. sans rest, 11 square Châtillon (14e) ✆ 45 42 31 17 – wc wc ☎. P 11
fermé août – SC : 16 – **31 ch** 170/200.

France sans rest, 46 r. Croix-Nivert (15e) ✆ 47 83 67 02, Télex 206453 – wc wc L 8
SC : 21 – **30 ch** 221/310.

Joigny sans rest, 8 r. St-Charles (15e) ✆ 45 79 33 35, Télex 204057 – TV wc wc ☎. AE E VISA. K 7
SC : 30 – **39 ch** 270/360.

Tourisme sans rest, 66 av. La-Motte-Picquet (15e) ✆ 47 34 28 01 – wc wc . K 8
SC : 13,50 – **60 ch** 190/250.

Campaville Paris Tour Eiffel M sans rest, 21 r. Sextius Michel (15e) ✆ 45 78 61 33, Télex 203086 – TV wc wc ☎. VISA K 7
SC : 23 – **75 ch** 226/311.

Pasteur M sans rest, 33 r. Dr.-Roux (15e) ✆ 47 83 53 17 – TV wc wc ☎. E VISA M 10
fermé août – SC : 18 – **19 ch** 190/300.

Fondary sans rest, 30 r. Fondary (15e) ✆ 45 75 14 75 – wc . L 8
SC : 20 – **20 ch** 240/290.

Virgina sans rest, 66 r. Père Corentin (14e) ✆ 45 40 70 90 – wc wc . AE. – SC : 18 – **54 ch** 95/220. R 12

Pacific H. sans rest, 11 r. Fondary (15e) ✆ 45 75 20 49, Télex 201346 – wc wc . E. K 7
SC : **66 ch** 118/240.

Atlantique sans rest, 54 r. Falguière ✆ 43 20 70 70 – wc wc ☎. VISA M 10
SC : 20 – **26 ch** 160/320.

Baldi sans rest, 42 bd Garibaldi (15e) ✆ 47 83 20 10 – TV wc wc L 9
SC : 18,50 – **28 ch** 220/280.

XXXX ❀ **Les Célébrités,** 61 quai Grenelle (15e) ✆ 45 75 62 62, ≤ – . AE E VISA
SC : **R** 245 (déj.) et carte 310 à 455 K 6
Spéc. Salade de langoustines rôties, Blanc de turbot au basilic, Fricassée de rognon et ris de veau truffés.

XXX ❀ **Morot Gaudry,** 6 r. Cavalerie (15e) (8e étage) ✆ 45 67 06 85, ≤, terrasse plein air, – . VISA K 8
fermé sam. et dim. – SC : **R** carte 215 à 310
Spéc. Cervelas de langoustines et crevettes, Mousseline d'huitres au sabayon de Vermouth, Grouse rôtie (1er sept. au 28 fév.).

XXX ❀ **Olympe,** 8 r. Nicolas Charlet (15e) ✆ 47 34 86 08 – . AE VISA L 10
fermé 1er au 24 août, 22 déc. au 4 janv. et lundi – SC : **R** carte 300 à 425
Spéc. Ravioli de homard, Fricassée de pintade au beurre rouge, Gibier (saison).

XXX **Armes de Bretagne,** 108 av. du Maine (14e) ✆ 43 20 29 50 – . AE E VISA
fermé 28 avril au 5 mai, 4 au 24 août, 2 au 6 janv., dim. soir et lundi sauf fêtes – **R** carte 170 à 270. N 11

XXX ❀ **Relais de Sèvres,** 8 r. L.-Armand (15e) ✆ 45 54 95 00 – . AE E VISA N 5
fermé août, Noël, sam. et dim. – SC : **R** carte 210 à 305
Spéc. Ravioles de petits gris, Foie gras chaud aux pommes de terre, Nage de rhubarbe à la vanille (avril à oct.).

XXX ❀ Le Duc (Minchelli), 243 bd Raspail (14e) ✆ 43 22 59 59 M 12

XXX **Moniage Guillaume** avec ch, 88 r. Tombe-Issoire (14e) ✆ 43 22 96 15 – TV ☎. AE E VISA P 12
fermé dim. – **R** 148 bc/210 bc – 20 – **5 ch** 200/235.

XXX ❀ **Aquitaine** (Mme Massia), 54 r. Dantzig (15e) ✆ 48 28 67 38, – . AE E VISA N 8
fermé dim. et lundi – SC : **R** carte 225 à 295
Spéc. Escalope de foie gras au chasselas (1er sept. au 30 nov.), Panaché de poissons beurre blanc, Confit de canard.

XX ❀ **Bistro 121,** 121 r. Convention (15e) ✆ 45 57 52 90 – . AE E VISA M 7
fermé 13 juil. au 19 août, 22 au 31 déc., dim. soir et lundi – **R** carte 190 à 275
Spéc. Foie de canard chaud au verjus, Filet de canard aux fruits de la passion, Lièvre à la royale (saison).

XX **Le Pfister,** 1 r. Dr Jacquemaire-Clemenceau (15e) ✆ 48 28 51 38 L 8
fermé août, sam. midi, dim. et fêtes – SC : **R** carte 185 à 255.

XX **Chez Albert,** 122 av. Maine (14e) ✆ 43 20 21 69 – AE ⓓ E VISA N 11
fermé en août, sam. midi et lundi – SC : **R** carte 180 à 290.

XX ✿ **Gérard et Nicole,** 6 av. J.-Moulin (14e) ✆ 45 42 39 56 – VISA P 12
fermé 11 au 17 août, sam. et dim. – SC : **R** carte 215 à 300
Spéc. Ravioli de langoustines, Rougets à l'huile d'olive, Magret de mulard au gros sel.

XX ✿ **Le Dôme,** 108 bd du Montparnasse (14e) ✆ 43 35 25 81 – ▤. AE ⓓ VISA LM 12
fermé lundi – **R** carte 185 à 275
Spéc. Fricassée de langoustines à l'estragon, Ragoût de sole au foie gras, Coquilles St-Jacques à la coque (oct. à mai).

XX **Maison Blanche,** 82 bd Lefèbvre (15e) ✆ 48 28 38 83 – AE P 7
femé 1er au 15 sept., 24 déc. au 3 janv., sam. midi, dim. et lundi – SC : **R** 180/300.

XX **Napoléon et Chaix,** 46 r. Balard (15e) ✆ 45 54 09 00 – ▤. AE E VISA M 5
fermé 1er au 25 août, 1er au 7 janv. et dim. – **R** carte 165 à 220.

XX **La Chaumière des Gourmets,** 22 pl. Denfert-Rochereau (14e) ✆ 43 21 22 59 – AE ⓓ VISA N 12
fermé août, 1er au 7 mars, sam., dim. et fêtes – **R** carte 180 à 255.

XX ✿ **Pierre Vedel,** 19 r. Duranton (15e) ✆ 45 58 43 17 – ✻ M 6
fermé 6 juil. au 3 août, Noël-Jour de l'An, sam. et dim. – SC : **R** (nombre de couverts limité - prévenir) carte 150 à 210
Spéc. Blanquette d'huîtres et St. Jacques au curry (oct. à mars), Bourride de lotte, Tête de veau en pot-au-feu.

XX **Chaumière Paysanne,** 7 r. L.-Robert (14e) ✆ 43 20 76 55 – AE ⓓ E VISA M 12
fermé août, lundi midi et dim. – SC : **R** carte 165 à 240.

XX **Vallon de Vérone,** 53 r. Didot (14e) ✆ 45 43 18 87 – VISA P 11
fermé août, sam. midi et dim. – SC : **R** carte 130 à 210.

XX **Le Clos Morillons,** 50 r. Morillons (15e) ✆ 48 28 04 37 – VISA N 8
fermé 20 juil. au 17 août, sam. midi et dim. – SC : **R** carte 170 à 225.

XX **Chez Maitre Albert,** 8 r. Abbé Groult (15e) ✆ 48 28 36 98 – AE ⓓ E VISA L 7
fermé sam. – SC : **R** 150 bc.

XX **Petite Bretonnière,** 2 r. Cadix (15e) ✆ 48 28 34 39 – AE VISA N 7
fermé 10 au 28 août, sam. midi et dim. – SC : **R** carte 150 à 215.

XX **La Giberne,** 42 bis av. Suffren (15e) ✆ 47 34 82 18 – AE ⓓ VISA J 8
fermé août, sam. et dim. – **R** carte 125 à 215.

XX **La Gauloise,** 59 av. La Motte Piquet (15e) ✆ 47 34 49 78 – AE VISA K 8
fermé sam. et dim. – SC : **R** carte 180 à 235.

XX **Le Copreaux,** 15 r. Copreaux (15e) ✆ 43 06 83 35 – ▤. AE ⓓ E VISA M 9
fermé août, 24 déc. au 3 janv., sam. et dim. – **R** carte 150 à 205.

XX **La Chaumière,** 54 av. F.-Faure (15e) ✆ 45 54 13 91 – AE ⓓ VISA M 7
fermé août, lundi soir et mardi – **R** carte 125 à 185.

XX **Le Caroubier,** 8 av. Maine (15e) ✆ 45 48 14 38, **cuisine nord-africaine** M 11
fermé 15 juil. au 31 août et dim. – **R** carte 95 à 125.

XX **Les Brémailles,** 59 r. G. Saché (14e) ✆ 45 39 05 55 – AE VISA N 11
fermé sam. midi et dim. – SC : **R** carte 140 à 200.

XX **Monsieur Lapin,** 11 r. R. Losserand (14e) ✆ 43 20 21 39 – VISA N 11
fermé août, vacances de fév., sam. midi et lundi – SC : **R** carte 130 à 200.

X ✿ **La Cagouille,** 89 rue Daguerre (14e) ✆ 43 22 09 01 N 11
fermé 27 juil. au 1er sept., dim. et lundi – SC : **R** (nombre de couverts limité, prévenir) carte 135 à 200
Spéc. Poissons.

X **La Bonne Table,** 42 r. Friant (14e) ✆ 45 39 74 91 – VISA R 11
fermé juil., 24 déc. au 4 janv., sam., dim. et fêtes – SC : **R** carte 125 à 210.

X **Senteurs de Provence,** 295 r. Lecourbe (15e) ✆ 45 57 11 98 – VISA M 6
fermé 28 mars au 7 avril, 26 juil. au 25 août, dim. et lundi – **R** carte environ 170.

X **Bonne Auberge,** 33 r. Volontaires (15e) ✆ 47 34 65 49 – AE ⓓ E VISA M 9
fermé août, vacances de fév., sam. et dim. – SC : **R** carte 120 à 190.

X **Le Clos de la Tour,** 22 r. Falguière (15e) ✆ 43 22 34 73 – AE ⓓ E VISA L 10
fermé août, 24 déc. au 2 janv., sam. midi et dim. – **R** carte 130 à 190.

X **Chaumière du Petit Poucet,** 10 r. Desnouettes (15e) ✆ 48 28 60 91 – VISA N 7
fermé juil., sam. soir et dim. – **R** carte 80 à 120 ♖.

X **La Rabolière,** 13 r. Mademoiselle (15e) ✆ 42 50 35 29 L 7
fermé août, dim. et lundi – **R** carte 110 à 170.

X **La Cour,** 12 r. Cepré (15e) ✆ 45 66 66 17 – AE ⓓ VISA L 9
fermé 15 juil. au 15 août et dim. – **R** carte 110 à 160 ♖.

X **Trois Horloges,** 73 r. Brancion (15e) ✆ 48 28 24 08 – AE ⓓ E VISA N 9
SC : **R** carte 100 à 150.

X **La Datcha Lydie,** 7 r. Dupleix (15e) ✆ 45 66 67 77, **cuisine russe** – VISA K 8
fermé 15 juil. au 30 août et merc. – SC : carte 85 à 150.

Passy, Auteuil,
Bois de Boulogne,
Chaillot, Porte Maillot.

16e arrondissement.

La Pérouse et rest. l'Astrolabe M, 40 r. La Pérouse ✉ 75116 ☎ 45 00 83 47, Télex 613420 – ▯ ▤ TV ☎. AE ⓓ E VISA F 7
SC : **R** *(fermé sam., dim. et fêtes)* carte 240 à 360 – ☕ 50 – **11 ch** 950/1 100, 25 appart.

Baltimore M, 88 bis av. Kléber, ✉ 75116, ☎ 45 53 83 33, Télex 611591 – ▯ TV ☎ – 🔺 30 à 100. AE ⓓ E VISA G 7
L'Estournel *(fermé août, sam., dim. et fériés)* **R** carte 200 à 300 – **118 ch** ☕ 915/1 180.

Résidence du Bois 🐌 sans rest, 16 r. Chalgrin, ✉ 75116, ☎ 45 00 50 59, « Beaux aménagements, jardin » – TV ☎ F 7
SC : **16 ch** ☕ 750/1 090, 3 appart.

Alexander M sans rest, 102 av. Victor-Hugo, ✉ 75116, ☎ 45 53 64 65, Télex 610373 – ▯ TV ☎. ✗ – SC : **60 ch** ☕ 470/725. G 6

Union H. Étoile M sans rest, 44 r. Hamelin, ✉ 75116, ☎ 45 53 14 95, Télex 611394 – ▯ cuisinette TV ☎. AE G 7
SC : ☕ 32 – **29 ch** 450/500, 13 appart 650/800.

Victor Hugo sans rest, 19 r. Copernic, ✉ 75116, ☎ 45 53 76 01, Télex 630939 – ▯ TV ☎ – 🔺 25. AE ⓓ E VISA. ✗ G 7
SC : ☕ 30 – **75 ch** 400/520.

Rond-Point de Longchamp et rest Belles Feuilles M, 86 r. Longchamp, ✉ 75116, ☎ 45 05 13 63, Télex 620653 – ▯ ▤ rest TV ☎. AE ⓓ G 6
SC : **R** *(fermé août, sam. et dim.)* carte 160 à 260 – ☕ 32 – **59 ch** 461/485.

Régina de Passy sans rest, 6 r. Tour, ✉ 75116, ☎ 45 24 43 64, Télex 630004 – ▯ cuisinette TV ☎. AE ⓓ VISA. ✗ H6-J6
SC : ☕ 25 – **55 ch** 390.

Majestic sans rest, 29 r. Dumont-d'Urville, ✉ 75116, ☎ 45 00 83 70 – ▯ TV ☎. AE ⓓ E VISA F 7
SC : **27 ch** ☕ 650/840, 3 appart 1 100.

Fremiet 🐌 sans rest, 6 av. Fremiet, ✉ 75016, ☎ 45 24 52 06, Télex 630329 – ▯ TV ☎ ♿. AE ⓓ E VISA J 6
SC : ☕ 20 – **34 ch** 395/530.

Massenet sans rest, 5 bis r. Massenet, ✉ 75116, ☎ 45 24 43 03, Télex 620682 – ▯ TV ☎. AE ⓓ E VISA. ✗ J 6
SC : **41 ch** ☕ 240/560.

Elysées Bassano M sans rest, 24 r. Bassano ✉ 75116, ☎ 47 20 49 03, Télex 611559 – ▯ TV ☎ – **40 ch**. G 8

Floride Etoile M sans rest, 14 r. St-Didier ✉ 75116, ☎ 47 27 23 36, Télex 615087 – ▯ TV ☎ – 🔺 40. AE ⓓ E VISA. ✗ G 7
SC : ☕ 30 – **60 ch** 440/485.

Résidence Foch sans rest, 10 r. Marbeau ✉ 75116, ☎ 45 00 46 50, Télex 630886 – ▯ TV ☎. AE ⓓ E VISA F 6
SC : ☕ 25 – **21 ch** 425/510, 4 appart.

Kléber sans rest, 7 r. Belloy, ✉ 75116, ☎ 47 23 80 22, Télex 612830 – ▯ TV ☎. AE ⓓ E – SC : **21 ch** ☕ 459/554. G 7

Sévigné sans rest 6 r. Belloy ✉ 75116, ☎ 47 20 88 90, Télex 610219 – ▯ TV ☎. AE ⓓ E – SC : **30 ch** ☕ 401/516. G 7

Sylva sans rest, 3 r. Pergolèse, ✉ 75116, ☎ 45 00 38 12, Télex 612245 – ▯ TV 🛁wc ☎. AE ⓓ E VISA E 6
SC : ☕ 25 – **37 ch** 390/430.

Ambassade M sans rest, 79 r. Lauriston ✉ 75116, ☎ 45 53 41 15, Télex 613643 – ▯ TV 🛁wc 🚿wc ☎. AE ⓓ E VISA. ✗ G 7
fermé vacances de Noël – SC : ☕ 27 – **38 ch** 350/410.

Passy Eiffel M sans rest, 10 r. Passy ✉ 75016, ☎ 45 25 55 66, Télex 612753 – ▯ 🛁wc 🚿wc ☎. AE ⓓ E VISA J 6
SC : ☕ 23 – **50 ch** 340/390.

Longchamp sans rest, 68 r. Longchamp ✉ 75116, ☎ 47 27 13 48, Télex 610342 – ▯ TV 🛁wc 🚿wc ☎. AE ⓓ E VISA G 6
SC : ☕ 25 – **23 ch** 450/500.

Queen's H. M sans rest, 4 r. Bastien Lepage ✉ 75016, ☎ 42 88 89 85 – ▯ TV 🛁wc 🚿wc ☎. ✗ – SC : ☕ 17 – **22 ch** 180/400. K 4

Eiffel Kennedy sans rest, 12 r. Boulainvilliers ✉ 75016, ☎ 45 24 45 75, Télex 614895 – ▯ TV 🛁wc 🚿wc ☎. AE ⓓ VISA. ✗ J 5
SC : ☕ 23 – **30 ch** 367/397.

XXXX ⊛⊛ **Faugeron,** 52 r. Longchamp, ✉ 75116, ☎ 47 04 24 53 – ▤. ⚘ G 7
fermé août, 24 déc. au 2 janv., sam., dim. et fêtes – **R** carte 280 à 390
Spéc. Salade de langoustines à la mousse de concombres (mai à sept.), Grenouilles et mousse tiède estragonnette, Parfaits "Epoux" chocolat et menthe.

XXXX ⊛⊛⊛ **Jamin** (Robuchon), 32 r. Longchamp, ✉ 75116, ☎ 47 27 12 27 – ▤ G 7
fermé juil., sam. et dim. – **R** (nombre de couverts limité – prévenir) carte 300 à 440
Spéc: Rouelles de homard à la vapeur, Bar cuit en peau sauce verjutée, Ravioli de ris de veau.

XXXX ⊛⊛ **Vivarois** (Peyrot), 192 av. V.-Hugo, ✉ 75116, ☎ 45 04 04 31 – ▤. AE ⓓ VISA. ⚘ G 5
fermé août, sam. et dim. – **R** carte 230 à 300
Spéc. Canard au miel et citron vert, Poissons, Pâtisseries.

XXX ⊛ **Toit de Passy** (Jacquot) (6e étage), 94 av. P.-Doumer ✉ 75016, ☎ 45 24 55 37, ⛱ – ▤ Ⓟ. VISA HJ 5
fermé 9 au 18 août, 20 déc. au 12 janv., sam. du 23 août au 20 déc., dim. et fériés – **R** 170 (déj.) et carte 250 à 320
Spéc. Soupe d'huîtres (1er oct.-15 avril), Pigeon en croûte de sel, Millefeuille aux fruits rouges (15 mai-30 sept.).

XXX **Tsé-Yang,** 25 av. Pierre 1er de Serbie ✉ 75016, ☎ 47 20 68 02, cuisine chinoise – ▤. AE ⓓ E VISA G 8
SC : **R** carte 200 à 265.

XXX **Pavillon des Princes,** 69 av. Porte d'Auteuil ✉ 75016 ☎ 46 05 65 50, ⛱ – AE ⓓ VISA K 1
SC : **R** 212.

XXX ⊛ **Ferrero,** 38 r. Vital ✉ 75016, ☎ 45 04 42 42 – AE ⓓ VISA H 5
fermé 14 août au 3 sept., 23 déc. au 6 janv., sam., dim. et fêtes – **R** carte 245 à 290
Spéc. Pâtes fraîches au foie gras, Champignons (saison), Bar en croûte.

XXX **Sully d'Auteuil,** 78 r. d'Auteuil ✉ 75016 ☎ 46 51 71 18, ⛱ – ▤. AE VISA K 3
fermé août, sam. midi et dim. – **R** 250 bc/350 bc.

XXX **Morens,** 10 av. New-York, ✉ 75116, ☎ 47 23 75 11 – AE ⓓ VISA H 8
fermé août, 24 déc. au 2 janv., vend. soir et sam. – **R** carte 150 à 255.

XXX **Ramponneau,** 21 av. Marceau ✉ 75116 ☎ 47 20 59 51 – AE ⓓ VISA G 8
fermé août – **R** carte 150 à 245.

XXX ⊛⊛ **Le Petit Bedon** (Ignace), 38 r. Pergolèse ✉ 75116, ☎ 45 00 23 66 – ▤. AE ⓓ VISA F 6
fermé août, sam. et dim. – **R** carte 185 à 290
Spéc. Foie gras frais de canard, Filet de sole au coulis de moules, Pigeon au vinaigre de miel.

XXX ⊛ **Michel Pasquet,** 59 r. La-Fontaine, ✉ 75016, ☎ 42 88 50 01 – AE ⓓ VISA K 4
fermé août, Noël, sam. sauf le soir du 1er sept. au 30 avril et dim. – SC : **R** carte 240 à 315
Spéc. Salade tiède de St-Jacques (oct. à mars), Turbot rôti à la crème de ciboulette, Homard grillé au beurre de corail.

XXX ⊛⊛ **Guy Savoy,** 28 r. Duret ✉ 75116, ☎ 45 00 17 67 – ▤. VISA. ⚘ F 6
fermé 14 juil. au 5 août, sam. et dim. – **R** carte 205 à 355
Spéc. Huîtres en nage glacée, Filets de rougets au foie de poularde, Chaussons de pommes de terre et truffes (janv. à avril).

XX **Al Mounia,** 16 r. Magdebourg, ✉ 75116, ☎ 47 27 57 28, cuisine marocaine – AE. ⚘ G 7
fermé 15 juil. au 31 août et dim. – **R** carte environ 150.

XX ⊛ **Paul Chêne,** 123 r. Lauriston, ✉ 75116, ☎ 47 27 63 17 – ▤. AE ⓓ VISA G 6
fermé août, 24 déc. au 3 janv., sam. et dim. – **R** carte 170 à 270
Spéc. Brouillade aux truffes, Filets de sole soufflés aux écrevisses, Daube de boeuf.

XX **Relais d'Auteuil,** 31 bd. Murat ✉ 75016 ☎ 46 51 09 54 – AE ⓓ VISA L 3
fermé sam. midi et dim. – SC : **R** 163/228.

XX ⊛ **Conti,** 72 r. Lauriston ✉ 75116, ☎ 47 27 74 67 – ▤. AE VISA. ⚘ G 7
fermé août, sam., dim. et fériés – **R** carte 170 à 260
Spéc. Ravioli de chou aux grillons de ris de veau (nov. à fév.), Lasagne de foie gras, Sabayon au porto.

XX Amazigh, 2 r. la Pérouse ✉ 75116, ☎ 47 20 90 38, cuisine marocaine G 7

XX **Palais du Trocadéro,** 7 av. d'Eylau ✉ 75016 ☎ 47 27 05 02, cuisine chinoise – ▤. AE ⓓ VISA H 6
R carte environ 180.

XX **Le Gd Chinois,** 6 av. New York, ✉ 75116, ☎ 47 23 98 21, cuisine chinoise et vietnamienne – AE ⓓ H 8
fermé 11 au 26 août et lundi – **R** carte 100 à 160.

XX Le Moï, 7 r. G. Courbet ✉ 75016, ☎ 47 04 95 10 G 6

X **Au Clocher du Village,** 8 bis r. Verderet, ✉ 75016, ☎ 42 88 35 87 – VISA L 4
fermé août, sam. midi et dim. – SC : **R** carte 115 à 160.

X **Le Valéry,** 55 r. Lauriston, ✉ 75016, ☎ 45 53 55 48 – VISA F 7
fermé août, sam. et dim. – SC : **R** carte 135 à 245.

Au Bois de Boulogne :

XXXX ⚘⚘ **Pré Catelan,** ✉ 75016, ✆ 45 24 55 58, ☂, ✈ – ℗. AE ⦿ VISA H2
fermé vacances de fév., dim. soir et lundi – **R** carte 280 à 400
Spéc. Soufflé d'oursins, Filets d'agneau au thym, Gratin rouge.

XXXX ⚘ **Grande Cascade,** ✉ 75016, ✆ 45 06 33 51, <, ☂ – ℗. AE ⦿ E VISA
fermé 20 déc. au 20 janv. – **R** *(du 1er oct. au 14 avril déj. seul.)* 190 (déj.) et carte 240 à 330
Spéc. Langoustines rôties (mai à sept.), Aiguillettes de St-Pierre aux écrevisses (oct. à mai), Emincé de rognon aux échalotes confites.

Clichy, Ternes, Wagram.

17e arrondissement.
17e : ✉ 75017

Méridien Ⓜ, 81 bd Gouvion-St-Cyr (pte Maillot) ✆ 47 58 12 30, Télex 290952 – |\$| ▤ TV ☎ ⇔ – 🏛 100 à 900 E6
rest. **Le Clos de Longchamp** voir ci-après - **Café l'Arlequin** - carte environ 130 ♁ – **Le Yamato** (rest. Japonais) - **La Maison Beaujolaise - 1 011 ch**, 16 appart.

Concorde Lafayette Ⓜ, 3 pl. Gén.-Koenig ✆ 47 58 12 84, Télex 650892, « Bar panoramique au 34e étage » – |\$| cuisinette ▤ TV ☎ – 🏛 4 000. AE ⦿ E VISA E6
SC : rest. **L'Étoile d'Or** voir ci-après – **L'Arc-en-Ciel R** 157 ♁ - Coffee Shop **Les Saisons R** carte environ 135 ♁ – ☕ 55 – **965 ch** 1 100/1 450, 25 appart.

Splendid Etoile Ⓜ sans rest, 1 bis av. Carnot ✆ 47 66 41 41, Télex 280773 – |\$| TV ☎. AE ⦿ E VISA. ✻ F7
SC : ☕ 48 – **57 ch** 540/790, 3 appart 890.

Regent's Garden ⛰ sans rest, 6 r. P.-Demours ✆ 45 74 07 30, Télex 640127, « Jardin » – |\$| TV ☎. AE ⦿ E VISA E7
SC : ☕ 25 – **41 ch** 520/690.

Mercure Ⓜ sans rest, 27 av. Ternes ✆ 47 66 49 18, Télex 650679 – |\$| ▤ TV ☎ ℗. AE ⦿ E VISA E8
SC : ☕ 32 – **56 ch** 435/456.

Balmoral sans rest, 6 r. Gén.-Lanrezac ✆ 43 80 30 50, Télex 642435 – |\$| TV ☎. AE ⦿ VISA E7
SC : ☕ 25 – **57 ch** 350/450.

Magellan ⛰ sans rest, 17 r. J.B.-Dumas ✆ 45 72 44 51, Télex 660728, ✈ – |\$| ☎. AE ⦿ E VISA D7
SC : ☕ 18 – **75 ch** 309.

Pierre Ⓜ sans rest, 25 r. Th.-de-Banville ✆ 47 63 76 69, Télex 643003 – |\$| TV ⛀wc ☎ ♿ – 🏛 50. AE ⦿ E VISA D8
SC : ☕ 30 – **50 ch** 500/570.

Courcelles Ⓜ sans rest, 184 r. Courcelles ✆ 47 63 65 30, Télex 642252 – |\$| TV ⛀wc ⛆wc ☎. AE ⦿ E VISA D8
SC : ☕ 25 – **42 ch** 410/470.

Banville sans rest, 166 bd Berthier ✆ 42 67 70 16, Télex 643025 – |\$| ⛀wc ⛆wc ☎. VISA D8
SC : **40 ch** ☕ 360/380.

Belfast sans rest, 10 av. Carnot ✆ 43 80 12 10, Télex 642777 – |\$| TV ⛀wc ⛆wc ☎. AE ⦿ E VISA E7
SC : ☕ 30 – **54 ch** 360/530.

Mercédès sans rest, 128 av. Wagram ✆ 42 27 77 82, Télex 660751 – |\$| TV ⛀wc ⛆wc ☎. AE VISA D9
SC : ☕ 23 – **37 ch** 340.

Régence-Étoile sans rest, 24 av. Carnot ✆ 43 80 75 60, Télex 641914 – |\$| TV ⛀wc ⛆wc ☎. AE VISA. ✻ E7
SC : ☕ 28 – **38 ch** 320/430.

Royal Magda sans rest, 7 r. Troyon ✆ 47 64 10 19, Télex 641068 – |\$| TV ⛀wc ☎. AE ⦿ VISA E8
SC : **28 ch** ☕ 406/427, 10 appart 555/691.

Stella sans rest, 20 av. Carnot ✆ 43 80 84 50, Télex 660845 – |\$| TV ⛀wc ⛆wc ☎. AE ⦿ VISA. ✻ E7
SC : ☕ 20 – **36 ch** 240/380.

Empire H. sans rest, 3 r. Montenotte ✆ 43 80 14 55, Télex 643232 – |\$| TV ⛀wc ⛆wc ☎. AE ⦿ E VISA E8
SC : ☕ 30 – **47 ch** 265/510.

Trois Couronnes Ⓜ sans rest, 30 r. Arc-de-Triomphe ✆ 43 80 46 81, Télex 660182 – |\$| TV ⛀wc ⛆wc ☎. AE ⦿ E VISA E7
fermé 24 déc. au 1er janv. – SC : ☕ 20 – **20 ch** 375/385.

Tivoli Étoile sans rest, **7 r. Brey** ✆ **43 80 31 22, Télex 643107** – ⧉ TV ⌂wc ☎. AE ⓓ E VISA. ✻ E 8
SC : ☕ 22 – **30 ch** 400/460.

Astor sans rest, **36 r. P.-Demours** ✆ **42 27 44 93, Télex 650078** – ⧉ TV ⌂wc ⌂wc ☎. ⓓ VISA. ✻ D 8
SC : ☕ 21 – **48 ch** 270/360.

Palma sans rest, **46 r. Brunel** ✆ **45 74 29 93, Télex 660183** – ⧉ TV ⌂wc ⌂wc ☎. ✻ – SC : ☕ 18 – **37 ch** 210/240. E 7

Prima H., **167 r. Rome** ✆ **46 22 21 09, Télex 642186** – ⧉ TV ⌂wc ⌂wc ☎ C 10
SC : **R** carte environ 130 🍷 – ☕ 20 – **30 ch** 190/250.

Astrid sans rest, **27 av. Carnot** ✆ **43 80 56 20, Télex 642065** – ⧉ ⌂wc ⌂wc ☎. ✻ – SC : **40 ch** ☕ 230/350. E 7

Néva sans rest, **14 r. Brey** ✆ **43 80 28 26, Télex 649041** – ⧉ TV ⌂wc ⌂wc ☎. AE VISA. ✻ E 8
SC : ☕ 20 – **35 ch** 290/350.

Bel'Hôtel sans rest, **20 r. Pouchet** ✆ **46 27 34 77, Télex 642396** – ⧉ TV ⌂wc ☎ 🚗. VISA B 11
fermé août – SC : ☕ 18 – **30 ch** 85/260.

XXXX ✿✿ **Michel Rostang,** **20 r. Rennequin** ✆ **47 63 40 77, Télex 649 629** – ▤. VISA D 8
fermé 25 juil. au 25 août, sam. (sauf le soir d'oct. à mars), dim. et fériés – **R** 200 (déj.) et carte 235 à 350
Spéc. Oeufs de caille en coque d'oursins (oct. à mars), Fricassée de soles aux choux verts, Canette de Bresse au sang (mai à déc.).

XXX ✿ **Clos de Longchamp, 81 bd Gouvion-St-Cyr (Pte Maillot)** ✆ **47 58 12 30** E 6

XXX ✿✿ **Le Bernardin** (Le Coze), **18 r. Troyon** ✆ **43 80 40 61, produits de la mer** – VISA
fermé août, dim. et lundi – **R** carte 210 à 355 E 8
Spéc. Oursins chauds au beurre d'oursins (oct. à mars), Saumon à la menthe fraîche, Ravioli de langoustines.

XXX ✿ **Étoile d'Or,** **3 pl. Gén.-Koenig** ✆ **47 58 12 84, Télex 650905** – ▤. AE ⓓ E VISA
SC : **R** carte 240 à 295 E 6
Spéc. Tartare de poissons crus au caviar, Sole soufflé au foie de canard, Civet de caneton à la cuillère.

XXX ✿ **Michel Comby,** **116 bd Péreire** ✆ **43 80 88 68** – AE ⓓ VISA D
fermé 12 juil. au 3 août, 23 fév. au 9 mars, sam. et dim. – **R** carte 180 à 260
Spéc. Feuilleté de grenouilles au confit de poireaux, Délice de sole Madeleine, Rognon de veau.

XXX ✿ **Timgad** (Laasri), **21 r. Brunel** ✆ **45 74 23 70, « Décor mauresque »** – ▤. AE ⓓ E VISA. ✻ E 7
R carte 135 à 180
Spéc. Tagine, Couscous, Méchoui.

XXX ✿ **Manoir de Paris,** **6 r. Pierre-Demours** ✆ **45 72 25 25** – AE ⓓ VISA E 7
fermé 5 juil. au 10 août, sam. et dim. – **R** carte 210 à 330
Spéc. Ravioli de saumon fumé au caviar, Braisé de pied de porc à la sauge (oct. à mai), Coquilles St. Jacques à la mode de Gevrey (en saison).

XXX ✿ **Sormani,** **4 r. Gén.-Lanrezac** ✆ **43 80 13 91** – VISA. ✻ E 7
fermé 28 mars au 6 avril, 2 au 25 août, 24 déc. au 5 janv., sam., dim. et fériés – **R** carte 195 à 275
Spéc. Filetto alla Carpaccio, Tagliarini aux coques et jus de truffes, Foie de veau à la vénitienne.

XXX ✿ **Apicius** (Vigato), **122 av. Villiers** ✆ **43 80 19 66** – AE VISA D 8
fermé août, sam. et dim. – **R** carte 205 à 270
Spéc. Marbré de ris de veau et homard, Saumon sauvage aux huitres frémies, Grand dessert au chocolat amer.

XXX **Chez Laudrin,** **154 bd Péreire** ✆ **43 80 87 40** – AE VISA D 7
fermé 24 au 31 mars, sam. et dim. – SC : **R** carte 175 à 265.

XXX **Lacanthe,** **123 av. Wagram** ✆ **42 27 61 50** – AE E VISA D 8
fermé sam. midi et dim. – SC : **R** carte 150 à 215.

XX **Baumann,** **64 av. Ternes** ✆ **45 74 16 66** – ▤. AE ⓓ E VISA E 7
SC : **R** carte 120 à 195 🍷.

XX **L'Écrevisse,** **212 bis bd Péreire** ✆ **45 72 17 60** – ▤ Ⓟ. AE ⓓ VISA E 6
fermé août, sam. et dim. – **R** carte 170 à 240.

XX ✿ **Le Petit Colombier** (Fournier), **42 r. Acacias** ✆ **43 80 28 54** – VISA E 7
fermé 26 juil. au 18 août, 24 déc. au 3 janv., dim. midi et sam. – **R** carte 160 à 230
Spéc. Gâteau de brochet au beurre de caviar, Rognon de veau Palais Royal, Pigeonneau fermier à la croque au sel.

XX ✿ **Paul et France,** 27 av. Niel ✆ 47 63 04 24 – AE ◑ VISA D 8
fermé 15 juil. au 15 août, sam. et dim. – **R** carte 165 à 240
Spéc. Oeufs brouillés aux oursins (oct. à fév.), Barbue au beurre de poivron rouge, Ris de veau aux pâtes fraîches.

XX **Epicure 108,** 108 r. Cardinet ✆ 47 63 50 91 – E VISA D 10
fermé dim. et lundi et fêtes – **R** carte 150 à 225.

XX ✿ **La Coquille,** 6 r. Débarcadère ✆ 45 74 25 95 – ▤. VISA E 7
fermé août, 24 déc. au 1er janv., dim., lundi et fériés – **R** carte 160 à 240
Spéc. St-Jacques au naturel (1er oct. au 30 mai), Sole aux nouilles fraîches, Soufflé au praslin de noisettes.

XX La Truite Vagabonde, 17 r. Batignolles ✆ 43 87 77 80, 🏠 D 11

XX ✿ **Chez Guyvonne** (Cros), 14 r. Thann ✆ 42 27 25 43 D 9-10
fermé 12 juil. au 4 août., 24 déc. au 6 janv., sam., dim. et fêtes – **R** carte 170 à 250
Spéc. Salade de truffes St.-Jacques et foie gras (déc. à fév.), Turbotin au persil, Entremets aux noisettes et amandes.

XX **Lajarrige,** 16 av. Villiers ✆ 47 63 25 61 – AE VISA D 10
fermé août, sam. midi et dim. – **R** carte 155 à 235.

XX ✿ **Chez Augusta,** 98 r. Tocqueville ✆ 47 63 39 97 – AE ◑ E VISA C 9
fermé août, dim. et fêtes – **R** carte 175 à 250
Spéc. Salade Augusta, Bouillabaisse, Rougets de roches.

XX **Ma Cuisine,** 18 r. Bayen ✆ 45 72 02 19 – AE ◑ VISA E 8
fermé sam. midi et dim. – **R** 185.

XX **La Braisière,** 54 r. Cardinet ✆ 47 63 40 37 – VISA D 9
fermé Pâques, août, sam. sauf le soir du 1er oct. au 30 avril et dim. – SC : **R** carte 170 à 240.

XX **Chez Georges,** 273 bd Pereire ✆ 45 74 31 00 – VISA E 6
fermé août – **R** carte 135 à 200.

XX ✿ **La Petite Auberge** (Harbonnier), 38 r. Laugier ✆ 47 63 85 51 – ◑ VISA D 7-8
fermé 3 août au 2 sept, dim., lundi et fêtes – **R** (nombre de couverts limité - prévenir) carte 170 à 235
Spéc. Turbot Camille Renault, Carré d'agneau Emile Compard, Tarte aux pommes.

XX **La Toque,** 16 r. Tocqueville ✆ 42 27 97 75 – VISA D 10
fermé 18 juil. au 15 août, 24 déc. au 4 janv., sam. et dim. – SC : **R** carte 125 à 180.

XX **Chez Léon,** 32 r. Legendre ✆ 42 27 06 82 – ◑ VISA D 10
fermé 31 juil. au 31 août, vacances de fév., sam., dim. et fériés – SC : **R** carte 125 à 225.

X **Le Beudant,** 97 r. des Dames ✆ 43 87 11 20 – AE ◑ VISA D 11
fermé sam. midi et dim. – **R** carte 170 à 250.

X **La Soupière,** 154 av. Wagram ✆ 42 27 00 73 – ▤ rest. AE VISA D 9
fermé 8 au 24 août, Noël au Jour de l'An, sam. et dim. – SC : **R** carte 160 à 220.

X ✿ **Mère Michel** (Gaillard), 5 r. Rennequin ✆ 47 63 59 80 – VISA E 8
fermé août, sam., dim. et fériés – SC : **R** (nombre de couverts limité - prévenir) carte 155 à 215
Spéc. Cressonnette de foies de volaille au Xérès, Poissons beurre blanc, Omelette soufflée.

X **Le Pain et le Vin,** 1 r. d'Armaillé ✆ 47 63 88 29 – VISA E 7
SC : **R** carte environ 120.

Montmartre, La Villette, Belleville.

18e, 19e et 20e arrondissements.

18e : ✉ 75018
19e : ✉ 75019
20e : ✉ 75020

🏨 **Terrass'H.** Ⓜ, 12 r. J.-de-Maistre (18e) ✆ 46 06 72 85, Télex 280830 – 🛗 ▤ rest 📺 ☎ ♿ – 🎪 30. AE ◑ E VISA C 13
SC : **Le Guerlande R** carte 215 à 300 - **L'Albaron R** carte environ 120 🌡 – **95 ch** ☕ 440/730, 13 appart. 690/800 – P 610/810.

🏨 **Mercure Paris Montmartre** Ⓜ sans rest, 1 r. Caulaincourt (18e) ✆ 42 94 17 17, Télex 640605 – 🛗 ▤ 📺 ☎ ♿. AE ◑ E VISA D 12
SC : ☕ 39 – **308 ch** 520/550.

🏨 **Mercure Porte de Pantin** Ⓜ, à Pantin 25 r. Scandicci ✉ 93500 Pantin ✆ 48 46 70 66, Télex 230742 – 🛗 ▤ 📺 ☎ 🚗 – 🎪 25 à 150. AE ◑ E VISA B21
SC : **R** carte environ 150 – ☕ 37 – **129 ch** 445/475, 9 appartements 750.

🏨 **H. Le Laumière** sans rest, 4 r. Petit (19e) ✆ 42 06 10 77 – 🛗 🛁wc 🚿wc ☎ D 19
SC : ☕ 16,50 – **54 ch** 92/231.

Super H., 208 r. Pyrénées (20e) 46 36 97 48 – rest wc wc. VISA G 21
fermé août – SC : **R** *(fermé dim.)* 71/150 – **28 ch** 145/370.

Regyn's Montmartre sans rest, 18 pl. Abbesses (18e) 42 54 45 21 – TV D 13
wc wc. AE VISA
SC : 18 – **22 ch** 280/350.

Pyrénées Gambetta sans rest, 12 av. Père Lachaise (20e) 47 97 76 57 – H 21
wc wc
SC : **30 ch** 125/290.

Prima-Lepic sans rest, 29 r. Lepic (18e) 46 06 44 64 – wc wc. AE D 13
SC : 19 – **38 ch** 145/220.

Capucines Montmartre sans rest, 5 r. A.-Bruant (18e) 42 52 89 80 – TV D 13
wc wc. AE
SC : 17 – **30 ch** 198/300.

Eden H. sans rest, 90 r. Ordener (18e) 42 64 61 63 – TV wc wc. AE. B 14
SC : 19 – **35 ch** 160/240.

Luxia sans rest, 8 r. Seveste (18e) 46 06 84 24 – wc wc. AE D 14
SC : 17 – **48 ch** 170/270.

XXX **Beauvilliers** (Carlier), 52 r. Lamarck (18e) 42 54 54 42, « Décor original, terrasse » – VISA. C 14
fermé 1er au 16 sept., lundi midi et dim. – **R** carte 230 à 305
Spéc. Ragoût de St Jacques au curry (15 oct. au 25 avril), Boudin de faisan (1er oct. au 15 mars), Aiguillettes de canard.

XXX **Cochon d'Or**, 192 av. Jean-Jaurès (19e) 46 07 23 13 – AE E VISA C 20
R carte 175 à 245
Spéc. Grillades, Filets de barbue au Chablis et blancs de poireaux, Tête de veau ravigote.

XXX **Charlot 1er "Merveilles des Mers"**, 128 bis bd Clichy (18e) 45 22 47 08 – AE E VISA D 12
fermé 20 juil. au 20 août – **R** carte 195 à 260.

XXX Dagorno, 190 av. J.-Jaurès (19e) 46 07 02 29 C 20

XXX **Relais Pyrénées** (Marty), 1 r. Jourdain (20e) 46 36 65 81 – AE E VISA F 20
fermé août et sam. – **R** carte 170 à 225
Spéc. Foie gras frais de canard, Saumon frais au Champagne, Confit d'oie.

XX **Petit Pré**, 1 r. Bellevue (19e) 42 08 92 62 E 21
fermé août, sam., dim. et fériés – SC : **R** carte 210 à 260.

XX **Le Clodenis**, 57 r. Caulaincourt (18e) 46 06 20 26 – AE VISA. C 13
fermé dim. – **R** carte 210 à 275.

XX **Chez le Baron**, 65 r. Manin (19e) 42 05 72 72 – AE VISA D 19
fermé 10 au 20 août, sam. midi et dim. – **R** carte 175 à 250.

XX **Sanglier Bleu**, 102 bd Clichy (18e) 46 06 07 61 – AE E VISA D 12
fermé 15 juil. au 15 août et sam. midi – **R** carte 130 à 220.

XX **Deux Taureaux**, 206 av. J.-Jaurès (19e) 46 07 39 31 – AE VISA C 21
fermé 25 au 31 déc., sam. et dim. – SC : **R** carte 150 à 200.

XX **Boeuf Couronné**, 188 av. Jean-Jaurès (19e) 46 07 89 52 – AE E VISA C 20
fermé dim. – **R** carte 140 à 200.

XX **Au Clair de la Lune**, 9 r. Poulbot (18e) 42 58 97 03 – AE VISA D 14
fermé vacances de fév., lundi midi et dim. – **R** carte 165 à 250.

XX **Grandgousier**, 17 av. Rachel (18e) 43 87 66 12 – AE E VISA D 12
fermé 10 au 18 août, sam. midi et dim. – **R** carte 150 à 200.

XX **La Chaumière**, 46 av. Secrétan (19e) 46 07 98 62 – AE E VISA E 18
fermé août et dim. – SC : **R** carte 125 à 205.

XX **Chez Frézet**, 181 r. Ordener (18e) 46 06 64 20 – AE VISA B 13
fermé août, sam. et dim. – **R** carte 115 à 205.

X **Le Pichet**, 174 r. Ordener (18e) 46 27 85 28 – VISA B 13
fermé août et dim. – **R** carte 95 à 140.

X **Relais Normand**, 32 bis r. d'Orsel (18e) 46 06 92 57 – AE E VISA D 14
fermé 5 au 27 août, vacances de fév., vend. soir et sam. – SC : **R** 58/102.

X **Marie-Louise**, 52 r. Championnet (18e) 46 06 86 55 – VISA B 15
fermé 31 juil. au 1er sept., dim., lundi et fériés – **R** carte 90 à 140.

X **Le Sancerre**, 13 av. Corentin Cariou (19e) 46 07 80 44 B 19 B
fermé août, sam. et dim. – **R** carte 110 à 155.

Environs

25 km environ autour de Paris

Pour appeler de province les localités suivantes, composez le 1 avant le numéro à 8 chiffres.

Alfortville 94140 Val-de-Marne 101 ㉖ – 36 252 h. alt. 33.

Voir Charenton : musée du Pain★ N : 2 km, G. Paris.

Paris 9 – Créteil 4 – Maisons-Alfort 1,5 – Melun 36.

Printemps, 63 r. Véron ☏ 43 75 30 87 – TV wc ☎. ✻
fermé août – SC : **R** brasserie *(fermé sam. et dim.)* (dîner seul.) carte environ 70 ♁ – ☐ 16,50 – **24 ch** 75/200.

Argenteuil ◇SP◇ 95100 Val-d'Oise 101 ⑭ – 96 045 h. alt. 42.

Paris 14 – Chantilly 36 – Pontoise 20 – St-Germain-en-Laye 15.

XXX **Moulin d'Orgemont,** r. Clos des Moines ☏ 34 10 21 47, « Moulin à vent sur la colline, manège de chevaux de bois » – P. VISA
fermé 28 juil. au 6 sept., 22 déc. au 4 janv., dim. soir et lundi – **R** carte 140 à 230.

XX **Aub. Jacques Pichon,** 26 r. H.-Barbusse ☏ 39 61 07 86 – AE VISA
fermé 8 au 31 août, sam. et dim. – SC : **R** carte 175 à 255.

XX **La Colombe** avec ch, 20 bd Héloïse ☏ 39 61 01 38 – cuisinette wc ☎ P – 25 à 200. ⦿ VISA. ✻ ch
fermé dim. – **R** 87/123 – ☐ 17,50 – **14 ch** 87/245.

XX **Closerie Périgourdine,** 85 bd J.-Allemane ☏ 39 80 01 28 – AE ⦿ VISA
fermé dim. soir et lundi soir – SC : **R** 95/300.

BMW Gar. Vallejo, 119 av. J.-Jaurès ☏ 39 81 83 06
CITROEN Succursale, 117 bd J.-Allemane ☏ 39 82 81 81
FIAT Santi-Argenteuil, 1 r. Gde-Ceinture ☏ 39 80 96 26
FORD Gar. Gdes Fontaines, 70 Bd Jean Allemane ☏ 39 81 61 61
PEUGEOT-TALBOT SODISTO, 45 r. Henri Barbusse ☏ 39 47 09 79
RENAULT Succursale, 219 r. Henri Barbusse ☏ 39 47 09 09
RENAULT Succursale, 2 Bd de la Résistance ZUP ☏ 34 10 40 04
TOYOTA Gar. de la Gare, 14 Bd Berteaux ☏ 39 61 05 21

Flament, 29 r. Beurriers ☏ 39 61 27 17
Monteils Pneumatiques, 48,50 av. Stalingrad ☏ 34 10 20 89

Asnières 92600 Hauts-de-Seine 101 ⑮ **G. Paris** – 71 220 h. alt. 32.

Paris 9 – Argenteuil 5,5 – Nanterre 7,5 – Pontoise 27 – St-Denis 8 – St-Germain-en-Laye 17.

Wilson H. M sans rest, 10 bis r. Château ☏ 47 93 01 66, Télex 610350 – TV wc ☎ P. AE E VISA
SC : ☐ 18 – **60 ch** 200/310.

XX **Le Périgord,** 3 quai Aulagnier ☏ 47 90 19 86 – AE ⦿ VISA
fermé 8 août au 1er sept., 19 déc. au 2 janv., sam., dim. et fériés – **R** carte 160 à 260.

X **La Petite Auberge,** 118 r. Colombes ☏ 47 93 33 94 – VISA
fermé août, dim. soir et lundi – **R** carte 115 à 190.

CITROEN Gd Gar. Enthoven, 249 av. Argenteuil à Bois-Colombes ☏ 47 82 41 00
OPEL Perrot, 36 r. P.-Brossolette ☏ 47 93 73 30
PEUGEOT-TALBOT Gar. Hôtel de Ville, 18 r. P.-Brossolette ☏ 47 33 02 60
TOYOTA S.I.D.A.T., 3 r. de Normandie ☏ 47 90 62 10
VAG Gar. de la Comète, 33 av. d'Argenteuil ☏ 47 93 02 09
VOLVO Gar. Ferid, 45 r. J.-Jaurès à Bois-Colombes ☏ 42 42 40 75

Coursaux, 61 r. Colombes ☏ 47 93 07 53

Aulnay-sous-Bois 93600 Seine-St-Denis 101 ⑰ – 76 032 h. alt. 50.

Paris 19 – Bobigny 6 – Lagny 21 – Meaux 30 – St-Denis 12 – Senlis 38.

Novotel M, rte Gonesse ☏ 48 66 22 97, Télex 230121, , – rest TV ☎ ♿ P – 300. AE ⦿ E VISA
R snack carte environ 100 ♁ – ☐ 35 – **138 ch** 320/341.

XX **Aub. Saints Pères,** 212 av. Nonneville ☏ 48 66 62 11 – AE ⦿ VISA
fermé août, vacances de fév., sam. midi, dim. soir et lundi – **R** carte 170 à 240.

La Centrale du Pneu, 2 av. Ch.-Floquet ☏ 48 66 37 66
La Centrale du Pneu Bt. M 134 X Garonor ☏ 48 65 26 08

Bagnolet 93170 Seine-St-Denis 101 ⑯ – 32 557 h. alt. 86.

Paris 6 – Bobigny 10 – Lagny 27 – Meaux 40.

Novotel Paris Bagnolet M, av. République, échangeur porte de Bagnolet ✆ 43 60 02 10, Télex 670216, – ■ TV ☎ P – 25 à 800. AE O E VISA
Le Clos Gourmand R carte environ 160 - **snack R** carte environ 100 – 39 – **611 ch** 477/510.

FORD Deshayes, 195 av. Gambetta ✆ 43 74 97 40

PEUGEOT-TALBOT Sefa Socauto, 210 r. de Noisy le Sec ✆ 43 61 17 90

Bonneuil-sur-Marne 94380 Val-de-Marne 101 ㉗ – 14 787 h..

Paris 16 – Chennevières-sur-Marne 5 – Créteil 3,5 – Lagny 30 – St-Maur-des-Fossés 4.

Campanile, ZI Petits Carreaux, 2 av. Bleuets ✆ 43 77 70 29, Télex 211251 – TV wc ☎ P – 25. VISA
SC : **R** 61 bc/82 bc – 23 – **50 ch** 194/205.

CITREON Soulard et Faure, 21 av. Gén.-Leclerc ✆ 43 39 63 66
HONDA-MERCEDES Segmat, Zone Ind. des Petits Carreaux ✆ 43 39 70 11

RENAULT Central Gar., 11 r. Colonel Fabien ✆ 43 39 62 76

Bougival 78380 Yvelines 101 ⑬ – 8 487 h. alt. 40.

Paris 18 – Rueil-Malmaison 3,5 – St-Germain-en-Laye 7 – Versailles 7 – Le Vésinet 4.

XXXX ✿ **Coq Hardy,** 16 quai Rennequin-Sualem (N 13) ✆ 39 69 01 43, , « Jardins fleuris en terrasses, intérieur élégant » – P. AE O VISA
fermé merc. – **R** (dim. prévenir) 300/400
Spéc. Foie gras de canard, Poulet de Bresse à l'estragon, Paupiette de sole et saumon au coulis d'écrevisses.

XXXX **Château de la Jonchère** M avec ch, 10 côte de la Jonchère ✆ 39 18 57 03, Télex 699 491, , parc, – TV wc ☎ P – 30. AE O E VISA
SC : **R** 150/300 – 40 – **8 ch** 700/800.

XXX ✿ **Le Camelia** (Delaveyne), 7 quai G.-Clemenceau ✆ 39 69 03 02 – AE O VISA.
fermé dim. soir et lundi – **R** carte 250 à 327
Spéc. Champignons, Beignets d'huîtres sauce citron miel, Bœuf braisé à la mode de chez Fournaise.

XX **L'Huître et la Tarte,** 6 quai G.-Clemenceau ✆ 39 18 45 55 – VISA
fermé août, dim. et lundi – SC : **R** carte 100 à 130.

XX **Cheval Noir,** 14 quai G.-Clemenceau ✆ 39 69 00 96, – VISA
fermé août, merc. soir et jeudi – **R** carte 100 à 160.

Boulogne-Billancourt SP 92100 Hauts-de-Seine 101 ㉔ **G. Paris** – 102 595 h. alt. 35.

Voir Bois de Boulogne★★ : Fleuriste municipal★ – Jardin Albert Kahn★ – Musée Paul Landowski★.

Paris (par Porte de St-Cloud) 10 – Nanterre 7 – Versailles 11.

Sélect H. sans rest, 66 av. Gén.-Leclerc ✆ 46 04 70 47, Télex 206029 – TV wc wc ☎ P. VISA
SC : 18,50 – **64 ch** 236/270.

Excelsior sans rest, 12 r. Ferme ✆ 46 21 08 08, Télex 203114 – TV wc ☎. AE
SC : 16 – **52 ch** 184/302.

XXXX ✿ **Au Comte de Gascogne,** 89 av. J.-B.-Clément ✆ 46 03 47 27, « Jardin d'hiver » – ■. AE O VISA
fermé août, sam., dim. et fériés – **R** carte 230 à 290
Spéc. Foie frais de canard, Panaché de poissons, Râble de lapereau.

XX **L'Avant Seine,** 1 rond-point Rhin et Danube ✆ 48 25 58 00 – ■. VISA
R 85/150.

XX ✿ **La Bretonnière,** 120 av. J.-B.-Clément ✆ 46 05 73 56 – AE O VISA
fermé sam. et dim. – **R** carte 190 à 270
Spéc. Filets de rougets de roche aux oursins, Fricassée de rascasse aux nouillettes et safran, Ris de veau à l'ancienne au jus de truffes.

XX **La Bergerie,** 87 av. J.-B.-Clément ✆ 46 05 39 07 – AE O VISA
fermé 9 au 25 août, lundi soir et dim. – **R** carte 180 à 230.

XX **La Petite Auberge Franc Comtoise,** 86 av. J.-B.-Clément ✆ 46 05 67 19 – AE O E VISA
fermé 4 août au 1er sept., dim. et fêtes – **R** carte 145 à 215.

XX **Laux... à la Bouche,** 117 av. J.-B.-Clément ✆ 48 25 43 88 – VISA
fermé sam. et dim. en juil. et août – **R** carte 110 à 180.

X **La Galère,** 112 r. Gén.-Gallieni ✆ 46 05 64 51 – VISA.
fermé août, sam. et dim. – **R** carte 100 à 145.

ALFA-ROMEO Lov'Auto, 23 r. Solférino ☎ 46 21 50 60
AUSTIN, JAGUAR, ROVER Garabédian, 77 av. P. Grenier ☎ 46 09 15 32
BMW Benoit, 123 r. Vieux Pont de Sèvres ☎ 46 20 23 82
BMW Zol'Auto, 52 r. du Chemin Vert ☎ 46 09 91 43
CITROEN Augustin, 53 r. Danjou ☎ 46 09 93 75
LANCIA, AUTOBIANCHI Figoni, 15 r. Église ☎ 46 05 09 69
FIAT Fiat Auto France 58 r. Denfert Rochereau ☎ 46 04 91 19
MERCEDES Port Marly Gar., 32 bis rte de la Reine ☎ 46 03 50 50
PEUGEOT-TALBOT Paris Ouest Autom., 74 rte de la Reine ☎ 46 05 43 43
RENAULT Succursale, 120 r. Thiers ☎ 46 20 12 13
RENAULT Succursale, 577 av. Gén.-Leclerc ☎ 46 09 94 33 N ☎ 46 20 23 82 N ☎ 46 04 52 98

Cent Mille Pneus, 148 Rte de la Reine ☎ 46 03 02 02
Etter-Pneus, 57 r. Thiers ☎ 46 20 18 55

Le Bourget 93350 Seine-St-Denis 101 ⑰ G. Paris – 11 021 h. alt. 66.

Voir Musée de l'Air★.

Paris 15 – Bobigny 5 – Chantilly 34 – Meaux 38 – St-Denis 6,5 – Senlis 36.

Novotel M, à Blanc-Mesnil ZA pont Yblon ✉ 93150 Le Blanc-Mesnil ☎ 48 67 48 88, Télex 230115, 🌳, 🏊 – 🛗 📺 ☎ 🅿 – 🏢 25 à 250. AE ⓓ E VISA
R carte environ 115 🧒 – ☕ 34 – **143 ch** 320/341.

FIAT, LANCIA-AUTOBIANCHI Actis-Barone, 77 av. Division-Leclerc ☎ 48 37 91 30
RENAULT Gar. Bon, 132 av. Div.-Leclerc ☎ 48 37 01 12
Piot-Pneu, 190 av. Ch.-Floquet à Blanc-Mesnil ☎ 48 67 17 40

Brunoy 91800 Essonne 101 ㊲ – 23 899 h. alt. 58.

Paris 30 – Corbeil-Essonnes 13 – Évry 16 – Melun 23 – Villeneuve-St-Georges 10.

XX **Le Petit Réveillon,** 22 r. Réveillon ☎ 60 46 03 39 – E VISA
fermé 3 au 28 août, 5 au 15 janv., merc. soir, dim. soir et lundi – SC : **R** 68/115.

CITROEN Ets Ruffin-Heitmann, 7 r. du Pont ☎ 60 46 57 57 N ☎ 60 46 34 19
PEUGEOT-TALBOT Ets Michel, 4 place de l'Arrivée ☎ 60 46 00 91

La Celle-St-Cloud 78170 Yvelines 55 ⑳, 101 ⑬

Paris 20 – Rueil-Malmaison 7 – St-Germain-en-Laye 9,5 – Versailles 4,5 – le Vésinet 7.

X Petit Tournebride, 1 r. Pescatore ☎ 39 18 31 17.

Champrosay 91 Essonne 101 ㊲ – alt. 58 – ✉ 91210 Draveil.

Paris 27 – Brunoy 11 – Corbeil-Essonnes 9,5 – Évry 6 – Longjumeau 14 – Viry-Châtillon 5,5.

XX **Bouquet de la Forêt,** rte l'Ermitage ☎ 69 42 56 08, 🌳, « A l'orée de la forêt » – 🅿. AE VISA
fermé août, lundi et le soir sauf vend. et sam. – **R** carte 130 à 210.

Châteaufort 78117 Yvelines 101 ㉒ – 780 h. alt. 153.

Paris 27 – Arpajon 28 – Rambouillet 25 – Versailles 10.

XXX ✿ **La Belle Epoque** (Peignaud), 10 pl. Mairie ☎ 39 56 21 66, 🌳, « Auberge rustique dominant le vallon » – AE ⓓ E VISA
fermé 12 août au 11 sept., 22 déc. au 6 janv. et dim. soir – **R** carte 200 à 300
Spéc. Potiche de grenouilles au gingembre, Lichettes de foie de canard aux salicornes, Compotée de perdrix aux choux (1er oct.-fin déc.).

RENAULT Succursale, à Buc ☎ 39 53 96 44

Chelles 77500 S.-et-M. 101 ⑲ – 41 881 h. alt. 45.

Paris 22 – Coulommiers 41 – Meaux 27 – Melun 46.

XX **Rôt. Briarde,** 43 r. A.-Meunier ☎ 60 08 02 78 – 🅿. AE ⓓ E VISA
fermé août, vacances de fév., lundi soir et mardi – SC : **R** 73/134.

BMW Central-Gar., 61 av. du Marais, déviation N 34 ☎ 64 21 27 27
CITROEN Pipart-Chelles-Diffusion-Autos, 59 av. Mar.-Foch ☎ 60 08 56 01 N ☎ 64 26 17 96
FORD Dubos, 92 av. du Mar.-Foch ☎ 60 20 43 42
OPEL Chelles-Autom., Zone Ind., av. de Sylvie ☎ 60 08 53 02
PEUGEOT-TALBOT Metin, 53 av. Mar.-Foch ☎ 60 08 57 57
RENAULT Gar. de Chelles 3 av. du Marais ☎ 64 21 19 81
V.A.G. Gar. Lourdin, 33 r. G.-Nast ☎ 60 08 38 42

Burlat 41 r. A.-Meunier ☎ 60 08 07 68

Chennevières-sur-Marne 94430 Val-de-Marne 101 ㉘ – 17 418 h. alt. 100.

18 d'Ormesson ✆ 45 76 20 71, SE : 3 km.

Paris 17 – Coulommiers 49 – Créteil 5,5 – Lagny 22.

Jardins de France sans rest, 27 r. Champigny ✆ 45 76 01 66, – wc wc
fermé août et vacances de fév. – SC : 20 – **17 ch** 116/175.

XXX **Aub. Vieux Clodoche,** 18 r. Champigny ✆ 45 76 09 39, – P. AE
R carte 150 à 220.

XXX **Écu de France,** 31 r. Champigny ✆ 45 76 00 03, , « Cadre rustique, terrasse fleurie en bordure de rivière » – P.
fermé 1er au 8 sept., dim. soir et lundi – SC : **R** carte 160 à 240.

BMW Gar. du Bac, 2 et 4 r. Lavoisier ✆ 45 76 33 33
CITROEN Grandru, 15 rte de la Libération ✆ 45 76 03 07
RENAULT SOVEA, 96 rte de la Libération ✆ 45 76 96 70

Clamart 92140 Hauts-de-Seine 101 ㉔ – 48 678 h. alt. 110.

Syndicat d'Initiative 1 r. Trosy ✆ 46 42 17 95.

Paris 10 – Boulogne-Billancourt 6 – Longjumeau 16 – Nanterre 12 – Rambouillet 43 – Versailles 13.

X **Le Benjamin,** 25 bis av. J.-B.-Clément ✆ 46 42 06 66 – VISA
fermé août, lundi soir et dim. – SC : **R** 145 bc.

CITROEN S.E.G.A.C., 323 av. Gén.-de-Gaulle ✆ 46 30 45 90
PEUGEOT-TALBOT Lazare Carnot, 182 av. Gen. de Gaulle ✆ 46 32 16 40
PEUGEOT-TALBOT Médicis, pl. Gunsbourg ✆ 46 45 77 22
RENAULT Gilson, 185 av. Victor-Hugo ✆ 46 44 38 03
Clamart Pneus, 329 Av. Gen. de Gaulle ✆ 46 31 12 04
Le Comptoir du Pneu, 127 av. Gén.-de-Gaulle ✆ 46 30 34 42

Clichy 92110 Hauts-de-Seine 101 ⑮ – 47 000 h. alt. 30.

Paris 6,5 – Argenteuil 7 – Nanterre 10 – Pontoise 27 – St-Germain-en-Laye 17.

Girbal sans rest, 14 r. Dagobert ✆ 47 37 54 24 – wc wc . AE E VISA
SC : 25 – **42 ch** 230/260.

Le Ruthène sans rest, 35 r. Klock ✆ 47 37 02 51, Télex 613461 – wc wc . – **20 ch**.

XXX ✿ **Barrière de Clichy,** 1 r. de Paris ✆ 47 37 05 18 – . AE VISA
fermé sam. midi et dim. – **R** carte 200 à 280
Spéc. Huîtres chaudes (sept. à avril), Encornets farcis, Pigeonneau rôti aux choux.

XX **La Colombe d'Or,** 16 bd Gén. Leclerc ✆ 47 31 73 61 – AE VISA
fermé août, sam., dim. et fêtes – **R** 95.

XX **La Bonne Table,** 119 bd J.-Jaurès ✆ 47 37 38 79 –
fermé 15 août au 20 sept., dim. et lundi – SC : **R** 130/220.

CITROEN Centre Citroen Clichy, 125 bd Jean-Jaurès ✆ 42 70 17 17
Central-Pneumatique 22 r. Dr- Calmette ✆ 42 70 99 94
P.S.T.A., 107 bd V.-Hugo ✆ 42 70 11 43

Cormeilles-en-Parisis 95240 Val-d'Oise 101 ④ – 14 608 h. alt. 115.

Syndicat d'Initiative, 112 r. G. Péri ✆ 39 78 51 10.

Paris 28,5 – Argenteuil 5 – Maisons-Laffitte 8 – Pontoise 14,5.

XX **Aub de l'Hexagone,** 32 r. Pommiers ✆ 39 78 77 49 – P. AE VISA
fermé août, dim. et fêtes – SC : **R** carte 120 à 165.

CITROEN Gar. Paris, 27 Bd Joffre ✆ 39 78 01 64
RENAULT Gar. Parisis, 29 Bd Joffre ✆ 39 78 41 32

Courbevoie 92400 Hauts-de-Seine 101 ⑭ **G. Paris** – 59 931 h. alt. 34.

Voir La Défense★★ : Palais de la Défense★ (Centre National des Industries et des Techniques), Tour Manhattan★★★, Tour Fiat★, Tour GAN★, Perspective★ du parvis.

Paris (par Porte Champerret) 11 – Asnières 3 – Levallois-Perret 3,5 – Nanterre 4 – St-Germain-en-Laye 14.

Quartier de la Défense

Novotel Paris La Défense M, 2 bd Neuilly ✆ 47 78 16 68, Télex 630288, ← – – 25 à 150. AE E VISA
R carte environ 100 – 42 – **276 ch** 545/575.

Ibis La Défense M, 4 bd Neuilly ✆ 47 78 15 60, Télex 611555 – wc – 150. E VISA
SC : **R** carte environ 85 – 25 – **284 ch** 308/324.

Quartier Charras

Penta, 18 r. Baudin ☎ 47 88 50 51, Télex 610470 – rest wc – 25 à 300. AE VISA. rest
SC : **l'Atelier R** carte 110 à 160 – 8,50 – **494 ch** 450/480.

X **A la Potinière,** 65 bis av. Gambetta ☎ 43 33 07 99 – AE VISA
fermé 15 juil. au 15 août, Noël-Nouvel An, sam., dim. et fêtes – **R** carte 140 à 210.

au Parc de Bécon

XX **Trois Marmites,** 215 bd St-Denis ☎ 43 33 25 35 – VISA.
fermé 27 mars au 9 avril, août, sam. et dim. – **R** 158/250.

RENAULT Succursale, 8 bd G.-Clemenceau ☎ 43 34 31 31

Mathé, 43 bd de Verdun ☎ 43 33 11 22
Cenci-Pneu, 8 r. de Bitche ☎ 43 33 25 36

Créteil P **94000** Val-de-Marne 101 ㉗ **G. Paris – 71 705 h. alt. 49.**

Voir Hôtel de ville★ : parvis★.

Office de Tourisme, 1 r. F. Mauriac ☎ 48 98 58 18.

Paris 12 – Bobigny 19 – Évry 22 – Lagny 26 – Melun 36.

Novotel M, au lac ☎ 42 07 91 02, Télex 670396, – – 25 à 200. AE VISA
R carte environ 115 – 34 – **110 ch** 325/346.

XX **La Terrasse,** 39 av. Verdun ☎ 42 07 15 94 – AE VISA
fermé 8 juil. au 1er août, sam. et dim. – **R** carte 165 à 225.

PEUGEOT-TALBOT S.V.I.C.A., 89 av. Gén.-de-Gaulle ☎ 43 39 50 00

RENAULT SVAC, 35 r. de Valenton ☎ 48 99 72 50

Draveil **91210** Essonne 101 ㊱ – **26 801 h. alt. 55.**

Syndicat d'Initiative, à l'Hôtel de Ville ☎ 69 03 09 39.

Paris 24 – Arpajon 20 – Évry 9.

Pontel M sans rest, **46 av. Bellevue** ☎ **69 42 32 21** – wc – 50. AE VISA
SC : 20 – **32 ch** 190/200.

RENAULT Gar. Pouvreau, 50 av. H.-Barbusse ☎ 69 42 22 34

Écouen **95440** Val d'Oise 101 ⑥ **G. Environs de Paris – 4 386 h. alt. 150.**

Voir Château★★ : musée de la Renaissance★★ (tenture de David et de Bethsabée★★★).

Enghien-les-Bains **95880** Val d'Oise 101 ⑤ **G. Environs de Paris – 9 739 h. alt. 50 – Stat. therm. – Casino.**

Voir Lac★.

18 de Domont ☎ 39 91 07 50, N : 8 km.

Office de Tourisme 2 bd Cotte ☎ 34 12 41 15.

Paris 18 – Argenteuil 6 – Chantilly 32 – Pontoise 20 – St-Denis 6 – St-Germain-en-Laye 23.

Grand Hôtel, 85 r. Gén.-de-Gaulle ☎ 34 12 80 00, Télex 697842, ≤, , « Beau jardin fleuri » – – 35. AE VISA. rest
fermé 2 au 31 janv. – SC : **R** 125/200 – 38 – **48 ch** 345/505, 3 appartements 715 – P 631/731.

Villa Marie Louise sans rest, **49 r. Malleville** ☎ **39 64 82 21**, – wc wc
SC : 16 – **22 ch** 140/210.

XXXX ✿✿ **Duc d'Enghien,** au Casino ☎ 34 12 90 00, ≤ lac – . AE VISA.
fermé 2 au 30 janv., dim. soir et lundi – **R** carte 205 à 315
Spéc. Raviole de langouste aux truffes (nov. à avril), Blanc de turbot aux langoustines, Pigeon et foie gras en paupiette de choux.

XX **Aub. Landaise,** 32 bd d'Ormesson ☎ 34 12 78 36 – AE VISA
fermé août, vacances de fév., dim. soir et merc. – SC : **R** carte 110 à 155.

XX **A la Carpe d'Or,** 91 r. Gén.-de-Gaulle ☎ 34 12 79 53, ≤ – AE VISA
R carte 130 à 210.

CITROEN Namont, 150 av. Div.-Leclerc ☎ 34 12 75 06
PEUGEOT-TALBOT Enghien-Automobiles, 211 av. Division Leclerc ☎ 39 89 14 17

PEUGEOT-TALBOT Gar. des 3 Communes, 8 rte de St Denis à Deuil la Barre ☎ 39 83 22 62

La Garenne-Colombes 92250 Hauts-de-Seine 101 ⑭ – 21 000 h. alt. 25.

Syndicat d'Initiative 24 r. E. d'Orves 47 85 09 90.

Paris 12 – Argenteuil 5,5 – Asnières 4 – Courbevoie 1,5 – Nanterre 4 – Pontoise 29 – St-Germain 12.

Moderne sans rest, 103 r. Aigle ☎ 42 42 77 32, Télex 620529 – wc ☎. *fermé août* – SC : ☕ 21 – **27 ch** 115/197.

XX **Aub. du 14 Juillet,** 9 bd République ☎ 42 42 21 79 – VISA *fermé 1er au 20 août, sam. et dim.* – SC : **R** carte 170 à 210.

ALFA ROMEO, FIAT Lutèce Autom., 147 av. Gén. de Gaulle ☎ 47 80 10 10 N ☎ 49 89 80 75
AUSTIN, JAGUAR, ROVER Baral, 49 bd de la République ☎ 47 81 91 81
PEUGEOT-TALBOT Succursale, 9 bd National ☎ 47 80 71 67
RENAULT Gamot, 25 bd République ☎ 42 42 23 16
RENAULT La Garenne-Autom., 22 r. de Châteaudun ☎ 42 42 23 46

Gennevilliers 92230 Hauts-de-Seine 101 ⑮ – 45 445 h. alt. 29.

Office de Tourisme 177 av. Gabriel Péri (après-midi seul.) ☎ 47 99 33 92.

Paris 11 – Nanterre 12 – Pontoise 23 – St-Denis 4 – St-Germain-en-Laye 20.

XX ✿ **Julius,** 6 bd Camélinat ☎ 47 98 79 37 – ▤. VISA *fermé sam. midi et dim.* – **R** carte 180 à 235
Spéc. Poissons, Marmite de ris d'agneau, Mousseline de fromage blanc.

La Centrale du Pneu, 8 av. de la Redoute, Zone Ind. à Villeneuve-la-Garenne ☎ 47 94 22 85
Central-Pneu, 23 av. M. Sangnier à Villeneuve la Garenne ☎ 47 98 08 10
Piot-Pneu 123.125 av. Mar. de Lattre à Epinay ☎ 48 22 43 75

Grigny 91350 Essonne 101 ㉛ – 26 181 h.

Paris 26 – Evry 7 – Versailles 32.

XXX **Château du Clotay** avec ch., 8 r. du Port ☎ 69 06 89 70, parc, – TV wc ☎ P. AE E VISA *fermé vacances de fév., dim. soir et lundi* – **R** 140/380 – ☕ 35 – **10 ch** 350/450.

Houilles 78800 Yvelines 101 ⑬ – 29 854 h. alt. 31.

Paris 17 – Argenteuil 6 – Maisons-Laffitte 5 – St-Germain-en-Laye 8.

XX **Gambetta,** 41 r. Gambetta ☎ 39 68 52 12 – AE VISA *fermé 1er août au 1er sept., dim. et lundi* – **R** carte 170 à 230.

Joinville-le-Pont 94340 Val-de-Marne 101 ㉗ – 17 218 h. alt. 35.

Office de Tourisme à l'Hôtel-de-Ville ☎ 42 83 41 16.

Paris 11 – Créteil 5 – Lagny 24 – Maisons-Alfort 3,5 – Vincennes 4.

XX **Horloge,** 99 quai Marne ☎ 48 89 34 38, , intérieur rustique *fermé août et sam.* – **R** carte 130 à 230.

PEUGEOT-TALBOT Restellini, 49 av. Gén.-Gallieni ☎ 48 86 30 30

Juvisy-sur-Orge 91260 Essonne 101 ㊱ – 12 303 h. alt. 36.

Paris 21 – Evry 9 – Longjumeau 8 – Versailles 27.

Occitanie M, 2 r. Draveil ☎ 69 21 50 62, Télex 690316 – TV wc ☎ P – 40. AE E VISA
R 140 – **29 ch** ☕ 280/360.

CITROEN Gd Gar. de l'Essonne 1 av. Cour de France ☎ 69 21 35 90
PEUGEOT-TALBOT Besse et Guilbaud, 38 av. Cour de France ☎ 69 21 55 33

Le Kremlin-Bicêtre 94270 Val-de-Marne 101 ㉖ – 17 923 h..

Paris 6 – Boulogne-Billancourt 9,5 – Evry 28 – Versailles 22.

Campanile M, bd Gén.-de-Gaulle ☎ 46 70 11 86, Télex 205026 – wc ☎ P – 30 à 150. VISA
SC : **R** 74 bc/98 bc – ☕ 24 – **155 ch** 259/281.

Levallois-Perret 92300 Hauts-de-Seine 101 ⑮ – 53 777 h. alt. 30.

Paris 8 – Argenteuil 8 – Nanterre 7,5 – Pontoise 29 – St-Germain-en-Laye 16.

XXX **L'Orangerie,** 56 r. Villiers ☎ 47 58 40 61 – AE VISA *fermé juil.* – **R** 110.

XX **Le Jardin,** 9 pl. Jean Zay ☎ 47 39 54 02 – AE VISA *fermé août, sam. et dim.* – **R** carte 140 à 190.

XX **Gauvain,** 11 r. L.-Rouquier ☎ 47 58 51 09 – ▤. VISA *fermé sam., dim. et fériés* – SC : **R** 150/175.

AUSTIN-ROVER, JAGUAR Franco Britannic Autos., 25 r. P.-Vaillant-Couturier ✆ 47 57 50 80 ✆ 46 42 41 78
AUSTIN-ROVER, JAGUAR Gar. Wilson-Lacour, 116 r. Près.-Wilson ✆ 47 39 92 50
BMW Pozzi, 122 bis r. Rouquier ✆ 47 39 46 60
CITROEN Succursale, 41 r. Baudin ✆ 47 58 12 33
FERRARI, Pozzi, 109. r. A.-Briand ✆ 47 39 96 50
FIAT, LANCIA Fiat Auto France, pl. Collange ✆ 47 30 50 00
MERCEDES, PORSCHE, SEAT Sonauto, 53 r. Marjolin ✆ 47 39 97 40
RENAULT Gd. Gar. de Levallois, 74 quai Michelet ✆ 47 39 32 00

Beaur, 2 r. de Bretagne ✆ 47 37 89 16
Central Pneu, 101 r. Anatole-France ✆ 47 58 56 70
Dinant, 65 r. P.-Vaillant-Couturier ✆ 47 31 79 10
Manganne, 13 r. Gabriel-Péri ✆ 47 57 43 08
Maréchal, 37 r. M.-Aufan. ✆ 47 57 98 06

Livry-Gargan 93190 Seine-St-Denis 101 ⑱ – 32 806 h. alt. 63.

Syndicat d'Initiative pl. H. de Ville (fermé matin) ✆ 43 30 61 60.

Paris 19 – Aubervilliers 13 – Aulnay-sous-Bois 5,5 – Bobigny 7,5 – Meaux 28 – Senlis 42.

XXX **Aub. St-Quentinoise,** 23 av. République ✆ **43 81 13 08,** – AE VISA
fermé dim. soir et lundi – SC : **R** (dîner prévenir) 125 (déj.) et carte 190 à 245.

CITROEN Gar. Avenue, 115 av. A.-Briand ✆ 43 02 43 55
DATSUN, VOLVO S.A.P.A.L., 23 av. J.-J.-Rousseau ✆ 43 83 57 74
OPEL Gar. Guiot, 1 av. A.-Briand ✆ 43 02 63 31

Bonnet, 4 av. C.-Desmoulins ✆ 43 81 53 13

Longjumeau 91160 Essonne 101 ㉟ – 18 395 h. alt. 72.

Paris 21 – Chartres 70 – Dreux 82 – Évry 16 – Melun 39 – ♦Orléans 96 – Versailles 21.

Relais des Chartreux M, à Saulxier SO : 2 km ✉ **91160 Longjumeau** ✆ **69 09 34 31, Télex 691245,** ←, , , , – TV ☎ P – 150
100 ch.

Relais St-Georges M, **à Saulx-les-Chartreux SO : 3 km** ✉ **91160 Longjumeau** ✆ **64 48 36 40, Télex 603038,** ←, **parc** – TV ☎ P – 80. AE E VISA
fermé août – SC : **R** 120/220 – 20 – **40 ch** 220/300 – P 340/410.

V.A.G. Gar. du Postillon, Zone Ind. rue du Canal ✆ 69 09 52 37

La Centrale du Pneu, 5 rte Versailles ✆ 69 34 11 50

Louveciennes 78430 Yvelines 55 ⑳, 101 ⑫⑬ G. Environs de Paris – 7 338 h. alt. 129.

Paris 24 – St-Germain-en-Laye 6,5 – Versailles 7,5.

XX **Aux Chandelles,** 12 pl. Église ✆ **39 69 08 40,** , – VISA
fermé sam. midi, dim. soir et merc. – SC : **R** carte 145 à 220.

RENAULT Gar. de la Princesse, 17 rte de la Princesse ✆ 69 69 81 23

Maisons-Alfort 94700 Val-de-Marne 101 ㉗ – 51 591 h. alt. 35.

Paris 9,5 – Créteil 2,5 – Évry 22 – Melun 36.

Bains sans rest, **132 r. J.-Jaurès** ✆ **43 75 78 09** – wc wc ☎
22 ch.

Moderne sans rest, **19 bis r. Parmentier** ✆ **43 76 76 33** –
SC : 17 – **44 ch** 80/145.

PEUGEOT-TALBOT Gar. du Centre, 69 av. Gambetta ✆ 43 76 84 22
RENAULT M.A.E.S.A., 8 av. Prof.-Cadiot ✆ 43 76 63 70

Le Page, 19 av. G.-Clemenceau ✆ 43 68 14 14
Vaysse, 249, av. de la République ✆ 42 07 36 85

Maisons-Laffitte 78600 Yvelines 101 ⑬ G. Environs de Paris – 22 892 h. alt. 40.

Voir Château★.

Paris 21 – Argenteuil 8,5 – Mantes-la-Jolie 37 – Poissy 8 – Pontoise 18 – St-Germain 8 – Versailles 24.

XXX ✿✿ **Le Tastevin** (Blanchet), **9 av. Eglé** ✆ **39 62 11 67,** , – P. AE VISA
fermé 16 août au 12 sept., vacances de fév., lundi soir et mardi – SC : **R** carte 200 à 270
Spéc. Ragoût de pieds de porc aux huîtres (sept. à mars), Escalope de foie gras chaud, Sanciaux aux pommes (saison).

XXX ✿✿ **Vieille Fontaine** (Clerc), **8 av. Gretry** ✆ **39 62 01 78, « Jardin »** – AE VISA
fermé août, dim. et lundi – **R** carte 250 à 335
Spéc. Aumônières de caviar, Rognonnade de St-Jacques (oct. à mars), Rognon de veau au Chiroubles.

XX **Le Laffitte,** **5 av. St-Germain** ✆ **39 62 01 53** – AE VISA
fermé août, mardi soir et merc. – SC : **R** 160 bc/250 bc.

CITROEN Gar. du Parc, 75 r. de Paris ✆ 39 62 04 78
CITROEN Selier, 4 av. Longueil ✆ 39 62 04 05
PEUGEOT-TALBOT Gar. Gasparini, 73 r. Paris ✆ 39 62 01 26

Marly-le-Roi **78160** Yvelines **101** ⑫ **G. Environs de Paris** – **17 313 h. alt. 150.**

Voir Parc★.

Syndicat d'Initiative à la Mairie ✆ 39 16 39 39.

Paris 27 – St-Germain-en-Laye 4 – Versailles 8,5.

Aub. Henri IV, 5 pl. Abreuvoir ✆ **39 58 47 61,** – wc. ch
fermé août et vacances de fév. – SC : **R** *(fermé merc. soir et dim. soir)* carte 110 à 165 – 16 – **8 ch** 240/300.

RENAULT Gar. de la Gare, 13 av. St-Germain ✆ 39 58 48 22 ✆ 39 69 81 23

Marne-la-Vallée **77206** S.-et-M. **101** ⑲ **G. Environs de Paris.**

Paris 26 – Meaux 28 – Melun 35.

S.E : **6 km par échangeur de Lagny A 4 :**

Novotel M, ✆ **60 05 91 15, Télex 691990,** – 150. AE E VISA
R carte environ 100 – 31 – **92 ch** 330/346.

Meudon **92190** Hauts-de-Seine **101** ㉔ **G. Paris** (plan) – **49 004 h. alt. 100.**

Voir Terrasse★ : ★ – Forêt de Meudon★.

Paris 12 – Boulogne-Billancourt 3 – Clamart 3,5 – Nanterre 11 – Versailles 10.

Forest Hill M, à Meudon-La-Forêt, S : 3 km ✉ **92360 Meudon-la-Forêt** ✆ **46 30 22 55, Télex 203150,** – wc – 60. AE E VISA
R 90 bc/122 bc – 26 – **95 ch** 262/312.

✿ **Relais des Gardes,** à Bellevue, 42 av. Gallieni ✆ **45 34 11 79** – AE VISA
fermé août, dim. soir et sam. – SC : **R** carte 180 à 240
Spéc. Civet de sole, Pot-au-feu de canard (sauf en été), Baba au rhum.

Le Lapin Sauté, 12 av. Le Corbeiller ✆ **46 26 68 68** –
fermé août, dim. soir et lundi – SC : **R** carte 130 à 240.

CITROEN Gar. Rabelais, 31 bd Nations-Unies ✆ 46 26 45 50
PEUGEOT-TALBOT Coussedière, 2 bis r. Banès ✆ 46 26 49 06
PEUGEOT-TALBOT Pezeau, 4 pl. Stalingrad ✆ 46 26 40 68
RENAULT Gar. de l' Orangerie, 16 r. de l' Orangerie ✆ 45 34 27 18

Montgeron **91230** Essonne **101** ㊲ – **22 204 h. alt. 43.**

Paris 23 – Évry 13 – Melun 23 – Villeneuve-St-Georges 3,5.

Clos de la Navette M sans rest, **119 bis av. République** ✆ **69 42 60 60** – wc wc. VISA
18 – **38 ch** 185.

Le Réveil Matin, 22 av. J.-Jaurès ✆ **69 03 09 99** – wc wc. VISA. ch
fermé 15 août au 1er sept. et dim. soir – SC : **R** 38/120 – 18,50 – **19 ch** 93/140 – P 205/255.

CITROEN Ruffin-Heitmann, 3 bis av. Carnot à Villeneuve-St-Georges ✆ 63 89 31 29 N ✆ 60 46 34 19
MERCEDES Gar. des Routiers, r. Mercure Zone Ind. du Bac d'Ablon ✆ 69 03 09 71
PEUGEOT-TALBOT Gar. Picot, 115 av. J.-Jaurès ✆ 69 03 50 37 N ✆ 60 46 34 19
RENAULT Ferreyra, 37 r. Voltaire à Villeneuve-St-Georges ✆ 63 82 04 82
RENAULT Gar. du Lycée, 31 bis av. République ✆ 69 03 50 88

Montreuil **93100** Seine-St-Denis **101** ⑰ **G. Paris** – **93 394 h. alt. 75.**

Office de Tourisme 2 av. G. Péri (fermé août) ✆ 42 87 38 09.

Paris 7,5 – Bobigny 9,5 – Lagny 23 – Meaux 39 – Senlis 46.

Modern'H. sans rest, **8 bd P.-Vaillant-Couturier** ✆ **42 87 48 35** – wc wc
SC : 16 – **40 ch** 80/180.

Fin Gourmet, 57 r. Paris ✆ **42 87 05 49** – VISA
fermé 30 juil. au 29 août et merc. – **R** 38/88.

CITROEN Succursale, 224, 226 bd A. Briand ✆ 48 59 64 00
RENAULT Succursale Renault-Montreuil, 57 r. A.-Carrel ✆ 48 51 98 21
V.A.G. Gar. Wuplan, 62 r. de Lagny ✆ 48 51 54 90
Pneu-Service, 65 r. de St-Mandé ✆ 48 51 93 79

Pour traverser Paris et vous diriger en banlieue,
utilisez la carte Michelin **« Banlieue de Paris »** n° **101** à 1/50 000.

Montrouge 92120 Hauts-de-Seine 101 ㉕ – 38 632 h. alt. 74.

Paris (par Porte d'Orléans) 6 – Boulogne-Billancourt 6,5 – Longjumeau 14 – Nanterre 15 – Versailles 16.

Mercure M, 13 r. F.-Ory ✆ 46 57 11 26, Télex 202528 – rest. AE E VISA
SC : **R** carte environ 130 – 42 – **186 ch** 495/525.

Christina sans rest, 42 r. Perier ✆ 42 53 03 02 – wc wc. AE VISA
SC : 16 – **15 ch** 102/215.

CITROEN Verdier-Montrouge, 99 av. Verdier ✆ 46 57 12 00
MERCEDES-BENZ Euro-Gar, 73 av. A.-Briand ✆ 47 35 52 20
RENAULT Colin-Montrouge, 59 av. République ✆ 46 55 26 20

France Pièces Auto, 82 av. A. Briand ✆ 46 57 33 99
Le Pneumatique, 56 av. A.-Briand ✆ 46 56 76 00 ✆ 46 57 33 99

Morangis 91420 Essonne 101 ㉟ – 9 464 h. alt. 76.

Paris 22 – Évry 16 – Longjumeau 4,5 – Versailles 23.

Pierre Loti sans rest, 110 av. République ✆ 69 09 09 97 – wc wc
SC : 17 – **30 ch** 129/177.

Rêve d'Alsace, Pl. P. Brossolette ✆ 69 09 14 78 – AE E VISA
fermé lundi soir et dim. – **R** carte 150 à 250.

FIAT, LANCIA S.O.L.A.C., av. Ch.-de-Gaulle, Zone Ind. ✆ 69 09 20 62
FORD Orly-Autos, av. Ch.-de-Gaulle, Zone Ind. Nord ✆ 69 09 08 97

RENAULT Station Richard, rte de Savigny ✆ 69 09 47 50

Morsang-sur-Orge 91390 Essonne 101 ㊱ – 20 341 h. alt. 75.

Paris 26 – Corbeil-Essonnes 14 – Évry 11 – Versailles 26.

La Causette, 47 bd Gribelette ✆ 60 15 16 85 – VISA
fermé en août, lundi et le soir sauf sam. – SC : **R** carte 115 à 190.

CITROEN Essonne Autos Morsang, 91 rte de Corbeil ✆ 69 04 21 68

PEUGEOT-TALBOT Lépinoit, 93 rte de Corbeil ✆ 69 04 03 55

Nanterre 92 Hauts-de-Seine 101 ⑬ ⑭ – rattaché à Rueil-Malmaison.

Neuilly-sur-Seine 92200 Hauts-de-Seine 101 ⑮ G. Paris – 64 450 h. alt. 36.

Voir Bois de Boulogne★★ : Jardin d'acclimatation★, Bagatelle★, Musée National des Arts et Traditions Populaires★★ – Palais des Congrès★ : grand auditorium★★, ≤★ de la tour Concorde-La Fayette.

Paris (par Porte Neuilly) 8 – Argenteuil 12 – Nanterre 5,5 – Pontoise 37 – St-Germain 14 – Versailles 18.

H.-Club Méditerranée M, 58 bd V.-Hugo ✆ 47 58 11 00, Télex 610971, , Ambiance club, – ch – 150
335 ch.

Parc Neuilly sans rest, 4 bd Parc ✆ 46 24 32 62, Télex 613689 – wc wc
SC : 17 – **71 ch** 196/250.

Roule sans rest, 37 bis av. du Roule ✆ 46 24 60 09 – wc wc
SC : 18 – **35 ch** 160/290.

❀ **Jacqueline Fénix,** 42 av. Ch.-de-Gaulle ✆ 46 24 42 61 – . VISA
fermé août, sam. et dim. – SC : **R** carte 210 à 335
Spéc. Millefeuille de lapereau, Filet d'agneau et rognon de veau au beurre de persil, Meringué aux noix.

Le Manoir, r. Église ✆ 46 24 04 61 – . AE VISA
fermé dim. soir et sam. – SC : **R** carte 200 à 280.

Jarrasse, 4 av. Madrid ✆ 46 24 07 56 – AE VISA
fermé 7 juil. au 1er sept., dim. soir et lundi – **R** carte 170 à 290.

Tonnelle Saintongeaise, 32 bd Vital Bouhot ✆ 46 24 43 15,
fermé vacances de Pâques, 8 au 30 août, 22 déc. au 6 janv., sam. et dim. – **R** carte 110 à 150.

Bourrier, 1 pl. Parmentier ✆ 46 24 11 19. VISA
fermé 1er au 20 août, 20 déc. au 5 janv., sam. (sauf le soir du 1er oct. à Pâques) et dim. – SC : **R** 200/250.

Chau'veau, 59 r. Chauveau ✆ 46 24 46 22 – VISA
fermé août, sam. et dim. – **R** carte 90 à 170.

Truffe Noire, 2 pl. Parmentier ✆ 46 24 94 14 – AE E VISA
fermé août, vacances de fév., vend. soir et sam. – **R** carte 140 à 205.

XX **Focly,** 10 r. P.-Chatrousse ✆ **46 24 43 36, cuisine chinoise** – AE VISA
fermé 14 au 28 juil. – **R** carte 80 à 135.

XX **Carpe Diem,** 10 r. Église ✆ **46 24 95 01** – ◑ VISA
fermé août, sam. midi et dim. – SC : **R** carte 175 à 235.

X **Chez Livio,** 6 r. Longchamp ✆ **46 24 81 32, cuisine italienne**
fermé 1er au 29 août et 24 déc. au 2 janv. – **R** 46 bc/120 bc.

ALFA-ROMEO Ets Hottot, 25 r. M.-Michelis ✆ 46 37 14 50
BMW, LANCIA-AUTOBIANCHI Gar. Neuilly-Roule, 65 av. du Roule ✆ 47 45 33 11
CITROEN Succursale, 124 av. Achille Peretti ✆ 47 47 11 22
PEUGEOT-TALBOT Luchard-St Didier, 131 bis av. Ch.-de-Gaulle ✆ 47 45 08 50
VOLVO Volvo-Paris, 16 r. d'Orléans ✆ 47 47 50 05
Maillot-Pneus, 69 av. Gén. de Gaulle ✆ 46 24 33 69

Nogent-sur-Marne **94130** Val-de-Marne **101** ㉗ **G. Paris** – **24 696 h. alt. 56.**

Office de Tourisme 5 av. Joinville (fermé matin) ✆ 48 73 75 90.

Paris 14 – Créteil 6,5 – Montreuil 5 – Vincennes 4.

Nogentel M, 8 r. Port ✆ **48 72 70 00, Télex 210116,** < – TV – 250. AE ◑ E VISA
rest. **Le Panoramic** *(fermé août)* **R** carte 180 à 240 - Grill **Le Canotier R** carte environ 100 – 32 – **61 ch** 330/360.

Noisiel 77 S.-et-M. **101** ⑲ – 12 446 h. – ✉ **77420** Champs-sur-Marne.

Paris 26 – Meaux 28 – Melun 39 – Lagny-sur-Marne 9.

Climat de France M, 50 cours Roches ✆ **60 06 15 40** – TV wc ☎ ♿ P – 30. E VISA
SC : **R** 55/69 – 23 – **57 ch** 225/246.

RENAULT Gar. Brie des Nations, 4-6 av. P.-Mendès-France ✆ 40 05 92 92

Noisy-le-Grand **93160** Seine-St-Denis **101** ⑱ – 40 590 h.

Voir Château★ : salon chinois★★ et parc★★ de Champs-sur-Marne E : 3,5 km, G. Environs de Paris.

Paris 18 – Lagny 13.

Campanile, 5 r. Ballon Z.I Les Richardets à Marne-la-Vallée ✆ **43 05 22 99, Télex 231580,** – wc ☎ ♿ P – 25. VISA
SC : **R** 61 bc/82 bc – 23 – **50 ch** 194/215.

PEUGEOT-TALBOT Gar. de la Pointe, 65 av. E.-Cossonneau ✆ 43 03 30 92

Orly (Aéroport de Paris) **94396** Val-de-Marne **101** ㉖ – **23 886 h. alt. 89.**

Renseignements : ✆**48 84 32 10.**

Paris 16 – Corbeil-Essonnes 17 – Créteil 12 – Longjumeau 9 – Villeneuve-St-Georges 12.

Hilton Orly M, près aérogare ✆ **46 87 33 88, Télex 250621,** < – TV ☎ ♿ P – 300. AE ◑ E VISA. rest
SC : **Le Café du Marché R** carte environ 150 – **La Louisiane** *(fermé août, sam. et dim.)* **R** carte 160 à 210 – 35 – **380 ch** 470/900.

Aérogare d'Orly Sud :

XX **Le Grillardin,** ✆ **46 87 24 25,** < – . AE ◑ E VISA
SC : **R** (déj. seul.) 135.

Aérogare d'Orly Ouest :

XXX **Maxim's,** ✆ **46 87 16 16,** < – . AE ◑ VISA
SC : **R** 190 et carte.

XX **Jardin d'Orly,** ✆ **46 87 16 16,** < – . AE VISA
fermé août, sam. et dim. – SC : **R** carte 135 à 175.

X **La Galerie,** ✆ **46 87 16 16,** < – . VISA
SC : **R** carte environ 130 .

Voir aussi à Rungis p. 53

RENAULT Roland, 90 av. Aérodrome ✆ 48 52 37 93
RENAULT S.A.P.A., Bat. 225, Aérogares ✆ 46 87 62 54 ✆ 49 07 78 35

Palaiseau **91120** Essonne **101** ㉞ – **29 362 h. alt. 80.**

Paris 22 – Arpajon 18 – Chartres 69 – Évry 19 – Rambouillet 37.

Novotel M, Zone industrielle de Massy ✆ **69 20 84 91, Télex 691595,** , – rest TV ☎ P – 25 à 250. AE ◑ E VISA
R carte environ 115 – 34 – **151 ch** 330/355.

PEUGEOT-TALBOT Jean-Jaurès-Auto, 33 av. Jean-Jaurès ✆ 60 14 03 92
RENAULT Badin, 14 r. E.-Branly ✆ 60 10 61 76

Pantin – voir 🏨 Mercure Porte de Pantin à Paris 19e.

CITROEN Succursale, 68 av. Gén. Leclerc ✆ 48 44 28 58
RENAULT Succursale, 13 av. Gén.-Leclerc ✆ 48 43 61 60

Ⓟ Bouchez, 160 av. J.-Jaurès ✆ 48 45 25 85
Steier-Pneus, 217 av. J.-Lolive ✆ 48 44 36 80

Le Perreux 94170 Val-de-Marne 101 ⑱ – 27 660 h. alt. 54.
ℹ Office de Tourisme pl. R. Belvaux (fermé août) ✆ 43 24 26 58.
Paris 15 – Créteil 11 – Lagny 17 – Villemomble 6,5 – Vincennes 6.

XX **Les Magnolias,** 48 av. de Bry ✆ 48 72 47 43 – AE ⓓ VISA
fermé 31 mars au 6 avril, août et dim. – SC : **R** carte 195 à 300.

XX **Champs-Élysées,** 11 bd Liberté ✆ 43 24 21 59 – AE E VISA
fermé dim. soir et lundi – SC : **R** 110/160.

CITROEN S.A.G.A., 131 av. P.-Brossolette, niv. A4 ✆ 43 24 13 50
RENAULT Gar. Hoel, 46 av. Bry ✆ 43 24 52 00

Ⓟ Ets Walraevens, 103 bd Alsace-Lorraine ✆ 43 24 41 43

Petit-Clamart 92 Hauts-de-Seine 101 ㉔ – alt. 110 – ✉ 92140 Clamart.
Voir Bièvres : Musée français de la photographie ★ S : 1 km, G. Environs de Paris.
Paris 16 – Antony 6 – Clamart 4,5 – Meudon 4,5 – Nanterre 14 – Sèvres 7 – Versailles 9.

XX **Au Rendez-vous de Chasse,** 1 av. du Gén. Eisenhower ✆ 46 31 11 95 – Ⓟ. AE ⓓ VISA
fermé août – SC : **R** 100/170.

Le Pré St-Gervais 93310 Seine-St-Denis 101 ⑯ – 13 313 h. alt. 71.
Paris (par Porte de Pantin) 7 – Bobigny 5 – Lagny 27 – Meaux 38 – Senlis 44.

X ✿ **Au Pouilly Reuilly** (Thibault), 68 r. A.-Joineau ✆ 48 45 14 59 – AE ⓓ VISA
fermé 1er août au 5 sept., dim. et fêtes – **R** carte 105 à 180
Spéc. Pâté de grenouilles, Foie de veau aux girolles, Rognon de veau dijonnaise.

Puteaux 92800 Hauts-de-Seine 101 ⑭ – 36 143 h. alt. 36.
Voir La Défense★★ : Palais de la Défense★ (Centre National des Industries et des Techniques), Tour Manhattan★★★, Tour Fiat★, Tour GAN★, Perspective★ du parvis, G. Paris.
Paris 10 – Nanterre 3 – Pontoise 35 – St-Germain-en-Laye 11 – Versailles 14.

🏨 **Le Dauphin** Ⓜ sans rest, 5 r. J. Jaurès ✆ 47 73 71 63, Télex 615989 – 🛗 📺 🛁wc 🚿wc ☎. AE VISA
SC : ☕ 35 – **30 ch** 300/320.

XX ✿ **Gasnier,** 7 bd Richard-Wallace ✆ 45 06 33 63 – AE ⓓ VISA
fermé 27 juin au 4 août, vacances de fév., sam., dim. et fériés – SC : **R** (nombre de couverts limité - prévenir) carte 200 à 300
Spéc. Foie gras frais de canard, Cassoulet, Confit de canard aux cèpes.

XX **Camille Renault,** 60 r. République ✆ 47 76 01 30 – AE ⓓ VISA
fermé août, sam. soir, dim. et fériés – **R** carte 120 à 190.

RENAULT Blual, 49 av. J.-Jaurès à Suresnes ✆ 45 06 19 48

Ⓟ Burlat 4 r. E. Nieuport à Suresnes ✆ 47 72 43 21

Maison André, 20 r. des Fusillés ✆ 47 75 36 31

La Queue-en-Brie 94510 Val-de-Marne 101 ㉙ – 9 725 h. alt. 97.
Paris 28 – Coulommiers 47 – Créteil 11 – Lagny 21 – Melun 31 – Provins 64.

🏨 **Climat de France** Ⓜ, Le Bois des Friches ✆ 45 94 61 61 – 🛁wc ☎ ♿ Ⓟ. E VISA. ✗ rest
SC : **R** 51/85 🍷 – ☕ 18 – **38 ch** 184/204.

XX **Aub. du Petit Caporal,** 14 av. Gén.-de-Gaulle ✆ 45 76 30 06 – AE VISA
fermé août, vacances de fév., dim. soir, mardi soir et merc. – SC : **R** 185/230.

Le Raincy 93340 Seine-St-Denis 101 ⑱ G. Paris – 13 413 h..
Voir Eglise N.-Dame ★.
Paris 16 – Bobigny 6 – Lagny 19 – Livry-Gargan 2,5 – Meaux 30 – Senlis 42.

XX **Chalet des Pins,** 13 av. Livry ✆ 43 81 01 19, 🌳 – AE VISA
fermé lundi soir et mardi en juil.; lundi soir, mardi soir et sam. midi en août, et dim. soir – SC : **R** carte 130 à 240.

Roissy-en-France 95 Val-d'Oise 101 ⑧ – 1 411 h. – ✉ **95500** Gonesse.

✈ **Charles de Gaulle** ✆ 48 62 22 80.

Paris 26 – Chantilly 28 – Meaux 36 – Pontoise 44 – Senlis 28.

à Roissy-Ville : – ✉ **95700** Roissy-en-France

Holiday Inn M, 1 allée Verger ✆ 49 88 00 22, Télex 695143 – |‡| ▤ TV ☎ ♿ P – 250. AE ⓓ E VISA
SC : **R** carte environ 200 ⅄ – ☕ 55 – **240** 583/616.

Ibis M, av. Raperie ✆ 49 88 00 40, Télex 699083 – |‡| ▤ TV ⇔wc ☎ ♿ P – 25 à 150
200 ch.

dans le domaine de l'aéroport :

Sofitel M, ✆ 48 62 23 23, Télex 230166, ⛆, ✂ – |‡| ▤ TV ☎ ♿ P – 25 à 500. AE ⓓ E VISA. ✻ rest
rest. panoramique **Les Valois** *(fermé sam. midi, dim. midi et le midi en août)* **R** 180
Le Jardin (brasserie) (rez de chaussée) **R** carte environ 130 ⅄ – ☕ 42 – **344 ch** 515/685, 8 appartements 995.

dans l'aérogare nº 1 :

XXXX ❀ **Maxim's,** ✆ 48 62 16 16 – ▤. AE VISA
SC : **R** (déj. seul.) carte 300 à 420
Spéc. Etuvée de langoustines et sole, Volaille de Bresse au vin jaune, Noisettes d'agneau à la truffe.

XX **Grill Maxim's,** ✆ 48 62 16 16 – ▤. AE VISA
SC : **R** carte 190 à 285.

Romainville 93230 Seine-St-Denis 101 ⑰ – 25 363 h. alt. 121.

Paris 10 – Aulnay-sous-Bois 9 – Bobigny 4 – Le Bourget 12 – Livry-Gargan 9.

XX **Henri,** 72 rte Noisy ✆ 48 45 26 65 – P
fermé août, sam., dim. et fériés – SC : **R** carte 175 à 290.

Rueil-Malmaison 92500 Hauts-de-Seine 101 ⑬ **G. Paris** – 64 545 h. alt. 15.

Voir Château de Bois-Préau★ – Buffet d'orgues★ de l'église – Malmaison : musée★★ du château.

Paris 15 – Argenteuil 12 – Nanterre 1,5 – St-Germain-en-Laye 7,5 – Versailles 11.

Cardinal M sans rest, 1 pl. Richelieu ✆ 47 08 20 20, Télex 204113 – |‡| ▤ TV ⇔wc ☎ ♿ 🚗 P – 30. AE ⓓ E VISA
SC : ☕ 35 – **55 ch** 370/493.

XXX ❀ **El Chiquito,** 126 av. Paul-Doumer ✆ 47 51 00 53, ☂, « Jardin » – P. VISA
fermé août, sam., dim. et fériés – **R** carte 205 à 255
Spéc. Médaillon de lotte au vinaigre et miel, Filet de rouget à l'oseille, Feuilleté de bar.

XXX **Pavillon Joséphine,** 191 av. N. Bonaparte ✆ 47 51 01 62 – AE E VISA
fermé dim. soir et lundi soir – SC : **R** 120 bc/250 bc.

XX Relais de St-Cucufa, 114 r. Gén.-Miribel ✆ 47 49 79 05, ☂.

à Nanterre P N : 2 km – 90 371 h. – ✉ **92000** Nanterre :

XXX **Ile de France,** 83 av. Mar. Joffre ✆ 47 24 10 44, ☂ – P. AE ⓓ VISA
fermé août et dim. – **R** carte 160 à 225.

CITROEN Succursale, 100 av. F.-Arago à Nanterre ✆ 47 80 71 20

Ⓜ Mery-Pneus, 9 r. des Carriers à Nanterre ✆ 47 24 77 05

Piot-Pneu, 74 av. V.-Lénine à Nanterre ✆ 47 24 61 01

Rungis 94150 Val-de-Marne 101 ㉖ – 2 650 h. alt. 80 - Marché d'Intérêt National.

Paris 13 – Antony 5,5 – Corbeil-Essonnes 26 – Créteil 11 – Longjumeau 10.

Frantel Rungis Orly M accès Paris : A6, bretelle d'Orly, **de province** : **A 6 et sortie Rungis-Orly, 20 av. Ch.-Lindbergh** ✉ **94656** ✆ **46 87 36 36, Télex 260738,** ←, ⛆ – |‡| ▤ TV ☎ 🚗 P – 50 à 300. AE ⓓ E VISA
SC : rest. **La Rungisserie R** carte 160 à 230 ⅄ – ☕ 45 – **206 ch** 419/578.

Holiday Inn M, accès de Paris : A 6 bretelle d'Orly, de province A 6 sortie Rungis-Orly ✆ 46 87 26 66, Télex 204679, ⛆ – |‡| ▤ TV ☎ ♿ P – 50 à 250. AE ⓓ E VISA
SC : **R** carte environ 200 ⅄ – ☕ 55 – **171 ch** 517/594.

XXX **Le Charolais,** 13 r. N-Dame à Rungis Ville ✆ 46 86 16 42 – AE ⓓ VISA
fermé 11 au 31 août, 22 déc. au 5 janv., sam. et dim. – **R** *(déj. seul.)* carte 170 à 230.

Ⓜ Piot-Pneu, 2 r. des Transports, Centre Routier ✆ 46 86 46 01

Vertadier, 88 av. Stalingrad à Chevilly-Larue ✆ 46 87 25 48

Saclay 91400 Essonne 101 ㉓ – 1 865 h. alt. 157.

18 de St-Aubin ✆ 69 41 25 19, SO : 2,5 km.

Paris 21 – Arpajon 22 – Chartres 68 – Evry 28 – Rambouillet 30 – Versailles 11.

Novotel [M], près rd-point Christ-de-Saclay ✆ 69 41 81 40, Télex 691856, , , – | | ☎ & – 300. AE E VISA
R snack carte environ 100 – 34 – **134 ch** 330/355.

St-Cloud 92210 Hauts-de-Seine 101 ⑭ G. Paris – 28 760 h. alt. 60.

Voir Parc★★ – Église Stella Matutina★.

18 18 ✆ 47 01 01 85, parc Buzenval à Garches, O : 4 km.

Paris 12 – Nanterre 5 – Rueil-Malmaison 5,5 – St-Germain 16 – Versailles 10.

Villa Henri IV, 43 bd République ✆ 46 02 59 30 – | wc wc ☎ – 30. E VISA. rest
SC : **R** *(fermé août, 26 au 31 déc. et dim. soir)* 65/120 – 22 – **36 ch** 190/280.

XXX ✿ **Le Florian** (Mme Carini), 14 r. Église ✆ 47 71 29 90 – AE VISA.
fermé 3 au 31 août, sam. midi et dim. – **R** carte 200 à 270
Spéc. Salades tièdes Florian, Ravioli de pigeon et canard, Ragoût de St.-Jacques et sole au Noilly.

CITROEN Gar. Magenta, 4 bd Gén.-de-Gaulle à Garches ✆ 47 41 67 36
PEUGEOT-TALBOT St-Cloud-Autom., 147 av. Foch ✆ 47 71 83 80
V.A.G. Gar. de St-Cloud, 38 r. Dailly ✆ 46 02 56 20

St-Cyr-l'École 78210 Yvelines 101 ㉒ – 16 380 h. alt. 133.

Paris 27 – Dreux 59 – Rambouillet 26 – St-Germain-en-Laye 12 – Versailles 4,5.

Aérotel sans rest, 88 r. Dr-Vaillant ✆ 30 45 07 44 – wc wc ☎
SC : 22 – **26 ch** 190/280.

RENAULT Lantran 39 r. D. Casanova ✆ 34 60 60 40
RENAULT Gar. de l'Octroi, 28 av. Div. Leclerc ✆ 30 45 00 16
La Centrale du Pneu, 10 av. H.-Barbusse ✆ 30 45 29 72
St Cyr-Pneu, 86 av. P.-Curie ✆ 34 60 43 80

St-Denis 93200 Seine-St-Denis 101 ⑯ G. Paris – 91 275 h. alt. 33.

Voir Cathédrale★★ : tombeaux★★★.

Office de Tourisme 2 r. Légion d'Honneur ✆ 42 43 33 55.

Paris 10 – Argenteuil 10 – Beauvais 64 – Bobigny 7 – Chantilly 30 – Pontoise 24 – Senlis 43.

XX **Mets du Roy,** 4 r. Boulangerie ✆ 48 20 89 74 – AE VISA
fermé 29 mars au 6 avril, 12 à fin juil., sam. et dim. – SC : **R** carte 180 à 290.

XX **Grill St-Denis,** 59 r. Strasbourg ✆ 48 27 61 98 – . AE E VISA
fermé dim. soir – **R** 80/300.

XX **La Saumonière,** 1 r. Lanne ✆ 48 20 25 56 – AE VISA
fermé août et dim. – **R** carte 170 à 220.

MERCEDES-BENZ Gar. Moderne, 24 bd Carnot ✆ 48 22 24 24
OPEL, GM St-Denis-Nord-Autos, 64 bd Marcel-Sembat ✆ 48 20 01 86
PEUGEOT-TALBOT Neubauer, 227 bd A.-France ✆ 48 21 60 21
RENAULT Succursale, 93 r. de la Convention à la Courneuve ✆ 48 36 95 06
Pegaud et Cie, 16 av. R.-Semat ✆ 48 22 12 14
St-Denis Pneum., 20 bis r. G.-Péri ✆ 48 20 10 77

St-Germain-en-Laye 78100 Yvelines 101 ⑫ G. Environs de Paris – 40 829 h. alt. 78.

Voir Terrasse★★ BY – **Jardin anglais★** BY – **Château★** BZ : **musée des Antiquités nationales★★** – **Musée du Prieuré★** AZ.

9 18 ✆ 34 51 75 90 par ④ : 3 km ; 9 9 9 de Fourqueux ✆ 34 51 41 47 par r. de Mareil - AZ - 4 km.

Office de Tourisme 1 bis r. République ✆ 34 51 05 12.

Paris 21 ② – Beauvais 73 ① – Chartres 81 ③ – Dreux 70 ③ – Mantes-la-Jolie 34 ④ – Versailles 13 ③.

ST-GERMAIN-EN-LAYE

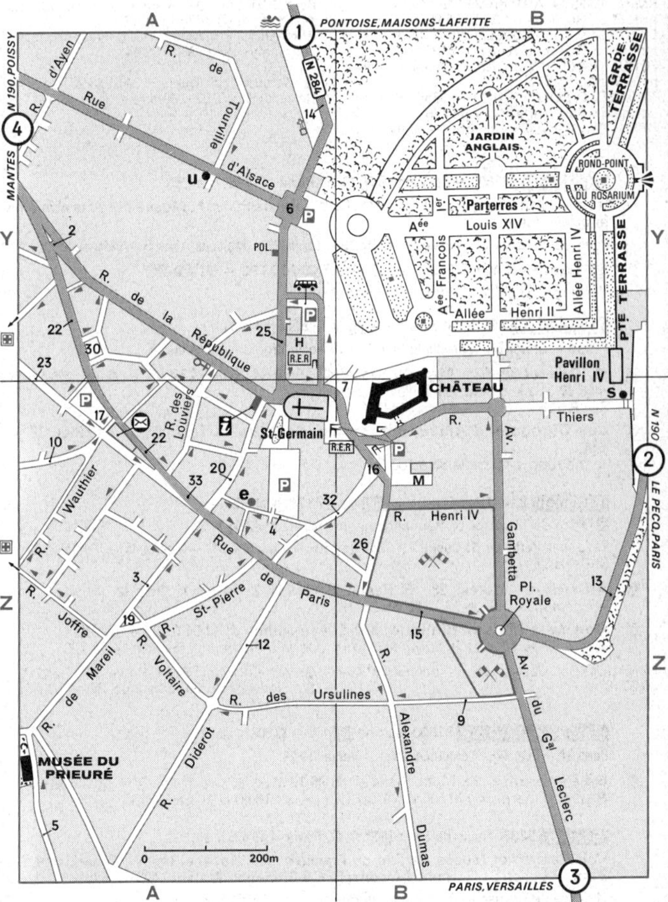

Pavillon Henri IV Ⓜ, 21 r. Thiers ☎ 34 51 62 62, Télex 695822, < Paris et Seine, – – 200. AE ⓓ E VISA — BZ **s**
R carte 270 à 440 – **42 ch** ☐ 500/1 400, 3 appart.

Le Cèdre, 7 r. Alsace ☎ 34 51 84 35, – wc. — AY **u**
fermé 1er fév. au 8 mars – SC : **R** 81/93 – **31 ch** ☐ 165/250 – P 245/350.

Le 7 Rue des Coches, 7 r. Coches ☎ 39 73 66 40 – AE ⓓ E VISA — AZ **e**
fermé 5 au 25 août, dim. soir et lundi – SC : **R** carte 185 à 240.

Petite Auberge, 119 bis r. L.-Desoyer par r. Joffre - AZ - ☎ 34 51 03 99
fermé 15 au 25 mars, juil., mardi soir et merc. – SC : **R** (nombre de couverts limité - prévenir) carte 95 à 135.

La Résidence, 149 r. Prés.-Roosevelt ☎ 34 51 03 07, – VISA
fermé dim. soir et lundi – SC : **R** carte 130 à 190.

au NO par ① : 2,5 km sur N 284 et rte des Mares – ✉ **78100** St-Germain-en-Laye :

La Forestière Ⓜ, 1 av. Prés.-Kennedy ☎ 39 73 36 60, Télex 696055, – ▯ ☎ Ⓟ – 40. VISA
SC : **R** voir rest **Cazaudehore** – ☕ 38 – **30 ch** 490/560, 6 appartements 660/720.

XXX ✿ **Cazaudehore**, 1 av. Prés.-Kennedy ☎ 34 51 93 80, «Intérieur rustique, jardin fleuri en forêt» – Ⓟ. VISA
fermé lundi sauf fériés – **R** carte 170 à 230
Spéc. Foie gras de canard, Feuilleté de haddock au beurre d'aneth, Aiguillettes de canard à l'orange.

BMW, LANCIA-AUTOBIANCHI Guynemer-Auto, 1 pl. Guynemer ☎ 34 51 86 55
CITROEN Ouest-Automobile, 45 rte de Mantes N 13 à Chambourcy par ④ ☎ 39 65 42 00
FORD G.A.O., r. Clos de la Famille à Chambourcy ☎ 39 65 50 00
MERCEDES-BENZ Port-Marly Gar., 10 r. St-Germain à Port Marly ☎ 39 58 44 38
OPEL Gar. Ego, 27 r. de Pologne ☎ 34 51 07 90
PEUGEOT-TALBOT Vauban Autom., 130 bis av. Foch par ④ ☎ 39 73 25 07
RENAULT Ets Adde, 112 r. Prés.-Roosevelt par r. Joffre AZ ☎ 39 73 32 64

Marchand, pl. Thiers ☎ 34 51 43 23
Relais du Pneu, 22 r. Péreire ☎ 34 51 19 33

St-Mandé **94160** Val-de-Marne 101 ㉖ **G. Paris** – 18 860 h. alt. 50.

Voir Bois de Vincennes★★ : Zoo★★, Parc floral de Paris★★, Musée des Arts africains et océaniens★.

Paris (par Porte de Vincennes) 6 – Créteil 9 – Lagny 27 – Maisons-Alfort 5 – Vincennes 1,5.

X **Le Trinquet**, 44 av. Gén.-de-Gaulle ☎ 43 28 23 93 – AE ⓓ VISA
fermé mardi soir et merc. – **R** 195 bc/92.

St-Maurice **94410** Val-de-Marne 101 ㉗ – 9 595 h. alt. 33.

Paris 8 – Créteil 5 – Joinville-le-Pont 4 – Maisons-Alfort 3 – Vincennes 5.

H. Cristal Ⓜ, 12 r. Mar.-Leclerc ☎ 43 75 94 94, Télex 232905 – ▯ wc ☎ Ⓟ – 100. AE ⓓ E VISA
SC : **R** 115 – ☕ 31 – **97 ch** 315/340.

XX **Les Cigognes d'Alsace**, 50 av. Mar.-de-Lattre-de-Tassigny ☎ 43 68 20 38 – VISA
fermé lundi – **R** carte 85 à 160 ♂.

St-Ouen **93400** Seine-St-Denis 101 ⑮ – 43 743 h. alt. 36.

Office de Tourisme pl. République (fermé août) ☎ 42 54 77 36.

Paris (par Porte de St-Ouen) 7 – Bobigny 9,5 – Chantilly 34 – Meaux 45 – Pontoise 29 – St-Denis 3,5.

Alhambra sans rest, 23 r. E.-Renan ☎ 42 54 06 22 – wc wc ☎.
fermé août – SC : ☕ 14 – **30 ch** 80/160.

XX **Coq de la Maison Blanche**, 37 bd Jean-Jaurès ☎ 42 54 01 23 – AE VISA
fermé 12 au 14 juil., 15 au 17 août, dim. soir et merc. soir – **R** carte 140 à 220.

RENAULT Gar. Heslot, 17 r. Ch.-Schmidt ☎ 46 06 20 18

Mattei-Pneum., 5 r. A.-Rodin ☎ 42 52 42 72
Sté Nouvelle du Pneumatique, 87 bd V.-Hugo ☎ 42 54 08 66

Savigny-sur-Orge **91600** Essonne 101 ㊱ – 32 503 h. alt. 80.

Paris 24 – Évry 12 – Longjumeau 5,5 – Versailles 26.

Gd Panorama, 5 r. Mont-Blanc ☎ 69 96 17 61 – wc ☎ Ⓟ – 25. VISA
R *(fermé mardi soir et merc.)* 69 bc/230 – ☕ 16,50 – **24 ch** 80/180.

Sceaux **92330** Hauts-de-Seine 101 ㉕ **G. Paris** – 18 625 h. alt. 100.

Voir Parc★★ et Musée de l'Ile-de-France★ – L'Hay-les-Roses : roseraie★★ E : 3 km – Église St-Germain l'Auxerrois ★ à Châtenay-Malabry SO : 2,5 km.

Office de Tourisme 68 r. Houdan (fermé août) ☎ 46 61 19 03.

Paris 12 – Antony 3 – Bagneux 2,5 – Corbeil-Essonnes 29 – Nanterre 19 – Versailles 16.

BMW, OPEL Ets Loiseau, 3 r. de la Flèche ☎ 47 02 72 50
RENAULT Besombes, 2 r. Fontenay ☎ 46 61 05 50

Sèvres **92310** Hauts-de-Seine 101 ㉔ **G. Paris** – 20 255 h. alt. 95.

Voir Musée National de céramique★★ – Étangs★ de Ville d'Avray O : 3 km.

Paris 12 – Boulogne-Billancourt 2,5 – Nanterre 10 – St-Germain-en-Laye 17 – Versailles 8.

XX **Lapin Frit**, 36 av. Gambetta ☎ 45 34 02 18, – Ⓟ. AE ⓓ VISA
fermé août, vacances de fév., le soir : mardi, merc. et jeudi en hiver, dim. soir et lundi – SC : **R** carte 120 à 180.

CITROEN Gar. Pont de Sèvres, 5 Grande Rue ☎ 45 34 01 93
PEUGEOT-TALBOT SNED, 7 r. V.-Hugo ☎ 45 34 00 84

Stains **93240** Seine-St-Denis **101** ⑯ – 36 289 h. alt. 41.

Paris 14 – Chantilly 29 – Meaux 43 – Pontoise 27 – Senlis 42 – St-Denis 4.

XX **Chez Bibi,** 179 av. Stalingrad (partie ancienne) ✆ **48 26 64 10,** – VISA
fermé 9 au 24 août, vacances de Noël, sam. et dim. – **R** carte 110 à 160 ₰.

PEUGEOT-TALBOT Dominique Autom., 75 r. Jean Jaurès ✆ 48 26 64 19

Sucy-en-Brie **94370** Val-de-Marne **101** ㉘ – 23 393 h. alt. 96.

Voir Château de Gros Bois★ : mobilier★★ S : 5 km, G. Paris.

Paris 19 – Créteil 6,5 – Chennevières-sur-Marne 4.

XX **Aub. de Tartarin,** Les Bruyères SE : 3 km ✆ **45 90 42 61** – AE VISA
fermé août, dim. soir et lundi – SC : **R** 81/155.

XX **Terrasse Fleurie,** 1 r. Marolles ✆ **45 90 40 07,** – **P**. AE VISA
fermé fév., mardi soir et merc. – SC : **R** 120/180.

CITROEN Ruffin-Heitmann 40 av. de Valenton à Boissy St Léger ✆ 45 69 80 81 N ✆ 40 46 34 19

PEUGEOT-TALBOT Ets Paulmier, 89 r. Gén.-Leclerc ✆ 45 90 95 95 N

N et O Pneus, 38 av. G.-Péri à Limeil ✆ 45 69 14 08

Les Ulis **91940** Essonne **101** ㉝ – 28 238 h. alt. 157.

Paris 30 – Chartres 64 – Évry 27 – Rambouillet 28.

Mercure M, Z.A. de Courtaboeuf ✆ **49 07 63 96, Télex 691247,** – TV
☎ ♿ **P** – 25 à 200. AE E VISA
R carte environ 140 ₰ – ☕ 32 – **110 ch** 300/325.

RENAULT S.D.A.O., av. des Tropiques, Z.A. Courtaboeuf-les-Ulis ✆ 49 07 08 35

Vanves – voir Mercure Paris-Porte de Versailles à Paris 15e p. 33.

La Varenne-St-Hilaire **94210** Val-de-Marne **101** ㉘ – alt. 40.

Office de Tourisme 34 av. République ✆ 42 83 84 74.

Paris 16 – Chennevières-sur-Marne 1,5 – Lagny 22 – St-Maur-des-Fossés 2,5.

Winston M sans rest, **119 quai W.-Churchill** ✆ **48 85 00 46, Télex 231400** – TV
wc wc ☎. AE VISA
SC : ☕ 26 – **23 ch** 272/325.

XX Régency 1925, 96 av. Bac ✆ **48 83 15 15** – .

X **Chez Nous comme chez Vous,** 110 av. du Mesnil ✆ **48 85 41 61**
fermé 3 août au 3 sept., vacances scolaires d'hiver, dim. soir, mardi soir et merc. – **R** 144 bc/226.

FERRARI, PORSCHE, MITSUBISHI S.C.B. Pozzi, 102 av. Foch à St-Maur ✆ 48 85 45 55

RENAULT Gar. National, 28 av. de la République à St-Maur ✆ 48 83 55 51 N

RENAULT Gar. Chevant, 2 bd Gén.-Giraud à St-Maur ✆ 48 83 05 43

Selz-Pneus-Est, 5 av. L.-Blanc ✆ 48 85 27 33

Vaucresson **92420** Hauts-de-Seine **101** ㉓ – 8 409 h. alt. 142.

Voir Etang de St-Cucufa★ NE : 2,5 km, G. Paris.

Paris 19 – Mantes-la-Jolie 43 – Nanterre 9 – St-Germain-en-Laye 11 – Versailles 5.

voir plan de Versailles

XX **La Poularde,** 36 bd Jardy (près autoroute) D 182 ✆ **47 41 13 47,** – **P**. VISA
fermé août, vacances de fév., dim. soir, mardi soir et merc. – SC : **R** carte 140 à 225. U **a**

RENAULT Moriceau 106 bd République ✆ 47 41 12 40

Vélizy-Villacoublay **78140** Yvelines **101** ㉓ – 23 886 h. alt. 174.

Paris 18 – Antony 11 – Chartres 79 – Meudon 7,5 – Versailles 6,5.

Holiday Inn M, av. Europe, près centre commercial Vélizy II ✆ **39 46 96 98, Télex 696537,** – TV ☎ **P** – 300. AE E VISA
SC : **R** 70/170 ₰ – ☕ 50 – **183 ch** 621/715.

PEUGEOT-TALBOT Vélizy Station Service, 6 r. M.-Sembat ✆ 39 46 04 75

RENAULT BSE-Vélizy, av. L.-Breguet ✆ 39 46 96 03

Verrières-le-Buisson **91370** Essonne **101** ㉔ – 13 612 h. alt. 85.

Paris 15 – Corbeil-Essonnes 26 – Étampes 38 – Rambouillet 38 – Versailles 15.

X **Au Faisan,** 11 r. Paron ✆ **69 20 20 27** – VISA
fermé 15 juil. à fin août, vacances de fév., dim. soir et lundi – SC : **R** 52/160 ₰.

VERSAILLES

Bellevue (Av. de) . . . . U 2
Coste (R.) . . . . V 9
Dr-Schweitzer (Av. du) . . . . U 12
Franchet-d'Esperey (Av. du Mar.) . . . . U 14
Glatigny (Bd de) . . . . U 15
Leclerc (Av. du Gén.) . . . . . V 22
Leclerc (Av. du Mar.) . . . . . V 23
Marly-le-Roi (R. de) . . . . . . U 26
Mermoz (R. Jean) . . . . V 27
Moxouris (R.) . . . . U 29
Pelin (R. L.) . . . . U 32
Porchefontaine (Av. de) . . . . V 33
Pottier (R.) . . . . U 35
Rocquencourt (Av. de) . . . . U 39
St-Antoine (Allée de) . . . . . V 40
Sports (R. des) . . . . U 43
Vauban (R.) . . . . V 45

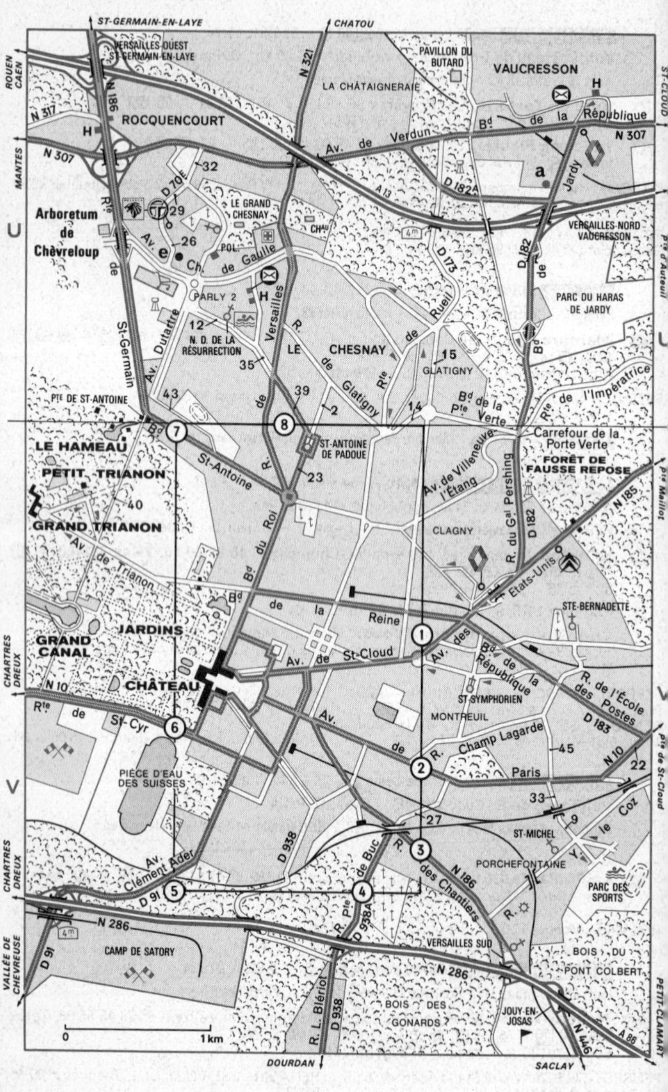

Pour vos promenades du dimanche
la carte Michelin **170**
"Sports et loisirs Environs de Paris"

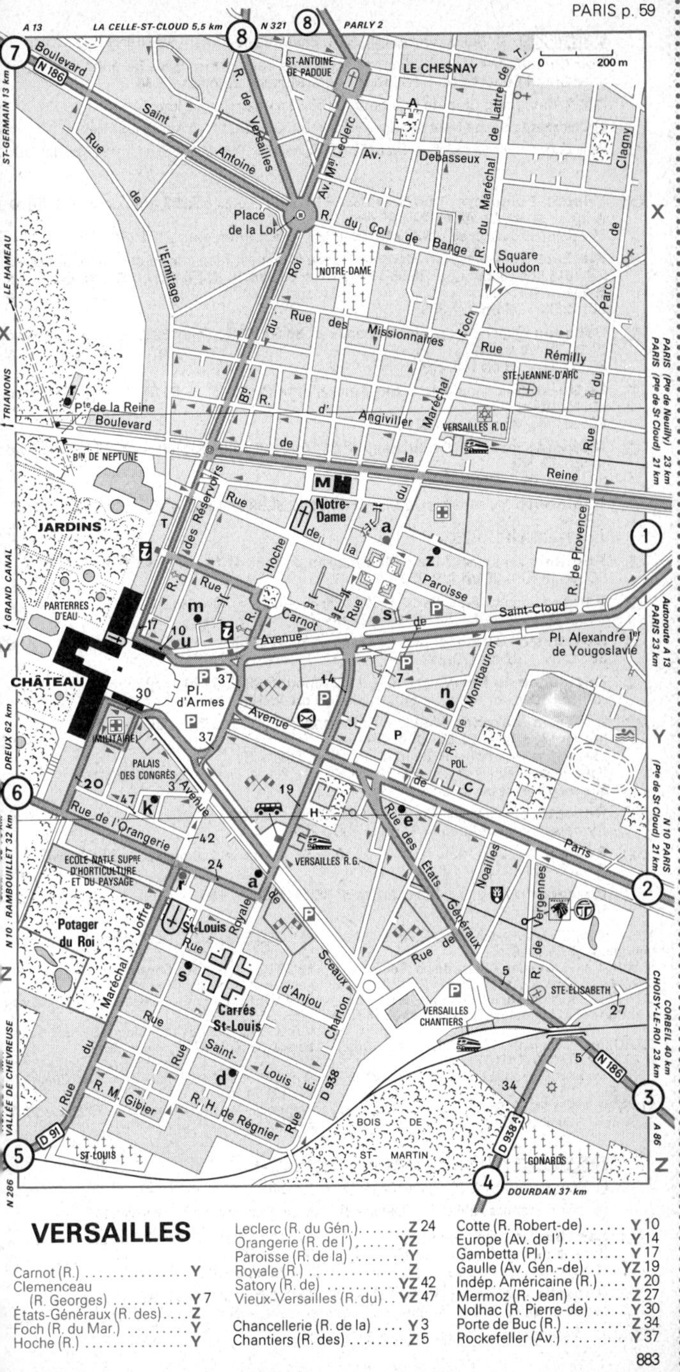
A 13
LA CELLE-ST-CLOUD 5,5 km
N 321
PARLY 2
ST-GERMAIN 13 km
LE HAMEAU
TRIANONS
GRAND CANAL
DREUX 62 km
N 10 : RAMBOUILLET 32 km
VALLÉE DE CHEVREUSE
N 286
DOURDAN 37 km
A 86
CORBEIL 40 km
CHOISY-LE-ROI 23 km
N 10 PARIS (Pte de St Cloud) 21 km
Autoroute A 13 PARIS 23 km
PARIS (Pte de Neuilly) 23 km
PARIS (Pte de St Cloud) 21 km
LE CHESNAY
ST-ANTOINE DE PADOUE
0
200 m
Boulevard Saint Antoine
N 186
Rue de l'Ermitage
R. de Versailles
Av. Mal Leclerc
Av. Debasseux
R. du Maréchal de Lattre de T.
Clagny
Parc de Clagny
Place de la Loi
R. du Col de Bange
Square J. Houdon
NOTRE-DAME
Bd du Roi
Rue des Missionnaires
R. du Maréchal Foch
Rue Rémilly
STE-JEANNE-D'ARC
Rue du
Pte de la Reine
Boulevard de la Reine
R. d'Angiviller
VERSAILLES R.D.
Bin DE NEPTUNE
JARDINS
PARTERRES D'EAU
CHÂTEAU
R. des Réservoirs
Rue Hoche
Notre-Dame
Rue de la Paroisse
R. de Provence
Rue Carnot
Avenue de Saint-Cloud
Pl. Alexandre Ier de Yougoslavie
R. de Montbauron
Pl. d'Armes
Avenue de Paris
(MILITAIRE)
PALAIS DES CONGRÈS
Avenue de Sceaux
POL.
Rue des États Généraux
Rue de l'Orangerie
VERSAILLES R.G.
ECOLE Natle Supre D'HORTICULTURE ET DU PAYSAGE
Potager du Roi
R. du Maréchal Joffre
St-Louis
Rue Royale
Rue d'Anjou
Carrés St-Louis
Rue Saint-Louis
R. Charton
R. de Noailles
R. de Vergennes
STE-ÉLISABETH
VERSAILLES CHANTIERS
R. M. Gibier
R. H. de Régnier
D 938
D 938 A
D 91
BOIS DE ST-MARTIN
ST-LOUIS
GONARDS
X
Y
Z

VERSAILLES

Versailles P 78000 Yvelines 101 ㉒ G. Environs de Paris – 95 240 h. alt. 132.

Voir Château* Y – Jardins*** (Grandes Eaux*** et fêtes de nuit*** en été) V – Grand Canal** V – Trianon** V – Musée Lambinet* Y M.**

18 18 9 du Racing Club de France ℘ 39 50 59 41 par ③ : 2,5 km.

Office de Tourisme 7 rue des Réservoirs ℘ 39 50 36 22 et Pl. d'Armes (juin-sept.).

Paris 22 ① – Beauvais 92 ⑦ – Dreux 62 ⑥ – Évreux 85 ⑦ – Melun 59 ③ – ♦Orléans 121 ③.

Plan pages précédentes

Trianon Palace, 1 bd Reine ℘ 39 50 34 12, Télex 698863, parc – TV ☎ & P – 80. AE ① E VISA. rest X r
SC : **R** 162/220 – ☕ 55 – **120 ch** 440/1 020, 10 appartements – P 822/1 092.

Mercure M sans rest, r. Marly-le-Roi au Chesnay, face centre commercial Parly 2 ✉ 78150 Le Chesnay ℘ 39 55 11 41, Télex 695205 – TV wc ☎ P. AE ① E VISA U e
SC : ☕ 30 – **78 ch** 324/350.

Bellevue M sans rest, 12 av. Sceaux ℘ 39 50 13 41, Télex 695613 – TV wc ☎. AE ① E VISA Z a
SC : ☕ 21 – **25 ch** 168/279.

Le Versailles sans rest, r. Ste-Anne (Petite Place) ℘ 39 50 64 65 – TV wc ☎. AE VISA Y m
SC : ☕ 19 – **48 ch** 220/298.

Richaud sans rest, 16 r. Richaud ℘ 39 50 10 42, Télex 696186 – TV wc wc ☎ P. ① VISA Y z
SC : ☕ 18,50 – **39 ch** 169/246.

Angleterre sans rest, 2 bis r. Fontenay ℘ 39 51 43 50 – TV wc wc ☎. AE VISA. Y k
☕ 16 – **20 ch** 110/250.

Printania sans rest, 7 bis r. Montbauron ℘ 39 50 44 10 – wc ☎ &. VISA. Y n
SC : ☕ 19,50 – **30 ch** 129/250.

Paris sans rest, 14 av. Paris ℘ 39 50 56 00 – wc wc ☎. YZ e
fermé 2 au 24 août – SC : ☕ 19 – **32 ch** 102/184.

St-Louis sans rest, 28 r. St-Louis ℘ 39 50 23 55 – wc wc ☎ Z d
SC : ☕ 17 – **27 ch** 170/230.

Résidence du Berry sans rest, 14 r. Anjou ℘ 39 50 01 80 – Z s
fermé 19 déc. au 4 janv. – SC : ☕ 14 – **39 ch** 88/126.

XXXX ✿✿ **Trois Marches** (Vié), 3 r. Colbert ℘ 39 50 13 21, « Élégant hôtel particulier du 18e s. » – AE ① E VISA Y u
fermé dim. et lundi – **R** 200 (déj.) et carte 250 à 400
Spéc. Homard au jus de carottes (1er mai-31 oct.), Pigeon fumé et rôti avec sa galette de choux, Mousse glacée de fruits rouges (1er juin-1er oct.).

XXX **Rescatore**, 27 av. St-Cloud ℘ 39 50 23 60 – AE VISA Y s
fermé sam. midi et dim. – **R** carte 195 à 250.

XXX **Boule d'Or**, 25 r. Mar.-Foch ℘ 39 50 22 97, « intérieur ancien » – AE ① VISA Y a
R carte 160 à 250.

XX **Potager du Roy**, 1 r. Mar.-Joffre ℘ 39 50 35 34 – VISA Z r
R 85/125.

ALFA ROMEO Maintenon Autom., 18 av. de Maintenon ℘ 39 54 29 45
BMW Gar. Lostanlen, 10 r. de la Celle, Le Chesnay ℘ 39 54 75 20
CITROEN Succursale, av. des Prés, Z.A.S. de Montigny-le-Brétonneux par D 91 V ℘ 30 43 99 51
CITROEN Succursale, 124 av. des Etats Unis ℘ 30 21 52 53 ℘ 39 50 03 97
FORD Pouillat, 6 pl de la Loi, Le Chesnay ℘ 39 54 03 38
NISSAN, MERCEDES-BENZ Deschamps, 5 r St-Simon ℘ 39 50 03 97
PEUGEOT-TALBOT Le Chesnay-Autom., 36 r. Moxouris, Le Chesnay ℘ 39 54 52 76
PEUGEOT-TALBOT Soverdiam, 18 r. de Vergennes ℘ 39 50 22 54
RENAULT Renault-Versailles, 12 r. Haussmann ℘ 39 53 96 44
V.A.G. Gd Gar. des Chantiers, 58 r. des Chantiers ℘ 39 50 04 97

La Centrale du Pneu, 77 r. des Chantiers ℘ 30 21 24 25
Verpneus, 4 bd St-Antoine, Le Chesnay ℘ 39 50 00 81

Le Vésinet 78110 Yvelines 101 ⑬ – 17 329 h. alt. 44.

Office de Tourisme 30 av. des Pages ℘ 39 76 70 70.

Paris 18 – Maisons-Laffitte 9 – Pontoise 21 – St-Germain-en-Laye 3 – Versailles 15.

XXX **Les Ibis** avec ch, île du Grand Lac ℘ 39 52 17 41, ←, « Terrasses fleuries dans le parc » – wc ☎ P – 60. AE ① E VISA
R *(fermé 7 juil. au 5 sept.)* 140/145 – ☕ 23 – **20 ch** 250/300.

XX **Rossello**, 8 bis av. H.-Vernet ℘ 39 76 37 50, – AE ① E VISA
fermé août, vacances de fév., mardi soir et merc. – **R** carte 130 à 175.

RENAULT Vésinet-Autos, 67 bd Carnot ℘ 39 76 12 84

Villebon-sur-Yvette 91 Essonne 101 ㉞ – 7 728 h. alt. 86 – ✉ 91120 Palaiseau.

Paris 23 – Étampes 31 – Évry 22 – Limours 16 – Longjumeau 4 – Versailles 21.

XX **La Ferronnière,** 23 av. Gén.-de-Gaulle N 188 ☎ 60 10 30 88, – P. VISA
fermé 1er août au 5 sept., jeudi soir, dim. soir et lundi – **R** carte 175 à 260.

RENAULT Garage Costerousse, 75 av. de-Gaulle ☎ 60 10 31 68

AUTOBIANCHI-FIAT Torre, 45 r. de St-Cloud ☎ 47 50 43 54

Villemomble 93250 Seine-St-Denis 101 ⑱ – 27 601 h. alt. 58.

Voir Église Notre-Dame★ du Raincy NE : 1,5 km, G. Paris.

Paris 15 – Lagny 17 – Livry-Gargan 3,5 – Meaux 31 – Senlis 44.

XX **Boule d'Or,** 10 av. Gallieni ☎ 48 54 47 26 –
fermé 27 juil. au 5 sept., dim. soir, soir de fêtes, mardi soir et merc. – **R** carte 105 à 165.

XX **Aub. de la Poterne,** 30 av. Outrebon ☎ 48 54 16 30 – VISA
fermé août, dim. soir et lundi – SC : **R** carte 125 à 220.

RENAULT Villemomble-Autom., 19 av. de Rosny ☎ 45 28 68 63

V.A.G. Gar. du Progrès, 39 rte Noisy ☎ 45 28 66 30

Villepinte 93420 Seine-St-Denis 56 ⑪, 101 ⑧ – 23 754 h. alt. 63.

Paris 24 – Bobigny 10 – Meaux 30 – St-Denis 21.

Vert Galant M, 7 av. Gare ☎ 48 61 24 07, – TV wc wc ☎ P – 80. AE ① E VISA
R *(fermé dim. soir)* 80/180 – **39 ch.** 210/297.

RENAULT Verdier 4 av. G. Clémenceau, ☎ 48 61 96 65

Otico 7 allée du Mar. Bugeaud à Sevran ☎ 43 84 36 30

Villiers-le-Bâcle 91 Essonne 101 ㉝ – 750 h. – ✉ 91190 Gif-sur-Yvette.

Paris 24 – Arpajon 26 – Rambouillet 29 – Versailles 11.

XX **La Petite Forge,** ☎ 60 19 03 88 – VISA
fermé 25 déc. au 2 janv., sam. midi et dim. – SC : **R** carte 170 à 240.

Vincennes 94300 Val-de-Marne 101 ⑰ – 43 086 h. alt. 60.

Voir Château★★ – Bois de Vincennes★★ : Zoo★★, Parc floral de Paris★★, Musée des Arts africains et océaniens★, G. Paris.

Office de Tourisme 11 av. Nogent ☎ 48 08 13 00.

Paris 6 – Créteil 9 – Lagny 22 – Meaux 41 – Melun 48 – Montreuil 1,5 – Senlis 48.

Château sans rest, r. R.-Giraudineau ☎ 48 08 67 40 – TV wc wc ☎. AE VISA.
fermé 5 au 20 juil. et vacances de fév. – SC : 20 – **19 ch** 229/253.

Donjon Vincennes sans rest, 22 r. Donjon ☎ 43 28 19 17 – wc ☎.
fermé 25 juil. au 25 août – SC : 15 – **28 ch** 65/200.

X **Le Bidou,** 26 r. Montreuil ☎ 43 28 04 23 – VISA
fermé 5 au 25 août, dim., lundi et fériés – **R** carte 130 à 180.

AUSTIN, ROVER. Royal-Vincennes-Gar., 44 Gde R. Ch.-de-Gaulle ☎ 48 73 68 90
CITROEN Succursale, 120 av. de Paris ☎ 43 74 12 25
FORD Deshayes, 232 r. Fontenay ☎ 43 74 97 40

PEUGEOT-TALBOT S.V.I.C.A., 10 av. Petit-Parc ☎ 43 28 79 70

Pneu-Service, 12 r. de Fontenay ☎ 43 28 14 79

Viroflay 78220 Yvelines 101 ㉓ – 14 074 h..

Paris 17 – Antony 16 – Boulogne-Billancourt 7,5 – Versailles 4.

XX **Aub. la Chaumière,** 3 av. Versailles ☎ 30 24 48 76, – AE VISA
fermé dim. soir, lundi soir et mardi – SC : **R** carte 160 à 240.

La Centrale du Pneu, 199 av. Gen. Leclerc ☎ 30 24 49 96

Viry-Châtillon 91170 Essonne 101 ㊱ – 30 290 h. alt. 36.

Paris 26 – Corbeil-Essonnes 11 – Évry 8,5 – Longjumeau 8,5 – Versailles 29.

XX ✿ **La Dariole de Viry** (Richard), 21 r. Pasteur ☎ 69 44 22 40 – . AE VISA
fermé 7 juil. au 4 août, sam. midi, dim. et fêtes – SC : **R** carte 160 à 215
Spéc. Blinis aux escargots de Bourgogne, Rouelles de rognon de veau à la crème d'échalotes, Coupe "Béatrice".

XX **La Margelle,** 38 r. V.-Basch ☎ 69 44 28 08 – . AE VISA
fermé sam. midi et lundi – **R** 65/120.

RENAULT Come et Bardon, 119 av. Ch.-de-Gaulle ☎ 69 96 91 40
Gar. Marchand, 113 Av. Gen. de Gaulle ☎ 69 05 38 49

La Centrale du Pneu, 134 rte Nationale ☎ 69 44 30 07

PRINCIPALES MARQUES D'AUTOMOBILES

CONSTRUCTEURS FRANÇAIS

Alpine-Renault (Sté des Autom.) : 120 r. Thiers, 92109 Boulogne-Billancourt ✆ 46.09.62.36

Citroën : 62 bd Victor -Hugo, 92200 Neuilly ✆ 47.59.41.41
Magasin d'exposition : 42 av. Champs-Élysées, 75008 Paris ✆ 43.59.62.20

Peugeot-Talbot : siège et services commerciaux : 75 av. Gde-Armée, 75116 Paris ✆ 45.02.11.33
Magasins d'exposition : 136 av. Champs-Élysées, 75008 Paris ✆ 45.62.37.30

Renault : 8 av. Émile-Zola, 92109 Boulogne-Billancourt ✆ 46.09.31.31
Magasin d'exposition : 53 av. Champs-Élysées, 75008 Paris ✆ 42.56.78.22

Renault V.I. : 8 quai Léon-Blum, 92150 Suresnes ✆ 47.72.33.33

IMPORTATEURS

(Agents en France : demander la liste aux adresses ci-dessous.)

Alfa-Romeo : 41-45 quai Président-Roosevelt, 92130 Issy-les-Moulineaux ✆ 45.54.92.04

American Motors, Jeep : R.N.U.R., Service JEEP ; 8-10, av. Emile Zola, 92100 Boulogne Billancourt ✆ 46.09.54.16

Austin Rover France : (Austin, Land Rover, Morris, Rover) r. Ambroise-Croizat, Zone Ind., 95101 Argenteuil ✆ 49.82.09.22

BMW : 3 av. Ampère, Bois d'Arcy 78190 Trappes ✆ 40.43.82.00

Datsun : Sté Richard, 46 et 48 r. Moxouris, Parly II, 78153 Le Chesnay ✆ 49.54.90.54

Ferrari : Autom. Ch. Pozzi S.A., 109 r. Aristide-Briand, 92300 Levallois ✆ 47.39.96.50

Fiat : 80/82 quai Michelet, 92400 Levallois-Perret ✆ 47.30.50.00

Ford : 344 av. Napoléon-Bonaparte, 92506 Rueil-Malmaison Cedex ✆ 47.32.60.00

General-Motors : (Bedford, Buick, Cadillac, Chevrolet, Oldsmobile, Opel, Pontiac, Vauxhall), 56 av. Louis-Roche, 92231 Gennevilliers ✆ 47.90.70.00

Honda-France : Parc d'activité Paris-Est-La Madeleine, BP 46, 77312 Marne la Vallée Cedex 2 ✆ 40.05.90.12

Lada : Ets Poch, bd des Martyrs de Châteaubriant, 95103 Argenteuil ✆ 49.82.09.21

Lancia-Autobianchi : Distribution Chardonnet SA, 165 av. Henri-Barbusse, 93003 Bobigny ✆ 48.30.12.30

Lotus : Polymark, Les Glaisières N 13, 78630 Orgeval ✆ 49.75.71.93

Maserati : Thépenier S.A., 28 quai Carnot, 92210 St-Cloud ✆ 46.02.05.68

Mazda Innocenti : Sté France-Motors, Z.I. du Haut-Galy, 93600 Aulnay-sous-Bois ✆ 48.65.42.44

Mercédès-Benz : Parc de Rocquencourt, 78150 Le Chesnay ✆ 40.21.06.00
Magasin d'exposition : 118 av. Champs-Élysées, 75008 Paris ✆ 45.62.24.04

Morgan : J. Savoye, 237 bd Péreire, 75017 Paris ✆ 45.74.82.80

Polski-Zastava : S.A. Chardonnet, 165 av. Henri-Barbusse, 93003 Bobigny ✆ 48.30.12.30

Porsche-Mitsubishi-SEAT : Sonauto, 1 av. du Fief, Z.A. des Béthunes de St-Ouen l'Aumône, 95005 Cergy-Pontoise ✆ 40.37.92.92

Rolls-Royce, Bentley : Franco-Britannic, 25 r. P.-Vaillant-Couturier, 92300 Levallois-Perret ✆ 47.57.90.24

Saab : 2 à 18 r. des Peupliers. Parc d'Activités du Petit Nanterre, 92000 Nanterre ✆ 47.86.72.22

SKODA-S.A.F.I.D.A.T. : 5 rue Jean-Jaurès, B.P. 65, 95872 Bezons Cedex ✆ 39.82.09.71

Toyota : S.I.D.A.T., 3 r. de Normandie, 92600 Asnières ✆ 47.90.62.10

V.A.G. France : 105 bis bd Malesherbes, 75017 Paris ✆ 42.56.42.82

Volvo : 49 av. d'Iéna, 75116 Paris ✆ 47.23.72.62

PARS-LES-ROMILLY 10 Aube – rattaché à Romilly sur Seine.

PARTHENAY ⟨SP⟩ 79200 Deux-Sèvres 67 ⑱ **G. Côte de l'Atlantique** – 11 666 h. alt. 172.

Voir Pont St-Jacques★ Y B – Rue de la Vaux-St-Jacques★ Y – Église★ de Parthenay-le-Vieux par ④ : 1,5 km.

ℹ Office de Tourisme Palais des Congrès ✆ 49 64 11 88.

Paris 373 ② – Bressuire 32 ① – Châtellerault 72 ② – Fontenay-le-Comte 53 ④ – Niort 42 ④ – Poitiers 50 ② – Thouars 39 ①.

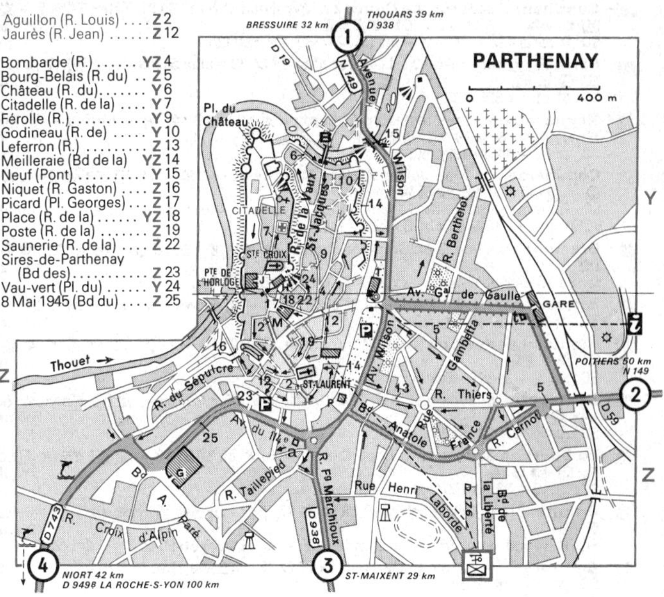

🏨 **St-Jacques** M sans rest, ✆ **49 64 33 33** – 🛗 TV ⛀wc ⛆wc ☎ ♿ P – 🎤 50. E VISA Z **a**
SC : ☕ 17 – **46 ch** 114/200.

🏨 **Renotel** M 🐌, **bd Europe par ②** ✆ **49 94 06 44**, ✂ – TV ⛀wc ⛆wc ☎ ♿ P
24 ch.

🍴 **Nord** M avec ch, **pl. Gare** ✆ **49 94 29 11** – ⛀wc ☎ P – 🎤 60. AE E VISA Z **t**
fermé 20 déc. au 10 janv. et sam. – SC : **R** 47/140 🍷 – ☕ 14 – **13 ch** 72/130.

FORD Gar. Rouet, 52 av. A.-Briand ✆ 49 64 10 91
PEUGEOT-TALBOT Bardet, Rte de Bressuire à Chatillon sur Thouet par ① ✆ 49 95 18 64
RENAULT S.A.V.A.P., rte de St-Maixent à Pompaire par ③ ✆ 49 94 19 55 N

Ⓜ Coutan-Pneus, pl. Martyrs-de-la-Résistance ✆ 49 94 34 22

PAS DE LA CASE Principauté d'Andorre 86 ⑮, 43 ⑦ – voir à Andorre.

PAS DE L'ÉCHELLE 74 H.-Savoie 74 ⑥ – rattaché à Annemasse.

PAS-EN-ARTOIS 62760 P.-de-C. 52 ⑨ – 948 h. alt. 98.

Paris 175 – ♦Amiens 33 – Arras 28 – Bapaume 30 – Doullens 12.

🏠 **Poste**, ✆ **21 48 21 98** – E VISA. 🐕
fermé 1er au 15 sept. et sam. – SC : **R** 37/85 🍷 – ☕ 11 – **6 ch** 50 – P 115.

PASSAY 44 Loire-Atl. 67 ③ **G. Côte de l'Atlantique** – ✉ **44310** St-Philbert-de-Gd-Lieu.

Paris 398 – Challans 44 – Clisson 36 – ♦Nantes 20.

🍴 **Petit Chalet**, ✆ **40 31 30 08**. VISA.

PASSENANS 39 Jura 70 ④ – rattaché à Poligny.

PAU P 64000 Pyr.-Atl. 85 ⑥⑦ G. Pyrénées – 85 766 h. alt. 210 – Casino BZ.

Voir Boulevard des Pyrénées ≤*** ABZ – Château* AZ – Parc Beaumont* BZ – Musée des Beaux-Arts* BY M – 18 ✆ 59 32 02 33 AVX.

Circuit automobile urbain.

✈ de Pau-Uzein ✆ 59 62 31 29 par ⑥ : 12 km.

Office du Tourisme pl. Royale ✆ 59 27 27 08.

Paris 770 ⑥ – ♦Bayonne 108 ⑤ – ♦Bordeaux 191 ⑥ – ♦Toulouse 182 ② – Zaragoza 282 ④.

Plan page ci-contre

Continental et Rest. Le Conti, 2 r. Mar.-Foch ✆ 59 27 69 31, Télex 570906 – TV ☎ – 25 à 250. AE E VISA BY **e**
SC : **R** carte 125 à 190 – **110 ch** 224/380 – P 260/425.

Paris M sans rest, 80 r. E.-Garet ✆ 59 27 34 39, Télex 541595 – TV ☎ ♿ P. AE E VISA BY **n**
SC : **41 ch** 300/370.

Roncevaux sans rest, 25 r. L.-Barthou ✆ 59 27 08 44, Télex 570849 – TV wc wc ☎ ♿ P. AE E VISA AZ **f**
SC : 22 – **44 ch** 199/250.

Commerce, 9 r. Mar.-Joffre ✆ 59 27 24 40, Télex 540193 – TV wc wc ☎ P – 30 à 50. AE E VISA AZ **q**
SC : **R** *(fermé 20 déc. au 12 janv. et en hiver, sam. soir et dim. ; en été dim. midi)* 65/91 – 18 – **51 ch** 139/220 – P 220/320.

Gramont sans rest, 3 pl. Gramont ✆ 59 27 84 04 – wc wc ☎ ♿. AE E VISA AY **t**
fermé 15 déc. au 4 janv. – 20 – **32 ch** 140/250.

Bristol sans rest, 3 r. Gambetta ✆ 59 27 72 98 – wc wc ☎ P. E VISA BY **z**
SC : 18 – **26 ch** 121/255.

Montpensier sans rest, 36 r. Montpensier ✆ 59 27 42 72 – TV wc wc ☎ P. AE E VISA AY **h**
SC : 20 – **24 ch** 140/200.

Le Navarre M sans rest, 9 av. Gén.-Leclerc ✆ 59 30 25 39 – TV wc ☎ ♿ P. VISA BV **m**
SC : 15,50 – **31 ch** 172/190.

Le Bourbon M sans rest, 12 pl. Clemenceau ✆ 59 27 53 12 – TV wc wc ☎. AE E VISA BY **d**
SC : 16 – **33 ch** 150/200.

Corona, 71 av. Gén.-Leclerc ✆ 59 30 64 77, – wc wc ☎ P – 40. AE E VISA BV **a**
SC : **R** *(fermé 1er au 15 nov. et sam.)* 65/100 – 18 – **20 ch** 80/210 – P 245/290.

Central sans rest, 15 r. L.-Daran ✆ 59 27 72 75 – wc wc ☎ BZ **t**
SC : 16 – **28 ch** 89/177.

Atlantic H. M sans rest, 222 av. J. Mermoz ✆ 59 32 38 24 – wc wc ☎ P. E VISA AV **r**
SC : 16 – **31 ch** 86/172.

Colbert, 1 r. Manescau ✆ 59 32 52 78, – wc ☎ P. AY **r**
fermé sept. – SC : **R** 45/100 – 17 – **21 ch** 65/160 – P 116/178.

Postillon sans rest, 10 cours Camou ✆ 59 32 49 15 – wc wc ☎. E VISA AY **a**
SC : 16 – **27 ch** 78/180.

XXXX ✿ **Pierre** (Casau), 16 r. L.-Barthou ✆ 59 27 76 86 – . AE E VISA BZ **x**
fermé vacances de fév. et dim. – SC : **R** carte 160 à 250
Spéc. Piccata au foie de canard, Turbot au vermouth, Gâteau des Prélats. **Vins** Madiran, Jurançon.

XXX ✿ **Patrick Jourdan,** 14 r. Latapie ✆ 59 27 68 70 – AE VISA BZ **k**
fermé 15 au 31 août, sam. midi et dim. – **R** 185/220
Spéc. Foie de canard chaud aux pommes (oct. à avril), Sole fourrée. **Vins** Jurançon, Madiran.

XX **St-Jacques,** 9 r. Parlement ✆ 59 27 58 97 – AE E VISA AZ **d**
fermé sam. midi et dim. – SC : **R** (nombre de couverts limité, prévenir) 79/150 .

XX **Pyrénées,** pl. Royale ✆ 59 27 07 75 – . AE E VISA AZ **s**
fermé 24 juil. au 16 août et dim. – SC : **R** carte 110 à 175.

XX **Fin Gourmet,** face gare ✆ 59 27 47 71 – AE E VISA AZ **v**
fermé 15 au 30 juin, 2 au 26 janv. et lundi – SC : **R** 65/200.

X **St Vincent,** 4 r. Gassiot ✆ 59 27 75 44 – AE E VISA AY **b**
fermé 14 juil. au 15 août et dim. – SC : **R** 60 .

à Jurançon : 2 km – 7 914 h. – ✉ **64110** Jurançon :

XXX **Ruffet,** 3 av. Ch.-Touzet ✆ 59 06 25 13 – AE AX **e**
fermé août, dim. soir et lundi – SC : **R** 75.

rte N.-D. de Piétat : 6 km par D 209 AX – ✉ **64110** Jurançon :

Le Beau Manoir M , ✆ 59 06 17 30, ≤ Pyrénées, parc, , – wc wc ☎ P – 100. AE VISA
SC : **R** *(fermé sam. midi, dim. soir et lundi midi)* 65/103 – **32 ch** 110/273 – P 247/368.

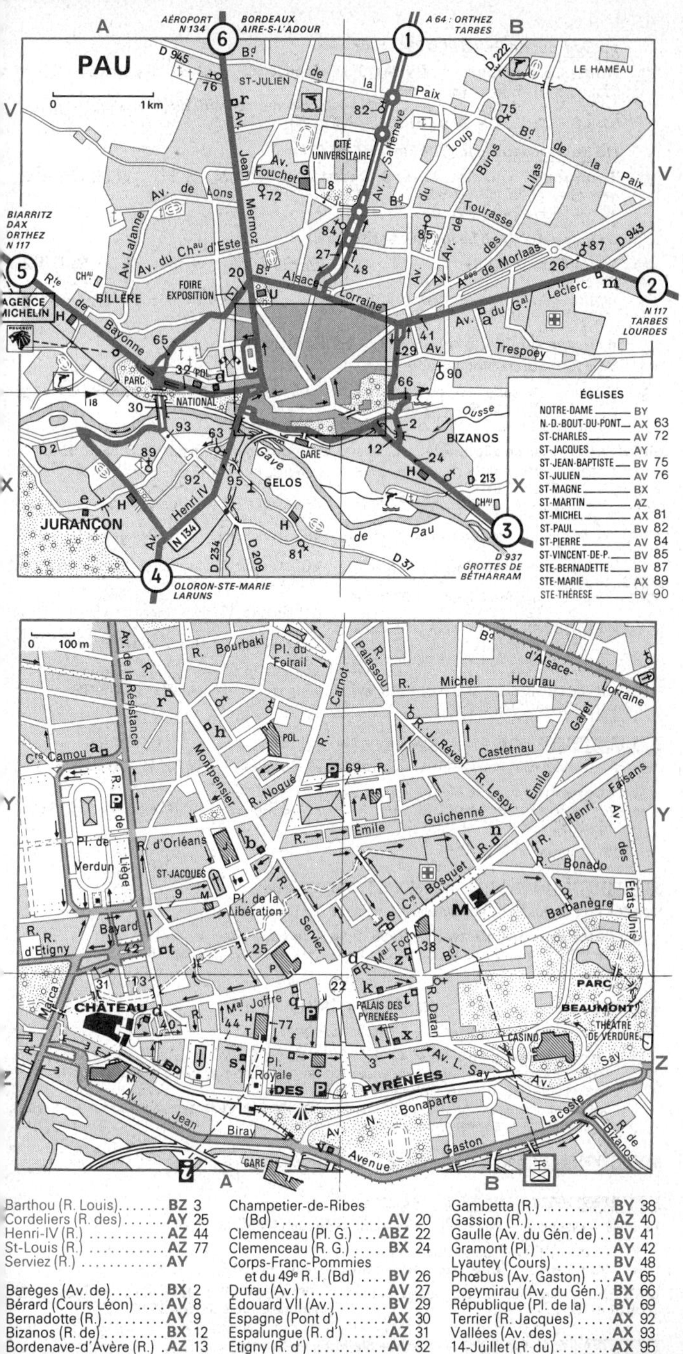

Barthou (R. Louis) . . . . BZ 3
Cordeliers (R. des) . . . . . . AY 25
Henri-IV (R.) . . . . AZ 44
St-Louis (R.) . . . . AZ 77
Serviez (R.) . . . . AY

Barèges (Av. de) . . . . BX 2
Bérard (Cours Léon) . . . . AV 8
Bernadotte (R.) . . . . AY 9
Bizanos (R. de) . . . . BX 12
Bordenave-d'Avère (R.) . AZ 13
Champetier-de-Ribes (Bd) . . . . AV 20
Clemenceau (Pl. G.) . . . ABZ 22
Clemenceau (R. G.) . . . . . BX 24
Corps-Franc-Pommies et du 49e R. I. (Bd) . . . . BV 26
Dufau (Av.) . . . . AV 27
Édouard VII (Av.) . . . . BV 29
Espagne (Pont d') . . . . AX 30
Espalungue (R. d') . . . . . . AZ 31
Etigny (R. d') . . . . AV 32
Gambetta (R.) . . . . BY 38
Gassion (R.) . . . . AZ 40
Gaulle (Av. du Gén. de) . . BV 41
Gramont (Pl.) . . . . AY 42
Lyautey (Cours) . . . . BV 48
Phœbus (Av. Gaston) . . . . AV 65
Poeymirau (Av. du Gén.) . BX 66
République (Pl. de la) . . . BY 69
Terrier (R. Jacques) . . . . . AX 92
Vallées (Av. des) . . . . AX 93
14-Juillet (R. du) . . . . AX 95

au Sud par rte Gelos et D 234 : 5 km - AX :

Host. Le Bourbail ⛔, ✉ 64110 Jurançon ✆ 59 21 54 60, ≤ parc, 🏠, ✂ – 🛁wc 🚿wc ☎ 🅟 – 🏛 30. VISA
fermé 24 au 30 déc. et 2 au 31 janv. – SC : **R** *(fermé sam. du 1er oct. au 1er juin)* 80/120 – ☕ 19,50 – **20 ch** 90/200 – P 225/280.

rte de Bordeaux par ① : 4 km – ✉ **64000** Pau :

Trinquet Ⓜ sans rest, 68 av. D.-Daurat ✆ 59 62 71 23, ≤, ✂ – 🛗 📺 🛁wc ☎ 🚗 🅟 – 🏛 50. AE ⓓ VISA
SC : ☕ 19 – **29 ch** 140/210.

à Ousse par ② : 9,5 km – ✉ **64320** Bizanos :

Pyrénées, ✆ 59 81 71 51, 🏠, 🌳 – 📺 🛁wc 🚿wc ☎ 🅟 – 🏛 30. AE E VISA. ✂ ch
fermé 12 au 31 nov. et dim. soir d'oct. à mai – SC : **R** 57/126 🍷 – ☕ 16,50 – **22 ch** 100/195 – P 180/230.

à Lescar par ⑤ : 7,5 km – 5 858 h. – ✉ **64230** Lescar.
Voir Cathédrale Notre-Dame★.

Bilaa Ⓜ ⛔ sans rest, chemin de Lons : 1,5 km ✆ 59 81 03 00, Télex 541856 – 🛗 📺 🛁wc 🚿wc ☎ 🅟 – 🏛 30. AE VISA
fermé 23 déc. au 2 janv. – SC : ☕ 19,50 – **80 ch** 165/220.

MICHELIN, Agence régionale, r. Lavoisier, Z.I. Induspal à Lons par ⑤ ✆ 59 32 56 33

AUSTIN, ROVER, TRIUMPH Gar. du Parc, 16 r. d'Etigny ✆ 59 27 22 75 N
BMW Auto-Park, av. J.-M.-Jacquard, Zone Ind. Lons ✆ 59 62 12 91
CITROEN Domingue, rte Tarbes par ② ✆ 59 02 75 18
FIAT Navarre-Auto, 56 rte Bayonne à Billère ✆ 59 32 18 46
FORD Petit, rte Bayonne à Lescar ✆ 59 81 09 17
LANCIA-AUTOBIANCHI Induspal-Gar., Zone Ind. Lons à Billère ✆ 59 32 15 57
PEUGEOT Sté Paloise Autom., 7 rte Bayonne à Billère ✆ 59 32 14 20
PORSCHE-MITSUBISHI S.D.A.A., 115 av. J.-Mermoz à Billère ✆ 59 62 33 22
RENAULT rte de Tarbes par ② ✆ 59 02 79 71 N
RENAULT Ets Lavillauroy, rte Bayonne à Lescar par ⑤ ✆ 59 62 20 01
V.A.G. Simonin, 119 rte Bayonne à Lons ✆ 59 32 15 37
VOLVO Gar. Davan, 12 bd Corps Franc-Pommiès ✆ 59 02 70 20

Ⓜ Baudorre, 177 av. J.-Mermoz à Lons ✆ 59 32 15 96
Central-Pneu, 3 r. des Chênes à Billère ✆ 59 32 42 99
Métairie, 18 av. 18-Infanterie ✆ 59 32 21 56
Toupneu, 9 r. de Bordeu ✆ 59 30 30 68

PAULHAGUET 43230 H.-Loire 76 ⑤⑥ – 1 047 h. alt. 551.
Paris 469 – Ambert 62 – Brioude 16 – La Chaise-Dieu 29 – Langeac 15 – Le Puy 46 – St-Flour 66.

Lagrange, ✆ 71 76 60 11 – 🚿wc 🚗
fermé 15 sept. au 15 oct., et sam. du 1er nov. à Pâques – SC : **R** 36/85 🍷 – ☕ 13,50 – **15 ch** 58/130 – P 150/160.

RENAULT Laurent, ✆ 71 76 60 68

La PAULINE 83 Var 84 ⑮ – alt. 85 – ✉ **83130** La Garde.
Paris 847 – Brignoles 46 – Draguignan 77 – Hyères 8 – ♦Toulon 10.

XX **Aub. Provençale** avec ch, N 98 ✆ 94 75 96 55 – 🚿wc 📞 🚗 🅟. VISA
fermé oct. et sam. sauf hôtel en août – SC : **R** 58/99 🍷 – ☕ 16 – **15 ch** 68/136 – P 204/230.

PAULX 44 Loire-Alt. 67 ② – 1 348 h. – ✉ **44270** Machecoul.
Paris 418 – Challans 19 – ♦Nantes 37 – La Roche-sur-Yon 45.

XX ✿ **Voyageurs,** pl. Église ✆ 40 26 02 26 – AE ⓓ E VISA
fermé 25 août au 17 sept., vacances de fév., dim. soir et lundi – SC : **R** (nombre de couverts limité, prévenir) 85/149
Spéc. Duo de poissons aux pâtes fraîches, Etouffée de St-Jacques au Vouvray (oct.-mars), Aiguillettes de canard aux olives. **Vins** Groslot gris.

PAVILLON (Col du) 69 Rhône 73 ⑧ – rattaché à Cours.

PAVILLY 76570 S.-Mar. 55 ⑥ – 5 442 h. alt. 55.
Paris 158 – Dieppe 46 – Duclair 13 – ♦Rouen 20 – Yerville 12 – Yvetot 18.

X **Croix d'Or,** ✆ 35 91 20 09 – ✂
fermé août – SC : **R** (déj. seul. - dim. prévenir) 55/160 🍷.

CITROEN Quemener, r. Narcisse-Guilbert ✆ 35 91 44 95
PEUGEOT, TALBOT Bossart-Autom., ZA Rouge Grange ✆ 35 91 22 52

PAYOLLE 65 H.-Pyr. 85 ⑲ – rattaché à Ste-Marie-de-Campan.

Le PÉAGE-DE-ROUSSILLON 38550 Isère 77 ① – 6 186 h. alt. 159.
Paris 509 – Annonay 22 – •Grenoble 93 – •St-Étienne 61 – Tournon 40 – Vienne 20.

Europa M sans rest, av. Gabriel-Péri ✉ 38150 Roussillon ✆ 74 86 28 84 – wc wc ℗. VISA.
fermé 12 au 18 août et 30 oct. au 15 nov. – SC : 19 – **26 ch** 132/172.

CITROEN Drisar-Autom., N 7, Salaise-sur-Sanne ✆ 74 86 04 20 N
CITROEN Pleynet, 5 r. Puits-sans-Tour ✆ 74 86 20 12
PEUGEOT, TALBOT Bourget, 79 av. G.-Péri à Roussillon ✆ 74 86 23 38
PEUGEOT-TALBOT Revouy et Jalliffier, 154 bis r. de la République ✆ 74 86 26 08
RENAULT Gar. Heinrich, N 7, Les Cités à Roussillon ✆ 74 86 20 32
Mondial Gar., 1 av. G.-Péri à Roussillon ✆ 74 86 23 02
Piot-Pneu, N 7 Zone Ind. à Salaise-sur-Sanne ✆ 74 29 42 62

PÉAULE 56 Morbihan 63 ⑭ – 2 138 h. alt. 89 – ✉ **56130** La Roche-Bernard.
Paris 436 – Ploërmel 48 – Redon 26 – La Roche-Bernard 9 – Vannes 36.

Armor Vilaine, pl. Église ✆ 97 42 91 03 – wc wc. E VISA.
fermé 15 déc. au 15 janv., dim. soir et lundi sauf juil.-août et fériés – SC : **R** 50/160 – 20 – **21 ch** 120/196.

Ryo (annexe Le Relax wc ℗), pl. Église ✆ 97 42 91 22 – wc ℗. VISA.
fermé 23 au 30 sept., 2 au 20 janv., vend. soir et dim. soir hors sais. – SC : **R** 65/200 – 20 – **25 ch** 110/220.

*Die numerierten Ausfallstraßen auf den Stadtplänen ①, ②, ③ finden Sie ebenfalls auf den **Michelin-Karten** im Maßstab 1: 200 000. Dadurch wird das Auffinden der Anschlußstrecke erleichtert.*

PÉDERNEC 22 C.-du-N. 59 ① – 1 664 h. alt. 125 – ✉ **22540** Louargat.
Paris 493 – Carhaix-P. 55 – Guingamp 10 – Lannion 22 – Morlaix 49 – Plouaret 24 – St-Brieuc 41.

Host. du Méné-Bré, ✆ 96 45 22 33 – AE ⓓ E VISA
fermé 12 nov. au 10 déc. et lundi – SC : **R** 45/145.

RENAULT Gar. Madigou, ✆ 96 45 22 51 N

PÉGOMAS 06580 Alpes-Mar. 84 ⑧, 195 ㉞ – 3 492 h. alt. 22.
Paris 900 – Cannes 11 – Draguignan 59 – Grasse 10 – •Nice 43 – St-Raphaël 37.

Le Bosquet sans rest, quartier du Château par rte Mouans-Sartoux ✆ 93 42 22 87, ←, – wc ℗.
fermé nov. – SC : 16 – **18 ch** 120/190, 7 studios (cuisinette) 220/260.

L'Écluse, au bord de la Siagne ✆ 93 42 22 55, ←, rest. champêtre – ℗
1er mai-15 sept. – SC : **R** 75/160.

PEILLAC 56 Morbihan 63 ⑤ – 1 736 h. alt. 65 – ✉ **56220** Malansac.
Paris 414 – Redon 16 – •Rennes 69 – Vannes 45.

Chez Antoine, ✆ 99 91 24 43, – wc ℗. E VISA
fermé fév. et lundi – **R** 50/178 – 22 – **13 ch** 100/140 – P 180/200.

PEILLE 06 Alpes-Mar. 84 ⑲, 195 ㉗ **G. Côte d'Azur** – 1 745 h. alt. 630 – ✉ **06440** L'Escarène.
Voir Le bourg★ – Monument aux Morts ←★.
Syndicat d'Initiative à la Mairie ✆ 93 79 90 32.
Paris 956 – L'Escarène 14 – Menton 24 – •Nice 25 – Sospel 36 – la Turbie 11.

Aub. du Seuillet, S : 2,5 km par D53 ✆ 93 41 17 39, ←, – ℗.
fermé juil. et merc. – **R** (déj.seul.) (prévenir) 70/110.

PEILLON 06 Alpes-Mar. 84 ⑩, 195 ㉗ **G. Côte d'Azur** – 1 038 h. alt. 376 – ✉ **06440** L'Escarène.
Voir Village★ – Fresques★ dans la chapelle des Pénitents Blancs.
Paris 950 – Contes 13 – L'Escarène 13 – Menton 33 – •Nice 19 – Sospel 35.

Aub. de la Madone , ✆ 93 79 91 17, ←, , – wc ℗. ch
fermé 15 oct. au 15 déc. et merc. – **R** 110/160 – 35 – **18 ch** 160/340.

La PEINIÈRE 35 I.-et-V. 59 ⑱ – rattaché à Châteaubourg.

PEIRA-CAVA 06 Alpes-Mar. 84 ⑲, 195 ⑰ **G. Côte d'Azur** – alt. 1 450 – Sports d'hiver 1 460/1 510 m 2 – ✉ **06440** L'Escarène.
Voir Pierre Plate ✻★★ – Cime de Peïra-Cava ✻★★ E : 1,5 km puis 30 mn – Forêt de Turini★★ au N.
Paris 972 – L'Escarène 19 – •Nice 40 – Roquebillière 25 – St-Martin-Vésubie 35 – Sospel 32.

au Col de Turini N : 8 km par D 2566 – ✉ **06440** L'Escarène.
Voir Monument aux Morts ✻★ NE : 4 km.
Env. Pointe des Trois-Communes ✻★★ NE : 6,5 km.

Trois Vallées ⛰, ✆ 93 91 57 21, ≤, 🏔 – ⇔wc 🅟
fermé 15 nov. au 15 déc. – SC : **R** 75/150, dîner à la carte – 🍽 22 – **22 ch** 230/260 – P 230/260.

Les Chamois ⛰, ✆ 93 91 57 42, ≤, 🏔 – ⋒wc 🚗 🅟
SC : **R** 48/78 🍷 – ☕ 12 – **10 ch** 100/120 – P 155/170.

PEISEY-NANCROIX 73 Savoie 74 ⑱ G. Alpes – 481 h. alt. 1 300 – ✉ **73210** Aime.
ℹ Syndicat d'initiative (hors saison fermé après-midi) ✆ 79 07 12 55.
Paris 627 – Albertville 56 – Bourg-St-Maurice 15.

Vanoise ⛰, à Plan Peisey : 3 km ✆ 79 07 11 29, ≤ – ⇔wc ⋒ ☎ 🅟. ✗ ch
1er juil.-31 août et 20 déc.-15 avril – SC : **R** 47 – 🍽 15 – **34 ch** 70/151 – P 161/187.

PELLEVOISIN 36 Indre 68 ⑦ G. Périgord – 1 027 h. alt. 170 – ✉ **36500** Buzançais.
Paris 258 – Blois 78 – Châteauroux 36 – Loches 43.

Tumulus, rte Valencay ✆ 54 39 00 35 – ⋒ ☎. E VISA. ✗ rest
fermé fév. – SC : **R** *(fermé dim. soir et lundi)* 45/75 🍷 – 🍽 18 – **10 ch** 80/145 – P 140/160.

PELLOUAILLES-LES-VIGNES 49112 M.-et-L. 63 ⑪ – 939 h. alt. 36.
Paris 278 – Angers 11 – La Flèche 36 – Laval 78 – Saumur 49.

XX **Manoir,** ✆ 41 69 57 97 – 🅟. AE E VISA
fermé 2 au 17 janv. et merc. – SC : **R** 85/200.

PELVOUX (Commune de) 05 H.-Alpes 77 ⑰ G. Alpes – 348 h. – Sports d'hiver à St-Antoine 1 250/2 300 m ≴5, ⛷ – ✉ **05340** Pelvoux.
Voir Route des Choulières★ : ≤★★ E.
D'Ailefroide : Paris 711 – L'Argentière-la-Bessée 18 – Briançon 33 – Gap 90 – Guillestre 38.

St-Antoine – alt. 1 260.

La Condamine ⛰, ✆ 92 23 35 48, ≤, 🌳 – ⇔wc 🅟. E. ✗ rest
1er juin-20 sept. et 20 déc.-15 avril – **R** 60/100 – ☕ 20 – **19 ch** 150/180 – P 165/190.

Ailefroide – alt. 1 510.
Env. Pré de Madame Carle : site★★ NO : 6 km.

Chalet H. Rolland ⛰, ✆ 92 23 32 01, ≤, parc – ⋒, sans 🍽 🅟. E VISA
15 juin-15 sept. – SC : **R** 52/130 – 🍽 16,50 – **36 ch** 62/130 – P 163/207.

PEN-GUEN 22 C.-du-N. 59 ⑤ – rattaché à St-Cast.

PENHORS 29 Finistère 58 ⑭ – rattaché à Pouldreuzic.

PEN-LAN (Pointe de) 56 Morbihan 63 ⑭ – rattaché à Muzillac.

PENNEDEPIE 14 Calvados 55 ③ – rattaché à Honfleur.

PENVÉNAN 22710 C.-du-N. 59 ① – 2 452 h. alt. 70.
Paris 518 – Guingamp 33 – Lannion 16 – Perros-Guirec 16 – La Roche-Derrien 9 – Tréguier 7,5.

X **Crustacé** avec ch, ✆ 96 92 67 46. VISA
fermé oct. et lundi – SC : **R** 54/130 🍷 – 🍽 15 – **7 ch** 65/100 – P 160.

CITROEN Vigneron, ✆ 96 92 67 85 RENAULT Henry, ✆ 96 92 65 22

PÉRIGNY 86 Vienne 68 ⑬ – rattaché à Poitiers.

PÉRIGUEUX P **24000** Dordogne 75 ⑤ G. Périgord – 35 392 h. alt. 86.
Voir Cathédrale St-Front★ BZ – Église St-Étienne de la Cité★ AZ **K** – Pont des Barris ≤★ BZ – Musée du Périgord★ BY **M**.
⛳ ✆ 53 53 02 35 par ⑤ : 5 km.
ℹ Syndicat d'Initiative 1 av. Aquitaine ✆ 53 53 10 63 – A.C. 14 r. Wilson ✆ 53 53 35 19.
Paris 529 ⑤ – Agen 136 ③ – Albi 232 ② – Angoulème 85 ⑤ – ♦Bordeaux 121 ④ – Brive-la-Gaillarde 73 ② – ♦Limoges 101 ① – Pau 261 ③ – Poitiers 195 ⑤ – ♦Toulouse 250 ②.

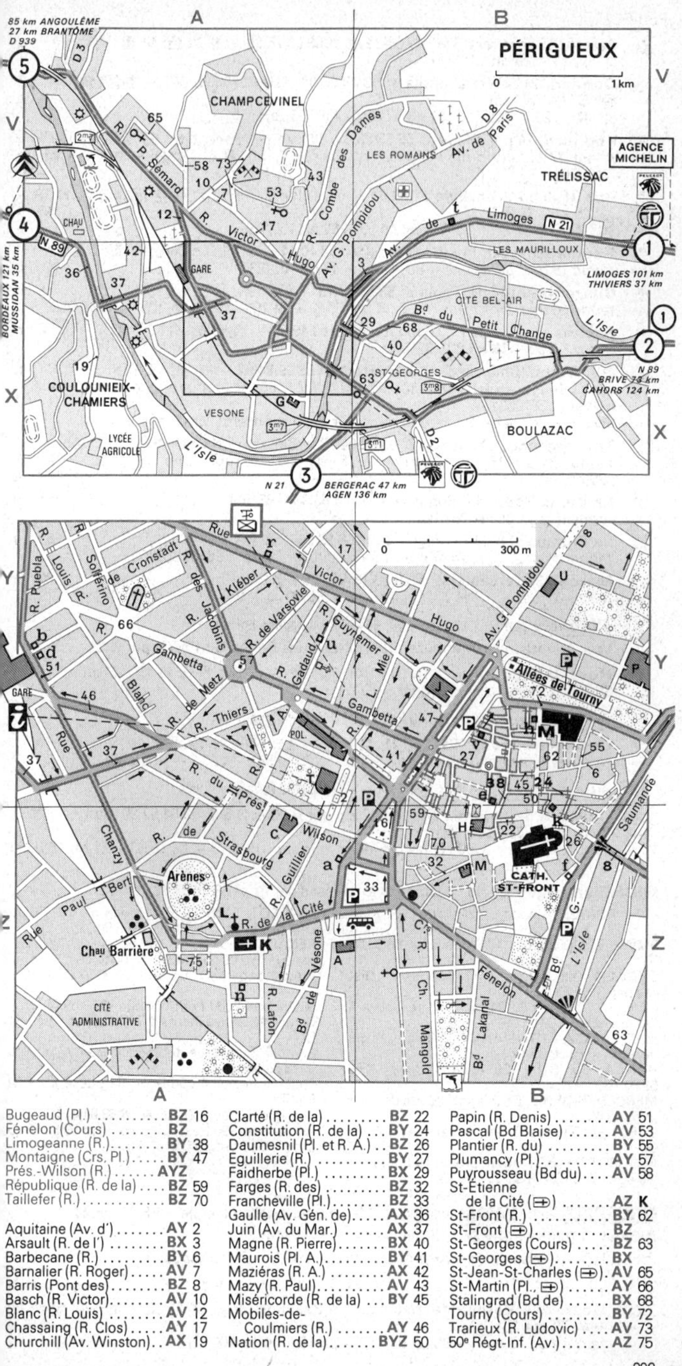

Bugeaud (Pl.) . . . . BZ 16	Clarté (R. de la) . . . . BZ 22	Papin (R. Denis) . . . . AY 51
Fénelon (Cours) . . . . BZ	Constitution (R. de la) . . . BY 24	Pascal (Bd Blaise) . . . . . . AV 53
Limogeanne (R.) . . . . BY 38	Daumesnil (Pl. et R. A.) . . BZ 26	Plantier (R. du) . . . . BY 55
Montaigne (Crs, Pl.) . . . . . BY 47	Eguillerie (R.) . . . . BY 27	Plumancy (Pl.) . . . . AY 57
Prés.-Wilson (R.) . . . . . . AYZ	Faidherbe (Pl.) . . . . BX 29	Puyrousseau (Bd du) . . . . AV 58
République (R. de la) . . . . BZ 59	Farges (R. des) . . . . BZ 32	St-Étienne de la Cité (⊞) . . . . AZ K
Taillefer (R.) . . . . BZ 70	Francheville (Pl.) . . . . BZ 33	St-Front (R.) . . . . BY 62
	Gaulle (Av. Gén. de) . . . . . AX 36	St-Front (⊞) . . . . BZ
Aquitaine (Av. d') . . . . AY 2	Juin (Av. du Mar.) . . . . AX 37	St-Georges (Cours) . . . . . BZ 63
Arsault (R. de l') . . . . BX 3	Magne (R. Pierre) . . . . BX 40	St-Georges (⊞) . . . . BX
Barbecane (R.) . . . . BY 6	Maurois (Pl. A.) . . . . BY 41	St-Jean-St-Charles (⊞) . AV 65
Barnalier (R. Roger) . . . . . AV 7	Maziéras (R. A.) . . . . AX 42	St-Martin (Pl., ⊞) . . . . . . AY 66
Barris (Pont des) . . . . BZ 8	Mazy (R. Paul) . . . . AV 43	Stalingrad (Bd de) . . . . . . BX 68
Basch (R. Victor) . . . . AV 10	Miséricorde (R. de la) . . . BY 45	Tourny (Cours) . . . . BY 72
Blanc (R. Louis) . . . . AV 12	Mobiles-de-Coulmiers (R.) . . . . AY 46	Trarieux (R. Ludovic) . . . . AV 73
Chassaing (R. Clos) . . . . . AY 17	Nation (R. de la) . . . . BYZ 50	50e Régt-Inf. (Av.) . . . . AZ 75
Churchill (Av. Winston) . . AX 19		

Bristol M sans rest, 37 r. A.-Gadaud ✆ 53 08 75 90 – ☎ Ⓟ. VISA AY u
SC : ☕ 21 – **28 ch** 141/229.

Domino, 21 pl. Francheville ✆ 53 08 25 80, Télex 570230, – ☎. AE ⓓ E VISA. ✻ rest AZ a
SC : **R** 71/200 – ☕ 24 – **37 ch** 179/310 – P 292/354.

Périgord, 74 r. V.-Hugo ✆ 53 53 33 63, – wc wc ☎. ✻ ch AY r
fermé 27 oct. au 5 nov. et vacances de fév. – SC : **R** 52/125 – ☕ 15 – **21 ch** 105/170 – P 195/210.

Ibis M, 8 bd Saumande ✆ 53 53 64 58, Télex 550159, – wc ☎ Ⓟ – 25 à 50. E VISA BZ f
SC : **R** carte environ 85 – ☕ 19,50 – **89 ch** 160/225.

Régina sans rest, 14 r. D.-Papin ✆ 53 08 40 44 – wc wc ☎. AE E VISA
fermé 18 déc. au 5 janv. – SC : ☕ 17 – **46 ch** 120/235. AY d

Charentes, 16 r. D.-Papin ✆ 53 53 37 13 – wc ☎. VISA AY b
fermé 20 déc. au 10 janv. – SC : **R** 53/155 – ☕ 19 – **15 ch** 95/165 – P 207/250.

Arènes sans rest, 21 r. Gymnase ✆ 53 53 49 85 – wc ☎. ✻ AZ n
SC : ☕ 15,50 – **19 ch** 80/142.

XXX ✿ **L'Oison** (Chiorozas), 31 r. St-Front ✆ 53 09 84 02 – ▤. AE ⓓ VISA BY h
fermé 15 fév. au 20 mars, dim. soir et lundi – SC : **R** (nombre de couverts limité – prévenir) 85/300
Spéc. Foie gras de canard, Panaché de poissons, Le grand dessert. **Vins** Bergerac.

XXX **Tournepiche,** 2 r. Nation ✆ 53 08 90 76, « Salle du 18e siècle » – AE E VISA
fermé 1er au 15 janv., lundi du 15 juin au 15 sept., dim. et fêtes – SC : **R** 120 bc/145 bc. BYZ k

XX **Le Vieux Pavé,** 4 r. Sagesse ✆ 53 08 53 97 – E VISA BY e
fermé dim. – SC : **R** 76/180.

XX **La Flambée,** 2 r. Montaigne ✆ 53 53 23 06 – E VISA BY v
fermé 1er au 21 juil., 24 déc. au 6 janv., dim. et fériés – SC : **R** 90/250.

XX **Marcel,** 37 av. Limoges ✆ 53 53 13 43 – ▤ Ⓟ BV t
fermé 20 juil. au 10 août et mardi soir – SC : **R** 40/110.

à Laurière par ① : 13 km – ✉ **24420** Savignac-les-Eglises.

Voir Architecture intérieure★ du château des Bories O : 1,5 km par N 21.

Host. la Charmille, ✆ 53 06 00 45, – wc wc ☎ Ⓟ. ✻ ch
SC : **R** 65/220 – ☕ 20 – **18 ch** 80/200.

rte de Bergerac par ③ : 10 km – ✉ **24000** Périgueux :

La Chartreuse, ✆ 53 46 60 21, – wc ☎ Ⓟ. VISA. ✻
fermé dim. soir et lundi de nov. à mars – **R** 45/120 – ☕ 14 – **10 ch** 80/156.

à Razac-sur-L'Isle par ④ : 11 km – ✉ **24430** Razac-sur-L'Isle :

Château de Lalande , NO : 2 km par D 3E et D 3 ✆ 53 54 52 30, parc – wc wc ☎ Ⓟ. AE ⓓ E VISA
15 mars-15 nov. – SC : **R** *(fermé merc. hors sais.)* 60/210 – ☕ 18,50 – **21 ch** 150/240 – P 210/285.

MICHELIN, Agence, rte de Limoges à Trélissac par ① ✆ **53 08 08 13**

ALFA-ROMEO Cecasmo, 194 rte de Lyon ✆ 53 53 17 73
BMW Garage Jessus, 46 r. Chanzy ✆ 53 08 99 30
CITROEN Gar. Deluc, rte de Limoges à Trélissac par ① ✆ 53 08 27 50
CITROEN S.O.V.R.A., 74 av. Gén.-de-Gaulle à Chamiers ✆ 53 08 31 02
FIAT, LANCIA-AUTOBIANCHI Rebière, 15 crs Fénélon ✆ 53 08 09 44
HONDA Gar. Borie, 156 rte de Bordeaux ✆ 53 53 60 16
MERCEDES-BENZ Ets Magot, 192 rte de Lyon ✆ 53 53 66 91
OPEL Gar. Pradier, 5 r. A.-Gadaud ✆ 53 53 53 94
PEUGEOT-TALBOT Gar. Brout, 18 cours St-Georges ✆ 53 08 28 55
PEUGEOT, TALBOT Gar. Moderne, 202 rte de Limoges à Trélissac ✆ 53 08 05 84
RENAULT Sarda, rte de Limoges à Trélissac par ① ✆ 53 08 65 65 N ✆ 53 05 02 09
V.A.G. Lagarde, D 8 à Cornille ✆ 53 08 03 16

Auriel, 145 bd Petit-Change ✆ 53 53 46 83
Barrier, N 21 Les Jalots à Trélissac ✆ 53 53 54 17
Centrale Technique du Pneu, 170 av. Mar. Juin ✆ 53 53 10 19
Fontana-Pneus, 4 bis av. H.-Barbusse ✆ 53 08 80 47
Périgord-Pneus, à Trélissac ✆ 53 54 41 27
Réparpneu, 290 rte d'Angoulême ✆ 53 53 18 60 et 18 r. Gambetta ✆ 53 53 44 14

PÉRONNE 80200 Somme 53 ⑬ G. Flandres, Artois, Picardie – 9 868 h. alt. 56.

Office du Tourisme 31 r. St-Fursy (fermé matin) ✆ 84 84 42 38.

Paris 140 ② – ♦Amiens 51 ② – Arras 48 ① – Doullens 54 ③ – St-Quentin 29 ①.

Plan page ci-contre

XXX **Host. des Remparts** avec ch, 21 r. Beaubois ✆ 22 84 01 22 – wc wc ☎. AE ⓓ VISA BZ a
fermé 4 au 13 août – SC : **R** 55/150 – ☕ 18 – **16 ch** 100/185.

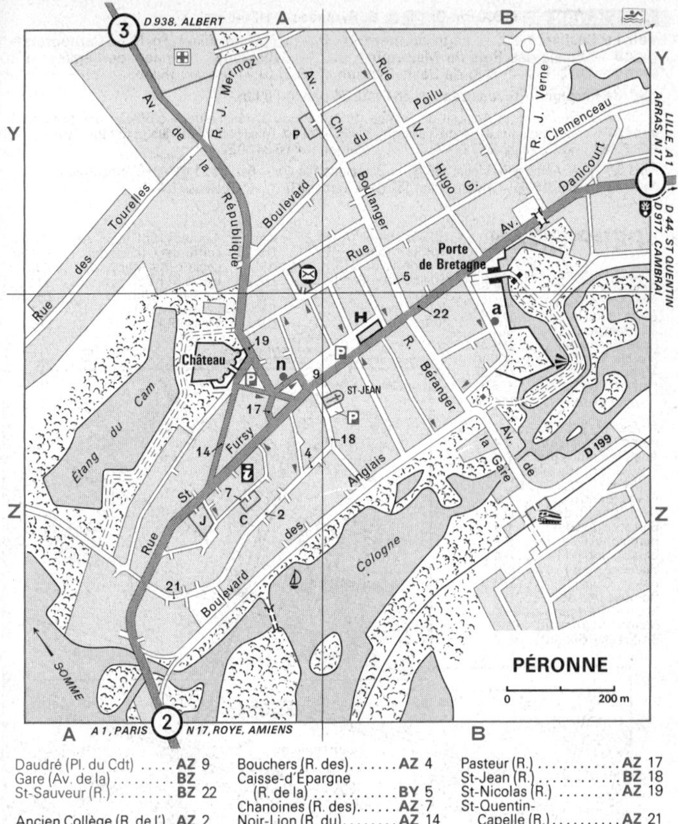

Daudré (Pl. du Cdt) . . . . . AZ 9
Gare (Av. de la) . . . . BZ
St-Sauveur (R.) . . . . BZ 22

Ancien Collège (R. de l') . AZ 2

Bouchers (R. des) . . . . AZ 4
Caisse-d'Épargne (R. de la) . . . . BY 5
Chanoines (R. des) . . . . . . AZ 7
Noir-Lion (R. du) . . . . AZ 14

Pasteur (R.) . . . . AZ 17
St-Jean (R.) . . . . BZ 18
St-Nicolas (R.) . . . . AZ 19
St-Quentin-Capelle (R.) . . . . AZ 21

XX **La Quenouille,** 4 av. Australiens N 17 par ① ✆ 22 84 00 62, ⛱, ⛱ – Ⓟ. VISA
fermé fév., dim. soir et lundi – SC : **R** 95/150 🌡.

XX **St-Claude** avec ch, 42 pl. Cdt-L.-Daudré ✆ 22 84 46 00 – wc wc ☎ – 60. AE ⓓ E VISA AZ **n**
SC : **R** 56/150 – ☕ 18 – **37 ch** 75/250 – P 200/330.

Aire d'Assevillers sur A1 – ✉ **80200** Péronne :

Mercure, ✆ 22 84 12 76, Télex 140943, ⛱, ⛱ – |\$| ▤ TV ☎ ♿ Ⓟ – 40 à 120. AE ⓓ E VISA
R carte environ 120 🌡 – ☕ 36 – **100 ch** 275/350.

CITROEN Gar. de Picardie, av. des Australiens, Mt-St-Quentin par ① ✆ 22 84 00 34
FIAT Hotte, 52 pl. St-Sauveur ✆ 22 84 01 48
MAZDA, OPEL Gar. du Château, 6 fg de Paris ✆ 22 84 16 56
PEUGEOT-TALBOT Santerre-Autom., 1 bd Mt-St-Quentin par av. Ch.-Boulanger puis D 43 AY ✆ 22 84 00 51 N

RENAULT Péronne-Autos., rte de Roisel par ① puis D 6 ✆ 22 84 17 84
V.A.G. Gar. Tutrice, rte d' Albert ✆ 22 84 06 48

Joncourt-Pneus, 29 fg de Bretagne ✆ 22 84 29 41

PÉROUGES 01 Ain 74 ②③ **G. Vallée du Rhône** (plan) – **658 h. alt. 290** – ✉ **01800** Meximieux.
Voir Cité fortifiée : place du Tilleul***.**
Paris 453 – Bourg-en-Bresse 37 – ♦Lyon 39 – St-André-de-Corcy 20 – Villefranche-sur-Saône 44.

✿ **Host. Vieux Pérouges** (Thibaut) , ✆ 74 61 00 88, « Intérieur vieux bressan », – ☎
fermé jeudi midi et merc. sauf juil.-août – **R** 140/260 - ☕ 45 - **Au St-Georges et Manoir 13 ch** 630/700 - **A l'annexe : 10 ch** 390/420
Spéc. Mousseline de brochet à l'oseille, Noisettes d'agneau à l'estragon, Galettes pérougiennes. **Vins** Montagnieu, Seyssel.

PERPIGNAN P 66000 Pyr.-Or. 86 ⑲ **G. Pyrénées** – 113 646 h. alt. 37.

Voir Le Castillet★ DX – Loge de mer★ DX **D** – Hôtel de Ville★ DX **H** – Cathédrale★ DEX **B** – Palais des Rois de Majorque★ DEZ – Cabestany : tympan★ de l'église SE : 4 km par D 22, FYZ – 9 18 de Saint-Cyprien ✆ 68 21 01 71 par ③ : 15 km.

✈ de Perpignan-Rivesaltes : ✆ 68 61 22.24 par ① : 6 km.

Office de Tourisme et Accueil de France (Informations et réservations d'hôtels, pas plus de 5 jours à l'avance) quai de Lattre-de-Tassigny ✆ 68 34 29 94, Télex 500776 et Village Catalan Autoroute A 9 ✆ 68 21.60.05, Télex 500722 - A.C. 2 pl. Catalogne ✆ 68 34 30 22.

Paris 907 ① – Andorre-la-Vieille 166 ⑥ – Barcelona 185 ⑤ – Béziers 93 ① – ♦Clermont-Ferrand 465 ① – ♦Marseille 316 ① – ♦Montpellier 152 ① – Tarbes 337 ① – ♦Toulouse 204 ①.

PERPIGNAN

Alsace-Lorraine (R.) .. DX 2
Arago (Pl.) .... CY 3
Argenterie (R. de l') ... DX 4
Barre (R. de la) .... DX 6
Clemenceau (Bd) .... BX
Louis-Blanc (R.) .... DX 34
Marchands (R. des) .. DX 36
Mirabeau (R.) .... DX 37
Péri (Pl. Gabriel) ...... CY 39
Théâtre (R. du) .... DY 46

Agasse (R. P.-M.) .... AY
Albert (Av. Marcelin) .. BZ
Anatole-France (Bd) .. FY
Anc.-Champ-de-Mars (Av. de l') .... BCV
Arago (Pont) .... AV
Augustins (R. des) .... DY
Baléares (Av. des) .... DZ
Barcelone (Quai de) .. BY
Bardou-Job (Pl.) ..... BX 5
Bartissol (R. E.) ...... DX 7
Batelo (Quai F.) ...... DV 8
Bompas (Av. de) ..... DV
Bourrat (Bd Jean) ... EFX
Briand (Bd Aristide) .. EFZ
Brutus (Av. Gilbert) .. BCZ

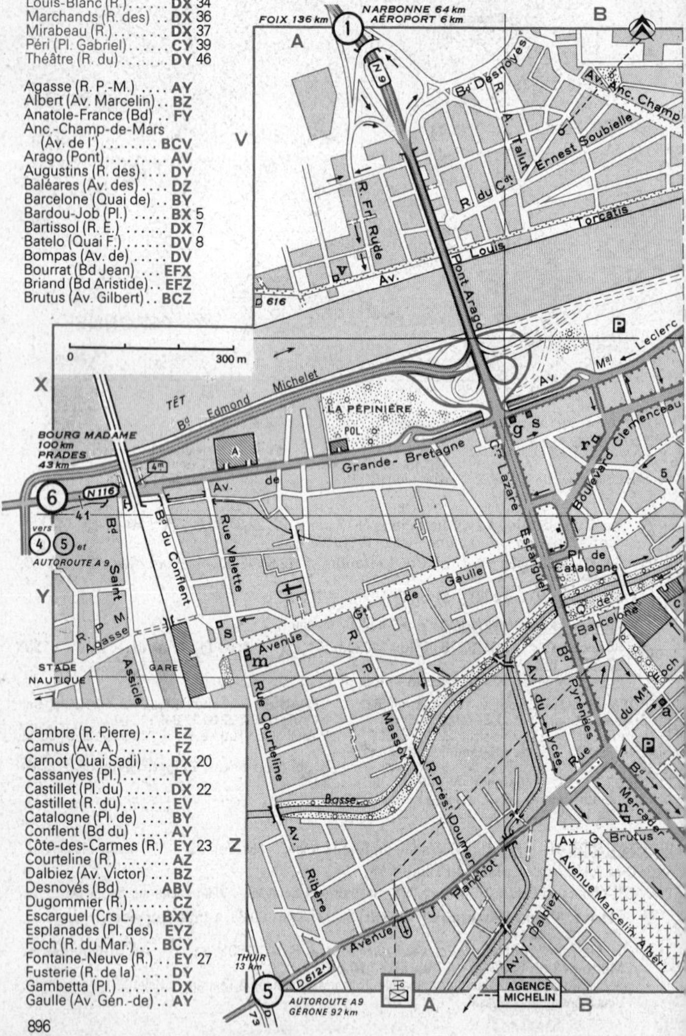

Cambre (R. Pierre) .... EZ
Camus (Av. A.) .... FZ
Carnot (Quai Sadi) ... DX 20
Cassanyes (Pl.) .... FY
Castillet (Pl. du) ...... DX 22
Castillet (R. du) .... EV
Catalogne (Pl. de) .... BY
Conflent (Bd du) ...... AY
Côte-des-Carmes (R.) EY 23
Courteline (R.) .... AZ
Dalbiez (Av. Victor) ... BZ
Desnoyés (Bd) ...... ABV
Dugommier (R.) ...... CZ
Escarguel (Crs L.) ... BXY
Esplanades (Pl. des) EYZ
Foch (R. du Mar.) ... BCY
Fontaine-Neuve (R.) .. EY 27
Fusterie (R. de la) .... DY
Gambetta (Pl.) .... DX
Gaulle (Av. Gén.-de) .. AY

Gde-Bretagne (Av.) ...... AX
Gde-la-Monnaie (R.) ..... DY 28
Grande-la-Réal (R.) ...... DY
Guillaut (Av. Gén.) .... DZ 29
Guynemer (Av.) .... FZ
Joffre (Av. Mar.) CV
Joffre (Pont) .... DV

Kennedy (Bd) .... FZ 31
Lattre-de-T. (Quai de) .... CY 32
Leclerc (Av. Mar.) .... BX
Llucia (R.) .... EY
Loge (R. de la) .... DX 33
Lycée (Av. du) .... BZ
Mailly (R.) .... DY

Park H. et Rest. Chapon Fin [M], 18 bd J.-Bourrat ☏ 68 35 14 14 – 🛗 ▤ TV ☎ ♿ 🚗 – 🏛 30 à 60. AE ⓓ E VISA EX **y**
SC : **R** *(fermé 10 au 31 août, 23 au 31déc., sam. soir et dim.)* 85/190 – ☕ 30 – **67 ch** 170/280.

Mas des Arcades [M], par ④ : 2 km sur N 9 ☏ 68 85 11 11, Télex 500176, 🏊, 🎾 – 🛗 ▤ TV ☎ ♿ 🚗 🅟 – 🏛 200. **E.** 🐕
fermé 20 déc. au 13 janv. – SC : **R** 90/120 – ☕ 28 – **128 ch** 210/300.

H. de la Loge 🐁 sans rest, pl. Loge ☏ 68 34 54 84, « Bel aménagement intérieur » 🛗. AE ⓓ E VISA DX **e**
SC : ☕ 22 – **29 ch** 120/235.

Masso (R. Paul) .... **AYZ**
Mercader (Bd Félix)...... **BCZ**
Moulin (Pl. Jean)......... **EY**
N.-D.-de-la-Réal (✝) ..... **EY**
Palmarole (Cours) .... **DEV**
Panchot (Av. J.)........... **AZ**
Payra (R. Jean) .... **DV**
Petite-la-Réal (R.)...... **EY**
Platanes (Prom. des).. **DEV**
Poincaré (Bd Henri)... **DEZ**
Porte-de-l'Assaut (R.) **CDY** 40
Prades (Av. de)......... **AX** 41
Prés.-Doumer (R.) ..... **AZ**
Pyrénées (Bd des) .... **BYZ**
Remparts-la-Réal (R.) ..... **DY** 42
Résistance (Pl. de la) ...... **DX** 43
Ribère (Av.) .... **AZ**
Rigaud (Pl.) .... **DEY**
Rois-de-Majorque (R. des) **DZ**
Rude (R. François) .... **AV**
St-Assiscle (Bd) .... **AYZ**
St-Jacques (✝) .... **FY**
St-Jean (R.) .... **DX** 44
St-Joseph (✝)............ **AY**
St-Martin (✝)............. **AZ**
St-Mathieu (✝)........... **DY**
St-Sacrement (✝)........ **EX**
Ste-Thérèse (✝)......... **EZ**
Soubielle (R. Cdt-E.) ..... **ABY**
Talut (R. Alphonse) ...... **ABV**
Torcatis (R. Louis) .... **ABV**
Valette (R.)................. **AY**
Variétés (Pl. des)........... **DV** 48
Vauban (Quai) .... **CDX**
Vélodrome (R. du) .... **EFZ**
Victoire (Pl. de la) .... **DX** 49
Waldeck-Rousseau (R.)... **EFZ**
Wilson (Bd)................ **DEV**
Zola (R. Émile)............ **EY**

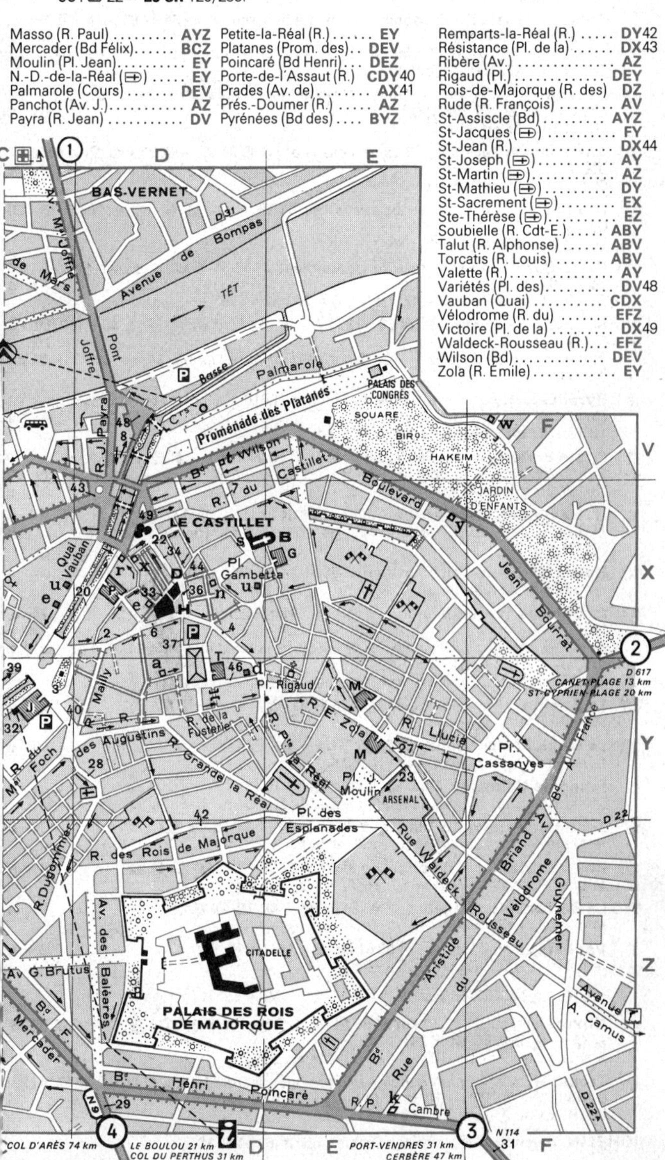

Windsor sans rest, 8 bd Wilson ✆ 68 51 18 65, Télex 500701 – wc wc – 60. VISA DV **t**
fermé 1er au 21 fév. – SC : 27 – **54 ch** 185/295, 3 appartements.

Kennedy M sans rest, 9 av. P. Cambres ✆ 68 50 60 02 – wc wc EZ **k**
fermé 20 déc. au 5 janv. – SC : 21 – **26 ch** 175/200.

Mondial H. M sans rest, 40 bd Clemenceau ✆ 68 34 23 45 – wc wc. VISA BX **r**
20 – **40 ch** 175/220.

France et rest. l'Echanson, 16 quai Sadi-Carnot ✆ 68 34 92 81 – wc wc. AE E VISA DX **r**
hôtel fermé déc. – SC : **R** *(fermé 12 juil. au 12 août, lundi soir et dim.)* 90/140 – 22 – **34 ch** 100/250 – P 250/400.

Athéna sans rest, r. Queya-Marché République ✆ 68 34 37 63, – wc wc. AE E VISA DY **a**
SC : 15 – **38 ch** 80/180.

Christina H. sans rest, 50 cours Lassus ✆ 68 35 24 61 – wc wc. VISA FV **w**
SC : 18 – **35 ch** 105/180.

Aragon sans rest, 17 av. Brutus ✆ 68 54 04 46 – wc wc. AE BZ **n**
SC : 20 – **33 ch** 147/245.

Paris-Barcelone sans rest, 11 bd Conflent ✆ 68 34 42 60 – wc wc. AE E VISA AY **s**
fermé 22 déc. au 8 janv. – SC : 14,50 – **36 ch** 74/179.

Majorca, 2 r. Fontfroide ✆ 68 34 57 57 – wc wc – 40 à 100. AE E VISA DX **n**
fermé 15 déc. au 20 janv. – SC : **R** *(fermé dim. soir et lundi)* 53/95 – 17 – **61 ch** 85/160.

Pyrénées H. sans rest, 122 av. L.-Torcatis N 616 ✆ 68 61 19 66 – wc wc. AV **v**
13 – **22 ch** 83/136.

Poste et Perdrix, 6 r. Fabriques-Nabot ✆ 68 34 42 53 – wc wc
fermé mi-janv. à mi-fév. – SC : **R** *(fermé lundi)* 50/85 – 14 – **39 ch** 73/137. DX **x**

H. Le Helder, 4 av. Gén.-de-Gaulle ✆ 68 34 38 05 – wc. VISA AY **m**
fermé 21 déc. au 12 janv. – SC : **R** voir rest. **Le Helder** – 16 – **27 ch** 73/171.

XXX **Relais St-Jean,** 1 cité Bartissol ✆ 68 51 22 25, – VISA DX **s**
fermé 1er au 15 mai, 14 au 28 fév., lundi midi et dim. – SC : **R** 160/220.

XXX ✻ **Delcros** (ex. Le Bourgogne), 63 av. Mar.-Leclerc ✆ 68 34 96 05 – . E VISA BX **s**
fermé 15 juin au 7 juil., vacances de fév., dim. (sauf le midi du 1er oct. au 31 mai) et lundi – SC : **R** 200/300
Spéc. Terrine de foie d'oie, Navarin de sole et homard, Gratin de fruits frais.

XXX **Le Supion,** 71 av. Mar.-Leclerc ✆ 68 34 53 42 – . AE VISA BX **g**
SC : **R** 98/230.

XXX **Le Quai,** 37 quai Vauban ✆ 68 35 31 14 – . VISA CX **u**
fermé janv. et sam. midi – SC : **R** 150 bc.

XX **François Villon,** 1 r. Four-St-Jean ✆ 68 51 18 43 DX **u**
fermé 14 juil. au 15 août, dim. et lundi – SC : **R** 130 bc.

XX **Festin de Pierre,** 7 r. Théâtre ✆ 68 51 28 74 – . AE VISA DY **d**
fermé fév., mardi soir et merc. – SC : **R** 120/200.

XX **Rest. Le Helder,** 1 r. Courteline ✆ 68 34 98 99 – . AE E VISA AY **m**
fermé 15 déc. au 25 janv. – SC : **R** 55/160 .

XX **La Serre,** 2 bis r. Dagobert ✆ 68 34 33 02 – . AE E VISA BZ **a**
fermé dim. – **R** 75/98.

X **Vauban,** 29 quai Vauban ✆ 68 51 05 10 – . AE VISA CX **e**
fermé dim. – SC : **R** carte 115 à 170 .

par ① – ✉ **66600** Rivesaltes :

Novotel M, sur N 9 : 10 km ✆ 68 64 02 22, Télex 500851, , , – – 200. AE E VISA
R snack carte environ 100 – 35 – **86 ch** 285/359.

Tropic H. M , près échangeur Perpignan Nord : 12 km ✆ 68 64 04 37, Télex 500143, , , – – 40. AE VISA
SC : **R** 75/110 – 25 – **46 ch** 245/285.

MICHELIN, Agence, 136 av. Victor-Dalbiez ABZ ✆ 68 54 53 10

ALFA-ROMEO Gar. Chapat, 25 bd des Pyrénées ✆ 68 34 70 88
BLF Casadessus, 15 bd Raymond-Poincaré ✆ 68 54 03 96
BMW Gar. Alart, 20 av. de Grande-Bretagne ✆ 68 34 07 83
CITROEN Succursale, av. du Mar.-Juin ✆ 68 50 20 95
CITROEN Gar. Cuesta, 3 av. Albert Saisset ✆ 68 61 06 51
FIAT Perpignan Autom., 210 rte Prades ✆ 68 54 63 54
FORD Savvic-Autos, 4 km, rte de Narbonne ✆ 68 61 44 15
HONDA, PORSCHE-MITSUBISHI Gar. Coll, N 9, km 1, rte d'Espagne ✆ 68 85 17 25
LANCIA-AUTOBIANCHI Gar. des Corbières, 28 rte de Prades ✆ 68 54 54 52
MERCEDES-BENZ Gar. Monopole, 301 av. du Languedoc ✆ 68 61 22 93
NISSAN-DATSUN Gar. Martinez, 169 av. du Languedoc ✆ 68 61 02 13
OPEL, GM Auto 66, Km1, rte Prades ✆ 68 56 79 15
PEUGEOT-TALBOT Succursale, N 9 rte du Perthus par ④ ✆ 68 54 06 88
PEUGEOT Gar. Briclot, 7 cours Palmarole par ③ ✆ 68 51 34 19
RENAULT Gd Gar. de Catalogne, N 9, Km 3 rte du Perthus par ④ ✆ 68 54 68 55
TOYOTA, VOLVO Sudria, rte Perpignan à Cabestany ✆ 68 50 50 75
V.A.G Auto J.C.A., 89 av. du Mar. Joffre ✆ 68 61 30 37
V.A.G. Europe-Auto, rte Thuir, Z.I. 1 km ✆ 68 85 01 92
Gar. Lelong, 148 av. Mar.-Joffre ✆ 68 61 25 80

Busquet, 13 bd Clemenceau ✆ 68 35 18 35
Candille-Pneu, 156 av. du Languedoc ✆ 68 61 26 38
Figuères, Zone Ind. St-Charles ✆ 68 55 23 10
Pagès, Zone Ind. St-Charles ✆ 68 54 67 30
Perpignan-Pneu, 18 r. J.-Verne ✆ 68 54 15 21
Piot-Pneu, Zone Ind. St-Charles ✆ 68 54 30 11 et 33 av. Victor Dalbiez

Le PERRAY-EN-YVELINES 78610 Yvelines 60 ⑨, 196 ㉘ – 4 074 h. alt. 180.

Paris 47 – Arpajon 37 – Mantes-la-jolie 44 – Rambouillet 6 – Versailles 25.

XXX **Aub. de l'Artoire,** N : 2 km par D 910 ✆ (1) 34 84 97 91, « Parc » – P. AE VISA
fermé 15 janv. au 15 fév. et mardi d'oct. à mai – **R** carte 160 à 240.

XX **Aub. des Bréviaires,** aux Bréviaires : 3,5 km par D 61 ✆ (1) 34 84 98 47, – P. AE VISA
fermé 23 au 25 déc., 20 fév. au 15 mars, vend. midi en juil.-août, merc. soir et jeudi – SC : **R** 155.

Le PERREUX-SUR-MARNE 94 Val-de-Marne 56 ⑪, 101 ⑰⑱ – voir à Paris, Environs.

PERRIGNY-LÈS-DIJON 21 Côte-d'Or 66 ⑫ – rattaché à Dijon.

PERROS-GUIREC 22700 C.-du-N. 59 ① G. Bretagne – 7 497 h. alt. 70 – Casino A.

Voir Nef romane★ de l'église B **B – Pointe du château** ≤★ B – **Table d'orientation** ≤★ B **E – Sentier des douaniers★★** A – **Sémaphore** ≤★ **3,5 km par** ②.

de St-Samson ✆ **96 23 87 34 SO : 7 km.**

Office de Tourisme et Accueil de France (Informations, change et réservations d'hôtels pas plus de 5 jours à l'avance) 21 pl. Hôtel de Ville ✆ 96 23 21 15, Télex 740637.

par ① : Paris 526 – Lannion 11 – St-Brieuc 74 – Tréguier 20.

Plan page suivante

Gd H. de Trestraou, bd J.-Le-Bihan ✆ **96 23 24 05,** ≤ – P. AE E VISA. rest — A t
SC : **R** voir rest. **Homard Bleu :** – ☐ 23 – **68 ch** 220/300, 4 appartements 430 – P 300/324.

Printania , 12 r. Bons-Enfants ✆ **96 23 21 00,** ≤ **la mer et les îles,** – P – 30. E VISA. rest — A e
fermé 15 déc. au 15 janv. – SC : **R** *(fermé dim. et lundi du 1er oct. au 30 avril)* 110/180 – ☐ 35 – **38 ch** 240/360, (en sais. pension seul.).

France , 14 r. Rouzig ✆ **96 23 20 27,** ≤, – wc wc P. — B r
15 fév.-1er nov. et fermé dim. soir et lundi hors sais. – SC : **R** 70/160 – ☐ 21 – **30 ch** 140/235.

Morgane, 46 av. Casino ✆ **96 23 22 80,** « **Jardin avec piscine couverte** », – wc wc P. AE E VISA. rest — A n
20 mars-fin oct. – SC : **R** 79/165 – ☐ 23 – **30 ch** 170/265 – P 235/290.

le Sphinx M , 67 chemin de la Messe ✆ **96 23 25 42,** ≤ **les îles,** – TV wc. AE E VISA — B e
15 mars-15 nov. et 20 déc.-2 janv. – SC : **R** *(fermé vend.)* 70/200 – ☐ 29 – **11 ch** 220/270 – P 300/350.

Les Sternes M sans rest., **rond-point de Perros-Guirec,** par ① ✆ **96 91 03 38,** – TV wc P. AE E VISA
SC : ☐ 20 – **20 ch** 150/220.

Bon Accueil, 16 r. Landerval ✆ **96 23 24 11,** – wc wc P. E VISA. ch — B v
fermé oct. et dim. soir de nov. à Pâques – SC : **R** 55/150 – ☐ 20 – **21 ch** 110/190 – P 220/250.

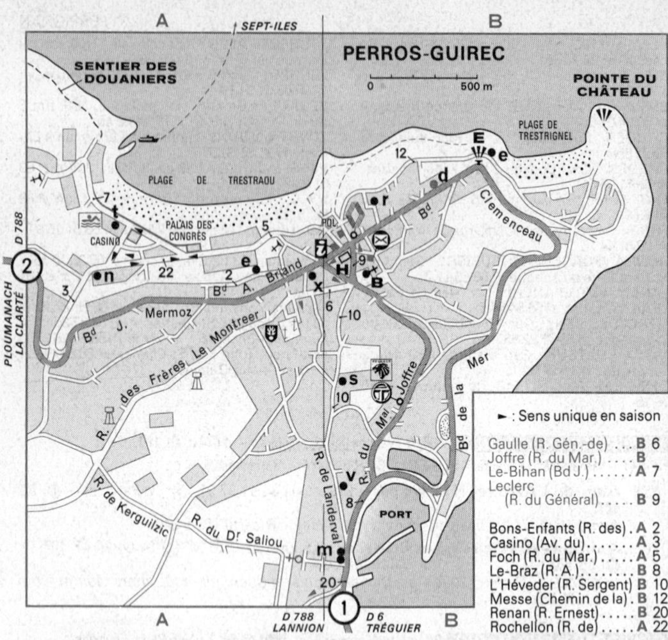

Levant, sur le port ✆ 96 23 20 15, ≤ – ▮ TV ⊟wc ⋒wc ☎ P. VISA — B **m**
fermé déc. au 15 janv. et week-ends d'oct. à Pâques – SC : **R** 60/140 ♁ – ☕ 21 – **20 ch** 126/240 – P 240/285.

Port M sans rest, sur le port ✆ 96 23 21 79, ≤ – TV ⊟wc ☎. ◑ VISA. ✽ — B **m**
SC : ☕ 20 – **12 ch** 190.

St-Yves, bd A.-Briand ✆ 96 23 21 31 – ⊟wc ☎ P. E VISA — A **x**
fermé 4 au 25 nov. – SC : **R** 62/200 – ☕ 16 – **20 ch** 94/158 – P 180/215.

Cyrnos sans rest., 10 r. Sergent-l'Hévéder ✆ 96 23 20 42, ≤, 🌳 – P — B **s**
mai-20 sept. – SC : **13 ch** ☕ 128/196.

XXX **Homard Bleu**, bd J.-le-Bihan ✆ 96 23 24 55, ≤ – E VISA — A **t**
fermé janv. – SC : **R** 80/170.

XX **Feux des Iles** ♨ avec ch, 53 bd Clemenceau ✆ 96 23 22 94, ≤, 🌳, ✂ – ⊟wc ⋒ ☎ P. ◑ VISA. ✽ rest — B **d**
fermé 15 oct. au 15 nov., vacances de fév., dim. soir et lundi d'oct. à Pâques sauf fériés – SC : **R** 75/240 – ☕ 19 – **15 ch** 135/175.

à la Clarté par ② : 2,5 km – ✉ **22700** Perros-Guirec.
Voir Chapelle N.-D.-de-la-Clarté★.

le Verger sans rest, ✆ 96 23 23 29, 🌳 – P
18 mai-fin sept. – SC : ☕ 18 – **18 ch** 90/95.

à Ploumanach par ② : 6 km – ✉ **22700** Perros-Guirec.
Voir Rochers★★ – Parc municipal★★.

Parc, ✆ 96 23 24 88 – ⋒wc ☎. VISA
22 mars-3 avril et 1er mai-25 sept. – SC : **R** 48/160 – ☕ 16 – **12 ch** 130/150.

Phare, ✆ 96 23 23 08, 🌳 – ⋒wc ☎ P. AE. ✽ rest
Pâques-15 sept. – SC : **R** (dîner seul.) 75 – ☕ 19 – **24 ch** 120/165.

Pen-ar-Guer, ✆ 96 23 23 27 – ⋒ P. ✽
8 mai-15 sept. – SC : **R** (résidents seul.) – ☕ 15 – **31 ch** 65/130 – P 155/170.

Oratoire sans rest, ✆ 96 23 25 97 – ⋒wc. ✽
vacances de Pâques et 8 mai-25 sept. – SC : ☕ 15 – **8 ch** 76/130.

XXX ✿ **Rochers** avec ch, ✆ 96 23 23 02, ≤ – ⊟wc ⋒wc ☎. VISA. ✽ rest
28 mars-9 avril, 30 avril-30 sept. – SC : **R** *(fermé merc. hors sais. sauf fériés)* (nombre de couverts limité - prévenir) 105/330 – ☕ 27 – **15 ch** 237/259 –
Spéc. Homard grillé, Escalope de bar de Min Du gourmande, Feuilleté aux fruits rouges.

PEUGEOT-TALBOT Gar. de la Clarté, bd de la Corniche par ② ✆ 96 23 23 20
PEUGEOT-TALBOT Gar. de la Côte, 39 r. Mar.-Joffre ✆ 96 23 22 07 N
RENAULT Gar. des Plages, 37-39 pl. Hôtel de Ville ✆ 96 23 20 35

Le PERROU 61 Orne 60 ⑭ – rattaché à Mamers.

PERTHES 52 H.-Marne 61 ⑨ – 641 h. alt. 127 – ✉ 52100 St-Dizier.

Paris 196 – Chaumont 83 – St-Dizier 9,5 – Vitry-le-François 20.

XX **La Cigogne Gourmande** avec ch, ☎ 25 56 40 29 – ▤ rest ⋔ P. E VISA
fermé juil. et merc. – SC : R (nombre de couverts limité - prévenir) 68/248 – ☕ 19 – **7 ch** 78/150.

X **Relais Paris-Strasbourg,** N 4 ☎ 25 56 40 64 – P. E VISA
fermé 1er au 15 août, 1er au 15 janv., mardi soir et merc. – SC : **R** 46/150.

PERTUIS 84120 Vaucluse 84 ③ **G. Provence** – 12 430 h. alt. 216.

Office de Tourisme pl. Mirabeau ☎ 90 79 15 56.

Paris 749 – Aix-en-Pr. 20 – Apt 35 – Avignon 72 – Cavaillon 45 – Manosque 36 – Salon-de-Pr. 41.

Sevan M ⛰, rte de Manosque E : 1,5 km ☎ 90 79 19 30, Télex 431470, ≤, ⛱, ⛹, ✂ – ⛯ TV P – 60 à 120
36 ch.

Le Quatre Septembre, 60 pl. du 4-septembre ☎ 90 79 01 52 – ⛀wc ⋔ ☎. VISA. ✻ rest
fermé 1er oct. au 15 nov. – SC : **R** *(fermé lundi)* 45/110 🍷 – ☕ 18 – **16 ch** 82/180 – P 185/320.

XX **L'Aubarestiëro** avec ch, pl. Garcin ☎ 90 79 14 74 – ⛀wc ⋔ ☎. E. ✻ ch
SC : **R** 75/320 – ☕ 19 – **13 ch** 107/206 – P 216/250.

X **L'Escapade,** rte Manosque E : 1,5 km ☎ 90 79 03 09, ⛱ – P
fermé 25 sept. au 12 oct. et mardi – SC : **R** 56 bc.

FIAT Moullet, 159 bd J.-B. Pecout ☎ 90 79 01 70
FORD Novo, ZA du Terre du Fort, rte d'Aix ☎ 90 79 51 55
RENAULT SEPAL, Rte d'Aix-en-Provence ☎ 90 79 09 66
Meysson-Pneu, rte d'Aix-en-Provence ☎ 90 79 07 31

Le PERTUISET 42 Loire 76 ⑧ – rattaché à Firminy.

PESSAC 33 Gironde 71 ⑨ – rattaché à Bordeaux.

Le PETIT-CHAUMONT 89 Yonne 61 ⑬ – rattaché à Champigny-sur-Yonne.

PETIT-CLAMART 92 Hauts-de-Seine 60 ⑩, 101 ㉔ – voir à Paris, Environs.

La PETITE-PIERRE 67 B.-Rhin 57 ⑰ **G. Alsace et Lorraine** – 675 h. alt. 339 – ✉ 67290 Wingen-sur-Moder.

Paris 432 – Haguenau 40 – Sarrebourg 32 – Sarreguemines 49 – Sarre-Union 26 – •Strasbourg 59.

Aux Trois Roses, ☎ 88 70 45 02, ≤, ⛱, ⛱, ⛹, ✂ – ⛯ ▤ rest ⛀wc ⋔wc ☎ ♿ – 80. E VISA. ✻ ch
fermé 23 nov. au 20 déc. – SC : **R** *(fermé dim. soir et lundi)* 57/165 🍷 – ☕ 23,50 – **38 ch** 123/249 – P 178/262.

Lion d'Or, ☎ 88 70 45 06, ≤, ⛱, ⛹, ✂ – ⛯ ▤ rest ⛀wc ⋔wc ☎ P – 30. ⓓ E VISA. ✻ ch
fermé 10 janv. au 20 fév., merc. soir et jeudi – SC : **R** 57/190 🍷 – ☕ 18,50 – **35 ch** 120/250 – P 130/250.

Vosges, ☎ 88 70 45 05, ≤, ⛱, ⛹ – ⛯ TV ⛀wc ⋔wc ☎ P – 30. E VISA
fermé 15 nov. au 15 déc., mardi soir et merc. – SC : **R** 65/190 🍷 – ☕ 20 – **33 ch** 130/237 – P 205/246.

La Clairière M ⛰, E : 1,5 km par D 7 ☎ 88 70 47 76, ≤ – ⛀wc ⋔wc ☎ P. AE ⓓ E. ✻ ch
fermé 15 janv. au 1er mars – SC : **R** 67/165 🍷 – ☕ 18,50 – **18 ch** 155/200 – P 195/214.

à l'Étang d'Imsthal SE : 3,5 km par D 178 – ✉ 67290 Wingen sur Moder :

Aub. d'Imsthal ⛰, ☎ 88 70 45 21, ≤, ⛱, ⛹ – ⛀wc ⋔wc ☎ P. AE ⓓ E VISA. ✻ rest
SC : **R** *(fermé 20 nov. au 15 déc. et mardi)* 46/180 🍷 – ☕ 21 – **20 ch** 100/240 – P 195/250.

à Graufthal SO : 11 km par D 178 et D 122 – ✉ 67320 Drulingen :

Vieux Moulin ⛰, ☎ 88 70 17 28, ≤, ⛱, parc – ⛀ ⋔ P. E VISA
fermé 12 nov. au 26 déc. – SC : **R** *(fermé lundi soir et mardi)* 64/120 🍷 – ☕ 15 – **18 ch** 70/116 – P 145/155.

PETIT QUEVILLY 76 S.-Mar. 55 ⑥ – rattaché à Rouen.

La PEYRADE 34 Hérault 83 ⑯⑰ – rattaché à Frontignan.

PEYRAT-LE-CHÂTEAU 87470 H.-Vienne 72 ⑲ **G. Périgord** – 1 295 h. alt. 428.

Paris 408 – Aubusson 45 – Guéret 53 – ♦Limoges 50 – Tulle 83 – Ussel 79 – Uzerche 60.

Aub. Bois de l'Étang, ✆ 55 69 40 19 – wc – 50. VISA
SC : **R** 47/95 – 15,50 – **35 ch** 78/125 – P 140/155.

Bellerive, ✆ 55 69 40 67, ← – wc
fermé 15 janv. à début mars et merc. d'oct. à avril – SC : **R** 45/110 – 15 – **9 ch** 73/112 – P 160/170.

au Lac de Vassivière ★★ E : 6 km par D 13 – ✉ **87470** Peyrat-le-Château :

La Caravelle Ⓜ, ✆ 55 69 40 97, ← lac, – wc – 25. E VISA.
fermé 1er janv. au 5 mars – **R** 90/200 – 22 – **22 ch** 230/240 – P 260/410.

Golf du Limousin, ✆ 55 69 41 34, – wc. rest
1er mars-31 oct. – SC : **R** 59/145 – 18 – **18 ch** 72/139 – P 143/195.

RENAULT Gar. Ratat-Champétinaud, ✆ 55 69 40 11

PEYREHORADE 40300 Landes 78 ⑦⑰ **G. Pyrénées** – 3 311 h. alt. 8.

Syndicat d'Initiative promenade. Sablot (juil.-août) ✆ 58 73 00 52.

Paris 759 – ♦Bayonne 36 – Cambo-les-Bains 42 – Dax 23 – Oloron-Ste-Marie 63 – Pau 71.

Mimi, r. Nauton-Truquez ✆ **58 73 00 06** – wc. ch
fermé 15 mai au 1er juin, 15 oct. au 8 nov., vend. soir et sam. midi du 15 sept. au 31 mai – SC : **R** (dîner seul.) 55/112 – 14 – **16 ch** 65/175.

✿ **Central** (Barrat) avec ch, pl. A.-Briand ✆ **58 73 03 22** – wc. AE VISA
fermé dim. soir et lundi sauf juil.-août – SC : **R** 44/220 – 14 – **10 ch** 58/120 – P 150/154
Spéc. Huîtres chaudes au curry, Gigot de lotte aux poivrons doux, Pot-au-feu de foie gras. **Vins** Madiran, Tursan.

PEUGEOT-TALBOT Gar. Lannot-Vergé, ✆ 58 73 00 29

Si vous cherchez un hôtel tranquille,
ne consultez pas uniquement les cartes p. 46 à 53,
mais regardez également dans le texte
les établissements indiqués avec le signe .

PEYRIAC-MINERVOIS 11 Aude 83 ⑫ – 1 033 h. alt. 131 – ✉ **11160** Caunes-Minervois.

Paris 882 – Béziers 59 – Carcassonne 24 – Castres 71 – Narbonne 41 – St-Pons 54.

Château de Violet, N : 1 km sur D 35 ✆ 68 78 10 42, parc, ←, « Beau mobilier », – TV – 80. AE E VISA
1er juin-1er oct. – SC : **R** 135/200 – 42 – **15 ch** 250/495 – P 394/518.

PEYRUIS 04310 Alpes de H. P. 81 ⑯ **G. Côte d'Azur** – 1 702 h. alt. 405.

Voir Rochers des Mées★ E : 5 km.

Paris 727 – Digne 29 – Forcalquier 20 – Manosque 29 – Sisteron 24.

Aub. Faisan Doré, S : 2 km par N 96 ✆ 92 68 00 51, , , , – wc wc – 30. AE E VISA
fermé 20 au 30 mars et 1er au 15 oct. – SC : **R** 60/220 – 25 – **10 ch** 110/160 – P 210/250.

CITROEN Gar. Milési, ✆ 92 68 00 45 N

RENAULT Gar. St-Roch, ✆ 92 68 00 42

PÉZENAS 34120 Hérault 83 ⑮ **G. Causses** – 7 841 h. alt. 20.

Voir Vieille ville★★ : Hôtels de Lacoste★ D, d'Alfonce★ E, de Malibran★ B.

Office de Tourisme marché au Bled ✆ 67 98 11 82.

Paris 807 ① – Agde 18 ② – Béziers 23 ② – Lodève 41 ① – ♦Montpellier 52 ① – Sète 36 ①.

Plan page ci-contre

Genieys, 9 av. A.-Briand **(b)** ✆ **67 98 13 99,** – wc wc. AE E VISA
fermé 2 au 25 nov. – SC : **R** *(fermé dim. soir et lundi sauf juil.-août)* 60/190 – 15 – **18 ch** 110/180 – P 220/245.

CITROEN Vidal, N 113, carr. rte d'Adge par ② ✆ 67 98 11 27
PEUGEOT-TALBOT Meriguet, rte de Béziers par ② ✆ 67 98 14 94
RENAULT Occitane-Autos, N113, rte de Béziers par ② ✆ 67 98 97 73

RENAULT Sabat, pl. Poncet ✆ 67 98 14 22
Gautrand-Pneus, rte Béziers, N 113 ✆ 67 98 12 17
Relais du Pneum, Marché des Trois Six ✆ 67 98 14 19

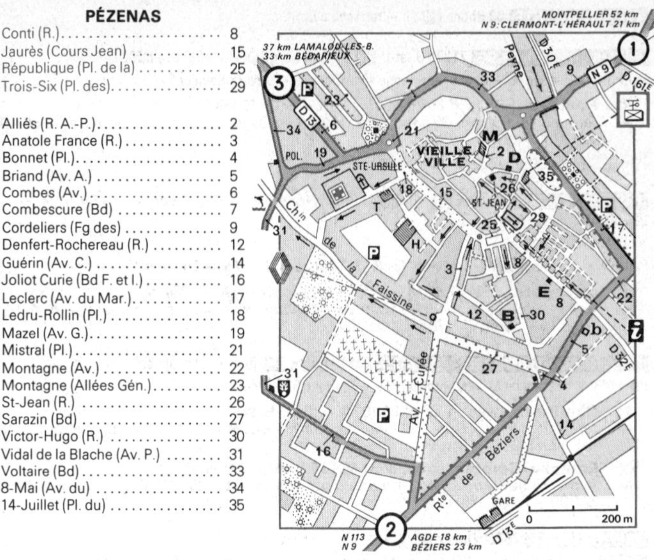

PÉZENAS

Conti (R.) 8
Jaurès (Cours Jean) 15
République (Pl. de la) 25
Trois-Six (Pl. des) 29

Alliés (R. A.-P.) 2
Anatole France (R.) 3
Bonnet (Pl.) 4
Briand (Av. A.) 5
Combes (Av.) 6
Combescure (Bd) 7
Cordeliers (Fg des) 9
Denfert-Rochereau (R.) 12
Guérin (Av. C.) 14
Joliot Curie (Bd F. et I.) 16
Leclerc (Av. du Mar.) 17
Ledru-Rollin (Pl.) 18
Mazel (Av. G.) 19
Mistral (Pl.) 21
Montagne (Av.) 22
Montagne (Allées Gén.) 23
St-Jean (R.) 26
Sarazin (Bd) 27
Victor-Hugo (R.) 30
Vidal de la Blache (Av. P.) 31
Voltaire (Bd) 33
8-Mai (Av. du) 34
14-Juillet (Pl. du) 35

PFAFFENHOFFEN **67350** B.-Rhin **57** ⑱ **G. Alsace et Lorraine** – 2 261 h. alt. 170.
Voir Musée de l'Imagerie peinte et populaire alsacienne★.
Paris 458 – Haguenau 14 – Sarrebourg 49 – Sarre-Union 50 – Saverne 26 – ♦Strasbourg 36.

XX **Agneau** avec ch, ☎ **88 07 72 38** – wc wc ☎. **E** VISA.
fermé 15 juil. au 15 août, dim. soir et lundi – **SC** : **R** 45/181 – 13 – **18 ch** 88/150.

CITROEN Bolley, ☎ 88 07 61 03 RENAULT Keller, ☎ 88 07 71 01

PHALSBOURG **57370** Moselle **57** ⑰ **G. Alsace et Lorraine** – 4 229 h. alt. 330.
Syndicat d'Initiative à l'Hôtel de Ville (1er avril-31 oct.) ☎ 87 24 12 26.
Paris 434 – ♦Metz 109 – Sarrebourg 16 – Sarreguemines 49 – ♦Strasbourg 57.

Erckmann-Chatrian, pl. d'Armes ☎ **87 24 31 33** – wc wc ☎ – 30. AE **E** VISA
fermé oct. – **R** *(fermé mardi midi et lundi)* 45/152 – 20 – **18 ch** 79/178.

Notre-Dame , **à Bonne-Fontaine E : 4 km par N 4 et VO** ☎ **87 24 34 33,** ←, – wc wc ☎ – 80. AE **E** VISA
fermé 10 au 30 janv., vacances de fév. et vend. – **SC** : **R** 170 bc/60 – 15,50 – **26 ch** 160/260 – P 190/275.

XX **Au Soldat de l'An II,** 1 rte Saverne ☎ **87 24 16 16** – . VISA
fermé 5 janv. au 2 fév., dim. soir et lundi – **SC** : 100/230 .

CITROEN Gar. Wetzel, 14 r. du 23-Novembre ☎ 87 24 11 67
PEUGEOT Klein, 6 r. du 23-Novembre ☎ 87 24 35 36 ☎ 87 24 37 87
RENAULT Gar. Tromp. ☎ 87 24 12 13 ☎ 87 07 70 34

PHILIPPSBOURG **57** Moselle **57** ⑱ – 468 h. alt. 215 – ✉ **57230** Bitche.
Paris 444 – Haguenau 27 – ♦Strasbourg 59 – Wissembourg 41.

X **Tilleul,** 117 r. Niederbronn ☎ **87 06 50 10** – . AE **E** VISA
fermé 1er au 17 sept. 2 au 25 fév., mardi soir et merc. – **R** 45/150 .

à l'étang de Hanau NO : 5 km par N 62 et VO – ✉ **57230** Bitche.
Voir Étang de Hanau★, G. Alsace et Lorraine .

X **Plage,** ☎ **87 06 50 32,** ←, – . **E**
1er avril-31 oct. – **SC** : **R** 35/190 .

PICHERANDE **63113** P.-de-D. **73** ⑬ – 530 h alt. 1 123.
Paris 452 – ♦Clermont-Ferrand 69 – Issoire 52 – Le Mont-Dore 30.

Central Hôtel, ☎ **73 22 30 79,** ←
fermé oct. et nov. – **SC** : **R** 50/90 – 16 – **20 ch** 40/75 – P 132.

PIERRE-BÉNITE 69 Rhône 74 ⑪ – rattaché à Lyon.

PIERRE-DE-BRESSE 71270 S.-et-L. 70 ③ **G. Bourgogne** – 2 097 h. alt. 202.

Paris 357 – Beaune 46 – Chalon-sur-Saône 40 – Dole 35 – Lons-le-Saunier 35.

Poste, pl. Hôtels ✆ 85 76 24 47 – wc ⓟ. E VISA
fermé 3 au 10 juin, 30 sept. au 7 août, 6 au 28 janv., lundi soir et mardi – SC : **R** 48/112 – 14 – **7 ch** 58/108.

PEUGEOT Gar. Degrange, ✆ 85 76 23 96

PIERREFONDS 60 Oise 56 ③, 196 ⑪ **G. Flandres, Artois, Picardie** – 1 586 h. alt. 81 – ✉ 60350 Cuise-la-Motte.

Voir Château★★.

Paris 87 – Compiègne 14 – Crépy-en-Valois 17 – Soissons 31 – Villers-Cotterêts 15.

Etrangers, ✆ 44 42 80 18, ≤, – wc – 40. VISA.
fermé début janv. au 15 fév., dim. soir et lundi de fin sept. à début janv. – **R** 47/135 – 14 – **16 ch** 75/175 – P 200/250.

PIERREFONTAINE-LES-VARANS 25510 Doubs 66 ⑰ – 1 608 h. alt. 694.

Paris 463 – ♦Besançon 52 – Montbéliard 59 – Morteau 32 – Pontarlier 48.

XX **Commerce** avec ch, ✆ 81 56 10 50 – wc. E VISA
fermé 20 déc. au 20 janv. et lundi hors sais. – SC : **R** 45/130 – 13 – **8 ch** 78/145 – P 130/140.

X **Franche-Comté** avec ch, ✆ 81 56 12 62, – wc ⓟ. VISA
fermé 15 nov. au 15 déc. et mardi d'oct. à avril – SC : **R** 42/120 – 18 – **7 ch** 72/195 – P 138/155.

PIERRELATTE 26700 Drôme 81 ① – 11 653 h. alt. 60.

Syndicat d'Initiative pl. Champs-de-Mars (fermé matin hors saison) ✆ 75 04 07 98.

Paris 627 – Bollène 14 – Montélimar 23 – Nyons 46 – Orange 32 – Pont-St-Esprit 16 – Valence 66.

Centre M, 6 pl. Église ✆ 75 04 28 59 – wc wc ⓟ. E VISA
SC : **R** voir rest Les Recollets – 16 – **20 ch** 167/184.

Host. Tom II, 5 av. Gén.-de-Gaulle ✆ 75 04 00 35, – wc . AE VISA.
rest
fermé 15 au 31 oct., lundi (sauf hôtel) et dim. soir – SC : **R** 56/134 – 14 – **15 ch** 72/157 – P 162.

Tricastin sans rest, r. Caprais-Favier ✆ 75 04 05 82 – wc ⓟ
SC : 13,50 – **12 ch** 95/136.

XX **Les Recollets**, 6 pl. Église ✆ 75 96 83 10 – ⓟ. AE ⓞ E VISA
fermé 4 au 28 août, vacances de fév., vend. soir de sept. à mai et sam. – SC : **R** 40/120 .

au Sud 4 km sur N 7 :

Motel de Pierrelatte sans rest, ✆ 75 04 07 99 – wc ⓟ. ⓞ.
fermé 15 janv. au 15 fév. – SC : 20 – **22 ch** 120/195.

CITROEN Goussard, rte du Serre ✆ 75 04 00 20
FIAT, LANCIA Gar. Palmier, rte de St-Paul ✆ 75 04 03 40
PEUGEOT-TALBOT Gar. du Midi, rte St-Paul ✆ 75 04 00 27
PEUGEOT-TALBOT Ets Robert, 16 rte de Lyon ✆ 75 04 21 44
Jérome-Pneus, quartier Beauregard, N 7 ✆ 75 04 29 76

PILAT (Mont) ★★ 42 Loire 76 ⑨ **G. Vallée du Rhône**.

Voir Crêt de l'Oeillon ★★★ 15 mn – Crêt de la Perdrix ★ 15 mn.

Paris 522 – ♦St-Étienne 25.

PILAT-PLAGE 33 Gironde 78 ⑫ – voir à Pyla-sur-Mer.

Le PIN 36 Indre 68 ⑱ – rattaché à Gargilesse-Dampierre.

Le PIN-LA-GARENNE 61 Orne 60 ④ – rattaché à Mortagne-au-Perche.

PINSOT 38 Isère 77 ⑥ – rattaché à Allevard.

PIONSAT 63330 P.-de-D. 73 ③ – 1 210 h. alt. 530.

Paris 358 – Aubusson 57 – ♦Clermont-Ferrand 71 – Montluçon 30 – Vichy 80.

A la Queue du Milan, ✆ 73 85 60 71 – ⓟ. E
fermé 12 au 18 nov. et lundi sauf juil.-août – SC : **R** 49/89 – 14,50 – **13 ch** 56/96 – P 138/168.

PIRIAC-SUR-MER 44 Loire-Atl. 63 ⑬ G. Bretagne – 1 263 h. – ✉ 44420 La Turballe.

Voir Pointe du Castelli ※★ SO : 1 km.

Paris 463 – Guérande 13 – ♦Nantes 91 – La Roche-Bernard 31 – St-Nazaire 32 – La Turballe 6.

Poste, 26 r. Plage ☎ 40 23 50 90 – wc wc. ch
15 mars-15 oct., fermé merc. midi et mardi – SC : 70/145 – 18 – **15 ch** 155/190 – P 220.

PITHIVIERS 45300 Loiret 60 ⑳ G. Environs de Paris – 9 812 h. alt. 120.

Office de Tourisme Mail-Ouest Gare Routière (fermé matin) ☎ 38 30 50 02.

Paris 82 ① – Chartres 73 ⑥ – Châteaudun 76 ⑥ – Fontainebleau 45 ② – Montargis 45 ④ – ♦Orléans 43 ⑤.

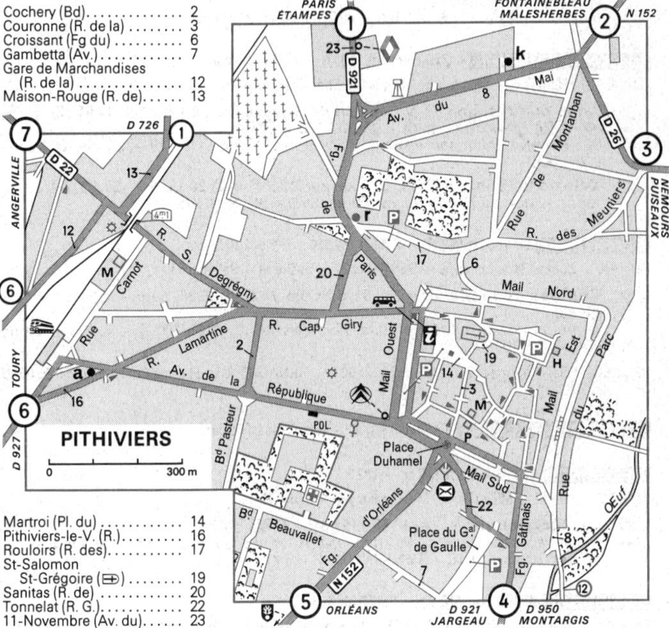

Climat de France M, av. 8 Mai **(k)** ☎ 38 30 40 25, – TV wc ☎ ♿ P. E VISA
SC : **R** 50/88 – 19 – **26 ch** 190/210.

La Chaumière, 77 av. République **(a)** ☎ 38 30 03 61 – wc. E VISA
fermé 15 déc. au 15 janv. et lundi midi sauf hôtel – SC : **R** 50/95 – 15 – **8 ch** 154/175.

XXX **Péché Mignon,** 48 fg Paris **(r)** ☎ 38 30 05 32 – P. AE ⓓ VISA
fermé 15 janv. au 15 fév., dim. soir et mardi – SC : **R** 85/140.

CITROEN Molvaut, 6 av. République ☎ 38 30 19 22
OPEL Gar. du Centre, 20 Mail Ouest ☎ 38 30 04 12 N
PEUGEOT, TALBOT Balançon-Malidor, 76 fg Orléans par ⑤ ☎ 38 30 21 58
RENAULT Beauce-Gâtinais-Automobiles, av. du 11-Novembre ☎ 38 30 28 56

V.A.G. Delafoy-Caillette, rte d'Etampes ☎ 38 30 16 05

Théron, r. Gare-de-Marchandises ☎ 38 30 20 08

PLA D'ADET 65 H.-Pyr. 85 ⑲ – rattaché à St-Lary-Soulan.

Dans ce guide

*un même symbole, un même caractère imprimé en rouge ou en noir, en maigre ou en **gras** n'ont pas tout à fait la même signification.*

Lisez attentivement les pages explicatives (p. 14 à 21).

La PLAGNE 73 Savoie 74 ⑱ G. Alpes – alt. 1 980 – Sports d'hiver : 1 250/3 250 m 6 80 – ✉ 73210 Aime.

Voir La Grande Rochette ** (accès par télécabine) – Télécabine de Bellecôte ** à Plagne-Bellecôte E : 3 km.

Office du Tourisme le Chalet 79 09 79 79, Télex 980973.

Paris 632 – Bourg-St-Maurice 31 – Chambéry 109 – Moûtiers 34.

Christina et rest. Edelweiss, 79 09 28 20, ←, – . AE E VISA
déc.-avril et fermé jeudi midi – **R** 90/170 – 35 – **55 ch** 195/400 – P 330/500.

Graciosa et rest Étoile d'Or, 79 09 00 18, Télex 309626, ← – wc ☎ P. AE E VISA. rest
6 déc.-Pâques – SC : **R** 140/160 – 35 – **14 ch** 310/375.

La PLAINE-SUR-MER 44770 Loire-Atl. 67 ① – 2 006 h. alt. 33.

Paris 453 – ♦Nantes 58 – Pornic 7,5 – St-Michel-Chef-Chef 6,5 – St-Nazaire 27.

Anne de Bretagne M, au Port de Gravette NO : 3 km 40 21 54 72, ←, , – TV wc wc ☎ P – 30 à 150. E VISA
SC : **R** *(fermé dim. soir et lundi d'oct. à mai)* 56/205 – 19 – **26 ch** 160/220 – P 285/305.

Baie de la Prée, à la Prée, O : 3 km par D 13 40 21 50 13, ← – AE VISA
fermé 12 nov. au 15 déc., lundi soir et mardi – SC : **R** 75/195.

PLAINFAING 88 Vosges 62 ⑱ – 2 235 h. alt. 530 – ✉ 88230 Fraize.

Paris 406 – Colmar 38 – Épinal 56 – Gérardmer 22 – St-Dié 18 – Sélestat 53.

Château de la Malaide, 3 rte St Dié 29 50 36 86, parc – wc wc ☎ P. VISA
fermé mi-nov. à mi-déc. et lundi hors sais. – SC : **R** 65/150 – 19 – **20 ch** 90/162 – P 190/240.

PEUGEOT Gar. Maurice, à Fraize 29 50 30 24 RENAULT Gar. Ferry, à Fraize 29 50 80 65 N

PLAINPALAIS (Col de) 73 Savoie 74 ⑯ – rattaché à La Féclaz.

PLAISANCE 12710 Aveyron 83 ② – 282 h..

Paris 680 – Albi 42 – Millau 74 – ♦Montpellier 146 – Rodez 72.

Les Magnolias avec ch, 65 99 77 34 – E VISA. ch
fermé vacances de nov., fév., dim. soir du 1er nov. au 1er avril et lundi non fériés – SC : **R** 60/195 – 18 – **5 ch** 98/150 – P 198.

PLAISANCE 32160 Gers 82 ③ – 1 577 h alt. 133.

Paris 701 – Aire-sur-L'Adour 30 – Auch 55 – Condom 64 – Mont-de-Marsan 61 – Pau 65 – Tarbes 44.

La Ripa Alta (Coscuella), 62 69 30 43 – wc wc ☎. AE E VISA
fermé 10 nov. au 2 déc., lundi (sauf hôtel) et dim. soir hors sais. – SC : **R** (dim. prévenir) 70 bc/220 – 20 – **14 ch** 79/230 – P 198/295
Spéc. Mousse de palombes, Fricassée de poulet "Armagnac", Gâteau de chocolat.

CITROEN Gar. Lenfant, 62 69 32 13

PLANCOËT 22130 C.-du-N. 59 ⑤ – 2 507 h.

Paris 414 – Dinan 17 – Dinard 21 – St-Brieuc 47.

Chez Crouzil avec ch, à la gare 96 84 10 24 – wc wc ☎. AE E VISA
fermé 5 au 20 nov., 2 au 15 janv., dim. soir et lundi – SC : **R** 70/280 – 25 – **12 ch** 110/250 – P 240/300.

PEUGEOT-TALBOT Neute, 96 84 11 24 Emeraude Pneus, 96 84 11 82

PLAN-DE-LA-TOUR 83 Var 84 ⑦ – 1 452 h. alt. 69 – ✉ 83120 Ste-Maxime.

Paris 881 – Cannes 71 – Draguignan 36 – St-Tropez 19 – Ste-Maxime 9, 5.

Mas des Brugassières sans rest, 94 43 72 42, ←, , , – wc ☎ P.
fermé janv. – SC : **10 ch** 295/330.

Ponte Romano avec ch, 94 43 70 56, , « Mas provençal dans un joli jardin, », – wc ☎ P. AE VISA. rest
1er avril-30 sept. – SC : **R** (nombre de couverts limité - prévenir) carte 210 à 310 – 30 – **6 ch** 300/460, 4 appartements 600.

PLAN-D'ORGON 13750 B.-du-R. 84 ① – 1 885 h. alt. 70.

Paris 701 – Aix-en-Provence 53 – Arles 38 – Avignon 23 – ♦Marseille 78 – Nîmes 56.

- **Flamant Rose** ⛰, rte St-Rémy ☎ 90 73 10 17, ⛱, 🏊 – ⇔wc ☎ Ⓟ
- **R** 48/110 – ☕ 25 – **16 ch** 150/170 – P 200/260.

PLAN-DU-VAR 06 Alpes-Mar. 84 ⑲, 195 ⑯ – alt. 141 – ✉ **06670** St-Martin-du-Var.

Voir Gorges de la Vésubie*** NE – Défilé du Chaudan** N : 2 km.

Env. Bonson : Belvédère**, retable de St-Benoît* dans l'église NO : 9 km, **G. Côte d'Azur.**

Paris 947 – Antibes 39 – Cannes 49 – ♦Nice 31 – Puget-Théniers 34 – St-Étienne-de-T. 60 – Vence 27.

- **Cassini,** rte Nationale ☎ 93 08 91 03, ⛱ – ⇔wc ⋒wc ☎ 🚗 – 🏛 40
- *fermé janv. et vend. sauf juil.-août* – SC : **R** 45/140 – ☕ 16 – **20 ch** 110/200 – P 180/240.

Le PLANELLET 74 H.-Savoie 74 ⑧ – rattaché à Megève.

Le PLANTAY 01 Ain 74 ② – rattaché à Villars-les-Dombes.

PLAPPEVILLE 57 Moselle 57 ⑬ – rattaché à Metz.

PLASCASSIER 06 Alpes-Mar. 84 ⑧⑨, 195 ㉔ – rattaché à Grasse.

PLEAUX 15700 Cantal 76 ① – 1 664 h. alt. 642.

ℹ Syndicat d'Initiative à la Mairie ☎ 71 40 41 18.

Paris 506 – Argentat 31 – Aurillac 47 – Brive-la-Gaillarde 75 – Mauriac 20 – St-Céré 69 – Tulle 61.

- **Commerce** avec ch, ☎ 71 40 41 11 – ✗
- *fermé 20 déc. au 10 janv.* – SC : **R** 45/70 – ☕ 14,50 – **10 ch** 78/100 – P 140/150.

PEUGEOT-TALBOT Garcelon, ☎ 71 40 41 33 Ⓝ ☎ 71 40 41 55

RENAULT Gar. Bony, ☎ 71 40 42 64 Ⓝ

PLÉLAN-LE-GRAND 35380 I.-et-V. 63 ⑤ – 2 349 h..

Paris 384 – Ploermel 26 – Redon 50 – ♦Rennes 34.

- **Bruyères** ⛰, ☎ 99 06 81 38, ⛱ – ⇔wc ⋒wc ☎ Ⓟ. E VISA
- SC : **R** *(fermé sam. en hiver)* 50/92 🍷 – ☕ 15 – **18 ch** 80/150 – P 130/160.

PLÉNEUF-VAL-ANDRÉ 22370 C.-du-N. 59 ④ – 3 801 h. alt. 70.

Paris 449 – Dinan 43 – Erquy 9 – Lamballe 17 – St-Brieuc 29 – St-Cast 29 – St-Malo 54.

au Val-André O : 2 km, **G. Bretagne** – Casino – ✉ **22370** Pléneuf-Val-André.

Voir Pointe de Pléneuf* N 15 mn – Le tour de la Pointe de Pléneuf ≤** N 30 mn.

ℹ Office de Tourisme 1 cours Winston-Churchill ☎ 96 72 20 55.

- **Gd H. du Val André** ⛰, r. Amiral-Charner ☎ 96 72 20 56, ≤ – 🛗 ⇔wc ☎ Ⓟ. E VISA. ✗ rest
  hôtel : 15 mars-12 nov. ; rest. : 1er mai-30 sept. – SC : **R** 73/245 – ☕ 24 – **39 ch** 195/240 – P 255/290.
- **Clémenceau** sans rest, 131 r. Clémenceau ☎ 96 72 23 70 – 📺 ⇔wc ⋒wc ☎ Ⓟ. VISA
  fermé 6 janv. au 4 fév. – SC : ☕ 23 – **23 ch** 155/217.
- **Mer,** r. Amiral-Charner ☎ 96 72 20 44 – ⇔ ⋒ Ⓟ
  15 mars-15 nov. – SC : **R** 65/220 – ☕ 18 – **16 ch** 105/200 – P 190/210.
- **Casino** ⛰ sans rest, 10 r. Ch. Cotard ☎ 96 72 20 22 – ✗
  23 mars-1er oct. – SC : ☕ 18 – **17 ch** 84/100.
- XX ✿ **Cotriade** (Le Saout), au port de Piégu : 1 km ☎ 96 72 20 26, ≤ port. VISA
  fermé 23 mai au 3 juin, mi-déc. à mi-janv., lundi soir et mardi – SC : **R** (nombre de couverts limité - prévenir) 100/190
  Spéc. Homard grillé, Millefeuille de sole aux échalotes confites, Turbot soufflé.
- XX **Le Biniou,** 121 r. Clemenceau ☎ 96 72 24 35 – E VISA
  15 mars-15 nov. et fermé jeudi – SC : **R** 55/250.
- XX **Ajoncs d'Or,** plage des Vallées ☎ 96 72 29 81, ≤ côte et mer, ⛱ – Ⓟ. E VISA
  15 mai-1er nov. et fermé merc. sauf juil.-août – SC : **R** 90/230.

CITROEN Troalen, ☎ 96 72 20 20

PEUGEOT-TALBOT Gar. Robert ☎ 96 72 22 15 Ⓝ

PLÉRIN 22 C.-du-N. 58 ⑩ – rattaché à St-Brieuc.

PLESSIS-PICARD 77 S.-et-M. 61 ①②, 196 ㉝ – rattaché à Melun.

PLESTIN-LES-GRÈVES 22310 C.-du-N. 58 ⑦ **G. Bretagne** – 3 447 h. alt. 114.

Syndicat d'Initiative à la Mairie (1er juil.-31 août) ✆ 96 35 61 93.

Paris 530 – Guingamp 47 – Lannion 18 – Morlaix 20 – St-Brieuc 78.

Côtes d'Armor ⛰, rte de la Corniche, N : 4 km par D 42 ✆ **96 35 63 11**, ≤ – ⇔wc ⋔wc ☎ **P**. AE ① E VISA
Pâques-fin oct. et fermé lundi sauf du 1er juin au 31 août – SC : **R** (dîner seul.) 72/170 – ☕ 20 – **20 ch** 100/180.

Voyageurs, ✆ 96 35 62 12 – ⇔wc ⋔wc ☎ **P**. E
fermé janv., fév. et lundi hors sais. – SC : **R** 38/120 🍷 – ☕ 22 – **27 ch** 100/170 – P 160/200.

PLEURTUIT 35730 I.-et-V. 59 ⑤ – 4 228 h. alt. 68.

✈ de Dinard-Pleurtuit-St-Malo : T.A.T. ✆ 99 46 15 76, NO : 2 km.

Paris 412 – Dinan 15 – Dinard 7 – Dol-de-Bretagne 29 – Lamballe 45 – •Rennes 66 – St-Malo 15.

Angelus, r. Dinan ✆ 99 88 41 53, 🚗 – E. ✳ ch
fermé 15 sept. au 1er nov., dim. soir et lundi – SC : **R** 50/125 🍷 – ☕ 16,50 – **7 ch** 78/120.

CITROEN Gar. Lebreton, ✆ 99 88 41 91

RENAULT Le Pouliquen, 13 r. Aéroport ✆ 99 88 41 05

PLÉVEN 22 C.-du-N. 59 ⑤ – 594 h. alt. 80 – ✉ **22130** Plancoët.

Voir Château de la Hunaudaie★ SO : 4 km, **G. Bretagne.**

Paris 421 – Dinan 24 – Dinard 31 – Lamballe 16 – St-Brieuc 37 – St-Malo 39.

Manoir Vaumadeuc ⛰, ✆ 96 84 46 17, « Manoir 15e s., parc » – **P**. ✳ rest
20 mars-5 janv. – **R** (nombre de couverts limité - prévenir) 145/200 – ☕ 30 – **9 ch** 390/624 – P 457/555.

PLOBANNALEC 29 Finistère 58 ⑭ – 2 844 h. – ✉ **29138** Lesconil.

Paris 571 – Douarnenez 39 – Pont-l'Abbé 6 – Quimper 26.

XXX Aub. du Petit Kéroulé, rte Pont l'Abbé ✆ 98 82 22 55 – **P**.

PLOËRMEL 56800 Morbihan 63 ④ **G. Bretagne** – 7 258 h. alt. 76.

Voir Église St-Armel★ Y **B** – Maison des Marmousets★ Y **D.**

Syndicat d'Initiative 5 r. Val (saison) ✆ 97 74 02 70.

Paris 409 ② – La Baule 88 ⑤ – Châteaubriant 90 ③ – Concarneau 132 ⑥ – Dinan 69 ① – Guingamp 104 ⑥ – Pontivy 46 ⑥ – Redon 46 ④ – •Rennes 60 ② – St-Brieuc 86 ⑥ – Vannes 46 ⑤.

PLOËRMEL

Forges (R. des) ...... Z 16
Gare (R. de la) .... Y
Gaulle (R. Ch.-de) .... Z 20
Lamennais (Pl.) ...... Y 29
Patarins (R. des) ..... Z 32

Armes (Pl. d') .... Y 2
Beaumanoir (R.) ..... Y 3
Bignon (R. du) ...... Y 4
Carmes (Bd des) .... Y 7
Député A.-de-Rohan (Rue) .... Z 8
Dr-Louis-Guillois (Av. du) .... YZ 10
Dubreton (R. du Général) .... Z 12
Francs-Bourgeois (R. des) .... Y 17
Herses (R. des) ...... Y 25
Hôtel-de-Ville (Pl.) ... Z 26
Leclerc (R. du Gén.) .. Z 30
Sénéchal-Thuault (R.) Z 37

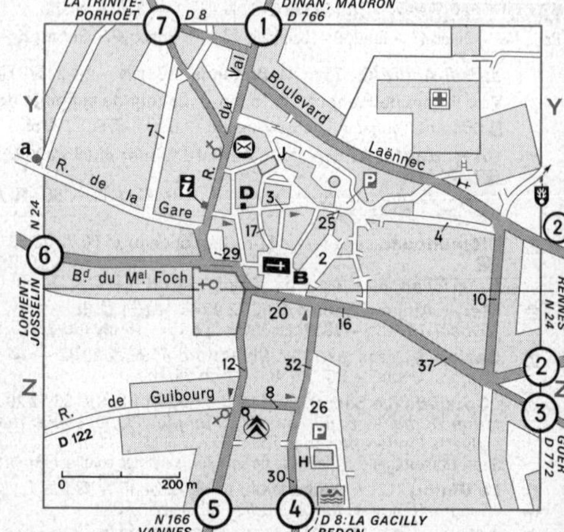

Pour bien lire les plans de villes, voir signes et abréviations p. 23.

XX **Commerce-Reberminard** avec ch, 70 r. Gare ✆ 97 74 05 32 – ⋔wc ☎. VISA
fermé 3 au 20 janv., dim. soir et lundi d'oct. à juin – SC : **R** 53/115 – ☕ 15,50 – **19 ch** 80/190 – P 200/250. Y **a**

à la Chapelle par ⑤ : 9 km – ✉ **56460** Serent :

Relais du Val d'Oust M, ✆ 97 74 94 33 – ⋔wc ☎ **P** – 🏛 50. VISA. ✳
fermé sam. et vend. soir de sept. à juin – SC : **R** 55/230 – ☕ 22 – **15 ch** 160/170.

CITROEN Migue, 33 r. Gén.-Dubreton ☎ 97 74 05 07
FIAT Gar. Gesbert, 58 bis r. Gén.-Dubreton ☎ 97 74 01 23
FORD Brocéliande Autom., 35 bd Foch ☎ 97 74 00 51

PEUGEOT-TALBOT Chouffeur, 6 av. de Rennes par ② ☎ 97 74 02 55
RENAULT Triballier, 15 rte de Rennes par ② ☎ 97 74 01 66 N

Corbel, Zone Ind. de Gourhel ☎ 97 74 03 03

PLOEUC-SUR-LIÉ 22150 C.-du-N. 58 ⑩ – 3 140 h.

Paris 449 – Lamballe 26 – Loudéac 25 – St-Brieuc 22.

Commerce, ☎ 96 42 10 36, – wc wc
fermé 15 sept. au 15 oct., 15 au 30 janv., dim. soir et lundi du 15 sept. au 15 mai – SC : **R** 50/140 – 15 – **37 ch** 90/185 – P 135/190.

PLOGOFF 29151 Finistère 58 ⑬ – 2 138 h. alt. 65.

Env. Pointe du Van <** NO : 6 km, **G. Bretagne.**

Paris 598 – Audierne 10 – Douarnenez 32 – Pont-L'Abbé 42 – Quimper 45.

Ker-Moor, plage du Loch E : 2,5 km ☎ 98 70 62 06, < – . rest
1er avril-30 sept. – SC : **R** 45/110 – 11 – **18 ch** 80/100 – P 175/185.

PLOMBIÈRES-LES-BAINS 88370 Vosges 62 ⑯ **G. Alsace et Lorraine** – 890 h. alt. 456 – Stat. therm. (1er mai-30 sept.) – Casino B.

Voir La Feuillée Nouvelle <* 5 km par ②.

Office de Tourisme r. Stanislas ☎ 29 66 01 30.

Paris 398 ④ – Belfort 76 ② – Épinal 30 ④ – Gérardmer 42 ① – Vesoul 48 ② – Vittel 66 ④.

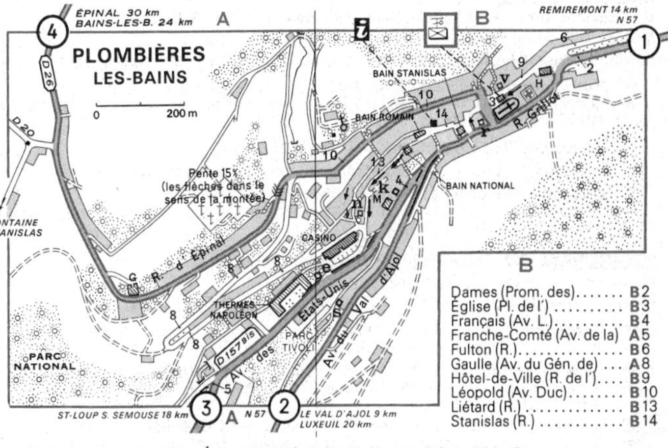

Gd Hôtel, 2 av. des États-Unis ☎ 29 66 00 03, , – AB **e**
1er mai-1er oct. – SC : **R** 80/160 – 17 – **114 ch** 109/220.

Modern'H M, av. Th.-Gautier ☎ 29 66 04 02, < – wc wc . VISA. rest
15 avril-30 sept. – SC : **R** 69 – 14 – **32 ch** 119/150 – P 224/258. B **s**

Host. Les Rosiers, par ② : 1 km ☎ 29 66 02 66, <, – wc wc .
Pâques-1er nov. – SC : **R** 55/120 – 18 – **22 ch** 100/180 – P 180/300.

Beauséjour, av. Louis Français ☎ 29 66 01 50 – wc wc . rest
1er mai-30 sept. – SC : **R** 66/75 – 19 – **38 ch** 135/230 – P 225/305. B **k**

Abbesses, pl. Église ☎ 29 66 00 40 – wc . rest B **r**
15 avril-1er oct. – SC : **R** 66/87 – 14,50 – **44 ch** 115/229 – P 179/255.

Commerce, r. Hôtel de Ville ☎ 29 66 00 47, , – wc wc. AE VISA. rest B **v**
1er mai-30 sept. – SC : **R** 52/127 – 13 – **45 ch** 67/123 – P 148/207.

Alsace, r. Liétard ☎ 29 66 00 05 – wc . rest B **n**
1er mai-30 sept. – **R** 55/83 – 15,50 – **60 ch** 84/157 – P 200/250.

près de la Fontaine Stanislas -A-SO : 4 km – alt. 600 – ✉ **88370** Plombières-les-B. :

Fontaine Stanislas, ☎ 29 66 01 53, <, « En forêt, jardin » – wc wc . rest
1er avril-30 sept. – SC : **R** 64/150 – 17 – **19 ch** 90/220 – P 205/280.

PLOMEUR 29 Finistère 58 ⑭ **G. Bretagne** – 2 852 h. alt. 31 – ✉ **29120** Pont-l'Abbé.

Paris 571 – Douarnenez 34 – Pont-l'Abbé 5,5 – Quimper 26.

Ferme du Relais Bigouden M sans rest., à Pendreff, S : 2,5 km sur D 57 ✆ 98 58 01 32, – wc wc. E VISA
fermé 1er déc. au 10 janv. – SC : 21 – **16 ch** 162/185 – P 210/242.

Relais Bigouden avec ch., ✆ **98 82 04 79**, – E VISA
fermé 1er déc. au 10 janv. – SC : **R** 48/245 – 15 – **12 ch** 68/96 – P 150.

PLOMODIERN **29127** Finistère 58 ⑮ – 1 977 h. alt. 112.

Voir Retables★ de la chapelle Ste-Marie-du-Ménez-Hom N : 3,5 km – Charpente★ de la chapelle St-Côme NO : 4,5 km, **G. Bretagne.**

Paris 563 – ♦Brest 59 – Châteaulin 12 – Crozon 26 – Douarnenez 20 – Quimper 29.

Relais Porz-Morvan sans rest, E : 3 km ✆ **98 81 53 23**, – wc wc.
Pâques-oct. – SC : 25 – **12 ch** 220/350.

La Crémaillère, ✆ **98 81 50 10**, –
fermé oct., sam. et dim. de nov. à Pâques – SC : **R** 47/110 – 18 – **26 ch** 95/130 – P 127/165.

PLONÉOUR-LANVERN 29 Finistère 58 ⑭ – 4 515 h. alt. 75 – ✉ **29120** Pont-l'Abbé.

Paris 572 – Douarnenez 26 – Guilvinec 14 – Plouhinec 21 – Pont-l'Abbé 7 – Quimper 18.

Mairie, r. J.-Ferry ✆ **98 87 61 34**, – wc wc. E VISA
fermé 15 déc. au 15 janv. – SC : **R** 58/230 – 19,50 – **18 ch** 95/195 – P 167/227.

Ty Didrouz, r. Croas ar Bléon ✆ **98 87 62 30** – wc. VISA.
SC : **R** (dîner pour résidents seul.) 63 – 17,50 – **11 ch** 125/173.

PLOUDALMÉZEAU **29262** Finistère 58 ③ – 4 771 h. alt. 50.

Voir Clocher-porche★ de Lampaul-Ploudalmézeau N : 3 km, **G. Bretagne.**

Office de Tourisme pl. de l'Église (1er juil.-31 août) ✆ 98 48 11 88.

Paris 613 – ♦Brest 26 – Carhaix-Plouguer 112 – Landerneau 43 – Morlaix 76 – Quimper 97.

Voyageurs, pl. Église ✆ **98 48 10 13** – . E VISA
fermé 15 sept. au 10 oct., 1er au 15 mars, dim. soir sauf juil.-août et lundi – SC : **R** 48/150 – 17 – **11 ch** 70/155 – P 140/185.

à Kersaint O : 4 km par D 168 – ✉ **29236** Porspoder.

Voir Parc de stationnement de Trémazan ≤★ NO : 2 km, **G. Bretagne.**

Host. du Castel, ✆ **98 48 63 35** – wc
15 mai-20 sept. et fermé lundi – SC : 45/150 (dîner pour résidents seul.) – **12 ch**, (pens. seul.) – P 171/205.

PLOUESCAT **29221** Finistère 58 ⑤ **G. Bretagne** – 3 957 h. alt. 33.

Syndicat d'Initiative r. St-Julien ✆ 98 69 62 18.

Paris 572 – ♦Brest 43 – Brignogan-Plage 16 – Morlaix 34 – Quimper 95 – St-Pol-de-Léon 15.

Caravelle M, 20 r. Calvaire ✆ **98 69 61 75** – wc – 50. E VISA
SC : **R** 50/170 – 18 – **16 ch** 150/180 – P 170/250.

Baie du Kernic, rte de Brest O : 2 km sur D 10 ✆ **98 69 63 41** – wc. E VISA
fermé nov. et lundi – SC : **R** *(fermé lundi hors sais.)* 48/220 – 20 – **25 ch** 90/150 – P 170/220.

L'Azou avec ch, r. Gén.-Leclerc ✆ **98 69 60 16** – AE E VISA
fermé 30 sept. au 22 oct., 7 au 22 janv., merc. midi et mardi hors sais. – SC : **R** 50/240 – 16 – **8 ch** 80/110 – P 160.

Aub. de Kersabiec, O : 2,5 km par D 10 ✉ 29235 Plounévez-Lochrist ✆ **98 69 60 08** – . AE E VISA
fermé 1er fév. au 15 mars, mardi soir et merc. – SC : **R** 80/180.

CITROEN Rouxel, ✆ 98 69 60 03 N — RENAULT Quillec, ✆ 98 69 61 10 N

PLOUGASNOU **29228** Finistère 58 ⑥ **G. Bretagne** – 3 434 h. alt. 51.

Voir St-Jean du Doigt : Enclos paroissial : trésor★★, église★, fontaine★ SE : 2,5 km – Ste-Barbe ≤★ NO : 2 km – Pointe de Primel★ NO : 4 km puis 30 mn.

Syndicat d'Initiative rue des Martyrs (juil.-août) ✆ 98 67 31 88.

Paris 545 – Guimgamp 64 – Lannion 34 – Morlaix 17 – Quimper 94.

France, ✆ **98 67 30 15**, – wc . E.
fermé oct. – SC : **R** *(fermé dim. hors sais.)* 55/180 – 18 – **21 ch** 95/180 – P 150/190.

CITROEN Moal, ✆ 98 67 35 20 — RENAULT Prigent, à Kermébel ✆ 98 72 30 65

PLOUGASTEL-DAOULAS **29213** Finistère 58 ④ **G. Bretagne** – 9 611 h. alt. 110.

Voir Calvaire★★ – Site★ de la chapelle St-Jean NE : 5 km – Kernisi ✻★ SO : 4,5 km.

Env. Pointe de Kerdéniel ✻★★ SO : 8,5 km puis 15 mn.

Paris 580 – ♦Brest 11 – Morlaix 56 – Quimper 62.

Kastel Roc'h sans rest, à l'échangeur de la D 33 ✆ 98 40 32 00, – wc wc ☎ – 80. AE E VISA
SC : 18 – **46 ch** 143/170.

XXX **Le Chevalier de l'Auberlac'h,** ✆ 98 40 54 56 – AE E VISA.
fermé 1er au 15 oct., sam. midi, dim. soir et lundi – SC : **R** 115/200.

CITROEN Gar. du Centre, 2 r. neuve ✆ 98 40 36 23

RENAULT Plougastel-Automobiles, r. de Kerguélen ✆ 98 40 31 77 N ✆ 98 40 66 28

PLOUGUERNEAU 29232 Finistère 58 ④ – 5 317 h.
Paris 601 – ♦ Brest 29 – Landerneau 31 – Morlaix 62 – Quimper 94.

Les Abériades, 6 Gde Rue ✆ 98 04 71 01 – wc wc . E VISA. rest
SC : **R** *(fermé oct., vacances de fév., dim. soir et lundi hors sais.)* 37 bc/113 – 20 – **30 ch** 85/175 – P 155/230.

à la Plage de Lilia NO : 5 km par D 71 :

Castel Ac'h, ✆ 98 04 70 11, ← – wc . E
hôtel ouvert Pâques-oct. ; rest. fermé fév. et lundi d'oct. à Pâques – SC : **R** (déj. seul. hors sais.) 50/240 – 18 – **15 ch** 84/155 – P 175/215.

PLOUHARNEL 56 Morbihan 63 ⑪⑫ – rattaché à Carnac.

PLOUHINEC 29149 Finistère 58 ⑭ – 5 066 h. alt. 101.
Paris 584 – Audierne 4,5 – Douarnenez 20 – Pont-l'Abbé 28 – Quimper 31.

Ty Frapp, r. de Rozavot ✆ 98 70 89 90 – wc wc ☎ . VISA.
fermé 15 au 30 sept., 22 déc. au 1er janv. et vacances de fév. – SC : **R** *(fermé lundi hors sais. et dim. soir)* 58/180 – 20 – **25 ch** 93/165 – P 175/220.

PLOUIDER 29 Finistère 58 ④ – 1 871 h. alt. 75 – ✉ **29260** Lesneven.
Paris 584 – ♦ Brest 30 – Landernau 19 – Morlaix 41 – Quimper 82 – St-Pol-de-Léon 28.

XX **de la Butte** avec ch, 10 r. Mer ✆ 98 83 10 54, – wc . E VISA
fermé janv., dim. soir et lundi hors sais. – SC : **R** 64/200 – 18 – **15 ch** 93/155 – P 195/200.

PLOUIGNEAU 29234 Finistère 58 ⑥⑦ – 3 729 h. alt. 160.
Paris 529 – Carhaix-P. 49 – Guingamp 43 – Huelgoat 31 – Lannion 36 – Morlaix 10 – Quimper 91.

XX **An Ty Korn** avec ch, pl. Église ✆ 98 67 72 72, , – . AE E VISA
fermé 15 au 30 sept., dim. soir et lundi hors sais. – SC : **R** 50/200 – 16 – **7 ch** 110/120.

PLOUMANACH 22 C.-du-N. 59 ① – rattaché à Perros-Guirec.

PLOUNÉRIN 22910 C.-du-N. 58 ⑦ – 689 h. alt. 208.
Paris 513 – Guingamp 30 – Lannion 23 – Morlaix 23 – St-Brieuc 61.

XXX ✿ **Relais de Bon Voyage** (Fer) avec ch, ✆ 96 38 61 04 – wc ☎ . AE
fermé 7 au 31 janv., mardi soir hors sais. et merc. – SC : **R** 85/190 – 25 – **3 ch** 170/220
Spéc. Salade de homard, Goujonnettes de sole, Panaché de veau en papillote.

RENAULT Gar. Tocquer, ✆ 96 38 61 10 N

PLUGUFFAN 29 Finistère 58 ⑮ – rattaché à Quimper.

PLUMELEC 56420 Morbihan 63 ③ – 2 466 h. alt. 166.
Paris 437 – Josselin 15 – Locminé 18 – Ploërmel 27 – ♦Rennes 87 – Vannes 25.

Lion d'Or, pl.Église ✆ 97 42 24 19 –
fermé 15 sept. au 15 oct., 25 déc. au 1er janv. et sam. – SC : **R** 73/138 – 14 – **15 ch** 72/125 – P 155/184.

PLUVIGNER 56330 Morbihan 63 ② – 4 727 h. alt. 88.
Paris 473 – Auray 13 – Lorient 32 – Pontivy 35 – Vannes 31.

XX **Croix Blanche,** 14 r. St-Michel ✆ 97 24 71 03 – VISA.
fermé 15 sept. au 15 oct., 15 janv. au 15 fév., merc. sauf juil.-août – SC : **R** 55/120.

Le POËT 05300 H.-Alpes 81 ⑤ – 515 h. alt. 550.
Paris 693 – Gap 36 – Sisteron 12.

XX Ecuries du Seigneur, ✆ 92 65 70 01 – .

Le POËT-LAVAL 26 Drôme 81 ② – rattaché à Dieulefit.

POINTE – voir au nom propre de la pointe.

POINT-SUBLIME 04 Alpes-de-H.-Pr 81 ⑥ G. Côte d'Azur – alt. 783 – ✉ 04120 Castellane.

Voir ≤** sur Grand Canyon du Verdon 15 mn – Couloir Samson** S : 1,5 km – Clue de Carejuan* E : 4 km.

Paris 847 – Castellane 18 – Digne 72 – Draguignan 54 – Manosque 77 – Salernes 65 – Trigance 13.

X **Aub. Point Sublime** avec ch, ☎ 92 83 60 35, – wc . E. rest
vacances de Pâques-10 oct. – SC : **R** 46/170 – 14,50 – **14 ch** 74/110 – P 174/184.

POINT-SUBLIME 48 Lozère 80 ⑤ G. Causses – alt. 861.

Voir ≤*** sur Canyon du Tarn.

Le POIRÉ-SUR-VIE 85 Vendée 67 ⑬ – 4 960 h. alt. 54 – ✉ 85170 Belleville-sur-Vie.

Paris 416 – Cholet 64 – Nantes 53 – La Roche-sur-Yon 14 – Les Sables-d'Olonne 41.

Centre, ☎ 51 31 81 20 – . AE E
fermé fév., dim. soir et lundi midi sauf juil.-août – **R** 45/200 – 15 – **22 ch** 79/125 – P 140/172.

CITROEN Gar. Piveteau, 2 r. des Écoliers ☎ 51 31 80 42 N ☎ 51 31 85 08

RENAULT Gar. Bretaudeau, ☎ 51 06 45 00

POISSY 78300 Yvelines 55 ⑲, 196 ⑰, 101 ⑪⑫ G. Environs de Paris – 36 553 h. alt. 27.

Voir Église N.-Dame*.

Syndicat d'Initiative 132 rue du Gén.-de-Gaulle ☎ (1) 30 74 60 65.

Paris 38 ③ – Mantes-la-Jolie 29 ④ – Pontoise 17 ② – Rambouillet 48 ④ – St-Germain-en-Laye 7 ③.

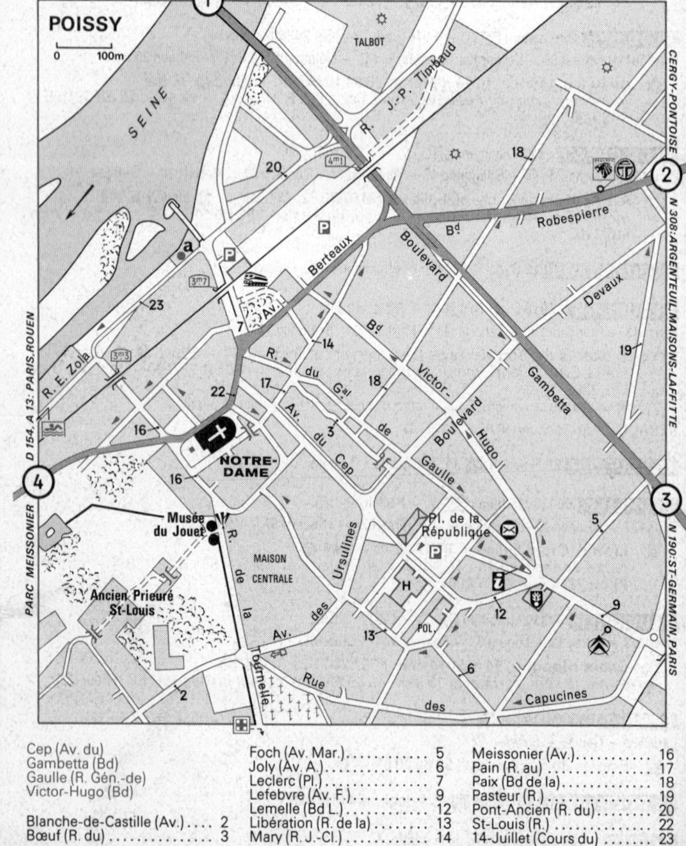

Cep (Av. du)
Gambetta (Bd)
Gaulle (R. Gén.-de)
Victor-Hugo (Bd)

Blanche-de-Castille (Av.) 2
Bœuf (R. du) 3
Foch (Av. Mar.) 5
Joly (Av. A.) 6
Leclerc (Pl.) 7
Lefebvre (Av. F.) 9
Lemelle (Bd L.) 12
Libération (R. de la) 13
Mary (R. J.-Cl.) 14
Meissonier (Av.) 16
Pain (R. au) 17
Paix (Bd de la) 18
Pasteur (R.) 19
Pont-Ancien (R. du) 20
St-Louis (R.) 22
14-Juillet (Cours du) 23

XX ⚙ **Esturgeon** (Soulat), 6 cours 14-Juillet **(a)** ✆ (1) 39 65 00 04, ≤ – AE ⓓ VISA
fermé août, 17 au 25 janv. et jeudi – **R** carte 175 à 240
Spéc. Foie gras de canard, Les trois poissons au safran, Caneton aux cerises.

CITROEN Legrand, 18 av. F.-Lefebvre ✆ (1) 39 65 20 55
PEUGEOT, TALBOT Poissy-Autom., 29 bd Robespierre ✆ (1) 30 74 02 80
RENAULT Bagros-Heid, 1 r. du Pont à Triel sur Seine par ① ✆ (1) 39 70 60 29

Marsat-Poissy-Pneus, 40 bd Robespierre ✆ (1) 39 65 29 09

CONSTRUCTEUR : Talbot, 45 r. J.-P.-Timbaud ✆ **(1) 39 65 40 00**

POITIERS P **86000** Vienne **68** ⑬⑭ **G. Côte de l'Atlantique** – **82 884 h. alt. 116.**

Voir Église N.-D.-la-Grande★★ : façade★★★ DY – **Église St-Hilaire-le-Grand★★** CZ – **Cathédrale★** DZ **B** – **Église Ste-Radegonde★** DZ **Q** – **Baptistère St-Jean★** DZ – **Grande salle★ du Palais de Justice** DY **J** – **Boulevard Coligny ≤★** BVX – **Musée Ste-Croix★★** DZ **M** – ⛳ ✆ **49 61 23 13 E : 3 km par D 6** AX – ✈ **de Poitiers-Biard** ✆ **49 58 28 85,** AV.

Office de Tourisme 11 r. V.-Hugo ✆ 49 41 58 22 et 8 r. Gdes-Écoles ✆ 49 41 21 24 – A.C.O. 2 r. Claveurier ✆ 49 01 84 86.

Paris 334 ① – Angers 136 ⑦ – ♦Limoges 119 ③ – ♦Nantes 178 ⑥ – Niort 74 ⑤ – ♦Tours 100 ①.

POITIERS

Aérospatiale (R. de l') ... **AV** 3
Allende (R. Salvador) ... **BX** 5
Blaiserie (R. de la) ...... **AV** 6
Cassette (Rte de la) ..... **AX** 12
Coligny (Bd) .... **BX** 15
Cueille-Mirebalaise (R.) . **AV** 18
Demi-Lune (Carref.) .... **AV** 22
Fg-Cueille-Mirebalaise (R.) ...... **AV** 24
Fg-du-Pont-Neuf (R.) ... **BX** 27
Fg-St-Cyprien (R.) ...... **AX** 28
Fief-de-Grimoire (R.) .... **AX** 30
Gibauderie (R. de la) .... **BX** 33
Guynemer (R. G.) .... **AX** 36
Jacques-Cœur (R.) ...... **BX** 42
Maillochon (R. de) ...... **AX** 52
Miletrie (R. de la) .... **BX** 56
Montbernage (R. de) .... **BV** 58
Montmidi (R. de) .... **AX** 62
N.-D.-du-Planty (⊞) .... **BV** 64
Pierre-Levée (R.) .... **BX** 69
Rataudes (R. des) ...... **AX** 70
Recteur-Pineau (Av.) .... **BX** 71
St-Cyprien (⊞) .... **BX**
St-Paul (⊞) .... **BX** 80
Ste-Bernadette (⊞) .... **AX** 83
Ste-Thérèse (⊞) .... **AV** 85
Schuman (Av. R.) .... **BV** 88
Vasles (Rte de) .... **AX** 93

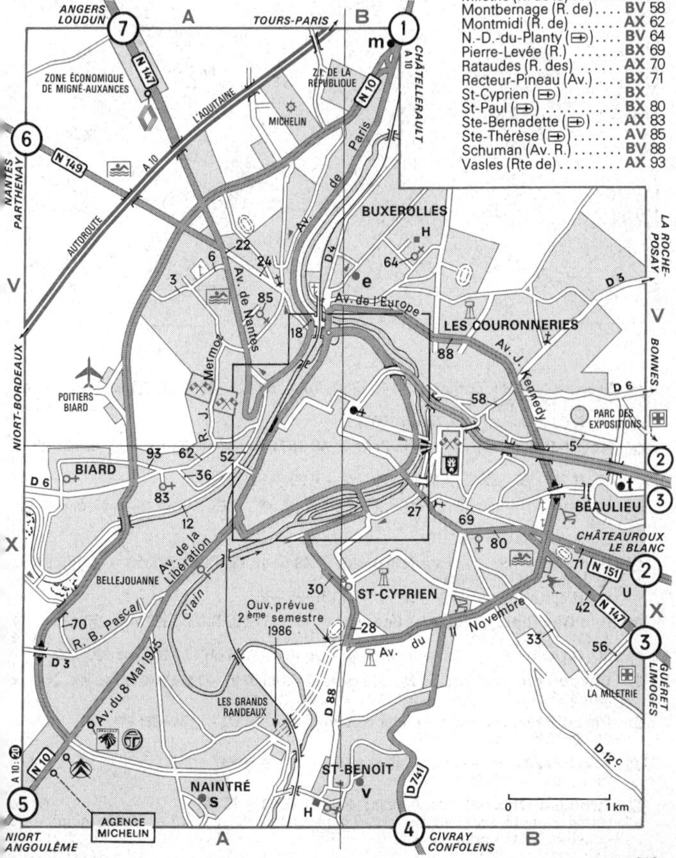

POITIERS

Carnot (R.) .... **CZ** 9
Cordeliers (R. des) ...... **DY** 17
Gambetta (R.) .... **DY** 32
Grand-Rue .... **DY**
Marché (R. du) .... **DYZ** 54

Abbé-Frémont (Bd) ..... **DY** 2
Bouchet (R. Jean) ...... **DY** 7
Chaîne (R. de la) .... **DY** 13
Coligny (Bd) .... **DZ** 15
Descartes (R.) .... **DY** 23
Intend.-le-Nain (R.) ..... **DY** 40
Jean-de-Berry (Pl.) ..... **DY** 47
Jeanne-d'Arc (Bd) ...... **CY** 48

Macé (R. Jean) .... **DY** 50
Marne (R. de la) .... **CY** 55
Montierneuf (⊞) .... **DY**
Mouton (R. du) .... **DY** 63
Oudin (R. H.) .... **DY** 67
Riffault (R.) .... **DY** 74

St-Germain (⊞) .... **DY** 79
St-Porchaire (⊞) .... **DY E**
Solférino (Bd) .... **CY** 89
Tison (Bd de) .... **CZ** 92
Verdun (Bd de) .... **CY** 94
Vlles-Boucheries (R.) ... **DY** 95

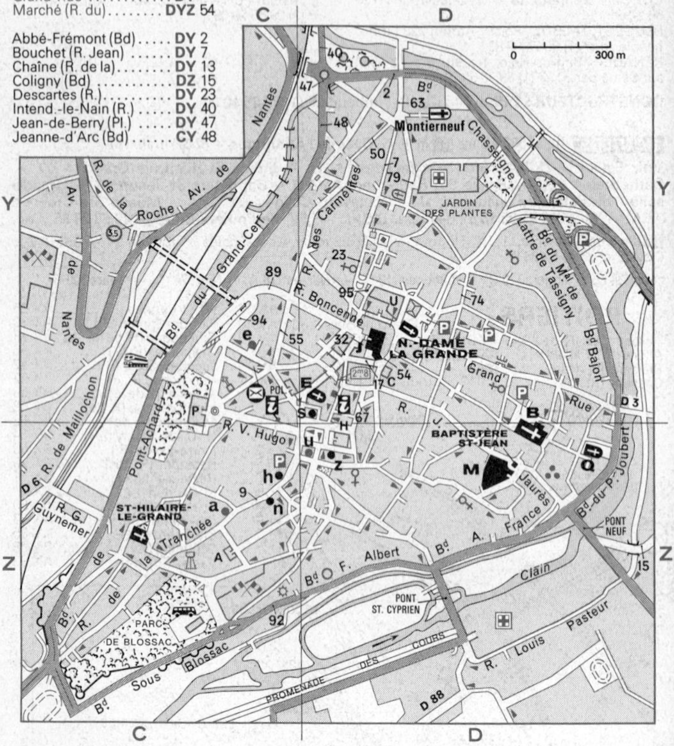

France , 28 r. Carnot ✆ 49 41 32 01, Télex 790526, – – 120. AE ⓓ E VISA CZ **h**
SC : **R** 80/110 – 32 – **86 ch** 300/650.

Royal-Poitou M, 215 rte de Paris ✆ 49 01 72 86, – TV P – 50. AE ⓓ E VISA BV **m**
SC : **R** 66/158 – 27 – **32 ch** 228/273 – P 284/410.

Europe sans rest, 39 r. Carnot ✆ 49 88 12 00, – TV wc wc P. VISA CZ **n**
SC : 18 – **50 ch** 135/270.

Ibis Sud M, S : 3 km sur N10 par ⑤ ✆ 49 53 13 13, Télex 791556 – TV wc P – 30. E VISA
SC : **R** carte environ 85 – 22 – **83 ch** 195/236.

Ibis Beaulieu M, Quartier Beaulieu ✆ 49 61 11 02, Télex 790354 – TV wc P – 25. E VISA BX **t**
SC : **R** *(fermé dim.)* carte environ 85 – 19,50 – **33 ch** 174/205 – P 290/350.

Chapon Fin sans rest, pl. Mar.-Leclerc ✆ 49 88 02 97 – wc wc DZ **z**
fermé 22 déc. au 4 janv. – SC : 17 – **18 ch** 75/230.

Plat d'Étain sans rest, 7 r. Plat d'Étain ✆ 49 41 04 80 – wc P DY **s**
SC : 16,50 – **26 ch** 57/150.

XXX **Maxime,** 4 r. St-Nicolas ✆ 49 41 09 55 – AE ⓓ E VISA DZ **u**
fermé dim. – SC : **R** 70/144.

XX **Armes d'Obernai,** 19 r. A.-Ranc ✆ 49 41 16 33 – E VISA CY **e**
fermé 2 au 15 sept., 18 fév. au 10 mars, dim. soir et lundi – SC : **R** (nombre de couverts limité - prévenir) 66/170.

XX **Le Poitevin,** 76 r. Carnot ✆ 49 88 35 04 – E VISA CZ **a**
fermé 30 juin au 3 août, sam. midi et dim. – SC : **R** 60/80.

XX **Aub. de la Cigogne,** à Buxerolles 20 r. Planty ✉ 86180 Buxerolles ✆ 49 45 61 47, – AE VISA. BV **e**
fermé vacances de Pâques, 1er au 21 août, 1er au 7 janv., dim. et lundi – **R** 55/150 ♂.

à St-Benoit S : 4 km par D 88 - ABX – 5 950 h. – ✉ **86280** St-Benoit :

XX **A l'Orée des Bois** avec ch, rte Ligugé ✆ 49 57 11 44 – E AX **s**
fermé vacances de fév., lundi hors sais. (sauf hôtel) et dim. soir – SC : **R** 58/150 ♂ – ☕ 12 – **16 ch** 60/180.

XX **Le Chalet de Venise** avec ch, ✆ 49 88 45 07, – wc wc ch
fermé janv., dim. soir et lundi – SC : **R** 55/120 ♂ – ☕ 16 – **10 ch** 120/160. BX **v**

à Croutelle échangeur Poitiers-Sud, par ⑤ : 6 km – ✉ **86240** Ligugé :

XXX ✿ **Pierre Benoist,** N 10 ✆ 49 57 11 52, – VISA
fermé 28 juil. au 12 août, 3 au 17 fév., dim. soir et lundi – SC : **R** carte 150 à 200
Spéc. Foie gras en terrine, Panaché de poissons au safran, Soufflé chaud aux fruits. **Vins** Sauvignon, Chinon.

N 10 par ① : 9 km – ✉ **86000** Poitiers :

Relais de Poitiers, ✆ 49 52 90 41, Télex 790502, – 200. AE E VISA
R 75/138 – ☕ 30 – **93 ch** 195/290, 4 appartements 390 – P 360/520.

route de Paris par ① : 9 km sur N 10 – ✉ **86360** Chasseneuil :

Novotel M, ✆ 49 52 78 78, Télex 791944, – 25 à 300. AE E VISA
R snack carte environ 100 ♂ – ☕ 38 – **89 ch** 283/315.

rte de Bordeaux par ⑤ : 7 km – ✉ **86240** Ligugé :

Bois de la Marche M, ✆ 49 53 10 10, Télex 790133, parc, – 50. AE E VISA
SC : **R** 80/100 – ☕ 24 – **45 ch** 170/270.

à Périgny par ⑥ et D 43 : 17 km - 3 280 h. – ✉ **86190** Vouillé :

Domaine de Périgny M, ✆ 49 51 80 43, Télex 791400, ←, parc, – 25 à 100. AE E VISA
fermé fév. – SC : **R** 150/300 – ☕ 39 – **38 ch** 250/800, 3 appartements 980 – P 575/820.

MICHELIN, Agence, 177 av. du 8 Mai 1945 AX ✆ **49 57 13 59**

ALFA-ROMEO, AUSTIN, ROVER Auto-Sport, N 147 à Migné-Auxances ✆ 49 58 24 18
BMW Auto Hall, N 10 ZI à Fontaine le Comte ✆ 49 53 16 72
CITROEN Diffusion Automobile du Poitou, 157 av. du 8 Mai 1945 ✆ 49 53 00 30
CITROEN Gar. Duffour Paradot, à Croutelle par ⑤ ✆ 49 53 06 14
FORD R. M.-Autom., rte de Saumur à Migné Auxances ✆ 49 58 05 65
MERCEDES, Poitou Autos Services, rte de Saumur ✆ 49 58 53 12
NISSAN Gar. Bourgoin, 12 r. de la Forchaise à Vouneuil sous Briard ✆ 49 57 10 07
OPEL Gds Gar. du Poitou, 90 r. Carnot ✆ 49 41 35 61
PEUGEOT-TALBOT Sté Com. Automobile du Poitou, 137 av. du 8 Mai 1945 ✆ 49 53 04 51
RENAULT S.A.C.O.A., rte de Saumur à Migné-Auxances ✆ 49 58 29 82
V.A.G. Brillant Autom., Zone Ind. Demi-Lune, rte de Nantes ✆ 49 58 23 29

Charron, 108 av. Libération ✆ 49 58 22 77
Chouteau, av. du 8 Mai 1945 ✆ 49 57 20 77
Interpneus, 13 bd J.-d'Arc ✆ 49 88 11 92
Perry-Pneus, 27 bd Pont-Joubert ✆ 49 01 83 11

POIX-DE-PICARDIE 80290 Somme 52 ⑰ G. Flandres, Artois, Picardie – 1 831 h. alt. 106.

Office de Tourisme r. St-Denis (Pâques-sept.) ✆ 22 90 08 25.

Paris 119 – Abbeville 43 – ♦Amiens 28 – Beauvais 44 – Dieppe 79 – Forges-les-Eaux 42.

Poste, ✆ 22 90 00 33 – wc
SC : **R** 61/120 – ☕ 14 – **18 ch** 81/210 – P 190/200.

à Caulières O : 7 km par N 29 – ✉ **80590** Lignières-Châtelain :

XX **Aub. de la Forge,** ✆ 22 40 00 91 – AE E VISA
fermé août, vacances de fév., mardi soir et merc. – SC : **R** (dim.-prévenir) 60/190.

POLIGNY 39800 Jura 70 ④ G. Jura (plan) – 5 182 h. alt. 327.

Voir Statues★ dans la collégiale – Culée de Vaux★ S : 2 km.

Env. Cirque de Ladoye ←★★ S : 8 km.

Office de Tourisme Grande-Rue (Pâques, 1er juin-30 sept.) ✆ 84 37 24 21.

Paris 401 – ♦Besançon 60 – Chalon-sur-Saône 75 – Dole 37 – Lons-le-Saunier 28 – Pontarlier 66.

Paris, 7 r. Travot ✆ 84 37 13 87, – wc wc
1er fév.-3 nov. et fermé mardi midi et lundi hors sais. – SC : **R** 60/160 – ☕ 19 – **25 ch** 98/180 – P 200/220.

aux Monts de Vaux : rte de Genève 4,5 km – alt. 560 – ✉ **39800** Poligny.
Voir ≤★.

Host. Monts de Vaux ⛰, ☎ 84 37 12 50, ≤, parc – ☎ 🚗 Ⓟ. AE
fermé fin oct. à fin déc., mardi (sauf rest. le soir) et merc. midi hors sais. – SC : **R** carte 140 à 225 – **10 ch** ☕ 270/520.

à Passenans SO : 11 km par N 83 et D 57 – ✉ **39230** Sellières :

Revermont ⛰, ☎ 84 44 61 02, ≤, parc, ☂, ⛱, 🎾 – 🛗 🛁wc ☎ 🚗 Ⓟ – 🏛 60. VISA. 🐕 rest
fermé janv., fév., dim. soir et lundi d'oct. à mars – SC : **R** 66/158 – ☕ 18 – **28 ch** 85/199 – P 189/247.

à Montchauvrot SO : 13 km sur N 83 – ✉ **39230** Sellières :

La Fontaine, ☎ 84 85 50 02, ☂, 🌳 – 🛁wc 🚿wc ☎ Ⓟ – 🏛 50
fermé janv., dim. soir et lundi du 15 sept. au 30 juin – SC : **R** 53/168 🍷 – ☕ 17 – **20 ch** 137/186 – P 179/220.

RENAULT Comte-Automobile, ☎ 84 37 24 80 — Ⓜ Chevassu-Pneus, ☎ 84 37 15 67

POLLIAT 01310 Ain 74 ② – 1 841 h. alt. 213.
Paris 414 – Bourg-en-Bresse 10 – ♦Lyon 72 – Mâcon 24 – Villefranche-sur-Saône 53.

Place, ☎ 74 30 40 19 – 🚿. E VISA
fermé 26 mai au 16 juin, lundi (sauf hôtel) et dim. soir – SC : **R** 52/160 🍷 – ☕ 16,50 – **10 ch** 77/130 – P 177/198.

Coq Bressan, ☎ 74 30 40 16 – E
fermé 19 juin au 12 juil., 29 oct. au 6 nov., 18 au 26 janv., merc. soir et jeudi – SC : **R** 53/130.

PEUGEOT-TALBOT Gar. Subril, ☎ 74 30 40 24 — RENAULT Gar. Guigue, ☎ 74 30 41 63

POLLIONNAY 69 Rhône 73 ⑲⑳ – 1 088 h. alt. 417 – ✉ **69290** Craponne.
Paris 460 – L'Arbresle 13 – ♦Lyon 18 – Montbrison 64.

Paul Terrasse, ☎ 78 48 12 06
fermé 16 au 31 août et lundi – SC : **R** (déj. seul.) 48/130 🍷.

POLMINHAC 15 Cantal 76 ⑫ – 1 221 h. alt. 650 – ✉ **15800** Vic-sur-Cère.
Paris 528 – Aurillac 16 – Murat 35 – Vic-sur-Cère 5.

Parasols, N 122 ☎ 71 47 40 10, ≤, 🌳 – 🛁wc 🚿wc ☎ Ⓟ. AE E VISA
fermé oct. – SC : **R** 55/80 – ☕ 15 – **29 ch** 116/160 – P 162/180.

Bon Accueil ⛰, près Gare ☎ 71 47 40 21, ≤, 🌳 – ▤ rest 🚿wc Ⓟ. 🐕
fermé 15 oct. au 15 déc. – SC : **R** 40/65 🍷 – ☕ 14 – **20 ch** 78/130 – P 122/142.

POMPADOUR 19 Corrèze 75 ⑧ – voir Arnac-Pompadour.

PONS 17800 Char.-Mar. 71 ⑤ G. Côte de l'Atlantique – 5 364 h. alt. 20.
Voir Hospice des Pèlerins★ par ④ – Donjon★ de l'ancien château B – Boiseries★ du château d'Usson 1 km par D 249.
ℹ Syndicat d'Initiative à l'Hôtel de Ville (15 juin-15 sept.) ☎ 46 96 13 31.
Paris 493 ⑤ – Blaye 60 ⑤ – ♦Bordeaux 96 ⑤ – Cognac 23 ① – La Rochelle 93 ⑦ – Royan 41 ⑤ – Saintes 22 ⑦.

Aub. Pontoise, r. Gambetta (e) ☎ 46 94 00 99 – TV 🛁wc 🚿wc ☎ ♿ 🚗 – 🏛 25. E VISA. 🐕
fermé 13 au 26 avril, 20 déc. au 19 janv., dim. soir hors sais. et lundi (sauf le soir du 1er juil. au 15 sept.) – SC : **R** 85/200 – ☕ 28 – **23 ch** 155/280 – P 380/420.

à St-Léger par ⑦ : 5 km – ✉ **17800** Pons :

Le Rustica ⛰ avec ch, ☎ 46 96 91 75, 🌳 – Ⓟ
fermé 6 au 27 oct., 4 au 11 fév., mardi soir et merc. – SC : **R** 55/200 – ☕ 17 – **7 ch** 75/95 – P 201.

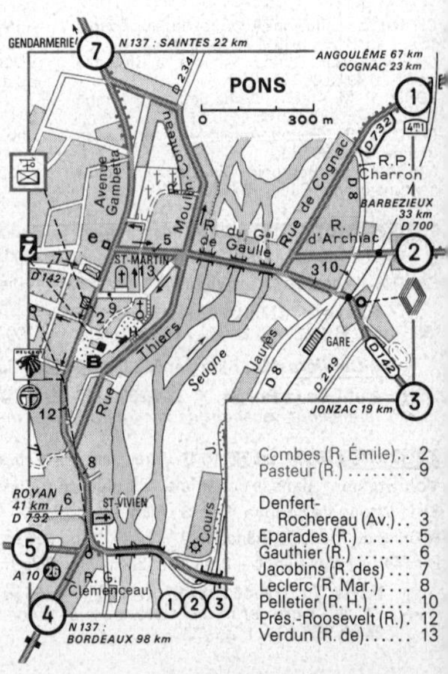

CITROEN Colin-Martin, rte de Royan par ⑤ ✆ 46 94 00 25
FORD Gar. Royer, 15 r. de Bordeaux ✆ 46 91 30 65
PEUGEOT,TALBOT Gar. Marquizeau, r. G.-Clémenceau ✆ 46 94 00 91
PEUGEOT, TALBOT Relais de Saintonge, 7 crs Alsace-Lorraine ✆ 46 91 32 47
RENAULT Girerd, 1 rte de Jonzac ✆ 46 91 32 85

PONT (Lac de) 21 Côte-d'Or 65 ⑰⑱ – rattaché à Semur-en-Auxois.

PONTACQ 64 Pyr.-Atl. 85 ⑦ – 2 534 h. alt. 365.

Paris 790 – Laruns 47 – Lourdes 12 – Nay 14 – Oloron-Ste-Marie 50 – Pau 28 – Tarbes 19.

Béarn Bigorre, au Sud : 2 km rte de Lourdes ✉ 65380 Ossun ✆ 59 53 57 55 – wc wc P
1er avril-20 oct. – SC : **R** 57/80 – 16 – **18 ch** 110/180 – P 150/190.

PONTAILLAC 17 Char.-Mar. 71 ⑮ – rattaché à Royan.

PONT-A-LA-PLANCHE 87 H.-Vienne 72 ⑥ – rattaché à St-Junien.

PONT-A-MOUSSON 54700 M.-et-M. 57 ⑬ **G. Alsace et Lorraine** – 15 746 h. alt. 181.

Voir Place Duroc★ – Anc. abbaye des Prémontrés★.

Syndicat d'Initiative 52 pl. Duroc ✆ 83 81 06 90 - A.C. 21 bd Ney ✆ 83 81 01 21.

Paris 326 ① – ♦Metz 31 ① – ♦Nancy 31 ② – Toul 33 ③ – Verdun 65 ④.

PONT-A-MOUSSON

Duroc (Pl.)
Thiers (Pl.) 19

Bois-le-Prêtre (R.) 2
Cavallier (Av. C.) 3
Clemenceau (R.) 4
États-Unis (Av. des) ... 5
Fabvier (R.) 6
François (Q. Charles) .. 7
Gambetta (R.) 8
Joffre (R. Mar.) 9
Lattre-de-Tassigny (Bd de) 10
Leclerc (Av. Gén.) 12
Patton (Av. Gén.) 13
Poterne (R. de la) 14
St-Laurent (R.) 16
St-Martin (R.) 17
Victor-Hugo (R.) 21
Xavier-Rogé (R.) 23

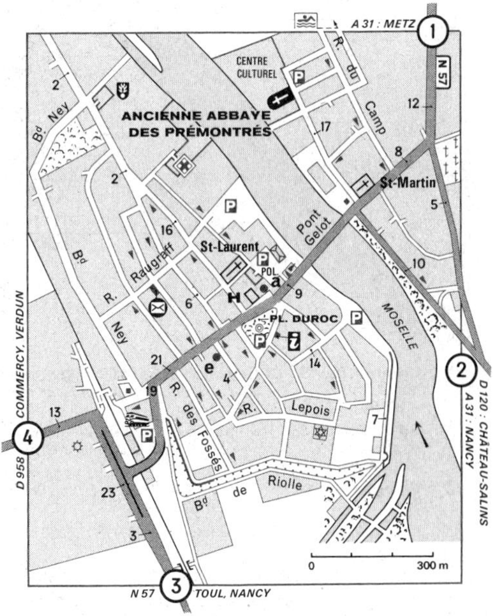

Les guides Rouges les guides Verts et les cartes Michelin sont complémentaires. Utilisez-les ensemble.

La Calèche, 4 r. Clemenceau **(e)** ✆ 83 81 15 87. VISA
fermé 14 juil. au 15 août, 24 déc. au 1er janv., dim. soir et lundi – SC : **R** (nombre de couverts limité) 64/150.

Horne, 37 pl. Duroc **(a)** ✆ 83 81 04 50 – AE ① E VISA
fermé mi août à mi sept., mardi soir, merc. soir et lundi – **R** 41/75.

CITROEN Gar. Fasse, av. États-Unis par ② ✆ 83 81 01 31
PEUGEOT-TALBOT Gar. André, r. du Pont-Mouja, Blénod par ③ ✆ 83 81 01 08
Pneu Cella-Dimoff, 111 r. R.-Blum ✆ 83 81 15 35

PONTARION 23250 Creuse 72 ⑨ – 379 h. alt. 443.

Paris 377 – Aubusson 29 – Bourganeuf 10 – Guéret 27 – Montluçon 78.

Rôtisserie du Thaurion, ✆ 55 64 50 78, – P.
fermé 3 nov. au 3 déc., dim. soir et lundi du 1er sept. à Pâques – SC : **R** 50/150 – 17 – **14 ch** 65/130 – P 150/170.

PONTARLIER <SP> 25300 Doubs 70 ⑥ G. Jura – 18 817 h. alt. 837.

Voir par ② : Les Rosiers ≤ 2 km – Cluse** de la Cluse-et-Mijoux 4 km.**

Env. Grand Taureau ※** par ② : 11 km.

Office de Tourisme 56 r. République ✆ 81 46 48 33.

Paris 452 ③ – ♦Bâle 175 ① – Beaune 141 ③ – Belfort 125 ④ – ♦Besançon 58 ④ – Dole 88 ③ – ♦Genève 119 ② – Lausanne 70 ② – Lons-le-Saunier 77 ③ – Neuchâtel 53 ②.

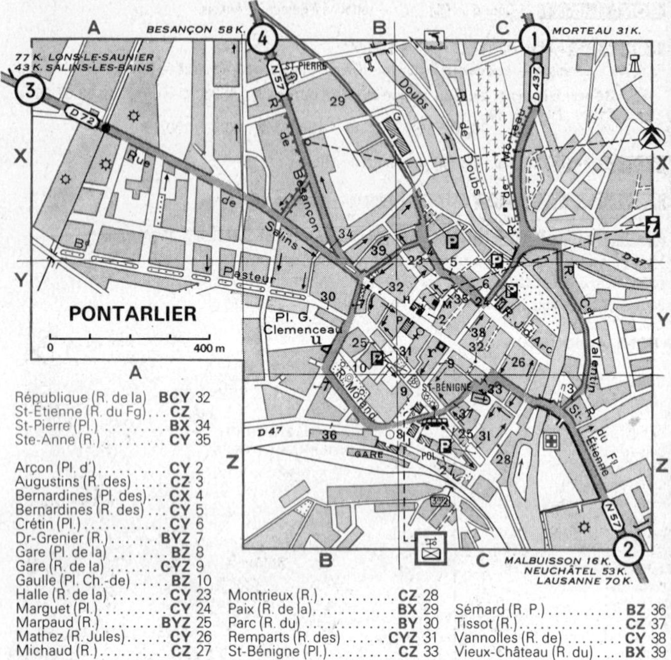

République (R. de la) BCY 32
St-Étienne (R. du Fg) . . . CZ
St-Pierre (Pl.) . . . . BX 34
Ste-Anne (R.) . . . . CY 35

Arçon (Pl. d') . . . . CY 2
Augustins (R. des) . . . . . CZ 3
Bernardines (Pl. des) . . . CX 4
Bernardines (R. des) . . . CY 5
Crétin (Pl.) . . . . CY 6
Dr-Grenier (R.) . . . . BYZ 7
Gare (Pl. de la) . . . . BZ 8
Gare (R. de la) . . . . CYZ 9
Gaulle (Pl. Ch.-de) . . . . . BZ 10
Halle (R. de la) . . . . CY 23
Marguet (Pl.) . . . . CY 24
Marpaud (R.) . . . . BYZ 25
Mathez (R. Jules) . . . . . . CY 26
Michaud (R.) . . . . CZ 27
Montrieux (R.) . . . . CZ 28
Paix (R. de la) . . . . BX 29
Parc (R. du) . . . . BY 30
Remparts (R. des) . . . . . . CYZ 31
St-Bénigne (Pl.) . . . . CZ 33
Sémard (R. P.) . . . . BZ 36
Tissot (R.) . . . . CZ 37
Vannolles (R. de) . . . . CY 38
Vieux-Château (R. du) . . . . BX 39

Commerce, 18 r. Dr-Grenier ✆ 81 39 04 09 – ⎍wc ☎ ⓟ. E VISA — BY **u**
fermé 5 au 20 janv. – SC : **R** *(fermé dim. soir et lundi midi hors sais.)* 70/150 – ☕ 20 – **30 ch** 140/200 – P 220/250.

Gd H. Poste, 55 r. République ✆ 81 39 18 12 – ⎍wc ⎍ ☎ ⛟. AE ⓓ E VISA
fermé 15 oct. au 15 déc. – SC : **R** *(fermé dim. soir et lundi hors sais.)* 68/120 ⅋ – ☕ 24 – **55 ch** 80/280 – P 227/320. — CY **r**

Villages H., par ③ : 1 km ✆ 81 46 71 78 – ⎍wc ☎ ⓟ – 40. E VISA
SC : **R** *(fermé dim. du 15 oct. à Pâques)* 70/86 ⅋ – ☕ 24 – **51 ch** 165/210 – P 277/354.

à Doubs par ④ et D 130 : 2 km – alt. 813 – ✉ **25300** Pontarlier :

Gai Soleil, ✆ 81 39 16 86, ≤ – ⎍ ☎. ✽
1er juil.-31 août – SC : **R** (dîner seul.) 54/80 ⅋ – ☕ 15 – **11 ch** 70/110.

Voir ressources hôtelières à ***Oye et Pallet, Les Grangettes, Malbuisson***

CITROEN Gar. Chuard, 38 r. Besançon ✆ 81 46 54 77
FIAT Gar. Dornier, 55 r. Salins ✆ 81 39 09 85
FORD Gar. Roussillon, 115 rte de Besançon ✆ 81 39 11 68
OPEL, GM Gar. Belle-Rive, 80 r. Besançon ✆ 81 39 14 42
PEUGEOT, TALBOT Gar. Beau-Site, 29 av. Armée de l'Est par ② ✆ 81 39 23 95 N

RENAULT Gar. Deffeuille, r. de la Fée Verte Zone Ind. par ③ ✆ 81 46 56 55 N
TOYOTA Graber, 73 r. Besançon ✆ 81 39 17 80

Pneu Pontissalien, 12 r. Arago ✆ 81 39 33 87
La Maison du Pneu, 3 r. des Lavaux ✆ 81 39 19 01

PONTAUBAULT 50 Manche 59 ⑧ – 476 h. alt. 31 – ✉ **50300** Avranches.

Paris 311 – Avranches 7 – Dol-de-Bretagne 34 – Fougères 33 – ♦Rennes 67 – St-Lô 63.

13 Assiettes ⛰, N : 1 km sur N 175 ✆ 33 58 14 03, ⎍, ⎍ – ⎍wc ☎ ⓟ. VISA. ✽ ch
15 mars - 15 nov. et fermé merc. hors sais. – SC : **R** 47/165 – ☕ 17 – **36 ch** 85/145 – P 192/214.

à Céaux O : 4 km sur D 43 – ✉ 50220 Ducey :

Au P'tit Quinquin, ☎ 33 70 97 20 – ⇔wc ⋒ ☎ 🅟. ✂
15 mars-15 nov. et fermé mardi sauf juil.-août – SC : **R** 48/130 – ☕ 15 – **17 ch** 88/155.

PONTAUBERT 89 Yonne 65 ⑯ – rattaché à Avallon.

PONT-AUDEMER 27500 Eure 55 ④ **G. Normandie** – 10 156 h. alt. 9.

Voir Église St-Ouen★ E.

ℹ Syndicat d'Initiative pl. Maubert ☎ 32 41 08 21.

Paris 168 ① – ♦Caen 74 ⑤ – Évreux 69 ② – ♦Le Havre 48 ① – Lisieux 36 ④ – ♦Rouen 52 ①.

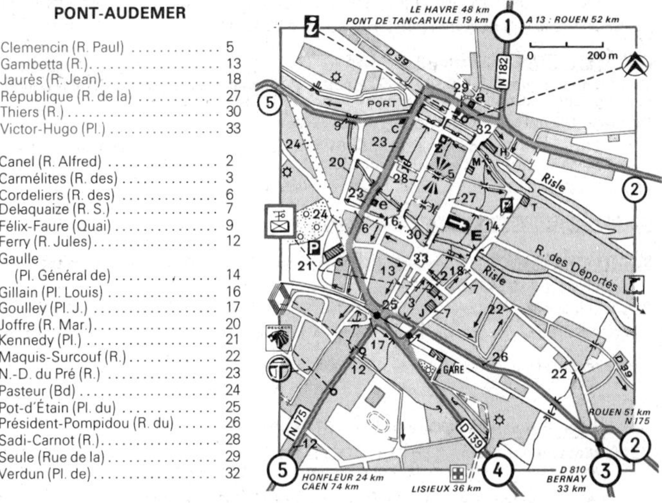

La Risle, 16 quai R.-Leblanc **(z)** ☎ 32 41 14 57 – ✂ ch
fermé 20 août au 10 sept., 15 déc. au 15 janv. et dim. – SC : **R** 55 (dîner seul.) 🍷 – ☕ 14 – **18 ch** 60/120.

XXX ✿ **Aub. du Vieux Puits** avec ch, **6** r. N.-D.-du-Pré **(e)** ☎ 32 41 01 48, **« Maison normande ancienne, bel intérieur rustique, jardin »** – ⇔wc ⋒ ☎ 🅟. VISA. ✂ ch
fermé 30 juin au 9 juil., 15 déc. au 16 janv., lundi soir et mardi – SC : **R** carte 160 à 230 – ☕ 24 – **14 ch** 86/300
Spéc. Truite Bovary au champagne, Canard aux griottes, Tarte de l'auberge.

XXX **La Frégate,** 4 r. La-Seüle **(a)** ☎ 32 41 12 03 – AE ⓓ VISA
fermé fév., mardi soir et merc. – SC : **R** 102/161.

à Corneville-sur-Risle par ② : 6 km – ✉ **27500** Pont-Audemer :

Cloches de Corneville, ☎ 32 57 01 04, ♣, ⛱ – TV ⇔wc ⋒wc ☎ 🅟 – 🏛 30. AE E VISA. ✂ ch
SC : **R** *(fermé 20 nov. au 15 déc., 20 fév. au 3 mars et merc.)* 85/120 – ☕ 24 – **12 ch** 185/280.

CITROEN Gar. Roulin, 7 r. de la Seule et Z.I. r. Gén.-Koening par ② ☎ 32 41 01 56
DATSUN, Hartog, 7 pl. L.-Gillain ☎ 32 41 04 16
FIAT Vacher, 16 r. Marquis-Surcouf ☎ 32 41 03 04
FORD Gar. Valmont, 20 rte Honfleur, St-Germain-Village ☎ 32 41 05 48
OPEL Gar. des Deux Ponts, 22 r. N.-D.-du-Pré ☎ 32 41 00 13

PEUGEOT-TALBOT Ets Delamare, 25 r. J.-Ferry ☎ 32 41 00 47
RENAULT Sovère, rte d'Honfleur à St-Germain-Village par r. J.-Ferry ☎ 32 41 31 64
RENAULT Fouquet, 13 r. J.-Ferry ☎ 32 41 11 98 N
V.A.G. Durfort, 10 rte de Rouen ☎ 32 41 01 57

Ⓜ Stat. La Risle, 67 rte de Rouen ☎ 32 41 14 11
Subé-Pneurama, r. des Fossés ☎ 32 41 14 89

PONTAUMUR 63380 P.-de-D. 73 ⑬ – 992 h. alt. 538.

Paris 409 – Aubusson 48 – ♦Clermont-Ferrand 44 – Le Mont-Dore 63 – Montluçon 74 – Ussel 62.

Poste, ☎ 73 79 90 15 – ⋒wc ☎ 🚗. E VISA. ✂ ch
fermé 23 au 30 juin, 15 déc. au 15 janv., dim. soir et lundi sauf juil.-août – SC : **R** 62/150 🍷 – ☕ 15 – **20 ch** 68/140 – P 140/180.

PEUGEOT Thiallier-Comes, ☎ 73 79 90 02

PONT-AVEN 29123 Finistère 58 ⑪⑯ G. Bretagne – 3 295 h. alt. 30.

Voir Promenade au Bois d'Amour★ – Syndicat d'Initiative pl. Hôtel de Ville ✆ 98 06 04 70.

Paris 524 – Carhaix-Plouguer 62 – Concarneau 15 – Quimper 32 – Quimperlé 17 – Rosporden 14.

XXX ✿ **Moulin de Rosmadec** (Sébilleau), près pont centre ville ✆ 98 06 00 22, ←, « Ancien moulin sur l'Aven, décor et mobilier bretons » –
fermé 15 oct. au 15 nov., vacances de fév., dim. soir hors sais. et merc. – SC : **R** (nombre de couverts limité - prévenir) 88/200
Spéc. Terrine de sole sauce oseille, Homard grillé "Rosmadec", Canard au cassis.

rte Concarneau O : 4 km par D 783 – ✉ **29123** Pont-Aven :

XXX ✿ **La Taupinière** (Guilloux), ✆ 98 06 03 12, – ▤ **P**. AE ⓓ E VISA.
fermé 14 sept. au 15 oct., 3 au 12 mars, lundi soir sauf juil.-août et mardi – SC : **R** (prévenir) carte 140 à 190
Spéc. Langoustines grillées, Ragoût de coquillages (juin à nov.), Millefeuille aux pommes rôties.

PEUGEOT-TALBOT Quénéhervé, à Croissant-Kergoz ✆ 98 06 03 11

PONTCHARRA 38530 Isère 74 ⑯ – 5 508 h. alt. 255.

Voir Château Bayard ✻★ S : 1 km, G. Alpes – Syndicat d'Initiative 3 r. L.-Gayet (vacances scolaires après-midi seul. sauf jeudi et sam. : matin seul.) ✆ 76 97 68 08.

Paris 547 – Albertville 44 – Chambéry 23 – ♦Grenoble 40.

Climat de France M, ✆ 76 71 91 84, – TV wc ☎ ♿ **P**. E VISA
SC : **R** 52/66 – 18,50 – **24 ch** 182/197.

PEUGEOT-TALBOT Gar. Tardy, ✆ 76 97 62 80
RENAULT Camilleri, ✆ 76 97 63 21

PONTCHARRA-SUR-TURDINE 69 Rhône 73 ⑨ – rattaché à Tarare.

PONTCHARTRAIN 78 Yvelines 60 ⑨, 196 ⑯ – alt. 112 – ✉ **78760** Jouars-Pontchartrain.

Isabella ✆ (1) 30 54 10 62, E : 3 km.

Paris 39 – Dreux 44 – Mantes-la-Jolie 32 – Montfort-l'Amaury 10 – Rambouillet 22 – Versailles 17.

XXX ✿ **L'Aubergade,** rte Nationale ✆ (1) 34 89 02 63, , « Beau jardin fleuri, volière »
fermé 28 juil. au 28 août, mardi soir hors sais. et merc. – **R** carte 145 à 250
Spéc. Gratin de queues d'écrevisses, Canard aux cerises, Soufflé glacé au Grand-Marnier (mai-15 oct.).

à Ste-Appoline E : 3 km sur N 12 – ✉ **78370** Plaisir :

XXX **Maison des Bois,** ✆ (1) 30 54 23 17, , « Demeure rustique, jardin » – **P**. VISA
fermé août, vacances de fév., dim. soir et jeudi – SC : **R** carte 135 à 215.

aux Mousseaux S : 3 km par D 13E – ✉ **78760** Jouars-Pontchartrain :

XXX **Aub. de la Dauberie** M avec ch, ✆ (1) 34 87 80 57, , « Coquette hostellerie dans un cadre champêtre et fleuri », – TV wc ☎ **P**. AE ⓓ VISA
fermé fév., lundi et mardi – SC : **R** carte 185 à 275 – 38 – **9 ch** 400.

CITROEN Palazzi 24 N ✆ (1) 34 89 02 68

PONT-D'AIN 01160 Ain 74 ③ – 2 224 h. alt. 237.

Syndicat d'Initiative les quatre Vents (sais.) ✆ 74 39 05 84.

Paris 432 – Belley 56 – Bourg-en-Bresse 19 – Nantua 35 – Villefranche-sur-Saône 60.

Alliés, ✆ 74 39 00 09 – wc wc ☎ . VISA
fermé 26 mai au 2 juin, 22 déc. au 22 janv., vend. midi et jeudi sauf juil.-août – SC : **R** 82/170 – 21 – **18 ch** 100/232.

CITROEN Gar. Blanc, ✆ 74 39 01 33
PEUGEOT-TALBOT Gar. Guichon, ✆ 74 39 11 76

Le PONT-DE-BEAUVOISIN 38480 Isère 74 ⑭⑮ G. Alpes – 2 664 h. alt. 230.

Paris 506 – Chambéry 28 – Bourg-en-Bresse 93 – ♦Grenoble 55 – ♦Lyon 79 – La Tour-du-Pin 19.

Morris, SE : 2 km par D 82 ✆ 76 37 02 05, – wc ☎ **P**
fermé 15 déc. au 1er fév. et dim. soir sauf juil.-août – SC : **R** 70/150 – 21 – **20 ch** 120/230 – P 150/230.

X **Gallet,** av. Pravaz ✆ 76 37 01 05 – AE VISA
fermé fév. et mardi – SC : **R** 75/140.

AUSTIN-ROVER, LADA, SKODA Gar. Termoz, ✆ 76 37 05 60 N
CITROEN Chaboud, ✆ 76 37 03 10 N
FORD Angelin-Autom., ✆ 76 37 25 49 N
PEUGEOT-TALBOT Cloppet, ✆ 76 37 25 63
RENAULT Gar. Central, ✆ 76 37 00 13 N

PONT-DE-BRIQUES 62 P.-de-C. 51 ⑪ – rattaché à Boulogne-sur-Mer.

PONT-DE-BROGNY 74 H.-Savoie 74 ⑥ – rattaché à Annecy.

PONT-DE-CHAZEY-VILLIEU 01 Ain 74 ③ – rattaché à Meximieux.

PONT-DE-CHERUY 38230 Isère 74 ⑬ – 3 849 h. alt. 220.

Paris 474 – Belley 56 – Bourgoin-Jallieu 27 – •Grenoble 91 – •Lyon 29 – Meximieux 21 – Vienne 42.

- **Bergeron** sans rest, r. Giffard ✆ 78 32 10 08 – wc wc
  fermé 15 au 31 août – SC : 15 – **16 ch** 70/130.

CITROEN Garnier, ✆ 78 32 11 46
FIAT Tunesi, à Tignieu-Jameyzieu ✆ 78 32 23 48
PEUGEOT-TALBOT Maunand, ✆ 78 32 11 07
Roudinsky, à Tignieu-Jameyzieu ✆ 78 32 22 21

Le PONT-DE-CLAIX 38 Isère 77 ⑤ – rattaché à Grenoble.

PONT-DE-DORE 63 P.-de-D. 73 ⑮ – alt. 304 – ✉ **63920** Peschadoires.

Voir S : Vallée de la Dore★, G. Auvergne.

Paris 386 – Ambert 49 – •Clermont-Ferrand 41 – Issoire 53 – Lezoux 10 – Riom 38 – Thiers 6.

- **Avenue,** ✆ 73 80 10 14, – wc P. VISA.
  fermé 20 déc. au 10 janv., dim. soir et lundi midi – SC : **R** 58/130 – 13 – **20 ch** 64/128.
- XX **Mère Dépalle** M avec ch, N 89 ✆ 73 80 10 05 – wc wc P. AE E VISA
  fermé 25 déc. au 1er janv. et dim. soir du 1er oct. au 1er avril – SC : **R** 68/175 – 20 – **10 ch** 180/200.
- XX **Ferme des Trois Canards,** NO : 3 km par rte Maringues ✆ 73 80 22 26, – P
  fermé 10 au 31 janv. et mardi – SC : **R** 55/140.

PONT-DE-LA-CHAUX 39 Jura 70 ⑮ – alt. 717 – ✉ **39150** St-Laurent-en-Grandvaux.

Voir Gorges de la Langouette★ E : 3,5 km puis 30 mn – Cours de la Lemme★ N – Cascade de la Billaude★ NE : 4,5 km puis 30 mn, G. Jura.

Paris 436 – Champagnole 12 – •Genève 77 – Lons-le-Saunier 45.

- **Beauséjour,** ✆ 84 51 52 51 – wc wc P – 30. E
  SC : **R** 51/140 ₰ – 16 – **24 ch** 62/162 – P 135/160.

PONT-DE-LA-MADELEINE 12 Aveyron 79 ⑩ – rattaché à Figeac.

PONT-DE-L'ARCHE 27340 Eure 55 ⑥ **G. Normandie** – 2 456 h. alt. 24.

Paris 118 – Les Andelys 32 – Elbeuf 11 – Évreux 34 – Gournay-en-Bray 55 – Louviers 11 – •Rouen 18.

- XXX **Ferme de la Borde,** N 15 ✆ 35 23 03 90, « jardin fleuri » – P
  fermé 4 août au 2 sept., dim. soir et lundi – SC : **R** carte 135 à 205.
- XX **La Pomme,** aux Damps 1,5 km au bord de l'Eure ✆ 35 23 00 46, , – P. VISA
  fermé 31 juil. au 21 août, 20 fév. au 4 mars, dim. soir, mardi soir et merc. – SC : **R** 58/140 ₰.
- X **Elbeuf,** ✆ 35 23 00 56 – AE E VISA
  fermé août, sam. midi, dim. soir et vend. – **R** 46/88 ₰.

PONT-DE-L'ISÈRE 26 Drôme 77 ② – rattaché à Valence.

PONT-DE-LUNEL 34 Hérault 83 ⑧ – rattaché à Lunel.

PONT-DE-MENAT 63 P.-de-D. 73 ③ – ✉ **63560** Menat.

Voir Gorges de la Sioule★ N et S, G. Auvergne.

Paris 361 – Aubusson 89 – Gannat 28 – Montluçon 41 – Riom 34 – St-Pourçain-sur-Sioule 50.

- XX **Aub. Maître Henri** avec ch, ✆ 73 85 50 20, – P. VISA
  fermé janv. et merc. du 15 oct. au 15 mars – SC : **R** 54/108 ₰ – 13,50 – **10 ch** 73/90 – P 115/136.

Gorges de Chouvigny ★★ NE par D 915 G. Auvergne – ✉ **63560** Menat :

- **Vindrié** , ✆ 73 85 51 48, ←, – P
  fermé 15 nov. au 15 déc. – SC : **R** 43/135 – 15,50 – **14 ch** 75/105 – P 137/157.
- X **Les Roches** avec ch, ✆ 73 85 51 49, ←, – P
  hôtel ouvert Pâques-10 déc. ; rest. fermé 10 déc. au 10 janv. – SC : **R** 69/135 – 15,50 – **7 ch** 70/108 – P 143/155.
- X **Beau Site** avec ch, ✆ 73 85 51 47, ←, – wc P. E
  fermé 12 nov. au 2 janv. et lundi du 15 sept. au 1er mars – SC : **R** 63/95 – 16 – **8 ch** 55/85 – P 115/145.
- X **Gorges de Chouvigny,** ✉ 03450 Ebreuil ✆ 70 90 42 11, ← – P. E VISA
  fermé 15 déc. au 1er fév., lundi soir et mardi sauf juil.-août – SC : **R** 65/125.

Le PONT-DE-PACÉ 35 I.-et-V. 59 ⑯ – rattaché à Rennes.

PONT-DE-PANY 21410 Côte d'Or 66 ⑪ alt. 290.
Paris 293 – Avallon 86 – Beaune 46 – ♦Dijon 21 – Saulieu 55.

XX Pont de Pany avec ch, ✆ 80 23 60 59, 🏠 – 🛁 🚿 Ⓟ – **16 ch**.

PONT-DE-POITTE 39 Jura 70 ⑭ **G. Jura** – 657 h. alt. 439 – ✉ 39130 Clairvaux-les-Lacs.
Paris 409 – Champagnole 34 – ♦Genève 96 – Lons-le-Saunier 17.

XX **Ain** avec ch, ✆ 84 48 30 16 – ▤ rest 🛁wc 🚿wc ☎. VISA
fermé 1er au 7 sept., mars, dim. soir et lundi sauf juil.-août – SC : **R** 70/190 – ☕ 16 – **10 ch** 100/165 – P 160/180.

PONT-DE-ROIDE 25150 Doubs 66 ⑱ **G. Jura** – 4 108 h. alt. 351.
Paris 409 – Baume-les-Dames 40 – ♦Besançon 69 – Montbéliard 18 – Morteau 53 – Neuchâtel 76.

🏨 **Voyageurs,** 15 pl. Centrale ✆ 81 96 92 07 – 🛁wc Ⓟ. E VISA
◆ *fermé 19 déc. au 5 janv.* – SC : **R** *(fermé sam.)* 57/175 🍷 – ☕ 19 – **15 ch** 108/228 – P 204/248.

PEUGEOT-TALBOT Vurpillat, ✆ 81 92 42 27

PONT-DE-SALARS 12290 Aveyron 80 ③ – 1 542 h. alt. 690.
Paris 633 – Albi 87 – Millau 46 – Rodez 25 – St-Affrique 56 – Villefranche-de-Rouergue 71.

🏨 **Voyageurs,** ✆ 65 46 82 08 – 🛁wc 🚿wc ☎ Ⓟ. E VISA. ✂
◆ *1er mars-1er nov. ; fermé dim. soir et lundi sauf de juin à sept.* – SC : **R** 55 bc/160 🍷 – ☕ 16 – **36 ch** 63/220 – P 170/250.

RENAULT Capoulade, ✆ 65 46 83 16 N

PONT D'ESPAGNE 65 H.-Pyr. 85 ⑰ – rattaché à Cauterets.

PONT-DE-SUMÈNE 43 H.-Loire 76 ⑦ – rattaché au Puy.

PONT-DE-VAUX 01190 Ain 70 ⑫ – 2 051 h. alt. 177.
ℹ Office de Tourisme 2 r. Mar.-de-Lattre-de-Tassigny (15 juin-15 sept.) ✆ 85 30 30 02.
Paris 381 – Bourg-en-Bresse 38 – Lons-le-Saunier 60 – Mâcon 22 – St-Amour 35 – Tournus 18.

XXX ✿ **Commerce** (Patrone) avec ch, ✆ 85 30 30 56 – 🛁wc 🚿wc ☎ 🚗. AE ⓓ VISA. ✂ ch
fermé 2 au 12 juin, 24 nov. au 19 déc., mardi (sauf le soir du 1er juil. au 15 sept.) et merc. sauf fériés – SC : **R** 80/210 – ☕ 20 – **11 ch** 165/200
Spéc. Gâteau aux foies de volaille, Grenouilles sautées fines herbes, Volaille de Bresse à la crème. **Vins** Clessé, Chiroubles.

XX ✿ **du Raisin** (Chazot) avec ch, ✆ 85 30 30 97 – 🚿wc ☎ 🚗. AE. ✂ ch
◆ *fermé janv., dim. soir et lundi sauf fériés* – SC : **R** 60/190 🍷 – ☕ 20 – **7 ch** 130/160
Spéc. Grenouilles Maitre d'hôtel, Crêpes Parmentier, Fricassée de poulet de Bresse aux morilles. **Vins** Viré, Brouilly.

XX La Reconnaissance avec ch, ✆ 85 30 30 55 – 🛁wc 🚿wc 🚗 – **12 ch**.

CITROEN Grospellier, ✆ 85 30 31 13

PONT-D'HÉRAULT 30 Gard 80 ⑯ – rattaché au Vigan.

PONT-D'OUILLY 14690 Calvados 55 ⑪ **G. Normandie** – 1 049 h. alt. 81.
Paris 241 – Briouze 28 – ♦Caen 48 – Falaise 18 – Flers 25 – Villers-Bocage 43 – Vire 39.

🏠 **Commerce,** ✆ 31 69 80 16, 🏠, 🌳 – 🚿. VISA. ✂
◆ *fermé 18 déc. au 18 janv., dim. soir et lundi sauf de juin à sept.* – SC : **R** 45/150 – ☕ 15 – **16 ch** 75/155 – P 140/160.

à St-Christophe N : 2 km par D 23 – ✉ 14690 Pont-d'Ouilly :

XX **Aub. St-Christophe** 🐌 avec ch, ✆ 31 69 81 23, 🏠, 🌳 – 🛁wc 🚿wc ☎ Ⓟ. AE E VISA
fermé 28/9 au 21/10, 1er au 24/2, lundi midi du 1/6 au 30/9, dim. soir et lundi du 1/10 au 31/5 – SC : **R** 70/160 – ☕ 17,50 – **7 ch** 182 – P 260.

PONT-DU-BOUCHET 63 P.-de-D. 73 ③ – ✉ 63380 Pontaumur.
Paris 386 – ♦Clermont-Ferrand 54 – Pontaumur 12 – Riom 39 – St-Gervais-d'Auvergne 18.

🏨 **La Crémaillère** 🐌, ✆ 73 86 80 07, ≤, 🌳 – 🛁wc 🚿wc ☎ Ⓟ. ✂
◆ *fermé 15 déc. au 15 janv., vend. soir et sam. midi hors sais.* – SC : **R** 60/140 – ☕ 16 – **16 ch** 78/166 – P 150/184.

PONT-DU-CHAMBON 19 Corrèze 75 ⑩ – rattaché à Marcillac-la-Croisille.

PONT-DU-CHATEL 29 Finistère 58 ⑤ – rattaché à Lesneven.

PONT-DU-DIABLE (Gorges du) ** 74 H.-Savoie 70 ⑰⑱ **G. Alpes.**

PONT-DU-DOGNON 87 H.-Vienne 72 ⑧ **G. Périgord** – alt. 290 – ✉ **87340** La Jonchère-St-Maurice.

Paris 394 – Bellac 52 – Bourganeuf 27 – La Jonchère-St-Maurice 9 – ♦Limoges 26 – La Souterraine 42.

Rallye ⑤, St-Laurent-les-Églises ☎ 55 56 56 11, ≤ lac – wc wc ☎ P – 30. E. ✗ rest
23 mars-15 oct. et fermé lundi ; hors saison : prévenir – SC : **R** 58/140 – ☐ 18 – **20 ch** 100/215 – P 170/250.

PONT-DU-GARD 30 Gard 80 ⑲ **G. Provence** – alt. 27 – ✉ **30210** Remoulins.

Voir Pont-aqueduc romain*** – ℹ Maison du Tourisme (saison) ☎ 66 37 00 02.

Paris 692 – Alès 47 – Arles 41 – Avignon 25 – Nîmes 23 – Orange 37 – Pont-St-Esprit 42 – Uzès 14.

Vieux Moulin ⑤, rive gauche ☎ 66 37 14 35, ≤ pont du Gard, – wc wc ☎ P – 30. AE ◑ E
1er mars-11 nov. – SC : **R** *(fermé lundi midi et mardi midi)* 75/123 – ☐ 32 – **17 ch** 135/290.

Le Colombier ⑤, E : 0,8 km par D 981 (rive droite) ☎ 66 37 05 28, – wc wc ☎ P. E
fermé janv. et lundi du 1er oct. au 1er avril – SC : **R** 70/145 – ☐ 15 – **10 ch** 130/170 – P 220/320.

à Castillon du Gard NE : 4 km par D 19 et D 228 – ✉ **30210** Remoulins :

✿ **Le Vieux Castillon** M ⑤, ☎ 66 37 00 77, patio, « au cœur d'un village médiéval », – ☎ P – 30. VISA
fermé début janv. à début mars – SC : **R** 210/270 – ☐ 48 – **35 ch** 470/1 000 – P 610/910 (pour 2 pers.)
Spéc. Suprême de loup aux truffes et son feuilleté aux langoustines, Carré d'agneau à la sarriette, Pêche aux amandes et son sorbet. **Vins** Côtes du Rhône.

Voir aussi ressources hôtelières de ***Remoulins*** SE : 3 km

PONT-DU-LOUP 06 Alpes-Mar. 84 ⑨, 195 ㉔ – alt. 300 – ✉ **06490** Tourrette-sur-Loup.

Voir N : Gorges du Loup** – Le Bar-sur-Loup : site*, Danse macabre* dans l'église St-Jacques, ≤* de la place de l'église S : 3 km – Cascade de Courmes* N : 3 km, **G. Côte d'Azur.**

Paris 924 – Antibes 35 – La Colle-sur-Loup 12 – Coursegoules 21 – Grasse 12 – ♦Nice 39 – Vence 14.

La Réserve, ☎ 93 59 32 81, ≤, – wc wc ☎ P. AE ◑ VISA
SC : **R** 56/103 – ☐ 22 – **15 ch** 135/240 – P 455/560 (pour 2 pers.).

PONTEMPEYRAT 43 H.-Loire 76 ⑦ – alt. 750 – ✉ **43500** Craponne-sur-Arzon.

Paris 475 – Ambert 40 – Montbrison 57 – Le Puy 44 – ♦St-Étienne 54 – Yssingeaux 44.

Mistou ⑤, ☎ 77 50 62 46, « parc au bord de l'Ance » – wc wc ☎ P – 40. AE VISA. ✗ rest
22 mars-11 nov. et fermé mardi soir et merc. sauf du 15 juin au 15 sept. – SC : **R** 93/175 – ☐ 23 – **25 ch** 140/185 – P 205/240.

PONT-EN-ROYANS 38680 Isère 77 ③ **G. Alpes** (plan) – 1 119 h. alt. 208.

Voir Site* – Route de Presles** NE – Petits Goulets* SE : 2 km.

Paris 587 – Die 58 – ♦Grenoble 60 – St-Marcellin 14 – Valence 45 – Villard-de-Lans 24.

Bonnard, ☎ 76 36 00 54 – ☎. ✗ ch
hôtel : Pâques-1er oct., rest. : 1er mars 1er oct. et fermé merc. du 1er avril au 30 mai – SC : **R** 67/120 – ☐ 18 – **14 ch** 75/120 – P 210.

Beau Rivage, ☎ 76 36 00 63, ≤, – P. VISA
fermé 1er déc. au 1er fév. et lundi du 1er oct. au 1er juin – SC : **R** 52/100 ꟾ – ☐ 15 – **16 ch** 65/90 – P 125/135.

PEUGEOT Gar. Universel, ☎ 76 36 00 89

Le PONTET 84 Vaucluse 81 ⑫ – rattaché à Avignon.

Le PONTET D'EYRANS 33 Gironde 71 ⑦ – alt. 14 – ✉ **33390** Blaye.

Paris 532 – Blaye 9 – ♦Bordeaux 51 – Jonzac 36 – Mirambeau 21 – St-André-de-C. 28 – Saintes 71.

Voyageurs, ☎ 57 64 71 09 – P
fermé 15 oct. au 15 nov. et merc. – SC : **R** 44/85 – ☐ 13 – **10 ch** 53/88.

PEUGEOT-TALBOT Ferandier-Sicard ☎ 57 64 71 07

PONT-ÉVÊQUE 38 Isère 74 ⑫ – rattaché à Vienne.

PONT-FARCY 14 Calvados 59 ⑨ – 385 h. alt. 66 – ✉ **14380** St-Sever-Calvados.

Paris 300 – ♦Caen 59 – St-Lô 24 – Villedieu-les-Poêles 19 – Villers-Bocage 34 – Vire 18.

✗ **Coq Hardi,** ☎ 31 68 86 03
fermé merc. sauf vacances scol. – SC : **R** 40/100 ꟾ.

PONTGIBAUD 63230 P.-de-D. 73 ⑬ G. Auvergne – 927 h. alt. 672.

Syndicat d'Initiative pl. République (juil.-août).

Paris 398 – Aubusson 71 – ♦Clermont-Ferrand 23 – Le Mont-Dore 42 – Riom 26 – Ussel 71.

Poste, ✆ 73 88 70 02 – wc wc ☎ . AE E
fermé 1er au 15 oct., janv., dim. soir et lundi sauf juil.-août – SC : **R** 47/130 – 15 – **11 ch** 85/130 – P 155/165.

CITROEN Klein, ✆ 73 88 70 05 N

RENAULT Tournaire, ✆ 73 88 70 41

PONTHIERRY 77 S.-et-M. 61 ①, 196 ㊹ – alt. 60 – ✉ **77310** St-Fargeau-Ponthierry.

Paris 44 – Corbeil Essonnes 11 – Étampes 38 – Fontainebleau 19 – Melun 10.

XX **Aub Cheval Blanc,** ✆ (1) 60 65 70 21 – E VISA
fermé dim. soir – **R** 45/134.

PEUGEOT Gar. des Bordes, 107 av. Fontainebleau, St-Fargeau ✆ (1) 60 65 71 13 N ✆ (1) 60 65 77 71

RENAULT Gar. Tractaubat, pl. Gén.-Leclerc ✆ (1) 60 65 70 39

PONTIGNY 89230 Yonne 65 ⑤ G. Bourgogne – 825 h. alt. 113.

Voir Abbaye ★.

Paris 180 – Auxerre 20 – Sens 57 – Tonnerre 32 – Troyes 60.

XX **Moulin de Pontigny,** ✆ 86 47 44 98 – P. VISA
fermé fév., mardi soir de sept. à juin et merc. sauf le soir en juil.-août – SC : **R** 50/150 Ꮄ.

Pas de publicité payée dans ce guide.

PONTIVY SP 56300 Morbihan 58 ⑱ G. Bretagne – 14 224 h. alt. 60.

Voir Maisons anciennes★ (rues du Fil, du Pont, du Dr-Guépin Y) – Stival : vitraux★ de la chapelle St-Mériadec NO : 3,5 km par ⑥.

Office de Tourisme pl. A.-Briand ✆ 97 25 04 10.

Paris 458 ② – Concarneau 88 ⑤ – Dinan 100 ② – Lorient 55 ④ – Quimper 100 ⑤ – ♦Rennes 107 ② – St-Brieuc 64 ② – Vannes 52 ③.

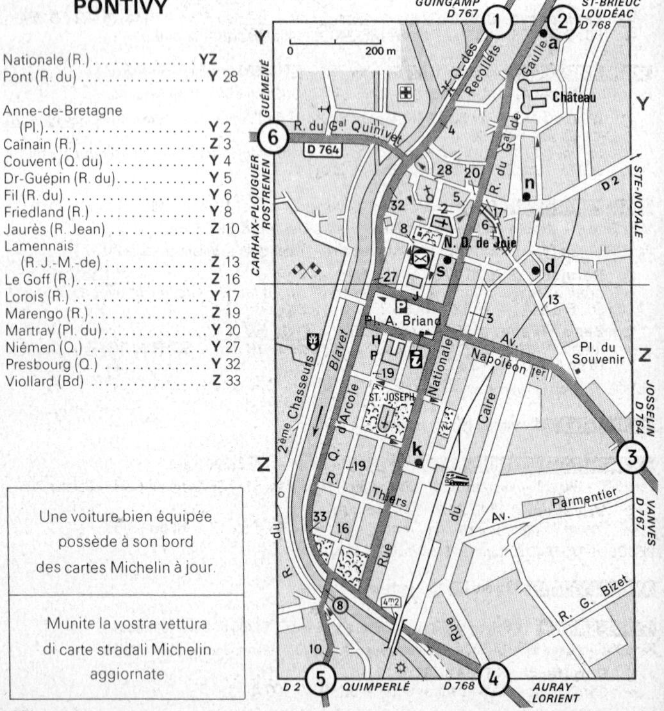

PONTIVY

Nationale (R.) .... YZ
Pont (R. du) .... Y 28

Anne-de-Bretagne (Pl.) .... Y 2
Caïnain (R.) .... Z 3
Couvent (Q. du) .... Y 4
Dr-Guépin (R. du) .... Y 5
Fil (R. du) .... Y 6
Friedland (R.) .... Y 8
Jaurès (R. Jean) .... Z 10
Lamennais (R. J.-M.-de) .... Z 13
Le Goff (R.) .... Z 16
Lorois (R.) .... Y 17
Marengo (R.) .... Z 19
Martray (Pl. du) .... Y 20
Niémen (Q.) .... Y 27
Presbourg (Q.) .... Y 32
Viollard (Bd) .... Z 33

Porhoët M sans rest, **41 r. Gén.-de-Gaulle** ☎ **97 25 34 88** – wc wc ☎ ♿ — Y **a**
SC : ☕ 17 – **28 ch** 100/180.

Martin, 1 r. Leperdit ☎ **97 25 02 04** – ☎ – 25. E VISA — Y **n**
fermé 15 déc. au 15 janv. et dim. en hiver – **SC** : **R** 47/100 – ☕ 16 – **30 ch** 88/180.

Friedland sans rest, **12 r. Friedland** ☎ **97 25 27 11** – wc ☎. E VISA — Y **s**
SC : ☕ 16,50 – **11 ch** 81/220.

Napoléon sans rest, **r. Butte** ☎ **97 25 13 58** – wc ☎. E. — Y **d**
fermé fév. et dim. hors sais. – **SC** : ☕ 12 – **14 ch** 90/120.

Gambetta, pl. Gare ☎ **97 25 53 70** – VISA — Z **k**
fermé fév., dim. soir et lundi – **SC** : **R** 72/165.

CITROEN Laloge, rte de Vannes par ③ ☎ 97 25 30 56
PEUGEOT-TALBOT S.A.I.P., rte de Lorient par ④ ☎ 97 25 12 19
RENAULT Gar. Centre Bretagne av. des Otages par ⑥ ☎ 97 25 42 88
Piété 6 r. de Mun et r. Guynemer ☎ 97 25 02 77

PONT-L'ABBÉ **29120** Finistère **58** ⑭⑮ **G. Bretagne** – **7 729 h. alt. 4.**

Env. Calvaire de la chapelle N.-D.-de-Tronoën O : 8 km.**

Office de Tourisme Château ☎ 98 87 24 44.

Paris 565 ① – **Douarnenez 33** ④ – **Quimper 20** ①.

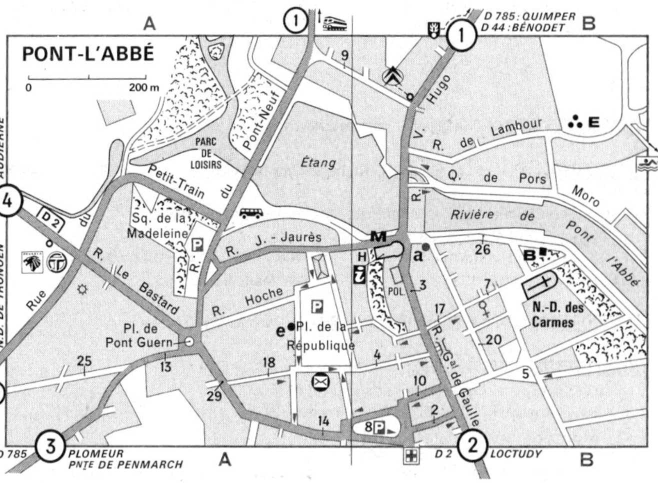

Château (R. du) .... B 3
Gaulle (R. Gén.-de) .... B
J.-J.-Rousseau (R.) .... B 10
Lamartine (R.) .... A 14
Simon (R. Jules) .... A 29
Victor-Hugo (R.) .... B
Cariou (R.) .... B 2
Danton (R.) .... B 4
Delessert (Pl. B.) .... B 5
Église (R. de l') .... B 7
Gambetta (Pl.) .... B 8
Gare (R. de la) .... A 9
Kerentrée (R. de) .... A 13
Marceau (R.) .... B 17
Michelet (R.) .... A 18
Pasteur (R.) .... B 20
St-Jean (R.) .... A 25
St-Laurent (Q.) .... B 26

Bretagne, 24 pl. République ☎ **98 87 17 22** – wc wc ☎. E VISA. ch
fermé 15 au 30 oct. et 15 au 30 janv. – **SC** : **R** *(fermé lundi hors sais.)* 48/245 – ☕ 17,50 – **18 ch** 150/280 – P 220/265. — A **e**

Relais de Ty-Boutic, par ③ : 3 km ☎ **98 87 03 90** – E VISA
fermé 1er au 15 sept., fév., mardi soir et merc. en hiver et lundi en été – **SC** : **R** 50/210.

Voyageurs avec ch, **6 quai St-Laurent** ☎ **98 87 00 37** – rest. E — B **a**
fermé nov. et lundi – **SC** : **R** 60/143 – ☕ 20 – **20 ch** 77/145 – P 325/444 (pour 2 pers.).

CITROEN Gar. Chapalain, rte de Plomeur à Kerouan par ③ ☎ 98 87 16 37 N ☎ 98 87 21 42
CITROEN Lorda-Tanneau, 21 r. Victor-Hugo ☎ 98 87 00 91
PEUGEOT-TALBOT Gar. Chatalen, rte Quimper à Kermaria par ① ☎ 98 87 29 08
PEUGEOT-TALBOT Pont l'Abbé Autos Services, 19 r. Ch.-Le-Bastard ☎ 98 87 06 50
RENAULT Kerlen, 122 r. Gén.-de-Gaulle par ② ☎ 98 87 14 45

PONT-LES-MOULINS 25 Doubs 66 ⑯ – rattaché à Baume-les-Dames.

PONT-L'ÉVÊQUE 14130 Calvados 55 ③ **G. Normandie** – 3 802 h. alt. 16.

Syndicat d'Initiative à l'Hôtel de Ville ✆ 31 64 12 77.

Paris 196 ② – •Caen 47 ② – •Le Havre 64 ② – •Rouen 80 ② – Trouville-Deauville 11 ⑦.

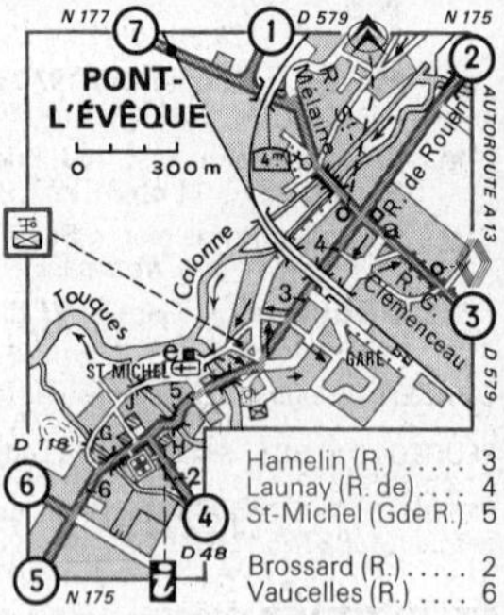

- **Lion d'Or,** pl. Calvaire **(a)** ✆ 31 65 01 55, Télex 171688 – TV wc wc ☎ P – 50. AE O E VISA
  fermé 15 déc. au 30 janv. – **R** *(fermé dim. soir et lundi du 16 sept. au 15 avril)* 95/180 – **Grill** *(fermé mardi soir et merc. du 16 sept. au 15 avril)* **R** carte environ 75 – ☕ 16,50 – **25 ch** 105/245.
- XX **Aub. de la Touques,** pl. Église **(e)** ✆ 31 64 01 69 – E VISA
  fermé 12 nov. au 20 déc., lundi soir et mardi – SC : **R** 85/150.

à St-Martin-aux-Chartrains par ⑦ : 3,5 km sur N 177 – ✉ 14130 Pont-l'Évêque :

- XX **Aub. de la Truite** avec ch, ✆ 31 64 06 10, – wc ☎ P. AE O VISA
  fermé fév., dim. soir et lundi sauf juil.-août – SC : **R** 75 (sauf sam.)/200 – ☕ 18 – **6 ch** 80/200.

Hamelin (R.) 3
Launay (R. de) 4
St-Michel (Gde R.) 5
Brossard (R.) 2
Vaucelles (R.) 6

CITROEN Dupuits, 5 r. St-Mélaine ✆ 31 64 01 86
FORD Garez, 37 r. de Vaucelles ✆ 31 64 02 11 N
RENAULT Gar. du-Lion-d'Or rte de Lisieux ✆ 31 64 15 54
Pont-l'Evêque Pneus, 72 r. Ste-Mélaine ✆ 31 65 00 67

PONT-L'ÉVÊQUE 60 Oise 56 ③ – rattaché à Noyon.

PONTLEVOY 41 L.-et-Ch. 64 ⑰ **G. Châteaux de la Loire** – 1 700 h. alt. 99 – ✉ 41400 Montrichard.

Paris 207 – Blois 25 – Contres 14 – Montrichard 7,5 – Romorantin-Lanthenay 40.

- **École,** ✆ 54 32 50 30, – wc P
  fermé lundi soir hors sais. et mardi – SC : **R** 65/105 – ☕ 20 – **15 ch** 80/200.

RENAULT Debrais, ✆ 54 32 50 20
Gar. Marionnet, ✆ 54 32 50 11

PONTOISE 95 Val-d'Oise 55 ⑳, 196 ⑤⑥, 101 ② – voir à Cergy-Pontoise.

PONTORSON 50170 Manche 59 ⑦ **G. Normandie** – 3 358 h. alt. 18.

Office de Tourisme pl. Église (vacances scolaires) ✆ 33 60 20 65.

Paris 326 ② – Avranches 22 ② – Dinan 45 ⑤ – Fougères 38 ④ – •Rennes 57 ④ – St-Malo 43 ⑤.

- **Montgomery,** r. Couesnon **(a)** ✆ 33 60 00 09, Télex 171332, – wc wc. AE O E VISA
  28 mars-19 oct. – SC : **R** 63/220 – ☕ 16 – **32 ch** 152/190 – P 297/315.
- **Bretagne,** r. Couesnon **(f)** ✆ 33 60 10 55 – wc wc. E
  1er fév.-31 oct. et fermé lundi – SC : **R** 54/110 – ☕ 16 – **13 ch** 80/165 – P 210/265.
- **Relais Clemenceau,** bd Clemenceau **(u)** ✆ 33 60 10 96 – P
  fermé 20 janv. au 28 fév., dim. soir et lundi d'oct. à juin sauf fêtes – SC : **R** 49/120 – ☕ 13,50 – **17 ch** 71/150 – P 103/147.

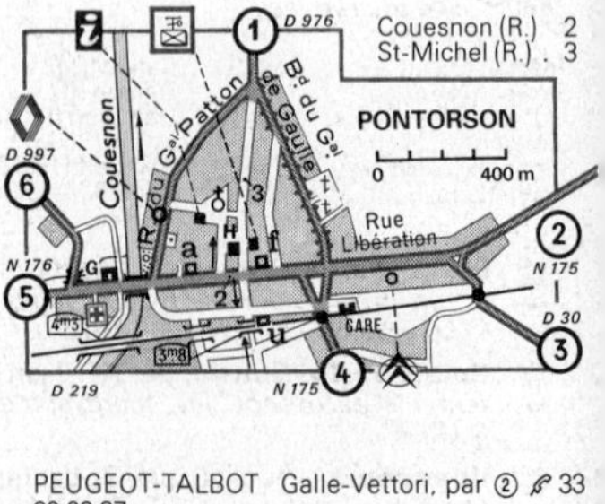

Couesnon (R.) 2
St-Michel (R.) . 3

CITROEN Jamin, 14 r. de la Libération ✆ 33 60 00 29
LANCIA Gar. Mogicato, 43 r. de la Libération ✆ 33 60 25 05 N
PEUGEOT-TALBOT Galle-Vettori, par ② ✆ 33 60 00 37
RENAULT Gar. Boulaux, ✆ 33 60 10 76

PONT-RÉAN 35 I.-et-V. 63 ⑥ – rattaché à Rennes.

PONT-ROYAL 13 B.-du-R. 84 ② – rattaché à Senas.

PONT-ST-ESPRIT 30130 Gard 80 ⑩ G. Vallée du Rhône – 8 135 h alt. 59.

Paris 646 – Alès 61 – Avignon 60 – Montélimar 40 – ♦Nîmes 59 – Nyons 45.

St-Jean-Baptiste Ⓜ sans rest, ✆ **66 39 33 24**, – wc ☎ & . AE ⓓ E VISA
SC : 36 – **28 ch** 250/290.

PONT-ST-PIERRE 27360 Eure 55 ⑦ G. Normandie – 1 059 h. alt. 17.

Voir Boiseries★ de l'église – Côte des Deux-Amants★★ SO : 4,5 km puis 15 mn.

Paris 105 – Les Andelys 18 – Évreux 45 – Louviers 21 – Pont-de-l'Arche 10 – ♦Rouen 21.

XXX **Bonne Marmite** avec ch, ✆ **32 49 70 24** – wc ☎ – 25. AE ⓓ E VISA. ch
fermé 28 juil. au 9 août, 20 fév. au 17 mars, dim. soir du 1er sept. au 31 mars, sam. midi et vend. – SC : **R** 115/260 – 26 – **9 ch** 220/290 – P 370/415.

XX **Aub. de l'Andelle,** ✆ 32 49 70 18 – E VISA
fermé 18 août au 6 sept., dim. soir et lundi sauf fêtes – SC : **R** 73/208 .

CITROEN Gar. Grandserre, à Neuville Chant Oisel ✆ 32 80 28 21
RENAULT Carnel, ✆ 32 49 70 48
Brunel, Le Petit Nojeon à Fleury-sur-Andelle ✆ 32 49 01 22

PONT-STE-MARIE 10 Aube 61 ⑰ – rattaché à Troyes.

PONT-STE-MAXENCE 60700 Oise 56 ①② G. Environs de Paris – 9 509 h. alt. 32.

Voir Cour★ de l'abbaye du Moncel.

Office de Tourisme 8 r. Bontroy (après-midi seul.) ✆ 44 72 35 90.

Paris 61 – Beauvais 49 – Compiègne 24 – Creil 12 – Senlis 12.

XX **Host. du Marais** avec ch, pl. Perronet ✆ **44 72 20 63** – wc . ⓓ E VISA
SC : **R** 51/72 – 14,50 – **15 ch** 120.

RENAULT Gar. de la Gare, 29 av. A.-Briand ✆ 44 72 22 56 N

PONT-SALOMON 43330 H.-Loire 76 ⑧ – 1 341 h. alt. 635.

Paris 531 – Le Puy 57 – La Chaise-Dieu 69 – ♦St-Étienne 21 – Yssingeaux 30.

Modern'H., ✆ **77 35 50 18** – . E VISA
fermé 15 sept. au 15 oct. et sam. – SC : **R** 40/75 – 14 – **12 ch** 70/87 – P 120/130.

Les PONTS-NEUFS 22 C.-du-N. 59 ④ – alt. 33 – ✉ **22400** Lamballe.

Paris 444 – Carhaix-Plouguer 88 – Erquy 20 – Lamballe 12 – Loudéac 44 – St-Brieuc 14.

XXX ✿ **Lorand-Barre** (Damour), ✆ **96 32 78 71**, ←, « Bel intérieur rustique breton » – AE ⓓ
fermé 1er déc. au 1er mars, dim. soir et lundi – **R** (nombre de couverts limité - prévenir) 350/380
Spéc. Homard grillé, Ris de veau au porto, Poulet sauté à l'estragon.

PONT-SUR-YONNE 89140 Yonne 61 ⑬⑭ – 2 933 h. alt. 65.

Paris 106 – Auxerre 69 – Fontainebleau 41 – Nemours 44 – Nogent-sur-S. 37 – Provins 35 – Sens 12.

Aux Trois Rois, ✆ **86 67 01 05**, – .
fermé du 1er janv. au 15 fév., dim. soir et lundi sauf juil. et août – SC : **R** 55/110 – 12 – **13 ch** 65/165 – P 125/160.

XX **Host. de l'Ecu** avec ch, 3 r. Carnot ✆ **86 67 01 00**, – wc. AE ⓓ E VISA
fermé 7 janv. au 7 mars, lundi soir et mardi sauf juil.-août – SC : **R** 57/94 – 10 – **8 ch** 71/165.

XX **Aub. km 99,** ✆ 86 67 00 40, – . E VISA
fermé jeudi hors sais. – SC : **R** 60/128.

CITROEN Soutin, ✆ 86 67 12 04
PEUGEOT-TALBOT Gonnet-Torton ✆ 86 67 12 00
PEUGEOT-TALBOT Nottet, ✆ 86 67 10 97

Le PORGE 33 Gironde 78 ① – 1 100 h. – ✉ **33680** Lacanau.

Paris 584 – Andernos-les-Bains 17 – ♦Bordeaux 50 – Lacanau-Océan 25 – Lesparre-Médoc 53.

X **Le Galip,** au Porge-Océan O : 10,5 km ✆ **56 26 50 33**, – AE VISA
fermé nov., dim. soir et vend. – SC : **R** 80/90.

RENAULT Deyres, ✆ 56 26 50 16

PORNIC 44210 Loire-Atl. 67 ① G. Côte de l'Atlantique (plan) – 2 229 h. – Casino le Môle.

✆ **40 82 06 69, O : 1 km.**

Office de Tourisme pl du Môle ✆ 40 82 04 40.

Paris 428 – ♦Nantes 51 – La Roche-s-Y. 79 – Les Sables-d'O. 89 – St-Nazaire 29.

Ourida, 43 r. Verdun ✆ 40 82 00 83, — wc. VISA
SC : **R** 45/135 – 15 – **10 ch** 70/160 – P 170/250.

Le Bout du Monde, au nouveau port ✆ 40 82 00 24, ← – AE E VISA
fermé lundi soir et mardi soir – SC : **R** 53/159.

à Ste-Marie O : 3 km – ✉ **44210** Pornic :

Les Sablons , ✆ 40 82 09 14, – wc. E VISA.
SC : **R** *(fermé 15 nov. au 15 déc. et dim. soir)* 79/149 – 16 – **30 ch** 155/258 – P 262/289.

CITROEN Gar. du Môle, 26 quai Leray ✆ 40 82 00 08
PEUGEOT-TALBOT Gaudin, rte Bleue ✆ 40 82 00 26
RENAULT Guitteny, 7 r. du Gén.-de-Gaulle ✆ 40 82 01 17
RENAULT Gar. Le Gallic 35 r. Jean Moulin ✆ 40 82 03 27
V.A.G. Gar. Pornicais, 21 quai Cdt-l'Herminier ✆ 40 82 04 49

PORNICHET **44380** Loire-Atl. 63 ⑭ **G. Bretagne** – **7 284 h.** – **Casino.**

Office de Tourisme pl. A.-Briand ✆ 40 61 08 92.

Paris 444 – La Baule 6 – •Nantes 82 – St-Nazaire 11.

Sud Bretagne, 42 bd République ✆ 40 61 02 68, , , , – – 30. AE E VISA
mi-mars-mi-oct. – SC : **R** carte 150 à 230 – 27 – **30 ch** 265/385 – P 350/450.

Charmettes , av. Flornoy ✆ 40 61 04 30, – wc wc. E VISA. rest
1er juin-10 sept. – SC : **R** 90/100 – 18,50 – **35 ch** 106/255 – P 184/275.

PEUGEOT Gar. Robert, 18 av. de Mazy ✆ 40 60 31 62 ✆ 40 60 13 18
RENAULT Gar. Hoguy, 5 av. du Gén.-de-Gaulle ✆ 40 61 03 12
RENAULT Le Cam, 19 bd de la République ✆ 40 61 04 10

PORQUEROLLES (Ile de) *** **83400** Var 84 ⑯ **G. Côte d'Azur.**

Accès par transports maritimes :

depuis La Tour Fondue (presqu'île de Giens). En 1985 : en saison, départ toutes les 1/2 h ; hors sais., 6 à 9 services quotidiens - Traversée 15 mn - 40 F (AR). Rens.: Transports Maritimes et Terrestres du Littoral Varois ✆ 94 58 21 81 (La Tour Fondue).

depuis Cavalaire. En 1985 : de juin à sept., 2 à 3 services hebdomadaires - Traversée 1 h 50 mn – 68 F (AR). Rens.: Cie Maritime des Vedettes "Ile d'Or" ✆ 94 71 01 02 (Le Lavandou).

depuis Le Lavandou. En 1985 : du 10 juin au 15 sept., 1 service quotidien - Traversée 50 mn – 68 F (AR). Rens.: Cie Maritime des Vedettes "Iles d'Or" ✆ 94 71 01 02 (Le Lavandou).

depuis Toulon. En 1985 : du 15 juin au 15 sept., 2 à 3 services quotidiens - Traversée 1 h - 60 F (AR). Rens.: Service Maritime Touristique Varois, quai Stalingrad ✆ 94 92 96 82 (Toulon).

Ste Anne , ✆ 94 58 30 04, , – wc
fermé 14 nov. au 20 déc. et 5 au 14 janv. – SC : **R** 77/113 – **15 ch** 100/206 – P 216/296.

Orée du Bois, ✆ 94 58 30 57, – VISA
15 mars-15 oct., fermé lundi soir et mardi hors sais. – SC : **R** 90/130.

Les Glycines avec ch, ✆ 94 58 30 36, , – wc
15 mars-15 oct. – SC : **R** 65/85 – **11 ch** (pens. seul.) – P 298/330.

Aub. Arche de Noé avec ch, ✆ 94 58 30 74, , – wc
25 mars-31 oct. – SC : **R** 66/103 – 19 – **11 ch** 166/609 – P 293/304.

à l'Ouest : 3,5 km du port :

Mas du Langoustier, ✆ 94 58 30 09, ←, parc, , « dans un site boisé près du rivage, », – wc – 80. VISA
1er mai-30 sept. – SC : **R** 125 – **48 ch** (pens. seul.).

PORS ÉVEN **22** C.-du-N. 59 ② – rattaché à Paimpol.

PORTBAIL **50580** Manche 54 ⑪ **G. Normandie** – **1 727 h.**

Excurs. à l'Ile de Jersey★ (voir Jersey).

Paris 347 – Carentan 38 – Cherbourg 45 – Coutances 43 – St-Lô 58 – Valognes 29.

La Galiche, pl. E.-Laquaine ✆ 33 04 84 18 – wc . E VISA. ch
fermé 1er au 15 oct., fév., dim. soir et lundi sauf juil.-août – SC : **R** 44/155 – 14,50 – **12 ch** 73/160 – P 175/245.

CITROEN Gar. Legouix, ✆ 33 04 88 31
RENAULT Gar. Gérard, ✆ 33 04 80 07

PORT-BARCARES **66** Pyr.-Or. 86 ⑩ – rattaché à Barcarès.

PORT-BLANC 22 C.-du-N. 59 ① G. Bretagne – ✉ 22710 Penvénan.

Paris 521 – Guingamp 36 – Lannion 19 – Perros-Guirec 17 – St-Brieuc 71 – Tréguier 11.

Iles, ✆ 96 92 66 49, – wc P. rest
1er avril-30 sept. – SC : **R** 57/125 – 17 – **35 ch** 75/190 – P 160/210.

Le Rocher sans rest, ✆ 96 92 64 97 – wc P.
15 juin-début sept. – SC : 21 – **10 ch** 130/170.

PORT-CAMARGUE 30 Gard 83 ⑱ – rattaché au Grau-du-Roi.

PORT-CROS (Ile de) ★★ 83145 Var 84 ⑯⑰ G. Côte d'Azur.

Accès par transports maritimes.

depuis **Le Lavandou.** En 1985 : de Pâques au 20 oct., 2 à 10 services quotidiens ; hors saison, 4 services hebdomadaires - Traversée 45 mn – 53 F (AR) par Cie Maritime des Vedettes "Iles d'Or" ✆ 94 71 01 02 (Le Lavandou).

depuis **Cavalaire.** En 1985 : du 15 juin au 15 sept., 1 service quotidien - Traversée 1 h – 53 F (AR) par Cie Maritime des Vedettes "Iles d'Or" ✆ 94 71 01 02 (Le Lavandou).

depuis le **Port de la Plage d'Hyères.** En 1985 : du 1er avril au 30 sept., 1 à 4 services quotidiens ; du 1er oct. au 31 mars, 4 services hebdomadaires - Traversée 1 h 15 – 65 F (AR). Renseignements : Transports Maritimes et Terrestres du Littoral Varois ✆ 94 57 44 07 (Port d'Hyères).

Le Manoir , ✆ 94 05 90 52, <, parc, – wc wc .
8 mai-10 oct. – SC : **R** 160/200 – 30 – **20 ch** (pens. seul) – P 510/600.

PORT-DE-CARHAIX 29 Finistère 58 ⑰ – rattaché à Carhaix.

PORT-DE-GAGNAC 46 Lot 75 ⑲ – rattaché à Bretenoux.

PORT-DE-GRAVETTE 44 Loire-Alt. 67 ① – rattaché à Plaine-sur-Mer.

PORT-DE-GROSLÉE 01 Ain 74 ⑭ – rattaché à Groslée.

PORT-DE-LA-MEULE 85 Vendée 67 ⑪ – rattaché à Yeu (Ile d').

PORT-DE-LANNE 40 Landes 78 ⑰ – 637 h. alt. 10 – ✉ 40300 Peyrehorade.

Paris 756 – ♦Bayonne 30 – Dax 20 – Mont-de-Marsan 72 – Peyrehorade 6,5 – St-Vincent-de-T. 21.

Vieille Auberge avec ch, ✆ 58 89 16 29, , « Cadre ancien, jardin fleuri », – wc wc P
fin juin-fin sept. – **R** (dîner seul.) 100 – 23 – **7 ch** 120/230.

PORT-DONNANT 56 Morbihan 63 ⑪ – voir Belle-Ile-en-Mer.

PORTE (Col de) 38 Isère 77 ⑤ – rattaché au Sappey-en-Chartreuse.

Le PORTEL 62480 P.-de-C. 51 ① – rattaché à Boulogne-sur-Mer.

PORT-EN-BESSIN 14520 Calvados 54 ⑭ G. Normandie – 2 074 h. alt. 10.

Voir Le Port★ – Office de Tourisme, r. Croiseur Montcalm (1er juil.-31 août) ✆ 31 21 92 33.

Paris 277 – Bayeux 9 – ♦Caen 37 – Cherbourg 91.

La Foncée, 12 r. Lefournier ✆ 31 21 71 66 – AE ⓓ E VISA
fermé 28 sept. au 8 oct., 21 déc. au 7 janv., 8 au 20 fév., merc. (hors sais.) et mardi sauf le midi en sais. – SC : **R** 88/175.

RENAULT David, rte Bayeux, ✆ 31 21 72 34

PORT GOULPHAR 56 Morbihan 63 ⑪ – voir à Belle-Ile-en-Mer.

PORT GRIMAUD 83 Var 84 ⑰ G. Côte d'Azur – ✉ 83310 Cogolin.

Voir <★ de la tour de l'Église oecuménique.

Paris 871 – Brignoles 63 – Hyères 48 – St-Tropez 7 – Ste-Maxime 8 – ♦Toulon 66.

Giraglia M , ✆ 94 56 31 33, Télex 470494, < golfe, , , – TV – 40. AE ⓓ. rest
fin mars-fin oct. – SC : **R** 195/285 – **48 ch** 1 020/1150 – P 920/980.

Port sans rest, ✆ 94 56 36 18 – wc . ⓓ E VISA
SC : 25 – **20 ch** 380/420.

La Tartane, ✆ 94 56 38 32, – AE VISA
1er mars-1er nov. – SC : **R** 170/250.

à La Foux S : 2 km sur N 98 – ✉ 83310 Cogolin :

Port Diffa, ✆ 94 56 29 07, Cuisine marocaine – P. AE ⓓ.
fermé 5 janv. au 4 mars – SC : **R** 120 .

PORT-HALIGUEN 56 Morbihan 63 ⑫ – rattaché à Quiberon.

PORT-JOINVILLE 85 Vendée 67 ⑪ – voir à Yeu (Ile d').

PORT-LA-NOUVELLE 11210 Aude 86 ⑩ **G. Causses** – 4 472 h.
Office de Tourisme 198 av. Mer ✆ 68 48 00 51.
Paris 873 – Carcassonne 79 – Narbonne 30 – •Perpignan 50 – Quillan 113.

Méditerranée, bd Front-de-Mer ✆ **68 48 03 08, Télex 500712,** ≤, – wc ☎ – 50. AE ① E VISA
fermé 20 nov. au 25 déc. – SC : **R** *(fermé dim. soir et lundi midi d'oct. à mai)* 56/150 – 22 – **32 ch** 186/250 – P 215/295.

PEUGEOT TALBOT Gar. Marill, Zone Ind. n°2, chemin des Vignes ✆ 68 48 04 86 — **Gar. Provence Auto,** 12 r. Carnot ✆ 68 48 03 10

PORT-LAUNAY 29 Finistère 58 ⑮ – rattaché à Châteaulin.

PORT-LIN 44 Loire-Atl. 63 ⑬⑭ – rattaché au Croisic.

PORT-LOUIS 56290 Morbihan 63 ① **G. Bretagne** – 3 327 h. alt. 10.
Voir Citadelle★ : musée de la Compagnie des Indes★★, musée de l'Arsenal★.
Paris 494 – Auray 29 – Lorient 19 – Pontivy 58 – Quiberon 39 – Quimperlé 38 – Vannes 47.

Avel Vor, r. Locmalo ✆ **97 82 47 59, Télex 950826,** ≤ – wc . AE ① E VISA.
SC : **R** 55/220 – 24 – **20 ch** 200/265 – P 320/380.

Commerce, pl. Marché ✆ **97 82 46 05, Télex 951531,** – wc wc
fermé dim. soir et lundi hors sais. – SC : **R** 55/220 – 20 – **40 ch** 75/220 – P 200/270.

RENAULT Gar. de l'Avancée, ✆ 97 82 47 85

PORT-MANECH 29 Finistère 58 ⑪ **G. Bretagne** – ✉ **29139** Névez.
Paris 536 – Carhaix-Plouguer 74 – Concarneau 17 – Pont-Aven 12 – Quimper 39 – Quimperlé 29.

du Port, ✆ 98 06 82 17, – wc wc ☎. E VISA.
Pâques-fin sept. – SC : **R** *(fermé lundi)* 61/91 – 17,50 – **12 ch** 110/220 – P 190/225.

Ar Moor, ✆ 98 06 82 48, ≤ – wc . VISA
1er avril-30 sept. – SC : **R** 60/220 – 15 – **36 ch** 135/235 – P 220/275.

PORT-MARIA 56 Morbihan 63 ⑪ – rattaché à Quiberon.

Le PORT-MONTAIN 77 S.-et-M. 61 ④ – rattaché à Provins.

PORT-MORT 27 Eure 55 ⑰, 196 ① – 672 h. alt. 16 – ✉ **27940** Aubevoye.
Paris 92 – Les Andelys 11 – Evreux 31 – Vernon 11.

XX **Aub. des Pêcheurs,** ✆ 32 52 60 43 – VISA
fermé août, 16 au 28 fév., lundi soir et mardi – SC : **R** 85/125.

PORT-RACINE 50 Manche 54 ① – rattaché à St-Germain-des-Vaux.

PORT-ST-LOUIS-DU-RHÔNE 13230 B.-du-R. 84 ⑪ **G. Provence** – 10 378 h.
Syndicat d'Initiative av. G.-Péri (après-midi seul.) ✆ 42 86 90 00.
Paris 769 – Arles 39 – •Marseille 74 – Salon-de-Provence 54.

Le Tamaris , rte Plage Napoléon : 2 km ✆ 42 86 10 49, , – wc wc . AE ① E VISA
fermé 24 déc. au 6 janv. – SC : **R** *(fermé sam.)* 70/120 – 18 – **12 ch** 190 – P 264.

PORTS-SUR-VIENNE 37 I.-et-L. 68 ④ – 345 h. alt. 43 – ✉ **37800** Ste-Maure-de-Touraine.
Paris 284 – Châtellerault 27 – Chinon 40 – Loches 48 – •Tours 54.

X **Le Grillon,** Le Bec des Deux Eaux SE : 2 km ✆ 47 65 02 74 – .
fermé 1er au 14 juil., 20 au 28 sept., jeudi soir et vend. – SC : **R** 55/170 .

PORT-SUR-SAÔNE 70170 H.-Saône 66 ⑤ – 2 650 h. alt. 261.
Paris 352 – Bourbonne-les-Bains 44 – Épinal 83 – Gray 52 – Jussey 22 – Langres 63 – Vesoul 12.

à Vauchoux S : 3 km par D 6 – ✉ **70170** Port-sur-Saône :

XXX ❀ **Château de Vauchoux** (Turin), ✆ **84 91 53 55, « belle décoration intérieure et parc »,** , – . AE ① E VISA
fermé 15 janv. au 28 fév., lundi et mardi – SC : **R** 125/380
Spéc. Panaché de poissons et crustacés, Rosace de pigeonneau rôti, Profiteroles amandines au chocolat. **Vins** Champlitte, Gy.

PORT-VENDRES 66660 Pyr.-Or. 86 ⑳ G. Pyrénées – 5 332 h. alt. 25.

Syndicat d'Initiative quai Forgas (fermé après-midi hors sais.) ✆ 68 82 07 54.

Paris 935 – ♦Perpignan 31.

St-Elme sans rest, 2 quai P.-Forgas ✆ 68 82 01 07 – wc wc ☎ P. AE ① E VISA
SC : 15,50 – **30 ch** 92/210.

Costa Brava avec ch, 1 rte Collioure ✆ 68 82 03 04, – rest
avril-nov. et fermé merc. sauf juin à sept. – **R** 54/78 – 16 – **10 ch** 88/110 – P 212/217.

PEUGEOT-TALBOT Gar. Côte Vermeille, 7 quai de la République ✆ 68 82 04 68
RENAULT Lopez, 1 r. Camille-Pelletan ✆ 68 82 12 65

PORT-VILLEZ 78 Yvelines 55 ⑱, 196 ② – rattaché à Vernon.

La POSTE DE BOISSEAUX 28 E.-et-L. 60 ⑲ – rattaché à Angerville (91 Essonne).

La POTERIE 22 C.-du-Nord 59 ④ – rattaché à Lamballe.

POUANCÉ 49420 M.-et-L. 63 ⑧ G. Châteaux de la Loire – 3 410 h. alt. 73.

Syndicat d'Initiative r. Porte Angevine (1er juil.-31 août) ✆ 41 92 45 86.

Paris 329 – Ancenis 44 – Angers 60 – Châteaubriant 16 – Laval 51 – ♦Rennes 65 – Vitré 46.

Cheval Blanc, rte de Segré ✆ 41 92 41 16 – wc . VISA
fermé vacances de fév. – SC : **R** 50/100 – 20 – **14 ch** 99/138 – P 196/230.

POUDENAS 47 L.-et-G. 79 ⑬ – 309 h. alt. 66 – ✉ 47170 Mézin.

Paris 666 – Agen 47 – Aire-sur-l'Adour 62 – Condom 19 – Mont-de-Marsan 66 – Nérac 17.

La Belle Gasconne (Mme Gracia), ✆ 53 65 71 58 – P. AE ① VISA
fermé 1er au 15 déc., lundi sauf juil.-août et dim. soir – SC : **R** (nombre de couverts limité - prévenir) 100/200
Spéc. Foie gras frais de canard, Terrine de chipirons, Civet de mulard. **Vins** Poudenas, Duras.

POUGUES-LES-EAUX 58320 Nièvre 69 ③ G. Bourgogne – 2 269 h. alt. 192 – Casino.

Syndicat d'Initiative av. de Paris (sais. : après-midi seul.) et à l'Hôtel de Ville ✆ 86 68 85 79.

Paris 227 – La Charité-sur-Loire 13 – Clamecy 64 – Corbigny 56 – Nevers 11 – Prémery 24.

Central H., N 7 ✆ 86 68 85 00 – . ① VISA. ch
fermé 15 nov. au 15 déc., 5 au 20 janv. et vend. d'oct. à mai – SC : **R** 49/165 – 17 – **13 ch** 95/162 – P 162/218.

Courte Paille (ouvert 10 h à 22 h), rte Paris NO : 2 km, ✉ 58400 La Charité-sur-Loire, ✆ 86 68 88 33, – P. E VISA
R carte environ 60.

à Germigny-sur-Loire O : 6 km – ✉ 58320 Pougues-les-Eaux :

Chez Daniel, ✆ 86 68 87 99
fermé 26 oct. au 2 nov., 1er au 23 fév. et merc. – SC : **R** 35/68.

POUILLON 40350 Landes 78 ⑦ – 2 477 h. alt. 28.

Paris 758 – ♦Bayonne 51 – Dax 15 – Orthez 29 – Pau 70.

Aub. Au Pas de Vent avec ch, ✆ 58 98 20 88 – wc P. VISA
fermé lundi – SC : **R** 45/135 – 20 – **3 ch** 125/170 – P 200.

PEUGEOT-TALBOT Gar. Garein, ✆ 58 98 20 54
RENAULT Gar. Bacheré, ✆ 58 98 20 95
RENAULT Gar. Duboscq, ✆ 58 98 21 33 N

POUILLY-EN-AUXOIS 21320 Côte-d'Or 65 ⑱ G. Bourgogne – 1 516 h. alt. 384.

Paris 272 – Autun 45 – Avallon 64 – Beaune 46 – ♦Dijon 42 – Montbard 58 – Saulieu 31.

Motel Val Vert M sans rest, rte d'Arnay-le-Duc ✆ 80 90 82 34 – wc ☎ P – 50. E VISA
SC : 18 – **30 ch** 182/268.

PEUGEOT-TALBOT Gar. Jeannin, ✆ 80 90 82 11 N
RENAULT Gar. Orset, à Créancey ✆ 80 90 80 45

POUILLY-SOUS-CHARLIEU 42720 Loire 73 ⑧ – 2 973 h alt. 264.

Paris 380 – Charlieu 5,5 – Digoin 42 – Roanne 14 – Vichy 74.

De la Loire, ✆ 77 60 81 36, – P. VISA
fermé 17 nov. au 11 déc., vacances de fév., merc. soir et jeudi – SC : **R** 110/155.

PEUGEOT Gar. Berthelier, ✆ 77 60 85 02
RENAULT Gar. Chenaud, ✆ 77 60 90 31
Gar. Coudert, ✆ 77 60 70 23

POUILLY-SUR-LOIRE 58150 Nièvre 65 ⑬ G. Bourgogne – 1 738 h. alt. 177.

Office de Tourisme à la Mairie (matin seul. sauf juil.-août et fermé sept.) ✆ 86 39 12 55.

Paris 201 – Château-Chinon 89 – Clamecy 57 – Cosne-sur-Loire 15 – Nevers 37 – Vierzon 84.

Le Relais Fleuri et rest Coq Hardi, SE : 0,5 km ✆ 86 39 12 99, « Jardin fleuri et ≤ sur la Loire » – wc wc – P – 50. E VISA
fermé 15 janv. au 15 fév., merc. soir et jeudi d'oct. à Pâques – SC : **R** 50/150 – 18,50 – **9 ch** 140/160.

Bouteille d'Or, rte Paris ✆ 86 39 13 84 – wc wc – 25
fermé 10 janv. au 20 fév., dim. soir et lundi hors sais. – SC : **R** 65/220 – 19 – **31 ch** 140/220 – P 200/230.

XXX ✿ **Espérance** (Raveau) avec ch, ✆ 86 39 10 68, ≤, – wc wc P. AE E VISA. ch
fermé 1er au 20 déc., 6 au 31 janv., dim. soir (sauf rest. juil.-août) et lundi – SC : **R** 140/240 – 35 – **4 ch** 190/220
Spéc. Langoustines poêlées au safran, Emincé de bar au vinaigre de Xérès, Aiguillettes de canard au Sancerre rouge. Vins Sancerre, Pouilly Fumé.

XX **La Vieille Auberge,** N 7 déviation sud ✆ 86 39 17 98 – P. E VISA
fermé 15 nov. au 20 déc. et jeudi hors sais. – SC : **R** 85/162 .

à Charenton SE : 2 km sur N 7 – ✉ 58150 Pouilly-sur-Loire :

X **Relais Grillade,** ✆ 86 69 07 00, ≤, – P. AE E VISA
SC : **R** 56/125 .

CITROEN Gar. Prulière, ✆ 86 39 14 44 N   PEUGEOT Gar. S.A.P.L., ✆ 86 39 14 65

POULAINS (Pointe des) 56 Morbihan 63 ⑪ – voir à Belle-Ile-en-Mer.

POULDREUZIC 29 Finistère 58 ⑭ – 2 024 h. alt. 56 – ✉ 29143 Plogastel-St-Germain.

Paris 578 – Audierne 16 – Douarnenez 18 – Pont-l'Abbé 16 – Quimper 25.

Moulin de Brénizenec M sans rest, rte d'Audierne : 3 km ✆ 98 58 30 33, ≤, « Jardin » – cuisinette wc P
15 mars-30 sept. et du 31 oct. à Pâques sur demande – SC : 28 – **10 ch** 268/286.

Ker Ansquer , à Lababan NO : 2 km par D 2 ✉ 29143 Plogastel-St-Germain ✆ 98 54 41 83, – wc P.
Pâques et 1er mai-20 sept. – SC : **R** (1/2 pension seul.) – 20 – **11 ch** – 1/2 p 205.

à Penhors O : 4 km par D 40 – ✉ 29143 Plogastel-St-Germain :

Breiz Armor M , ✆ 98 54 40 41, ≤ – wc wc P – 30. E VISA
avril-sept., week-end d'oct. à début avril sauf janv.-fév., vac. de Noël, fermé lundi sauf juil.-août – SC : **R** 55/150 – 18,50 – **23 ch** 195 – P 245/255.

Le POULDU 29 Finistère 58 ⑫ G. Bretagne – ✉ 29121 Clohars-Carnoët.

Office de Tourisme ✆ 98 39 93 42.

Paris 513 – Concarneau 37 – Lorient 23 – Moëlan-sur-Mer 11 – Quimper 59 – Quimperlé 16.

Castel Treaz sans rest, ✆ 98 39 91 11, ≤, – cuisinette wc wc P
10 juin-10 sept. – SC : 22 – **25 ch** 99/308.

Quatre Chemins, ✆ 98 39 90 44, – wc P. E VISA. rest
1er juin-21 sept. – SC : **R** 55/160 – 19 – **38 ch** 90/220 – P 170/240.

Bains, ✆ 98 39 90 11, ≤ – wc . VISA.
1er mai-25 sept. – SC : **R** 65/195 – 18 – **49 ch** 88/220 – P 178/280.

Le POULIGUEN 44510 Loire-Atl. 63 ⑭ G. Bretagne – 4 488 h.

18 de la Baule ✆ 40 60 46 18 NE : 10 km.

Office de Tourisme Port Sterwitz ✆ 40 42 31 05.

Paris 449 – La Baule 3 – Guérande 5,5 – ♦Nantes 77 – St-Nazaire 18.

Orée du Bois sans rest, r. Mar.-Foch ✆ 40 42 32 18 – wc .
SC : 20 – **15 ch** 190/222.

Jules Verne, 2 r. Alger ✆ 40 42 32 79 – wc wc . AE VISA
SC : **R** (pour résidents seul.) – 15 – **8 ch** 160/200 – P 185/205.

XX **Voile d'Or,** av. Plage ✆ 40 42 31 68, – AE VISA
fermé 17 nov. au 11 déc., 7 au 15 janv., mardi soir et merc. sauf fêtes en hiver – **R** 100/200.

TOYOTA Gar. de la Plage, ✆ 40 60 50 15

POULLAOUEN 29246 Finistère 58 ⑥⑦ – 1 731 h. alt. 164.

Paris 514 – Carhaix-Plouguer 10 – Châteaulin 47 – Huelgoat 11 – Landerneau 58 – Morlaix 37.

Argoat sans rest., ✆ 98 93 55 33 – P
fermé sept., 1er au 15 mars et jeudi – SC : 14 – **10 ch** 75/90.

POURVILLE-SUR-MER 76 S.-Mar. 52 ④ G. Normandie – ✉ 76550 Offranville.

Paris 202 – Dieppe 4,5 – ♦Rouen 61 – St-Valéry-en-Caux 32.

XX **Au Trou Normand,** ☎ 35 84 27 69 – E
fermé fév., mardi soir et merc. – SC : **R** 72/120.

POUZAUGES 85700 Vendée 67 ⑯ G. Côte de l'Atlantique – 5 792 h. alt. 225.

Voir Puy Crapaud ✳** SE : 2,5 km – Bois de la Folie* : ≤* NO : 1 km.

ℹ Office de Tourisme 2 bis pl. Calvaire (1er juil.-fin août) ☎ 51 91 82 46 et à la Mairie (hors sais.) ☎ 51 57 01 37.

Paris 385 – Bressuire 28 – Chantonnay 21 – Cholet 36 – ♦Nantes 81 – La Roche-sur-Y. 54.

Aub. de la Bruyère M ⑤, rte de la Pommeraie ☎ 51 91 93 46, ≤ plaine vendéenne, ⛱, ⛆, 🌳 – 🛗 📺 ⇔wc ⋒wc ☎ P – 🏛 25 à 100. AE ⓓ E VISA
SC : **R** 42/150 🍷 – ☕ 21 – **30 ch** 159/269 – P 325/369.

La Chouannerie, rte de Bressuire ☎ 51 57 01 69, ≤, ⛆, 🌳 – ⇔wc ☎ P. AE ⓓ VISA
SC : **R** *(fermé 1er au 15 août, vacances de fév., dim. soir et lundi)* 55/200 🍷 – ☕ 20 – **8 ch** 190/210 – P 330/340.

RENAULT Gillemot, 34 rte de la Gare, ☎ 51 57 01 44

POUZAY 37 I.-et-L. 68 ④ – rattaché à Sainte-Maure-de-Touraine.

Le POUZIN 07250 Ardèche, 76 ⑳ G. Vallée du Rhône – 2 728 h. alt. 95.

Paris 586 – Avignon 107 – Die 61 – Montélimar 29 – Privas 14 – Valence 27.

Avenue, ☎ 75 63 80 43 – ⇔wc ☎. AE ⓓ E VISA
fermé 1er au 12 mai, Noël, dim. (sauf hôtel du 15 juin au 15 sept.) et sam. midi – SC : **R** 45 🍷 – ☕ 17 – **14 ch** 84/165.

RENAULT Pheby, ☎ 75 62 80 16

☞ *En mars 1987, ce guide ne sera plus valable.*
Achetez le guide de l'année !

PRADELLES 43420 H.-Loire 76 ⑰ – 624 h. alt. 1 150.

Paris 547 – Alès 107 – Aubenas 59 – Langogne 7,5 – Mende 58 – Le Puy 34.

L'Arche, av. du puy ☎ 71 00 82 98, 🌳 – ⇔wc ⋒wc ☎ P. VISA
23 déc.-30 sept. – SC : **R** 47/130 🍷 – ☕ 18 – **16 ch** 100/190 – P 185/209.

PRADES 43 H.-Loire 76 ⑥ G. Auvergne – 113 h. alt. 550 – ✉ 43300 Langeac.

Voir Site*.

Paris 499 – Brioude 43 – Mende 97 – Monistrol-d'A. 17 – Le Puy 41 – St-Chély-d'A. 64 – St-Flour 66.

✿ **Chalet de la Source** (Mollon) ⑤, rte Langeac NO 1,5 km ☎ 71 74 02 39, ≤, ⛱ – ⇔wc ⋒wc ☎ P
1er mai-1er oct. – SC : **R** 64/180 – ☕ 18 – **17 ch** 95/200 – P 165/215
Spéc. Croustade aux champignons, Saucisson chaud au Gaillac, Escalope de saumon aux fines herbes. **Vins** Boudes, Côtes du Vivarais.

PRADES <SP> 66500 Pyr.-Or. 86 ⑰⑱ G. Pyrénées – 6 524 h. alt. 357.

Voir Abbaye St-Michel-de-Cuxa* S : 3 km.

ℹ Syndicat d'Initiative r. V.-Hugo (vacances scolaires et 1er juin-30 sept.) ☎ 68 96 27 58.

Paris 953 – Andorre-la-Vieille 123 – ♦Perpignan 43.

Glycines, 129 rte Nationale ☎ 68 96 51 65 – ⇔wc ⋒wc 🚗. AE
SC : **R** *(fermé dim. du 1er oct. au 1er juil.)* 65/80 🍷 – ☕ 16,50 – **27 ch** 110/150 – P 170/185.

Voir aussi ressources hôtelières de *Molitg-les-Bains* NO : 7 km

CITROEN Gar. Rouchez, 69 av. L.-Prat ☎ 68 96 11 45
FIAT Gar. Soler, 180 rte Nationale ☎ 68 96 52 53 N
RENAULT Bosom, 17 rte de Marquixanes ☎ 68 96 11 14
Ⓜ Pneu-Service, 5 bd Gare ☎ 68 96 43 23

Le PRADET 83220 Var 84 ⑮ – 7 965 h. alt. 30.

ℹ Syndicat d'Initiative pl. Gén.-de-Gaulle ☎ 94 21 71 69.

Paris 846 – Draguignan 81 – Hyères 10 – ♦Toulon 9.

Azur ⑤ (annexe, M, 15 ch-⇔wc ☎), 163 av. Raimu ☎ 94 21 68 50, ⛱, 🌳 – ⋒wc ☎ 🚗 P. VISA 🐕
fermé 15 déc. au 30 janv. – SC : **R** *(fermé dim. soir et lundi)* 80/120 – ☕ 16 – **30 ch** 88/210 – P 162/231.

XXX **Le Stratos,** ☎ 94 21 23 62 – ▤. AE ⓓ E VISA
fermé vacances de fév., dim. soir et lundi sauf juil.-août – SC : **R** 100/180.

à La Garonne S : 2,5 km par D 86 – ✉ **83220** Le Pradet :

Le Vieux Moulin ⛰, ☎ 94 21 72 43, ≤ rade, ⛱, 🏊, 🌳 – ⛀wc ⋒wc ☎ Ⓟ
mi-mars-fin nov. – SC : **R** *(fermé dim. soir et lundi)* 76/108 – ☕ 26 – **17 ch** 180/200.

aux Oursinières S : 3 km par D 86 – ✉ **83220** Le Pradet :

L'Escapade Ⓜ ⛰ sans rest, ☎ 94 21 72 76, « jardin fleuri », 🏊 – ⋒wc ☎ 🚗 Ⓟ. ✽
SC : ☕ 30 – **12 ch** 350/410, 4 appart. 550.

PRALOGNAN-LA-VANOISE 73710 Savoie **74** ⑱ **G. Alpes** – 634 h. alt. 1 404 – Sports d'hiver 1 410/2 360 m ⛷1 ⛷13, ⛸.

Voir Site★ – Parc national de la Vanoise★★ – La Chollière★ SO : 1,5 km puis 30 mn.

ℹ Office de Tourisme ☎ 79 08 71 68, Télex 980240 – Paris 625 – Chambéry 101 – Moûtiers 28.

Les Airelles Ⓜ ⛰, les Darbelays, N : 0,8 km ☎ 79 08 70 32, ≤, ⛱ – ⛀wc ⋒wc ☎ 🚗 Ⓟ. ✽ rest
7 juin-15 sept. et 20 déc.-Pâques – SC : **R** 75/105 – ☕ 22 – **16 ch** 240/290 – P 210/290.

Grand Bec, ☎ 79 08 71 10, ≤, ⛱, 🌳 – |⇕| ⛀wc ⋒wc ☎ Ⓟ. ✽ rest
1er juin-15 sept. et 20 déc.-10 avril – SC : **R** 50/100 – ☕ 20 – **39 ch** 130/280 – P 210/300.

Capricorne Ⓜ ⛰, ☎ 79 08 71 63, ≤ – ⛀wc ⋒wc ☎ Ⓟ. VISA. ✽
début juin-fin sept. et 15 déc.-15 avril – SC : **R** 58/88 – ☕ 26 – **15 ch** 167/229 – P 183/270.

Parisien, ☎ 79 08 72 31, ≤, 🌳 – ⛀wc ⋒ ☎ Ⓟ
6 juin-15 sept. et 18 déc.-10 avril – SC : **R** 62/80 – ☕ 18,50 – **22 ch** 82/163 – P 165/222.

Gentianes, ☎ 79 08 72 24, ≤, ⛱ – Ⓟ. E VISA
fermé 1er au 15 mai et le soir hors sais. – SC : **R** 56/135 🍷.

PRA-LOUP 04 Alpes-de-H.-P. **81** ⑧ – rattaché à Barcelonnette.

PRAMOUSQUIER 83 Var **84** ⑰ – rattaché à Cavalière.

Le PRARION 74 H.-Savoie **74** ⑧ – rattaché aux Houches.

PRAT-DE-BOUC 15 Cantal **76** ③ – rattaché à Murat.

PRATS-DE-MOLLO-LA-PRESTE 66230 Pyr.-Or. **86** ⑱ **G. Pyrénées** (plan) – 1 146 h. alt. 745.

Voir Ville haute★ – ℹ Office de Tourisme Foyer Rural ☎ 68 39 70 83.

Paris 967 – Céret 31 – ♦Perpignan 61.

Touristes, ☎ 68 39 72 12, ≤, 🌳 – ⋒wc ☎ Ⓟ. AE ⓞ E VISA
1er avril-31 oct. – SC : **R** 61/119 – ☕ 16 – **44 ch** 82/189 – P 147/240.

Bellevue, ☎ 68 39 72 48 – ⛀wc ⋒wc. VISA. ✽ ch
1er avril-31 oct. – SC : **R** 52/85 – ☕ 15 – **18 ch** 80/136 – P 150/195.

Costabonne, Le Foiral ☎ 68 39 70 24 – ⛀wc ⋒wc
1er avril-20 oct. – SC : **R** 60/85 🍷 – ☕ 16 – **18 ch** 75/155 – P 150/160.

Ausseil, ☎ 68 39 70 36 – ⛀wc ⋒wc. ✽ ch
1er fév.-30 oct. et fermé lundi de fév. à avril – SC : **R** 54/84 🍷 – ☕ 14 – **22 ch** 75/125 – P 130/180.

Aïre i Sol, ☎ 68 39 72 46, ≤, 🌳 – ✽ rest
15 mai-30 sept. – SC : **R** 60/80 🍷 – ☕ 13 – **20 ch** 65/75 – P 140.

Crémaillère avec ch, rte de la Preste : 2 km par D 115 A ☎ 68 39 70 62, ≤, 🌳 – ⋒ Ⓟ. ✽ ch
hôtel 10 avril-1er nov. ; rest. fermé 1er au 10 avril, 28 oct. au 7 nov. et lundi du 7 nov. au 31 mars – SC : **R** 55/85 🍷 – ☕ 16 – **4 ch**, (pension seul.) – P 150.

à La Preste – Stat. therm. (1er avril-mi-nov.) – ✉ **66230** Prats-de-Mollo :

Val de Tech ⛰, ☎ 68 39 71 12, ≤ – |⇕| ⛀wc ☎. ✽ rest
30 mars-8 nov. – SC : **R** 70/90 – ☕ 18 – **40 ch** 130/270.

Ribes ⛰, ☎ 68 39 71 04, ≤ vallée, 🌳 – ⛀wc ⋒wc Ⓟ. ✽ rest
6 avril-22 oct. – SC : **R** 75 🍷 – ☕ 13 – **25 ch** 77/140.

CITROEN Pagès-Xatart, ☎ 68 39 71 51 RENAULT Vial, ☎ 68 39 70 23

PRAYSSAC 46220 Lot **79** ⑦ – 2 265 h. alt. 120.

Paris 593 – Cahors 27 – Gourdon 40 – Sarlat-la-Canéda 56 – Villeneuve-sur-Lot 48.

Le Vidal, ☎ 65 22 41 78, ⛱ – ⋒wc ☎. AE VISA
fermé nov. à déc. – SC : **R** 44/185 🍷 – ☕ 17 – **11 ch** 108/175.

PEUGEOT-TALBOT Lacaze, ☎ 65 22 44 97

Les PRAZ-DE-CHAMONIX 74 H.-Savoie 74 ⑧⑨ – rattaché à Chamonix.

PRAZ-ST-BON 73 Savoie 74 ⑱ – rattaché à Courchevel.

PRÉFAILLES 44 Loire-Atl. 67 ① – 775 h. – ✉ 44770 La Plaine-sur-Mer.
Voir Pointe St-Gildas★ O : 2 km, G. Côte de l'Atlantique.
Syndicat d'Initiative Grande-Rue (1er juin-30 sept.) ✆ 40 21 62 22.
Paris 456 – ♦Nantes 62 – Pornic 10 – St-Brévin-les-Pins 18.

St-Paul, ✆ 40 21 60 25, – wc. E VISA. rest
15 mars-15 nov. – SC : **R** 45/170 – 19 – **42 ch** 115/190 – P 190/270.

CITROEN Gar. Allais ✆ 40 21 60 29

PRÉMERY 58700 Nièvre 65 ⑭ **G. Bourgogne** – 2 603 h. alt. 237.
Paris 234 – La Charité-sur-Loire 28 – Château-Chinon 56 – Clamecy 40 – Cosne-sur-L. 48 – Nevers 29.

Agriculture, r. Gare ✆ 86 68 11 96 –
fermé 24 août au 4 sept., vacances de fév., dim. soir et lundi – SC : **R** 41/140.

CITROEN Modern. Gar., ✆ 86 68 12 82
PEUGEOT-TALBOT Just Jany, ✆ 86 68 13 92
RENAULT Caliste, ✆ 86 68 10 76

PRÉMESQUES 59 Nord 51 ⑮⑯ – rattaché à Lille.

La PRENESSAYE 22 C.-du-N. 58 ⑳ – rattaché à Loudéac.

Le PRÉ-ST-GERVAIS 93 Seine-St-Denis 56 ⑪, 101 ⑯ – voir à Paris, Environs.

La PRESTE 66 Pyr.-Or. 86 ⑰ – rattaché à Prats-de-Mollo.

PREUILLY-SUR-CLAISE 37290 I.-et-L. 68 ⑤⑥ **G. Périgord** – 1 553 h. alt. 79.
Syndicat d'Initiative à la Mairie ✆ 47 94 50 04.
Paris 302 – Le Blanc 30 – Châteauroux 64 – Châtellerault 35 – Loches 36 – Poitiers 61 – ♦Tours 81.

Image, ✆ 47 94 50 07 – AE VISA.
fermé 15 fév. au 1er mars – SC : **R** (dim. et fêtes prévenir) 82/148.

PRIVAS P 07000 Ardèche 76 ⑲ **G. Vallée du Rhône** – 10 638 h. alt. 294.
Office de Tourisme 8 cours Palais ✆ 75 64 04 66, Télex 345270.
Paris 600 ② – Alès 104 ④ – Mende 140 ④ – Montélimar 33 ③ – Le Puy 119 ④ – Valence 39 ②.

PRIVAS

Esplanade (Cours de l') 4
Jeu-de-Ballon (Pl. du) 13
République (R. de la) 20

Chomérac (Av. de) 2
Coux (Av. de) 3
Europe Unie (Av. de l') 5
Faugier (Av. Clément) 6
Filliat (R. P.) 8
Foiral (Pl. du) 9
Gare (Av. de la) 12
Mobiles (Bd des) 14
Mont Toulon (Bd du) 15
Moulin de Madame (Av. du) 16
Palais (Cours du) 18
Stalingrad (Rond-Point de) 21
Temple (Cours du) 22
Vernon (Bd de) 23

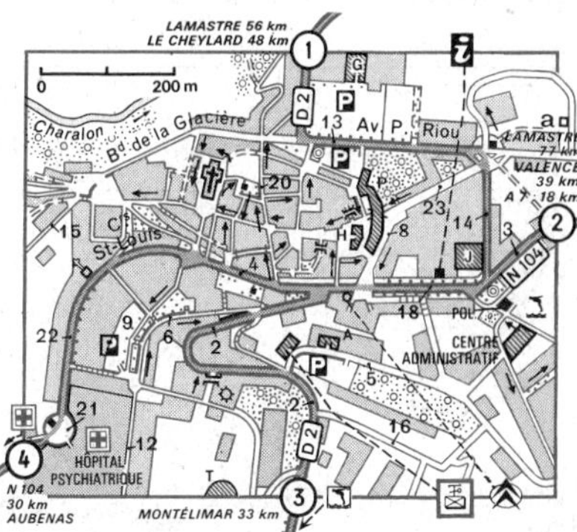

La Chaumette M, av. Vanel **(a)** ✆ 75 64 30 66 – TV wc wc – 50. E VISA
SC : **R** *(fermé sam. du 15 sept. au 15 juin)* 63/86 – 22 – **35 ch** 173/263 – P 258/278.

au Col de l'Escrinet par ④ : 13 km – ✉ **07200** Aubenas :

Escrinet, ✆ 75 87 10 11, ≤ vallée, – wc wc. AE. rest
15 mars-16 nov. et fermé dim. soir et lundi midi sauf du 15 juin au 15 sept. – SC : **R** (prévenir) 85/180 – 20 – **20 ch** 180/240 – P 320.

à Alissas par ③ : 4 km – ✉ **07210** Chomérac :

Lous Esclos, ✆ 75 65 12 73, – E VISA
fermé 22 déc. au 8 janv., sam. midi, dim. soir et lundi – SC : **R** 75/110.

CITROEN Tinland, Zone Ind. La Plaine du Lac ✆ 75 64 32 24
FORD Vacher et Lardon, N 104 à Veyras ✆ 75 64 33 33
PEUGEOT, TALBOT Gds Gar. Midi, N 104 à Coux par ② ✆ 75 64 23 33

RENAULT Seita, rte de Montélimar par ③ ✆ 75 64 33 01
V.A.G. Gar. Perrier, Z.I. rte de Montélimar ✆ 75 64 02 07

R.I.P.A., Zone Ind. du Lac ✆ 75 64 05 56

PROVENCHÈRES-SUR-FAVE 88490 Vosges 62 ⑱ G. Alsace et Lorraine – 685 h. alt. 407.

Paris 402 – Épinal 64 – St-Dié 14 – Sélestat 34 – ♦Strasbourg 75.

Aub. du Spitzemberg, à la Petite Fosse, NO : 7 km par D 45 et voie forestière ✆ 29 51 20 46, ≤, « Dans la forêt vosgienne », – wc wc – 25
8 fév.-2 nov. et fermé mardi – SC : **R** 51/100 – 16 – **9 ch** 166/180 – P 199/216.

*All towns having at least one establishment included in this Guide are underlined in red on the **Michelin maps scale 1:200 000.***

PROVINS 77160 S.-et-M. 61 ④ G. Champagne, Ardennes – 12 682 h. alt. 92.

Voir Ville Haute★★ ABY: **remparts ★★** AY, **tour de César★★** : ≤★ BY , **Grange aux Dîmes★** AY **E** – **Anges musiciens★★ et vierge★ dans l'église St-Ayoul** CZ **D**.

Env. St-Loup-de-Naud : portail★★ de l'église★ 7 km par ④.

Office de Tourisme Tour César ✆ (1) 64 00 16 65.

Paris 86 ⑤ – Châlons-sur-M. 97 ② – Fontainebleau 53 ④ – Meaux 64 ⑤ – Melun 48 ⑤ – Sens 46 ④.

PROVINS

Cordonnerie (R. de la) . . . **CZ** 24
Friperie (R. de la) . . . . . . **CZ** 37
Hugues le Grand (R.) . . . . **CZ** 43
Leclerc (Pl. du Mar.) . . . . . **BZ** 47
Val (R. du) . . . . **BZ** 79

Anatole-France (Av.) . . . . **BZ** 2
Arnoul (R. Victor) . . . . . . **CZ** 3
Balzac (Pl. Honoré de) . . . **BZ** 4
Bordes (R. des) . . . . **CZ** 7
Bourquelot (R. Félix) . . . . **CY** 8
Capucins (R. des) . . . . **BZ** 12
Champbenoist (Rte de) . . **CZ** 13
Changis (R. de) . . . . **CZ** 14
Châtel (Pl. du) . . . . **AY** 18
Chomton (Bd Gilbert) . . **BYZ** 19
Collège (R. du) . . . . **BY** 23
Courloison (R.) . . . . **CY** 27
Couverte (R.) . . . . **AY** 28
Desmarets (R. Jean) . . . . **AY** 29
Ferté (Av. de la) . . . . **CY** 33
Fourtier-Masson (R.) . . . . **BZ** 34
Garnier (R. Victor) . . . . . **BCZ** 39
Gd Quartier Gén. (Bd du) . . . . **CZ** 42
Jacobins (R. des) . . . . **BY** 44
Nocard (R. Edmond) . . . . **CZ** 54
Opoix (R. Christophe) . . . **BZ** 57
Palais (R. du) . . . . **BYZ** 59
Plessier (Bd du Gén.) . . . . **CZ** 64
Pompidou (Av. Georges) **BY** 67
Pont-Pigy (R. du) . . . . **BZ** 68
Prés (R. des) . . . . **BY** 69
Remparts (Allée des) . . . . **AY** 72
St-Ayoul (Pl.) . . . . **CZ** 73
St-Ayoul . . . . **CZ D**
St-Jean (R.) . . . . **AY** 74
St-Quiriace (Pl. et) . . . **BZ** 77
Ste-Croix () . . . . **BYZ**
Souvenir (Av. du) . . . . **CY** 78
Verdun (Av. de) . . . . **CY** 82
29e Dragons (Pl. du) . . . . . **CY** 84

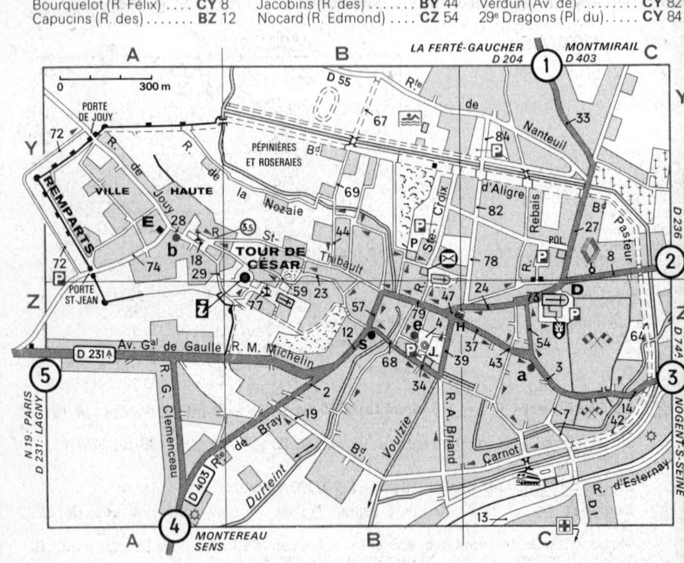

La Croix D'Or, 1 r. Capucins ✆ (1) 64 00 01 96, – wc . VISA BZ s
fermé 1er au 13 août, dim. soir et lundi – SC : **R** 80/200 – 18 – **7 ch** 93/200 – P 200.

XX **Vieux Remparts,** 3 r. Couverte - Ville Haute ✆ (1) 64 00 02 89, ⛱, ⛱ – AE VISA
fermé 8 sept. au 4 oct., 24 fév. au 12 mars, mardi soir et merc. – SC : **R** 60/180. AY **b**

XX **La Fontaine** avec ch, 10 r. V.-Arnoul ✆ (1) 64 00 00 10, ⛱ – ⇌ **P**. ⓓ CZ **a**
fermé 18 août au 3 sept., 1er au 20 fév. et jeudi sauf fériés – SC : **R** 53/118 – ☕ 14 – **13 ch** 69/113.

XX **Le Médiéval,** 6 pl. H.-de-Balzac ✆ (1) 64 00 01 19, ⛱. AE ⓓ E VISA BZ **e**
fermé 18 août au 5 sept., 16 fév. au 1er mars, sam. midi et vend. – SC : **R** 150.

au Port-Montain S : 16 km par D 1 et D 49 - CZ – ✉ **77114** Gouaix :

XX **Aub. Port-Montain** avec ch, ✆ (1) 64 01 81 05, ≤, ⛱, ⛱ – ⇌wc ☎ **P**. E VISA
fermé 21 au 27 oct. 6 janv. au 3 fév., lundi (sauf hôtel) et dim. soir – SC : **R** 88/156 – ☕ 26 – **10 ch** 110/220 – P 220/260.

FORD Bouron, 5 av. A.-France ✆ (1) 64 00 00 95
OPEL Gar. de Champagne, 2 r. A.-Briand ✆ (1) 64 00 04 86 **N**
PEUGEOT-TALBOT Autom. de la Brie, 1 av. de la Voulzie, Zone Ind. par rte Champbenoist CZ ✆ (1) 64 00 11 50
RENAULT Gar. Briard, 19 r. Bourquelot ✆ (1) 64 00 06 66 **N** ✆ (1) 64 00 09 76

Ⓜ Agricopneu, 20 r. Garnier à Chalmaison ✆ (1) 64 08 87 04
La Centrale du Pneu, 39 r. Courloison ✆ (1) 64 00 03 23
OTICO 20 r. Garnier-les-Praillons à Chalmaison ✆ (1) 64 08 60 75

PRUNIÈRES 05 H.-Alpes **77** ⑰ – rattaché à Chorges.

PUBLIER 74 H.-Savoie **70** ⑰ – rattaché à Amphion.

PUGET-THÉNIERS 06260 Alpes-Mar. **81** ⑲, **195** ⑬⑭ **G. Côte d'Azur** (plan) – 1 532 h. alt. 410.

Voir Vieille ville★ – Groupe sculpté★ et retable de N.-D-de-Secours★ dans l'église B – Statue ★ de Maillol – N : Gorges de la Roudoule★ : site★★ du pont de St-Léger et site★ du village de la Croix.

Env. Entrevaux : Site★★, Ville forte★ O : 7 km.

Paris 830 – Barcelonnette 96 – Cannes 84 – Digne 88 – Draguignan 110 – Manosque 129 – ♦Nice 65.

X **Les Acacias,** E : 1,5 km sur N 202 ✆ 93 05 05 25, ⛱ – **P**. AE E VISA
fermé 1er au 30 janv. et merc. – SC : **R** 65/95.

CITROEN Casalengo, quartier St-Roch ✆ 93 05 00 25 **N**

PUGEY 25 Doubs **66** ⑮ – rattaché à Besançon.

PUGNY-CHATENOD 73 Savoie **74** ⑮ – rattaché à Aix-les-Bains.

PUJOLS 47 L.-et-G. **79** ⑤ – rattaché à Villeneuve-sur-Lot.

PULIGNY MONTRACHET 21 Côte d'Or **69** ⑨ **G. Bourgogne** – 528 h. alt. 217 – ✉ **21190** Meursault.

Paris 324 – Autun 43 – Beaune 12 – Chagny 5 – Chalon-sur-Saône 22.

🏨 ✿ **Le Montrachet,** ✆ 80 21 30 06 – ⇌wc ⇌ ☎. AE ⓓ E VISA
fermé 1er déc. au 15 janv. et merc. – SC : **R** 98/250 – ☕ 22 – **22 ch** 95/270
Spéc. Œufs en meurette, Coquelet aux écrevisses (15 juin-30 nov.), Ris et rognons de veau à la compote d'oignons. **Vins** Puligny Montrachet, Blagny.

PUSSY 73 Savoie **74** ⑰ – 291 h. alt. 750 – ✉ **73260** Aigueblanche.

Paris 593 – Albertville 23 – Chambéry 70 – Moûtiers 12.

🏠 **Bellachat** 🔇, ✆ 79 22 50 87, ≤ – E. ✂
fermé déc., janv. et merc. hors sais. – SC : **R** 60/100 🍷 – ☕ 16 – **7 ch** 140/170 – P 135/170.

PUTANGES-PONT-ECREPIN 61210 Orne **60** ② **G. Normandie** – 967 h. alt. 127.

Paris 213 – Alençon 57 – Argentan 20 – Briouze 14 – Falaise 17 – La Ferté-Macé 22 – Flers 32.

🏨 **Lion Verd,** ✆ 33 35 01 86 – ⇌wc ⇌wc ☎. AE VISA
fermé 24 déc. au 31 janv. et vend. soir hors saison – SC : **R** 39/110 – ☕ 13 – **20 ch** 50/150 – P 100/135.

RENAULT Pottier, à Pont-Ecrepin ✆ 33 35 00 52

Ⓜ Lefoyer, ✆ 33 35 00 62

PUTEAUX 92 Hauts-de-Seine **55** ⑳, **101** ⑭ – voir à Paris, Environs.

Le PUY 🅿 43000 H.-Loire 76 ⑦ G. Auvergne – 25 968 h. alt. 630.

Voir Site* – Cathédrale*** : trésor** et cloître**** BY – **Chapelle St-Michel d'Aiguilhe**** AY – **Rocher Corneille** ≤* BY – **Musée Crozatier : section lapidaire*, dentelles*** AZ **M1** – **Pèlerinage (15 août)** – **Orgues d'Espaly*** : ※** 3 km par ⑤ – **Espaly St-Marcel** : ≤* du rocher St-Joseph 2 km par ④.

Env. Ruines du château de Polignac* : ※* 6 km par ⑤.

Office de Tourisme pl. du Breuil ✆ 71 09 38 41 et 23 r. Tables (1er juil.-31 août) ✆ 71 09 27 42.

Paris 514 ⑤ – Alès 165 ② – Aurillac 169 ⑤ – Avignon 207 ② – •Clermont-Ferrand 130 ⑤ – •Grenoble 190 ① – •Lyon 129 ① – Mende 92 ② – •St-Étienne 77 ① – Valence 113 ①.

Chris'tel Ⓜ, 15 bd A.-Clair ✆ 71 02 24 44 – lift, rest TV Ⓟ – 60. AE VISA
SC : **R** *(fermé 15 déc. au 15 janv., vend. midi et sam. midi)* 50/90 – ☕ 20 – **30 ch** 185/230 – P 265. AZ **e**

Regina Ⓜ, 34 bd Mar.-Fayolle ✆ 71 09 14 71, Télex 990971 – lift TV ☎. AE ⓓ E VISA BZ **d**
SC : **R** *(fermé fév. et vend. d'oct. à mars)* 78/180 – ☕ 25 – **40 ch** 170/290 – P 280/320.

Parc Ⓜ sans rest, 4 av. Clément Charbonnier ✆ 71 02 40 40 – lift TV bain wc douche wc ☎. VISA AZ **s**
SC : ☕ 19 – **24 ch** 200/300.

Val Vert, par ② : 1,5 km sur N 88 ✆ 71 09 09 30 – bain douche wc ☎ Ⓟ
fermé 15 déc. au 15 janv. et dim. hors saison – SC : **R** (dîner seul. pour résidents) 54 – ☕ 18 – **26 ch** 85/195.

Sarda, 12 r. Chênebouterie ✆ 71 09 58 94 – VISA. AY **f**
fermé mi-oct. à mi-nov., dim. soir et lundi – SC : **R** 60/260.

Bateau Ivre, 5 r. Portail d'Avignon ✆ 71 09 67 20 – ⓓ E VISA BZ **k**
fermé 1er au 15 juil., dim. et lundi – SC : **R** 70.

au Pont de Sumène : 8 km par ① N 88 et VO – ✉ **43540** Blavozy :

Moulin de Barette ⛰, ☎ **71 03 00 88**, ⛱, ✂ – ⇨wc ⫶ ☎ Ⓟ – 🏛 50 à 500. E VISA. ✻ rest
fermé janv. et fév. – SC : **R** *(fermé dim. soir et lundi midi du 15 nov. au 15 avril)* 56/150 ♨ – ☕ 17 – **30 ch** 126/250 – P 220/310.

MICHELIN, Agence, Z. I. de Blavozy, à St-Germain-Laprade BY ☎ **71 03 02 15**

ALFA-ROMEO **SEAT** Le Puy Autom., Rocade D'Aiguille ☎ 71 02 29 01
CITROEN Pouderoux, Zone Ind. de Corsac à Brives Charensac par ① ☎ 71 05 44 88
FORD Velay-Autom., Zone Ind. à Brives-Charensac par ① ☎ 71 09 61 35
LANCIA-AUTOBIANCHI, TOYOTA Escudero, 18 bd de la République ☎ 71 09 02 81
OPEL-BEDFORD Gar. République, 26 bd République ☎ 71 05 56 44
RENAULT Gd Gar. Velay, Zone Ind. Corsac à Brives-Charensac par ① ☎ 71 02 36 55
RENAULT Gar. Boyer, 63 bis av. Mar.-Foch par ② ☎ 71 09 37 16
Gar. Bonnet, 44 bd St-Louis ☎ 71 09 20 59
Gar. Pradines, 6 pl. Cl.-Charbonnier ☎ 71 09 32 03

Ⓜ Chaussende Pneus, Zone Ind. Corsac à Brives-Charensac ☎ 71 02 05 01
Pascal-Pneu, la Chartreuse à Brives-Charensac ☎ 71 09 35 89
R.I.P.A., 44 av. Ch.-Dupuy à Brives-Charensac ☎ 71 02 13 41

PUY DE DÔME 63 P.-de-D. **73** ⑬⑭ **G. Auvergne** – alt. 1 465 – ✉ **63870** Orcines.
Voir Balcon d'orientation ☀★★★ – **Accès par route taxée.**
Paris 403 – ♦Clermont-Ferrand 15.

PUY DE SANCY 63 P.-de-D. **73** ⑬ – ressources hôtelières voir au Mont-Dore.

PUYLAURENS 81700 Tarn **82** ⑩ – 2 779 h. alt. 350.
Paris 726 – Albi 53 – Carcassonne 58 – Castres 22 – Gaillac 46 – Montauban 83 – ♦Toulouse 49.

Gd H. Pagès, square Ch.-de-Gaulle ☎ **63 75 00 09** – ⫶ ⇨wc ⫶wc. AE Ⓓ E
SC : **R** 50/150 ♨ – ☕ 15 – **20 ch** 80/120 – P 150/160.

PUY-L'ÉVÊQUE 46700 Lot **79** ⑦ **G. Périgord** – 2 333 h. alt. 110.
Paris 594 – Cahors 31 – Gourdon 41 – Sarlat-la-Canéda 58 – Villeneuve-sur-Lot 44.

Bellevue, ☎ **65 21 30 70,** ≤ **vallée du Lot,** ⛱, ⛱, ⛱ – ⫶ ☎. VISA
hôtel : 15 fév.-15 nov. ; rest. : 15 mars-15 oct. – SC : **R** 70/150 ♨ – ☕ 17 – **15 ch** 115/177 – P 198/236.

FIAT-LANCIA-**LADA** Gar. Foissac, ☎ 65 21 30 10
RENAULT Gar. Cros, ☎ 65 21 30 49

PUY MARY 15 Cantal **76** ③ **G. Auvergne** – Ouest de Murat 22 km - alt. 1 787 – **Voir** ☀★★★.
Accès 1 h AR du Pas de Peyrol★★.

PUYMIROL 47270 L.-et-G. **79** ⑮ **G. Périgord** – 794 h. alt. 153.
Paris 642 – Agen 17 – Moissac 43 – Villeneuve-sur-Lot 30.

XXX ✿✿ **L'Aubergade** (Trama), 52 r. Royale ☎ **53 95 31 46,** « **Maison du 13ᵉ s.** » – AE Ⓓ VISA
fermé lundi non fériés sauf juil.-août – SC : **R** 220/320 et carte
Spéc. Ragoût de légumes et crustacés aux truffes, Mignons de saumon aux jaunets, Millefeuille de nougatine glacée. **Vins** Côtes de Buzet, Côtes de Duras.

PUYMOREAU (Etang de) 87 H.-Vienne **72** ⑰ – rattaché à St-Yrieix-la-Perche.

PUYOO 64 Pyr.-Atl. **78** ⑦⑧ – 1 123 h. alt. 41 – ✉ **64270** Salies de Béarn.
Paris 762 – Dax 28 – Orthez 14 – Pau 55 – Peyrehorade 16 – Salies-de-Béarn 7,5 – Tartas 45.

Voyageurs, N 117 ☎ **59 38 10 98,** ⛱, ⛱ – ⇨wc ☎ Ⓟ. E VISA
fermé 24 déc. au 3 janv. et vacances de fév. – SC : **R** *(fermé dim. soir et lundi)* 55/130 – ☕ 15 – **15 ch** 105/160 – P 180/220.

Gar. de la Gare ☎ 59 38 01 08

PUY-ST-VINCENT 05 H.-Alpes **77** ⑰ – 298 h. alt. 1 390 – Sports d'hiver : 1 400/2 700 m ⛷1 ⛷13 – ✉ **05290** Vallouise – **Voir Les Prés**★ : ≤★ **SE : 2 km, G. Alpes.**
ℹ Syndicat d'Initiative Bât. Communal ☎ 92 23 35 80.
Paris 708 – L'Argentière-la-B. 9,5 – Briançon 25 – Gap 82 – Guillestre 30 – Pelvoux (Commune de) 13.

Saint-Roch Ⓜ ⛰, **aux Prés E : 1 km par D 4** ☎ **92 23 32 79,** ≤ **vallée et montagnes,** ⛱, ⛱ – ⇨wc ☎ Ⓟ. ✻
20 juin-1ᵉʳ sept. et 20 déc.-15 avril – SC : **R** 75/100 – ☕ 20 – **12 ch** 205/231 – P 229/260.

La Pendine ⛰, **aux Prés E : 1 km par D 4** ☎ **92 23 32 62,** ≤, ⛱ – ⇨wc Ⓟ. ✻
15 juin-15 sept. et 15 déc.-15 avril – SC : **R** 60/85 ♨ – ☕ 18 – **32 ch** 123/220 – P 185/240.

PYLA-SUR-MER 33115 Gironde 78 ⑫ **G. Côte de l'Atlantique.**

Office de Tourisme Rond-Point du Figuier ✆ 56 22 02 22.

Paris 652 – Arcachon 4 – Biscarrosse 34 – •Bordeaux 65.

Voir plan d'Arcachon agglomération

Maminotte sans rest, allée Acacias ✆ 56 22 55 73 – wc wc AY **n**
SC : 17 – **12 ch** 181/270.

Beau Rivage sans rest, bd Océan ✆ 56 22 01 82 – wc . VISA AY **u**
1er avril-30 sept. – SC : 20 – **21 ch** 120/360.

La Guitoune avec ch, bd Océan ✆ 56 22 70 10, – wc wc . AE E VISA AY **g**
fermé 15 nov. au 15 déc. – SC : **R** 150 – 30 – **22 ch** 200/380.

Rest. Beau Rivage, bd Océan ✆ 56 22 01 60. AE AY **u**
20 juin-3 sept. – SC : **R** 95/180.

à Pilat-Plage S : D 112 – ✉ **33115** Pyla-sur-Mer.

Voir Dune★ : ★★.

Oyana , ✆ 56 22 72 59, ≤ bassin – wc AZ **z**
1er avril-30 sept. et fermé lundi d'avril au 1er juin – SC : **R** 69/89 – 20 – **17 ch** 100/218.

Corniche avec ch, ✆ 56 22 72 11, ≤ bassin, – wc AZ **z**
23 mars-23 oct. et fermé merc. sauf juil.-août – SC : **R** 79 – 27 – **15 ch** 121/290 – P 270/380.

SE : 3 km par rte Biscarosse et voie privée – ✉ **33260** La Teste :

Chez Tintin, ✆ 56 22 74 82, , – P
15 mars-30 sept. et fermé lundi en sept. – SC : **R** 160/270.

QUARRÉ-LES-TOMBES 89630 Yonne 65 ⑯ **G. Bourgogne** – 772 h. alt. 460.

Paris 235 – Auxerre 72 – Avallon 19 – Château-Chinon 57 – Clamecy 49 – •Dijon 96 – Saulieu 28.

Nord et Poste, ✆ 86 32 24 55 –
SC : **R** 65/133 – 15 – **35 ch** 87/184 – P 175/230.

RENAULT Gar. Naulot, ✆ 86 32 23 58 N

QUATRE CHEMINS 15 Cantal 76 ⑫ – rattaché à Aurillac.

QUATRE-CROIX 45 Loiret 61 ⑬ – rattaché à Courtenay.

QUATRE ROUTES D'ALBUSSAC 19 Corrèze 75 ⑨ – alt. 600 – ✉ **19380** St-Chamant.

Voir Roche de Vic ★ S : 2 km puis 15 mn, G. Périgord.

Paris 503 – Aurillac 72 – Brive la Gaillarde 26 – Mauriac 69 – St-Céré 39 – Tulle 19.

Roche de Vic, ✆ 55 28 15 87, , – wc P. VISA
fermé oct. et vend. hors sais. – SC : **R** 40/100 – 15 – **14 ch** 70/120 – P 155/170.

Aub. Limousine, ✆ 55 28 15 83, , – P. AE E VISA
fermé 1er nov. au 15 déc. et lundi sauf juil., août et fériés – SC : **R** 57/90 – 16 – **12 ch** 65/120 – P 150/160.

QUATZENHEIM 67 B.-Rhin 62 ⑨ – 540 h. alt. 165 – ✉ **67370** Truchtersheim.

Paris 473 – Haguenau 28 – Molsheim 13 – Obernai 23 – Saverne 26 – •Strasbourg 17.

Agneau d'Or, ✆ 88 69 02 95 – P
fermé 15 juil. au 15 août et merc. – **R** 71/115.

QUÉDILLAC 35 I.-et-V. 59 ⑮ – 1 029 h. alt. 76 – ✉ **35290** St-Méen-le-Grand.

Paris 391 – Dinan 26 – Lamballe 39 – Loudéac 52 – Ploërmel 43 – •Rennes 40.

Relais de la Rance, ✆ 99 07 21 25, – TV wc wc P. AE E VISA. rest
fermé janv. et dim. soir sauf juil.-août – SC : **R** 48/230 – 20 – **14 ch** 105/194.

Les QUELLES 67 B.-Rhin 62 ⑧ – alt. 530 – ✉ **67130** Schirmeck.

Paris 415 – St-Dié 43 – Senones 31 – •Strasbourg 56.

Neuhauser , ✆ 88 97 06 81, ≤ – wc wc P. AE VISA
fermé 15 au 30 nov., 15 au 31 janv. et merc. – SC : **R** 75/160 – 16 – **10 ch** 160/220 – P 180/230.

Le QUESNOY 59530 Nord 53 ⑤ **G. Flandres, Artois, Picardie** – 4 942 h. alt. 125.

Voir Fortifications★ YZ.

Office de Tourisme à l'Hôtel de Ville ✆ 27 49 12 16.

Paris 222 ① – Cambrai 33 ⑤ – Guise 41 ④ – •Lille 70 ① – Maubeuge 28 ② – Valenciennes 18 ①.

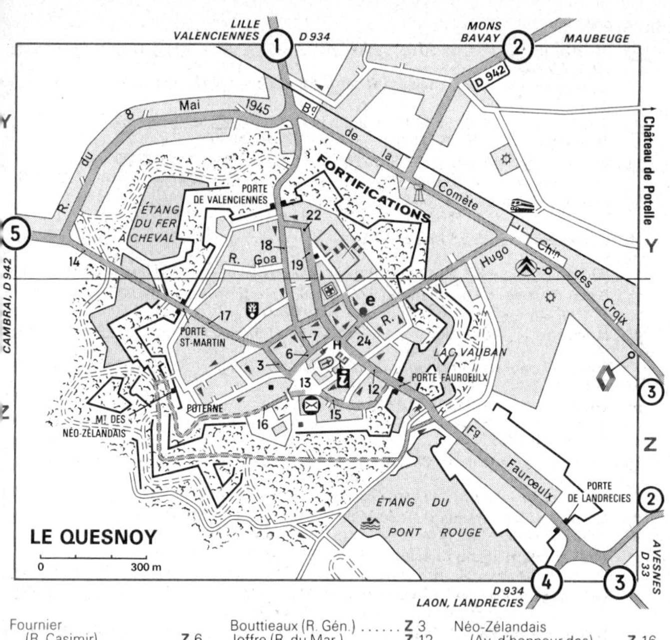

Fournier (R. Casimir) . . . . Z 6	Bouttieaux (R. Gén.) . . . . . . Z 3	Néo-Zélandais (Av. d'honneur des) . . . . Z 16
Gambetta (R. Léon) . . . . Z 7	Joffre (R. du Mar.) . . . . Z 12	Nouvelle-Zélande (R. de) . . Z 17
Tanis (R. Désiré) . . . . Y 18	Leclerc (Pl. du Gén.) . . . . . . Z 13	Thiers (R.) . . . . Y 19
Weibel (R. Henri) . . . . Z 24	Libération (Av. de la) . . . . . Y 14	Valenciennes (Petite-R.) . . Y 22
	Lombards (R. des) . . . . Z 15	

XXX **Host. Parc** avec ch, r. V.-Hugo ✆ 27 49 02 42, parc – 🛁 🚿 ☎ **P**. **E** VISA ❄ ch Z **e**
fermé dim. soir et lundi – SC : **R** 61 (sauf sam. soir)/129 🍷 – ☕ 20 – **7 ch** 105/130 – P 220.

par ④ : 2 km sur D 934 – ✉ **59530** Le Quesnoy :

XXX **Les Vanneaux,** ✆ 27 49 15 40, 🪑 – **P**
fermé 18 au 29 août, 22 au 31 déc., lundi et le soir sauf sam. – SC : **R** carte 155 à 220.

CITROEN Lyskawa, ✆ 27 49 02 60

RENAULT Lebrun, 74 chemin des Croix ✆ 27 49 08 36

QUESTEMBERT **56230** Morbihan 63 ④ **G. Bretagne** – 5 213 h. alt. 100.

Paris 434 – Ploërmel 36 – Redon 33 – ♦Rennes 88 – La Roche-Bernard 22 – Vannes 27.

XXX ✿✿ **Bretagne** (Paineau) M avec ch, r. St-Michel ✆ 97 26 11 12, 🪑 – 🛁wc ☎ **P**. AE ① VISA
fermé 3 janv. au 15 mars, dim. soir sauf juil.-août et lundi – SC : **R** (nombre de couverts limité - prévenir) 140/385 et carte – ☕ 42 – **6 ch** 420
Spéc. Huîtres en paquets, Ravioles de grenouilles, Poissons. **Vins** Muscadet.

RENAULT Gar. Marquer, ✆ 97 26 10 41 N

La QUEUE-EN-BRIE **94** Val-de-Marne 61 ①②, 101 ㉘㉙ – voir à Paris, Environs.

QUEYRAC **33** Gironde 71 ⑯ – 1 127 h. – ✉ **33340** Lesparre-Médoc.

Paris 535 – ♦ Bordeaux 72 – Lesparre-Médoc 8,5 – Soulac-sur-Mer 23.

🏠 **Vieux Acacias** 🌿 sans rest, ✆ 56 59 80 63, 🪑 – 🛁wc 🚿wc **P**
SC : ☕ 22 – **16 ch** 82/192.

QUIBERON **56170** Morbihan 63 ⑫ **G. Bretagne** – 4 812 h. – Casino.

Voir Côte sauvage★★ NO : 2,5 km.

ℹ Office de Tourisme avec Accueil de France (Informations et réservations d'hôtels pas plus de 5 jours à l'avance) 7 r. Verdun ✆ 97 50 07 84, Télex 950538.

Paris 502 – Auray 28 – Concarneau 101 – Lorient 49 – Quimper 113 – Vannes 46.

Sofitel M, ✆ 97 50 20 00, Télex 730712, ≤, ▯, – ▯ ▯ ☎ P – ▯ 100. AE ◑ E VISA. ✻ rest
fermé janv. – SC : rest. **Thalassa R** carte 200 à 250 – **108 ch** ▭ 560/1 070, 5 appartements – P 860/1 160.

Ker Noyal, ✆ 97 50 08 41, « jardin fleuri » – ▯ ▯ ☎ P. AE VISA. ✻
1er mars-31 oct. – SC : **R** 130/160 – ▭ 33 – **92 ch** 330/360 – P 290/370.

Bellevue, r. Tiviec ✆ 97 50 16 28, – ▯wc ▯wc ☎ P. E VISA. ✻ rest
16 mars-5 nov. – SC : **R** (pour résidents seul.) – ▭ 22 – **40 ch** 200/300 – P 220/320.

Hoche, pl. Hoche ✆ 97 50 07 73, – ▯wc ▯wc ☎
2 fév.-30 sept. – SC : **R** 66/165 – ▭ 20 – **39 ch** 114/275 – P 195/300.

Petite Sirène, 15 bd Mer ✆ 97 50 17 34, ≤ – cuisinette ▯wc ☎ P. AE ◑ VISA. ✻
20 mars-5 nov. – SC : **R** *(fermé merc. hors sais.)* 60/170 – ▭ 18,50 – **33 ch** 168/410.

Beau Rivage, r. Port-Maria ✆ 97 50 08 39, ≤ – ▯ ▯wc ☎. VISA. ✻
1er avril-28 sept. – SC : **R** 67/129 – ▭ 23 – **48 ch** 143/255.

Neptune M, 4 quai de Houat à **Port Maria** ✆ 97 50 09 62, ≤ – ▯ ▯wc ☎. VISA. ✻
fermé 20 déc. au 10 fév. et lundi du 10 fév. au 19 mai – SC : **R** 65/165 – ▭ 19 – **22 ch** 220/270 – P 480/540 (pour 2 pers.).

Druides, 6 r. Port Maria ✆ 97 50 14 74 – ▯ ▯wc ▯wc ☎. ✻ ch
hôtel : 1er avril-30 sept., rest : 15 mai-30 sept. – SC : **R** 65/130 – ▭ 18 – **30 ch** 92/240 – P 190/270.

Ty Breiz sans rest, bd Chanard ✆ 97 50 09 90, ≤, – ▯wc ▯wc ☎ P. VISA. ✻
vacances de Pâques et 18 mai-20 sept. – SC : ▭ 16 – **32 ch** 120/240.

Roch Priol, r. Sirènes ✆ 97 50 04 86 – ▯wc ▯wc ☎ P. E VISA
1er mars-3 nov. – SC : **R** 46/144 ₰ – ▭ 18 – **39 ch** 105/210 – P 195/250.

Gulf Stream M, bd Chanard ✆ 97 50 16 96, ≤, – ▯wc ☎
1er mars-15 nov. – SC : **R** (1/2 pens. seul. en été) – ▭ 20 – **30 ch** 120/320.

Gd Large, 1 bd Hoedic à **Port Maria** ✆ 97 50 13 39, ≤ – ▯wc ▯wc ☎. AE E VISA
1er fév.-15 nov. – SC : **R** 66/132 – ▭ 25 – **18 ch** 141/220.

Idéal, rte de Port-Haliguen ✆ 97 50 12 72 – ▯ ▯wc ▯wc ☎ P. AE ◑ E VISA *fermé 15 fév. au 20 mars et vend. du 1er oct. au 1er avril* – SC : **R** 50/115 – **50 ch** ▭ 100/235 – P 180/255.

Relax, 27 bd Castero à la plage de Kermorvan ✆ 97 50 12 84, ≤, – P. AE ◑ VISA
début fév.-mi-nov. et fermé dim. soir et mardi sauf juil.-août – SC : **R** 50/160 ₰.

Ancienne Forge, 20 r. Verdun ✆ 97 50 18 64 – AE VISA
fermé janv., vacances de fév., lundi midi en juil.-août et merc. – SC : **R** carte 150 à 200.

La Goursen, quai Océan à **Port Maria** ✆ 97 50 07 94 – AE VISA
Pâques-mi-nov., vacances de fév. et mardi sauf le soir en juil.-août – **R** carte 140 à 200.

Pêcheurs, r. Kervozes à **Port Maria** ✆ 97 50 12 75 – AE ◑ E VISA
fermé 15 nov. au 20 déc., 1er janv. aux vacances de fév. et lundi (sauf juil.-août) – SC : **R** 55/80 ₰.

à Port Haliguen E : 2 km par D 200 – ✉ **56170** Quiberon :

Europa M, ✆ 97 50 25 00, ≤, ▯, – ▯ cuisinette ☎ P. ✻ rest
23 mars-29 sept. – SC : **R** 90/160 – ▭ 20 – **68 ch** 210/270 – P 270/290.

à St-Julien N : 2 km – ✉ **56170** Quiberon :

Au Vieux Logis, ✆ 97 50 12 20 – ▯wc P. VISA. ✻ rest
début avril-fin sept. – SC : **R** 82/160 – ▭ 18,50 – **22 ch** 95/203 – P 228/248.

Baie sans rest, ✆ 97 50 08 20 – ▯wc ▯wc ☎ P
Pâques-25 sept. – SC : ▭ 18,50 – **18 ch** 103/172.

à St-Pierre N : 4,5 km par D 768 – ✉ **56510** St-Pierre.
Voir Pointe du Percho ≤ ★ au NO : 2,5 km.

Plage, ✆ 97 30 92 10, ≤ – ▯ ▯wc ▯wc ☎ P. ✻
25 mars-mi-avril et 1er mai-début oct. – SC : **R** 80/120 – ▭ 21 – **41 ch** 200/320.

CITROEN Gar. St-Christophe, 21 av. Gén.-de-Gaulle ✆ 97 50 07 71
PEUGEOT Gar. Le Garrec, ✆ 97 50 08 01
RENAULT S.O.D.A.P. ✆ 97 50 07 42 N ✆ 97 50 03 40
V.A.G. Le Borgne, ✆ 97 50 16 37

QUIBERVILLE 76 S.-Mar. 52 ③ ④ alt. 74 – ✉ **76860** Ouville-la-Rivière.
Paris 200 – Dieppe 16 – ♦ Rouen 68 – St-Valéry-en-Caux 18.

L'Huitrière, ✆ 35 83 02 96 – ▯wc ▯wc P. E VISA. ✻
fermé 11 nov. au 15 janv., dim. soir et vend. d'oct. à mars – SC : **R** 86/150 – ▭ 16 – **17 ch** 86/170 – P 170/230.

QUIÉVRECHAIN 59 Nord 53 ⑤ – rattaché à Valenciennes.

QUILLAN 11500 Aude 86 ⑦ G. Pyrénées – 4 564 h. alt. 291.

Voir Défilé de Pierre Lys★ S : 5 km – Office de Tourisme pl. Gare ✆ 68 20 07 78.

Paris 958 – Andorre 114 – Carcassonne 51 – Foix 62 – Limoux 27 – ♦Perpignan 74 – Prades 92.

- **La Chaumière,** bd Ch.-de-Gaulle ✆ 68 20 17 90 – wc wc – 50. VISA. ch
  fermé 1er nov. au 15 déc. – SC : **R** 50/160 – 20 – **39 ch** 70/230 – P 170/260.
- **Pierre Lys,** av. Carcassonne ✆ 68 20 08 65, – wc
  fermé mi-nov. à mi-déc. – SC : **R** 47/156 – 17,50 – **18 ch** 69/180 – P 270/345 (pour 2 pers.).
- **Cartier,** bd Ch.-de-Gaulle ✆ 68 20 05 14 – wc wc. E VISA
  15 mars-15 déc. – SC : **R** *(fermé sam. sauf de mai à sept.)* 51/95 – 20 – **33 ch** 78/193.

au Sud : 10 km sur D117 (carrefour D117 - D107) – ✉ **11140** Axat :

- XX **Rébenty,** ✆ 68 20 50 78 – AE E VISA
  fermé 29 sept. au 15 oct., lundi soir et mardi sauf du 9 juil. au 25 août – SC : **R** 65/90.

CITROEN Gar. Nivet, rte de Carcassonne, N118 ✆ 68 20 04 27
PEUGEOT-TALBOT Gar. Roosli, 14 bd Charles-de-Gaulle ✆ 68 20 01 01
RENAULT Gar. Escur, rte de Carcassonne, ZA ✆ 68 20 06 66 N ✆ 68 20 01 79

V.A.G. Gar. Dubois, Zone Artisanale, rte Carcassonne ✆ 68 20 07 92

Saunier, 65 bd Charles-de-Gaulle ✆ 68 20 00 49

QUIMPER P 29000 Finistère 58 ⑮ G. Bretagne – 60 162 h. alt. 8.

Voir Cathédrale★★ BZ – Grandes fêtes de Cornouaille★ (fin juillet) – Le vieux Quimper★ : Rue Kéréon★ ABY – Jardin de l'Évêché ≤★ BZ **K** – Mont-Frugy ≤★ ABZ – Musées : Beaux-Arts★★ BY **H**, Breton★ BZ **M**, Faïenceries de Quimper★ AX **B** – Descente de l'Odet★★ en bateau 1 h 30.

9 de Quimper et de Cornouaille ✆ 98 56 97 09, à la Forêt-Fouesnant par ④ : 17 km.

de Quimper-Pluguffan : Air Inter ✆ 98 94 01 28 par ⑥ : 7 km – ✆ 98 90 50 50.

Office de Tourisme 6 r. René-Madec ✆ 98 95 28 86, Télex 941359 et avec **A.C.O. Finistère 3 r. Roi-Gradlon ✆ 98 95 04 69.**

Paris 553 ③ – ♦Brest 72 ① – Lorient 66 ③ – ♦Rennes 204 ③ – St-Brieuc 130 ① – Vannes 115 ③.

Plan page suivante

- **Griffon et Rest Créach Gwenn** M, rte Bénodet par ⑤ : 3 km ✆ 98 90 33 33, Télex 940063, – TV P – 30 à 150. AE E VISA
  fermé 25 déc. au 7 janv. – SC : **R** *(fermé sam. soir et dim. hors sais.)* 65/160 – 20 – **48 ch** 220/300.
- **Novotel** M, rte de Bénodet-Kerdrézec par ④ : 1 km ✆ 98 90 46 26, Télex 941362, – rest TV P – 150. AE E VISA
  carte environ 100 – 33 – **92 ch** 289/336.
- **Dupleix** M sans rest, 34 bd Dupleix ✆ 98 90 53 35, Télex 941103 – TV wc wc P – 60. AE E VISA. BZ **s**
  SC : 21 – **29 ch** 190/268.
- **Tour d'Auvergne,** 13 r. Réguaires ✆ 98 95 08 70, Télex 941100 – TV wc wc P. E VISA BZ **e**
  fermé 20 déc. au 13 janv. – SC : **R** *(fermé sam. soir et dim. d'oct. au 30 avril sauf Pâques)* 70/175 – 23 – **45 ch** 160/250 – P 287/320.
- **Gradlon** sans rest, 30 r. Brest ✆ 98 95 04 39 – wc wc. AE E VISA.
  fermé 20 déc. au 15 janv., sam. et dim. du 15 nov. au 1er mars – SC : 22 – **25 ch** 98/250. BY **a**
- **Ibis** M, r. G.-Eiffel ✆ 98 90 53 80, Télex 940007 – rest TV wc P – 60. E VISA BV **f**
  SC : **R** carte environ 85 – 19,50 – **70 ch** 182/230.
- **Sapinière** sans rest, rte Bénodet 4 km par ⑤, ✉ 29000 Quimper ✆ 98 90 39 63, – wc P – 100. AE E VISA.
  fermé fin sept. à mi-oct. – SC : 16 – **40 ch** 77/150.
- **Terminus** sans rest, 15 av. Gare ✆ 98 90 00 63 – wc. E VISA. BX **n**
  fermé oct. et dim. de nov. à mars – SC : 15 – **25 ch** 70/150.
- XX **Capucin Gourmand,** 29 r. Réguaires ✆ 98 95 43 12 – AE E VISA BZ **r**
  fermé 15 août au 1er sept., vacances de fév., dim. soir et lundi – SC : **R** 98/158.
- XX **Le Parisien,** 13 r. J.-Jaurès ✆ 98 90 35 29 – E VISA BZ **q**
  fermé mi-juil. à mi-août et dim. et fériés – SC : **R** carte 110 à 175.
- XX **La Rotonde,** 36 av. France Libre ✆ 98 95 09 26 – E VISA BV **b**
  fermé 25 juin au 15 juil., vacances de fév., sam. midi et dim. – SC : **R** 58/180 .

à Pluguffan O : 7 km par D 40 – ✉ **29000** Quimper :

- **La Coudraie** M sans rest, impasse du Stade ✆ 98 94 03 69, – wc wc P. VISA
  fermé 28 oct. au 12 nov., sam. et dim. en hiver – SC : 18,50 – **11 ch** 135/175.

QUIMPER

Astor (R.) .... AYZ 2
Chapeau-Rouge (R. du) . AY 9
Kéréon (R.) .... AY
Kerguélen (Bd de) ..... BZ 23
Parc (R. du) .... ABZ 34
St-François (R.) .... BZ 45
St-Mathieu (R.) .... AZ 47

Bécharles (Av. de) ...... BV 3
Beurre (Pl. au) .... BY 4
Boucheries (R. des) ..... BY 6
Concarneau (R. de) ...... BX 10
Frugy (R. du) .... ABX 14
Gare (Av. de la) .... BX 15
Guéodet (R. du) .... BY 16
Jacob (Pont Max) .... AZ 18
Le Hars (R. Th.) .... BZ 24
Libération (Av. de la) .... BX 25
Locmaria (Allées) .... AZ 26
Luzel (R.) .... BY 28
Mairie (R. de la) .... BY 29
Moulin-Vert (R. du) ..... AV 30
Pont-l'Abbé (R. de) ..... AX 35
Potiers (Ch. des) .... BX 37
Poulguinan (Bd de) ..... AX 38
Résistance et du Gén.
de Gaulle (Pl. de la) ... AZ 40
Ronarc'h (R. Amiral) .... AZ 42
Ste-Corentin (Pl.) .... BZ 43
Ste-Catherine (R.) .... BZ 48
Sallé (R. du) .... BY 52
Steir (Q. du) .... AZ 53
Terre-aux-Ducs (Pl.) .... AY 54
Tourbie (Pl. de la) .... BY 57
Tour-d'Auvergne (R.) .... BX 58
Ty-Nay (Rte de) .... BV 60

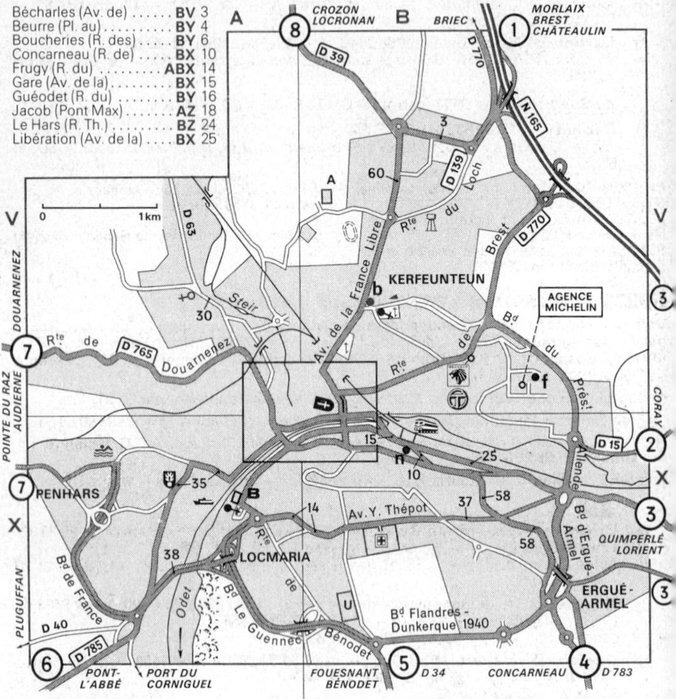

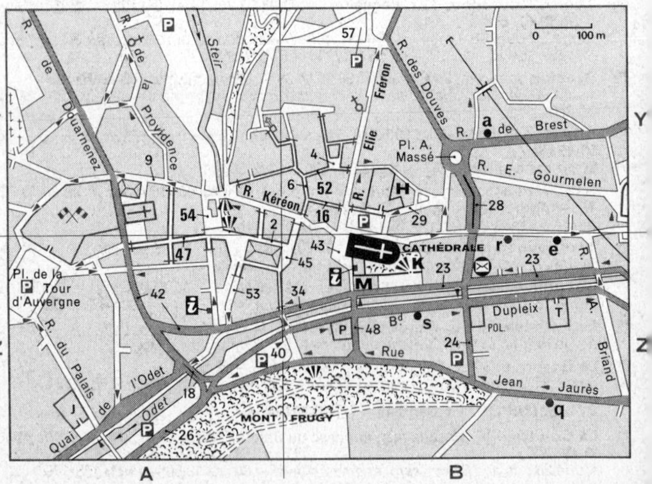

à Ty Sanquer : 7 km par ① et D 770 – ✉ **29000** Quimper :

XX **Aub. Ty Coz,** ℰ **98 94 50 02** – **P**. **E** VISA
fermé 23 avril au 6 mai, 19 sept. au 6 oct., dim. soir et lundi – **SC** : **R** 68/145.

MICHELIN, Agence, 4 r. du Stade de Kerhuel, Zone Ind. Ouest BV ℰ **98 90 23 48**

ALFA-ROMEO Jourdain, 36 rte de Bénodet ℰ 98 90 60 64
AUSTIN-JAGUAR-ROVER Kemper-Autom., 13 av. de la Libération, ℰ 98 90 18 49
BMW S.G.A. Kerhascoet à Pluguffan ℰ 98 94 24 96
CITROEN S.C.A.F., rte de Bénodet à Ménez-Bily par ⑤ ℰ 98 90 33 47 **N** ℰ 98 90 28 05
FIAT-LADA-SKODA SODAQ, 136 av. de Ty-Bos-Rte de Concarneau ℰ 98 90 37 57
FORD Bretagne-Autom., 105 av. de Ty-Bos ℰ 98 90 32 00 **N** ℰ 98 90 28 05
MERCEDES-BENZ Belléguic, rte de Coray ℰ 98 90 03 69 **N** ℰ 98 90 28 05
OPEL Damian, 70 rte de Brest ℰ 98 95 18 38
PEUGEOT-TALBOT Nédélec, 66 rte de Brest ℰ 98 95 42 74
RENAULT Gar. de l'Odet, ZAC de Kernevez Rte de Douarnenez par ⑦ ℰ 98 55 29 46
TOYOTA Gar. Vigouroux 337 rte de Benodet ℰ 98 90 13 44
V.A.G. Gar. Honoré, 4 km rte de Rosporden ℰ 98 90 78 42

Bégot et Fils, 79 rte de Brest ℰ 98 95 09 33
Comptoir et Atelier du Pneu, r. Lebon Z.I. Hippodrome ℰ 98 90 18 87
Lorans-Pneus, Rue O. de Serre Z.I. Hippodrome ℰ 98 53 35 26

QUIMPERLÉ **29130** Finistère **58** ⑫⑰ **G. Bretagne** – **11 697 h. alt. 35.**

Voir Église Ste-Croix** BY **B** – **Rue Dom-Morice*** BY **9.**

Office de Tourisme Pont Bourgneuf (Pâques-15 sept.) ℰ 98 96 04 32 et 2 r. Génot (sept.-avril) ℰ 98 96 00 34.

Paris 508 ② – **Carhaix-Plouguer 55** ① – **Concarneau 34** ③ – **Pontivy 54** ② – **Quimper 46** ③ – ♦**Rennes 159** ② – **St-Brieuc 111** ① – **Vannes 70** ②.

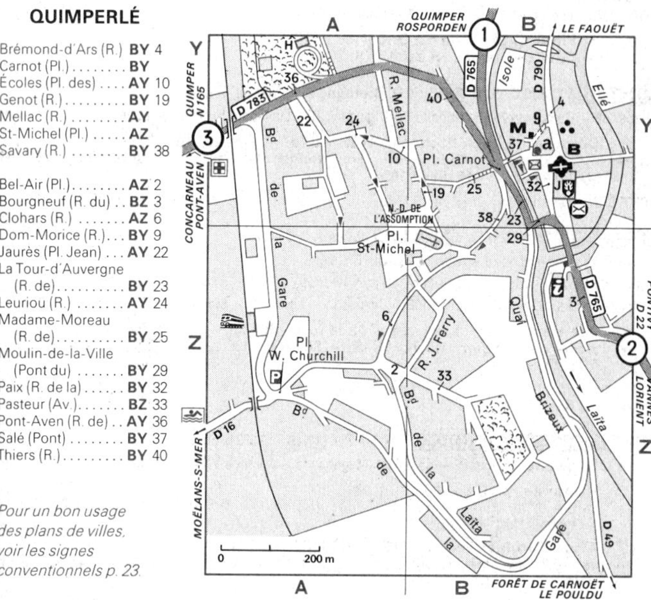

QUIMPERLÉ

Brémond-d'Ars (R.) **BY** 4
Carnot (Pl.) .... **BY**
Écoles (Pl. des) .... **AY** 10
Genot (R.) .... **BY** 19
Mellac (R.) .... **AY**
St-Michel (Pl.) ..... **AZ**
Savary (R.) .... **BY** 38

Bel-Air (Pl.) .... **AZ** 2
Bourgneuf (R. du) .. **BZ** 3
Clohars (R.) .... **AZ** 6
Dom-Morice (R.) ... **BY** 9
Jaurès (Pl. Jean) ... **AY** 22
La Tour-d'Auvergne (R. de) .... **BY** 23
Leuriou (R.) .... **AY** 24
Madame-Moreau (R. de) .... **BY** 25
Moulin-de-la-Ville (Pont du) .... **BY** 29
Paix (R. de la) ...... **BY** 32
Pasteur (Av.) .... **BZ** 33
Pont-Aven (R. de) .. **AY** 36
Salé (Pont) .... **BY** 37
Thiers (R.) .... **BY** 40

Pour un bon usage des plans de villes, voir les signes conventionnels p. 23.

Hermitage , S : 2 km par D 49 - BZ - ℰ **98 96 04 66,** « **Parc** », – wc wc ☎ **P** – 30. VISA
SC : **R** voir rest. **Relais du Roch** – 22 – **23 ch** 190/245, 5 appartements 450.

XXX **Relais du Roch,** S : 2 km par D 49 - BZ - ℰ **98 96 12 97** – **P**. **E** VISA
fermé 15 déc. au 15 janv., vacances de fév. et lundi hors sais. – **SC** : **R** 63/190.

XX **Aub. de Toulfoën** avec ch, S : 3 km par D 49 - BZ - ℰ **98 96 00 29,** – **P** – 30. AE **E** VISA. ch
hôtel : fermé 25/9 au 31/10 et lundi du 1/11 au 1/5 ; rest. : fermé du 25/9 au 1/4 (sauf dim. et fériés) et lundi – **SC** : **R** 82/200 – 19 – **9 ch** 105/140.

X **Bistro de la Tour,** 2 r. Dom. Morice ℰ **98 39 29 58** – **E** VISA. BY **a**
fermé dim. soir et lundi sauf du 14 juil. au 20 août et sam. midi – **SC** : **R** 68/192.

CITROEN Gar. Gaudart, rte de Quimper à Roz-Glass par ① ✆ 98 96 20 30
PEUGEOT-TALBOT Ouest-Autom., rte Lorient par ② ✆ 98 96 11 91 N ✆ 98 96 21 26
RENAULT Guillou, 39 rte Lorient par ② ✆ 98 96 31 45 N ✆ 98 96 03 56

V.A.G. Gar. Quimperlois, 22 rte Lorient ✆ 98 39 32 24

Lorans-Pneus, 40 rte Quimper ✆ 98 96 01 39

QUINCIÉ-EN-BEAUJOLAIS 69 Rhône 73 ⑨ – 1 018 h. alt. 319 – ✉ 69430 Beaujeu.

Paris 425 – Beaujeu 5 – Bourg-en-Bresse 50 – ♦Lyon 56 – Mâcon 36 – Roanne 70.

Mont-Brouilly M, E : 2,5 km par D 37 ✆ 74 04 33 73, – rest wc wc ☎ P. AE E VISA
fermé dim. soir et lundi du 1er déc. au 28 fév. – SC : **R** 65/150 – 18,50 – **26 ch** 160/200 – P 210/270.

QUINCY-VOISINS 77860 S.-et-M. 56 ⑫⑬, 196 ㉒㉓ – 3 171 h. alt. 137.

Paris 48 – Lagny-sur-Marne 15 – Meaux 7 – Melun 49.

Aub. Demi-Lune avec ch, D 436 ✆ (1) 60 04 11 09, , – VISA
fermé 18 au 25 août, vacances de fév, merc. et dim. soir – **R** 61/125 – 17,50 – **7 ch** 84/108.

QUINÉVILLE 50 Manche 54 ③ **G. Normandie** – 192 h. alt. 30 – ✉ 50310 Montebourg.

Paris 341 – Bayeux 73 – Cherbourg 36 – St-Lô 59.

Château de Quinéville, ✆ 33 41 21 50, ←, parc – wc wc P – 25
1er avril-31 déc. – SC : **R** 60/90 – 14 – **13 ch** 95/220 – P 232/355.

QUINSAC 33 Gironde 75 ⑪ – 1 829 h. alt. 49 – ✉ 33360 Latresne.

Paris 592 – ♦Bordeaux 15 – Langon 33 – Libourne 35.

Robinson, SE : 2 km sur D 10 ✆ 56 21 31 09, – P
fermé oct. et mardi – **R** carte 130 à 200.

QUINTIN 22800 C.-du-N. 59 ⑫⑬ **G. Bretagne** – 3 223 h. alt. 179.

Paris 464 – Guingamp 29 – Lamballe 35 – Loudéac 31 – Quimper 110 – St-Brieuc 19.

Commerce, r. Rochonen ✆ 96 74 94 67 – wc. VISA. ch
fermé 15 déc. au 15 janv., dim. soir et lundi midi sauf juil.-août et fériés – SC : **R** 54/126 – 17 – **14 ch** 88/162.

CITROEN Gar Le Floch, ✆ 96 74 93 77 N

Le Fur, Pl. de la République ✆ 96 74 94 96

RABASTENS 81800 Tarn 82 ⑨ **G. Causses** – 3 834 h. alt. 117.

Voir Chapiteaux★ de l'église N.-D.-du-Bourg.

Office de Tourisme 6 pl. St-Michel (15 juin-15 sept.) ✆ 63 33 70 18.

Paris 682 – Albi 39 – Carcassonne 106 – Castres 61 – Lavaur 22 – Montauban 49 – ♦Toulouse 37.

Pré Vert, promenade Lices ✆ 63 33 70 51, , – wc wc P
fermé déc. et dim. soir hors sais. – SC : **R** 53/130 – 20 – **13 ch** 95/265 – P 182/288.

PEUGEOT, TALBOT Bourdet, à Couffouleux ✆ 63 33 71 66

RENAULT Mouisset, ✆ 63 33 75 23

RABASTENS-DE-BIGORRE 65140 H.-Pyr. 85 ⑧ – 1 299 h. alt. 217.

Paris 781 – Aire-sur-l'Adour 60 – Castelnau-Magnoac 46 – Mirande 29 – Plaisance 27 – Tarbes 19.

Platanes, ✆ 62 96 61 77 –
fermé 1er au 15 oct. – SC : **R** *(fermé fériés sauf le midi et dim. soir)* 46/88 – 14 – **7 ch** 85/114 – P 145/160.

Chez Yvonne avec ch, ✆ 62 96 60 20, – P
fermé 1er au 8 mai, 15 oct. au 6 nov., dim. soir et vend. – **R** 40/72 – 10 – **8 ch** 42/90.

RABOT 41 L.-et-Ch. 64 ⑨ – rattaché à Lamotte-Beuvron.

RAGUENÈS-PLAGE 29 Finistère 58 ⑪ **G. Bretagne** – ✉ 29139 Nevez.

Paris 536 – Carhaix-Plouguer 74 – Concarneau 17 – Pont-Aven 12 – ♦Quimper 39 – Quimperlé 29.

Chez Pierre, ✆ 98 06 81 06, – wc wc ☎ P.
28 mars-10 avril et 30 avril-25 sept. – SC : **R** *(fermé merc. du 18 juin au 10 sept.)* 85/175 – 17,50 – **23 ch** 133/250 – P 192/255.

Men Du sans rest, ✆ 98 06 84 22, ←, – wc wc P.
Pâques-fin sept. – SC : 18 – **14 ch** 180/200.

Le RAINCY SP Seine-St-Denis 56 ⑪ – voir à Paris, Environs.

RAISMES 59 Nord 53 ④ – rattaché à Valenciennes.

RAMATUELLE 83350 Var 84 ⑰ **G. Côte d'Azur** – 1 766 h. alt. 135.

Voir Col de Collebasse ≤★ S : 4 km.

Paris 879 – Hyères 61 – Le Lavandou 38 – St-Tropez 12 – Ste-Maxime 18 – ♦Toulon 79.

Le Baou M, ☏ 94 79 20 48, Télex 462152, ≤ mer, , – ☎ . AE ⓓ VISA
fermé mi-nov. à mi-déc. et mardi (sauf hôtel) de nov. à mars – SC : **R** 200/300 – 35 – **36 ch** 450/650 – P 1 150/1 400 (pour 2 pers.).

RAMBERCHAMP 88 Vosges 62 ⑰ – rattaché à Gérardmer.

RAMBLE 74 H.-Savoie 70 ⑰ – rattaché à Habère-Poche.

RAMBOUILLET SP 78120 Yvelines 60 ⑧⑨, 196 ㉗㉘ **G. Environs de Paris** – 22 487 h. alt. 160 – **Voir Boiseries★ du château** Z – **Parc★** Y : **laiterie de la Reine★ B, chaumière des coquillages★ E – Bergerie nationale★** Z – **Forêt de Rambouillet★**.

ℹ Office de Tourisme pl. Libération ☏ (1) 34 83 21 21.

Paris 53 ① – Chartres 41 ③ – Etampes 44 ③ – Mantes-la-Jolie 49 ① – ♦Orléans 90 ③ – Versailles 31 ①.

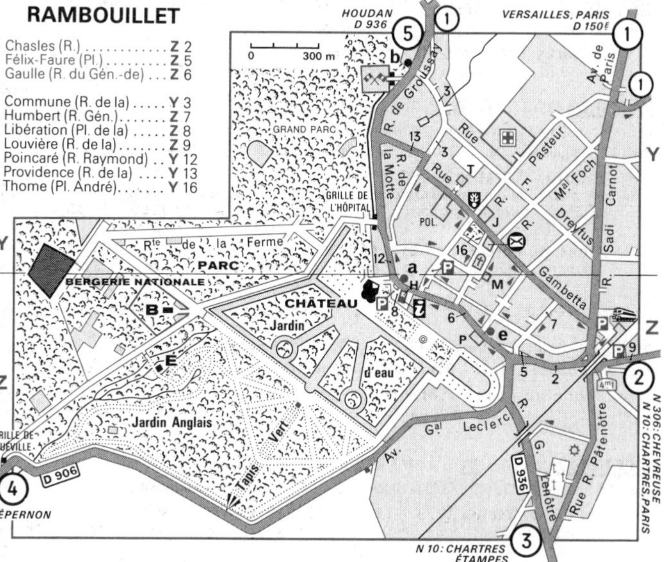

Ibis, par ③ : 2,5 km par N 10 ☏ (1) 30 41 78 50, Télex 698429, – TV wc ☎ ♿ P – 25 à 100. E VISA
SC : **R** carte environ 85 – 23 – **62 ch** 191/232.

St-Charles sans rest, 15 r. Groussay ☏ (1) 34 83 06 34, – wc wc ☎ P
fermé 1er au 15 août et 20 déc. au 5 janv. – SC : 16 – **14 ch** 100/220. Y b

XX ✿ **Relays du Château** (Bouchereau), 2 pl. Libération ☏ (1) 34 83 00 49, – AE ⓓ VISA YZ a
fermé dim. soir et mardi – SC : **R** carte 170 à 260
Spéc. Compote de lapin à la confiture d'oignons, Aiguillettes de canard aux griottes, Soupe de melon aux framboises (15 juin-15 sept.).

X **Poste,** 101 r. Gén.-de-Gaulle ☏ (1) 34 83 03 01 – AE VISA Z e
fermé 17 août au 7 sept., 16 fév. au 2 mars, dim. soir et lundi – SC : **R** (nombre de couverts limité - prévenir) 100/150.

à Gazeran par ④ : 4,5 km – ✉ **78120** Rambouillet :

XX Au Rendez-vous de Chasse, D 906 ☏ (1) 34 83 81 49.

XX **Villa Marinette** avec ch, D 906 ☏ (1) 34 83 19 01, , – wc. ⓓ VISA. ch
fermé 20 août au 15 sept., vacances de fév., dim. soir hors sais., mardi soir et merc. – SC : **R** 55/120 – 17 – **6 ch** 90/170.

tourner →

aux Chaises par ④ et D 80 : 11 km – ✉ **78120** Rambouillet :

XX **Maison des Champs,** ✆ (1) 34 83 50 19, « Jardin fleuri » – VISA
fermé août, fév., lundi soir, mardi soir et merc. – **R** (nombre de couverts limité - prévenir) carte 125 à 180.

ALFA-ROMEO, DATSUN Gar. Central, 15 r. Clemenceau ✆ (1) 34 83 01 87
BMW Soravia 76 r. du Groussay ✆ (1) 34 83 88 32
CITROEN Van de Maele, r. G.-Lenôtre par ③ ✆ (1) 30 41 81 81
FIAT Gar. Hude, 15 r. de la Louvière ✆ (1) 30 41 03 41
FORD Couvreur-Autos, 1 r. Etang-de-la-Tour ✆ (1) 30 41 72 47
PEUGEOT, TALBOT Préhel, 56 r. Lenôtre, Le Bel Air par ③ ✆ (1) 30 41 01 70
V.A.G. Sofriga 122 r. de Clairefontaine ✆ (1) 30 41 87 68
VOLVO Rambouillet Automobiles., 51 av. Gén.- Leclerc ✆ (1) 34 83 04 87

RAMONVILLE-ST-AGNE 31 H.-Gar. 82 ⑧ – rattaché à Toulouse.

RANCÉ 01 Ain 73 ⑩ – 323 h. alt. 282 – ✉ **01390** St-André-de-Corcy.
Paris 444 – Bourg-en-Bresse 43 – ♦ Lyon 30 – Villefranche-sur-Saône 15.

X **Rancé,** ✆ 74 00 81 83 – E
fermé 4 au 19 nov., 10 au 28 fév., lundi et mardi – SC : **R** 58/166.

RANCON 87 H.-Vienne 72 ⑦ **G. Périgord** – 652 h. alt. 217 – ✉ **87290** Chateauponsac.
Paris 376 – Bellac 12 – ♦Limoges 44 – La Souterraine 34.

X **L'Oie et le Gril,** ✆ 55 68 15 06 – VISA
fermé 15 sept. au 10 oct., vacances de fév., mardi soir et merc. – SC : **R** 80.

RANDAN 63310 P.-de-D. 73 ⑤ **G. Auvergne** – 1 514 h. alt. 407.
Syndicat d'Initiative à la Mairie (matin seul.) ✆ 70 41 50 02.
Paris 363 – Aigueperse 14 – ♦Clermont-Ferrand 40 – Gannat 23 – Riom 25 – Thiers 32 – Vichy 14.

Centre, ✆ 70 41 50 23 – E.
1er mai-15 oct. et fermé mardi soir et merc. sauf juil.-août – SC : **R** *(fermé 20 oct. au 10 déc., mardi soir et merc. sauf juil.-août)* 52/150 – 12,50 – **10 ch** 66/95 – P 140/155.

XX **Host. du Parc** avec ch, ✆ **70 41 51 89** –
15 mars-31 déc. et fermé dim. soir en hiver – SC : **R** 70/150 – 15 – **9 ch** 76/105 – P 150/165.

CITROEN Elambert, ✆ 70 41 51 62
RENAULT Planche, ✆ 70 41 56 69

RANG 25 Doubs 66 ⑰ – 518 h. alt. 287 – ✉ **25250** L'Isle-sur-le-Doubs.
Paris 468 – Baume-les-D. 22 – Belfort 38 – ♦Besançon 51 – Lure 39 – Montbéliard 27 – Vesoul 53.

X **Moderne** avec ch, ✆ **81 96 32 54** – E VISA
fermé 5 au 12 oct., 9 au 16 fév. et lundi – SC : **R** 36/137 – 16 – **10 ch** 59/100 – P 146/250.

RANRUPT 67 B.-Rhin 62 ⑧ – 277 h. alt. 520 – ✉ **67420** Saales.
Paris 405 – Lunéville 67 – St-Dié 30 – Sélestat 28 – Senones 21 – ♦Strasbourg 64.

du Col de Steige, S : 2 km ✆ 88 97 60 65, ← – wc
1er fév.-15 oct. et fermé lundi et mardi hors sais. – SC : **R** 55 – 16 – **15 ch** 60/130 – P 125/150.

RANTIGNY 60 Oise 56 ① – rattaché à Liancourt.

RAON-L'ÉTAPE 88110 Vosges 62 ⑦ – 7 219 h. alt. 291.
Syndicat d'Initiative r. J.-Ferry (20 juin-15 sept.) ✆ 29 41 83 25.
Paris 372 – Épinal 46 – Lunéville 34 – ♦Nancy 69 – Neufchâteau 107 – St-Dié 16 – Sarrebourg 51.

Motel l'Eau vive M sans rest, r. J.-B. Demenge prolongée ✆ 29 41 44 68, – wc . VISA
fermé janv. – SC : 15 – **12 ch** 160/175.

XX **Relais Lorraine Alsace,** 31 r. J.-Ferry ✆ 29 41 61 93 – AE E VISA
fermé oct. et lundi hors sais. – SC : **R** 45/110.

RASTEAU 84 Vaucluse 81 ② – rattaché à Vaison-la-Romaine.

RAUZAN 33 Gironde 75 ⑫ **G. Côte de l'Atlantique** – 888 h. alt. 100 – ✉ **33420** Branne.
Syndicat d'Initiative à l'Hôtel de Ville ✆ 57 84 13 04.
Paris 598 – Bergerac 62 – ♦Bordeaux 38 – Libourne 23 – Marmande 44.

XX **La Gentilhommière,** ✆ 57 84 13 42, – . AE
fermé 15 au 30 nov. et lundi – SC : **R** 75/200.

RAVEL 69 Rhône 74 ⑪ – rattaché à Mornant.

RAZ (Pointe du) ★★★ 29 Finistère 58 ⑬ **G. Bretagne** – alt. 72.
Voir ☀★★.
Paris 603 – Douarnenez 37 – Pont-L'Abbé 47 – Quimper 50.

à La Baie des Trépassés par D 784 et VO : 3,5 km – ✉ **29113** Audierne :

Baie des Trépassés ⛺, ✆ **98 70 61 34**, ≤, – wc wc ☎ Ⓟ. E VISA
1er mars-15 nov. – SC : **R** 62/180 – ☕ 21 – **27 ch** 150/231 – P 198/303.

RAZAC-SUR-L'ISLE 24 Dordogne 75 ⑤ – rattaché à Périgueux.

RAZÈS 87640 H.-Vienne 72 ⑧ – 881 h. alt. 436.
Paris 372 – Argenton-sur-Creuse 69 – Bellac 39 – Guéret 56 – ♦Limoges 26.

Familles, ✆ 55 71 03 61, – Ⓟ. ch
fermé 6 au 30 oct., vacances de fév., vend. soir et sam. hors sais. – SC : **R** 43 bc/83 – ☕ 13,50 – **7 ch** 64/90 – P 155.

Pour les grands voyages d'affaires ou de tourisme,
Guide MICHELIN rouge : Main Cities EUROPE.

RÉ (Ile de) ★ 17 Char.-Mar. 71 ⑫ **G. Côte de l'Atlantique.**
Accès : Transports maritimes, pour **La Pointe de Sablanceaux.**
depuis **La Pallice** (5,5 km : O de La Rochelle). En 1985 : 33 à 50 services quotidiens - Traversée 15 mn – Voyageurs 16 F (AR), autos 65 F (AR), par Régie Départementale des Passages d'Eau ✆ 46 42 61 48 (La Rochelle).

Ars-en-Ré – 1 083 h. – ✉ **17590.**
☐ Syndicat d'Initiative pl. Carnot (fermé oct.) ✆ 46 29 46 09.

Le Parasol Ⓜ ⛺, rte St-Clément des Baleines, NO : 0,5 km ✆ **46 29 46 17,** – cuisinette TV wc wc ☎ ♿ Ⓟ. ch
fermé 16 nov. au 14 déc. – SC : **R** 78/110 – ☕ 21 – **29 ch** 225/285, (en sais. pension seul.) – P 280/310.

Le Martray, Le Martray E : 3 km par D 735 ✆ **46 29 40 04,** – wc wc ☎ Ⓟ. AE ⓓ VISA
22 mars-3 nov. – SC : **R** 80/130 – ☕ 20 – **14 ch** 170/210 – P 240/270.

CITROEN Blanchard, ✆ 46 29 40 43 — RENAULT Gar. du Moulin Bleu, ✆ 46 29 40 89

Le Bois-Plage – 1 561 h. – ✉ **17580.**
☐ Syndicat d'Initiative r. Barjottes (fermé après-midi hors sais.) ✆ 46 09 23 26.

Les Gollandières Ⓜ ⛺, ✆ **46 09 23 99,** – wc wc ☎ Ⓟ – 30. AE ⓓ VISA. rest
début mars-début nov. – SC : **R** *(fermé dim. soir)* 90/150 – ☕ 25 – **32 ch** 215/315 – P 310/380.

La Flotte – 1 879 h. – ✉ **17630.**
☐ Office de Tourisme quai Sénac ✆ 46 09 60 38.

✿ **Richelieu** Ⓜ ⛺, ✆ **46 09 60 70, Télex 791492,** ≤, – TV ☎ Ⓟ – 40. VISA
25 mars-12 nov. – SC : **R** 160/300 – ☕ 40 – **30 ch** (8 pav.) 450/600 – P 450/800
Spéc. Huitres chaudes à la Julienne de légumes, Homard tiède sauce verte (mars-nov.), Filet de bar au vin rouge. **Vins** Blanc de Ré.

Hippocampe ⛺ sans rest, ✆ **46 09 60 68** – wc
SC : ☕ 14,50 – **17 ch** 63/135.

PEUGEOT, TALBOT Gar. Chauffour, ✆ 46 09 60 25

Rivedoux-Plage – 900 h. – ✉ **17940.**
☐ Syndicat d'Initiative pl. République (15 juin-15 sept.) ✆ 46 09 80 62.

Aub. de la Marée, ✆ **46 09 80 02,** ≤, « Beau jardin fleuri », – wc wc ☎. E VISA
29 avril-5 oct. – SC : **R** 71/260 – ☕ 26 – **28 ch** 180/300 – P 240/360.

FORD Nautic-Gar., ✆ 46 09 80 11

St-Clément-des-Baleines – 518 h. – ✉ **17590** Ars-en-Ré.
Voir Phare des Baleines ☀★ N : 2,5 km.
☐ syndicat d'Initiative r. Mairie (juil.-août) ✆ 46 29 24 19.

Le Chat Botté ⛺ sans rest, ✆ **46 29 21 93,** – . VISA.
fermé 1er au 25 oct., 1er au 15 mars et lundi – SC : ☕ 17 – **22 ch** 66/98.

St-Martin-de-Ré – 2 402 h. – ✉ **17410** – **Voir Fortifications★.**

ℹ Office de Tourisme av. V.-Bouthillier (fermé matin hors sais.) ✆ 46 09 20 06.

Les Colonnes, 19 quai Job-Foran ✆ **46 09 21 58,** ← – wc ☎. AE ⓓ E VISA
fermé 15 déc. au 1er févr. – SC : **R** *(fermé merc.)* 75/150 – 25 – **30 ch** 200/250 – P 300/380.

XX **St-Hubert,** ✆ 46 09 20 38, ←, – AE ⓓ E VISA
fermé janv. et lundi d'oct. à mars – SC : **R** 58/97 ₰.

RENAULT Gar. Neveur, ✆ 46 09 44 22

Ste-Marie-de-Ré – 1 317 h. – ✉ **17740.**

ℹ Syndicat d'Initiative Moulin de l'Abbé (1er fév.-31 oct.) ✆ 46 30 22 92.

Atalante M, ✆ **46 30 22 44,** ←, , , , – TV ☎ ♿ P – 100. AE ⓓ E VISA. ✻ rest
SC : **R** 83/195 – **65 ch** 274/473 – P 340/460.

RÉALMONT 81120 Tarn 83 ① – 2 547 h. alt. 212.

Paris 708 – Albi 20 – Castres 22 – Graulhet 17 – Lacaune 56 – St-Affrique 85 – ♦Toulouse 75.

❀ **Noël** (Galinier), r. H. de Ville ✆ **63 55 52 80,** – wc ☎ P – 60 à 150. AE ⓓ VISA. ✻ rest
fermé dim. soir et lundi d'oct. à juin – SC : **R** (nombre de couverts limité - prévenir) 130/290 – 21 – **13 ch** 90/280 – P 310/400
Spéc. Ecrevisses (juin à fév.), Foie gras chaud aux câpres, Tournedos aux morilles. **Vins** Gaillac, Minervois.

RENAULT Conrazier, ✆ 63 55 51 38

RECLOSES 77 S.-et-M. 61 ⑫ – rattaché à Fontainebleau.

RECOUVRANCE 29 Finistère 58 ④ – rattaché à Brest.

REDON SP 35600 I.-et-V. 63 ⑤ **G. Bretagne** – 10 252 h. alt. 12.

Voir Tour★ de l'église St-Sauveur Y B – ℹ Office de Tourisme pl. Parlement ✆ 99 71 06 04 et au port de plaisance par quai Surcouf (1er juil.-31 août).

Paris 410 ① – Ancenis 82 ② – La Baule 63 ② – Châteaubriant 58 ② – Dinan 105 ① – Laval 137 ① – ♦Nantes 77 ② – Ploërmel 46 ① – ♦Rennes 65 ① – St-Nazaire 51 ② – Vannes 57 ③.

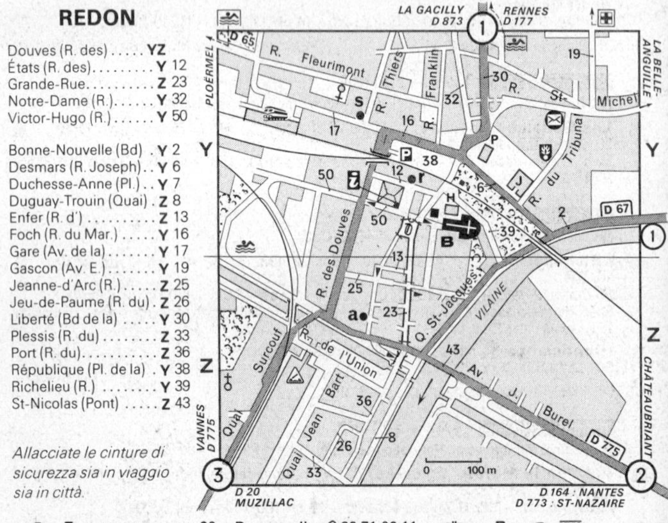

France sans rest, 30 r. Duguesclin ✆ 99 71 06 11 – wc wc ☎. VISA Z a
fermé 23 déc. au 5 janv. – SC : 15 – **20 ch** 58/165.

XXX **Gare Relais du Gastronome** avec ch, 10 r. Gare ✆ 99 71 02 04 – . AE ⓓ E VISA Y s
fermé vacances de fév. et sam. midi du 21 sept. au 15 juin. – SC : **R** 67/245 – 16,50 – **7 ch** 93/120 – P 220/260.

X **La Bogue,** 3 r. des Etats ✆ 99 71 12 95 – E VISA. ✻ Y r
fermé 2 au 9 juil., 2 au 22 janv., mardi soir et merc. – SC : **R** 60/180.

par ① et rte de la Gacilly : 3 km – ✉ **35600** Redon :

XXX **Moulin de Via,** ✆ 99 71 05 16, ⛱ – Ⓟ. E VISA
fermé 1er au 8 sept., 2 au 18 janv., dim. soir et lundi – SC : **R** 88/180.

par ② : 6 km par D 164 – ✉ **44460** à St-Nicolas-de-Redon (Loire-Atl.)

XX **Aub. du Poteau Vert** avec ch, ✆ 99 71 13 12, 🌳 – ⋒wc Ⓟ – 🏛 40. AE ⓓ E VISA
fermé 1er au 10 oct., 5 au 25 janv., dim. soir et lundi – SC : **R** 85/210 – ☕ 15 – **6 ch** 130/150.

CITROEN Gar. Vinouze, av. J.-Burel à St-Nicolas-de-Redon (44) par ② ✆ 99 71 00 36
FORD Gar. Rouxel, 8 r. de la Barre ✆ 99 71 17 65
PEUGEOT-TALBOT Chalme, 8 av. J.-Burel à St-Nicolas-de-Redon par ② ✆ 99 71 08 45
RENAULT Ets Ménard, Zone Ind. de Briangaud par av. Bonne-Nouvelle Y ✆ 99 71 17 36
N ✆ 99 71 31 30

V.A.G Gar. Mazarguil, 120 r. de Vannes ✆ 99 71 17 81

Ⓜ Métayer, Zone Ind. Portuaire ✆ 99 71 18 50

REICHSFELD 67 B.-Rhin 62 ⑨ – 247 h. alt. 340 – ✉ **67140** Barr.
Paris 432 – Barr 7 – Sélestat 17 – ♦Strasbourg 44 – Molsheim 27 – Villé 13.

🏠 **Bleesz** 🐦, ✆ 88 85 50 61 – ⇔wc 🕿 Ⓟ. ⓓ
fermé janv. et fév. – SC : **R** *(fermé merc. soir et jeudi)* 70/90 🍷 – ☕ 20 – **8 ch** 150 – P 205.

REICHSTETT 67 B.-Rhin 62 ⑩ – rattaché à Strasbourg.

REILHAC 43 H.-Loire 76 ⑤ – rattaché à Langeac.

REILLANNE 04110 Alpes de H. P. 81 ⑮ **G. Provence** – 892 h. alt. 550.
Paris 758 – Apt 27 – Digne 67 – Forcalquier 19 – Manosque 17.

XX **Aub. de Reillanne** 🐦 avec ch, S : 1 km sur D 214 ✆ 92 76 45 95, 🌳 – ⇔wc 🕿 Ⓟ. AE ⓓ VISA
fermé fév. – SC : **R** *(fermé merc.)* carte 160 à 215 – ☕ 28 – **7 ch** 270.

REIMS SP 51100 Marne 56 ⑥⑯ **G. Champagne, Ardennes** – 181 985 h. alt. 83.

Voir Cathédrale*** BY : **Tapisseries**** – **Basilique St-Rémi**** CZ : **intérieur***** – **Palais du Tau**** BY **S** – **Caves de Champagne*** BCX, CZ – **Place Royale*** BY – **Porte Mars*** BX **Q** – **Hôtel de la Salle*** BY **E** – **Chapelle Foujita*** BX – **Bibliothèque* de l'ancien Collège des Jésuites** BZ **W** – **Musée St-Rémi**** BZ **M3** – **Musée-hôtel Le Vergeur*** BX **M2** – **Musée St-Denis*** BY **M1** – **Centre historique de l'automobile française*** CY **M.**

Env. Fort de la Pompelle : casques allemands* 9 km par ③.

18 ✆ 26 03 60 14 à Gueux par ⑧ : 9,5 km.

🚗 ✆ 26 88 50 50.

ℹ Office de Tourisme et Accueil de France (Informations et réservations d'hôtels, pas plus de 5 jours à l'avance) 1 r. Jadart ✆ 26 47 25 69, Télex 830631 - A.C. 7 bd Lundy ✆ 26 47 34 76.

Paris 142 ⑦ – Bruxelles 214 ⑩ – Châlons-sur-Marne 45 ④ – ♦Lille 208 ⑨ – Luxembourg 232 ④.

Plans pages suivantes

🏨 ✿✿✿ **Boyer "Les Crayères"** M 🐦, **64 bd Vasnier** ✆ **26 82 80 80, Télex 830959,** ≤, ⛱, **« Élégante demeure ouvrant sur un parc »,** 🌳, 🎾 – 🛗 ▤ TV ☎ 🚗 Ⓟ – 🏛 30. AE ⓓ E VISA CZ **a**
fermé 22 déc. au 12 janv. – **R** *(fermé mardi midi et lundi)* (nombre de couverts limité - prévenir) carte 240 à 340 – ☕ 55 – **16 ch** 695/960
Spéc. Feuilleté de foie gras aux champignons des bois, Petit chou farci aux langoustines, Filet de canard rouennais aux poires et gingembre. **Vins** Chouilly blanc, Rilly rouge.

🏨 **Frantel** M, **31 bd P.-Doumer** ✆ **26 88 53 54, Télex 830629** – 🛗 ▤ TV 🚗 – 🏛 300. AE ⓓ E VISA AY **v**
SC : rest. **les Ombrages** *(fermé 23 déc. au 2 janv., sam. midi et dim. sauf fêtes)* **R** carte 125 à 180 🍷 – ☕ 33 – **125 ch** 270/380.

🏨 **Paix et rest. Le Drouet,** 9 r. Buirette ✆ 26 40 04 08, Télex 830974, 🏊, 🌳 – 🛗 TV ☎ ♿ 🚗 – 🏛 50 à 150. AE ⓓ E VISA AY **q**
R 60 🍷 – ☕ 23 – **105 ch** 232/319.

🏨 **Bristol H.** sans rest, **76 pl. Drouet-d'Erlon** ✆ **26 40 52 25** – 🛗 TV ⇔wc ⋒wc ☎. AE ⓓ E VISA AXY **f**
SC : ☕ 21 – **40 ch** 155/220.

🏨 **Gd H. du Nord** sans rest, **75 pl. Drouet-d'Erlon** ✆ **26 47 39 03** – 🛗 ⇔wc ⋒wc ☎. AE ⓓ E VISA AY **p**
fermé 20 déc. au 2 janv. – SC : ☕ 21 – **50 ch** 143/220.

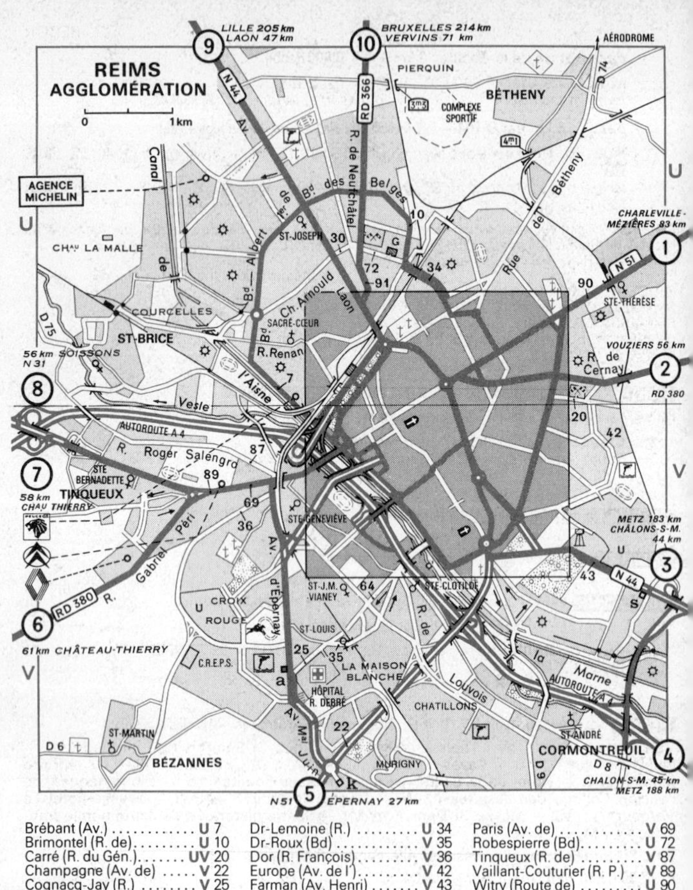

Europa sans rest, 8 bd Joffre ✆ 26 40 36 20 – ▯ ⇔wc ⋒wc ☎. AE ⦿ E VISA
fermé 23 déc. au 3 janv. – SC : ☐ 23 – **32 ch** 80/211. AX **t**

Univers, 41 bd Foch ✆ 26 88 68 08, Télex 842120 – ▯ ⇔wc ⋒wc ☎ – 🏛 150. AE ⦿ E VISA AX **a**
SC : **R** *(fermé dim. soir)* 40/130 – ☐ 17 – **40 ch** 90/188.

Continental sans rest, 93 pl. Drouet-d'Erlon ✆ 26 40 39 35, Télex 830585 – ▯ ⇔wc ⋒wc ☎. E VISA AXY **r**
fermé 19 déc. au 5 janv. – SC : ☐ 20 – **60 ch** 120/250.

Crystal ⛱ sans rest, 86 pl. Drouet-d'Erlon ✆ 26 88 44 44 – ▯ TV ⇔wc ⋒wc ☎. AE E VISA AXY **n**
SC : ☐ 19 – **28 ch** 100/250.

Ardenn'H. sans rest, 6 r. Caqué ✆ 26 47 42 38 – ⋒wc ☎. AE ⦿ E VISA AY **y**
SC : ☐ 18 – **14 ch** 122/185.

Victoria sans rest, 1 r. Buirette ✆ 26 47 21 79 – ▯ ⋒wc ☎. AE ⦿ E VISA AY **q**
SC : ☐ 17,50 – **28 ch** 130/196.

Welcome sans rest, 29 r. Buirette ✆ 26 47 39 39 – ▯ TV ⇔wc ⋒wc ☎. E VISA
fermé 20 déc. au 5 janv. – SC : ☐ 16,50 – **70 ch** 88/245. AY **u**

Gambetta sans rest, 13 r. Gambetta ✆ 26 47 41 64 – ⋒wc ☎. E VISA BY **d**
SC : ☐ 17,50 – **14 ch** 125/160.

Libergier sans rest, 20 r. Libergier ✆ 26 47 28 46 – ⇔wc ⋒wc ☎. E VISA AY **e**
SC : ☐ 18,50 – **17 ch** 90/210.

Consuls sans rest, 7 r. Gén.-Sarrail ✆ 26 88 46 10 – ⋒ ☎. E VISA. ✂ BX **s**
fermé 5 au 25 août et dim. – SC : ☐ 17 – **20 ch** 69/188.

XXX ❀ **Le Florence,** 43 bd Foch ✆ 26 47 12 70 – AE ⓓ E VISA AX **n**
fermé 29 juil. au 19 août, vacances de fév., dim. soir du 1er nov. à Pâques et lundi – SC : **R** 160/300
Spéc. Turbot braisé au champagne, Canette pochée au Bouzy, Feuilleté aux poires chaudes caramélisées. **Vins** Ambonnay rouge, Chouilly.

XXX ❀ **Le Chardonnay,** 184 av. Epernay ✆ 26 06 08 60 – Ⓟ. AE ⓓ E VISA V **a**
fermé 3 août au 2 sept., 20 déc. au 13 janv., sam. midi et dim. – **R** carte 125 à 185
Spéc. Truite de mer à l'oseille, Andouillette à la ficelle, Côte de boeuf au vin rouge (pour 2 pers.). **Vins** Chardonnay, Bouzy rouge.

XX **Foch,** 37 bd Foch ✆ 26 47 48 22 – AE ⓓ E VISA AX **a**
fermé 14 au 29 juil., 5 au 20 janv., dim. soir et mardi – SC : **R** 130/175.

XX **Continental,** 95 pl. Drouet d'Erlon ✆ 26 47 01 47 – AE E VISA AXY **r**
R 70/240.

X **Le Forum,** 34 pl. Forum ✆ 26 47 56 87 – ⓓ E VISA BXY **z**
fermé 16 août au 9 sept., 24 déc. au 6 janv., dim. soir et lundi – SC : **R** 49/125 ₰.

rte d'Épernay vers ⑤ :

Campanile, Carrefour av. G.-Pompidou ✆ 26 36 66 94, Télex 830262 – ⇔wc ☎ Ⓟ. VISA V **k**
SC : **R** 61 bc/92 bc – ☕ 23 – **41 ch** 194/215.

rte de Soissons par ⑧ :

Novotel Ⓜ, ✉ 51430 Tinqueux ✆ 26 08 11 61, Télex 830034, ⛱, ⛲, 🐎 – ▤ TV ☎ ♿ Ⓟ – 🏛 50 à 80. AE ⓓ E VISA
R snack carte environ 100 ₰ – ☕ 31 – **125 ch** 283/304.

rte de Châlons-sur-Marne par ③ :

Mercure Ⓜ, ✆ 26 05 00 08, Télex 830782, ⛱, ⛲, 🐎 – |$| ▤ rest TV ⇔wc ☎ ♿ Ⓟ – 🏛 150. AE ⓓ E VISA V **s**
R carte environ 120 ₰ – ☕ 28 – **98 ch** 265/290.

à Cernay par ② : 7 km – ✉ **51420** Witry-les-Reims :

XX l'Ermitage, ✆ 26 07 21 40 – Ⓟ.

à Sillery par ③ et D 8E : 11 km – ✉ **51500** Sillery :

XX **Relais de Sillery,** ✆ 26 49 10 11, ⛱, parc animalier, 🐎 – E VISA
1er avril-30 oct. et fermé dim. soir et lundi ; ouvert le dim. seul. de nov. à mars – SC : **R** 165 bc/220 bc.

à Châlons-sur-Vesle par ⑧ et D 26 : 10 km – ✉ **51140** Jonchery-sur-Vesle :

XXX ❀ **Assiette Champenoise** (Lallement), ✆ 26 49 34 94, ⛱ – AE ⓓ VISA. ✂
fermé vacances de fév., dim. soir et merc. – **R** carte 200 à 260
Spéc. Fricassée de homard, Poissons, Rognon de veau au vinaigre. **Vins** Rilly, Ambonnay.

Voir aussi ressources hôtelières de *Berry-au-Bac* par ⑨ : 20 km, *Montchenot* par ⑤ : 11 km et *Sept-Saulx* par ③ : 23 km.

MICHELIN, Agence régionale, Chemin de St-Thierry, Zone Ind. des 3 Fontaines à St-Brice-Courcelles U ✆ **26 09 19 32**

BMW Héraut, 16 av. de Paris ✆ 26 08 63 68 N ✆ 26 09 29 38
FORD Gar. St-Christophe, 35 r. Col-Fabien ✆ 26 08 24 66
PEUGEOT Gds Gar. de Champagne, 16 av. Brébant U ✆ 26 40 07 60 et 38-46 r. Buirette AY
PORSCHE-MITSUBISHI J.P.M., 395 av. de Laon ✆ 26 09 44 46
RENAULT Succursale, 8 r. Col.-Fabien AY ✆ 26 08 96 50
TOYOTA Nor'Autos, 397 av. de Laon ✆ 26 09 56 11

V.A.G. Gar. du Rhône, bd S.-Allende, Z.A. la Neuvillette ✆ 26 87 13 61

Ⓜ Champagne-Pneus, 35 r. C.-Lenoir ✆ 26 47 20 30
Leclerc-Pneu, 19 r. Magdeleine ✆ 26 88 20 77 et Zone Ind. S.E. bd Val de Vesle ✆ 26 05 03 45
Pneumatiques Maltrait-Cunrath, 12 r. du Cloître ✆ 26 47 48 47
Poulain et Roffi, 30 r. Courmeaux ✆ 26 47 70 52
Reims-Pneus, 27 r. du Champ-de-Mars ✆ 26 88 30 15

Périphérie et environs

ALFA-ROMEO Sport Tourisme Auto, 14 r. Diderot à Tinqueux ✆ 26 08 01 13
CITROEN Succursale, 38 av. P.-V.-Couturier à Tinqueux V ✆ 26 08 96 24 N ✆ 26 08 67 07
DATSUN, OPEL-GM Reims-Autos, 2 av. R.-Salengro à Tinqueux ✆ 26 08 21 08
FIAT Gar. Miral, Zone Ind. Moulin de l'Ecaille à Tinqueux ✆ 26 08 29 30
MAZDA Gar. Moreau, r. Rosa Luxemburg, La Neuvilette ✆ 26 87 31 32

MERCEDES-BENZ Sodiva, 45 bis av. Nationale, La Neuvilette ✆ 26 09 05 50 N ✆ 26 08 01 08
RENAULT Gar. Moine, Zone Ind. Moulin de l'Écaille à Tinqueux V ✆ 26 08 96 31 N
VOLVO Gar. Delhorbe, 52 av. Nationale, La Neuvilette ✆ 26 09 21 31

RÉPERTOIRE DES RUES DU PLAN DE REIMS

Arbalète (R. de l') . . . . **BY** 3
Cadran St-Pierre (R.) . . . **ABY** 13
Carnot (R.) . . . . **BY** 19
Drouet d'Erlon (Pl.) . . . . . **AY** 38
Étape (R. de l') . . . . **AY** 40
Jean-Jaurès (Av.) . . . . . **BCX**

Laon (Av. de) . . . . **AX**
Talleyrand (R. de) . . . . . . **AXY**

Albert-1er (Bd) . . . . **U**
Anatole-France (Cours) . . **BY** 2
Arnould (Bd Ch.) . . . . **U**

Barbatre (R. du) . . . . . **BCYZ**
Belges (Bd des) . . . . **U**
Bétheny (R. de) . . . . **U**
Bocquaine (Chaussée). **ABZ**
Boulingrin (Pl. du) . . . . . . **BX** 6
Brébant (Av.) . . . . **U** 7
Briand (R. Aristide) . . . . . **BX** 8
Brimontel (R. de) . . . . **U** 10

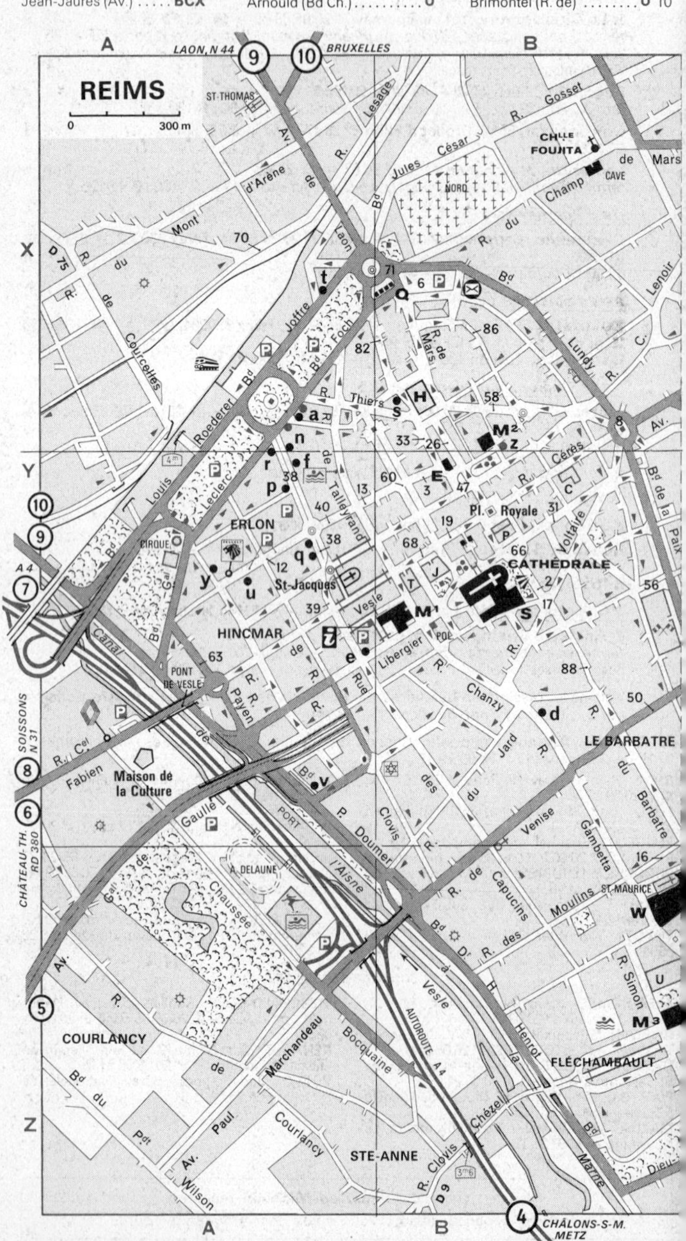

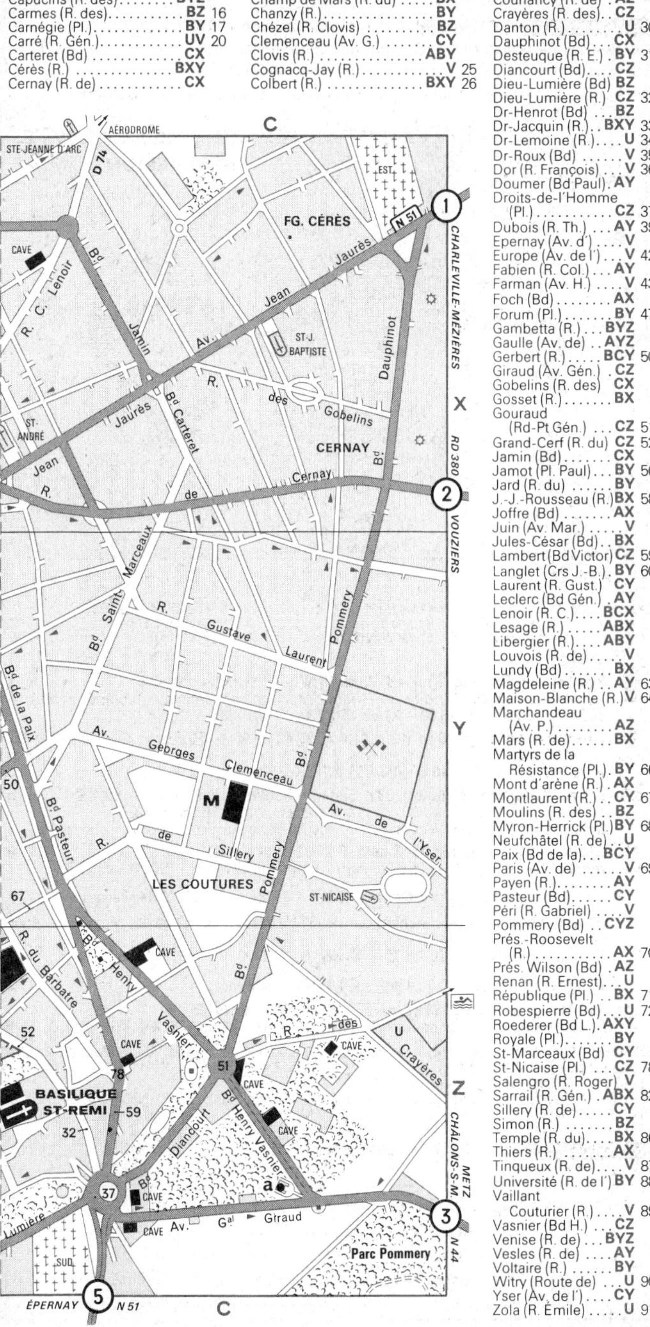

C
AÉRODROME
STE-JEANNE D'ARC
D 74
FG. CÉRÈS
N 51
1
CHARLEVILLE-MÉZIÈRES
CAVE
Bd Jamin
R. C. Lenoir
Av. Jean Jaurès
ST-J. BAPTISTE
Dauphinot
R. des Gobelins
X
ST-ANDRÉ
Bd Carteret
CERNAY
RD 380
R. de Cernay
2
VOUZIERS
Bd Saint-Marceaux
R. Gustave Laurent
Bd Pommery
Bd de la Paix
Av. Georges Clemenceau
Y
50
M
Av. de l'Yser
Bd Pasteur
R. de Sillery
LES COUTURES
ST-NICAISE
67
R. du Barbatre
Bd Henry Vasnier
CAVE
52
R. des Crayères
U
78
51
Z
BASILIQUE ST-REMI
59
32
Diancourt
CHÂLONS-S-M.
METZ
37
a
Av. Gal Giraud
3
Lumière
SUD
Parc Pommery
N 44
5
ÉPERNAY
N 51
C

La REMIGEASSE 17 Char.-Mar. 71 ⑭ – voir à Oléron (Ile d').

REMIREMONT 88200 Vosges 62 ⑯ **G. Alsace et Lorraine** – 10 860 h. alt. 400.

Voir Rue Ch.-de-Gaulle★ AB – Crypte★ de l'église N.-Dame A.

Syndicat d'Initiative 2 pl. H.-Utard (fermé matin hors saison) ✆ 29 62 23 70.

Paris 387 ⑤ – Belfort 67 ② – Colmar 80 ① – Épinal 27 ⑤ – ♦Mulhouse 82 ② – Vesoul 64 ④.

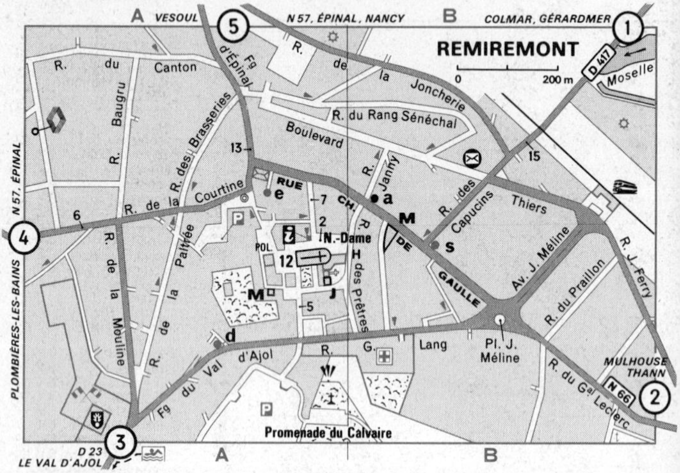

Courtine (R. de la) . . . . A
Gaulle (R. Ch. de) . . . . AB
Xavée (R. de la) . . . . A 13
Abbaye (Pl. de l') . . . . A 2
Écoles (R. des) . . . . A 5
États-Unis (R. des) . . . . A 6
Franche-Pierre (R.) . . . . A 7
Utard (Pl. H.) . . . . A 12
5e et 15e B.C.P. (R. du) . . . . . B 15

Poste, 67 r. Gén.-de-Gaulle ✆ 29 62 55 67 – wc wc ☎ — B **a**
fermé 17 au 30 août, 21 déc. au 11 janv., vend. soir et sam. sauf juil.-août et fêtes – SC : **R** 60/150 – 18,50 – **21 ch** 170/220 – P 225/235.

Chanoinesses M, 16 fg Val-d'Ajol ✆ 29 62 27 46 – TV wc wc ☎ – 30. AE ① E VISA — A **d**
R 76/105 – 25 – **16 ch** 190/265 – P 270/310.

XXX ✿ **Les Abbesses** (Aiguier), 93 r. Gén.-de-Gaulle ✆ 29 62 02 96 – AE VISA — B **s**
fermé 20 au 30 juin, 20 au 30 nov., dim. soir et lundi – SC : **R** 155/270
Spéc. Assiette gourmande Véronique, Gratin dauphinois de saumon, Canette au miel et épices.

X **Etoile d'Or,** r. Charles-de-Gaulle ✆ 29 62 08 04 – VISA — A **e**
fermé 1er au 9 avril, 21 août au 10 sept., mardi soir et merc. – SC : **R** 50/180.

par ⑤, sortie St-Nabord-Centre : 5 km – 3 779 h. – ✉ **88200** Remiremont :

Montiroche sans rest, échangeur de St-Nabord ✆ 29 62 06 59, ≤, parc – wc ☎ **P**.
fin mars-début oct. – SC : 25 – **14 ch** 160/170.

à Fallières par ④ et D 3 : 4 km – ✉ **88200** Remiremont :

Pré Brayeu, ✆ 29 62 23 67, parc – wc wc ☎ **P**. E.
SC : **R** *(fermé dim.)* (résidents seul.) 45 – 20 – **17 ch** 125/190 – P 170/250.

CITROEN Gar. Anotin, Les Bruyères, rte de Mulhouse par ② ✆ 29 23 29 45
PEUGEOT-TALBOT Choux Autom., à St Etienne les Remiremont par D 23 ✆ 29 23 18 28 N ✆ 29 61 07 65
RENAULT Pierre, 13 r. de la Maix ✆ 29 62 55 95
Geoffroy-Villaume, St-Nabord ✆ 29 62 23 13
Mignot-Pneus, 13 pl. J.-Méline ✆ 29 23 23 32

REMOMONT 68 H.-Rhin 62 ⑱ – rattaché à Orbey.

Pour vos voyages, en complément de ce guide utilisez :
– Les **guides Verts Michelin** régionaux
paysages, monuments et routes touristiques.
– Les **cartes Michelin** à 1/1 000 000 grands itinéraires
1/200 000 cartes détaillées.

REMOULINS 30210 Gard 80 ⑲⑳ G. Provence – 1 866 h. alt. 27.
Paris 689 – Alès 49 – Arles 38 – Avignon 22 – Nîmes 20 – Orange 34 – Pont-St-Esprit 39.

- **Aub. de Castillon,** rte de Bagnols-sur-Cèze, N 86 à 4 km ☎ 66 37 02 70, – wc wc . E
  SC : **R** *(fermé 15 fév. au 15 mars, mardi soir du 15 nov. au 15 mars et merc.)* 53/120 – 14 – **15 ch** 83/160.
- **Aub. des Escaravats,** ☎ 66 37 10 24 – VISA
  fermé vacances de fév. et merc. – **R** 60/250.

RENAULT S.O.D.E.M., ☎ 66 37 04 25

RÉMUZAT 26510 Drôme 81 ③④ – 364 h. alt. 459.
Paris 682 – Die 56 – Nyons 27 – Sault 75 – Serres 39 – Valence 121.

- **Baudoin,** ☎ 75 27 85 03 –
  1er mai-1er nov. – SC : **R** 46/100 – 17 – **7 ch** 68/110 – P 130/140.

RENAISON 42370 Loire 73 ⑦ – 2 322 h. alt. 380.
Voir Barrage de la Tache : rocher-belvédère★ O : 5 km, **G. Vallée du Rhône.**
Paris 381 – Chauffailles 46 – Lapalisse 40 – Roanne 11 – ♦St-Étienne 89 – Thiers 58 – Vichy 57.

- **Central,** pl. 11-Novembre ☎ 77 64 25 39 – wc . E VISA
  fermé 15 sept. au 15 oct. et 10 au 25 fév. – SC : **R** *(fermé dim. soir et merc.)* 46/170 – 17 – **10 ch** 70/130 – P 130/175.
- **Jacques-Coeur** avec ch, ☎ 77 64 25 34 – . AE VISA
  fermé fév., dim. soir et lundi – SC : **R** 62/215 – 17 – **10 ch** 83/115 – P 230/250.

RENCUREL 38 Isère 77 ④ – 292 h. alt. 820 – ✉ 38680 Pont-en-Royans.
Paris 602 – ♦Grenoble 48 – Romans-sur-Isère 42 – St-Marcellin 29 – Villard-de-Lans 14 – Voiron 45.

- **Familial H.** , ☎ 76 38 97 68, <, , – wc . E. ch
  fermé 12 nov. au 20 déc. – SC : **R** 56/100 – 18,50 – **20 ch** 100/190 – P 160/213.

RENNES P 35000 I.-et-V. 59 ⑰ G. Bretagne – 200 390 h. alt. 30.
Voir Palais de Justice★★ BY J – Retable★★ de la cathédrale St-Pierre AY – Le Vieux Rennes★ ABY – Jardin du Thabor★ BY – Musées BYM : de Bretagne★★, des Beaux-Arts★★ – Musée automobile de Bretagne★ 4 km par ②.
Rennes-St-Jacques ☎ 99 62 24 18 Chavagne par ⑦ : 6 km.
de Rennes-St-Jacques ☎ 99 31 91 77 par ⑦ : 7 km – Office de Tourisme Pont de Nemours ☎ 99 79 01 98, Télex 741218 – A.C.O. 11 pl. Bretagne ☎ 99 30 89 88.
Paris 348 ③ – Angers 119 ④ – ♦Brest 245 ⑨ – ♦Caen 176 ② – ♦Le Mans 154 ③ – ♦Nantes 108 ⑥.

Plans pages suivantes

- **Frantel** M, 1 r. Cap.-Maignan ✉ 35100 ☎ 99 31 54 54, Télex 730905 – rest – 30 à 300. AE E VISA — ABZ **m**
  SC : rest. La Table Ronde *(fermé 22 déc. au 1er janv., sam. midi et dim.)* **R** carte 125 à 200 – 33 – **140 ch** 295/380.
- **Anne de Bretagne** M sans rest, 12 r. Tronjolly ✉ 35100 ☎ 99 31 49 49 – – 30. VISA — AZ **q**
  SC : 24 – **42 ch** 219/256.
- **Président** sans rest, 27 av. Janvier ✉ 35100 ☎ 99 65 42 22 – . AE E VISA — BZ **p**
  SC : 22 – **34 ch** 230/290.
- **Novotel** M, par Rocade Sud : centre commercial ☎ 99 50 61 32, Télex 740144, , , – ch – 25 à 200. AE E VISA — CV **e**
  R carte environ 100 – 35 – **98 ch** 332/369.
- **Du Guesclin et rest. Goéland** M, 5 pl. Gare ☎ 99 31 47 47, Télex 740748 – – 30. AE E VISA — BZ **x**
  SC : **R** carte 90 à 135 – 25 – **68 ch** 245/282.
- **Sévigné** sans rest, 47 av. Janvier ✉ 35100 ☎ 99 67 27 55, Télex 741058 – wc wc . AE E VISA — BZ **a**
  SC : 18 – **48 ch** 120/215.
- **Voltaire** M sans rest, 10 r. Guébriant ☎ 99 67 33 33, , – wc wc . VISA — CU **k**
  SC : 18,50 – **32 ch** 97/174.
- **Voyageurs** sans rest, 28 av. Janvier ✉ 35100 ☎ 99 31 73 33 – wc wc . AE VISA. — BZ **b**
  fermé 18 juil. au 10 août et 19 déc. au 4 janv. – SC : 19,50 – **32 ch** 114/200.
- **Angelina** sans rest, 1 q. Lamennais ✉ 35100 ☎ 99 79 29 66 – wc . AE E VISA — AY **f**
  SC : 17 – **25 ch** 109/190.
- **Astrid** sans rest, 32 av. L.-Barthou ✉ 35100 ☎ 99 30 82 38 – wc wc . AE E VISA — BZ **u**
  SC : 18,50 – **30 ch** 108/226.
- **Garden-H.** sans rest, 3 r. Duhamel ✉ 35100 ☎ 99 65 45 06 – wc wc . VISA — BZ **r**
  SC : 17,50 – **22 ch** 103/228.

RENNES

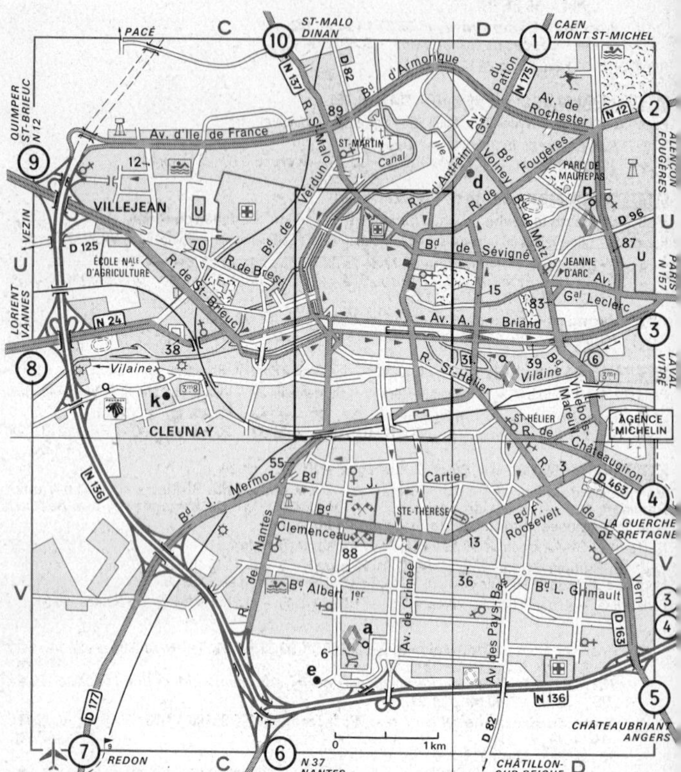

XXX ✿ **Palais** (Tizon), 7 pl. Parlement de Bretagne ✆ 99 79 45 01 – AE ◑ E VISA
fermé 11 au 31 août, vacances de fév., dim. soir et lundi – SC : **R** 78/150 BY **e**
Spéc. St-Pierre et sole en sauce claire, Caneton aux groseilles (sais.), Chaud-froid aux fraises des bois (sais.).

XXX **Le Coq-Gadby,** 156 r. Antrain ✆ 99 38 05 55, « Jardin intérieur » – Ⓟ. AE ◑ E VISA DU **d**
fermé 1er au 21 août – SC : **R** 85/140.

XX **Galopin Gourmet,** 21 av. Janvier ✉ 35100 ✆ 99 31 55 96 – VISA BZ **s**
fermé 14 juil. au 15 août, lundi midi et dim. – SC : **R** 74/112.

XX **Ti-Koz,** 3 r. St-Guillaume (près cathédrale) ✆ 99 79 33 89, « Vieille maison dite de Du Guesclin » – ◑ E VISA AY **e**
fermé 2 au 18 août, sam. en juil.-août et dim. – SC : **R** 98/220.

XX **Escu de Runfaô,** 5 r. Chapitre ✆ 99 79 13 10 – AE E VISA AY **z**
SC : **R** 140/170.

XX ✿ **Corsaire** (Luce), 52 r. Antrain ✆ 99 36 33 69 – AE ◑ E VISA BX **y**
fermé 27 juil. au 26 août et dim. sauf le midi de sept. à juin – SC : **R** carte 145 à 195
Spéc. Gratin de langoustines, Paupiettes de sole et saumon, Feuilleté de fruits de saison.

XX ✿ **Le Piré** (Angelle), 18 r. Mar.-Joffre ✆ 99 79 31 41 – AE ◑ VISA ABZ **f**
fermé 10 au 18 août, 22 au 26 déc., sam. midi, dim. et fériés – SC : **R** carte 140 à 200
Spéc. Fontainebleau de langoustines et écrevisses (juin à sept.), St-Pierre au citron vert, Rossini d'agneau aux baies roses.

tourner →

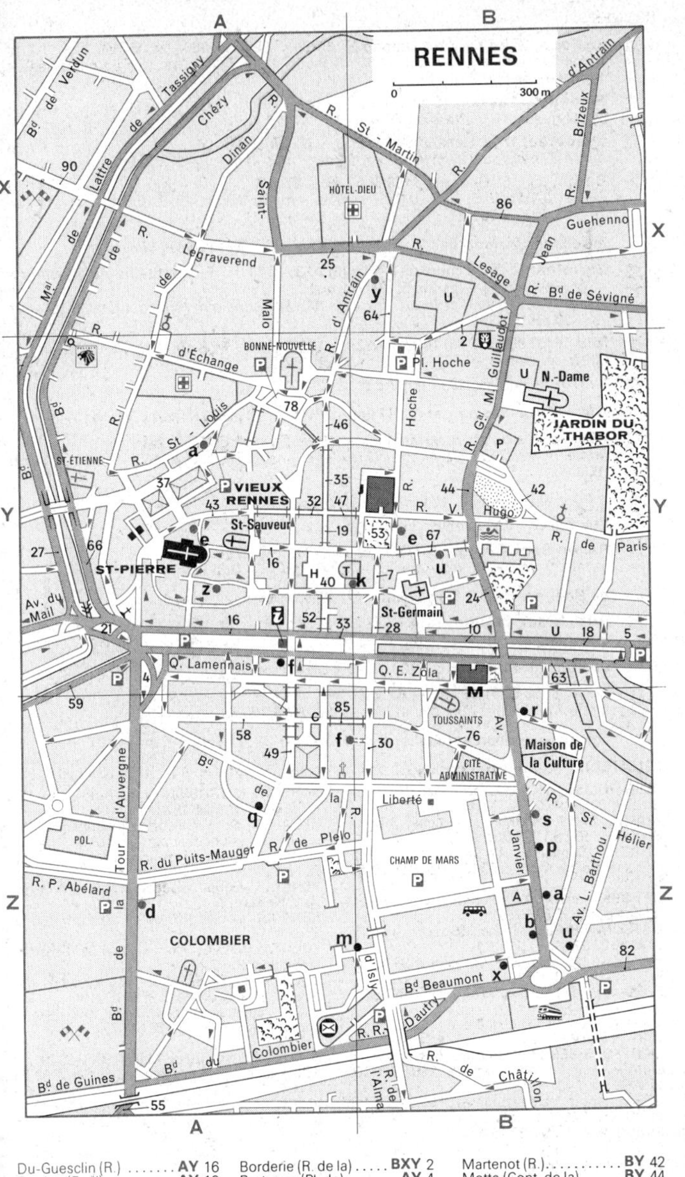
RENNES
0
300 m
A
B
X
Y
Z
HÔTEL-DIEU
BONNE-NOUVELLE
Pl. Hoche
N.-Dame
JARDIN DU THABOR
VIEUX RENNES
St-Sauveur
ST-PIERRE
ST-ÉTIENNE
St-Germain
Q. Lamennais
Q. E. Zola
TOUSSAINTS
Maison de la Culture
CITÉ ADMINISTRATIVE
Liberté
CHAMP DE MARS
POL.
COLOMBIER
R. du Puits-Mauger
R. P. Abélard
Bd de Guines
Bd Beaumont
Av. du Mail
R. de Châtillon
Bd de Sévigné
R. de Paris
R. V. Hugo
Bd de la Tour d'Auvergne
Av. Janvier
Av. L. Barthou
R. St-Hélier
R. de l'Alma
R. d'Isly
R. Dautry
R. Legraverend
R. d'Échange
R. St-Louis
R. St-Malo
R. d'Antrain
R. St-Martin
R. de Dinan
R. Chézy
Bd de Verdun
Bd de Lattre de Tassigny
R. Brizeux
R. Jean Guehenno
R. Lesage
R. Gal M. Guillaudot
R. Hoche
Bd de la Liberté
R. de Plelo
Bd du Colombier
Bd Mal de Lattre de Tassigny
90
86
25
64
2
78
46
35
37
43
32
47
19
53
67
44
42
27
66
16
40
7
24
52
33
28
21
10
18
5
4
59
63
85
58
30
76
49
82
55
y
a
e
u
z
k
f
c
r
q
s
p
d
m
b
x
U
P
H
T
M
A

XX **Le Foch,** 25 bd Tour d'Auvergne ✉ 35100 ✆ 99 30 80 66 – ▤. E VISA AZ **d**
fermé 11 au 17 août et dim. – SC : **R** (sous-sol) 100/260 **Grill** (rez-de-chaussée) **R** carte environ 80.

XX **Piccadilly Tavern,** 15 galerie du Théâtre ✆ 99 79 30 88 – E VISA. ✻ ABY **k**
SC : **R** (brasserie) carte 85 à 160 ꝟ.

XX **L'Ouvrée,** 18 pl. Lices ✆ 99 30 16 38 – AE ⓞ E VISA. ✻ AY **a**
fermé 29 mars au 8 avril, 3 au 25 août, sam. midi et lundi – SC : **R** 86/200 ꝟ.

X **Baron,** 26 r. St-Georges ✆ 99 38 87 56 – AE VISA BY **u**
fermé 15/7 au 15/8, 15/2 au 28/2, sam. et dim. du 15/5 au 15/9, dim. soir et lundi du 15/9 au 15/5 – SC : **R** 85/120.

à Cesson-Sévigné par ③ : 6 km – 10 945 h. – ✉ **35510** Cesson-Sévigné :

Germinal Ⓜ, 9 cours de la Vilaine ✆ 99 83 11 01, ≤, « petite île sur la rivière » – |‡| ⇔wc ☎ Ⓟ – 25. E VISA. ✻ rest
fermé 1er au 18 août et 1er au 15 janv. – SC : **R** *(fermé dim.)* 46 (sauf fêtes)/150 – ☐ 16 – **20 ch** 165/230.

Ibis Ⓜ, ✆ 99 83 93 93, Télex 740321 – |‡| TV ⇔wc ☎ ♿ Ⓟ – 25. E VISA
SC : **R** carte environ 85 ꝟ – ☐ 21 – **76 ch** 182/226.

XX Aub. de la Hublais, 28 r. Rennes ✆ 99 62 11 06 – Ⓟ.

à Noyal-sur-Vilaine par ③ : 12 km – 3 841 h. – ✉ **35530** Noyal-sur-Vilaine :

XX **Forges** Ⓜ avec ch, ✆ 99 00 51 08 – ⇔wc ⋒wc ☎ Ⓟ. AE E VISA
fermé 14 au 27 juil., 18 janv. au 2 fév. et dim. soir – SC : **R** 60/140 – ☐ 21 – **11 ch** 160/230.

à Pont-Réan par ⑦ : 15 km – ✉ **35170** Bruz.
Voir Église★ de Bruz NE : 3 km.

XX **Relais Beau Rivage,** D 177 ✆ 99 52 72 29 – Ⓟ. AE E VISA
fermé 28 janv. au 12 fév. et merc. – SC : **R** 53/150 – **Grill R** 45/85 ꝟ.

au Boël par ⑦ et D 131 : 17 km – ✉ **35580** Guichen :

XX **Aub. Vieux Moulin,** ✆ 99 52 72 25, ≤, ⛱, ⛱ – Ⓟ. VISA
fermé du lundi au jeudi – SC : **R** 68/150.

au Pont-de-Pacé par ⑨ : 10 km – ✉ **35740** Pacé :

XX **Pont,** ✆ 99 60 61 06, ⛱ – Ⓟ. VISA. ✻
fermé 7 au 22 juil., dim. soir et lundi – SC : **R** 58/120 ꝟ.

Voir aussi ressources hôtelières de *Liffré* par ② : 17 km

MICHELIN, Agence régionale, Z.I. de Chantepie, r. Veyettes par ④ ✆ **99 50 72 00**

ALFA-ROMEO, HONDA Guénée, 21 r. de Brest ✆ 99 59 24 02
AUSTIN, BMW, TRIUMPH J.-Huchet, 316 rte St-Malo ✆ 99 59 11 22 🅽 ✆ 99 59 12 43
CITROEN Succursale, 4 r. Breillou Z.I. Sud Est à Chantepie par ④ ✆ 99 53 15 15 🅽 ✆ 99 50 70 56
CITROEN Pinel, Z.A. la Fourrerie à Noyal sur Vilaine par ③ ✆ 99 00 55 70
DATSUN-NISSAN Morice, 309 rte de St Malo ✆ 99 59 23 69
FIAT Gar. Monnier, 20 r. Malakoff ✆ 99 65 00 99
FORD Gar. de l'Europe, 73 av. Mail ✆ 99 59 01 52
MAZDA Gar. de L'Ouest, 5 et 6 r. Gutenberg, ✆ 99 36 29 64
MERCEDES-BENZ Delourmel-Autom., 9 r. Cerisaie, Zone Ind. à St-Grégoire ✆ 99 38 10 10 🅽 ✆ 99 59 12 43
OPEL Honoré, rte de Fougères ✆ 99 36 34 37
PEUGEOT-TALBOT R.F.A., rte Paris, Cesson-Sévigné par ③ ✆ 99 83 16 06
PEUGEOT Sourget, r. J.-Valles CU ✆ 99 31 01 55 et 20 bd de Chezy AX
PORSCHE-MITSUBISHI Inter Auto Sport, 109 r. Fougères ✆ 99 36 16 41
RENAULT Succursale, rte de Fougères, lieu-dit les Longs-Champs par ② ✆ 99 38 41 41 et centre Alma, r. du Bosphore CV **a** ✆ 99 51 50 22
RENAULT Goupil, av. Joseph Jean à Bruz par ⑥ ✆ 99 52 61 13
RENAULT Louyer, 103 bd de Vitré DU **n** ✆ 99 36 39 47
TOYOTA, VOLVO Defrance, 40 av. Sergent-Maginot ✆ 99 67 21 11
V.A.G. Floc, 53 bis r. de Rennes à Cesson-Sévigné ✆ 99 83 94 94 🅽 ✆ 99 59 12 43
V.A.G. Générale Auto Rennaise, ZAC Beauregard R.A. Meynier ✆ 99 59 61 87

Ⓜ Fresnel-Pneus, 70 av. Mail ✆ 99 59 35 29
SOS Pneus, 7 r. Sauvaie Z.I. Sud-Est ✆ 99 53 71 00
Vallée-Pneus, 58 r. Poulain-Duparc ✆ 99 30 57 55, 171 av. Gén.-Leclerc ✆ 36.28.50 et Zone Ind., rte Lorient ✆ 99 59 13 47
Vallée Pneus r. des Charmilles à Cesson Sévigné ✆ 99 53 77 77

Dans votre intérêt, lisez les pages explicatives du début du guide.

La RÉOLE **33190** Gironde **79** ③ **G. Côte de l'Atlantique** – 4 483 h. alt. 23.
Voir Signal du Mirail ≤★ 2,5 km par ①.
ℹ Office de Tourisme pl. Libération (15 juin-15 sept.) ✆ 56 61 13 55.
Paris 580 ⑤ – Bergerac 68 ① – ♦Bordeaux 66 ④ – Libourne 46 ⑤ – Marmande 19 ②.

LA RÉOLE

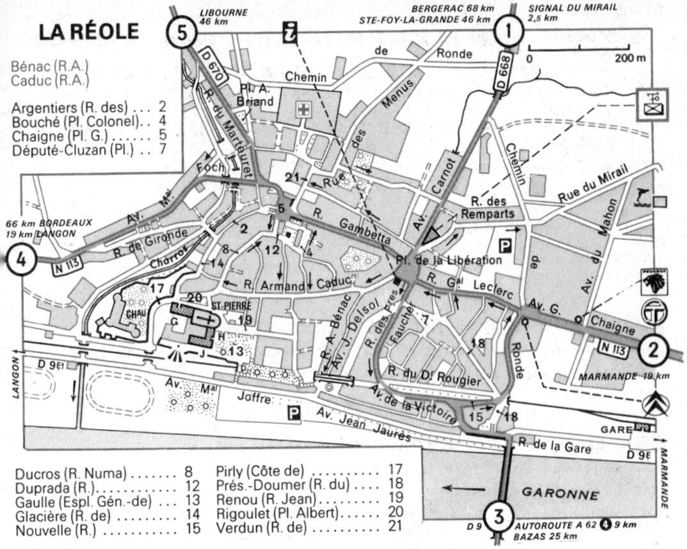

Bénac (R.A.)
Caduc (R.A.)

Argentiers (R. des) ... 2
Bouché (Pl. Colonel).. 4
Chaigne (Pl. G.) 5
Député-Cluzan (Pl.) .. 7

Ducros (R. Numa) 8
Duprada (R.)............ 12
Gaulle (Espl. Gén.-de) ... 13
Glacière (R. de) 14
Nouvelle (R.) 15
Pirly (Côte de) 17
Prés.-Doumer (R. du) 18
Renou (R. Jean)......... 19
Rigoulet (Pl. Albert)...... 20
Verdun (R. de) 21

à Gironde-sur-Dropt par ④ : 4 km – ✉ **33190** La Réole :

Les Trois Cèdres, ✆ 56 71 10 70, – wc ☎ Ⓟ. VISA.
fermé 1er au 21 nov. et lundi – SC : **R** 60/155 – 16,50 – **9 ch** 134/158 – P 206/250.

CITROEN Gd Gar. Carnevillier, 1 à 3 av. Chaigne ✆ 56 61 00 34
PEUGEOT-TALBOT Gar. Leyrat, av. Chaigne ✆ 56 61 00 79

Pneu Sce Réolais, Zone Ind. Frimont ✆ 56 61 04 51

RETHEL SP **08300** Ardennes 56 ⑦ **G. Champagne, Ardennes** – **8 942 h. alt. 76.**

Syndicat d'Initiative à l'Hôtel de Ville ✆ 24 39 12 16.

Paris 181 ④ – **Charleville-Mézières 44** ② – **Laon 70** ④ – **♦Reims 39** ④ – **Verdun 107** ③.

RETHEL

Caen (Pl. de)
Colbert (R.)........... 12
Curie (R. Pierre)........ 13
Drapier (R. Lucien) 16
République (Pl. de la).. 32
Thiers (R.)

Anatole-France (Pl.) ... 2
Brèche (R. de la) 3
Briand (R. Aristide) 4
Carnot (R.) 7
Clément (R. J.-B.) 10
Dolet (R. Étienne) 15
Ferry (R. Jules) 17
Gaulle (Av. du Gén.-de) 18
Hourtoulle (Pl.) 19
Jaurès (Av. Jean) 20
Lattre-de-Tassigny (Pl. de) 21
Linard (R.) 22
Mazarin (R.) 23
Neuville (R. de la) 24
Noiret-Chaigneau (Pl.) 26
Pépinière (R. de la) 28
Petits Monts (Bd des).. 29
Reims (R. de)......... 30
Roberotte-Labesse (R.) 33
St-Nicolas (Bd) 36
Tour (Chemin de la) ... 37
4e-Armée (Bd de la) ... 38

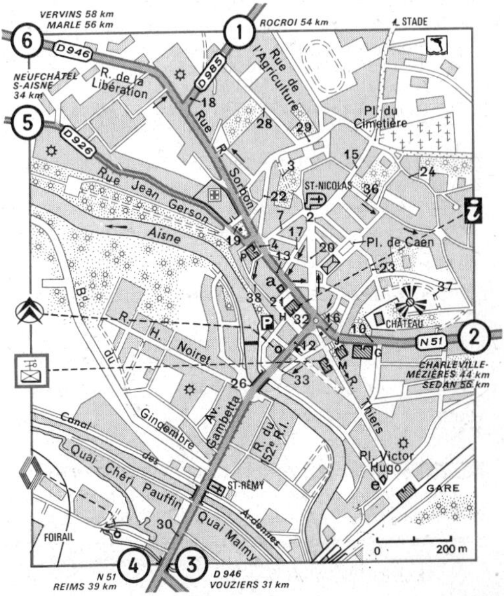

Les plans de villes sont orientés le Nord en haut.

Moderne, pl. Gare (e) ☎ 24 38 44 54 – TV wc wc ☎. AE ◐ E VISA. ✗ ch
fermé 23 déc. au 3 janv. – SC : **R** 120 – ☕ 23 – **25 ch** 107/230 – P 220/345.

Au Sanglier des Ardennes, 1 r. P.-Curie (a) ☎ 24 38 45 19 – wc. AE ◐ E VISA. ✗ rest
fermé 23 déc. au 4 janv. – SC : **R** *(fermé dim.)* 54/92 – ☕ 18,50 – **24 ch** 91/177 – P 210/280.

CITROEN Rethel-Automobiles, 11 r. Colbert ☎ 24 38 19 89
FIAT, LANCIA-AUTOBIANCHI Millart, 37 av. Gambetta ☎ 24 38 44 18
FORD S.R.A., Zone Ind., r. de Bitburg ☎ 24 38 19 48
PEUGEOT-TALBOT Dachy Auto Loisirs, r. Comtesse, Zone Ind. Pargny par ② ☎ 24 38 51 88
RENAULT Centre-Auto-Rethélois, r. de la Sucrerie ☎ 24 38 19 20
V.A.G. Charpentier, Zone Ind. de Pargny, r. de Bitburg ☎ 24 38 49 15

Fischbach-Pneu, 5 r. des Dames ☎ 24 38 01 70

RETJONS 40 Landes 79 ⑫ – 315 h. alt. 98 – ✉ 40120 Roquefort.

Paris 677 – Aire-sur-l'Adour 45 – Auch 105 – Langon 54 – Marmande 70 – Mont-de-Marsan 30.

Host. Landaise, S : 1,5 km sur D 932 ☎ 58 93 36 33, parc – wc Ⓟ. AE. ✗ ch
fermé 15 au 31 oct. – **R** 50/70 – ☕ 10 – **10 ch** 50/90 – P 120/130.

RETOURNAC 43130 H.-Loire 76 ⑦ G. Vallée du Rhône – 2 268 h. alt. 509.

Voir Gorges de la Loire★ NE et O – Église★ de Chamalières-sur-Loire O : 5 km.

Paris 561 – Ambert 58 – Monistrol-sur-Loire 22 – Le Puy 37 – ♦St-Étienne 52 – Yssingeaux 14.

Mourgue, 53 av. Gare ☎ 71 59 42 10 – ✗ rest
15 mai-1er nov. – SC : **R** 52/86 – ☕ 15 – **15 ch** 52/140 – P 160/195.

RENAULT Raynaud, ☎ 71 59 40 78

REUILLY-SAUVIGNY 02 Aisne 56 ⑮ – 163 h. alt. 67 – ✉ 02130 Fère-en-Tardenois.

Paris 111 – Château-Thierry 15 – Épernay 33 – Laon 72 – Montmirail 29 – ♦Reims 47.

XX **Aub. Le Relais** avec ch, N 3 ☎ 23 70 35 36, – Ⓟ. E VISA
fermé 26 août au 11 sept., 27 janv. au 20 fév., mardi soir et merc. – SC : **R** 71/168 – ☕ 13,50 – **7 ch** 74/122.

REVARD (Mont) 73 Savoie 74 ⑮ G. Alpes – alt. 1 538 – Sports d'hiver : 1 400/1 550 m ≴7, ⛷ – ✉ 73100 Aix-les-Bains.

Voir ☀★★★.

Accès : d'Aix-les-Bains par ② et D 913 : 21 km.

Paris 544 – Aix-les-Bains 21 – Annecy 47 – Chambéry 26 – Trévignin 14.

Chalet Bouvard, ☎ 79 61 51 43, ← – wc Ⓟ
31 mai-5 oct., 15 déc.-20 avril ; ouvert dim. et fêtes toute l'année – SC : **R** 60/80 – **30 ch** ☕ 100/200 – P 175/230.

XX **Quatre Vallées,** ☎ 79 61 47 35, ← lac et montagnes, – Ⓟ
fermé 30 sept. au 20 déc. et mardi – SC : **R** (déj. seul.) 73/130.

REVEL 31250 H.-Gar. 82 ⑳ G. Causses – 7 704 h. alt. 210.

Syndicat d'Initiative pl. Philippe VI de Valois (fermé matin hors saison et oct.) ☎ 61 83 50 06.

Paris 740 – Carcassonne 44 – Castelnaudary 19 – Castres 27 – Gaillac 60 – ♦Toulouse 53.

XXX **Le Lauragais,** 25 av. Castelnaudary ☎ 61 83 51 22, « Intérieur rustique » – Ⓟ. AE ◐ VISA
R 90/230.

à St-Ferréol SE : 3 km par D 629 – ✉ 31250 Revel.

Voir Bassin de St-Ferréol★.

Hermitage sans rest, ☎ 61 83 52 61, ←, – wc Ⓟ. AE ◐ VISA
fermé vacances de nov. et 2 janv. au 28 fév. – SC : ☕ 17 – **14 ch** 124/180.

CITROEN Fabre, 6 av. de la Gare ☎ 61 83 53 37
PEUGEOT-TALBOT Baylet, rte de Castres ☎ 61 83 54 10

Lavail-Pneus rte Castelnaudary ☎ 61 83 50 09

RÉVILLE 50 Manche 54 ③ – 1 246 h. alt. 9 – ✉ 50760 Barfleur.

Voir Pointe de Saire : blockhaus ←★ O : 2 km, G. Normandie.

Paris 354 – Carentan 45 – Cherbourg 32 – St-Lô 73 – Valognes 22.

Au Moyne de Saire, ☎ 33 54 46 06 – wc ☎ Ⓟ. ✗ ch
fermé 11 nov. au 1er janv., dim. soir et vend. hors sais. – SC : **R** 49/100 – ☕ 16 – **12 ch** 80/172 – P 150/190.

REVIN 08500 Ardennes 53 ⑱ **G. Champagne, Ardennes** – 10 603 h. alt. 134.

Voir Point de vue de la Faligeotte★ E : 2 km.

Bureau de Tourisme (juin-sept.) ✆ 24 40 15 65 et à la Mairie ✆ 24 40 10 44.

Paris 242 – Charleville-Mézières 23 – Givet 32 – Rocroi 12.

François 1er, 46 quai C.-Desmoulins ✆ **24 40 15 88** – wc ☎ P. E VISA
SC : **R** *(fermé dim. soir)* 50/140 – 17,50 – **20 ch** 103/159 – P 202/230.

Le J'y cours, 9 av. J.-B.-Clément ✆ **24 40 01 27** – VISA
fermé 15 au 30 sept., 5 au 25 janv., dim. soir et lundi – **R** 40/70.

CITROEN Verrier, 230 r. J.-Moulin ✆ 24 40 11 40

PEUGEOT-TALBOT SIGA, r. W.-Rousseau ✆ 24 40 12 34

REY 30 Gard 80 ⑯ – rattaché au Vigan.

Les REYS DE SAULCE 26 Drôme 77 ⑪ – rattaché à Saulce-sur-Rhône.

REZÉ 44 Loire-Atl. 67 ③ – rattaché à Nantes.

Le RHIEN 70 H.-Saône 66 ⑦ – rattaché à Ronchamp.

RHINAU 67860 B.-Rhin 62 ⑩ – 2 331 h. alt. 159.

Paris 513 – Marckolsheim 26 – Molsheim 36 – Obernai 26 – Sélestat 29 – ♦Strasbourg 33.

Bords du Rhin, au passage du bac ✆ **88 74 60 36,** – wc ☎ P. E VISA
fermé 15 janv. au 15 fév. et 23 juin au 2 juil. – SC : **R** *(fermé lundi soir et mardi)* 40/100 – 13 – **15 ch** 120/130 – P 160.

✿ **Vieux Couvent** (Albrecht), ✆ **88 74 61 15** – AE E VISA
fermé 7 au 19 juil., Noël au 15 janv., mardi soir et merc. – SC : **R** 102/219
Spéc. Matelote à l'alsacienne, Aiguillettes de canard sauvage (15 sept. au 1er fév.), Chariot de desserts. **Vins** Sylvaner, Pinot noir.

CITROEN Furstenberger, ✆ 88 74 60 59

La RHUNE (Montagne de) 64 Pyr.-Atl. 85 ② **G. Pyrénées** – alt. 900.

Voir ★★★.

Accès : par chemin de fer à crémaillère du col de St-Ignace.

RIANS 83560 Var 84 ④ – 1 723 h. alt. 355.

Office de Tourisme (1er juil.-31 août) ✆ 94 80 33 37.

Paris 773 – Aix-en-Provence 39 – Avignon 98 – Draguignan 69 – Manosque 37 – ♦Toulon 77.

Esplanade, ✆ **94 80 31 12,** ≤ – wc
SC : **R** 55/110 – 13 – **8 ch** 100/140 – P 140/160.

RENAULT Sepulveda, N 561, quartier St-Esprit ✆ 94 80 30 78

RIBEAUVILLÉ SP 68150 H.-Rhin 62 ⑱⑲ **G. Alsace et Lorraine** – 4 611 h. alt. 240.

Voir Tour des Bouchers★ A – Hunawihr : Centre de réintroduction des cigognes★ S : 3 km par ④.

Office de Tourisme 1 Grand'Rue ✆ 89 73 62 22.

Paris 429 ⑤ – Colmar 15 ③ – Gérardmer 63 ④ – ♦Mulhouse 59 ④ – St-Dié 41 ⑤ – Sélestat 15 ②.

Plan page suivante

✿ **Clos St-Vincent** (Chapotin) M, NE : 1,5 km par VO ✆ **89 73 67 65,** « Dans le vignoble dominant la plaine d'Alsace, ≤ », – P. E VISA B u
début mars-mi nov. – SC : **R** *(fermé mardi et merc.)* carte 190 à 265 – **8 ch** 455/740, 3 appartements 845
Spéc. Fricassée de turbot et saumon à la ciboulette, Foie chaud de canard aux noix, Lapereau à la crème. **Vins** Riesling, Gewurztraminer.

Tour M sans rest, 1 r. Mairie ✆ **89 73 72 73** – wc wc ☎. E VISA. A a
fermé 1er janv. au 6 mars – SC : 17 – **32 ch** 153/245.

Cheval Blanc, 122 Grand'Rue ✆ **89 73 61 38** – wc wc ☎ P. E VISA A b
fermé déc., janv. et lundi – SC : **R** 70/90 – 14 – **25 ch** 95/160 – P 140/175.

✿ **Vosges** (Matter) avec ch, 2 Grand'Rue ✆ **89 73 61 39** – wc ☎. AE E VISA. ch B e
fermé 24 nov. au 7 déc., 1er au 21 fév., mardi (sauf rest. le soir du 1er mars au 1er nov.) et lundi – **R** (dim. et fêtes prévenir) 85/245 – 25 – **17 ch** 120/250
Spéc. Parfait de foie gras d'oie, Turbot au flan de carottes, Pigeonneau en compote. **Vins** Riesling, Pinot gris.

Haut-Ribeaupierre, 1 km rte de Bergheim ✆ **89 73 62 64,** – VISA B n
fermé 11 fév. au 12 mars, mardi soir et merc. – SC : **R** 65/180.

Relais des Menétriers, 10 A av. Gén. de Gaulle ✆ **89 73 64 52** – AE VISA B k
fermé 1er au 8 juil., fév., dim. soir et lundi – SC : **R** 55/210.

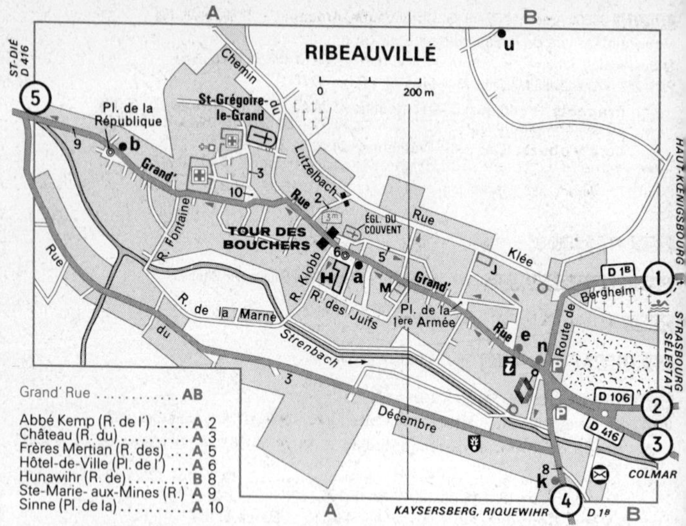

rte de Ste Marie-aux-Mines **par ⑤ : 4 km :**

La Pépinière ⛰, ℘ 89 73 64 14, ≤, 🪑 – 🛁wc 🚿wc ☎ 🚗 Ⓟ – 🏋 30. AE VISA
fermé 31 janv. au 1er avril – SC : **R** *(fermé mardi sauf le soir en sais. et merc. midi)* 83/200 – ☕ 25 – **19 ch** 190/280 – P 270/335.

CITROEN Gar. Wickersheim, à Hunawihr par ④ ℘ 89 73 62 02 N
RENAULT Gar. Jessel, ℘ 89 73 61 33 N
V.A.G. Gar. Findeli, ℘ 89 73 61 17

RIBÉRAC 24600 Dordogne **75** ④. **G. Côte de l'Atlantique – 4 291 h. alt. 68.**

ℹ Syndicat d'Initiative pl. Gén.-de-Gaulle (hors sais. matin seul.) ℘ 53 90 03 10.

Paris 502 – Angoulême 58 – Barbezieux 57 – Bergerac 51 – Libourne 71 – Nontron 49 – Périgueux 37.

France, r. M.-Dufraisse ℘ 53 90 00 61, 🪑 – 🛁 🚿wc ☎. AE E VISA
SC : **R** 51/140 – ☕ 17,50 – **18 ch** 78/145 – P 146/182.

CITROEN Lafargue, ℘ 53 90 05 38
PEUGEOT-TALBOT Fargeout, ℘ 53 90 01 09 N ℘ 53 90 14 37
Compt. Riberacois Pneu, ℘ 53 90 05 06

RIBOU (Lac de) 49 M.-et-L. **67** ⑥ – rattaché à Cholet.

RICHARDMÉNIL 54 M.-et-M. **62** ⑤ – rattaché à Nancy.

RICHELIEU 37120 I.-et-L. **68** ③ **G. Châteaux de la Loire – 2 496 h. alt. 41.**

ℹ Syndicat d'Initiative 6 Grande rue (Pâques-30 sept.) ℘ 47 58 13 62 et à l'Hôtel de Ville ℘ 47 58 10 13.

Paris 294 – Châtellerault 30 – Chinon 21 – Poitiers 54 – Thouars 44 – ♦Tours 60.

Château de Milly ⛰, **SE : 9 km par D 749** ℘ **47 95 64 56, parc** – 🛁wc ☎ Ⓟ – 🏋 30. AE ⓓ E VISA. ✻ rest
15 avril-15 oct. – SC : **R** *(fermé le midi sauf sam. et dim.)* 145/185 – ☕ 31 – **15 ch** 176/410 – P 466/610.

PEUGEOT-TALBOT Gar. du Richelais, ℘ 47 95 32 36 N
RENAULT Legeay, ℘ 47 58 10 76

RICHEMONT 57 Moselle **57** ③④ – **2 166 h. alt. 174 – ✉ 57270** Uckange.

Paris 332 – Briey 20 – Longwy 46 – ♦Metz 20 – Rombas 7 – Thionville 9,5 – Verdun 77.

XX **Freddy,** D 953 ℘ **87 71 24 10** – Ⓟ. AE ⓓ E VISA
fermé 9 au 14 avril, 6 au 26 juil., 26 déc. au 2 janv. et sam. – SC : **R** 62/165 🌡.

Si vous devez faire étape dans une station ou dans un hôtel isolé, prévenez par avance, ***surtout en saison.***
Une réservation confirmée par écrit est toujours plus sûre.

RIEC-SUR-BÉLON 29124 Finistère 58 ⑪⑯ – 4 059 h. alt. 48.

Syndicat d'Initiative pl. Église (juin-août) ☎ 98 06 97 65.

Paris 520 – Carhaix-Plouguer 61 – Concarneau 19 – Quimper 38 – Quimperlé 13.

XXX **Chez Mélanie** avec ch, face église ☎ 98 06 91 05, collection de tableaux – AE ⓓ
1er fév.-2 nov. – SC : **R** *(fermé mardi)* (dim. et fêtes - prévenir) 90/211 – 21 – **7 ch** 134/190.

XXX **Kerland,** S : 4 km par D 24 et VO ☎ 98 06 42 98, ← – Ⓟ. VISA
fermé 15 fév. au 15 mars, dim. soir et lundi midi de sept. à avril – SC : **R** 82/230.

RIEDISHEIM 68 H.-Rhin 66 ⑩ – rattaché à Mulhouse.

RIEUMES 31370 H.-Garonne 82 ⑰ – 2 424 h. alt. 281.

Paris 744 – Auch 60 – Foix 74 – St-Gaudens 59 – ♦Toulouse 39.

l'Ovalie, pl. Marché ☎ 61 91 81 06 – **18 ch**.

CITROEN Gar. Rieumois, ☎ 61 91 81 28

RIEUPEYROUX 12240 Aveyron 80 ① – 2 634 h. alt. 718.

Paris 632 – Albi 54 – Carmaux 38 – Millau 93 – Rodez 38 – Villefranche-de-Rouergue 24.

Commerce, ☎ 65 65 53 06, , – wc wc Ⓟ. E VISA. rest
fermé 19 déc. au 15 janv., dim. soir et lundi midi sauf juil.-août – SC : **R** 50/135 – 15 – **28 ch** 66/125 – P 147/162.

CITROEN Malrieu, ☎ 65 65 53 47 | RENAULT Gar. Costes, ☎ 65 65 54 15

RIEUTORT-DE-RANDON 48 Lozère 76 ⑮ – 661 h. alt. 1 130 – ✉ 48700 St-Amans.

Paris 553 – Mende 18 – Le Puy 80 – St-Alban-sur-Limagnole 30 – St-Chély-d'Apcher 30.

Plateau du Roy , N 106 ☎ 66 47 33 03, ←, – wc wc Ⓟ.
fermé 15 nov. au 10 mars – SC : **R** 45/100 – 18 – **17 ch** 185/210 – P 215/240.

RIEUX-MINERVOIS 11 Aude 83 ⑫ **G. Causses** – 1 893 h. alt. 115 – ✉ **11160** Caunes-Minervois – **Voir** Église★.

Paris 880 – Béziers 57 – Carcassonne 26 – Mazamet 57 – Narbonne 39.

XX **Logis de Mérinville** avec ch, ☎ 68 78 11 78 – wc. E VISA
fermé 1er au 15 oct. et 2 au 16 janv. – SC : **R** *(fermé lundi du 1er oct. au 31 mars)* 75 bc/160 – 15 – **8 ch** 95/125 – P 193/208.

RIGNAC 12390 Aveyron 80 ① – 1 739 h. alt. 500.

Paris 617 – Aurillac 90 – Figeac 38 – Rodez 29 – Villefranche-de-Rouergue 28.

Marre, ☎ 65 64 51 56, – wc wc Ⓟ – 30. E
fermé vacances de Pâques et dim. sauf juil.-août – SC : **R** 38/100 – 12 – **18 ch** 70/120 – P 120/150.

RIGNY 70 H.-Saône 66 ⑭ – rattaché à Gray.

RILLY-SUR-LOIRE 41 L.-et-Ch. 64 ⑯ – 367 h. alt. 65 – ✉ **41150** Onzain.

Paris 202 – Amboise 13 – Blois 21 – Montrichard 17 – ♦Tours 37.

Château de la Hte Borde, ☎ 54 20 98 09, , « parc » – wc wc Ⓟ – 35. E.
15 mars-16 nov. et fermé lundi (sauf hôtel) et dim. soir – SC : **R** 55/170 – 20 – **18 ch** 90/205 – P 168/230.

RIMBACH-PRÈS-GUEBWILLER 68 H.-Rhin 62 ⑱ – 188 h. alt. 563 – ✉ **68500** Guebwiller.

Paris 478 – Belfort 58 – Cernay 18 – Colmar 33 – Guebwiller 9 – ♦Mulhouse 26 – Thann 25.

Aigle d'Or , ☎ 89 76 89 90, – wc Ⓟ. ⓓ.
fermé 25 fév. au 20 mars et lundi d'oct. à avril – SC : **R** 35/110 – 15 – **20 ch** 57/150 – P 125/150.

RIOM 63200 P.-de-D. 73 ④ **G. Auvergne** – 18 901 h. alt. 353.

Voir Église N.-D.-du-Marthuret★ : Vierge à l'Oiseau★★★ ZB – Maison des Consuls★ YD – Hôtel Guimoneau★ YE – Palais de Justice : Ste-Chapelle★ YJ – Cour★ de l'Hôtel de Ville YH – Musées : Auvergne★ YM1, Mandet★ YM2 – Mozac : chapiteaux★★, trésor★★ de l'église★ 2 km par ⑤ – Marsat : Vierge noire★★ dans l'église SO : 3 km par D 83 Z.

Env. Châteaugay : donjon★ du château et ★ 7,5 km par ④ et D 15 E – Église★ d'Ennezat 9 km par ③.

Office de Tourisme 16 r. Commerce (hors sais. matin seul.) ☎ 73 38 59 45.

Paris 373 ② – ♦Clermont-Fd 15 ④ – Montluçon 76 ① – Moulins 81 ② – Thiers 44 ③ – Vichy 39 ②.

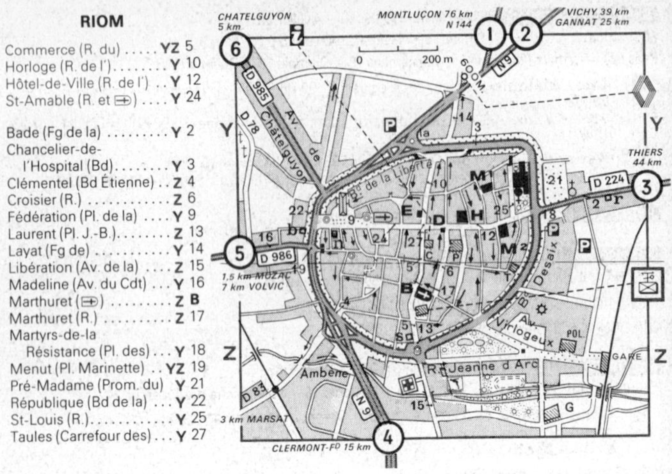

Mikégé sans rest, 40 pl. J.-B.-Laurent ✆ 73 38 04 12 – wc ⋒wc ☎. E VISA. Z s
SC : ☐ 15 – **16 ch** 141/233.

Lyon sans rest, 107 fg La-Bade ✆ 73 38 07 66, – ⋒wc ☎ Ⓟ. Y r
fermé 1er au 10 mai et 31 août au 15 sept. – SC : ☐ 13,50 – **15 ch** 61/105.

La Caravelle sans rest, 21 bd République ✆ 73 38 31 90 – ⋒wc ☎. VISA Y b
SC : ☐ 13,50 – **25 ch** 73/133.

XX **Les Petits Ventres,** 6 r. A.-Dubourg ✆ 73 38 21 65 – AE E VISA Y n
fermé 25 août au 22 sept., 2 au 10 janv., sam. midi, dim. soir et lundi – SC : **R** 78/180

CITROEN Place, Z.A. rte de Volvic à Mozac par ⑤ ✆ 73 38 03 93
PEUGEOT-TALBOT Clermontoise-Auto, 81 av. de Clermont par av. Libération ✆ 73 38 23 05
RENAULT Gaudoin, Z.A. à Mozac par ⑤ ✆ 73 38 20 76
RENAULT Gioffre, 26 rte Paris ✆ 73 38 00 36

RIOM-ÈS-MONTAGNES 15400 Cantal 76 ②③ **G. Auvergne** – 3 659 h. alt. 842.

Voir Église St-Georges*.

Office de Tourisme pl. Gén.-de-Gaulle (fermé matin sauf juil.-août) ✆ 71 78 07 37.

Paris 486 – Aurillac 94 – Mauriac 36 – Murat 39 – Ussel 54.

Modern'H., face gare ✆ 71 78 00 13 – wc ⋒wc ☎. AE E
fermé 1er au 15 janv., vend. soir et sam. midi sauf du 1er mai au 30 sept. et vacances scolaires – SC : **R** 47/70 – ☐ 13,50 – **26 ch** 55/112 – P 134/160.

CITROEN Tible, ✆ 71 78 00 35 N
PEUGEOT-TALBOT Riom-Automobiles, ✆ 71 78 03 08
RENAULT Jouve ✆ 71 78 07 22

RION-DES-LANDES 40370 Landes 78 ⑤ – 2 489 h. alt. 63.

Paris 712 – •Bayonne 82 – •Bordeaux 122 – Dax 33 – Mimizan 48 – Mont-de-Marsan 42.

Le Relais des Landes, rte Tartas ✆ 58 57 10 20 – ⋒. VISA
fermé 20 déc. au 15 janv., dim. soir et lundi – SC : **R** 48/240 – ☐ 13 – **14 ch** 65/106.

RIORGES 42 Loire 73 ⑦ – rattaché à Roanne.

RIOTORD 43 H.-Loire 76 ⑨ – 1 330 h. alt. 840 – ✉ 43220 Dunières.

Paris 540 – Annonay 33 – •St-Étienne 31 – Vienne 72 – Yssingeaux 31.

La Forestière ⊗, rte de Clavas ✆ 71 75 38 62, ≤, – wc ⋒wc ☎ Ⓟ. E VISA
fermé janv. au 1er mars et mardi sauf du 15 juin au 15 sept. – SC : **R** 60/150 – ☐ 15 – **7 ch** 130 – P 160/190.

RIOZ 70190 H.-Saône 66 ⑮ – 816 h. alt. 264.

Paris 426 – Belfort 77 – •Besançon 22 – Gray 47 – Vesoul 25 – Villersexel 37.

Logis Comtois, ✆ 84 91 83 83 – wc ⋒ ☎ Ⓟ
fermé 15 déc. au 31 janv. – SC : **R** *(fermé dim. soir et lundi midi)* 64/115 – ☐ 16 – **25 ch** 100/190.

RENAULT Pernin, ✆ 84 91 82 10

RIQUEWIHR 68340 H.-Rhin 62 ⑱⑲ **G. Alsace et Lorraine** (plan) – 1 045 h. alt. 300.
Voir Village***.

Office de Tourisme r. Gén.-de-Gaulle (1er avril-30 sept.) ✆ 89 47 80 80.

Paris 434 – Colmar 13 – Gérardmer 62 – Ribeauvillé 4,5 – St-Dié 46 – Sélestat 19.

Le Riquewihr M sans rest, rte Ribeauvillé ✆ **89 47 83 13**, ← – TV P. AE E VISA
SC : 20 – **49 ch** 120/220.

Au Riesling M, **à Zellenberg** E : **1 km sur D 1B** ✆ **89 47 85 85**, ← – wc wc P. E VISA.
fermé 10 janv.au 28 fév. – SC : **R** *(fermé dim. soir et lundi)* 62/185 – 21 – **36 ch** 225/265.

Aub. Schoenenbourg, r. Piscine ✆ **89 47 92 28**, – VISA
fermé 15 janv. au 15 fév., merc. soir et jeudi – SC : **R** carte 145 à 220.

RISCLE 32400 Gers 82 ② – 1 889 h. alt. 105.

Paris 738 – Aire-sur-l'Adour 17 – Auch 70 – Condom 61 – Mirande 55 – Pau 55 – Tarbes 52.

Paix, ✆ **62 69 70 14** – wc P
fermé oct. et lundi sauf juil.-août – SC : **R** 54/114 – 12 – **16 ch** 53/98 – P 152.

CITROEN Coulom, ✆ 62 69 70 08
PEUGEOT-TALBOT Laffargue, ✆ 62 69 72 61
RENAULT Caritey ✆ 62 69 70 31

RISOUL 05 H.-Alpes 77 ⑱ – rattaché à Guillestre.

RIVA-BELLA 14 Calvados 55 ② – voir à Ouistreham-Riva-Bella.

RIVALET 63 P.-de-D. 73 ⑭ – rattaché à St-Nectaire.

RIVE-DE-GIER 42800 Loire 73 ⑲ **G. Vallée du Rhône** – 15 850 h. alt. 242.

Paris 490 – ♦Lyon 37 – Montbrison 58 – Roanne 99 – ♦St-Étienne 22 – Thiers 129 – Vienne 27.

à Ste-Croix-en-Jarez SE : 10 km par D 30 – ✉ **42800** Rive-de-Gier :

Le Prieuré avec ch, ✆ **77 20 20 09** – . AE E VISA.
fermé fév. et lundi – SC : **R** 52/140 – 19 – **4 ch** 155/180 – P 200/240.

AUSTIN-ROVER Gar. Ripagérien Ochs, 10 r. M.-Gorki ✆ 77 75 01 55
CITROEN Bellon, 9 r. J.-Guesde ✆ 77 75 00 39
OPEL Putinier, 18 av. Mar.-Juin ✆ 77 75 02 30
PEUGEOT-TALBOT Boutin, 44 r. Cl.-Drivon ✆ 77 75 04 22

RIVEDOUX-PLAGE 17 Char.-Mar. 71 ⑫ – voir à Ré (Ile de).

RIVESALTES 66600 Pyr.-Or. 86 ⑨⑲ **G. Pyrénées** – 7 454 h. alt. 29.

✈ **de Perpignan-Rivesaltes : ✆ 68 61 22 24 : 4 km.**

Syndicat d'Initiative r. L.-Rollin ✆ 68 64 04 04.

Paris 900 – Narbonne 57 – ♦Perpignan 10 – Quillan 69.

Alta Riba, av. Gare ✆ **68 64 01 17** – wc wc P – 100. VISA
fermé 15 déc. au 15 janv. – SC : **R** *(fermé vend. soir, dim. soir et lundi midi du 1er oct. au 31 mai)* 52/140 – 18 – **54 ch** 125/185.

Debèze sans rest., **11 r. A.-Barbès (près église)** ✆ **68 64 05 88** – . AE E VISA
SC : 16 – **16 ch** 60/160.

CITROEN Galabert, 13 av. Gambetta ✆ 68 64 07 67
FORD Gar. Guillouf, Zone Artisanale ✆ 68 64 40 97 N ✆ 68 64 13 50
RENAULT Vila, 22 r. Ed.-Vaillant ✆ 68 64 02 14

RIVIÈRE-SUR-TARN 12640 Aveyron 80 ④ – 711 h. alt. 379.

Paris 627 – Mende 71 – Millau 12 – Rodez 71 – Sévérac-le-Château 30.

Andrieu, ✆ **65 59 81 40**, – wc P. E.
fermé 1er au 15 oct. et jeudi de nov. à mars – SC : **R** 47/105 – 12,50 – **22 ch** 70/135 – P 258/323 (pour 2 pers.).

RENAULT Gar. Vayssière, ✆ 65 60 80 05

La RIVIÈRE-THIBOUVILLE 27 Eure 55 ⑮ – alt. 72 – ✉ **27550** Nassandres.

Paris 137 – Bernay 14 – Évreux 35 – Lisieux 38 – Le Neubourg 16 – Pont-Audemer 33 – ♦Rouen 49.

Soleil d'Or avec ch, ✆ **32 45 00 08**, – TV wc wc P – 30. E VISA
fermé fév. et merc. sauf juil. et août – SC : **R** 70/210 – 28 – **12 ch** 180/260 – P 220/380.

PEUGEOT-TALBOT Gar. Chaise, N 13 à Nassandres ✆ 32 45 00 33 N

ROANNE <SP> **42300** Loire **73** ⑦ **G. Vallée du Rhône** – **49 638 h. alt. 279.**

Env. **Belvédère de Commelle-Vernay** ≤* : **7 km au S par Q. P. Sémard** BZ.

Domaine de Champlong ☎ **77 67 67 13 par** ④.

Office de Tourisme avec A.C. cours République ☎ 77 71 51 77.

Paris 390 ⑥ – **Bourges 196** ⑥ – **Chalon-sur-Saône 134** ① – ♦**Clermont-Ferrand 104** ④ – ♦**Dijon 202** ① – ♦**Lyon 86** ③ – **Montluçon 138** ⑥ – ♦**St-Étienne 78** ③ – **Valence 181** ③ – **Vichy 74** ⑥.

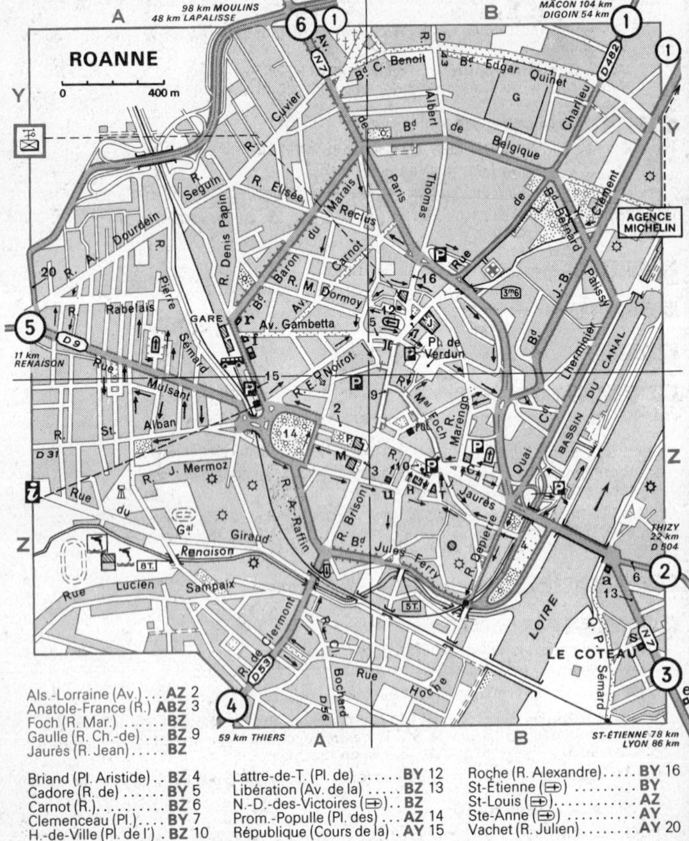

Als.-Lorraine (Av.) . . . AZ 2
Anatole-France (R.) ABZ 3
Foch (R. Mar.) . . . . . . BZ
Gaulle (R. Ch.-de) . . . BZ 9
Jaurès (R. Jean) . . . . . BZ

Briand (Pl. Aristide) . . BZ 4
Cadore (R. de) . . . . . . BY 5
Carnot (R.) . . . . BZ 6
Clemenceau (Pl.) . . . . BY 7
H.-de-Ville (Pl. de l') . BZ 10
Lattre-de-T. (Pl. de) . . . . . . BY 12
Libération (Av. de la) . . . . . BZ 13
N.-D.-des-Victoires (⊞) . . BZ
Prom.-Populle (Pl. des) . . . AZ 14
République (Cours de la) . AY 15
Roche (R. Alexandre) . . . . . BY 16
St-Étienne (⊞) . . . . BY
St-Louis (⊞) . . . . AZ
Ste-Anne (⊞) . . . . AY
Vachet (R. Julien) . . . . AY 20

✿✿✿ **H. des Frères Troisgros** Ⓜ, **pl. Gare** ☎ **77 71 66 97, Télex 307507** – rest **AE** **VISA** AY **r**
fermé 4 au 20 août, janv., merc. midi et mardi – **R** (nombre de couverts limité - prévenir) 200/380 et carte – ☐ 55 – **18 ch** 420/520, 6 appart. 720/850
Spéc. Aubergines aux queues d'écrevisses (printemps-été), Filets de sole, Soufflé tiède au caramel.
Vins Beaujolais, Vins de Bourgogne.

Gd Hôtel, 18 cours République ☎ **77 71 48 82, Télex 300573** – 100. **AE** **E** **VISA** AY **f**
fermé 21 déc. au 5 janv. – **SC** : **R** voir rest **L'Astrée** – ☐ 23 – **35 ch** 218/280.

Terminus sans rest, **face gare** ☎ **77 71 79 69** – wc AY **f**
SC : ☐ 19,50 – **51 ch** 112/205.

✿ **Côté Jardin** (Gaillard), **10 r. Benoît Malon** ☎ **77 72 81 88** – **VISA** BZ **u**
fermé sam. midi et dim. – **SC** : **R** 68/145
Spéc. Salade d'aiguillettes de caneton aux deux foies gras, Flans de brochet au coulis de tourteau, Crépinettes de ris de veau.

L'Astrée, 17 bis cours République ☎ **77 72 74 22** – **AE** **VISA** AY **f**
fermé 22 déc. au 5 janv., 16 août au 1er sept., sam. soir et dim. – **SC** : **R** 80/180.

au Coteau (rive droite de la Loire) – 8 380 h. – ✉ **42120** Le Coteau :

Artaud, 133 av. Libération ✆ 77 68 46 44 – TV ⇔wc ⋒wc ☎ – 150. E VISA BZ e
fermé dim. – SC : **R** *(fermé 5 au 25 juil. et dim. sauf fêtes)* 65/200 – 20 – **18 ch** 130/280.

Ibis M, 53 bd Ch.-de-Gaulle, Z. I. Le Coteau ✆ 77 68 36 22, Télex 300610 – TV ⇔wc ☎ ♿ P – 25 à 70. AE E VISA
SC : **R** *(fermé dim. midi)* carte environ 85 – 22 – **51 ch** 180/245.

XX ⚘ **Aub. Costelloise** (Alex), 2 av. Libération ✆ 77 68 12 71 – VISA BZ a
fermé 20 juil. au 28 août, vacances de fév., dim. et lundi – SC : **R** 87 (sauf sam. soir)/190
Spéc. Foie gras chaud de canard, Paupiettes de langoustines (saison), Tourte de caille et ris de veau. **Vins** Côtes Roannaises.

X **Ma Chaumière,** 3 r. St-Marc ✆ 77 67 25 93 – VISA. ✻ BZ s
fermé 28 juil. au 31 août, dim. soir et lundi – SC : **R** 67/145.

à Riorges O : 3 km par D 31 - AZ – 8 993 h. – ✉ **42300** Roanne :

XX **Le Marcassin** avec ch, rte St-Alban-les-Eaux ✆ 77 71 30 18, – ⋒wc. AE VISA. ✻ ch
fermé 1er au 21 août et vacances de fév. – SC : **R** *(fermé dim. du 1er nov. au 31 mars et sam.)* 60/195 – 22 – **10 ch** 110/160.

par ⑥, rte St-Germain : 7 km – ✉ **42640** St-Germain-L'Espinasse :

Relais de Roanne, ✆ 77 71 97 35, Télex 307554 – ▤ rest TV ⇔wc ⋒wc ☎ P – 40. AE ⦿ E VISA
SC : **R** *(fermé 2 au 29 janv.)* 59/230 – 20 – **30 ch** 152/226.

MICHELIN, Agence, Zone Ind. Arsenal Sud, 8 av. de la Marne par ① ✆ **77 72 06 09**

FORD Gar. de la Poste, 56 r. R.-Salengro ✆ 77 68 31 99
LANCIA-AUTOBIANCHI Gar. de France 126 av. Paris ✆ 77 72 46 44
VOLVO Gd Gar. Gobelet, 54 av. Gambetta ✆ 77 72 30 22
Comptoir Roannais C/c, bd C.-Benoit ✆ 77 71 49 21

Périphérie et environs

CITROEN Lagoutte, N 7, Les Plaines à Le Coteau par ③ ✆ 77 67 00 22 N ✆ 77 72 41 77
DATSUN-NISSAN Gar. Sinoir, 16 av. Paris à Riorges ✆ 77 71 73 42
FIAT, MERCEDES SOGEMO, Aiguilly, D 482 à Vougy ✆ 77 72 26 22
PEUGEOT-TALBOT SAGG, rte Paris, Riorges N7 par ⑥ AZ ✆ 77 71 66 17
RENAULT Lafay, bd Ch.-de-Gaulle Le Côteau par ③ ✆ 77 71 04 08
TOYOTA L'Autom. Costelloise, 21 r. A.-France à Le Coteau ✆ 77 68 38 66
V.A.G. Gar. Route Bleue, 29 bd des Etines Zone Ind. ✆ 77 67 34 00

Comptoir du Pneu, 4 pl. de l'Eglise, le Coteau ✆ 77 67 05 15
Piot-Pneu, 47 bd Ch.-de-Gaulle, Zone Ind., Le Coteau ✆ 77 70 04 44

ROBINSON 32 Gers 82 ⑤ – rattaché à Auch.

ROBION 84 Vaucluse 81 ⑫ – rattaché à Cavaillon.

ROCAMADOUR 46 Lot 75 ⑱⑲ G. Périgord (plan) – 795 h. alt. 210 – ✉ **46500** Gramat.
Voir Site★★★ – Château ✻★★★ – Fresques★ de la chapelle St-Michel – Tapisseries★ dans l'Hôtel de Ville – 🅸 Office de Tourisme à l'Hôtel de Ville (1er juin-30 sept.) ✆ 65 33 62 59.
Paris 543 – Brive-la-Gaillarde 55 – Cahors 59 – Figeac 46 – Gourdon 36 – St-Céré 29 – Sarlat-la-C. 66.

Beau Site et Notre Dame, ✆ 65 33 63 08, Télex 520421, ≤, , « Bel aménagement intérieur » – P. AE ⦿ E VISA
23 mars-9 nov. – SC : **R** 75/160 – 27 – **55 ch** 195/300 – P 317/470.

Château et Relais Amadourien M, rte du Château par D 673 : 1,5 km ✆ 65 33 62 22, Télex 521871, – ⇔wc ⋒wc P – 80. AE ⦿
22 mars-12 nov. – SC : **R** 50/160 – 22 – **58 ch** 160/200.

Belvédère, à l'Hospitalet ✆ 65 33 63 25, ≤ le site, – ⇔wc ⋒wc P. VISA
20 mars-5 nov. et fermé vend. – SC : **R** 47/160 – 19 – **17 ch** 155/210 – P 240.

Ste-Marie, ✆ 65 33 63 07, ≤, , « Terrasse avec vue agréable » – ⇔wc ⋒wc. VISA. ✻ rest
23 mars-1er nov. – SC : **R** 46/156 – 18 – **22 ch** 124/188.

Lion d'Or, ✆ 65 33 62 04 – ⇔wc ⋒wc. VISA
fin mars-1er nov. – SC : **R** 48/150 – 17 – **27 ch** 62/170.

Panoramic, à l'Hospitalet ✆ 65 33 63 06, ≤, – ⋒wc P. ⦿ VISA
6 fév.-11 nov. – SC : **R** 47/200 – 17 – **13 ch** 151/177 – P 238/250.

XX **Bellevue** avec ch, (annexe 13 ch ≤ Rocamadour ⇔wc ⋒wc P), à l'Hospitalet ✆ 65 33 62 10, – P. AE ⦿ E VISA
fermé 5 janv. au 20 fév. et jeudi hors sais. sauf vacances scolaires – SC : **R** 66/230 – 21 – **20 ch** 100/210.

Route de Lacave : 4 km par D 247 – ✉ **46500** Gramat :

Aub. de la Garenne Ⓜ, ✆ **65 33 65 88**, ←, parc, – wc ☎ Ⓟ
SC : **R** 65/195 – 22 – **25 ch** 80/280 – P 190/320.

à l'Est : 4,5 km par D 36 et N 681 : Château de Roumegouse, voir à Gramat.

Garage Sirieys, ✆ 65 33 63 15

La ROCHE-BERNARD **56130** Morbihan **63** ⑭ **G. Bretagne** – 838 h. alt. 30.

Voir Pont★.

de la Bretesche ✆ 40 88 30 03, SE : 11 km.

Paris 438 – ♦Nantes 70 – Ploërmel 57 – Redon 28 – St-Nazaire 36 – Vannes 40.

Deux Magots, ✆ **99 90 60 75** – wc. VISA.
fermé 15 déc. au 30 janv., dim. soir d'oct. à avril et lundi (sauf hôtel de mai à sept.) – SC : **R** 45/150 – 14 – **15 ch** 160/300.

Bretagne, ✆ **99 90 60 65** – wc Ⓟ.
Pâques-oct. et fermé lundi sauf juil.-août – SC : **R** *(mi-mai - mi-sept. et fermé lundi)* 50/109 – 13,50 – **15 ch** 80/180.

Aub. Bretonne avec ch, ✆ **99 90 60 28,** – TV wc. AE E VISA
fermé 4 nov. au 4 déc., vend. midi et jeudi – SC : **R** 75/250 – 15 – **5 ch** 160/200.

à Camoël SO : 10 km par D 774 et rte de Pénestin – ✉ **56130** La Roche Bernard :

La Vilaine Ⓜ, ✆ **99 90 01 55** – wc Ⓟ. VISA
fermé 1er au 15 oct., 1er au 15 fév., dim. soir et lundi sauf juil.-août – SC : **R** 53/158 – 16 – **26 ch** 120/208 – P 177/220.

CITROEN Gar. Biton, ✆ 99 90 61 11

RENAULT Gar. Priour, ZA des Métairies, rte de St-Dolay à Nivillac ✆ 99 90 71 90

La ROCHE-CANILLAC 19 Corrèze **75** ⑩ – 185 h. alt. 460 – ✉ **19320** Marcillac-la-Croisille.

Paris 509 – Argentat 21 – Aurillac 75 – Mauriac 55 – St-Céré 63 – Tulle 26 – Ussel 61.

Aub. Limousine, ✆ **55 29 12 06** – wc wc Ⓟ. VISA. rest
Pâques-30 sept. – SC : **R** 55/150 – 15 – **26 ch** 121/175 – P 165/195.

ROCHECORBON 37 I.-et-L. **64** ⑮ – rattaché à Tours.

La ROCHE-DES-ARNAUDS 05 H.-Alpes **77** ⑯ – 763 h. alt. 950 – ✉ **05400** Veynes.

Paris 673 – Die 81 – Gap 15 – Serres 28 – Veynes 12.

Céüse H., D 994 ✆ **92 57 82 02,** – wc Ⓟ. E VISA. rest
fermé 1er au 15 nov. – SC : **R** 50/81 – 17 – **30 ch** 101/223 – P 131/162.

ROCHE D'OËTRE 61 Orne **55** ⑪ **G. Normandie** – alt. 120.

Voir Site★★.

ROCHEFORT SP **17300** Char.-Mar. **71** ⑬ **G. Côte de l'Atlantique** – 27 716 h. alt. 5 – Stat. therm. (3 fév.-20 déc.).

Voir Maison de Loti★ BZ **B** – Musée municipal★ BZ **M1** – Echillais : façade★ de l'église 4,5 km par ③.

Office de Tourisme av. Sadi-Carnot ✆ 46 99 08 60.

Paris 466 ① – ♦Limoges 191 ② – Niort 61 ① – La Rochelle 35 ④ – Royan 41 ③ – Saintes 40 ②.

Plan page ci-contre

Remparts Ⓜ, 43 av. C.-Pelletan ✆ **46 87 12 44,** Télex 790258 – TV wc wc ☎ Ⓟ – 30 à 70. AE VISA. rest — BY **s**
SC : **R** 47/88 – 18,50 – **63 ch** 182/279 – P 262/283.

France sans rest, 55 r. Dr-Peltier ✆ **46 99 34 00** – wc wc — BZ **a**
fermé fin déc. à fin fév. – SC : 15 – **32 ch** 95/195.

Roca-Fortis sans rest, 14 r. République ✆ **46 99 26 32** – wc wc. VISA — BY **v**
fermé 15 déc. au 15 janv. – 15 – **16 ch** 115/180.

Le Paris, 27 av. La Fayette ✆ **46 99 33 11** – wc wc ☎ – 50. E VISA — BZ **d**
SC : **R** *(fermé dim.)* 60 – 19,50 – **36 ch** 100/170 – P 200/280.

Le Marais, 10 r. Lesson ✆ **46 99 47 13** — BZ **k**

Tourne-Broche, 56 av. Ch.-de-Gaulle ✆ **46 99 20 19** – AE E VISA — BZ **e**
fermé 1er au 13 juil., 1er au 10 fév., dim. et lundi – SC : **R** 60/300.

par ③ : 3 km rte de Royan – ✉ **17300** Rochefort :

La Belle Poule, ✆ **46 99 71 87,** – wc Ⓟ. E VISA
fermé sam. et dim. soir hors sais. – SC : **R** 56/136 – 17 – **22 ch** 160/200 – P 267/287.

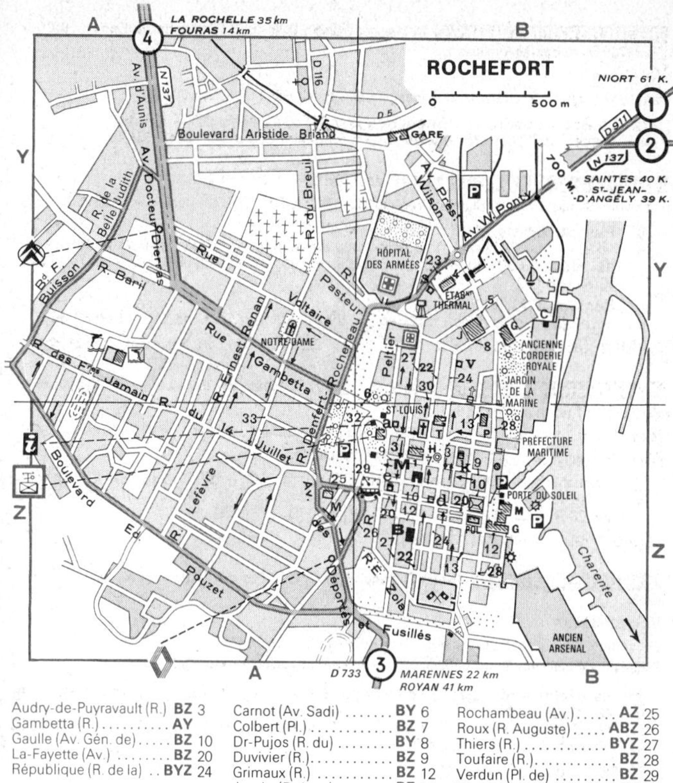

Audry-de-Puyravault (R.) .... BZ 3
Gambetta (R.) .... AY
Gaulle (Av. Gén. de) .... BZ 10
La-Fayette (Av.) .... BZ 20
République (R. de la) .. BYZ 24

Bégon (Porte) .... BY 4
Bégon (R.) .... BY 5

Carnot (Av. Sadi) .... BY 6
Colbert (Pl.) .... BZ 7
Dr-Pujos (R. du) .... BY 8
Duvivier (R.) .... BZ 9
Grimaux (R.) .... BZ 12
Jaurès (R. Jean) .... BZ 13
Loti (R. Pierre) .... BYZ 22
Pelletan (Av. Camille) ... BY 23

Rochambeau (Av.) .... AZ 25
Roux (R. Auguste) .... ABZ 26
Thiers (R.) .... BYZ 27
Toufaire (R.) .... BZ 28
Verdun (Pl. de) .... BZ 29
Victor-Hugo (R.) .... BY 30
3e R.I.C. (Av. du) .... BZ 32
4-Septembre (R. du) .... AZ 33

à Soubise par ③ et D 238E : 8,5 km – ✉ **17780** Soubise.

Voir Croix hosannière★ de Moëze SO : 3,5 km.

XXX **Le Soubise** avec ch, ✆ **46 84 92 16,** – wc wc ☎ **P**. AE ⓓ E VISA
fermé 15 oct. au 30 nov., dim. soir et lundi d'oct à juin – **R** (en saison, prévenir) 120 – ☕ 16 – **22 ch** 140/240.

AUSTIN, TRIUMPH, ROVER Gar. Central, 31 av. Lafayette ✆ 46 99 00 65
CITROEN Rochefort Autom., 186 bis av. Dr-Dieras ✆ 46 87 41 55
FORD Gar. Zanker, 76 r. Gambetta ✆ 46 87 07 55
PEUGEOT-TALBOT S.O.C.A.R. 58 av. du 11-Novembre par ③ ✆ 46 99 02 76
RENAULT Peyronnet, av. Fusillés-et-Déportés ✆ 46 87 36 20
TOYOTA Gar. St-Christophe, 50 av. W.-Ponty ✆ 46 99 30 43

Ⓜ Moyet-Pneus, 67 r. du Breuil ✆ 46 99 20 62
Rochefort C/c, 80 r. Grimaux ✆ 46 99 02 67

ROCHEFORT-DU-GARD 30650 Gard 80 ⑳ – 2 018 h. alt. 97.

Voir Sanctuaire N.-D. de Grâce : chemin de Croix ←★ NE : 2 km, **G. Provence.**

Paris 682 – Alès 61 – Arles 49 – Avignon 11 – Nîmes 33 – Orange 23 – Remoulins 12.

Mas de la Rouvette Ⓜ, NE : 1 km sur D 976 ✆ **90 31 73 11,** – wc ☎ **P** – 50. VISA. ch
fermé 20 janv. au 1er mars – SC : **R** *(fermé mardi)* 70/140 – ☕ 25 – **18 ch** 85/175 – P 240.

ROCHEFORT-EN-TERRE 56 Morbihan 63 ④ **G. Bretagne** – 613 h. alt. 52 – ✉ **56220** Malansac – **Voir** Site★ – Maisons anciennes★.

Paris 424 – Ploërmel 33 – Redon 25 – ♦Rennes 78 – La Roche-Bernard 24 – Vannes 34.

XX **Host. Lion d'Or,** ✆ **97 43 32 80, « Maison du 16e siècle »**
fermé 15 nov. au 15 déc., lundi soir et mardi – SC : **R** 85/220.

ROCHEFORT-EN-YVELINES 78 Yvelines 60 ⑨, 196 ㊶ **G. Environs de Paris – 610 h –** ✉ **78730** St-Arnoult-en-Yvelines.

Voir Site★.

Paris 50 – Chartres 42 – Dourdan 8 – Étampes 26 – Rambouillet 15 – Versailles 33.

XX **La Brazoucade,** 51 r. Guy le Rouge ✆ **(1) 30 41 49 09,** – **P.** VISA
fermé 7 au 17 oct., 15 janv. au 15 fév., lundi soir et mardi – SC : **R** 59/88.

ROCHEFORT-MONTAGNE **63210** P.-de-D. 73 ⑬ – **1 155 h. alt. 850.**

Paris 416 – Aubusson 89 – ♦Clermont-Ferrand 33 – Mauriac 80 – Le Mont-Dore 19 – Ussel 53.

Puy-de-Dôme, ✆ **73 65 82 19** – ch
hôtel : 1er juil.-20 sept. et vacances scolaires ; rest : fermé 20 sept. au 15 oct., le soir du 15 oct. au 30 juin et sam. sauf vacances scolaires – SC : **R** 55/75 – 15 – **7 ch** 60/80 – P 140.

Centre, ✆ **73 65 82 10,** – .
fermé 15 au 25 juin, oct., sam. soir et dim. – SC : **R** 46/75 – 14 – **14 ch** 60/95.

CITROEN Lassalas, ✆ 73 65 82 70 PEUGEOT-TALBOT Clermont, ✆ 73 21 22 17

ROCHEFORT-SUR-LOIRE **49190** M.-et-L. 63 ⑳ **G. Châteaux de la Loire – 1 819 h. alt. 85.**

Voir O : Corniche angevine★.

Syndicat d'Initiative (juin-oct.) ✆ 41 78 81 70 et à la Mairie (hors saison) ✆ 41 78 70 24.

Paris 311 – Angers 20 – Chalonnes-sur-Loire 9 – Cholet 45.

Grand Hôtel, r. R.-Gasnier ✆ **41 78 70 06,** , – wc **P.** VISA. rest
fermé 15 janv. au 15 fév., 22 au 29 juin, dim. soir et lundi sauf juil.-août – SC : **R** 45/120 – 14 – **8 ch** 118/140 – P 162/175.

RENAULT Gar. Hubert, ✆ 41 78 70 38

La ROCHEFOUCAULD **16110** Charente 72 ⑭ **G. Côte de l'Atlantique** (plan) – **3 328 h. alt. 85.**

Voir Château★.

Syndicat d'Initiative r. des Halles (15 juin-15 sept.) ✆ 45 63 07 45.

Paris 443 – Angoulême 22 – Confolens 41 – ♦Limoges 81 – Nontron 41 – Ruffec 42.

La Vieille Auberge, 13 Fg La Souche ✆ **45 62 02 72** – wc wc – 40. AE E VISA
SC : **R** *(fermé lundi midi sauf fériés et le midi du 5 janv. au 22 fév.)* 48/170 – 16,50 – **28 ch** 74/162 – P 163/190.

CITROEN Bordron, ✆ 45 62 01 41

ROCHEGUDE **26** Drôme 81 ② – rattaché à Orange.

La ROCHE-GUYON **95780** Val-d'Oise 55 ⑱, 196 ②③ **G. Environs de Paris – 567 h. alt. 14.**

Voir Bords de la Seine ≤★ – Route des Crêtes★ : ≤★★ N : 3 km.

Paris 80 – Évreux 41 – Gisors 31 – Mantes-la-Jolie 16 – Pontoise 44 – Vernon 12.

St-Georges , ✆ **(1) 34 79 70 16,** ≤ – – 50
SC : **R** 75/115 – 22 – **15 ch** 110/160.

à Chantemesle E : 3 km – ✉ **95780** La Roche-Guyon.

Voir Statues★ dans l'église de Vétheuil SE : 4 km.

XXX **Aub. Lapin Savant** M avec ch, ✆ **(1) 34 78 13 43,** ≤, , – wc **P** – 30. VISA. ch
fermé nov., vacances de fév., merc. soir et jeudi – **R** carte 115 à 190 – 32 – **12 ch** 270/300.

La ROCHE-L'ABEILLE **87** H.-Vienne 72 ⑰ – rattaché à St-Yrieix-La-Perche.

La ROCHELLE P **17000** Char.-Mar. 71 ⑫ **G. Côte de l'Atlantique – 78 231 h. – Casino** X.

Voir Vieux Port★★ Z – **Tour de la Lanterne★ : ★★** Z **B – Le quartier ancien★★ : Hôtel de Ville★** Z **H, Hôtel de la Bourse★** YZ **C, Maison Henri II★** Y **K, Porte de la Grosse Horloge★** Z **F, Rues du Palais★** Z**, Chaudrier★** Y**, du Minage (arcades★)** Y**, des Merciers★** Y **, de l'Escale★** Z – **Tour St-Nicolas★** Z**D – Plan-relief★ (tour Chaine)** Z **E – Parc Charruyer★** Y – **Musées : Lafaille★★** Y **M3, d'Orbigny★** Y **M2, Beaux-Arts★** Y **M1 , du Nouveau Monde★** Y **M4.**

de la Rochelle-Laleu : T.A.T ✆ **46 42 18 27, NO : 4,5 km** - X.

Office de Tourisme et Accueil de France (Informations et réservations d'Hôtels, pas plus de 5 jours à l'avance) 10 r. Fleuriau ✆ 46 41 14 68, Télex 796661 A.C. 32 r. Dupaty ✆ 46 41 02 06.

Paris 468 ② – Angoulême 141 ③ – ♦Bordeaux 187 ④ – ♦Nantes 146 ② – Niort 63 ②.

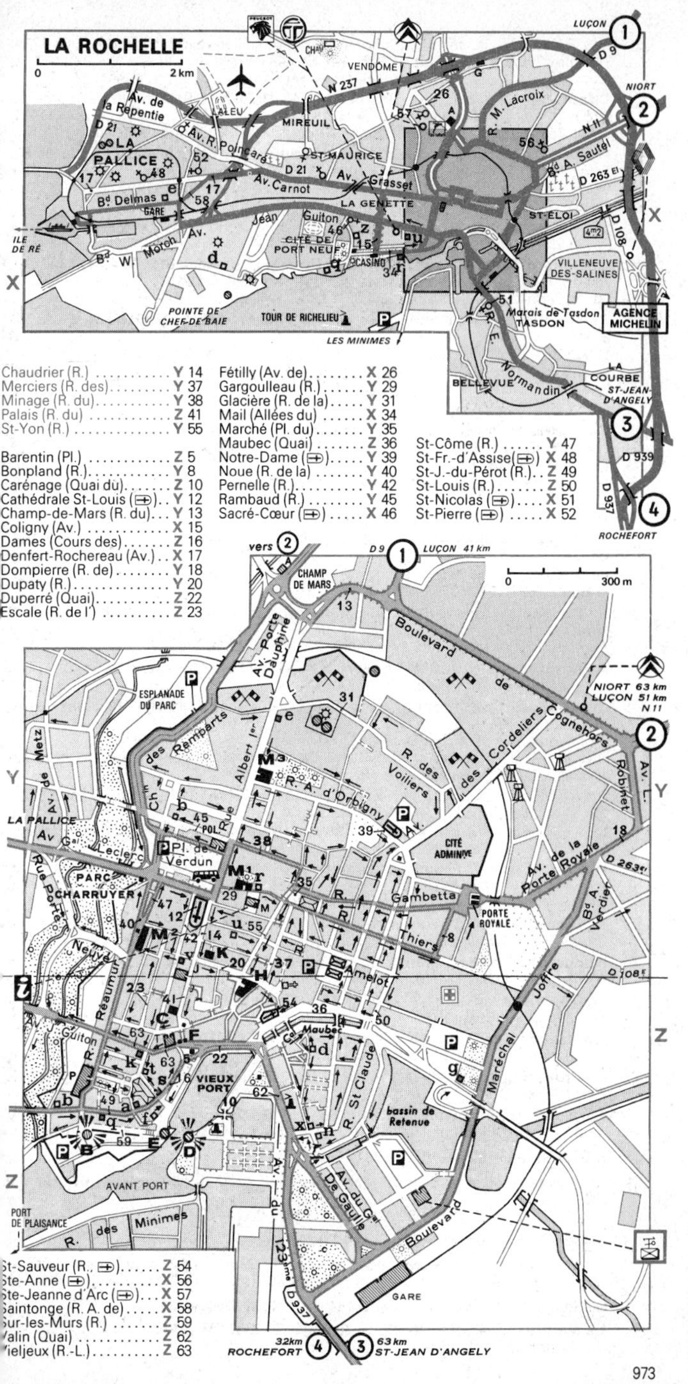

Chaudrier (R.) .... Y 14
Merciers (R. des) .... Y 37
Minage (R. du) .... Y 38
Palais (R. du) .... Z 41
St-Yon (R.) .... Y 55

Barentin (Pl.) .... Z 5
Bonpland (R.) .... Y 8
Carénage (Quai du) .... Z 10
Cathédrale St-Louis (⊕) .... Y 12
Champ-de-Mars (R. du) .... Y 13
Coligny (Av.) .... X 15
Dames (Cours des) .... Z 16
Denfert-Rochereau (Av.) .... X 17
Dompierre (R. de) .... Y 18
Dupaty (R.) .... Y 20
Duperré (Quai) .... Z 22
Escale (R. de l') .... Z 23

Fétilly (Av. de) .... X 26
Gargoulleau (R.) .... Y 29
Glacière (R. de la) .... Y 31
Mail (Allées du) .... X 34
Marché (Pl. du) .... Y 35
Maubec (Quai) .... Z 36
Notre-Dame (⊕) .... Y 39
Noue (R. de la) .... Y 40
Pernelle (R.) .... Y 42
Rambaud (R.) .... Y 45
Sacré-Cœur (⊕) .... X 46

St-Côme (R.) .... Y 47
St-Fr.-d'Assise (⊕) .... X 48
St-J.-du-Pérot (R.) .... Z 49
St-Louis (R.) .... Z 50
St-Nicolas (⊕) .... X 51
St-Pierre (⊕) .... X 52

St-Sauveur (R., ⊕) .... Z 54
Ste-Anne (⊕) .... X 56
Ste-Jeanne d'Arc (⊕) .... X 57
Saintonge (R. A. de) .... X 58
Sur-les-Murs (R.) .... Z 59
Valin (Quai) .... Z 62
Vieljeux (R.-L.) .... Z 63

Les Brises [M] sans rest, chemin digue Richelieu (av. P.-Vincent) ☎ 46 43 89 37, Télex 790754, ≤ les îles – |‡| ☎ ⇐ ⓟ. VISA. ✻ rest X q
fermé 15 déc. au 15 janv. – SC : ☐ 27 – **46 ch** 225/450.

Champlain sans rest, 20 r. Rambaud ☎ 46 41 23 99, « Bel intérieur et agréable jardin » – |‡| TV ☎ – 🏠 40. AE ⓞ E VISA Y b
fermé 15 nov. au 1er fév. – SC : ☐ 33 – **32 ch** 200/300, 4 appartements 400.

France-Angleterre et rest. Le Richelieu, 22 r. Gargoulleau ☎ 46 41 34 66, Télex 790717, ⛱ – |‡| TV ☎ ⇐ ⓟ – 🏠 80. AE ⓞ E VISA Y r
SC : **R** *(fermé lundi midi et dim.)* 110/155 – ☐ 30 – **76 ch** 128/280 – P 408/560.

Le Rochelois [M] sans rest, 66 bd Winston Churchill ☎ 46 43 34 34, ≤, ⛱, ⛱, ✂ – |‡| cuisinette ⛀wc ☎ ♿ ⓟ. VISA X d
SC : ☐ 25 – **36 ch** 200/250.

St-Jean d'Acre et rest. Au Vieux Port [M], 4 pl. Chaîne ☎ 46 41 73 33, Télex 790913, ≤, ⛱ – |‡| ⛀wc ⛀wc ☎ ♿ – 🏠 50. AE ⓞ E VISA Z f
SC : **R** *(fermé vend. hors sais.)* 75/105 – ☐ 21 – **49 ch** 190/295 – P 300/315.

St-Nicolas [M] sans rest, 13 r. Sardinerie ☎ 46 41 71 55 – |‡| ⛀wc ☎ ⓟ. AE ⓞ E VISA Z d
SC : ☐ 22 – **29 ch** 187/220.

François 1er sans rest, 13 r. Bazoges ☎ 46 41 28 46 – ⛀wc ⛀wc ☎ ⓟ. VISA. ✻ Y u
SC : ☐ 18 – **34 ch** 135/195.

Terminus H. sans rest, 11 pl. Cdt de la Motte Rouge ☎ 46 41 31 94 – ⛀wc ⛀wc ☎. AE VISA Z x
SC : ☐ 18 – **27 ch** 140/220.

Ibis, pl. Cdt de la Motte Rouge ☎ 46 41 60 22, Télex 791431 – |‡| TV ⛀wc ☎ ♿ – 🏠 40. E VISA Z n
SC : **R** carte environ 85 – ☐ 21 – **76 ch** 199/240.

H. Trianon, 6 r. Monnaie ☎ 46 41 21 35, ⛱ – ⛀wc ⛀wc ☎ ⓟ. AE ⓞ VISA. ✻ rest Z b
fermé 20 déc. au 20 janv. – SC : **R** *(fermé vend. du 1er oct. au 30 avril)* 75/100 – ☐ 20 – **25 ch** 170/260 – P 255/286.

Le Savary sans rest, 2 r. Alsace-Lorraine ☎ 46 34 83 44 – ⛀wc ☎ ⓟ. AE E VISA X z
fermé nov. et vend. de déc. à fév. – SC : ☐ 19,50 – **29 ch** 125/240.

Atlantic H. sans rest, 23 r. Verdière ☎ 46 41 16 68 – ⛀wc ⛀wc ☎ Z t
fermé déc. – SC : ☐ 14 – **26 ch** 78/200.

XXX ✿✿ **Richard Coutanceau,** plage de la Concurrence ☎ 46 41 48 19, ≤ les îles – ▤ ⓟ. AE ⓞ VISA X r
fermé lundi soir et dim. – SC : **R** 150/300 et carte
Spéc. Mouclade (1er juin-début-nov.), Matelote d'anguilles à la fondue de poireaux, Homard rôti aux légumes croquants. **Vins** Haut Poitou, Mareuil.

XXX ✿ **La Marmite** (Marzin), 14 r. St-Jean du Pérot ☎ 46 41 17 03 – ▤. AE ⓞ E VISA
fermé 15 au 31 janv. et merc. – SC : **R** 135/300 Z a
Spéc. Mouclade (juin à déc.), Homard au Sauternes (avril à oct.), Bar aux huîtres. **Vins** Haut Poitou, Mareuil.

XXX ✿ **Serge** (Coulon), 46 Cours des Dames ☎ 46 41 18 80, ≤ – ▤. AE ⓞ E VISA
fermé 15 janv. au 8 fév. et mardi hors sais. – SC : **R** 98/155 Z s
Spéc. Fruits de mer, Crustacés et poissons cuisinés.

XX **Le Claridge,** 1 r. Admyrauld ☎ 46 41 35 71 – AE VISA Y v
fermé 25 au 31 août, 21 au 28 fév., sam. midi et dim. – SC : **R** 90/130.

XX **Prince Albert,** 58 r. Albert-1er ☎ 46 41 06 60 – AE ⓞ E VISA Y e
fermé dim. – SC : **R** 110/160 ₰.

XX **La Cagouille,** bd Joffre ☎ 46 27 19 18 – AE ⓞ E VISA Z g
fermé lundi – SC : **R** 43/125.

XX **les Quatre Sergents,** 49 r. St-Jean du Parot ☎ 46 41 35 80 – AE ⓞ E VISA
fermé dim. soir et lundi – SC : **R** 60/140 ₰. Z q

XX **La Closerie,** 20 r. Verdière ☎ 46 41 57 05 – AE ⓞ E VISA Z k
fermé 15 au 30 déc., sam. midi et dim. – SC : **R** 66/83.

X **Parc,** 38 r. Th.-Renaudot ☎ 46 34 15 58 – AE E VISA X u
fermé 23 sept. au 10 oct., 15 au 28 fév. et lundi – SC : **R** 59/149 ₰.

à La Pallice O : 5 km – ✉ **17000** La Rochelle :

La Terrasse sans rest, 10 bd Mar.-Lyautey ☎ 46 42 61 86 – ⛀wc ⛀wc ☎ ⓟ. VISA X e
fermé 23 déc. au 6 janv. – SC : ☐ 16 – **41 ch** 82/200.

à Aytré par ④ : 5 km – 7 381 h. – ✉ **17440** Aytré :

XXX **La Maison des Mouettes,** bd Plage ☎ 46 44 29 12, ≤, ⛱ – ⓟ. AE ⓞ E VISA
fermé 1er fév. au 5 mars et lundi sauf fêtes – SC : **R** (dim. et fêtes prévenir) 95/150.

à Nieul-sur-Mer NO : 5 km par D 164 – ✉ **17137** Nieul-sur-Mer :

XX **Le Nalbret,** ☎ 46 37 81 56, ⛱ – ⓟ – 🏠 60. AE E VISA. ✻ ch
fermé dim. soir et lundi – SC : **R** carte 145 à 220.

à Dompierre-sur-Mer par ② : 8 km – 3 474 h. – ✉ 17139 Dompierre-sur-Mer :

XX **Aub. du Vieux Noyer** avec ch, ☎ 46 35 31 32, 余, 🌳 – TV ⇌wc ☎ P. AE ⓓ E VISA
fermé 20 sept. au 5 oct., mi-janv. à mi-fév., lundi soir et mardi sauf du 1er juil. au 20 sept. – SC : **R** 70/160 – ☐ 33 – **5 ch** 270/290.

au Breuil par ② NE sur N 137 : 12 km – ✉ 17230 Marans :

X **Aub. du Breuil,** ☎ 46 37 04 31, 余 – AE ⓓ E VISA
fermé lundi sauf du 1er juil. au 1er oct. – SC : **R** 55/125 ♁.

MICHELIN, Agence, Z.I. de Périgny, av. Louis Lumière, Voie D X ☎ 46 44 12 76

BLF La Genette-Automobile, 8 r. de Tunis ☎ 46 34 92 78
BMW, OPEL Cormier, Z.A.C. de Beaulieu à Puilboreau ☎ 46 34 78 73 N ☎ 46 67 16 16
CITROEN Bernard-Privat, 99 bd de Cognehors ☎ 46 27 19 68
CITROEN Gar. Bretonnier, 8 r. de la Trompette ☎ 46 34 79 79
FIAT Gar. Lenoir, 170 r. E.-Normandin ☎ 46 44 46 24
FORD Porte Dauphine Autom., 2 à 12 av. Porte Dauphine ☎ 46 67 51 11
LANCIA-AUTOBIANCHI Gar. Laporte, 178 av. E.-Normandin ☎ 46 44 46 66
MERCEDES-BENZ S.A.V.I.A., Centre Commercial de Beaulieu à Puilboreau ☎ 46 67 54 22
PEUGEOT-TALBOT Brenuchot, av. Guiton ☎ 46 34 87 82 Z.A.C. de Beaulieu, Puilboreau par ② ☎ 46 67 36 44
RENAULT Euro-Garage, à Beaulieu-Est, Puilboreau par ② ☎ 46 34 44 25 N ☎ 46 67 16 16
RENAULT La Rochelle-Automobile, ZAC Villeneuve Salines, r. J.-P.-Sartre ☎ 46 44 01 00
V.A.G. Comptoir Autom.-Rochelais, 141 av. E.-Normandin ☎ 46 44 30 47

Ⓜ Charente-Pneus, N 137, Angoulins ☎ 46 56 80 94
Moyet-Pneus, 31 av. de Rompsay ☎ 46 27 08 00
Perry-Pneu 9 r. St-Louis ☎ 46 41 13 20 et 153 bd A.-Sautel ☎ 46 34 85 71

If you are held up on the road - from 7 pm onwards confirm your hotel booking by telephone. It is safer and quite an accepted practice.

La ROCHE MAURICE 29 Finistère 58 ⑤ – rattaché à Landerneau.

La ROCHE-POSAY 86270 Vienne 68 ⑤ G. Côte de l'Atlantique – 1 404 h. alt. 73 – Stat. therm. – Casino.

ℹ Office de Tourisme Cours Pasteur ☎ 49 86 20 37.

Paris 314 – Le Blanc 30 – Châteauroux 76 – Châtellerault 23 – Loches 48 – Poitiers 49 – ♦Tours 80.

Relais H. Château de Posay M 🐎, au Casino ☎ 49 86 20 10, ≤, parc – ☎ P. AE VISA. ⚘ rest
fermé mardi – SC : **R** (dîner seul.) 45/63 – ☐ 24 – **13 ch** 260/300.

Thermal St Roch, ☎ 49 86 21 03, 🌳 – |‡| TV ⇌wc ⋒wc ☎ P. ⚘ rest
SC : **R** 73 bc – **45 ch** ☐ 108/290.

Europe M sans rest, ☎ 49 86 21 81, 🌳 – |‡| ⇌wc ⋒wc ☎ ♿ P
1er avril-30 sept. – SC : ☐ 13 – **31 ch** 112/131.

Esplanade, ☎ 49 86 20 48, Collection de tableaux inédits – |‡| ⇌wc ⋒wc ☎ P. VISA
15 mars-fin nov. – SC : **R** 57/150 – ☐ 14 – **25 ch** 70/150 – P 165/200.

ROCHER 07 Ardèche 80 ⑧ – rattaché à Largentière.

Les ROCHES-DE-CONDRIEU 38370 Isère 74 ⑪ – 1 728 h. alt. 153.

Paris 501 – Annonay 35 – ♦Grenoble 104 – Rive-de-Gier 22 – Vienne 12.

✿ **Bellevue** (Bouron), ☎ 74 56 41 42, ≤ – ⇌wc ⋒wc ☎ 🚗 – 🏛 30. AE ⓓ E VISA
fermé 4 au 14 août, 16 fév. au 13 mars, dim. soir d'oct. à avril, mardi midi d'avril à oct. et lundi – SC : **R** (dim. et fêtes prévenir) 95/230 ♁ – ☐ 23 – **18 ch** 140/220
Spéc. Filet de sandre au beurre de ciboulette, Feuilleté aux escargots en poivrade, Aiguillette de canard au vinaigre de miel. **Vins** Condrieu, Côte Rôtie.

PEUGEOT-TALBOT, RENAULT Capellaro, ☎ 74 56 41 32
RENAULT Marconnet, à St-Clair-du-Rhône ☎ 74 56 41 03

ROCHES-LES-BLAMONT 25 Doubs 66 ⑱ – rattaché à Hérimoncourt.

La ROCHE-SUR-FORON 74800 H.-Savoie 74 ⑥ G. Alpes – 7 400 h. alt. 547.

ℹ Office de Tourisme pl. Andrevetan (hors saison matin seul.) ☎ 50 03 36 68.

Paris 538 – Annecy 33 – Bonneville 8 – ♦Genève 25 – Thonon-les-Bains 42.

Les Afforets et rest. la Renaissance M, r. Egalité ☎ 50 03 35 01 – |‡| ⇌wc ⋒wc ☎ P. AE E VISA
fermé dim. hors sais. – SC : **R** 43/190 ♁ – ☐ 21 – **28 ch** 154/190 – P 210/250.

à Amancy-Vozerier E : 2,5 km – ✉ **74800** La Roche-sur-Foron :

XXX **Le Marie-Jean,** rte Bonneville ✆ **50 03 33 30** – P. AE ① VISA
fermé 28 juil. au 18 août, dim. soir et lundi – SC : **R** 150/240.

à Arbusigny NO : 12 km par D 6 – ✉ **74800** La Roche-sur-Foron :

XX **Aub. de la Poémière,** ✆ **50 94 51 47**
fermé janv., dim. soir, lundi et mardi – SC : **R** 105/155.

PEUGEOT-TALBOT Duret, av. des Afforêts, Zone Ind. ✆ 50 03 05 00 N ✆ 50 03 20 93

Piot-Pneu, av. L.-Rannard ✆ 50 03 10 46

La ROCHE-SUR-YON P **85000** Vendée 67 ⑬⑭ **G. Côte de l'Atlantique – 48 156 h. alt. 74.**

Office de Tourisme pl. Napoléon ✆ 51 36 00 85, Télex 700745 et à l'Hôtel de Ville r. G.-Clemenceau ✆ 51 36 09 63, Télex 700784 – A.C.O. 17 r. Lafayette ✆ 51 36 24 60.

Paris 416 ① – **Cholet 65** ② – **♦Nantes 66** ① – **Niort 88** ③ – **La Rochelle 73** ④.

🏨 **Gallet,** 75 bd Mar.-Leclerc **(n)** ✆ **51 37 02 31** – TV ⇔wc ⋔wc ☎ 🚗. AE ① E VISA
fermé 19 déc. au 4 janv. – SC : **R** *(fermé dim. du 30 sept. au 31 mars)* 100/200 – ☕ 30 – **12 ch** 190/430 – P 345/370.

🏨 **Napoléon** sans rest, 50 bd A.-Briand **(r)** ✆ **51 05 33 56** – |♦| TV ⇔wc ⋔wc ☎ 🚗 – 🏊 80. E VISA. ✻
SC : ☕ 20 – **30 ch** 150/290.

🏨 **Vendée** sans rest, 4 r. Malesherbes **(e)** ✆ **51 37 28 67** – |♦| ⇔wc ⋔wc ☎ 🚗. AE ① E VISA
SC : ☕ 21 – **33 ch** 100/245.

XX **Rivoli,** 31 bd A.-Briand **(u)** ✆ **51 37 43 41** – AE ① E VISA
fermé 4 au 24 août, 17 au 24 fév., sam. soir et dim. – SC : **R** 70/108.

rte Nantes par ① : 2 km – ✉ **85000** La Roche-sur-Yon :

🏨 **Campanile,** ✆ **51 37 27 86** – TV ⇔wc ☎ P. VISA
SC : **R** 61 bc/82 bc – ☕ 23 – **42 ch** 181/202.

rte Cholet par ② : 5 km – ✉ **85000** La Roche-sur-Yon :

XX **Aub. de Noiron,** ✆ **51 37 05 34** – P. AE ① E VISA
fermé dim. soir et lundi – **R** 113/305.

à l'Est par ③ et D 80 : 5 km :

Logis de la Couperie, 51 37 21 19, – wc. E VISA. ch
SC : **R** *(ouvert juin, juil., août)* (dîner seul. pour résidents) 70/90 – 20 – **7 ch** 150/215.

MICHELIN, Agence, r. de Montréal, Z.I. Sud par ⑥ **51 05 02 74**

BMW Gar. Napoléon, 4 pl. Napoléon, 51 37 36 27
CITROEN Guénant-Auto, rte de Nantes par ① 51 62 29 64
FORD Gar. Baudry, bd Lavoisier 51 36 22 35
OPEL Gar. des Jaulnières, Rte d'Aubigny ZA des Jaulnières, 51 05 36 74
PEUGEOT-TALBOT Sorin, 17 bd Sully par bd J.-Yole par ⑦ 51 37 08 15
RENAULT Gd Gar. Moderne, rte de Nantes par ① 51 62 11 57

V.A.G. Tixier, Les Clouzeaux RN160 Rte des Sables 51 05 19 33

Le Pneu Yonnais, rte de Nantes, Zone Ind. Nord 51 37 05 77
Robin, 17 r. Mar.-Foch 51 37 04 13
Vendée-Pneus, r. du Commerce, Zone Ind. Sud 51 36 07 15

La ROCHETTE **73110 Savoie 74 ⑯ – 3 262 h. alt. 347.**

Voir Vallée des Huiles★ NE, G. Alpes.

Paris 555 – Albertville 37 – Allevard 10 – Chambéry 32 – ♦Grenoble 48.

Parc, 79 25 53 37, – E
fermé sept. et lundi sauf juil.-août – SC : **R** 62/160 – 21 – **12 ch** 105/125 – P 170/200.

CITROEN Gar. Fachinger 79 25 52 73
PEUGEOT-TALBOT Maréchal, 79 25 52 71
RENAULT Gar. Blanchin, 79 25 50 28 N

ROCROI **08230 Ardennes 53 ⑱ G. Champagne, Ardennes – 2 789 h. alt. 377.**

Syndicat d'Initiative pl. A.-Hardy (mars-oct., après-midi seul.) 24 54 24 46.

Paris 226 – Charleville-Mézières 29 – Laon 83 – ♦Reims 92 – St-Quentin 102 – Valenciennes 112.

Commerce, pl. A.-Briand **24 54 11 15** – wc wc. AE E VISA
fermé 5 janv. au 10 fév. et lundi du 1er oct. au 1er avril – SC : **R** 55/100 – 18,50 – **12 ch** 76/169 – P 206/431.

La RODERIE **44 Loire-Atl. 67 ③ – rattaché à Bouaye.**

RODEZ P **12000 Aveyron 80 ② G. Causses – 26 346 h. alt. 632.**

Voir Clocher★★★ de la cathédrale N.-Dame★★ BY – **Maisons anciennes★** BY **B,** BZ **B** – **Musée Fenaille★** BZ **M1** – de Rodez-Marcillac : **65 42 20 29 par ③ : 10 km.**

Office de Tourisme pl. Foch 65 68 02 27.

Paris 610 ① – Albi 78 ② – Alès 209 ① – Aurillac 105 ① – Brive-la-Gaillarde 156 ③ – ♦Clermont-Ferrand 226 ① – Montauban 129 ③ – Périgueux 215 ③ – ♦Toulouse 157 ②.

Plan page suivante

Tour Maje M sans rest, **bd Gally 65 68 34 68** – TV wc wc. AE E VISA — BZ **s**
SC : 20 – **45 ch** 155/238.

Biney M sans rest, **7 bd Gambetta 65 68 01 24** – wc wc. E VISA — BY **k**
fermé 20 déc. au 7 janv. – SC : 15 – **28 ch** 120/200.

Parc sans rest, **pl. Armes 65 68 11 22** – TV wc wc – 30. AE E VISA. — BY **r**
fermé 23 déc. au 5 janv., sam. et dim. du 15 oct. au 15 mars – SC : 21 – **22 ch** 106/230.

Midi, 1 r. Béteille **65 68 02 07** – wc. VISA. ch — AY **b**
fermé 15 déc. au 15 fév., lundi (sauf hôtel en juil. et août) sam. soir et dim. hors sais. – SC : **R** 50/90 – 20 – **34 ch** 85/200 – P 268/302.

Clocher sans rest, **4 r. Séguy 65 68 10 16** – wc wc. — BY **d**
fermé 20 déc. au 15 janv. et dim. – SC : 18 – **24 ch** 67/195.

Le Régent, 11 av. Durand-de-Gros **65 67 03 30,** – . AE E VISA — BX **n**
fermé 1er au 15 juil. et dim. sauf fêtes le midi – SC : **R** 110/165.

St-Amans, 12 r. Madeleine **65 68 03 18** – — BZ **v**
fermé fév., dim. soir et lundi – **R** carte 130 à 190.

à Olemps par ② et D 653 : 3 km – **12000** Rodez :

Les Peyrières, **65 68 20 52,** – wc wc. ch
fermé 23 déc. au 2 janv., dim. soir et lundi midi – SC : **R** 45/130 – 20 – **27 ch** 80/200.

rte de Marcillac-Vallon N : 3,5 km par D601 n – **12850** Onet-le-Château :

Host. de Fontanges M, **rte Marcillac 65 42 20 28, Télex 521142,** , **parc,** – TV – 100. AE E VISA
SC : **R** 59/140 – 25 – **42 ch** 230/300, 4 appartements 350 – P 290/390.

RODEZ

Cité (Pl. de la) . . . . BY 5
Neuve (R.) . . . . BY 17
Touat (R. du) . . . . BY 23

Armes (Pl. d') . . . . BY 2
Bordeaux (Av. de) . . . . BX 3
Bourg (Pl. du) . . . . BZ 4
Denys-Puech (Bd) . . . . BY 6
Douls (R. Camille) . . . . BY 7

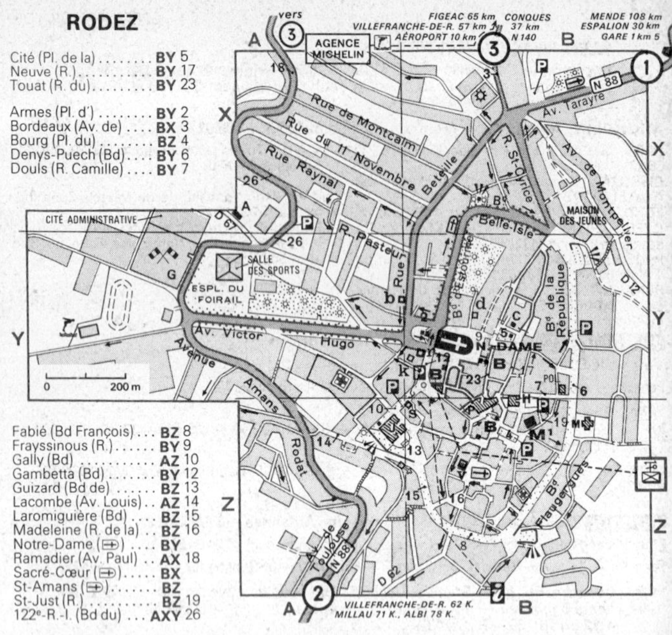

Fabié (Bd François) . . . BZ 8
Frayssinous (R.) . . . . . . BY 9
Gally (Bd) . . . . AZ 10
Gambetta (Bd) . . . . BY 12
Guizard (Bd de) . . . . . . BZ 13
Lacombe (Av. Louis) . . AZ 14
Laromiguière (Bd) . . . . BZ 15
Madeleine (R. de la) . . BZ 16
Notre-Dame (⊞) . . . . BY
Ramadier (Av. Paul) . . AX 18
Sacré-Cœur (⊞) . . . . . BX
St-Amans (⊞) . . . . BZ
St-Just (R.) . . . . BZ 19
122e-R.-I. (Bd du) . . . AXY 26

à Gages par ① et N 88 : 10 km – ✉ **12630** Gages :

Relais de la Plaine, ℰ 65 42 29 03,
fermé 1er au 15 oct. et dim. d'oct. à avril – SC : **R** 48/120 – 17 – **22 ch** 68/130 – P 150/175.

MICHELIN, Agence Régionale, Rue. des Artisans, Z.A. de Bel Air par ③ ℰ **65 42 17 88**

BMW, FIAT Gar. Higonenc, rte Decazeville ℰ 65 42 20 11
CITROEN Rouergue Automobiles, rte d'Espalion à Sebazac-Concoures par ① ℰ 65 46 96 50 N ℰ 65 47 01 61
FORD Boutonnet, La Gineste, rte Decazeville ℰ 65 42 20 12
MERCEDES, OPEL Gar. Benoit, La Primaube à Luc ℰ 65 68 48 31
PEUGEOT-TALBOT Caussignac et Guiet, Rte de Conques, par ③ ℰ 65 42 20 18
RENAULT Gge Fabre-Rudelle, Rte d'Espalion à Onet le Chateau par ① ℰ 65 67 04 10
V.A.G. Gar. Besset et Jean, Zone Artisanale Bel-Air ℰ 65 42 20 14

Central-Pneu, Zone Ind. de la Prade à Onet le château ℰ 65 67 16 11
Escoffier-Pneus, Zone Ind. de la Prade à Onet le Château ℰ 65 67 07 43
Le Relais du Pneu, 48 av. Toulouse La Mouline à Olemps ℰ 65 68 02 32
Tout pour le pneu, 40 r. Béteille ℰ 65 68 01 13

ROGNAC 13340 B.-du-R. 84 ② – 9 330 h. alt. 24.

Paris 746 – Aix-en-Provence 26 – ♦Marseille 32 – Martigues 25 – Salon-de-Provence 25.

Cadet Roussel, Carrefour N 113 - rte Berre ℰ 42 87 00 33, – rest wc E VISA
fermé dim. – SC : **R** 75/95 – 17 – **13 ch** 90/185 – P 160/230.

Host. Royal Provence avec ch, au Sud sur N 113 ℰ 42 87 00 27, ←, – wc AE E VISA
fermé 6 au 30 juil., 2 au 7 janv., lundi soir (sauf hôtel) et dim. soir – SC : **R** 58/150 – 16 – **10 ch** 102/155 – P 190.

FORD Gar. Fragnol, à Berre l'Etang ℰ 42 85 40 45

ROGNES 13840 B.-du-R. 84 ③ **G. Provence** – 2 216 h. alt. 353.

Voir Retables ★ dans l'église.

Paris 737 – Aix-en-Provence 19 – Cavaillon 38 – Manosque 54 – Salon-de-Provence 22.

Les Olivarelles, NO : 6 km par D 543, D 66D et VO ℰ 42 50 24 27, – AE VISA
fermé 1er au 15 sept., vacances de fév., dim. soir et lundi – SC : **R** (prévenir) 82/165

ROGNY 89 Yonne 65 ② G. Bourgogne – 740 h. alt. 148 – ✉ 89220 Bleneau.

Paris 145 – Auxerre 60 – Gien 24 – Montargis 33.

XX **Aub. des Sept Ecluses** avec ch, ✆ 86 74 52 90 – wc ☎ Ⓟ. AE E VISA
fermé 15 janv. au 20 fév., lundi soir et mardi – SC : **R** 65/160 – ☕ 18 – **7 ch** 125/180.

ROISSY-EN-FRANCE 95 Val-d'Oise 56 ⑪, 101 ⑧ – voir à Paris, Environs.

ROLLAND 33 Gironde 75 ② – rattaché à Coutras.

ROLLEBOISE 78 Yvelines 55 ⑱, 196 ② – 371 h. alt. 20 – ✉ 78270 Bonnières-sur-Seine.

Voir Château★ de Rosny-sur-Seine SE : 3 km, G. Environs de Paris.

Paris 75 – Évreux 37 – Mantes-la-Jolie 9 – Vernon 15 – Versailles 52.

✿ **Château de la Corniche** Ⓜ, ✆ (1) 30 93 21 24, Télex 695544, ≤ vallée de la Seine, parc, ⛱, 🎾 – 🛗 TV ☎ Ⓟ – 30. AE ⓓ E VISA
fermé 30 janv. au 15 mars, dim. soir et lundi d'oct. à avril – SC : **R** 190/350 – ☕ 38 – **26 ch** 235/440
Spéc. Foie gras frais de canard, Suprême de bar, Homard.

ROMAGNE-SOUS-MONTFAUCON 55 Meuse 56 ⑩ – 211 h. alt. 230 – ✉ 55110 Dun-sur-Meuse.

Voir Cimetière américain, G. Alsace et Lorraine.

Paris 231 – Bar-le-Duc 79 – Ste-Menehould 45 – Verdun 43 – Vouziers 35.

XX **Aub. du Coq Gaulois,** ✆ 29 80 93 72 – E VISA.
fermé 1er au 10 sept., 4 au 21 fév., dim. soir et lundi – **R** 55/150 ₰.

ROMAINVILLE 93 Seine-St-Denis 56 ⑪, 101 ⑰ – voir à Paris, Environs.

ROMANÈCHE-THORINS 71 S.-et-L. 74 ① G. Bourgogne – 1 699 h. alt. 187 – ✉ 71570 La Chapelle de Guinchay.

Paris 408 – Chauffailles 52 – ♦Lyon 56 – Mâcon 17 – Villefranche-sur-Saône 29.

✿ **Maritonnes** (Fauvin), près gare ✆ 85 35 51 70, « Parc fleuri », ⛱ – TV ☎ Ⓟ. AE ⓓ E VISA
fermé 2 au 10 juin, 15/12 au 25/1 et lundi ; hôtel : dim. soir du 1/10 au 30/6 ; rest : mardi midi du 1/7 au 30/9 – SC : **R** 135/250 – ☕ 26 – **20 ch** 220/330
Spéc. Grenouilles sautées fines herbes, Escalope de saumon en meurette, Fricassée de volaille à la crème et morilles. **Vins** Chénas, Saint-Véran.

XX **Commerce** avec ch, à la gare ✆ 85 35 51 82 – wc ☎ Ⓟ. AE VISA
hôtel : 1er mai-31 oct. et fermé mardi soir et merc. – SC : **R** *(fermé 2 au 11 déc., fév., mardi soir et merc.)* 80/150 – ☕ 18 – **14 ch** 77/170 – P 170/220.

ROMANS-SUR-ISÈRE 26100 Drôme 77 ② G. Vallée du Rhône – 33 888 h. alt. 167.

Voir Tentures★★ de l'église St-Barnard AZ **B.**

ℹ Office de Tourisme pl. J.-Nadi ✆ 75 02 28 72.

Paris 560 ⑤ – Die 73 ④ – ♦Grenoble 81 ② – ♦St-Étienne 93 ⑤ – Valence 18 ④ – Vienne 71 ⑤.

Plan page suivante

Terminus sans rest, 48 av. P.-Sémard ✆ 75 02 46 88 – 🛗 wc wc ☎ – 80. VISA — AY a
SC : ☕ 16 – **32 ch** 98/168.

Magdeleine sans rest, 31 av. P.-Sémard ✆ 75 02 33 53 – TV wc wc ☎. VISA — AY e
SC : ☕ 14 – **16 ch** 96/202.

Cendrillon sans rest, 9 pl. Carnot ✆ 75 02 83 77 – wc ☎. AE ⓓ E VISA — AY s
SC : ☕ 19 – **28 ch** 120/204.

XX **Ponton,** 40 pl. Jacquemart ✆ 75 02 29 91 – AE VISA — AY t
fermé 15 juil. au 10 août, dim. soir et lundi – SC : **R** 98/180.

à Bourg-de-Péage ABZ – 8 680 h. alt. 126 – ✉ 26300 Bourg-de-Péage :

Yan's Ⓜ sans rest, ✆ 75 72 44 11, ⛱ – TV wc wc ☎ Ⓟ. AE VISA — BZ u
☕ 21 – **22 ch** 230.

XX **Astier,** à Pizançon par ③ : 2 km par N 532 ✆ 75 70 06 27 –
fermé 4 juil. au 4 août, sam. soir et dim. – SC : **R** 100/150.

à Granges-les-Beaumont par ⑤ : 6 km – ✉ 26600 Tain l'Hermitage :

XXX **Les Cèdres,** ✆ 75 71 50 67, ⛱, – Ⓟ
fermé 14 au 31 août, vacances de fév., mardi soir et merc. – SC : **R** 95/250.

XX **Lanaz** avec ch, ✆ 75 71 50 56 – wc ☎ Ⓟ
fermé 1er au 12 mai, 3 au 23 sept. et sam. – SC : **R** 40/128 ₰ – ☕ 15 – **8 ch** 112/136 – P 216.

ROMANS-SUR-ISÈRE BOURG-DE-PÉAGE

Cordeliers (Côte des) . . . . . BZ 6
Faure (Pl. Maurice) . . . . AZ
Mathieu-de-la-Drôme (R.) BZ 16
Chan.-Chevalier (R.) . . . . AZ 3
Chevalier (Q. Ulysse) . . . . BZ 4
Clérieux (R. du Fg-de) . . . AZ 5
Fuseau (R. du) . . . . AZ 7
Gailly (Pl. E.) . . . . AY 9
Jacquemard (Pl.) . . . . AZ 12
Massenet (Pl.) . . . . BZ 13
Masses (Côte des) . . . . . . AY 15
N.-D.-de-Lourdes (⊞) . . BY
Poids-des-Farines (Côte) AZ 18
St-Barnard (⊞) . . . . AZ B
St-Jean-Bosco (⊞) . . . . AY
St-Nicolas (⊞) . . . . BZ
Semard (R. P.) . . . . AY 20

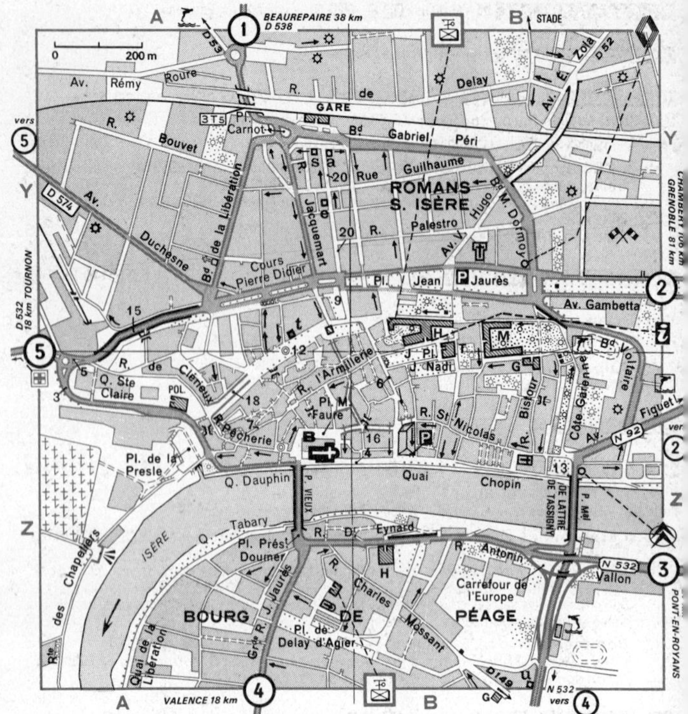

CITROEN Romans-Automobiles, pl. Massenet ✆ 75 70 00 66
FORD Larat, 21 av. Gambetta ✆ 75 70 07 01
OPEL Vincent, 9 r. G.-Martin ✆ 75 70 51 59
PEUGEOT-TALBOT Gar. des Dauphins, Zone Ind., N 92 par ② ✆ 75 70 24 66
RENAULT Comas Automobiles, Zone Ind., N 92 par ② ✆ 75 72 42 22
RENAULT Standard Automobiles, 6 bd Max-Dormoy ✆ 75 02 29 55 N
V.A.G. Tabarin, 12 bd de la Libération ✆ 75 02 32 20
Gar. Fillat, 47 av. J.-Moulin ✆ 75 02 07 66

Dorcier, 41 cours P.-Didier ✆ 75 02 24 64
Piot-Pneu, Zone Ind., N 92 ✆ 75 70 45 67

ROMBAS 57120 Moselle 57 ③ – 11 733 h. alt. 173.

Paris 314 – Briey 15 – ♦Metz 19 – Thionville 19 – Verdun 71.

Europa, 19 r. Clemenceau à **Clouange** ✉ 57120 Rombas ✆ 87 67 07 88 – wc wc ☎ P – 40. E VISA
fermé 5 juil. au 2 août, vend. soir et sam. midi – **R** 57/95 – ☕ 14 – **19 ch** 82/138.

ROMENAY 71 S.-et-L. 69 ⑳ – 1 641 h. alt. 204 – ✉ **71470** Montpont-en-Bresse.

Paris 377 – Bourg-en-Bresse 36 – Chalon-sur-Saône 45 – Louhans 19 – Mâcon 36.

Lion d'Or avec ch., ✆ 85 40 30 78 –
fermé 1er au 15 juin, 1er au 15 nov., mardi soir et merc. – **SC : R** 46/132 – ☕ 16,50 – **10 ch** 59/100.

Aub. la Maillardière, D975 ✆ 85 40 31 25 – P
fermé 30 juin au 9 juil., 3 nov. au 10 déc., mardi soir et merc. – **SC : R** 78/130.

RENAULT Gar. du Sud, ✆ 85 40 30 54

ROMILLY-SUR-SEINE 10100 Aube 61 ⑤ – 16 291 h. alt. 75.

Paris 122 ⑤ – Châlons-s.-Marne 74 ① – Nogent-sur-S. 18 ⑤ – Sens 60 ⑤ – Sézanne 26 ① – Troyes 38 ③.

ROMILLY-SUR-SEINE

Boule-d'Or (R. de la) 3
Gornet Boivin (R.)
Martyrs (Pl. des) 17

Brossolette (Av. P.) 4
Carnot (Rue) 5
Château (Av. du) 6
Gambetta (R.) 8
Gaulle (R. Gén. de) 9
Jaurès (Av. Jean) 10
Lattre-de-Tassigny
(R. Mar. de) 12
Leclerc (Av.) 13
Liberté (Av. de la) 14
Magenta (R.) 16
Partouneaux (R.) 19
Pasteur (R.) 21
St-Martin (⇒)

Dans la liste des rues des plans de ville, les noms en rouge indiquent les principales voies commerçantes.

Climat de France [M], N 19 (a) ✆ 25 24 92 40 – wc ☎ ♿ Ⓟ. E VISA
SC : **R** 54/89 🍷 – ☕ 21 – **34 ch** 185.

à Pars-les-Romilly par ④ : 3 km – ✉ **10100** Romilly-sur-Seine :

Host. Le Bourdeau ✆ **25 24 34 93** – Ⓟ. VISA
fermé 11 au 24 août, vacances de fév., dim. soir et merc. – SC : **R** 50/140.

CITROEN Garnerot, 126 r. A.-Briand N 19 ✆ 25 24 79 48
FORD Gar. D'Agostino, 6 r. E.-Zola ✆ 25 24 71 58
PEUGEOT-TALBOT Crelier, Rond-Point du Val-Thibault ✆ 25 24 74 45
RENAULT Brillais, bd Robespierre ✆ 25 24 85 77 **N** ✆ 25 24 70 38

V.A.G. Gar. Rocca, 55 av. J.-Jaurès ✆ 25 24 90 42

La Centrale du Pneu, 223 r. A.-Briand ✆ 25 24 79 40

ROMORANTIN-LANTHENAY

41200 L.-et-Ch. 64 ⑱ **G. Châteaux de la Loire** – 18 187 h. alt. 88. **Voir Maisons anciennes★ B – Vues des ponts★ – Musée de Sologne★ H.**

Syndicat d'Initiative pl. Paix ✆ 54 76 43 89.

Paris 199 ① – Blois 41 ⑤ – Châteauroux 67 ③ – ♦Orléans 68 ① – ♦Tours 90 ④ – Vierzon 33 ③.

ROMORANTIN-LANTHENAY

Clemenceau
(R. Georges) 6
Trois-Rois (R. des) 34
Verdun (R. de) 35

Brault (R. Porte) 2
Bubes (R. des) 3
Capucins (R. des) 4
Écu (R. de l') 7
Four-à-Chaux (R. du) . . 8
Gaulle (Pl. Gén. de) 10
Haies (R. des) 12
Ile-Marin (Quai de l') . . 13
Lattre de Tassigny
(Av. du Mar. de) 14
Limousins (R. des) 15
Lyautey (Av. Mar.) 16
Mail de l'Hôtel-Dieu . . . 18
Mail des Platanes 19
Milieu (R. du) 20
Orléans (Fg d') 22
Paix (Pl. de la) 23
Pierre (R. de la) 24
Prés.-Wilson (R. du) . . . 26
Résistance (R. de la) . . . 28
St-Fiacre (R.) 29
St-Roch (Fg) 30
Salengro (Av. R.) 32
Sirène (R. de la) 33

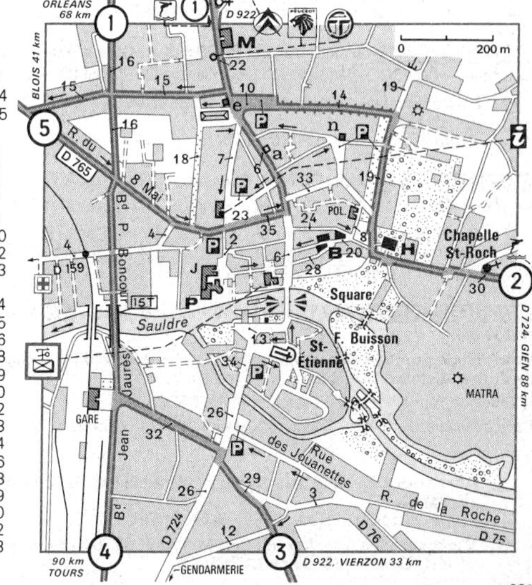

Gd H. Lion d'Or Ⓜ, 69 r. Clemenceau **(a)** ✆ 54 76 00 28, Télex 750990, « Terrasse fleurie » – 🅿 – 50. AE ⓓ E VISA
fermé début janv. à mi fév. – SC : **R** (nombre de couverts limité - prévenir) 220/265 et carte – 45 – **8 ch** 370/430
Spéc. Feuilleté d'asperges (avril-juin), Langoustines rôties, Pannequets de framboises. **Vins** Vouvray, Bourgueil.

Le Lanthenay, à Lanthenay par ① 2,5 km, pl. Église ✆ 54 76 09 19, – wc wc. VISA
fermé 21 au 28 sept., 20 fév. au 20 mars, lundi (sauf hôtel) et dim. soir – SC : **R** 79/150 – 16,50 – **14 ch** 100/145.

Le Colombier avec ch, 10 pl. Vieux-Marché **(n)** ✆ 54 76 12 76, – wc 🅿. AE ⓓ E VISA
fermé 16 au 23 sept. et mi-janv. à mi-fév. – SC : **R** *(fermé lundi)* 75 (sauf sam. soir)/145 – 18 – **11 ch** 150/230.

Orléans avec ch, 2 pl. Gén.-de-Gaulle **(e)** ✆ 54 76 01 65 – wc. E VISA
SC : **R** 65 bc/146 – 15,50 – **10 ch** 73/165.

CITROEN Gar. Blanchard, 91 fg d'Orléans ✆ 54 76 18 07
FIAT Gar. Lerepenti, 10 r. de l'Ecu ✆ 54 76 02 42
FORD Girard, 86 fg Orléans par ① ✆ 54 76 11 01
PEUGEOT-TALBOT Hureau, 14 fg Orléans ✆ 54 76 01 98
RENAULT Gar. de Paris, 12-14 av. de Paris par Fg.-d'Orléans ✆ 54 76 06 68
V.A.G. Gar. Leclerc, 42 av. de Blois ✆ 54 76 13 73

RONCHAMP 70250 H.-Saône 66 ⑦ – 3 139 h. alt. 353 – Voir Chapelle**, G. Jura.

Syndicat d'Initiative à la Mairie ✆ 84 20 64 70.

Paris 408 – Belfort 21 – Lure 12 – Luxeuil-les-Bains 31 – Vesoul 43.

Le Ronchamp Ⓜ sans rest, rte de Belfort ✆ 84 20 60 35, – wc wc 🅿. VISA
fermé 20 déc. au 31 janv. et dim. soir en hiver – SC : 17 – **21 ch** 145/195.

au Rhien N : 2,5 km – ✉ **70250** Ronchamp :

Rhien Carrer avec ch, ✆ 84 20 62 32 – wc 🅿 – 35. E VISA. ch
SC : **R** 42/160 – 16 – **20 ch** 69/103 – P 120/160.

à Champagney E : 4,5 km par D 4 – 3 290 h. – ✉ **70290** Champagney :

Commerce, ✆ 84 23 13 24, – 🅿. ⓓ E VISA. rest
fermé 4 au 14 oct., fév. et lundi – SC : **R** 55/185 – 16,50 – **25 ch** 60/85 – P 160/180.

ROPPENTZWILLER 68 H.-Rhin 66 ⑩ – 708 h. alt. 370 – ✉ 68480 Ferrette.

Voir Village* de Grentzingen NO : 5 km, G. Alsace et Lorraine.

Paris 527 – Altkirch 15 – ♦Bâle 25 – Belfort 49 – Colmar 76 – Delle 29 – Montbéliard 47.

Eicher, ✆ 89 25 81 38 – 🅿.
fermé 1er au 25 août, mardi soir et lundi – SC : **R** 40/150, en sem. dîner à la carte.

ROQUEBILLIÈRE 06 Alpes-Mar. 84 ⑲, 195 ⑯ G. Côte d'Azur – 1 654 h. alt. 612 – ✉ 06450 Lantosque

Paris 971 – Barcelonnette 125 – Cannes 72 – Digne 146 – Menton 65 – ♦Nice 55.

St Sébastien, au Vieux Village ✆ 93 03 45 38, ←, – wc 🅿. ⓓ VISA
fermé 15 nov.-15 déc. – SC : **R** 70/150 – 23 – **23 ch** 209/316 – P 240/320.

ROQUEBRUN 34 Hérault 83 ⑭ G. Causses – 573 h. alt. 89 – ✉ 34460 Cessenon.

Paris 851 – Béziers 30 – Lodève 63 – ♦Montpellier 97 – Narbonne 51 – St-Pons 39.

Petit Nice avec ch, ✆ 67 89 64 27, ←, – , sans. rest
hôtel : ouvert 1er avril-1er oct. ; rest. : fermé lundi hors saison – SC : **R** 95 bc/200 bc – 18 – **9 ch** 100/130 – P 160/170.

ROQUEBRUNE-CAP-MARTIN 06190 Alpes-Mar. 84 ⑩, 195 ㉘ G. Côte d'Azur – 12 578 h. alt. 68 à 300.

Voir Village perché : rue Moncollet*, ** du donjon* – Cap Martin ←** X – ←** de l'hôtel Vistaëro SO : 4 km.**

Office de Tourisme 20 av. P.-Doumer ✆ 93 35 62 87.

De Roquebrune : Paris 955 – Menton 5 – Monte-Carlo 7 – ♦Nice 26.

Plans : voir à Menton

Alexandra Ⓜ sans rest, 93 av. W.-Churchill ✆ 93 35 65 45, ← – . AE ⓓ VISA AX **a**
fermé 1er nov. au 15 déc. – SC : **40 ch** 290/540.

Victoria sans rest, 7 prom. Cap-Martin ✆ 93 35 65 90, ← – . AE ⓓ E VISA AX **k**
1er fév.-30 oct. – SC : **30 ch** 246/420.

Regency sans rest, 98 av. J.-Jaurès par ③ : 2,5 km ✆ 93 35 00 91, ≤ – ⇔wc ☎. ⓓ E VISA. ✻
fermé 12 nov. au 20 déc. – SC : ☐ 18 – **12 ch** 165/220.

Westminster, 14 av. L.-Laurens, quartier Bon-Voyage par ③ : 3 km ✆ 93 35 00 68, ≤, ⚘ – ⇔wc ⋒wc ☎ Ⓟ. ✻
1er fév.-15 oct. – SC : **R** (en sais. dîner seul.) 50/85 – ☐ 15 – **30 ch** 130/200.

Reine d'Azur, 29 prom. Cap-Martin ✆ 93 35 76 84, ⛱, ⚘ AX **d**
1er fév.-15 oct. – SC : **R** (résidents seul.) – ☐ 17 – **17 ch** 87/118 – P 207/255.

XXX ✲ **Roquebrune** (Mme Marinovich), 100 av. J.-Jaurès par ③, (corniche inférieure) ✆ 93 35 00 16, ≤, ⛱ – AE ⓓ E VISA
fermé 5/11 au 5/12, 5 au 16/1, jeudi midi et merc. du 15/9 au 31/5 et le midi (sauf week-end) du 1er/6 au 15/9 – SC : **R** (prévenir) 275
Spéc. Poissons en papillote, Bouillabaisse, Bourride. **Vins** Bandol, Bellet.

XX ✲ **Hippocampe** (Teyssier), av. W.-Churchill ✆ 93 35 81 91, ≤ baie et littoral, ⛱ – ✻ AX **h**
fermé 1er au 30 mai, oct., 2 au 31 janv. et lundi – SC : **R** (déj. seul. en hiver ; dîner en sais. sauf jeudi et dim. - prévenir) 160/300
Spéc. Galantine de canard, Filets de sole en brioche, Canard aux pêches. **Vins** Gassin, Bellet.

XX **Au Gd Inquisiteur,** r. Château (accès à pied) au village par ③ : 3,5 km ✆ 93 35 05 37, « Intérieur rustique » – AE. ✻
fermé 3 nov. au 25 déc., 10 au 24 mars, lundi et le midi en sais. – SC : **R** (prévenir) 100/170.

X **Les Lucioles,** au village par ③ : 3,5 km ✆ 93 35 02 19, ≤, ⛱ – AE VISA
15 mars-31 oct. et fermé vend. midi et jeudi – SC : **R** 120/150.

X **Mercator,** ✆ 93 35 93 95, ≤, ⛱ – AX **k**
fermé nov. et vend. sauf de juin à sept. – **R** carte 120 à 170 ♁.

à Monte-Carlo Beach : **ressources hôtelières voir à Monaco**

CITROEN Gar. de Carnolès, 159 av. Verdun ✆ 93 35 77 85

ROQUEFAVOUR 13 B.-du-R. 84 ②③ – ✉ 13122 Ventabren.

Voir Aqueduc★, G. Provence.

Paris 746 – Aix-en-Provence 12 – ♦Marseille 31 – Martigues 37 – Salon-de-Provence 28.

Arquier ♨, ✆ 42 24 20 45, ≤, ⛱, ⚘ – ⇔wc ⋒ ☎ Ⓟ – 🔺 30. VISA. ✻
fermé fév., dim. soir et lundi du 15 oct. au 1er avril – SC : **R** 90/220 – ☐ 22 – **18 ch** 75/220 – P 235/420.

ROQUEFORT 40120 Landes 79 ⑪⑫ G. Côte de l'Atlantique – 1 828 h. alt. 75.

Paris 684 – Agen 94 – Aire-sur-l'Adour 37 – Auch 97 – Langon 61 – Mont-de-Marsan 22.

Le Colombier Ⓜ ♨, ✆ 58 45 50 57, ⛱, ⛱, ⚘ – ⋒wc ☎ Ⓟ. E VISA
SC : **R** 35/90 ♁ – ☐ 14 – **19 ch** 49/110 – P 110/145.

PEUGEOT-TALBOT Pallas, ✆ 58 45 50 25

ROQUEFORT-LES-PINS 06330 Alpes-Mar. 84 ⑨ – 3 432 h.

ℹ syndicat d'Initiative à l'Hôtel de Ville ✆ 93 77 00 08.

Paris 916 – Cannes 18 – Grasse 15 – ♦Nice 25.

XXX **Aub. du Colombier** avec ch, ✆ 93 77 10 27, Télex 461942, ≤, parc, ⛱, ⛱, ✂ – TV ⇔wc ☎ Ⓟ – 🔺 30. AE ⓓ E VISA
fermé 5 janv. au 20 fév. – SC : **R** *(fermé mardi du 1er oct. au 1er avril)* 115/200 – ☐ 35 – **15 ch** 250/560 – P 540/650.

ROQUEFORT-SUR-SOULZON 12250 Aveyron 80 ⑭ G. Causses – 880 h. alt. 630.

Voir Rocher St-Pierre ≤ ★.

Paris 653 – Lodève 65 – Millau 24 – Rodez 82 – St-Affrique 14 – Le Vigan 76.

✲ **Grand Hôtel** (Lenfant), ✆ 65 59 90 20 – ⇔wc ⋒ ☎ Ⓟ. AE ⓓ VISA
1er avril-30 sept. ; fermé dim. soir et lundi sauf juil.-août – SC : **R** 78/150 ♁ – ☐ 25 – **16 ch** 85/295
Spéc. Oeufs brouillés aux queues d'écrevisses (1er juil. au 30 sept.), Aiguillette de canette aux truffes, Biscuit de sole et saumon frais au basilic.

La ROQUE-GAGEAC 24 Dordogne 75 ⑰ G. Périgord – 404 h. alt. 150 – ✉ 24250 Domme.

Voir Site★★.

Paris 553 – Cahors 54 – Fumel 59 – Lalinde 46 – Périgueux 69 – Sarlat-La-Canéda 13.

Belle Étoile, ✆ 53 29 51 44, ≤, ⛱ – ⇔wc ⋒ ☎ 🚗. ✻
23 mars-15 oct. – SC : **R** 65/130 – ☐ 13 – **16 ch** 80/170 – P 195/230.

Gardette, ✆ 53 29 51 58, ≤, ⛱ – ⇔wc ⋒wc ☎ Ⓟ. ✻
23 mars-15 oct. – SC : **R** 68/170 – ☐ 21 – **15 ch** 90/200 – P 191/240.

rte de Vitrac SE : 4 km par D 703 – ✉ **24250** Domme :

Le Périgord Ⓜ ⛰, ✆ **53 28 36 55**, 🌳 – ▤ rest ⌂wc ⌂wc ☎ Ⓟ – 🏠 200. AE ⓓ VISA
fermé 1er janv. au 31 mars et merc. du 1er nov. au 31 déc. – **SC** : **R** 65/250 – ☕ 22 – **39 ch** 180/230 – P 240/260.

ROQUEMAURE **30150** Gard **81** ⑪⑫ – **4 054 h. alt. 19.**

Paris 670 – Alès 69 – Avignon 16 – Bagnols-sur-Cèze 19 – Nîmes 45 – Orange 11 – Pont-St-Esprit 30.

Château de Cubières, ✆ **66 50 14 28**, 🌳, « Demeure du 18e s., parc » – ⌂wc ⌂wc ☎ Ⓟ – 🏠 30
SC : **R** *(fermé 15 au 30 nov., 20 fév. au 20 mars et mardi)* 135 🍷 – ☕ 23 – **18 ch** 167/220.

ROSAY **78** Yvelines **55** ⑱, **196** ⑮ – rattaché à Mantes-la-Jolie.

ROSBRUCK **57** Moselle **57** ⑯ – rattaché à Forbach.

ROSCOFF **29211** Finistère **58** ⑥ **G. Bretagne (plan)** – 3 787 h.

Voir Église★ – Aquarium Ch. Pérez★ – Le grand figuier★ – St-Pol-de-Léon : Anc. cathédrale★★ – clocher★★ de la chapelle du Kreisker★ : ✲★★ de la tour S : 5 km par D 769 – 🅸 Office de Tourisme r. Gambetta (1er avril-15 oct.) ✆ 98 69 70 70.

Paris 564 – ♦Brest 65 – Landivisiau 27 – Morlaix 27 – Quimper 99.

Gulf Stream Ⓜ ⛰, à Roskogoz ✆ **98 69 73 19**, ←, 🌳 – |♦| Ⓟ. E VISA. ✻
20 mars-15 oct. – **SC** : **R** 110/260 – ☕ 22 – **32 ch** 210/230 – P 260/310.

Triton Ⓜ ⛰ sans rest, r. Dr Bagot ✆ **98 61 24 44**, 🌳 – |♦| ⌂wc ⌂wc ☎ Ⓟ. ✻
fermé 15 nov. au 1er fév. – **SC** : ☕ 22 – **45 ch** 130/235.

Talabardon, pl. Église ✆ **98 61 24 95**, ← – |♦| ⌂wc ⌂wc ☎. E VISA. ✻
1er avril-15 oct. – **SC** : **R** *(fermé dim. soir)* 90/150 – ☕ 22 – **41 ch** 125/250.

Brittany ⛰ sans rest, bd Ste-Barbe ✆ **98 69 70 78**, Télex 940397, ←, ⛱ – |♦| TV ⌂wc ☎ Ⓟ – 🏠 150. VISA
1er avril-31 oct. – **SC** : ☕ 28 – **20 ch** 230/450.

Bellevue ⛰, r. Jeanne d'Arc ✆ **98 61 23 38**, ← – ⌂wc ⌂wc ☎. ✻
8 mai-30 sept. – **SC** : **R** 65/200 – ☕ 20 – **23 ch** 85/220 – P 178/260.

Régina sans rest, r. Ropartz Morvan ✆ **98 61 23 55** – |♦| ⌂wc ⌂wc ☎. E VISA
17 mai-22 sept. – **SC** : ☕ 22 – **50 ch** 150/210.

Bains, pl. Église ✆ **98 61 20 65**, ←, 🌳 – |♦| ⌂wc. E VISA. ✻ rest
1er avril-15 oct. – **SC** : **R** 65/75 – ☕ 25 – **62 ch** 85/190 – P 149/275.

Angleterre, r. A.-de-Mun ✆ **98 69 70 42**, 🌳 – ⌂wc ☎. VISA. ✻
2 mai-28 sept. – **SC** : **R** 68/94 – ☕ 18 – **40 ch** 73/152 – P 207/240.

Centre "Chez Janie" sans rest., r. Gambetta ✆ **98 61 24 25**, ← – ⌂ ☎. E VISA
fermé 15 déc. au 31 janv. – **SC** : ☕ 15 – **18 ch** 85/140.

CITROEN Gar. Scouarnec, ✆ 98 61 23 05

RENAULT Gar. Hamon, 69 r. A.-de-Mun ✆ 98 69 72 09

ROSHEIM **67560** B.-Rhin **62** ⑨ **G. Alsace et Lorraine** – 3 766 h. alt. 194.

Voir Église St-Pierre et St-Paul★.

🅸 Syndicat d'Initiative à la Mairie (15 juin-15 sept.) ✆ 88 50 40 10.

Paris 483 – Erstein 22 – Molsheim 6,5 – Obernai 6 – Sélestat 29 – ♦Strasbourg 29.

✗✗ Aub. Cerf avec ch, 120 r. Gén.-de-Gaulle ✆ **88 50 40 14** – ⌂wc – **3 ch**.

✗ **La Petite Auberge,** 41 r. Gén.-de-Gaulle ✆ **88 50 40 60** – E VISA
fermé 21 au 30 juin, janv., mardi soir du 1er nov. au 1er juin et merc. – **SC** : **R** 45/110 🍷.

PEUGEOT-TALBOT Gar. Jost, ✆ 88 50 40 53 Ⓝ

RENAULT Gar. Béraud, ✆ 88 50 40 22 Ⓝ

La ROSIÈRE **73** Savoie **74** ⑱⑲ **G. Alpes** – alt. 1 820 – Sports d'hiver : 1 850/2 400 m ⛷16 – ✉ **73700** Bourg-St-Maurice – **Altiport** ✆ **79 06 80 48** – 🅸 Office de Tourisme ✆ 79 06 80 51.

Paris 650 – Bourg-St-Maurice 23 – Chambéry 124 – Chamonix 61 – Val d'Isère 48.

Relais Petit St-Bernard ⛰, ✆ **79 06 80 48**, ← montagnes – ⌂wc ⌂ ☎ Ⓟ. ✻ ch
20 juin-15 sept. et 15 déc.-20 avril – **SC** : **R** 60/65 – ☕ 19 – **20 ch** 108/200 – P 215/255.

Roc Noir ⛰, ✆ **79 06 80 49**, ← montagnes – ⌂wc ⌂wc ☎. ✻
10 déc.-1er mai – **SC** : **R** 45/120 – ☕ 35 – **30 ch** 200/220 – P 220/250.

Les ROSIERS **49** M.-et-L. **64** ⑫ **G. Châteaux de la Loire** – 1 933 h. alt. 24 – ✉ **49350** Gennes.

🅸 Syndicat d'Initiative à la Mairie ✆ 41 51 80 04.

Paris 286 – Angers 30 – Baugé 26 – Bressuire 64 – Cholet 62 – La Flèche 44 – Saumur 15.

Val de Loire, pl. Église ✆ 41 51 80 30 – ⌂wc – 🏆 25. **E**
fermé dim. soir – SC : **R** 60/150 🍷 – ☕ 14,50 – **11 ch** 75/180 – P 170/200.

XXX ❀ **Jeanne de Laval** (Augereau) avec ch, rte Nationale ✆ 41 51 80 17, « Jardin fleuri » – ⌂wc ⌂wc ☎ Ⓟ – 🏆 25. AE ① E VISA. ✻ rest
fermé 12 nov. au 27 déc., lundi sauf fériés – SC : **R** (nombre de couverts limité - prévenir) 150/280 dîner à la carte – ☕ 33 – **7 ch** 250/350.

Annexe Ducs d'Anjou ⛫, ⛬
SC : ☕ 33 – **8 ch** 250/350
Spéc. Foie gras de canard au torchon, Poissons de Loire au beurre blanc, Ris de veau braisés. **Vins** Savennières, Saumur-Champigny.

XX **La Toque Blanche,** O : 0,5 km par N 152 ✆ 41 51 80 75 – VISA
fermé 31 août au 11 sept., 10 fév. au 2 mars, mardi soir et merc. – SC : **R** 50 bc/125.

ROSPORDEN 29140 Finistère 58 ⑯ G. Bretagne – 3 842 h. alt. 118.

Voir Clocher★ de l'église – 🅸 Syndicat d'Initiative le Moulin (juil.-août) ✆ 98 59 27 26.

Paris 535 – Carhaix-Plouguer 51 – Châteaulin 48 – Concarneau 13 – Quimper 22 – Quimperlé 26.

❀ **Bourhis** Ⓜ, pl. Gare ✆ 98 59 23 89 – 🛗 ☎ ♿. AE ① E VISA
fermé 15 nov. au 1er déc., 15 fév. au 8 mars, dim. soir et lundi du 30 sept. au 15 juin – SC : **R rest.** carte 190 à 240 – grill **le jardin R** 55/65 – ☕ 27 – **27 ch** 200/260
Spéc. Darne de turbot au coulis d'artichaut, Gratin de langouste, Nougat glacé aux deux sauces.

Gai Logis, rte Quimper ✆ 98 59 22 38, ⛬ – ⌂ Ⓟ. E VISA. ✻ rest
fermé 15 fév. au 15 mars et sam. du 15 sept. au 15 juin – SC : **R** 47/178 🍷 – ☕ 16 – **18 ch** 90/205 – P 137/180.

CITROEN Monfort, rte de Concarneau ✆ 98 59 22 72

RENAULT Castrec, 1 r. de la Gare, ✆ 98 59 20 25

ROUBAIX 59100 Nord 51 ⑥⑯ G. Flandres, Artois, Picardie – 101 886 h. alt. 22 – **Voir** Chapelle d'Hem★ : vitraux★★ 5 km par ⑥ voir plan de Lille KS **B** – ⛳9 des Flandres ✆ 20 72 20 74 par ⑦ : 8 km ; ⛳18 du Sart ✆ 20 72 02 51 par ⑦ : 5 km ; ⛳18 de Brigode à Villeneuve d'Ascq ✆ 20 91 17 86 par ⑦ : 6 km ; ⛳9 ⛳9 ⛳9 de Bondues ✆ 20 37 80 03 par D 9 : 8 km - AX.

🅸 Office de Tourisme à l'Hôtel de Ville ✆ 20 73 70 19 - A.C. 42 r. Mar.-Foch ✆ 20 73 92 80.

Paris 230 ⑦ – Kortrijk 22 ② – ♦Lille 11 ⑦ – Tournai 19 ⑤.

Accès et sorties : voir à Lille

Plan pages suivantes

P.L.M. Gd Hôtel sans rest, 22 av. J.-Lebas ✆ 20 73 40 00, Télex 132301 – 🛗 📺 ⌂wc ⌂wc ☎ – 🏆 30 à 150. AE ① E VISA BY **r**
SC : ☕ 30 – **92 ch** 190/285.

Flandres sans rest., 59 r. Holden à Croix ✉ 59170 Croix ✆ 20 72 35 01 – 📺 ⌂wc ⌂wc ☎. AE AZ **k**
fermé 8 au 24 août – SC : ☕ 18 – **31 ch** 137/210.

Centre sans rest, 1 r. P.-Motte ✆ 20 73 13 14 – ⌂wc ⌂ ☎. ✻ BY **e**
SC : ☕ 15,50 – **21 ch** 70/170.

XXX ❀ **Le Caribou** (Siesse), 8 r. Mimerel ✆ 20 70 87 08 – Ⓟ. E VISA. ✻ BY **u**
fermé 12 juil. au 28 août, vacances de Pâques, dim. soir et lundi – SC : **R** (dîner sur commande) carte 210 à 300
Spéc. Foie gras chaud, Crustacés, Gibier (en saison).

XX **Chez Charly,** 127 r. J.-B.-Lebas ✆ 20 70 78 58 – VISA. ✻ AX **a**
fermé août et sam. – SC : **R** (déj. seul.) 82/111.

à Lys-lez-Lannoy par ⑤ et D 206 : 5 km – ✉ **59390** Lys-lez-Lannoy :

XX **Aub. de la Marmotte,** ✆ 20 75 30 95 – Ⓟ. E VISA plan de Lille LS
fermé août, vacances de fév., mardi soir, dim. soir et merc. – SC : **R** 70/110.

à Hem par ⑥ : 6 km – ✉ **59510** Hem :

XX **Aub. Hempempont,** 5 r. Croix ✆ 20 75 64 32, ⛱ – Ⓟ. AE ① VISA
fermé 14 juil. au 13 août et dim. soir – SC : **R** 95/174. plan de Lille KS

à Forest-sur-Marque par ⑤ et D 952 : 9 km – ✉ **59510** Hem :

XX **Aub. de la Marque,** ✆ 20 34 94 16 – VISA plan de Lille KT
fermé 25 juil. au 25 août, vacances de fév., dim. soir, lundi soir et mardi – SC : **R** 90/140 🍷.

AUSTIN-ROVER Gar. Devernay, 17 r. Mar.-Foch ✆ 20 73 07 27
CITROEN Cabour et Van Cauwenberghe, 71 r. Racine AX a ✆ 20 36 01 00
FORD Gar. Ponthieux et Cie, 209 av. R.-Salengro ✆ 20 75 29 92
FORD Gar. St-Jean 118 r. St-Jean ✆ 20 73 48 48
PEUGEOT-TALBOT S.I.A.N., 65 r. Tourcoing BX ✆ 20 70 90 98

RENAULT Succursale, 55 r. Mar.-Foch BY ✆ 20 73 90 00
RENAULT Gar. Destailleurs, 10 r. Alsace AX ✆ 20 70 54 21

◉ Crépy Pneus, 29 r. de l'Ouest ✆ 20 70 98 02
Pneus et Services D.K, 21 av. Lagache ✆ 20 75 44 70
Prévost, 29 r. Victor-Hugo ✆ 20 75 53 79

au-dessus voir plan de Tourcoing

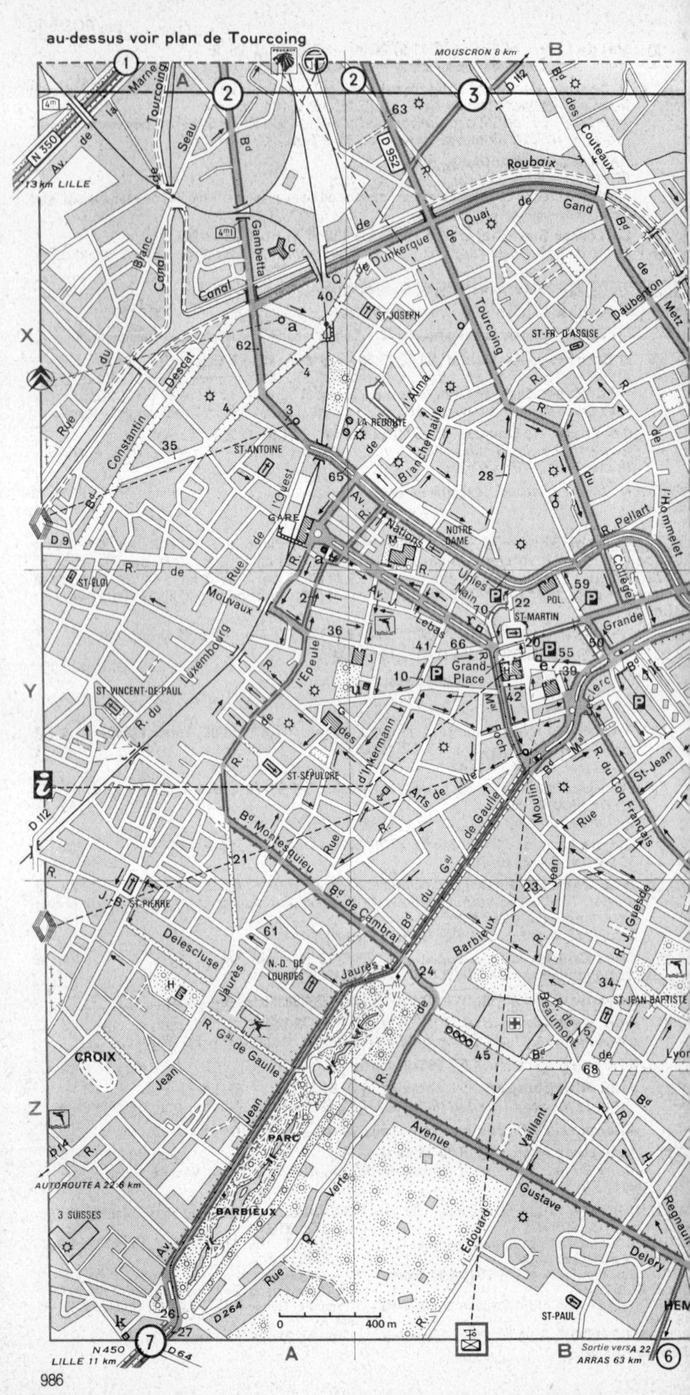

ROUBAIX

Epeule (R. de l') .... **AY**
Grand-Place .... **BY**
Grande-Rue .... **BCY**
Lannoy (R. de).......... **CZ**
Lebas (Av. J.) .... **BY**
Motte (R. Pierre)........ **BY** 55
Sarrail
(R. du Général)....... **BY** 66

Alger (R. d').............. **CX**
Alma (R. de l') .... **ABX**
Alouette (R. de l') .... **AY** 2
Alsace (R. d') .... **AX** 3
Armentières (Bd d')....... **AX** 4
Arts (R. des)........... **ABY**
Avelghem (R. d') .... **CX** 8
Barbieux (R. de) .... **BZ**
Beaumont (R. de) .... **BZ**
Beaurepaire (Bd de) ..... **CY**
Belfort (Bd de) .... **CY**
Blanchemaille (R. de) .... **BX**

Blanc-Seau (R. du)...... **AX**
Bois (R. du) .... **BY** 10
Brame (Av. Jules)....... **CY**
Cambrai (Bd de) ...... **ABZ**
Carnot (Pl.) .... **CY**
Carnot (R.)............. **CX**
Cartigny (R. de) .... **CX**
Castermant (R. Ch.)..... **CX** 14
Cateau (Bd du) .... **BZ** 15
Chemin Vert (R. du) ..... **CZ** 16
Collège (R. du)........ **BXY**
Colmar (Bd de).......... **CY** 18
Constantine (R. de) ..... **CX** 19
Contour St-Martin ...... **BY** 20
Coq Français (R. du) .... **BY**
Courbet (R. Amiral).... **AYZ** 21
Couteaux (Bd des) ...... **BX**
Curé (R. du)............ **BY** 22
Daguessau (R.).......... **BZ** 23
Daubenton (R.)......... **BX**
Delescluse (R. J.-B.) ... **AYZ**
Delory (Av. Gustave)... **ABZ**
Descat (Bd Constantin).. **AX**
Douai (Bd de) .... **BZ** 24
Dunkerque (Q. de) .... **ABX**
Faidherbe (Pl. du Gén.) .. **CY** 25
Fer à Cheval (Carr. du)... **AZ** 26
Flandre (Av. de) .... **AZ** 27
Fosse-aux-chênes (R.) .. **BX** 28
Foch (R. Mar.)........... **BY**
Fourmies (Bd de)...... **BCZ**
Fraternité (Pl. de la) ..... **CZ** 30
Gambetta (Bd)........ **BCY**
Gambetta (Bd)
TOURCOING .... **AX**
Gand (Quai de)......... **BX**
Gaulle (Bd du Gén. de) .. **BY**
Gaulle (R. Gén. de)...... **AZ**
Goujon (R. Jean)......... **BZ** 34
Gounod (R. Ch.)......... **AX** 35
Grand chemin (R. du) .. **ABY** 36
Guesde (R. Jules) .... **BCYZ**
Halle (R. de la) .... **BY** 39
Halluin (Bd) .... **ABX** 40
Hommelet (R. de l') ..... **BX**
Hospice (R. de l') .... **BY** 41
Hôtel-de-Ville (R. de l') .. **BY** 42
Inkermann (R. d')...... **ABY**
Jaurès (Av. J.) .... **AZ**
Jaurès (R. J.) CROIX .... **AZ**
Jouffroy (R.) .... **CZ**
Lacordaire (Bd) .... **BZ** 45
Lagache (Av. J.) .... **CYZ**
Leclerc (Bd Mar.) .... **BY**
Leconte-Baillon (R.)..... **CZ** 47
Liberté (Pl. de la)......... **BY** 50
Lille (R. de) .... **BY**
Linné (Av.).............. **CZ**
Luxembourg (R. du)..... **AY**
Lyon (Bd de).......... **BCZ**
Marne (Av. de la)
TOURCOING .... **AX**
Metz (Bd de) .... **BX**
Montesquieu (Bd) ...... **AY**
Motte (Av. Alfred)........ **CZ**
Moulin (R. Jean) .... **BYZ**
Mouvaux (R. de) ...... **AXY**
Mulhouse (Bd de) .... **CY**
Nadaud (R.).............. **CY** 56
Nain (R.)................. **BY**
Nyckès (Pont) .... **CY** 58
Oran (R. d') .... **CX**
Ouest (R. de l') .... **AX**
Pauvrée (R.).............. **BY** 59
Pellart (R.) .... **BX**
Prof. Langevin (R. du) ... **AZ** 61
Regnault (R. Henri)...... **BZ**
Reims (Bd de)........... **CZ**
République (Bd de la) ... **AX** 62
Roubaix (R. Pierre de) ... **CY**
Roubaix (R. de)
TOURCOING .... **BX** 63
Rousseau (R. J.-J.)...... **CZ** 64
St-Jean (R.) .... **BY**
St-Vincent-de-Paul (R.) **ABX** 65
Salengro (Av. R.) .... **CZ**
Sévigné (R. de).......... **CY** 67
Strasbourg (Bd de) ...... **CX**
Tourcoing (R. de)........ **BX**
Travail (Pl. du) .... **BZ** 68
Vaillant (R. Ed.) .... **BZ**
Verdun (Av. de) .... **CY**
Verte (R.) .... **AZ**
Vieil abreuvoir (R. du) ... **BY** 70

ROUEN Ⓟ **76000** S.-Mar. 55 ⑥ **G. Normandie** – 105 083 h. alt. 10.

Voir Cathédrale★★★ EY – Le Vieux Rouen★★★ DEXY : ☼★★ du beffroi DY, Église St-Ouen★★ FX, Église★★ et Aître★★ St-Maclou FY, Palais de Justice★★ DEX **J**, Rue du Gros Horloge★★ DEY **39**, Rue St-Romain★★ EY **57**, Place du Vieux-Marché★ DX **65**, Verrière★★ de l'église Ste-Jeanne d'Arc DX **K**, Rue Ganterie★ EX, Rue Damiette★ FY **28**, Rue Martainville★ FGY , Église St-Godard★ EX **S** – Vitraux★ de l'église St-Patrice DX **F** – Musées: Beaux-Arts★★ (faïences de Rouen★★★) EX **M1**, Le Secq des Tournelles★★ EX **M2**, Antiquités★ (tapisserie des Cerfs Ailés★★, mosaïque de Lillebonne★★) FVX **M3** – Côte Ste-Catherine ☼★★★ B, 3,5 km – Bonsecours : ☼★★ du calvaire et ⩽★★ du monument à Jeanne d'Arc B **N**, 3 km – Canteleu ⩽★ de la terrasse de l'église et ☼★★ de la route en forte descente A, 4 km – Route d'accès au Centre Universitaire A **R** ☼★★ par rue Chasselièvre AB **23**.

Env. Roches de St-Adrien ⩽★ par ④ et D7 : 8 km puis 15 mn.

⛳18 ✆ 35 74 53 46 près Mont-St-Aignan AB, **N** : 4 km.

Circuit automobile de Rouen-les-Essarts 13 km par ⑥.

ℹ Office de Tourisme et Accueil de France (Informations, change et réservations d'hôtels pas plus de 5 jours à l'avance), 25 pl. Cathédrale ✆ 35 71 41 77, Télex 770940 – A.C.O. 46 r. Gén.-Giraud ✆ 35 71 44 89.

Paris 139 ⑥ – ♦Amiens 113 ① – ♦Caen 124 ⑥ – ♦Calais 218 ① – ♦Le Havre 87 ⑧ – ♦Lille 218 ① – ♦Le Mans 195 ⑥ – ♦Rennes 300 ⑥ – ♦Tours 277 ⑥.

ROUEN

Alliés (Av. des) .... **A 2**
Ango (R. Jean) .... **A 4**
Béthencourt (Quai Jean-de) .... **A 6**
Bonsecours (Rte de)...... **B 7**
Brossolette (Bd) .... **A 9**
Bruyères (Rd-Pt des) ..... **A 13**
Caen (Av. de) .... **AB 15**
Canteleu (Rte de) .... **A 18**
Carnot (Av.) .... **A 21**
Chasselièvre (R.) .... **AB 23**
Clères (Chemin de)....... **B 24**
Corneille (R. Pierre)...... **B 25**
Corniche (Rte de la) ...... **B 26**
Elbeuf (R. d') .... **B 34**
Havre (Rte du) .... **A 35**
Jaurès (Av. Jean) .... **A 36**
Jaurès (Bd Jean)......... **A 37**
Leclerc-de-Hautecloque (Av. du Gén.)........... **A 38**
Mont-Riboudet (Av. du)... **A 42**
Pène (R. Annie-de) .... **B 44**
Pitres (Chemin de) .... **B 45**
Renard (R. du) .... **AB 48**
Rondeaux (Av. Jean) ...... **A 50**
Roosevelt (Bd Franklin) ... **A 51**
Ste-Lucie (Rd-Pt) .... **A 52**
Siegfried (Bd André) ..... **A 53**
Sotteville (R. de) .... **B 54**
Val-d'Eauplet (R. du) ..... **B 55**
Verdun (Bd de) .... **A 56**
11-Novembre (Bd du) .... **A 57**
14-Juillet (Av. du) .... **B 58**

Frantel M, r. Croix de Fer ☎ 35 98 06 98, Télex 180949 – ch – 50. AE E VISA EY f
SC : rest. **le Tournebroche** *(fermé dim. et fériés)* **R** carte 145 à 205 – 42 – **121 ch** 330/460.

Dieppe et rest. Le Quatre Saisons, pl. B. Tissot ☎ 35 71 96 00, Télex 180413 – . AE E VISA EV z
SC : **R** 145 – 25 – **44 ch** 255/315.

Gd H. Nord sans rest, 91 r. Gros-Horloge ☎ 35 70 41 41, Télex 771938 – wc wc . VISA DY u
SC : 15,50 – **62 ch** 141/200.

Viking sans rest, 21 quai du Havre ☎ 35 70 34 95, ← – wc wc . E VISA DY y
SC : 15,50 – **37 ch** 110/210.

Normandie sans rest, 19 r. Bec ☎ 35 71 55 77, Télex 771350 – wc wc . AE E VISA EY n
SC : 16 – **23 ch** 110/208.

Paris sans rest, 12 r. Champmeslé ☎ 35 70 09 26 – wc wc . AE VISA DY t
fermé dim. du 1er nov. à Pâques – SC : 17,50 – **23 ch** 120/215.

Morand sans rest, 1 r. Morand ☎ 35 71 46 07 – wc . AE VISA EX s
SC : 16 – **17 ch** 119/220.

Cathédrale sans rest, 12 r. St-Romain ☎ 35 71 57 95 – wc wc EY h
SC : 15,50 – **23 ch** 116/221.

Québec sans rest, 18 r. Québec ☎ 35 70 09 38 – wc wc . AE VISA EY q
fermé 20 déc. au 6 janv. et dim. du 1er nov. au 28 fév. – SC : 15,50 – **38 ch** 84/230.

Lisieux sans rest, 4 r. Savonnerie ☎ 35 71 87 73 – wc wc . VISA EY b
SC : 15,50 – **27 ch** 77/185.

Bordeaux sans rest, 9 pl. République ☎ 35 71 93 58 – wc wc . AE VISA
fermé dim. soir du 30 nov. au 28 fév. – 16 – **45 ch** 113/263. EY e

Bristol sans rest, 4 r. aux Juifs ☎ 35 71 54 21 – wc . VISA EY a
SC : 14 – **15 ch** 110/178.

Gaillardbois sans rest, 12 pl. Gaillardbois ☎ 35 70 34 28 – wc . VISA EY z
fermé 30 juin au 13 juil. et 22 déc. au 10 janv. – SC : 15,50 – **20 ch** 75/195.

Vieille Tour sans rest, 42 pl. Hte-Vieille-Tour ☎ 35 70 03 27 – wc wc . VISA EY d
fermé 15 déc. au 5 janv. – SC : 15,50 – **23 ch** 76/205.

XXX **Couronne,** 31 pl. Vieux-Marché ☎ 35 71 40 90, « Maison normande du 14e s. » – AE VISA. ch DX d
fermé dim. soir – SC : **R** 98/220.

XXX ✪ **Bertrand Warin,** 9 r. Pie ☎ 35 89 26 69 – AE VISA DX h
fermé 3 au 28 août, 23 au 25 déc., 2 au 5 janv., dim. soir et lundi – SC : **R** 260
Spéc. Foie gras de canard au court-bouillon, Filets de rouget au beurre de tomate, Enveloppe de turbot aux langoustines.

XXX ✪ **Beffroy** (L'Hernault), 15 r. Beffroy ☎ 35 71 55 27, Cadre normand – AE E VISA
fermé 27 juil. au 20 août, vacances de fév., dim. et lundi – SC : **R** carte 165 à 245
Spéc. Gigot de lotte vallée d'Auge, Pigeon en habit de mendiant, Dessert Beffroy. EX b

XXX ✪ **Gill,** 60 r. St-Nicolas ☎ 35 71 16 14 – . AE VISA EY r
fermé 24 août au 16 sept., 5 au 19 janv., lundi midi et dim. – SC : **R** carte 205 à 260
Spéc. Fleurs de courgettes à la vinaigrette de truffes (mai-sept), Pigeon à la rouennaise, Millefeuille.

XX **Dufour,** 67 r. St-Nicolas ☎ 35 71 90 62, « Cadre vieux normand » – AE VISA
fermé août, dim. soir et lundi – SC : **R** carte 130 à 185. EY w

XX **Reverbère,** 5 pl. République ☎ 35 07 03 14 – VISA EY e
fermé 4 au 24 août, Noël, sam. midi et dim. – SC : **R** 92 bc/245 bc.

XX **Vieux Moulin,** à Bapeaume r. Samuel Lecoeur ✉ 76820 Bapeaume ☎ 35 36 39 59 – . AE VISA A t
SC : **R** 89/220.

XX **Bois Chenu,** 23 pl. de la Pucelle d'Orléans ☎ 35 71 19 54 – AE VISA DX r
fermé 7 au 20 août, vacances de fév., mardi soir et merc. – SC : **R** 68/105.

XX **P'tits Parapluies,** 46 r. Bourg l'Abbé ☎ 35 88 55 26 – VISA FX e
fermé 1er au 21 août, sam. midi et dim. – SC : **R** carte 165 à 210.

X **Marine,** 42 quai Cavelier-de-la-Salle ✉ 76100 ☎ 35 73 10 01 – AE E VISA DY p
fermé 1er au 21 août, 24 déc. au 2 janv., sam midi et dim. – SC : **R** 50/105 .

X **Pascaline,** 5 r. Poterne ☎ 35 89 67 44, – VISA EX k
SC : **R** carte environ 90.

X **La Vieille Auberge,** 37 r. St-Étienne-des-Tonneliers ☎ 35 70 56 65. AE DY v
fermé août, dim. et fériés – **R** 55/75 .

à Petit Quevilly SO : 4 km – ✉ **76140** Petit Quevilly :

Fimotel, 112 av. Jean-Jaurès ☎ 35 62 38 50, Télex 770132 – wc – 30. AE E VISA A u
SC : **R** 52/99 – 20 – **42 ch** 206/229.

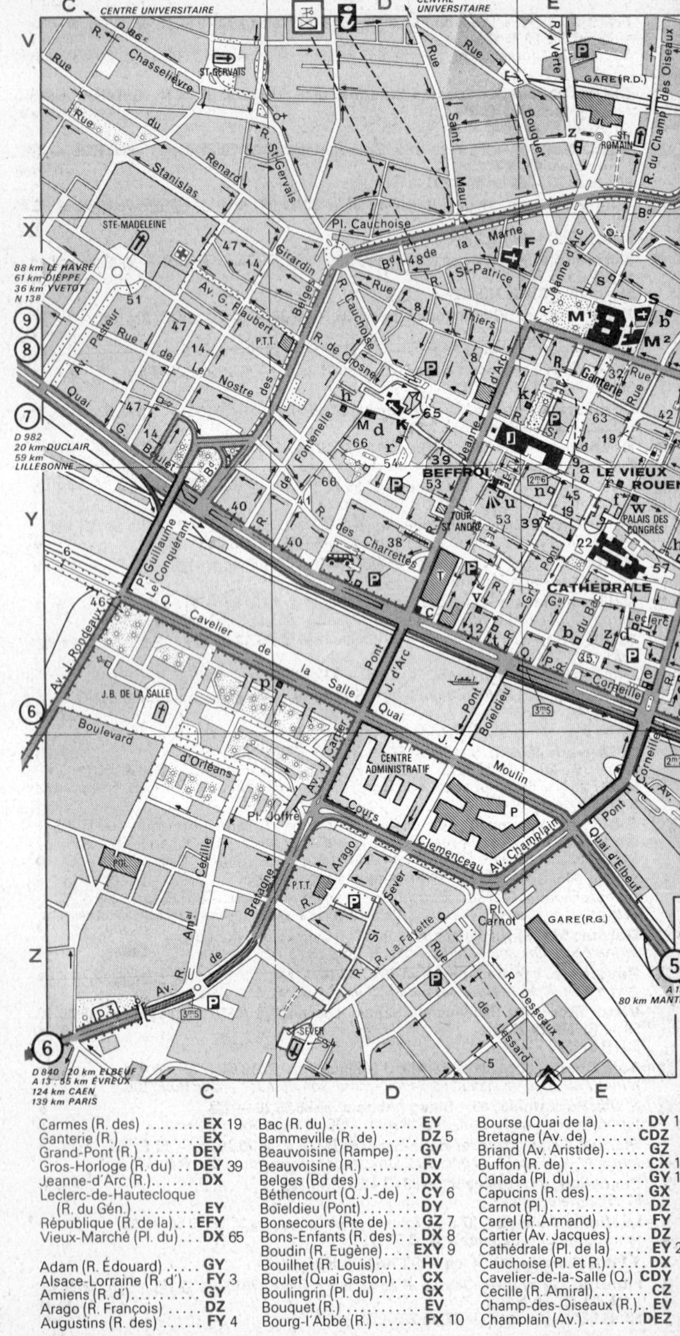

Carmes (R. des) .... EX 19
Ganterie (R.) .... EX
Grand-Pont (R.) .... DEY
Gros-Horloge (R. du) .. DEY 39
Jeanne-d'Arc (R.) .... DX
Leclerc-de-Hautecloque (R. du Gén.) .... EY
République (R. de la) ... EFY
Vieux-Marché (Pl. du) ... DX 65

Adam (R. Édouard) ..... GY
Alsace-Lorraine (R. d') ... FY 3
Amiens (R. d') .... GY
Arago (R. François) ..... DZ
Augustins (R. des) ...... FY 4
Bac (R. du) .... EY
Bammeville (R. de) ..... DZ 5
Beauvoisine (Rampe) ... GV
Beauvoisine (R.) .... FV
Belges (Bd des) .... DX
Béthencourt (Q. J.-de) .. CY 6
Boïeldieu (Pont) .... DY
Bonsecours (Rte de) .... GZ 7
Bons-Enfants (R. des) .. DX 8
Boudin (R. Eugène) .... EXY 9
Bouilhet (R. Louis) ...... HV
Boulet (Quai Gaston) CX
Boulingrin (Pl. du) ...... GX
Bouquet (R.) .... EV
Bourg-l'Abbé (R.) .... FX 10
Bourse (Quai de la) .... DY 12
Bretagne (Av. de) ...... CDZ
Briand (Av. Aristide) ...... GZ
Buffon (R. de) .... CX 14
Canada (Pl. du) .... GY 17
Capucins (R. des) .... GX
Carnot (Pl.) .... DZ
Carrel (R. Armand) .... FY
Cartier (Av. Jacques) ...... DZ
Cathédrale (Pl. de la) ..... EY 22
Cauchoise (Pl. et R.) ...... DX
Cavelier-de-la-Salle (Q.) CDY
Cecille (R. Amiral) .... CZ
Champ-des-Oiseaux (R.) .. EV
Champlain (Av.) .... DEZ

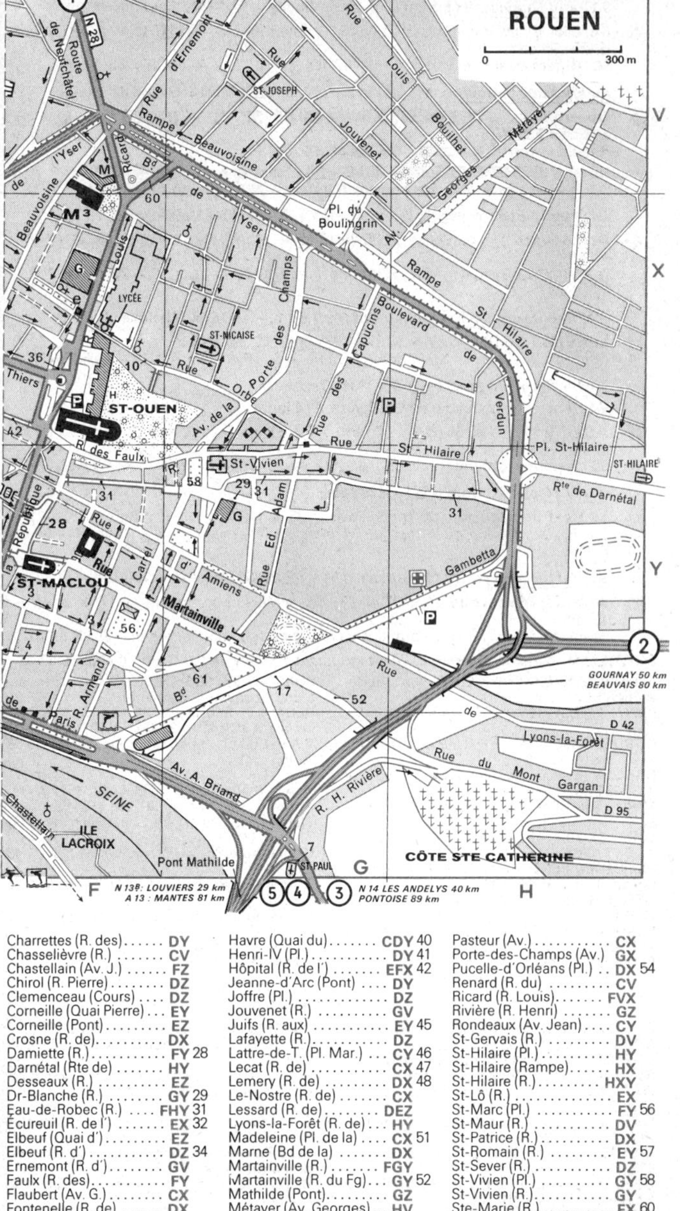

Charrettes (R. des) . . . . . . DY
Chasselièvre (R.) CV
Chastellain (Av. J.) . . . . . . FZ
Chirol (R. Pierre) . . . . DZ
Clemenceau (Cours) . . . . DZ
Corneille (Quai Pierre) . . . EY
Corneille (Pont) . . . . EZ
Crosne (R. de) . . . . DX
Damiette (R.) . . . . FY 28
Darnétal (Rte de) . . . . HY
Desseaux (R.) . . . . EZ
Dr-Blanche (R.) . . . . GY 29
Eau-de-Robec (R.) . . . . FHY 31
Écureuil (R. de l') . . . . EX 32
Elbeuf (Quai d') . . . . EZ
Elbeuf (R. d') . . . . DZ 34
Ernemont (R. d') . . . . GV
Faulx (R. des) . . . . FY
Flaubert (Av. G.) CX
Fontenelle (R. de) . . . . . . DX
Gaillardbois (Pl. du) . . . . . EY 35
Gambetta (Bd) . . . . HY
Gaulle (Pl. Gén.-de) . . . . . FX 36
Girardin (R. Stanislas) . . . CV
Giraud (R. Gén.) . . . . DY 38
Guillaume-
le-Conquérant (Pont) . CY

Havre (Quai du) . . . . CDY 40
Henri-IV (Pl.) . . . . DY 41
Hôpital (R. de l') . . . . EFX 42
Jeanne-d'Arc (Pont) . . . . DY
Joffre (Pl.) . . . . DZ
Jouvenet (R.) . . . . GV
Juifs (R. aux) . . . . EY 45
Lafayette (R.) . . . . DZ
Lattre-de-T. (Pl. Mar.) . . . CY 46
Lecat (R. de) . . . . CX 47
Lemery (R. de) . . . . DX 48
Le-Nostre (R. de) CX
Lessard (R. de) . . . . DEZ
Lyons-la-Forêt (R. de) . . . HY
Madeleine (Pl. de la) . . . . CX 51
Marne (Bd de la) . . . . DX
Martainville (R.) . . . . FGY
Martainville (R. du Fg) . . . GY 52
Mathilde (Pont) . . . . GZ
Métayer (Av. Georges) . . HV
Mont-Gargan (R. du) . . . . HZ
Moulin (Quai Jean) . . . . . DEZ
Neufchâtel (Rte de) . . . . . FV
Orbe (R.) . . . . GX
Orléans (Bd d') . . . . CZ
Ours (R. aux) . . . . DEY 53
Paris (Quai de) . . . . EFZ

Pasteur (Av.) CX
Porte-des-Champs (Av.) . GX
Pucelle-d'Orléans (Pl.) . . DX 54
Renard (R. du) CV
Ricard (R. Louis) . . . . FVX
Rivière (R. Henri) . . . . GZ
Rondeaux (Av. Jean) . . . . CY
St-Gervais (R.) . . . . DV
St-Hilaire (Pl.) . . . . HY
St-Hilaire (Rampe) . . . . . . HX
St-Hilaire (R.) . . . . HXY
St-Lô (R.) . . . . EX
St-Marc (Pl.) . . . . FY 56
St-Maur (R.) . . . . DV
St-Patrice (R.) . . . . DX
St-Romain (R.) . . . . EY 57
St-Sever (R.) . . . . DZ
St-Vivien (Pl.) . . . . GY 58
St-Vivien (R.) . . . . GY
Ste-Marie (R.) . . . . FX 60
Schuman (R. Robert) . . . . GY 61
Socrate (R.) . . . . EX 63
Thiers (R.) . . . . DFX
Verdun (Bd de) . . . . HX
Verte (R.) . . . . EV
Vieux-Palais (R. du) . . . DXY 66
Yser (Bd de l') . . . . FV

à Grand Quevilly S : 5,5 km près bd de Gaulle – ✉ **76120** Grand Quevilly :

Soretel M, av. Provinces ✆ 35 69 63 50, Télex 180743 – ⇅ TV ☎ – 🏛 120. AE ⓓ E VISA. ✱ rest A e
SC : **R** *(fermé sam. midi et dim. soir)* 67/165 🍷 – ☕ 23 – **45 ch** 193/252.

au Parc des Expositions S : 6 km par N 138 – ✉ **76800** St-Étienne-du-Rouvray :

Novotel M, ✆ 35 66 58 50, Télex 180215, 🌳, 🏊 – ⇅ ▤ TV ☎ ♿ Ⓟ – 🏛 210. AE ⓓ E VISA A y
R carte environ 100 🍷 – ☕ 32 – **135 ch** 312/327.

Ibis M, ✆ 35 66 03 63, Télex 771014 – TV 🛁wc ☎ ♿ Ⓟ – 🏛 40. E VISA A r
SC : **R** *(fermé sam. et dim.)* carte environ 85 🍷 – ☕ 19,50 – **69 ch** 175/226.

Le Mesnil-Esnard par ③ : 6 km – 5 347 h. – ✉ **76240** Le Mesnil-Esnard :

St-Léonard, pl. Église ✆ 35 80 16 88 – 🛁wc 🚿wc ☎ Ⓟ – 🏛 30. AE VISA. ✱ ch B a
fermé 14 au 31 juil. – SC : **R** *(fermé lundi)* 70/160 – ☕ 23 – **20 ch** 90/170 – P 250/280.

à Notre-Dame-de-Bondeville par ⑨ : 7,5 km – ✉ **76150** Maromme :

XX **Les Elfes** avec ch, ✆ 35 74 36 21 – 🛁 🚿 Ⓟ. AE ⓓ VISA
fermé août, mardi soir (sauf hôtel) et merc. – SC : **R** 70/152 – ☕ 16 – **8 ch** 85/100.

à Montigny par ⑦ : 8 km – ✉ **76380** Canteleu.
Voir Ancienne abbatiale St-Georges* S : 4 km.

Atlas M, ✆ 35 36 05 97, 🌳, 🍴 – TV 🛁wc 🚿wc ☎ 🚗 Ⓟ – 🏛 30. AE ⓓ E VISA
SC : **R** *(fermé sam. midi et vend.)* 69/120 – ☕ 25 – **22 ch** 165/245 – P 327/402.

sur N 14 par ③ : 9 km – ✉ **76520** Boos :

XX **Le Vert Bocage** avec ch, rte de Paris ✆ 35 80 14 74 – 🛁wc 🚿wc Ⓟ
SC : **R** *(fermé lundi du 1er oct. au 31 mars)* 48 (sauf sam.)/115 🍷 – ☕ 14 – **20 ch** 67/145.

au Val de la Haye SO : 10 km par D 51 – ✉ **76830** Dieppedalle-Croisset :

XX **Aub. La Muserolle** ✆ 35 32 40 85, 🌳, « Maison normande du 17e s. », 🍴 – Ⓟ. VISA
fermé 15 juil. au 12 août, vacances de fév., dim. soir, lundi et mardi – SC : **R** 63/104.

MICHELIN, Agence régionale, 24 bd Industriel à Sotteville-lès-Rouen B ✆ **35 73 63 73**

ALFA-ROMEO-SEAT S.N.G.E.A., 4 r. Sablée ✆ 35 63 20 10
BMW S.R.D.A., 122 r. de Constantine ✆ 35 98 33 77
CITROEN Succursale, 26 r. Lafayette DZ ✆ 35 69 77 77
CITROEN Succursale, 144 av. Mt-Riboudet A ✆ 35 98 35 50
FORD Gar. Guez, 135 r. Lafayette ✆ 35 72 76 84
LADA, SKODA Le Bastard, 5 r. de Bapeaume ✆ 35 71 43 83
MERCEDES-BENZ Autotechnic, 89 à 109 r. de Constantine ✆ 35 88 16 88
OPEL-GM-US S.N.O.A., 31 av. de Caen ✆ 35 72 11 63
PEUGEOT-TALBOT S.I.A. de Normandie, 71,73 av. de Caen A e ✆ 35 72 24 84
PEUGEOT-TALBOT S.I.A. de Normandie, 116 av. Mt-Riboudet A ✆ 35 89 81 44
PORSCHE-MITSUBISHI Gar. Pillet, 118 bis av. Mont-Riboudet ✆ 35 70 84 24
RENAULT Succursale, 184 av. du Mont Riboudet A ✆ 35 89 81 89 N ✆ 35 98 68 04
V.A.G. U.D.T., 90 av. Mont Riboudet ✆ 35 88 45 45

A.M.C.-Pneus, 110 r. d'Elbeuf ✆ 35 72 70 90
Ansselin-Pneus, 55 av. de Caen ✆ 35 62 00 24
Blard-Pneus-Center, 46 r. de Lillebonne ✆ 35 71 72 97
Central-Auto-Pneus, 27 r. A.-Carrel ✆ 35 71 49 28
Central Auto Pneus, 67 cours Clemenceau ✆ 35 72 58 97
Central-Auto-Pneus, 8 r. de Constantine ✆ 35 89 73 86
Normandie-Pneus, 28 r. F.-Arago pl. des Emmurées ✆ 35 72 32 38

Périphérie et environs

AUSTIN, ROVER Rédélé-Autom., 1 r. Chevreul à Petit-Quevilly ✆ 35 73 24 02
CITROEN Succursale, Centre Commercial de Bois-Cany à Grand-Quevilly A ✆ 35 69 77 77 N
FIAT Albion-Auto, r. du Canal, Bapeaume ✆ 35 74 46 74
FIAT Gar. Pillet, 128 av. J.-Jaurès, Petit-Quevilly ✆ 35 72 96 96
NISSAN S.E.R.A., 32 av. de Caen ✆ 35 63 01 10
OPEL J.C.L. Autom., 67 r. Jules Ferry à Deville les Rouen ✆ 35 75 07 87
PEUGEOT-TALBOT Bossart Autos, 94 r. Martyrs de la Résistance à Maromme A s ✆ 35 74 22 83
RENAULT Succursale, 20 pl. des Chartreux à Petit-Quevilly A ✆ 35 73 01 73
RENAULT Malbert Autom., 1871 rte de Neufchatel à Bois-Guillaume B e ✆ 35 61 17 14
RENAULT Gar. du Chemin de Clères, 138 Chemin de Clères à Bois-Guillaume B a ✆ 35 71 22 70
V.A.G. U.D.T., Centre Commercial du Bois-Cany, le Grand-Quevilly ✆ 35 69 69 45

Marsat-Pneus, 141 pl. A.-Briand à Maromme ✆ 35 74 27 69
Subé-Pneurama, r. de la Chesnaie, St-Étienne-du-Rouvray ✆ 35 65 24 53
Regnier, 18 av. J.-Jaurès à Petit-Quevilly ✆ 35 72 67 01
Rouen-Pneus, r. Cateliers Zone Ind. Madrillet à St-Étienne-du-Rouvray ✆ 35 65 34 13
SITEC, 51 à 59 bd du 11-Novembre, Le Petit Quevilly ✆ 35 72 16 06
S.R.C.-Pneus, bd Industriel à Sotteville-lès-Rouen ✆ 35 72 50 90

ROUFFACH 68250 H.-Rhin 62 ⑲ **G. Alsace et Lorraine** – 4 939 h. alt. 204.
Paris 457 – ♦Bâle 60 – Belfort 60 – Colmar 15 – Guebwiller 10 – ♦Mulhouse 28 – Thann 27.

❀ **Château d'Isenbourg** ⛰, ✆ **89 49 63 53, Télex 880819**, ←, 🍽, 🏊, 🌳, 🎾 – 🛗 ☎ ♿ 🅟 – 🏛 50. VISA
fermé début janv. au 8 mars – SC : **R** 205/265 – ☕ 49 – **40 ch** 450/720 – P 630/780
Spéc. Terrine de foie gras d'oie au vieux gewürztraminer, Viennoise de turbot poêlé, Feuilleté de fruits frais. **Vins** Pinot blanc.

A la Ville de Lyon Ⓜ, 1 r. Poincaré ✆ **89 49 62 49** – 🛁wc 🚿wc ☎ 🅟. ⓞ E
fermé mi-janv. à mi-fév. – SC : **R** *(fermé lundi)* 76/230 🍷 – ☕ 15 – **45 ch** 118/199 – P 257/320.

à Bollenberg SO : 6 km par N 83 et VO – ✉ **68111** Westhalten :

Bollenberg ⛰, ✆ **89 49 62 47, Télex 880896** – 📺 🛁wc 🚿wc ☎ ♿ 🅟 – 🏛 45. AE ⓞ E VISA
SC : **R** voir rest. **Vieux Pressoir** – ☕ 28 – **45 ch** 210/245.

✕✕ **Vieux Pressoir,** ✆ **89 49 60 04**, 🍽, **meubles rustiques** – 🅟. AE ⓞ E VISA
fermé du 23 déc. au 4 janv. – SC : **R** 120/300.

CITROEN Sauter, ✆ 89 49 61 46 — Habermacher, ✆ 89 49 60 08
HONDA Gar. Ebelin, ✆ 89 49 60 28

ROUFFILLAC 24 Dordogne 75 ⑱ – ✉ **24370** Carlux.
Paris 537 – Brive-la-Gaillarde 49 – Gourdon 25 – Sarlat-la-Canéda 17.

Cayre, ✆ **53 29 70 24**, 🏊, 🌳, 🎾 – 🛁wc 🚿 ☎ 🅟
fermé oct. – SC : **R** 52/160 – ☕ 19 – **20 ch** 100/180 – P 175/205.

ROUGÉ 44660 Loire-Atl. 63 ⑦ – 2 082 h. alt. 80.
Paris 352 – Châteaubriant 10 – Laval 80 – ♦ Rennes 45.

Koste Ar C'Hoad ⛰, ✆ **40 28 84 18** – 🛁 🚿 🅟. VISA
SC : **R** *(fermé midi et dim.)* (dîner pour résidents seul.) 50 🍷 – ☕ 13 – **15 ch** 58/95.

Le ROUGET 15290 Cantal 76 ⑪ – 910 h. alt. 606.
Paris 563 – Aurillac 25 – Figeac 44 – Laroquebrou 15 – St-Céré 37 – Tulle 76.

Voyageurs, ✆ **71 46 10 14** – 🛁wc 🚿wc ☎. 🚫 ch
SC : **R** 35/60 – ☕ 12 – **38 ch** 110 – P 98/105.

ROUGIVILLE 88 Vosges 62 ⑰ – rattaché à St-Dié.

ROUILLAC 16170 Charente 72 ⑬ – 1 799 h. alt. 110.
Paris 437 – Angoulême 24 – Cognac 25 – Ruffec 37 – St-Jean-d'Angély 41.

✕ **Commerce** avec ch, **26 r. Jarnac** ✆ **45 21 77 13**, 🍽 – 🛁wc 🅟 – 🏛 130. E
fermé dim. soir et lundi – SC : **R** 48/82 🍷 – ☕ 13 – **8 ch** 66/120 – P 160/200.

ROULLET 16 Charente 72 ⑬ – rattaché à Angoulême.

ROUMAZIÈRES-LOUBERT 16270 Charente 72 ⑤ – 3 146 h. alt. 223.
Paris 433 – Angoulême 48 – Chabanais 13 – Confolens 18 – ♦Limoges 59 – Nontron 65 – Ruffec 39.

Commerce Ⓜ, av. Gare ✆ **45 71 21 38**, 🍽, 🌳 – 🛁wc ☎ 🅟. VISA
fermé 15 au 31 déc. – **R** 46/160 🍷 – ☕ 20 – **20 ch** 160/245 – P 196/230.

Les ROUSSES 39220 Jura 70 ⑮⑯ **G. Jura** – 2 573 h. alt. 1 120 – Sports d'hiver : 1 220/1 680 m ⛷34, ⛷ – **Voir Gorges de la Bienne**★ O : 3 km.
ℹ Office de Tourisme ✆ 84 60 02 55.
Paris 467 – ♦Genève 47 – Gex 30 – Lons-le-Saunier 66 – Nyon 25 – St-Claude 33.

❀ **France (Petit)** Ⓜ, ✆ **84 60 01 45**, 🍽 – ☎ 🅟 – 🏛 30. AE ⓞ VISA
fermé 26 mai au 2 juin et 12 nov. au 15 déc. – SC : **R** 92/260 – ☕ 23 – **34 ch** 257/310 – P 257/310
Spéc. Croûton aux morilles, Truite farcie à la mousseline de St.-Jacques (sept. à avril), Petite marmite de poulet à l'estragon. **Vins** Arbois.

La Redoute, ✆ **84 60 00 40** – 🛁wc ☎ 🅟. E VISA
fermé 15 avril au 15 mai et 12 nov. au 1er déc. – SC : **R** 58/150 – ☕ 15,50 – **26 ch** 155/202 – P 235/244.

Relais des Gentianes, ✆ **84 60 50 64**, 🌳 – 🛁wc 🚿wc ☎. ⓞ E VISA
fermé juin et oct. – SC : **R** 68/260 – **14 ch** ☕ 158/213 – P 173/204.

Christiania, ✆ **84 60 01 32**, ← – 🛁wc 🚿wc ☎ 🅟
1er juil.-15 sept. et 15 déc.-20 avril – SC : **R** 90/155 – ☕ 18 – **26 ch** 118/211 – P 223/284.

des Rousses, ✆ **84 60 00 02** – 🛁wc ☎
20 juin-20 sept., 15 déc.-20 avril, 1er-15 nov. et fermé mardi hors sais. – SC : **R** 58/85 🍷 – ☕ 15 – **13 ch** 76/160 – P 160/180.

à la Cure SE : 2,5 km – ✉ **39220** Les Rousses :

XX **Arbez,** ✆ 84 60 02 20 – AE E. ✻
fermé juin, nov., lundi soir et mardi hors sais. – SC : **R** 90/210.

RENAULT Gar. des Neiges, ✆ 84 60 02 54

ROUSSILLON 84 Vaucluse 81 ⑬ **G. Provence** (plan) – 1 313 h. alt. 390 – ✉ **84220** Gordes.

Voir Site★ du village★ – Chaussée des Géants★★.

Paris 726 – Apt 11 – Avignon 48 – Bonnieux 12 – Carpentras 44 – Cavaillon 27 – Sault 36.

Mas de Garrigon M ⛰, N : 3 km par rte St-Saturnin d'Apt ✆ 90 75 63 22, ≤ Luberon, ☂, ⛱ – TV ☎ P. AE ① E VISA. ✻ rest
SC : **R** *(fermé 15 nov. au 27 déc., dim. soir et lundi)* (prévenir) 145/215 – ☕ 45 – **7 ch** 475.

Résidence des Ocres ⛰ sans rest, ✆ 90 75 60 50 – ≡ ⛀wc ☎ 🚗. E VISA
fermé 15 nov. au 1er déc. et 1er fév. au 1er mars – SC : ☕ 15 – **15 ch** 160/185.

XX **David,** ✆ 90 05 60 13, ≤ falaises et vallée – ① VISA
fermé 12 janv. au 15 mars, lundi et mardi – SC : **R** (week-end et fêtes prévenir) 95 (sauf sam.)/140.

XX **La Tarasque,** ✆ 90 75 63 86 – AE ① E VISA
fermé 15 janv. au 15 fév. et merc. – **R** (prévenir) 95/165.

ROUTOT 27350 Eure 54 ⑲ **G. Normandie** – 1 079 h. alt. 145.

Voir La Haye-de-Routot : ifs millénaires★ N : 4 km.

Paris 152 – Bernay 47 – Évreux 68 – ♦Le Havre 54 – Pont-Audemer 18 – ♦Rouen 36.

XX **L'Écurie,** ✆ 32 57 30 30
fermé 9 au 24 juil., 13 au 31 janv., mardi et merc. – SC : **R** 130/180.

CITROEN Gar. Bocquier, ✆ 32 57 30 48
PEUGEOT-TALBOT Gar. Lefieux, ✆ 32 57 31 23
RENAULT Gar. Dehayes, ✆ 32 57 30 20

ROUVRES-EN-XAINTOIS 88 Vosges 62 ⑭ – 385 h. alt. 318 – ✉ **88500** Mirecourt.

Paris 319 – Épinal 43 – Lunéville 61 – Mirecourt 9 – ♦Nancy 57 – Neufchâteau 31 – Vittel 24.

XX **Burnel** avec ch, au village ✆ 29 65 64 10 – ⛀wc ⛆wc ☎ P. E VISA
fermé 21 déc. au 1er janv. et dim. soir hors sais. – SC : **R** 53/145 🍷 – ☕ 20 – **8 ch** 120/230 – P 260/320.

ROUVRES-LA-CHÉTIVE 88 Vosges 62 ⑬ – rattaché à Neufchâteau.

ROYAN 17200 Char.-Mar. 71 ⑮ **G. Côte de l'Atlantique** – 18 125 h.

Voir Front de mer★ – Église N.-Dame★ BE.

⛳ de la Côte de Beauté ✆ 46 22 16 24 par ④ : 7 Km.

Bac pour la Pointe de Grave : renseignements ✆ 56 09 60 84.

ℹ Office de Tourisme Palais des Congrès ✆ 46 38 65 11, Télex 790441 et Place Poste ✆ 46 05 04 71.

Paris 504 ① – ♦ Bordeaux 121 ② – Périgueux 174 ② – Rochefort 41 ⑤ – Saintes 38 ①.

Plan page ci-contre

Grande Conche :

Family Golf H. sans rest, 28 bd Garnier ✆ 46 05 14 66, ≤ – |‡| ⛀wc ⛆wc ☎ P. VISA — C m
Pâques-30 sept. – SC : ☕ 24 – **24 ch** 210/275, 3 appartements 495.

Hermitage, 56 Front de Mer ✆ 46 38 57 33, ≤, ☂ – |‡| ⛀wc ⛆wc ☎. AE ① E VISA — B h
début fév.-fin oct. – SC : **R** 66/168 – ☕ 23 – **23 ch** 166/242 – P 280/322.

Beauséjour, 32 av. Grande Conche ✆ 46 05 09 40, ☂ – ⛀wc ⛆wc ☎. ✻ — C e
1er avril-30 sept. – SC : **R** 75/84 – ☕ 19 – **14 ch** 151/211 – P 230/242.

Vialard, 23 bd A.-Briand ✆ 46 05 84 22 – TV ⛀wc ⛆wc ☎. VISA — B p
SC : **R** *(fermé dim. et lundi du 15 sept. au 15 avril)* 50/100 – ☕ 17,50 – **24 ch** 102/190 P 230/320.

Le Girondin, 109 cours Europe ✆ 46 05 01 26 – |‡| ⛀wc ⛆wc. VISA — C k
fermé 19 déc. au 31 janv. – SC : **R** *(fermé dim. soir et lundi d'oct. au 31 mars)* 60/170 – ☕ 18 – **47 ch** 100/180 – P 170/220.

XXX **Le Chalet,** 6 bd La Grandière ✆ 46 05 04 90. AE ① VISA — C u
fermé 15 janv. au 15 mars et merc. sauf juil.-août – SC : **R** 85/150.

XX **Le Squale,** 102 av. Semis ✆ 46 05 51 34. VISA — C x
fermé fév. et mardi – SC : **R** carte 125 à 190.

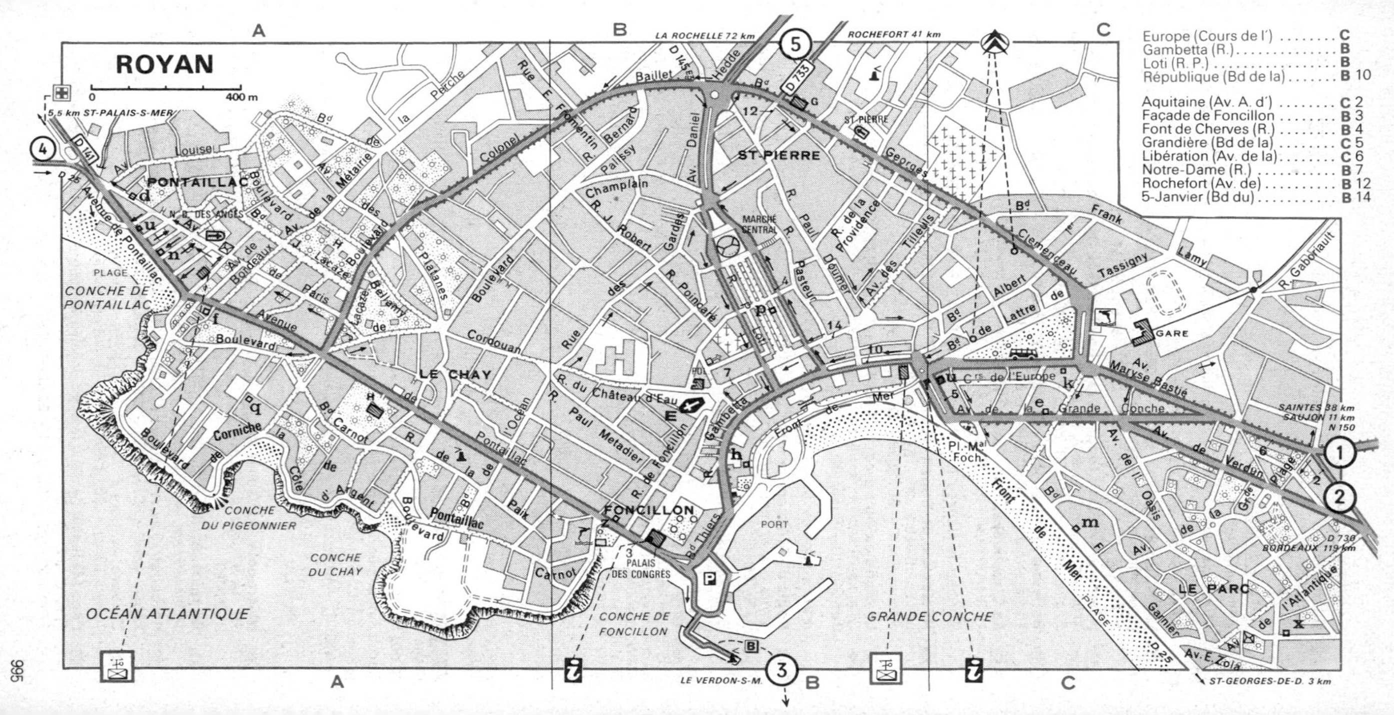
ROYAN
0
400 m
LA ROCHELLE 72 km
ROCHEFORT 41 km
5,5 km ST-PALAIS-S-MER
SAINTES 38 km
SAUJON 11 km
N 150
D 730
BORDEAUX 119 km
ST-GEORGES-DE-D. 3 km
LE VERDON-S-M.
D 733
D 141
D 25
D 145E8
PONTAILLAC
ST-PIERRE
LE CHAY
FONCILLON
LE PARC
MARCHÉ CENTRAL
GARE
PORT
PALAIS DES CONGRÈS
PLAGE
CONCHE DE PONTAILLAC
CONCHE DU PIGEONNIER
CONCHE DU CHAY
CONCHE DE FONCILLON
GRANDE CONCHE
OCÉAN ATLANTIQUE
N.-D. DES ANGES
Pl. Mal Foch
Cours de l'Europe
Front de Mer
Av. de Pontaillac
Bd de la Côte d'Argent
Bd Carnot
Corniche
Av. Maryse Bastié
Av. de Verdun
Bd Clemenceau
Bd Frank
Tassigny
Av. de la Grande Conche
Av. de l'Oasis
Bd Garnier
Av. E. Zola
Av. de l'Atlantique
R. Paul Doumer
R. Pasteur
R. Poincaré
R. Gardes
R. J. Robert
Champlain
Palissy
R. Bernard
Rue E. Fromentin
Bd Colonel
Baillet
Hedde
Av. Daniel
R. du Château d'Eau
R. Paul Metadier
R. de Foncillon
Gambetta
R. de la Providence
Av. des Tilleuls
Bd Albert de Lattre
Cordouan
Platanes
Bellamy
Lacaze
Av. de la Métairie
Boulevard
Av. de Paris
Av. de Bordeaux
Louise
R. de la Paix
Bd Pontaillac
Bd Thiers
R. Gaboriault
Lamy
Georges
la Perche
Av. de la Grande Plage
de l'Océan
Carnot
Rue des
R. Loti

Conche de Foncillon :

Beau Rivage sans rest, 9 façade Foncillon ✆ 46 38 73 11, ≤ – wc wc. E VISA. B z
SC : 22 – **22 ch** 230/290.

Conche de Pontaillac.

Voir Corniche★ et Conche★.

Miramar sans rest, 173 av. Pontaillac ✆ 46 39 03 64, ≤ – wc wc. AE E VISA A n
Pâques-31 oct. – SC : 28 – **27 ch** 220/265.

Gd H. de Pontaillac sans rest, 195 av. Pontaillac ✆ 46 39 00 44, ≤, – wc wc – 120. VISA A u
Pâques et 1er mai-30 sept. – SC : 27 – **55 ch** 250/320.

Résidence de Saintonge et rest Pavillon bleu, allée des Algues ✆ 46 39 00 00, wc wc. E VISA. rest A q
23 mars-29 sept. – SC : **R** 55/125 – 23 – **40 ch** 150/210 – P 250/280.

Bellevue sans rest, 122 av. Pontaillac ✆ 46 39 06 75, ≤ – wc, sans. VISA A f
15 mars-15 oct. – SC : 21 – **31 ch** 200/230.

La Chaumière, 61 av. Paris ✆ 46 39 01 01, – wc wc. AE VISA
1er mai-30 sept. – SC : **R** 69/150 – 22 – **24 ch** 120/230 – P 280/400. A d

Conche de Nauzan NO : 2,5 km – voir aussi à St-Palais – ✉ **17640** Vaux-sur-Mer :

Résidence de Rohan sans rest, ✆ 46 39 00 75, ≤, « Belle demeure du 19e s., beau mobilier », – . AE VISA
Pâques-3 nov. – SC : 28 – **22 ch** 315/430.

La Biche au Bois avec ch, rte St-Palais ✆ 46 39 01 52, – wc.
28 mars-14 sept. et fermé merc. du 28 mars au 31 mai – SC : **R** 44/108 – 14 – **9 ch** 90/110 – P 165/180.

à Vaux-sur-Mer NO : 4,5 km – ✉ **17640** Vaux-sur-Mer :

Logis de Mélisandre avec ch, ✆ 46 38 46 00, , – wc. VISA
fermé oct. et dim. soir hors sais. – SC : **R** 90/150 – 17 – **10 ch** 120/180 – P 175/200.

au Grallet NO : 10 km par D 145 – XXX, voir à St-Palais.

ALFA-ROMEO Baribeaud, 50 av. Gde-Conche ✆ 46 05 04 62
AUSTIN, MORRIS, ROVER Gar. Européen, 76 bd de Lattre-de-Tassigny ✆ 46 05 32 29
BMW Gar. Bienvenue, 43 av. M.-Bastié ✆ 46 05 01 62
CITROEN Casagrande, 24 bd De Lattre-de-Tassigny ✆ 46 05 04 26
CITROEN Corpron, 20 bd Clemenceau ✆ 46 05 07 66
DATSUN Gar. Cassagnau, 44 av. Mar.-Leclerc ✆ 46 05 01 66
FIAT Boisnard, rte de Saintes ✆ 46 05 05 26
FORD Gar. Zanker, 11 r. Notre Dame ✆ 46 05 69 87
MERCEDES-BENZ, Thomas, Zone Commerciale, rte de Saintes ✆ 46 05 05 49
PEUGEOT-TALBOT Gar. Richard, Zone Commerciale, rte de Saintes par ① ✆ 46 05 03 55
RENAULT Royan-Diffusion-Automobile, 32 r. Lavoisier rte de Saintes par ① ✆ 46 05 00 24 N
V.A.G. Automobiles 17, Zone Commerciale, rte de Saintes ✆ 46 05 54 75

Moyet-Pneus, 50 bd de Lattre-de-Tassigny ✆ 46 05 54 24
Royan-Pneus, av. de la Libération ✆ 46 05 46 93

ROYAT 63130 P.-de-D. 73 ⑭ **G. Auvergne** – 4 094 h. alt. 456 – Stat. therm. (1er avril-31 oct.) – Casino BY – **Voir Église St-Léger★ AZB.**

18 des Volcans à Orcines ✆ 73 62 15 51 par ③ : 9 km.

Circuit automobile de montagne d'Auvergne.

Syndicat d'Initiative pl. Allard (fermé nov.) ✆ 73 35 81 87.

Paris 391 ① – Aubusson 92 ③ – La Bourboule 49 ③ – ♦Clermont-Fd 3,5 ① – Le Mont-Dore 47 ②.

Accès et sorties : voir plan de Clermont-Ferrand

Plan page ci-contre

Métropole, bd Vaquez ✆ 73 35 80 18 – . E. rest BY h
1er mai-30 sept. – SC : **R** 108 – 28 – **77 ch** 142/415, 5 appartements 690 – P 298/480.

Royal H. St-Mart, av Gare ✆ 73 35 80 01, – – 35 BY n
1er mai-30 sept. – SC : **R** 99/230 – 18 – **61 ch** 180/300.

Richelieu, 3 av. A.-Rouzaud ✆ 73 35 86 31 – wc wc. rest BY e
27 avril-4 oct. – SC : **R** 78/85 – 22 – **60 ch** 132/230 – P 175/380.

Univers, av. Gare ✆ 73 35 81 28 – wc wc. rest BY p
10 avril-10 oct. – SC : **R** 83/97 – 18 – **45 ch** 97/210 – P 210/290.

Parc Majestic sans rest, av. Jocelyn-Bargoin ✆ 73 35 84 36, – wc wc. BZ f
1er mai-30 sept. – SC : 21 – **20 ch** 120/260.

ROYAT

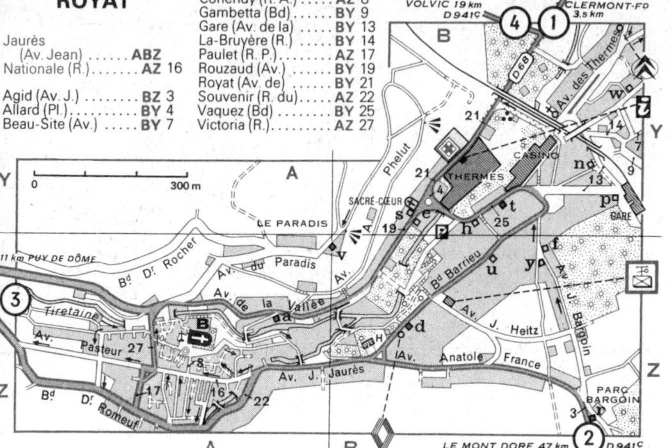

Cottage, av. Jocelyn-Bargoin ✆ 73 35 82 53, – ⓟ. BZ **y**
début avril-30 sept. – SC : **R** 54/75 – 14 – **35 ch** 58/170 – P 140/180.

Chalet Camille, bd Barrieu ✆ 73 35 80 87, – ⓟ. VISA. rest BZ **u**
fermé 5 au 30 oct., 1er févr. au 30 mars et sans rest. du 1er nov. au 31 janv. – SC : **R** 55/60 – 16 – **20 ch** 60/180 – P 160/210.

Athena sans rest, 2 av. Rouzaud ✆ 73 35 80 32 – wc. AE VISA BY **s**
SC : 18 – **23 ch** 155/240.

XXX **Le Paradis,** av. Paradis ✆ 73 35 85 46, ≤ Royat et Clermont, – ⓟ. AE
fermé 2 janv. au 10 fév., dim. soir et lundi – SC : **R** 125/155. BZ **v**

XXX **Belle Meunière** avec ch, av. Vallée ✆ 73 35 80 17, – wc wc. AE E VISA AZ **a**
fermé vacances de fév. et de nov., dim. soir et merc. – SC : **R** 130/270 – 20 – **11 ch** 169/230 – P 275/290.

XX **Coq en Pâte,** bd Vaquez ✆ 73 35 99 05 BY **t**
fermé 15 mars au 15 avril et mardi – SC : **R** 96/148.

XX **L'Hostalet,** bd Barrieu ✆ 73 35 82 67 BZ **d**
début avril-début janv. et fermé dim. soir, mardi midi et lundi sauf fêtes – SC : **R** 78 bc/150.

XX **Aub. Écu de France,** av. J.-Agid ✆ 73 35 81 81 – ⓟ. E BZ **r**
fermé dim. soir, mardi soir et merc. du 1er nov. au 30 mars – SC : **R** 62/139.

par ③ sur D 68 : 2,5 km – ✉ 63130 Royat :

XX **Le Pont des Soupirs** avec ch, ✆ 73 35 82 66 – ⓟ. E VISA
1er avril-2nov. et fermé merc. – SC : **R** 115/200 – 20 – **11 ch** 100/130 – P 170/190.

CITROEN Gar. Boyer, 50 av. des Thermes, à Chamalières ✆ 73 37 71 57
RENAULT Royat-centre-Auto, 49 bd Barrieu ✆ 73 35 82 20
RENAULT Valleix, 57 bd Gambetta, à Chamalières BY ✆ 73 93 11 43

ROYE 80700 Somme 52 ⑳ G. Flandres, Artois, Picardie – 6 708 h. alt. 88.
Paris 112 ⑤ – ♦Amiens 42 ⑥ – Arras 74 ⑦ – Compiègne 40 ⑤ – St-Quentin 46 ②.

Plan page suivante

Motel des Lions M, Rte Rosières **(u)** ✆ 22 87 20 61, Télex 140586 – wc ⓟ – 130. AE E VISA
R 68/110 – 25 – **43 ch** 210/260.

XXX ✿ **La Flamiche,** pl. H. de Ville **(a)** ✆ 22 87 00 56 – AE VISA
fermé 13 au 21 juil., 12 déc. au 5 janv., dim. et lundi – **R** 135/250
Spéc. Effilochée d'endives aux anguilles (oct. à avril), Saumon au beurre de fruits de la passion.

XXX **Croix d'Or,** 123 rte de Paris **(b)** ✆ 22 87 11 57, – ⓟ. AE E VISA
fermé 1er au 24 août, 9 au 21 fév., mardi soir et merc. – SC : **R** 65/140 carte le dim.

XX **Nord** avec ch, pl. République **(e)** ✆ 22 87 10 87 – VISA. ch
fermé 16 juil. au 2 août, 15 fév. au 5 mars, mardi soir et merc. – SC : **R** 68/175 – 19 – **7 ch** 68/110.

X **Central** avec ch, 36 r. d'Amiens **(s)** ✆ 22 87 11 05 – wc. VISA
fermé 22 déc. au 5 janv., 2 au 12 mars, dim. soir et lundi – SC : **R** 68/120 – 16 – **10 ch** 85/120.

ROYE

Amiens (R. d') 2
Basse-Ville (R.) 3
Dr-Duquesnel (R.) 4
Fontaines (R. des) 5
Jaurès (Av. Jean-) 7
Nesle (R. de) 8
Nord (Bd du) 10
Noyon (R. de) 12
Paris (R. de) 13
Péronne (R. de) 14
St-Médard (R.) 15

Pour un bon usage des plans de villes, voir les signes conventionnels p. 23.

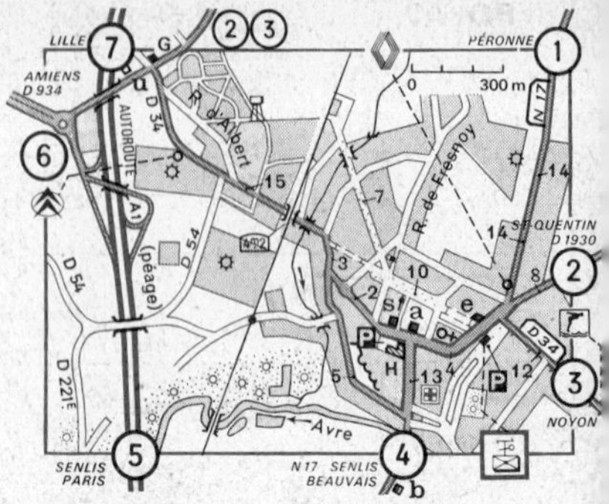

CITROEN Roye-Automobiles, Zone Ind., Impasse du Moulin ✆ 22 87 08 36 **N** ✆ 22 78 42 92
FORD, TOYOTA Gar. Dallet, 5 pl.de la République ✆ 22 87 10 89
RENAULT Carlier, pl. de la République ✆ 22 87 01 08
Ⓟ Fischbach Pneu, 12 r. de Péronne ✆ 22 87 11 03

ROZAY-EN-BRIE 77540 S.-et-M. **61** ③ – 1 944 h.

Paris 61 – Coulommiers 18 – Meaux 36 – Melun 31 – Provins 39 – Sézanne 58.

XX **France** avec ch, ✆ (1) 64 25 77 57 – ⇔wc ⋔wc ☎. AE ⓓ E VISA
fermé mardi – SC : **R** 85 – ☕ 24 – **10 ch** 155/165.

Le ROZIER 48 Lozère **80** ④⑤ **G. Causses** – 111 h. alt. 390 – ✉ **48150** Meyrueis.

Voir Belvédère des Terrasses du Truel★ E : 3,5 km.

Env. Corniche du Causse Noir ≤★★ SE : 13 km puis 15 mn.

ℹ Syndicat d'Initiative (15 juin-15 sept.) ✆ 65 62 60 89.

Paris 628 – Florac 62 – Mende 63 – Millau 21 – Sévérac-le-Château 31 – Le Vigan 78.

Gd H. Muse et Rozier Ⓜ, à la Muse (D 907) rive dte du Tarn ✉ 12720 Peyreleau (Aveyron) ✆ 65 62 60 01, ≤, « au bord de l'eau », – ☎ Ⓟ – 45. AE ⓓ E VISA. rest
28 mars-début oct. – SC : **R** 110/200 – ☕ 28 – **35 ch** 280/360, 3 appartements 490 – P 340/400.

Doussière sans rest, ✆ 65 62 60 25 – ⇔wc ⋔wc
Pâques-11 nov. – SC : ☕ 13 – **20 ch** 65/117.

RUEIL-MALMAISON 92 Hauts-de-Seine **55** ⑳, **101** ⑬ – voir à Paris, Environs.

RUFFEC 16700 Charente **72** ④ **G. Côte de l'Atlantique** – 4 766 h. alt. 108.

ℹ Office de Tourisme pl. d'Armes ✆ 45 31 05 42.

Paris 400 – Angoulême 43 – Cognac 62 – Confolens 43 – Niort 68 – Poitiers 66 – St-Jean-d'Angély 62.

à Verteuil-sur-Charente S : 6 km par N 10 et D 26 – ✉ **16510** Verteuil-sur Charente.

Voir Mise au tombeau★ dans l'église.

La Paloma, rte Villars ✆ 45 31 41 32, – ⇔wc ⋔ Ⓟ. VISA.
fermé 27 oct. au 12 nov., vacances de fév. et lundi – SC : **R** 60/110 – ☕ 14 – **10 ch** 93/150 – P 220/240.

CITROEN Vienne-Sud-Autom., N 10 à Villegats ✆ 45 31 42 04
FIAT Gar. Lavaud, av. Blanc ✆ 45 31 01 45
PEUGEOT-TALBOT Gar. Pol Loussert, rte de Bordeaux ✆ 45 31 05 27
PEUGEOT-TALBOT Moreau, 6 à 10 rte de Bordeaux ✆ 45 31 02 09
Ⓟ Piot-Pneu, 48 rte de Bordeaux ✆ 45 31 02 75
Rogeon-Pneus, Notre-Dame des Vignes ✆ 45 31 07 95

RUFFIEUX 73 Savoie **74** ⑤ – 454 h. alt. 296 – ✉ **73310** Chindrieux.

Paris 400 – Aix-les-Bains 21 – Bellegarde-sur-Valserine 35 – Bourg-en-Bresse 90 – •Lyon 110.

Château de Collonges, ✆ 79 54 27 38, ≤, parc, « Beau mobilier » – Ⓟ AE ⓓ E VISA. rest
fermé janv., mardi midi et lundi hors sais. – **R** 150/350 – ☕ 40 – **7 ch** 320/380.

RUGY 57 Moselle **57** ④ – rattaché à Metz.

RUMILLY 74150 H.-Savoie 74 ⑤ G. Alpes – 9 236 h. alt. 345.

Syndicat d'Initiative à la Mairie ✆ 50 01 09 24.

Paris 526 – Aix-les-Bains 20 – Annecy 17 – Bellegarde-sur-Valserine 35 – Belley 45 – ♦Genève 51.

Poste, 17 r. Ch.-de-Gaulle ✆ 50 01 28 61, – wc. ch
fermé 28 sept. au 28 oct. – SC : **R** *(fermé dim. soir et lundi)* 50/135 – 15 – **14 ch** 78/143 – P 167/208.

à Moye NO : 4 km par D 231 – ✉ 74150 Rumilly :

Relais du Clergeon, ✆ 50 01 23 80, ≤, – wc wc – 50. ch
fermé 28 oct. au 8 nov., 1er au 15 janv. et lundi sauf juil.-août – SC : **R** *(fermé dim. soir et lundi)* 52/190 – 18 – **20 ch** 78/225 – P 175/250.

CITROEN Gar. Lacrevaz, 7 r. J.-Béard ✆ 50 01 11 75
PEUGEOT-TALBOT Gantelet, rte d'Aix les Bains ✆ 50 01 41 81
RENAULT Desvignes, 3 r. J.-Béard ✆ 50 01 10 83

RUNGIS 94 Val-de-Marne 61 ①, 101 ㉕㉖ – voir à Paris, Environs.

RUOMS 07120 Ardèche 80 ⑨ G. Vallée du Rhône – 1 839 h. alt. 120.

Paris 654 – Alès 52 – Aubenas 24 – Pont-St-Esprit 54.

Savel, ✆ 75 39 60 02, parc – wc – 25
fermé fév., dim. soir et lundi hors sais. – SC : **R** 50/110 – 18 – **15 ch** 110/153 – P 189/213.

route d'Alès – ✉ 07120 Ruoms :

Host. Château de Sampzon, à 5 km ✆ 75 39 67 14, ≤ – wc wc
Pâques-15 sept. – SC : **R** *(fermé merc.)* (dîner seul.) 80/150 – 30 – **12 ch** 238/320.

La Chapoulière, à 3,5 km ✆ 75 39 65 43, – wc. rest
1er avril-30 oct. et fermé lundi – SC : **R** 56/120 – 16 – **10 ch** 120/200 – P 260/300.

Domaine du Rouret, près Grospierres SO : 13 km par D 111 – ✉ 07120 Ruoms :

Le Caleou M, ✆ 75 93 60 00, Télex 345478, ≤, « parc ombragé et complexe de loisirs », – – 250. AE E VISA. rest
fermé 19 déc. au 21 janv. – SC : **R** 120/175 – 35 – **117 ch** 300/600 – P 405/600.

CITROEN Dupland, ✆ 75 39 61 23 N ✆ 75 39 61 94
FIAT Perbost, ✆ 75 39 62 55
RENAULT Bouschon, ✆ 75 39 61 08 N

RUPT-SUR-MOSELLE 88360 Vosges 62 ⑯⑰ – 3 570 h. alt. 425.

Syndicat d'Initiative à l'Hôtel de Ville.

Paris 399 – Epinal 39 – Lure 37 – Luxeuil-les-Bains 30 – Remiremont 12 – Le Thillot 11.

Centre avec ch, r. Église ✆ 29 24 34 73 – wc. AE E VISA
fermé janv., dim. soir et lundi sauf juil.-août et vacances scolaires – SC : **R** 55/210 – 17,50 – **11 ch** 82/225 – P 165/225.

RUYNES-EN-MARGERIDE 15320 Cantal 76 ⑭⑮ – 591 h. alt. 914.

Paris 501 – Aurillac 89 – Langeac 47 – Le Puy 81 – St-Chély-d'Apcher 31 – St-Flour 13.

Moderne, ✆ 71 23 41 17, – wc wc – 50. E
1er mars-1er nov. – SC : **R** 35/80 – 16 – **38 ch** 65/120 – P 130/170.

RENAULT Brun, ✆ 71 23 42 31

RY 76116 S.-Mar. 55 ⑦ G. Normandie – 544 h. alt. 75.

Voir Porche★ de l'église.

Paris 112 – Buchy 19 – Fleury 14 – Gournay-en-Bray 31 – Lyons-la-Forêt 14 – ♦Rouen 20.

Aub. La Crevonnière avec ch, ✆ 35 23 60 52, ≤, « Dans un jardin au bord de l'eau » – . AE E VISA. ch
fermé août, mardi soir et merc. – SC : **R** 62/180 – 20 – **4 ch** 120/180.

CITROEN Gar. Duval, ✆ 35 23 60 76

SAALES 67420 B.-Rhin 62 ⑧ – 919 h. alt. 560.

Voir Vallée de la Bruche★ NE, G. Alsace et Lorraine.

Paris 401 – Molsheim 47 – Raon-l'Étape 29 – St-Dié 20 – Sélestat 40 – ♦Strasbourg 69.

Roche des Fées, ✆ 88 97 70 90 – wc wc . AE E VISA
fermé 15 au 22 nov. 4 au 31 janv., mardi soir et merc. sauf juil.-août – SC : **R** 115 bc/78 – 16 – **16 ch** 80/150 – P 170.

LES SABLES-D'OLONNE

Bisson (R.) . . . . **BZ** 8
Guynemer (R.) . . . . **CZ**
Halles (R. des). . . . . **BZ** 29
H.-de-Ville (R. de l') . . . . . **BZ**
Nationale (R.) . . . . **CZ**

Travot (R.) . . . . **BZ** 60

Anjou (Av. d') . . . . **BY** 2
Aquitaine (Av. de l') . . . . . **CY** 3
Arago (Bd). . . . . **BY** 4
Baudry (Av. F.) . . . . **BY** 5
Bauduère (R. de la) . . . . . **CZ** 6
Beauséjour (R.). . . . . **BY** 7
Briand (Av. A.) . . . . **CY** 9
Caisse-d'Épargne (R.) . . . **BZ** 10

Castelnau (Bd) . . . . **BY** 12
Château-d'Olonne (Av.) . **CY** 13
Collineau (Pl. du Gén.) . . . **BZ** 14
Commerce (Pl. du) . . . . . . **AZ** 15
Coty (Av. R.) . . . . **CY** 16
Dingler (Quai) . . . . **AZ** 18
Dr-Canteleau (R. du) . . . . **AY** 19
Dr-Schweitzer (R. du) . . . **CY** 22
Doumer (Av. P.) . . . . **CY** 23
Fricaud (R. D.). . . . . **BY** 24

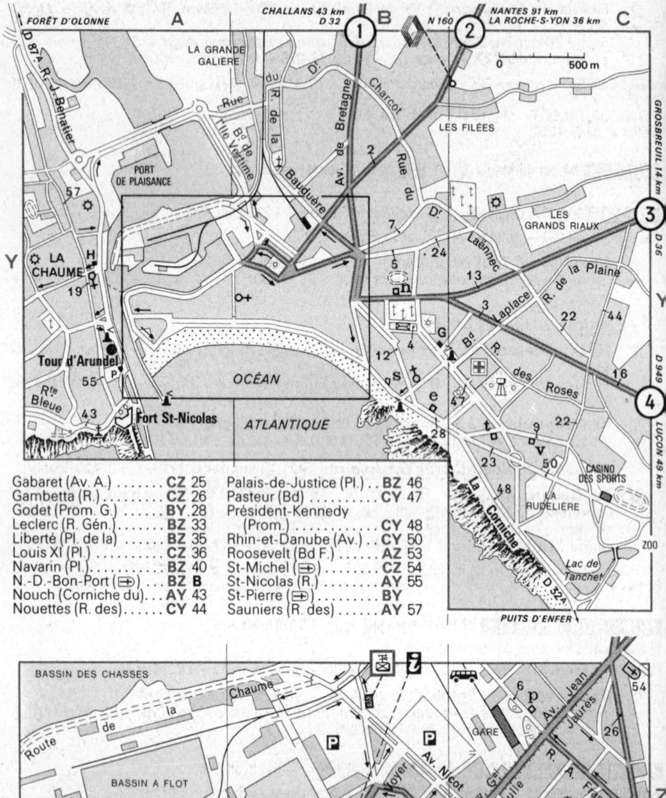

Gabaret (Av. A.) . . . . **CZ** 25
Gambetta (R.) . . . . **CZ** 26
Godet (Prom. G.) . . . . . . **BY** 28
Leclerc (R. Gén.). . . . . . . **BZ** 33
Liberté (Pl. de la) . . . . . . **BZ** 35
Louis XI (Pl.) . . . . **CZ** 36
Navarin (Pl.). . . . . **BZ** 40
N.-D.-Bon-Port (⊞) . . . . . **BZ** **B**
Nouch (Corniche du). . . **AY** 43
Nouettes (R. des) . . . . . . **CY** 44

Palais-de-Justice (Pl.) . . **BZ** 46
Pasteur (Bd) . . . . **CY** 47
Président-Kennedy (Prom.) . . . . **CY** 48
Rhin-et-Danube (Av.) . . **CY** 50
Roosevelt (Bd F.) . . . . . . **AZ** 53
St-Michel (⊞) . . . . **CZ** 54
St-Nicolas (R.) . . . . **AY** 55
St-Pierre (⊞) . . . . **BY**
Sauniers (R. des) . . . . . . **AY** 57

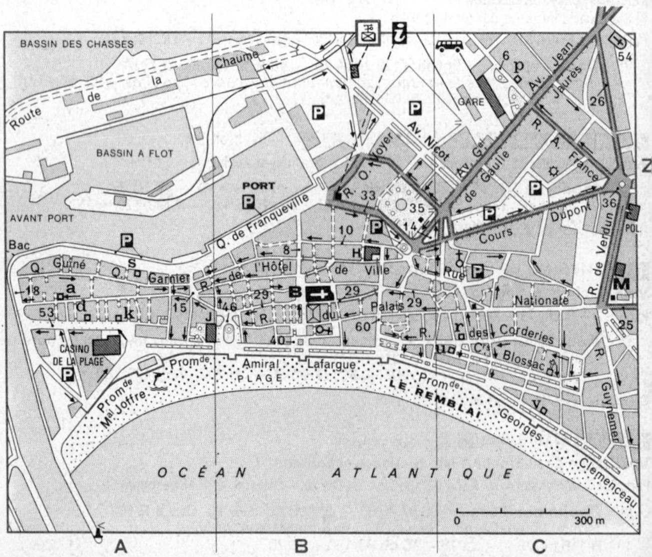

Les SABLES-D'OLONNE ⟨SP⟩ 85100 Vendée 67 ⑫ G. Côte de l'Atlantique – 16 657 h. – Casino de la plage AZ, Casino des Sports CY.

Voir Le Remblai★ BCZ.

Office de Tourisme, r. Mar.-Leclerc ✆ 51 32 03 28.

Paris 457 ② – Angoulême 204 ④ – Cholet 101 ② – ♦Nantes 93 ② – Niort 110 ④ – Poitiers 184 ④ – Rochefort 129 ④ – La Rochelle 90 ④ – La Roche-sur-Yon 36 ②.

Plan page ci-contre

Atlantic H. M, 5 prom. Godet ✆ 51 95 37 71, Télex 710474, ≤, – – 30. AE E VISA BY **e**
SC : **R** 105 – 38 – **30 ch** 195/495.

Beau Rivage (Drapeau), 40 prom. G.-Clemenceau ✆ 51 32 03 01, ≤ – wc wc. AE E VISA CZ **v**
fermé 6 au 16 oct., 15 déc. au 15 janv., dim. soir et lundi du 20 sept. au 17 mai sauf fêtes – SC : **R** 105/198 – 20 – **28 ch** 150/280 – P 295/350
Spéc. Feuilleté de homard aux morilles, Daube de turbot, Assiette gourmande. **Vins** Mareuil.

Arundel, 8 bd F.-Roosevelt ✆ 51 32 03 77 – wc. AE E VISA AZ **k**
1er avril-30 sept. – SC : **R** 70 – 20 – **42 ch** 220/280 – P 257/297.

Roches Noires sans rest, 12 prom. G.-Clemenceau ✆ 51 32 01 71, ≤ – wc wc. VISA BY **s**
1er avril-30 sept. – SC : 21 – **27 ch** 185/320.

Chêne Vert, 5 r. Bauduère ✆ 51 32 09 47 – wc wc CZ **p**
fermé 1er au 15 oct., 20 déc. au 6 janv., sam. (sauf hôtel) et dim. hors sais. – SC : **R** 39/49 – 15,50 – **33 ch** 127/200 – P 165/230.

Merle Blanc sans rest, 59 av. A.-Briand ✆ 51 32 00 35, – CY **t**
20 mars-30 sept. – SC : 14,50 – **31 ch** 60/152.

Antoine, 60 r. Napoléon ✆ 51 95 08 36 – wc. AZ **a**
1er avril-30 sept. – SC : **R** (dîner seul.) 75/85 – 16 – **19 ch** 105/180.

Alizé H. sans rest, 78 av. Alcide-Gabaret ✆ 51 32 44 90 – . BY **n**
1er avril-30 sept. – SC : 15 – **22 ch** 75/155.

L'Étoile, 67 cours Blossac ✆ 51 32 02 05 – wc. CZ **u**
hôtel : 25 mars-30 sept. ; rest. : 1er juin-15 sept. et fermé mardi – SC : **R** 75/85 – 17 – **24 ch** 80/145, (en sais. pension seul.) – P 150/185.

Les Hirondelles, 44 r. Corderies ✆ 51 95 10 50 – wc CZ **r**
hôtel : 1er avril-20 sept., rest. : 1er juin-20 sept. et fermé lundi – SC : **R** 75/85 – 16 – **60 ch** 80/185 – P 160/200.

Pins et le Calme, 43 av. A.-Briand ✆ 51 32 03 18 – CY **v**
hôtel : 1er avril-30 sept., rest. : 1er juin-30 sept. – SC : **R** *(fermé lundi soir)* 80/100 – 15 – **50 ch** 80/130 – P 155/190.

XX **Au Capitaine,** 5 quai Guiné ✆ 51 95 18 10 – AE E VISA AZ **s**
fermé 28 sept. au 30 oct., 21 déc. au 30 déc., 2 au 11 mars, dim. soir (sauf juil.-août) et lundi – SC : **R** carte 155 à 235.

X **Théâtre,** 20 bd F.-Roosevelt ✆ 51 32 00 92 AZ **d**
début fév.-fin sept.; fermé lundi en juil.-août, mardi soir et merc. hors sais. – SC : **R** 60/110.

à l'Anse de Cayola SE : 7 km par D 32A, route de la Corniche CY – ✉ 85100 Les Sables-d'Olonne :

XX **Relais de Cayola,** ✆ 51 95 11 16, ≤, – . VISA
fermé janv., lundi soir et mardi hors sais. – SC : **R** 52/180.

CITROEN Gar. des Olonnes, av. René Coty, le château d'Olonne par ④ ✆ 51 32 01 63
PEUGEOT-TALBOT Gar. de Vendée, ZAC le Pas du bois, le Château d'Olonne par ④ ✆ 51 21 06 18
RENAULT Central Gar., 6 rte de Nantes à Olonne sur Mer ✆ 51 21 01 07

V.A.G. Tixier, la Mouzinière, Le Château-d'Olonne ✆ 51 32 41 04

Pneus Sablais, 14 av. J.-Jaurès ✆ 51 32 03 92

SABLES-D'OR-LES-PINS 22 C.-du-N. 59 ④ G. Bretagne – ✉ 22240 Fréhel.

✆ 96 41 42 57, SE.

Paris 457 – Dinan 44 – Dol-de-Bretagne 59 – Lamballe 27 – St-Brieuc 39 – St-Cast 20 – St-Malo 45.

Bon Accueil, ✆ 96 41 42 19, – wc . VISA. rest
20 mars-12 oct. – SC : **R** 62/205 – 23 – **39 ch** 97/270 – P 200/270.

Manoir St-Michel sans rest, à la Carquois, E : 1,5 km ✆ 96 41 48 87, – wc wc
15 mars-4 nov. – SC : 22 – **18 ch** 160/250.

Voile d'Or, ✆ 96 41 42 49, ≤, – wc wc .
10 mars-15 nov. et fermé lundi hors sais. – SC : **R** 60/200 – 18,50 – **18 ch** 105/210 – P 183/265.

Ajoncs d'Or, ✆ 96 41 42 12, – wc . rest
7 mai-30 sept. – SC : **R** 57/125 – 21 – **75 ch** 80/250 – P 170/250.

tourner →

- **Diane** sans rest, ✆ 96 41 42 07, ⛆ – ⊟wc ⋒wc ☎ **P**
  Pâques, 18 mai-16 sept. – SC : ☕ 23 – **46 ch** 90/265.
- **Dunes d'Armor** sans rest, ✆ 96 41 42 06, ⛆ – ⊟wc ☎ **P**. AE
  SC : ☕ 22 – **54 ch** 75/235.
- **Morgane** Ⓜ sans rest, ✆ 96 41 46 90, ⛆ – ⊟wc ⋒wc ☎ **P**
  Pâques-1er mai et 18 mai-20 sept. – SC : ☕ 24 – **20 ch** 165/270.
- **L'Abordage,** ✆ 96 41 51 11, ≤ – ▮ ⊟wc ☎ ♿ **P**. E. ✻ rest
  22 mars-fin nov. et fermé mardi en oct.-nov. – SC : **R** 61/158 – ☕ 24 – **39 ch** 270 – P 220/270.
- **Pins,** ✆ 96 41 42 20, ⛆ – **P**. E VISA. ✻ rest
  20 mars-30 sept. – SC : **R** 65/125 – ☕ 20 – **22 ch** 90/95 – P 160.

à la Plage du Vieux Bourg de Pléhérel E : 3,5 km par D 34 – ✉ **22240** Fréhel :

- **Plage et Fréhel** ⛱, ✆ 96 41 40 04, ≤, ⛆ – ⊟wc ⋒ **P**. ✻ rest
  23 mars-7 oct. et 28 oct.-12 nov. – SC : **R** 52/135 – ☕ 16 – **29 ch** 104/175 – P 150/195.

Gar. Hamon, ✆ 96 41 42 48

SABLÉ-SUR-SARTHE 72300 Sarthe 64 ① G. Châteaux de la Loire – 12 721 h. alt. 27.

ℹ office de Tourisme pl. R.-Elizé ✆ 43 95 00 60 avec A.C. ✆ 43 95 04 17.

Paris 251 ③ – Angers 52 ⑥ – La Flèche 26 ④ – Laval 43 ⑦ – ♦Le Mans 48 ③ – Mayenne 59 ⑦.

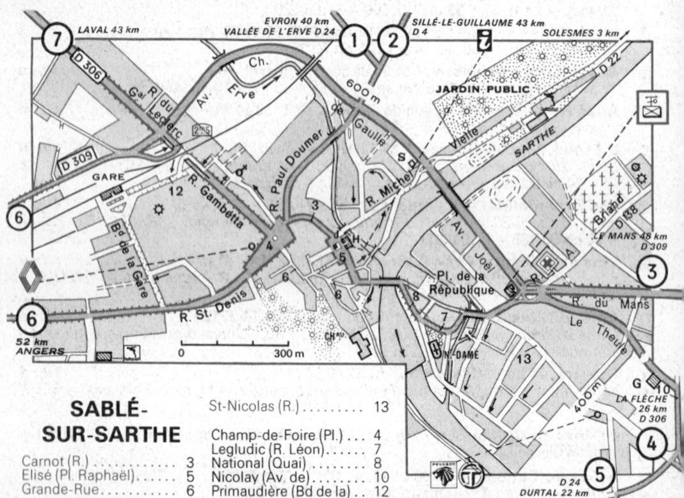

SABLÉ-SUR-SARTHE

- **Campanile,** 9 av. Ch. de Gaulle **(s)** ✆ 43 95 30 53, ⛆ – ⊟wc ☎ ♿ **P**. VISA
  SC : **R** 61 bc/82 bc – ☕ 23 – **31 ch** 168/189.

à Solesmes NE : 3 km par D 22 – ✉ **72300** Sablé-sur-Sarthe.

Voir Saints de Solesmes★★ dans l'église abbatiale (chant grégorien) – Pont ≤★.

- **Gd Hôtel** Ⓜ, ✆ 43 95 45 10, Télex 722903, ⛆ – TV ⊟wc ⋒ ☎ – 🏛 100. AE ⓓ E VISA
  fermé fév. et dim. soir du 1er nov. au 1er mars – SC : **R** 83/190 – ☕ 25 – **30 ch** 170/300 – P 270/316.

BMW, FIAT, LANCIA-AUTOBIANCHI Viaduc-Autos, av. Gén.-de-Gaulle ✆ 43 95 04 42
CITROEN Gar. Gayet, rte du Mans par ③ ✆ 43 95 06 51
PEUGEOT-TALBOT Sablé-Auto-Diffusion, 113 r. St-Nicolas ✆ 43 95 00 82 N
RENAULT Fressonnet, 13 pl. Champ-de-Foire ✆ 43 95 01 42
V.A.G. Gar. Bodinier, 3 r. du role à Solesmes ✆ 43 95 45 08

Perry-Pneus, r. du Pont ✆ 43 92 20 35

SABRES 40630 Landes 78 ④ G. Côte de l'Atlantique – 1 104 h. alt. 78.

Voir Ecomusée ★ de Marquèze NO: 4 km.

Paris 681 – Arcachon 86 – ♦Bayonne 110 – ♦Bordeaux 93 – Mimizan 40 – Mont-de-Marsan 35.

- **Aub. des Pins** ⛱, ✆ 58 07 50 47, parc, ⛆ – ⊟wc ⋒ ☎ **P**. VISA. ✻
  fermé 15 janv.-15 fév. et lundi hors sais. – SC : **R** 56/165 – ☕ 16 – **14 ch** 85/200 – P 150/225.

SACHÉ 37 I.-et-L. 64 ⑭ – rattaché à Azay-le-Rideau.

SACLAY 91 Essonne 60 ⑩, 101 ㉓ – voir à Paris, Environs.

SAGY 71 S.-et-L. 70 ⑬ – rattaché à Louhans.

SAHORRE 66 Pyr.-Or. 86 ⑰ – rattaché à Vernet-les-Bains.

SAIGNES 15240 Cantal 76 ② **G. Auvergne** – 957 h. alt. 500.

Paris 478 – Aurillac 83 – •Clermont-Ferrand 92 – Mauriac 27 – Le Mont-Dore 57 – Ussel 38.

Relais Arverne, ✆ 71 40 62 64 – wc ⋔ ☎ Ⓟ. E VISA
fermé 15 janv. au 15 fév., vend. soir et dim. soir du 1er oct. à Pâques – SC : **R** 41/120 🍷 – ☕ 13 – **11 ch** 70/125 – P 115/165.

Les Terrasses ⛰, ✆ 71 40 63 75 – ⋔. E. ✵ ch
fermé 15 déc. au 31 janv. – SC : **R** 44/75 🍷 – ☕ 13 – **10 ch** 50/75 – P 110/130.

In questa guida
uno stesso simbolo, uno stesso carattere
stampati in rosso o in nero, in magro o in ***grassetto***
hanno un significato diverso.
Leggete attentamente le pagine esplicative (p. 30 a 37).

SAILLAGOUSE 66800 Pyr.-Or. 86 ⑯ **G. Pyrénées** – 837 h. alt. 1 305.

Voir Gorges du Sègre★ E : 2 km.

🅸 Office de Tourisme (juil.-août) ✆ 68 04 72 89.

Paris 1 001 – Bourg-Madame 9 – Font-Romeu 12 – Mont-Louis 12 – •Perpignan 91.

Planes (La Vieille Maison Cerdane), ✆ 68 04 72 08 – 🛗 wc ⋔wc ☎ ♿. VISA
fermé 13 oct. au 15 déc. – SC : **R** 70/160 – ☕ 20 – **20 ch** 100/190 – P 180/220.

Planotel Ⓜ ⛰, ✆ 68 04 72 08, ≤, 🌳 – wc ⋔ ☎ Ⓟ. VISA
Pâques, 1er juin-30 sept. et vacances scolaires – SC : **R** voir H. **Planes** – ☕ 20 – **20 ch** 120/200 – P 180/230.

à Llo E : 2 km par D 33 alt. 1 412 – ✉ **66800** Saillagouse.
Voir Site★.

Aub. Atalaya ⛰, ✆ 68 04 70 04, ≤, « Jolie auberge rustique », 🌳 – wc ⋔wc ☎ Ⓟ. ⓓ. ✵ rest
fermé 5 nov. au 20 déc. – SC : **R** *(fermé mardi midi et lundi hors sais.)* 108 – ☕ 28 – **9 ch** 270/320.

à Eyne NE : 8 km par N 116 et D 29 alt. 1 600 – ✉ **66800** Saillagouse :

Aub. d'Eyne Ⓜ ⛰, ✆ 68 04 71 12, ≤, 🌳 – wc ⋔wc ☎ 🚗 Ⓟ. AE VISA. ✵ rest
fermé 20 oct. au 10 déc. – SC : **R** *(fermé mardi hors sais.)* 150/250 – ☕ 30 – **11 ch** 215/271 – P 335/355.

à Super-Eyne NE : 10 km alt. 1 750 – ✉ **66800** Saillagouse :

Roc Blanc ⛰, ✆ 68 04 72 72, ≤ forêt et vallée, 🌳 – wc ⋔wc ☎. AE. ✵ rest
1er juil.-10 sept. et 15 déc.-15 avril – SC : **R** 53/78 🍷 – ☕ 17,50 – **23 ch** 105/230 – P 192/340.

CITROEN Ets Rougé, ✆ 68 04 70 55 RENAULT Gar. Domenech, ✆ 68 04 70 30

SAINS-DU-NORD 59177 Nord 53 ⑥ – 3 409 h. alt. 240.

Paris 213 – Avesnes-sur-Helpe 7 – Fourmies 10 – Guise 39 – Hirson 23 – •Lille 106 – Vervins 34.

Centre avec ch, r. Léo-Lagrange ✆ 27 59 15 02 – Ⓟ. AE E VISA. ✵
fermé 15 août à début sept., dim. soir et lundi – **R** 40/105 🍷 – ☕ 11,50 – **8 ch** 57/62.

ST-AFFRIQUE 12400 Aveyron 80 ⑬ **G. Causses** – 9 188 h. alt. 329.

🅸 Office de Tourisme bd Verdun (juin-sept.) ✆ 65 99 09 05.

Paris 660 ② – Albi 82 ④ – Castres 94 ④ – Lodève 72 ② – Millau 31 ② – Rodez 81 ①.

Plan page suivante

Moderne, à la gare **(a)** ✆ 65 49 20 44 – wc ⋔wc ☎. E VISA
fermé 15 déc. au 7 janv. et lundi midi sauf du 1er mai au 30 sept. – SC : **R** 58/210 🍷 – ☕ 20 – **39 ch** 80/220 – P 159/205.

Le Majestic, rte Albi par ④ ✆ 65 99 00 07 – wc ☎ 🚗 Ⓟ
13 ch.

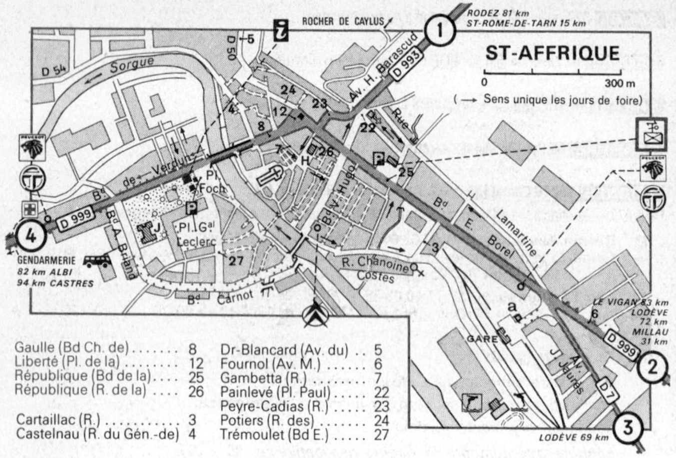

Gaulle (Bd Ch. de)	8	Dr-Blancard (Av. du)	5
Liberté (Pl. de la)	12	Fournol (Av. M.)	6
République (Bd de la)	25	Gambetta (R.)	7
République (R. de la)	26	Painlevé (Pl. Paul)	22
		Peyre-Cadias (R.)	23
Cartaillac (R.)	3	Potiers (R. des)	24
Castelnau (R. du Gén.-de)	4	Trémoulet (Bd E.)	27

CITROEN Bousquet, 29 bd V.-Hugo ☎ 65 49 30 15
PEUGEOT-TALBOT Pujol, 36 bd E.-Borel ☎ 65 49 21 09
PEUGEOT-TALBOT Martin, av. J.-Bourgougnon ☎ 65 99 01 42

Maury, rte de Vabres, Le Vern ☎ 65 99 06 83
Vaygalier-Maison du Pneu, 7 bd de Verdun ☎ 65 49 01 23

ST-AGRÈVE 07320 Ardèche 76 ⑨⑲ G. Vallée du Rhône (plan) – 2 723 h. alt. 1 050.

Voir Mont Chiniac ←★★.

Syndicat d'Initiative à la Mairie (vacances scolaires après-midi seul. et 15 juin-15 sept.) ☎ 75 30 15 06.

Paris 578 – Aubenas 76 – Lamastre 21 – Privas 73 – Le Puy 52 – ♦St-Étienne 73 – Yssingeaux 39.

- **Faurie,** 36 av. Cévennes ☎ 75 30 11 60, – wc. rest
  Pentecôte-fin sept. – SC : **R** 75/100 – 16 – **30 ch** 75/150 – P 160/190.
- **Boissy-Teyssier,** ☎ 75 30 12 43 –
  fermé 25 sept. au 25 oct. et sam. hors sais. – SC : **R** 49/100 – 15 – **11 ch** 75/110 – P 135/170.
- **Cévennes,** ☎ 75 30 10 22 – wc . rest
  fermé nov., 20 au 27 fév. et merc. du 15 sept. au 15 juin – SC : **R** 52/110 – 15,50 – **11 ch** 80/220 – P 143/198.

PEUGEOT, TALBOT Chazallet, ☎ 75 30 12 23
Gar. Grandouiller-Maneval, ☎ 75 30 26 08

ST-AIGNAN 41110 L.-et-Ch. 64 ⑰ G. Châteaux de la Loire (plan) – 3 690 h. alt. 84.

Voir Église★.

Office de Tourisme (1er juil.-31 août) ☎ 54 75 22 85 et hors saison ☎ 54 75 13 31.

Paris 219 – Blois 39 – Châteauroux 64 – Romorantin-Lanthenay 33 – ♦Tours 61 – Vierzon 57.

- **Gd H. St-Aignan,** ☎ 54 75 18 04, ← – wc wc – 25
  fermé déc. à fév., dim. soir et lundi hors sais. sauf fêtes – SC : **R** 60/180 – 23 – **23 ch** 86/260.
- XX **Relais Touraine et Sologne,** Le Boeuf Couronné N : 1 km ✉ 41140 Noyers-sur-Cher ☎ 54 75 15 23 – . VISA.
  fermé 5 janv. au 20 fév., mardi soir et merc. hors sais. – SC : **R** 78/215.
- X **Gare** avec ch, à la gare de Noyers N : 2 km sur D 675 ✉ 41140 Noyers-sur-Cher ☎ 54 75 16 38 – . ch
  fermé 5 janv. au 5 fév., dim. soir et lundi – SC : **R** 48/150 – 16 – **11 ch** 72/115 – P 150/170.

FORD Gar. St-Michel, ☎ 54 75 23 92 N
PEUGEOT-TALBOT Gar. Danger, La Croix-Michel ☎ 54 75 19 72
RENAULT Gar. Durvoux, à Noyers sur Cher ☎ 54 75 20 45

ST-AIGULIN 17360 Char.-Mar. 75 ③ – 2 220 h. alt. 31.

Paris 511 – Angoulême 64 – Bergerac 68 – Jonzac 49 – Libourne 38 – Périgueux 71.

- **France,** 15 r. Leclerc ☎ 46 04 80 08, , –
  fermé 1er au 21 oct., 1er au 12 fév. et vend. – SC : **R** 38/100 – 16 – **12 ch** 67/189 – P 150/180.

ST-ALBAIN (Aire de) 71 S.-et L. 69 ⑲ – Aire de Service A6 - voir à Mâcon.

ST-ALBAN-DE-MONTBEL 73 Savoie 74 ⑮ – rattaché à Aiguebelette (Lac d').

ST-ALBAN-LES-EAUX 42 Loire 73 ⑦ – 813 h. alt. 470 – ✉ **42370** Renaison.

Paris 388 – Lapalisse 45 – Montbrison 59 – Roanne 12 – ♦St-Étienne 90 – Thiers 54 – Vichy 62.

XX **St-Albanais,** ☏ 77 65 84 23. VISA
fermé 1er au 15 août, vacances de fév., mardi soir et merc. – SC : **R** 45/140 ₰.

ST-ALBAN-SUR-LIMAGNOLE 48120 Lozère 76 ⑮ – 2 160 h. alt. 950.

Paris 536 – Espalion 74 – Mende 41 – Le Puy 75 – St-Chély-d'Apcher 13 – Sévérac-le-Château 84.

Centre, ☏ 66 31 50 04 – wc ☎. **E** VISA. ✽ rest
fermé janv. – SC : **R** *(fermé dim. soir du 1er nov. au 18 mai)* 40/86 ₰ – ▭ 16 – **20 ch** 55/172 – P 127/172.

*Die auf den **Michelin-Karten** im Maßstab 1 : 200 000 rot unterstrichenen Orte sind in diesem Führer erwähnt.*
*Die **Michelin-Karten** werden ständig korrigiert und verbessert ;*
nur eine neue Karte gibt Ihnen die aktuellsten Hinweise.

ST-AMAND-LES-EAUX 59230 Nord 51 ⑰ **G. Flandres, Artois, Picardie** – 16 384 h. alt. 17 – Stat. therm. (1er mars-15 déc.) et Casino par ② : 4 km.

Voir Tour★ de l'abbaye B **D** – **Forêt de Raismes-St-Amand-Wallers★** par ②.

ℹ Office de Tourisme Tour Abbatiale ☏ 27 48 67 09.

Paris 215 ③ – Denain 15 ③ – Douai 33 ④ – ♦Lille 39 ④ – Tournai 18 ① – Valenciennes 14 ③.

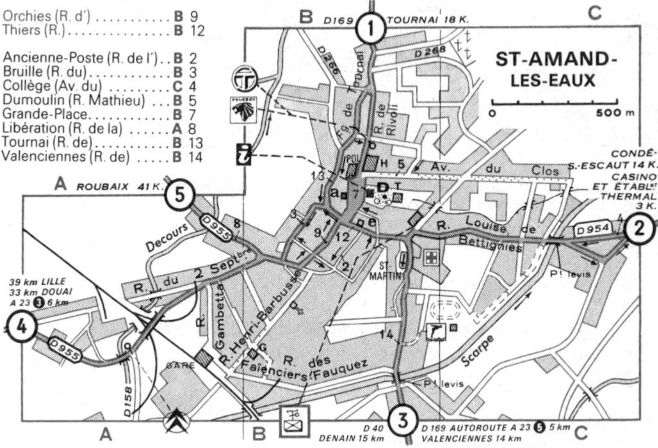

La Tour sans rest, 19 r. Thiers ☏ 27 48 45 31 – wc ☎. AE ⓓ **E** VISA B **e**
fermé 14 au 31 août – SC : ▭ 17 – **18 ch** 70/170.

XX **Aub. de la Forêt,** rte de Raismes par ③ : 4 km ☏ 27 25 51 98 – **P**. VISA. ✽
fermé 24 au 31 déc. et lundi – **R** carte 150 à 210.

X **Brasserie Alsacienne,** 23 Gde-Place ☏ 27 48 50 62 – VISA B **a**

CITROEN, Gar. Waymel, rte de Lille, Zone Ind. Louis Leblanc ☏ 27 48 79 51 **N** ☏ 27 48 26 69
PEUGEOT-TALBOT Gar. Guyot, 10 r. de Rivoli ☏ 27 48 11 11

V.A.G. Marchandise, av. du Clos ☏ 27 48 57 07

Ⓜ Europneus, 1 r. Gambetta ☏ 27 48 54 43

ST-AMAND-MONTROND ◇ 18200 Cher 69 ①⑪ **G. Périgord** – 12 801 h. alt. 162.

Voir Ancienne abbaye de Noirlac★ 4 km par ⑦.

Env. Château de Meillant★★ 8 km par ①.

ℹ Office de Tourisme pl. République ☏ 48 96 16 86.

Paris 281 ⑦ – Bourges 44 ⑦ – Châteauroux 67 ⑥ – Montluçon 49 ④ – Moulins 85 ③ – Nevers 77 ③.

ST-AMAND-MONTROND

Barbusse (R. Henri) . . . . . AB
Mutin (Pl.) . . . . B 13
Mutin (R. Porte) . . . . B 14
Nationale (R.) . . . . B 15

Audebrand
(R. Philibert) . . . . B 2

Constant (R. B.) . . . . B 3
Dr-Vallet (R. du) . . . . AB 4
Dubreuil (Promenades) . . . B 5
Fleurus (Cours) . . . . B 6
Foch (Av. Mar.) . . . . B 7
Gare (Av. de la) . . . . A 9
Giraud (Pl. Jean) . . . . A 10
Hôtel-Dieu (R. de l') . . . . . . B 12

Petit-Vougan (R. du) . . . . . . A 16
Pont-Pasquet (R. du) . . . . . B 17
Porte-de-Bourges (R.) . . . . B 18
Porte-Verte (R.) . . . . B 19
Pyat (R. Félix) . . . . A 20
République (Av. de la) . . . . B 23
République (Pl. de la) . . . . . B 24
Rochette (R.) . . . . B 25
Vallette (R. J.) . . . . B 28
Vieilles-Prisons (R. des) . . . B 29

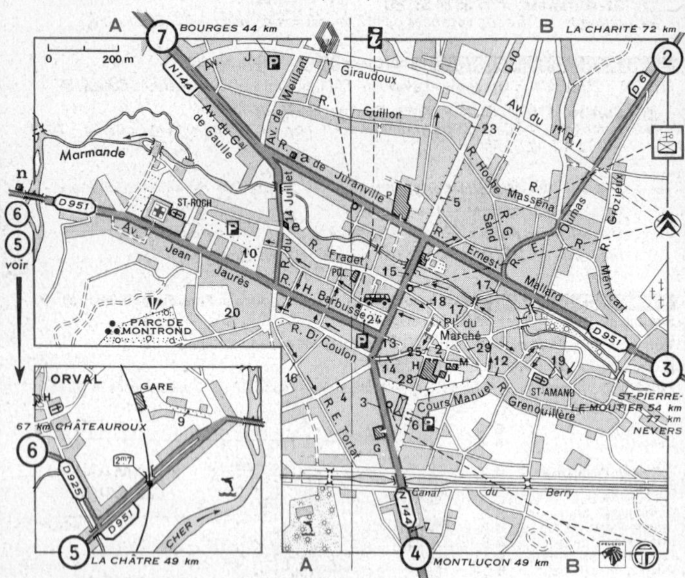

🏨 **Croix d'Or,** 28 r. 14 Juillet ℘ 48 96 09 41 – wc ⚿ ☎. VISA. ch — A e
SC : **R** *(fermé vend. soir hors sais.)* 55/150 – 15 – **16 ch** 95/160.

✕✕ **Pont du Cher** avec ch, 2 av. Gare ℘ 48 96 00 51, ←, – — A n
fermé 21 oct. au 21 nov. et lundi – SC : **R** 50/115 🍷 – 14 – **13 ch** 60/120 – P 135/160.

✕✕ **Boeuf Couronné,** 86 r. Juranville ℘ 48 96 42 72 – Ⓟ. AE E VISA — A a
fermé 1er au 21 janv., 2 au 26 juil. et merc. – SC : **R** 48/110 🍷.

à Bruère-Allichamps par ⑦ et D 35 : 8,5 km – ✉ **18200** St-Amand-Montrond :

🏨 **Les Tilleuls,** ℘ 48 61 02 75, ← – wc ⚿wc Ⓟ
fermé 20 au 31 déc., 15 janv. au 28 fév. et merc. – SC : **R** 60/110 🍷 – 14 – **10 ch** 70/107 – P 141/171.

CITROEN St Amand Autom., 34 r. Nationale ℘ 48 96 03 94
PEUGEOT-TALBOT Desson, 15 r. B.-Constant ℘ 48 96 10 07
PEUGEOT-TALBOT Berrichonne Automobile, 33 rte de Lignières à Orval par ⑥ ℘ 48 96 09 16 N ℘ 48 96 23 15

RENAULT Gar. Centre, 45 r. Juranville ℘ 48 96 05 89

Ⓜ Chassagnard, 19 r. Petit-Vougan ℘ 48 96 11 21

ST-AMANS-SOULT 81240 Tarn 83 ⑫ **G. Causses** – 1 696 h. alt. 272.

Paris 757 – Albi 68 – Béziers 76 – Carcassonne 57 – Castres 26 – ♦ Toulouse 92.

🏨 **Château H. La Nouvelle** 🌿, aux Raynauds, O : 3 km par N 112 et D 53 ℘ 63 98 33 68, ←, parc, 🏊 – wc ⚿wc Ⓟ
9 ch.

ST-AMBROIX 30500 Gard 80 ⑧ – 3 847 h. alt. 151.

Paris 687 – Alès 19 – Aubenas 55 – Mende 102.

à St-Brès N : 1,5 km par D 904 – ✉ **30500** St-Ambroix :

🏨 **Aub. St-Brès** M, ℘ 66 24 10 79, – wc ⚿wc ☎ Ⓟ. AE E VISA
fermé 1er au 20 janv. – SC : **R** 51/200 🍷 – 27,50 – **7 ch** 112/160 – P 200/220.

à Courry NO : 7 km par D 904 – ✉ **30500** St-Ambroix :

XX **Aub. Croquembouche** Ⓜ avec ch, ✆ **66 24 13 30**, – wc ☎ Ⓟ. E. rest
fermé merc. d'oct. à mars – **SC** : **R** 62/135 – 22 – **5 ch** 185/210 – P 247/263.

Thomas-Pneus, ✆ 66 24 17 91

ST-AMOUR 39160 Jura **70** ⑬ – 2 620 h. alt. 253.

Paris 406 – Bourg-en-B. 28 – Chalon-sur-Saône 74 – Lons-le-Saunier 33 – Mâcon 57 – Tournus 47.

Alliance, ✆ **84 48 74 94, « Demeure du 17e s »,** – wc wc. VISA
fermé mi-déc. à mi-janv., dim. soir et lundi sauf d'avril à mi-sept. – **SC** : **R** 41/110 – 16 – **16 ch** 65/145.

RENAULT Gar. Comas, ✆ 84 48 73 52 N

ST-AMOUR-BELLEVUE 71 S.-et-L. **74** ① – 455 h. – ✉ **71570** La Chapelle-de-Guinchay.

Paris 404 – Bourg-en-B. 45 – ♦Lyon 68 – Mâcon 12 – Villefranche-sur-Saône 41.

XX **Chez Jean Pierre,** ✆ **85 37 41 26** – VISA
fermé fév., merc. soir et jeudi – **SC** : **R** 57/160.

ST-ANDRÉ-D'APCHON 42 Loire **73** ⑦ **G. Vallée du Rhône** – 1 699 h. alt. 417 – ✉ **42370** Renaison.

Paris 384 – Lapalisse 42 – Montbrison 61 – Roanne 11 – ♦St-Étienne 89 – Thiers 55 – Vichy 60.

XX **Lion d'Or** avec ch, ✆ **77 65 81 53** – wc. VISA
fermé 15 au 30 juil., 2 au 25 janv., dim. soir et lundi – **SC** : **R** 69/200 – 18 – **7 ch** 78/156.

ST-ANDRÉ-DE-CORCY 01390 Ain **74** ② – 2 131 h. alt. 297.

Paris 453 – Bourg-en-Bresse 38 – ♦Lyon 24 – Meximieux 21 – Villefranche-sur-Saône 24.

à St-Marcel N : 3 km par N 83 – ✉ **01390** St-André-de-Corcy :

Manoir des Dombes sans rest, ✆ **78 81 13 37,** – wc Ⓟ. AE
fermé 20 fév. au 2 mars – **SC** : 28 – **16 ch** 160/300.

XX **La Colonne,** ✆ **72 26 11 06** – E VISA
fermé 15 déc. au 15 janv., lundi soir et mardi – **SC** : **R** 86/109.

PEUGEOT-TALBOT Gar. Durand, ✆ 78 81 11 60

ST-ANDRÉ-DE-CUBZAC 33240 Gironde **71** ⑧ – 5 243 h. alt. 30.

Paris 557 – Angoulême 93 – Blaye 26 – ♦Bordeaux 25 – Jonzac 63 – Libourne 20 – Saintes 94.

à Gueynard NE : 8 km sur N 10 – ✉ **33240** St-André-de-Cubzac :

X **Le Girondin** avec ch, ✆ **57 68 71 32** – wc Ⓟ
fermé mardi soir et merc. – **SC** : **R** 44/155 – 12 – **10 ch** 77/144.

FORD Gar. de l'Europe, N 168 ✆ 56 43 03 95
OPEL Gar. Abbadie, N 25, ✆ 56 43 01 42
PEUGEOT, TALBOT Gar. Cluzeau, N. 10 ✆ 56 43 10 77
RENAULT C.A.R.I.P N 137 à Pugnac ✆ 56 68 80 50

ST-ANDRÉ-LES-ALPES 04170 Alpes-de-H.-Pr **81** ⑱ **G. Côte d'Azur** – 861 h. alt. 894.

Voir Route de Toutes Aures★ SE.

Syndicat d'Initiative à l'Hôtel de Ville (1er juil.-1er oct.) ✆ 92 89 02 04 et r. Principale (1er sept.-30 juin) ✆ 92 89 02 46.

Paris 785 – Castellane 21 – Colmars 28 – Digne 43 – Manosque 84 – Puget-Théniers 45.

Monge sans rest, ✆ **92 89 01 06,** – wc Ⓟ. VISA.
1er avril-15 oct. – **SC** : 16 – **24 ch** 72/135.

Gd Hôtel, à la gare ✆ **92 89 05 06,** – Ⓟ
15 mai-fin sept. – **SC** : **R** 42/105 – 13,50 – **22 ch** 60/130 – P 160/185.

Clair Logis, rte Digne ✆ **92 89 04 05,** <, – wc wc Ⓟ. AE VISA. rest
SC : **R** 50/100 – 20 – **12 ch** 80/150 – P 175/200.

X **Gd. H. Parc** avec ch, pl. Église ✆ **92 89 00 03,** – wc Ⓟ. rest
1er fév.-15 nov. – **SC** : **R** 50/120 – 18 – **12 ch** 70/160 – P 175/200.

CITROEN Chabot, ✆ 92 89 00 01 N
PEUGEOT-TALBOT Rouvier, ✆ 92 89 03 02 N ✆ 92 89 03 79

ST-ANDRÉ-LES-VERGERS 10 Aube **61** ⑯ – rattaché à Troyes.

ST-ANTHÈME 63660 P.-de-D. 73 ⑰ G. Vallée du Rhône – 1 023 h. alt. 940 – Sports d'hiver : 1 200/1 410 m ⛷3 ⛷.
Paris 456 – Ambert 22 – ♦Clermont-Ferrand 111 – Montbrison 24.

Voyageurs, ✆ 73 95 40 16 – ⋒wc ⇔. ⓓ E
vacances de Pâques, 1er mai-1er nov., 20 déc.-5 janv., fév. et fermé dim. soir et lundi d'oct. à fin mai – SC : **R** 43/105 – ☕ 16 – **30 ch** 55/136 – P 158/180.

ST-ANTOINE 05 H.-Alpes 77 ⑰ – rattaché à Pelvoux (Commune de).

ST-ANTOINE 38 Isère 77 ③ G. Vallée du Rhône – 779 h. alt. 350 – ✉ 38160 St-Marcellin.
Voir Abbatiale★ – Paris 561 – ♦Grenoble 67 – Romans-sur-Isère 32 – St-Marcellin 12.

✗ **Jean Pierre Blanc,** Mail de l'Abbaye ✆ 76 36 42 83, ⛱ – AE VISA
fermé fév. et mardi – SC : **R** 97/220.

ST-ANTOINE-PLOUEZOCH 29 Finistère 58 ⑥ – rattaché à Morlaix.

ST-ANTONIN-DU-VAR 83 Var 84 ⑥ – ✉ 83510 Lorgues.
Paris 841 – Cannes 80 – Draguignan 20 – ♦ Marseille 94 – ♦ Toulon 76.

✗✗ **Lou Cigaloun** ⛰ avec ch, ✆ 94 04 42 67, ≤, ⛱, ⛱ – ⋒wc ☎ ⇔ Ⓟ. E
hôtel : 1er avril-30 sept. ; rest. : fermé 1er au 15 mars, 1er au 21 oct. et mardi – SC : **R** (déj. seul. du 1er oct. au 31 mars) 86/220 ♁ – ☕ 17 – **7 ch** 131/200 – P 196/220.

ST-ANTONIN-NOBLE-VAL 82140 T.-et-G. 79 ⑲ G. Périgord – 1 869 h. alt. 129.
Voir Ancien hôtel de ville★ – Gorges de l'Aveyron★ par route de corniche★★ (D 115B) SO : 3,5 km – Paris 649 – Albi 55 – Cahors 58 – Montauban 41 – Villefranche de Rouergue 41.

RENAULT Gar. Blatger, ✆ 63 30 61 42 N

ST-ARNOULT-EN-YVELINES 78730 Yvelines 60 ⑨, 196 ㉘㊵ G. Environs de Paris – 4 448 h. alt. 130.
Voir Vaisseau★ de l'église.
⛳18 de Rochefort en Yvelines ✆ (1) 30 41 31 81, NE : 5 km.
Paris 54 – Chartres 41 – Dourdan 8 – Etampes 26 – Rambouillet 14 – Versailles 36.

✗✗ **La Remarde,** ✆ (1) 30 41 20 09 – VISA
fermé août, 23 au 31 déc., dim. soir, mardi soir et merc. – SC : **R** 63/170 ♁.

RENAULT Leroux, 53 r. Lerouge à Rochefort-en-Yvelines ✆ (1) 30 41 31 18

ST-AUBAN 04 Alpes-de-H.-P. 81 ⑯ – rattaché à Château-Arnoux.

ST-AUBIN-LES-ELBEUF 76 S.-Mar. 55 ⑥ – rattaché à Elbeuf.

ST-AUBIN-SUR-MER 14750 Calvados 55 ① G. Normandie – 1 446 h.
ℹ Office de Tourisme Digue Favreau (1er juin-30 sept.) ✆ 31 97 30 41.
Paris 256 – Arromanches-les-Bains 19 – Bayeux 26 – Cabourg 31 – ♦Caen 18.

Clos Normand, ✆ 31 97 30 47, ≤, ⛱ – ⛀wc ⋒wc ☎ Ⓟ. AE E VISA
25 mars-1er oct. et vacances de nov. – SC : **R** 64/210 – ☕ 16 – **29 ch** 140/175 – P 185/250.

St-Aubin, ✆ 31 97 30 39, ≤ – ⛀wc ⋒wc ☎. AE E VISA. ⛔ rest
1er mars-15 nov. et fermé dim. soir et lundi hors sais. – SC : **R** 58/230 – ☕ 15 – **26 ch** 80/200 – P 150/250.

ST-AULAIRE 19 Corrèze 75 ⑧ – rattaché à Objat.

ST-AVÉ 56 Morbihan 63 ③ – rattaché à Vannes.

ST-AVOLD 57500 Moselle 57 ⑮ G. Alsace et Lorraine – 17 023 h. alt. 230.
Paris 370 – Haguenau 114 – Lunéville 76 – ♦Metz 45 – ♦Nancy 73 – Saarbrücken 30 – Sarreguemines 28 – ♦Strasbourg 124 – Thionville 68 – Trier 96.

Novotel Ⓜ, sur N 33 (échangeur A 32) ✆ 87 92 25 93, Télex 860966, ⛱, « A l'orée de la forêt », ⛱, ⛱ – ▤ rest ⓣⓥ ☎ ♿ Ⓟ – ⛱ 200. AE ⓓ E VISA
R snack carte environ 100 ♁ – ☕ 33 – **61 ch** 289/320.

Europe et rest. Atlantic, 7 r. Altmayer ✆ 87 92 00 33 – ⛛ ▤ ch ⓣⓥ ⛀wc ⋒wc ☎ ⇔ Ⓟ – ⛱ 50. AE ⓓ E VISA
SC : **R** *(fermé 25 au 31 déc., sam. midi et dim. soir)* 80/200 ♁ – ☕ 22 – **34 ch** 210/250 – P 290/330.

✗✗✗ ❁ **Le Neptune** (Pauly), à la piscine ✆ 87 92 27 90, ≤ – Ⓟ. AE ⓓ E VISA. ⛔
fermé 15 août au 15 sept., 2 au 10 janv., sam. midi, dim. soir et lundi – SC : **R** carte 200 à 300
Spéc. Turbot à la julienne de fenouil et Champagne, Noisettes de chevreuil aux raisins (saison), Gratin de mirabelles. Vins Côtes de Toul.

CITROEN Gar. Rein, 65 r. Gén.-Mangin ✆ 87 92 23 57 N
RENAULT Pierrard Equipements, 13 av. Clémenceau ✆ 87 91 29 89
RENAULT Pierrard, 13 av. G.-Clemenceau ✆ 87 91 12 60 N

Berwald, N 3 Moulin-Neuf ✆ 87 91 19 07
Leclerc-Pneu, 12 r. Mar. Foch ✆ 87.92.29.75

ST-AYGULF 83 Var 84 ⑱, 195 ㉝ G. Côte d'Azur – ✉ **83600** Fréjus.

Office de Tourisme pl. Poste ✆ 94 81 22 09.

Paris 877 – Brignoles 69 – Draguignan 33 – Fréjus 7 – St-Raphaël 9 – Ste-Maxime 14.

Catalogne M sans rest, ✆ **94 81 01 44**, ←, , – ☎ P. AE VISA.
fin mars-15 oct. – SC : 20 – **32 ch** 300/325.

La Glycine, ✆ **94 81 30 23**, – AE VISA
fermé janv., le midi (sauf dim. et fériés) en juil. et août, dim. soir et lundi sauf juil.-août – SC : **R** 80.

Belle Époque, ✆ **94 81 26 59** – P.

ST-BENOIT 01 Ain 74 ⑭ – 548 h. alt. 210 – ✉ **01300** Belley.

Paris 483 – Belley 18 – Bourg-en-Bresse 69 – ♦Lyon 69 – La Tour-du-Pin 26 – Vienne 73 – Voiron 41.

Billiemaz, au pont d'Evieu SO : 2,5 km ✆ **74 39 72 56**, – P. E VISA
fermé 3 au 18 sept. et merc. – SC : **R** 50/150 ₰.

ST-BENOIT 86 Vienne 68 ⑬⑭ – rattaché à Poitiers.

ST-BENOIT-SUR-LOIRE 45730 Loiret 64 ⑩ G. Châteaux de la Loire – 1 925 h. alt. 100.

Voir Basilique★★ (chant grégorien).

Paris 142 – Bourges 90 – Châteauneuf-sur-Loire 10 – Gien 31 – Montargis 43 – ♦Orléans 35.

Labrador sans rest, ✆ **38 35 74 38**, – wc wc ☎ P. E
fermé 1er janv. au 15 fév. et dim. soir d'oct. à Pâques – SC : 22 – **22 ch** 110/250.

ST-BÉRON 73 Savoie 74 ⑮ – 1 164 h. alt. 334 – ✉ **73520** La Bridoire.

Paris 513 – Belley 40 – Chambéry 26 – ♦Lyon 85 – La Tour-du-Pin 25 – Voiron 30.

Debauge avec ch, pl. Gare ✆ **76 31 11 16**, – – 30
fermé 2 janv. au 10 mars, mardi soir et merc. hors sais. – SC : **R** *(fermé le soir en semaine d'oct. à déc.)* 57/170 ₰ – 18 – **15 ch** 85/160 – P 170/200.

ST-BERTRAND-DE-COMMINGES 31 H.-Gar. 85 ⑳ G. Pyrénées (plan) – 228 h. alt. 446 – ✉ **31510** Barbazan.

Voir Site★ – Cathédrale★ : boiseries★★, cloître★★ et trésor★ – Basilique St-Just★ de Valcabrère NE : 2 km.

Paris 849 – Bagnères-de-Luchon 33 – Lannemezan 25 – St-Gaudens 17 – Tarbes 61 – ♦Toulouse 107.

Comminges , ✆ **61 88 31 43**, ←, – wc .
1er avril-1er nov. – SC : **R** 75/120 – 20 – **12 ch** 115/260.

ST-BONNET 05500 H.-Alpes 77 ⑯ – 1 376 h. alt. 1 025.

Env. ←★★ du col du Noyer O : 10 km, G. Alpes.

Syndicat d'Initiative r. Maréchaux ✆ 92 50 02 57.

Paris 652 – Gap 15 – ♦Grenoble 90 – La Mure 52.

Mauberret-Combassive , ✆ **92 50 00 19**, – wc . AE E VISA. rest
1er juin-10 oct. et 15 janv.-20 avril – SC : **R** 70/120 – 18 – **27 ch** 126/220 – P 180/300.

La Crémaillère , ✆ **92 50 00 60**, ←, – wc wc P. AE E. rest
1er avril-30 sept. et fév. – SC : **R** 60/84 – 18 – **20 ch** 130/180 – P 185/200.

CITROEN Gar. Espitallier, ✆ 92 50 52 52
PEUGEOT-TALBOT Champsaur-Autom., ✆ 92 50 52 33
RENAULT Gar. Piot, à la Fare-en-Champsaur ✆ 92 50 53 80

ST-BONNET-DE-JOUX 71220 S.-et-L. 69 ⑱ – 951 h. alt. 382.

Voir Château de Chaumont★ NO : 3 km.

Env. Butte de Suin ★★ SE : 7 km puis 15 mn, G. Bourgogne.

Paris 392 – Chalon-sur-Saône 55 – Charolles 14 – Mâcon 53 – Montceau-les-Mines 37.

Val de Joux avec ch, ✆ **85 24 72 39** – . VISA.
fermé 1er au 8 août, 20 déc. au 1er fév. et lundi – SC : **R** 43/100 ₰ – 12 – **5 ch** 60/110.

LANCIA-AUTOBIANCHI Gar. Express, ✆ 85 24 70 56

ST-BONNET-DE-SALERS 15 Cantal 76 ② – rattaché à Salers.

ST-BONNET-LE-FROID 43 H.-Loire 76 ⑨ – 180 h alt. 1 127 – ✉ 43290 Montfaucon-en-Velay.

Paris 558 – Aubenas 96 – Annonay 26 – ♦St-Étienne 59 – Tournon 53 – Yssingeaux 32.

XX **Cimes** avec ch, ✆ 71 59 93 72 – ⇔wc ⋒wc ☎ 🅟. AE ⓘ E VISA. ✻ ch
20 mars-1er nov., fermé dim. soir et lundi hors sais. – SC : **R** 69/188 🍷 – ☕ 25 – **10 ch** 89/138 – P 173/197.

ST-BRÈS 30 Gard 80 ⑧ – rattaché à St-Ambroix.

ST-BRÉVIN-LES-PINS 44250 Loire-Atl. 67 ① – 8 769 h. – Casino à St-Brévin-l'Océan.

Pont de St-Nazaire : péage en 1985 : auto 22 à 30 F (conducteur et passagers compris), auto et caravane 38 F, camion et véhicule supérieur à 1,5 t : 38 à 95 F, moto 5 F, (gratuit pour vélos et piétons). Tarifs spéciaux pour les résidents de la Loire Atlantique .

🅸 Office de Tourisme 10 r. Église ✆ 40 27 24 32.

Paris 439 – Challans 63 – ♦Nantes 57 – Noirmoutier-en-l'Ile 71 – Pornic 17 – St-Nazaire 14.

Petit Trianon, 239 av. Mindin ✆ 40 27 22 16, 🌳 – ⇔wc ⋒wc 🅟. ✻
fermé dim. soir et lundi du 15 sept. au 15 juin – SC : **R** 49/124 – ☕ 19,50 – **18 ch** 78/189 – P 206/340.

à Mindin N : 3 km – ✉ **44250** St-Brévin-les-Pins :

Débarcadère, ✆ 40 27 20 53, ≤, 🌳 – ⋒wc 🅟. AE ⓘ E VISA
1er fév.-15 oct. et fermé dim. soir hors sais. – SC : **R** 44/110 – ☕ 14,50 – **17 ch** 80/150 – P 127/180.

la Boissière 🐌, ✆ 40 27 21 79, ⛱, 🌳 – ⋒wc 🅟. AE ⓘ E
15 mai-1er oct. – SC : **R** 48/130 – ☕ 16 – **23 ch** 80/180.

CITROEN Gar. Jarnion-Verdon 55 av. Mar. Foch ✆ 40 27 20 23
FIAT, LADA, LANCIA AUTOBIANCHI Gar. des Pins, 168 av. R.-Poincaré ✆ 40 27 21 25
FORD Gar. Charriau Evain 3 av. de la Saulzaie ✆ 40 27 44 83
FORD Gar. de la Hautière 46 r. de la Hautière St Brevin l'Ocean ✆ 40 27 20 91
RENAULT Gar. Clisson, 32 r. Albert Chassagne ✆ 40 27 20 07

ST-BRIAC-SUR-MER 35 I.-et-V. 59 ⑤ **G. Bretagne** – 1 748 h. – ✉ **35800** Dinard.

⛳18 ✆ 99 88 32 07 NO : 2 km.

🅸 Syndicat d'Initiative 49 Grande-rue (Pâques, 15 juin-15 sept.) ✆ 99 88 32 47.

Paris 421 – Dinan 24 – Dol-de-Bretagne 30 – Lamballe 43 – ♦Rennes 75 – St-Cast 22 – St-Malo 16.

Houle, ✆ 99 88 32 17 – ⇔wc ⋒wc 🅟. E VISA
hôtel fermé janv., fév. et merc. – SC : **R** *(30 mars-fin sept. et fermé merc.)* 52/80 – ☕ 16 – **17 ch** 125/140.

ST-BRIEUC Ⓟ 22000 C.-du-N. 59 ③ **G. Bretagne** – 51 399 h. alt. 99.

Voir Cathédrale★ AY – **Tertre Aubé ≤★** BV.

Env. Pointe du Roselier★ NO : 8,5 km par D 24 BV.

⛳18 des Ajoncs d'Or ✆ 96 71 90 74 par ① : 23 km.

✈ de St-Brieuc : T.A.T. ✆ 96 94 61 11 E : 3,5 km AX.

🚗 ✆ 96 94 50 50.

🅸 Office de Tourisme r. St-Gouéno ✆ 96 33 32 50 – A.C.O. 6 pl. Du-Guesclin ✆ 96 33 16 20.

Paris 451 ② – ♦Brest 144 ④ – ♦Caen 228 ② – Cherbourg 247 ② – Dinan 58 ② – Lorient 116 ③ – Morlaix 86 ④ – Quimper 130 ③ – ♦Rennes 100 ② – St-Malo 76 ② – Vannes 106 ③.

Plan page ci-contre

Le Griffon 🐌, r. de Guernesey par ④ : 3,5 km ✆ 96 94 57 62, Télex 950701, « Jardin », 🎾 – 🛗 📺 ☎ 🅟 – 🏛 50. AE ⓘ E VISA. ✻ rest
SC : **R** *(fermé sam. midi et dim. soir)* 98/130 – ☕ 21 – **42 ch** 195/230, 3 appartements 315.

Pomme d'Or Ⓜ, à Langueux : 4 km par r. Dr. Rahuel X ✉ 22360 Langueux ✆ 96 61 12 10 – 🛗 ☎ 🅟 – 🏛 50 à 120. VISA
fermé 24 déc. au 10 janv. – SC : **R** *(fermé dim. hors sais.)* 55/150 🍷 – ☕ 18 – **46 ch** 190/210 – P 250.

Alexandre 1er sans rest, 19 pl. Dugesclin ✆ 96 33 79 45 – 🛗 📺 ☎ 🚗 – 🏛 50. ⓘ E VISA BZ **s**
fermé 22 déc. au 6 janv. – ☕ 20 – **43 ch** 180/240.

Chêne Vert Ⓜ, à Plérin, 3 km échangeur St Laurent-de-la-Mer ✉ 22190 Plérin ✆ 96 74 63 20, 🌳 – ⇔wc ☎ ♿ 🅟 – 🏛 30 à 50. AE ⓘ E VISA
fermé 20 déc. au 5 janv. – SC : **R** *(fermé dim. hors sais., sam. midi et dim. midi en juil.-août)* 59/105 – ☕ 21 – **52 ch** 180/242 – P 252.

tourner →

ST-BRIEUC

Chapitre (R. du) .... **AZ** 3
Charbonnerie (R.) ...... **AY** 4
Glais-Bizoin (R.)....... **ABY** 20
Jouallan (R.) .... **AY** 26
St-Gilles (R.) .... **AY** 43
St-Guillaume (R.) .... **BZ** 46

Abbé-Garnier (R.) .... **AX** 2
Commune (Bd de la) .... **BY** 12
Corderie (R. de la) ...... **AX** 13
Ferry (R. Jules) .... **AX** 16
Gambetta (Bd) .... **AV** 17
Hérault (Bd) .... **AV** 23
Le Gorrec (R.P.) .... **AZ** 28
Libération (Av. de la) .... **BZ** 29
Lycéens-Martyrs (R. des) **AZ** 32

Martray (Pl. du).......... **AY** 33
Plélo (Bd de) .... **BV** 34
Quinquaine (R.) .... **AY** 38
Résistance (Pl. de la).... **AY** 39
Rohan (R. de).......... **AYZ** 40
St-Gouéno (R.)........... **AY** 44
Victor-Hugo (R.) .... **BX** 50
3-Frères-Le Goff (R.) .... **AY** 52
3-Frères-Merlin (R.)..... **AY** 53

Ker Izel M sans rest, 20 r. Gouët ✆ 96 33 46 29 – TV ⋒wc ☎. AE ◑ E VISA. ✻ AY **a**
SC : ☕ 20 – **22 ch** 110/214.

Le Covec sans rest, pl. Poste-et-Théâtre ✆ 96 33 23 18 – ⋒wc ☎. AE ◑ E VISA. ✻ AY **d**
fermé dim. soir et fériés le soir – SC : ☕ 22 – **10 ch** 145/189.

Pignon Pointu sans rest, 16 r. J.-J.-Rousseau ✆ 96 33 02 39 – ⊟wc ⋒wc ☎. VISA. ✻ BZ **y**
fermé 20 déc. au 4 janv. – SC : ☕ 16,50 – **17 ch** 77/220.

St-Georges sans rest, 1 ter r. de Robien ✆ 96 94 24 06 – ⊟wc ⋒wc ☎ Ⓟ
fermé 24 déc. au 15 janv., sam. et dim. du 1er nov. au 31 mars – SC : ☕ 13 – **27 ch** 90/150. AX **b**

Beaucemaine sans rest, à **Ploufragan** SO : 5 km par D 710 ✆ 96 78 05 60 – ⊟wc Ⓟ. VISA. ✻
SC : ☕ 15 – **20 ch** 90/180.

XXX **Croix Blanche,** 61 r. Genève à Cesson - BV - E : 2 km ✆ 96 33 16 97
fermé dim. soir et vend. – SC : **R** 85/140.

XXX **Aux Pesked,** 59 r. du Légué ✆ 96 33 34 65, ≤ AV **u**
fermé 29 sept. au 15 oct., 3 mars au 2 avril, dim. soir et lundi – SC : **R** 70/160.

XX ❁ **La Vieille Tour** (Hellio), NE : 3 km par D 24, Sous la Tour - BV - ✉ 22190 Plérin ✆ 96 33 10 30, ≤ – AE ◑ VISA. ✻
fermé 15 juin au 2 juil., 23 déc. au 4 janv., sam. midi et dim. – **R** (nombre de couverts limité - prévenir) 115/200
Spéc. Homard (avril-sept), Turbot aux poireaux et porto, Le grand dessert.

XX **Le Quatre Saisons,** 61 chemin des Courses à Cesson - BV - E : 4 km ✉ 22000 St-Brieuc ✆ 96 33 20 38 – Ⓟ. AE ◑ E VISA
fermé 17 au 31 août, vacances de fév. et dim. – SC : **R** 95 (sauf sam.)/160.

XX **Le Relais** Plérin par ① : 4 km, échangeur Plérin-les-Rosaires, rte des Rosaires ✉ 22190 Plérin ✆ 96 74 54 55 – Ⓟ. AE ◑ E VISA. ✻
fermé 31 mars au 14 avril, 1er au 15 sept., sam. midi et lundi – SC : **R** 92/210.

à Tremuson par ④ : 8 km – ✉ 22440 Ploufragan :

XX **Le Buchon,** ✆ 96 94 85 84 – Ⓟ. VISA
fermé 1er au 15 oct., vacances de fév., lundi soir et mardi – SC : **R** 65/268.

MICHELIN, Agence, Z.A.C. de la Hazaie à Langueux par ② ✆ 96 33 44 61

AUSTIN, ROVER, TRIUMPH Gar. Pieto, rte de Moncontour à Yffiniac ✆ 96 72 62 58
BMW Gar. Chaudet, 56 r. de Paris ✆ 96 33 20 42
CITROEN Neumager, 101 r. Gouédic ✆ 96 33 24 05 N ✆ 96 33 44 07
FIAT Générale Autom. de l'Ouest, 16 r. J.-Ferry ✆ 96 94 01 20 N ✆ 96 33 44 07
FORD Gar. Garreau, 44 r. Dr. Rahuel ✆ 96 33 40 15
HONDA Gar. Auto-Services, Les Chatelets à Ploufragan ✆ 96 94 21 46 N ✆ 96 74 54 83
MERCEDES-BENZ, OPEL Gar. Hamon, 19 bd de l'Atlantique ✆ 96 94 43 59
PEUGEOT-TALBOT Gds Gar. des Côtes-du-Nord, 65 r. Chaptal, Zone Ind. par ② ✆ 96 33 04 24 N ✆ 96 33 44 07
RENAULT S.B.D.A., r. Monge, Zone Ind. par r. de Gouédic, BX ✆ 96 33 66 28 N ✆ 96 33 44 07
RENAULT Monfort, rte Paimpol, à Plérin par ① ✆ 96 74 52 61
V.A.G. Sélection Auto, 14 r. Chaptal, ✆ 96 33 18 48
VOLVO Bretagne-Autom., r. Laennec à Langueux ✆ 96 33 36 68

Andrieux-Pneus, 6 r. de Paris ✆ 96 33 71 50
Auto-Pneus, 55 bd Atlantique ✆ 96 94 66 66
Desserrey-Pneus, 32 r. E.-Zola ✆ 96 94 07 33
Lorans Pneus, r. Eiffel ZI Douvenant à Langueux ✆ 96 61 72 58

ST-CALAIS 72120 Sarthe 64 ⑤ G. Châteaux de la Loire (plan) – 4 779 h. alt. 105.

Voir Façade★ de l'église N.-Dame.

Office de Tourisme à l'Hôtel de Ville ✆ 43 35 00 36.

Paris 185 – Châteaudun 59 – ♦Le Mans 45 – Nogent-le-Rotrou 53 – ♦Orléans 93 – ♦Tours 73.

Angleterre, r. Guichet ✆ 43 35 00 43 – ⋒ ☎ Ⓟ. ✻ ch
fermé 10 au 23 juin, 25 déc. au 11 janv., dim. soir et lundi – SC : **R** 55/100 – ☕ 15 – **13 ch** 75/150.

CITROEN Costes, rte du Mans ✆ 43 35 00 59
CITROEN Parisse, rte du Mans ✆ 43 35 01 26
PEUGEOT-TALBOT Gar. Butté, la Croix-de-Pierre ✆ 43 35 00 98
PEUGEOT-TALBOT Trottier, 19 r. de l'Image ✆ 43 35 01 52 N ✆ 43 35 19 90
RENAULT Daguenet, rte de Vendome ✆ 43. 35.05.51
RENAULT Gar. Poitou, 5 r. Image ✆ 43 35 00 46

Botras, Pl. du Champ de foire ✆ 43 35 00 95

ST-CANNAT 13760 B.-du-R. 84 ② G. Provence – 2 384 h.

Paris 735 – Aix-en-Provence 16 – Apt 40 – Cavaillon 36 – ♦Marseille 46 – Salon-de-Provence 18.

X **Aub. St-Cannat,** ✆ 42 28 20 22 – E VISA
fermé mardi soir et merc. – SC : **R** 66.

ST-CASSIEN (Lac de) 83 Var 84 ⑧ – rattaché à Montauroux.

ST-CAST-LE-GUILDO 22380 C.-du-N. 59 ⑤ G. Bretagne – 3 246 h.

Voir Pointe de St-Cast ≤** – Pointe de la Garde ≤** – Pointe de Bay ≤* S : 5 km.

de Pen Guen ✆ 96 41 91 20, S : 4 km.

Office de Tourisme pl. Gén.-de-Gaulle (fermé après-midi hors sais.) ✆ 96 41 81 52.

Paris 430 – Avranches 89 – Dinan 36 – Fougères 99 – St-Brieuc 50 – St-Malo 34.

Ar Vro , Grande Plage ✆ 96 41 85 01, ≤, – . AE E VISA
6 juin-8 sept. – SC : **R** 130/240 – 28 – **47 ch** 330 – P 310/350.

Dunes, r. Primauguet ✆ 96 41 80 31, – wc wc . VISA.
15 mars-3 nov., dim. soir et lundi en oct. – SC : **R** 92/250 – 21 – **27 ch** 150/205 – P 242/283.

Angleterre et Panorama , r. Fosserole ✆ 96 41 91 44, ≤, , – . rest
Pentecôte et 13 juin-7 sept. – SC : **R** 62/100 – 16 – **38 ch** 67/88 – P 145/165.

Bon Abri, r. Sémaphore ✆ 96 41 85 74 – wc . rest
Pâques et 18 mai-6 sept. – SC : **R** 64/80 – 16,50 – **43 ch** 65/135 – P 148/175.

XX **Le Biniou,** à Pen-Guen ✆ 96 41 94 53, ≤, – . E
20 mars-20 sept. et fermé merc. en avril et mai. – SC : **R** 65/260.

CITROEN Gar. des Rochettes, rte de Matignon ✆ 96 41 84 04
PEUGEOT-TALBOT Gar. Depagne, bd de la Vieuxville ✆ 96 41 86 67
Gar. des Dunes, ✆ 96 41 84 26

ST-CÉRÉ 46400 Lot 75 ⑲⑳ G. Périgord (plan) – 4 207 h. alt. 152.

Voir Site* – Tapisseries de Jean Lurçat* au casino – Château de Montal** O : 3 km.

Env. Cirque d'Autoire* : ≤** par Autoire (site*) O : 8 km.

Office de Tourisme pl. République (fermé matin hors saison) ✆ 65 38 11 85.

Paris 542 – Aurillac 64 – Brive-la-Gaillarde 54 – Cahors 77 – Figeac 44 – Tulle 57.

Paris et du Coq Arlequin, bd Dr-Roux ✆ 65 38 02 13, , , , – wc wc . rest
fermé 1er janv. au 1er mars et lundi (sauf rest.) en nov.-déc. – SC : **R** 65/175 – 28 – **30 ch** 140/300 – P 240/280.

France M, av. Fr.-de-Maynard ✆ 65 38 02 16, , – cuisinette TV wc . E VISA. rest
1er juin-fin sept. – SC : **R** 65/180 – 22 – **27 ch** 220/280 – P 220/290.

FORD Gar. du Haut-Quercy, rte de Padirac ✆ 65 38 18 71 N ✆ 65 38 20 73
MERCEDES-V.A.G. Payrot, av. Fr-de-Maynard ✆ 65 38 01 07
PEUGEOT-TALBOT Fournier, 104 av. V.-Hugo ✆ 65 38 12 50
RENAULT Gar. du Stade, av. Anatole-de-Monzié ✆ 65 38 02 12
Meublat, rte de Monteil ✆ 65 38 16 54

ST-CERGUES 74 H.-Savoie 70 ⑯⑰ – 2 126 h. alt. 615 – ✉ 74140 Douvaine.

Paris 530 – Annecy 54 – Annemasse 9 – Bonneville 23 – ♦Genève 16 – Thonon-les-Bains 21.

France, ✆ 50 43 50 32, , – wc wc – 40. E VISA. rest
fermé 15 oct. au 1er déc., dim. soir et lundi du 7 sept. au 22 juin – SC : **R** 74/170 – 18,50 – **22 ch** 93/160 – P 158/205.

à Machilly N : 1 km sur D 206 – ✉ 74140 Douvaine :

XX **Refuge des Gourmets,** ✆ 50 43 53 87 – . AE E VISA
fermé 15 juin au 1er août, dim. soir et lundi – SC : **R** 85/164 .

ST-CERNIN 15310 Cantal 76 ② G. Auvergne – 1 271 h. alt. 767.

Voir Boiseries* de l'église St-Louis.

Paris 521 – Aurillac 22 – Brive-la-Gaillarde 113 – Mauriac 36.

Les Tilleuls , ✆ 71 47 60 73, ≤ – . E.
R 55/78 – 14,50 – **10 ch** 80 – P 128.

ST-CHAMOND 42400 Loire 73 ⑲ G. Vallée du Rhône – 40 571 h. alt. 375.

Paris 500 ① – Feurs 50 ④ – ♦Lyon 47 ① – Montbrison 48 ④ – ♦St-Étienne 12 ④ – Vienne 37 ①.

Plan page suivante

XX **Chemin de Fer** avec ch, 27 av. Libération ✆ 77 22 00 15 – wc VISA BZ **e**
fermé août, dim. soir et sam. – SC : **R** 45 bc/160 – 15,50 – **11 ch** 63/130.

à l'Horme par ② : 3 km – 4 889 h. – ✉ 42152 l'Horme :

Vulcain M sans rest, ✆ 77 22 17 11 – wc wc . AE E VISA
SC : 19 – **30 ch** 125/230.

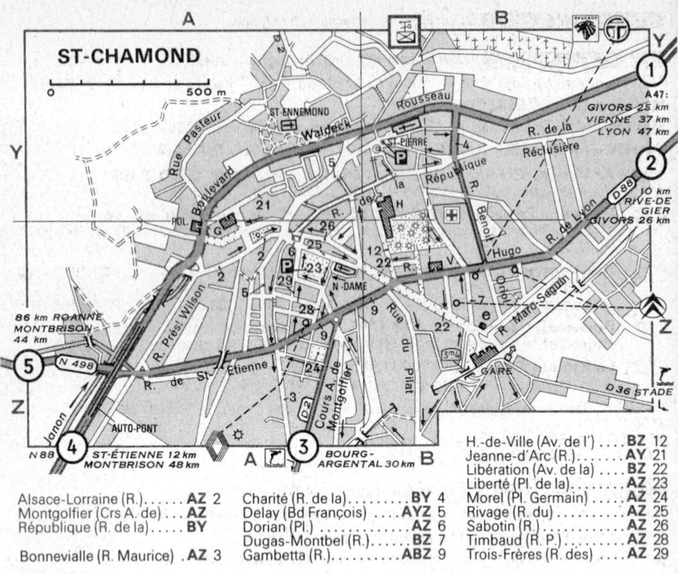

Alsace-Lorraine (R.) ...... **AZ** 2	Charité (R. de la) .... **BY** 4	H.-de-Ville (Av. de l') .... **BZ** 12
Montgolfier (Crs A. de) ... **AZ**	Delay (Bd François) .... **AYZ** 5	Jeanne-d'Arc (R.) .... **AY** 21
République (R. de la) ..... **BY**	Dorian (Pl.) .... **AZ** 6	Libération (Av. de la) .... **BZ** 22
	Dugas-Montbel (R.) ...... **BZ** 7	Liberté (Pl. de la) .... **AZ** 23
Bonnevialle (R. Maurice) . **AZ** 3	Gambetta (R.) .... **ABZ** 9	Morel (Pl. Germain) ..... **AZ** 24
		Rivage (R. du) .... **AZ** 25
		Sabotin (R.) .... **AZ** 26
		Timbaud (R. P.) .... **AZ** 28
		Trois-Frères (R. des) .... **AZ** 29

CITROEN Chataing, 3 bis r. R.-Chambovet ✆ 77 22 01 72
CITROEN Gar. du Parc, 38 r. Victor-Hugo ✆ 77 22 03 75
FORD Martinez, 10 r. St-Etienne ✆ 77 22 03 69
PEUGEOT-TALBOT Boniface-Vallée du Gier, C.D. 88, bretelle Autoroute St-Julien par ② ✆ 77 22 59 77
PEUGEOT-TALBOT Gar. Reymond, 24 r. Victor-Hugo ✆ 77 22 02 62
RENAULT Fonsala-Autom., bd Fonsala par ② ✆ 77 22 22 98
RENAULT Varenne, 26 r. Gambetta ✆ 77 22 02 58
V.A.G. Quinson-Tardy 14 rte de St Etienne ✆ 77 22 03 17

ST-CHARTIER 36 Indre 68 ⑲ – rattaché à La Châtre.

ST-CHÉLY-D'APCHER 48200 Lozère 76 ⑮ – 5 543 h. alt. 1 000.

Syndicat d'Initiative pl. 19-Mars-1962 (sais.) ✆ 66 31 03 67.

Paris 523 – Mende 48 – Millau 106 – Le Puy 85 – Rodez 98 – St-Flour 35.

Jeanne d'Arc, 49 av. Gare ✆ 66 31 00 46, – ⇔ ⋔ ⇔ ⓟ. AE ⓓ E VISA. ✻
fermé nov. – SC : **R** 39/85 ₰ – ☕ 17 – **15 ch** 79/120 – P 155/170.

à La Garde N : 9 km par N 9 – ✉ **48200** St-Chély-d'Apcher :

Rocher Blanc (Annexe Ⓜ), N9 ✆ **66 31 90 09** – ⇔wc ⋔wc ☎ ⓟ. VISA
fermé 1er déc. au 6 fév. et dim. soir – SC : **R** 46/110 – ☕ 19 – **21 ch** 82/140 – P 140/210.

CITROEN Barrandon, 35 av. de la République ✆ 66 31 00 33 Ⓝ ✆ 66 31 15 60
RENAULT Chauvet, 42 av. de la République ✆ 66 31 06 12 Ⓝ ✆ 60 31 03 27
Terrisson-Pneus, Croix des Anglais, N 9 ✆ 66 31 23 93

ST-CHÉLY-D'AUBRAC 12470 Aveyron 80 ③④ – 556 h. alt. 800 – Sports d'hiver à Brameloup : 1 120/1 388 m ≰6 ⛷.

Paris 572 – Espalion 21 – Mende 75 – Rodez 52 – St-Flour 75 – Séverac-le-Château 58.

Voyageurs-Vayrou, ✆ 65 44 27 05 – ✻ ch
1er avril-1er déc. – SC : **R** 42/80 ₰ – ☕ 13 – **14 ch** 52/97 – P 114/126.

ST-CHRISTAU 64 Pyr.-Atl. 85 ⑥ – voir à Lurbe-St-Christau.

ST-CHRISTOPHE 14 Calvados 55 ⑪ – rattaché à Pont-d'Ouilly.

ST-CHRISTOPHE-EN-BOUCHERIE 36 Indre 68 ⑳ – 308 h. alt. 271 – ✉ **36400** La Châtre.

Paris 284 – Châteauroux 45 – La Châtre 16 – Issoudun 36 – Montluçon 59 – St-Amand-Montrond 36.

Le Relais, D 940 ✆ 54 30 01 07 – ⋔. ✻ ch
fermé fév. et lundi – SC : **R** 52/120 – ☕ 15 – **10 ch** 78/110 – P 125/150.

ST-CIRGUES-DE-JORDANNE 15 Cantal 76 ⑫ – 223 h. alt. 800 – ✉ **15590** Lascelle-Mandailles – Paris 584 – Aurillac 17 – Murat 45 – St-Simon 11.

Tilleuls, ☎ 71 47 92 19, – wc wc ☎ – 25. VISA
Pâques-1er nov. – SC : **R** 45/150 – ☕ 15 – **17 ch** 73/160 – P 125/180.

ST-CIRGUES-LA-LOUTRE 19 Corrèze 75 ⑩ – 267 h. alt. 460 – ✉ **19220** St-Privat.

Voir Tours de Merle** SO : 4 km, G. Périgord.

Paris 539 – Argentat 21 – Aurillac 47 – Mauriac 38 – Pleaux 17 – St-Céré 59 – Tulle 51.

Aub. Ruines de Merle ⛰, ☎ 55 28 27 15 – .
SC : **R** 45/70 – ☕ 13,50 – **9 ch** 65/85 – P 130/140.

ST-CIRQ-LAPOPIE 46 Lot 79 ⑨ G. Périgord – 179 h. alt. 137 – ✉ **46330** Cabrerets.

Voir Site** – Vestiges de l'ancien château <** – Le Bancourel <*.

Paris 607 – Cahors 33 – Figeac 45 – Villefranche-de-Rouergue 36.

La Pélissaria ⛰, ☎ 65 31 25 14, <, , – wc wc ☎
1er avril-3 nov. – SC : (dîner seul.) carte environ 100 – ☕ 17 – **6 ch** 117/182.

Aub. du Sombral "Aux Bonnes Choses" M ⛰ avec ch, ☎ **65 31 26 08,** – wc wc ☎
15 fév.-15 nov. et fermé mardi soir et merc. sauf vacances scolaires – SC : **R** 60/200 – ☕ 22 – **10 ch** 105/160.

ST-CLAIR 83 Var 84 ⑯ – rattaché au Lavandou.

ST-CLAUDE SP 39200 Jura 70 ⑮ G. Jura – 13 156 h. alt. 434.

Voir Site** – Cathédrale* : stalles** BZ **B** – Place Louis-XI <* BZ – Gorges du Flumen* par ②.

Env. Route de Morez (D 69) <** 7 km par ① – Crêt Pourri ** E : 6 km puis 30 mn par D 304 BZ.

Office de Tourisme et A.C. 1 av. Belfort ☎ 84 45 34 24.

Paris 451 ③ – Annecy 84 ② – Bourg-en-Bresse 73 ③ – ♦Genève 61 ② – Lons-le-Saunier 60 ③.

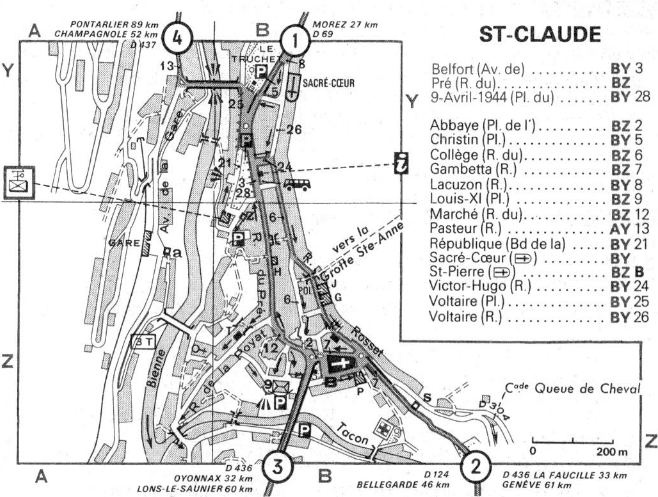

St-Hubert M sans rest, **rte Genève** ☎ **84 45 10 70** – wc wc ☎ . E VISA
fermé 10 au 26 déc. – SC : ☕ 19 – **30 ch** 146/190. BZ **s**

Jura H. M sans rest, **40 av. Gare** ☎ **84 45 24 04** – wc wc ☎. VISA AZ **a**
SC : ☕ 18 – **23 ch** 95/180.

Poste sans rest, **1 r. Reybert** ☎ **84 45 24 70** – . VISA BZ **z**
fermé 15 sept. au 15 oct. – SC : ☕ 13,50 – **16 ch** 51/100.

par ② et D 290 : 3 km - BZ – ✉ **39200** St-Claude :

Joly ⛰, **au Martinet (près camping)** ☎ **84 45 12 36,** <, **« Jardin fleuri »** – wc ☎ . VISA.
1er fév.-31 oct. et fermé dim. soir et lundi hors sais. – SC : **R** 70 bc/135 – ☕ 18 – **16 ch** 90/190 – P 170/200.

à Villard-St-Sauveur par ② et D 290 : 5 km - BZ – alt. 580 – ✉ **39200** St-Claude :

Au Retour de la Chasse ⛰, ☎ **84 45 11 32**, ←, 🌳, 🎾 – ⌂wc ⋔wc ☎ **P** – 🏋 100. AE ① E VISA. ✻ ch
fermé 1er au 10 juin, 3 au 21 déc., dim. soir et lundi sauf juil.-août – SC : **R** 60/180 – ☕ 16 – **12 ch** 93/160 – P 155/185.

CITROEN Duchène, 21 rte Valfin par ④ ☎ 85 45 12 07 N
FIAT MERCEDES Gar. de Genève, 11 r. Lt-Froidurot ☎ 84 45 21 01
FORD Gar. Grenard, 23 r. Carnot ☎ 84 45 06 48 N ☎ 84 45 34 83
PEUGEOT, TALBOT Gar. Carnot, ZA d'Etables, rte de Lyon par ③ ☎ 84 45 11 07
RENAULT Lacuzon-Autom., 21 r. Carnot par ③ ☎ 84 45 12 03
V.A.G. Central Gar., 6 r. Voltaire ☎ 84 45 01 52
Jura-Pneu, 28 r. Collège ☎ 84 45 15 37
Tessaro-Pneus, 14 r. des Etapes ☎ 84 45 12 74

ST-CLÉMENT-DES-BALEINES 17 Ch.-Mar. 71 ⑫ – voir à Ré (Ile de).

ST-CLÉMENT-DES-LEVÉES 49 M.-et-L. 64 ⑫ – 909 h. alt. 26 – ✉ 49350 Gennes.

Paris 290 – Angers 34 – Baugé 30 – Saumur 12 – ♦Tours 76.

Beau Site avec ch, D 952 ☎ **41 38 43 76**, ← – **P**. E VISA
fermé 15 janv. au 1er mars et merc. – SC : **R** 47/100 🍷 – ☕ 16 – **8 ch** 70.

ST-CLOUD 92 Hauts-de-Seine 55 ⑳, 101 ⑭ – voir à Paris, Environs.

ST-COME-D'OLT 12 Aveyron 80 ③ – rattaché à Espalion.

ST-CYBRANET 24 Dordogne 75 ⑰ – 282 h. alt. 79 – ✉ 24250 Domme.

Paris 556 – Cahors 55 – Fumel 51 – Gourdon 29 – Lalinde 49 – Périgueux 72 – Sarlat-la-Canéda 16.

Relais Fleuri, ☎ **53 28 33 70**, 🌳 – ✻ ch
1er avril-31 oct. et fermé merc. – SC : **R** 55/88 – ☕ 18 – **7 ch** 70/112 – P 143/197.

ST-CYPRIEN 24220 Dordogne 75 ⑯ G. Périgord – 1 730 h. alt. 72.

Voir Château de Fages ←* N : 3 km.

Paris 545 – Bergerac 53 – Cahors 75 – Fumel 53 – Gourdon 43 – Périgueux 54 – Sarlat-la-Canéda 21.

L'Abbaye ⛰, ☎ **53 29 20 48**, ←, 🌳, 🏊, 🌳 – ☎ **P**. AE ① E VISA
15 mars-4 nov. – SC : **R** 66/230 – ☕ 22 – **20 ch** 190/320.

Terrasse, pl. J. Ladignac ☎ **53 29 21 69**, 🌳 – ⌂wc ⋔wc ☎. VISA
1er mars-5 nov. – SC : **R** *(fermé lundi en mars et oct.)* 65/165 – ☕ 18 – **17 ch** 85/215 – P 140/225.

RENAULT Castillon-Veyssière, ☎ 53 29 20 23

ST-CYPRIEN 66750 Pyr.-Or. 86 ⑳ G. Pyrénées – 4 405 h. – casino.

⛳9 ⛳18 ☎ 68 21 01 71, N : 1 km.

ℹ Syndicat d'Initiative parking nord du Port ☎ 68 21 01 33.

Paris 915 – Céret 33 – ♦Perpignan 15 – Port-Vendres 20.

Belvédère M ⛰, r. P.-Benoît ☎ **68 21 05 93**, ← – ⌂wc ⋔wc ☎ **P**
1er juin-30 sept. – SC : **R** 60/150 🍷 – ☕ 18 – **30 ch** 180/209 – P 218.

à St-Cyprien-Plage NE : 3 km par D 22 – ✉ **66750** St Cyprien :

Le Mas d'Huston M ⛰, au golf ☎ **68 21 01 71**, Télex 500834, ←, 🏊, 🎾 – ⇅ ☎ ♿ **P** – 🏋 40 à 120. AE ① E VISA. ✻ rest
fermé 24 nov. au 15 déc. et fév. – SC : **R** 90/160 – **46 ch** ☕ 390/520 – P 440/560.

Mar i Sol, r. Rodin ☎ **68 21 00 17**, ← – ⇅ ⌂wc ⋔wc ☎ **P**
fermé 1er janv. au 15 fév. – SC : **R** *(fermé mardi)* 50/180 – ☕ 17 – **40 ch** 165/200 – P 214/234.

Glycines, r. E.-Delacroix ☎ **68 21 00 11**, ← – ⌂wc ⋔wc ☎ **P**. VISA
Pâques-1er oct. et fermé merc. de Pâques à juin – SC : **R** 80/140 – ☕ 21 – **37 ch** 100/240 – P 200/266.

Ibis M sans rest, ☎ **68 21 30 30**, Télex 500459, ← – ⇅ ⌂wc ☎ ♿ **P**. E VISA
SC : ☕ 24 – **34 ch** 182/254.

Le Plaisance, Quai A.-Rimbaud ☎ **68 21 14 34**, ← – VISA
fermé nov., dim. soir et lundi – SC : **R** 120/200.

à St-Cyprien-Sud : 3 km – ✉ **66170** St-Cyprien :

La Lagune M ⛰, ☎ **68 21 24 24**, ←, 🌳, « entre mer et lagune », 🏊, 🎾 – ⌂wc ☎ ♿ **P**. VISA
5 avril-15 oct. – SC : **R** 88/95 🍷 – ☕ 26 – **36 ch** 200/430 – P 280/310.

RENAULT Gar. des Albères, ☎ 68 21 02 44
RENAULT Gar. Vandellos, ☎ 68 21 05 47

ST-CYR-EN-TALMONDAIS 85 Vendée 71 ⑪ – 277 h. alt. 36 – ✉ **85540** Moutiers-les-Mauxfaits. **Voir Collections d'art★ du château de la Court d'Aron, G. Côte de l'Atlantique.**
Paris 480 – Luçon 13 – La Roche-sur-Yon 29 – Les Sables d'Olonne 36 – La Tranche-sur-Mer 18.

XX **Aub. de la Court d'Aron,** ✆ 51 30 81 80 – Ⓟ. E VISA
23 mars-30 sept. et fermé lundi soir et mardi sauf juil.-août – SC : **R** 70/105 ♁.

RENAULT Gar. Thuaud, ✆ 51 30 80 56 N ✆ 51 30 86 80

ST-CYR-L'ÉCOLE 78 Yvelines 60 ⑩, 101 ㉒ – voir à Paris, Environs.

ST-CYR-SUR-MORIN 77750 S.-et-M. 56 ⑬ **G. Environs de Paris** – 1 209 h. alt. 62.
Paris 74 – Coulommiers 14 – La Ferté-sous-Jouarre 7,5 – Melun 60.

XX **Moderne,** ✆ (1) 60 23 80 03, « Collections d'outils anciens », 🚗 – Ⓟ
fermé 15 déc. au 15 fév. et merc. – SC : **R** (dim. prévenir) 65/180.

ST-DALMAS-DE-TENDE 06 Alpes-Mar. 84 ⑩⑳, 195 ⑧⑨ – alt. 696 – ✉ **06430** Tende.
Voir S : Haute vallée de la Roya★★ – Gorges de Bergue★ S : 3 km, G. Côte d'Azur.
Paris 865 – Fontan 8 – ♦Nice 79 – Sospel 36.

🏠 **Terminus** 🐕, ✆ 93 04 60 10 – Ⓟ. 🚫 rest
fermé 3 nov. au 3 fév. et vend. sauf de juin à fin sept. – SC : **R** 66/89 – ☕ 14 – **23 ch** 69/170 – P 153/210.

ST-DALMAS-VALDEBLORE 06 Alpes-Mar. 84 ⑲, 195 ⑥ – voir à Valdeblore.

ST-DENIS 93 Seine-St-Denis 56 ⑪, 101 ⑯ – voir à Paris, Environs.

ST-DENIS-D'ANJOU 53 Mayenne 64 ① – 1 279 h. alt. 38 – ✉ **53290** Grez-en-Bouère.
Paris 262 – Angers 42 – ♦Le Mans 58 – Sablé-sur-Sarthe 10.

XX **Aub. Roi René,** ✆ 43 70 52 30 – Ⓟ
◆ *fermé fin janv. au 28 fév., mardi soir et merc.* – SC : **R** 56/150 ♁.

RENAULT Babin, ✆ 43 70 52 25

ST-DENIS-DE-L'HÔTEL 45 Loiret 64 ⑩ – rattaché à Jargeau.

ST-DENIS-SUR-SARTHON 61420 Orne 60 ② – 1 053 h. alt. 196.
Paris 202 – Alençon 12 – Argentan 40 – Domfront 49 – Falaise 63 – Flers 59 – Mayenne 49.

🏨 **La Faïencerie,** ✆ 33 27 30 16, parc – 🛁wc 🚿wc ☎ Ⓟ. E
Pâques-nov. – SC : **R** *(fermé mardi midi)* 75/105 – ☕ 25 – **18 ch** 90/250 – P 250/300.

RENAULT Gar. Poirier, ✆ 33 27 30 32

ST-DÉZERY 19 Corrèze 73 ⑪ – rattaché à Ussel.

ST-DIDIER-EN-VELAY 43140 H.-Loire 76 ⑧ – 2 826 h. alt. 835.
Paris 531 – Annonay 48 – Firminy 15 – Lamastre 69 – Le Puy 58 – ♦St-Étienne 25 – Yssingeaux 31.

XX ✿ **Aub. Velay** (Guichard) avec ch, pl. Fontaine ✆ 71 61 01 54 – 🚿. AE ① E VISA
fermé août, vacances de fév., dim. soir et lundi – SC : **R** 74/290 – ☕ 15,50 – **6 ch** 69/128
Spéc. Dentelles de saumon à la crème de lentilles, Magret de canard aux myrtilles. **Vins** Côtes du Forez.

ST-DIÉ ⟨SP⟩ 88100 Vosges 62 ⑰ **G. Alsace et Lorraine** – 26 539 h. alt. 343.
Voir Cloître gothique★ B **S – Chapiteaux★ de la cathédrale** B.
ℹ Office de Tourisme 31 r. Thiers ✆ 29 55 17 62.
Paris 388 ④ – Belfort 128 ② – Colmar 56 ② – Épinal 50 ③ – ♦Mulhouse 100 ② – ♦Strasbourg 90 ①.

Plan page suivante

🏨 **France** sans rest, 1 r. Dauphine ✆ 29 56 32 61 – TV 🛁wc ☎. AE ① VISA — B **t**
SC : ☕ 19 – **11 ch** 200/225.

🏠 **Stanislas** sans rest., 32 r. Stanislas ✆ 29 55 06 44 – |♦| 🛁wc 🚿wc ☎ Ⓟ. AE ① E VISA — A **a**
fermé 22 août au 1er sept., 20 déc. au 20 janv. et dim. de nov. à mars – SC : ☕ 20 – **24 ch** 140/200.

🏠 **Vosges et Commerce** sans rest, 57 r. Thiers ✆ 29 56 16 21 – TV 🛁wc 🚿wc ☎ 🚗 – 🏛 40. AE ① VISA — A **r**
SC : ☕ 19 – **30 ch** 89/225.

🏠 **Globe** sans rest, 2 quai de Lattre ✆ 29 56 13 40 – 🛁wc 🚿wc ☎. AE VISA — A **n**
fermé 1er au 14 janv. et dim. soir en janv.-fév. – SC : ☕ 19 – **18 ch** 83/230.

🏠 **Parc** sans rest, 5 r. J.-J. Baligan ✆ 29 56 36 54 – 🛁 🚿wc ☎ — A **k**
SC : ☕ 18,50 – **7 ch** 110/150.

🏠 **Voyageurs** sans rest, 22 r. Hellieule ✆ 29 56 21 56 – 🚿. AE — A **u**
fermé sept. – SC : ☕ 13,50 – **14 ch** 64/102.

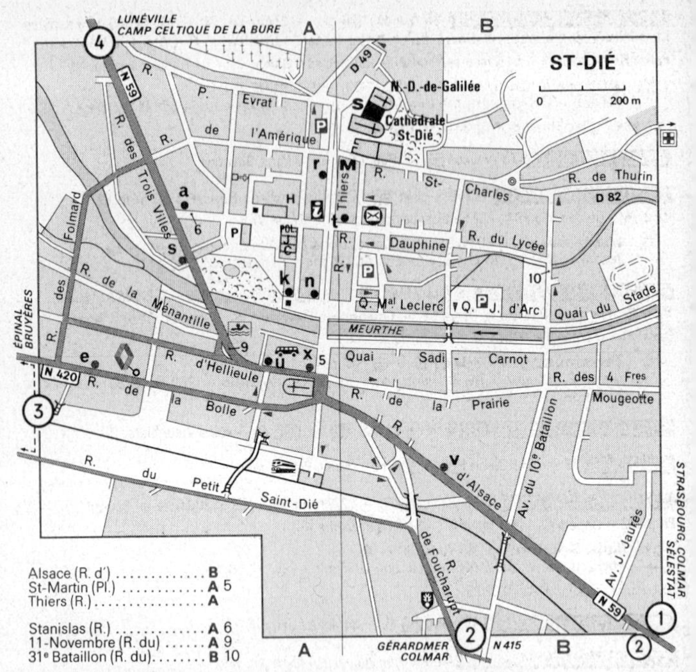

XX ❀ **Tétras** (Giuliano), 4 r. Hellieule ✆ 29 56 10 12 – AE ⓓ E VISA. ✻ — A **x**
fermé 20 sept. au 30 oct., 9 au 17 mars, vend. soir et sam. – SC : **R** (nombre de couverts limité - prévenir) 69/182 ♁
Spéc. Parfait de foies de volailles, Sandre à l'oseille, Caille des Vosges farcie. **Vins** Pinot blanc et pinot noir.

XX **Gourmet Déodatien,** 60 r. Bolle ✆ 29 55 36 44 – AE ⓓ. ✻ — A **e**
fermé lundi – SC : **R** 58/175.

XX **Petit Chantilly,** r. 11 Novembre ✆ 29 56 15 43 – AE ⓓ E VISA — A **s**
fermé 15 août au 15 sept., jeudi soir et vend. – SC : **R** 56/90 ♁.

X **Moderne** avec ch, 64 r. Alsace ✆ 29 56 11 71 – ⋔ ⛍ ⓟ. VISA. ✻ ch — B **v**
fermé 15 au 30 juin, 19 janv. au 2 fév., vend. soir et sam. sauf juil.-août – SC : **R** 54/130 ♁ – ☕ 16 – **14 ch** 70/100 – P 182/210.

à Rougiville O : 6 km par ③ – ✉ **88100** St-Dié :

Le Haut Fer ⛻, ✆ 29 55 03 48, ≤, ⛱, ✂ – ⋔wc ☎ ⓟ – 🏂 60. AE E VISA
fermé 2 janv. au 6 fév., lundi (sauf hôtel) et dim. soir – SC : **R** 80/160 ♁ – ☕ 15 – **16 ch** 150/170 – P 227/257.

CITROEN Vosges-Autom., 134 r. d'Alsace par ① ✆ 29 56 29 95 **N** ✆ 29 55 22 22
FIAT Gasser, 18 quai Carnot ✆ 29 56 19 66
FORD Gar. Thouzet, rte de Raon ✆ 29 56 23 30
HONDA, OPEL Gar. Charaud, 1 av. J.-Jaurès ✆ 29.56.20.96
PEUGEOT-TALBOT Gar. Fort et Vincent, rte de Raon N59 par ④ ✆ 29 56 68 37
RENAULT Ets Husson, 52 r. de la Bolle ✆ 29 56 28 57 **N** ✆ 29 55 22 22
V.A.G. Gar. Sequeval, 40 quai Carnot ✆ 29 56 25 58

Ⓜ Pneus et Services D.K, 126 r. d'Alsace ✆ 29 56 11 34
Villaume, 73 r. Alsace ✆ 29 56 11 08

ST-DIER D'AUVERGNE **63520** P.-de-D. **73** ⑮ **G. Auvergne** – **653 h. alt. 446.**

Paris 407 – Ambert 34 – Billom 17 – ♦Clermont-Ferrand 44 – Issoire 37 – Thiers 27.

X **Paris** avec ch, ✆ **73 70 80 67,** ⛱ – ⛍ ⓟ. E VISA
fermé 15 au 31 oct. et lundi du 1er oct. au 1er mai – SC : **R** 55/130 – ☕ 17.50 – **12 ch** 95/138 – P 135/155.

RENAULT Gar. Terrissé, ✆ 73 70 80 56 **N**

ST-DISDIER 05 H.-Alpes 77 ⑮ G. Alpes – 163 h. – ✉ 05250 St-Etienne-en-Dévoluy.
Voir Défilé de la Souloise* N – Paris 642 – Gap 56 – ♦Grenoble 79 – La Mure 42.

Aub. La Neyrette ⛰, D 937 ☎ 92 58 81 17, ←, 🌳 – ⇔wc ⋒wc ☎ 🅟. AE ⓓ VISA
fermé 20 au 30 avril et 1er oct. au 15 déc. – SC : **R** 62/83 – ☕ 17 – **12 ch** 81/195 – P 188/269.

ST-DIZIER ⟨SP⟩ 52100 H.-Marne 61 ⑨ G. Champagne, Ardennes – 37 445 h. alt. 146.
Env. Lac du Der-Chantecoq** 11 km au SO par ④ – 🏌9 de Combles-en-Barrois ☎ 29 45 16 03 par ① : 23 km – ℹ Office de Tourisme Pavillon du Jard ☎ 25 05 31 84.
Paris 204 ⑤ – Bar-le-Duc 24 ① – Chaumont 74 ③ – ♦Nancy 99 ② – Troyes 85 ④ – Vitry-le-F. 29 ⑤.

ST-DIZIER

Gambetta (R.) .... Z 3
Liberté (Pl. de la) .... Z
République (Av. de la) .... Z

États-Unis (Av. des) .... Y 4
Godard-Jeanson (Pont) .... Y 5
Joinville (Av. de) .... Y 6
Michelet (R.) .... Y 8
Musset (R. Alfred-de) .... Y 9
Pasteur (Av.) .... Z 10
Paul-Bert (R.) .... Y 12
République (Pl. de la) .... Z 13
Salengro (Av. Roger) .... Y 14
Tanneurs (R. des) .... Z 15
Vergy (Pont de) .... Z 16
Victor-Hugo (Av.) .... Z 18

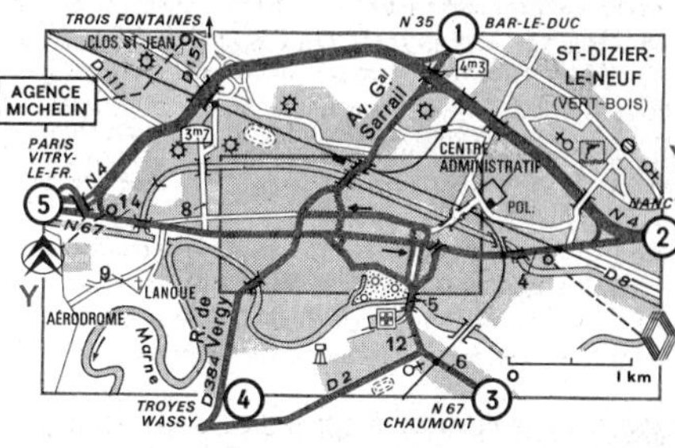

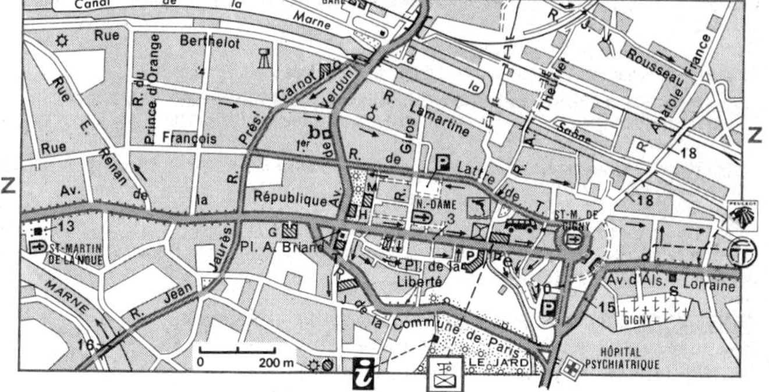

Gambetta Ⓜ, 62 r. Gambetta ☎ 25 56 52 10 – 🛗 ▤ rest 📺 ☎ ♿ 🚗 🅟 – 🏛 250. AE ⓓ E VISA — Z e
SC : **R** *(fermé dim. soir)* 56/95 🍷 – ☕ 18 – **63 ch** 160/260 – P 210/270.

Soleil d'Or Ⓜ, rte de Bar-le-Duc par ① : 2 km ☎ 25 05 68 22, Télex 840946, 🍽, 🏊 – 🛗 ▤ 📺 ☎ ♿ 🅟 – 🏛 100. AE ⓓ VISA
SC : **R** *(fermé dim. et fériés)* 74/93 🍷 – ☕ 23 – **60 ch** 215/348.

Picardy sans rest, 15 av. Verdun ☎ 25 05 09 12, 🌳 – ⋒wc 🅟. 🐕 — Z b
fermé 14 au 24 août – SC : ☕ 16 – **12 ch** 75/175.

Bar de l'Est avec ch, 56 av. Alsace Lorraine ☎ 25 05 03 14 – ⋒wc 🅟. 🐕 — Z s
fermé 10 au 31 août – **R** *(fermé dim. soir)* 45/90 – ☕ 13 – **24 ch** 57/94.

à Marnaval par ③ : 3 km – ✉ 52100 St-Dizier :

Champagne, ☎ 25 05 67 54 – 📺 ⇔wc ⋒wc ☎ 🅟 – 🏛 35. AE ⓓ E VISA
SC : **R** *(fermé dim. soir)* 65/160 🍷 – ☕ 21 – **30 ch** 150/190.

MICHELIN, Agence, Z.I. St-Jean, Voie Sud Y ☎ 25 05 07 84

ALFA ROMEO Champagne Autom., 28, r. Vergy ☎ 25 05 39 37
AUTOBIANCHI, LANCIA Gar. Stabile, 776 bis av. République ☎ 25 05 40 22
BMW, OPEL Gar. Masson, 92 bis r. E.-Renan ☎ 25 56 19 81
CITROEN Gar. Fontaine, 34 av. R.-Salengro ☎ 25 05 20 68 ▣
FORD Dynamic-Motors, rte de Bar-le-Duc ☎ 25 56 03 98
PEUGEOT-TALBOT C.A.B., 61 av. Alsace-Lorraine ☎ 25 56 19 72
RENAULT Fogel, 20 av. états-Unis ☎ 25 56 19 79
V.A.G. Auto Hall 52, 50 av. République ☎ 25 05 09 90

Ⓜ Barrois-Pneus, rte de Bar-le-Duc, Bettancourt-la-Ferrée ☎ 25 05 19 16
Saunier-St-Dizier-Pneu, 111 r. E.-Renan ☎ 25 05 23 54

ST-DOULCHARD 18 Cher 69 ① – rattaché à Bourges.

ST-DYÉ-SUR-LOIRE 41 L.-et-Ch. 64 ⑦⑧ – 762 h. alt. 75 – ✉ 41500 Mer.

Paris 172 – Beaugency 21 – Blois 14 – ♦Orléans 41 – Romorantin-Lanthenay 45.

Manoir Bel Air ⛰, ✆ 54 81 60 10, ≤, parc, – ⇌wc ⋒wc ☎ ⇌ Ⓟ – 🛆 40. ✱ rest
fermé 10 janv. au 20 fév. – SC : **R** 78/150 – ☕ 18 – **38 ch** 180/250 – P 220/270.

SAINTE... – voir suite nomenclature des Saints.

SAINT-ELOY-LES-MINES 63700 P.-de-D. 73 ③ – 5 493 h. alt. 500.

Paris 350 – ♦Clermont-Ferrand 61 – Guéret 85 – Montluçon 30 – Moulins 70 – Vichy 59.

Ibis Ⓜ, ✆ 73 85 21 50, Télex 392009 – TV ⇌wc ☎ ♿ Ⓟ – 🛆 25 à 40. E VISA
SC : **R** carte environ 85 ♂ – ☕ 24 – **29 ch** 187/222 – P 218/281.

PEUGEOT-TALBOT Gar. Heurtault et Wroblewski, rte des Nigonnes ✆ 54 85 03 92
PEUGEOT-TALBOT Gar. St-Christophe, 112 r. Jean-Jaurès ✆ 54 85 06 60
RENAULT Gar. Léonard, 170 r. Jean-Jaurès ✆ 54 85 00 30
RENAULT Gar. gidel, RN 144 La Boule ✆ 54 85 06 83 N

*Towns underlined in red on the **Michelin maps** at a scale of 1 : 200 000 are included in this guide. Use the latest map to take full advantage of this regularly up-dated information.*

ST-ÉMILION 33330 Gironde 75 ⑫ **G. Côte de l'Atlantique** (plan) – 3 040 h. alt. 102.

Voir Site★ – Église monolithe★ – Ancien cloître des Cordeliers★ – ≤★ de la tour du château du Roi.

ℹ Office de Tourisme pl. des Créneaux ✆ 57 24 72 03.

Paris 544 – Bergerac 56 – ♦Bordeaux 39 – Langon 49 – Libourne 8 – Marmande 60.

Aub. de la Commanderie, r. Cordeliers ✆ 57 24 70 19 – ⇌wc ⋒ ☎. ✱
fermé déc. et janv. – SC : **R** *(fermé mardi hors sais.)* 75/115 – ☕ 20 – **15 ch** 135/200.

XXX **Host. Plaisance** avec ch, pl. Clocher ✆ 57 24 72 32, ≤, – ⇌wc ⋒wc ☎. AE ⓓ E VISA
SC : **R** 84/170 – ☕ 32 – **12 ch** 230/550.

X **Logis de la Cadène,** pl. Marché-au-Bois ✆ 57 24 71 40,
fermé 15 au 30 juin, 1er au 7 sept., 1er au 15 nov. et lundi – SC : **R** (déj. seul.) 40/140.

RENAULT Vallade, ✆ 57 24 72 68

ST-ÉTIENNE 04230 Alpes-de-H.-P. 81 ⑮ **G. Côte d'Azur** – 679 h. alt. 697.

ℹ Syndicat d'Initiative à l'Hôtel de Ville (juil.-août) 92 76 02 57.

Paris 733 – Digne 46 – Forcalquier 17 – Sault 47 – Sisteron 30.

St Clair ⛰, S : 2 km par D 13 ✆ 92 76 07 09, ≤, ⛱, – ⋒wc ☎ Ⓟ. ✱ ch
fermé 15 nov. au 20 déc. et 3 au 24 janv. – SC : **R** 73/105 – ☕ 21 – **27 ch** 96/178 – P 190/326.

Parc ⛰, ✆ 92 76 01 02, – ⋒wc ☎ Ⓟ
24 ch.

ST-ÉTIENNE Ⓟ 42000 Loire 73 ⑲, 76 ⑨ **G. Vallée du Rhône** – 206 087 h. alt. 517.

Voir Musée d'Art et d'Industrie : musée d'Armes★ et peintures modernes★ du musée des Beaux-Arts Z **M.**

Env. Guizay ≤★★ S : 10 km V – Gouffre d'Enfer★★ SE : 11 km par D 8 V.

✈ de St-Étienne-Bouthéon : ✆ 77 36 54 79 par ⑤ : 15 km.

ℹ Office de Tourisme 12 r. Gérentet ✆ 77 25 12 14 - A.C. 9 r. Général-Foy ✆ 77 32 55 99.

Paris 512 ① – ♦Clermont-Ferrand 146 ④ – ♦Grenoble 139 ① – ♦Lyon 55 ① – Valence 92 ②.

Plans pages suivantes

Frantel Ⓜ, r. Wuppertal SE du plan, par cours Fauriel ✉ 42100 ✆ 77 25 22 75, Télex 300050 – |♦| ▤ rest TV ☎ ⇌ Ⓟ – 🛆 50 à 200. AE ⓓ E VISA U **a**
SC : rest. **La Ribandière** *(fermé 24 déc. au 2 janv., sam. midi et dim.)* **R** carte 150 à 220 ♂ – ☕ 33 – **120 ch** 250/330.

Le Grand Hôtel sans rest, 10 av. Libération ✆ 77 32 99 77, Télex 300811 – |♦| TV – 🛆 35. AE ⓓ E VISA Y **b**
SC : ☕ 33 – **44 ch** 265/560.

Astoria Ⓜ ⛰ sans rest, r. H.-Déchaud SE du plan, par cours Fauriel ✉ 42100 ✆ 77 25 09 56 – |♦| TV ☎ Ⓟ – 🛆 30. AE ⓓ E VISA U **d**
SC : ☕ 18 – **33 ch** 160/220.

tourner →

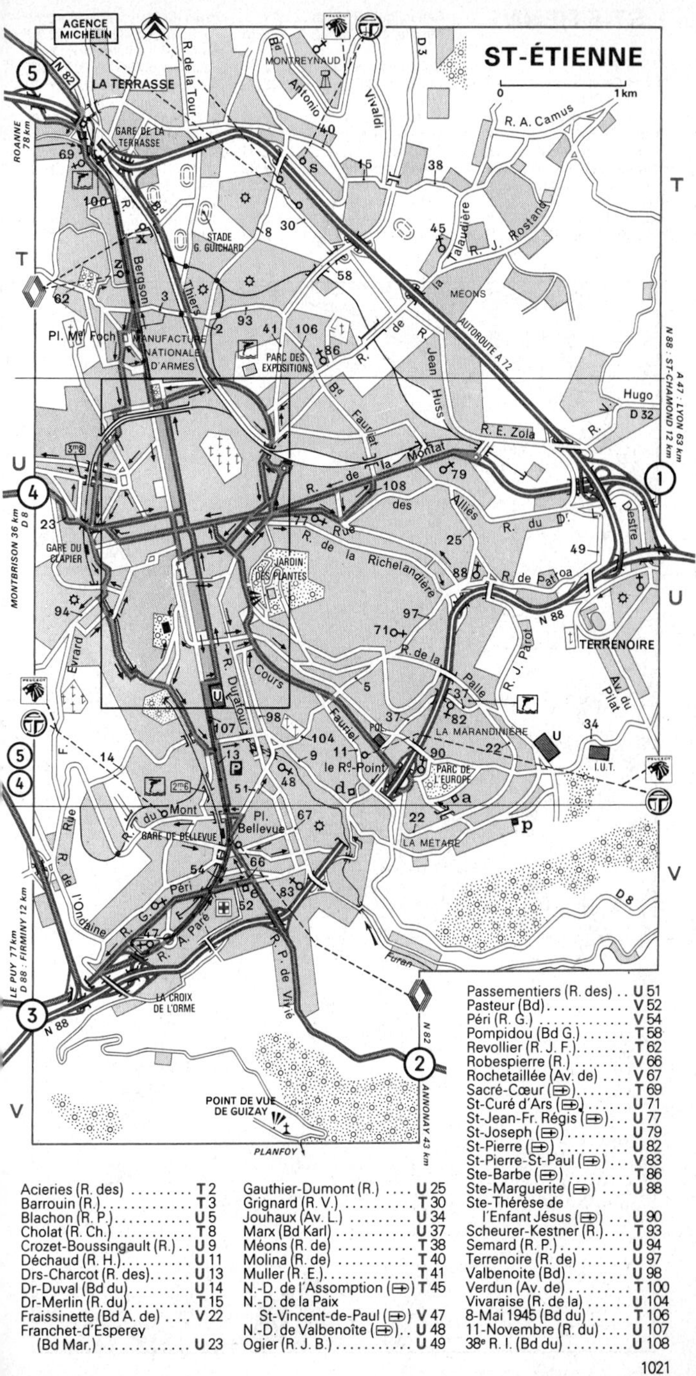

Passementiers (R. des) . . U 51
Pasteur (Bd) . . . . V 52
Péri (R. G.) . . . . V 54
Pompidou (Bd G.) . . . . T 58
Revollier (R. J. F.) . . . . T 62
Robespierre (R.) . . . . V 66
Rochetaillée (Av. de) . . . . V 67
Sacré-Cœur (⊞) . . . . T 69
St-Curé d'Ars (⊞) . . . . . . U 71
St-Jean-Fr. Régis (⊞) . . . U 77
St-Joseph (⊞) . . . . U 79
St-Pierre (⊞) . . . . U 82
St-Pierre-St-Paul (⊞) . . . V 83
Ste-Barbe (⊞) . . . . T 86
Ste-Marguerite (⊞) . . . . . U 88
Ste-Thérèse de
l'Enfant Jésus (⊞) . . . U 90
Scheurer-Kestner (R.) . . . . T 93
Semard (R. P.) . . . . U 94
Terrenoire (R. de) . . . . . . U 97
Valbenoite (Bd) . . . . U 98
Verdun (Av. de) . . . . T 100
Vivaraise (R. de la) . . . . . U 104
8-Mai 1945 (Bd du) . . . . . . T 106
11-Novembre (R. du) . . . . U 107
38e R. I. (Bd du) . . . . U 108

Acieries (R. des) . . . . T 2
Barrouin (R.) . . . . T 3
Blachon (R. P.) . . . . U 5
Cholat (R. Ch.) . . . . T 8
Crozet-Boussingault (R.) . . U 9
Déchaud (R. H.) . . . . U 11
Drs-Charcot (R. des) . . . . . . U 13
Dr-Duval (Bd du) . . . . U 14
Dr-Merlin (R. du) . . . . T 15
Fraissinette (Bd A. de) . . . . V 22
Franchet-d'Esperey
(Bd Mar.) . . . . U 23

Gauthier-Dumont (R.) . . . . U 25
Grignard (R. V.) . . . . T 30
Jouhaux (Av. L.) . . . . U 34
Marx (Bd Karl) . . . . U 37
Méons (R. de) . . . . T 38
Molina (R. de) . . . . T 40
Muller (R. E.) . . . . T 41
N.-D. de l'Assomption (⊞) T 45
N.-D. de la Paix
St-Vincent-de-Paul (⊞) V 47
N.-D. de Valbenoîte (⊞) . . U 48
Ogier (R. J. B.) . . . . U 49

ST-ÉTIENNE

Bérard (R. P.) . . . . **Y** 4
Foy (R. Gén.) . . . . **Y** 20
Gambetta (R.) . . . . **Z**
Gaulle (R. Ch. de) . . . . **X**
Gervais (R. E.) . . . . **Y** 27
Grand Moulin (R. du) . . . . . **Y** 28
Hôtel-de-Ville (Pl. de l') . . . **Y** 32
Libération (Av. de la) . . . . . **Y**
Michelet (R.) . . . . **Z**
Peuple (Pl. du) . . . . **Y** 55
Président Wilson (R.) . . . . . **Y** 59

République (R. de la) . . . . . **Y**
Résistance (R. de la) . . . . . . **Y** 61

Bouchard (Crs J.) . . . . **Z** 6
Chavanelle (Pl.) . . . . **Z** 7
Denfert-Rochereau (Av.) . . . . . . **Y** 12
Dormoy (R. M.) . . . . **Y** 16
Fougerolle (R.) . . . . **Z** 17
Fourneyrond (Pl.) . . . . **Y** 19
Jacquard (Pl.) . . . . **Y** 33
La Nativité (⊞) . . . . **X** 42
Notre-Dame (⊞) . . . . **Z** 43
N.-D. de Lourdes (⊞) . . . . **Z** 46

Papin (R. D.) . . . . **Z** 50
Pointe-Cadet (R.) . . . . **Z** 57
Rivière (R. du Sergent) . . . **X** 64
Sadi-Carnot (Pl.) . . . . **X** 67
St-Charles (⊞) . . . . **Y** 70
St-Ennemond (⊞) . . . . **Z** 73
St-Étienne (⊞) . . . . **Y** **B**
St-Jean-Baptiste (⊞) . . . **X** 75
St-Louis (⊞) . . . . **Z** 80
St-Roch (⊞) . . . . **Z** 85
Ste-Marie (⊞) . . . . **Y** 89
Sauzéa (R. H.) . . . . **Y** 92
Servet (R. M.) . . . . **Y** 95
Villebœuf (Pl.) . . . . **Z** 102

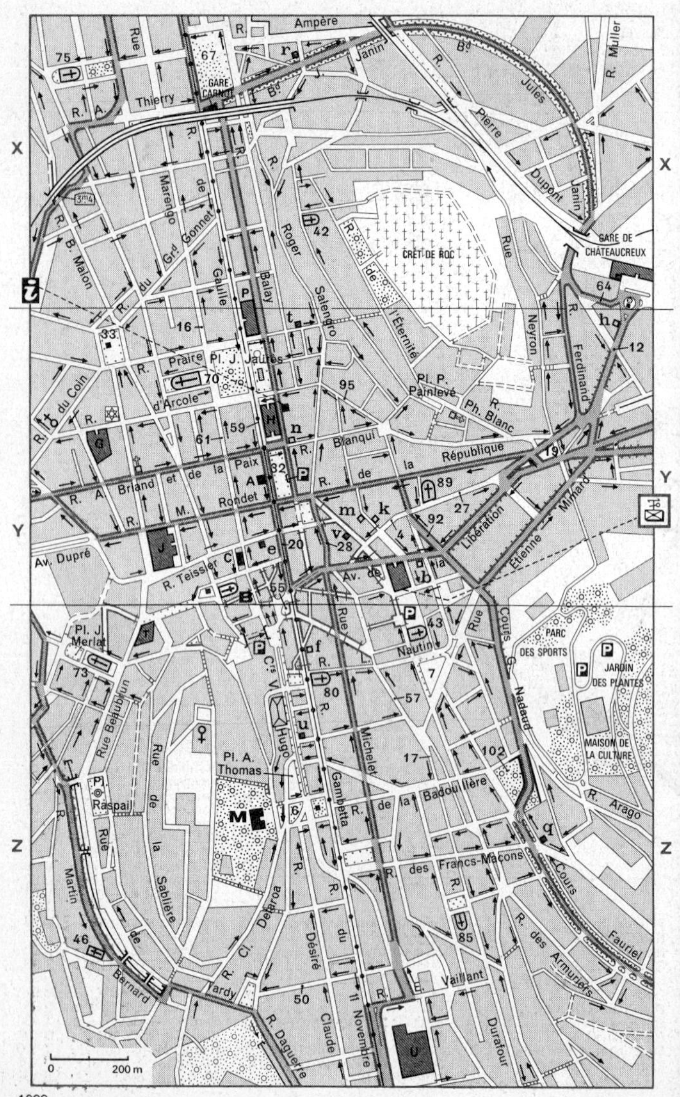

Midi M sans rest, 19 bd Pasteur ✉ 42100 ☎ 77 57 32 55, Télex 300012 – wc wc. AE E VISA V e
fermé août – SC : 19 – **27 ch** 190/250.

Terminus du Forez, 31 av. Denfert-Rochereau ☎ 77 32 48 47 – wc . AE E VISA Y h
SC : **R** voir rest **La Loco** ci-après – 25 – **66 ch** 130/245.

Arts sans rest, 11 r. Gambetta ☎ 77 32 42 11 – wc wc . VISA Z f
fermé août – SC : 15 – **63 ch** 69/195.

Hot. Cheval Noir sans rest, 11 r. F.-Gillet ☎ 77 33 41 72 – wc . AE E VISA Y k
fermé 10 au 31 août – SC : 16,50 – **46 ch** 85/165.

Ibis M, 35 pl. Massent, NO du plan par bd Thiers ou A 72 ☎ 77 93 31 87, Télex 307340 – wc – 120. AE E VISA T u
SC : **R** *(fermé dim. midi)* carte environ 85 – 24 – **57 ch** 210/262.

Touring-Continental sans rest, 10 r. F.-Gillet ☎ 77 32 58 43 – wc wc Y m
fermé 1er au 20 août – SC : 19 – **25 ch** 69/140.

Central sans rest, 3 r. Blanqui ☎ 77 32 31 86 – wc . VISA Y n
fermé août – SC : 17 – **25 ch** 85/160.

XXX **Pierre Gagnaire,** 3 r. G.-Teissier ☎ 77 37 57 93 – AE VISA Y e
fermé août, vacances de fév., dim. et lundi – SC : **R** 160/330
Spéc. Poêlée d'asperges et pommes de terre nouvelles au beurre de truffes (avril à juin), Produits de la mer, Confit de pigeon. **Vins** St-Joseph.

XXX **Clos des Lilas,** 28 r. Virgile ✉ 42100 ☎ 77 25 28 13, V p
fermé août, vacances de fév., dim. soir et lundi – SC : **R** 104/222.

XXX **Le Chantecler,** 5 cours Fauriel ✉ 42100 ☎ 77 25 48 55 – AE VISA Z q
fermé août, sam. et dim. – SC : **R** 78/155.

XX **La Loco,** 31 av. Denfert-Rochereau ☎ 77 32 48 47 – . AE E VISA Y h
fermé dim. – **R** 65/175 .

XX **Monte Carlo,** 19 bis cours V.-Hugo ☎ 77 32 43 63 – AE VISA Z u
SC : **R** 90/206.

XX **Le Régency,** 17 bd J.-Janin ☎ 77 74 27 06 – AE E VISA X r
fermé août, sam. et dim. – SC : **R** 77/140 .

XX **Le Bouchon** (Lejeune), 7 r. Robert ☎ 77 32 93 32 – AE VISA. Y t
fermé 12 juil. au 4 août, 22 déc. au 3 janv., sam. midi et dim. – SC : **R** (nombre de couverts limité - prévenir) 90/200
Spéc. St-Jacques (oct. à avril), Poissons, Chariot de desserts. **Vins** St-Joseph, St-Véran.

X **Le Gratin,** 30 r. St-Jean ☎ 77 32 32 60 – AE VISA Y v
fermé 1er au 20 août, vend. soir, sam. midi et dim. soir – SC : **R** 55/170 .

à St-Priest-en-Jarez par ⑤ : 4 km – 206 087 h. alt. 531 – ✉ **42270** St-Priest-en-Jarez :

XXX **Clos Fleuri,** 76 av. A.-Raimond ☎ 77 74 63 24, , « Terrasse et jardin fleuris » – . AE VISA.
fermé vacances de fév., dim. soir et lundi – SC : **R** 100/270.

Voir aussi ressources hôtelières à ***Andrézieux-Bouthéon*** par ⑤ : 17 km

MICHELIN, Agence, Z.I. de Montreynaud, 9 r. V.-Grignard T ☎ **77 74 22 88**

ALFA-ROMEO Gar. de la Rue Balay, 40 r. Balay ☎ 77 32 62 89
BMW, DATSUN Gar. Jourjon, 87 bis r. Désiré-Claude ☎ 77 57 20 17
CITROEN Sté Commerciale, 1 r. V.-Grignard T ☎ 77 74 91 77 N ☎ 77 05 24 24
FIAT Ouillon, Zone Ind. de Montreynaud, r. J.-Neyret ☎ 77 79 08 45
FORD E.D.A., Z.I. de Montreynaud 17-19 r. G.-Delory ☎ 77 74 42 44
LADA, SKODA Biosca, 25 r. Désiré-Claude ☎ 77 32 91 95
LANCIA-AUTOBIANCHI Gar. de Fourneyron, 10 pl. Fourneyron ☎ 77 32 56 02
MERCEDES-BENZ SALTA, 82 r. Marengo ☎ 77 74 57 77
OPEL St-Étienne Autom., 50 rue Désiré-Claude ☎ 77 32 50 25
PEUGEOT-TALBOT Boniface, 24 à 28 r. du Mont V ☎ 77 57 17 37
PEUGEOT-TALBOT Boniface, Zone Ind. de Montreynaud 13-15 r. G.-Delory T **s** ☎ 77 74 74 66
PEUGEOT-TALBOT Gar. du Rond Point, 23 r. H.-Déchaud U ☎ 77 25 05 80
RENAULT Succursale, 5 r. Claude-Oddé T x ☎ 77 74 91 44 N
RENAULT Bellevue-Autom.-Granet, 1 r. Thimonier V ☎ 77 57 28 28
RENAULT Gar. Centre III, 113 r. Bergson T z ☎ 77 74 52 11
V.A.G Rel. du Soleil, Z.I. Verpillieux 14 r. de Talaudière ☎ 77 32 39 95
V.A.G. Gar. Rocle, rte de l'Étrat à St-Priest-en-Jarez ☎ 77 74 26 44 et 80 r. du Dr-Charcot ☎ 77 59 11 00
Gar. Gas, 88 r. des Alliés ☎ 77 32 66 06
Relais du Soleil, 14 r. de la Talaudière ☎ 77 32 39 95

Briday-Pneus, 36 r. de la Montat ☎ 77 33 06 20
Forez-Pneus, 66 r. Désiré-Claude ☎ 77 57 29 68
Métifiot, Zone Ind. de Montreynaud 12 r. V.-Grignard ☎ 77 79 06 03
Pastourel, 2 r. Jean-Snella ☎ 77 74 42 66
Piot-Pneu, 22 r. Jean-Neyret ☎ 77 32 24 60

ST-ÉTIENNE-CANTALÈS 15 Cantal 76 ⑪ G. Périgord – 172 h. alt. 540 – ✉ 15150 Laroquebrou – **Voir Barrage★.**

Paris 550 – Aurillac 23 – Figeac 62 – Mauriac 54.

- **Pradel** ⛰, ✆ 71 46 35 09, ← – wc ☎ Ⓟ
  20 ch.

ST-ÉTIENNE-DE-BAÏGORRY 64430 Pyr.-Atl. 85 ③ G. Pyrénées – 1 691 h. alt. 162.

Syndicat d'Initiative pl. Mairie ✆ 59 37 43 11.

Paris 820 – Cambo-les-Bains 31 – Pau 114 – St-Jean-Pied-de-Port 11.

- ❁ **Arcé** ⛰, ✆ **59 37 40 14,** ←, **« Terrasse au bord de l'eau »,** – wc wc ☎ Ⓟ. VISA. rest
  4 mars-3 nov. – SC : **R** (dim. prévenir) 130/180 – ☕ 28 – **24 ch** 220/330, 3 appartements 500 – P 240/340
  Spéc. Mousse de poissons aux anguilles, Sole gratinée à la mousseline d'oseille, Salmis de pigeonneau. **Vins** Irouleguy, Jurançon.
- **Panoramique Cortea,** sur D 15 ✆ **59 37 41 89,** ←, – TV wc wc ☎ Ⓟ – 80. VISA. ch
  1er mars-11 nov. – SC : **R** 105/200 – ☕ 22 – **20 ch** 140/260 – P 210/300.

ST-ÉTIENNE-DE-CHOMEIL 15 Cantal 76 ② – 378 h. alt. 700 – ✉ **15400** Riom-ès-Montagnes.

Paris 486 – Aurillac 95 – ♦Clermont-Ferrand 100 – Riom-ès-Montagnes 14.

- **Aub. du Mont Redon,** ✆ 71 78 31 15 – wc . ch
  fermé 20 sept. au 15 oct. – **R** *(fermé mardi)* 55/75 🍷 – ☕ 15 – **7 ch** 95/115 – P 230/270.

ST-ÉTIENNE-DE-FURSAC 23 Creuse 72 ⑧ – rattaché à la Souterraine.

ST-ÉTIENNE-DE-MONT-LUC 43360 H.-Loire 63 ⑯ – 5 283 h.

Paris 395 – ♦Nantes 20 – ♦Rennes 104 – St-nazaire 46.

- XX **Aub. les Bleuets,** rte de Savenay D 17 : 6 km ✆ 40 57 85 36 – Ⓟ. VISA.
  fermé 28 juil. au 18 août, vacances de fév., dim. soir, merc. soir et lundi – SC : **R** 64/150.

CITROEN Gar. Boulvert ✆ 40 86 80 35

ST-ÉTIENNE-DE-TINÉE 06660 Alpes-Mar. 81 ⑨, 195 ④ G. Côte d'Azur – 2 030 h. alt. 1 144.

Voir Site★ – Vallée de la Tinée★★ N et S – Clocher★ de l'église.

Syndicat d'Initiative r. Communes de France ✆ 93 02 41 96.

Paris 794 – Barcelonnette 58 – Briançon 126 – Cannes 110 – ♦Nice 91 – Puget-Théniers 80.

- **Pinatelle** ⛰, ✆ **93 02 40 36,** ←,
  fermé 15 avril au 15 mai et 15 oct. au 5 déc. – SC : **R** 60/90 – **14 ch** ☕ 90, (en sais. pension seul.) – P 160.

ST-ÉTIENNE-DU-GRÈS 13 B.-du-R. 80 ⑳ – rattaché à St-Rémy-de-Provence.

ST-ÉVARZEC 29 Finistère 58 ⑮ – 2 544 h. alt. 55 – ✉ **29170** Fouesnant.

Paris 547 – Concarneau 14 – Pont-l'Abbé 25 – Quimper 10 – Quimperlé 40.

- XX **La Fontaine des Chapons,** à l'Arbre du Chapon NO : 2 km ✆ 98 94 80 03 – Ⓟ. AE E VISA.
  fermé mardi soir hors sais. et merc. – SC : **R** 80/220.

ST-FARGEAU 89170 Yonne 65 ③ G. Bourgogne – 1 701 h. alt. 193.

Voir Château★.

Paris 181 – Auxerre 45 – Cosne-sur-Loire 32 – Gien 42 – Montargis 53.

- XX **Le Vaudreuil,** 2 pl. Château ✆ 86 74 04 37, – AE ⓓ VISA
  1er avril-31 oct. et fermé mardi soir et merc. sauf juil.-août – SC : **R** 72/153.

CITROEN Ropars, rte de Montargis ✆ 86 74 06 10 N

FORD Ciechelski, 7 av. de la Gde Demoiselle, ✆ 86 74 01 39 N

PEUGEOT-TALBOT Chambrillon, promenade du Grillon ✆ 86 74 08 20 N

ST-FÉLIX 74 H.-Savoie 74 ⑮ – 1 224 h. alt. 368 – ✉ **74540** Alby-sur-Chéran.

Paris 536 – Aix-les-Bains 14 – Annecy 19 – Rumilly 11.

- **Relais des Deux Savoies,** ✆ 50 60 90 02, – rest Ⓟ – 50. AE ⓓ E VISA
  fermé fin déc. à mi-fév. et mardi hors sais. – SC : **R** 130/220 – ☕ 35 – **20 ch** 180/450.
- X **Carrin** avec ch, ✆ **50 60 90 09,** – . AE VISA
  fermé janv. et mardi – SC : **R** 50/130 🍷 – ☕ 17 – **6 ch** 75/135.

ST-FÉLIX-LAURAGAIS 31540 H.-Gar. 82 ⑲ **G. Causses** – 1 188 h. alt. 327.
Voir Site★.
Paris 747 – Auterive 45 – Carcassonne 54 – Castres 37 – Gaillac 70 – ♦Toulouse 43.

Aub. du Poids Public, ✆ 61 83 00 20, ≤, « Bel aménagement intérieur », – ⊟wc ⋒wc ☎ ⓟ – 25. VISA
fermé 6 janv. au 7 fév. – SC : **R** *(fermé dim. soir du 15 oct. au 15 mars)* 83/154 – ☕ 20 – **13 ch** 182/197 – P 225/254.

ST-FERRÉOL 31 H.-Gar. 82 ⑳ – rattaché à Revel.

ST-FIRMIN 05800 H.-Alpes 77 ⑯ – 465 h. alt. 900.
Paris 636 – Corps 11 – Gap 31 – ♦Grenoble 74 – La Mure 36 – St-Bonnet 18.

Alpes, ✆ 92 55 20 02, ≤, – ⊟wc ⋒wc ☎. AE ⓓ E
SC : **R** 46/100 – ☕ 15 – **26 ch** 100/160 – P 170/220.

au Séchier E : 4 km – alt. 900 – ✉ **05800** St-Firmin :

Loubet ⛰, ✆ 92 55 21 12, ≤, – ⊟ ⋒wc ⓟ
1er juin-fin sept. – SC : **R** (résidents seul.) 47/120 – ☕ 15 – **23 ch** 85/175 – P 130/200.

ST-FLORENTIN 89600 Yonne 61 ⑮ **G. Bourgogne** – 6 757 h. alt. 105.
Voir Vitraux★ de l'église E.
ℹ Office de Tourisme 10 r. Terrasse (1er juin-30 sept.) ✆ 86 35 11 86.
Paris 162 ④ – Auxerre 31 ③ – Chaumont 134 ② – ♦Dijon 154 ② – Sens 44 ④ – Troyes 50 ①.

ST-FLORENTIN

Grande-Rue	5
St-Martin (R.)	15
Aval (R. du Fg-d')	2
Dilo (Pl.)	3
Dilo (R. du Fg)	4
Guimbarde (R. de la)	6
Halle (Pl. de la)	7
Landrecies (Fg)	9
Leclerc (R. Gén.)	10
Montarmance (R.)	12
Pont (R. du)	13
Rempart (R. Basse-du)	14
St-Martin (R. du Fg)	17

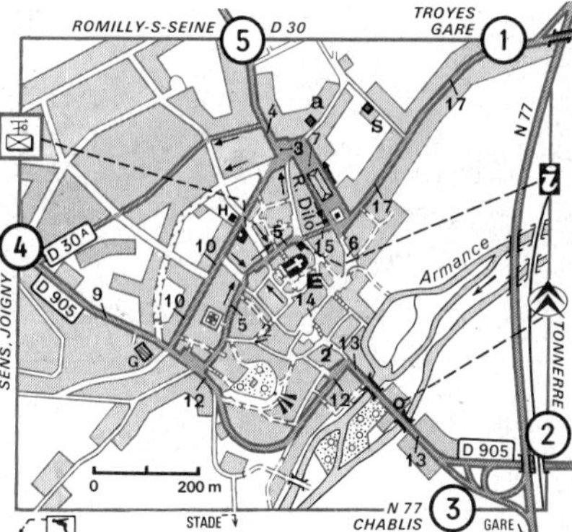

Pour bien lire les plans de villes voir signes et abréviations p. 23.

Grande Chaumière Ⓜ avec ch, 3 r. Capucins **(a)** ✆ 86 35 15 12 – TV ⊟wc ⋒wc ☎ ⓟ. AE ⓓ VISA
fermé 20 déc. au 20 janv., 1er au 7 sept. et merc. hors sais. – SC : **R** 85/240 – ☕ 25 – **10 ch** 210/280 – P 350/400.

Tilleuls ⛰ avec ch, 3 r. Decourtive **(s)** ✆ 86 35 09 09, – ⊟wc ⋒wc ⓟ. E VISA. ✻ rest
fermé 16 sept. au 15 oct. (sauf hôtel du 16 au 28 sept.), 12 au 20 janv., 3 au 17 mars, dim. soir et lundi – SC : **R** 57/180 – ☕ 17 – **10 ch** 160/213.

à Venizy par ⑤ : 4,5 km par D 4 et D 129 – ✉ **89210** Brienon-sur-Armençon :

Moulin des Pommerats ⛰, ✆ 86 35 08 04, ≤, « jardin fleuri » – ⊟wc ☎ ⓟ. ⓓ E VISA. ✻ ch
fermé 20 au 28 fév., dim. soir et lundi hors sais. – SC : **R** 76/250 – ☕ 38 – **18 ch** 220/380 – P 390.

à Neuvy-Sautour par ① : 7 km – ✉ **89570** Neuvy-Sautour :

Dauphin, ✆ 86 56 30 01 – ⓟ. E VISA
fermé 15 au 31 août, 15 au 31 janv. et lundi – SC : **R** 67/140 ⅞.

CITROEN Gar. Bleu, 25 fg du Pont ✆ 86 35 12 52
OPEL Gar. Moderne, 17 pl. Dilo ✆ 86 35 02 50
PEUGEOT-TALBOT Gar. de l'Europe, av. 8-Mai par ④ ✆ 86 35 06 05
RENAULT S.A.F.A., rte de Paris par ④ ✆ 86 35 06 26

ST-FLORENT-LE-VIEIL 49410 M.-et-L. 63 ⑲ G. Châteaux de la Loire – 2 560 h. alt. 16.

Voir Tombeau★ dans l'église – Esplanade ≤★.

Syndicat d'Initiative à l'Hôtel de Ville ✆ 41 78 50 39.

Paris 331 – Ancenis 14 – Angers 42 – Châteaubriant 55 – Château-Gontier 63 – Cholet 37 – Laval 92.

Host. de la Gabelle, ✆ 41 78 50 19, ≤ – wc. AE ⓓ E VISA
fermé 30 oct. au 5 nov., 23 déc. au 4 janv. et dim. soir – SC : **R** 48/120 – 16 – **17 ch** 65/120 – P 130/160.

PEUGEOT-TALBOT Gar. Alloyer, ✆ 41 78 50 07

ST-FLOUR 15100 Cantal 76 ④⑭ G. Auvergne – 9 148 h. alt. 881.

Voir Site★★ – Cathédrale★B – Brassard★ dans le musée de la Haute Auvergne M1 – Plateau de la Chaumette : calvaire ≤★ S : 3 km par D 40 puis 30 mn.

Office de Tourisme 2 pl. Armes ✆ 71 60 22 50.

Paris 488 ① – Aurillac 76 ④ – Issoire 71 ① – Millau 141 ② – Le Puy 113 ① – Rodez 118 ③.

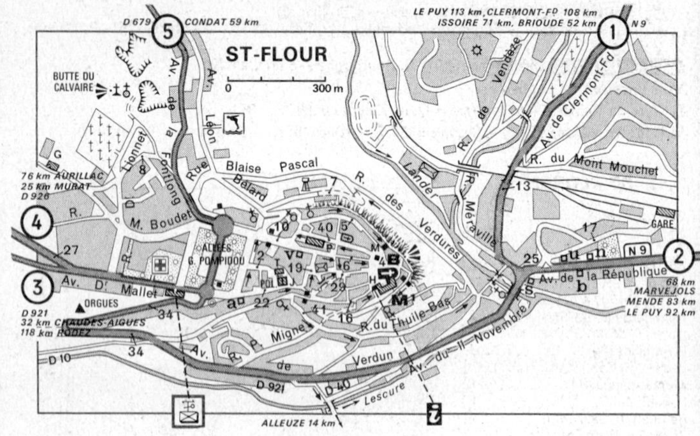

Armes (Pl. d')	4	Agials (R. des)	2	Gaulle (Av. Gén. de)	17
Breuil (R. du)	6	Belloy (R. de)	5	Halle aux Bleds (Pl. de la)	19
Collège (R. du)	10	Cardinal Bernet (R. du)	7	Lioran (Av. du)	27
Lacs (R. des)	22	Cardinal Saliège (Av. du)	8	Orgues (Av. des)	34
Liberté (Pl. de la)	25	Delorme (Av. du Cdt)	13	Sorel (R.)	40
Marchande (R.)	29	Frauze (R. de la)	16	Thuile-Haut (R. du)	41

Ville basse :

L'Étape M, 18 av. République **(b)** ✆ 71 60 13 03 – . AE ⓓ E VISA
fermé dim. soir et lundi du 1er oct. au 15 juin – SC : **R** 64/220 – 21 – **34 ch** 205/215 – P 255/265.

St-Jacques, 6 pl. Liberté **(s)** ✆ 71 60 09 20, – wc wc. E VISA
fermé 10 nov. au 5 janv., vend. soir et sam. midi d'oct. à Pâques – SC : **R** 55/160 – 16,50 – **30 ch** 95/200 – P 190/220.

Nouvel H. Bonne Table, av. République **(n)** ✆ 71 60 05 86 – wc wc P. AE ⓓ E VISA
23 mars-1er nov. – SC : **R** 40/160 – 17,50 – **48 ch** 96/180 – P 155/200.

L'Eventail, 9 av. République **(u)** ✆ 71 60 14 07 – wc wc P
1er juin-25 sept. – SC : **R** 42/74 – 15 – **23 ch** 72/132 – P 145/168.

Ville haute :

Europe, 12 cours Ternes **(a)** ✆ 71 60 03 64, ≤ vallée – wc wc. E VISA
1er mars-30 nov. – SC : **R** 63/150 – 17 – **45 ch** 85/200 – P 180/230.

Gd H. Voyageurs, 25 r. Collège **(v)** ✆ 71 60 34 44 – wc P. AE ⓓ E VISA
21 mars-15 oct. – SC : **R** 55/140 – 17 – **38 ch** 87/200 – P 170/220.

ALFA-ROMEO-SEAT Teissedre, Zone Ind. Montplain, rte d'Aurillac ✆ 71 60 12 97 N ✆ 71 60 10 35
CITROEN Pic, rte d'Aurillac, Zone Ind. Montplain par ④ ✆ 71 60 07 42
FORD Tournadre, Les Rosiers Rte de Clermont ✆ 71 60 21 25

LADA, OPEL, SKODA Gar. Quérel r. M.-Boudet ✆ 71 60 09 64
PEUGEOT-TALBOT Montplain-Autom. av. du Lioran, Z.I.-Montplain par ④ ✆ 71 60 02 43 N ✆ 71 60 18 85
RENAULT Berthet, av. République par ② ✆ 71 60 01 81

ST-FRANÇOIS-LONGCHAMP 73 Savoie 74 ⑰ G. Alpes – 221 h. – Sports d'hiver : 1 450/2 305 m ≴15 – ✉ 73130 La Chambre.

Paris 601 – Albertville 61 – Chambéry 73 – Moûtiers 36 – St-Jean-de-Maurienne 24.

Station haute : Longchamp – alt. 1 610 – ✉ 73130 La Chambre.

Syndicat d'Initiative ✆ 79 59 10 56.

Cheval Noir, ✆ 79 59 10 88, ←, – TV wc wc P. AE. rest
15 juin-5 sept. et 20 déc.-20 avril – SC : **R** 61/120 – 20 – **19 ch** 70/170, 8 appartements 300/360 – P 185/250.

CITROEN Gar. David, ✆ 79 42 65 83

ST-GALMIER 42330 Loire 73 ⑱ G. Vallée du Rhône – 3 796 h. alt. 400 – Casino.

Voir Vierge du Pilier★ et triptyque★ dans l'église.

Syndicat d'Initiative bd Sud ✆ 77 54 06 08.

Paris 500 – ♦Lyon 60 – Montbrison 24 – Montrond-les-B. 10 – Roanne 60 – ♦St-Étienne 22.

Voyageurs, pl. Hôtel de Ville ✆ 77 54 00 25 – wc . ch
fermé 20 déc. au 20 janv., 1er au 7 août, dim. soir (sauf hôtel) vend. soir et sam. – SC : **R** 52/130 – 12,50 – **12 ch** 85/186.

Aub. du Parc, bd Dr Cousin ✆ 77 54 01 57 – AE E VISA
fermé 15 au 31 août, 1er au 15 janv. et merc. – SC : **R** 55/175.

Poste, r. Maurice André ✆ 77 54 00 30, ← – AE E VISA
fermé 15 juil. au 5 août, 15 janv. au 5 fév., merc. soir et jeudi – SC : **R** (dim. prévenir) 65/180.

PEUGEOT-TALBOT Morel, ✆ 77 54 00 92

RENAULT Gar. Pailleux, ✆ 77 54 06 71

ST-GAUDENS SP 31800 H.-Gar. 86 ① G. Pyrénées – 12 098 h. alt. 405.

Voir Bd Jean-Bepmale ←★ Z.

Office de Tourisme pl. mas-St-Pierre ✆ 61 89 15 99.

Paris 844 ⑤ – Auch 76 ① – Foix 90 ② – Lourdes 83 ⑤ – Tarbes 64 ⑤ – ♦Toulouse 89 ②.

ST-GAUDENS

République (R. de la) .... Y 14
Thiers (R.) .... Y 15
Victor-Hugo (R.) .... Z

Boulogne (Av. de) .... Y 2
Foch (Av. Mar.) .... Z 3
Fossés (R. des) .... Y 4
Isle (Av. de l') .... Y 5
Jaurès (Pl. Jean) .... YZ 6
Joffre (Av. Mar.) .... Z 7
Leclerc (R. Gén.) .... Y 8
Mathe (R.) .... Y 9
Palais (Pl. du) .... Y 10
Pasteur (Bd) .... Y 12
Pyrénées (Bd des) .... Z 13
Toulouse (Av. de) .... Y 16

Les plans de villes sont orientés le Nord en haut.

Commerce, av. Boulogne ✆ 61 89 44 77 – TV wc wc . VISA ch — Y e
fermé 15 déc. au 15 janv. – SC : **R** 55/140 – 18 – **50 ch** 70/200 – P 180/240.

Esplanade sans rest, 7 pl. Mas St-Pierre ✆ 61 89 15 90, ← – wc . AE 24 – **12 ch** 100/160. — Z a

à Villeneuve-de-Rivière par ⑤ : 6 km – alt. 386 – ✉ 31800 St-Gaudens :

✿ **Host. des Cèdres** (Clausse) , ✆ 61 89 36 00, , , – TV P – 35.
SC : **R** 95/195 – 35 – **20 ch** 210/320 – P 300/390
Spéc. Navarin de homard, Foie gras, Mignon de veau au basilic. **Vins** Madiran.

Voir aussi ressources hôtelières de *Sauveterre-de-Comminges* par ④ : 9,5 km

ALFA-ROMEO St-Gaudens-Autom., 38 bd Ch.-de-Gaulle ✆ 61 89 64 77
CITROEN G.A.M., à Landorthe par ② ✆ 61 95 13 69
FORD Fauvet Autom., N. 117 à Landorthe ✆ 61 89 23 79
PEUGEOT, TALBOT Comet, N 117 à Landorthe par ② ✆ 61 89 60 00

RENAULT S.I.A.C., 14 av. de Boulogne ✆ 61 89 54 00

Central-Pneu, 47 bd Ch.-de-Gaulle ✆ 61 89 11 24
Comptoir du Pneu, 162 av. de Toulouse ✆ 61 89 28 25

ST-GENIÈS 24 Dordogne 75 ⑰ – 710 h. alt. 227 – ✉ **24590** Salignac-Eyvignes.

Paris 511 – Brive-la-Gaillarde 41 – Sarlat-la-Canéda 14 – Souillac 25.

✗ **Relais des Touristes** avec ch, O sur D 704 ✆ 53 28 82 11, ⛱, – ⋒wc Ⓟ
hôtel : 1er avril-30 sept.; rest. : fermé le soir d'oct. à mars – SC : **R** 40/119 – ☕ 13,50 – **9 ch** 89/126 – P 131/147.

CITROEN Lagorce ✆ 53 28 82 19

ST-GENIEZ-D'OLT 12130 Aveyron 80 ④ **G. Causses** – 2 201 h. alt. 420.

ℹ Syndicat d'Initiative les Cloîtres (1er juil.-30 sept.) ✆ 65 70 43 42 et r. Tuilière ✆ 65 70 40 82.

Paris 601 – Espalion 27 – Florac 93 – Mende 69 – Rodez 46 – Séverac-le-Château 24.

France, ✆ 65 70 42 20, ⛱, ⛱, % – ⋒wc ☎ – 80. AE E VISA
fermé déc. – SC : **R** *(fermé dim. sauf en été)* 65/110 ⅓ – ☕ 17 – **42 ch** 77/150 – P 155/195.

Poste ⛰, ✆ 65 47 43 30, ⛱, ⛱, ⛱, % – ⇔wc ⋒wc ☎ Ⓟ. AE ⓓ E VISA
fermé 15 déc. au 31 janv. – SC : **R** 48/147 ⅓ – ☕ 19 – **50 ch** 72/168 – P 235/280.

CITROEN Deltour, ✆ 65 70 42 21 RENAULT Fages, ✆ 65 70 41 40

ST-GENIS-POUILLY 01630 Ain 70 ⑮ – 4 655 h. alt. 450.

Paris 507 – Bellegarde-sur-Valserine 28 – Bourg-en-Bresse 109 – ♦Genève 11 – Gex 11.

Motel International, sur D 984 SO : 2 km ✆ 50 42 02 72, ← – ⇔wc ☎ Ⓟ. VISA
fermé dim. soir et lundi midi – SC : **R** 50/130 ⅓ – ☕ 18 – **42 ch** 170.

CITROEN Gar. du Centre, ✆ 50 42 10 03 RENAULT Pelletier, ✆ 50 42 12 91
N ✆ 50 42 06 19

ST-GENIX-SUR-GUIERS 73 Savoie 74 ⑭ **G. Alpes** – 1 692 h. alt. 236.

Ressources hôtelières : voir **Aoste**.

ST-GEOIRE-EN-VALDAINE 38620 Isère 74 ⑭ **G. Alpes** – 1 588 h. alt. 436.

Voir Stalles★ de l'église.

Paris 512 – Belley 47 – Chambéry 35 – ♦Grenoble 43 – ♦Lyon 84 – La Tour-du-Pin 25.

Val d'Ainan, ✆ 76 07 50 04 – ⇔wc ☎. ⓓ E VISA
fermé 15 au 30 nov., 9 fév. au 4 mars, dim. soir et lundi – SC : **R** 55/180 – ☕ 17 – **18 ch** 120/160 – P 210/230.

ST-GEORGES-DE-DIDONNE 17110 Char.-Mar. 71 ⑮ **G. Côte de l'Atlantique** – 4 287 h.

Voir Pointe de Vallières★ – Forêt et pointe de Suzac★ S : 3 km.

ℹ Office de Tourisme bd Michelet (15 janv.-30 sept.) ✆ 46 05 07 93.

Paris 505 – Blaye 89 – ♦Bordeaux 125 – Jonzac 58 – La Rochelle 75 – Royan 3.

Bégonias, pl. Michelet ✆ 46 05 08 13, ⛱, meubles anciens – ⇔wc ⋒wc. AE. ✱
1er avril-30 sept. – SC : **R** 65/100 – ☕ 20 – **21 ch** 150/180 – P 200/260.

Colinette ⛰, 16 av. Gde-Plage ✆ 46 05 15 75, ⛱ – ⋒wc
15 fév.-15 nov. – SC : **R** *(fermé dim. soir et lundi hors sais. sauf vacances de Pâques)* 46/96 – ☕ 16,50 – **29 ch** 93/153 – P 172/209.

AUTOBIANCHI-LANCIA Gar. Pont Rouge, ✆ 46 05 07 88
FORD Augeraud, ✆ 46 05 07 50
RENAULT Andreu, ✆ 46 05 08 14

ST-GEORGES-DE-RENEINS 69830 Rhône 74 ① – 3 190 h. alt. 222.

Paris 420 – Bourg-en-Bresse 43 – Chauffailles 47 – ♦Lyon 40 – Mâcon 31 – Villefranche-sur-Saône 9.

Sables, r. Saône ✆ 74 67 64 08 – ⋒wc ☎ Ⓟ
fermé janv. et dim. (sauf hôtel) en sais. – SC : **R** (dîner seul.) 53/75 ⅓ – ☕ 13,50 – **18 ch** 76/140.

✗✗ **Host. St-Georges,** N 6 ✆ 74 67 62 78 Ⓟ
fermé 15 déc. au 24 janv., dim. soir et merc. – SC : **R** 50/150.

DATSUN-NISSAN Gar. Salus, ✆ 74 67 64 46 N ✆ 74 65 31 49

St-GEORGES-D'OLÉRON 17 Char.-Mar. 71 ⑬ – voir à Oléron.

ST-GEORGES-LA-POUGE 23 Creuse 72 ⑩ – 418 h. alt. 565 – ✉ **23250** Pontarion.

Paris 379 – Aubusson 21 – Bourganeuf 24 – Guéret 34 – Montluçon 71.

Domaine des Mouillères ⛰, N : 2 km par D 3 et VO ✆ 55 66 60 64, ←, ⛱, ⛱ – ⇔wc. AE
1er avril-1er oct. – SC : **R** carte 80 à 125 – ☕ 22 – **7 ch** 200/220.

ST-GEORGES-SUR-LOIRE 49170 M.-et-L. 63 ⑲⑳ **G. Châteaux de la Loire** – 3 015 h. alt. 20.

Voir Château de Serrant★★ NE : 2 km.

Paris 307 – Ancenis 32 – Angers 18 – Châteaubriant 63 – Château-Gontier 55 – Cholet 46.

✗ **Tête Noire,** r. Nationale ✆ 41 39 13 12 – 🚭
fermé 1er au 7 août, fév., vend. soir, dim. soir et sam. – SC : **R** 95/160.

✗ **Relais d'Anjou,** r. Nationale ✆ 41 39 13 38 – AE VISA
◆ *fermé 6 au 30 janv., dim. soir et lundi* – SC : **R** 50/130.

ST-GEOURS-DE-MAREMNE 40 Landes 78 ⑰ – 1 238 h. alt. 24 – ✉ 40230 St-Vincent-de-Tyrosse – Paris 737 – ◆Bayonne 36 – Castets 23 – Dax 17 – Mont-de-Marsan 65.

✗✗ **Host. Landaise** avec ch, face poste ✆ 58 57 30 25, « intérieur rustique », – wc . ch
SC : **R** (déj. seul. du 1er oct. au 1er juil.) 110/145 – 40 – **5 ch** 150/250.

PEUGEOT-TALBOT Gar. Goulaze, ✆ 58 57 30 76

ST-GERMAIN-DE-JOUX 01490 Ain 74 ④⑤ – 536 h. alt. 515.
Paris 480 – Bellegarde-sur-Valserine 12 – Belley 63 – Bourg-en-Bresse 69 – Nantua 13 – St-Claude 34.

Reygrobellet, N 84 ✆ 50 59 81 13 – wc wc ☎ . . VISA.
fermé 1er au 10 avril, 1er oct. au 10 nov., mardi soir et merc. – SC : **R** 61/180 – 16,50 – **10 ch** 150/185 – P 192/205.

ST-GERMAIN-DES-VAUX 50 Manche 54 ① – 273 h. – ✉ 50440 Beaumont-Hague.
Voir Baie d'Ecalgrain** S : 3 km – Port de Goury* NO : 2 km.
Env. ≤** sur anse de Vauville SE : 9,5 km par Herqueville, G. Normandie – Nez de Jobourg** 30 mn S : 7,5 km.
Paris 390 – Barneville-Carteret 49 – Cherbourg 29 – Nez-de-Jobourg 8 – St-Lô 107.

PEUGEOT-TALBOT Troude, à Beaumont ✆ 33 52 70 12 RENAULT Lecoq, à Beaumont ✆ 33 52 76 58

ST-GERMAIN-DE-TALLEVENDE 14 Calvados 59 ⑨ – rattaché à Vire.

ST-GERMAIN-DU-BOIS 71330 S.-et-L. 70 ③ – 1 952 h. alt. 210.
Paris 357 – Chalon-sur-Saône 32 – Dole 52 – Lons-le-Saunier 29 – Mâcon 72 – Tournus 44.

✗ **Host. Bressane** avec ch, ✆ 85 72 04 69 – wc . VISA
◆ *fermé 31 mai au 8 juin, 8 au 23 janv., dim. soir hors sais. et vend.* – SC : **R** 45/98 – 13 – **9 ch** 51/152.

ST-GERMAIN-DU-CRIOULT 14 Calvados 59 ⑩ – rattaché à Condé-sur-Noireau.

ST-GERMAIN-DU-PLAIN 71370 S.-et-L. 70 ②⑫ – 1 598 h. alt. 192.
Paris 355 – Bourg-en-Bresse 63 – Chalon-sur-Saône 14 – Lons-le-Saunier 50 – Tournus 20.

Poste sans rest, ✆ 85 47 01 96 – wc
SC : 16 – **9 ch** 75/187.

ST-GERMAIN-EN-LAYE 78 Yvelines 55 ⑲⑳, 101 ⑫ – voir à Paris, Environs.

ST-GERMAIN-LAVAL 42260 Loire 73 ⑰ **G. Vallée du Rhône** – 1 680 h. alt. 430.
Syndicat d'Initiative à la Mairie ✆ 77 65 41 30.
Paris 415 – L'Arbresle 67 – Montbrison 29 – Roanne 35 – ◆St-Étienne 62 – Thiers 47 – Vichy 69.

Aub. des Voyageurs, ✆ 77 65 40 84 – wc wc. E VISA
◆ *fermé vacances de fév., dim. soir et lundi sauf juil.-août* – SC : **R** 43/165 – 14 – **12 ch** 70/145 – P 170/240.

Touristes, ✆ 77 65 41 08 – wc wc
◆ *fermé fév. et mardi* – SC : **R** 42/150 – 16 – **13 ch** 68/170 – P 145/175.

PEUGEOT-TALBOT Rambaud ✆ 77 65 41 09 N Gar. Burelier, ✆ 77 65 46 37

ST-GERMAIN-LEMBRON 63340 P.-de-D. 73 ⑮ – 1 647 h. alt. 420.
Paris 431 – Brioude 23 – ◆Clermont-Ferrand 47 – Issoire 10 – Murat 63 – St-Flour 58.

Poste, rte Issoire ✆ 73 96 41 21 – wc wc . E
◆ *fermé 3 nov. au 3 déc.* – SC : **R** 45/90 – 14 – **20 ch** 65/140 – P 130/160.

ST-GERMAIN-L'HERM 63630 P.-de-D. 73 ⑯ – 766 h. alt. 1 000.
Paris 450 – Ambert 29 – Brioude 32 – ◆Clermont-Ferrand 68 – Le Puy 67 – ◆St-Étienne 106.

France, ✆ 73 72 00 27, ≤, – . E VISA. rest
◆ *fermé oct. et début nov.* – SC : **R** 55/110 – 15 – **25 ch** 55/120 – P 130/150.

CITROEN Gar. Confolent, ✆ 73 72 00 77 N

ST-GERMER-DE-FLY 60850 Oise 55 ⑧⑨ **G. Normandie** – 1 355 h – **Voir** Église*.
Paris 92 – Les Andelys 42 – Beauvais 26 – Gisors 20 – Gournay-en-Bray 8 – ◆Rouen 58.

✗✗ **Aub. de l'Abbaye,** ✆ 44 82 50 73 – E VISA
◆ *fermé 18 au 31 août, 5 au 25 janv., mardi soir et merc.* – SC : **R** 58/88.

ST-GERMIER 81 Tarn 83 ① – rattaché à Castres.

ST-GERVAIS-D'AUVERGNE 63390 P.-de-D. 73 ③ **G. Auvergne** – 1 545 h. alt. 725.
Syndicat d'Initiative à la Mairie 73 85 71 53.
Paris 367 – Aubusson 74 – ♦Clermont-Ferrand 55 – Gannat 48 – Montluçon 48 – Riom 40 – Ussel 88.

Castel H., 73 85 70 42, – wc wc.
fermé janv. – SC : **R** 55/140 – 17 – **25 ch** 60/150 – P 155/180.

Relais d'Auvergne, rte Châteauneuf 73 85 70 10 – wc
1er mai-1er nov. et Pâques – SC : **R** 50/100 – 15 – **20 ch** 60/150 – P 130/160.

PEUGEOT-TALBOT Terme, 73 85 71 69 RENAULT Guittonny 73 85 72 39

ST-GERVAIS-LES-BAINS 74170 H.-Savoie 74 ⑧ **G. Alpes** – 4 717 h. alt. 807 – Stat. therm. (23 avril-30 sept.) – Sports d'hiver : 850/2 350 m 3 34.

Voir Route du Bettex★★★ 3 km par ③ – SE : Le Nid d'Aigle ←★★ par Tramway du Mont-Blanc – **Env.** par D 43 Le Planey ★★ S : 10,5 km – Le Plateau de la Croix ★★ S : 12 km – Site★★ de St-Nicolas-de-Véroce S : 9 km.

50 66 50 50 – Office de Tourisme av. Mt-Paccard 50 78 22 43, Télex 385607.
Paris 580 ⑤ – Annecy 87 ⑤ – Bonneville 41 ⑤ – Chamonix 25 ① – Megève 11 ③ – Morzine 56 ⑤.

Carlina M, au téléphérique du Bettex (w) 50 93 41 10, ←, – .
15 juin-30 sept. et 19 déc.-15 avril – SC : **R** 97/210 – 25 – **34 ch** 250/290 – P 313/350.

Host. du Nérey, av. Mont d'Arbois (y) 50 93 45 21, ←, – wc wc.
20 mai-20 sept. et 17 déc.-30 avril – SC : **R** *(en hiver, dîner seul.)* 98/150 – 24 – **35 ch** 170/260.

Val d'Este, pl. Église (b) 50 93 65 91, ← – wc wc.
fermé 15 nov. au 10 déc. – SC : **R** 85/195 – 21 – **15 ch** 145/240 – P 220/280.

L'Adret sans rest, chemin La Mollaz (d) 50 93 50 60, ← – wc wc.
1er juin-25 sept. et 20 déc.-Pâques – SC : 20 – **15 ch** 133/265.

Maison Blanche, r. Vieux Pont du Diable (s) 50 78 19 38, ← – wc wc.
1er mai-30 sept. et 20 déc.-15 avril – SC : **R** 67/145 – 21 – **14 ch** 140/218 – P 190/242.

CITROEN Tuaz, 50 78 30 75
FORD Gar. du Berchat, 50 78 21 91
PEUGEOT-TALBOT Grandjacques, par ② 50 93 41 23

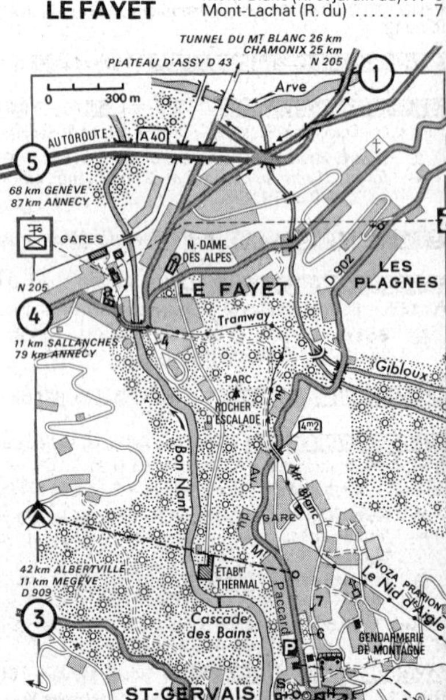

à Bellevue par le T.M.B. :
voir *Les Houches*

au Bettex SO : stat. intermēd. téléphériq. – alt. 1 400 – 74170 St-Gervais :

Arbois-Bettex, 50 93 12 22, ← Massif Mt-Blanc, – . rest
1er juil.-31 août et Noël-Pâques – SC : **rest. R** carte 125 à 180 - **grill La Côterie R** carte environ 105 – 24 – **27 ch** 212/332.

Belle Étoile, 50 93 11 83, ← Massif Mt-Blanc, – wc . rest
1er juil.-31 août et Noël-Pâques – SC : **R** 69 – 17 – **20 ch** 74/182 – P 176/222.

au Mt-d'Arbois par téléphérique – ✉ **74190** Le Fayet :

Chez la Tante , à la station supérieure ✆ **50 21 31 30**, , « exceptionnel de la chaîne des Aravis au Mt-Blanc » – wc wc . ch
1er juil.-31 août et 15 déc.-15 avril – SC : **R** self 75/85 – **21 ch** 200 – P 260.

au Prarion – Ressources hôtelières : voir *Les Houches*.

Le Fayet N : 4 km – alt. 567 – ✉ **74190** Le Fayet.
Syndicat d'Initiative ✆ 50 78 13 88.

La Chaumière, av. Genève **(a)** ✆ **50 78 15 88** – wc wc . AE E
22 déc.-30 sept. – SC : **R** *(fermé lundi)* 58/103 – 22 – **22 ch** 178/252 – P 191/279.

Central sans rest, av. Gare **(a)** ✆ **50 78 15 99** – wc wc . VISA
fermé nov. au 15 déc. – SC : 24 – **30 ch** 120/250.

Ressources hôtelières aux environs de St-Gervais : voir carte à Chamonix

ST-GILLES 30800 Gard 83 ⑨ G. Provence (plan) – 10 845 h. alt. 7.

Voir Façade★★ et crypte★ de l'église – Vis de St-Gilles★.
Office de Tourisme Maison Romane ✆ 66 87 33 75.
Paris 730 – Aigues-Mortes 37 – Arles 16 – Beaucaire 24 – Lunel 30 – ♦Montpellier 57 – Nîmes 19.

Cours, 10 av. F.-Griffeuille ✆ **66 87 31 93**, – wc . AE E VISA
fermé 20 déc. au 1er fév. – SC : **R** 39/120 – 16 – **26 ch** 85/196 – P 190/350.

La Rascasse avec ch, 16 av. F.-Griffeuille ✆ **66 87 42 96** – wc
SC : **R** *(fermé merc.)* 57/88 – 15 – **5 ch** 100/135.

à l'Est 3,5 km sur N 572 – ✉ **13200** Arles :

Les Cabanettes M , ✆ **66 87 31 53**, Télex 480451, ≤, , , – wc – 30. AE E VISA
fermé 10 janv. au 15 fév. – SC : **R** 115/190 – 30 – **29 ch** 330/390 – P 340/540.

PEUGEOT TALBOT Crumière, 71 bd Gambetta ✆ 66 87 31 25

Peysson-Pneus, 3 pl. F.-Mistral ✆ 66 87 33 25

ST-GILLES-CROIX-DE-VIE 85800 Vendée 67 ⑫ G. Côte de l'Atlantique – 6 339 h..

Office de Tourisme pl. G.-Kergoustin ✆ 51 55 03 66.
Paris 454 – Challans 20 – Cholet 99 – ♦Nantes 78 – La Roche-sur-Yon 43 – Les Sables-d'Olonne 30.

Marina, Grande Plage ✆ **51 55 30 97** – wc . VISA. rest
fermé 1er déc. au 15 janv. et lundi du 1er oct. au 1er juin sauf fêtes – SC : **R** 56/130 – 16 – **40 ch** 118/185, (en sais. pension seul.) – P 191/226.

Embruns, 16 bd Mer ✆ **51 55 11 40** – wc . E VISA.
fermé 21 au 27 avril, 5 nov. au 6 déc., vend. soir et sam. du 22 sept. au 30 avril – SC : **R** (dim., juil. et août-prévenir) 59/125 – 18 – **23 ch** 90/175 – P 182/215.

Bourrine de Riez, sur la Corniche, O : 2 km ✉ **85270** St-Hilaire-de-Riez ✆ **51 55 01 83** – AE E
avril-fin oct. et fermé lundi soir et mardi sauf du 1er juin au 31 août – SC : **R** 55/130.

CITROEN Goillandeau, rte des Sables, Km 3 à Givrand ✆ 51 55 89 94

PEUGEOT-TALBOT EL.ME.CA., 2 r. Pasteur ✆ 51 55 10 19

ST-GINGOLPH 74 H.-Savoie 70 ⑱ G. Alpes – 665 h. alt. 385 – ✉ 74500 Évian-les-Bains.

Syndicat d'Initiative r. Nationale ✆ 50 76 72 28.
Paris 549 – Annecy 101 – Évian-les-Bains 17 – Montreux 21.

National, ✆ **50 76 72 97**, ≤ – wc . E VISA.
fermé 15 oct. au 15 nov., mardi soir et merc. sauf de juil. à sept. – SC : **R** 59/140 – 17 – **14 ch** 95/130 – P 150/175.

Ducs de Savoie , ✆ **50 76 73 09**, ≤, – wc wc . E VISA
fermé 6 janv. au 7 fév., lundi et mardi hors sais. – SC : **R** 91/135 – 18 – **13 ch** 120/142 – P 162/178.

PEUGEOT, TALBOT Gar. Bare, ✆ 50 76 71 06

ST-GIRONS <SP> **09200** Ariège **86** ③ – 7 716 h. alt. 391.

Voir St-Lizier : Cloître★ de la cathédrale N : 2 km, G. Pyrénées.

Office de Tourisme pl. Capots ☏ 61 66 14 11.

Paris 805 ① – Auch 111 ① – Foix 44 ② – St-Gaudens 46 ① – ♦Toulouse 99 ①.

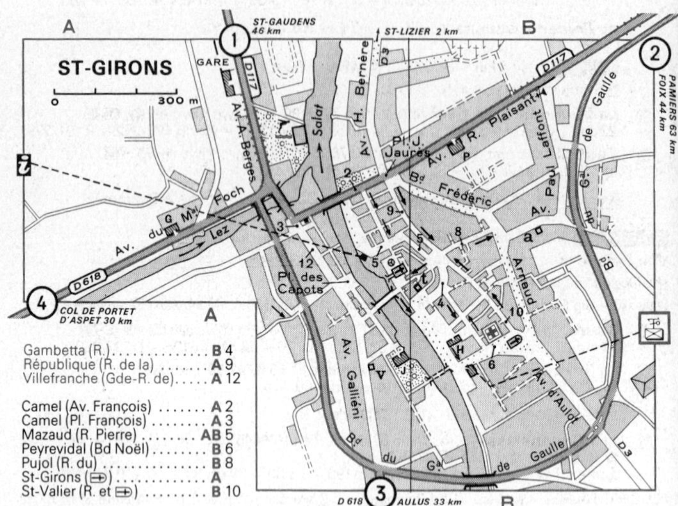

Eychenne ⊗, 8 av. P.-Laffont ☏ 61 66 20 55, Télex 521273, « Bel aménagement intérieur », – ☎ – 35. AE ⓓ E VISA B a
fermé fin déc. à fin janv. – SC : **R** 80/200 – ☕ 28 – **48 ch** 110/330 – P 285/340
Spéc. Foie de canard aux raisins, Confit de canard aux cèpes, Soufflé au Grand Marnier.

Gd H. de France, 4 pl. Poilus ☏ 61 66 00 23 – wc wc ☎. AE ⓓ VISA B t
fermé fév. et dim. de nov. à mars – SC : **R** 55/160 – ☕ 16 – **21 ch** 75/160 – P 180/210.

Mirouze, 19 av. Gallieni ☏ 61 66 12 77, – wc ☎ Ⓟ. E VISA A v
fermé 21 déc. au 1er janv. et sam. hors sais. – SC : **R** 55/85 ♂ – ☕ 15 – **25 ch** 65/170 – P 160/185.

à Lorp-Sentaraille par ① : 5 km – ✉ **09190** St-Lizier :

Horizon 117, ☏ 61 66 26 80, – wc wc ☎ Ⓟ. AE ⓓ E VISA
fermé 15 oct. au 4 nov. et dim. soir du 4 nov. au 1er juin – SC : **R** 60/130 ♂ – ☕ 18 – **20 ch** 120/180 – P 170/200.

AUTOBIANCHI-LANCIA-OPEL Tariol, 62 av. de la Résistance ☏ 61 66 21 77
CITROEN Gar. du Couserans, av. de la Résistance, L'Arial par ③ ☏ 61 66 34 45
PEUGEOT Carbonne, rte Toulouse à St-Lizier par ① ☏ 61 66 31 00 N

RENAULT Austria-Autos, rte de Toulouse, St-Lizier par ① ☏ 61 66 32 32 N

Central Pneu, 77 rte de Foix ☏ 61 66 44 10
Reynes, 48 bd. F.-Arnaud ☏ 61 66 07 53
Solapneu, chantereine, St-Lizier ☏ 61 66 00 81

Pour bien utiliser ce guide reportez-vous aux explications p. 16 à 23.

ST-GOBAIN **02410** Aisne **56** ④ **G. Flandres, Artois, Picardie** – 2 297 h. alt. 200.

Voir Forêt★★.

Paris 129 – Compiègne 55 – La Fère 11 – Laon 20 – Noyon 31 – St-Quentin 35 – Soissons 28.

✗ **Parc,** r. Luce-de-Lancival ☏ 23 52 80 58, – Ⓟ
fermé 14 juil. au 15 août, dim. soir et lundi – **R** 70/120.

ST-GROUX 16 Charente **72** ③ – rattaché à Mansle.

ST-GUÉNOLÉ 29 Finistère **58** ⑭ **G. Bretagne** – ✉ **29132** Penmarch.

Voir Musée préhistorique★ – ≼★★ du phare d'Eckmühl★ S : 2,5 km – Église★ de Penmarch SE : 3 km – Pointe de la Torche ≼★ NE : 4 km.

Syndicat d'Initiative pl. J.-Ferry (15 juin-15 sept. et matin hors sais.) ☏ 98 58 81 44.

Paris 579 – Douarnenez 43 – Guilvinec 8 – Plonéour-Lanvern 17 – Pont-l'Abbé 14 – Quimper 34.

Sterenn M, rte Eckmühl ✆ 98 58 60 36, ≤ pointe de Penmarch – wc ☎ P. E VISA. ✻
30 mars-5 oct. et fermé merc. sauf du 18 juin au 17 sept. – SC : **R** 60/250 – ☐ 18 – **16 ch** 170/260 – P 225/300.

Mer, ✆ 98 58 62 22 – wc ⋔wc ☎. AE ⓓ E VISA. ✻ ch
fermé 15 oct. au 20 nov., 1er au 18 fév., dim. soir et lundi hors sais. – SC : **R** 80/370 – ☐ 22 – **17 ch** 180/240 – P 230/320.

Moguerou, ✆ 98 58 62 16, ☂, ☘ – wc ☎ P – 30 à 50. VISA. ✻ rest
1er mars-15 nov. – SC : **R** 72/140 – ☐ 20 – **22 ch** 180/220 – P 234/284.

Les Ondines, rte phare d'Eckmühl ✆ 98 58 60 36 – wc ⋔wc ☎. E VISA. ✻ rest
15 mai-30 sept. et fermé merc. sauf du 18 juin au 17 sept. – SC : **R** voir H. **Sterenn** – ☐ 18 – **19 ch** 162/210 – P 200/242.

ST-HILAIRE-DU-HARCOUËT 50600 Manche 59 ⑨ G. Normandie – 5 511 h. alt. 194.

Office de Tourisme pl. Église (1er juil.-31 août) ✆ 33 49 15 27 et à la Mairie (hors saison) ✆ 33 49 10 06.

Paris 291 – Alençon 99 – Avranches 27 – ♦Caen 98 – Fougères 28 – Laval 66 – St-Lô 69.

Cygne, rte Fougères ✆ 33 49 11 84 – ⛁ wc ⋔wc ☎ – 60 à 80. AE ⓓ E VISA
fermé 20 déc. au 10 janv. et dim. soir du 1er oct. au 30 avril – SC : **R** 57/158 ♁ – ☐ 17 – **45 ch** 113/205 – P 216/295.

Lion d'Or, rte Avranches ✆ 33 49 10 82, ☘ – wc ⋔wc ☎ P – 30
fermé 10 au 30 oct., fév., dim. soir et lundi midi sauf juil.-août – SC : **R** 55/90 ♁ – ☐ 17 – **21 ch** 85/170.

Relais de la Poste, r. Mortain ✆ 33 49 10 31 – wc ⋔. E VISA
fermé 16 juin au 7 juil. et 22 déc. au 5 janv. – SC : **R** *(fermé lundi)* 40/90 ♁ – ☐ 14 – **12 ch** 66/145 – P 140/200.

CITROEN Gar. Ledebt-Aubril, 77 r. de Paris ✆ 33 49 10 89
FORD Gar. Lerbourg, ✆ 33 49 12 56
OPEL Lelandais, 98 r. de Paris ✆ 33 49 21 90
PEUGEOT-TALBOT Gar. Lemonnier, rte de Paris ✆ 33 49 24 90
RENAULT Gar. Boulaux, 64 r. de Paris ✆ 33 49 20 71
Gar. Blouin-Dupont, 101 r. de la République ✆ 33 49 11 41
Gar. Garnier, 126 r. de Mortain, ✆ 33 49 12 02

ST-HILAIRE-DU-ROSIER 38840 Isère 77 ③ – 1 559 h. alt. 201.

Paris 579 – ♦Grenoble 63 – Romans-sur-Isère 18 – St-Marcellin 8.

XXX ✿ **Bouvarel** avec ch, S : 3 km ✆ 76 36 50 87, ≤, ☘, « Jardin » – wc ⋔wc ☎ P. AE ⓓ VISA
fermé janv. et lundi hors sais. – SC : **R** 165/320 – ☐ 36 – **14 ch** 220/280 – P 470/500
Spéc. Chaussons aux truffes (sais.), Poulet aux écrevisses, Ravioles. **Vins** Chante Alouette, St-Joseph.

ST-HILAIRE-LE-CHÂTEAU 23 Creuse 72 ⑨⑩ – 352 h. alt. 459 – ✉ 23250 Pontarion.

Paris 381 – Aubusson 25 – Bourganeuf 14 – Guéret 31 – ♦Limoges 63 – Montluçon 81.

du Thaurion M, ✆ 55 64 50 12 – TV wc ☎ P. AE ⓓ VISA
30 mars-1er nov. et fermé jeudi midi et merc. sauf juil.-août – SC : **R** 110/280 – ☐ 28 – **10 ch** 220/260.

ST-HILAIRE-ST-MESMIN 45 Loiret 64 ⑨ – rattaché à Orléans.

ST-HIPPOLYTE 25190 Doubs 66 ⑱ G. Jura – 1 179 h. alt. 380.

Voir Site★.

Syndicat d'Initiative à la Mairie ✆ 81 96 55 74.

Paris 507 – ♦Bâle 94 – Belfort 50 – ♦Besançon 81 – Montbéliard 30 – Pontarlier 72.

Bellevue, rte Maîche ✆ 81 96 51 53 – ⋔wc ☎ P. AE. ✻
fermé 2 janv. au 2 fév., dim. soir et lundi midi du 1er oct. au 31 mars – SC : **R** 45/165 ♁ – ☐ 17 – **15 ch** 75/190 – P 150/200.

ST-HIPPOLYTE 68590 H.-Rhin 62 ⑲ G. Alsace et Lorraine – 1 191 h. alt. 250.

Paris 429 – Colmar 20 – Ribeauvillé 7 – St-Dié 45 – Sélestat 9 – Villé 17.

Aux Ducs de Lorraine rest. Munsch, ✆ 89 73 00 09, ≤, ☘ – ⛁ TV ☎ P – 30. AE ⓓ VISA. ✻ ch
fermé 1er au 18 déc. et 10 janv. au 1er mars – **R** *(fermé lundi)* 95/250 – ☐ 28,50 – **40 ch** 210/340.

A la Vignette, ✆ 89 73 00 17 – wc ⋔wc ☎. ✻
fermé déc., janv. et jeudi – SC : **R** 60/140 ♁ – ☐ 15,50 – **16 ch** 180.

ST-HIPPOLYTE 63 P.-de-D. 73 ④ – rattaché à Châtelguyon.

ST-HONORAT (Ile) ** 06 Alpes-Mar. 84 ⑨, 195 ㉟㊴ G. Côte d'Azur.

Voir Ancien monastère fortifié* : ≤** – Accès par transports maritimes.

depuis **Golfe-Juan et Juan-les-Pins** (escale à l'Ile Ste-Marguerite). En 1985 : de mars à oct., 2 à 4 services quotidiens - Traversée 45 mn – 34 F (AR) - par Cie Cap d'Antibes, port de Golfe-Juan ✆ 93 63 81 31.

depuis **Cannes** (escale à l'Ile Ste-Marguerite). En 1985 : de juin à sept. 10 départs quotidiens, hors saison : 5 départs quotidiens - Traversée 30 mn – 25 F (AR) - par Cie Esterel-Chanteclair, gare Maritime des Iles ✆ 93 39 11 82 (Cannes).

ST-HONORÉ-LES-BAINS 58360 Nièvre 69 ⑥ G. **Bourgogne** – 831 h. alt. 302 – Stat. therm. (23 mars-21 sept.) – Casino – Office de Tourisme pl. F.-Bazot ✆ 86 30 71 70.

Paris 288 – Château-Chinon 27 – Luzy 22 – Moulins 66 – Nevers 67 – St-Pierre-le-Moutier 64.

Henry Robert, ✆ 86 30 72 33, ≤, parc, – wc wc. AE VISA
mars-déc. – SC : **R** 68/145 – 22 – **14 ch** 130/190 – P 210/230.

ST-JACQUES 06 Alpes-Mar. 84 ⑧ – rattaché à Grasse.

ST-IGNACE (col de) 64 Pyr.-Atl. 85 ② – rattaché à Ascain.

ST-JACQUES-DES-BLATS 15580 Cantal 76 ③ – 387 h. alt. 991.

Paris 511 – Aurillac 33 – Brioude 75 – Issoire 92 – St-Flour 42.

Griou M, ✆ 71 47 06 25, ≤, – wc wc. E. rest
fermé 20 avril au 12 mai et 15 oct. au 15 déc. – SC : **R** 50/78 – 14,50 – **13 ch** 90/139 – P 134/154.

Touristes, ✆ 71 47 05 86, – wc. E. rest
10 mai-15 oct. et 18 déc.-15 avril – SC : **R** 43/70 – 15 – **20 ch** 80/120 – P 123/155.

ST-JACUT-DE-LA-MER 22750 C.-du-N. 59 ⑤ G. **Bretagne** – 893 h..

Voir Pointe du chevet ≤* : 2 km.

Syndicat d'Initiative r. du Chatelet (15 juin-15 sept.) ✆ 90 27 71 91.

Paris 429 – Dinan 25 – Dol-de-B. 38 – Lamballe 38 – St-Cast 16 – St-Malo 24 – St-Brieuc 58.

Vieux Moulin, ✆ 96 27 71 02, – wc – **30 ch**.

Le Terrier, ✆ 96 27 71 46, – AE E VISA
SC : **R** 49/72.

ST-JAMES 50240 Manche 59 ⑧ G. **Normandie** – 2 895 h. alt. 110. **Voir Cimetière américain.**

Paris 345 – Avranches 18 – Fougères 22 – ♦Rennes 60 – St-Lô 74 – St-Malo 58.

Normandie, pl. Bagot ✆ 33 48 31 45 – E VISA
fermé 12 nov. au 1er déc. et vend. soir du 1er oct. au 31 mars – **R** 60/140 – 15 – **10 ch** 80/110.

PEUGEOT-TALBOT Select-Auto ✆ 33 48 30 61 N ✆ 33 48 32 17

ST-JEAN (col) 04 Alpes-de-H.-P. 81 ⑦ – rattaché à Seyne.

ST-JEAN 31 H.-Gar. 82 ⑧ – rattaché à Toulouse.

ST-JEAN-AUX-BOIS 60 Oise 56 ②③, 196 ⑪ G. **Environs de Paris** – 302 h. alt. 71 – ✉ 60350 Cuise-la-Motte – **Voir Église***.

Paris 81 – Beauvais 68 – Compiègne 11 – Senlis 33 – Soissons 37 – Villers-Cotterêts 21.

XXX **La Bonne Idée** avec ch, ✆ 44 42 84 09, – rest wc. AE VISA
fermé 25 août au 6 sept., 15 janv. au 15 fév., merc. midi et mardi – **R** 195/300 – 35 – **24 ch** 225/355 – P 450.

ST-JEAN-CAP-FERRAT 06230 Alpes-Mar. 84 ⑩, 195 ㉗ G. **Côte d'Azur** – 2 215 h. alt. 20.

Voir Fondation Ephrussi-de-Rothschild ** **M** : site**, musée Ile de France**, jardins* – Phare ** – Pointe de St-Hospice ≤* de la chapelle – Office de Tourisme 59 av D.-Semeria ✆ 93 01 36 86 – Paris 941 ④ – Menton 23 ③ – ♦Nice 10 ④.

Plan page ci-contre

Voile d'Or M, au Port (f) ✆ **93 01 13 13, Télex 470317,** ≤ **port et golfe,** – – 25
1er mars-30 oct. – **R** 280/350 – 60 – **50 ch** 700/2220, 5 appartements
Spéc. Rougets en salade au pissala (mars à oct.), Royale de loup St-Jeannoise (mars à oct.), Carré d'agneau aux farcis niçois (mai à oct.). Vins Bandol, Bellet.

Gd H. du Cap-Ferrat, au Cap-Ferrat, bd Gén.-de-Gaulle (a) ✆ 93 01 04 54 Télex 470184, ≤, « Vaste parc, en bordure de mer, funiculaire privé » – – 70. AE E. rest
25 avril-29 sept. – SC : **R** carte 225 à 290 et **Le Faradol** à la piscine *(1er mai - 29 sept. déj. seul.)* **R** carte environ 220 – **60 ch** 1110/2 300, 7 appartements – P 1 070/1 630.

ST-JEAN-CAP-FERRAT

Les flèches rouges indiquent les sens uniques supplémentaires l'été

Albert-1er (Av.) 2
Centrale (Av.) 3
États-Unis (Av. des) 5
Gaulle (Bd Gén. de) 6
Grasseuil (Av.) 7
Libération (Bd) 9
Mermoz (Av. J.) ... 12
Passable (Ch. de) .. 13
Phare (Av. du) 14
St-Jean (Pont) 16
Sauvan (Bd H.) 17
Semeria (Av. D.) ... 18
Verdun (Av. de) ... 20
Vignon (Av. C.) 21

Promeneurs, campeurs, fumeurs

soyez prudents !

Le feu est le plus terrible ennemi de la forêt

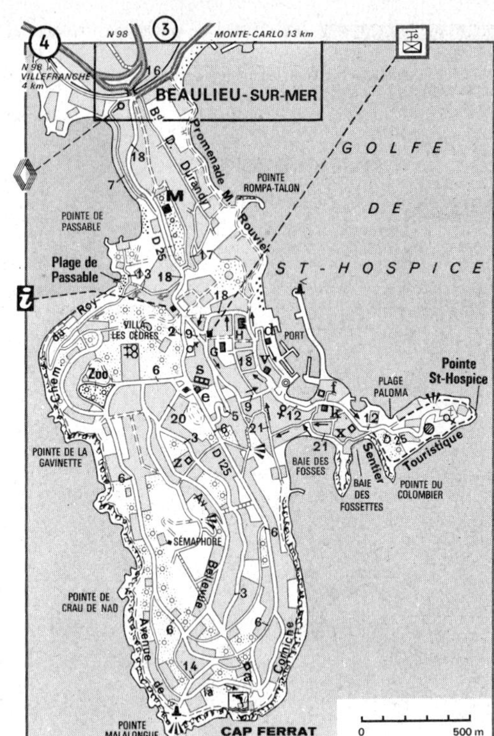

Panoramic sans rest, av. Albert-1er **(s)** ✆ 93 01 06 62, ≤ Cap et golfe, – wc wc ☎ **P**. AE ⓓ E VISA.
1er fév.-1er nov. – SC : ☐ 34 – **20 ch** 413.

Brise Marine ⑤, av. J.-Mermoz **(x)** ✆ 93 01 30 73, ≤ Cap et golfe, – wc wc ☎. rest
1er fév.-31 oct. – SC : **R** (dîner seul.) 88 – **15 ch** ☐ 288/386.

Clair Logis ⑤ sans rest, av. Centrale **(z)** ✆ 93 01 31 01, « dans un grand jardin » – wc wc ☎ **P**. VISA.
fermé 15 nov. au 15 déc. – SC : ☐ 29 – **16 ch** 185/285.

La Costière ⑤, av. Albert 1er **(s)** ✆ 93 01 30 04, ≤ Cap et golfe – **P**.
fermé 15 oct. au 15 déc. – SC : **R** 120 – **14 ch** (pens. seul.) – P 230.

La Bastide ⑤, av. Albert 1er **(s)** ✆ 93 01 33 86, – wc **P**. AE VISA
fermé 1er nov. au 15 déc. – SC : **R** *(fermé lundi)* 110 ⅄ – ☐ 20 – **10 ch** 85/120 – P 210/240.

XXX **Provençal,** 2 av. D.-Semeria **(v)** ✆ 93 01 30 15, ≤ port et golfe, – ▤. AE ⓓ VISA
fermé 1er nov. au 31 déc. et mardi – **R** carte 180 à 240.

XXX **Les Hirondelles,** av. J.-Mermoz **(k)** ✆ 93 01 30 25, ≤ port, – **P**. VISA
fermé nov. à fév., dim. et lundi – SC : **R** carte 210 à 300.

XXX ✿ **Petit Trianon** (Brouchet), bd Gén.-de-Gaulle **(e)** ✆ 93 01 31 68, , « Pergola fleurie » – AE ⓓ E VISA.
début fév.-fin oct. et fermé merc. soir et jeudi – SC : **R** carte 175 à 290
Spéc. Mousseline de rascasse, Langouste soufflée. Vins Bandol, Bellet.

XX **Le Sloop,** au nouveau Port **(d)** ✆ 93 01 21 60, ≤, – AE ⓓ VISA
fermé nov., mardi soir et merc. sauf juil.-août – **R** *(en juil.-août dîner seul.)* 125/285.

Voir aussi ressources hôtelières de ***Beaulieu*** et de ***Villefranche***

RENAULT Gar. Toso, ✆ 93 01 05 89

ST-JEAN-D'ANGÉLY ⟨SP⟩ 17400 Char.-Mar. 71 ③④ **G. Côte de l'Atlantique** – 9 530 h. alt. 30.

ℹ Syndicat d'Initiative square Libération (hors saison après-midi seul., fermé 1er nov. au 31 déc.) ☎ 46 32 04 72.

Paris 443 ② – Angoulême 65 ② – Cognac 36 ③ – Niort 47 ① – La Rochelle 70 ④ – Saintes 34 ⑤.

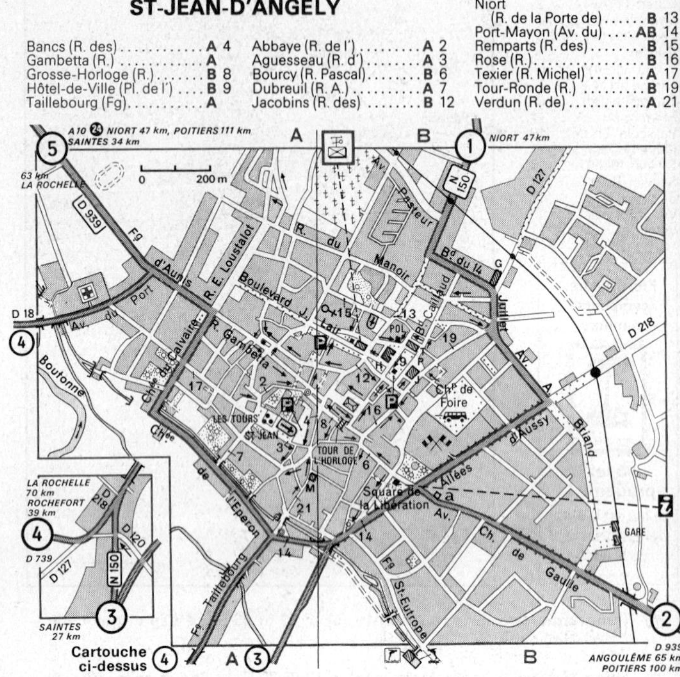

🏨 **Paix,** 5 av. Gén.-de-Gaulle ☎ 46 32 00 93 – wc ☎ ⇔ Ⓟ – 25 à 50 B a
1er mars-15 nov. – SC : **R** (fermé sam.) 60/95 – ☕ 19 – **16 ch** 105/255.

MERCEDES-BENZ S.A.V.I.A., Zone Ind. du Point-du-Jour N° 2 ☎ 46 59 03 03
PEUGEOT, TALBOT Nouraud-Amy, Zone Ind., 27 av. Point-du-Jour par ② ☎ 46 59 09 09
RENAULT Guiberteau et Gaudin, rte de Saintes par ③ ☎ 46 32 40 22

V.A.G. Gar. Drevet, 19 fg Taillebourg ☎ 46 32 01 74

Ⓜ Pneu-équipement, Zone Ind. av. Point-du-Jour ☎ 46 32 12 43

ST-JEAN-D'ARVEY 73 Savoie 74 ⑮⑯ – 903 h. alt. 578 – ✉ **73230** St-Alban-Leysse.

Paris 533 – Albertville 54 – Annecy 46 – Chambéry 9 – Les Déserts 5,5.

🏨 **Therme** 🐎, ☎ 79 28 40 33, ≤, 🌳 – Ⓟ.
1er fév.-15 nov. – SC : **R** 58/78 – ☕ 16,50 – **25 ch** 85/107 – P 150.

ST-JEAN-DE-BOISEAU 44 Loire-Atl. 67 ③ – rattaché à Nantes.

ST-JEAN-DE-BRAYE 45 Loiret 64 ⑨ – rattaché à Orléans.

ST-JEAN-DE-CHEVELU 73 Savoie 74 ⑮ – 307 h. alt. 310 – ✉ **73170** Yenne.

Paris 508 – Aix-les-Bains 17 – Bellegarde-sur-V. 60 – Belley 21 – Chambéry 19 – La Tour-du-Pin 44.

🏨 **La Source** 🐎, S : 3,5 km par rte du Col du Chat ☎ 79 36 80 16, ≤, 🌳, – Ⓟ. ch
SC : **R** 55/120 – ☕ 18 – **12 ch** 80/100 – P 160/180.

ST-JEAN-DE-GONVILLE 01 Ain 74 ⑤ – 841 h. alt. 490 – ✉ 01630 St-Genis-Pouilly.

Paris 514 – Annecy 57 – Bellegarde-sur-Valserine 22 – Bourg-en-Bresse 103 – ♦Genève 19 – Gex 19.

XXX **Demornex** avec ch, ☎ 50 59 35 34, « Jardin fleuri » – P. AE ⓓ E VISA
fermé 30 juin au 14 juil., 10 au 31 janv., dim. soir et lundi – SC : **R** 100/250 – ☕ 20 – **10 ch** 80/115 – P 150/160.

ST-JEAN-DE-LA-BLAQUIÈRE 34 Hérault 83 ⑤ – rattaché à Lodève.

ST-JEAN-DE-LIER 40 Landes 78 ⑥ – 339 h. alt. 13 – ✉ 40380 Montfort-en-Chalosse.

Paris 738 – Castets 29 – Dax 21 – Mont-de-Marsan 38 – Montfort-en-Chalosse 12 – Orthez 40.

Cantelutz, ☎ 58 57 21 94, – wc P – 25.
1er avril-30 oct. – SC : **R** 49/115 – ☕ 17,50 – **12 ch** 70/140 – P 125/150.

ST-JEAN-DE-LOSNE 21170 Côte-d'Or 70 ③ **G. Bourgogne** – 1 476 h. alt. 184.

Syndicat d'Initiative à l'Hôtel de Ville (sais.) ☎ 80 29 05 44.

Paris 343 – Auxonne 17 – ♦Dijon 32 – Dole 22 – Genlis 20 – Gray 52 – Lons-le-Saunier 62.

Saônotel, ☎ 80 29 04 77 – wc wc. E VISA
fermé 1er nov. au 7 déc., et merc. – SC : **R** 39/160 – ☕ 12 – **13 ch** 56/160 – P 140/232.

Aub. de la Marine, à Losne ☎ 80 29 05 11 – wc. AE ⓓ E VISA
fermé 20 déc. au 30 janv. et lundi – SC : **R** 45/100, carte sam. soir et dim. soir – ☕ 20 – **18 ch** 67/120 – P 180/250.

PEUGEOT-TALBOT Gaillard, ☎ 80 29 05 53 N

ST-JEAN-DE-LUZ 64500 Pyr.-Atl. 85 ② **G. Pyrénées** – 12 921 h. – Casino BY.

Voir Église St-Jean-Baptiste** AZ **B** – Maison de l'Infante* AZ **D** – Corniche basque** par ④ – Sémaphore de Socoa ≤** 5 km par ④.

de la Nivelle ☎ 59 47 18 99, S : 1 km ; de Chantaco ☎ 59 26 14 22 par ② : 2,5 km.

Office de Tourisme, pl. Mar.-Foch ☎ 59 26 03 16.

Paris 792 ① – ♦Bayonne 21 ① – Biarritz 15 ① – Pau 128 ① – San-Sebastiàn 33 ③.

Plan page suivante

Chantaco, face golf par ② : 2 km ☎ 59 26 14 76, « Élégant intérieur », – P. AE ⓓ. rest
avril-oct. – SC : **R** 160/190 – ☕ 40 – **20 ch** 350/700, 4 appartements 850 – P 550/750.

Madison sans rest, 25 bd Thiers ☎ 59 26 35 02 – wc. AE ⓓ E VISA — BY **q**
SC : ☕ 20 – **25 ch** 180/228.

Commerce M sans rest, 3 bd Cdt-Passicot ☎ 59 26 31 99, Télex 540518 – wc ☎ — BZ **d**
1er avril-15 nov. – SC : **36 ch** ☕ 150/240.

H. Poste sans rest, 83 r. Gambetta ☎ 59 26 04 53 – TV wc. AE ⓓ E VISA — BY **z**
fermé 7 janv. au 15 mars – SC : ☕ 20 – **34 ch** 180/250.

Plage, 33 r. Garat ☎ 59 51 03 44, ≤ – wc. E VISA. — AY **v**
Pâques-15 oct. – SC : **R** 63 – ☕ 20 – **30 ch** 127/240 – P 266/273.

Les Goëlands, 4 av. Etcheverry ☎ 59 26 10 05, – wc wc ☎ P. VISA. rest — BX **k**
fermé 15 déc. au 15 janv. – SC : **R** *(fermé d'oct. à mai)* (résidents seul.) – **43 ch** ☕ 125/275 – P 235/290.

Petit Trianon sans rest, 56 bd V.-Hugo ☎ 59 26 11 90 – wc wc ☎. AE.
fermé 25 oct. au 10 janv. et dim. en hiver – SC : ☕ 17 – **26 ch** 130/225. — BY **d**

La Fayette, 20 r. République ☎ 59 26 17 74 – wc wc ☎. AE ⓓ E VISA
fermé 15 au 30 nov. et 1er janv. au 10 fév. – SC : **R** (1er étage) *(fermé dim. soir et lundi hors vacances)* 60/166 – ☕ 21 – **19 ch** 93/210 – P 257. — AZ **x**

Continental, 15 av. Verdun ☎ 59 26 01 23 – wc wc ☎. AE ⓓ E VISA. rest — BZ **a**
fermé 1er nov. au 15 déc. – SC : **R** *(fermé de nov. à mars)* (dîner seul. pour résidents) 75 – ☕ 20 – **22 ch** 150/230.

Prado, promenade Plage ☎ 59 51 03 71 – wc wc ☎. VISA — BY **e**
SC : **R** Brasserie *(1er juin-30 sept.)* carte environ 85 – ☕ 16,50 – **38 ch** 140/215.

Villa Bel Air, Promenade J.-Thibaut ☎ 59 26 04 86, ≤ – wc wc ☎ P. VISA. rest — BY **h**
22 mars-11 nov. – SC : **R** *(1er juin-30 sept.)* (dîner seul.) 68 – ☕ 20 – **16 ch** 135/240.

Trinquet-Maïtena, r. Midi ☎ 59 26 05 13 – wc wc ☎. VISA — BY **m**
SC : **R** 80 – ☕ 15 – **13 ch** 115/190 – P 230/270.

tourner →

ST-JEAN-DE-LUZ

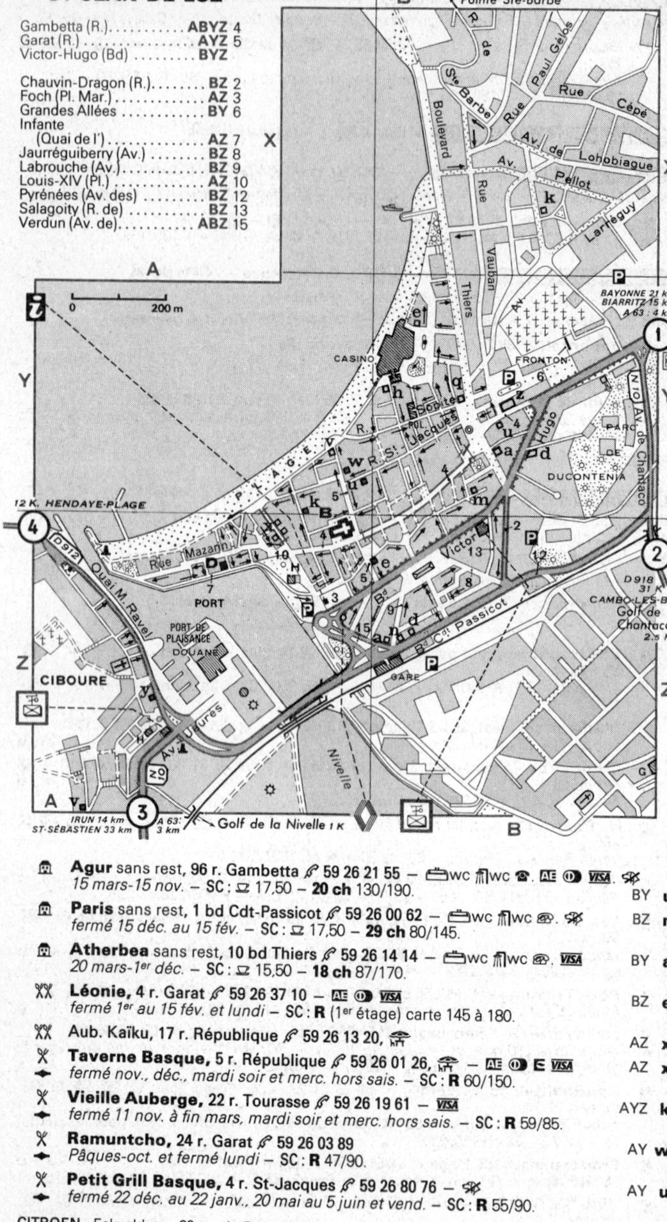

Agur sans rest, **96** r. **Gambetta** ☎ **59 26 21 55** – wc wc ☎. AE ◑ VISA. ⛔ — BY **u**
15 mars-15 nov. – **SC** : ☕ 17,50 – **20 ch** 130/190.

Paris sans rest, **1** bd **Cdt-Passicot** ☎ **59 26 00 62** – wc wc ☎. ⛔ — BZ **n**
fermé 15 déc. au 15 fév. – **SC** : ☕ 17,50 – **29 ch** 80/145.

Atherbea sans rest, **10** bd **Thiers** ☎ **59 26 14 14** – wc wc ☎. VISA — BY **a**
20 mars-1er déc. – **SC** : ☕ 15,50 – **18 ch** 87/170.

XX **Léonie, 4** r. **Garat** ☎ **59 26 37 10** – AE ◑ VISA — BZ **e**
fermé 1er au 15 fév. et lundi – **SC** : **R** (1er étage) carte 145 à 180.

XX Aub. Kaïku, **17** r. **République** ☎ **59 26 13 20**, ☂ — AZ **x**

X **Taverne Basque, 5** r. **République** ☎ **59 26 01 26**, ☂ – AE ◑ E VISA — AZ **x**
fermé nov., déc., mardi soir et merc. hors sais. – **SC** : **R** 60/150.

X **Vieille Auberge, 22** r. **Tourasse** ☎ **59 26 19 61** – VISA — AYZ **k**
fermé 11 nov. à fin mars, mardi soir et merc. hors sais. – **SC** : **R** 59/85.

X **Ramuntcho, 24** r. **Garat** ☎ **59 26 03 89** — AY **w**
Pâques-oct. et fermé lundi – **SC** : **R** 47/90.

X **Petit Grill Basque, 4** r. **St-Jacques** ☎ **59 26 80 76** – ⛔ — AY **u**
fermé 22 déc. au 22 janv., 20 mai au 5 juin et vend. – **SC** : **R** 55/90.

CITROEN Eskualduna, 20 rte de Bayonne par ① ☎ 59 26 22 28
FORD Autos-Durruty, Zone Ind. de Layatz ☎ 59 26 45 94
RENAULT Gar. Lamerain 4 bd Victor-Hugo ☎ 59 26 04 02 et Zone ind. de Layatz, N 10 par ① ☎ 59 26 94 80

◍ Côte Basque Pneus, Z.I. de Jalday ☎ 59 26 45 81

Ciboure AZ du plan – 6 205 h. – ✉ **64500** St-Jean-de-Luz.
Voir Chapelle N.-D. de Socorri : site★ 5 km par ③.

XX **Chez Dominique,** quai M.-Ravel ☎ 59 47 29 16, produits de la mer
VISA AZ y
fermé vacances de Pâques, oct., dim. soir et lundi – SC : **R** carte environ 210.

X **Chez Mattin,** 63 r. E.-Baignol ☎ 59 47 19 52 – AE VISA. AZ v
fermé janv. et lundi – SC : **R** carte environ 160.

par rte de la Corniche par ④ : 3 km – ✉ **64122** Urrugne :

XX **Aub. de la Corniche,** ☎ 59 47 30 23, ≤ Pyrénées, – **P**
fermé janv. et lundi – SC : **R** 60/88.

V.A.G. Gar. de l'Avenir, Q. Marinella ☎ 59 47 26 56

ST-JEAN-DE-MAURIENNE **73300** Savoie **77** ⑦ **G. Alpes** – 10 086 h. alt. 546.
Voir Ciborium★ et stalles★ de la cathédrale AY **E.**
Office de Tourisme pl. Cathédrale ☎ 79 64 03 12.
Paris 595 ① – Albertville 60 ① – Chambéry 71 ① – ♦Grenoble 103 ① – Torino 134 ②.

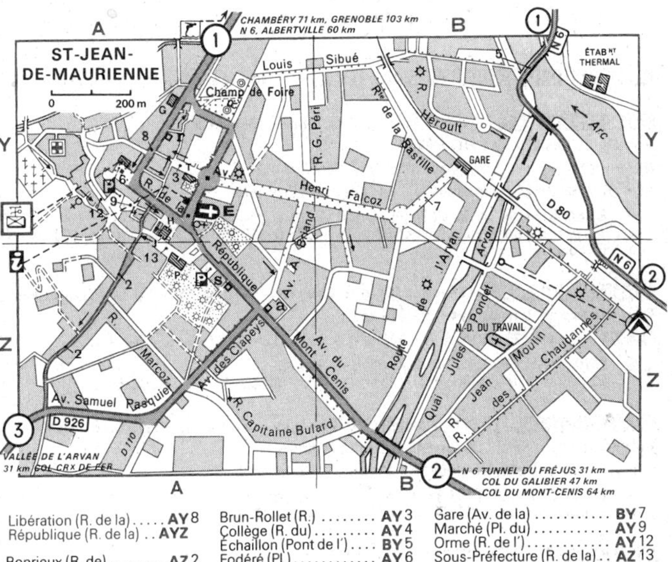

Libération (R. de la) ..... **AY** 8	Brun-Rollet (R.) .... **AY** 3	Gare (Av. de la) .... **BY** 7
République (R. de la) .. **AYZ**	Collège (R. du) .... **AY** 4	Marché (Pl. du) .... **AY** 9
	Échaillon (Pont de l') .... **BY** 5	Orme (R. de l') .... **AY** 12
Bonrieux (R. de) .... **AZ** 2	Fodéré (Pl.) .... **AY** 6	Sous-Préfecture (R. de la) .. **AZ** 13

St Georges sans rest, 334 r. République ☎ 79 64 01 06, – TV wc wc ☎
P. AE AZ s
SC : 17 – **21 ch** 110/175.

Europe, 15 av. Mont-Cenis ☎ 79 64 00 21 – wc ☎ **P** AZ a
35 ch.

Bernard, 18 r. Libération ☎ 79 64 01 53 – wc ☎ AY r
fermé nov. et lundi – SC : **R** 52/120 – 18 – **15 ch** 80/135 – P 160/200.

CITROEN Deléglise, quai Jules-Poncet ☎ 79 64 05 88 **N**
PEUGEOT-TALBOT Alpettaz, N 6, Les Plans par ② ☎ 79 64 13 88 **N** ☎ 79 56 80 22
RENAULT Duverney, N 6 à St-Julien Mont-Denis par ② ☎ 79 64 12 33
V.A.G. Maurienne Autom., 353 r. des Chaudannes, Zone Ind. Le Parquet ☎ 79 64 08 89 **N** ☎ 79 64 26 63

Piot-Pneu, angle pl. Champ-de-Foire ☎ 79 64 05 74
Tessaro-Pneus, les Plans ☎ 79 64 10 75

ST-JEAN-DE-MONTS **85160** Vendée **67** ⑪ **G. Côte de l'Atlantique** – 5 611 h. – Casino La Pastourelle.
Office de Tourisme Palais des Congrès av. Forêt ☎ 51 58 00 48, Télex 711391.
Paris 451 – Cholet 99 – ♦Nantes 76 – Noirmoutier 32 – La Roche-sur-Yon 55 – Les Sables-d'O. 47.

Le Richelieu M, 8 av. des Oeillets ✆ 51 58 06 78 – TV ⇔wc ☎ **P**. AE ⓓ E VISA. ✻ ch
SC : **R** 130/230 – ☕ 22 – **9 ch** 230/260 – P 320/330.

Tante Paulette, 32 r. Neuve ✆ 51 58 01 12, ⛱ – ⫯wc ☏. AE ⓓ E VISA. ✻ ch
1er mars-1er nov. – SC : **R** 55/115 – ☕ 15,50 – **41 ch** 90/150 – P 175/220.

La Cloche d'Or ⛰, 26 av. Tilleuls ✆ 51 58 00 58 – ⇔wc ⫯wc ☎. VISA. ✻
vacances de Pâques-25 sept. et fermé lundi hors sais. – SC : **R** 55/130 – ☕ 19 – **24 ch** 180 – P 160/210.

XX La Boucherie, 9 av. Forêt ✆ 51 58 02 66.

sur D 38 (rte N.-D. de Monts) : 3 km – ✉ **85160** St-Jean-de-Monts :

X **La Quich'Notte,** ✆ 51 58 62 64, ⛱, « Bourrine aménagée » – **P**. AE E VISA
20 mars-1er nov. et fermé lundi sauf juil.-août – SC : **R** (dîner seul. du 16 sept. au 1er nov.) 50/85.

à Orouet SE : 7 km – ✉ **85160** St-Jean-de-Monts :

Aub. de la Chaumière, D 38 ✆ 51 58 67 44, ⛱, ✂ – ⇔wc ⫯wc ☎ **P**. ⓓ E VISA. ✻
Pâques et 26 avril-28 sept. – SC : **R** 55/145 – ☕ 18 – **17 ch** 149/230 – P 200/270.

PEUGEOT, TALBOT Gar. Besseau, ✆ 51 58 29 47

RENAULT Vrignaud, rte de Challans ✆ 51 58 26 74

ST-JEAN-DE-REBERVILLIERS

28 E.-et-L. 60 ⑦ – rattaché à Châteauneuf-en-Thymerais.

ST-JEAN-DE-SIXT

74450 H.-Savoie 74 ⑦ **G. Alpes** – 696 h. alt. 956.

Voir Défilé des Étroits★ NO : 3 km.

ℹ Syndicat d'Initiative (hors saison matin seul.) ✆ 50 02 70 14.

Paris 561 – Annecy 29 – Bonneville 23 – La Clusaz 3 – ♦Genève 48.

Beau Site ⛰, ✆ 50 02 24 04, ←, ⛱ – ⇔wc ⫯wc ☏ **P**. E. ✻ rest
fin juin-début sept. et Noël-Pâques – SC : **R** 55/100 – ☕ 16 – **20 ch** 100/180 – P 185/215.

ST-JEAN-DU-BRUEL

12 Aveyron 80 ⑮ **G. Causses** – 843 h. alt. 520 – ✉ **12230** La Cavalerie.

Env. Gorges de la Dourbie★★ NE : 10 km.

Paris 670 – Le Caylar 26 – Lodève 45 – Millau 41 – Rodez 112 – St-Affrique 52 – Le Vigan 36.

Midi ⛰, ✆ 65 62 26 04, ← – ⫯wc ☏ 🚗 **P**
22 mars-11 nov. – SC : **R** 44/128 – ☕ 14,50 – **20 ch** 55/133 – P 168/180.

ST-JEAN-DU-DOIGT

29 Finistère 58 ⑥ **G. Bretagne** – 656 h. alt. 15 – ✉ **29228** Plougasnou.

Voir Enclos paroissial : trésor ★★, église ★, fontaine ★.

Paris 544 – Guingamp 63 – Lannion 34 – Morlaix 17 – Quimper 93.

Le Ty Pont, ✆ 98 67 34 06, ⛱ – ⫯wc ☏. ✻ ch
Pâques-mi-oct. – SC : **R** 47/180 🍷 – ☕ 14,50 – **39 ch** 73/152 – P 131/180.

ST-JEAN-DU-GARD

30270 Gard 80 ⑰ **G. Causses** – 2 619 h. alt. 189.

Voir Musée des Vallées Cévenoles★.

Paris 734 – Alès 27 – Florac 53 – Lodève 93 – ♦Montpellier 81 – Nîmes 61 – Le Vigan 59.

Host. Château de Cabrières ⛰, SO : 1 km par D153 ✆ 66 85 13 26, ←, ⛱, parc, ⛱, ✂ – ⇔wc ☎ **P**. VISA
15 mars-31 déc. – SC : **R** 55 bc/135 – ☕ 25 – **26 ch** 150/190 – P 200.

Aub. du Péras M, rte d'Anduze ✆ 66 85 35 94, ⛱ – TV ⇔wc ☎ **P**. ⓓ
fermé 4 janv. au 22 fév., mardi soir et merc. soir hors sais. – SC : **R** 40/153 – ☕ 15 – **10 ch** 150/173 – P 180/245.

L'Oronge, Gde-rue ✆ 66 85 30 34, ⛱ – TV ⇔wc ⫯wc ☏ 🚗. AE ⓓ E VISA
1er avril-2 janv., fermé dim. soir et lundi hors sais. – SC : **R** 45/175 – ☕ 16,50 – **30 ch** 80/210 – P 190/230.

X **Corniche des Cévennes** avec ch, rte Florac ✆ 66 85 30 38, ←, ⛱, ⛱ – ⫯wc **P**
fermé 15 nov. au 1er mars et jeudi du 1er oct. à Pâques – SC : **R** 52 bc/76 – ☕ 17 – **16 ch** 92/120 – P 175/208.

PEUGEOT, TALBOT Rossel, ✆ 66 85 30 32

ST-JEAN-EN-ROYANS

26190 Drôme 77 ③ **G. Alpes** – 2 945 h. alt. 253.

ℹ Syndicat d'Initiative Pavillon du Tourisme (1er juil.-31 août) ✆ 75 48 61 39.

Paris 587 – Die 63 – Romans-sur-Isère 27 – St-Marcellin 23 – Valence 45 – Villard-de-Lans 33.

au Col de la Machine SE : 11 km – alt. 1 010 – **Env. S : Forêt de Lente★★.**

du Col ⛰, ✉ 26190 St-Jean-en-Royans ☎ **75 48 57 67**, ← – ⋔wc 🚗 **P**
fermé 12 nov. au 15 déc. et 5 au 19 mars – **SC : R** 54/75 – ☕ 14 – **16 ch** 76/126 – P 127/183.

FIAT Gar. Royannais, ☎ 75 48 66 86
PEUGEOT-TALBOT Lyonne, ☎ 75 48 60 18 **N**
RENAULT Usclard, ☎ 75 48 63 80 **N** ☎ 75 48 62 75
V.A.G. Villard, ☎ 75 48 61 02 **N** ☎ 75 48 62 04

ST-JEAN-LA-RIVIÈRE 06 Alpes-Mar. 84 ⑲, 195 ⑯ – alt. 285 – ✉ **06450** Lantosque.

Voir Saut des Français ←★★ S : 5 km – **Env.** Madone d'Utelle ✱★★★ et retable★ de l'église d'Utelle SO : 15 km, **G. Côte d'Azur.**

Paris 957 – Levens 13 – ♦Nice 41 – Puget-Théniers 44 – St-Martin-Vésubie 24.

✕ **Giletti,** ☎ **93 03 17 11**, ←, 🏡
SC : R (déj. seul.) 63/90.

ST-JEAN-LE-BLANC 45 Loiret 64 ⑨ – rattaché à Orléans.

ST-JEAN-LE-THOMAS 50 Manche 59 ⑦ – 442 h. – ✉ **50530** Sartilly.

Paris 349 – Avranches 17 – Granville 16 – St-Lô 72 – Villedieu-les-Poêles 30.

🏨 **Bains,** ☎ **33 48 84 20**, ⛱, 🌳 – ⛋wc ⋔wc ☎ **P**. AE ⓓ E VISA. ✂ ch
20 mars-13 oct. – **SC : R** 75/142 – ☕ 16 – **31 ch** 70/177 – P 171/237.

ST-JEANNET 06640 Alpes-Mar. 84 ⑨, 195 ㉕㉖ **G. Côte d'Azur** – 2 469 h. alt. 400.

Voir Site★ – ←★ – **i** Syndicat d'Initiative à l'Hôtel de Ville ☎ 93 24 90 13.

Paris 934 – Antibes 24 – Cannes 34 – Grasse 34 – ♦Nice 27 – St-Martin-Vésubie 57 – Vence 8.

✕✕ Aub. St.-Jeannet avec ch, ☎ **93 24 90 06**, ←, 🏡 – ⛋wc – **9 ch**.

✕ **Chante Grill,** ☎ **93 24 90 63**
fermé nov. ; en hiver le soir prévenir – **SC : R** 85/125.

ST-JEAN-PIED-DE-PORT 64220 Pyr.-Atl. 85 ③ **G. Pyrénées** – 1 773 h. alt. 163.

Voir Trajet des pèlerins★ – **i** Office de Tourisme pl. Ch.-de-Gaulle ☎ 59 37 03 57.

Paris 823 ③ – ♦Bayonne 52 ③ – Dax 86 ① – Oloron-Ste-M. 70 ① – Pau 98 ① – San-Sebastiàn 97.

ST-JEAN-PIED-DE-PORT

Citadelle (R. de la)	3
Espagne (R. d')	4
Gaulle (Pl. Ch.-de)	10
Eyhéraberry (Allée d')	5
Floquet (Pl.)	6
France (Porte de)	7
Lasse (Rte de)	12
Pont Neuf	13
Renaud (Av.)	14
St-Jacques (Ch. de)	15
St-Jacques (Porte)	16
St-Michel (Rte de)	18
Ste-Eulalie (Rue)	19
11-Novembre (R. du)	21

To go a long way quickly, use ***Michelin maps*** *at a scale of 1 : 1 000 000.*

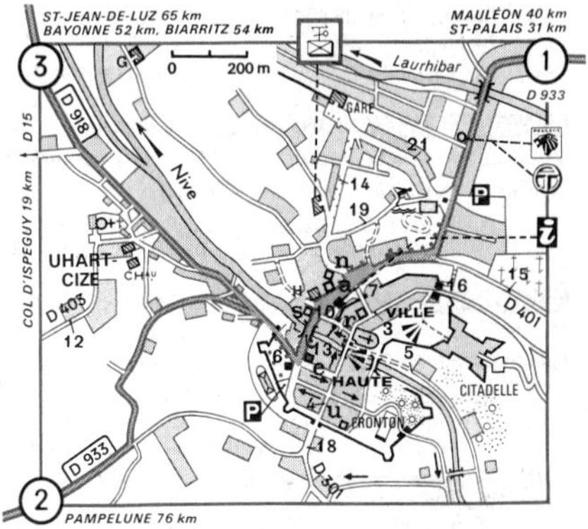

ST-JEAN-DE-LUZ 65 km
BAYONNE 52 km, BIARRITZ 54 km
MAULÉON 40 km
ST-PALAIS 31 km
PAMPELUNE 76 km

🏨 ✿✿ **Pyrénées** (Arrambide), pl. Gén.-de-Gaulle **(a)** ☎ **59 37 01 01**, 🏡 – 🛗 ⛋wc ⋔wc ☎. AE VISA. ✂
fermé 1er au 22 déc., 3 au 29 janv., lundi soir de nov. à mars et mardi du 15 sept. au 30 juin sauf fériés – **SC : R** (dim. et saison - prévenir) 100/250 et carte – ☕ 20 – **31 ch** 100/230 – P 250/300
Spéc. Ravioli de langoustines, Foie gras frais de canard, Assiette de desserts au chocolat. **Vins** Irouléguy, Madiran.

🏨 **Continental** sans rest, 3 av. Renaud **(n)** ☎ **59 37 00 25** – 🛗 ⛋wc ⋔wc ☎ **P**. AE. ✂
Pâques-15 nov. – **SC :** ☕ 22 – **22 ch** 150/250.

🏨 **Central,** pl. Gén.-de-Gaulle **(s)** ☎ **59 37 00 22**, 🏡 – ⛋wc ⋔ ☎. AE ⓓ. ✂
fermé 28 déc. au 5 fév. – **SC : R** 66/140 – ☕ 19 – **14 ch** 129/230 – P 210/260.

tourner →

Haïzpea, à **Uhart-Cize 1,5 km par D 403** ℘ **59 37 05 44**, <, parc – wc. P.
1er juin-30 sept. – SC : **10 ch** (1/2 pens. seul.) – 1/2 p 165/210.

Plaza Berri sans rest, av. Fronton **(u)** ℘ **59 37 12 79** – wc.
fermé 10 au 31 janv. – SC : 18 – **8 ch** 110/140.

Ramuntcho, r. de France **(r)** ℘ **59 37 03 91** – P. E VISA
fermé janv. – SC : **R** *(fermé merc. hors sais.)* 55/100 – 17 – **17 ch** 88/122 – P 170/225.

Etche Ona avec ch, **(e)** ℘ **59 37 01 14** – ch
fermé début nov. au 15 déc. et vend. sauf vacances scolaires – SC : **R** 65/200 – 17,50 – **5 ch** 100/140 – P 400/430 (pour 2 pers.).

Ipoutchaïnia avec ch, à **Ascarat 1,5 km par D 15** ℘ **59 37 02 34**, – wc P.
1er avril-30 nov. – SC : **R** 55/150 – 18 – **12 ch** 130 – P 150/180.

à Aincillé SE : 4,5 km par D 401 – ✉ **64220** St-Jean-Pied-de-Port :

Pecoïtz, ℘ **59 37 11 88**, <, – wc wc P
fermé janv., fév. et merc. sauf de juil. à oct. – SC : **R** 50/130 – 15 – **16 ch** 78/145 – P 140/160.

à Estérençuby S : 8 km par D 301 – ✉ **64220** St-Jean-Pied-de Port :

Artzaïn-Etchéa, S : 3 km par D 301 et VO ℘ **59 37 11 55** – wc wc P
fermé 2 janv. au 10 fév. et merc. hors sais. – SC : **R** 45/150 – 18 – **16 ch** 95/140 – P 165/175.

PEUGEOT, TALBOT Gar. des Pyrénées, ℘ 59 37 00 81

ST-JEAN-POUTGE 32 Gers 82 ④ – 314 h. alt. 111 – ✉ 32190 Vic Fezensac.
Paris 701 – Aire-sur-l'Adour 60 – Auch 22 – Condom 27 – Mont-de-Marsan 82 – Roquefort 75.

de la Baïse, ℘ **62 64 62 11** – P – 35. AE E VISA.
fermé oct. et lundi – SC : **R** 60/200 – 18 – **17 ch** 120/150 – P 150/180.

ST-JEOIRE 74490 H.-Savoie 74 ⑦ – 1 959 h. alt. 588.
Paris 544 – Annecy 57 – Bonneville 17 – Chamonix 57 – ♦Genève 31 – Megève 43 – Morzine 32.

Alpes, ℘ **50 39 80 33**, – wc wc P. VISA
fermé 22 avril au 15 mai, 25 sept. au 15 nov., lundi hors sais. sauf vacances scolaires – SC : **R** 44/155 – 16 – **20 ch** 75/185 – P 150/200.

Sapins, ℘ 50 39 80 38, – wc wc
10 ch.

SEAT Gar. Favrat, La Tour de Fer ℘ 50 39 87 54 N ℘ 50 39 90 44

ST-JOACHIM 44720 Loire-Atl. 63 ⑮ G. Bretagne – 4 260 h.
Voir Tour de l'île de Fédrun★ O : 4,5 km – Promenade en chaland★★.
Paris 433 – ♦Nantes 61 – Redon 39 – St-Nazaire 15 – Vannes 63.

Aub. du Parc, Ile de Fedrun ℘ **40 88 53 01**, – P. AE E VISA
fermé 10 janv. au 1er mars, dim. soir et lundi – **R** carte 130 à 195.

ST-JORIOZ 74410 H.-Savoie 74 ⑥ – 3 348 h. alt. 467.
Syndicat d'Initiative (15 juin-15 sept.) ℘ 50 68 61 82.
Paris 542 – Albertville 36 – Annecy 9 – Megève 51.

Bon Accueil, à **Epagny** : 2,5 km par D 10 A ℘ **50 68 60 40**, <, – wc wc P. E. rest
10 mai-20 sept. – SC : **R** 70/110 – 25 – **21 ch** 150/280 – P 180/250.

Semnoz, à **Monnetier** O : 1,5 km par D 10 A ℘ **50 68 60 28**, – wc P. VISA. rest
25 avril-30 sept. – SC : **R** 62/110 – 23 – **44 ch** 130/145 – P 160/165.

Les Terrasses, ℘ **50 68 60 16** – P. E VISA.
fermé 1er oct. au 30 nov., dim. soir et lundi hors sais. sauf vacances scolaires – SC : **R** 60/140.

à La Magne S : 7 km – ✉ **74410** St-Jorioz :

La Cochette, ℘ **50 68 50 08**, <, – P. AE E
fermé 7 janv. au 7 fév., mardi et merc. hors sais. – SC : **R** 54/128 – 20 – **15 ch** 90/140 – P 200/230.

ST-JULIEN 56 Morbihan 63 ⑫ – rattaché à Quiberon.

A la carte — Dans les restaurants à « prix fixes », il est généralement possible de se faire servir aussi à la carte.

ST-JULIEN-CHAPTEUIL **43260** H.-Loire 76 ⑦ **G. Vallée du Rhône** – 1 684 h. alt. 821.
Voir Site★.
Env. Montagne du Meygal★ : Grand Testavoyre ※★★ NE : 14 km puis 30 mn.
Syndicat d'Initiative à la Mairie ✆ 71 08 70 14.
Paris 577 – Lamastre 53 – Privas 105 – Le Puy 20 – St-Agrève 32 – Yssingeaux 17.

PEUGEOT-TALBOT Gar. Abrial, ✆ 71 08 72 20 N
RENAULT Gar. de Chapteuil, ✆ 71 08 72 79 N ✆ 71 08 72 79
Gar. Roubin, ✆ 71 08 70 35 N

ST-JULIEN-DE-JORDANNE **15** Cantal 76 ② – alt. 920 – ✉ **15590** Lascelle Mandailles.
Voir Vallée de Mandailles★★, G. Auvergne.
Paris 592 – Aurillac 24 – Mauriac 54 – Murat 37.

Touristes, ✆ 71 47 94 71, ≤, – P
vacances de Pâques-30 sept. et vacances scolaires d'hiver – SC : **R** 50/100 – 13,50 – **18 ch** 55/120 – P 130/150.

ST-JULIEN-D'EMPARE **12** Aveyron 79 ⑩ – rattaché à Figeac.

ST-JULIEN-DU-VERDON **04** Alpes-de-H.-Pr 81 ⑱ **G. Côte d'Azur** – 67 h. alt. 914 – ✉ **04170** St-André-les-Alpes.
Voir E : Clue de Vergons★.
Paris 793 – Castellane 14 – Digne 50 – Puget-Théniers 38.

Le Pidanoux, ✆ 92 89 05 87, ≤ – P
15 mars-15 déc. – SC : **R** 52/76 – 13 – **17 ch** 112/170 – P 175/191.

ST-JULIEN-EN-CHAMPSAUR **05** H.-Alpes 77 ⑯ – 258 h. alt. 1 140 – ✉ **05500** St-Bonnet-en-Champsaur.
Paris 657 – Gap 17 – ♦Grenoble 95 – La Mure 57 – Orcières 20.

Les Chenêts , ✆ 92 50 03 15 – wc wc . AE E VISA
21 déc.-29 sept. – SC : **R** 58/65 – 25 – **20 ch** 135/175 – P 150/180.

ST-JULIEN-EN-GENEVOIS **74160** H.-Savoie 74 ⑥ – 6 911 h. alt. 461.
Country Club de Bossey ✆ 50 43 75 25.
Paris 522 – Annecy 34 – Bonneville 35 – ♦Genève 9 – Nantua 55 – Thonon-les-Bains 45.

Savoie M sans rest, **av. L.-Armand** ✆ **50 49 03 55** – wc wc P. AE E VISA
SC : 20 – **20 ch** 147/220.

Le Soli M sans rest, **r. Mgr. Paget** ✆ **50 49 11 31** – wc wc P
fermé 23 déc. au 5 janv. – SC : 20 – **25 ch** 140/185.

XXX ❀ **Diligence et Taverne du Postillon** (Favre), av. Genève ✆ **50 49 07 55** – . AE VISA
fermé 1er au 20 juil., 30 déc. au 10 janv., dim. soir et lundi – SC : **R Taverne** (sous-sol) 110/250
Spéc. Truite (mars à oct.), Morilles (mars à juin), Pigeonneau en cocotte. **Vins** Crépy, Mondeuse.

XXX ❀ **Abbaye de Pomier** (Mathon), S : 8 km par N 201 et VO ✆ 50 04 40 64, « Terrasse avec ≤ campagne genevoise », – P. E VISA
fermé 4 janv. au 5 mars, merc. midi et mardi – SC : **R** 200/250
Spéc. Feuilleté de grenouilles, Filet de bar aux aromates, Fondant au chocolat. **Vins** Apremont, Chignin.

au Col du Mont-Sion S : 9,5 km – ✉ **74350** Cruseilles :

H. Rey M, ✆ **50 44 13 29,** ≤, **parc,** , – TV wc wc P. E VISA. ch
fermé 30 oct. au 13 nov. et 4 au 29 janv. – SC : **R** voir rest. **Clef des Champs** – 21 – **31 ch** 188/247 – P 272/296.

XX **Clef des Champs** avec ch, ✆ **50 44 13 11,** ≤, **parc,** , , – wc wc P. E VISA
fermé 30 oct. au 14 nov., 4 au 29 janv., vend. midi et jeudi sauf juil.-août – SC : **R** 57/180 – 20 – **9 ch** 75/180 – P 204/254.

OPEL Leclerc et Maréchal, rte d'Annecy ✆ 50 49 28 31
PEUGEOT-TALBOT Rey et Dufosset, 3 r. de la Platière ✆ 50 49 28 33
RENAULT Rond-Point-Auto, rte d'Annemasse ✆ 50 49 07 35

ST-JULIEN-LA-VÊTRE **42** Loire 73 ⑰ – rattaché à Noirétable.

ST-JULIEN-SUR-CHER **41** L.-et-Ch. 64 ⑱⑲ – rattaché à Villefranche-sur-Cher.

ST-JUNIEN 87200 H.-Vienne 72 ⑥ **G. Périgord** – 11 194 h. alt. 179.

Voir Collégiale★ BY **B.**

Office de Tourisme pl. Champ-de-Foire (1er juin-15 sept.) ℘ 55 02 17 93.

Paris 441 ① – Angoulême 73 ③ – Bellac 33 ① – Confolens 27 ③ – ♦Limoges 30 ① – Ruffec 70 ③.

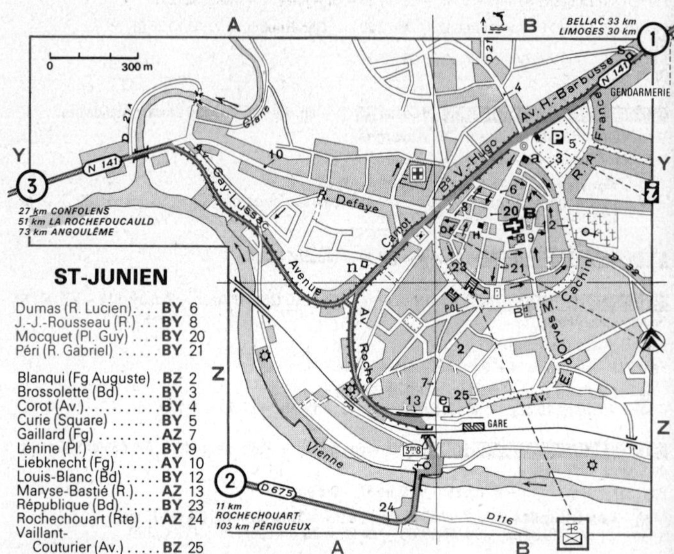

Relais de Comodoliac M, 22 av. Sadi-Carnot ℘ 55 02 27 26, Télex 590336, – TV ☎ ♿ P – 40. AE ⦿ E VISA AY **n**
SC : **R** 85/117 – ☕ 25 – **28 ch** 180/260.

Concorde sans rest, 49 av. H.-Barbusse ℘ 55 02 17 08 – TV wc ⋔wc ☎ P. AE E VISA BY **s**
SC : ☕ 15,50 – **26 ch** 101/190.

Modern'H., 44 av. P.-Vaillant-Couturier ℘ 55 02 17 82 – ✻ rest BZ **e**
fermé 21 déc. au 4 janv., dim. soir et sam. sauf juil.-août – SC : **R** 44/85 – ☕ 15 – **17 ch** 65/82 – P 140/150.

XX **Le Corot** avec ch, 46 r. L.-Dumas ℘ 55 02 17 74 – ⋔. ✻ ch BY **a**
fermé fév., dim. soir et lundi – SC : **R** 95/170 🍷 – ☕ 15 – **10 ch** 67/135.

au Pont à la Planche par ① et D 675 : 5 km – ✉ **87200** St-Junien :

X **Rendez-vous des Chasseurs** avec ch, ℘ 55 02 19 73 – ▤ rest ⋔ P E
fermé 15 oct. au 15 nov. et vend. – SC : **R** 55/160 – ☕ 13 – **7 ch** 63/158 – P 150/200.

CITROEN Gar. Vigier, Le Pavillon par ① ℘ 55 02 31 29
CITROEN Gar. Carnot, 5 bd de la République ℘ 55 02 10 97
FORD Gar. Chantemerle, 13 av. d'Oradour-sur-Glane ℘ 55 02 37 37
PEUGEOT-TALBOT Europ Gar., 4 av. d'Oradour-sur-Glane par ① ℘ 55 02 16 28
RENAULT St-Junien-Autos, 49 av. Oradour-sur-Glane par ① ℘ 55 02 38 37 N

Pneus et C/c, 1 r. Montrozier ℘ 55 02 14 57

ST-JUST 01 Ain 74 ③ – rattaché à Bourg-en-Bresse.

ST-JUST-EN-CHEVALET 42430 Loire 73 ⑦ – 1 798 h. alt. 654.

Paris 395 – L'Arbresle 85 – Montbrison 47 – Roanne 30 – ♦St-Étienne 80 – Thiers 29 – Vichy 51.

Poste, r. Thiers ℘ 77 65 01 42 – ⋔wc. ⦿ VISA
fermé 15 au 30 oct., 15 au 28 fév. et mardi – SC : **R** 50/150 🍷 – ☕ 15 – **12 ch** 75/150 – P 176/220.

X **Londres** avec ch, pl. Rochetaillée ℘ 77 65 02 42 – VISA. ✻ rest
fermé 1er au 10 avril, 25 oct. au 5 nov., vend. soir et sam. sauf juil.-août – SC : **R** 48/140 🍷 – ☕ 17 – **8 ch** 75/120 – P 150.

PEUGEOT Dulac, à Juré ℘ 77 62 54 13 N
PEUGEOT, TALBOT Chaux, ℘ 77 65 04 13 N

ST-JUSTIN 40 Landes 79 ⑫ – 914 h. alt. 90 – ✉ 40240 Labastide d'Armagnac.

Paris 695 – Aire-sur-l'Adour 36 – Auch 86 – •Bordeaux 116 – Marmande 71 – Mont-de-Marsan 25.

Cadet de Gascogne, ✆ 58 44 80 77 – ⋒
fermé 1er au 15 oct., vend. soir et sam. du 4 oct. au 1er avril – SC : **R** 39/110 – 12 – **10 ch** 60/120 – P 120/140.

ST-LAGER 69 Rhône 74 ① – 881 h. alt. 222 – ✉ 69220 Belleville.

Paris 421 – Bourg-en-Bresse 47 – Charolles 66 – •Lyon 52 – Mâcon 32 – Villefranche-sur-S. 25.

Aub. St-Lager, ✆ 74 66 16 08, – AE VISA
fermé merc. – SC : **R** 68/200.

ST-LARY-SOULAN 65170 H.-Pyr. 85 ⑲ **G. Pyrénées** – 921 h. alt. 830 – Sports d'hiver : 1 700/2 450 m 3 27.

Voir Vallée d'Aure*.

Office de Tourisme ✆ 62 39 50 81, Télex 520360.

Paris 860 – Arreau 12 – Auch 103 – Luchon 44 – St-Gaudens 66 – Tarbes 69.

Motel de la Neste M, ✆ 62 39 42 79, ← – cuisinette TV wc ☎ P. AE E VISA
1er juin-30 sept. et 1er déc.-30 avril – SC : **R** 60/89 – 18 – **22 ch** 210/266.

Mir, ✆ 62 39 40 03, – wc ⋒ ☎ P.
18 mai-25 sept. et 10 déc.-10 avril – SC : **R** 70/95 – 15 – **26 ch** 150/200 – P 165/210.

Terrasse Fleurie, ✆ 62 39 40 26 – wc ⋒wc ☎ P. AE
15 mai-15 sept. et 15 déc.-15 avril – SC : **R** 56/80 – 17 – **28 ch** 75/150.

Pons "Le Dahu", ✆ 62 39 43 66, – ⋒wc P. E VISA. rest
SC : **R** 40/55 – 13 – **31 ch** 80/150 – P 135/170.

à Espiaube NO : 11 km par D 123 et VO – alt. 1 600 – ✉ 65170 St-Lary :

La Sapinière , ✆ 62 98 44 04, ← – wc ⋒wc ☎ P. rest
1er juil.-31 août et 15 déc.-20 avril – SC : **R** 45/120 – 16,50 – **17 ch** 160/195 – P 185/206.

au Pla d'Adet - à la station supérieure du téléphérique O : 13 km par D 123 – alt. 1 680 – ✉ 65170 St-Lary :

Christiania sans rest, ✆ 62 98 44 42, ← Pyrénées – wc ☎. AE ⓓ VISA
15 déc.-20 avril – SC : 21 – **24 ch** 157/223.

RENAULT Douce et Fils, ✆ 62 39 43 52

ST-LATTIER 38 Isère 77 ③ – 902 h. alt. 179 – ✉ 38840 St-Hilaire-du-Rosier.

Paris 574 – •Grenoble 68 – Romans-sur-Isère 14 – St-Marcellin 13.

Brun, Les Fauries, N 92 ✆ 76 36 54 76, – wc ⋒wc ☎ P
SC : **R** 58/120 – 14 – **11 ch** 130 – P 160/180.

Lièvre Amoureux avec ch, ✆ 76 36 50 67, , « Jardin fleuri » – wc ☎ P. AE ⓓ
fermé lundi – SC : **R** *(15 mars-15 nov. et fermé lundi)* 120/290 – 35 – **9 ch** 260/350.

Aub. Viaduc, N 92 ✆ 76 36 51 65, – P
fermé déc., lundi soir, mardi soir et merc. – SC : **R** 83/180.

ST-LAURENT-DE-COGNAC 16 Charente 72 ⑪ – rattaché à Cognac.

ST-LAURENT-DE-LA-SALANQUE 66250 Pyr.-Or. 86 ⑳ – 4 542 h.

Syndicat d'Initiative pl. Gambetta (15 juin-15 sept.) ✆ 65 28 31 03.

Paris 898 – Elne 22 – Narbonne 60 – •Perpignan 14 – Quillan 79 – Rivesaltes 10.

Commerce, r. G. Péri ✆ 68 28 02 21, – rest ⋒ ☎. ⓓ VISA.
fermé 25 oct. au 15 nov. et 23 au 28 fév. – SC : **R** *(fermé dim. soir et lundi hors sais.)* 60/130 – 17 – **26 ch** 88/175 – P 214/260.

Aub. du Pin, rte Perpignan ✆ 68 28 01 62, – ⋒wc ☎ P
fermé 22 sept. au 3 oct., 1er janv. au 3 mars, dim. soir et lundi hors sais. – SC : **R** 47 bc/140 – 16 – **20 ch** 108/230 – P 195/215.

CITROEN Gar. Formenty, ✆ 68 28 01 08 N ✆ 68 28 03 34

PEUGEOT-TALBOT Gar. Balouet, ✆ 68 28 32 73

ST-LAURENT-DE-MURE 69720 Rhône 74 ⑫ – 3 340 h. alt. 252.

Paris 479 – •Lyon 18 – Pont-de-Chéruy 16 – La Tour-du-Pin 38 – Vienne 31.

Le St-Laurent, ✆ 78 40 91 44, , parc – TV wc ⋒wc ☎ P. AE ⓓ E VISA
SC : **R** *(fermé vend. soir, dim. soir et sam.)* 60/180 – 17 – **20 ch** 132/210.

ST-LAURENT-DU-PONT 38380 Isère 77 ⑤ G. Alpes – 4 125 h. alt. 416.

Voir Gorges du Guiers Mort** SE : 2 km – Site* de la Chartreuse de Curière SE : 4 km.

Paris 527 – Chambéry 29 – •Grenoble 33 – La Tour-du-Pin 40 – Voiron 15.

Beauséjour, av. V.-Hugo ☎ 76 55 21 88 – wc ☎
hôtel ouvert 1er avril-31 oct. et fermé lundi sauf juil.-août – SC : **R** *(fermé 1er nov. au 10 déc., le soir du 10 déc. au 1er avril et lundi)* 65/140 – 16 – **16 ch** 120/150 – P 200.

CITROEN Favre, ☎ 76 55 20 24 RENAULT Roudet, ☎ 76 55 21 03
PEUGEOT-TALBOT Brille, ☎ 76 55 40 86

ST-LAURENT-DU-VAR 06700 Alpes-Mar. 84 ⑨, 195 ㉖ G. Côte d'Azur – 20 719 h. alt. 17.

Voir Corniche du Var* N – Syndicat d'Initiative à l'Hôtel de Ville ☎ 93 30 10 12.

Paris 926 – Antibes 16 – Cagnes-sur-Mer 5 – Cannes 27 – Grasse 31 – •Nice 9,5 – Vence 14.

Motel Delta 21 sans rest, rte Bord de mer ☎ 93 31 75 50, – cuisinette wc ☎ P. AE ①
15 mars-31 oct. – SC : 33 – **25 ch** 150/350.

Le Gabian, N 7 ☎ 93 31 24 95 – cuisinette wc wc ☎ P.
SC : **R** 55 – 15 – **21 ch** 166/260.

ST-LAURENT-EN-GRANDVAUX 39150 Jura 70 ⑮ G. Jura – 1 813 h. alt. 908.

Paris 446 – Champagnole 22 – Lons-le-Saunier 46 – Morez 12 – Pontarlier 60 – St-Claude 30.

Commerce, ☎ 84 60 11 41, – wc wc ☎. VISA
fermé 31 oct. au 15 déc., dim. soir et lundi d'oct. à mai – **R** 40/120 – 16 – **23 ch** 70/200 – P 200/250.

Place (chez Maurice), ☎ 84 60 13 97. VISA
fermé 15 mai au 15 juin, 15 sept. au 15 oct. et lundi – **R** (déj. seul.) 48/95.

Gar. Bouvet, ☎ 84 60 11 78

ST-LAURENT-EN-ROYANS 26 Drôme 77 ③ – 1 347 h. alt. 312 – ✉ 26190 St-Jean-en-Royans.

Paris 591 – •Grenoble 65 – Romans-sur-Isère 27 – St-Marcellin 19 – Valence 45 – Villard-de-Lans 29.

Bérard, ☎ 75 48 61 13, ,
fermé janv. et mardi sauf juil.-août – SC : **R** 60/120 – 15 – **8 ch** 65/100.

RENAULT Garage Magnan, ☎ 75 48 65 38 N

ST-LAURENT-ET-BÉNON 33112 Gironde 71 ⑰ G. Côte de l'Atlantique – 2 916 h. alt. 10.

Paris 557 – Blaye (bac) 16 – •Bordeaux 43 – Lesparre-Médoc 20.

Lion d'Or avec ch, ☎ 56 59 40 21 – P – **10 ch**.

ST-LAURENT-LE-MINIER 30 Gard 83 ⑥ – rattaché à Ganges.

ST-LAURENT-SUR-SÈVRE 85 Vendée 67 ⑤ G. Côte de l'Atlantique – 4 492 h. alt. 125 – ✉ 85290 Mortagne-sur-Sèvre.

Paris 360 – Bressuire 36 – Cholet 12 – •Nantes 62 – La-Roche-sur-Yon 60.

Hermitage, r. Jouvence ☎ 51 67 83 03 – wc wc ☎ P. VISA
SC : **R** 65/120 – 22 – **18 ch** 150/260.

à La Trique (49 M.-et-L.) N : 1 km – ✉ 85290 Mortagne-sur-Sèvre :

Baumotel La Chaumière avec ch, ☎ 51 67 88 12, ←, , parc, **« Atmosphère originale évoquant l'époque de la Vendée Militaire »**, – TV wc ☎ P – 30. AE ① E VISA
R 92/195 – 32 – **20 ch** 170/390 – P 250/450.

ST-LÉGER 17 Char.-Mar. 71 ⑤ – rattaché à Pons.

ST-LÉGER-EN-YVELINES 78 Yvelines 60 ⑧⑨, 196 ㉗ – 973 h. alt. 150 – ✉ 78610 Le Perray-en-Yvelines.

Paris 55 – Dreux 39 – Mantes-la-Jolie 43 – Montfort-l'Amaury 7,5 – Rambouillet 11 – Versailles 33.

Gros Billot, ☎ (1) 34 86 30 11, – wc wc ☎ – 30. VISA. ch
fermé 15 juil. au 5 août, 8 au 27 déc., dim. soir et lundi – SC : **R** carte 115 à 185 – 18 – **21 ch** 155/230 – P 250/300.

ST-LÉONARD-DE-NOBLAT 87400 H.-Vienne 72 ⑱ G. Périgord – 5 318 h. alt. 346.

Voir Église* : clocher** – Office de Tourisme r. R.-Salengro ☎ 55 56 25 06.

Paris 408 – Aubusson 67 – Brive-la-Gaillarde 97 – Guéret 61 – •Limoges 21.

Gd St-Léonard, rte Clermont ☎ 55 56 18 18 – wc ☎. AE ① VISA. rest
fermé 2 au 9 mai, 15 déc. au 15 janv., mardi midi et lundi hors sais. – SC : **R** 56/180 – 16 – **15 ch** 80/163.

Modern, ☎ 55 56 00 25 – ☎. E VISA
fermé fév., 14 au 20 oct., dim. soir et lundi hors sais. – SC : **R** 48/170 – 14 – **8 ch** 63/154.

à la Gare de Brignac NO : 10 km par D941 et D 124 :

Beau Site , 55 56 00 56, , parc – wc wc
fermé 28 oct. au 6 nov., vend. soir et lundi midi du 1er oct. au 1er mai – SC : **R** 48/120 – 12 – **11 ch** 62/150 – P 130/190.

CITROEN Gar. Valade, rte de Clermont 55 56 04 53
FIAT-LANCIA-AUTOBIANCHI Moderne Gar., 8 av. Champ-Mars 55 56 01 09
PEUGEOT-TALBOT Gar. Ducros, rte de Bujaleuf 55 56 17 17
RENAULT Balage Gar. Moulinjeune, bd A.-Pressemane 55 56 04 91

ST-LÉONARD-DES-BOIS 72 Sarthe 60 ⑫ **G. Normandie** – 512 h. alt. 98 – **72590** St-Georges-le-Gaultier.

Voir Alpes Mancelles★.

Syndicat d'Initiative à l'Hôtel de Ville 43 97 28 10.

Paris 21 – Alençon 20 – Fresnay-sur-Sarthe 12 – Laval 75 – ♦Le Mans 50 – Mayenne 46.

Touring H. , 43 97 28 03, Télex 722006, <, « Jardin au bord de l'eau » – – 80. AE E VISA. rest
fermé 15 déc. au 31 janv., vend. soir et sam. du 15 oct. au 15 mars – SC : **R** (dim. prévenir) 125/190 – 22 – **33 ch** 175/270 – P 235/280.

ST-LÉOPARDIN-D'AUGY 03 Allier 69 ⑬ – 518 h. alt. 308 – **03160** Bourbon-l'Archambault.

Paris 283 – Bourbon-l'Archambault 16 – Bourges 80 – Moulins 26 – Nevers 45.

Centre, 70 66 22 78 – . ch
fermé fév. et lundi soir – **7 ch.**

ST-LIEUX-LÈS-LAVAUR 81 Tarn 82 ⑨ – rattaché à Lavaur.

ST-LÔ P **50000** Manche 54 ⑬ **G. Normandie** – 24 792 h. alt. 14.

Voir Haras★ B

Office de Tourisme 2 r. Havin 33 05 02 09 avec A.C.O. 33 57 06 49.

Paris 303 ③ – ♦Caen 63 ② – Cherbourg 77 ⑧ – Fougères 96 ⑥ – Laval 135 ⑥ – ♦Rennes 131 ⑥.

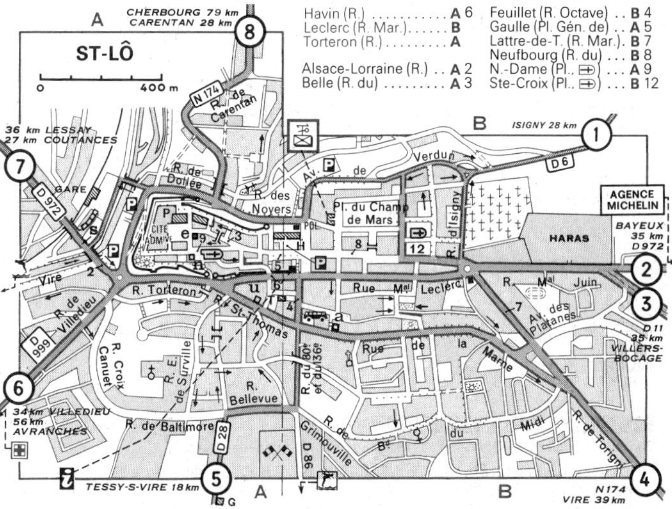

Le Marignan, pl. Gare 33 05 15 15, <, – wc wc . E — A s
fermé 7 au 22 fév. – SC : **R** 49/260 – 19 – **18 ch** 70/210 – P 200/300.

Gd H. Univers, 1 av. Briovère 33 05 10 84, < – wc wc – 30 à 50. AE VISA — A s
fermé 25 janv. au 9 fév. et week-ends de nov. à avril – SC : **R** 44/90 – 15 – **24 ch** 100/170.

Voyageurs, 5 av. Briovère 33 05 08 63, <, – wc wc . AE E VISA — A s
fermé 15 déc. au 15 janv., dim. soir et lundi sauf juil.-août – SC : **R** 52/130 – 16 – **15 ch** 76/215 – P 155/205.

Terminus, 3 av. Briovère ✆ 33 05 08 60, ≤ – ⋒wc ☎. E VISA. ✻ ch A s
fermé 15 déc. au 10 janv. – SC : **R** *(fermé dim.)* 45/65 – Brasserie **R** carte environ 60 – ☕ 15,50 – **15 ch** 85/160 – P 195/230.

Régence sans rest, 18 r. St-Thomas ✆ 33 05 50 80 – ⌂wc ⋒wc. ✻ A u
fermé janv. et dim. – SC : ☕ 13 – **15 ch** 64/115.

les Remparts sans rest, 3 r. Près ✆ 33 57 08 06, – TV ⋒wc ☎. E A n
SC : ☕ 15 – **10 ch** 61/115.

Armoric sans rest, 15 r. Marne ✆ 33 05 61 32 – ⌂wc ⋒wc ☎ B a
SC : ☕ 13,50 – **20 ch** 77/153.

Crémaillère avec ch, pl. Préfecture ✆ 33 57 14 68 – TV ⌂wc. E VISA. ✻ rest
fermé 15 au 30 oct., 15 au 22 fév. et sam. du 1er oct. à Pâques – SC : **R** 60/150 – ☕ 15 – **12 ch** 74/135 – P 160/270. A e

MICHELIN, Agence, Z.I., r. L.-Jouhaux par ② ✆ **33 57 91 97**

ALFA ROMEO Manche Alfa Rte de Coutances à Agneaux ✆ 33 05 19 34
BLF Gar. Tocze, 834 av. de Paris ✆ 33 57 13 92
BMW Deléhelle, ZA la Chevalerie ✆ 33 05 15 55
CITROEN Bekaert, rte de Torigni, Z.I. de la Chevalerie par ④ ✆ 33 57 09 58 N
DATSUN Gar. Dessoude, 29 Rte de Coutances à Agneaux ✆ 33 05 30 52
MAZDA-INNOCENTI Gar. de Normandie, Promenade des Alluvions ✆ 33 05 13 20
MERCEDES-BENZ, TOYOTA Gar. des Ronchettes, rte de Torigni ✆ 33 57 00 10
OPEL Elisabeth, rte Coutances à Agneaux ✆ 33 05 30 28
PEUGEOT-TALBOT Éts Duval, av. de Paris par ② ✆ 33 57 04 50
RENAULT Legoueix, 700 av. de Paris par ② ✆ 33 57 16 44
Gar. Bazin-Bariteaud, av. Paris ✆ 33 57 67 15
Gar. Marie, 164 rte de Tessy ✆ 33 57 12 98

Lachevalerie pneus, r. Jules Vallés ZI de la Chevallerie ✆ 33 57 43 44
Lane, 1 r. Fontaine Venise ✆ 33 57 52 37
Schmitt-pneus, 290 av. de Paris ✆ 33 57 40 57

ST-LOUIS 68300 H.-Rhin 66 ⑩ – 18 753 h. alt. 225.

Paris 546 – Altkirch 28 – ♦Bâle 5 – Belfort 62 – Colmar 66 – Ferrette 24 – ♦Mulhouse 31.

Pfiffer sans rest, 77 r. Mulhouse ✆ 89 69 74 44 – |‡| ⌂wc ⋒wc ☎ 🚗 P VISA
fermé 6 au 21 juil. et 21 déc. au 12 janv. – SC : ☕ 20 – **36 ch** 115/250.

à Huningue E : 2 km par D 469 – 6 679 h. – ✉ **68330** Huningue :

Tivoli, 15 av. Bâle ✆ 89 69 73 05 – |‡| ⌂wc ⋒wc ☎ P. VISA
fermé 8 au 28 août et Noël-Nouvel An – **R** *(fermé mardi)* 80/175 – ☕ 20 – **30 ch** 170/270 – P 275.

à Village-Neuf NE : 3 km par N 66 et D 21 – ✉ **68300** St-Louis :

Mayer, 2 r. St-Louis ✆ 89 67 11 15 – P. ⓓ E VISA
fermé 1er au 23 août, 23 déc. au 1er janv. et lundi sauf avril-mai-juin – SC : **R** 80/240.

à Hesingue O : 4 km par D 419 – ✉ **68220** Hegenheim :

Au Boeuf Noir avec ch, ✆ 89 69 76 40 – P. E VISA
fermé 28 juil. au 18 août, dim. soir et lundi – SC : **R** 120/275 ₰ – ☕ 16 – **9 ch** 85/127.

à l'Aéroport de Bâle-Mulhouse NO : 5 km par N 66 et D 12 XX voir à Bâle

ALFA-ROMEO, OPEL-GM, TOYOTA Gar. Feldbauer, 20 r. des Prés ✆ 89 69 22 26
CITROEN Flury, 11 r. du Rhône ✆ 89 69 13 02
FORD Sax-Autom., 10 r. des Prés ✆ 89 67 47 94
PEUGEOT, TALBOT Gar. Ledy, pl. de l'Europe ✆ 89 69 80 35 N
RENAULT Gar. Bader, 81 av. du Gén.-de-Gaulle ✆ 89 69 00 15

Pneus et Services D. K, 65 av. du Gén.-de-Gaulle ✆ 89 69 81 08

ST-LOUIS-DE-MONTFERRAND 33 Gironde 71 ⑧ – 1 340 h. – ✉ 33440 Ambares et Lagrave.

Paris 571 – Blaye 45 – ♦ Bordeaux 14 – Libourne 36 – St-André-de-Cubzac 17.

Relais du Marais avec ch, ✆ 56 77 41 19 – ⋒ P. AE VISA. ✻
fermé 27 juil. au 25 août, 25 déc. au 2 janv., sam. soir et dim. – SC : **R** 47 bc/110 bc – ☕ 12 – **7 ch** 65/110.

ST-LOUP 03 Allier 69 ⑭ – rattaché à Varennes-sur-Allier.

ST-LOUP-SUR-SEMOUSE 70800 H.-Saône 66 ⑥ – 4 908 h. alt. 245.

Paris 356 – Bourbonne-les-Bains 48 – Épinal 50 – Gray 81 – Remiremont 32 – Vesoul 33 – Vittel 59.

Trianon, pl. J.-Jaurès ✆ 84 49 00 45 – ⌂wc ⋒wc ☎. E VISA. ✻ rest
fermé fév. et sam. midi d'oct. au 23 mars – SC : **R** 43/135 ₰ – ☕ 14 – **10 ch** 88/140 – P 140/180.

FORD Gar. Dormoy, ✆ 84 49 02 46

ST-LYPHARD 44 Loire-Atl. 63 ⑭ **G. Bretagne** – 2 364 h. alt. 12 – ✉ **44410** Herbignac.
Voir Clocher de l'église ✻★★.
Paris 436 – La Baule 17 – ♦Nantes 71 – Redon 40 – St-Nazaire 21.

XX **Le Nezil,** SO : 3 km par D 47 ☏ 40 91 41 41 – P
1er mars-30 nov. et fermé dim. soir et lundi – SC : **R** 95/165.

ST-MACAIRE-EN-MAUGES **49450** M.-et-L. 67 ⑤ – 5 415 h. alt. 96.
Paris 350 – Ancenis 39 – Angers 61 – Cholet 12 – ♦Nantes 47.

La Gâtine, ☏ 41 55 30 23 – wc – 30.
fermé 14 juil. au 15 août – SC : **R** *(fermé dim. soir et lundi)* 53/178 – 17 – **15 ch** 65/118.

ST-MACLOU 27 Eure 55 ④ – 416 h. alt. 114 – ✉ **27210** Beuzeville.
Paris 177 – Bolbec 29 – Évreux 78 – ♦Le Havre 44 – Honfleur 15 – Pont-Audemer 9.

XX **La Crémaillère** avec ch, ☏ **32 41 17 75** – VISA
fermé 24 sept. au 8 oct., 12 au 26 nov., merc. soir et jeudi – SC : **R** 70/90 – 16 – **6 ch** 70/90 – P 185/220.

ST-MAIME 04 Alpes-de-H.-Pr 81 ⑮ – rattaché à Manosque.

ST-MAIXENT-L'ÉCOLE **79400** Deux-Sèvres 68 ⑫ **G. Côte de l'Atlantique** – 9 358 h. alt. 65.
Voir Église abbatiale★ **B**.
Office de Tourisme Porte Châlon ☏ 49 05 54 05.
Paris 382 ② – Angoulême 100 ② – Niort 24 ④ – Parthenay 29 ① – Poitiers 50 ②.

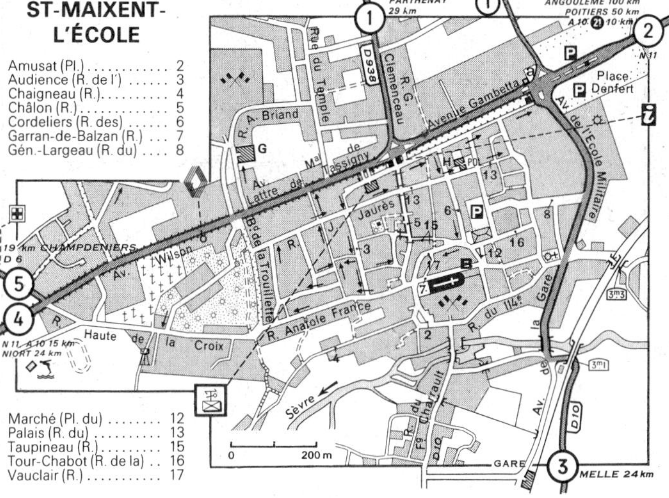

Cheval Blanc, 8 av. Gambetta **(a)** ☏ 49 05 50 06 – wc P. AE E VISA
SC : **R** 65/105 – 15 – **38 ch** 70/160.

PEUGEOT, TALBOT Brochet, 87 av. G.-Clemenceau par ① ☏ 49 76 13 42
RENAULT S.A.M.E.A., N 11, rte de Niort par ④ ☏ 49 76 10 75 N
RENAULT Gar. Mouzin, 13 av. Wilson ☏ 49 05 50 72

Gaillard-Pneus, 12 av. de Blossac ☏ 49 05 50 22

ST-MALO 35400 I.-et-V. 59 ⑥ **G. Bretagne** – 47 324 h. – Casino AXY.
Voir Site★★★ – Remparts★★★ DZ – Château★★ DZ : musée de la ville★ **M**, Tourelles de guet ✻★★, Quic-en-Groigne★ DZ **E** – Fort national★ : ≤★★ 15 mn AX – Vitraux★ de la cathédrale St-Vincent DZ – Usine marémotrice de la Rance : digue ≤★ S : 4 km.
✈ de Dinard - Pleurtuit - St-Malo : T.A.T. ☏ 99 46 15 76 par ③ : 8 km.
Office de Tourisme Esplanade St-Vincent ☏ 99 56 64 48.
Paris 415 ③ – Alençon 178 ③ – Avranches 65 ③ – Dinan 29 ③ – ♦Rennes 69 ③ – St-Brieuc 86 ③.

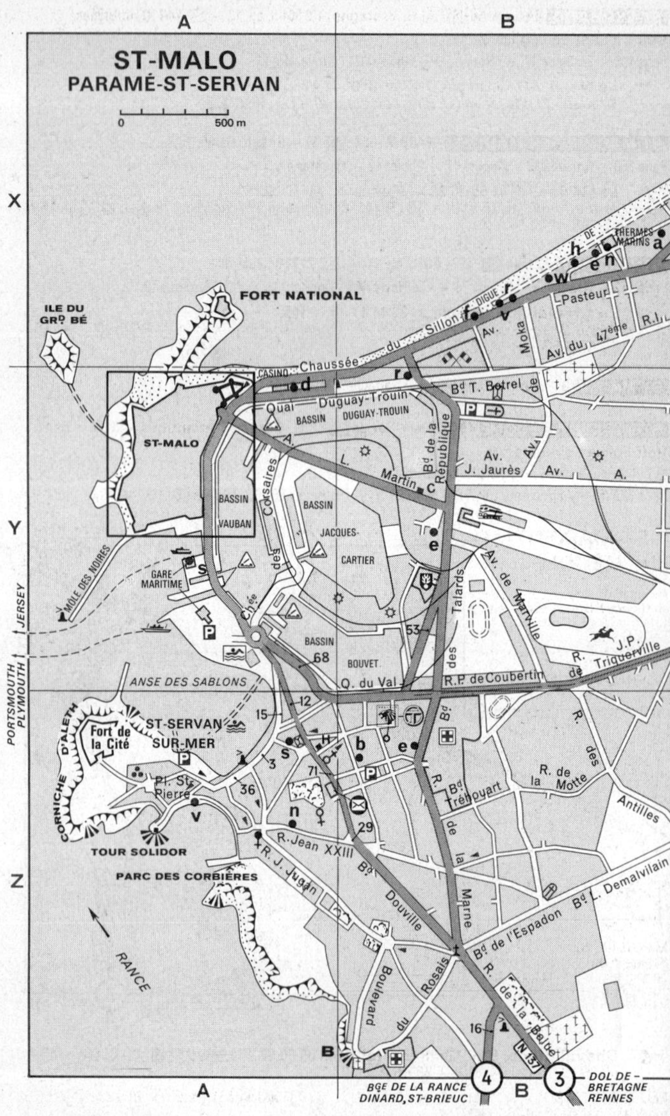

Intra muros :

Central, 6 Gde-Rue ✆ 99 40 87 70 – |ǂ| ☎ 🚗 – 25. AE ⓓ E VISA — DZ **n**
SC : **R** *(fermé janv.)* 90 – ☕ 28 – **46 ch** 245/400 – P 320/420.

Elizabeth M sans rest, 2 r. Cordiers ✆ 99 56 24 98 – |ǂ| TV wc wc ☎. AE ⓓ VISA — DZ **d**
SC : ☕ 29 – **17 ch** 250/363.

Ajoncs d'Or sans rest, 10 r. Forgeurs ✆ 99 40 85 03 – |ǂ| wc wc ☎. AE ⓓ VISA — DZ **a**
fermé 15 nov. au 25 déc. – SC : ☕ 22 – **23 ch** 215/300.

Quic en Groigne M sans rest, 8 r. d'Estrées ✆ 99 40 86 81 – TV wc wc ☎ 🚗. AE E VISA — DZ **u**
fermé fév. – SC : ☕ 22 – **15 ch** 170/240.

Broussais (R.) . . . . DZ
Clemenceau (R. G.) . . . . AZ 12
Dinan (R. de) . . . . DZ
Porcon-de-la-Bardinais (R.) . . . . . DZ 43
St-Vincent (R.) . . . . DZ 57
Ville-Pépin (R.) . . . . AZ 71

Bardelière (R. M. de la) . . . . CZ 2
Bas-Sablons (R. des) . . . . AZ 3
Chateaubriand (Pl.) . . . . DZ 8
Cordiers (R. des) . . . . DZ 13
Dauphine (R.) . . . . AZ 15
Doutreleau (R.) . . . . BZ 16
Herbes (Pl. aux) . . . . DZ 25
Lamennais (Pl. Fr.) . . . . DZ 28
Leclerc (Pl. Mar.) . . . . BZ 29
Mgr.-Duchesne (Pl.) . . . . AZ 36
Pilori (Pl. du) . . . . DZ 38
Poids-du-Roi (Pl. du) . . . . DZ 39
Poissonnerie (Pl. de la) . . . . DZ 42
Roosevelt (Av. F.) . . . . BY 53
St-Benoît (R.) . . . . DZ 56
Schuman (R. du Pr.-R.) . . . . CX 58
Trichet (Q. de) . . . . AY 68
Umbricht (R. du R.P.) . . . . CX 69
Vauban (Pl.) . . . . DZ 70

Pour aller loin rapidement, utilisez les cartes Michelin à 1/1 000 000.

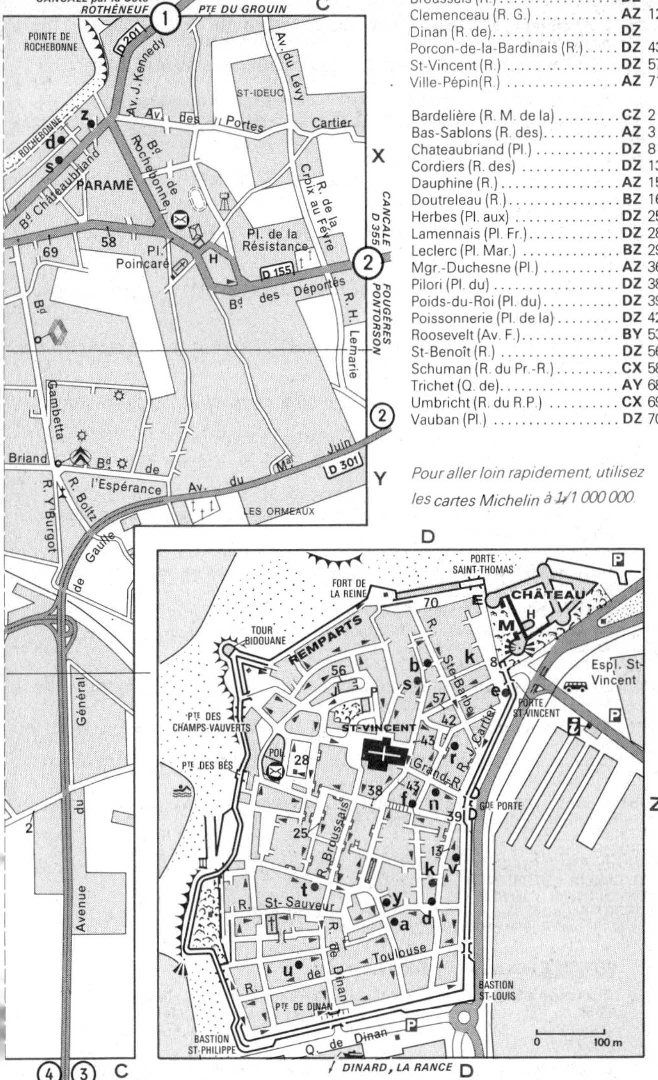

Bristol Union sans rest, 4 pl. Poissonnerie ✆ 99 40 83 36 – wc wc ☎. E VISA — DZ r
fermé 15 nov. au 31 janv. – SC : ☕ 18,50 – **27 ch** 152/230.

Jean-Bart sans rest, 12 r. de Chartes ✆ 99 40 33 88 – TV wc ☎. E VISA — DZ v
fermé janv. et fév. – SC : ☕ 21 – **17 ch** 196/250.

Louvre sans rest, 2 r. Marins ✆ 99 40 86 62 – wc ☎ — DZ f
fermé janv. – SC : ☕ 18,50 – **45 ch** 105/240.

Commerce sans rest, 11 r. St-Thomas ✆ 99 40 85 56 – wc . — DZ b
20 mars-11 nov. – SC : **42 ch** ☕ 102/225.

Noguette, 9 r. Fosse ✆ 99 40 83 57 – wc ☎. VISA. — DZ y
fermé 12 nov. au 16 déc. – SC : **R** *(fermé lundi)* 46/190 – ☕ 20 – **12 ch** 125/225 – P 208/246.

XX **L'Astrolabe,** 8 r. Cordiers ☏ 99 40 36 82 – AE ① VISA — DZ **k**
fermé 15 janv. au 15 fév., et mardi hors sais. – SC : **R** 90/162.

XX ✿ **Duchesse Anne** (Thirouard), 5 pl. Guy La Chambre ☏ 99 40 85 33, –
fermé déc., janv. et merc. – SC : **R** carte 115 à 190 — DZ **e**
Spéc. Homard grillé, Foie gras frais de canard (oct. à mai), Tarte Tatin (oct. à mai).

X **Le Chalut,** 8 r. Corne de Cerf ☏ 99 56 71 58 – ▤. AE VISA — DZ **s**
fermé oct. – SC : **R** 47/180.

X **Gilles,** 2 r. Pie qui boit ☏ 99 40 97 25 — DZ **t**
fermé 11 nov. au 12 déc., 1er au 15 mars et jeudi – SC : **R** 78.

Extra Muros :

Mercure M sans rest, **2 chaussée du Sillon** ☏ **99 56 84 84, Télex 740583,** ← – TV ☎ ♿. AE ① E VISA — AY **d**
SC : ☕ 32 – **68 ch** 295/390.

Alexandra M sans rest, **138 bd Hébert** ☏ **99 56 11 12,** ← – TV wc wc ☎ P. AE ① E VISA — BX **h**
SC : ☕ 25 – **15 ch** 250/430.

Du-Guesclin M sans rest, **1 pl. Du-Guesclin** ☏ **99 56 01 30** – wc wc ☎. AE ① E VISA — BY **r**
☕ 21 – **22 ch** 210/250.

Digue sans rest, **49 chaussée Sillon** ☏ **99 56 09 26, Télex 730736,** ← – wc ☎. AE ① VISA. — BX **r**
fin mars-mi-nov. – SC : ☕ 24 – **49 ch** 200/310, 4 appartements 510.

Alba sans rest, **sur digue** ☏ **99 40 37 18,** ← – wc wc ☎ P. E VISA — BX **w**
fermé 15 nov. au 21 déc. et 7 janv. au 1er fév. – SC : ☕ 18,50 – **24 ch** 175/200.

Logis de Brocéliande sans rest, **43 chaussée du Sillon** ☏ **99 56 86 60,** ← – TV wc ☎. VISA. — BX **v**
fermé dim. soir du 15 nov. au 15 fév. – SC : ☕ 24 – **8 ch** 200/270.

Inter-Hôtel M, **138 bd Talards** ☏ **99 82 05 10** – ▤ TV wc wc ☎ ♿ P – 30. AE ① E VISA — BZ **e**
SC : **R** 55/135 – ☕ 21 – **57 ch** 190/250 – P 271/416.

Ambassadeurs sans rest, **11 chaussée Sillon** ☏ **99 40 26 26,** ← – wc wc ☎. VISA — BX **f**
fermé 15 nov. au 15 déc. – SC : ☕ 18 – **19 ch** 140/210.

XX **Les Écluses,** gare maritime de la Bourse ☏ **99 56 81 00,** ← – P. E VISA — AY **s**
fermé janv., fév. et lundi – SC : **R** 69/120.

XX **Aub. Hermine** avec ch, **4 pl. Hermine** ☏ **99 56 31 32** – TV wc wc ☎. AE VISA. ch — BY **e**
fermé 1er au 15 oct. – SC : **R** *(fermé dim. hors saison)* 85/95 – ☕ 20 – **13 ch** 100/240 – P 310/395.

AUSTIN, OPEL-GM, ROVER, TRIUMPH Auto-Ouest, r. Gén. Patton, Z.A.C. la Madeleine ☏ 99 81 57 69
CITROEN Gar. Côte d'Émeraude, 131 bd Gambetta ☏ 99 81 66 69 N ☏ 99 82 08 97
FIAT, LANCIA-AUTOBIANCHI Gar. Leborgne, 77 bd des Talards ☏ 99 56 39 47
PEUGEOT-TALBOT Dutan, Z.A.C. La Madeleine, N 137 par ③ ☏ 99 81 95 68

RENAULT Gar. Malouins, 61 bd Gambetta ☏ 99 56 11 02
V.A.G. Gar. du Gd St-Malo, ZAC la Grassinais r. Gal de Gaulle ☏ 99 81 58 60
VOLVO Gar. Rouxel, 12 av. J.-Jaurès ☏ 99 56 14 90

Vallée-Pneu, 49 quai Duguay-Trouin ☏ 99 56 74 74

Paramé BCX du plan – ✉ **35400** St-Malo :

Thermes et rest Cap Horn M, **aux Thermes marins, 100 bd Hébert** ☏ **99 56 02 56,** ←, – ▤ rest TV ☎ ♿ P – 30. AE ① E VISA. rest — BX **n**
fermé janv. – SC : **R** 80/180 – ☕ 25 – **88 ch** 192/405, 9 appartements 473/644 – P 377/507.

La Villefromoy M sans rest, **7 bd Hébert** ☏ **99 40 92 20,** – TV wc ☎ ♿ P. AE ① E VISA — CX **s**
SC : ☕ 28 – **25 ch** 260/420.

Gd H. Courtoisville , **69 bd Hébert** ☏ **99 40 83 83,** – TV wc wc ☎ ♿ P. — BX **a**
fin mars-mi nov. – SC : **R** 75/80 – ☕ 22 – **40 ch** (pens. seul.) P 240/280.

Chateaubriand sans rest, **8 bd Hébert** ☏ **99 56 01 19,** ← – wc wc ☎ P. — CX **d**
15 fév.-15 nov. et 20 déc.-5 janv. – SC : ☕ 17,50 – **23 ch** 115/240.

Le Manoir , **102 bd Hébert** ☏ **99 56 11 08** – wc wc ☎. ① VISA. rest
mars-11 nov. – SC : **R** 47 – ☕ 17 – **17 ch** 80/205 – P 175/235. — BX **e**

Courlis sans rest, **9 r. Bains** ☏ **99 56 00 15** – wc P — CX **z**
15 mars-15 oct. – SC : ☕ 16 – **12 ch** 90/140.

Voir aussi ✿ à ***La Gouesnière*** **par ③ : 12 km**

St-Servan-sur-Mer (St-Malo Sud) ABZ du plan – ✉ **35400** St-Malo.

Voir Corniche d'Aleth ≤** AZ – Parc des Corbières ≤* AZ – Belvédère du Rosais* ABZ B – Tour Solidor* AZ : musée du Cap Hornier*, ≤*.

Valmarin M sans rest, 7 r. Jean-XXIII ☎ 99 81 94 76, « élégante malouinière du 18e s., parc » – TV ☎ P. AE VISA AZ **n**
fermé janv. et fév. – SC : ☕ 25 – **10 ch** 300/400.

La Korrigane M sans rest, 39 r. Le Pomellec ☎ 99 81 65 85, « demeure ancienne au confort raffiné », – TV wc ☎. AE E VISA. BZ **b**
Pâques-5 nov. – SC : ☕ 28 – **10 ch** 300/390.

Servannais, 4 r. Amiral Magon ☎ 99 81 45 50 – wc wc ☎ AZ **s**
fermé 10 janv. au 10 fév. – SC : **R** 48/200 – ☕ 27 – **47 ch** 130/280 – P 205/330.

XXX ✿ **Métairie de Beauregard** (Gonthier), par ③ et rte de Château Malo ☎ 99 81 37 06, – P. AE ⓓ VISA
15 juin-31 août – SC : **R** carte 145 à 240
Spéc. Foie gras frais de canard, Homard grillé, Poissons.

XX **L'Atre, 7 esplanade Cdt Menguy (Port Solidor)** ☎ 99 81 68 39, ≤ – AE. AZ **v**
fermé de mi-déc. à mi-janv., mardi soir hors sais. et merc. – SC : **R** 50/100 🌡.

BMW Gar. Surcouf, 16 r. de la Marne ☎ 99 81 61 74
NISSAN Gar. de la Rance, 12 bd de la Rance ☎ 99 81 89 83
PEUGEOT-TALBOT Goibert, 3 r. E.-Brouard ☎ 99 81 60 77

Service pneus, 4 bd. Trehouard, ☎ 99 81 20 93

ST-MAMET 31 H.-Gar. 85 ⑳ – rattaché à Luchon.

ST-MANDÉ 94 Val-de-Marne 56 ⑪, 101 ㉖ – voir à Paris, Environs.

ST-MARCEL 01 Ain 74 ② – rattaché à St-André-de-Corcy.

ST-MARCEL 36 Indre 68 ⑰⑱ – rattaché à Argenton-sur-Creuse.

ST-MARCEL 71 S.-et-L. 69 ⑨ – rattaché à Chalon-sur-Saône.

ST-MARCEL-D'ARDÈCHE 07 Ardèche 80 ⑨⑩ – 1 519 h. alt. 62 – ✉ **07700** Bourg St-Andéol.
Paris 640 – Montélimar 41 – Pont-St-Esprit 9,5 – Privas 68.

Jardin, ☎ 75 04 66 10 –
avril-sept. et fermé lundi sauf fériés – SC : **R** 55/100 – ☕ 12,50 – **20 ch** 88 – P 135/155.

RENAULT Gar. Chalvesche, ☎ 75 04 65 54 N

ST-MARCELLIN 38160 Isère 77 ③ G. Vallée du Rhône – 6 935 h. alt. 281.

Syndicat d'Initiative à l'Hôtel de Ville ☎ 76 38 41 61.

Paris 563 ① – Die 72 ③ – ♦Grenoble 55 ② – Valence 44 ④ – Vienne 75 ① – Voiron 36 ②.

Savoyet-Serve (annexe M), 16 bd Gambetta (a) ☎ 76 38 04 17 – wc wc ☎ P – 50. E VISA
fermé janv., dim. soir et lundi midi sauf en été – SC : **R** 92/165 🌡 – ☕ 23 – **76 ch** 80/300 – P 200/300.

Baillet (R. J.)	2	Provence (Av.)	9
Beauvoir (R.)	3	Riondel (Bd)	12
Brenier-de-Montmorand (R.)	4	St-Laurent (R.)	13
Champ de Mars	5	Stendhal (Bd B.)	14
Durivail (R. A.)	6	Vercors (Av. du)	16
Gambetta (Bd)	7	Vinay (Fg de)	17
Gare (Av. de la)	8	19 Mars 1962 (R. du)	19

CITROEN Gar. Costaz, 16 avenue des Alpes ☎ 76 38 09 25
FORD Giraud, 4 rte de Romans ☎ 76 38 07 06
OPEL Lascoumes, 27 av. Provence ☎ 76 38 12 34 N ☎ 76 38 33 48
PEUGEOT-TALBOT Cuzin, rte de Chatte par av. Dr Carrier ☎ 76 38 25 90
V.A.G. Gar. Jourdan, 6 r. St-Laurent ☎ 76 38 14 74

Mouren, 19 av. Provence ☎ 76 38 01 14

ST-MARCELLIN-DE-VARS 05 H.-Alpes 77 ⑱ – rattaché à Vars.

ST-MARC-SUR-MER 44 Loire-Atl. 63 ⑭ – ✉ **44600** St-Nazaire.
Paris 441 – La Baule 12 – ♦Nantes 69 – Pornic 36 – St-Nazaire 8.

La Plage , ☎ 40 91 99 01, ≤ – wc ☎ P – 40. rest
SC : **R** *(fermé dim. soir et lundi)* 46/107 – ☕ 16 – **33 ch** 105/160 – P 190/208.

ST-MARS-LA-JAILLE 44540 Loire-Atl. 63 ⑱ – alt. 28.
Paris 328 – Ancenis 18 – Angers 51 – Chateaubriant 29 – ♦Nantes 51.

XXX **Relais St-Mars,** 1 r. Industrie ✆ 40 97 00 13. AE E VISA
fermé 4 au 24 août, vacances de fév., dim. soir et lundi – SC : **R** 80/230.

ST-MARTIN-AUX-CHARTRAINS 14 Calvados 55 ③ – rattaché à Pont-l'Évêque.

ST-MARTIN-BELLEVUE 74 H.-Savoie 74 ⑥ – rattaché à Annecy.

ST-MARTIN-D'AUXIGNY 18110 Cher 65 ⑪ – 1 705 h. alt. 208.
Paris 213 – Bonny-sur-Loire 60 – Bourges 15 – Gien 61 – ♦Orléans 97 – Salbris 41 – Vierzon 34.

XX **St-Georges** avec ch, à la Pipière D 940 ✉ 18110 St-Martin-d'Auxigny ✆ 48 64 50 14 – wc – 30. E VISA
fermé 16 au 22 juil. et fév. – SC : **R** 65/140 – 25 – **10 ch** 85/200.

CITROEN Pinet, ✆ 48 64 50 21 RENAULT Fachaux, ✆ 48 64 50 26

ST-MARTIN-DE-BELLEVILLE 73440 Savoie 74 ⑰ G. Alpes – 1 842 h. alt. 1 450 – Sports d'hiver : 1 450/2 703 m 6.
Paris 616 – Chambéry 92 – Moûtiers 19.

L'Edelweiss, ✆ 79 00 66 17 – wc . E VISA. rest
fermé 2 mai au 1er juil. et week-end de sept. au 15 déc. – SC : **R** 75/110 – 28 – **27 ch** 120/260.

XX **La Bouitte,** à St-Marcel SE : 2 km ✆ 79 00 66 27, – . AE E VISA
1er juil.-8 sept., 1er-15 nov. et 1er déc.-1er mai – SC : **R** 115/172.

Gar. des Chapelles, ✆ 79 00 61 48

ST-MARTIN-DE-BOSCHERVILLE 76 S.-Mar. 55 ⑥ – rattaché à Rouen.

ST-MARTIN-DE-CASTILLON 84 Vaucluse 81 ⑭ – rattaché à Apt.

ST-MARTIN-DE-CRAU 13310 B.-du-R. 83 ⑩ – 10 155 h. alt. 18.
Paris 726 – Arles 17 – ♦Marseille 79 – Martigues 40 – St-Rémy-de-Pr. 23 – Salon-de-Pr. 24.

Aub. des Épis, ✆ 90 98 41 17, – wc . AE E VISA
fermé 1er fév. au 6 mars, dim. soir et lundi hors sais. – SC : **R** 61/150 – 20 – **12 ch** 90/194.

Crau-Pneus, rte de Salon, quartier Lion d'Or ✆ 90 47 00 74

ST-MARTIN-DE-LA-PLACE 49 M.-et-L. 64 ⑫ – 1 019 h. alt. 25 – ✉ **49160** Longué.
Voir Château de Boumois★ SE : 3 km, G. Châteaux de la Loire.
Paris 287 – Angers 38 – Baugé 28 – La Flèche 46 – Les Rosiers 7,5 – Saumur 7,5.

X **Cheval Blanc,** ✆ 41 38 42 96, . AE E VISA.
fermé 2 janv. au 15 fév., dim. soir et lundi d'oct. à juin – SC : **R** 47/200.

ST-MARTIN-DE-LONDRES 34380 Hérault 83 ⑥ **G. Causses** – 1 073 h. alt. 187.
Paris 781 – Alès 69 – Béziers 75 – Lodève 49 – ♦Montpellier 25 – Nîmes 62 – le Vigan 38.

XX **La Crèche** avec ch, NO : 5 km par D 122 et chemin privé ✆ 67 55 00 04, ←, , « Bergeries aménagées », parc, , – wc . AE E. ch
fermé fév., lundi et mardi non fériés hors sais. – SC : **R** 159/206 – 28 – **7 ch** 230/250 – P 400.

ST-MARTIN-DE-RÉ 17 Char.-Mar. 71 ⑫ – voir à Ré (Ile de).

ST-MARTIN-DE-VALAMAS 07310 Ardèche 76 ⑲ – 1 516 h. alt. 550.
Env. Ruines de Rochebonne★ : site★★ E : 7 km, G. Vallée du Rhône.
Syndicat d'Initiative r. Poste (juil.-août) et à la Mairie ✆ 75 30 41 76.
Paris 593 – Aubenas 61 – Le Cheylard 9,5 – Lamastre 30 – Privas 58 – Le Puy 67 – St-Agrève 15.

Poste, ✆ 75 30 43 79, ← – . E
fermé 20 déc. au 1er fév. – SC : **R** 43/100 – 14 – **11 ch** 60/130 – P 155/175.

CITROEN Pourtier, ✆ 75 30 41 68 N
PEUGEOT-TALBOT Agier, ✆ 75 30 44 09 N
RENAULT Gar. Mounier Frères, ✆ 75 30 40 76 N ✆ 75 29 31 85

ST-MARTIN-DU-FAULT 87 H.-Vienne 72 ⑦ – rattaché à Limoges.

ST-MARTIN-DU-LAC 71 S.-et-L. 73 ⑦ – rattaché à Marcigny.

ST-MARTIN-D'URIAGE 38 Isère 77 ⑤ – rattaché à Uriage-les-Bains.

ST-MARTIN-DU-TOUCH 31 H.-Gar. 82 ⑦ – rattaché à Toulouse.

ST-MARTIN-DU-VAR 06670 Alpes-Mar. 84 ⑨, 195 ⑯ – 1 528 h. alt. 122.

Paris 943 – Antibes 35 – Cannes 45 – ♦Nice 27 – Puget-Théniers 38 – St-Martin-V. 38 – Vence 23.

XXX ✿✿ **Issautier** (Auberge Belle Route), S : 3 km sur N 202 ✆ 93 08 10 65 – Ⓟ. AE ⓓ VISA
fermé début fév. à mi mars, dim. soir et lundi – SC : **R** (nombre de couverts limité - prévenir) 195/285 et carte
Spéc. Courgette à la coque avec sa fleur, Loup de ligne en feuillantine, Noisettes d'agneau Belle Route. **Vins** Bellet.

ST-MARTIN-EN-BRESSE 71620 S.-et-L. 69 ⑩ – 1 295 h. alt. 192.

Paris 348 – Beaune 35 – Chalon-sur-Saône 17 – ♦Dijon 68 – Dôle 54 – Lons-le-Saunier 45.

Au Puits Enchanté, ✆ 85 42 70 83 – wc ⋒ Ⓟ. E
fermé 15 janv. au 28 fév., dim. soir et mardi hors sais. – SC : **R** 65/125 – ☕ 15 – **10 ch** 94/140 – P 145/162.

ST-MARTIN-EN-HAUT 69850 Rhône 73 ⑲ – 2 969 h. alt. 736.

Paris 483 – ♦Lyon 31 – Montbrison 46 – Roanne 73 – ♦St-Étienne 49 – Vienne 36.

X **Soleil** avec ch, pl. Église ✆ 78 48 60 05 – ⓓ E. ✻
fermé sept., dim. soir et lundi – **R** 45/130 ꝺ – ☕ 15 – **12 ch** 50/85 – P 160.

CITROEN Gar. Guyot, ✆ 78 48 62 37 N

PEUGEOT-TALBOT Gar. Joannon, ✆ 78 48 63 37 N ✆ 78 48 66 06

ST-MARTIN-LA-GARENNE 78 Yvelines 55 ⑱, 196 ③ – rattaché à Mantes.

ST-MARTIN-LA-MÉANNE 19 Corrèze 75 ⑩ – 393 h. alt. 485 – ✉ **19320** Marcillac-La-Croisille.

Voir Barrage du Chastang★ SE : 5 km, **G. Périgord.**

Paris 486 – Aurillac 67 – Brive-la-Gaillarde 58 – Mauriac 51 – St-Céré 56 – Tulle 34 – Ussel 59.

Voyageurs, ✆ 55 29 11 53 – ⟹ Ⓟ. ✻ rest
fermé 4 au 18 nov., 1er au 15 fév. et dim. soir hors sais. – SC : **R** (en sais. prévenir) 48/115 – ☕ 15 – **19 ch** 59/108 – P 132.

ST-MARTIN-LE-BEAU 37 I.-et-L. 64 ⑮ **G. Châteaux de la Loire** – 2 051 h. alt. 56 – ✉ **37270** Montlouis-sur-Loire.

Paris 230 – Amboise 9,5 – Blois 45 – Loches 33 – ♦Tours 22.

XX **La Treille** avec ch, ✆ 47 50 67 17 – wc ⋒wc. VISA
fermé 15 sept. au 8 oct., 1er au 21 fév., dim. soir et lundi – SC : **R** 60/175 – ☕ 22 – **7 ch** 150/200 – P 160/200.

ST-MARTIN-LE-VINOUX 38 Isère 77 ⑤ – rattaché à Grenoble.

ST-MARTIN-VÉSUBIE 06 Alpes-Mar. 84 ⑲, 195 ⑥ **G. Côte d'Azur** (plan) – 1 156 h. alt. 960 – ✉ **06450** Lantosque.

Voir Venanson : ≤★, fresques★ de la chapelle St-Sébastien S : 4,5 km.

Env. Le Boréon★★ (cascade★) et Parc national du Mercantour★★ N : 8 km – Vallon de la Madone de Fenestre★ et cirque★★ NE : 12 km.

ℹ Office de Tourisme pl. Félix-Faure (1er juin-30 sept. et vacances scolaires) ✆ 93 03 21 28.

Paris 981 – Antibes 72 – Barcelonnette 115 – Cannes 82 – Digne 156 – Menton 75 – ♦Nice 65.

Edward's et Châtaigneraie ⛰, ✆ 93 03 21 22, « Parc » – ⋒wc ☎ Ⓟ. ✻ rest
21 juin-17 sept. – SC : **R** (résidents seul.) – **50 ch**, (pens.) – P 192/250.

ST-MARTORY 31360 H.-Gar. 82 ⑯ **G. Pyrénées** – 1 166 h. alt. 283.

Paris 776 – Auch 84 – St-Gaudens 19 – St-Girons 30 – ♦Toulouse 71.

X **France,** ✆ 61 90 21 17 – ⋒. VISA
fermé 24 au 31 déc. et sam. sauf juin à sept. – SC : **R** 36/125 ꝺ.

ST-MATHIEU (Pointe de) 29 Finistère 58 ③ – rattaché au Conquet.

ST-MATHURIN-SUR-LOIRE 49 M.-et-L. 64 ⑪ – 1 934 h. alt. 24 – ✉ **49250** Beaufort-en-Vallée.

Paris 286 – Angers 20 – Baugé 25 – La Flèche 43 – Les Rosiers 10 – Saumur 25.

XX **La Promenade,** E : 1,5 km sur D 952 ✆ 41 80 50 49, ≤ – Ⓟ. AE VISA
fermé fév., dim. soir et lundi – SC : **R** 85/170.

ST-MAURICE 94 Val-de-Marne 56 ⑪, 101 ㉖㉗ – voir à Paris, Environs.

ST-MAURICE-DE-GOURDANS 01 Ain 74 ⑬ **G. Vallée du Rhône** – 1 157 h. alt. 201 – ✉ **01800** Meximieux.

Voir Intérieur★ de l'église.

Paris 465 – Belley 63 – Bourg-en-Bresse 47 – ♦Lyon 40 – La Tour-du-Pin 49 – Vienne 55.

XX **Relais St-Maurice** avec ch, rte Meximieux ✆ 74 61 81 45, – wc **P**. VISA
fermé 1er au 15 sept., 1er au 21 janv., sam. midi et vend. – SC : **R** 60/185 – 18 – **10 ch** 80/180 – P 160/210.

ST-MAURICE-EN-TRIÈVES 38 Isère 77 ⑭⑮ – 132 h. alt. 840 – ✉ **38930** Clelles-en-Trièves.

Paris 624 – Clelles 12 – Die 50 – Gap 63 – ♦Grenoble 61 – Serres 46.

Au Bon Accueil , ✆ 76 34 70 13, ← – **P**
1er avril-30 nov. – SC : **R** 39/49 – 12 – **18 ch** 58/89 – P 110/125.

ST-MAURICE-LES-CHARENCEY 61 Orne 60 ⑤ – 508 h. alt. 204 – ✉ **61190** Tourouvre.

Paris 133 – L'Aigle 17 – Alençon 58 – Mortagne-au-Perche 22 – Verneuil 17.

XX **Le Gué Hamel,** N12 ✆ 33 25 61 17, – **P**. E
fermé mardi – SC : **R** carte 140 à 195.

CITROEN Houssay, ✆ 33 25 62 55 RENAULT Gar. Soret, ✆ 33 25 72 55 N

ST-MAURICE-SUR-MOSELLE 88560 Vosges 66 ⑧ **G. Alsace et Lorraine** – 1 774 h. alt. 549 – Sports d'hiver au Ballon d'Alsace : 900/1 250 m 3, et à la Tête du Rouge Gazon 5 .

Env. Ballon d'Alsace ★★★ 9,5 km au Sud par D 465 puis 30 mn.

Syndicat d'Initiative pl. 2 Oct.-1944 (1er juil.-31 août) ✆ 29 25 12 34 et à la Mairie ✆ 29 25 11 21.

Paris 416 – Belfort 39 – Bussang 3,5 – Épinal 57 – Thann 31 – Le Thillot 7.

Au Pied des Ballons, ✆ 29 25 12 54, ←, , – TV wc wc **P** E VISA
fermé 15 au 30 nov. – SC : **R** *(fermé lundi midi hors sais.)* 50/200 – 15,50 – **12 ch** 130/200, 10 chalets – P 160/180.

CITROEN Gar. Vuillemin, ✆ 29.25.11.23 N

ST-MAXIMIM 30 Gard 80 ⑲ – rattaché à Uzès.

ST-MAXIMIN-LA-STE-BAUME 83470 Var 84 ④⑤ **G. Provence** – 5 552 h. alt. 303.

Voir Basilique★★ – Ancien couvent royal★.

Syndicat d'Initiative à l'Hôtel de Ville (1er avril-30 sept.) ✆ 94 78 00 09.

Paris 792 – Aix-en-Pr. 43 – Brignoles 20 – Draguignan 77 – ♦Marseille 50 – Rians 23 – ♦Toulon 55.

XX **Chez Nous,** bd J.-Jaurès ✆ 94 78 02 57, – AE E VISA
fermé 15 déc. à début fév., mardi soir et merc. en hiver – SC : **R** 70/150.

FORD STP Sce Autos, chemin du Moulin ✆ 94 78 00 89 Gérard-Pneus, Z.I. N 7, ✆ 94 78 14 49

ST-MÉDARD 40 Landes 82 ① – rattaché à Mont-de-Marsan.

ST-MÉDARD-CATUS 46 Lot 79 ⑦ – rattaché à Catus.

ST-MÉDARD-EN-JALLES 33 Gironde 71 ⑨ – rattaché à Bordeaux.

ST-MICHEL-DE-MAURIENNE 73140 Savoie 77 ⑦ – 3 502 h. alt. 712.

Paris 607 – Briançon 69 – Chambéry 84 – Modane 17 – St-Jean-de-Maurienne 14.

Savoy H., r. Gén.-Ferrié ✆ 79 56 55 12 – wc . AE VISA. rest
fermé 15 juin au 7 juil., dim. soir et lundi sauf juil.-août – SC : **R** 55/145 – 18 – **18 ch** 80/200 – P 185/220.

Alpes, r. Gén.-Ferrié ✆ 79 56 21 15, – wc wc . AE E VISA
fermé 15 nov. au 15 janv. et lundi hors sais. – SC : **R** 55/130 – 16 – **22 ch** 78/150.

CITROEN Gar. Gros, ✆ 79 56 53 61 N Gar. Juillard, ✆ 79 56 55 85 N

ST-MICHEL-DES-ANDAINES 61 Orne 60 ① – rattaché à La Ferté-Macé.

ST-MICHEL-EN-GRÈVE 22 C.-du-N. 58 ⑦ **G. Bretagne** – 398 h. – ✉ **22300** Lannion.

Voir Lieue de Grève★ SO.

Paris 490 – Carhaix-Plouguer 69 – Guingamp 39 – Lannion 11 – Morlaix 27 – St-Brieuc 70.

Plage, ✆ 96 35 74 43, ← – wc . E. rest
fermé 3 janv. au 1er mars – SC : **R** 58/90 – 16 – **38 ch** 90/160 – P 200/240.

ST-MICHEL-EN-L'HERM 85580 Vendée 71 ⑪ G. Côte de l'Atlantique – 1 993 h. alt. 8.
Paris 490 – Luçon 15 – La Rochelle 44 – La Roche-sur-Yon 47 – Les Sables-d'Olonne 54.

Central, pl. Mairie ✆ 51 30 20 24, – wc Ⓟ
fermé 15 sept. au 15 oct. et lundi hors sais. – **R** 50/125 – 19 – **24 ch** 145 – P 150/200.

CITROEN Sourdonnier, ✆ 51 30 23 09

ST-MICHEL-MONT-MERCURE 85 Vendée 67 ⑮ G. Côte de l'Atlantique – 1 827 h. alt. 287 – ✉ 85700 Pouzauges – **Voir** ✳★★ de la tour de l'église.
Paris 369 – Bressuire 35 – Cholet 29 – Clisson 46 – La Roche-sur-Yon 52.

XX **Aub. Mt-Mercure,** près Église ✆ 51 57 20 26, ≤ bocage vendéen, – Ⓟ.
fermé 1er au 15 sept., mardi soir et merc. – SC : **R** 70/150.

RENAULT Genty, ✆ 51 57 21 15

ST-MICHEL-SUR-LOIRE 37 I.-et-L. 64 ⑭ – rattaché à Langeais.

ST-MICHEL-SUR-ORGE 91240 Essonne 60 ⑩, 196 ㉛, 101 ㉟ – 20 071 h.
Paris 28 – Arpajon 8,5 – Évry 13 – Melun 34.

XXX La Michodière, 86 bis rte Ste Geneviève ✆ (1) 60 15 31 76 – Ⓟ

ST-MIHIEL 55300 Meuse 57 ⑫ G. Alsace et Lorraine – 5 555 h. alt. 226 – **Voir** Pâmoison de la Vierge★ dans l'église St-Michel AZ E – Sépulcre★★ dans l'église St-Étienne BZF.
Syndicat d'Initiative pl. Halles (Pâques-oct.) ✆ 29 89 04 50 - A.C. 25 r. Carnot ✆ 29 89 10 97
Paris 291 ⑤ – Bar-le-Duc 33 ④ – ♦Metz 66 ① – ♦Nancy 62 ② – Toul 50 ③ – Verdun 35 ⑤.

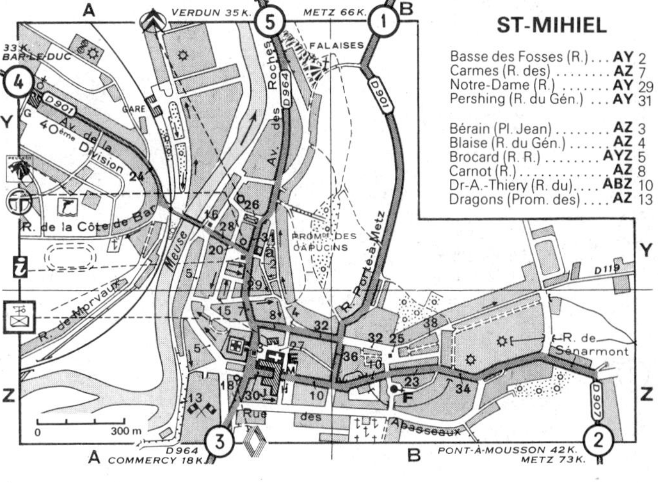

École (R. des) . . . . AZ 15
Foch (Pl.) . . . . AY 16
Fort (R. du) . . . . AZ 18
Halles (Pl. des) . . . . AY 20
Larzillère-Beudant (R.) . . . BZ 23
Libération (Av. de la) . . . . AY 24
Ligier-Richier (Pl.) . . . . BZ 25
Manège (Pl. du) . . . . AY 26
Moines (Pl. des) . . . . AZ 27
Nantes (R. de) . . . . AY 28
Palais-de-Justice (R. du) . AZ 30
Poincaré (R.) . . . . ABZ 32
Porte-à-Nancy (R.) . . . . . . BZ 34
Tête-d'Or (R. de la) . . . . . . BZ 36
Tisserands (R. des) . . . . . . BZ 38

Régence, 38 r. Basse-des-Fossés ✆ 29 89 01 05 – . E VISA AY **a**
fermé 23 déc. au 6 janv. – SC : **R** 47/140 – 17 – **12 ch** 76/140 – P 160.

à Heudicourt-sous-les-Côtes NE : 15 km par D 901 et D 133 – ✉ 55210 Vigneulles-lès-Hattonchâtel – 9 de Madine ✆ 29 89 32 50 à la base de Loisirs.

Lac de Madine (annexe cuisinette), ✆ 29 89 34 80 – wc wc ☎ Ⓟ
fermé janv. et fév. – SC : **R** *(fermé lundi hors sais.)* 54/118 – 17 – **33 ch** 73/190 – P 163/200.

CITROEN Gar. Moderne-Collin, 10 r. du Marché ✆ 29 89 05 80
PEUGEOT-TALBOT Gar. Duvergé, 5 r. Gén. Pershing ✆ 29 89 00 42
RENAULT Gar. Brix, pl. J.-Berain ✆ 29 89 05 76

ST-NABORD 88 Vosges 62 ⑯ – rattaché à Remiremont.

ST-NAZAIRE <SP> **44600** Loire-Atl. **63** ⑮ **G. Bretagne** – 68 947 h.

Voir Base de sous-marins★ et sortie sous-marine du port★ BZ – Terrasse panoramique★ BZ **B** – Pont routier de St-Nazaire-St-Brévin★.

Pont de St-Nazaire : péage en 1985 : auto 22 à 30 F (conducteur et passagers compris), auto et caravane 38 F, camion et véhicule supérieur à 1,5 t : 38 à 95 F moto 5 F, (gratuit pour vélos et piétons).

✈ de St-Nazaire-Montoir-la Baule ☎ **40 90 15 89, NE : 8 km** BY.

i Office de Tourisme pl. François-Blancho ☎ 40 22 40 65 – A.C.O. 120 av. République ☎ 40 22 46 62.

Paris 434 ① – La Baule 17 ② – ♦Nantes 62 ① – ♦Rennes 118 ① – Vannes 76 ③.

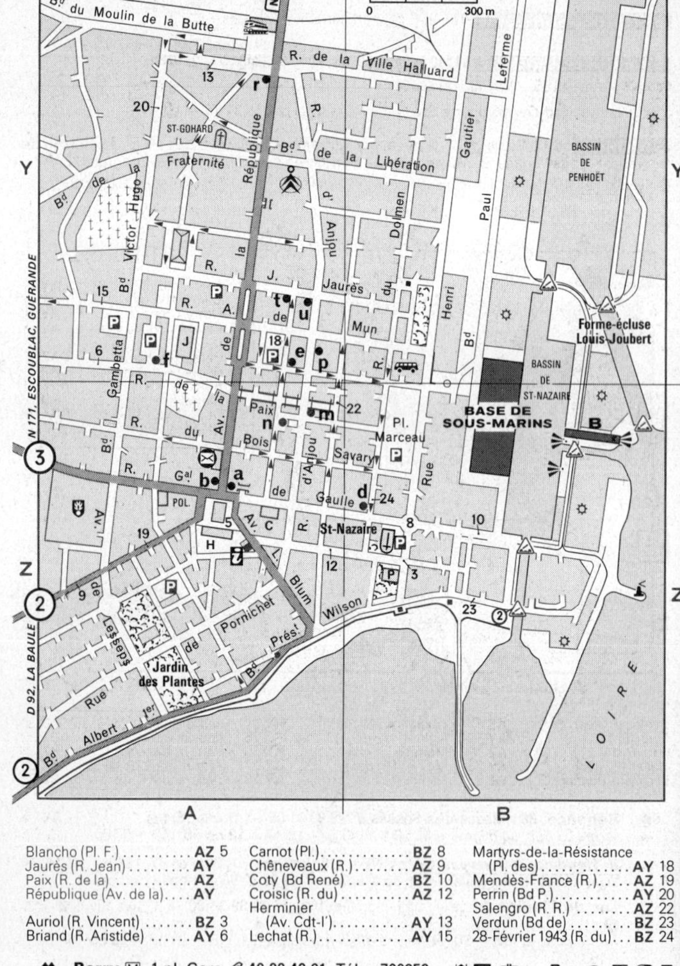

Blancho (Pl. F.) .... **AZ** 5
Jaurès (R. Jean) .... **AY**
Paix (R. de la) .... **AZ**
République (Av. de la) .... **AY**

Auriol (R. Vincent) .... **BZ** 3
Briand (R. Aristide) ...... **AY** 6
Carnot (Pl.) .... **BZ** 8
Chêneveaux (R.) .... **AZ** 9
Coty (Bd René) .... **BZ** 10
Croisic (R. du) .... **AZ** 12
Herminier (Av. Cdt-l') .... **AY** 13
Lechat (R.) .... **AY** 15
Martyrs-de-la-Résistance (Pl. des) .... **AY** 18
Mendès-France (R.) .... **AZ** 19
Perrin (Bd P.) .... **AY** 20
Salengro (R. R.) .... **AZ** 22
Verdun (Bd de) .... **BZ** 23
28-Février 1943 (R. du) ... **BZ** 24

Berry M, 1 pl. Gare ☎ **40 22 42 61, Télex 700952** – TV wc wc ☎. AE ⓓ E VISA
AY **r**
fermé 24 déc. au 2 janv. – SC : **R** 89/210 – ☕ 25 – **27 ch** 116/333 – P 265/461.

Europe sans rest, 2 pl. Martyrs-de-la-Résistance ☎ 40 22 49 87 – wc ☎ **P**. AE E VISA.
AY **e**
fermé 24 déc. au 2 janv. – SC : ☕ 18 – **38 ch** 99/247.

Parc sans rest, 27 rte Côte d'Amour (D 92) ✆ 40 70 56 74 – TV ⇔wc ☎ P. VISA. ✽
fermé 15 déc. au 2 janv. – ☕ 20 – **32 ch** 160/220.

Bretagne sans rest, 7 av. République ✆ 40 66 55 66 – |‡| ⇔wc ⇑wc ☎. AE VISA
fermé 20 déc. au 4 janv. – SC : ☕ 16,50 – **33 ch** 85/200. AZ **b**

Dauphin sans rest, 33 r. J.-Jaurès ✆ 40 66 59 61 – ⇔wc ⇑wc ☎. VISA AY **u**
SC : ☕ 15,50 – **20 ch** 98/179.

Belle Epée sans rest, 45 r. J.-Jaurès ✆ 40 22 55 93 – ⇑wc ☎. VISA AY **t**
fermé 22 déc. au 2 janv. – SC : ☕ 18 – **12 ch** 114/130.

Le Provençal, 68 r. Anjou ✆ 40 22 42 84 – ⇔ ⇑. AE ⦿ E VISA AY **p**
1er au 21 sept. et 23 déc. au 6 janv. – SC : **R** *(sam. soir et dim. hors sais.)* 45/104 – ☕ 14 – **19 ch** 87/112.

Touraine sans rest, 4 av. République ✆ 40 22 47 56 – ⇔ ⇑ ☎. VISA AZ **a**
SC : ☕ 13 – **18 ch** 59/110.

Bon Accueil avec ch, 39 r. Marceau ✆ 40 22 07 05 – TV ⇔wc ⇑wc ☎. AE ⦿ E VISA AZ **n**
fermé juil. et sam. – SC : **R** 58/140 – ☕ 21 – **12 ch** 225/250.

Moderne, 46 r. Anjou ✆ 40 22 55 88 – AE ⦿ E VISA AZ **m**
fermé lundi – SC : **R** 56/120.

Le Quimperlé, 7 r. du 28 février 1943 ✆ 40 22 53 12 – AE E VISA BZ **d**
fermé août, dim. soir et lundi – SC : **R** 59/184.

Trou Normand, 60 r. Paix ✆ 40 22 46 24 – VISA AY **f**
fermé 1er au 15 juil., vacances de fév., dim soir et lundi – SC : **R** 45/140 ♁.

rte de Pornichet par ③ : 5,5 km – ✉ **44600** St Nazaire :

Aquilon M, ✆ 40 53 50 20, Télex 700066, ⛱, ⚘ – |‡| ▤ rest TV ☎ ♿ P – ⛫ 80. AE ⦿ E VISA. ✽ rest
R 70/180 ♁ – ☕ 25 – **72 ch** 290/310 – P 360.

ALFA-ROMEO, MAZDA Bodet, 10 bd R.-Coty ✆ 40 22 32 57
AUSTIN, ROVER, TRIUMPH Gar. Hougard, 30 r. B.-Marcet à Trignac ✆ 40 90 10 08
CITROEN Minot, 49 bd Libération ✆ 40 22 55 74
DATSUN-NISSAN Europ-Auto, 63 r. d'Anjou ✆ 40 22 23 07
FIAT, MERCEDES-BENZ Rogier, bd de l'Hôpital ✆ 40 70 31 67
FORD Auto de la Côte d'Amour, 79 rte Côte d'Amour ✆ 40 70 44 10
LADA, VOLVO Gar. Dumas, 98 rte de la Côte d'Amour ✆ 40 70 08 99
OPEL Atlantic-Motors, 20 r. H.-Gautier ✆ 40 66 82 16
RENAULT Centre-Auto de l'Etoile, Voie Express St-Nazaire-Pornichet par ② ✆ 40 70 35 07 N ✆ 40 22 45 41
V.A.G. Gar. Moison, 60 r. de la Ville Halluard ✆ 40 22 30 30

⊛ la Clinique du Pneu, 18-22 bd Hôpital ✆ 40 70 07 19
Picaud-Pneus, 210 rte de la Côte d'Amour ✆ 40 70 00 39

ST-NAZAIRE-EN-ROYANS 26 Drôme **77** ③ **G. Alpes** – 576 h. alt. 175 – ✉ **26190** St-Jean-en-Royans.

Voir Monument aux fusillés de 1944 – Pont de St-Hilaire-St-Nazaire★ NO : 1 km.

Paris 578 – ♦Grenoble 61 – Pont-en-Royans 9 – Romans-sur-Isère 18 – St-Marcellin 15 – Valence 36.

Rome avec ch, ✆ 75 48 40 69, ≤ – ▤ rest ⇑ ⇔ P – ⛫ 80. AE ⦿ VISA
fermé 16 au 26 juin, 3 au 30 nov., dim. soir et lundi sauf juil.-août – SC : **R** 54/150 – ☕ 15 – **10 ch** 101.

Rest. du Royans, ✆ 75 48 40 84 – E VISA
fermé 2 au 18 juin, 22 sept. au 22 oct., mardi soir et merc. sauf juil.-août – SC : **R** 59/145 ♁.

ST-NECTAIRE 63710 P.-de-D. **73** ⑭ **G. Auvergne** (plan) – 650 h. alt. 760 – Stat. therm. (25 mai-30 sept.).

Voir Église★★ : trésor★★ – Puy de Mazeyres ✳★ E : 3 km puis 30 mn.

ℹ Office de Tourisme Anciens Thermes (25 mai-30 sept.) ✆ 73 88 50 86.

Paris 431 – ♦Clermont-Ferrand 43 – Issoire 26 – le Mont-Dore 25.

Le Savoy, ✆ 73 88 50 28, ⚘ – |‡| ⇔wc ⇑wc ☎. ✽ rest
23 mai-20 sept. – SC : **R** (pour résidents seul.) – ☕ 16 – **32 ch** 75/185 – P 150/190.

Paix, ✆ 73 88 50 20, ⚘ – ⇑wc ☎ P
25 mai-30 sept. – SC : **R** 36/80 – ☕ 16,50 – **27 ch** 121/145 – P 180/200.

à Rivalet E : 7 km sur D 996 – ✉ **63320** Montaigut-le-Blanc :

Le Rivalet, ✆ 73 96 73 92, ⚘ – P. AE ⦿ VISA
fermé 2 au 31 janv., lundi et mardi hors sais. – SC : **R** 75/150.

ST-NEXANS 24 Dordogne **75** ⑮ – rattaché à Bergerac.

ST-NICOLAS-DES-EAUX 56150 Morbihan 63 ② G. Bretagne.

Paris 465 – Lorient 48 – Pontivy 16 – Quimperlé 47 – Vannes 48.

- **Vieux Moulin,** ✆ 97 51 81 09, – wc ® . VISA
fermé fév., dim. soir et lundi du 1er sept. au 31 mai – SC : **R** 53/160 – 18 – **12 ch** 83/170 – P 162/206.

ST-NICOLAS-LA-CHAPELLE 73 Savoie 74 ⑦ – rattaché à Flumet.

ST-NICOLAS-LÈS-ARRAS 62 P.-de-C. 53 ② – rattaché à Arras.

ST-NIZIER-DU-MOUCHEROTTE 38 Isère 77 ④ G. Alpes – 515 h. alt. 1 160 – Sports d'hiver : 1 160/1 300 m 4 – ✉ 38250 Villard-de-Lans.

Voir Le Moucherotte *** S : par téléphérique – Belvédère **.

Syndicat d'Initiative (1er juil.-1er sept. et 15 déc.-15 avril) ✆ 76 53 40 60.

Paris 577 – ♦Grenoble 17 – Villard-de-Lans 18.

- **Le Concorde,** ✆ 76 53 42 61, – wc wc ® . ch
fermé 24 oct. au 19 déc. – SC : **R** 62/120 – 16,50 – **30 ch** 110/168 – P 172/305.

ST-OMER 62500 P.-de-C. 51 ③ G. Flandres, Artois, Picardie – 15 497 h. alt. 21.

Voir Basilique N.-Dame** AZ E – Hôtel Sandelin et musée** AZ K – Anc. chapelle des Jésuites* AZ F – Jardin public* AZ.

Env. Ascenseur des Fontinettes* 5,5 km par ②.

de la Guénée ✆ 21 93 07 60 par ⑤.

Office de Tourisme à l'Hôtel de Ville ✆ 21 98 40 88 et 52 r. Carnot (fermé août) ✆ 21 98 66 10.

Paris 255 ② – Abbeville 86 ④ – ♦Amiens 113 ② – Arras 75 ⑤ – Béthune 44 ④ – Boulogne-sur-Mer 53 ⑤ – ♦Calais 40 ⑤ – Dunkerque 39 ① – Ieper 54 ② – ♦Lille 64 ②.

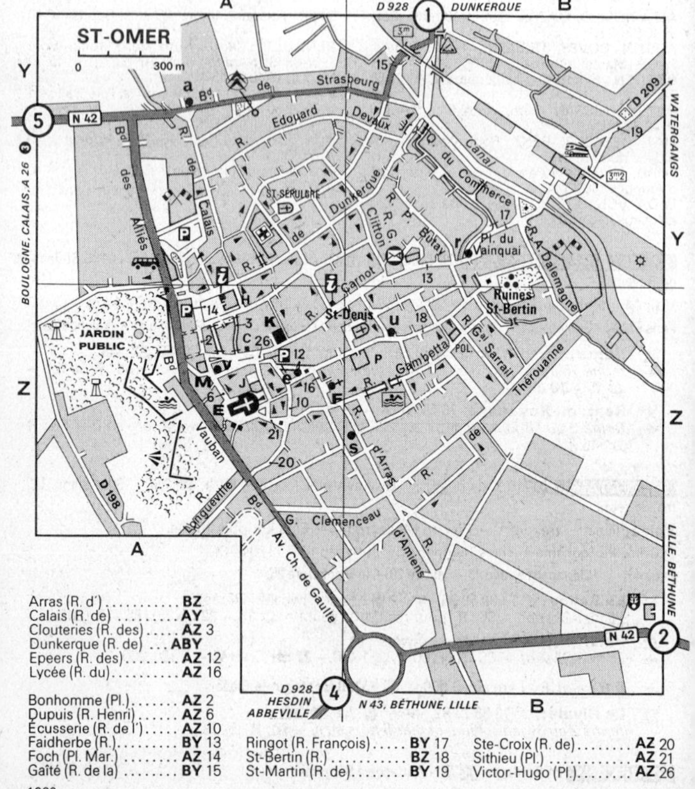

Arras (R. d') .... **BZ**	Bonhomme (Pl.) .... **AZ** 2	Ringot (R. François) ..... **BY** 17
Calais (R. de) .... **AY**	Dupuis (R. Henri) ...... **AZ** 6	St-Bertin (R.) .... **BZ** 18
Clouteries (R. des) ..... **AZ** 3	Écusserie (R. de l') ..... **AZ** 10	St-Martin (R. de) .... **BY** 19
Dunkerque (R. de) .... **ABY**	Faidherbe (R.) .... **BY** 13	Ste-Croix (R. de) .... **AZ** 20
Epeers (R. des) .... **AZ** 12	Foch (Pl. Mar.) .... **AZ** 14	Sithieu (Pl.) .... **AZ** 21
Lycée (R. du) .... **AZ** 16	Gaîté (R. de la) .... **BY** 15	Victor-Hugo (Pl.) .... **AZ** 26

Bretagne, 2 pl. Vainquai ☎ 21 38 25 78, Télex 133290 – wc wc ☎ P. AE ① VISA. ch BY **r**
SC : **R** *(fermé 14 au 30 août, 2 au 15 janv., dim. et fêtes le soir et sam.)* 150 bc **Maeva** grill *(fermé 24 déc. au 2 janv., sam. midi et lundi)* - **R** 57 bc – 18 – **31 ch** 140/250.

St-Louis sans rest, 25 r. Arras ☎ 21 38 35 21 – wc wc ☎. E VISA BZ **s**
fermé 25 déc. au 1er janv. – SC : 17,50 – **20 ch** 80/161.

Ibis M, 2 r. H.-Dupuis ☎ 21 93 11 11, Télex 135206 – TV wc ☎ & P – 40. E VISA AZ **v**
SC : **R** carte environ 85 – 25 – **43 ch** 202/240 – P 257/340.

La Truye qui File, 8 r. Bleuets ☎ 21 38 41 34 – VISA BZ **u**
fermé août, dim. soir et lundi sauf fériés – SC : **R** 90/160.

Le Cygne, 8 r. Caventou ☎ 21 98 20 52 – AE E VISA AZ **e**
fermé 10 au 31 déc., sam. midi et mardi – SC : **R** 68/120.

Crémaillère, 12 bd Strasbourg ☎ 21 38 42 77 – AE E VISA AY **a**
fermé 21 juil. au 11 août, 22 déc. au 5 janv., dim. soir et lundi – **R** 46/87.

à Tilques par ⑤, N 43 et VO : 6 km – ✉ 62500 St-Omer :

Le Vert Mesnil , ☎ 21 93 28 99, Télex 133360, ←, parc, – TV wc ☎ & P – 40 à 80. AE ① E VISA. rest
SC : **R** *(fermé sam. midi)* 65/200 – 26 – **40 ch** 230/420 – P 290/360.

ALFA-ROMEO, MAZDA Obry, 13 av. L.-Blum à Arques ☎ 21 98 41 43
AUSTIN-ROVER Gar. Molmy, 83 av. L.-Blum à Longuenesse ☎ 21 38 12 07
CITROEN Gar. Boulant, 35 r. Jean Derheims ☎ 21 38 20 88 N ☎ 21 98 42 13
FORD Gar. de l'Europe, Centre Cial Maillebois à Longuenesse ☎ 21 98 72 98
OPEL-GM Gar. Lemoine, Zone Ind. Fort Maillebois à Longuenesse ☎ 21 38 11 87
PEUGEOT-TALBOT SADA-Damide, r. St-Adrien - prolongée à Longuenesse ☎ 21 98 04 44 N ☎ 21 98 49 10
RENAULT Gar. Audomarois, rte d'Arques à Longuenesse par ② ☎ 21 38 25 77 N
V.A.G. Gar. Delattre, rte Nat. de Calais à Salperwick ☎ 21 93 68 37

Comptoir du Pneumatique, 47 r. Faidherbe ☎ 21 38 34 84
Equipneu, r. du Lobel, Zone Ind., Arques ☎ 21 38 42 43

ST-OMER-EN-CHAUSSÉE 60860 Oise 55 ⑨ – 1 132 h. alt. 101.

Paris 88 – Aumale 35 – Beauvais 13 – Breteuil 33 – Gournay-en-Bray 28 – Poix 31.

Aub. de Monceaux, aux Monceaux S : 1 km sur D 901 ☎ 44 84 50 32, , – P. VISA
fermé 16 au 24 juil., janv., merc. soir et jeudi – SC : **R** carte 135 à 235.

ST-OUEN 93 Seine-St-Denis 55 ⑳, 101 ⑮ – voir à Paris, Environs.

ST-OUEN-L'AUMÔNE 95 Val-d'Oise 55 ⑳, 196 ⑥, 101 ② – rattaché à Cergy Pontoise.

ST-OYEN-MONTBELLET 71 S.-et-L. 69 ⑲⑳ – rattaché à Fleurville.

ST-PAIR-SUR-MER 50380 Manche 59 ⑦ G. Normandie – Casino.

Office de Tourisme pl. Eglise (15 juin-15 sept.) ☎ 33 50 52 77.

Paris 350 – Avranches 23 – Granville 3,5 – St-Lô 60.

France, ☎ 33 50 19 03
fermé nov. et merc. – SC : **R** 40/140 – 11 – **21 ch** 79/105 – P 158.

MERCEDES Drey, ☎ 33 50 21 65

ST-PALAIS 64120 Pyr.-Atl. 85 ④ G. Pyrénées – 2 205 h. alt. 51.

Syndicat d'Initiative pl. H. de Ville ☎ 59 65 71 78.

Paris 795 – ♦Bayonne 54 – Dax 55 – Pau 80 – St-Jean-Pied-de-Port 31.

Trinquet, ☎ 59 65 73 13 – wc wc ☎. VISA. ch
fermé 15 mars au 8 avril, 20 sept. au 14 oct., dim. soir et lundi sauf juil.-août – SC : **R** 60/135 – 17 – **12 ch** 90/180 – P 140/180.

Participez à notre effort permanent de mise à jour

Adressez-nous vos remarques et vos suggestions.

Cartes et guides Michelin
46 avenue de Breteuil - 75341 Paris Cedex 07

ST-PALAIS-SUR-MER 17420 Char.-Mar. 71 ⑮ G. Côte de l'Atlantique – 2 447 h. alt. 15.

Voir Sentier de la Corniche★ – La Grande Côte ★★ NO : 3 km.

9 de la Côte de Beauté ✆ 46 22 16 24 N : 3 km.

Office de Tourisme Résidence St Palais (fermé oct.) ✆ 46 23 11 09.

Paris 509 – La Rochelle 77 – Royan 5,5.

Villa Nausicaa, ✆ 46 23 14 78, ←, « jardin » – wc wc ✆ P. rest
avril-déc. et fermé lundi et mardi – SC : **R** 85/130 – 30 – **10 ch** 200/380.

Primavera , rte Gde Côte : 2 km ✆ 46 23 20 35, ←, parc, , – TV wc wc ✆ P – 30. E VISA. ch
fermé 1er nov. au 25 déc. – SC : **R** *(fermé mardi soir et merc. du 1er oct. au 30 mars)* 80/95 – 25 – **35 ch** 180/400 – P 250/350.

Le Cordouan, ✆ 46 23 10 33 – wc wc ✆ P. rest
18 mai-15 sept. – SC : **R** 85/125 – 24 – **35 ch** 135/255 – P 240/302.

Plage, ✆ 46 23 10 32 – wc ✆. VISA. ch
23 mars-fin oct. – SC : **R** 70/110 – 27 – **20 ch** 170 – P 275.

à la plage de Nauzan SE : 1,5 km – ✉ 17420 St-Palais-sur-Mer :

Téthys , ✆ 46 38 31 00, ←, – wc ✆ P
1er juin-15 sept. – SC : **R** 50/150 – 20 – **22 ch** 180 – P 230/300.

au Grallet N : 6 km par D 242 – ✉ 17920 Breuillet :

XXX **La Grange,** ✆ 46 22 72 64, , « Ancienne ferme aménagée, parc fleuri, » – P. E VISA
21 juin-6 sept. – SC : **R** carte 180 à 270.

ST-PANCRACE 06 Alpes-Mar. 84 ⑨ – rattaché à Nice.

ST-PANTALÉON 71 S.-et-L. 69 ⑦⑧ – rattaché à Autun.

ST-PARDOUX 63440 P.-de-D. 73 ④ – 378 h. alt. 600.

Paris 369 – Aubusson 105 – ♦Clermont-Ferrand 39 – Montluçon 52 – Vichy 43.

Bon Accueil, ✆ 73 97 40 02 – P
fermé 15 oct. au 15 nov. et sam. – SC : **R** 47/100 – 14 – **10 ch** 75/150 – P 140/170.

RENAULT Malleret, ✆ 73 97 40 94

ST-PARDOUX 79 Deux-Sèvres 68 ⑪ – 1 185 h. alt. 195 – ✉ 79310 Mazières-en-Gatine.

Paris 384 – Fontenay-le-Comte 53 – Niort 32 – Parthenay 11 – St-Maixent-l'École 28.

X **Voyageurs,** ✆ 49 63 40 11 – VISA
fermé lundi – SC : **R** 45/130 .

CITROEN Guérin, ✆ 49 63 40 06 PEUGEOT Gar. Martin, ✆ 49 63 40 31

ST-PARDOUX-LA-CROISILLE 19 Corrèze 75 ⑩ – 168 h. alt. 520 – ✉ 19320 Marcillac-la-Croisille.

Paris 479 – Aurillac 81 – Mauriac 45 – St-Céré 68 – Tulle 28 – Ussel 51.

Beau Site , ✆ 55 27 85 44, ←, parc, , , – wc wc ✆ P – 60. rest
début mai-fin sept. – SC : **R** (nombre de couverts limité - prévenir) 85/185 – 19 – **32 ch** 158/230 – P 175/238.

ST-PAUL 04520 Alpes-de-H.-P. 81 ⑧⑨ G. Alpes – 208 h. alt. 1 470.

Voir Site★★ du pont du Châtelet★ NE : 4,5 km.

Paris 740 – Barcelonnette 22 – Briançon 62.

ST-PAUL 06570 Alpes-Mar. 84 ⑨, 195 ㉕ G. Côte d'Azur – 2 565 h. alt. 150.

Voir Site★ – Remparts★ – Fondation Maeght★.

Office de Tourisme Maison Tour, r. Grande ✆ 93 32 86 95.

Paris 931 – Antibes 16 – Cagnes-sur-Mer 7 – Cannes 27 – Grasse 22 – ♦Nice 20 – Vence 4,5.

La Colombe d'Or, ✆ 93 32 80 02, Télex 970607, , « Peintures modernes, cadre "vieille Provence" et jardin romain » – ch TV ✆ P. AE E VISA
fermé 3 nov. au 20 déc. – **R** carte 190 à 290 – 26 – **15 ch** 580, 6 appartements 700.

par route de la Colle et des Hauts de St-Paul :

✿ **Mas d'Artigny** M , ✆ 93 32 84 54, Télex 470601, , « Luxueux ensemble hôtelier, ←, , , parc » – ch TV ✆ P – 80 à 250
SC : **R** 230/300 – 50 – **52 ch** 590/1 250, 29 appartements dont 25 avec piscine privée – P 730/1 500
Spéc. Suprême de loup à la cannelle, Terrine de chocolat aux truffes.

sur la route de la Colle, D 7 :

Le Hameau sans rest, 93 32 80 24, <, « Jardin en terrasses » – cuisinette wc wc. AE E VISA
1er fév.-31 oct. – SC : 27 – **14 ch** 210/330.

Orangers sans rest, 93 32 80 95, <, « Beau jardin » – wc
SC : 27 – **10 ch** 340/450.

Climat de France, 93 32 94 24, <, , – cuisinette TV wc wc
. VISA
SC : **R** 50/86 – 23 – **19 ch** 191/290.

Aub. dou Souleu avec ch, 93 32 80 60, < St-Paul, , , – wc wc
. AE E VISA
fermé 5 janv. au 10 fév. – SC : **R** 115/230 – 30 – **7 ch** 310/370.

ST-PAUL-DES-LANDES 15 Cantal 76 ⑪ – 1 017 h. alt. 540 – ✉ **15250** Jussac.
Paris 555 – Aurillac 12 – Figeac 65 – Laroquebrou 13 – Mauriac 61 – St-Céré 52 – Tulle 72.

Voyageurs, 71 46 30 05, –
fermé 15 au 30 juin, 15 oct. au 8 nov., dim. soir et lundi midi de nov. au 30 avril –
SC : **R** 50/80 – 12,50 – **11 ch** 68/80 – P 110/125.

RENAULT Gar. Nangeroni, 71 46 30 01 N

ST-PAUL-DE-VARCES 38 Isère 77 ④ – rattaché à Grenoble.

ST-PAUL-EN-BORN 40 Landes 78 ④⑭ – 474 h. alt. 15 – ✉ **40200** Mimizan – Paris 691 – Arcachon 58 – ♦Bordeaux 103 – Castets 56 – Labouheyre 21 – Mimizan 7 – Mont-de-Marsan 75.

L'Écureuil, 58 07 41 16 – wc . ch
fermé vacances de Noël – SC : **R** *(fermé sam. d'oct. à Pâques)* 75/90 – 17 – **12 ch** 79/141.

ST-PAUL-EN-CHABLAIS 74 H.-Savoie 70 ⑰⑱ – 1 003 h. alt. 827 – ✉ **74500** Évian-les-Bains.
Paris 564 – ♦Genève 44 – Lausanne 73 – Montreux 43 – Thonon-les-Bains 11.

Host. de Gavot , rte Thollon 50 75 30 38, <, , – wc wc .
E VISA
fermé 15 nov. au 15 déc. – SC : **R** *(fermé dim. soir et lundi hors sais.)* 75/150 – 25 – **24 ch** 165/218 – P 198/230.

ST-PAUL-LE-JEUNE 07460 Ardèche 80 ⑧ – 819 h. alt. 255.
Voir Banne : ruines de la citadelle <★ N : 5 km, G. Vallée du Rhône.
Paris 676 – Alès 30 – Aubenas 44 – Pont-St-Esprit 52 – Vallon-Pont-d'Arc 27 – Villefort 37.

Aub. de la Cocalière, S : 2,5 km D 104 75 39 81 34, – .

ST-PAUL-LEZ-DURANCE 13115 B.-du-R. 84 ④ – 485 h. alt. 254.
Paris 769 – Aix-en-Provence 35 – Cavaillon 65 – Manosque 27.

Fougassier de St Paul, 42 57 42 43 – AE E VISA
fermé 10 fév. au 25 mars, dim. soir sauf juil.-août et lundi – **R** 90/120.

RENAULT Gar. du Carouquier, D 952 42 57 41 75

ST-PAUL-LES-MONESTIER 38 Isère 77 ⑭ – rattaché à Monestier-de-Clermont.

ST-PÉ-DE-BIGORRE 65270 H.-Pyr. 82 ⑫ **G. Pyrénées** – 1 897 h. alt. 333.
Paris 797 – Laruns 41 – Lourdes 10 – Pau 31 – Pontacq 16 – Tarbes 29.

Pyrénées, 62 41 80 08 – wc wc . AE VISA
15 fév.-15 nov. – SC : **R** 47/146 – 17,50 – **43 ch** 104/130 – P 156/172.

ST-PÉE-SUR-NIVELLE 64 Pyr.-Atl. 85 ② – 3 056 h. alt. 30 – ✉ **64310** Ascain.
Paris 790 – ♦Bayonne 19 – Cambo-les-Bains 18 – Pau 131 – St-Jean-de-Luz 13.

Nivelle, 59 54 10 27 – wc. E VISA
fermé fév. – SC : **R** 67/120 – 14 – **38 ch** 80/190 – P 170/190.

à Ibarron O : 1,5 km – ✉ **64310** Ascain :

Bonnet, 59 54 10 26, Télex 541104, <, , , – wc wc – 60. AE E VISA
fermé 2 nov. au 6 déc. – SC : **R** *(fermé lundi d'oct. à mars)* 68/146 – 17 – **60 ch** 165/170 – P 220/227.

Fronton, 59 54 10 12 – . AE
fermé 15 janv. au 15 fév. et merc. hors sais. – SC : **R** 85/160 – 18 – **15 ch** 80/170 – P 150/165.

par rte de St-Jean-de-Luz et D 307 : 4 km – ✉ **64310** Ascain :

Aub. Basque , 59 54 10 15, <, « Jardin » – wc .
juin-sept. – SC : **R** (1/2 pens. seul.) – **16 ch** – 1/2 p 150/170.

ST-PÉRAY 07130 Ardèche 77 ⑪⑫ – 5 200 h. alt. 128.
Voir Ruines du château de Crussol : site★★★ et ⩤★★ SE : 2 km, G. Vallée du Rhône.
Syndicat d'Initiative 45 r. République (20 juin-4 sept.) ✆ 75 40 46 75.
Paris 562 – Lamastre 36 – Privas 39 – Tournon 14 – Valence 4.

à Cornas sur N86, au Nord : 2 km – ✉ **07130** St-Péray :

Ollier, ✆ 75 40 32 17, – VISA
fermé 16 août au 5 sept., vacances de fév., lundi soir d'oct. à mars, mardi soir et merc. – SC : **R** 53/94.

à Soyons S : 7 km par N 86 – ✉ **07130** St-Péray :

La Musardière M, quartier du Vivier ✆ 75 60 83 55, parc, – ch ☎ P – 30. AE E VISA
fermé 20 déc. au 10 janv. – SC : **R** 100/170 – 30 – **12 ch** 250/400 – P 385.

à St-Romain-de-Lerps NO : 9 km par D 287 – ✉ **07130** St-Péray.
Voir ★★★, G. Vallée du Rhône.

Château du Besset M, SO : 3 km par VO ✆ 75 58 52 22, Télex 345261, ⩤, « château sur la colline, beaux aménagements, parc, » – ☎ P – 50. AE E VISA
28 mars-26 oct. – SC : **R** carte 250 à 320 – **6 ch** 1 700, 4 appartements.

ST-PÈRE 89 Yonne 65 ⑮⑯ – rattaché à Vézelay.

ST-PHILBERT-DE-BOUAINE 85660 Vendée 67 ③ – 2 048 h. alt. 16.
Paris 405 – Cholet 53 – ♦Nantes 27 – Noirmoutier-en-l'Ile 73 – la Roche-sur-Yon 38.

Relais des Etangs, S : 1 km sur D 937 ✆ 51 41 92 44, – wc wc ☎ P – 30. E VISA
fermé 20 déc. au 5 janv. et dim. soir – SC : **R** 42/135 – 18 – **10 ch** 120/160 – P 180/200.

ST-PHILIBERT 56 Morbihan 63 ⑫ – rattaché à La Trinité-sur-Mer.

ST-PIERRE-DE-BOEUF 42410 Loire 77 ① – 1 051 h. alt. 155.
Paris 513 – Annonay 23 – ♦Lyon 50 – ♦St-Étienne 50 – Tournon 45 – Vienne 22.

La Diligence, ✆ 74 87 12 19 – P. AE
fermé 15 au 31 juil., dim. soir et lundi – SC : **R** 80/170.

ST-PIERRE-DE-CHARTREUSE 38 Isère 77 ⑤ **G. Alpes** – 563 h. alt. 888 – Sports d'hiver : 900/1 800 m 2 10, – ✉ **38380** St-Laurent-du-Pont.
Voir Terrasse de la Mairie ⩤★ – Prairie de Valombré ⩤★ sur couvent de la Grande Chartreuse O : 4 km et belvédère des Sangles ⩤★★ O : 6 km puis 30 mn – La Scia ★ par télébenne – Site★ de Perquelin E : 3,5 km – La Correrie : musée Cartusien★ du couvent de la Grande Chartreuse NO : 3,5 km.
Office de Tourisme ✆ 76 88 62 08.
Paris 537 – Belley 66 – Chambéry 40 – ♦Grenoble 29 – La Tour-du-Pin 51 – Voiron 26.

Beau Site, ✆ 76 88 61 34, ⩤, – cuisinette wc wc ☎ – 40. AE E VISA
15 mai-15 sept., 15 déc.-15 avril et fermé merc. hors sais. – SC : **R** 75/140 – 22 – **34 ch** 130/250 – P 190/260.

Nord, ✆ 76 88 61 10, – wc P
fermé 1er au 15 mai et oct. – SC : **R** 50/108 – 19 – **19 ch** 69/125 – P 155/192.

Aub. Atre Fleuri avec ch, S : 3 km sur D 512 ✆ 76 88 60 21, – P
fermé 20 au 30 juin, vacances de nov. au 26 déc., mardi soir et merc. hors sais. – SC : **R** 49/144 – 15 – **8 ch** 108/131 – P 164/182.

au Col du Cucheron N : 3,5 km par D 512 – Sports d'hiver : 1 050/1 550 m 6 – ✉ **38380** St-Laurent-du-Pont :

Chalet H. du Cucheron avec ch, ✆ 76 88 62 06, ⩤ – wc P. AE E VISA. rest
fermé 15 oct. au 15 déc. sauf week-end et mardi hors vacances scolaires – SC : **R** 58/107 – 16 – **12 ch** 78/138 – P 165/202.

ST-PIERRE-DELS-FORCATS 66 Pyr.-Or. 86 ⑯ – rattaché à Mont-Louis.

ST-PIERRE-D'ENTREMONT 38 Isère 73 Savoie 74 ⑮ **G. Alpes** – 459 h. alt. 640 – ✉ **73670** St-Pierre-d'Entremont.
Voir Cirque de St-Même★★ SE : 4,5 km – Gorges du Guiers Vif★★ et Pas du Frou★★ O : 5 km – Château du Gouvernement★ : ⩤★ SO : 3 km.
Syndicat d'Initiative (fermé matin hors sais.) ✆ 76 65 81 90.
Paris 533 – Belley 61 – Chambéry 25 – Les Échelles 12 – ♦Grenoble 50 – ♦Lyon 106.

Le Grand Som M, ✆ 79 65 80 22, ≤ – ⋒wc ☎ ♿. E
fermé 20 oct. au 20 déc., merc. hors sais. et mardi soir – SC : **R** 50/120 – ☕ 20 – **20 ch** 110/150 – P 180/210.

H. du Château de Montbel, ✆ 79 65 81 65, ≤ – ⊟wc 🚗. E. ✻
fermé fin oct. au 15 déc., dim. soir et lundi hors sais. – SC : **R** 55/130 ♁ – ☕ 17 – **10 ch** 90/155 – P 155/185.

RENAULT Sauge-Merle, Maillet, Les Echelles ✆ 79 36 62 68 N

ST-PIERRE-DES-CORPS 37 I.-et-L. 64 ⑮ – rattaché à Tours.

ST-PIERRE-DES-NIDS 53370 Mayenne 60 ② – 1 528 h. alt. 184.
Paris 206 – Alençon 15 – Argentan 45 – Domfront 48 – Laval 78 – Mayenne 48.

XX **Dauphin** avec ch, rte Alençon ✆ 43 03 52 12 – 🏞 30. VISA. ✻
fermé 19 août au 6 sept., vacances de fév., mardi soir du 6 sept. au 1er mai et merc. – SC : **R** 66/200 ♁ – ☕ 17 – **10 ch** 70/131 – P 150/180.

ST-PIERRE-D'OLÉRON 17 Char.-Mar. 71 ⑬ – voir à Oléron (Ile d').

ST-PIERRE-DU-VAUVRAY 27430 Eure 55 ⑰ – rattaché à Louviers.

ST-PIERRE-EN-FAUCIGNY 74 H.-Savoie 74 ⑦ – rattaché à Bonneville.

ST-PIERRE-LE-MOUTIER 58240 Nièvre 69 ③ G. Bourgogne – 2 261 h. alt. 214.
ℹ Syndicat d'Initiative à l'Hôtel de Ville ✆ 86 37 42 09.
Paris 261 – Autun 109 – Bourges 67 – Château-Chinon 84 – Montluçon 76 – Moulins 31 – Nevers 23.

Vieux Puits 🐦 sans rest, près Église ✆ 86 37 41 96 – ⊟ ⋒wc ☎ 🚗
fermé janv. – SC : ☕ 16,50 – **11 ch** 120/200.

XX **La Vigne-Relais Gastronomique,** rte de Decize ✆ 86 37 41 66, parc – P
fermé vacances de fév., mardi soir et merc. – SC : **R** (dim. et fêtes prévenir) 90/230.

CITROEN Gar. Belli, pl. J.-d'Arc ✆ 86 37 40 60
OPEL Puyet, RN 7 les Allières ✆ 86 37 48 26
PEUGEOT-TALBOT St-Pierroise Rép. Auto, rte de Moulins ✆ 86 37 40 74 N ✆ 86 37 46 99
RENAULT Gar. Garnaud, 26 r. du Cdt Leiffeit ✆ 86.37.42.50 N

ST-PIERRE-LÈS-AUBAGNE 13 B.-du-R. 84 ⑭ – rattaché à Aubagne.

ST-PIERRE-QUIBERON 56 Morbihan 63 ⑪⑫ – rattaché à Quiberon.

ST-POL-SUR-TERNOISE 62130 P.-de-C. 51 ⑬ – 6 322 h. alt. 87.
Paris 212 ② – Abbeville 55 ④ – Arras 34 ② – Béthune 29 ① – Boulogne-sur-Mer 74 ⑤ – Doullens 28 ③ – St-Omer 55 ⑤.

Lion d'Or, 74 r. Hesdin **(a)** ✆ 21 03 12 93, 🚗 – ⊟wc ⋒wc ☎. AE ⓓ E VISA
fermé dim. soir hors sais. sauf fêtes – SC : **R** 68/120 ♁ – ☕ 20 – **35 ch** 75/203.

CITROEN Martinage, rte Nationale à St-Michel-sur-Ternoise par ② ✆ 21 03 09 54
RENAULT Bailleul, 184 r. Béthune par ① ✆ 21 03 06 55 N

ST-POL-SUR-TERNOISE

Carmes (R. des) . . . 2
Carnot (Bd) 3
Drecq (R. J.) 4
Faidherbe (R.) . . 6
Frévent (R. de) . . 7
Gambetta (Bd) . . 9
Gaulle (Av. de) . . . 10
Hesdin (R. d') 12
Pt-Simon (R. du) . 13
Wathieumetz (R.). 15

ST-PONS-DE-THOMIÈRES 34220 Hérault 83 ⑬ G. Causses – 2 998 h. alt. 301.
Voir Grotte de la Devèze★ SO : 5 km.
ℹ Office de Tourisme pl. Foirail (Pentecôte-1er oct.) ✆ 67 97 06 65.
Paris 875 – Béziers 51 – Carcassonne 71 – Castres 51 – Lodève 73 – Narbonne 52 – St-Affrique 88.

Château de Ponderach 🐦, S : 1,2 km par rte de Narbonne ✆ 67 97 02 57, ≤, 🌳, parc – ⊟wc ☎ 🚗 P – 🏞 30. AE ⓓ E
23 mars-15 oct. – SC : **R** 145/315 – ☕ 43 – **11 ch** 200/360 – P 528/625.

au Nord : 10 km sur D 907 – ✉ 34220 St-Pons :

XX **Aub. du Cabaretou** 🐦 avec ch, ✆ 67 97 02 31, ≤ vallée et montagne, 🚗 – ⊟wc ☎ P. AE E. ✻ rest
fermé 15 nov. au 15 déc., 20 janv. au 1er mars et merc. du 1er oct. au 1er juin – SC : **R** (nombre de couverts limité - prévenir) 85/230 – ☕ 25 – **10 ch** 85/200 – P 250/300.

PEUGEOT-TALBOT Barthez, ✆ 67 97 01 86
RENAULT Prax, ✆ 67 97 01 42

ST-POURÇAIN-SUR-SIOULE 03500 Allier 69 ⑭ **G. Auvergne** – 5 433 h. alt. 237.

Voir Anc. abbatiale Ste-Croix★ AYB.

Syndicat d'Initiative bd Ledru-Rollin (25 juin-20 sept.) ☎ 70 45 32 73.

Paris 323 ① – Montluçon 59 ⑤ – Moulins 31 ① – Riom 50 ③ – Roanne 79 ② – Vichy 27 ③.

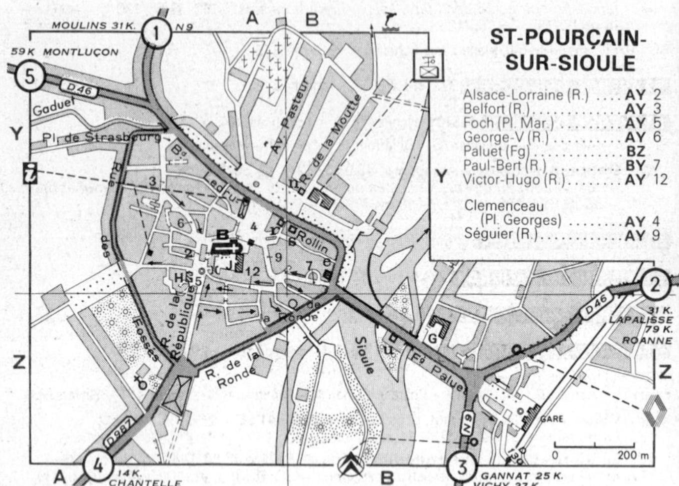

Chêne Vert, bd Ledru-Rollin ☎ 70 45 40 65, – wc ☎ – 80. AE E VISA ABY **s**
fermé 30 sept. au 10/10, 4/1 au 6/2 et hôtel : mardi d'oct. à mai ; rest. : merc. midi et mardi de sept. à juin – SC : **R** 85/200 – 18 – **35 ch** 109/200.

Le Club sans rest, r. du Chêne-Vert ☎ 70 45 43 18 – wc ☎. E AY **r**
fermé 15 nov. au 15 déc. – SC : 18 – **12 ch** 68/160.

Deux Ponts, îlot de Tivoli ☎ 70 45 41 14, – wc wc ☎ – 60 à 130. AE E VISA BZ **u**
fermé 15 nov. au 20 déc., 1er au 15 mars, lundi (sauf hôtel) et dim. soir du 15 sept. au 1er juin sauf fêtes – SC : **R** 55/165 – 18 – **28 ch** 75/180 – P 205/275.

Globe, r. M. Berthelot ☎ 70 45 30 42 – – 50. E VISA. BY **n**
fermé 2 au 16 juin, 10 oct. au 25 nov., dim. soir et lundi sauf du 1er juil. au 15 sept. – SC : **R** 52/160 – 15,50 – **15 ch** 60/98.

Host. des Cours, bd Ledru-Rollin ☎ 70 45 31 92. E BY **e**
fermé 15 nov. au 15 déc. et jeudi – SC : **R** 50/150.

CITROEN Gar. de Paris, ☎ 70 45 33 99
FORD Gaulmin, 7 pl. de la Liberté ☎ 70 45 37 39
PEUGEOT-TALBOT Gar. Orpelière, 53 fg National par ④ ☎ 70.45.31.79
RENAULT Bussonnet, 7 rte de Varennes ☎ 70 45 30 48

ST-PRIEST 69 Rhône 74 ⑫ – rattaché à Lyon.

ST-PRIEST-EN-JAREZ 42 Loire 73 ⑲ – rattaché à St-Étienne.

ST-PRIEST-TAURION 87480 H.-Vienne 72 ⑧ **G. Périgord** – 2 268 h. alt. 240.

Env. Ambazac : trésor★★ de l'Église N : 9 km par D 44.

Paris 399 – Bellac 49 – Bourganeuf 40 – ♦Limoges 14 – La Souterraine 55.

Relais du Taurion, ☎ 55 39 70 14, – E
fermé 15 déc. au 15 janv., dim. soir et lundi midi hors sais. – SC : **R** 44/128 – 15 – **11 ch** 70/130 – P 135/175.

ST-PRIVAT-D'ALLIER 43460 H.-Loire 76 ⑯ – 551 h. alt. 800.

Paris 523 – Brioude 72 – Cayres 20 – Langogne 55 – Le Puy 22 – St-Chély-d'Apcher 63 – St-Flour 72.

Vieille Auberge, ☎ 71 57 20 56 – wc wc ☎. VISA
fermé 13 oct. au 1er nov. et 12 janv. au 28 fév. – SC : **R** 46/123 – 14 – **33 ch** 75/120 – P 130/150.

ST-PROJET-DE-CASSANIOUZE 15 Cantal 76 ⑪⑫ – alt. 220 – ✉ 15340 Calvinet.

Paris 613 – Aurillac 47 – Entraygues-sur-Truyère 19 – Figeac 53 – Rodez 46 – Villefranche-de-R. 64.

Pont ⛰, ✆ 71 49 94 21, ≤, parc – ⋒wc ☏ **P**. AE E
1er avril-1er nov. – SC : **R** 38/130 – ☕ 13,50 – **17 ch** 70/120 – P 125/155.

ST-QUAY-PORTRIEUX 22410 C.-du-N. 59 ③ G. Bretagne – 3 399 h. alt. 60 – Casino.

Voir Sémaphore ≤** – Chemin de ronde ≤*.

18 des Ajoncs d'Or ✆ 96 71 90 74 O : 7 km.

Office de Tourisme et Accueil de France (Informations, change et réservations d'hôtels pas plus de 5 jours à l'avance) pl. Verdun ✆ 96 70 40 64, Telex 950702.

Paris 470 – Étables-sur-Mer 4 – Guingamp 28 – Lannion 55 – Paimpol 26 – St-Brieuc 21.

Ker Moor M ⛰, 13 r. Pt le Sénécal ✆ 96 70 52 22, Télex 950729, ≤, ⛱, 🎾 – 🛗 ☎ **P** – 🎪 30 à 50. AE ⊙ VISA. ✻ rest
1er mars-15 nov. et fermé dim. soir et lundi sauf juil.-août – SC : **R** 120 – ☕ 30 – **28 ch** 252/323.

Gerbot d'Avoine, bd Littoral ✆ 96 70 40 09 – ⋒wc ☏ **P**. E VISA. ✻ ch
fermé 23 nov. au 15 déc., 4 au 19 janv., dim. soir et lundi hors sais. – SC : **R** 53/190 ⅌ – ☕ 18 – **26 ch** 110/205.

Le Bretagne, au port ✆ 96 70 40 91, ≤ – ⋒. ✻
15 fév.-15 nov. et fermé mardi sauf de juin à sept. – SC : **R** 65/155 ⅌ – ☕ 16 – **15 ch** 85/125 – P 175/205.

FORD Gar. du Port, 46 quai de la République ✆ 96 70 40 70

RENAULT Gar. Moderne, 69 bd Mar.-Foch ✆ 96 70 40 21

ST-QUENTIN ⟨SP⟩ 02100 Aisne 53 ⑭ G. Flandres, Artois, Picardie – 65 067 h. alt. 74.

Voir Basilique* BY – Pastels de Quentin de la Tour** au musée Lécuyer AY M.

Office de Tourisme à l'Hôtel de Ville ✆ 23 67 05 00.

Paris 146 ⑥ – •Amiens 74 ⑦ – Charleroi 118 ③ – •Lille 109 ① – •Reims 96 ④ – Valenciennes 79 ①.

Plan page suivante

✻ **Gd Hôtel et rest. Président,** 6 r. Dachery ✆ 23 62 69 77, Télex 140225 – TV ☎ **P** – 🎪 40. AE ⊙ E VISA BZ **n**
R *(fermé 28 juil. au 18 août, 5 au 19 fév., dim. soir et lundi)* 125/215 – ☕ 23 – **41 ch** 243/257
Spéc. Feuilleté de truffes fraîches (fin déc. à fin fév.), Homard au four beurre blanc, Soufflé chaud à la chicorée à café.

Paix, Albert 1er et rest. Le Brésilien, 3 pl. du 8-Octobre ✆ 23 62 77 62, Télex 140225 – 🛗 TV 🛁wc ⋒wc ☎ **P** – 🎪 40. AE E VISA BZ **a**
R 73, carte le dim. – ☕ 22 – **82 ch** 115/270.

France et Angleterre sans rest, 28 r. E.-Zola ✆ 23 62 13 10, Télex 140986 – TV 🛁wc ⋒wc ☎ 🚗. AE ⊙ E VISA AZ **d**
fermé 21 déc. au 2 janv. – SC : ☕ 19 – **28 ch** 98/260.

XX **Au Petit Chef,** 31 r. Émile-Zola ✆ 23 62 28 51. AE E VISA AZ **s**
fermé 15 août au 1er sept., 24 déc. au 8 janv., vend. soir et dim. – SC : **R** 55/130 ⅌.

XX **Le Pichet,** 6 bd Gambetta ✆ 23 62 03 67 – E VISA BZ **u**
fermé lundi (sauf le midi de sept. à juin) et dim. soir – SC : **R** 80/170.

X **Le Riche,** 10 r. Toiles ✆ 23 64 12 12 – E VISA ABZ **e**
fermé 20 juil. au 10 août, 5 au 20 janv., dim. soir et mardi – **R** 60/170.

X **Univers,** 11 pl. H.-de-Ville ✆ 23 62 76 58 – ▤. AE ⊙ E VISA AZ **r**
fermé dim. – **R** 73 ⅌.

par ⑦ sur N 29 : 1 km – ✉ 02100 St-Quentin :

Campanile M, ✆ 23 09 21 22, Télex 150596, 🌳, ⛱ – TV 🛁wc ☎ ♿ **P** – 🎪 50. VISA
SC : **R** 62 bc/83 bc – ☕ 23 – **40 ch** 196/218.

à Neuville St-Amand SE : 3 km par r. du Gén.-Leclerc puis D 12 - BZ – ✉ 02100 St-Quentin :

XXX ✻ **Château** (Meiresonne), ✆ 23 68 41 82, parc – **P**. AE ⊙ E VISA
fermé 4 au 25 août, 24 au 31 déc., vacances de fév., dim. soir, merc. soir et lundi – SC : **R** (prévenir) 130/240
Spéc. Ficelle de ris de veau, Cane au cidre, Filet de boeuf aux graines de moutarde.

à Holnon par ⑦ : 6 km – ✉ 02760 Holnon :

XX **Pot d'Étain,** ✆ 23 09 61 46, 🌳, ⛱ – **P**. E VISA
R 70 bc/175.

ST-QUENTIN

Croix-Belle-Porte (R.) . . . **AY** 6
États-Généraux (R. des) . **AY** 8
Hôtel-de-Ville (Pl. de l') . . **AZ** 17
Isle (R. d') . . . . **BZ**
Lyon (R. de) . . . . **BZ** 24
Raspail (R.) . . . . **AY**
Sellerie (R. de la) . . . . **BZ** 33
Zola (R. Émile) . . . . **AZ**

Basilique (Pl. de la) . . . . **ABY** 2
Brossolette (R. Pierre) . . . **AZ** 3
Canonniers (R. des) . . . . . **AZ** 4
Danton (R.) . . . . **BZ** 7
Faidherbe (Av.) . . . . **AZ** 10
Fontaine (R.) . . . . **AZ** 12
Gaulle (Av. Gén. de) . . . . . **BZ** 13
Gouvernement (R. du) . . . **BY** 15
Lafayette (Pl.) . . . . **AY** 20
Leclerc (R. Gén.) . . . . **BZ** 21
Lécuyer (R.) . . . . **AY** 22
Le Sérurier (R.) . . . . **AY** 23
Marché-Franc
(Pl. du) . . . . **BZ** 25
Mulhouse (R. de) . . . . **BY** 26
Péri (R. Gabriel) . . . . **AZ** 27
Picard (R. Ch.) . . . . **BY** 28
Pompidou (R. G.) . . . . **AY** 29
Prés. J.-F.-Kennedy
(R. du) . . . . **AY** 30
St-André (R.) . . . . **AY** 32
Sous-Préfecture
(R. de la) . . . . **BZ** 34
Thomas (R. A.) . . . . **AY** 36
Toiles (R. des) . . . . **BZ** 37
Verdun (Bd de) . . . . **AZ** 38
Voltaire (R.) . . . . **AZ** 39
8-Octobre (Pl. du) . . . . **BZ** 41

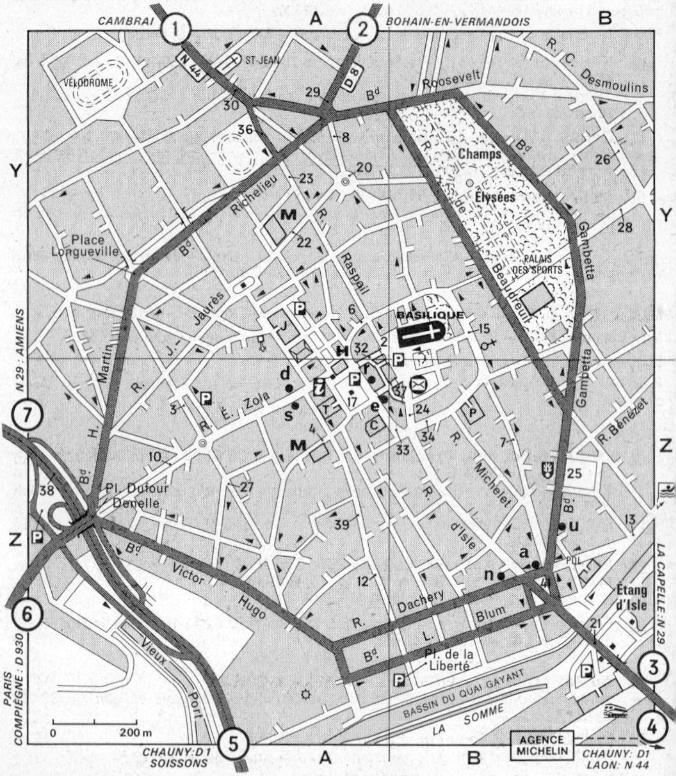

MICHELIN, Agence, 6 rte de Chauny par ④ ☎ **23 68 03 29**

BMW Auto Sport ZAC La Vallée Rte d'Amiens ☎ 23 62 39 55

CITROEN Béma ZAC La Vallée r. Parmentier par ⑦ ☎ 23 09 23 23

FIAT St-Quent'Auto, 92 av. des Fusillés-Fontaine-Notre-Dame ☎ 23 68 19 87

FORD Gar. Moderne, r. du Cdt-Raynal ☎ 23 67 14 90

OPEL Fiszel-Auto, 32 bd V.-Hugo ☎ 23 67 21 91

PEUGEOT-TALBOT Center-Auto Anc. Ets Favresse, 418 rte de Paris par ⑥ ☎ 23 62 34 23

RENAULT Gueudet, rte de Vermand par ⑦ ☎ 23 67 47 47

V.A.G. Gar. du Cambrésis, 98 r. A.-Dumas ☎ 23 62 45 43

VOLVO Ets Lesot, 52 av. Faidherbe ☎ 23 62 29 41

Ⓜ Joncourt-Pneus, 51 ter av. Gén.-de-Gaulle ☎ 23 62 59 37

Pneus-Lepilliez-Dubois, 3 pl. Basilique ☎ 23 62 33 30 et Zone Ind., r. de Picardie à Gauchy

ST-QUENTIN-SUR-LE-HOMME **50 Manche 59 ⑧ – rattaché à Avranches.**

ST-RAMBERT-D'ALBON **26140 Drôme 77 ① – 4 062 h. alt. 144.**

Paris 517 – Annonay 19 – La Côte-St-André 42 – St-Vallier 11 – Tournon 26 – Valence 50 – Vienne 29.

Croix d'Or, r. Nationale ☎ 75 31 00 35 – wc ☎ . AE ① E VISA
fermé 16 au 31 août, 15 fév. au 1er mars et dim. – SC : **R** 52/125 – 19 – **11 ch** 92/190 – P 200/235.

à Albon SE : 7 km par N7 et D301 – ✉ **26140** St-Rambert-d'Albon :

✗ **La Poule Noire,** ✆ **75 03 00 00,**

CITROEN Gar. Cochard, ✆ 75 31 01 74
RENAULT Jay-Rolland, N 7 Chanas (Isère) ✆ 75 31 00 37
RENAULT Gar. Ortega, ✆ 75 31 01 49 🅽

Um diesen Führer bestens zu nutzen, siehe Erklärungen S. 40 bis 47.

ST-RAPHAËL **83700** Var 84 ⑧, 195 ㉝ **G. Côte d'Azur** – 24 310 h. – Casino Z.

Voir Collection d'amphores★ dans le musée archéologique Y **M.**

de Valescure ✆ **94 52 16 58, NE par D 37 : 6 km.**

Office de Tourisme et A.C. r. W.-Rousseau ✆ 94 95 16 87.

Paris 874 ③ – **Aix-en-Provence 119** ③ – **Cannes 43** ④ – ♦**Marseille 131** ③ – ♦**Toulon 96** ③.

Accès et sorties : voir plan de Fréjus

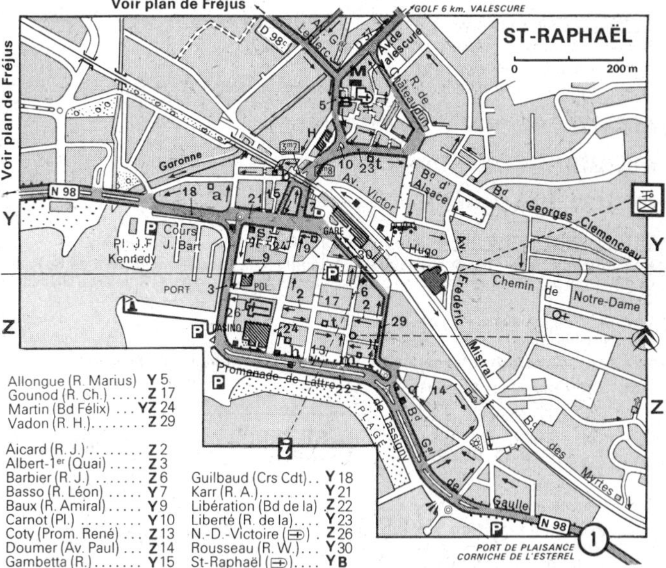

Beau Séjour sans rest, prom. Prés.-Coty ✆ **94 95 03 75,** ← – wc wc . VISA — Z **m**
1er fév.-31 oct. – **SC :** 22 – **40 ch** 240/325.

Excelsior, bd F.-Martin ✆ **94 95 02 42,** ← – wc wc . AE E VISA
SC : R 79/195 – **40 ch** 136/370, (en sais. pension seul.) – P 260/368. — Z **h**

Pastorel, 54 r. Liberté ✆ **94 95 02 36,** – wc . VISA — Y **t**
15 janv.-20 oct. – **SC : R** *(fermé dim. soir et lundi)* 78/130 – 16 – **25 ch** 150/200.

Provençal sans rest, 197 r. Garonne ✆ **94 95 01 52** – wc . VISA. — Y **a**
fermé janv. – **SC :** 17 – **28 ch** 105/230.

France sans rest, pl. Galliéni ✆ **94 95 17 03** – wc — Y **v**
fermé déc. – **SC :** 18 – **28 ch** 178.

Sélect H. sans rest, r. Boëtmann ✆ **94 95 06 22** – wc — Z **t**
16 fév.-15 nov. – 15 – **19 ch** 75/169.

✗✗✗ **La Voile d'Or,** 1 bd Gén.-de-Gaulle ✆ **94 95 17 04,** ← – AE VISA — Z **q**
fermé 15 nov. au 23 déc., mardi soir du 1er sept. au 30 juin et merc. sauf le soir en juil.-août – **SC : R** 140/185.

✗✗ **Le Tisonnier,** 70 r. Garonne ✆ **94 95 28 51** – AE E VISA — Y **b**
fermé mi-nov. à mi-déc., jeudi midi de juin à sept. et lundi – **SC : R** 82/170.

✗✗ **Sirocco,** 35 quai Albert 1er ✆ **94 95 39 99,** ←, – AE E VISA — Y **s**
fermé 30 nov. au 5 janv. et mardi du 15 sept. au 30 juin – **SC : R** 90/250.

au NE : 5 km par D 37 et rte Golf – ✉ **83700** St-Raphaël :

Golf H. de Valescure Ⓜ ⛰, ☎ 94 52 01 57, Télex 461085, ≤, parc, ☂, ⛱, 🎾 – |♦| 📺 ☎ ♿ Ⓟ – 🎓 40 à 60. AE ⦿ E VISA. ✂ rest
20 mars-15 sept. et 20 déc.-7 janv. – SC : **R** carte 150 à 220 – **40 ch** ☕ 365/456 – P 466/565.

San Pedro Ⓜ ⛰ sans rest, av. Colonel Brooke ☎ 94 52 10 24, parc – |♦| 📺 ☎ Ⓟ. AE ⦿ VISA
25 mars-30 oct. – SC : ☕ 32 – **27 ch** 389/504.

à Boulouris par ① : 5 km – ✉ **83700** St-Raphaël :

La Potinière Ⓜ ⛰, ☎ 94 95 21 43, ☂, parc, ⛱, 🎾 – 📺 ⛀wc ☎ Ⓟ. AE ⦿. ✂ rest
fermé 5 nov. au 20 déc. – SC : **R** *(fermé jeudi du 1er oct. au 31 mars)* 100/195 – ☕ 27 – **21 ch** 280/380, 4 appartements 460, (en sais. pension seul.).

CITROEN Gar. Bacchi, 658 av. de Verdun par D37Y ☎ 94 52 27 36
CITROEN Gd Gar. des Bains, 98 r. J.-Barbier ☎ 94 95 16 72
FORD Gar. Vagneur, 142 av. Valescure ☎ 94 95 42 78

ST-REMÈZE 07 Ardèche **80** ⑨ – 474 h – ✉ **07700** Bourg-st-Andéol.
Paris 646 – Aubenas 47 – Montélimar 44 – Orange 50 – Privas 71.

Le Terroir, ☎ 75 04 15 02
15 mars-11 nov. et fermé lundi sauf le soir en juil.-août – SC : **R** 51/86.

ST-RÉMY 21 Côte-d'Or **65** ⑦ – rattaché à Montbard.

ST-RÉMY 71 S.-et L. **69** ⑨ – rattaché à Chalon-sur-Saône.

ST-RÉMY 79 Deux-Sèvres **71** ① – rattaché à Niort.

ST-RÉMY-DE-PROVENCE 13210 B.-du-R. **81** ⑫ **G. Provence** – 8 439 h. alt. 60.
Voir Hôtel de Sade : dépôt lapidaire★ **B** – Cloître★ de l'ancien monastère de St-Paul-de-Mausole par ③ – Les Antiques★★ : Mausolée★★, Arc municipal★, Ruines de Glanum★ 1 km par ③.
Env. ✻★★ de la Caume 7 km par ③.
ℹ Office de Tourisme pl. J.-Jaurès ☎ 90 92 05 22.
Paris 706 ① – Arles 25 ④ – Avignon 21 ① – ♦Marseille 91 ② – Nîmes 42 ④ – Salon-de-Pr. 37 ②.

Château des Alpilles Ⓜ ⛰ sans rest., O : 2 km par D 31 ☎ 90 92 03 33, Télex 431487, parc, ⛱, 🎾 – |♦| 📺 ☎ Ⓟ. AE ⦿ E VISA
15 mars-15 nov. – SC : ☕ 40 – **16 ch** 420/600.

Host. du Vallon de Valrugues Ⓜ ⛰ sans rest, Chemin Canto Cigalo par ② ☎ 90 92 04 40, Télex 431677, ≤, ⛱, ⛺, 🎾 – |♦| ☎ Ⓟ. VISA. ✂
1er mars-3 nov. – SC : ☕ 39 – **24 ch** 363/407, 10 appartements 456/550.

Les Antiques ⛰ sans rest, 15 av. Pasteur **(e)** ☎ 90 92 03 02, « Beaux salons, parc, club hippique », ⛱ – Ⓟ. AE ⦿ VISA
22 mars-fin oct. – SC : ☕ 38 – **27 ch** 268/321.

Le Castelet des Alpilles, pl. Mireille **(h)** ☎ 90 92 07 21, ☂, ⛺ – ⛀wc ⛆wc ☏ 🚗 Ⓟ. AE ⦿ VISA
10 mars-10 nov. – SC : **R** 68/153 – ☕ 26 – **19 ch** 73/273 – P 310/456.

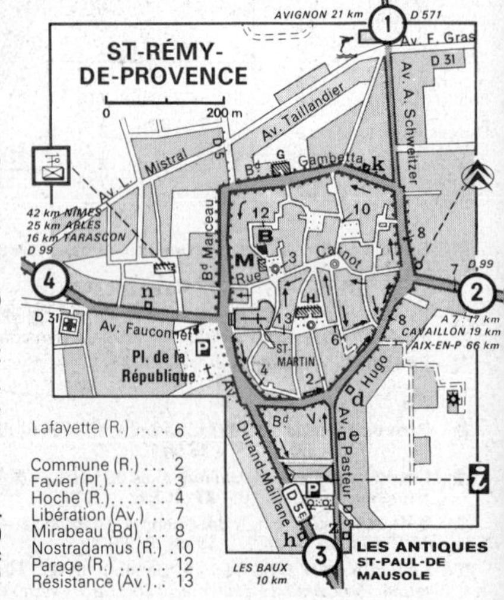

Canto Cigalo ⛰ sans rest, chemin Canto Cigalo par ② ☎ 90 92 14 28, ≤, ⛺ – ⛀wc ⛆wc ☏ Ⓟ. ✂
1er mars-1er nov. – SC : ☕ 17 – **20 ch** 165/210.

Aub. Sant Roumierenco, NE : 2 km par ② et rte Noves 90 92 12 53, ≤, – wc wc. E.
SC : **R** *(fermé merc. de nov. à mars)* 97/188 – 34 – **10 ch** 218/367, 3 appartements 551 – P 297/372.

Mas des Carassins sans rest, 1 chemin Gaulois par ③ 90 92 15 48, ≤, – wc.
SC : 30 – **10 ch** 240/300.

Soleil sans rest, av. Pasteur **(z)** 90 92 00 63, – wc wc. AE VISA.
fermé 16 nov. au 1er fév. – SC : 18 – **15 ch** 170/200.

Van Gogh sans rest, av. J.-Moulin par ② 90 92 14 02, – wc wc.
18 fév.-3 nov. – SC : 18 – **18 ch** 160/180.

Château de Roussan sans rest, rte Tarascon par ④ : 2 km 90 92 11 63, ≤, « Demeure 18e s. dans un parc » – wc.
20 mars-20 oct. – SC : 35 – **12 ch** 270/450.

Cheval Blanc sans rest, 6 av. Fauconnet **(n)** 90 92 09 28 – wc wc
SC : 15 – **22 ch** 100/150.

Arts, 30 bd Victor-Hugo **(d)** 90 92 08 50 – wc. AE
fermé 1er janv. au 31 mars et merc. (sauf hôtel du 1er oct. au 15 mars) – SC : **R** 53/110 – 17,50 – **17 ch** 90/173 – P 190/236.

XX Jardin de Frédéric, 8 bd Gambetta **(k)** 90 92 27 76 – .

XX Villa Glanum avec ch, rte des Baux par ③ 90 92 03 59, – wc
8 ch.

à Maillane NO : 7 km par D 100 – **13910** Maillane :

XX **Oustalet Maïanen,** 90 95 74 60,
1er mars-30 nov. et fermé dim. soir – SC : **R** (déj. seul ; en juil.-août déj. et dîner) 55/90.

à St-Etienne-du-Grès par ④ : 9 km – **13150** St-Etienne-du-Grés :

XX **Aub du Grès,** 90 91 18 61
fermé 3 au 15 mars, vend. soir et sam. midi du 1er nov. au 30 juin – SC : **R** 92/134.

au Mas-Blanc-des-Alpilles O : 7 km par D 99 – **13150** Tarascon :

XX **La Rode,** 90 91 47 21, – VISA
fermé 1er fév. au 15 mars et merc. sauf fêtes – SC : **R** 95/153.

à Verquières par ②, D 30 et D 29 : 11 km – **13670** St. Andiol :

XXX ✿ **Coupe Chou** (Ravoux), pl. Eglise 90 95 18 55, –
fermé lundi et mardi sauf fêtes – SC : **R** (prévenir) 130 (sauf fêtes)
Spéc. Galantine de gigot d'agneau, Flan de lapereau au basilic, Petits paquets à la marseillaise.
Vins Côteaux des Baux, Cairanne.

CITROEN Gar. des Alpilles, 22 bd Mirabeau 90 92 09 34
FORD Merklen, Zone d'activité 90 92 01 24
PEUGEOT-TALBOT Gar. Maurin, rte de Tarascon par ④ 90 92 13 16
RENAULT Gar. Cabassut, rte Tarascon par ④ 90 92 00 35
Comptoir de l'Autom., Z.A. de la Praderie à Maillane 90 95 79 11

ST-RÉMY-LÈS-CHEVREUSE

78470 Yvelines 60 ⑨⑩, 196 ㉙, 101 ㉜ **G. Environs de Paris** – 5 265 h. alt. 73 – de Chevry 2, (1) 30 12 40 33 SE : 4,5 km.
Paris 37 – Longjumeau 21 – Rambouillet 21 – Versailles 14.

XX ✿ **La Cressonnière** (Toulejbiez), (1) 30 52 00 41, – AE VISA
fermé vacances de fév., mardi et merc. – SC : **R** carte 200 à 295
Spéc. Huîtres chaudes (oct. à mars), Cassolette de homard et filets de sole, Blanquette de ris de veau.

TOYOTA Gar. du Claireau, (1) 30 52 41 00

ST-RÉMY-SUR-DUROLLE

63550 P.-de-D. 73 ⑥ **G. Auvergne** – 2 022 h. alt. 650.
Voir Calvaire ✱★ – Paris 395 – Chabreloche 12 – ♦Clermont-Ferrand 54 – Thiers 8,5.

XX **Vieux Logis** avec ch, N : 3,5 km sur D 201 73 94 30 78, – wc wc
fermé 20 août au 1er sept., 10 au 28 fév., dim. soir et lundi – SC : **R** (nombre de couverts limité-prévenir) 60/110 – 13 – **4 ch** 100/110 – P 150/170.

ST-RESTITUT

26 Drôme 81 ① **G. Vallée du Rhône** – 630 h. alt. 150 – **26130** St-Paul-Trois-Châteaux – **Voir** Décoration★ de l'église et belvédère ≤★ 15 mn – Cathédrale★ de St-Paul-Trois-Châteaux NO : 4 km.
Paris 635 – Bollène 9 – Montélimar 31 – Nyons 36 – Valence 74.

Aub. des Quatre-Saisons, 75 04 71 88, « Maisons romanes aménagées en hostellerie », – wc. AE
fermé 12 nov. au 10 déc., 15 janv. au 1er fév., lundi soir hors sais. et mardi midi – SC : **R** 55/190 – 27 – **10 ch** 200/370 – P 355/655.

ST-ROMAIN-DE-LERPS 07 Ardèche 77 ⑪ – rattaché à St-Péray.

ST-ROMAIN-EN-GAL 69 Rhône 74 ⑪ – rattaché à Vienne.

ST-ROME-DE-CERNON 12490 Aveyron 80 ⑬⑭ – 878 h. alt. 110.

Paris 646 – Lodève 58 – Millau 17 – Rodez 75 – St-Affrique 14 – Le Vigan 69.

Commerce, ☎ 65 62 33 92 – ⋒. ✻
fermé 20 déc. au 6 janv. – **R** 50/110 ⅄ – ☕ 15 – **13 ch** 70/98 – P 110/120.

ST-SALVADOUR 19 Corrèze 75 ⑨ – rattaché à Seilhac.

ST-SAMSON-DE-LA-ROQUE 27 Eure 55 ④ – 292 h. alt. 72 – ✉ **27680** Quillebeuf-sur-Seine.

Voir Phare de la Roque ✻★ **N : 2 km, G. Normandie.**

Paris 185 – Beuzeville 12 – Bolbec 23 – Évreux 81 – ♦Le Havre 38 – Honfleur 21 – Pont-Audemer 13.

XXX **Relais du Phare,** pl. Église ☎ 32 57 61 68, ⛱ – AE ⓓ E VISA
fermé 13 janv. au 5 fév., lundi soir et mardi – SC : **R** 145/180.

ST-SATURNIN-D'APT 84490 Vaucluse 81 ⑭ **G. Provence** – 1 741 h. alt. 422.

Paris 737 – Apt 9 – Avignon 68 – Carpentras 40.

Voyageurs, ☎ 90 75 42 08 – ⋒wc. VISA. ✻
fermé janv. et merc. – SC : **R** 75/130 – ☕ 18 – **13 ch** 93/250 – P 220/260.

XX **St-Hubert,** ☎ 90 75 42 02
fermé juin, fév., dim. soir hors sais. et lundi – SC : **R** (dim. et fêtes prévenir) 80/120.

ST-SAUD-LACOUSSIÈRE 24 Dordogne 72 ⑯ – 1 045 h. alt. 340 – ✉ **24470** St-Pardoux-la-Rivière.

Paris 454 – Brive-la-Gaillarde 113 – Châlus 23 – ♦Limoges 58 – Nontron 16 – Périgueux 68.

XX **Host. St-Jacques** ⑤ avec ch, ☎ 53 56 97 21, ⛱, « Terrasse et jardin fleuri »
⛱, ✕ – ⇔wc ☎ Ⓟ
avril-oct. et fermé lundi sauf juil.-août ; ouvert dim. et fêtes toute l'année – SC : **R** 42/150 – ☕ 25 – **14 ch** 125/173 – P 196/230.

ST-SAUVEUR-LES-BAINS 65 H.-Pyr. 85 ⑱ – rattaché à Luz-St-Sauveur.

ST-SAVIN 38 Isère 74 ⑬ – rattaché à Bourgoin-Jallieu.

ST-SAVIN 65 H.-Pyr. 85 ⑰ – rattaché à Argelès-Gazost.

ST-SAVIN 86310 Vienne 68 ⑮ **G. Côte de l'Atlantique** – 1 058 h. alt. 83.

Voir Église abbatiale★★ : Peintures murales★★★ – Pont-Vieux ←★.

Paris 343 – Le Blanc 19 – Poitiers 41.

La Grange, rte d'Antigny ☎ 49 48 07 06, ⛱ – ⇔wc ⋒. ✻ ch
fermé fév. et lundi sauf juin à sept. – SC : **R** 50/150 – ☕ 15 – **9 ch** 90/120.

CITROEN Gar. Central, ☎ 49 48 00 23

ST-SAVINIEN 17350 Char.-Mar. 71 ④ **G. Côte de l'Atlantique** – 2 299 h. alt. 15.

Env. Château de la Roche Courbon★ et Jardins★ : ←★★ SO : 10 km.

ℹ Syndicat d'Initiative pl. Bonnet (sais.) ☎ 46 90 21 07.

Paris 458 – Rochefort 28 – La Rochelle 60 – St-Jean-d'Angély 15 – Saintes 19 – Surgères 30.

X **L'Auberge,** ☎ 46 90 20 79, ⛱. VISA
fermé mi-janv. à mi-fév. et lundi sauf fériés – SC : **R** 50 (sauf sam. soir)/150.

CITROEN Gar. Roy, ☎ 46 90 21 12 N RENAULT Garnier, ☎ 46 90 20 24

ST-SÉBASTIEN-SUR-LOIRE 44 Loire-Atl. 67 ③ – rattaché à Nantes.

ST-SERNIN-SUR-RANCE 12380 Aveyron 80 ⑫ **G. Causses** – 636 h. alt. 290.

Paris 692 – Albi 50 – Cassagnes-Bégonhès 58 – Castres 75 – Lacaune 30 – Rodez 83 – St-Affrique 32.

Carayon, ☎ 65 99 60 26, ←, ⛱ – TV ⇔wc ⋒wc ☎ Ⓟ – 🏃 80. AE ⓓ E VISA
fermé dim. soir et lundi du 1er nov. au 1er avril – SC : **R** 53/230 ⅄ – ☕ 17 – **23 ch** 84/260 – P 179/220.

CITROEN Gar. Bardy, ☎ 65 99 61 61

ST-SERVAN-SUR-MER 35 I.-et-V. 59 ⑥ – rattaché à St-Malo.

ST-SEVER 40500 Landes 78 ⑥ **G. Pyrénées** – 4 800 h. alt. 102.

Voir Chapiteaux★ de l'église.

Office de Tourisme pl. Tour du Sol ✆ 58 76 00 10.

Paris 725 – Aire-sur-l'Adour 32 – Dax 48 – Mont-de-Marsan 17 – Orthez 37 – Pau 69 – Tartas 23.

Relais du Pavillon (Dumas) Ⓜ, au N : 2 km D 933 ✆ 58 76 20 22, – rest wc wc ☎ Ⓟ. AE ⓓ E VISA
fermé dim. soir du 1er nov. au 31 mars – SC : **R** 80/190 – 20 – **14 ch** 130/220
Spéc. Foie de canard en terrine, Foie de canard aux pommes, Brochette gourmande. **Vins** Madiran, Tursan.

France et Ambassadeurs, pl. Cap-du-Pouy ✆ 58 76 00 01 – wc wc
fermé oct., dim. soir et lundi – SC : **R** 48/144 – 14 – **22 ch** 52/98.

PEUGEOT Junca, 23 r. du Castallet ✆ 58 76 02 95

RENAULT Gar. Cazenave, 27 rue du Castallet ✆ 58 76 00 19

STS-GEOSMES 52 H.-Marne 66 ③ – rattaché à Langres.

ST-SORLIN-D'ARVES 73 Savoie 77 ⑥⑦ **G. Alpes** – 309 h. alt. 1 550 – ✉ **73530** St-Jean-d'Arves.

Voir Site★ de l'église de St-Jean-d'Arves SE : 2,5 km.

Env. Col de la Croix de Fer ✱★★ O : 7,5 km – Col du Glandon ≤★ puis Combe d'Olle★★ O : 10 km.

Paris 618 – Albertville 80 – Le Bourg-d'Oisans 44 – Chambéry 91 – St-Jean-de-Maurienne 20.

Chardon Bleu , ✆ 79 59 71 47, ≤ – . E.
1er juil.-31 août et 15 déc.-15 avril – **R** 70/100 – 25 – **29 ch** 120/160 – P 190/250.

ST-SULPICE 81370 Tarn 82 ⑨ – 4 016 h. alt. 91.

Paris 695 – Albi 47 – Castres 53 – Montauban 43 – ♦Toulouse 31.

XX **Aub. de la Pointe,** ✆ 63 57 80 14, – AE ⓓ VISA
fermé 23 oct. au 6 nov., 29 janv. au 20 fév. et merc. sauf juil.-août – SC : **R** 40/90.

RENAULT Gomez, ✆ 63 57 80 57 N

Graniti, ✆ 63 57 81 63

ST-SULPICE-SUR-LÈZE 31 H.-Garonne 82 ⑰ – 1 264 h. alt. 198 – ✉ **31410** Noé.

Paris 740 – Auterive 13 – Foix 52 – St-Gaudens 61 – ♦ Toulouse 35.

XX **La Commanderie,** pl. H. de Ville ✆ 61 97 33 61, , – Ⓟ. AE ⓓ VISA
fermé 15 au 30 sept., 11 au 28 fév., lundi soir et mardi – SC : **R** 69/190.

ST-SYLVAIN 14 Calvados 54 ⑯ – 903 h. alt. 48 – ✉ **14190** Grainville-Langannerie.

Paris 215 – ♦Caen 20 – Falaise 20 – Lisieux 41 – St-Pierre-sur-Dives 13.

XX **Aub. Crémaillère,** ✆ 31 78 11 18 – VISA
fermé 1er au 15 juil., vacances de fév., mardi et merc. – SC : **R** 85/200.

ST-SYMPHORIEN-DE-LAY 42470 Loire 73 ⑧ – 1 544 h. alt. 480.

Paris 407 – ♦Lyon 69 – Montbrison 50 – Roanne 17 – ♦St-Étienne 67 – Thizy 17.

à Neaux NO : 3 km sur N 7 – ✉ **42470** St-Symphorien-de-Lay :

XX **Relais de l'Ecoron,** ✆ 77 64 78 60 – AE
fermé 24 sept. au 23 oct., 15 au 23 janv. mardi soir et merc. – SC : **R** 50/132 .

ST-SYMPHORIEN-DE-MARMAGNE 71 S.-et-L. 69 ⑦⑧ – rattaché à Marmagne.

ST-THÉGONNEC 29223 Finistère 58 ⑥ **G. Bretagne** – 2 133 h. alt. 112.

Voir Enclos paroissial★★.

Env. Enclos paroissial★★ de Guimiliau SO : 7,5 km.

Paris 549 – Châteaulin 52 – Landivisiau 12 – Morlaix 12 – Quimper 73 – St-Pol-de-Léon 23.

XX Aub. St-Thégonnec avec ch, pl.Mairie ✆ 98 79 61 18, –
7 ch.

ST-THIBAULT 18 Cher 65 ⑫⑬ – rattaché à Sancerre.

ST-TROJAN-LES-BAINS 17 Char.-Mar. 71 ⑭ – voir à Oléron (Ile d').

ST-TROPEZ 83990 Var 84 ⑰ **G. Côte d'Azur** – 6 248 h.

Voir Musée de l'Annonciade★★ – Port★ – Môle Jean Réveille ≤★ – Citadelle★ : ≤★ des remparts, ✱★★ du donjon – Chapelle Ste-Anne ≤★ S : 4 km par ① et D 93.

Office de Tourisme quai Jean-Jaurès ✆ 94 97 45 21.

Par ① : Paris 875 – Aix-en-Provence 120 – Brignoles 63 – Cannes 75 – Draguignan 50 – ♦Toulon 69.

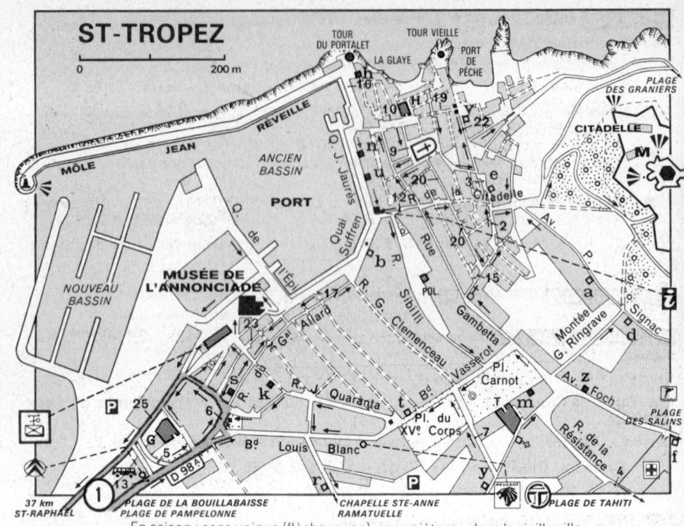

En saison : sens unique (flèche rouge), zone piétonne dans la vieille ville.

Aire-du-Chemin (R.) 2	Guichard (R. du Cdt) 9	Péri (Quai Gabriel) 17
Aumale (Bd d') 3	Hôtel-de-Ville (Pl. de l') 10	Ponche (R. de la) 19
Belle-Isnarde (Ch. de la) 4	Laugier (R. V.) 12	Portail-Neuf (R. du) 20
Blanqui (Pl. Auguste) 5	Leclerc (Av. Maréchal) 13	Remparts (R. des) 22
Croix-de-Fer (Pl. de la) 6	Miséricorde (R.) 15	Seillon (R.) 23
Grangeon (Av.) 7	Mistral (Quai Frédéric) 16	11-Novembre (Av. du) 25

Byblos M, av. P.-Signac **(d)** ☎ **94 97 00 04, Télex 470235,** <, **« Demeures provençales richement meublées »**, – ☎ P – 150. AE VISA
17 avril-2 nov. – **La Braiserie R** 180/300 - **le Chabichou** voir ci-après – 90 – **70 ch** 1 440/1 770, 10 appartements.

Résidence de la Pinède M, à la plage de la Bouillabaisse par ① : 1 km ☎ **94 97 04 21, Télex 470489,** <, – ch TV ☎ P. AE E VISA. rest
20 mars-31 oct. – SC : **R** 180/275 – **40 ch** 500/1 300, 5 appartements.

La Mandarine M, rte de Tahiti ☎ **94 97 21 00, Télex 970461,** <, – TV ☎ P. AE VISA
Pâques-15 oct. – SC : **R** carte 190 à 300 – **40 ch** 720/1 400.

Levant M, rte Salins : 2,5 km ☎ **94 97 33 33,** <, **« Beau jardin »**, – ☎ P. AE VISA
22 mars-12 oct. – SC : **R** grill carte environ 130 – 34 – **28 ch** 320/575.

Yaca M sans rest, 1 bd Aumale **(e)** ☎ **94 97 11 79, Télex 462140,** – TV ☎ – 120. AE E VISA
15 avril-15 oct. – SC : 35 – **22 ch** 750/970.

Résidence des Lices M sans rest, **(y)** ☎ **94 97 28 28,** – ☎ P. AE E VISA
Pâques-15 oct. – SC : 30 – **38 ch** 320/650.

La Tartane M, rte des Salins 3 km ☎ **94 97 21 23,** <, **« Jardin »**, – TV wc ☎ P. VISA. rest
15 mars-5 nov. – SC : **R** grill (déj. seul.) 100/150 – 36 – **12 ch** 395/525.

Pré de la Mer M sans rest, 2,5 km par rte des Salins ☎ **94 97 12 23,** – cuisinette TV wc ☎ P
15 mars-15 nov. et 25 déc.-7 janv. – SC : 35 – **12 ch** 410/520.

La Ponche, pl. Révelin **(v)** ☎ **94 97 02 53,** – cuisinette ch TV wc wc ☎
1er avril-15 oct. – SC : **R** 120/200 – **23 ch** 280/590.

Lou Troupelen sans rest, chemin des Vendanges **(f)** ☎ **94 97 44 88,** – wc wc ☎ P. VISA
1er mai-20 oct. – SC : 27 – **44 ch** 232/296.

Les Capucines sans rest, quartier Treizain par ① : 2 km ☎ **94 56 05 46,** – wc wc ☎ P. AE E VISA
1er avril-15 oct. – SC : 28 – **24 ch** 295/615.

Ermitage sans rest, av. P.-Signac **(a)** ☎ **94 97 52 33,** < – wc wc ☎ P.
fermé 5 nov. au 5 déc. – SC : 25 – **30 ch** 250/340.

Treizain sans rest, quartier Treizain par ① : 2 km ☎ 94 56 05 28, ⛱, ☂ – wc ⋒wc ☎ **P**. ⓓ E VISA
15 mars-7 nov. – SC : **17 ch** ☐ 291/434.

La Barlière M sans rest, rte Salins : 1,5 km ☎ 94 97 41 24, ⛱, ☂ – wc ☎ **P**. VISA
fermé 20 janv.-10 fév. – SC : ☐ 40 – **15 ch** 380/450.

Lou Cagnard sans rest, av. P.-Roussel **(r)** ☎ 94 97 04 24, ☂ – wc ⋒wc ☎ **P**
fermé 15 nov. au 23 déc. – SC : ☐ 18 – **19 ch** 130/260.

Palmiers sans rest, 26 bd Vasserot **(t)** ☎ 94 97 01 61, ☂ – wc ⋒wc ☎
SC : ☐ 23 – **22 ch** 122/240.

Sube sans rest., 15 quai Suffren **(b)** ☎ 94 97 30 04, ← – wc ⋒ ☎. AE ⓓ E VISA
1er mars-1er nov. – SC : **28 ch** ☐ 120/450.

XXXX ✿ **Le Chabichou** (Rochedy), av. Foch **(z)** ☎ 94 54 80 00 – ▤ **P**. AE ⓓ VISA
mai-oct. – SC : **R** carte 280 à 400.

XXX **Leï Mouscardins,** extrémité du port **(h)** ☎ 94 97 01 53, ← golfe – ▤. VISA
1er fév.-2 nov. – **R** carte 195 à 260.

XX Aub. des Maures, 4 r. Dr Boutin **(k)** ☎ 94 97 01 50, ☂, « Décoration originale et terrasse ombragée » – *sais.*

XX **Bistrot des Lices,** 3 pl. des Lices **(m)** ☎ 94 97 29 00, ☂ – ▤ ⓓ
R 120/250.

XX L'Escale, quai J.-Jaurès **(n)** ☎ 94 97 00 63, ←, ☂ – ▤ – *sais.*

XX **Le Girelier,** au port **(u)** ☎ 94 97 03 87, ←, ☂ – ▤. AE ⓓ E VISA
fermé 15 nov. au 15 janv., sam. hors sais. et mardi du 1er juin au 15 sept. – **R** carte environ 160.

X **Laetitia-La Frégate** avec ch, 52 r. Allard **(s)** ☎ 94 97 04 02, ☂ – ▤ rest wc ⋒wc ☎. AE ⓓ VISA
avril-oct. – SC : **R** *(fermé merc. sauf de juil. à sept.)* 95/140 – ☐ 25 – **16 ch** 240/320.

par ① et D 93 – ✉ **83350** Ramatuelle :

Les Bergerettes M , à 5 km ☎ 94 97 40 22, ←, ☂, parc, ⛱ – TV ☎ **P**. AE VISA
Pâques-mi oct. – SC : **R** Grill – ☐ 50 – **29 ch** 550/650.

Deï Marres M sans rest, à 3 km ☎ 94 97 26 68, ←, ☂, ✂ – cuisinette wc ⋒wc ☎ **P**. AE ⓓ E VISA
25 mars-15 oct. – SC : ☐ 31 – **24 ch** 200/460.

XXX **Aub. des Vieux Moulins** avec ch, à 4 km ☎ 94 97 17 22, ☂ – wc ☎ **P**. AE ⓓ VISA
18 mai-15 sept. – SC : **R** (dîner seul.) *(fermé merc. en mai et juin)* 175/225 – ☐ 44 – **7 ch** 235/450.

Ouest par ① et rte Gassin : 3,5 km – ✉ **83990** St-Tropez :

Mas de Chastelas M , ☎ 94 56 09 11, ←, ☂, parc, « Ancienne magnanerie au milieu des vignobles », ⛱, ✂ – TV ☎ **P**. AE ⓓ E VISA. ✂ rest
25 avril-30 sept. – SC : **R** (dîner seul.) 240 (déj. : snack pour résidents) – ☐ 50 – **21 ch** 400/870, 10 appartements 1 250/1 450.

à la Plage de Tahiti SE : 4 km – ✉ **83350** Ramatuelle :

La Figuière M , ☎ 94 97 18 21, ←, ☂, ⛱, ☂, ✂ – ☎ **P**. ✂
22 mars-30 sept. – SC : **R** Grill carte environ 155 ⅃ – **42 ch** ☐ 350/800.

St-Vincent M sans rest, ☎ 94 97 36 90, ←, ⛱ – TV ☎ ♿ **P**
22 mars-fin oct. – SC : **16 ch** ☐ 470/530.

St-André M sans rest, ☎ 94 97 21 54, ☂ – wc ☎ **P**. ✂
23 mars-30 sept. – SC : ☐ 30 – **28 ch** 300/400.

La Ferme d'Augustin sans rest, ☎ 94 97 18 12, ←, ☂ – wc ⋒wc ☎ **P**
fin avril-début oct. – SC : ☐ 37 – **35 ch** 310/500.

CITROEN Azzena, à Gassin ☎ 94 56 10 38

PEUGEOT-TALBOT Gar. L.-Blanc, bd L.-Blanc ☎ 94 97 00 03

ST-USUGE 71 S.-et-L. 70 ⑬ – rattaché à Louhans.

ST-VAAST-LA-HOUGUE 50550 Manche 54 ③ G. Normandie – 2 359 h.

⛳ de Fontenay-sur-Mer ☎ 33 41 28 13 S : 16 km.

ℹ Office de Tourisme Quai Vauban (15 juin-15 sept.) ☎ 33 54 41 37.

Paris 350 – Carentan 40 – Cherbourg 30 – St-Lô 68 – Valognes 17.

France et Fuchsias, r. Mar.-Foch ☎ 33 54 42 26, ☂ – wc ⋒wc ☎. ⓓ E VISA
fermé 5 janv. au 15 fév., mardi midi et lundi d'oct. à mai sauf vacances scolaires – SC : **R** 50/170 ⅃ – ☐ 21 – **20 ch** 80/230 – P 200/250.

PEUGEOT Gar. du Port, ☎ 33 54 43 64 **N** ☎ 33 54 11 33

RENAULT Dujardin, pl. G.-Clémenceau à Quettehou ☎ 33 54 11 44 **N**

ST-VALÉRIEN 89150 Yonne 61 ⑬ – 1 437 h.
Paris 112 – Auxerre 63 – Nemours 32 – Sens 14.

XX **Aub. du Gatinais,** ☎ 86 88 62 78. VISA
fermé 1er au 20 sept., 1er au 15 fév., mardi et merc. – SC : **R** 70 (sauf sam.)/196.

PEUGEOT-TALBOT Gar. Février, ☎ 86 88 61 05

ST-VALÉRY-EN-CAUX 76460 S.-Mar. 52 ③ **G. Normandie** (plan) – 5 814 h. – Casino.
Voir Falaise d'Aval ≤* O : 15 mn.
Office de Tourisme pl. H. de Ville (1er mai-15 sept.) ☎ 35 97 00 63.
Paris 198 – Bolbec 42 – Dieppe 32 – Fécamp 32 – ♦Rouen 59 – Yvetot 30.

Terrasses, à la plage ☎ 35 97 11 22, ≤ – wc wc. E VISA
fermé 15 déc. au 15 janv. et mardi – SC : **R** 75/135 – 19 – **12 ch** 112/220 – P 435/550 (pour 2 pers.).

Bains, pl. Marché ☎ 35 97 04 32 – ch
fermé 15 déc. au 1er fév. et mardi en sais. ; hôtel : dim. soir hors sais. ; rest. : dim. soir et lundi – SC : **R** 60/80 – 15,50 – **15 ch** 75/160 – P 155/180.

XX **Port,** ☎ 35 97 08 93, ≤ – . VISA
fermé 25 août au 8 sept., 22 déc. au 4 janv., vacances de fév., dim. soir et lundi – SC : **R** 90.

X **Pigeon Blanc,** près vieille Église ☎ 35 97 03 55 – E
fermé 18 au 28 déc., fév., jeudi soir et vend. – SC : **R** 52/127.

CITROEN Soudé, ☎ 35 97 01 88
RENAULT Gar. Dupuis, ☎ 35 97 08 44

ST-VALLIER 26240 Drôme 77 ① **G. Vallée du Rhône** – 4 556 h. alt. 138.
Voir Défilé de St-Vallier* SO.
Paris 529 – Annonay 21 – ♦St-Étienne 61 – Tournon 15 – Valence 33 – Vienne 40.

XXX **Terminus,** 116 av. J.-Jaurès, rte de Lyon ☎ 75 23 01 12 – AE E VISA
fermé 5 au 25 août, vacances de fév. – SC : **R** 90/240.

XX **Voyageurs** avec ch, 2 av. J.-Jaurès ☎ 75 23 04 42 – rest wc – 25. E VISA
fermé 3 au 23 juin, 6 au 11 janv., dim. soir et lundi – SC : **R** (prévenir) 64/180 – 17,50 – **9 ch** 99/137.

CITROEN Gar. Chevrot, ☎ 75 23 02 65
PEUGEOT-TALBOT Gar. Sud St-Val, ☎ 75 23 22 79
RENAULT Martin-Nave, ☎ 75 23 13 34
RENAULT Gar. Trouiller, ☎ 75 23 07 78

ST-VALLIER-DE-THIEY 06460 Alpes-Mar. 84 ⑧, 195 ㉓ **G. Côte d'Azur** – 931 h. alt. 724.
Voir Pas de la Faye ≤** NO : 5 km – Col de la Lèque ≤* SO : 5 km.
Syndicat d'Initiative pl. du Tour (1er juil.-31 août).
Paris 913 – Cannes 29 – Castellane 51 – Draguignan 61 – Grasse 12 – ♦Nice 51.

Le Préjoly, ☎ 93 42 60 86, , – TV wc . AE E VISA
fermé déc., janv. et mardi – **R** 55/130 – 18 – **20 ch** 150/280, (en sais. pension seul.) – P 250/350.

ST-VÉRAN 05490 H.-Alpes 77 ⑲ **G. Alpes** – 275 h. alt. 2 040 : la plus haute commune d'Europe – Sports d'hiver : 1 750/2 560 m 14.
Voir Village**.
Syndicat d'Initiative ☎ 92 45 82 21.
Paris 730 – Briançon 51 – Guillestre 32.

Grand Tétras M, ☎ 92 45 82 42, ≤, – wc wc . VISA
14 juin-14 sept. et 19 déc. – vacances de printemps – SC : **R** 48/75 – 23 – **21 ch** 129/214 – P 221/290.

ST-VINCENT-DE-MERCUZE 38 Isère 77 ⑤ – 757 h. alt. 346 – ✉ 38660 Le Touvet.
Paris 551 – Allevard 16 – Chambéry 27 – ♦Grenoble 31.

Aub. St-Vincent , ☎ 76 08 46 97 – wc . E
SC : **R** *(fermé lundi, mardi)* 68/100 – 21 – **21 ch** 161/213 – P 229.

ST-VINCENT-DE-TYROSSE 40230 Landes 78 ⑰ **G. Côte de l'Atlantique** – 4 474 h. alt. 23.
Paris 744 – ♦Bayonne 25 – Dax 24 – Mont-de-Marsan 72 – Pau 95 – Peyrehorade 24.

Côte d'Argent sans rest de sept. à juin, **rte Hossegor** ☎ **58 77 02 16**, , – wc wc
fermé 1er déc. au 15 janv. – SC : **R** (1/2 pens. seul. en juil.-août) – 13 – **22 ch** 110/180 – 1/2 p 170/180.

Twickenham, av. Gare ☎ **58 77 01 60**, , , – wc wc . AE E VISA
fermé 15 sept. au 10 oct. et lundi sauf du 1er juil. au 15 sept. – SC : **R** 48/100 – 18 – **24 ch** 110/180 – P 240/280.

XXX ✿ **Le Hittau** (Dando), ✆ 58 77 11 85, 🏠, « **Ancienne bergerie dans un jardin fleuri** » – Ⓟ. AE ⓓ E VISA
fermé mi-fév. à fin mars, dim. soir et lundi sauf juil.-août – SC : **R** 90/280
Spéc. Foie chaud de canard au vinaigre de Xérès, Escalope de saumon à l'oseille, Escalopines de canard au poivre vert. **Vins** Madiran, Rosé du Béarn.

X **Les Gourmets, N10** ✆ **58 77 16 97**, 🏠
◆ *fermé 2 janv. au 5 fév. et mardi soir au jeudi soir sauf du 15 juin au 15 sept.* – SC : **R** 27/100 ♁.

RENAULT Darrigade, ✆ 58 77 03 33 N

Comptoir Landais Pneu, ✆ 58 77 00 88

ST-VINCENT-STERLANGES 85 Vendée 67 ⑮ – 600 h. alt. 65 – ✉ **85110** Chantonnay.

Paris 392 – Cholet 46 – ♦Nantes 67 – Niort 63 – Poitiers 124.

XX **Aub. du Parc,** ✆ 51 40 23 17, ⛱, 🌳 – Ⓟ. AE ⓓ VISA
◆ *fermé 1er au 15 oct., 1er au 15 mars et mardi* – SC : **R** 57/140.

Gar. De Buyst, ✆ 51 40 28 40 N

ST-VINCENT-SUR-JARD 85 Vendée 67 ⑪ **G. Côte de l'Atlantique** – 528 h. alt. 10 – ✉ **85520** Jard-sur-Mer.

ℹ Syndicat d'Initiative r. Clemenceau (juil.-août) ✆ 51 90 42 06.

Paris 458 – Challans 67 – Luçon 32 – La Roche-sur-Yon 33 – Les Sables-d'Olonne 22.

🏨 **Bon Accueil** (annexe La Résidence 🏨 ⛱ 16ch 🛁wc), **pl. Église** ✆ **51 33 41 88** – 🛁wc Ⓟ – 🏔 30. E
1er avril-1er oct. – SC : **R** 70/140 ♁ – ☕ 18 – **35 ch** 80/180 – P 160/216.

🏨 **Océan** ⛱, **S : 1 km (près maison de Clemenceau)** ✆ **51 33 40 45** – 🛁wc 🚿wc
◆ Ⓟ. E VISA
15 fév.-30 nov. et fermé jeudi du 1er oct. au 1er avril – SC : **R** 43/145 ♁ – ☕ 16 – **30 ch** 88/155 – P 155/210.

X **Chalet St Hubert** avec ch (annexe 10 ch), **rte Jard** ✆ **51 33 40 33** – 🛁wc 🚿wc
◆ Ⓟ. AE ⓓ VISA. ✂ rest
fermé 11 nov. au 20 déc., 1er au 15 mars, mardi soir et merc. hors sais. – SC : **R** 36/130 – ☕ 16,50 – **20 ch** 80/198 – P 140/200.

ST-VIT 25410 Doubs 66 ⑭⑮ – 2 419 h. alt. 251.

Paris 395 – ♦Besançon 18 – Dole 28 – Gray 39 – Pontailler-sur-Saône 40 – Salins-les-Bains 37.

XX **Soleil d'Or** avec ch, ✆ **81 87 71 40**, 🌳 – 🛁 🚿. VISA. ✂ ch
◆ *1er avril-30 sept. et fermé, lundi soir et mardi* – SC : **R** 55/175 ♁ – ☕ 18 – **7 ch** 97/187.

XX **Le Tisonnier, E : 5 km rte Besançon** ✆ **81 58 50 01** – Ⓟ. VISA
fermé 15 juil. au 10 août et mardi – SC : **R** 62/100 ♁.

CITROEN Faivre-Naudot, ✆ 81 55 13 33 N ✆ 81 87 71 53

ST-VRAIN 91770 Essonne 60 ⑩, 196 ㊸ – 2 295 h. alt. 60.

Voir Parc animalier et de loisirs ★, **G. Environs de Paris.**

Paris 41 – Corbeil-Essonnes 16 – Étampes 23 – Melun 31.

XX **Host. de St-Caprais** avec ch., **r. St-Caprais** ✆ **(1) 64 56 15 45**, 🏠, 🌳 – 🛁wc. VISA
fermé 16 juil. au 8 août – SC : **R** *(fermé dim. soir et lundi)* 78/140 – ☕ 25 – **6 ch** 160.

ST-WANDRILLE-RANÇON 76 S.-Mar. 55 ⑤ – 1 184 h. alt. 25 – ✉ **76490** Caudebec-en-Caux.

Voir Abbaye★★ (chant grégorien), **G. Normandie.**

Paris 167 – Barentin 18 – Duclair 15 – Lillebonne 20 – ♦Rouen 35 – Yvetot 14.

XX **Aub. Deux Couronnes,** ✆ 35 96 11 44, « **Maison normande ancienne** » – E VISA
◆ *fermé 9 au 26 sept., 3 au 20 fév., dim. soir et lundi* – SC : **R** 58/115 ♁.

ST-YRIEIX-LA-PERCHE 87500 H.-Vienne 72 ⑰ **G. Périgord** – 8 037 h. alt. 369.

Voir Collégiale du Moûtier★ B.

ℹ Office de Tourisme r. Plaisances (1er juil.-31 août) ✆ 55 75 94 60.

Paris 437 ① – Brive 62 ③ – ♦Limoges 40 ① – Périgueux 62 ④ – Rochechouart 52 ⑤ – Tulle 74 ②.

Plan page suivante

à l'étang de Puymoreau par ③ : 4 km – ✉ **87500** St-Yrieix-la-Perche :

X **Vieux Moulin,** ✆ 55 75 08 21, ≤ – Ⓟ. ✂
◆ *fermé janv., fév. et merc.* – SC : **R** 35/80 ♁.

ST-YRIEIX-LA-PERCHE

Hôtel-de-Ville (Bd de l') 12

Attane (Pl.) 2
Condamy (R.) 3
Dr-Lemoyne (Av.) 5
Ferry (Av. Jules) 6
Gambetta (Av.) 7
Gare (Av. de la) 8
Gutenberg (Av.) 9
Limoges (Av. de) 14
Loménie (R. de) 15
Marceau (Av.) 16
Marché (R. du) 18
Nation (Pl. de la) 19
Pont-las-Bordas (R. du) 21
Poterne (R. de la) 22
République (Pl. de la) 24
Timbault (Av.) 25
4-Septembre (Pl.) 27
63e Régiment d'Infanterie (R. du) .. 28

Pour un bon usage des plans de villes, voir les signes conventionnels p. 23.

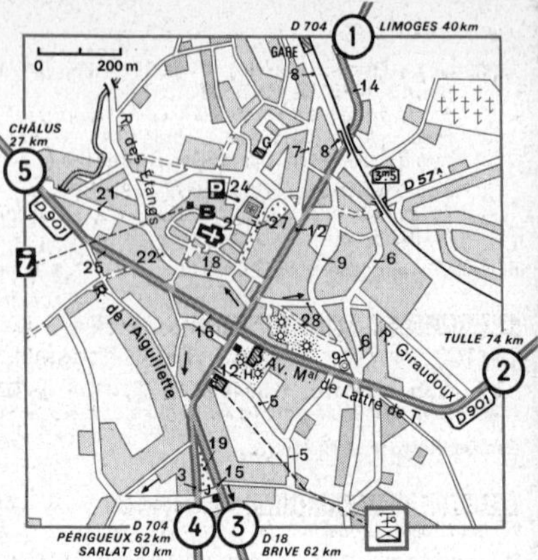

à la Roche l'Abeille **par ① : 12 km – ✉ 87800** Nexon :

Moulin de la Gorce (Bertranet) ⌂, S : 2 km par D 17 ☎ 55 00 70 66, ≤, « En bordure d'étang, parc » – TV ⇔wc ☎ P. AE ⓓ VISA
fermé 4 au 16 janv., dim. soir et lundi du 30 sept. au 31 mars – SC : **R** 200/360 et carte – ☕ 45 – **9 ch** 250/450 – P 450/500
Spéc. Foie gras de canard, Poêlée de langoustines au curry, Lièvre à la Royale (saison).

CITROEN Lenfant, Av. de Périgueux par ④ ☎ 55 75 00 30
RENAULT Saint-Yrieix Autom., rte de Limoges par ① ☎ 55 75 90 80 N
V.A.G. Faurel, 9 bis bd Hôtel de Ville ☎ 55 75 10 70

STE-ADRESSE **76** S.-Mar. **55** ③ – rattaché au Havre.

STE-AGNÈS **06** Alpes-Mar. **84** ⑩⑳, **195** ㉘ – rattaché à Menton.

STE-ANNE-D'AURAY **56** Morbihan **63** ② **G. Bretagne** – 1 554 h. alt. 34 – ✉ **56400** Auray.
Voir Trésor* de la basilique – Pardon (26 juil.).
Paris 476 – Auray 6 – Hennebont 30 – Locminé 27 – Lorient 38 – Quimperlé 54 – Vannes 16.

Croix Blanche, 25 r. Vannes ☎ 97 57 64 44, ⛱ – ⇔wc ⋒wc ☎ P. E VISA. ✻
fermé janv., fév., mardi midi et lundi du 15 sept. au 30 avril – SC : **R** 50/143 – ☕ 22 – **16 ch** 171/227 – P 290/315.

Paix, 26 r. Vannes ☎ 97 57 65 08 – ⋒wc
mars-oct. et fermé lundi soir et mardi sauf juil.-août – SC : **R** 48/100 – ☕ 12 – **24 ch** 110/150.

Annexe le Myriam M ⌂, r. Parc ☎ 97 57 70 44 – ⧉ ⇔wc ☎ P
Pâques-oct. – SC : ☕ 14 – **30 ch** 160/190.

L'Auberge avec ch, 56 r. Vannes ☎ 97 57 61 55 – ⋒ P. E VISA
fermé 7 au 24 oct., 15 janv. au 15 fév., mardi soir et merc. sauf juil.-août – SC : **R** 53/180 – ☕ 13,50 – **9 ch** 80/133 – P 163/187.

RENAULT Josset, ☎ 97 57 64 13

STE-ANNE-DU-CASTELLET **83** Var **84** ⑭ – rattaché au Castellet.

STE-ANNE-LA-PALUD (Chapelle de) **29** Finistère **58** ⑭ **G. Bretagne** – alt. 65.
Voir Pardon (fin août).
Paris 569 – •Brest 66 – Châteaulin 19 – Crozon 38 – Douarnenez 16 – Plomodiern 11 – Quimper 25.

Plage ⌂, à la plage ✉ 29127 Plomodiern ☎ 98 92 50 12, Télex 941377, ≤, ⛱, ⛱, ✗ – ⧉ ☎ P – 🏛 30. AE ⓓ E VISA. ✻ rest
31 mars-15 oct. – SC : **R** 150/280 – ☕ 40 – **26 ch** 480/680, 4 appartements 950 – P 550/680
Spéc. Homard grillé, Chartreuse de lotte, Crêpes farcies.

STE-APPOLINE **78** Yvelines **60** ⑨, **196** ⑯ – rattaché à Pontchartrain.

La STE-BAUME **83** Var **84** ⑭ **G. Provence** – alt. 670 – ✉ **83640** St-Zacharie.
Voir Forêt de la Ste-Baume** au SE de l'Hôtellerie.
Paris 813 – Nans-les-Pins 12.

Ressources hôtelières : voir à ***Nans-les-Pins***

STE-CÉCILE-LES-VIGNES 84290 Vaucluse 81 ② – 1 838 h. alt. 106.

Paris 650 – Avignon 47 – Bollène 12 – Nyons 26 – Orange 16 – Vaison-la-Romaine 22.

XXX **Le Relais,** ✆ 90 30 84 39, 余 – Ⓟ. ✻

fermé 15 fév. au 15 mars, dim. soir et lundi – SC : **R** 69/130.

Comtat-Pneus, ✆ 90 30 88 11

STE-CHRISTIE 32 Gers 82 ⑤ – rattaché à Auch.

STE-COLOMBE-LA-COMMANDERIE 27840 Eure 54 ⑳ – 498 h. alt. 147.

Paris 122 – Bernay 30 – Evreux 18 – Lisieux 54 – ♦ Rouen 46.

XX **Les Templiers,** N 13 ✆ 32 35 40 04 – AE ⓞ E VISA

fermé 15 août au 11 sept., 20 fév. au 6 mars, mardi soir et merc. – SC : **R** 72/112.

CITROEN Gar. Loisel, ✆ 32 35 40 02 N   RENAULT Gar. Poilvez, ✆ 32 35 40 17 N

STE-CROIX 01 Ain 74 ② – rattaché à Montluel.

STE-CROIX-AUX-MINES 68 H.-Rhin 62 ⑱ – 2 010 h. alt. 314 – ✉ **68160** Ste-Marie.

Voir Vallée de la Liepvrette★ E, G. Alsace et Lorraine.

Tunnel de Ste-Marie-aux-Mines SO : 2 km : Péage aller simple : autos 13,50 F, camions 27 à 54 F motos 7,50 F - Tarifs spéciaux AR pour autos et camions.

Paris 413 – Colmar 40 – Ribeauvillé 23 – St-Dié 25 – Sélestat 18.

XX **Central** avec ch, ✆ 89 58 73 27 – ⋒wc ☎. AE ⓞ VISA. ✻

fermé 17 au 30 juin, 23 fév. au 10 mars, dim. soir et lundi – SC : **R** 75/240 ♁ – ☕ 16 – **10 ch** 82/170.

STE-CROIX-EN-JAREZ 42 Loire 73 ⑲ – rattaché à Rive-de-Gier.

STE-ÉNIMIE 48210 Lozère 80 ⑤ **G. Causses** (plan) – 500 h. alt. 470.

ℹ Office de Tourisme à la Mairie ✆ 66 48 50 09.

Paris 597 – Florac 27 – Mende 28 – Meyrueis 29 – Millau 56 – Sévérac-le-Château 46 – Le Vigan 86.

❁ **Château de la Caze : voir à La Malène.**

Burlatis ✻ sans rest, ✆ **66 48 52 30** – ⌂wc ⋒wc ☎. VISA. ✻

1er mai-1er oct. – SC : ☕ 17,50 – **18 ch** 145/167.

Paris, ✆ **66 48 50 02,** ≤, 余 – ⌂wc ⋒wc ☎ Ⓟ

15 juin-15 sept. – SC : **R** 42/80 ♁ – ☕ 16,50 – **15 ch** 105/170.

STE FEYRE 23 Creuse 72 ⑩ – rattaché à Guéret.

STE-FOY 71 S.-et-L. 73 ⑧ – rattaché à Marcigny.

STE-FOY-LA-GRANDE 33220 Gironde 75 ⑬⑭ **G. Côte de l'Atlantique** – 3 218 h. alt. 20.

ℹ Office de Tourisme 102 r. République (1er juin-30 sept.) ✆ 57 46 03 00.

Paris 554 ⑤ – ♦Bordeaux 70 ⑤ – Langon 57 ④ – Marmande 44 ③ – Périgueux 64 ①.

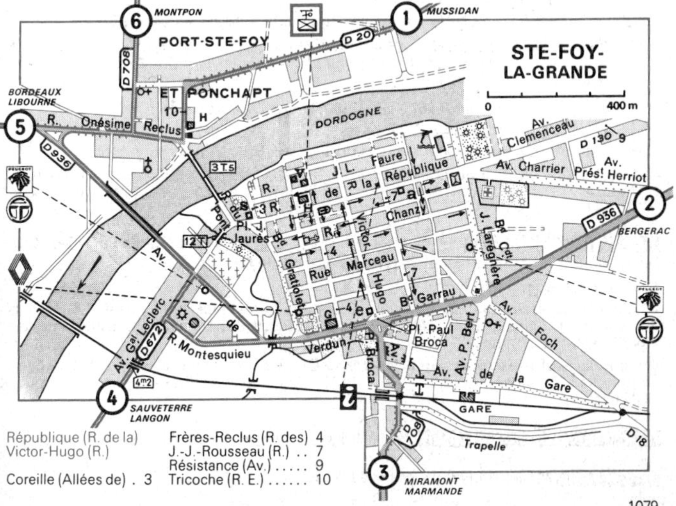

République (R. de la)
Victor-Hugo (R.)

Coreille (Allées de) . 3
Frères-Reclus (R. des) 4
J.-J.-Rousseau (R.) .. 7
Résistance (Av.) 9
Tricoche (R. E.) 10

Gd Hôtel, 117 r. République **(a)** ✆ 57 46 00 08, – ⊟wc ☎ . AE ⓓ E VISA
fermé 6 au 20 oct., 6 au 21 janv., dim. soir et lundi du 15 sept. au 15 juin – SC : **R** 75/260 – ☕ 24 – **18 ch** 172/286.

Victor Hugo Ⓜ, 101 r. V.-Hugo **(e)** ✆ 57 46 18 03 – ⊟wc ⋒wc ☎ . AE E VISA
fermé 14 au 21 sept. et vacances de fév. – SC : **R** brasserie *(fermé dim.)* carte 60 à 100 🍷 – ☕ 15,50 – **12 ch** 120/180.

Boule d'Or, pl. J.-Jaurès **(s)** ✆ 57 46 00 76, – ⊟wc ⋒wc ☎ . ⓓ. ✻
fermé 1er au 15 sept., 20 déc. au 20 fév. et lundi sauf juil. et août – SC : **R** 46/140 🍷 – ☕ 16 – **24 ch** 90/160.

✗✗ **Vieille Auberge** avec ch, r. Pasteur **(v)** ✆ 57 46 04 78 – ⋒. VISA. ✻ ch
fermé 14 au 28 avril, 13 au 27 oct., dim. soir et lundi – SC : **R** 52/165 🍷 – ☕ 16 – **7 ch** 74/115 – P 165/190.

AUSTIN, TRIUMPH, ROVER Letellier, 5 pl. Broca ✆ 57 46 15 85
PEUGEOT-TALBOT A.C.A.L., à Pineuilh ✆ 57 46 33 10
PEUGEOT-TALBOT Bleynie 41 Bd Laregnere ✆ 57 46 01 24
RENAULT Daniel, 26 Bd Gratiolet ✆ 57 46 01 63
Ⓟ Service du Pneu, à Port Ste Foy ✆ 53.24.76.00

STE-FOY-TARENTAISE 73640 Savoie 74 ⑲ – 609 h. alt. 1 051.

Paris 637 – Chambéry 113 – Moûtiers 39 – Val d'Isère 19.

Le Monal Ⓜ, ✆ 79 06 90 07, ≤ – |‡| ⊟wc ⋒wc ☎. ✻ rest
fermé 1er mai au 10 juin et 10 oct. au 15 nov. – SC : **R** 55/80 – ☕ 21 – **27 ch** 95/200 – P 160/190.

STE-GEMME-MORONVAL 28 E.-et-L. 60 ⑦, 196 ㉕ – rattaché à Dreux.

STE-GENEVIÈVE-SUR-ARGENCE 12420 Aveyron 76 ⑬ – 1 174 h. alt. 800.

Env. Barrage de Sarrans★★ N : 8 km, G. Auvergne.

Paris 557 – Aurillac 59 – Chaudes-Aigues 37 – Espalion 47 – Mende 114.

Voyageurs, ✆ 65 66 41 03, – ⊟wc ⋒wc
fermé 19 sept. au 7 oct. et dim. soir du 8 oct. au 31 mai – SC : **R** 40/80 🍷 – ☕ 14 – **17 ch** 57/110 – P 116/138.

STE-HERMINE 85210 Vendée 67 ⑮ – 2 340 h. alt. 30.

Paris 417 – Fontenay-le-Comte 22 – ♦Nantes 89 – La Roche-sur-Yon 34 – Les Sables-d'Olonne 61.

Relais de la Marquise, ✆ 51 30 00 11 – ⋒ Ⓟ. E. ✻
fermé 15 au 31 oct., 21 déc. au 10 janv., dim. soir en hiver, vend. soir et sam. – SC : **R** 47/130 🍷 – ☕ 15 – **12 ch** 70/120.

STE-LIVRADE-SUR-LOT 47110 L.-et-G. 79 ⑤ – 5 960 h. alt. 53.

Voir Fongrave : retable★ de l'église O : 5 km, G. Côte de l'Atlantique.

ℹ Office de Tourisme à la Mairie ✆ 53 01 04 76.

Paris 613 – Agen 39 – Marmande 43 – Nérac 49 – Tonneins 26 – Villeneuve-sur-Lot 9,5.

Midi, N 74 ✆ 53 01 00 32 – ⊟wc ⋒wc ☎ . AE ⓓ VISA. ✻ ch
1er avril-20 juin, 1er juil.-20 déc. et fermé dim. soir en hiver – SC : **R** 58/140 – ☕ 15 – **15 ch** 140/170 – P 140/180.

à Teysset : 9 km par D 667 – ✉ **47380** Monclar d'Agenais :

✗✗ **Teysset,** ✆ 53 79 95 56 – Ⓟ. AE VISA
fermé 15 janv. au 1er mars, vend. midi et jeudi – **R** 55/150.

CITROEN S.E.D.E.A.C., rte de Villeneuve ✆ 53 01 05 70
FORD Mandelli ✆ 53 01 04 61
HONDA Boudou, bd du Nord ✆ 53 01 02 09
PEUGEOT-TALBOT Gar. Getto, bd du Nord ✆ 53 01 01 15

STE-MARGUERITE (Ile) ★★ 06 Alpes-Mar. 84 ⑨, 195 ㉟㊴ G. Côte d'Azur – ✉ 06400 Cannes – Voir Forêt★★ – ≤★ de la terrasse du Fort-Royal.

Accès par transports maritimes.

depuis Cannes. En 1985 : saison : 9 départs quotidiens, hors saison : 6 départs quotidiens - Traversée 15 mn - 20 F (AR) - par Cie Esterel-Chanteclair, gare maritime des Iles ✆ 93 39 11 82 (Cannes).

depuis Golfe-Juan et Juan-les-Pins. En 1985 : de mars à oct., 2 à 4 départs quotidiens - Traversée 20 mn – 35 F (AR) - Cie Cap d'Antibes port de Golfe-Juan ✆ 93 63 81 31.

STE-MARGUERITE-SUR-MER 76 S.-Mar. 52 ④ – rattaché à Varengeville-sur-Mer.

STE-MARIE 44 Loire-Atl. 67 ① – rattaché à Pornic.

STE-MARIE-DE-CAMPAN 65 H.-Pyr. 85 ⑲ – alt. 857 – ✉ 65200 Bagnères-de-Bigorre.

Env. ※* du col d'Aspin SE : 13 km, G. Pyrénées.**

Paris 823 – Arreau 26 – Bagnères-de-Bigorre 12 – Luz-St-Sauveur 35 – Tarbes 33.

Chalet H. ♨, NO : 1 km sur D 935 ✆ 62 91 85 64, ←, ☂, ✂ – ⌂wc ⌂wc ☎ **P**. ✻ rest
15 mai-30 sept. et 20 déc.-15 avril – SC : **R** 51/90 – ☐ 16 – **25 ch** 110/215 – P 177/240.

à Campan NO : 6,5 km par D 935 – ✉ **65710** Campan :

Beauséjour, ✆ 62 95 35 30 – ⌂ ☎
fermé 15 nov. au 15 déc. – SC : **R** 38/80 🍷 – ☐ 13 – **21 ch** 82/95 – P 130/153.

à Payolle, au bord du lac par D 918 et VO : 9 km – alt. 1 070 – ✉ **65200** Bagnères-de-Bigorre :

Arcoch ♨, ✆ 62 91 85 76, ←, ✂ – ⌂wc ☎
1er mai-15 oct. et 1er déc.-15 avril – **R** 64/150 – ☐ 15 – **20 ch** 138/157 – P 197/203.

STE-MARIE-DE-GOSSE 40750 Landes 78 ⑰ – 729 h. alt. 40.

Paris 756 – ♦Bayonne 24 – Dax 27 – Mont-de-Marsan 79 – Peyrehorade 14.

Les Routiers, sur N 117 ✉ 40390 St-Martin-de-Seignanx ✆ 59 56 32 02 – ⌂ **P**. E VISA
fermé 29 mars au 14 avril, 18 oct. au 10 nov. et sam. – SC : **R** 40/90 🍷 – ☐ 14 – **15 ch** 52/70 – P 107/118.

STE-MARIE-DE-RÉ 17 Char.-Mar. 71 ⑫ – voir à Ré (Ile de).

STE-MARIE-DE-VARS 05 H.-Alpes 77 ⑱ – rattaché à Vars.

STES-MARIES-DE-LA-MER – voir après Saintes.

STE-MARINE 29 Finistère 58 ⑮ **G. Bretagne** – ✉ **29120** Pont-l'Abbé.

Paris 559 – Bénodet 5,5 – Concarneau 26 – Pont-l'Abbé 9,5 – Quimper 19.

XX ❁ **Le Jeanne d'Arc** (Fargette) ♨ avec ch, ✆ 98 56 32 70 – **P**
29 mars-26 oct.; fermé lundi soir sauf juil.-août et mardi – SC : **R** (nombre de couverts limité - prévenir) 130/290 – ☐ 20 – **9 ch** 99/130
Spéc. Homard en cocotte, Paupiette de turbot aux langoustines, Petite nage de St-Pierre aux fonds d'artichauts.

STE-MAURE-DE-TOURAINE 37800 I.-et-L. 68 ④⑤ **G. Châteaux de la Loire** – 4 130 h. alt. 72.

🅸 Syndicat d'Initiative r. du château (1er juil.-1er sept.) ✆ 47 65 66 20.

Paris 271 – Le Blanc 69 – Châtellerault 35 – Chinon 33 – Loches 31 – Thouars 71 – ♦Tours 37.

Veau d'Or, 13 r. Dr Patry ✆ 47 65 40 41 – ⌂wc **P**. E VISA
fermé 21 oct. au 6 nov., 7 au 23 janv., 25 fév. au 5 mars, mardi soir et merc. – SC : **R** 45/144 🍷 – ☐ 13,50 – **11 ch** 69/125.

XX **Gueulardière** avec ch, rte Nationale ✆ 47 65 40 71 – ⌂ **P**. AE ⓓ E VISA. ✻ rest
fermé 16 nov. au 2 déc., 11 au 27 janv., dim. soir d'oct. à mars et lundi – SC : **R** 54/152 – ☐ 17,50 – **16 ch** 64/160.

à Pouzay SO : 8 km – ✉ **37800** Ste-Maure-de-Touraine :

X **Gardon Frit,** ✆ 47 65 21 81, ☂
fermé janv., mardi soir et merc. – SC : **R** 117/136 🍷.

CITROEN Bou, à Noyant ✆ 47 65 82 18 **N**
CITROEN Gar. Rico, ✆ 47 65 40 46 **N**
PEUGEOT-TALBOT Duport, à Pouzay ✆ 47 65 21 89
PEUGEOT-TALBOT Saint-Aubin, ✆ 47 65 40 85 **N**
RENAULT Blain, ✆ 47 65 41 13

STE-MAXIME 83120 Var 84 ⑰ **G. Côte d'Azur** – 7 364 h. – Casino A.

Voir Sémaphore ※* N : 1,5 km.

⛳ de Beauvallon ✆ 94 96 16 98 par ③ : 4 km.

🅸 Office de Tourisme avec A.C. Promenade Simon-Lorière ✆ 94 96 19 24, Télex 970080.

Paris 877 ① – Aix-en-Provence 122 ① – Cannes 61 ② – Draguignan 36 ① – ♦Toulon 73 ③.

Plan page suivante

Belle Aurore, La Croisette par ③ ✆ 94 96 02 45, « En bordure de mer, ←, ⛱ » ⛱ – ☎ **P**
15 mars-15 oct. – **R** 160/260 – ☐ 45 – **18 ch** 480/600 – P 650/750.

Résidence Brutus sans rest, bd Mer par ③ ✆ 94 96 13 55, ← mer – |♦| ☎. AE VISA
15 mars-5 nov. – SC : ☐ 35 – **49 ch** 175/400.

tourner →

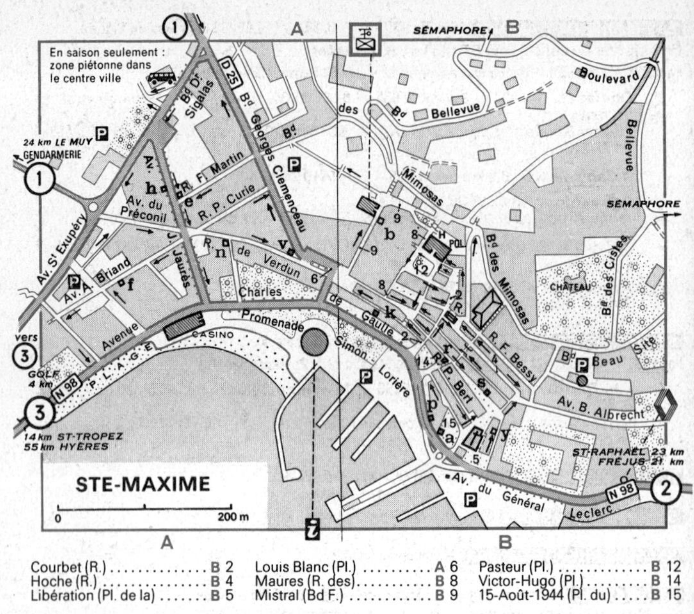

Courbet (R.) .... B 2
Hoche (R.) .... B 4
Libération (Pl. de la) .... B 5
Louis Blanc (Pl.) .... A 6
Maures (R. des) .... B 8
Mistral (Bd F.) .... B 9
Pasteur (Pl.) .... B 12
Victor-Hugo (Pl.) .... B 14
15-Août-1944 (Pl. du) ..... B 15

Calidianus [M] sans rest, quartier de la Croisette par ③ : 1 km ☎ 94 96 23 21, <, ⛱, 🌳, 🎾 – wc ☎ ⓟ
SC : ☕ 30 – **27 ch** 330.

Muzelle-Montfleuri, bd Montfleuri par ② ☎ 94 96 19 57, <, ☂, 🌳 – ascenseur wc wc ☎ ⓟ. rest
15 mars-15 oct. – SC : **R** 100/125 – ☕ 30 – **31 ch** 220/350 – P 280/370.

Poste [M], 7 bd. F.-Mistral ☎ 94 96 18 33, ☂, ⛱, 🌳 – ascenseur wc wc ☎. AE ⓓ. rest — B **b**
Hôtel : 27 mars-26 oct., rest. 20 mai-25 sept. – SC : **R** 150 – ☕ 32 – **24 ch** 260/420 – P 380/440.

"Croisette" Résidence sans rest, bd Romarins par ③ ☎ 94 96 17 75, <, 🌳 – ascenseur wc wc ☎ ⓟ. E VISA
15 mars-15 oct. – SC : ☕ 20 – **20 ch** 200/290.

Royal Bon Repos sans rest, r. J.-Aicard ☎ 94 96 08 74 – cuisinette wc ☎ ⓟ — B **y**
1er avril-15 oct. – SC : ☕ 20 – **23 ch** 170/285.

Le Revest, 48 av. J.-Jaurès ☎ 94 96 19 60, ⛱ – wc wc ☎ — A **h**
Pâques-fin oct. – SC : **R** 56/90 – ☕ 17,50 – **26 ch** 134/205 – P 200/235.

Chardon Bleu sans rest, r. Verdun ☎ 94 96 02 08 – wc wc ☎. AE ⓓ VISA — A **n**
SC : ☕ 24 – **25 ch** 150/302.

L'Ensoleillée, av. J.-Jaurès ☎ 94 96 02 27 – wc wc ☎. — A **e**
hôtel : 1er avril-1er oct.; rest.: 1er mai-1er oct. – SC : **R** 70/90 – ☕ 15 – **29 ch** 84/198, (en sais. pension seul.) – P 170/230.

Préconil sans rest, bd A.-Briand ☎ 94 96 01 73 – wc ☎ — A **f**
15 mars-30 oct. – SC : ☕ 18 – **19 ch** 144/218.

XX **L'Esquinade,** sur le port ☎ 94 96 01 65, produits de la mer – ⓓ — B **p**
fermé 5 nov. au 20 déc. et merc. sauf juil.-août – SC : **R** carte 160 à 280.

XX **La Gruppi,** av. Ch.-de-Gaulle ☎ 94 96 03 61, <, ☂, produits de la mer – ▤. VISA — B **k**
fermé lundi sauf juil.-août – SC : **R** carte 135 à 195.

XX **Sans Souci,** r. Paul-Bert ☎ 94 96 18 26, ☂ — B **s**
15 mars-6 oct. et fermé mardi en avril-mai – SC : **R** 65/85.

XX **L'Hermitage,** sur le port ☎ 94 96 17 77, ☂, produits de la mer — B **a**
SC : **R** carte 125 à 200.

X **La Réserve,** pl. Victor-Hugo ☎ 94 96 18 32, ☂ – ▤. VISA — B **r**
22 mars-15 oct. – SC : **R** 65/92.

X **Michel,** pl. Louis-Blanc ☎ 94 96 02 16, ☂ — A **v**
fermé déc., janv. et lundi hors sais. – SC : **R** 55/79.

à La Nartelle par ② : 4 km – ✉ **83120** Ste-Maxime :

Host. Vierge Noire Ⓜ sans rest, ✆ **94 96 33 11** – ⇔wc ☎ Ⓟ. AE ⓞ
20 mars-15 oct. – **SC** : ☕ 27 – **10 ch** 260/290.

Plage sans rest, ✆ **94 96 14 01**, ≤ – ⇔wc ⋒wc ☎ Ⓟ. E
15 mai-7 oct. – **SC** : ☕ 15,50 – **18 ch** 210/325.

Voir aussi ressources hôtelières de *Beauvallon* par ③ : 4,5 km

RENAULT Gar. de l'Arbois, av. Gén.-Leclerc ✆ 94 96 14 03

STE-MENEHOULD ⟨SP⟩ **51800** Marne **56** ⑲ **G. Champagne, Ardennes** – **5 807 h. alt. 139.**
Voir ≤★ du "château".

Office de Tourisme, 15 pl. Gén.-Leclerc (après-midi seul.) ✆ 26 60 85 83.

Paris 221 – Bar-le-Duc 48 – Châlons-sur-Marne 42 – ♦Reims 78 – Verdun 47 – Vitry-le-François 51.

St-Nicolas, **36** r. Chanzy ✆ **26 60 80 59** – ⇔wc ☎
fermé 13 au 23 nov., mardi soir et merc. – **SC** : **R** 58/155 ♁ – ☕ 16 – **19 ch** 73/120.

à Florent-en-Argonne NE : 7,5 km par D 85 – ✉ **51800** Ste-Menehould :

Aub. la Menyère, ✆ **26 60 93 70,** « Maison du 16e s. ». VISA. ⚘
fermé fév., dim. soir et lundi – **SC** : **R** 37 (sauf vend. soir et sam. soir), carte dim. midi et fêtes.

MAZDA Gar. Garet, 49 r. Florion ✆ 26 60 81 38 N
PEUGEOT-TALBOT Crochet, 61 av. Bournizet ✆ 26 60 84 78
RENAULT Roudier, rte Chalons ✆ 26 60 80 80

STE-MONTAINE **18** Cher **64** ⑳ – rattaché à Aubigny-sur-Nère.

STE-ODILE (Mont) **67** B.-Rhin **62** ⑨ **G. Alsace et Lorraine** – alt. 761 – ✉ **67530** Ottrott - Pèlerinage 13 décembre – **Voir Couvent de Ste-Odile★ : ⁂★★.**

Paris 437 – Molsheim 23 – Sélestat 28 – ♦Strasbourg 42.

SAINTES ⟨SP⟩ **17100** Char.-Mar. **71** ④ **G. Côte de l'Atlantique** – **27 486 h. alt. 27.**
Voir Vieille ville★ AZ – **Arènes★** Y – **Église St-Eutrope : église inférieure★★** AZ **D** – **Abbaye aux Dames : église abbatiale★** BZ – **Arc de Germanicus★** BZ **F** – **Musée des Beaux-Arts★** AZ **M2.**

⛳ ✆ **46 74 27 61** par ② : 3 km – 🚗 ✆ **46 74 50 50.**

Office de Tourisme Esplanade A.-Malraux ✆ 46 74 23 82.

Paris 469 ⑧ – ♦Bordeaux 116 ⑥ – Niort 73 ⑧ – Poitiers 137 ⑧ – Rochefort 40 ⑨ – Royan 38 ⑦.

Plan page suivante

Relais du Bois St-Georges Ⓜ ⛰, r. Royan (D 137) ✆ **46 93 50 99,** ≤, ⛱, parc, ⛆ – ☎ ♿ 🚗 Ⓟ – 🏛 70 — Y **d**
SC : **R** 105 – ☕ 39 – **21 ch** 180/430 – P 445/495.

Commerce Mancini ⛰, r. des Messageries ✆ **46 93 06 61, Télex 791012** – TV ☎ 🚗. AE ⓞ E VISA — AZ **e**
SC : **R** 70/250 – ☕ 25 – **34 ch** 115/250, 6 appartements 270.

Trois Sapins Ⓜ sans rest, rte Rochefort : 2 km ✆ **46 74 42 70** – ⇔wc ⋒wc ☎ ♿ Ⓟ. ⓞ E VISA. ⚘ — Y **v**
SC : ☕ 20 – **20 ch** 197/230.

Bosquets Ⓜ sans rest, rte Rochefort : 2 km ✆ **46 74 04 47,** 🌳 – ⇔wc ⋒wc ☎ Ⓟ. E VISA — Y **b**
fermé 23 déc. au 3 janv. – **SC** : ☕ 18,50 – **35 ch** 165/195.

Messageries ⛰ sans rest, r. Messageries ✆ **46 93 64 99** – TV ⇔wc ⋒wc ☎ 🚗. AE ⓞ E VISA — AZ **r**
fermé 27 déc. au 2 janv. – **SC** : ☕ 17,50 – **37 ch** 108/176.

Avenue Ⓜ, 116 av. Gambetta ✆ **46 74 05 91** – ⇔wc ⋒wc ☎ Ⓟ – 🏛 25 à 60. E VISA. ⚘ ch — BZ **s**
SC : **R** voir **Brasserie Louis** – ☕ 16,50 – **15 ch** 100/180.

France et rest. Chalet, pl. Gare ✆ **46 93 01 16,** ⛱, 🌳 – 🛗 ⇔wc ⋒wc ☎ 🚗 – 🏛 25 à 120. AE E VISA — BZ **a**
fermé nov. – **SC** : **R** *(fermé vend. de déc. à Pâques)* 50/130 ♁ – ☕ 22 – **26 ch** 140/200.

Logis Santon, 54 cours Genêt ✆ **46 74 20 14,** ⛱, 🌳 – Ⓟ. E VISA — Y **k**
fermé 26 août au 10 sept., sam. midi et dim. – **SC** : **R** 80/135.

Brasserie Louis, 116 av. Gambetta ✆ **46 74 16 85** – Ⓟ. E VISA — BZ **s**
fermé lundi hors sais. – **SC** : **R** 62/99 ♁.

rte de Rochefort par ⑨ : 6 km – ✉ **17810** St-Georges-des-Coteaux :

La Vieille Forge, ✆ **46 92 98 30,** 🌳 – Ⓟ. VISA
fermé lundi soir – **R** 65/110.

SAINTES

St-Eutrope (R.) .... AZ 42
St-François (R.) .... AZ 43
St-Macoult (R.) .... AZ 45
St-Pierre (R.) .... AZ 46
St-Vivien (Pl.) .... AZ 47
Victor-Hugo (R.) .... AZ 49

Alsace-Lorraine (R.) . AZ 3
Gambetta (Av.) ...... BZ
National (Cours) .... AZ

Allende (Av. Salvador) ...... Y 2
Arc de Triomphe (R.) . BZ 4
Bassompierre (Pl.) ... BZ 5
Berthonnière (R.) .... AZ 7
Blair (Pl.) .... AZ 9
Bois d'Amour (R.) ... AZ 10
Bourignon (R.) .... Y 12
Brunaud (R. A.) ..... AZ 13
Clemenceau (R.) .... AZ 15
Denfert-Rochereau (R.) ... BZ 16
Dufaure (Av. J.) .... Y 18
Foch (Pl. Mar.) ...... AZ 20
Jacobins (R. des) .... AZ 25
Jean (R. du Docteur) .. Y 27
Jourdan (Av.) .... Y 29
Kennedy (Av. J.-F.) .... Y 31
Lacurie (R.) .... Y 33
Leclerc (Crs Mar.) ..... Y 34
Lemercier (Cours) ... AZ 35
Marne (Av. de la) .... BZ 37
Mestreau (R. F.) .... BZ 38
Monconseil (R.) ..... AZ 39
République (Quai) ... AZ 41

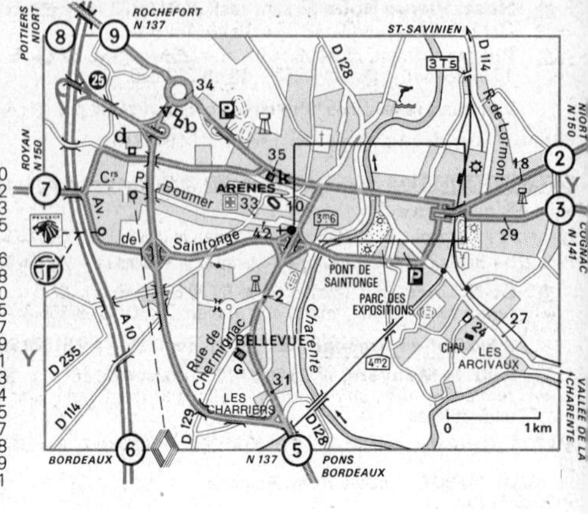

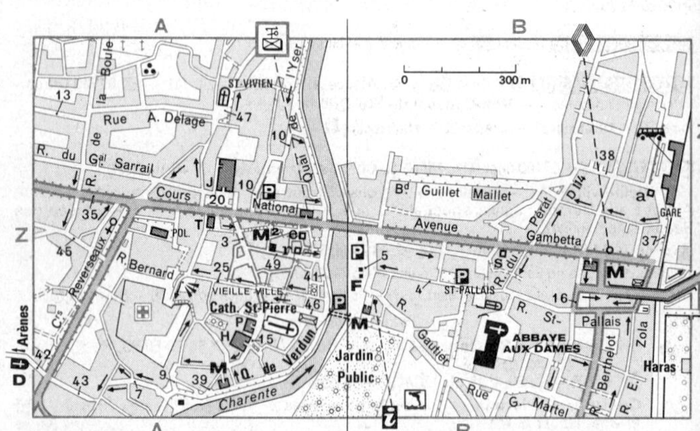

CITROEN Ardon, rte Bordeaux par ⑤ ℰ 46 93 37 22 N ℰ 46 93 28 07
FIAT Dufour, 20 av. S.-Allende à Bellevue ℰ 46 93 12 04
FORD S.A.V.I.A.L., Zone Ind. des Charriers, rte Bordeaux ℰ 46 93 43 44
PEUGEOT-TALBOT Guerry, av. de Saintonge, Zone Ind., rte de Royan ℰ 46 93 48 33
RENAULT Bagonneau, Zone Ind., Cours P.-Doumer ℰ 46 93 67 66

RENAULT Saintonge-Automobiles, 145 av. Gambetta ℰ 46 93 55 38
V.A.G. Basty, 7 r. F.-Mestreau ℰ 46 93 43 88

Aubert-Pneus, ZI de l'Ormeau de Pied ℰ 46 93 11 03
Moyet-Pneus, 14 r. Gauthier ℰ 46 74 26 86
Relais du Pneu, av. de Nivelles ℰ 46 74 15 03

STES-MARIES-DE-LA-MER **13460** B.-du-R. 83 ⑲ **G. Provence** (plan) – **2 045 h** – **Voir** Église★ – Pèlerinage des Gitans★★ (24 et 25 mai) – Office de Tourisme av. Van Gogh ℰ 90 47 82 55 – Paris 764 – Aigues-Mortes 32 – Arles 38 – ♦Marseille 129 – ♦Nîmes 53 – St-Gilles 34.

- **Mas des Rièges** M sans rest, par rte Cacharel ℰ 90 47 85 07, ≤, – wc wc. E.
  1er avril-11 nov. – SC : 22 – **14 ch** 235/270.
- **Galoubet** sans rest, rte Cacharel ℰ 90 97 82 17, ≤, – wc wc.
  fermé 20 au 27 déc. et 10 janv. au 10 mars – SC : 19 – **20 ch** 200/238.
- **Lou Marquès** sans rest, 6 r. Vibre ℰ 90 47 82 89 – wc wc.
  23 mars-oct. – SC : 15 – **17 ch** 155/168.
- **Le Fangassier** sans rest, 12 rte Cacharel ℰ 90 97 85 02 – wc wc.
  fin mars-début nov. – SC : 15 – **20 ch** 155/190.
- **Camargue** sans rest, av. Arles ℰ 90 97 82 03 – wc wc.
  1er avril-30 sept. – SC : 13,50 – **32 ch** 144/156.

Mirage sans rest, 14 r. C.-Pelletan ✆ 90 97 80 43, – wc wc. VISA.
15 mars-15 oct. – SC : 16 – **27 ch** 135/170.

Méditerranée sans rest, r. F.-Mistral ✆ 90 97 82 09 – wc.
fermé 5 nov. au 20 déc. et 5 janv. au 5 fév. – SC : 15 – **14 ch** 90/170.

XXX **Brûleur de Loups,** av. G.-Leroy ✆ 90 97 83 31 – AE
16 mars-15 nov. et fermé mardi soir et merc. sauf août et sept. – SC : **R** 105/125.

XX **Hippocampe** avec ch., r. C.-Pelletan ✆ 90 97 80 91, – wc
15 mars-11 nov. – SC : **R** *(fermé mardi du 15 mars au 30 juin et du 1er oct. au 11 nov.)* 83/147 – 15 – **4 ch** 182.

X **Impérial,** pl. Impériaux ✆ 90 97 81 84 – VISA
22 mars-11 nov., week-ends en nov.-déc. et fermé mardi sauf juil. à sept. – SC : **R** 78.

au Nord : rte Arles D 570 – ✉ 13460 Stes-Maries-de-la-Mer :

Pont des Bannes, ✆ 90 47 81 09, « Cabanes de gardians dans les marais », – – 25
1er avril-15 oct. – SC : **R** 165 – **20 ch** 420/440 – P 550/740.

Mas Ste Hélène - (Annexe M) ✆ 90 47 83 29
fermé 2 janv. au 15 fév. – SC : **15 ch** 355/375 – P 520/685.

L'Étrier Camarguais, à 2,5 km et VO ✆ 90 47 81 14, – wc – 35. AE E VISA
21 mars-3 janv. – SC : **R** 140 – 33 – **27 ch** 308/352 – P 605/649.

Le Boumian, à 1,5 km ✆ 90 47 81 15, – wc – 50
fermé 2 janv. au 15 fév. – SC : **R** 140 – **28 ch** 300/325 – P 440.

Mas des Roseaux sans rest, à 1 km ✆ 90 97 86 12, ←, – wc.
28 mars-6 avril et 1er mai-12 oct. – SC : **15 ch** 370.

La Lagune sans rest, à 2 km ✆ 90 47 84 34, – wc. AE VISA
SC : 21 – **15 ch** 260.

XX **Pont de Gau** avec ch, à 5 km ✆ 90 47 81 53 – wc. AE VISA
fermé 4 janv. au 20 fév. et merc. du 15 oct. à Pâques – SC : **R** 62/195 – 18,50 – **9 ch** 155 – P 306/384.

route du Bac du Sauvage NO – ✉ 13460 Stes-Maries-de-la-Mer :

Mas de la Fouque M, 4 km par D 38 et chemin privé ✆ 90 47 81 02, ←, parc, « dans la Camargue », – . AE VISA
21 mars-2 nov. – SC : **R** *(fermé mardi)* (dîner seul.) 185/250 – 45 – **12 ch** 620/1 200.

Le Clamador sans rest, 4 km par D 38 ✆ 90 97 84 26, ← – wc wc. VISA
31 mars-1er oct. – SC : 20 – **22 ch** 200/231.

au Nord : 7 km par D 85A – ✉ 13460 Stes-Maries-de-la-Mer :

Mas du Clarousset par chemin privé, ✆ 90 47 81 66, – TV wc. AE VISA
SC : **R** *(fermé 15 janv. au 15 mars et lundi sauf fériés)* (prévenir) 150 (sauf sam. soir)/250 – 45 – **10 ch** 400/450 – P 540.

Host. Mas Calabrun, ✆ 90 47 83 23, – wc wc. AE VISA. rest
1er avril-31 oct. – SC : **R** 130 – 28 – **27 ch** 250/317 – P 371/386.

STE-SAVINE 10 Aube 61 ⑯ – rattaché à Troyes.

STE-SÉVÈRE-SUR-INDRE 36160 Indre 68 ⑲⑳ G. Périgord – 1 056 h. alt. 307.

Paris 315 – Châteauroux 51 – La Châtre 15 – Guéret 46 – Montluçon 59.

X **Écu de France** avec ch, ✆ 54 30 52 72 – wc
fermé 15 sept. au 8 oct., 1er au 7 mars et lundi – SC : **R** 56/123 – 17 – **7 ch** 70/165 – P 180/220.

SALBRIS 41300 L.-et-Ch. 64 ⑲ G. Châteaux de la Loire – 6 134 h. alt. 112.

Paris 187 – Blois 67 – Bourges 50 – Montargis 101 – ♦Orléans 56 – Vierzon 23.

Parc M, 10 av. Orléans ✆ 54 97 18 53, Télex 751164, parc – . AE E VISA. ch
SC : **R** *(fermé 13 janv. au 18 fév.)* 75/160 – 25 – **29 ch** 120/290 – P 255/360.

Dauphin, 57 bd République ✆ 54 97 04 83, – wc. E VISA
fermé 2 au 12 juin, 15 au 31 janv., dim. soir et lundi sauf du 30 juin au 15 sept. – SC : **R** 85/180 – 19 – **10 ch** 95/230 – P 200/250.

X **Clé des Champs,** 52 av. Orléans ✆ 54 97 14 15, – . AE E VISA
fermé 15 au 20 sept., 1er au 15 mars, dim. soir et merc. – SC : **R** 58/106.

CITROEN Gar. Vincent, 41 bd République ✆ 54 97 16 46
FORD-LANCIA-AUTOBIANCHI Gar. Deniau, 70 bd République ✆ 54 97 00 42
PEUGEOT-TALBOT Gar. Grimault, 56 av. Nançay ✆ 54 97 00 07
RENAULT Gar. le Bozec, 92 rte d'Orléans ✆ 54 97 05 14

SALERNES **83690 Var 84 ⑥ G. Côte d'Azur – 2 933 h. alt. 222.**

Paris 835 – Aix-en-Provence 93 – Digne 92 – Draguignan 23 – •Marseille 93 – •Toulon 82.

Host. Allègre, ✆ **94 70 60 30,** – wc
fermé mi-janv. à fin fév., dim. soir et lundi – **SC : R** 48/100 – 15 – **26 ch** 94/180 – P 176/200.

CITROEN Gar. Piaget, ✆ 94 70 60 44 ✆ 94 70 70 53
FORD Gar. Boutal, ✆ 94 70 60 52
RENAULT Gar. Garabedian, ✆ 94 70 72 38

SALERS **15410 Cantal 76 ② G. Auvergne (plan) – 470 h. alt. 951.**

Voir Grande-Place★★ – Église★ – Esplanade de Barrouze ≤★.

Syndicat d'Initiative pl. Tissandier d'Escous (15 juin-15 sept.) ✆ 71 40 70 68.

Paris 505 – Aurillac 49 – Brive-la-Gaillarde 102 – Mauriac 19 – Murat 43.

Le Bailliage M, ✆ **71 40 71 95,** – wc wc . E
fermé 12 nov. au 20 déc. – **SC : R** 55/85 – 14,50 – **30 ch** 155/180 – P 170/185.

Remparts , ✆ **71 40 70 33,** ≤ **Monts du Cantal** – wc. VISA
fermé 12 oct. au 20 déc. – **SC : R** 52/85 – 15 – **26 ch** 135/155 – P 135/175.

Beffroi sans rest, ✆ **71 40 70 11** – wc wc . E VISA
Pâques, 1er juin-10 oct. et fév. – **SC :** 13 – **9 ch** 140/160.

à St-Bonnet-de-Salers **NO : 4 km par D 22 et D 29 – alt. 843 – ✉ 15140 St-Martin-Valmeroux :**

Dagiral , ✆ **71 69 12 65** –
Pâques-30 sept. – **SC : R** 65/85 – 13,50 – **16 ch** 70/85 – P 130.

au Theil **SO : 6 km par D35 et D37 – ✉ 15140 St-Martin-Valmeroux :**

Host. Maronne M , ✆ **71 69 20 33,** ≤, , , – wc wc . E VISA
1er avril-5 nov. – **SC : R** (dîner seul.) 79 – 15 – **20 ch** 160/190.

à Anglards-de-Salers **NO : 11 km par D 22 – ✉ 15380 Anglards-de-Salers**

Commerce , ✆ **71 40 00 33,** – .
1er mars-15 oct. – **SC : R** *(fermé dim. du 1er mars au 30 avril)* 55/80 – 14 – **27 ch** 82/130 – P 140/150.

CITROEN Gar. Moderne, ✆ 71 40 70 80
RENAULT Gar. Roux, ✆ 71 40 72 04

SALÈVE (Mont) ★★ **74 H.-Savoie 74 ⑥ G. Alpes – alt. 1 380 au Grand Piton, 1 184 à la table d'orientation des Treize Arbres ★★ (13 km SO d'Annemasse par ④, D 41 puis 15 mn) – Sports d'hiver : 1 200/1 400 m 1 1.**

Dusonchet , **à la Croisette - Alt. 1 176 ✉ 74560 Monnetier-Mornex** ✆ **50 94 52 04,** ≤ – wc wc .
fermé 1er nov. au 15 déc. et merc. sauf juil.-août – **SC : R** 50/110 – 18 – **10 ch** 95/190 – P 145/180.

SALIES-DE-BÉARN **64270 Pyr.-Atl. 78 ⑧ G. Pyrénées – 5 175 h. alt. 54 – Stat. therm..**

Office de Tourisme 1 bd St-Guily ✆ 59 38 00 33.

Paris 777 ③ – •Bayonne 54 ③ – Dax 36 ① – Orthez 17 ① – Pau 58 ① – Peyrehorade 18 ③.

SALIES-DE-BÉARN

Coustère (R. Élysée) 4
Jardin-Public (Cours du) 8
Jeanne d'Albret (Pl.) 10
St-Vincent (R.) 24

Bains (R. des) 2
Drs-Foix (Av. des) 5
Gare (Av. de la) 7
Laclabote (R.) 13
Lanabère (Bd du Gén.) 15
Leclerc (Av. du Mar.) 16
Martinâa (R.) 18
Pécaut (Av. Félix) 19
Pyrénées (Av. des) 21
St-Martin (R.) 23
Tannerie (R. de la) 26
Temple (Pl. du) 27
Toulet (R. Paul-Jean) 28

Pour aller loin rapidement, utilisez les ***cartes Michelin*** *à 1/1 000 000.*

Le Blason, pl. J.-d'Albret **(n)** ✆ 59 38 00 53 – wc ⊛
fermé janv. – **R** 43 – ☕ 16 – **27 ch** 62/110 – P 152/208.

Larquier, r. Salines **(r)** ✆ 59 38 10 43, – wc Ⓟ.
1er avril-30 sept. – SC : **R** 60/80 – **20 ch** ☕ 68/95 – P 185/215.

Terrasse, r. Loumé **(e)** ✆ 59 38 09 83. E VISA
fermé vacances de Pâques, de Noël et lundi – SC : **R** 49/62 ₰.

CITROEN Gar. des Thermes, ✆ 59 38 14 45 RENAULT Gar. Hourdebaigt, ✆ 59 38 06 19 N

SALIES-DU-SALAT 31260 H.-Gar. 86 ② – 2 195 h. alt. 300 – Stat. therm. (2 mai-20 oct.) – Casino – Paris 781 – Auch 88 – St-Gaudens 22 – St-Girons 25 – ♦Toulouse 76.

Gd Hôtel ⛰, ✆ 61 90 56 43, , – wc wc Ⓟ.
2 juin-15 sept. – SC : **R** 52/95 ₰ – ☕ 11,50 – **26 ch** 92/180 – P 170/240.

SALINS-LES-BAINS 39110 Jura 70 ⑤ G. Jura – 4 181 h. alt. 331 – Stat. therm. (1er fév.-30 nov.) – Casino
Y – **Voir Site★ – Fort Belin★** Z B – **Fort St-André★** O : 4 km par D 94 (S du plan).

Office de Tourisme pl. Anc.-Salines ✆ 84 73 01 34.

Paris 409 ④ – ♦Besançon 45 ④ – Dole 45 ④ – Lons-le-Saunier 52 ④ – Poligny 25 ④ – Pontarlier 43 ②.

Aub. le Val d'Héry avec ch, par ③ : 3 km sur D 467 ✆ 84 73 06 54 – Ⓟ. AE VISA
fermé fév., dim. soir et lundi – SC : **R** 70/140 ₰ – ☕ 16,50 – **5 ch** 60/79.

CITROEN Gar. Salins-Zurich, ✆ 84 73 04 80
CITROEN Gar. Salinois, ✆ 84 73 08 63 N
PEUGEOT-TALBOT Vurpillot, ✆ 84. 73.05.45 N
RENAULT Gar. Vieille-Girardet, ✆ 84 73 11 56

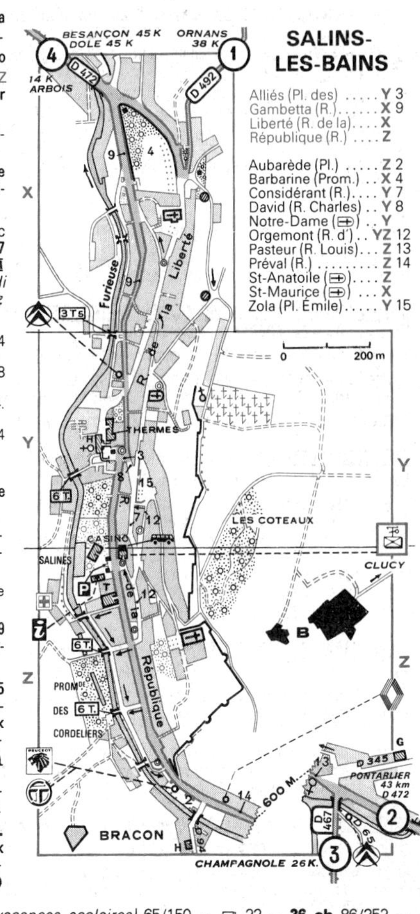

SALLANCHES 74700 H.-Savoie 74 ⑧ G. Alpes – 10 509 h. alt. 554.
Voir ✻★★ **sur le Mt-Blanc – Chapelle de Médonnet :** ✻★★ **– Cascade d'Arpenaz★** N : 5 km.

Syndicat d'Initiative quai Hôtel de Ville ✆ 50 58 04 25.

Paris 569 – Annecy 75 – Bonneville 29 – Chamonix 28 – Megève 13 – Morzine 44.

La Crémaillère M ⛰ 1,5 km par ancienne rte Combloux ✆ 50 58 32 50, Télex 385398, ≤ Mt-Blanc, – TV wc ☎ ♿ Ⓟ – 50. AE ⓓ E VISA
SC : **R** 65/250 ₰ – ☕ 30 – **43 ch** 195/250 – P 250/270.

Les Sorbiers et rest. Les Darblots, 17 r. Paix ✆ 50 58 01 22, ≤, parc – TV wc wc ☎ ♿ Ⓟ – 30. AE ⓓ E VISA
SC : **R** *(fermé dim. sauf vacances scolaires)* 65/150 – ☕ 22 – **36 ch** 86/252 – P 224/294.

Mont-Blanc sans rest, 8 r. Mont Blanc ✆ 50 58 12 47 – wc ⊛. VISA
SC : ☕ 16,50 – **24 ch** 74/140.

St-Jacques sans rest, 1 quai St-Jacques ✆ 50 58 01 35 – wc ⊛. VISA.
SC : ☕ 15 – **9 ch** 106/145.

La Chaumière, 1 Vieille rte de Combloux ✆ 50 58 00 59 – Ⓟ. AE ⓓ E VISA
fermé 20 mai au 2 juin, 3 au 10 sept. et merc. – SC : **R** 75/120.

à Cordon SO : 4 km par D 113 – alt. 871 – Sports d'hiver : 1 050/1 600 m 5 – ✉ 74700 Sallanches :

Chamois d'Or , ✆ 50 58 05 16, ≤ chaîne Mont-Blanc, , , , – – 25. AE VISA
1er juin-15 sept. et 15 déc.-14 avril – SC : **R** 90/120 – 28 – **30 ch** 220/280 – P 245/320.

Roches Fleuries , ✆ 50 58 06 71, ≤ chaîne Mont-Blanc, « Bel intérieur », – . rest
fermé mai et 30 sept. au 20 déc. – SC : **R** 100/140 – 26 – **29 ch** 240/260 – P 265/330.

Le Cordonant , ✆ 50 58 34 56, ≤ chaîne Mont-Blanc – wc . rest
fermé 15 avril au 5 mai, 28 sept. au 18 déc. – SC : **R** 70/95 – 20 – **15 ch** 160/180 – P 180/205.

Solneige , ✆ 50 58 04 06, ≤ chaîne Mont-Blanc, – wc wc
fermé 27 sept. au 18 déc. – SC : **R** 66/88 – 20 – **29 ch** 90/150 – P 188/195.

Les Rhodos , ✆ 50 58 13 54, ≤ chaîne Mt-Blanc – wc wc . rest
1er juin-20 sept. et Noël-Pâques – SC : **R** 66/85 – 18 – **30 ch** 140/160 – P 160/195.

Perron , ✆ 50 58 11 18 – wc wc . VISA. rest
SC : **R** 45/90 – 20 – **16 ch** 150/180 – P 176/200.

CITROEN Gar. Greffoz, 50 av. de Genève ✆ 50 58 20 49
FIAT Gar. St-Martin, rte de Passy, St-Martin-sur-Arve ✆ 50 58 41 88
FORD Gar. des Alpes, rte de Chamonix ✆ 50 58 14 44
MAZDA Gar. Levet, 51 av. de Genève ✆ 50 58 06 28
MERCEDES-BENZ, V.A.G. Gar. des Fontanets, rte du Fayet ✆ 50 58 36 44 N ✆ 50 21 00 27
PEUGEOT-TALBOT Gar. de Warens, 44 av. de Genève ✆ 50 58 11 32
SEAT Gar. des Aravis, 999 rte du Fayet ✆ 50 58 24 75

Sallanches-Pneus, 7 av. Genève ✆ 50 58 00 34
Dhoomun, Z.I. sortie autoroute ✆ 50 58 47 45

SALLES-ARBUISSONNAS-EN-BEAUJOLAIS 69 Rhône 73 ⑨ G. Vallée du Rhône – 513 h. alt. 343 – ✉ 69460 St-Etienne-des-Oullières.

Paris 428 – Bourg-en-Bresse 50 – Chauffailles 46 – ♦Lyon 42 – Mâcon 38 – Villefranche-sur-Saône 11.

La Benoite, ✆ 74 67 52 93, – . E
fermé 27 juil. au 14 août, 20 au 28 fév. et merc. – **R** 50/120 .

CITROEN Gar. du Chapitre, à Fond-de-Salles ✆ 74 67 54 09

SALLES-CURAN 12410 Aveyron 80 ⑬ – 1 424 h. alt. 833.

Paris 652 – Albi 77 – Millau 37 – Rodez 40 – St-Affrique 41.

Host. du Lévézou (Bouviala) , ✆ 65 46 34 16, , demeure du 14e s., – wc wc . AE E VISA. rest
1er avril-15 oct. et fermé dim. soir et lundi sauf du 10 juin au 15 sept. – SC : **R** (dim.et fêtes prévenir) 68/180 – 22 – **25 ch** 70/220 – P 230/280
Spéc. Toast de foie gras chaud aux baies sauvages, Aiguillettes de canard au vinaigre et miel, Tarte fine aux pommes caramélisées. **Vins** Faugères.

Aub. du Pareloup, ✆ 65 46 35 22 – – *sais.* – **15 ch**.

Les SALLES-SUR-VERDON 83 Var 84 ⑥ – 131 h. alt. 503 – ✉ 83630 Aups.

Paris 833 – Brignoles 60 – Draguignan 50 – Manosque 63 – Moustiers-Ste-Marie 13.

Aub. des Salles , ✆ 94 70 20 04, ≤, – wc wc
1er mars-20 nov. et fermé mardi hors sais. – SC : **R** 59/135 – 17 – **22 ch** 124/175 – P 222/250.

Le Verdon , ✆ 94 70 20 02, ≤, – wc wc .
1er mars-1er nov. et fermé vend. hors sais. – SC : **R** 59/122 – 23 – **19 ch** 160/180 – P 430/450 (pour 2 pers.).

SALMIECH 12 Aveyron 80 ⑫ 741 h – ✉ 12120 Cassagnes-Begonhès.

Paris 631 – Albi 65 – Millau 65 – Rodez 24.

du Céor, ✆ 65 46 70 13 – wc . E
mars-oct., vacances de Noël et de fév. – SC : **R** 40 bc/180 – 14,50 – **29 ch** 75/120 – P 130/155.

SALON-DE-PROVENCE 13300 B.-du-R. 84 ② G. Provence – 35 845 h. alt. 82.

Voir Château de l'Empéri : musée** BYZ.

Env. Table d'orientation de Lançon ≤** SE : 12 km puis 15 mn.

de l'École de l'Air ✆ 90 53 90 90 par ② : 3 km.

Office de Tourisme et A.C. 56 Cours Gimon ✆ 90 56 27 60.

Paris 722 ① – Aix-en-Pr. 35 ② – Arles 41 ③ – Avignon 46 ① – ♦Marseille 55 ② – Nîmes 71 ③.

SALON-DE-PROVENCE

Carnot (Cours) .... AY 3
Crousillat (Pl.) .... BY 7
Frères-Kennedy (R. des) .... AY
Gimon (Cours) .... BZ
Victor-Hugo (Cours) .... BY 29

Capucins (Bd des) ...... BZ 2
Clemenceau (Bd Georges) .... AY 4
Coren (Bd Léopold) .... AY 5
Craponne (Allées de) .... BZ 6
Ferrage (Pl. de la) .... BZ 8
Fileuses-de-Soie (R. des) .... AY 9
Gambetta (Pl.) .... BZ 10
Horloge (R. de l') .... BY 12
Ledru-Rollin (Bd) .... AY 14
Mistral (Bd Frédéric) .... BZ 16
Nostradamus (Bd) ...... AY 18
Pasquet (Bd Louis) ...... BZ 19
Pelletan (Cours Camille) ...... AY 22
République (Bd de la) .... AY 23
Reynaud-d'Ursule (R.) ... BZ 26
St-Laurent (Square) ..... BY 27
St-Michel (R.) .... BY 28

Ne cherchez pas au hasard un hôtel agréable et tranquille mais consultez les cartes p. 56 à 63.

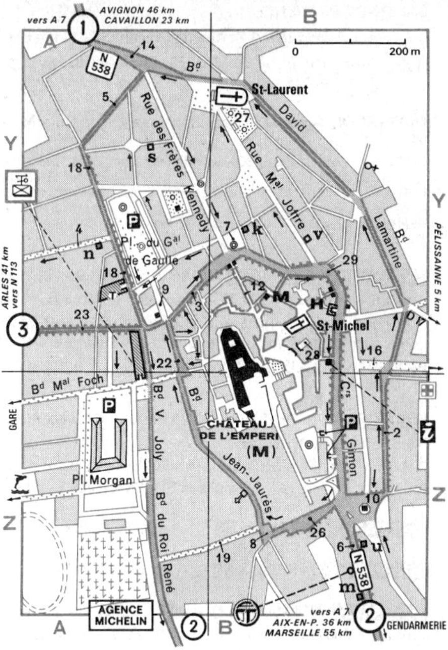

Midi, 518 allées Craponne par ② ✆ 90 53 34 67 – ⚿ ▤ rest ⇔wc ⫙wc ☎ Ⓟ. E VISA. ✂ rest
SC : **R** *(fermé le midi et dim.)* 70/90 ♨ – ☕ 18 – **25 ch** 140/245.

Roi René sans rest, **561 allées Craponne par** ② ✆ **90 53 20 22** – ⚿ ⇔wc ⫙wc ☎. E VISA
fermé déc. – SC : ☕ 18 – **30 ch** 132/210.

Sélect-H. ⛷ sans rest, **35 r. Suffren** ✆ **90 56 07 17** – ⫙wc ☎. ✂ — AY **s**
SC : ☕ 19 – **19 ch** 125/150.

Vendôme sans rest, **34 r. Mar.-Joffre** ✆ **90 56 01 96** – ⇔wc ⫙wc ☎. ⓓ VISA
SC : ☕ 18 – **22 ch** 80/170. — BY **v**

XXX ✿ **Robin,** 1 bd G.-Clemenceau ✆ **90 56 06 53** – AE ⓓ E VISA — AY **n**
fermé vacances de fév., dim. soir et lundi sauf fêtes – SC : **R** 150/280
Spéc. Filets de sole Clarence, Civet de homard, Chariot des desserts. **Vins** Meyreuil, Rousset.

XX **Le Touring,** 20 pl. Crousillat ✆ **90 56 00 07** – AE E — BY **k**
fermé fév. et merc. hors sais. – SC : **R** 65/140.

XX **Craponne,** 146 allées Craponne ✆ **90 53 23 92** – VISA — BZ **m**
fermé juil., dim. soir et lundi – SC : **R** 115/145.

X **Le Poêlon,** 71 allées Craponne ✆ **90 53 31 38** – AE ⓓ VISA — BZ **u**
fermé août, merc. soir et jeudi – SC : **R** 85/125.

au NE : **5 km par D 16** BY **et voie privée** – ✉ **13300** Salon-de-Provence :

Abbaye de Ste-Croix ⛷, ✆ **90 56 24 55, Télex 401247,** ≤, ⛱, **parc,** ⛱ – ☎ Ⓟ – 🚶 30 à 100. AE ⓓ E VISA. ✂ rest
1er mars-31 oct. – SC : **R** *(fermé lundi midi)* 195/295 – ☕ 50 – **19 ch** 500/930, 4 appartements 1 300 – P 920/1 720.

au SO, **5 km par ②, N 113, D 19 et voie privée** – ✉ **13250** Cornillon :

Devem de Mirapier Ⓜ ⛷, ✆ **90 55 99 22,** ≤, **parc,** ⛱, ⛱, ✂ – ▤ ⇔wc ☎ ♿ Ⓟ – 🚶 30. AE E VISA
SC : **R** *(fermé lundi)* 110/180 – ☕ 27 – **16 ch** 210/320.

à la Barben **SE : 8 km par ②, N 572 et D 22E** – ✉ **13330** Pélissanne :
Voir Château★ E : 2 km.

XX **Touloubre** ⛷ avec ch, ✆ **90 55 16 85,** ⛱, ⛱ – ⇔wc ☎ Ⓟ – 🚶 50. AE VISA. ✂ ch
fermé 15 au 30 nov., 15 au 31 janv., dim. soir et lundi du 15 sept. au 15 avril – SC : **R** 90/220 – ☕ 25 – **16 ch** 110/217 – P 524/652 (pour 2 pers.).

sur Autoroute A 7 : Aire de Lançon SE : 11 km par ② – ✉ 13680 Lançon :

Mercure Ⓜ, ✆ 90 53 90 70, Télex 440183, ⛱, ≋ – |‡| ▤ ▣ ☎ ♿ Ⓟ – 🏛 120. AE ⓓ E VISA
R *(mi-mars-fin oct.)* (dîner seul.) carte environ 120 – ☕ 28 – **100 ch** 230/285.

MICHELIN, Agence, r. des Canesteux, Z.I. du Quintin par bd du Roi René AZ ✆ **90 53 35 46**

CITROEN Gar. Chabert, 306 av. Michelet par ② ✆ 90 53 29 64
FORD Gar. Foch, rte de Miramas, quart. des Aires de la Dime ✆ 90 42 17 80
RENAULT S.A.P.A.S., 666 bd du Roi-René AZ ✆ 90 42 13 13 N
Ⓜ Bués-Pneus, quartier Crau-Sud déviation N 113 ✆ 90 53 30 40
Omnica, bd du Roi-René ✆ 90 53 15 75
Pyrame, 411 bd du Roi-René ✆ 90 53 30 38

SALORNAY-SUR-GUYE 71810 S.-et-L. 69 ⑱⑲ – 705 h. alt. 212.

Paris 386 – Chalon-sur-Saône 49 – Charolles 29 – Mâcon 36 – Montceau-les-Mines 31 – Tournus 35.

Pompanon, rte Autun ✆ 85 59 44 38 – 🚗. VISA
fermé sept., sam. soir et dim. d'oct. à Pâques – SC : **R** 41/58 🍷 – ☕ 13 – **9 ch** 57/81.

PEUGEOT, MERCEDES-BENZ Forest et Simon, ✆ 85 59 43 11
RENAULT Gar. Descombes, ✆ 85 59 41 28

SALSES 66 Pyr.-Or. 86 ⑨ – 2 098 h. alt. 12 – ✉ 66600 Rivesaltes.

Voir Fort★★, G. Pyrénées.

ℹ Accueil Perpignan-Roussillon sur A 9 Salses (juil.-août) ✆ 68 38 60 75.

Paris 891 – Narbonne 47 – ♦Perpignan 16 – Rivesaltes 9,5 – St-Laurent-de-la-Salanque 9.

Les SALVAGES 81 Tarn 83 ① – rattaché à Castres.

SALVAGNY 74 H.-Savoie 74 ⑧ – rattaché à Samoëns.

SAMATAN 32130 Gers 82 ⑯ – 1 978 h. alt. 165.

Paris 759 – Auch 35 – Gimont 17 – Montauban 77 – St-Gaudens 56 – Tarbes 91 – ♦Toulouse 48.

Maigné, ✆ 62 62 30 24 – ⚲ 🚗 – 🏛 30
fermé 20 sept. au 20 oct. – SC : **R** 65 bc/180 bc – ☕ 15 – **15 ch** 70/98 – P 180.

SAMOËNS 74340 H.-Savoie 74 ⑧ G. Alpes – 1 956 h. alt. 720 – Sports d'hiver : 800/2 500 m ⛷6 ⛷64 ⛷ – Env. La Rosière ≤★★ N : 6 km – Cirque du Fer à Cheval★★ E : 13 km.

ℹ Office de Tourisme ✆ 50 34 40 28, Télex 385924.

Paris 568 – Annecy 85 – Bonneville 36 – Chamonix 63 – ♦Genève 68 – Megève 49 – Morzine 30.

Neige et Roc Ⓜ 🐦, ✆ 50 34 40 72, ≤, ≋, 🌳, 🎾 – |‡| cuisinette 🛁wc ⚲wc ☎ Ⓟ – 🏛 25. 🚫 rest
début juin-15 sept. et 20 déc.-15 avril – SC : **R** 70/145 – ☕ 23 – **50 ch** 210/240 – P 220/285.

Glaciers, ✆ 50 34 40 06, ≤, ≋, 🌳, 🎾 – |‡| 🛁wc ⚲wc ☎ 🚗 Ⓟ. AE E VISA. 🚫 rest
15 juin-15 sept. et 20 déc.-15 avril – SC : **R** 75/140 – ☕ 22 – **50 ch** 220 – P 220/280.

La Renardière Ⓜ 🐦 sans rest, ✆ 50 34 45 62, ≤, ≋, 🌳 – |‡| cuisinette 🛁wc ⚲wc ☎ Ⓟ. E VISA
20 juin-10 sept. et 20 déc.-15 avril – SC : ☕ 22 – **23 ch** 175/230.

Sept Monts, ✆ 50 34 40 58, ≤, ⛱, ≋, 🌳 – |‡| 🛁wc ⚲ ☎ Ⓟ. E VISA. 🚫 rest
1er juin-15 sept. et 15 déc.-15 avril – SC : **R** 72/92 – ☕ 23 – **36 ch** 175/230 – P 215/305.

Les Drugères, ✆ 50 34 43 84, ⛱, 🌳 – 🛁wc ⚲wc ☎ Ⓟ. VISA. 🚫 rest
1er juil.-15 sept. et 15 déc.-15 avril – SC : **R** 74/95 – ☕ 22 – **22 ch** 200 – P 155/237.

Gai Soleil, ✆ 50 34 40 74, ≤, ⛱ – 🛁wc ☎ Ⓟ. E VISA
15 juin-15 sept. et 20 déc.-Pâques – SC : **R** 45/70 🍷 – **20 ch** ☕ 220 – P 130/220.

Edelweiss 🐦, NE : 1,5 km par rte Planpraz ✆ 50 34 41 32, ≤ montagnes, 🌳 – 🛁 ⚲ Ⓟ. 🚫 rest
20 juin-10 sept. et 20 déc.-15 avril – SC : **R** 70/100 – ☕ 17 – **12 ch** 140/180 – P 160/190.

Eteski 🐦, à Vercland SO : 3 km ✆ 50 34 44 60, ≤ montagnes, 🌳 – ⚲ Ⓟ. 🚫 rest
fermé 15 sept. au 19 déc. – SC : **R** (prévenir) 54/73 🍷 – ☕ 17,50 – **22 ch** 88/110 – P 167/176.

à Salvagny SE : 9 km par D 907 et D 29 – ✉ 74740 Sixt :

Le Petit Tetras 🐦, ✆ 50 34 42 51, ≤ – 🛁wc ⚲wc ☎ Ⓟ. ⓓ E. 🚫 rest
2 juin-15 sept. et 18 déc.-15 avril – SC : **R** 65/125 – ☕ 20 – **24 ch** 105/190 – P 210/240.

*à **Morillon*** O : 4,5 km – ✉ **74440** Taninges :

Morillon, ✆ 50 90 10 32, ≤, – wc wc ☎ **P**. **E**.
15 juin-5 sept. et 20 déc.-15 avril – **SC** : **R** 57/82 – ☐ 17,50 – **25 ch** 128/185 – P 173/240.

Le Sauvageon , SE : 1,5 km par D 255 et VO ✆ **50 90 10 25**, ≤, – wc ☎ **P**. **E** VISA. rest
juin-sept. et 20 déc.-15 avril – **SC** : **R** *(fermé lundi)* 75/130 – ☐ 20 – **18 ch** 100/180.

CITROEN Gar. Central, ✆ 50 34 43 82 **N**

SAMOIS-SUR-SEINE **77920** S.-et-M. **61** ②, **196** ㊻ **G. Environs de Paris** – **1 575 h. alt. 84.**

Voir Ensemble★ (quai, île du Berceau) – Tour Dénecourt ✲★ SO : 5 km.

Paris 62 – Fontainebleau 7,5 – Melun 14 – Montereau-Faut-Yonne 21.

Host. Country Club , quai F.D. Roosevelt ✆ **(1) 64 24 60 34**, ≤, , – wc wc ☎ – 30. VISA. ch
SC : **R** *(fermé dim. soir et lundi)* 87/142 – ☐ 19,50 – **16 ch** 191/210 – P 345/400.

SANARY-SUR-MER **83110** Var **84** ⑭ **G. Côte d'Azur** – **11 689 h. alt. 20.**

Voir Chapelle N.-D.-de-Pitié ≤★ **B** – Site★ de N.-D.-de-Pépiole E : 5 km.

i Office de Tourisme Jardins de la Ville ✆ 94 74 01 04.

Paris 827 ① – **Aix-en-Provence 71** ① – **La Ciotat 27** ① – ♦**Marseille 54** ① – ♦**Toulon 12** ②.

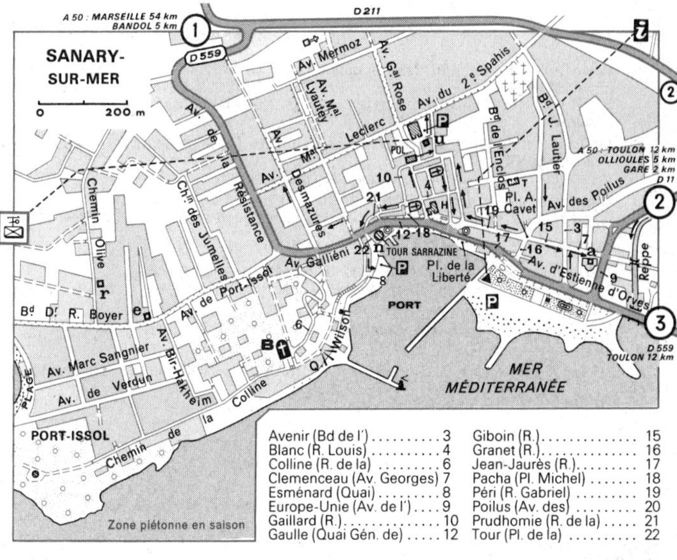

Gd H. des Bains, bd d'E.-d'Orves **(a)** ✆ **94 74 13 47**, ≤, – wc ☎ **P**. AE VISA
SC : **R** 83/165 – ☐ 20 – **34 ch** 110/220 – P 200/280.

Tour, quai Gén-de-Gaulle **(n)** ✆ **94 74 10 10**, ≤, – wc ☎. **E** VISA
fermé 20 nov. au 10 janv. – **SC** : **R** *(fermé mardi)* 65/160 – ☐ 24 – **27 ch** 130/230 – P 230/285.

Primavera, av. Port-Issol **(e)** ✆ **94 74 00 36** – wc ☎ **P**
fermé nov. et merc. hors sais. – **SC** : **R** 75/150 – ☐ 15 – **14 ch** 130/195 – P 189/215.

Synaya , chemin Olive **(r)** ✆ **94 74 10 50**, – wc **P**. rest
début mars-fin oct. – **SC** : **R** (dîner pour résidents seul.) – ☐ 12,50 – **11 ch** 85/125.

XXX **Le Castel,** rte de la Canolle : 3 km ✆ **94 29 82 98**, ≤, – **P**. AE VISA
fermé 23 juin au 8 juil., vacances de nov., de fév. et dim. soir – **SC** : **R** 96.

X **La Calèche,** pl. Poste **(u)** ✆ **94 74 22 20** – VISA
fermé 1er au 17 juin, 1er au 16 déc., dim. soir et lundi – **SC** : **R** 60/150.

Voir aussi ressources hôtelières de *Six-Fours-les-Plages* par ③ : 4 km

SANCERRE 18300 Cher 65 ⑫ **G. Châteaux de la Loire** – 2 286 h. alt. 312.

Voir Site★ – Promenade de la porte César★★ – Tour des Fiefs ※★ – Carrefour D923 et D7 ≤★★ O : 4 km.

Syndicat d'Initiative à la Mairie ✆ 48 54 00 26.

Paris 199 ① – Bourges 46 ③ – La Charité-sur-Loire 26 ② – Salbris 75 ③ – Vierzon 71 ③.

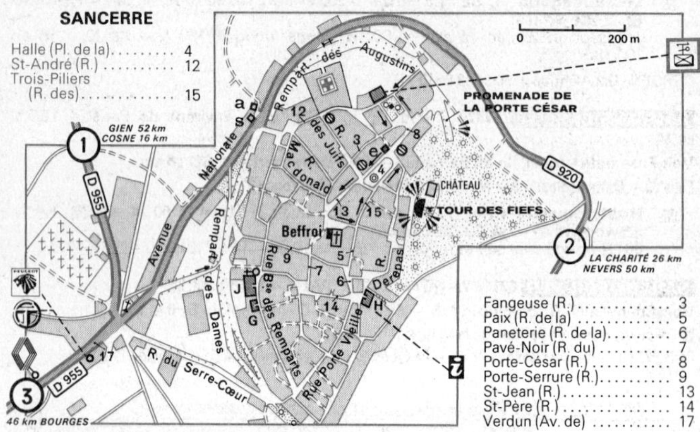

Panoramic Ⓜ, rempart des Augustins **(a)** ✆ **48 54 22 44**, ≤ vignobles – wc – 80. AE
SC : **R** voir rest. **La Tasse d'Argent** – ☕ 23 – **57 ch** 160/230, 3 appartements – P 260/320.

La Tasse d'Argent, 18 Rempart des Augustins **(s)** ✆ **48 54 01 44**, ≤ vignobles – AE ⓓ E.
fermé janv. et merc. de nov. à mars – SC : **R** 62/205.

Tour, pl. Halle **(e)** ✆ **48 54 00 81**. AE
fermé 1er au 18 déc., 5 au 22 janv., dim. soir (d'oct. à mars) et lundi – SC : **R** 98/210.

à St-Thibault par ① et D 4 : 5 km – ✉ **18300** Sancerre :

Étoile avec ch, quai Loire ✆ **48 54 12 15**, ≤, – Ⓟ. ch
1er mars-15 nov. et fermé merc. sauf juil. et août – SC : **R** 74/185 – ☕ 22 – **11 ch** 79/147.

L'Auberge avec ch, 37 r. J.-Combes ✆ **48 54 13 79**, – AE ⓓ E VISA
SC : **R** 53/120 – ☕ 18 – **5 ch** 90/145 – P 155/165.

CITROEN Gar. Declomesnil à St-Satur par ① ✆ 48 54 11 34
PEUGEOT-TALBOT Gar. Cotat-Mulhausen, ✆ 48 54 00 62
RENAULT Bonlieu, ✆ 48 54 12 82 ✆ 48 54 32 91

Orte mit ruhigen und abseits gelegenen Hotels finden Sie auf der Karte S. 46-53.
Die ruhigen Hotels sind im Text durch das Zeichen gekennzeichnet.

SANCOINS 18600 Cher 69 ③ – 3 667 h. alt. 206.

Paris 260 – Bourges 51 – Montluçon 72 – Nevers 39 – St-Amand-Montrond 38.

Parc sans rest, r. M.-Audoux ✆ **48 74 56 60**, – wc wc.
SC : ☕ 15 – **11 ch** 110/135.

St-Joseph, ✆ **48 74 56 13** – wc wc. VISA.
fermé nov., lundi (sauf hôtel) et dim. soir – SC : **R** 65/140 – ☕ 19 – **11 ch** 110/200.

CITROEN Central Gar., ✆ 48 74 50 42

SANCY-LES-MEAUX 77 S.-et-M. 56 ⑬, 196 ㉓ – rattaché à Meaux.

SANCY (Puy de) 63 P.-de-D. 73 ⑬ **G. Auvergne** – alt. 1 886.

Voir ※★★★.

Accès : N 683 jusqu'au chalet du Sancy, à 4 km du Mont-Dore ② puis téléphérique, du terminus au sommet : 20 mn – **Ressources hôtelières** : voir au ***Mont-Dore***.

SAND 67 B.-Rhin 62 ⑩ – 762 h. alt. 143 – ✉ 67230 Benfeld.

Paris 500 – Barr 15 – Erstein 6,5 – Molsheim 24 – Obernai 14 – Sélestat 19 – ♦Strasbourg 28.

Host. La Charrue ⑤, ☎ 88 74 42 66 – ▤ ch ⇔wc ⋒wc ☎ Ⓟ
fermé 15 au 27 déc., vacances de fév., dim. soir et lundi – SC : **R** 63/141 ₰ – ☕ 15 – **26 ch** 133/165 – P 199/210.

OPEL Gar. Schneider, ☎ 88 74 42 02

SANGUINET 40460 Landes 78 ③ – 1 368 h. alt. 24.

Paris 647 – Arcachon 26 – Belin-Beliet 26 – ♦Bordeaux 59 – Mimizan 39 – Mont-de-Marsan 93.

Les Eaux qui Rient ⑤, au lac ☎ 58 78 61 15, ≤ – ⋒wc. ✻ rest
1er mars-31 oct. – SC : **R** 72/150 – ☕ 15 – **11 ch** 170 – P 150/190.

SAN-PEIRE-SUR-MER 83 Var 84 ⑰⑱ – rattaché aux Issambres.

SANTA-COLOMA Principauté d'Andorre 86 ⑭, 43 ⑥ – voir à Andorre.

SANTENAY 21590 Côte-d'Or 70 ① **G. Bourgogne** – 1 014 h. – Stat. therm. (fermé 1er janv. au 2 fév.) – Casino.

Paris 330 – Autun 45 – Beâune 18 – Chalon-sur-Saône 21.

Santana ⑤, av. Sources ☎ 80 20 62 11, Télex 350190, ⛱, ⛱ – ▮ ⇔wc ☎ ♿ Ⓟ – 🏛 30. AE ⓓ E VISA
10 mars-31 oct. – SC : **R** 97 ₰ – ☕ 26 – **65 ch** 209/239 – P 287/324.

SANTENAY 41 L.-et-Ch. 64 ⑥ – 262 h. alt. 115 – ✉ 41190 Herbault.

Paris 198 – Amboise 25 – Blois 17 – Château-Renault 17 – Herbault 5 – Vendôme 31.

Union, ☎ 54 46 11 03 – ⇔ Ⓟ. VISA. ✻ ch
fermé mars, dim. soir et lundi – SC : **R** 45/160 – ☕ 20 – **5 ch** 100/160.

SANT-JULIA-DE-LORIA Principauté d'Andorre 86 ⑭, 43 ⑥ – voir à Andorre.

Le SAPPEY-EN-CHARTREUSE 38 Isère 77 ⑤ **G. Alpes** – 557 h. alt. 940 – Sports d'hiver : 1 000/1 370 m ≰5, ⛷ – ✉ 38700 La Tronche.

Voir Charmant Som ✻★★★ NO : 4,5 km puis 1 h – Fort du St-Eynard ✻★★ S : 4 km.

Paris 551 – Chambéry 52 – ♦Grenoble 15 – St-Pierre-de-Chartreuse 14 – Voiron 38.

Skieurs ⑤, ☎ 76 88 80 15, ≤, ⛱, 🏊, ⛱ – TV ⇔wc ⋒wc ☎ Ⓟ. ✻ rest
fermé 15 avril au 5 mai, 1er oct. au 1er déc., dim. soir et lundi sauf vacances scolaires – SC : **R** 85/135 carte le dim. – ☕ 20 – **17 ch** 120/210 – P 160/260.

Le Pudding, ☎ 76 88 80 26, ⛱ – AE. ✻
fermé 16 août au 15 sept., dim. soir et lundi – SC : **R** 75 bc/180.

au Col de Porte N : 4,5 km par D 512 – alt. 1 350 – Sports d'hiver : 1 300/1 800 m ≰6 – ✉ 38700 La Tronche :

Chalet H. Rogier ⑤, ☎ 76 88 82 04, ≤ – ⇔wc ⋒wc ☎ Ⓟ. AE ⓓ. ✻
fermé nov. – SC : **R** 55/120 – ☕ 15 – **18 ch** 110/140 – P 185/195.

SARE 64 Pyr.-Atl. 85 ② **G. Pyrénées** – 1 930 h. alt. 70 – ✉ 64310 Ascain.

Paris 798 – Cambo-les-Bains 24 – Pau 137 – St-Jean-de-Luz 14 – St-Pée-sur-Nivelle 8.

❀ **Arraya**, ☎ 59 54 20 46, ≤, ⛱, « Cadre rustique basque, jardin » – TV ⇔wc ⋒wc ☎. AE E VISA. ✻ ch
24 mai-2 nov. – SC : **R** 90/170 ₰ – ☕ 28 – **19 ch** 320
Spéc. Foie de canard frais aux poires, Sauté de gésiers de canard confits, Suprêmes de pigeon sauvage en salmis. Vins Jurançon, Madiran.

Picassaria ⑤, S : 2 km par VO ☎ 59 54 21 51, ≤ – ⇔wc ☎ Ⓟ
1er mars-1er déc. et fermé merc. sauf juil. à sept. – SC : **R** 65/95 – ☕ 15 – **30 ch** 85/170 – P 135/170.

Lastiry, ☎ 59 54 20 07, ⛱ – ⋒wc
avril-nov. et fermé lundi – SC : **R** 45/120 – ☕ 18 – **20 ch** 80/150 – P 160/180.

SARLAT-LA-CANÉDA (SP)
24200 Dordogne 75 ⑰ **G.** **Périgord** – 10 627 h. alt. 145 – **Voir Vieux Sarlat**** : **Maison de la Boétie*** Z **D**, **place des Oies*** Y, **Hôtel de Malleville*** Y **B** – **Env. Décor*** **et mobilier*** **du château de Puymartin NO : 10 km par** ④ – Office de Tourisme pl. Liberté ℘ 53 59 27 67.

Paris 540 ① – **Bergerac 74** ③ – **Brive-la-Gaillarde 51** ① – **Cahors 61** ③ – **Périgueux 66** ④.

SARLAT-LA-CANÉDA

République (R.) ..... Z 18

Bouquerie (Pl.) ...... Y 2
Dordogne (Av.) .... Z 5
Faure (R. E.) .... Z 6
Gde-Rigaudie (Pl.) ... Z 7
Leclerc (Av.) .... Z 9
Leroy (Bd E.) .... Y 12
Liberté (Pl.) .... Y 13
Nesmann (Bd V.) ...... Y 14
Oies (Pl. des) .... Y 16
Peyrou (Pl. du) .... Z 17
11-Novembre (Pl.) ... Y 19
14-Juillet (Pl.) .... Z 20

St-Albert, pl. Pasteur ℘ 53 59 01 09 – rest wc wc – 35. AE ① E VISA. ch *fermé dim. soir et lundi du 3 nov. au 17 mars* – **SC : R** 72/210 – 20 – **57 ch** 110/175 – P 220/280. Z **n**

La Madeleine, 1 pl. Petite-Rigaudie ℘ 53 59 10 41, – wc wc. AE ① E VISA Y **e** *15 mars-11 nov.* – **SC : R** 72/190 – 24 – **19 ch** 215/270, 3 appartements 306 – P 301/376.

Salamandre M, r. Abbé Surguier ℘ 53 59 35 98 – wc . AE ① E VISA. ch Z **s** *23 mars-2 nov.* – **SC : R** voir H. **St-Albert** – 23 – **18 ch** 190/250, 5 appartements 300.

La Couleuvrine, 1 pl. Bouquerie ℘ 53 59 27 80 – wc . AE ① E VISA Y **d** *fermé janv.* – **SC : R** *(fermé mardi hors sais.)* 65/130 – 21 – **18 ch** 130/205 – P 215/260.

Compostelle M sans rest, 18 av. Selves ℘ 53 59 08 53 – wc wc Y **r** *25 mars-5 nov.* – **SC :** 20 – **12 ch** 170/200.

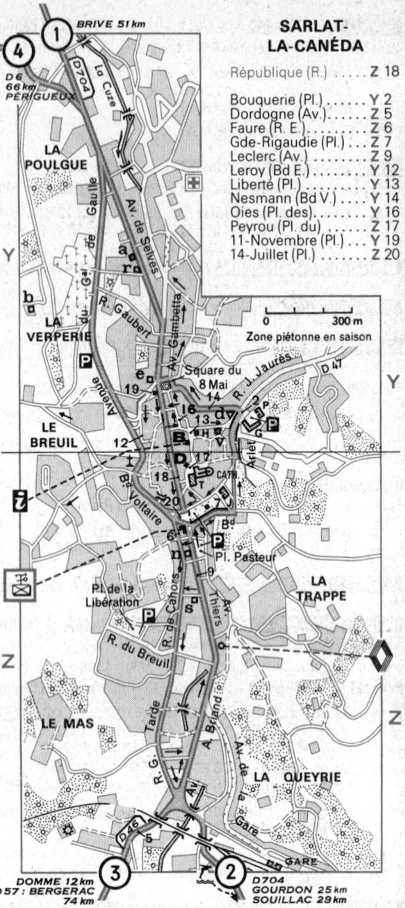

Host. la Verperie, ℘ 53 59 00 20, ←, « **Jardin ombragé et fleuri** » – wc wc . rest Y **b** *fermé déc., janv. et dim. du 1er oct. au 1er avril* – **SC : R** 65/130 – 18 – **15 ch** 110/190 – P 183/210.

XX **Marcel,** 8 av. Selves ℘ 53 59 21 98 Ⓟ Y **a** *1er fév.-15 nov. et fermé lundi du 15 sept. au 30 mars* – **SC : R** 43/145 .

X **Rossignol,** bd H. Arlet ℘ 53 59 03 20 Y **v** *fermé 10 au 24 mars, 17 nov. au 1er déc. et lundi* – **R** 47/170.

au Sud par ② : 2 km :

La Hoirie , ℘ 53 59 05 62, ←, « **Maison périgourdine dans un parc** », – wc wc & Ⓟ. AE ① E VISA. rest *15 mars-14 déc.* – **SC : R** (dîner seul. pour résidents) carte environ 130 – 27 – **13 ch** 220/300.

par route des Eyzies, ④ : 3 km :

Host. Meysset M , ℘ 53 59 08 29, ←, , **parc** – & Ⓟ – 100. AE ① VISA *26 avril-4 oct.* – **SC : R** 145/230 – 31 – **21 ch** 240/290, 3 appartements 430.

CITROEN Sarlat-Autos, rte Vitrac par ③ ℘ 53 59 10 64
FIAT Lacombe, 3 av. Gambetta ℘ 53 59 00 93
FORD Fournet, rte de Vitrac ℘ 53 59 05 23
OPEL Matigot, r. Louis Mie ℘ 53 59 37 67
PEUGEOT-TALBOT S.M.A.S., av. la Dordogne par ③ ℘ 53 59 10 75

RENAULT Robert, 33 av. Thiers ℘ 53 59 35 21
V.A.G. Gar. du Viaduc, au Pontet ℘ 53 59 06 83

Comptoir Sarladais du Pneu, Zone Ind. de Madrazés ℘ 53 59 00 33

SARLIAC-SUR-L'ISLE 24 Dordogne 75 ⑥ – 755 h. alt. 102 – ✉ 24420 Savignac-les-Églises.
Paris 483 – Brive-la-Gaillarde 81 – •Limoges 87 – Périgueux 15.

Chabrol, ✆ 53 06 01 35, – wc.
fermé 8 au 30 sept. – **R** 46/150 – 14 – **12 ch** 55/90 – P 140/150.

SARPOIL 63 P.-de-D. 73 ⑮ – rattaché à Issoire.

SARRAS 07370 Ardèche 77 ① – 1 669 h.
Paris 530 – Annonay 19 – •Lyon 70 – •St-Étienne 58 – Tournon 16 – Valence 35.

Vivarais, av. Vivarais ✆ 75 23 01 88, – wc
fermé 1er fév. au 7 mars et mardi – SC : **R** 55/140 – 15 – **10 ch** 95/150.

Commerce, av. Vivarais ✆ 75 23 03 88 – wc . ch
fermé 12 oct. au 17 nov., dim. soir et lundi midi – SC : **R** 45/80 – 14 – **12 ch** 75/140.

RENAULT Cézard, rte Bleue ✆ 75 23 03 56

Le località citate nella **Guida Michelin** *sono sottolineate in rosso sulle* **carte Michelin** *scala 1/200 000.*

SARREBOURG 57400 Moselle 62 ⑧ **G. Alsace et Lorraine** – 15 139 h. alt. 250.
Voir Vitrail★ dans la chapelle des Cordeliers B.
Office de Tourisme Chapelle des Cordeliers ✆ 87 03 11 82.
Paris 379 ④ – Épinal 84 ④ – Lunéville 53 ④ – •Metz 94 ④ – St-Dié 67 ④ – Sarreguemines 53 ①.

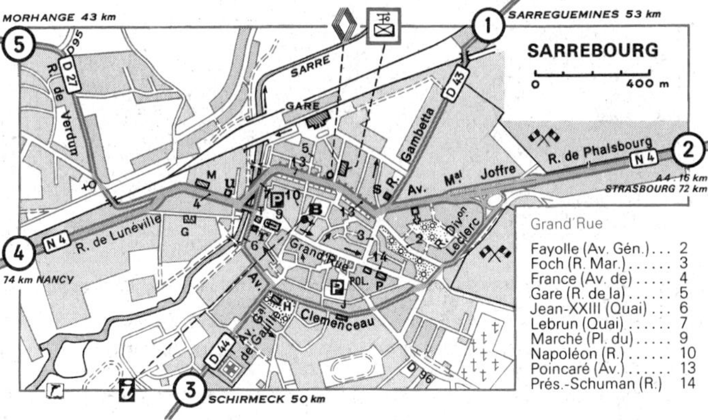

France, 3 av. France **(u)** ✆ 87 03 21 47 – rest wc wc – 50. E VISA
SC : **R** *(fermé sam. sauf grill Savaris)* 38/195 – 24 – **52 ch** 130/295 – P 195/255.

Chez Eddy, N : 2 km par D 27 et D 95 ✆ 87 03 32 01, ← – . E VISA
fermé août, mardi soir et merc. – SC : **R** 80/160 .

Mathis, 7 r. Gambetta **(s)** ✆ 87 03 21 67 – AE E VISA
fermé dim. soir et lundi – SC : **R** 130/180 .

du Soleil avec ch, 5 r. Halles **(r)** ✆ 87 03 21 71 – wc . VISA. ch
fermé 25 au 31 août, 21 déc. au 15 janv., dim. soir et lundi – SC : **R** 66/150 – 18 – **14 ch** 77/200 – P 175/220.

ALFA-ROMEO - AUSTIN - MAZDA Est Gar. 8 av. Poincaré ✆ 87 03 23 48
CITROEN Gar. Oblinger N 4 par ④ ✆ 87 23 89 56
FIAT Europ'Auto, ZA rte de Niderviller ✆ 87 03 22 12
PEUGEOT-TALBOT Sarrebourg-Auto, N 4, à Imling par ④ ✆ 87 23 89 66

RENAULT Billiar, 25 av. Poincaré ✆ 87 03 21 14
V.A.G. Lett, 6 av. Joffre ✆ 87 03 14 02
Kautzmann, 5 r. du Dr-Schweitzer ✆ 87 03 23 53
Pneus et Services D.K, voie A.-Malraux ✆ 87 03 21 87

SARREGUEMINES 57200 Moselle 57 ⑯⑰ **G. Alsace et Lorraine** – 25 178 h. alt. 220.
Office de Tourisme r. Mairie Massing ✆ 87 98 52 32.
Paris 395 ③ – Colmar 148 ② – Épinal 151 ② – Karlsruhe 138 ① – Lunéville 88 ② – Mannheim 141 ③ – •Metz 69 ③ – •Nancy 90 ② – St-Dié 134 ② – Saarbrücken 18 ③ – •Strasbourg 105 ②.

Alsace et Rôtisserie Ducs de Lorraine M, 10 r. Poincaré ☎ 87 98 44 32, Télex 860582, – ▯ TV ☎ P – 30. AE ① E VISA. ABY **r**
R 100/250 ₰ **La Taverne R** carte 80 à 155 ₰ – ☐ 28 – **28 ch** 222/288.

Union, 28 r. Geiger ☎ 87 95 28 42 – wc wc ☎ P. AE ① E VISA BX **s**
SC : **R** *(fermé sam. midi et dim.)* 44/90 ₰ – ☐ 17 – **22 ch** 130/190.

Deux Étoiles sans rest, 4 r. Gén.-Crémer ☎ 87 98 46 32 – wc ☎. AE ① E VISA AY **a**
SC : ☐ 13 – **18 ch** 86/143.

Laroche, 3 pl. Gare ☎ 87 98 03 23 – AE ① E VISA ABZ **x**
fermé 12 juil. au 5 août, 23 déc. au 5 janv., vend. soir et sam. – SC : **R** 49/78 ₰.

par ③ : 2 km – ✉ **57200** Sarreguemines :

✿ **Aub. St-Walfrid** (Schneider), rte de Grosbliederstroff ☎ 87 98 43 75, , – P
fermé août, janv., dim. et lundi – **R** 100/280 ₰
Spéc. Parfait de foie gras de canard, Escalope de chevreuil de nos forêts (saison), Cuisse de canard en pot au feu.

Vieux Moulin, 135 r. France ☎ 87 98 22 59 – P. AE ① E VISA
fermé 12 août au 12 sept., mardi et merc. – **R** 90/180 ₰.

MICHELIN, Agence, rte de Sarreinsming ZI par ① ☎ 87 95 42 40

BMW Gar. Meyer, 57 rte de Nancy ☎ 87 95 61 31
FORD Salon de l'Auto, 29 r. Poincaré ☎ 87 98 49 30
LANCIA-AUTOBIANCHI Sarre Auto, 4 bd des Faïenceries ☎ 87 98 05 50
OPEL S.A.M.A. à Grosbliederstroff ☎ 87 98 10 04
PEUGEOT-TALBOT Derr, r. Gutenberg Zone Ind. par ① ☎ 87 95 67 94
RENAULT Bang Sarreguemines 17 av. Gare ☎ 87 95 63 93
RENAULT Sarreguemines Nord Autom., 79 r. Clemenceau ☎ 87 95 10 88 N
V.A.G. Gd Gar. Niderlender, 1 A rte de Nancy ☎ 87 98 54 78

Berwald, 22 a r. Claire-Oster ☎ 87 95 06 42
Relais du Pneu, 120 av. Foch ☎ 87 95 18 24

SARRE-UNION 67260 B.-Rhin 57 ⑰ – 3 173 h. alt. 240.

Paris 408 – Lunéville 75 – ♦Metz 83 – ♦Nancy 81 – St-Avold 38 – Sarreguemines 25 – ♦Strasbourg 81.

Au Cheval Noir, r. Phalsbourg ✆ 88 00 12 71 – wc ☎ P – 80. AE ⓓ E VISA. ch
fermé 1er au 21 oct. – SC : **R** *(fermé lundi)* 35/200 – 17,50 – **21 ch** 70/175 – P 155/250.

CITROEN Gar. Stutzmann, ✆ 88 00 10 70 N
RENAULT Gar. Schoepfer, ✆ 88 00 10 02 N
Weiss-Pneus, à Diemeringen ✆ 88 00 42 60

SARS-POTERIES 59216 Nord 53 ⑥ **G. Flandres, Artois, Picardie** – 1 699 h. alt. 176 – **Voir Musée du Verre★** – Paris 215 – Avesnes-sur-Helpe 9 – Charleroi 43 – ♦Lille 108 – Maubeuge 19.

H. Fleuri sans rest, ✆ 27 61 62 72, – wc P
fermé 20 déc. au 10 janv. – SC : 21 – **11 ch** 125/180.

XXX ❀ **Aub. Fleurie** (Lequy), ✆ 27 61 62 48 – P. AE ⓓ E VISA
fermé 15 au 31 août, mi-janv. à mi-fév., dim. soir et lundi – SC : **R** (nombre de couverts limité - prévenir) carte 150 à 235
Spéc. Coquilles St-Jacques (oct. à mai), Agneau de lait rôti (déc. à juin).

SARZEAU 56370 Morbihan 63 ⑬ **G. Bretagne** – 4 443 h. alt. 21 – **Voir Ruines★ du château de Suscinio SE : 3,5 km** – Syndicat d'Initiative 10 r. St-Jacques (sais.) ✆ 97 41 82 37.

Paris 469 – ♦Nantes 110 – Redon 62 – Vannes 22.

Le Sage, pl. Église ✆ 97 41 85 85, – wc wc .
fermé janv. et lundi hors sais. – SC : **R** 80/200 – 24 – **50 ch** 200/350 – P 350/500.

à la Grée-Penvins SE : 7,5 km par D 198 – ✉ **56370** Sarzeau :

XXX **Espadon,** ✆ 97 67 34 26, « Auberge rustique » – AE ⓓ E VISA
fermé mardi soir et merc. hors sais. – SC : **R** 55/230.

CITROEN Clinchard, rte de St-Gildas ✆ 97 41 81 23
PEUGEOT Mahéas, r. des quatre Vents ✆ 97 41 85 65
RENAULT Pépion, 17 r. des Venetes ✆ 97 41 84 12

SASSETOT-LE-MAUCONDUIT 76 S.-Mar. 52 ⑫ – 890 h. – ✉ **76540** Valmont.

Paris 210 – Bolbec 28 – Fécamp 15 – ♦Rouen 64 – St-Valéry-en-Caux 21 – Yvetot 29.

XX **Relais des Dalles,** près château ✆ 35 27 41 83, , « Jardin fleuri » – AE VISA
fermé 24 nov. au 8 déc., lundi soir et mardi – SC : **R** (dim. prévenir) 52/150 .

SATHONAY-CAMP 69 Rhône 74 ⑫ – rattaché à Lyon.

SATILLIEU 07290 Ardèche 76 ⑨ – 1 869 h. alt. 476.

Paris 545 – Annonay 14 – Lamastre 37 – Privas 93 – St-Vallier 20 – Tournon 31 – Yssingeaux 54.

Gentilhommière M , rte de Lalouvesc ✆ 75 34 94 31, Télex 345548, « Parc ombragé », , – wc wc ☎ P – 60. AE E VISA
1er avril-1er nov. – SC : **R** *(fermé vend. soir et dim. soir sauf juil.-août)* 65/160 – 17 – **46 ch** 230/260 – P 260.

Annexe : H. Pont, Grand'Rue – wc . AE E VISA
1er avril-15 oct. – SC : 16 – **29 ch** 85/180 – P 170/200.

Julliat-Roche, ✆ 75 34 95 86, – rest wc . AE ⓓ VISA
fermé janv., fév. et dim. soir hors sais. – SC : **R** 47/150 – 17 – **11 ch** 100/220 – P 180/220.

RENAULT Géry, ✆ 75 34 95 53 N ✆ 75 34 40 54

SAUGUES 43170 H.-Loire 76 ⑯ **G. Auvergne** – 2 497 h. alt. 960.

Syndicat d'Initiative à l'Hôtel de Ville ✆ 71 77 84 46.

Paris 503 – Brioude 50 – Mende 74 – Le Puy 44 – St-Chély-d'Apcher 41 – St-Flour 50.

La Terrasse, ✆ 71 77 83 10 – wc
fermé janv. – SC : **R** *(fermé dim. hors sais.)* 40/75 – 13 – **20 ch** 60/133 – P 124/145.

RENAULT Giris, ✆ 71 77 80 08 N
TALBOT Gar. Villedieu-Eymard, ✆ 71 77 84 11 N

SAUJON 17600 Char.-Mar. 71 ⑮ – 4 777 h. alt. 7 – Stat. therm.

Syndicat d'Initiative pl. Ch.-de-Gaulle (sais.) ✆ 46 02 83 77.

Paris 493 – ♦Bordeaux 123 – Marennes 22 – Rochefort 32 – La Rochelle 64 – Royan 11 – Saintes 26.

Commerce, r. Saintonge ✆ 46 02 80 50, , – wc wc P
fermé mi-déc. à fin fév., dim. soir et lundi hors sais. – SC : **R** 69/92 – 17 – **19 ch** 106/200 – P 189/225.

Thermalia, pl. Église ✆ 46 02 80 62 – wc wc . AE E VISA.
fermé 15 déc. au 16 janv. et merc. – SC : **R** 57/110 – 19 – **19 ch** 90/175 – P 173/203.

à Châlons par D 1 : 7 km au Nord – ✉ **17600** Saujon :

Moulin de Châlons Ⓜ, D 733 ✆ 46 22 82 72, « Ancien moulin à marée du 18e s., belle décoration intérieure », – wc wc ☎ Ⓟ. AE ⓞ E
10 mai-20 sept. et fermé mardi sauf juil.-août – SC : **R** 100/284 – 30 – **14 ch** 230/290 – P 320/357.

La Galiote Ⓜ, au Gua ✆ 46 22 81 94, « Bel intérieur », – wc wc. E
fermé oct. – SC : **R** *(fermé mardi soir et merc. du 15 sept. au 15 juin)* 88/200 – 20 – **10 ch** 140/210.

CITROEN Central Gar., ✆ 46 02 80 25
PEUGEOT-TALBOT Daviaud, ✆ 46 02 80 30
N ✆ 46 02 82 45
RENAULT Gar. du Parc, ✆ 46 02 81 45

SAULCE-SUR-RHÔNE 26 Drôme 77 ⑪ – 1 210 h. alt. 103 – ✉ **26270** Loriol.
Paris 591 – Crest 25 – Montélimar 17 – Privas 26 – Valence 30.

La Capitelle, à Mirmande SE : 3 km ✆ 75 63 02 72, ←, , « Demeure ancienne » – wc wc ☎ – **14 ch**.

Clutier (Les Reys de Saulce), aux Reys de Saulce S : 1 km N 7 ✆ 75 63 00 22, , – rest wc wc ☎ Ⓟ – 50. AE E VISA
fermé 19 au 26 oct., 20 déc. au 20 janv., dim. soir hors sais. et lundi – SC : **R** 59/100 – 13,50 – **19 ch** 71/198 – P 180/294.

SAULCHOY 62 P.-de-C. 51 ⑫ – 233 h. alt. 13 – ✉ **62870** Campagne-lès-Hesdin.
Paris 189 – Abbeville 34 – Arras 74 – Berck-Plage 24 – Doullens 44 – Hesdin 18 – Montreuil 15.

Val d'Authié, ✆ 21 90 30 20, – VISA.
SC : **R** 60 bc/125.

SAULGES 53 Mayenne 60 ⑪ G. Châteaux de la Loire – 348 h. alt. 80 – ✉ **53340** Ballée.
Paris 250 – Château-Gontier 40 – La Flèche 48 – Laval 37 – ♦Le Mans 60 – Mayenne 43.

Ermitage Ⓜ, ✆ 43 01 22 28, – wc ☎ Ⓟ – 25 à 100. E VISA
fermé vacances de nov. et de fév., dim. soir et lundi sauf juil., août et fériés – SC : **R** 52/148 – 14,50 – **22 ch** 75/160 – P 140/180.

SAULIEU 21210 Côte-d'Or 65 ⑰ G. Bourgogne – 3 183 h. alt. 514.
Voir Basilique St-Andoche★ – Le Taureau★ par Pompon.
Paris 250 ① – Autun 41 ④ – Avallon 39 ① – Beaune 76 ② – Clamecy 77 ① – ♦Dijon 73 ②.

SAULIEU

Marché (R. du) 17

Abbatoir (R. de l') 2
Argentine (R. d') 3
Bertin (R. J.) 4
Collège (R. du) 6
Courtépée (R.) 7
Foire (R. de la) 8
Gambetta (R.) 10
Gare (Av. de la) 12
Gaulle (Pl. Ch. de) 14
Grillot (R.) 15
Sallier (R.) 18
Tanneries (R. des) 20
Vauban (R.) 21

Les localités citées dans **le guide Michelin** sont soulignées de rouge sur les **cartes Michelin** à 1/200 000.

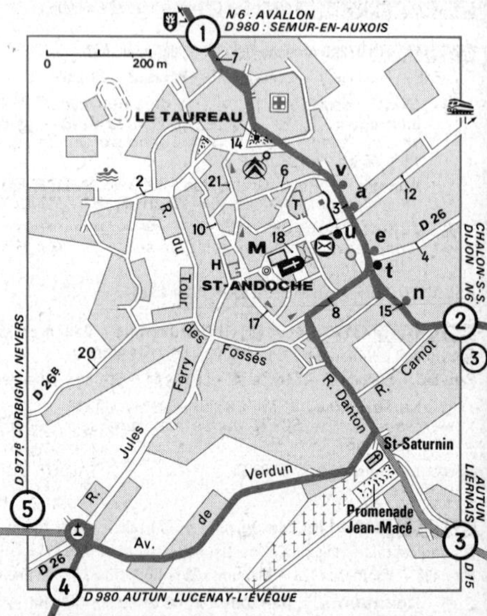

Poste, 1 r. Grillot **(t)** ✆ 80 64 05 67, Télex 350540 – ☎ Ⓟ – 50. AE E VISA
SC : **R** 95/225 – 20 – **48 ch** 80/265, 3 appartements 319.

Tour d'Auxois, pl. Abreuvoir **(u)** ✆ 80 64 13 30, –
fermé 1er déc. au 8 janv., dim. soir et lundi – SC : **R** 55/125 – 16 – **30 ch** 40/100.

XXX ✿✿ **Côte d'Or** (Loiseau) avec ch, **2 r. Argentine (e)** ✆ **80 64 07 66, Télex 350778** – TV wc fl wc ☎ . AE ⓓ E VISA
fermé 17 nov. au 7 déc., 1er au 15 mars, merc. midi et mardi du 1er nov. au 31 mars sauf fériés – **R** 190 (déj. seul.) 380 et carte – 50 – **15 ch** 220/650
Spéc. Soupe d'escargots aux orties, Jambonnettes de grenouille à la purée d'ail, Blanc de volaille aux truffes.

Annexe M, **« décoration contemporaine »**. AE ⓓ E VISA
fermé 17 nov. au 7 déc., 1er au 15 mars et mardi du 1er nov. au 31 mars sauf fériés – 50, 9 appartements 750/1 300.

XX **Borne Impériale** avec ch, **16 r. Argentine (v)** ✆ **80 64 19 76** – fl. E VISA
fermé 15 nov. au 15 déc., lundi soir et mardi hors sais. – **SC : R** 78/195 – 22 – **7 ch** 80/165.

XX **Aub. du Relais** avec ch, **8 r. Argentine (a)** ✆ **80 64 13 16** – fl wc . VISA
fermé 4 janv. au 7 fév., merc. soir et jeudi sauf août – **SC : R** 65/150 – 19 – **5 ch** 120/160.

X **Vieille Auberge** avec ch, **17 r. Grillot (n)** ✆ **80 64 13 74** – Ⓟ. E VISA
fermé 1er déc. au 15 janv., mardi soir et merc. sauf à Pâques, fériés et du 15 juil. au 8 sept. – **SC : R** 60/135 – 15 – **7 ch** 79/90.

CITROEN Gar. Griesser, ✆ 80 64 17 99 **Gar. Moderne,** ✆ 80 64 08 08
RENAULT S.C.A.S.A., par ② ✆ 80 64 03 45 N

SAULT **84390 Vaucluse 81 ⑭ G. Provence – 1 231 h. alt. 765.**

Voir Nef★ de l'église.
Env. Gorges de la Nesque★★ : belvédère★★ SO : 11 km par D 942.
ℹ Syndicat d'Initiative av. Promenade (15 juin-15 sept.) ✆ 90 64 01 21.
Paris 723 – Aix-en-Provence 92 – Apt 37 – Avignon 68 – Carpentras 45 – Digne 93 – Gap 102.

Signoret, ✆ **90 64 00 45,**
24 ch.

à Aurel **N : 5 km par D 942 – ✉ 84390 Sault :**

Relais du Ventoux , ✆ **90 64 00 62** – fl
22 mars-31 déc. et fermé vend. hors sais. – **SC : R** 50/85 – 18 – **14 ch** 95/105 – P 150/160.

RENAULT Gar. de la Lavande, ✆ 90 64 02 41

SAULX-LES-CHARTREUX **91 Essonne 60 ⑩, 196 ㉛ – voir à Paris, Environs (Longjumeau).**

SAULZET-LE-CHAUD **63 P.-de-D. 73 ⑭ – rattaché à Ceyrat.**

SAUMUR **SP 49400 M.-et-L. 64 ⑫ G. Châteaux de la Loire – 33 953 h. alt. 30.**

Voir Château★★ : musée d'Arts décoratifs★★, musée du Cheval★, tour du Guet ☀★ Z – Église N.-D.-de-Nantilly★ : tapisseries★★ Z **B** – Vieux quartier★ Y : Hôtel de ville★ **H**, Tapisseries★ de l'église St-Pierre **D** – Musée de la Cavalerie★ Y **M1** – St-Hilaire-St-Florent : école nationale d'Equitation★ NO : 2 km.
ℹ Office de Tourisme et A.C.O. 25 r. Beaurepaire ✆ 41 51 03 06.
Paris 293 ① – Angers 45 ⑥ – Châtellerault 76 ③ – Cholet 66 ④ – La Flèche 51 ① – Laval 120 ① – ♦Le Mans 94 ① – ♦Nantes 129 ④ – Niort 116 ④ – Poitiers 99 ③ – ♦Tours 66 ①.

Plan page suivante

Roi René M, **94 av. Gén.-de-Gaulle** ✆ **41 67 45 30** – TV wc ☎ – 40. AE ⓓ E VISA X **a**
SC : R *(fermé 20/12 au 15/1, sam. midi de Pâques au 1er/11, dim. soir et sam. du 1er/11 à Pâques)* 64/125 – 23 – **28 ch** 185/250.

Anne d'Anjou M sans rest, **32 quai Mayaud** ✆ **41 67 30 30,** ← – TV wc fl wc ☎ Ⓟ – 50. AE ⓓ VISA. Y **e**
fermé 24 déc. au 3 janv. – **SC :** 27 – **38 ch** 183/440.

Londres sans rest, **48 r. Orléans** ✆ **41 51 23 98** – wc fl Ⓟ. VISA. Y **x**
fermé 10 déc. au 10 janv. – **SC :** 19 – **26 ch** 84/214.

Croix Verte, 49 r. Rouen par ① ✆ **41 67 39 31** – rest wc fl wc Ⓟ. E VISA
fermé 15 déc. au 1er fév. – **SC : R** *(fermé vend. soir et dim. hors sais.)* 45/150 – 18,50 – **18 ch** 80/160 – P 165/195.

XX **Gambetta, 12 r. Gambetta** ✆ **41 51 11 13** – AE ⓓ VISA Y **r**
fermé vacances de Pâques, de Noël, de Toussaint, dim. soir et lundi – **SC : R** 50/125 .

XX **L'Escargot, 30 r. Mar.-Leclerc** ✆ **41 51 20 88.** VISA Z **s**
fermé 3 au 26 nov., 20 fév. au 10 mars, mardi soir et merc. d'oct. à avril – **SC : R** 68/95.

à Bagneux **par ④ : 1,5 km – ✉ 49400 Saumur :**

Campanile, ✆ **41 50 14 40, Télex 720183** – wc ☎ Ⓟ – 35. VISA
SC : R 61 bc/82 bc – 23 – **43 ch** 181/202.

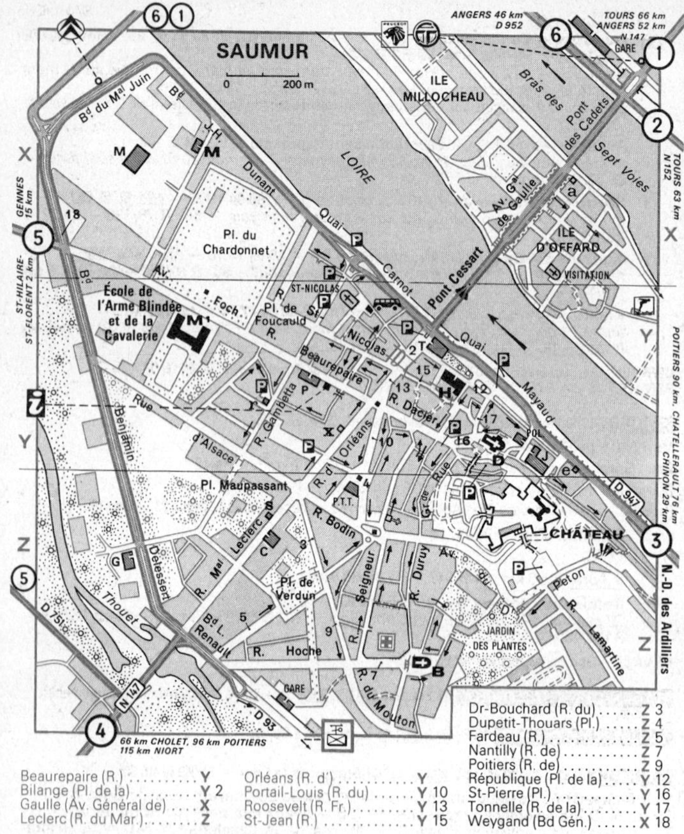

à Chênehutte-les-Tuffeaux **par ⑤ et D 751 : 8 km – ✉ 49350** Gennes :

Le Prieuré 🐎, ✆ **41 50 15 31, Télex 720379,** ≤, **« Site boisé dominant la Loire, parc,** 🏊 **»,** 🎾 **–** ☎ **P –** 🏋 **50.** VISA
fermé 4 janv. au 5 mars – SC : **R** 200/325 – ☕ 50 – **36 ch** 400/1 000 – P 690/965
Spéc. Aspic de sole au cerfeuil (avril à oct.), Poissons au beurre rouge, Parfait chocolat blanc et menthe confite. **Vins** Champigny, Savennières.

CITROEN Jolly, bd Mar.-Juin ✆ 41 50 41 01
FIAT Gar. du Centre, 136 r. Pont-Fouchard, à Bagneux ✆ 41 50 10 39
FORD Boutin, 81 r. d'Orléans ✆ 41 51 22 33
OPEL Gar. de la Loire, rte de Montreuil ✆ 41 50 13 76
PEUGEOT-TALBOT Charbonneau, 103 r. du Pont-Fouchard à Bagneux par ④ ✆ 41 50 11 33
PEUGEOT-TALBOT Gar. Guillemet, 5 r. Rouen ✆ 41 67 48 68
RENAULT C.E.S.A.M., 86 rte Rouen par ① ✆ 41 67 38 66

TOYOTA-VOLVO Gar. Rouxel, 14 r. Pont Fouchard Bagneux ✆ 41 50 11 72
V.A.G. Gar. Rabiller, rte du Mans ✆ 41 67 39 69

Ⓜ Soréval Anjou-Pneus, 1 bd L.-Renault ✆ 41 51 08 46
Godelu-Pneus, Rte de Cholet à Distre ✆ 41 50 17 96 et 70 quai Mayaud, ✆ 41 51 20 08

SAUSSET-LES-PINS **13960** B.-du-R. 84 ⑫ **G. Provence – 3 876 h.**

i Office de Tourisme bd Ch.-Roux (juil.-août) ✆ 42 45 16 34 et à la Mairie (hors sais.) ✆ 42 45 06 15.

Paris 777 – Aix-en-Provence 45 – ♦Marseille 31 – Martigues 12 – Salon-de-Provence 56.

XX **Plage** Ⓜ avec ch, ✆ **42 45 06 31,** ≤, 🏖, 🍽 – ▤ rest TV ⛀wc ⛆wc ☎. AE VISA
fermé déc. et lundi – SC : **R** 128 – ☕ 20 – **11 ch** 129/220.

X **Les Girelles,** ✆ **42 45 26 16,** ≤, 🍽 – VISA
fermé janv., fév. et lundi – SC : **R** 115/200.

SAUSSIGNAC 24 Dordogne 75 ⑭ – 399 h. alt. 123 – ✉ **24240** Sigoulès.
Paris 568 – Bergerac 17 – Libourne 52 – Périgueux 64 – Ste-Foy-la-Grande 13.

Relais de Saussignac ⛰, ✆ 53 27 92 08 – wc ⋔wc ☎ **P** – 40. AE ⊙ E VISA
fermé 10 au 30 nov., 10 janv. au 10 mars et lundi du 1er oct. au 23 mars – SC : **R** 48/160 🍷 – ☕ 16,50 – **18 ch** 100/170 – P 160/210.

SAUT-DES-CUVES 88 Vosges 62 ⑰ – rattaché à Gérardmer.

SAUVERNY 01 Ain 70 ⑯ – 555 h. – ✉ **01220** Divonne-les-Bains.
Paris 517 – ♦Genève 15 – Lons-le-Saunier 105 – Pontarlier 111 – St-Claude 50.

Sauverny Ⓜ, ✆ 50 20 27 70, ≤, 🏡 – wc ☎ ♿ **P**. E VISA. ✱
SC : *(fermé sam. midi)* 70/190 – ☕ 20 – **11 ch** 190/210.

SAUVETERRE 30 Gard 81 ⑪ – 1 161 h. alt. 28 – ✉ **30150** Roquemaure.
Paris 674 – Alès 73 – Avignon 12 – Nîmes 49 – Orange 15 – Pont-St-Esprit 34 – Villeneuve-lès-Avignon 8.

Host. de Varennes ⛰, ✆ 66 82 59 45, ≤, 🏡, parc – ⋔wc ☎ **P** – 50
SC : **R** *(fermé 3 au 12 nov., 2 au 8 janv., 3 au 19 mars, mardi sauf le soir en juil.-août et lundi)* 100/180 – ☕ 20 – **15 ch** 110/150 – P 235/245.

XXX **Host. La Crémaillère,** rte Avignon : 1 km ✆ 66 82 55 05, 🏡, – **P**. AE E VISA
fermé 1er au 15 août, 15 au 28 fév., lundi soir, mardi soir et merc. – SC : **R** 80/240.

SAUVETERRE-DE-BÉARN 64390 Pyr.-Atl. 85 ④ **G. Pyrénées** – 1 596 h. alt. 67.
Voir Site★ – ≤★★ du vieux pont.
ℹ Syndicat d'Initiative à l'Hôtel de Ville (17 juin-15 sept.) ✆ 59 38 50 17.
Paris 785 – ♦Bayonne 62 – Dax 45 – Mont-de-Marsan 80 – Oloron-Ste-Marie 41 – Pau 66.

A Boste, ✆ 59 38 50 62 – ⋔wc. AE VISA. ✱
fermé 2 au 10 mai, 12 oct. au 14 nov., dim. soir et lundi hors sais. – SC : R 75/170 – ☕ 20 – **10 ch** 60/145 – P 147/225.

CITROEN Serres, ✆ 59 38 50 21
PEUGEOT Maisonnave ✆ 59 38 52 71 N
RENAULT Bidegain ✆ 59 38 52 52

SAUVETERRE-DE-COMMINGES 31 H.-Gar. 86 ① – 654 h. alt. 480 – ✉ **31510** Barbazan.
Paris 853 – Bagnères-de-Luchon 36 – Lannemezan 32 – St-Gaudens 9,5 – Tarbes 68 – ♦Toulouse 100.

✿ **Host. des Sept-Molles** (Ferran) ⛰, à Gesset S : 3 km par D 9 ✆ 61 88 30 87, ≤, parc, 🎾, – 🛗 ♿ **P** – 30. AE ⊙ VISA
mi-mars-fin oct. – SC : **R** (dim., fêtes, juil. et août - prévenir) 120/190 – ☕ 32 – **18 ch** 280/420 – P 380/420
Spéc. Charcuterie d'oie, Truite au bleu, Magret à l'orange. **Vins** Jurançon.

SAUVETERRE-DE-ROUERGUE 12 Aveyron 80 ① **G. Causses** – 793 h. alt. 460 – ✉ **12800** Naucelle. Paris 644 – Albi 54 – Millau 95 – Rodez 40 – St-Affrique 89 – Villefranche-de-Rouergue 44.

Aub. du Sénéchal ⛰, ✆ 65 47 05 78 – wc ⋔wc ☎. AE ⊙ E VISA. ✱
1er mai-1er nov. – SC : **R** (nombre de couverts limité - prévenir) 50/250 – ☕ 20 – **15 ch** 120/150 – P 200/230.

SAUX 65 H.-Pyr. 85 ⑧ – rattaché à Lourdes.

Le SAUZE 04 Alpes-de-H.-P. 81 ⑧ – rattaché à Barcelonnette.

SAUZON 56 Morbihan 63 ⑪ – voir à Belle-Ile-en-Mer.

SAVERNE SP 67700 B.-Rhin 57 ⑱ **G. Alsace et Lorraine** – 10 484 h. alt. 210.
Voir Château★ : façade★★ B – Maisons anciennes★ B E – St-Jean-Saverne : chapelle St-Michel★, ≤★ N : 4,5 km par D 115 puis 30 mn A – Château du Haut-Barr★ : ≤★★ SO : 5 km par D 102 puis D 171 A – Vallée de la Zorn★ O – ℹ Office de Tourisme Château des Rohan (juil.-août) ✆ 88 91 80 47 et à l'Hôtel de Ville (sept.-fin juin) ✆ 88 91 18 52.
Paris 448 ① – Lunéville 82 ⑤ – St-Avold 84 ① – Sarreguemines 65 ① – ♦Strasbourg 39 ③.

Plan page suivante

Chez Jean, 3 r. Gare ✆ 88 91 10 19 – 🛗 TV wc ⋔wc ☎ – 40. ⊙ E VISA. ✱ A **d**
fermé 1er au 10 sept., 24 déc. au 10 janv., dim. soir et lundi – SC : **R** 74/159 🍷 – ☕ 17 – **22 ch** 80/165.

Geiswiller, 17 r. Côte ✆ 88 91 18 51 – 🛗 TV wc ⋔wc ☎ 🚗 **P**. AE ⊙ E VISA. ✱ rest A **a**
SC : **R** *(fermé sam., 1er nov. au 31 mars)* 55/190 🍷 – ☕ 19,50 – **38 ch** 175/220 – P 210/260.

Europe sans rest, 7 r. Gare ✆ 88 71 12 07 – wc ⋔wc ☎ ♿. AE ⊙ E VISA
SC : ☕ 18,50 – **29 ch** 140/173. A **e**

SAVERNE

Clés (R. des) .... B 3	Grand' Rue .... AB	Gaulle (Pl. Gén. de) .... B 14
Églises (R. des) .... B 8	Bouxwiller (R. de) .... B 2	Joffre (R. Mar.) .... B 16
Gare (R. de la) .... A 13	Côte (R. de la) .... A 5	Pères (R. des) .... B 17
	Dettwiller (R. de) .... B 6	Poincaré (R.) .... A 20
	Foch (R. Mar.) .... A 12	Poste (R. de la) .... B 22
		19-Novembre (R. du) .... A 23

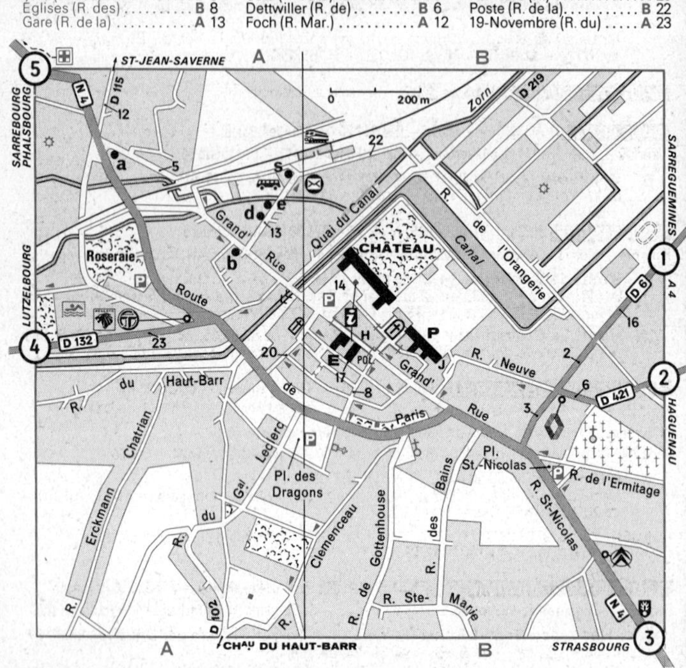

Boeuf Noir, 22 Gde-Rue ✆ 88 91 10 53 – wc wc ☎. E VISA — A **b**
fermé 15 au 26 juil., 1er au 20 oct., dim. soir et mardi – **SC : R** 39/135 – 12 – **20 ch** 66/150.

Fischer, 15 r. Gare ✆ 88 91 19 53 – wc wc ☎ Ⓟ. E. — A **s**
fermé 22 déc. au 15 janv. et hôtel : vend. soir et sam. hors sais. – **SC : R** *(fermé dim. soir de juin à sept., sam. sauf le soir en sais. et vend. soir)* 40/140 – 20 – **18 ch** 120/210.

CITROEN Wallior, 21 r. St-Nicolas ✆ 88 91 17 52
FORD Saverne-Autos, 40 rte de Paris ✆ 88 91 12 55
OPEL Gar. Diemer, 32 r. de l'Ermitage ✆ 88 91 19 00
PEUGEOT-TALBOT Gar. Roser, N 4 à Ottersviller par ③ ✆ 88 91 26 33
PEUGEOT-TALBOT Gar. Ohl, 37 rte Paris ✆ 88 91 17 15
RENAULT Billiar, 116 r. St-Nicolas par ③ ✆ 88 91 22 22 N
RENAULT Guss, 6 r. Dettwiller ✆ 88 91 17 23
Pneus et Services D.K, 26 r. de l'Ermitage ✆ 88 91 18 22

SAVIGNÉ-L'ÉVÊQUE **72 Sarthe 60 ⑬ – rattaché au Mans.**

SAVIGNY-LÈS-BEAUNE **21420 Côte-d'Or 69 ⑨ – 1 405 h. alt. 265.**
Paris 319 – Beaune 6 – Bouilland 10 – ♦Dijon 38.

L'Ouvrée , ✆ **80 21 51 52**, , – wc wc ☎ ♿ Ⓟ – 25
20 mars-20 nov. – **SC : R** 65/159 – 18 – **22 ch** 149/177 – P 453/481 (pour 2 pers.).

PEUGEOT-TALBOT Gar. Busquin, ✆ 80 21 52 06

SAVIGNY-SUR-ORGE **91 Essonne 61 ①, 101 ㉟㊱ – voir à Paris, Environs.**

SAVINES-LE-LAC **05160 H.-Alpes 81 ⑦ G. Alpes – 859 h. alt. 810.**
Voir Forêt de Boscodon : <** SE : 5 km.**
Syndicat d'Initiative (juin-sept.) ✆ 92 44 20 44.
Paris 695 – Barcelonnette 46 – Briançon 59 – Digne 87 – Gap 28 – Guillestre 32 – Sisteron 72.

Flots Bleus M sans rest, ☎ 92 44 20 89, ←, – wc wc ☎ P – 25
1er avril-30 sept. – SC : ☕ 20 – **20 ch** 165/250.

Eden Lac 🔕, ☎ 92 44 20 53, ←, – TV wc wc ☎ P – 50. AE
SC : **R** 59/96 – ☕ 18 – **20 ch** 160/200 – P 237/260.

Relais Fleuri, ☎ 92 44 20 32, ←, – P
15 mai-30 sept. et fermé lundi sauf juil.-août – SC : **R** 60/90.

SAVONNIÈRES 37 I.-et-L. 64 ⑭ – rattaché à Tours.

SCAER 29111 Finistère 58 ⑯ – 6 039 h. alt. 185.

Paris 528 – Carhaix-Plouguer 37 – Châteaulin 48 – Concarneau 27 – Pontivy 65 – Quimper 36.

Brizeux, 56 r. Jean-Jaurès ☎ 98 59 40 59 – wc . E
fermé 3 janv. au 15 fév. et lundi hors sais. – SC : **R** 59/170 🍷 – ☕ 16 – **17 ch** 76/155 – P 165/220.

Ster Pneus, ☎ 98 59 44 62

SCAFFARELS 04 Alpes-de-H.-P. 81 ⑱, 195 ⑫ – rattaché à Annot.

SCEAUX 92 Hauts-de-Seine 60 ⑩, 101 ㉕ – voir à Paris, Environs.

SCEAUX-SUR-HUISNE 72 Sarthe 60 ⑭⑮ – 463 h. alt. 93 – ✉ **72160** Connerré.

Paris 174 – La Ferté-Bernard 11 – ♦Le Mans 33 – Nogent-le-Rotrou 32 – St-Calais 35 – Vibraye 15.

Aub. Panier Fleuri, N 23 ☎ 43 93 40 08 – AE ⓓ E VISA
fermé mardi soir et merc. – SC : **R** 51 (sauf fêtes)/145.

SCHIRMECK 67130 B.-Rhin 62 ⑧ **G. Alsace et Lorraine** – 2 533 h. alt. 317.

Syndicat d'Initiative à la Mairie ☎ 88 97 00 02.

Paris 412 – ♦Nancy 109 – St-Dié 40 – Saverne 53 – Sélestat 56 – ♦Strasbourg 49.

La Rubanerie 🔕, à la Claquette SO : 2 km ☎ 88 97 01 95, « Jardin » – wc wc ☎ ♿ P. AE ⓓ VISA. rest
SC : **R** *(fermé dim. et fériés)* 80/95 🍷 – ☕ 24 – **16 ch** 156/215 – P 230/290.

CITROEN Gar. Beraud, à la Broque ☎ 88 97 05 43

RENAULT Gar. Fitte, à La Broque ☎ 88 97 04 43

La SCHLUCHT (Col de) 88 Vosges 62 ⑱ **G. Alsace et Lorraine** – alt. 1 139 – Sports d'hiver : 1 100/1 250 m 6 – **Voir Route des Crêtes***** N et S.

Paris 427 – Colmar 37 – Épinal 56 – Gérardmer 15 – Guebwiller 46 – St-Dié 39 – Thann 48.

Collet 🔕, au Collet : 2 km sur rte de Gérardmer, ✉ 88400 Gérardmer, ☎ 29 63 11 43, ← – wc ☎ P. AE ⓓ
fermé 15 nov. au 15 déc. – SC : **R** 50/170 🍷 – ☕ 20 – **25 ch** 135/210 – P 210/260.

SCHWEIGHOUSE-SUR-MODER 67 B.-Rhin 57 ⑲ – rattaché à Haguenau.

La SÉAUVE-SUR-SEMÈNE 43470 H.-Loire 76 ⑧ – 1 018 h. alt. 735.

Paris 534 – Le Puy 55 – ♦ St-Étienne 29.

Source, ☎ 71 61 03 79, ← – wc wc ☎ P. E
SC : **R** 35/70 🍷 – ☕ 15 – **15 ch** 90/120 – P 150.

SEBOURG 59 Nord 53 ⑤ – rattaché à Valenciennes.

Le SECHIER 05 H.-Alpes 77 ⑯ – rattaché à St-Firmin.

SÉCHIN 25 Doubs 66 ⑯ – rattaché à Baume-les-Dames.

SECONDIGNY 79130 Deux-Sèvres 67 ⑰ – 2 153 h. alt. 183.

Paris 387 – Bressuire 27 – Fontenay-le-Comte 39 – Niort 35 – Parthenay 14 – La Roche-sur-Yon 86.

Écu de France, ☎ 49 63 70 22 – wc P – 25. AE
fermé dim. du 1er déc. au 1er mars sauf fêtes – SC : **R** 48/80 – ☕ 15 – **15 ch** 58/110 – P 195/210.

CITROEN Gar. Bernier, ☎ 49 63 70 20

Gar. Guérin ☎ 49 63 70 27

SEDAN SP 08200 Ardennes 53 ⑲ **G. Champagne, Ardennes** – 24 535 h. alt. 157.

Voir Château fort* BY.

Office de Tourisme 4 pl. Crussy ☎ 24 29 31 14 et Château Fort (23 mars-fin-oct.) ☎ 24 27 22 93.

Paris 235 ② – Châlons-sur-Marne 113 ② – Charleville-Mézières 24 ② – Liège 149 ① – Luxembourg 118 ① – ♦Metz 145 ① – Namur 108 ① – ♦Reims 96 ② – Thionville 123 ① – Verdun 80 ①.

SEDAN

Armes (Pl. d') .... BY 3
Carnot (R.) .... BY 6
Gambetta (R.) .... BY 12
Halle (Pl. de la) .... BY 15
Leclerc (Av. du Mar.) .... BY 24
Ménil (R. du) .... BY 30

Alsace-Lorraine (Pl. d') .. BZ 2
Calonne (Pl.) .... BY 5
Crussy (Pl.) .... BY 8
Écossais (Bd des) ...... BY 9
Fleuranges (R. de) ...... AY 10
Goulden (Pl.) .... BY 14
Harcourt (Pl. d') .... BY 17
Jardin (Bd du Gd) .... BY 18
La-Rochefoucauld (R. de) BY 20
Lattre-de-Tassigny (Bd Mar.-de) .... AZ 21
Law (Bd) .... BY 23
Margueritte (Av. du Gén) ABY 26
Martyrs-de-la-Résistance (Av. des) .. AY 27
Pasteur (Av.) .... AZ 32
Promenoir-des-Prêtres .. BY 33
Rochette (Bd de la) ..... BY 35
Rovigo (R.) .... BY 36
Strasbourg (R. de) ...... BZ 39
Turenne (Pl.) .... BY 41
Vesseron-Lejay (R.) ..... AY 42
Wuidet-Bizot (R.) .... BZ 44
30 Floréal (Bd du) .... BY 45

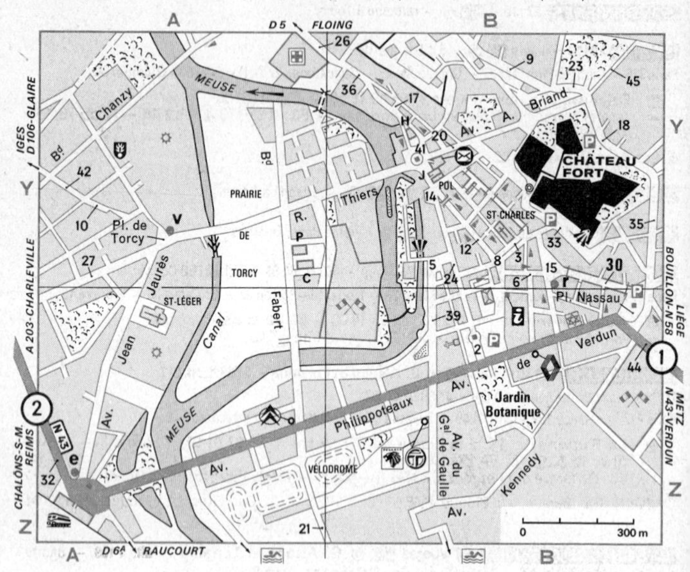

Univers, 6 pl. Gare ✆ 24 27 04 35 – wc. E VISA — AZ **e**
fermé août et dim. – SC : **R** 55/150 – 17,50 – **11 ch** 85/230 – P 190/300.

XX ✿ **Au Bon Vieux Temps,** 3 pl. Halle ✆ 24 29 03 70 – AE E VISA. — BYZ **r**
fermé fév., dim. soir et lundi – **SC : R** 47/165
Spéc. Turban de lotte, Rognon de veau au Bouzy, Soufflé glacé au nougat.. **Vins** Bouzy.

X **Chariot d'Or,** 20 pl. Torcy ✆ 24 27 04 87 – — AY **v**
fermé dim. soir et lundi soir – **SC : R** 47/120.

CITROEN Gar. Froussart 40 av. Philippoteaux ✆ 24 27 08 23
OPEL-GM Gar. St-Christophe, 1 av. Philippoteaux ✆ 24 27 17 89
PEUGEOT-TALBOT S.I.S.A., 6 av. Gén.-de-Gaulle ✆ 24 27 13 25
RENAULT Ardennes-Autos, 19 av. de Verdun ✆ 24 27 35 40 N
V.A.G. Poncelet, 2 pl. de Torcy ✆ 24 27 01 01
Pneu-Station, 45 av. Ch.-de-Gaulle, Balan ✆ 24 27 44 22

SÉES **61500** Orne 60 ③ **G. Normandie (plan)** – **5 173 h. alt. 188.**

Voir Cathédrale★ : choeur et transept★★ – Forêt d'Ecouves★★ SO : 5 km.

Syndicat d'Initiative à l'Hôtel de Ville (1er mai-30 sept.) ✆ 33 28 74 79.

Paris 186 – L'Aigle 43 – Alençon 22 – Argentan 23 – Domfront 65 – Mortagne-au-Perche 33.

Cheval Blanc, 1 pl. St-Pierre ✆ 33 27 80 48 – VISA.
fermé 18 oct. au 9 nov., 25 au 30 déc., 1er au 10 mars, sam. hors sais. et vend. – **SC : R** 39/165 – 13 – **9 ch** 56/99.

à Macé : 5,5 km par rte d'Argentan et D 303 – **61500** Sées :

Ile de Sées, ✆ 33 27 98 65, – wc – 25. E VISA
fermé 15 déc. au 15 janv. dim. soir et merc. – **SC : R** 79/160 – 16 – **16 ch** 110/175 – P 250.

CITROEN Gar. Hugeron, 60 r. de la République ✆ 33 27 80 13
PEUGEOT Gar. Boivin, 38 r. Gén.-Leclerc ✆ 33 27 80 14
RENAULT Gar. Herouin, rte de Mortagne ✆ 33 27 84 10

SÉEZ 73 Savoie 74 ⑱ – 1 300 h. alt. 904 – ✉ **73700** Bourg-St-Maurice.

Syndicat d'Initiative (juil.-août et Noël-Pâques) ✆ 79 07 00 65.

Paris 628 – Aosta 83 – Bourg-St-Maurice 3 – Chambéry 104 – Val-d'Isère 28.

Malgovert, ✆ 79 07 02 05, ≤, – wc wc ℗. *Pâques, 10 juin-30 sept., Noël-jour de l'An, fév. et week-end en janv., mars et 1er mai* – SC : **R** 63/89 – ☕ 22 – **20 ch** 95/195 – P 180/210.

Belvédère, E : 11 km par N 90 ✉ 73700 Bourg-St-Maurice ✆ 79 07 02 04, ≤ vallée et montagne – wc ℗. VISA *juil.-août, vacances scolaires d'hiver et week-end* – SC : **R** 45/100 – ☕ 15 – **28 ch** 114/196 – P 178/210.

CITROEN Alpes-Gar., ✆ 79 07 02 01

SEGOS 32 Gers 82 ② – rattaché à Aire-sur-l'Adour.

SÉGURET 84 Vaucluse 81 ② – rattaché à Vaison-la-Romaine.

SÉGUR-LES-VILLAS 15 Cantal 76 ③ – 404 h. alt. 1 000 – ✉ **15300** Murat.

Paris 488 – Allanche 12 – Aurillac 64 – Condat 18 – Mauriac 56 – Murat 18 – St-Flour 43.

Santoire M, à La Carrière du Monteil de Ségur S : 4 km sur D 3 ✆ 71 20 70 68, ≤, – wc ℗ – 40. AE E VISA *fermé 10 nov. au 15 déc.* – **R** 44/105 – ☕ 13,50 – **32 ch** 99/125 – P 160/180.

SEICHES-SUR-LE-LOIR 49140 M.-et-L. 64 ① – 2 207 h. alt. 28.

Paris 270 – Angers 19 – Château-Gontier 42 – Château-la-Vallière 52 – La Flèche 28 – Saumur 45.

Host. St-Jacques, à Matheflon N : 2 km par VO ✆ 41 76 20 30 – wc ℗ *fermé 15 au 30 oct., 15 janv. au 8 fév., dim. soir et lundi* – SC : **R** 50/95 – ☕ 13 – **10 ch** 55/102.

La SEIGLIÈRE 23 Creuse 73 ① – rattaché à Aubusson.

SEIGNELAY 89250 Yonne 65 ⑤ **G. Bourgogne** – 1 485 h. alt. 126.

Paris 170 – Auxerre 14 – Chablis 25 – Joigny 21 – Nogent-sur-S. 79 – St-Florentin 18 – Tonnerre 42.

Commerce, ✆ 86 47 71 21 – . VISA rest *fermé 24 août au 24 sept., dim. soir et lundi* – SC : **R** 45/85 – ☕ 13 – **19 ch** 69/102 – P 166/180.

SEIGNOSSE 40510 Landes 78 ⑰ – 1 412 h.

Paris 751 – ♦Bayonne 27 – Castets 36 – Mont-de-Marsan 79 – Soustons 12.

La Soleillade avec ch, ✆ 58 72 80 38, , « Parc » – wc wc ℗ *15 juin-15 sept. et fermé mardi sauf juil.-août* – SC : **R** 50/130 – ☕ 18 – **7 ch** 120/230.

SEILHAC 19700 Corrèze 75 ⑨ – 1 440 h. alt. 490.

Paris 469 – Aubusson 101 – Brive-la-Gaillarde 33 – ♦Limoges 72 – Tulle 15 – Uzerche 16.

Relais des Monédières, à Montargis de Seilhac SE : 1 km ✆ 55 27 04 74, parc, – ℗ *fermé nov.* – SC : **R** 48/126 – ☕ 15,50 – **21 ch** 70/110 – P 130/150.

à St-Salvadour NE : 8 km par D 940, D 44 et D 173E – ✉ **19700** Seilhac :

Ferme du Léondou, ✆ 55 21 60 04, « Grange aménagée », – ℗ *fermé 10 au 30 nov., janv., mardi soir hors sais. et merc. sauf le midi en juil.-août* – SC : **R** 42/175.

SEILLANS 83 Var 84 ⑦, 195 ㉒ **G. Côte d'Azur** – 1 609 h. alt. 366 – ✉ **83440** Fayence.

Voir N.-D. de l'Ormeau : retable SE :1 km.**

Syndicat d'Initiative Le Valat (juil.-août) ✆ 94 76 96 04.

Paris 894 – Castellane 56 – Draguignan 32 – Fayence 7,5 – Grasse 31 – St-Raphaël 41.

France et rest. Clariond M, ✆ 94 76 96 10, Télex 970530, ≤, , , – wc wc ℗. ch *fermé 6 au 26 janv. et merc. hors sais.* – SC : **R** 152/195 – ☕ 26 – **26 ch** 260/320.

Deux Rocs, ✆ 94 76 87 32, – wc wc . rest *fermé 2 nov. au 20 déc.* – SC : **R** *(fermé mardi et jeudi midi)* 105/165 – ☕ 27 – **15 ch** 155/315 – P 285/360.

Aub. Mestre Cornille, ✆ 94 76 87 31, – ℗. E *fermé 5 janv. au 5 fév., 3 au 18 mai, lundi soir et mardi* – SC : **R** 79/134.

SEIN (Ile de) ★ 29162 Finistère 58 ⑫ G. Bretagne – 504 h.
Voir Phare ☼★.
Accès par transports maritimes.
⛴ depuis **Audierne** En 1985 : du 1er juil. au 31 août, 3 services quotidiens ; hors saison, 1 service quotidien (sauf mercredi) - Traversée 1 h 10 mn – 70 F (AR). Renseignements : quai Jean-Jaurès ✆ 98 70 02 38 et ✆ 98 70 02 37.

XX **Aub. des Sénans,** ✆ 98 70 90 01
mai-oct. – SC : **R** 58/280.

SEIX 09140 Ariège 86 ③ – 953 h. alt. 510.
Voir Vallée du Haut Salat★ N et S, G. Pyrénées.
Paris 823 – Ax-les-Thermes 76 – Foix 62 – St-Girons 18.

X **Aub. des Deux Rivières** avec ch, **au pont de la Taule S : 5 km** ✆ **61 66 83 57**, – Ⓟ. AE VISA.
1er juin-15 sept., vacances scolaires et week-ends – SC : **R** 42/62 – ☕ 11 – **11 ch** 61/67 – P 118/149.

Die im Michelin-Führer
verwendeten Zeichen und Symbole haben – dünn oder fett gedruckt, *rot* ***oder schwarz – jeweils eine andere Bedeutung.***
Lesen Sie daher die Erklärungen (S. 38 bis 45) aufmerksam durch.

SÉLESTAT SP 67600 B.-Rhin 62 ⑲ G. Alsace et Lorraine – 15 482 h. alt. 182.
Voir Vieille ville★ : Église Ste-Foy★ BY, Église St-Georges★ BY, Bibliothèque humaniste★ BY **M** – Volerie des Aigles : démonstrations de dressage★ au château de Kintzheim : 5 km par ④ puis 30 mn.
Office de Tourisme la Commanderie, bd gén. Leclerc ✆ 88 92 02 66.
Paris 431 ① – Colmar 22 ③ – Gérardmer 72 ③ – St-Dié 43 ⑤ – ♦Strasbourg 47 ①.

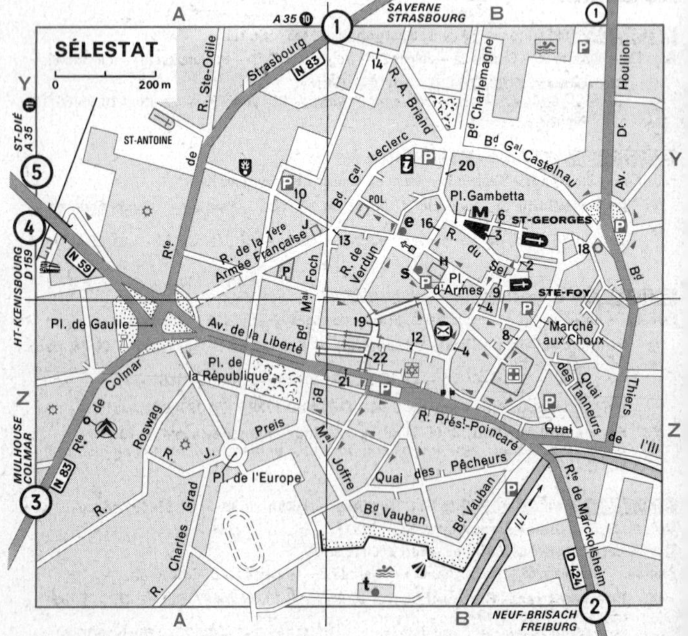

Chevaliers (R. des) .... **BYZ** 4	Bibliothèque (R. de la)... **BY** 3	Schwilgué (R.) .... **BY** 14
Hôpital (R. de l') .... **BZ** 8	Église (R. de l') .... **BY** 6	Serruriers (R. des) .... **BY** 16
Prés.-Poincaré (R. du) ... **BZ**	Marché Vert (R. du) ...... **BY** 9	Strasbourg (Pl. Porte de). **BY** 18
4e-Zouaves (R. du) .... **BZ** 21	Paix (R. de la) .... **AY** 10	Victoire (Pl. de la) .... **BZ** 19
	Sainte-Barbe (R.) .... **BZ** 12	Vieux Marché aux Vins .. **BY** 20
Babil (R. du) .... **BY** 2	Schaal (Pl. du Gén.) .... **ABY** 13	17-Novembre (R. du).... **BZ** 22

Belle Vue M, 9 rte Ste-Marie-aux-Mines, N59 par ⑤ ✆ 88 92 92 88, – wc wc ☎ . AE ① E. rest
R *(fermé jeudi sauf le soir de juin à sept.)* 55/180 – 24 – **22 ch** 140/234 – P 215/280.

XXX ❀ **Edel,** 7 r. Serruriers ✆ 88 92 86 55, – AE ① E VISA BY **e**
fermé 29 juil. au 8 août, 27 déc. au 7 janv., dim. soir du 1er déc. au 1er mars, mardi soir et merc. – **SC** : **R** 120/250
Spéc. Mosaïque de sole et saumon au cerfeuil, Soyeux d'agneau à la tomate, Parfait aux noisettes sauce caramel.

XX **Vieille Tour,** 8 r. Jauge ✆ 88 92 15 02. VISA BY **s**
fermé 1er au 16 juil., dim. soir et lundi – **SC** : **R** 56/200 ⅄.

XX **Lido,** au stade nautique ✆ 88 92 07 43, ≤, BZ **t**
fermé 20 déc. au 6 janv., dim. soir et lundi – **SC** : **R** 55/160 ⅄.

à Val-de-Villé par ⑤ : 6 km – ✉ **67730** Châtenois :

XX **Aub. de la Forêt,** ✆ 88 82 06 82, , – . VISA
fermé mardi soir et merc. – **SC** : **R** carte 110 à 170.

à Baldenheim E : 8,5 km par D 21 - BY - et D 209 – ✉ **67600** Sélestat :

XXX ❀ **Couronne,** r. Sélestat ✆ 88 85 32 22 – . AE ①
fermé 2 au 10 janv., dim. soir et lundi – **SC** : **R** 80/250
Spéc. Foie gras de canard, Saumon au Crémant d'Alsace, Gibier (1er juin au 1er janv.). **Vins** Riesling, Pinot noir.

MAZDA Gar. Walter, 33 rte de Ste Marie aux Mines à Chatenois ✆ 88 82 07 22 N ✆ 88 92 92 96
CITROEN Alsauto, 14 rte de Colmar ✆ 88 92 38 99
CITROEN Gar. Ménétré, 89 rte Strasbourg par ① ✆ 88 92 08 42
FIAT, MERCEDES-BENZ Gar. Ligner, 24 rte de Sélestat à Chatenois ✆ 88 82 05 20
PEUGEOT-TALBOT Sélestat Autom., 109 rte Colmar par ③ ✆ 88 82 28 28
RENAULT Borocco, 101 rte de Colmar par ③ ✆ 88 92 88 77
V.A.G. Gar. Michel, 49 rte Strasbourg ✆ 88 92 10 75
Ets Kautzmann, 28 Rte de Colmar ✆ 88 92 38 00
Pneus et Services D.K, 95 rte de Colmar ✆ 88 92 14 95

SELLES-ST-DENIS 41 L.-et-Ch. 64 ⑲ **G. Châteaux de la Loire** – 1 172 h. alt. 98 – ✉ **41300** Salbris.

Paris 198 – Blois 56 – Mennetou-sur-Cher 16 – Romorantin-Lanthenay 15 – Salbris 11 – Vierzon 25.

XX **Cheval Blanc,** ✆ 54 96 21 11 – . AE ① E VISA
fermé 20 fév. au 20 mars, lundi soir et mardi – **SC** : **R** 63/135.

SEMBADEL-GARE 43 H.-Loire – rattaché à La Chaise-Dieu.

SEMBLANÇAY 37360 I.-et-L. 64 ⑭ – 1 124 h. alt. 107.

Paris 249 – Angers 93 – Blois 68 – ♦Le Mans 67 – ♦Tours 17.

Mère Hamard, pl. Eglise ✆ 47 56 62 04 – wc wc ☎ . AE ① VISA
fermé 19 au 28 nov. et 15 janv. au 5 fév. – **SC** : **R** *(fermé dim. soir et jeudi)* 71/167 – 19 – **9 ch** 125/167 – P 200/270.

SEMÈNE 43 H.-Loire 76 ⑧ – rattaché à Aurec-sur-Loire.

Le SEMNOZ 74 H.-Savoie 74 ⑥⑯ **G. Alpes** – ✉ **74000** Annecy.

Voir Crêt de Châtillon ✳★★★ (accès par D 41 : d'Annecy 20 km ou du col de Leschaux 14 km, puis 15 mn).

sur D41 – ✉ **74000** Annecy :

Semnoz Alpes , au sommet, alt. 1 704 ✆ 50 01 23 17, ≤ Mont-Blanc – wc wc . AE.
Pentecôte-30 sept. et 15 déc.-vacances de Pâques – **SC** : **R** 53/145 – 20 – **16 ch** 65/160 – P 165/220.

Rochers Blancs , près du sommet, alt. 1 650 ✆ 50 01 23 60, ≤ – wc . E VISA
15 mai-fin sept. et 1er déc.-fin avril – **SC** : **R** 50/120 – 19 – **22 ch** 95/180 – P 190/210.

Aimer la nature,

c'est respecter la pureté des sources, la propreté des rivières, des forêts, des montagnes...
c'est laisser les emplacements nets de toute trace de passage.

SEMUR-EN-AUXOIS 21140 Côte-d'Or 65 ⑰⑱ **G. Bourgogne** – 5 364 h. alt. 290.

Voir Site★ – Église N.-Dame★ B – Pont Joly ≤★.

Office de Tourisme avec A.C. pl. Gaveau ✆ 80 97 05 96.

Paris 249 ③ – Auxerre 86 ③ – Avallon 42 ③ – Beaune 82 ③ – ♦Dijon 81 ③ – Montbard 19 ①.

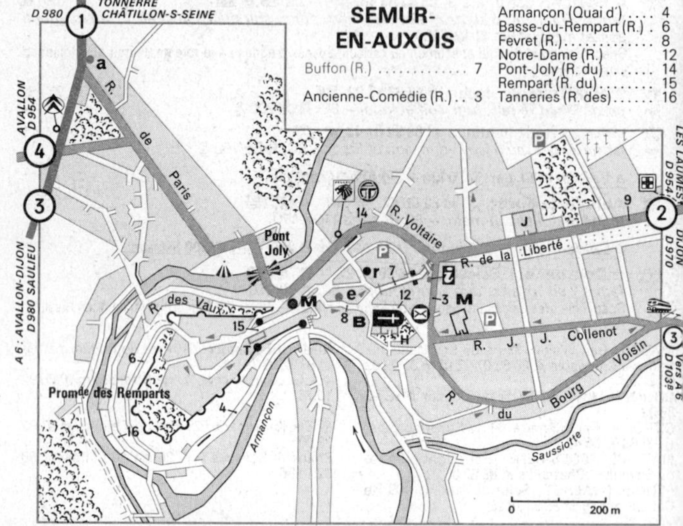

Lac, au lac de Pont E : 3 km par D 103B ✆ 80 97 11 11 – wc wc ☎ Ⓟ. E VISA. ch
fermé 15 déc. au 1er fév., dim. soir et lundi sauf juil.-août – SC : **R** 60/120 – 22 – **23 ch** 100/220 – P 210/270.

Gourmets, r. Varenne **(r)** ✆ 80 97 09 41, – wc
fermé 30 oct. au 1er janv. et mardi – SC : **R** (dim. prévenir) 60/130 – 16 – **15 ch** 60/145.

Cambuse, 8 r. Févret **(e)** ✆ 80 97 06 78 – AE E VISA
fermé mi-déc. à mi-fév. et jeudi sauf vacances et fêtes – SC : **R** 75/160.

Aub. des Quinconces, 58 r. Paris **(a)** ✆ 80 97 02 00, – Ⓟ. VISA
fermé oct. et lundi sauf fériés – SC : **R** 58/130 ₰.

à Villeneuve-sous-Charigny : SE 9 km par ② et D 970 – ✉ **21140** Semur-en-Auxois :

Aub. du Chaudron, ✆ 80 97 10 14, – wc ☎ Ⓟ. E VISA
fermé oct., 24 déc. au 2 janv. et lundi sauf juil.-août et fériés – SC : **R** 53/58 ₰ – 16 – **7 ch** 71/142.

CITROEN ets Jarno, ✆ 80 97 07 89
PEUGEOT-TALBOT Bardey, par ② ✆ 80 97 13 43
PEUGEOT-TALBOT Pignon, ✆ 80 97 07 18
RENAULT Girard, par ② ✆ 80 97 05 10

SÉNAS 13560 B.-du-R. 84 ② – 3 906 h. alt. 95.

Paris 712 – Aix-en-Provence 46 – Avignon 36 – ♦Marseille 66 – St-Rémy-de-Provence 25 – Salon-de-Provence 12.

Terminus, N7 ✆ 90 57 20 08, – wc Ⓟ. AE E VISA. rest
fermé 2 janv. au 2 fév. et sam. hors sais. – SC : **R** 51/80 ₰ – 17 – **16 ch** 99/160.

Luberon avec ch, N7 ✆ 90 57 20 10, – . E VISA
fermé 15 oct. au 15 déc., lundi soir et mardi du 15 déc. au 30 juin – SC : **R** 55/145 – 14 – **7 ch** 96/156.

à Pont-Royal, rte Aix-en-Provence : 9 km – ✉ **13370** Mallemort :

Moulin de Vernègues M, N7 ✆ 90 59 12 00, Télex 401645, « Ancien relais royal de chasse, parc », – TV ☎ Ⓟ – 50 à 100. AE VISA
SC : **R** 230/280 – 50 – **34 ch** 350/750.

Le Provençal, N7 ✆ 90 57 40 64 – Ⓟ. ch
fermé 1er au 8 juin, 15 au 31 janv. et dim. sauf du 15 juin au 15 sept. – SC : **R** 43/98 ₰ – 16 – **10 ch** 95/130 – P 190.

SENLIS ⟨SP⟩ **60300** Oise **56** ⑪⑫, **196** ⑧⑨ **G. Environs de Paris** – 15 280 h. alt. 76.

Voir Cathédrale N.-Dame★★ BY – **Vieilles rues★** ABY – **Place du Parvis★** BY – **Église St-Frambourg★** BY **B** – **Jardin du Roy** ≤★ AY – **Forêt d'Halatte★ 5 km par** ① – **Butte d'Aumont** ☀★ **4,5 km par** ⑥ **puis 30 mn** – **Env. Ruines du château fort de Montépilloy★ 9 km par** ③ – **18 9 de Morfontaine,** ✆ **44 54 68 27 par** ④ **: 10 km.**

i Office de Tourisme pl. Parvis-N.-Dame (fermé 1er déc. au 1er mars) ✆ 44 53 06 40.

Paris 50 ③ – ♦Amiens 100 ③ – Arras 130 ③ – Beauvais 53 ⑥ – Compiègne 34 ③ – ♦Lille 171 ③ – Mantes-la-Jolie 88 ⑤ – Meaux 38 ③ – Soissons 60 ③.

SENLIS

Halle (Pl. de la) .... **BY** 12

Apport-au-Pain (R. de l') . **AY** 2
Boutteville (Cours) ...... **BY** 5
Gaulle (Av. Gén.-de) .... **BY** 9
Henri-IV (Pl.) .... **AY** 13
Leclerc (Av. Gén.) .... **BY** 15
Moulin Rieul (R. du) ..... **BY** 16
Parvis (Pl. du) .... **BY** 18
Poterne (R. de la) .... **BZ** 24
Ste-Geneviève (R.) ...... **BZ** 25
Vernois (Av. F.) .... **AY** 29
Villevert (R. de) .... **BY** 32

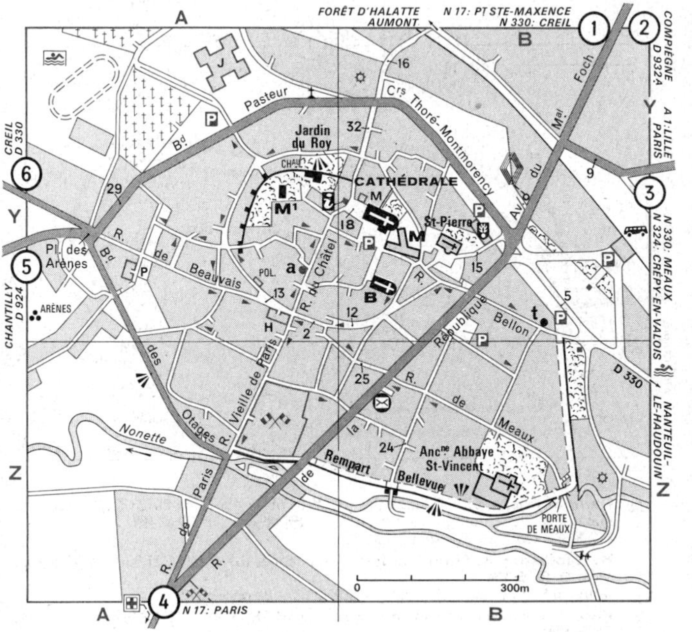

⌂ **Host. de la Porte Bellon,** 51 r. Bellon ✆ **44 53 03 05,** ☂, ⛱ – ⇔wc ⋒ ☎. VISA. ✗ ch — BY **t**
fermé 20 déc. au 15 janv. et vend. – SC : **R** 78/123 – ☕ 16,50 – **19 ch** 117/195.

✗✗ **Rôt. de Formanoir,** 17 r. Châtel ✆ **44 53 04 39.** VISA — AY **a**
R carte 135 à 205 – **Le Bistrot** *(fermé dim.)* **R** carte environ 90.

par ③ sur N 324 : 2 km – ✉ **60300** Senlis :

⌂ **Ibis** Ⓜ, ✆ **44 53 70 50, Télex 140101,** ☂, ⛱ – TV ⇔wc ☎ ♿ Ⓟ – 🏃 50. E VISA
SC : **R** carte environ 100 ♨ – ☕ 26 – **50 ch** 206/262.

PEUGEOT-TALBOT Safari-Senlis, 56 av. de Creil par ⑥ ✆ 44 53 16 46
RENAULT S.A.C.L.I., 64 av. Gén.-de-Gaulle par ③ ✆ 44 53 08 18 **N**
RENAULT Delacharlery, 10 av. Mar.-Foch ✆ 44 53 09 68 **N** ✆ 44 53 08 18

V.A.G. Gar. du Valois, 39 rte de Crépy ✆ 44 53 02 17
Gar. Briziou, cours Boutteville ✆ 44 53 02 53

SENLISSE 78 Yvelines **60** ⑨, **196** ㉙, **101** ㉛ – 413 h. alt. 103 – ✉ **78720** Dampierre.

Paris 40 – Longjumeau 30 – Rambouillet 15 – Versailles 24.

✗✗✗ **Aub. du Pont Hardi** ⛰ avec ch, ✆ **(1) 30 52 50 78,** ≤, ☂, **« Beau jardin fleuri »** – ⇔wc ⋒ ☎ Ⓟ. ⓓ VISA
fermé 1er au 15 août, vacances de fév., mardi soir et merc. – SC : **R** 165 bc/270 bc – ☕ 35 – **5 ch** 250/350.

SENNECEY-LES-DIJON 21 Côte-d'Or **66** ⑫ – rattaché à Dijon.

SENNEVILLE 78 Yvelines 55 ⑱, 196 ⑮ – rattaché à Mantes-la-Jolie.

SENS <SP> **89100** Yonne 61 ⑭ **G. Bourgogne** – 26 961 h. alt. 69.

Voir Cathédrale** : **trésor**** – **Palais synodal-Officialité*** **D.**

Office de Tourisme pl. J.-Jaurès ✆ 86 65 19 49, Télex 800306 et 14 bd 14-Juillet ✆ 86 95 12 43.

Paris 118 ⑥ – Auxerre 57 ③ – Châlons-sur-Marne 133 ① – ♦Dijon 205 ③ – Fontainebleau 53 ⑥ – Meaux 102 ⑥ – Montargis 51 ④ – ♦Reims 150 ① – Soissons 159 ⑥ – Troyes 65 ②.

SENS

Cornet (Av. Lucien) 9
Déportés-et-de-la-Résistance (R. des)
Grande-Rue 15
République (Pl. de la) 27
République (R. de la) 28
Alsace-Lorraine (R. d') 2
Chambonas (Cours) 8
Cousin (Square J.) 10
Foch (Bd Mar.) 12
Garibaldi (Bd des) 13
Leclerc (R. du Gén.) 19
Maupéou (Bd de) 21
Moulin (Quai J.) 23

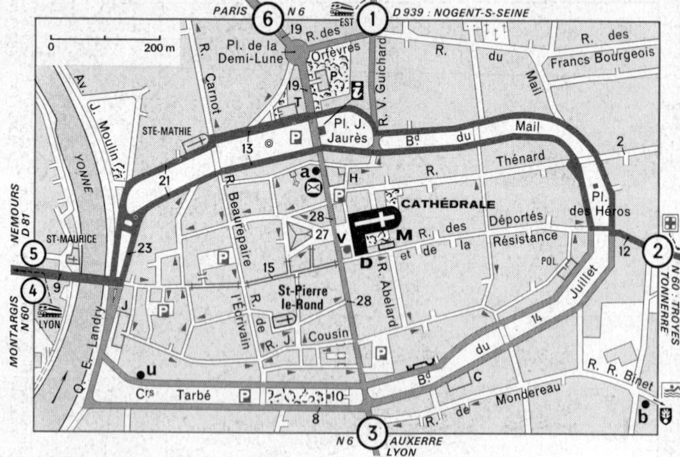

Paris et Poste, 97 r. République **(a)** ✆ 86 65 17 43, Télex 801831, « Salle à manger rustique bourguignon » – rest TV ☎. AE ⓓ E VISA
SC : **R** 150/260 – 28 – **30 ch** 198/380.

H. Résidence R. Binet sans rest, 20 r. R.-Binet **(b)** ✆ 86 95 21 50 – TV wc wc ☎ Ⓟ. E VISA
fermé dim. du 1er oct. au 31 mars – SC : 19 – **33 ch** 99/217.

Parc sans rest, 9 cours Tarbé **(u)** ✆ 86 64 26 99, – TV wc wc ☎. AE ⓓ E VISA
SC : 19,50 – **21 ch** 104/229.

St-Pregts, 89 r. Gén.-de-Gaulle par ③ ✆ 86 65 19 63 – wc wc Ⓟ. AE E VISA
fermé 11 au 17 août, 25 au 31 déc., vend. soir et sam. – SC : **R** 50/75 – 14 – **18 ch** 65/160 – P 155/180.

Aub. de la Vanne, rte Lyon par ③ ✆ 86 65 13 63, ←, – Ⓟ. AE E VISA
fermé 19 déc. au 18 janv., vend. soir et sam. – SC : **R** 62/165.

Soleil Levant, 51 r. E.-Zola **(s)** ✆ 86 65 71 82 – AE VISA
fermé 1er déc. au 5 janv., sam. midi et vend. – SC : **R** 65/110.

Palais, 18 pl. République **(v)** ✆ 86 65 13 69. E VISA
fermé 6 au 14 janv., dim. soir et lundi – SC : **R** 63/106.

à Soucy par ① : 7 km – ✉ **89100** Sens :

Aub. du Regain avec ch, ✆ 86 86 64 62, cadre campagnard, – ☎ Ⓟ
fermé 25 août au 29 sept., dim. soir et lundi – SC : **R** 71/110 – 16,50 – **7 ch** 83/200 – P 200/250.

à Malay-le-Petit par ② : 8 km – ✉ **89100** Sens :

Aub. Rabelais avec ch, ✆ 86 88 21 44, – Ⓟ
fermé 6 janv. au 6 fév., merc. soir et jeudi – SC : **R** 97/160 – 22,50 – **7 ch** 103/148.

à Subligny par ④ : 7 km sur N 60 – ✉ **89100** Sens :

Relais de Subligny, ✆ 86 88 83 22, – Ⓟ. VISA
fermé 15 sept. au 15 oct., lundi soir du 1er oct. au 30 avril, mardi soir et merc. – SC : **R** 51/140.

à Villeroy par ⑤ : 6 km – ✉ **89100** Sens :

XXX **Relais de Villeroy** M avec ch, ✆ **86 88 81 77,** – wc ⋔wc ☎ P. AE ◑ VISA
fermé 27 juil. au 12 août, 21 déc. au 7 janv., lundi (sauf hôtel) et dim. soir – SC : **R** 100/220 – 18 – **8 ch** 140/180.

BMW Éts Berni, 13 av. de Lörrach ✆ 86 65 70 90 N ✆ 86 65 19 97
CITROEN Gd Gar. de l'Yonne, rte de Lyon par ③ ✆ 86 65 12 92
DATSUN Gar. du Mail, 12 bd du Mail ✆ 86 64 25 34
FIAT Gar. Prieur, rte de Lyon, Pont Bruant par ③ ✆ 86 95 23 50 N ✆ 86 65 19 97
PEUGEOT-TALBOT S.E.G.A.M., 16 bd Kennedy, par ③ ✆ 86 65 19 12
RENAULT Sté Senonaise d'Autom., Carr. Ste-Colombe N 6 à St-Denis-sur-Sens par ⑥ ✆ 86 65 18 33 N
V.A.G. Gar. de la Vanne, 184 rte de Lyon ✆ 86 65 00 37
La Centrale du Pneu, 105 r. du Gén.-de-Gaulle ✆ 86 65 24 33
Stat. Gar. de la Vanne, 18 bd Kennedy ✆ 86 65 25 05

SEPT-SAULX 51 Marne 56 ⑰ – 338 h. alt. 96 – ✉ **51400** Mourmelon-le-Grand.
Paris 165 – Châlons-sur-Marne 26 – Épernay 29 – ♦Reims 23 – Rethel 47 – Vouziers 60.

Cheval Blanc (Lefevre) M , ✆ **26 61 60 27, Télex 830885, parc,** – TV wc ⋔wc ☎ ♿ P. AE ◑ E VISA
fermé mi janv. à mi fév. – **R** 200/500 – 30 – **22 ch** 190/350 – P 475
Spéc. Écrevisses au vin de Champagne (juin à mars), Assiette de la Vesle, Agneau à la menthe fraîche (mars à oct.). **Vins** Vertus rouge, Avize.

SEREILHAC 87620 H.-Vienne 72 ⑰ – 1 462 h. alt. 312.
Paris 417 – Châlus 15 – Confolens 52 – ♦Limoges 20 – Nontron 49 – Périgueux 81 – St-Yrieix-la-P. 42.

Motel des Tuileries , aux Betoulles NE : 2 km sur N 21 ✆ **55 39 10 27** – wc ☎ ♿ P – 25. E VISA
fermé 2 nov. au 2 déc., vacances de fév., dim. soir et lundi hors sais. – SC : **R** (dim. prévenir) 55/145 – 18,50 – **10 ch** 135/159 – P 200/220.

XX **La Meule** avec ch, N 21 ✆ 55 39 10 08 – TV wc ☎ P – 30. AE ◑ E VISA
SC : **R** 80/260 – 25 – **10 ch** 180.

SEREZIN-DU-RHÔNE 69 Rhône 74 ⑪ – 1 925 h. alt. 164 – ✉ **69360** St-Symphorien-d'Ozon.
Paris 476 – ♦Grenoble 104 – ♦Lyon 16 – Rive-de-Gier 22 – La Tour-du-Pin 55 – Vienne 15.

La Bourbonnaise, ✆ **78 02 80 58,** , « Jardin fleuri » – TV wc ⋔wc ☎ ♿ P – 30. AE ◑ E VISA
SC : **R** 58/200 – 19 – **36 ch** 125/220.

EL SERRAT Principauté d'Andorre 86 ⑭, 43 ⑥ – voir à Andorre.

SERRAVAL 74 H.-Savoie 74 ⑰ – 313 h. alt. 763 – ✉ **74230** Thones.
Paris 563 – Albertville 26 – Annecy 30 – Bonneville 42 – Faverges 10 – Megève 41 – Thônes 10.

Tournette, ✆ 50 02 06 64, ←, – wc ⋔ P. E
fermé 15 oct. au 15 nov. et mardi sauf hôtel en sais. – SC : **R** 57/87 – 20 – **18 ch** 126/150 – P 155/172.

SERRE-CHEVALIER 05 H.-Alpes 77 ⑱ **G. Alpes** – Sports d'hiver : 1 350/2 800 m 7 56, .
Voir ✱★★. De Chantemerle : Paris 672 – Briançon 6 – Gap 93 – ♦Grenoble 110 – Col du Lautaret 22.

à Chantemerle – alt. 1 350 – ✉ **05330** St-Chaffrey – **Env.** Col de Granon ✱★★ NE : 12 km – Office de Tourisme ✆ 92 24 00 34.

La Balme M , ✆ 92 24 01 89, ←, – wc ☎ P. AE ◑ E VISA. rest
début juin-30 sept. et début déc.-20 avril – SC : **R** (snack le soir) – **27 ch** 230/310.

Plein Sud M sans rest, ✆ **92 24 17 01,** ←, , – TV wc ☎ P. AE VISA.
28 juin-15 sept. et 13 déc.-13 avril – SC : 28 – **42 ch** 200/340.

Boule de Neige, ✆ 92 24 00 16 – ⋔. VISA
20 déc.-Pâques – SC : **R** (pens. seul.) 75/85 – 25 – **10 ch** 80/250 – P 190/255.

X **La Fourchette,** ✆ 92 24 06 66
15 juin-15 sept. et 10 déc.-20 avril – SC : **R** 58/98.

CITROEN Gar. Puy et Dovetta, à St-Chaffrey ✆ 92 24 00 07
Gar. du Téléphérique, à St-Chaffrey ✆ 92 24 01 65 N

à Villeneuve-la-Salle – alt. 1 452 – ✉ **05240** La-Salle-les-Alpes.
Office de Tourisme ✆ 92 24 71 88, Télex 400152.

Vieille Ferme , ✆ **92 24 76 44,** ←, « Belle salle voûtée, rôtisserie », – wc ⋔wc P. VISA. rest
28 juin-1er sept. et 13 déc.-14 avril – SC : **R** 75/190 – 21 – **30 ch** 213/410 – P 205/365.

Christiania, ✆ 92 24 76 33, ←, – wc ⋔wc ☎ P. VISA. rest
28 juin-7 sept. et 10 déc.-20 avril – SC : **R** 53/93 – 18 – **24 ch** 125/245 – P 233/275.

XX **Aux Trois Pistes** ⛰ avec ch, ✆ 92 24 74 50, ≤, – wc wc. AE ⓓ E VISA
fermé oct. et nov. – SC : **R** 65/120 – ☕ 19 – **15 ch** 90/210 – P 185/275.

X **Aub. Ensoleillée** ⛰ avec ch, ✆ 92 24 74 04, – wc. E
10 juin-30 sept. et 10 déc.-1er mai – SC : **R** 56/87 🍷 – ☕ 19,50 – **8 ch** 83/184 – P 172/210.

au Monêtier-les-Bains – 970 h. alt. 1 470 – ✉ **05220** Le Monetier-les-Bains

Aub. du Choucas ⛰, ✆ 92 24 42 73, « Salle voutée ancienne », – wc wc. ⓓ
15 juin-30 sept. et 15 déc.-15 avril – SC : **R** 125 – ☕ 32 – **13 ch** (pens. seul.) – P 328/344.

Europe M ⛰, ✆ 92 24 40 03 – wc wc ☎. AE ⓓ E VISA
1er juin-30 sept. et 15 déc.-20 avril – SC : **R** 56/126 – ☕ 19 – **29 ch** 190/200 – P 240/260.

Bergerie ⛰, ✆ 92 24 41 20 – wc
10 juin-15 sept. et 20 déc.-15 avril – SC : **R** 52/70 – ☕ 17 – **10 ch** 105/148 – P 168/198.

SERRE-PONÇON (Barrage et Lac de) ** 05 H.-Alpes 81 ⑦ G. Alpes.

SERRES 05700 H.-Alpes 81 ⑤ G. Alpes – 1 213 h. alt. 663.

Syndicat d'Initiative à l'Hôtel de Ville ✆ 92 67 03 50.

Paris 669 – Die 65 – Gap 42 – •Grenoble 109 – La Mure 80 – Manosque 87 – Nyons 64.

Fifi Moulin ⛰, ✆ 92 67 00 01, – wc 🚗. AE ⓓ E VISA
fermé 11 nov. aux vacances de fév. et merc. – **R** 64/103 – ☕ 17,50 – **25 ch** 120/170 – P 210/230.

Nord, ✆ 92 67 00 25, – wc wc 🚗. AE E VISA
fermé 15 nov. au 15 déc. et mardi d'oct. à juin – SC : **R** 52/95 – ☕ 15 – **16 ch** 75/150 – P 220/250.

CITROEN Alleoud, ✆ 92 67 00 28
PEUGEOT-TALBOT Gonsolin, ✆ 92 67 03 60 N ✆ 92 67 04 26
RENAULT Reynaud, ✆ 92 67 00 11 N

SERRIÈRES 07340 Ardèche 77 ① G. Vallée du Rhône – 1 342 h. alt. 139.

Syndicat d'Initiative quai J.-Roche (juil.-août) ✆ 75 34 06 01.

Paris 517 – Annonay 15 – Privas 91 – Rive-de-Gier 40 – •St-Étienne 54 – Tournon 37 – Vienne 28.

XX **Schaeffer** avec ch, ✆ 75 34 00 07 – 🚗. AE ⓓ. ✻
fermé janv., lundi soir et mardi sauf juil.-août – SC : **R** 90/190 – ☕ 18 – **12 ch** 88/120 – P 220/270.

X **Parc,** ✆ 75 34 00 08, – E VISA
fermé 2 au 10 juin, 23 déc. au 2 janv., dim. soir et lundi – **R** 65/144 🍷.

V.A.G. Gar. Gines, ✆ 75 34 02 25 N ✆ 75 59 13 16

SERVOZ 74 H.-Savoie 74 ⑧ G. Alpes – 435 h. alt. 815 – ✉ **74310** Les Houches.

Voir Gorges de la Diosaz★ : chutes★★ E : 1 km.

Syndicat d'Initiative (sais.) ✆ 50 47 21 68.

Paris 586 – Annecy 92 – Bonneville 43 – Chamonix 14 – Megève 23 – St-Gervais-les-Bains 12.

Chamois ⛰, ✆ 50 47 20 09, ≤, – wc ☎ P. ⓓ E VISA
fermé 10 au 29 avril, 24 nov. au 14 déc. – SC : **R** *(fermé mardi hors sais.)* 70/155 – ☕ 20 – **7 ch** 180/200 – P 212/237.

La Sauvageonne, ✆ 50 47 20 40, ≤, – TV wc P. E VISA. ✻
1er juin-20 oct., 20 déc.-30 avril et fermé merc. sauf vacances scolaires – SC : **R** 55/144 🍷 – ☕ 19 – **10 ch** 166/188 – P 185/208.

Cimes Blanches ⛰, au Mont, N : 2 km ✆ 50 47 20 05, ≤ – P. E. ✻
15 mai-8 sept., 22 déc. à Pâques – SC : **R** 55/80 – ☕ 22 – **10 ch** 90/120 – P 135/145.

SÈTE 34200 Hérault 83 ⑯ G. Causses – 40 466 h..

Voir Circuit★ du Mt-St-Clair ✻★★ 1,5 km, AZ.

Office de Tourisme 22 quai d'Alger ✆ 67 74 73 00 et au Robinson, pl. E.-Herriot.

Paris 789 ④ – Béziers 46 ② – Lodève 63 ④ – •Montpellier 34 ④.

Plan page ci-contre

Grand Hôtel, 17 quai Mar.-de-Lattre-de-Tassigny ✆ 67 74 71 77, Télex 480225 – TV ☎ – 30. AE ⓓ E VISA. ✻ rest BY **t**
fermé 20 déc. au 1er janv. – SC : **R** voir rest **La Rotonde** – ☕ 22 – **47 ch** 169/325, 4 appartements 490.

Orque Bleue sans rest, 10 quai Aspirant Herbert ✆ 67 74 72 13, ≤ – TV wc wc ☎. AE ⓓ VISA. ✻ BZ **d**
23 mars-9 janv. et fermé dim. en nov. et déc. – SC : ☕ 21 – **30 ch** 188/246.

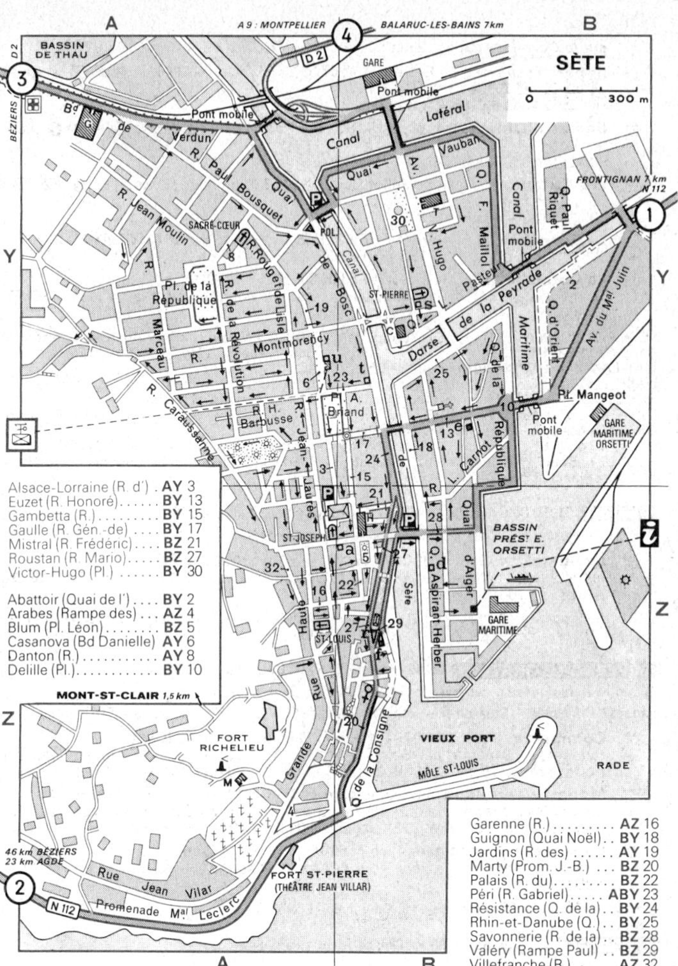

Régina sans rest, 6 bd D.-Casanova ☎ 67 74 31 41 – ascenseur wc ☎. AE ⓓ VISA. AY **u**
fermé 5 nov. au 20 déc. – SC : ☕ 16 – **20 ch** 104/200.

Hippocampe sans rest, 3 r. Longuyon ☎ 67 74 51 14 – wc wc ☎. VISA BY **s**
SC : ☕ 20 – **19 ch** 102/195.

XX **La Palangrotte,** rampe P.-Valéry ☎ 67 74 80 35, ←, terrasse – ▤. AE ⓓ VISA BZ **r**
fermé 1er fév. au 1er mars, dim. soir hors sais. et lundi – SC : **R** 120 bc/220 bc.

XX **Le Chalut,** 38 quai Gén.-Durand ☎ 67 74 81 52, terrasse, produits de la mer – BZ **f**
fermé 2 janv. au 6 fév. et merc. – SC : **R** 85.

XX **Jacques Coeur,** 17 r. P.-Valéry ☎ 67 74 33 70 – AE ⓓ VISA BZ **a**
fermé 23 déc. au 8 janv. et dim. – SC : **R** carte 140 à 215.

X **La Rotonde,** 17 quai Mar.-de-Lattre-de-Tassigny ☎ 67 74 71 77, Télex 480225 – AE ⓓ E VISA BY **t**
fermé 20 déc. au 5 janv. et dim. – SC : **R** 55/90.

X **Rest. Alsacien,** 25 r. P.-Sémard ☎ 67 74 77 94. VISA BY **e**
fermé juin, 22 déc. au 3 janv., dim. soir et lundi – SC : **R** (dîner seul. en juil. et août) carte 115 à 170.

sur la Corniche par ② : 2 km :

Impérial sans rest, pl. É.-Herriot ✆ 67 53 28 32, Télex 480046 – ⧫ ▤ TV ☎ P – 40. AE ⊕ E VISA
SC : ☕ 22 – **43 ch** 168/428, 4 appartements 430.

Sables d'Or sans rest, pl. É.-Herriot ✆ 67 53 09 98 – ⧫ wc wc ☎ P. VISA.
SC : ☕ 19,50 – **30 ch** 184/242.

Les Tritons sans rest, bd Joliot-Curie ✆ 67 53 03 98 – ⧫ wc ☎ P. ⊕ VISA.
SC : ☕ 18,50 – **40 ch** 142/300.

Le Bosphore, pl. É.-Herriot ✆ 67 53 05 53 – wc wc ☎ P. AE ⊕ E. rest
SC : **R** *(fermé 30 sept. au 15 mars)* 57/138 – ☕ 18 – **17 ch** 200.

La Corniche, pl. É.-Herriot ✆ 67 53 03 30, – ⊕ VISA
fermé 1er déc. au 15 fév., lundi en juil.-août et merc. de sept. à fin juin – SC : **R** 65/200.

ALFA-ROMEO, **SEAT** Sète-Autom., 46 quai de Bosc ✆ 67 74 36 66
FIAT-LANCIA-AUTOBIANCHI Auto-Hall, 5 pl. Delille ✆ 67 74 04 00
MERCEDES Gar. du Midi, 26 quai Mar. de Lattre de Tassigny ✆ 67 74 72 96 N
OPEL France-Auto, Zone Ind. des Eaux Blanches ✆ 67 48 48 61
RENAULT Sète-Exploitation-Autos, Zone Ind. des Eaux Blanches par ④ ✆ 67 48 79 79
TOYOTA-VOLVO Auto Agence Sétoise, 13 quai L.-Pasteur ✆ 67 74 54 00

Comptoir Méridional du C/c, 1005 rte de Montpellier ✆ 67 48 80 50
Escoffier-Pneus, 18 quai F.-Maillol ✆ 67 74 56 21
Guittard, 2 quai L.-Pasteur ✆ 67 74 08 91
Martinez-Pneus, 24 quai République ✆ 67 74 93 61

SEURRE 21250 Côte d'or 69 ⑩, 70 ② G. Bourgogne – 2 795 h. alt. 181.

Paris 337 – Beaune 26 – Chalon-sur-Saône 38 – ♦Dijon 39 – Dole 41.

Le Castel, av. Gare ✆ 80 20 45 07, – wc ☎ P. AE VISA
fermé 2 janv. au 15 fév. et lundi du 15 oct. au 15 juin – **R** 65/140 – ☕ 18 – **20 ch** 78/185 – P 260.

FORD Seurre autos, ✆ 80 21 11 53 N
PEUGEOT-TALBOT Gar. Fuant, ✆ 80 20 41 46 N

SÉVÉRAC-LE-CHÂTEAU 12150 Aveyron 80 ④ G. Causses – 2 838 h. alt. 750.

Syndicat d'Initiative r. des Douves (1er juil.-31 août) ✆ 65 46 67 31.

Paris 597 – Alès 144 – Espalion 47 – Florac 73 – Mende 65 – Millau 32 – Rodez 49 – St-Flour 109.

Commerce, ✆ 65 71 61 04 – ⧫ wc wc ☎ P. AE E VISA
fermé 4 au 12 mai, 1er au 15 nov., 2 au 15 janv., vacances de fév., dim. soir et lundi du 15 sept. au 15 juil. – SC : **R** 48/130 – ☕ 19 – **20 ch** 150/180 – P 170/200.

Moderne Terminus, à Sévérac-gare ✆ 65 46 64 10 – ⧫ wc wc ☎
fermé 30 sept. au 1er nov., 22 déc. au 3 janv., 21 fév. au 2 mars, vend. soir et sam. sauf juil.-août – SC : **R** 50/120 – ☕ 25 – **20 ch** 130/182 – P 180/220.

Causses, à Sévérac-gare ✆ 65 71 60 15 – wc P. E
fermé oct., lundi midi et dim. hors sais. – SC : **R** 48/95 – ☕ 19 – **13 ch** 71/147 – P 152/164.

PEUGEOT-TALBOT Dardevet, Sévérac-Gare ✆ 65 71 60 61

SÈVRES 92 Hauts-de-Seine 60 ⑩, 101 ㉔ – voir à Paris, Environs.

SÉVRIER 74320 H.-Savoie 74 ⑥ G. Alpes – 2 465 h. alt. 456.

Office de Tourisme (mai-août) ✆ 50 46 40 56.

Paris 538 – Albertville 40 – Annecy 5 – Megève 55.

Eramotel M, ✆ 50 52 43 83, ←, – TV wc ☎ P – 50. AE ⊕ VISA. rest
fermé hôtel : nov. ; rest. : de nov. à janv. – SC : **R** 90 – ☕ 25 – **18 ch** 250.

Beau-Séjour, ✆ 50 46 41 06, – wc wc ☎ P.
Pâques-sept. – SC : **R** 75/150 – ☕ 20 – **34 ch** 115/250 – P 180/260.

au Nord sur N 508 – ✉ 74320 Sévrier :

Beauregard, à l'Etraz, rte d'Annecy ✆ 50 46 40 59, Télex 370679, ←, – ⧫ TV wc wc ☎ P – 35. E VISA
SC : **R** 64/180 – ☕ 21 – **31 ch** 194/253 – P 297/311.

Les Tonnelles, ✆ 50 46 41 58, – wc ☎ P – 30. AE E VISA
SC : **R** *(fermé dim. soir)* 55/180 – ☕ 21 – **26 ch** 103/300 – P 180/220.

La Fauconnière, à l'Étraz, rte d'Annecy ✆ 50 52 41 18, – wc ☎ P. VISA.
fermé 1er janv. au 7 fév. – SC : **R** *(fermé lundi midi et dim. hors sais. sauf fériés)* 50/100 – ☕ 16 – **20 ch** 75/180 – P 185/210.

CITROEN Alp'Autos, ✆ 50 46 41 44

SEWEN 68 H.-Rhin 66 ⑧ – 516 h. alt. 500 – ✉ **68290** Masevaux.

Voir Lac d'Alfeld★ O : 4 km, G. Alsace et Lorraine.

Paris 438 – Altkirch 39 – Belfort 32 – Colmar 65 – ♦Mulhouse 38 – Thann 30 – Le Thillot 28.

- **Au Relais des Lacs,** ✆ 89 82 01 42, ≤, – wc wc P. VISA
  fermé 27 août au 11 sept., 5 janv. au 6 fév., mardi soir et merc. – SC : **R** 65/140 – 16 – **16 ch** 74/145 – P 150/185.
- **Vosges,** E : 0,5 km ✆ 89 82 00 43, ≤, – wc P. AE VISA. rest
  fermé 15 oct. au 30 nov., 13 janv. au 5 fév., dim. soir de déc. à Pâques et jeudi hors sais. – SC : **R** 66 bc/170 – 15 – **22 ch** 67/170 – P 135/190.

SEYNE 04140 Alpes-de-H.-P. 81 ⑦ **G. Côte d'Azur** – 1 287 h. alt. 1 200 – Sports d'hiver : 1 360/1 800 m 1 – **Voir Col du Fanget ≤★ SO : 5 km.**

Syndicat d'Initiative à la Mairie ✆ 92 35 11 00.

Paris 712 – Barcelonnette 45 – Briançon 104 – Digne 42 – Gap 45 – Guillestre 77.

- **Au Vieux Tilleul** , SE : 1,5 km par D 7 et VO ✆ 92 35 00 04, ≤, patinoire, , , – wc wc P. rest
  Pâques-1er oct., week-end et vacances scolaires en hiver – SC : **R** 75/150 – 20 – **18 ch** 90/250 – P 200/280.
- **La Chaumière,** ✆ 92 35 00 48 – . AE . ch
  fermé 11 nov. au 20 déc., dim. soir et lundi sauf vacances scolaires – SC : **R** 40/95 – 15 – **10 ch** 65/180 – P 155/175.

au col St Jean au N : 12 km par D 900 – alt. 1 333 – Sports d'hiver 1 300/2 100 8 – ✉ **04140** Seyne :

- **Le St-Jean** M , ✆ 92 35 03 28, ≤ – wc P. AE E
  fermé 4 nov. au 14 déc. – SC : **R** 43/135 – 17,50 – **30 ch** 119/163 – P 186/213.

La SEYNE-SUR-MER 83500 Var 84 ⑮ **G. Côte d'Azur** – 58 146 h – des Sablettes.

Voir ≤★ du musée naval de Balaguier E : 3 km.

Office de Tourisme 6 r. Léon-Blum (fermé oct.) ✆ 94 94 73 09.

Paris 833 – Aix-en-Provence 77 – La Ciotat 33 – ♦Marseille 60 – ♦Toulon 7.

- **Moderne** sans rest, 2 r. Léon-Blum ✆ 94 94 86 68 – wc wc
  SC : 14 – **18 ch** 100/190.
- **Univers** sans rest, 11 quai S.-Fabre ✆ 94 94 85 70, ≤ – . VISA
  SC : 15 – **8 ch** 120/130.
- XX **Aubergade,** 20 r. Faidherbe ✆ 94 94 81 95 – . E VISA
  fermé 15 juil. au 5 août, dim. et lundi – SC : **R** 60/129.

à Fabrégas S : 4 km par D18 et VO – ✉ **83500** La Seyne :

- XX **Chez Daniel "rest du Rivage",** ✆ 94 94 85 13, , Produits de la mer – P
  fermé fév. et merc. – SC : **R** (prévenir) 105/290.

PEUGEOT TALBOT S.O.T.R.A., av. Estienne-d'Orves, q. Bregaillon ✆ 94 94 18 95
RENAULT Grisoni, D 26, camp Laurent, bretelle-autoroute ✆ 94 94 19 55

Pneu-Leca, Zone Ind. Camp Laurent, lot. Bernard ✆ 94 87 22 22
Vulcanisation Seynoise, 2 r. Mabily ✆ 94 94 83 48

Aude, 105 av. Gambetta ✆ 94 87 09 38

SEYSSEL 74 H.-Savoie **01** Ain 74 ⑤ **G. Jura** – 1 558 h. alt. 258.

Voir Val du Fier★ SE : 3 km, G. Alpes – Syndicat d'Initiative pl. Orme ✆ 50 59 26 56.

Paris 514 – Aix-les-B. 33 – Annecy 39 – Bellegarde 22 – Belley 30 – Bourg-en-Br. 98 – ♦Genève 49.

- ✿ **Rhône** (Herbelot), rive droite ✉ 01420 ✆ 50 59 20 30, ≤, – wc wc . AE E VISA
  hôtel : 1er fév.-15 nov. ; rest. : 1er avril-15 nov. ; fermé dim. soir et lundi midi – SC : **R** (nombre de couverts limité - prévenir) 85/270 – 28 – **15 ch** 95/250 – P 200/275
  Spéc. Escargots de bourgogne, Lavaret du lac (15 fév.-15 nov.), Poularde de Bresse aux morilles. **Vins** Roussette, Seyssel.
- **Berlincourt,** rive gauche ✆ 50 59 22 09 – wc wc . AE
  1er fév.-1er déc. et fermé lundi sauf juil. et août – SC : **R** 55/160 – 21 – **15 ch** 90/150 – P 174/185.
- **Beau Rivage,** ✆ 50 59 20 08, ≤ – wc wc . E
  fermé 1er au 21 oct., 7 au 24 janv., lundi soir et mardi – SC : **R** 58/150 – 20 – **22 ch** 64/200 – P 137/180.

dans le Val de Fier S : 3 km par D 991 et D 14 :

- XX ✿ **Rôt. du Fier** (Michaud), ✆ 50 59 21 64, , – P. E VISA.
  fermé 27 août au 13 sept., 23 au 29 juin, vacances de fév., mardi soir et merc. – SC : **R** 73/250
  Spéc. Terrine tiède aux écrevisses, Civet de bar aux gousses d'ail, Volaille de ferme au Seyssel. **Vins** Seyssel.

CITROEN Gar. Rossi, ✆ 50 59 21 85 N

PEUGEOT-TALBOT Vigouroux, ✆ 50 59 22 44

SEYSSUEL 38 Isère 74 ⑳, 74 ⑪ – rattaché à Vienne.

SÉZANNE 51120 Marne 61 ⑤ **G. Champagne, Ardennes** – 6 177 h. alt. 137.

Syndicat d'Initiative pl. République (1er juin-15 sept.) ✆ 20 80 51 43.

Paris 111 ④ – Châlons-sur-Marne 57 ② – Meaux 75 ④ – Melun 90 ④ – Sens 79 ③ – Troyes 60 ③.

SÉZANNE

Doumer (R. Paul) 7
Halle (R. de la) 13
Jolly (R. Léon) 17
Notre-Dame (R.)
République (Pl.) 31

Acacias (Mail des) 2
Bouvier-Sassot (R.) ... 3
Cordeliers (R. des) 5
Dr-Faurichon (R. du) .. 6
Écoles (R. des) 8
Épernay (R. d') 9
Fontaine du Vé (Av. de la).......... 10
Frite (R. Pierre) 12
Haute (R.)............. 14
Hôtel-de-Ville (R.)..... 15
Juiverie (R. de la) 18
Marseille (Mail de) 20
Mont-Blanc (Mail du) 21
Orléans (Cours d')..... 24
Paris (R. de) 25
Parisot-Dufour (R.) 26
Provence (Mail de) 27
Récollets (R. des) 28
Religieuses (Mail des) 29

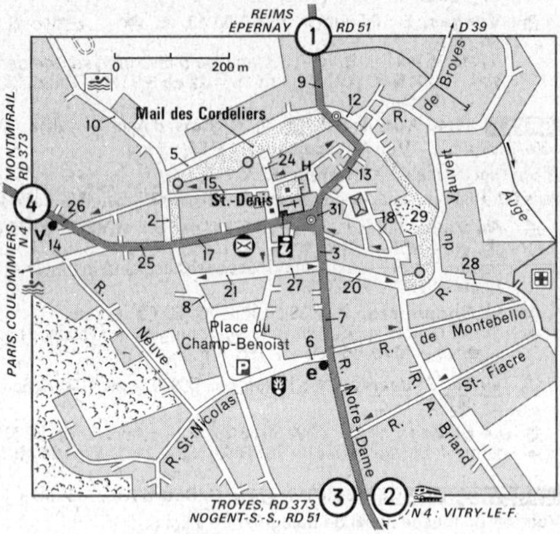

Ménil sans rest, 42 bis r. Parisot-Drefour **(v)** ✆ 26 81 41 11 – wc ☎ Ⓟ. E VISA
fermé dim. soir – SC : 21 – **9 ch** 175/188.

Croix d'Or, 53 r. N.-Dame **(e)** ✆ 26 80 61 10 – wc ☎ Ⓟ. AE ① E VISA
fermé 10 au 15 oct., 1er au 16 janv. et lundi (sauf hôtel) en sais. – SC : **R** 47/99 – 15,50 – **13 ch** 80/140.

Relais Champenois et Lion d'Or avec ch, 157 r. Notre-Dame **(s)** ✆ 26 80 58 03 – . AE E VISA
fermé 20 déc. au 4 janv., vacances de fév. et vend. sauf fériés – SC : **R** 47/150 – 18,50 – **8 ch** 74/129.

CITROEN Vissuzaine, av. J.-Jaurès ✆ 26 80 50 02
PEUGEOT-TALBOT Gar. Notre-Dame, Zone Ind., rte Troyes par ③ ✆ 26 80 71 01
RENAULT S.C.A.T., Zone Ind., rte de Troyes par ③ ✆ 26 80 57 31
V.A.G. Sézanne Auto, 176 r. Notre-Dame ✆ 26 80 50 79

SIDOBRE (Plateau du) ★★ 81 Tarn 83 ①② **G. Causses.**

SIERCK-LES-BAINS 57480 Moselle 57 ④ **G. Alsace et Lorraine** – 1 665 h. alt. 202.

Voir ≤★ **du château fort.**

Paris 356 – Luxembourg 32 – ♦Metz 45 – Thionville 18 – Trier 52.

XXX ✿ **La Vénerie** (Terver), ✆ 82 83 72 41, Parc, « Cadre élégant » Ⓟ. AE ①
fermé 20 janv. au 1er mars et lundi – **R** 100/200
Spéc. Foie gras d'oie frais, Gratin de cuisses de grenouilles, Civet de canard à l'ancienne. **Vins** Contz.

à Montenach SE : 3,5 km sur D 956 – ✉ **57480** Sierck-les-Bains :

X **Aub. de la Klauss,** ✆ 82 83 72 38, – Ⓟ. E
fermé 1er au 15 août, 1er au 21 janv. et lundi – SC : **R** 55/135 .

SIEYES 04 Alpes-de-H.-P. 81 ⑰ – rattaché à Digne.

SIGNY-L'ABBAYE 08460 Ardennes 53 ⑰ **G. Champagne, Ardennes** – 1 494 h. alt. 206.

Paris 204 – Charleville-Mézières 34 – Hirson 40 – Laon 71 – Rethel 23 – Rocroi 31 – Sedan 46.

Aub. de l'Abbaye, ✆ 24 35 81 27 – wc
fermé 4 janv. au 28 fév., merc. soir et jeudi – SC : **R** 54/100 – 20 – **12 ch** 85/180 – P 140/200.

RENAULT Turquin, ✆ 24 35 81 37

SILLERY 51 Marne 56 ⑰ – rattaché à Reims.

SINARD 38 Isère 77 ⑭ – 281 h. alt. 790 – ✉ **38650** Monestier-de-Clermont.

Paris 592 – •Grenoble 31 – Monestier-de-Clermont 5 – La Mure 38 – Vizille 27.

du Violet ⑧, ✆ 76 34 03 16, ≤, 🌳 – ⇔wc ⋒ ☎ 🚗 ℗. AE E VISA. ✻
fermé 23 au 30 sept., janv. à mi-fév., sam. (sauf rest.) et dim. soir – **R** 62/125 ⅌ – ☕ 18,50 – **12 ch** 93/160 – P 161/181.

SION 54 M.-et-M. 62 ④ G. Alsace et Lorraine – alt. 497 – ✉ **54330** Vézelise.

Voir ✻★ du calvaire – Signal de Vaudémont ✻★★ (monument à Barrès) S : 2,5 km.

Paris 321 – Épinal 52 – •Nancy 37 – Toul 37 – Vittel 43.

Notre Dame ⑧, ✆ 83 25 13 31, ≤, 🌳 – ⋒ ℗
1er mars-15 nov. – SC : **R** 58/100 ⅌ – ☕ 17 – **16 ch** 88/120 – P 135/160.

SIORAC-EN-PÉRIGORD 24 Dordogne 75 ⑯ – 871 h. alt. 77 – ✉ **24170** Belvès.

Paris 548 – Bergerac 45 – Cahors 67 – Périgueux 57 – Sarlat-la-Canéda 29.

Scholly ⑧, ✆ 53 31 60 02 – ⇔wc ⋒wc ☎ ℗ – 🏃 80. AE ⓞ VISA
Pâques-15 nov. – SC : **R** 90/270 – ☕ 32 – **32 ch** 120/270 – P 300/330.

Aub. Petite Reine, S : 1 km sur D 710 ✆ 53 31 60 42, 🏊, 🌳, 🎾 – ⇔wc ⋒wc ☎ ℗. ✻ ch
avril-oct. – SC : **R** 80/180 – ☕ 25 – **31 ch** 165/195 – P 200/260.

SISTERON 04200 Alpes-de-H.-P. 81 ⑤⑥ G. Côte d'Azur – 6 572 h. alt. 482.

Voir Site★★ – Citadelle★ : ≤★ – Église Notre-Dame★ B.

Office de Tourisme à l'Hôtel de Ville ✆ 92 61 12 03.

Paris 703 ① – Barcelonnette 97 ① – Carpentras 135 ② – Digne 39 ② – Gap 48 ① – •Grenoble 141 ①.

SISTERON

Droite (R.)
Provence (R. de) 25
Saunerie (R.)

Arcades (R. des) 2
Arène (Av. Paul) 3
Bourg-Reynaud (Pl.) 5
Combes (R. des) 6
Cordeliers (R. des) 8
Coste (R. de la) 9
Dr-Robert (Pl. du) 10
Gaulle (Pl. Gén. de) 13
Glissoir (R. du) 14
Horloge (Pl. de l') 15
Libération (Av. de la) 16
Longue-Androne (R.) 18
Marres (Chemin des) 19
Melchior-Donnet (Cours) 20
Mercerie (R.) 22
Moulin (Av. Jean) 23
Porte-Sauve (R.) 24
République (Pl. de la) 26
Ste-Ursule (R.) 27
Tivoli (Pl. du) 29
Verdun (Allée de) 30

Pour un bon usage des plans de villes, voir les signes conventionnels p. 23.

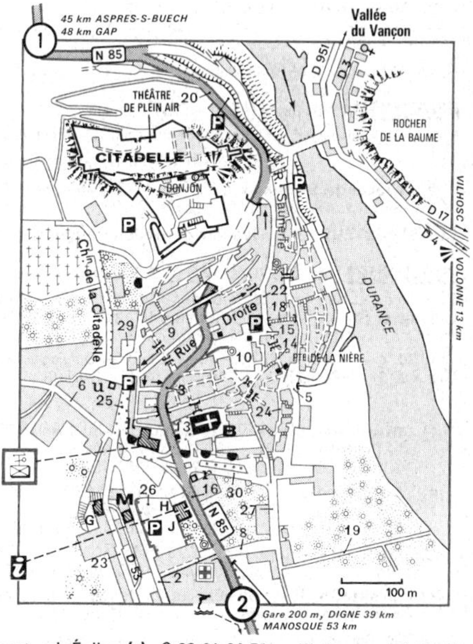

Gd H. du Cours sans rest., pl. Église **(r)** ✆ 92 61 04 51 – 🛗 ☎ 🚗. AE ⓞ E VISA
15 mars-15 nov. – SC : ☕ 22 – **50 ch** 150/280.

Tivoli, pl. Tivoli **(u)** ✆ 92 61 15 16, 🌳 – ⇔wc ⋒wc ☎ 🚗. AE ⓞ VISA
fermé 15 déc. au 1er fév. – SC : **R** 54/146 – ☕ 15 – **19 ch** 74/195 – P 150/180.

ALFA-ROMEO, TOYOTA Alpes-Autom., av. de la Libération ✆ 92 61 01 64 N
FIAT Gar. Moderne, rte Marseille ✆ 92 61 03 17 N ✆ 92 61 39 90
MERCEDES Diffusion-Auto-Grandes-Alpes, Zone Ind. de Proviou-Sud ✆ 92 61 06 66
PEUGEOT-TALBOT SEGIM, rte de Grenoble par ① ✆ 92 68 43 77
V.A.G. Gar. Roca et Espitallier, 1 av. J.-Jaurès ✆ 92 61 07 09

Ayme-Pneus, av. de la Libération ✆ 92 61 08 15

SIVRY-COURTRY 77115 S.-et-M. 61 ②, 196 ㊻ – 690 h. alt. 85.
Paris 57 – Coulommiers 52 – Fontainebleau 16 – Melun 7,5 – Provins 43.

XX **La Vieille Auberge,** N 105 ✆ (1) 64 52 09 93, 🌳 – P. VISA
fermé 10 au 24 mars, 18 au 31 août, dim. soir et lundi – SC : **R** 62/146 ♁.

SIX-FOURS-LES-PLAGES 83140 Var 84 ⑭ **G. Côte d'Azur** – 25 577 h.
Voir Fort de Six-Fours ✻★ N : 2 km – Presqu'île de St-Mandrier★ : ✻★★ E : 5 km.
Env. Chapelle N.-D.-du-Mai ✻★★ S : 6 km.
ℹ Syndicat d'Initiative plage de Bonnegrâce ✆ 94 07 02 21.
Paris 834 – Aix-en-Provence 75 – La Ciotat 31 – ♦Marseille 58 – ♦Toulon 11.

L'Isly H. sans rest., 101 bis r. République ✆ 94 25 43 68, 🌳, 🪑 – ⫼wc ☎ P. E VISA
SC : ☕ 19 – **20 ch** 110/180.

XX **Aub. St-Vincent,** au pont du Brusc ✆ 94 25 70 50, 🌳 – P. AE ⓓ E VISA
fermé dim. soir et lundi hors sais. – SC : **R** 88/175.

à la Plage de Bonnegrâce N : 1 km – ✉ **83140** Six-Fours :

Ile Rose, ✆ 94 07 10 56, ⩽ – ⛀wc ⫼wc ☎ P. E VISA
SC : **R** 60/115 – ☕ 16,50 – **24 ch** 119/200, (en sais. pension seul.) – P 230/260.

Ⓜ Eligert-Pneus, 1745 av. de la Mer ✆ 94 07 41 07
Mendez Pneus, 454 av. Mar.-Juin ✆ 94 25 20 80

SIZUN 29237 Finistère 58 ⑤ **G. Bretagne** – 1 811 h. alt. 113.
Voir Enclos paroissial★ – Bannières★ dans l'église de Locmélar N : 5 km.
ℹ Office de Tourisme pl. Abbé-Broch (1er juil.-15 sept.) ✆ 98 68 88 40.
Paris 548 – Carhaix-Plouguer 52 – Châteaulin 34 – Landerneau 17 – Morlaix 32 – Quimper 57.

Voyageurs, ✆ 98 68 80 35 – ⫼ P
fermé 8 au 30 sept. et sam. soir hors sais. – SC : **R** 46/80 ♁ – ☕ 17 – **16 ch** 70/130 – P 130/157.

RENAULT Dolou, ✆ 98 68 80 38 N

SOCHAUX 25600 Doubs 66 ⑧ – 5 254 h. alt. 318.
Paris 484 – Audincourt 4 – Belfort 18 – ♦Besançon 81 – Montbéliard 5.

Voir plan de Montbéliard agglomération

Motel de Sochaux sans rest, 3 r. Gd Charmont ✆ 81 94 16 04 – ⛀wc ⫼wc P BY **s**
fermé août – SC : ☕ 13 – **12 ch** 73/122.

CONSTRUCTEUR : S.A. des Automobiles Peugeot, BY ✆ 81 91 83 42

SOISSONS <SP> 02200 Aisne 56 ④ **G. Flandres, Artois, Picardie** – 32 236 h. alt. 55.
Voir Anc. Abbaye de St-Jean-des-Vignes★★ AZ – Intérieur★★ de la Cathédrale St-Gervais et St-Protais★ AY – Musée de l'anc. abbaye de St-Léger★ BY **M** – ℹ Office de Tourisme 1 av. Gén.-Leclerc ✆ 23 53 08 27 et A.C. cour St-Jean-des-Vignes ✆ 23 53 17 37.
Paris 101 ⑥ – ♦Amiens 101 ⑦ – Arras 133 ⑦ – Compiègne 38 ⑦ – Laon 35 ② – ♦Lille 168 ① – Meaux 65 ⑥ – ♦Reims 56 ③ – St-Quentin 59 ① – Senlis 61 ⑥ – Troyes 151 ⑤.

Plan page ci-contre

Motel des Lions Ⓜ, rte Reims par ③ : 3 km ✆ 23 73 29 83, Télex 140568, 🌳, 🪑 – TV ⛀wc ☎ P – 🏃 50. AE ⓓ E VISA
SC : **R** 68/100 ♁ – ☕ 30 – **28 ch** 190/270.

Le Picardie, 6 r. Neuve St Martin ✆ 23 53 21 93, Télex 145633, 🌳, 🪑 – ⫼ TV ⛀wc ⫼wc ☎ P – 🏃 30. AE ⓓ E VISA BZ **s**
SC : **R** *(fermé dim. soir)* 75/270 – ☕ 25 – **33 ch** 185/245.

Gare sans rest, pl. Gare ✆ 23 53 31 61 – ⛀ ☎. ✻ BZ **a**
fermé 5 août au 2 sept. et lundi – SC : ☕ 15,50 – **12 ch** 65/115.

XX **Grenadin,** 19 rte de Fère-en-Tardenois ✆ 23 73 20 57 – VISA BZ **u**
fermé août, dim. soir et lundi – SC : **R** 75/130 ♁.

CITROEN Soissons-Auto, 8 bd Gambetta ✆ 23 59 13 24 N
FIAT S.E.V.A., 12 r. Belleu ✆ 23 53 31 63
FORD Europ Auto, 55 av. de la Gare ✆ 23 59 03 29
INNOCENTI, MAZDA Pluche Square Dr. Salmon ZAC de Chevreux ✆ 23 73 18 44
MERCEDES-BENZ Idoine, 3 av. Compiègne ✆ 23 53 04 41 N
OPEL Diffusion Auto, 10 av. de Compiègne ✆ 23 53 10 69
PEUGEOT-TALBOT Gd Gar. Jeanne-d'Arc, 13 bd du Tour de Ville ✆ 23 53 04 14
RENAULT Larminaux, rte Reims par ③ ✆ 23 73 34 34
SEAT Gar. de l'Europe, 9 bis av. de Reims ✆ 23 59 77 27
TOYOTA Gar. Central, 7 r. St-Jean ✆ 23 53 27 57
VOLVO Ile-de-France-Autom., 34 r. C.-Desmoulins ✆ 23 53 30 72

Ⓜ Auto Pneu Savart, 7 av. de Laon ✆ 23 59 42 31
Fischbach-Pneu, 60 av. de Compiègne ✆ 23 53 25 76
Hurand Pneus, r. de Croizy ✆ 23 59 61 40

SOISSONS

☛ *Benutzen Sie für weite Fahrten die **Michelin-Länderkarten** im Maßstab 1:1 000 000.*

SOLDEU Principauté d'Andorre 86 ⑮, 43 ⑦ – voir à Andorre.

SOLÉRIEUX **26** Drôme 81 ② – 132 h. alt. 105 – ✉ **26130** St-Paul-Trois-Châteaux.

Env. Clansayes ≤★★ N : 9 km, **G. Vallée du Rhône.**

Paris 638 – Bollène 15 – Montélimar 33 – Nyons 29 – Orange 28 – Pont-St-Esprit 25 – Valence 77.

Ferme St-Michel ⛰, rte de la Baume D 341 ✆ 75 98 10 66, ≤, 🏊, 🌳 – ⊟wc ⋒wc ⓟ. VISA. ✻ rest
SC : **R** *(fermé 15 déc. au 15 janv., dim. soir et lundi midi)* 63/110 – ☕ 20 – **10 ch** 160/220.

SOLESMES **72** Sarthe 64 ①② – rattaché à Sablé-sur-Sarthe.

SOLLIÈS-TOUCAS 83 Var 84 ⑮ – 2 098 h. alt. 106 – ✉ 83210 Solliès-Pont.

Paris 832 – Aix-en-Provence 77 – Brignoles 33 – ♦ Marseille 68 – ♦ Toulon 17.

XXX ✿ **Le Lingousto** (Ryon), ✆ 94 28 90 26, ♀ – ℗. AE ⓓ VISA
1er avril-31 déc. et fermé dim. soir et lundi sauf du 1er juil. au 15 sept. – SC : **R** 160/260
Spéc. Salade tiède "Lingousto", Mesclun de poissons aux oursins (oct.-fév.), Fleur de courgette farcie (mai-oct.). **Vins** Côtes de Provence, Bandol.

SOLRE-LE-CHATEAU 59740 Nord 53 ⑥ **G. Flandres, Artois, Picardie** – 2 153 h. alt. 200.

ℹ Syndicat d'Initiative Val Joly (15 fév.-15 oct.) ✆ 27 61 83 76.

Paris 220 – Avesnes-sur-Helpe 14 – Charleroi 38 – Hirson 31 – ♦Lille 113 – Maubeuge 18 – Trélon 14.

à Dimechaux NO : 6,5 km sur D 27 – ✉ **59740** Solre-le-Château :

XX **Chez la Mère Maury** ⑤, ✆ 27 67 80 49, ≤, ♀, ⚘ – ℗. AE ⓓ VISA
fermé 18 août au 10 sept. et vacances de fév. – SC : **R** 90/225.

SOLUTRÉ 71 S.-et-L. 70 ⑪ **G. Bourgogne** – 360 h. alt. 325 – ✉ **71960** Pierreclos.

Voir Roche de Solutré★.

Paris 403 – Cluny 22 – ♦ Lyon 77 – Mâcon 9,5.

Relais de Solutré ⑤, ✆ 85 35 80 81, Télex 351994 – TV ⇔wc ⋒wc ☎ ℗ – 🏛 30. E VISA
SC : **R** 65/105 – ⊡ 19 – **30 ch** 180/220 – P 270/295.

SOMMIÈRES 30250 Gard 83 ⑧ **G. Causses** (plan) – 3 026 h. alt. 34.

ℹ Office de Tourisme 1 pl. République ✆ 66 80 99 30.

Paris 737 – Aigues-Mortes 28 – Alès 42 – Lunel 13 – ♦Montpellier 28 – Nîmes 28 – Le Vigan 63.

Aub. Pont Romain ⑤, ✆ 66 80 00 58, ♀, ⚘ – ⇔wc ⋒wc ☎ ℗ – 🏛 80. AE E VISA
fermé 15 janv. au 15 mars – SC : **R** *(fermé merc. hors sais.)* 130/180 – ⊡ 20 – **14 ch** 150/270.

XXX **Enclos Montgranier,** SE : 3 km par D 12 ✆ 66 80 92 00, ♀ – ℗. AE E
fermé mi-nov. à mi-déc., mi-fév. à mi-mars, dim. soir de sept. à juin, mardi midi en juil.-août et lundi – SC : **R** 175 (sauf fêtes)/375.

Ⓜ Bourrel-Pneus, pl. Aires, ✆ 66 80 91 31

SOPHIA-ANTIPOLIS 06 Alpes-Mar. 84 ⑨ – rattaché à Antibes.

SORGES 24 Dordogne 75 ⑥ **G. Périgord** – 911 h. alt. 178 – ✉ **24420** Savignac-les-Églises.

ℹ Syndicat d'Initiative Maison de la Truffe (fermé matin sauf juil.-août) ✆ 53 05 90 11.

Paris 474 – Brantôme 25 – ♦Limoges 77 – Nontron 45 – Périgueux 24 – Thiviers 13 – Uzerche 74.

Mairie, pl. Mairie ✆ 53 05 02 11, ≤ – ⇔wc ⋒wc ☎ ℗. AE E VISA
fermé 25 juin au 4 juil., 22 au 31 oct. et 22 janv. au 6 fév. – SC : **R** *(fermé merc.)* 48/200 ♂ – ⊡ 18 – **12 ch** 75/162 – P 140/170.

Aub. de la Truffe, ✆ 53 05 02 05, ♀, ⚘ – ⇔wc ⋒wc ☎ ℗. E VISA
fermé 16 au 24 juin, 13 au 21 oct. et 6 au 21 janv. – SC : **R** *(fermé lundi)* 50 bc/160 – ⊡ 18 – **15 ch** 75/162 – P 140/170.

SORGUES 84700 Vaucluse 81 ⑫ – 14 126 h. alt. 30.

Paris 682 – Avignon 11 – Carpentras 16 – Cavaillon 28 – Orange 18.

Davico, ✆ 90 39 11 02 – ⌸ ⇔wc ⋒wc ☎. VISA. ✻ ch
fermé 20 déc. au 10 janv. et dim. – SC : **R** 70/160 ♂ – ⊡ 20 – **30 ch** 135/210 – P 246/330.

à Entraigues E : 4,5 km par D 38 – ✉ **84320** Entraigues :

Le Béal, ✆ 90 83 17 22, ♀ – ⇔wc ⋒wc ☎ ℗. E
SC : **R** *(fermé dim. en hiver et sam. sauf le soir en sais.)* 65/120 ♂ – ⊡ 15 – **21 ch** 126/180 – P 240/340.

CITROEN Gar. Rolland, N7, rte d'Orange ✆ 90 39 30 04
PORSCHE Gar. Sonauto, Zone Ind., lotissement 32 ✆ 90 39 90 40
RENAULT Modern'gar., 76 rte d'Avignon ✆ 90 39 15 86

Ⓜ Piot-Pneu, 80 av. d'Avignon ✆ 90 39 62 60

SOSPEL 06380 Alpes-Mar. 84 ⑳, 195 ⑱ **G. Côte d'Azur** – 2 278 h. alt. 349.

Voir Retable de l'Immaculée Conception★ dans l'église St-Michel – Route★★ du col de Braus SO – Route★ du col de Brouis N – Vallée de la Bévera★ et gorges de Piaon★★ NO : 4 km.

Paris 977 – Menton 22 – ♦Nice 43.

Étrangers, bd Verdun ✆ 93 04 00 09, Télex 970439, ♀, ⛱ – ⌸ ▤ rest ⇔wc ⋒wc ☎ – 🏛 30. E VISA
fermé 30 nov. au 1er fév. – SC : **R** 55/110 – ⊡ 24 – **35 ch** 110/230 – P 220/280.

Aub. Provençale ⛰, rte Menton à 1,5 km ✆ 93 04 00 31, ≤ – ⌂wc ⋒wc ☎ Ⓟ
fermé 11 au 30 nov. – SC : **R** *(fermé jeudi midi en hiver)* 51/126 – ☕ 19 – **10 ch** 71/235 – P 190/285.

Gare, espl. Gianotti ✆ 93 04 00 14, ☂ – Ⓟ. ✂ ch
SC : **R** 65/110 – ☕ 18 – **10 ch** 84/115 – P 182/195.

PEUGEOT-TALBOT Rey, ✆ 93 04 01 24 N

La SOTTERIE 79 Deux-Sèvres 71 ② – rattaché à Coulon.

SOUBISE 17 Char.-Mar. 71 ⑬⑭ – rattaché à Rochefort.

SOUCY 89 Yonne 61 ⑭ – rattaché à Sens.

SOUESMES 41 L.-et-Ch. 64 ⑳ – 1 122 h. alt. 127 – ✉ 41300 Salbris.
Paris 198 – Aubigny-sur-Nère 21 – Blois 78 – Bourges 49 – Cosne-sur-Loire 62 – Gien 51 – Salbris 11.

Aub. Croix Verte avec ch, ✆ 54 98 83 70 – ⋒ Ⓟ
fermé 1er au 15 sept., dim. soir et lundi – SC : **R** 50/70 ♁ – ☕ 18 – **20 ch** 60/95.

SOUILLAC 46200 Lot 75 ⑱ G. Périgord (plan) – 4 062 h. alt. 104.
Voir Anc. église abbatiale : bas-relief "Isaïe"★★, revers du portail★.
Office de Tourisme bd Malvy (1er juin-30 sept.) ✆ 65 37 81 56.
Paris 525 – Brive-la-Gaillarde 37 – Cahors 66 – Figeac 74 – Gourdon 29 – Sarlat-la-Canéda 29.

Les Granges Vieilles ⛰, rte Sarlat O : 1,5 km ✆ 65 37 80 92, ≤, parc, ☂ – ⌂wc ⋒wc ☎ Ⓟ – 🏔 50. ✂
fermé nov. – SC : **R** 70/170 – ☕ 20 – **11 ch** 168/315 – P 254/330.

Le Quercy sans rest, 1 r. Récège ✆ 65 37 83 56, ☂ – ⌂wc ⋒wc ☎ 🚗. VISA
15 mars-31 déc. – SC : ☕ 18 – **25 ch** 150/165.

Puy d'Alon sans rest, av. J.-Jaurès ✆ 65 37 89 79, ☂ – ⌂wc ⋒wc ☎ 🚗 Ⓟ. AE E
15 mars-1er nov. – SC : ☕ 25 – **11 ch** 140/200.

Ambassadeurs, 12 av. Gén.-de-Gaulle ✆ 65 32 78 36 – ⌂wc ⋒wc ☎ 🚗. VISA
fermé 28 sept. au 28 oct., 1er au 7 janv., vacances de fév., vend. soir et sam. du 1er oct. au 30 juin – SC : **R** 44/140 – ☕ 19,50 – **28 ch** 110/195 – P 235/306.

Gd Hôtel, 1 allée Verninac ✆ 65 32 78 30 – ⌂wc ⋒wc ☎ – 🏔 30. AE VISA
1er avril-31 oct. et fermé merc. sauf juil.-août et sept. – SC : **R** 55/175 – ☕ 18 – **30 ch** 145/215 – P 193/210.

Renaissance, 2 av. J.-Jaurès ✆ 65 32 78 04, ⛱, ☂ – |♦| ⌂wc ⋒wc ☎ 🚗 Ⓟ. E VISA
1er avril-1er nov. – SC : **R** 56/120 – ☕ 20 – **24 ch** 154/198 – P 218/240.

Périgord, 31 av. Gén.-de-Gaulle ✆ 65 32 78 28, ☂ – ⌂wc ⋒ ☎ 🚗 Ⓟ – 🏔 30. E VISA
1er mai-30 sept. – SC : **R** 56/99 – ☕ 18 – **41 ch** 135/218.

Vieille Auberge avec ch, pl. Minoterie ✆ 65 32 79 43, ⛱, ☂ – cuisinette ▤ rest ⌂wc ⋒wc ☎ 🚗 – 🏔 60. E VISA
15 mars-15 nov. – SC : **R** 80/180 – ☕ 17,50 – **20 ch** 120/170 – P 250/280.

Aub. du Puits avec ch, 5 pl. Puits ✆ 65 37 80 32, ☂ – ⌂wc ⋒. ✂ ch
fermé nov., déc., dim. soir et lundi hors sais. – SC : **R** 44/172 – ☕ 15,50 – **16 ch** 68/145 – P 142/185.

Voir aussi ressources hôtelières de *Lacave* S : 11 km, *Cressensac* N : 17 km

PEUGEOT-TALBOT Gar. Cadier, rte Sarlat ✆ 65 37 82 72
RENAULT Sanfourche, rte Sarlat ✆ 65 32 73 03 N ✆ 65 32 76 61

Pneus-Service, 19 av. J.-Jaurès ✆ 65 37 81 88

SOULAC-SUR-MER 33780 Gironde 71 ⑯ G. Côte de l'Atlantique – 2 590 h. – Casino de la Plage.
Office de Tourisme pl. Marché ✆ 56 09 86 61.
Paris (bac) 515 – Arcachon 134 – ♦Bordeaux 94 – Lesparre-Médoc 30 – Royan (bac) 9,5.

à l'Amélie-sur-Mer SO : 4,5 km par VO – ✉ 33780 Soulac-sur-Mer :

Pins ⛰, ✆ 56 09 80 01, ☂ – ⌂wc ⋒ ☎ Ⓟ. VISA. ✂
fermé 15/11 au 31/12 ; hôtel : vend. du 1/10 au 1/5 ; rest. : dim. soir et vend. du 1/10 au 1/5 – SC : **R** 62/135 – ☕ 22 – **35 ch** 118/215 – P 200/255.

RENAULT Gar. de la Gare, ✆ 56 09 85 55

SOULAGES-BONNEVAL 12 Aveyron 76 ⑬ – rattaché à Laguiole.

Le SOULIÉ 34 Hérault 83 ③ – 107 h. – ✉ **34330** La Salvetat-sur-Agout.
Paris 736 – Béziers 65 – Castres 50.

✕ **Moulin de Vergouniac,** SO : 1,5 km sur D 150 ✆ 67 97 05 62 – Ⓟ
fermé 15 janv. au 15 mars et mardi – SC : **R** (dim. prévenir) 60/290.

SOULLANS 85 Vendée 67 ⑫ – 2 629 h. alt. 9 – ✉ **85300** Challans.
Paris 441 – Challans 6 – La-Roche-sur-Yon 45 – Les Sables-d'Olonne 38 – St-Jean-de-Monts 18.

✕ **Relais du Marais,** ✆ 51 68 04 18 – AE E VISA
fermé nov. et lundi sauf juil.-août – SC : **R** 58/110 ₰.

SOULTZ 68 H.-Rhin 66 ⑨ – rattaché à Guebwiller.

SOULTZEREN 68 H.-Rhin 62 ⑱ – 969 h. alt. 450 – ✉ **68140** Munster.
Syndicat d'Initiative 80 r. Winkel ✆ 89 77 37 33.
Paris 441 – Colmar 23 – Gérardmer 29 – Guebwiller 43 – St-Dié 53 – Thann 60 – Le Thillot 49.

Pont, rte Schlucht 1,5 km ✆ 89 77 35 23 – Ⓟ. VISA
fermé mi-oct. à début déc. et hors saison : dim. soir (sauf rest.) et lundi – SC : **R** 35/82 ₰ – ☕ 16,50 – **14 ch** 67/82 – P 123/135.

SOUMOULOU 64420 Pyr.-Atl. 85 ⑦ – 837 h. alt. 296.
Paris 779 – Lourdes 24 – Nay 16 – Pau 17 – Pontacq 11 – Tarbes 23.

Béarn, ✆ 59 04 60 09, – wc wc ☎ Ⓟ – 40. AE ⓓ E
fermé 15 janv. au 15 fév. et lundi du 1er oct. au 15 juil. – SC : **R** 49/154 – ☕ 15,50 – **13 ch** 86/230 – P 185/218.

SOUPPES-SUR-LOING 77460 S.-et-M. 61 ⑫ – 4 358 h. alt. 69.
Paris 90 – Fontainebleau 26 – Melun 42 – Montargis 23 – ♦Orléans 84 – Sens 45.

France Ⓜ, 72 av. Mar.-Leclerc ✆ (1) 64 29 81 88, Télex 692125 – TV wc ☎ ♿ Ⓟ – 50. AE ⓓ E VISA
fermé 20 janv. au 20 fév. – SC : **R** *(fermé dim. soir et lundi midi)* 75/159 – ☕ 26 – **27 ch** 160/240 – P 320/400.

PEUGEOT-TALBOT Gar. du Centre, 52 av. Mar.-Leclerc ✆ 64 29 70 68
RENAULT Souppes Autom., N 7 av. Mar.-Leclerc ✆ 64 29 70 32

Le SOUQUET 40 Landes 78 ⑤ – ✉ **40260** Castets – Paris 700 – ♦Bordeaux 113 – Castets 12 – Mimizan 38 – Mont-de-M. 53 – St-Julien-en-Born 19 – Tartas 26.

Paris-Madrid Ⓜ, ✆ 58 89 60 46, – wc wc ☎ Ⓟ. E VISA.
15 mars-30 oct. et fermé lundi hors sais. – SC : **R** 60/120 – ☕ 23 – **15 ch** 135/181.

RENAULT Gar. Fauret, ✆ 58 89 61 15 N

SOURDEVAL 50150 Manche 59 ⑨ – 3 582 h. alt. 220.
Voir Vallée de la Sée★ O, G. Normandie.
Paris 269 – Avranches 38 – Domfront 36 – Flers 32 – Mayenne 63 – St-Hilaire-du-H. 26 – Vire 13.

✕ **Le Temps de Vivre** avec ch, ✆ 33 59 60 41 – Ⓟ. VISA
fermé 30 juin au 7 juil. et lundi – SC : **R** 43/94 ₰ – ☕ 14 – **8 ch** 60/79 – P 117/134.

PEUGEOT-TALBOT Gar. Postel, ✆ 33 59 60 35 N

SOUSCEYRAC 46190 Lot 75 ⑳ – 1 058 h. alt. 559.
Paris 558 – Aurillac 48 – Cahors 92 – Figeac 40 – Mauriac 73 – St-Céré 16.

Au Déjeuner de Sousceyrac, ✆ 65 33 00 56 – wc. AE ⓓ VISA. rest
1er avril-31 oct. et fermé sam. sauf juil.-août – SC : **R** 80/150 – ☕ 16 – **14 ch** 100/140 – P 170/185.

SOUSSANS 33 Gironde 71 ⑧ – rattaché à Margaux.

SOUSTONS 40140 Landes 78 ⑯ – 5 113 h. alt. 5.
Voir Étang de Soustons★ O : 1 km, G. Côte de l'Atlantique.
Syndicat d'Initiative "La Grange" (fermé matin hors sais.) ✆ 58 41 52 62.
Paris 737 – Castets 23 – Dax 28 – Mont-de-Marsan 76 – St-Vincent-de-Tyrosse 13.

La Bergerie, av. Lac ✆ 58 48 01 43, parc – wc ☎ Ⓟ. VISA.
1er avril-15 oct. – SC : **R** (1/2 pension seul.) – ☕ 25 – **12 ch** 200 – 1/2 p 200/250.

Château Bergeron, r. du Vicomte ✆ 58 41 58 14, – ch wc ☎ Ⓟ. VISA.
1er juin-30 sept. – SC : **R** (résidents seul.) – ☕ 22 – **16 ch** 180/200.

Host. du Marensin, pl. Sterling ✆ 58 48 05 16 – . ch
fermé nov. – SC : **R** *(fermé sam. sauf juil.-août)* 40/108 ₰ – ☕ 13,50 – **14 ch** 97/137 – P 161/184.

XX ✿ **Pavillon Landais** (Ducassé) avec ch, av. Lac ✆ **58 48 04 49**, « **Belle vue sur lac, parc** » – TV ⇔wc ⋒wc ☎ P. AE ⓞ VISA
fermé 22 déc. au 1er mars, dim. soir et lundi du 20 sept. au 15 mai sauf vacances scolaires. – SC : **R** 107/149 – ☐ 23 – **8 ch** 185/198
Spéc. Escalope de foie de canard au vinaigre de framboises, Filets de sole Pavillon, Gibier (oct. à déc.). **Vins** Madiran, Jurançon.

CITROEN Lartigau, 12 av. Mar.-Leclerc ✆ 58 48 04 80
PEUGEOT-TALBOT Desbieys, 7 r. d'Aste ✆ 58 48 00 57
PEUGEOT-TALBOT Gar. Bouyrie, 6 av. Gen.-de-Gaulle ✆ 58 41 51 75
RENAULT Dufour, 40 av. Mar.-Leclerc ✆ 58 48 00 22 N

La SOUTERRAINE 23300 Creuse 72 ⑧ **G. Périgord** – 5 850 h. alt. 366.
Voir Église★ B.
ℹ Office de Tourisme 8 av. Gén.-Leclerc (1er juil.-31 août) ✆ 55 63 03 36.
Paris 344 ⑤ – Bellac 40 ③ – Châteauroux 73 ⑤ – Guéret 34 ① – ♦Limoges 56 ③.

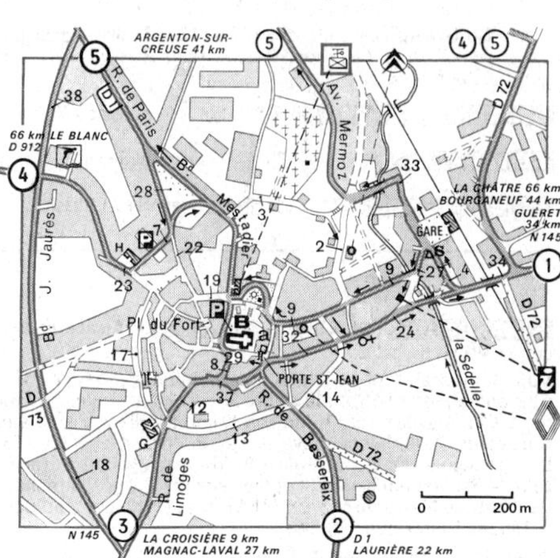

🏨 **Porte Saint-Jean**, r. des Bains **(a)** ✆ **55 63 03 83** – ⇔wc ⋒ ☎ 🚗. AE ⓞ E VISA. ✱ rest
SC : **R** *(fermé 22 déc. au 19 janv., 22 juin au 13 juil., vend. soir et dim. soir du 1er sept. au 30 juin)* 56/144 – ☐ 32 – **14 ch** 87/164 – P 204/397.

La Véranda, pl. Gare **(s)** ✆ 55 63 00 32 – ⋒ 🚗 P
13 ch.

à St-Etienne-de-Fursac par ② : 11 km – ✉ **23290** St-Etienne-de-Fursac :

🏨 **Moderne-Nougier**, ✆ 55 63 60 56, – ⋒wc ☎ 🚗. AE ⓞ E VISA
fermé 15 janv. au 28 fév., dim. soir et lundi du 1er sept. au 30 juin – SC : **R** 52/173 – ☐ 18,50 – **13 ch** 70/250 – P 162/230.

CITROEN Chambraud, ✆ 55 63 08 89
FORD Gar. du Massif Central, à St-Maurice la Souterraine ✆ 55 63 11 34 N
RENAULT Husson, ✆ 55 63 03 47

SOUVIGNY 03210 Allier 69 ⑭ **G. Auvergne** – 1 929 h. alt. 242.
Voir Prieuré St-Pierre★★.
Paris 304 – Bourbon-l'Archambault 15 – Montluçon 55 – Moulins 12.

X **Aub. des Tilleuls**, ✆ 70 47 60 70 – AE ⓞ
fermé 9 au 24 juin, 6 au 22 oct., 9 au 24 fév., lundi et mardi – SC : **R** 72/136.

SOUVIGNY-EN-SOLOGNE 41 L.-et-Ch. 64 ⑩ – 430 h. alt. 143 – ✉ **41600** Lamotte-Beuvron.
Paris 175 – Gien 42 – Lamotte-Beuvron 14 – Montargis 63 – ♦Orléans 44.

XX **Aub. Croix Blanche** avec ch, ✆ 54 88 40 08 – P
fermé 15 janv. au 28 fév., mardi soir et merc. – SC : **R** 63/133 – ☐ 17 – **9 ch** 88 – P 178/193.

XX **Perdrix Rouge**, ✆ 54 88 41 05 – VISA
fermé 3 au 25 mars, 30 juin au 8 juil., 13 au 21 janv., lundi soir et mardi – SC : **R** 66/230.

RENAULT Gar. Paret, ✆ 54 88 43 18

SOYAUX 16 Charente 72 ⑭ – rattaché à Angoulême.

SOYONS 07 Ardèche 77 ⑪⑫ – rattaché à St-Péray.

SPEZET 29135 Finistère 58 ⑯ – 2 076 h. alt. 111 – **Voir** Chapelle N.-D.-du-Crann★ : vitraux★★ S : 1 km, **G. Bretagne** – Syndicat d'Initiative (juil.-août) 98 93 91 81.

Paris 520 – Carhaix-Plouguer 18 – Châteaulin 32 – Concarneau 51 – Pontivy 67 – Quimper 44.

STAINS 93 Seine-St-Denis 56 ⑪, 101 ⑯ – voir à Paris, Environs.

STAINVILLE 55 Meuse 62 ① – 416 h. alt. 209 – ✉ **55500** Ligny-en-Barrois.

Paris 225 – Bar-le-Duc 19 – Commercy 36 – Joinville 35 – Neufchâteau 70 – St-Dizier 20 – Toul 59.

XX ✿ **La Petite Auberge,** 29 78 60 10 – AE ⦿ E VISA
fermé 24 juil. au 13 août, vend. soir, dim. soir et sam. – SC : **R** (nombre de couverts limité - prévenir) 81/175
Spéc. St-Jacques à la nage (15 oct. au 15 mai), Rognons de veau à la moutarde, Filet de boeuf aux morilles. Vins Côtes de Toul.

X **La Grange** avec ch, 29 78 60 15, , – wc. ⦿ E VISA
hôtel : ouvert avril-oct., rest. : fermé 2 au 30 janv. – SC : **R** 63/126 – 16 – **8 ch** 100/160 – P 320.

STEINBRUNN-LE-BAS 68 H.-Rhin 66 ⑩ – rattaché à Mulhouse.

STELLA-PLAGE 62 P.-de-C. 51 ⑪ – rattaché au Touquet.

STIRING-WENDEL 57 Moselle 57 ⑥ – rattaché à Forbach.

STRASBOURG P 67000 B.-Rhin 62 ⑩ **G. Alsace et Lorraine** – 252 264 h. communauté urbaine 409 161 h. alt. 139.

Voir Cathédrale★★★ : horloge astronomique★, ≤★ CX - ≤★ de la rue Mercière CX **53** – Cité ancienne★★★ BCX : la Petite France★★ BX, Rue du Bain-aux-Plantes★★ BX **7**, Place de la Cathédrale★ CX **17**, Maison Kammerzell★ CX **e**, Château des Rohan★ CX, Cour du Corbeau★ CX **18**, Ponts couverts★ BX **B**, Place Kléber★ CV **53** – Barrage Vauban ★★ BX **D** – Mausolée★★ dans l'église St-Thomas CX **E** – Hôtel de Ville★ CV **H** – Orangerie★ DEU – Promenades sur l'Ill et les canaux★ CX – Visite du port★ en bateau CY – Musée de l'Oeuvre N.-Dame★★★ CX **M1** Musées★★ du château des Rohan CX Alsacien★ CX **M2**, – Musée Historique★ CX **M3**.

18 à Illkirch-Graffenstaden 88 66 17 22 FS.

de Strasbourg-Entzheim 88 32 99 74 par D 392 : 12 km FR.

88 22 50 50.

Office de Tourisme et Accueil de France (Informations et réservations d'hôtels, pas plus de 5 jours à l'avance), Palais des Congrès av. Schutzenberger 88 35 03 00, Télex 870860 ; pl. Gare 88 32 51 49 et 10 pl. Gutemberg 88 32 57 07 – Bureau d'accueil, pont Europe (Opération de change) 88 61 39 23 - A.C. 5 av. Paix 88 36 04 34.

Paris 488 ① – ♦Bâle 145 ③ – Bonn 360 ③ – ♦Bordeaux 921 ① – Frankfurt 218 ③ – Karlsruhe 81 ③ – ♦Lille 554 ① – Luxembourg 221 ① – ♦Lyon 480 ⑤ – Stuttgart 154 ③.

Plans : Strasbourg p. 2 à 6

✿ **Hilton** M, av. Herrenschmidt 88 37 10 10, Télex 890363, – cuisinette – 30 à 450. AE ⦿ E VISA. rest CT **e**
SC : **La Maison du Bœuf** *(fermé 1er au 24 août, 1er au 8 janv.)* **R** carte 180 à 260 – **Le Jardin R** 100 – 55 – **253 ch** 505/690, 5 appartements
Spéc. Poissons fumés maison, Soufflé chaud de grenouilles, Filet de bœuf au pinot noir. Vins Gewurztraminer, Pinot gris.

Sofitel M, pl. St-Pierre-le-Jeune 88 32 99 30, Télex 870894, patio – – 100. AE ⦿ E VISA. rest CV **s**
SC : rest. **Le Saint-Pierre** *(fermé 1er au 15 août et dim.)* **R** carte 180 à 250 – 44 – **180 ch** 460/720, 5 appartements.

Holiday Inn M, 20 pl. Bordeaux 88 35 70 00, Télex 890515, , – – 50 à 600. AE ⦿ E VISA CT **n**
SC : **La Louisiane R** carte 160 à 230 – 55 – **170 ch** 588/682.

Terminus-Gruber, 10 pl. Gare 88 32 87 00, Télex 870998 – – 60. AE ⦿ E VISA BV **m**
rest. **Cour de Rosemont** *(fermé 22 déc. au 5 janv.)* **R** 130/170 – 35 – **72 ch** 230/480, 6 appartements 520/580 – P 380/490.

Novotel M, quai Kléber 88 22 10 99, Télex 880700 – – 30 à 200. AE ⦿ E VISA BV **k**
R carte environ 100 – 34 – **97 ch** 388/441.

France M sans rest, 20 r. Jeu-des-Enfants 88 32 37 12, Télex 890084 – – 30. AE ⦿ E VISA BV **v**
SC : 24 – **70 ch** 270/380.

Monopole-Métropole sans rest, 16 r. Kuhn ✆ 88 32 11 94, Télex 890366, « Décor alsacien » – AE E VISA BV **p**
fermé Noël au Nouvel An – SC : **94 ch** 250/390.

Gd Hôtel sans rest, 12 pl. Gare ✆ 88 32 46 90, Télex 870011 – AE VISA BV **m**
SC : 32 – **90 ch** 300/380, 4 appartements 400.

des Rohan M sans rest, 17 r. Maroquin ✆ 88 32 85 11 – CX **u**
SC : 30 – **36 ch** 225/400.

Nouvel H. Maison Rouge sans rest, 4 r. Francs-Bourgeois ✆ 88 32 08 60, Télex 880130 – AE VISA CX **g**
SC : 30 – **130 ch** 270/350, 6 appartements 430.

Villa d'Est M sans rest., 12 r. J.-Kablé ✆ 88 36 69 02 – wc AE E VISA CU **s**
fermé 23 déc. au 2 janv. – SC : 27 – **32 ch** 310/350.

La Dauphine M sans rest, 30 r. 1e Armée ✆ 88 36 26 61, Télex 880766 – wc wc AE E VISA CY **a**
fermé 23 déc. au 2 janv. – SC : 23 – **45 ch** 285/300.

Hannong, 15 r. 22-Novembre ✆ 88 32 16 22, Télex 890551 – rest wc wc – 50. AE E VISA BV **f**
fermé 20 au 27 déc. – SC : **Wyn's Bar** *(fermé août, 20 au 27 déc., dim. et lundi)* **R** carte environ 140 – 28 – **70 ch** 240/380.

Europe sans rest, 38 r. Fossé-des-Tanneurs ✆ 88 32 17 88, Télex 890220 – wc wc AE E VISA BX **g**
SC : 19 – **61 ch** 133/279.

Bristol, 4 pl. Gare ✆ 88 32 00 83, Télex 890317 – rest wc wc AE E VISA BV **h**
SC : **R** 100/180 – 25 – **40 ch** 250/350 – P 350/380.

St Christophe sans rest, 2 pl. Gare ✆ 88 22 30 30, Télex 880136 – wc wc AE E VISA BV **t**
fermé Noël-Jour de l'An – SC : 18 – **70 ch** 170/240.

Princes sans rest, 33 r. Geiler ✆ 88 61 55 19 – wc wc VISA DV **n**
SC : 22 – **43 ch** 220/270.

Gutenberg sans rest, 31 r. Serruriers ✆ 88 32 17 15 – wc wc
fermé 1er au 8 janv. – SC : 17,50 – **50 ch** 120/192. CX **k**

Continental M sans rest, 14 r. Maire Kuss ✆ 88 22 28 07, Télex 880881 – wc AE E VISA BV **s**
SC : 17 – **48 ch** 188/255.

Orangerie sans rest, 58 allée Robertsau ✆ 88 35 10 69 – wc wc AE VISA DU **a**
SC : 20 – **25 ch** 150/270.

Vendôme sans rest, 9 pl. Gare ✆ 88 32 45 23, Télex 890850 – wc wc AE E VISA BV **b**
SC : 17 – **48 ch** 135/210.

Pax, 24 r. Fg-National ✆ 88 32 14 54, Télex 880506, – wc wc – 30 à 100. E VISA BVX **u**
fermé 25 déc. au 1er janv. – SC : **R** *(fermé dim. de nov. à mars)* 61/126 – 19 – **110 ch** 108/215.

Lutétia sans rest, 2 r. Gén.-Rapp ✆ 88 35 20 45, Télex 870276 – wc wc AE E VISA CU **a**
17 – **50 ch** 75/189.

XXXX ❀❀ **Crocodile** (Jung), 10 r. Outre ✆ 88 32 13 02 – AE E. CV **x**
fermé 6 juil. au 4 août, 21 déc. au 1er janv., dim. et lundi – SC : **R** 280 et carte
Spéc. Foie gras d'oie à l'ancienne, Gratin de langouste, Canard sauvage à la presse (saison). **Vins** Riesling, Pinot gris.

XXX ❀❀ **Buerehiesel** (Westermann), dans le parc de l'Orangerie ✆ 88 61 62 24, « Belle demeure alsacienne dans le parc » – AE VISA EU **a**
fermé 7 au 21 août, 23 déc. au 3 janv., vacances de fév., mardi sauf le midi du 1er mars au 30 oct. et merc. – SC : **R** 195/310 et carte
Spéc. Fritot de foie d'oie et salade de ris de veau, Rouget et langoustines au chou vert, Sot-l'y-laisse à la purée de persil et truffes. **Vins** Muscat, Pinot Gris.

XXX ❀ **Valentin-Sorg** (14e ét.), 6 pl. Homme-de-Fer ✆ 88 32 12 16, ≤ Strasbourg – AE VISA BV **r**
fermé 15 au 31 août, 15 au 28 fév., dim. soir et mardi – SC : **R** 130/200
Spéc. Compote de lapereau en gelée, Lotte au basilic, Crêpes au kirsch. **Vins** Riquewihr, Pinot blanc.

XXX ❀ **Maison Kammerzell,** 16 pl. Cathédrale ✆ 88 32 42 14, Télex 890221, « Belle maison alsacienne du 16e s. » – AE E VISA CX **e**
fermé 24 fév. au 15 mars et merc. – SC : aux étages **R** 196/302 – **Leo Schnug** (rez-de-chaussée) **R** 175 bc/153
Spéc. Parfait de foie gras frais, Filet de sandre au Pinot noir, Choucroute. **Vins** Klevner, Pinot noir.

XXX **Maison des Tanneurs dite "Gerwerstub",** 42 r. Bain-aux-Plantes ✆ 88 32 79 70, « Vieille maison alsacienne, au bord de l'Ill » – AE BX **t**
fermé 29 juin au 14 juil., 21 déc. au 22 janv., dim. et lundi – SC : **R** carte 130 à 210.

RÉPERTOIRE DES RUES DE STRASBOURG

Division Leclerc (R.) .... p. 6 **CX**
Gdes Arcades (R. des) .. p. 6 **CV**
Kléber (Pl.) .... p. 6 **CV**
Maire Kuss (R. du) ..... p. 6 **BV** 48
Mésange (R. de la) ..... p. 6 **CV** 54
Nuée-Bleue (R. de la) .. p. 6 **CV**
Vieux-Marché-aux
Poissons (R. du) ..... p. 6 **CX** 94
22-Novembre (R. du) ... p. 6 **BV**

Alpes (Quai des) ...... p. 5 **DY**
Alsace (Av. d') .... p. 6 **CV** 2
Anvers (Bd d') .... p. 4 **EV**
Anvers (Pont d') .... p. 5 **EX**
Arc-en-ciel (R. de l') .... p. 6 **CV** 3
Arnold (Pl.) .... p. 4 **DV**
Austerlitz (Pl.) .... p. 6 **CX**
Austerlitz (R.) .... p. 6 **CX** 4
Bach (Bd J. S.) .... p. 6 **EV** 6
Bain-aux-Plantes (R.) .. p. 6 **BX** 7
Bâle (R. de) .... p. 5 **DZ**
Barrage (R. du) .... p. 4 **CT** 8
Bateliers (Quai des) .... p. 6 **CX**
Belges (Quai des) ...... p. 5 **EY**
Bischwiller (Rte de) .... p. 2 **FP**
Bischwiller (R. de) ..... p. 4 **BU** 10
Bœckin (R.) .... p. 2 **GP** 12
Bordeaux (Pl. de) ...... p. 4 **CU**
Boston (R. de) .... p. 5 **DY**
Bouchers (R. des) ...... p. 6 **CX**
Boussingault (R.) ...... p. 4 **E** 14
Briand (Av. A.) .... p. 5 **EZ**
Brigade Alsace-
Lorraine (R. de la) ... p. 5 **CV** 15
Broglie (Pl.) .... p. 6 **CV**
Brûlée (R.) .... p. 6 **CV**
Castelnau (R. Gén. de) . p. 6 **CV** 16
Cathédrale (Pl. de la) ... p. 6 **CX** 17
Château (Pl. du) .... p. 6 **CX**
Clemenceau (Bd) ...... p. 4 **CU**
Colmar (Rte de) .... p. 3 **FR**
Conrad (R. du Gén.) .... p. 4 **EV**
Conseil-des-Quinze (R.) p. 4 **EU**
Contades (R. du) ...... p. 4 **CT**
Corbeau (Cour du) ..... p. 6 **CX** 18
Corbeau (Pl. du) .... p. 6 **CX** 19

Landsberg (R. du) ..... p. 5 **DY**
Lattre-de-Tassigny
(Pl. Mar. de) .... p. 5 **CY**
Lauth (R.) .... p. 4 **DU**
Leblois (Bd) .... p. 5 **DX**
Liberté (Av. de la) ...... p. 6 **CV** 47
Lyon (Bd de) .... p. 5 **BY**
Lyon (Rte de) .... p. 3 **FS**
Mairie (R. de la) .... p. 4 **CT** 49
Marne (Bd de la) .... p. 4 **EV**
Marseillaise (Av. de la) . p. 6 **CV**
Massenet (R.) .... p. 4 **DU** 52
Mercière (R.) .... p. 6 **CX** 53
Metz (Bd de) .... p. 6 **BV**
Mineurs (R. des) .... p. 6 **CV**
Mittelhausbergen
(Route de) .... p. 2 **FQ**
Molsheim (R. de) ...... p. 6 **BX**
Montagne Verte (R.) ... p. 5 **AY**
Mulhouse (R. de) ...... p. 5 **CZ**
Nancy (Bd de) .... p. 5 **AX**
National (R. du Fg) ..... p. 6 **BX**
Neuhof (Rte de) .... p. 3 **FR**
Neuhof (Rte du) .... p. 3 **GR**
Noyer (R. du) .... p. 6 **BV** 55
Oberhausbergen (Rte d') p. 2 **FQ** 56
Oberlin (R.) .... p. 4 **CU**
Ohmacht (R.) .... p. 4 **DU** 57
Orangerie (Bd de l') .... p. 4 **EU**
Orphelins (R. des) ..... p. 6 **CX**
Paix (Av. de la) .... p. 4 **CU**
Parchemin (R. du) ..... p. 6 **CV** 60
Pasteur (Quai L.) ...... p. 5 **CY**
Pasteur (R. L.) .... p. 4 **CT**
Patrie (R. de la) .... p. 4 **CT**
Petit-Rhin (Rte du) ..... p. 5 **EY**
Picquart (R. du Gén.) ... p. 4 **EV**
Pierre (R. du Fg de) .... p. 6 **CV** 61
Plaine-des-
Bouchers (R. de la) .. p. 5 **BZ**
Polygone (Rte du) ..... p. 5 **CZ**
Pont (R. du) .... p. 3 **GR** 62
Pont-de-l'Europe (Av.) . p. 3 **GR** 64
Preiss (Bd J.) .... p. 4 **DU**
Prés. Edwards (Bd du) .. p. 4 **DU** 67
Prés. Poincaré (Bd) .... p. 4 **BU** 68

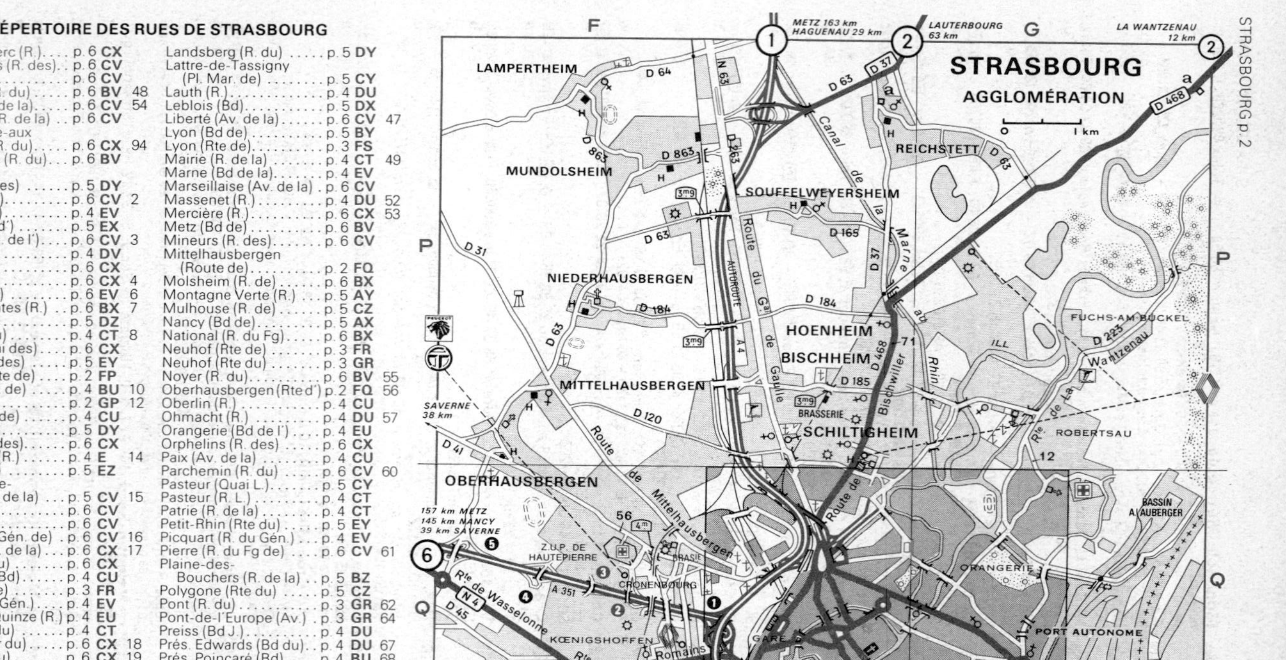

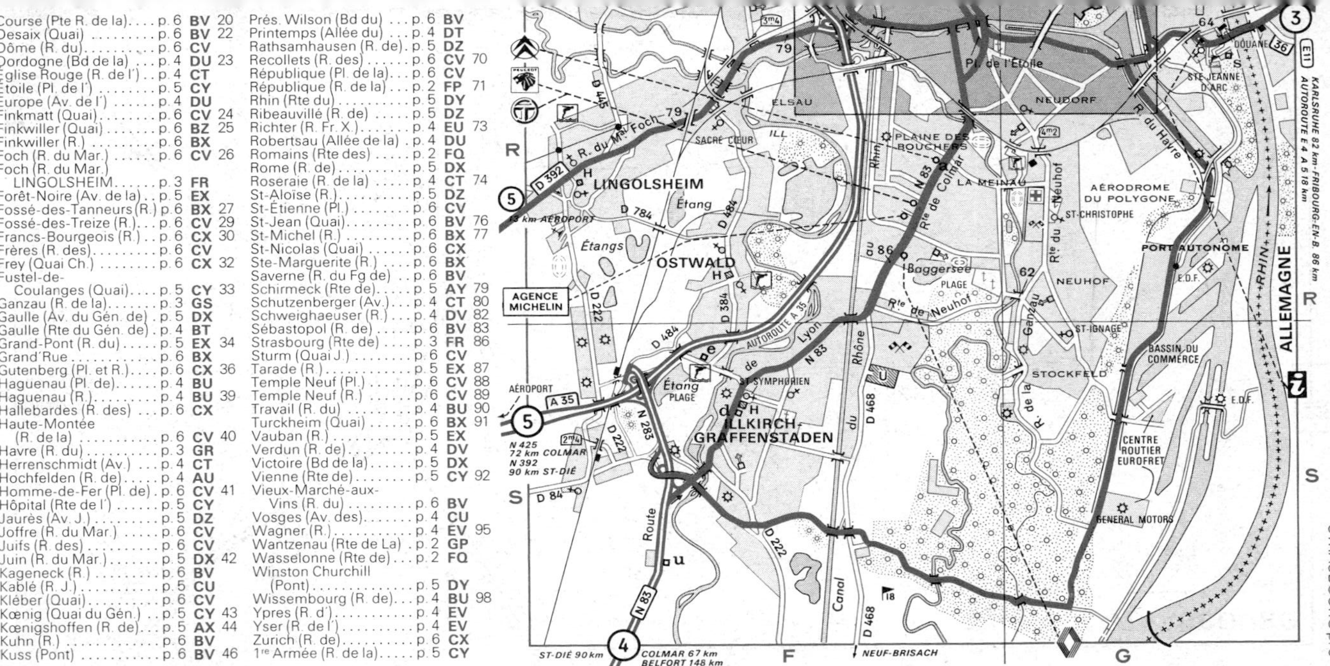

KARLSRUHE 82 km - FRIBOURG-EN-B. 86 km
AUTOROUTE E 4 A 5 18 km
E11
ALLEMAGNE
RHIN
PORT AUTONOME
AÉRODROME DU POLYGONE
ST-CHRISTOPHE
NEUHOF
ST-IGNACE
STOCKFELD
BASSIN DU COMMERCE
CENTRE ROUTIER EUROFRET
GENERAL MOTORS
E.D.F.
DOUANE
STE-JEANNE D'ARC
R. du Havre
NEUDORF
Pl. de l'Étoile
ELSAU
PLAINE DES BOUCHERS
LA MEINAU
Rte de Colmar
Rte du Neuhof
Rte de Neuhof
Baggersee
PLAGE
Ganzau
R. de la Ganzau
SACRÉ CŒUR
ILL
Rhin
LINGOLSHEIM
R. du Mal Foch
OSTWALD
Étang
Étangs
AGENCE MICHELIN
13 km AÉROPORT
AÉROPORT
AUTOROUTE A 35
Rte de Lyon
ST-SYMPHORIEN
Étang PLAGE
ILLKIRCH-GRAFFENSTADEN
du Rhône
Canal
N 83
N 283
D 222
D 468
D 484
D 384
D 784
D 445
D 392
D 84
A 35
N 425 72 km COLMAR
N 392 90 km ST-DIÉ
ST-DIÉ 90 km
COLMAR 67 km
BELFORT 148 km
NEUF-BRISACH
Route
R
S
F
G

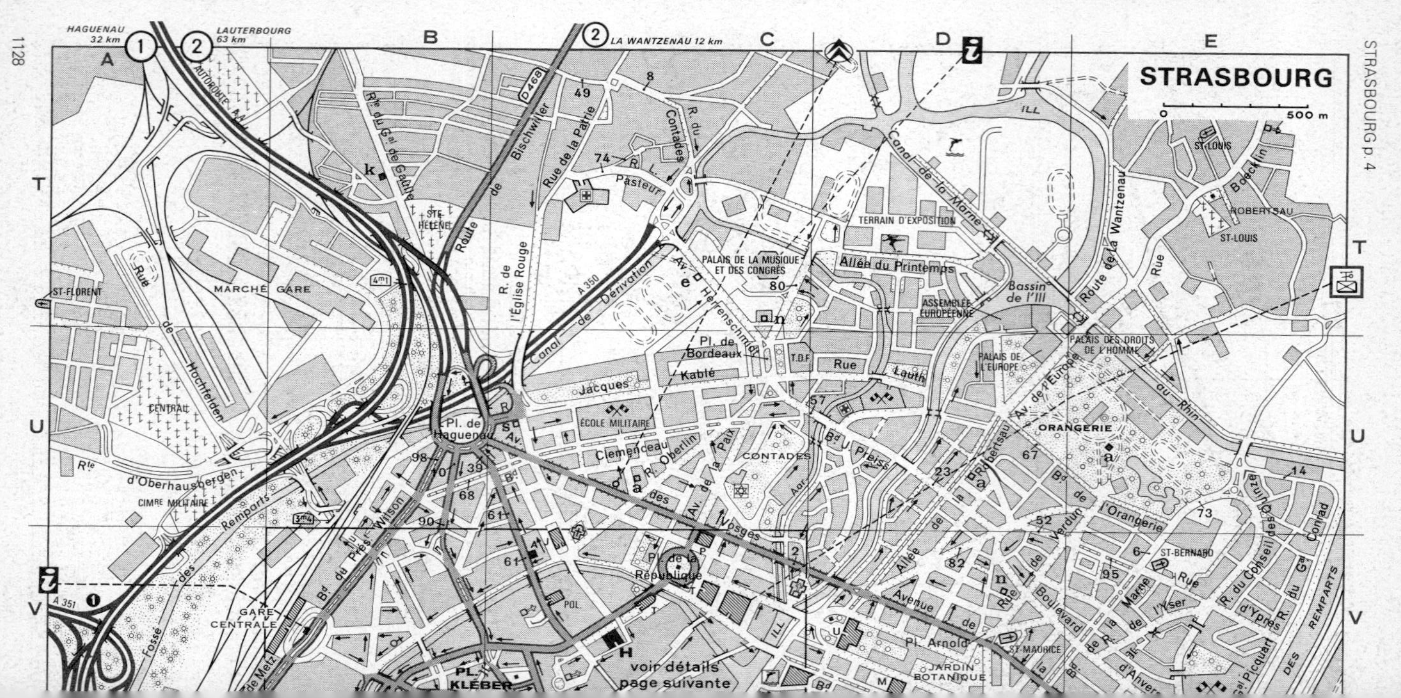
STRASBOURG
0
500 m
HAGUENAU 32 km
LAUTERBOURG 63 km
LA WANTZENAU 12 km
AUTOROUTE A4
Route de la Wantzenau
Canal de la Marne
ILL
Bassin de l'Ill
PALAIS DES DROITS DE L'HOMME
PALAIS DE L'EUROPE
ASSEMBLÉE EUROPÉENNE
TERRAIN D'EXPOSITION
Allée du Printemps
ORANGERIE
PALAIS DE LA MUSIQUE ET DES CONGRÈS
Av. Herrenschmidt
Pl. de Bordeaux
Rue Kablé
Rue Lauth
Rue Jacques
CONTADES
ÉCOLE MILITAIRE
Av. Clemenceau
R. Oberlin
Av. de la Paix
Av. des Vosges
Bd U. Preiss
Pl. de Haguenau
MARCHÉ GARE
Rue de Hochfelden
CENTRAL
Rte d'Oberhausbergen
CIMRE MILITAIRE
Remparts
Fossé des
GARE CENTRALE
Bd du Prés. Wilson
PL. KLÉBER
Pl. de la République
voir détails page suivante
Pl. Arnold
JARDIN BOTANIQUE
ST-MAURICE
Rue de la Patrie
Route de Bischwiller
Rte du Gal de Gaulle
R. de l'Église Rouge
Canal de Dérivation
R. du Contades
Pasteur
STE-HÉLÈNE
ST-FLORENT
ST-LOUIS
ROBERTSAU
Boecklin
ST-BERNARD
Av. de l'Europe
Bd de l'Orangerie
Allée de la Robertsau
Bd de la Marne
R. du Conseil des Quinze
R. du Gal Conrad
REMPARTS
A 350
A 351
D 468

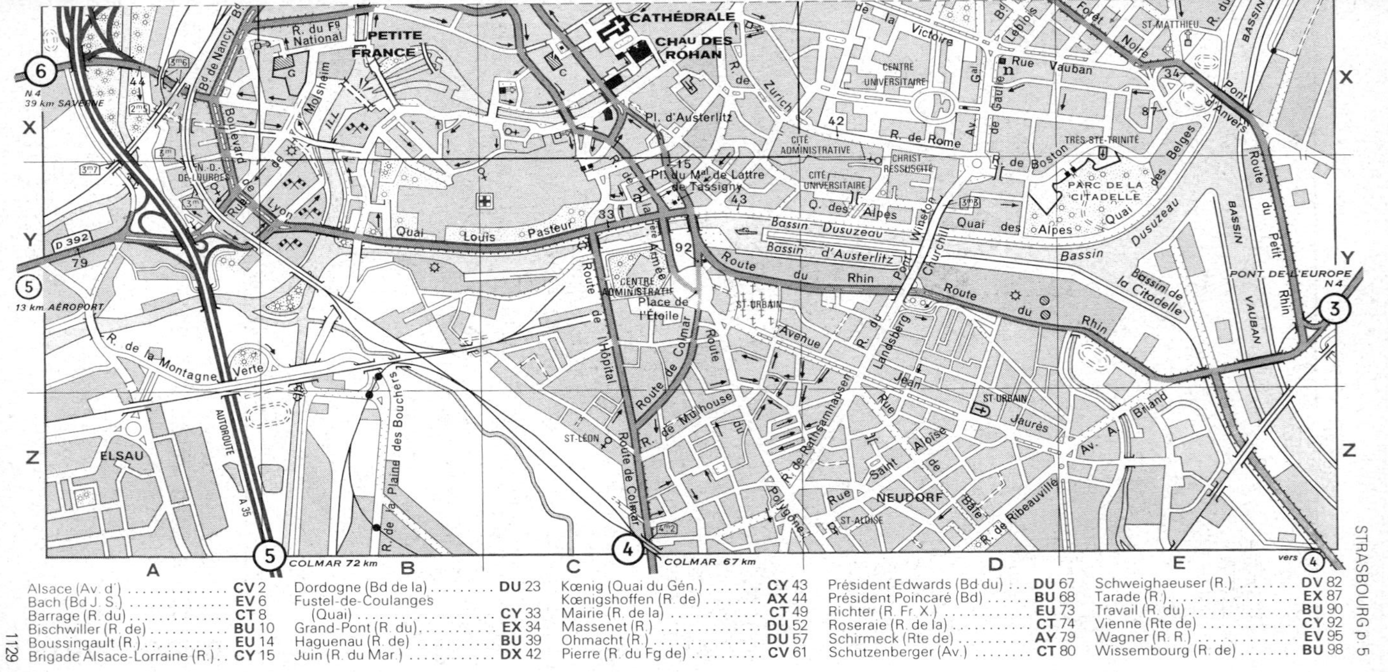

Alsace (Av. d') . . . . **CV** 2
Bach (Bd J. S.) . . . . **EV** 6
Barrage (R. du) . . . . **CT** 8
Bischwiller (R. de) . . . . **BU** 10
Boussingault (R.) . . . . **EU** 14
Brigade Alsace-Lorraine (R.) . . **CY** 15
Dordogne (Bd de la) . . . . **DU** 23
Fustel-de-Coulanges (Quai) . . . . **CY** 33
Grand-Pont (R. du) . . . . **EX** 34
Haguenau (R. de) . . . . **BU** 39
Juin (R. du Mar.) . . . . **DX** 42
Kœnig (Quai du Gén.) . . . . **CY** 43
Kœnigshoffen (R. de) . . . . **AX** 44
Mairie (R. de la) . . . . **CT** 49
Massenet (R.) . . . . **DU** 52
Ohmacht (R.) . . . . **DU** 57
Pierre (R. du Fg de) . . . . **CV** 61
Président Edwards (Bd du) . . . **DU** 67
Président Poincaré (Bd) . . . . . . **BU** 68
Richter (R. Fr. X.) . . . . **EU** 73
Roseraie (R. de la) . . . . **CT** 74
Schirmeck (Rte de) . . . . **AY** 79
Schutzenberger (Av.) . . . . **CT** 80
Schweighaeuser (R.) . . . . **DV** 82
Tarade (R.) . . . . **EX** 87
Travail (R. du) . . . . **BU** 90
Vienne (Rte de) . . . . **CY** 92
Wagner (R. R.) . . . . **EV** 95
Wissembourg (R. de) . . . . **BU** 98

STRASBOURG

Alsace (Av. d') . . . . . . CV 2
Arc-en-ciel (R. de l') . CV 3
Austerlitz (R. d') . . . . . CX 4
Bains-aux-Plantes (R. du) . . . . BX 7
Castelnau (R. Général de) . . . CV 16
Cathédrale (Pl. de la) CX 17
Corbeau (Cour du) . . CX 18
Corbeau (Pl. du) . . . . CX 19
Course (Petite Rue de la) . . BV 20
Desaix (Quai) . . . . BV 22
Finkmatt (Quai) . . . . . CV 24
Finkwiller (Quai) . . . . BX 25
Foch (R. du Mar.) . . . . CV 26
Fossé-des-Tanneurs (R. du) . . . . BX 27
Fossé-des-Treize (R. du) . . . . CV 29
Francs-Bourgeois (R. des) . . . . CX 30
Frey (Quai Ch.) . . . . . . CX 32
Gutenberg (Pl. et R.) . CX 36
Haute-Montée (R.) . . . CV 40
Homme de fer (Pl.) . . CV 41
Kuss (Pont) . . . . BV 46
Liberté (Av. de la) . . . CV 47
Maire Kuss (R. du) . . . BV 48
Mercière (R.) . . . . CX 53
Mésange (R. de la) . . CV 54
Noyer (R. du) . . . . BV 55
Paix (Av. de la) . . . . . . CV 58
Parchemin (R. du) . . . CV 60
Pierre (R. du Fg de) . . CV 61
Recollets (R. des) . . . CV 70
St-Jean (Quai) . . . . . . BV 76
St-Michel (R.) . . . . BX 77
Sébastopol (R. de) . . . BV 83
Temple Neuf (Pl.) . . . CV 88
Temple Neuf (R.) . . . . CV 89
Turckheim (Quai) . . . BX 91
Vieux-Marché-aux-Poissons (R. du) . . CX 94
1re Armée (R.) . . . . CX 99

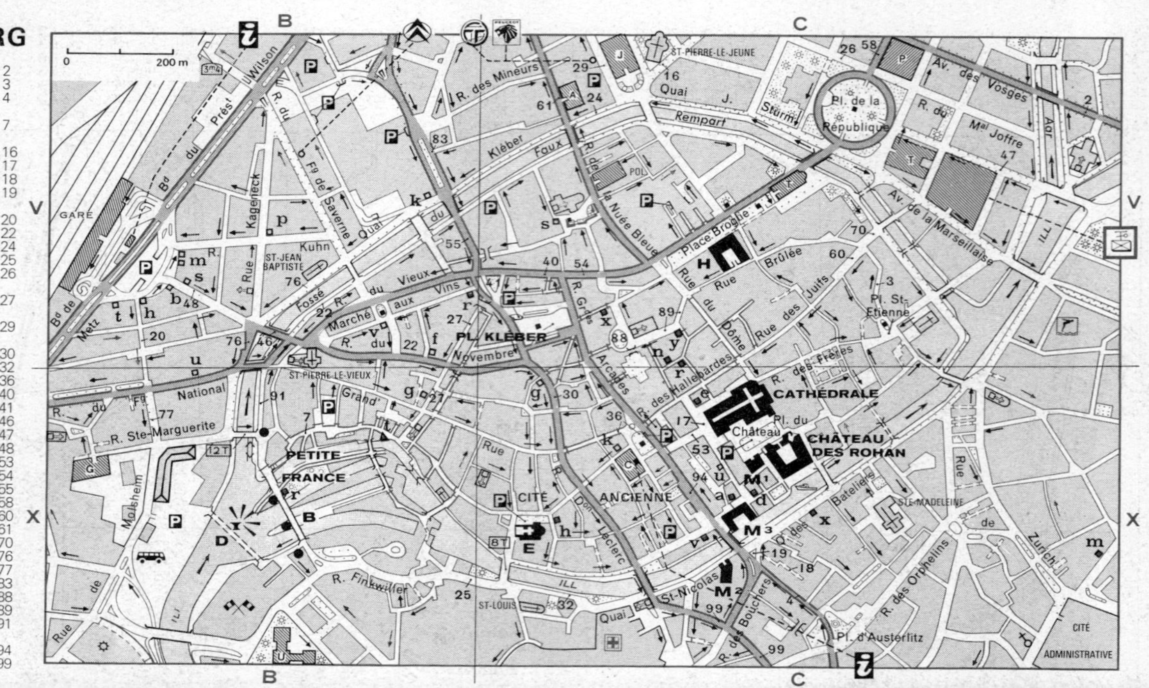

XX **Zimmer,** 8 r. Temple-Neuf ✆ 88 32 35 01 – AE ⓓ VISA CV **y**
fermé 1er au 25 août, sam. et dim. – SC : **R** 145 bc/225

XX **La Volière,** 1 av. Gén.-de-Gaulle ✆ 88 61 05 79 – ▤. AE ⓓ E VISA DX **n**
fermé 14 juil. au 12 août, sam. midi et dim. – SC : **R** 146/230.

XX **L'Argentoratum** (Buffet Gare), pl. Gare ✆ 88 32 68 28 – AE ⓓ E VISA BV
SC : **R** 50/105 ♁.

XX **Muller's,** 10 pl. Marché aux Cochons de Lait ✆ 88 32 01 53 – ▤. ✻ CX **d**
fermé 26 mai au 25 juin, fév., lundi soir et mardi – SC : **R** carte 105 à 195.

XX ✿ **La Table Gourmande** (Reix), 43 rte Gén.-de-Gaulle ✉ 67300 Schiltigheim ✆ 88 83 61 67 – ▤. AE ⓓ VISA BT **k**
fermé 20 juil. au 12 août, 24 déc. au 7 janv., lundi midi et dim. – SC : **R** carte 190 à 255
Spéc. Huîtres tièdes à la coque, Blanc de St-Pierre au naturel, Confit de canard. **Vins** Sylvaner, Pinot noir.

XX **Au Boeuf Mode,** 2 pl. St Thomas ✆ 88 32 39 03, (spéc. : viandes) – AE ⓓ E VISA CX **h**
fermé Noël, Jour de l'An, dim. et fériés – SC : **R** 150/300 ♁.

XX **L'Arsenal,** 11 r. Abreuvoir ✆ 88 35 03 69 – AE E VISA CX **m**
fermé 15 juil. au 15 août, 15 au 30 janv., sam. et dim. – SC : **R** (nombre de couverts limité - prévenir) 100/160 ♁.

XX **Julien,** 22 quai Bateliers ✆ 88 36 01 54 – AE ⓓ E VISA CX **x**
fermé 1er au 24 août, vacances de fév., sam. et dim. – SC : **R** carte 160 à 220.

X **Ami Schutz,** 1 r. Ponts Couverts ✆ 88 32 76 98, ☂ – VISA BX **r**
fermé dim. soir et lundi – SC : **R** 112.

X **A l'Ancienne Douane,** 6 r. Douane ✆ 88 32 42 19, « Terrasse au bord de l'eau ». AE CX **v**
SC : **R** 43/78 ♁.

Les Winstubs : Dégustation de vins et cuisine du pays, dans une ambiance typiquement alsacienne.

X **Strissel,** 5 pl. Grande-Boucherie ✆ 88 32 14 73, Rest.-dégustation de vins, cadre rustique – ▤. VISA CX **a**
fermé 6 au 31 juil., vacances de fév., dim. sauf fériés et lundi – SC : **R** 37/72 ♁.

X Chez Yvonne, 10 r. Sanglier ✆ 88 32 84 15 CVX **r**
R (dîner seul.).

X **Le Clou,** 3 r. Chaudron ✆ 88 32 11 67 CV **n**
fermé 14 au 30 juil., dim. et fériés – SC : **R** (dîner seul.) carte 95 à 165 ♁.

au pont de l'Europe :

P.L.M. Motel du Pont de l'Europe M ⛰, ✆ 88 61 03 23, Télex 870833, ☂ – TV ☎ P – ♣ 100 à 400. AE ⓓ E VISA GR **s**
SC : **R** 51/93 ♁ – ☐ 32 – **88 ch** 294/336, 5 appartements 421.

à Reichstett : 7 km par D 63 - FP – 4 464 h. – ✉ **67116** Reichstett :

Aigle d'Or sans rest, ✆ 88 20 07 87 – ⌂wc ⌂wc ☎. AE ⓓ VISA FP **a**
SC : ☐ 28 – **18 ch** 195/265.

à Illkirch-Graffenstaden 8 km : par N 3 - FS – ✉ **67400** Illkirch-Graffenstaden :

Alsace M, 187 rte Lyon ✆ 88 66 41 60, Télex 870706 – |$| ⌂wc ☎ P – ♣ 60. VISA. ✻ ch FS **d**
fermé 24 déc. au 2 janv. – SC : **R** *(fermé sam. midi et dim.)* 79/150 ♁ – ☐ 18,50 – **40 ch** 210/246 – P 280.

au Nord : 10 km par D 263 et D 64, rte de Hoert, FP – ✉ **67550** Vendenheim :

XX **Aub. de la Forêt** avec ch, ✆ 88 20 01 15 – ⌂ P. ⓓ E VISA. ✻ ch
SC : **R** *(fermé lundi)* 40/135 ♁ – ☐ 14 – **10 ch** 80/100 – P 130/140.

près de l'échangeur de Colmar A 35 10 km - FS – ✉ **67400** Illkirch-Graffenstaden :

Novotel M, ✆ 88 66 21 56, Télex 890142, ☂, ⛱, ☂ – ▤ rest TV ☎ ♿ P – ♣ 25 à 120. AE ⓓ E VISA FS **u**
R carte environ 100 ♁ – ☐ 32 – **76 ch** 278/304.

Mercure M, ✆ 88 66 03 00, Télex 890277, ☂, ⛱ – |$| ▤ rest TV ☎ ♿ P – ♣ 25 à 200. AE ⓓ E VISA FS **e**
R carte environ 120 ♁ – ☐ 30 – **91 ch** 290/330.

à La Wantzenau NE du plan par D 468 : 12 km – 4 084 h. – ✉ **67610** La Wantzenau :

Hôtel Au Moulin M ⛰ sans rest, S : 1,5 km par D 468 ✆ 88 96 27 83, ≤, « Ancien moulin sur un bras de l'Ill », ☂ – |$| TV ⌂wc ⌂wc ☎ P. AE VISA
fermé 24 déc. au 2 janv. – SC : ☐ 25 – **19 ch** 185/285. GP **a**

A la Gare, 32 r. Gare ✆ 88 96 63 44 – ⌂wc ⌂wc ☎ P. VISA. ✻ ch
SC : **R** *(fermé 28 juil. au 17 août, 3 au 10 mars, dim. soir et vend.)* 58/96 ♁ – ☐ 16 – **19 ch** 110/150.

tourner →

XXX ✪ **A la Barrière** (Aeby), 3 rte Strasbourg ✆ 88 96 20 23, ☂ – ⓟ. AE ⓞ E VISA
fermé 15 août au 5 sept., vacances de fév., merc. soir et jeudi – SC : **R** (dim. prévenir) carte 190 à 280 ♁
Spéc. Escalope de foie d'oie poêlée, Barbue et saumon à la vapeur, Paupiette de volaille et ris de veau. **Vins** Riesling, Kaefferkopf.

XX ✪ **Zimmer,** 23 r. Héros ✆ 88 96 62 08 – AE ⓞ E VISA
fermé 1er au 17 août, dim. soir et lundi – SC : **R** 85/160
Spéc. Foie chaud aux reinettes (sept. à mars), Turbot à l'oseille, Rognon et ris de veau au vinaigre. **Vins** Pinot noir, Edelzwicker.

XX **Rest. Au Moulin,** S : 1,5 km par D 468 ✆ 88 96 20 01, ☂, « Jardin fleuri » – ⓟ. AE ⓞ E VISA GP **a**
fermé 26 juin au 21 juil., 5 au 16 janv., dim. soir, jeudi et fériés le soir – SC : **R** 115/200.

XX **J. Schaeffer,** 1 quai Bateliers ✆ 88 96 20 29, ☂ – ⓟ. AE ⓞ. ✱
fermé 15 au 31 juil., dim. soir et lundi – **R** 93/180 ♁.

X **Poste,** ✆ 88 96 20 64, ☂ – ⓟ. AE ⓞ E VISA
fermé 24 août au 15 sept., vacances de fév., dim. soir et lundi – SC : **R** 145/165.

à Ittenheim par ⑥ : 12,5 km – ✉ **67370** Truchtersheim :

⌂ **Au Boeuf,** ✆ 88 69 01 42, ☂ – ⌸wc ⌸wc ☎ ⓟ. ✱ ch
fermé 15 juin au 10 juil., 20 déc. au 20 janv. et lundi – SC : **R** 42/150 ♁ – ☕ 12,50 – **14 ch** 140 – P 180.

MICHELIN, Agence régionale, 9 r. Livio, Strasbourg-Meinau FR ✆ 88 39 39 40

ALFA ROMEO, AUTOBIANCHI, LANCIA Gar. des Boulevards 2 r. du Rhin Napoléon ✆ 88 61 18 86
BMW Gar. Le Building Socoma, 24 r. Fossé-des-Tanneurs ✆ 88 32 31 21
CITROEN Succursale, 200 rte de Colmar FR **a** ✆ 88 79 99 10 **N** ✆ 88 39 49 39
CITROEN Gar. Astoria, 46 av. des Vosges CU ✆ 88 35 27 04
CITROEN Herberich, 30 r. fg-Saverne BV ✆ 88 32 69 35
FIAT Gar. des Halles, 60 r. du Marché gare ✆ 88 28 26 10
FIAT, MITSUBISHI Finck, 201 rte des Romains ✆ 88 30 20 39
MERCEDES-BENZ Select-Station Service, 1 b pl. Haguenau ✆ 88 23 10 50
PEUGEOT-TALBOT Kroely, 15 r. Fossée-des-Treize CV ✆ 88 32 43 00
PEUGEOT-TALBOT Strasbourg Hautepierre Autom., av. Pierre Corneille FQ ✆ 88 28 90 28
PEUGEOT-TALBOT Strasboug Meinau Autom., 270 rte de Colmar FR ✆ 88 79 46 46
RENAULT Succursale Ponts Couverts, 47 r. de la Charmille FQ ✆ 88 30 18 48
V.A.G. Gd Gar. du Polygone, 25 rte de Colmar ✆ 88 34 31 33
VOLVO Albert-Auto., 48 rte de l'Hopital ✆ 88 34 29 51
Gar. Mutualiste Français, 46 rte de Brumath à Souffelweyersheim ✆ 88 81 80 80

◍ Pneus et Services D.K, 15 r. de Marlenheim ✆ 88 22 08 35
Kautzmann, 280 rte de Colmar ✆ 88 79 99 20
Kautzmann, 8 bd Poincaré ✆ 88 32 42 04 et 15 r. Vauban ✆ 88 61 32 35
Letzelter, 8 r. de la Schwanau ✆ 88 34 25 80
Louis, 24 r. du Mar.-Lefebvre ✆ 88 39 02 93
Metzger, 34 r. du fg de Pierre ✆ 88 32 39 20
Vulca-Moderne, 7 av. J.-Jaurès ✆ 88 34 05 10

Périphérie et environs

ALFA-ROMEO Gar. T.T.A., 8 r. Le-Nôtre à Mittelhausbergen ✆ 88 56 04 88
RENAULT Succursale, 4 rte de Strasbourg à Illkirch Graffenstaden FR ✆ 88 79 99 85
RENAULT Gar. Simon, 1 r. des Pompiers à Schiltigheim FP ✆ 88 33 62 22 av. Énergie à Bischeim GP ✆ 88 83 56 42
V.A.G. Gd Gar. du Polygone, N 83 à Illkirch-Graffenstaden ✆ 88 66 66 99 33 rte de Brumath à Hoenheim ✆ 88 83 76 40

◍ Metzger, 121 r. Gén.-Leclerc à Ostwald ✆ 88 30 22 72
Pneus Accessoires Distribution, ZI. Sud 1 r. Hoeltel à Illkirch ✆ 88 66 21 30
Pneus et Services D.K, 2 rte de Strasbourg à Illkirch-Graffenstaden ✆ 88 39 21 10
Vulcastra, 58 rte de Brumath à Souffelweyersheim ✆ 88 20 22 75

SUBLIGNY 89 Yonne 61 ⑭ – rattaché à Sens.

SUC-AU-MAY 19 Corrèze 72 ⑲ **G. Périgord.**
Voir ✳★★★.

SUCÉ-SUR-ERDRE 44 Loire-Atl. 63 ⑰ – rattaché à Nantes.

SUCY-EN-BRIE 94 Val-de-Marne 61 ①, 101 ㉘ – voir à Paris, Environs.

SULLY-SUR-LOIRE 45600 Loiret 65 ① **G. Châteaux de la Loire** – 5 825 h. alt. 119.
Voir Château★ : charpente★★.
⛳18 ✆ 38 36 52 08 par ⑥ : 4 km.
ℹ Office de Tourisme pl. Gén.-de-Gaulle ✆ 38 36 32 21.
Paris 138 ① – Bourges 82 ④ – Gien 23 ③ – Montargis 40 ① – ♦Orléans 42 ⑥ – Vierzon 80 ⑤.

SULLY-SUR-LOIRE

Grand-Sully (R. du) 6
Porte-de-Sologne (R.) 12

Champ-de-Foire (Bd du) 2
Chemin de Fer (R. du) 3
Collégiale St-Ythier (⊞) . . . . B
Épinettes (R.) 5
Jeanne-d'Arc (Bd) 7
Marronniers (Rue des) 9
Porte-Berry (R.) 10
St-François (R. du Fg) 15
St-Germain (R. du Fg) 16
St-Germain (⊞) . . . . E

Dans la liste des rues des plans de ville, les noms en rouge indiquent les principales voies commerçantes.

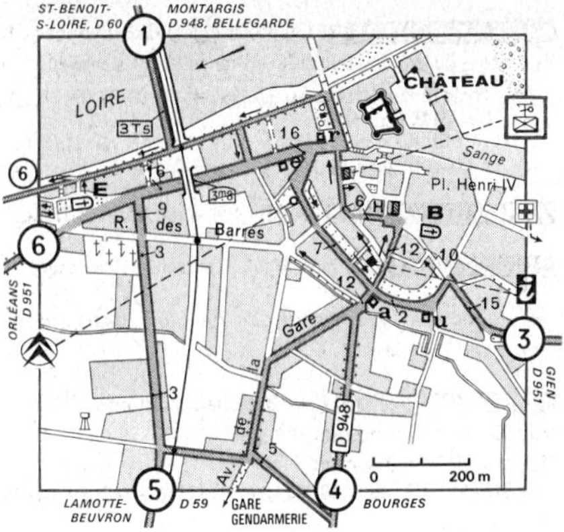

Pont de Sologne, r. Porte-de-Sologne **(a)** ☏ 38 36 26 34 – wc ☎ **P**.
fermé 21 déc. au 13 janv. – SC : **R** 67/140 – ☐ 18 – **24 ch** 60/172 – P 173/213.

Poste, r. Fg St-Germain **(e)** ☏ 38 36 26 22, – wc wc ☎ **P**. AE E VISA
fermé 30 janv. au 3 mars – SC : **R** 70/150 – ☐ 21 – **27 ch** 70/210 – P 220/260.

XXX **Host. Grand Sully** avec ch, bd Champ-de-Foire **(u)** ☏ 38 36 27 56, – wc ☎ **P**. AE E VISA
fermé 1er déc. au 5 janv. et merc. – SC : **R** 70/190 – ☐ 26 – **11 ch** 90/250.

XX **Esplanade** avec ch, pl. Pilier **(r)** ☏ 38 36 20 83 – AE VISA
fermé Noël-Jour de l'an, fév. et merc. d'oct. à mars – **R** carte environ 170 ♨ – ☐ 20 – **5 ch** 93/137.

aux Bordes par ① et D 961 : 6 km – ✉ **45460** Les Bordes :

XX **La Bonne Étoile,** ☏ 38 35 52 15 – E VISA
fermé 15 au 22 sept., 20 janv. au 17 fév., dim. soir et lundi – SC : **R** 50/120 ♨.

CITROEN Gar. Beury, 2 bd Jeanne-d'Arc ☏ 38 36 33 08

SUNDHOFFEN 68 H.-Rhin 62 ⑲ – rattaché à Colmar.

SUPER-BESSE 63 P.-de-D. 73 ⑬ – rattaché à Besse-en-Chandesse.

SUPER-EYNE 66 Pyr.-Or. 86 ⑯ – rattaché à Saillagouse.

SUPER-LIORAN 15 Cantal 76 ③ – rattaché au Lioran.

SUPER-SAUZE 04 Alpes-de-H.-Pr 81 ⑧ – rattaché à Barcelonnette.

Le SUQUET 06 Alpes-Mar. 84 ⑲, 195 ⑯ – alt. 400 – ✉ **06450** Lantosque.
Paris 962 – Levens 17 – ♦Nice 45 – Puget-Théniers 48 – Roquebillière 10 – St-Martin-Vésubie 20.

Aub. Bon Puits M, ☏ 93 03 17 65, – ch TV wc ☎ **P**
fermé janv., fév. et mardi hors sais. – SC : **R** 60/100 – ☐ 18 – **10 ch** 150/220 – P 210/240.

SURGÈRES 17700 Char.-Mar. 71 ③ **G. Côte de l'Atlantique** – 6 491 h. alt. 24.
Voir Église N.-Dame★ – Office de Tourisme pl. Résistance (1er juin-30 sept.) ☏ 46 07 20 02.
Paris 440 – Luçon 61 – Niort 35 – Rochefort 26 – La Rochelle 36 – St-Jean-d'Angély 29.

Ronsard, pl. Château ☏ 46 07 00 63 – VISA. ch
fermé 1er au 15 fév. et sam. – SC : **R** 52/106 – ☐ 14 – **11 ch** 71/136.

CITROEN Dupont, 9 rte La Rochelle ☏ 46 07 01 71
PEUGEOT-TALBOT Glénaud, 1 r. Brillouet ☏ 46 07 01 16
Woodman-Pneus, Zone Ind. Ouest ☏ 46 07 11 03

SURVILLIERS-ST-WITZ 95470 Val-d'Oise 56 ⑪, 196 ⑧ – 3 701 h. alt. 140.
Paris 35 – Chantilly 14 – Lagny 32 – Luzarches 10 – Meaux 37 – Pontoise 40 – Senlis 14.

Novotel M, sur D 16 par échangeur A1 Survilliers ☏ (1) 34 68 69 80, Télex 695910, – TV ☎ **P** – 25 à 300. AE E VISA
R carte environ 100 ♨ – ☐ 35 – **79 ch** 346/367.

Mercure M, près échangeur A1 ☏ (1) 34 68 28 28, Télex 695917, – TV ☎ **P** – 25 à 200. AE E VISA
R carte environ 120 ♨ – ☐ 30 – **110 ch** 273/331.

CITROEN Gar. de la Liberté, 12 r. de la Liberté ☏ (1) 34 68 36 26

SUZE-LA-ROUSSE 26130 Drôme 81 ② G. Provence – 1 396 h. alt. 129.
Paris 642 – Bollène 7 – Nyons 28 – Orange 17 – Valence 80.

Relais du Château Ⓜ, ✆ 75 04 87 07, ←, 🏊, 🏞, 🎾 – 🛗 ⇔wc ☎ 🅟 – 🏋 50. AE E VISA. ✖
fermé 15 déc. au 15 janv. – SC : **R** 60/150 – ☕ 21 – **20 ch** 170/230 – P 500/550 (pour 2 pers.).

TAHITI (Plage de) 83 Var 84 ⑰⑱ – rattaché à St-Tropez.

TAILLECOURT 25 Doubs 66 ⑧ – rattaché à Audincourt.

☞ *Michelin n'accroche pas de panonceau aux hôtels et restaurants qu'il signale.*

TAIN-TOURNON 77 ①② G. Vallée du Rhône.
Voir Route panoramique*** par ④.
ℹ voir à Tain-l'Hermitage et à Tournon.
Paris 547 ② – ♦Grenoble 99 ② – Le Puy 106 ⑤ – ♦St-Étienne 75 ① – Valence 18 ② – Vienne 59 ②.

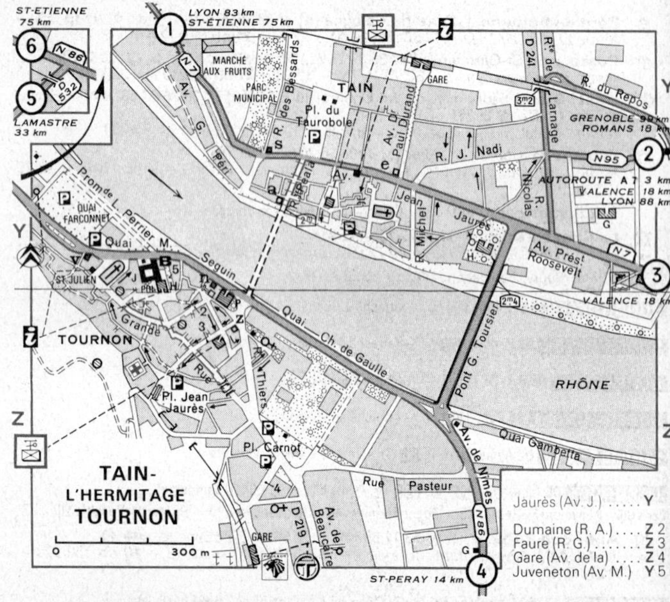

Tain-l'Hermitage 26600 Drôme – 5 638 h. alt. 124.
ℹ Syndicat d'Initiative 70 av. J.-Jaurès ✆ 75 08 06 81.

Commerce, 1 av. République ✆ 75 08 65 00, Télex 345573 – 🛗 ▤ TV ⇔wc ⋒wc ☎ ♿ 🚗 🅟. AE ⓞ E VISA — Y e
fermé 15 nov. au 15 déc. – SC : **R** 84/285 – ☕ 21 – **28 ch** 240/265 – P 320.

Deux Côteaux sans rest, 18 r. J.-Péala ✆ 75 08 33 01 – ⇔wc ⋒ ☎ 🚗 — Y a
fermé 5 au 25 nov., 10 au 25 fév. et dim. du 1er nov. au 30 mars. – SC : ☕ 16 – **22 ch** 88/211.

XXX **Reynaud,** 82 av. Pr. Roosevelt ✆ 75 07 22 10, 🏖, 🏊, 🏞 🅟. AE ⓞ VISA. ✖
fermé janv., dim. soir et lundi – SC : **R** 125/250.

X **Grappe d'Or,** 13 av. Jean-Jaurès ✆ 75 08 28 52, 🏖. AE E — Y s
fermé fév. dim. soir et lundi – SC : **R** 65/135.

route de Romans par ② : 4 km – ✉ **26600** Tain-l'Hermitage :

L'Abricotine Ⓜ, ✆ 75 08 42 00, ←, 🏞 – ⇔wc ☎ 🅟. E VISA
fermé 20 nov. au 8 déc. et dim. de nov. à mars – SC : **R** (dîner seul. pour résidents) 50/62 – ☕ 16 – **9 ch** 160.

Ⓜ Tournaire-Pneus, ✆ 75 08 28 97

Tournon 07300 Ardèche 77 ① – 9 707 h. alt. 123.

Voir Terrasses★ du château YB.

Syndicat d'Initiative pl. St-Julien (1er avril-30 sept.) 75 08 10 23.

Paris, pl. Lycée 75 08 01 11, Télex 345156 – wc wc . AE E VISA Z **z**
fermé sam. hors sais. – SC : **R** voir rest. du **Château** – 24 – **22 ch** 160/320.

Château avec ch, 12 quai M.-Seguin 75 08 60 22, Télex 345156, ← – wc – 50. AE E VISA Y **n**
fermé 1er au 15 nov., vacances de fév., dim. du 15 oct. à Pâques et sam. sauf le soir en été – SC : **R** 78/220 – 24 – **14 ch** 160/320.

Chaumière avec ch, 76 quai Farconnet 75 08 07 78, « Cadre rustique » – wc . AE VISA Y **v**
13 mars-1er nov. et fermé lundi soir et mardi hors sais. – SC : **R** 79/163 – 22 – **10 ch** 108/240 – P 215/233.

route de Lamastre par ⑤ : 3,5 km – 07300 Tournon :

Le Manoir sans rest, 75 08 20 31, ←, , – wc . AE VISA
15 mars-30 sept. – SC : 16 – **10 ch** 100/150.

BMW Centre Rhône Automobile, 63 av. de Nîmes 75 08 14 09
CITROEN Gélibert, quai Farconnet 75 08 01 33
PEUGEOT-TALBOT Fournier, r. V.-d'Indy 75 08 11 22

TALANT 21 Côte-d'Or 66 ⑫ – rattaché à Dijon.

TALENCE 33 Gironde 71 ⑨ – rattaché à Bordeaux.

TALLOIRES 74 H.-Savoie 74 ⑥ G. Alpes – 931 h. alt. 447 – 74290 Veyrier-du-Lac.

Voir Site★★★ – Site★★ de l'Ermitage St-Germain★ E : 4 km – du lac d'Annecy 50 60 12 89, NO : 1 km – Office de Tourisme 50 60 70 64, Télex 309257.

Paris 545 – Albertville 33 – Annecy 13 – Megève 48.

❀❀❀ **Aub. du Père Bise** , bord du lac 50 60 72 01, Télex 385812, ←, « Repas sous l'ombrage, face au lac, parc », – . AE VISA
fermé 15 avril au 3 mai, 16 déc. au 1er fév., merc. midi et mardi – SC : **R** 350/550 et carte – 60 – **20 ch** 500/1100, 14 appartements
Spéc. Parfait de foie d'oie, Gratin de queues d'écrevisses, Poularde braisée à l'estragon.

Le Cottage , 50 60 71 10, , « De la terrasse, belle vue sur le lac », – . AE VISA. rest
15 mars-15 oct. – SC : **R** 160/300 – 45 – **35 ch** 450/800 – P 450/700.

Abbaye , 50 67 40 88, Télex 385307, , « Terrasse et jardin ombragés avec belle vue sur le lac », – . AE E VISA. rest
fermé 15 déc. au 16 janv. – SC : **R** *(fermé dim. soir et lundi hors sais.)* 220/300 – 45 – **30 ch** 400/930.

Hermitage et Domaine des Primevères , chemin de la cascade d'Angon 50 60 71 17, Télex 385196, ← lac et montagnes, parc, , , – – 50. AE E VISA.
15 mars-25 oct. – SC : **R** 120/195 – 37 – **35 ch** 285/370, 15 appartements 370/690 – P 350/495.

Lac , 50 60 71 08, Télex 309274, , , – . AE E VISA. rest
25 mai-30 sept. – SC : **R** 115/125 – 32 – **46 ch** 340/410 – P 380/415.

Les Prés du Lac sans rest, 50 60 76 11, Télex 309288, ←, « Dans un parc au bord du lac », – wc . AE VISA.
fermé 11 nov. au 20 déc. et 3 janv. au 6 fév. – SC : 38 – **9 ch** 575/675.

Beau Site , 50 60 71 04, ←, « Dans un parc près du lac », , – wc wc . AE E VISA. rest
15 mai-oct. – SC : **R** 110/175 – 30 – **38 ch** 184/350 – P 240/380.

La Charpenterie, 50 60 70 47 – wc . AE E VISA
1er mars-15 nov. – SC : **R** 85/170 – 23 – **20 ch** 155/220.

Villa Tranquille , 50 60 70 43, – wc . rest
1er juin-15 sept. – SC : **R** (résidents seul.) 76 – 17 – **19 ch** 80/220 – P 194/225.

Villa des Fleurs avec ch, 50 60 71 14, , – wc wc
fermé 16 fév. au 22 mars, 6 au 25 oct., dim. soir et lundi – SC : **R** 98/195 – 25 – **7 ch** 210/280.

à Angon S : 2 km par D 909A – 74290 Veyrier-du-Lac :

Les Grillons , 50 60 70 31, ←, – wc . AE. rest
1er avril-11 nov. – SC : **R** 110/130 – 21 – **34 ch** 120/330 – P 190/260.

La Bartavelle , 50 60 70 68 –
15 mai-30 sept. – SC : **R** 60/120 – 15 – **8 ch** 73/140.

TALMONT 17 Char.-Mar. 71 ⑮ **G. Côte de l'Atlantique** – 79 h. alt. 23 – ✉ **17120** Cozes.

Voir Site★ de l'église Ste-Radegonde★.

Paris 502 – Blaye 76 – La Rochelle 88 – Royan 16 – Saintes 35.

XX **L'Estuaire** avec ch, au Caillaud ✆ 46 90 73 85, ≤, – . **VISA**. ch
hôtel ouvert 15 mars-24 sept., fermé mardi soir et merc. sauf juil.-août – SC : **R** *(fermé 24 sept. au 4 oct., 6 janv. au 6 fév., mardi soir et merc. sauf juil.-août)* 62/138 – 15,50 – **7 ch** 94/138 – P 190/220.

LA TAMARISSIÈRE 34 Hérault 83 ⑮ – rattaché à Agde.

TAMNIÈS 24 Dordogne 75 ⑰ – 284 h. alt. 193 – ✉ **24620** Les Eyzies-de-Tayac.

Paris 519 – Brive-la-Gaillarde 51 – Les Eyzies-de-Tayac 14 – Périgueux 59 – Sarlat-la-Canéda 15.

Laborderie, ✆ 53 29 68 59, ≤, parc, – wc wc . **E**. rest
15 mars-15 nov. – SC : **R** 58/200 – 22 – **25** 140/220 – P 180/270.

TANCARVILLE (Pont routier de) ★ **76** S.-Mar. 55 ④ **G. Normandie** – 1 139 h. alt. 48 – ✉ **76430** St-Romain-de-Colbosc.

Voir ≤★ sur estuaire.

Péage : auto 4 à 9 F (conducteur et passagers compris), remorque 2,50 F, camion de 6,50 à 23 F, gratuit pour piétons et deux-roues.

Du centre du pont : Paris 175 – ♦Caen 77 – ♦Le Havre 29 – Pont-Audemer 19 – ♦Rouen 59.

à Tancarville-Écluse – ✉ **76430** St-Romain-de-Colbosc :

XX **Marine** avec ch, au pied du pont D 982 ✆ 35 39 77 15, ≤ pont, – wc . **E VISA**. ch
fermé 15 août au 6 sept., dim. soir et lundi – SC : **R** 120 bc (sauf fêtes)/145 – 17,50 – **10 ch** 92/170.

TANINGES 74440 H.-Savoie 74 ⑦ **G. Alpes** – 2 756 h. alt. 640.

Syndicat d'Initiative av. Thézières ✆ 50 34 25 05.

Paris 557 – Annecy 74 – Bonneville 25 – Chamonix 52 – ♦Genève 55 – Megève 38 – Morzine 19.

XX **La Crémaillère,** à Flérier SO : 1 km ✆ 50 34 21 98, – . **AE E VISA**
fermé merc. sauf juil. et août et mardi soir – SC : **R** 56/230 .

PEUGEOT-TALBOT Gar. Anthonioz, ✆ 50 34 20 45

RENAULT Gar. Delfante, ✆ 50 34 20 71
Gar. Klipfel, ✆ 50 34 22 27

TANUS 81 Tarn 80 ⑪ – 565 h. alt. 440 – ✉ **81190** Mirandol-Bourgnounac.

Paris 669 – Albi 32 – Millau 89 – Rodez 46 – St-Affrique 73.

XX **Voyageurs** avec ch, ✆ 63 76 30 06, – wc . **AE E VISA**. ch
fermé 1er au 15 nov., vacances de fév. et vend. sauf juil.-août – SC : **R** 50/200 – 20 – **17 ch** 125/165.

TAPONAS 69 Rhône 73 ⑩ – rattaché à Belleville.

TARARE 69170 Rhône 73 ⑨ **G. Vallée du Rhône** – 10 935 h. alt. 375.

Office de Tourisme pl. Madeleine ✆ 74 63 06 65.

Paris 472 ① – ♦Lyon 45 ① – Montbrison 62 ② – Roanne 41 ③ – Villefranche-sur-Saône 32 ①.

TARARE

Janisson (Pl.) 9
Pêcherie (R.) 15

Baronnat (R.) 2
Boucher-de-Perthes (R.) 3
Cornil (R.) 4
Croizat (Pl. Ambroise) 5
Dolet (R. E.) 6
Gaulle (Av. Ch. de) 7
Herriot (Av. E.) 8
Jaurès (Av. Jean) 10
Lamartine (Bd) 12
Liberté (Av. de la) 13
Montagny (R.) 14
Radisson (R.) 16
République (Pl. de la) 18
République (R. de la) 19
Serroux (R.) 23
Verdun (R. de) 25

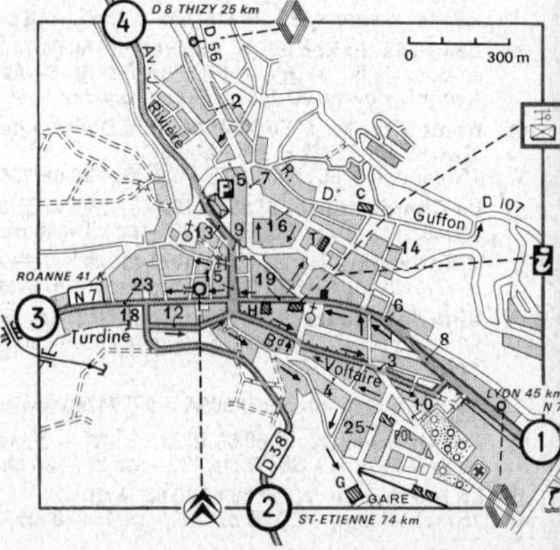

Mère Paul, par ③ : 2 km ✆ 74 63 14 57 – wc wc ☎ ℗. VISA
fermé 1er au 26 sept., vacances de fév., mardi soir et merc. – SC : **R** 40/150 ⅋ – ☕ 17 – **10 ch** 110/180.

Jean Brouilly, 3 ter r. Paris par ③ ✆ 74 63 24 56 – ℗. AE ⓓ VISA
fermé 3 au 19 août, vacances de fév., dim. et lundi – SC : **R** 115/220 ⅋.

par ① E : 3 km par N 7 – ✉ **69490** Pontcharra-sur-Turdine :

Git'Otel Ⓜ, ✆ 74 63 44 01, ☂ – TV wc ☎ ℗ – 🏃 50. AE ⓓ E VISA
SC : **R** *(fermé dim.)* 40/85 ⅋ – ☕ 20 – **35 ch** 173/213 – P 260/410.

à Pontcharra-sur-Turdine par ① : 5,5 km – ✉ **69490** Pontcharra-sur-Turdine :

France, ✆ 74 63 72 97 – wc ☎ ℗. AE E VISA. ✻ ch
fermé nov., jeudi midi et merc. du 1er sept. au 30 juin – SC : **R** 52/145 ⅋ – ☕ 23 – **11 ch** 115/280 – P 195/215.

Bains, sur D 33 ✆ 74 63 71 09, ☂
fermé 28 janv. au 28 fév. et mardi – SC : **R** 35/76 ⅋.

CITROEN Central Gar., 28 r. République ✆ 74 63 06 10
FORD Beylier, 17 r. Serroux ✆ 74 63 05 41 N
OPEL Duperray, 14 av. Ed.-Herriot ✆ 74 63 03 66
PEUGEOT-TALBOT Dubois, N 7 par ① ✆ 74 63 03 80
RENAULT Laurent, rte Valsonne ✆ 74 63 04 07
RENAULT Gar. Vericel, 46-48 av. Ed. Herriot ✆ 74 63 15 92
V.A.G. Gar. du Viaduc 33 rte de Paris ✆ 74 63 06 04

TARASCON 13150 B.-du-R. 81 ⑪ **G. Provence** – 11 024 h. alt. 9.
Voir Château★★ : ✻★★ Y – Église Ste-Marthe★ Y B.
ℹ Office de Tourisme 59 r. Halles ✆ 90 91 03 52.
Paris 713 ⑥ – Arles 18 ③ – Avignon 23 ① – ♦Marseille 107 ② – Nîmes 26 ⑤.

TARASCON
Halles (R. des) . . . . . YZ
Mairie (Pl. de la) . . . . Y 15
Monge (R.) . . . . Y
Pelletan (R. E.) . . . . . . Z 19
Proudhon (R.) . . . . Z 20
Victor-Hugo (Bd) . . . . Z

Aqueduc (R. de l') . . . . Y 2
Berrurier (Pl. Colonel) . . . . . . Z 3
Blanqui (R.) . . . . Z 4
Briand (Crs Aristide) . . . . . Z 5
Château (Bd du) . . . . . Y 6
Château (R. du) . . . . . Y 7
Hôpital (R. de l') . . . . . Z 9
Jaurès (R. Jean) . . . . . Y 12
Jeu-de-Paume (R. du) . . . . YZ 14
Millaud (R. Ed.) . . . . YZ 16
Mistral (R. Frédéric) . . . . . . Z 18
Raffin (R.) . . . . Y 23
République (Av. de la) . . . . Z 24
Ste-Marthe (⛪) . . . . YB
Salengro (Av. R.) . . . . Y 25

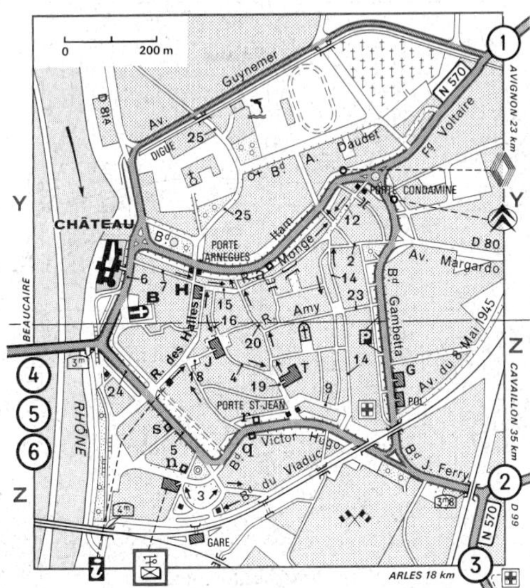

Provence Ⓜ sans rest, 7 bd Victor-Hugo ✆ 90 91 06 43 – wc ☎. ⓓ E VISA
SC : ☕ 19 – **11 ch** 190/250. Z **r**

St-Jean, 24 bd Victor-Hugo ✆ 90 91 13 87 – wc wc ☎. AE ⓓ E VISA ✻ Z **q**
fermé 15 déc. au 15 janv. – SC : **R** *(fermé merc. hors sais.)* 58/140 – ☕ 18 – **12 ch** 145/180 – P 280/315.

Terminus, pl. Colonel-Berrurier ✆ 90 91 18 95, ☂ – wc wc ☎. E VISA
fermé fin janv. à début mars, sam. midi et merc. – SC : **R** 45/78 – ☕ 16 – **23 ch** 68/135 – P 158/238. Z **n**

CITROEN Gar. Chabas, 8 bd Gambetta ✆ 90 91 12 71 N ✆ 90 91 15 55
RENAULT Rostain, 59 bd Itam ✆ 90 91 00 38
Ⓟ Tarascon-Pneus, 1 Pl. Emile Combe ✆ 90 91 54 36

TARASCON-SUR-ARIÈGE **09400** Ariège 86 ④⑤ **G. Pyrénées** – 3 848 h. alt. 474.

Voir Grotte de Niaux★★ (dessins préhistoriques) SO : 4 km – Grotte de Lombrives★ SE : 3,5 km.

Office de Tourisme pl. Ste-Quitterie (1er juin-30 sept.) ℰ 61 05 63 46 et à la Mairie ℰ 61 05 64 00.

Paris 800 – Ax-les-Thermes 26 – Foix 16 – Lavelanet 29.

- **Host. Poste,** av. V.-Pilhes ℰ **61 05 60 41**, — wc wc ☎. AE ◑ VISA
  fermé 15 nov. au 1er déc. – SC : **R** 58/135 – 15 – **30 ch** 93/185 – P 217/290.
- **Confort** sans rest, 3 quai A.-Sylvestre ℰ **61 05 61 90** – wc wc
  15 mai-31 oct. ; fermé sam. et dim. sauf du 1er juil. au 30 sept. – SC : 16 – **14 ch** 80/180.

CITROEN Gar. du Stade, ℰ 61 05 89 20
PEUGEOT-TALBOT Comelera et Spadotti, ℰ 61 05 61 11
RENAULT Fernandez, ℰ 61 05 60 59

TARBES P **65000** H.-Pyr. 85 ⑧ **G. Pyrénées** – 54 055 h. alt. 304.

Voir Jardin★ et Musée Massey (musée international des Hussards★ BX **M**).

ℰ 62 96 06 22 par ⑤ : 3 km.

de Tarbes - Ossun - Lourdes ℰ 62 32 92 22 par ⑥ : 9 km.

ℰ 62 37 50 50.

Syndicat d'Initiative pl. Verdun ℰ 62 93 36 62 - A.C. 6 r. E.-Ténot ℰ 62 93 03 30.

Paris 790 ① – ♦Bordeaux 211 ① – Lourdes 19 ⑥ – Pau 40 ⑦ – ♦Toulouse 153 ④.

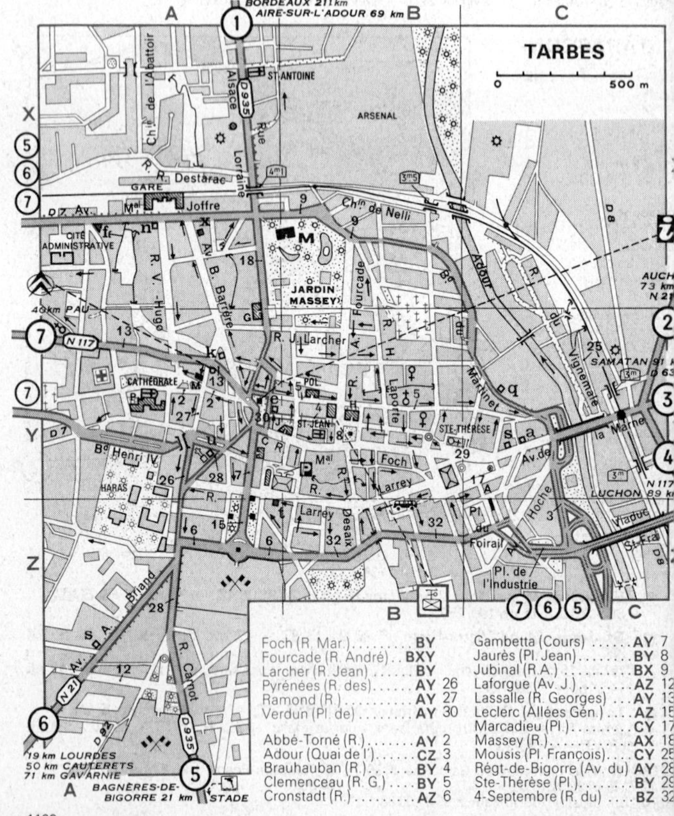

Président M, rte Lourdes ✆ 62 93 98 40, Télex 530522, ←, 🏞, 🏊 – |♦| ▤ rest TV
Ⓟ – 🏛 35 à 120. AE ⦿ E VISA. ✻ rest — AZ s
SC : **Le Toit de Bigorre R** 150 bc/48 – ☐ 23 – **57 ch** 170/300.

Foch M sans rest, 18 pl. Verdun ✆ 62 93 71 58 – |♦| TV ☎ Ⓟ. AE VISA — AY e
fermé 14 au 31 juil., 24 déc. au 2 janv. et dim. soir – SC : ☐ 20 – **29 ch** 185/245.

Henri IV sans rest, 7 av. B. Barère ✆ 62 34 01 68 – |♦| TV ⌂wc ⋒wc ☎. AE ⦿ E VISA — AY k
SC : ☐ 22 – **24 ch** 165/260.

Martinet sans rest, 13 bd Martinet ✆ 62 37 96 30 – ⋒wc ☎ Ⓟ. E VISA — CY q
SC : ☐ 15,50 – **24 ch** 67/190.

Béarn Bigorre sans rest, 6 bis av. Marne ✆ 62 93 23 23 – |♦| ⌂wc ⋒wc ☎ 🚗.
AE ⦿ E VISA — CY a
SC : ☐ 22 – **38 ch** 83/250.

Terminus, 42 av. Mar.-Joffre ✆ 62 93 00 33 – ⌂wc ⋒ ☎. VISA. ✻ ch — AX n
SC : **R** *(fermé sept. et sam.)* 56/110 ♁ – ☐ 20 – **32 ch** 86/185 – P 180/250.

Marne sans rest, 4 av. Marne ✆ 62 93 03 64 – TV ⌂wc ⋒ ☎ 🚗. AE ⦿ E VISA
SC : ☐ 13,50 – **26 ch** 68/147. — CY s

Blason sans rest, 26 r. Régiment de Bigorre ✆ 62 34 48 88 – ⋒wc ☎ — AY u
fermé 3 au 18 août et dim. hors sais. – SC : ☐ 15 – **15 ch** 115/140.

Amphitryon, 38 r. Larrey ✆ 62 34 08 99 – AE ⦿ VISA — AZ t
fermé 4 au 24 août, 22 au 28 déc. sam. midi et dim. – SC : **R** 130/220.

Toup' Ty, 86 av. B.-Barère ✆ 62 93 32 08 — AX x
fermé juil. et lundi – SC : **R** 60/150 ♁.

L'Isard avec ch, 70 av. Mar.-Joffre ✆ 62 93 06 69, 🏞 – AE E VISA. ✻ ch — AX f
fermé fév. – SC : **R** *(fermé dim. soir et sam.)* 45/160 – ☐ 13 – **7 ch** 75.

Buffet Gare, ✆ 62 93 16 22 — AX

par ② : 9 km – ✉ **65800** Aureilhan :

Ferme St-Ferréol ⛰, ✆ 62 36 22 15, ←, parc, 🏞, ✻ – ⌂wc ⋒wc ☎ ♿ Ⓟ –
🏛 100. AE ⦿ E VISA
fermé vend. (sauf rest.), sam. midi et dim. soir hors sais. – SC : **R** 49/150 – ☐ 14 – **21 ch** 100/180 – P 200/220.

rte de Lourdes par ⑥ :

Concorde M, à 3 km ✉ 65310 Laloubère ✆ 62 93 51 18, Télex 530194, 🏞 – |♦|
TV ☎ Ⓟ. AE ⦿ E VISA
SC : **R** 55/120 – ☐ 18 – **42 ch** 165/265.

Campanile, à 4 km ✉ 65310 Laloubère ✆ 62 93 83 20, Télex 530571 – ▤ rest TV
⌂wc ☎ ♿ Ⓟ – 🏛 40. VISA
SC : **R** 61 bc/82 bc – ☐ 23 – **50 ch** 181/202.

L'Aragon, à 4 km ✉ 65290 Juillan ✆ 62 93 99 33, 🏞 – ⌂wc ⋒wc ☎ Ⓟ. AE
VISA. ✻ rest
fermé 2 au 23 janv. – SC : **R** *(fermé dim. soir et lundi)* 58/195 – ☐ 16 – **14 ch** 105/195 – P 195/310.

à l'Aéroport par ⑥ : 9 km – ✉ **65290** Juillan :

Caravelle, ✆ 62 32 99 96, ← Pyrénées – ▤ Ⓟ. AE ⦿ VISA
fermé 15 au 31 juil., 15 janv. au 7 fév., dim. soir et lundi – SC : **R** (1er étage) 125/195.

par ⑦ : 6 km rte de Pau – ✉ **65420** Ibos :

La Chaumière du Bois M ⛰, ✆ 62 31 02 42, parc, 🏞, 🏊 – TV ⌂wc ☎ Ⓟ. AE
E VISA
fermé 10 au 16 avril, 24 août au 6 sept. et 22 déc. au 6 janv. – SC : **R** *(fermé dim. soir et lundi)* 60/150 – ☐ 22 – **11 ch** 190/260.

CITROEN Garoby, 23 r. Lassalle ✆ 62 93 31 36 N
DATSUN-NISSAN Raoux Bd Kennedy ✆ 62 93 28 97
RENAULT Pyrénées Véhicules, Rte de Bordeaux à Bordères-sur-l'Echez par ① ✆ 62 37 64 02 N

V.A.G. Gar. Tolsan, rte de Pau ✆ 62 34 35 83

Ⓟ Central-Pneu, 1 bd Mar.-de-Lattre-de-Tassigny ✆ 62 34 74 96
Dours, 13 bis cours de Reffye ✆ 62 93 01 84
Labazuy-Pneus, 6 r. Destarac ✆ 62 36 58 20
Saliot, 10 r. Clément ✆ 62 34 52 01

Périphérie et environs

ALFA-ROMEO Continental-Mauries 18 rte Lourdes à Odos ✆ 62 34 28 60
BMW Tarbes-Auto, rte de Pau à Ibos ✆ 62 34 38 45
CITROEN T.D.A. 28 rte de Lourdes à Odos par ⑥ ✆ 62 93 94 95 N ✆ 62 93 87 72
FORD C.-Fabre, rte de Toulouse à Séméac ✆ 62 37 18 74
OPEL Auto 2000, 80 rte Toulouse à Séméac ✆ 62 36 69 15

PEUGEOT-TALBOT Benoît, rte de Pau à Ibos par ⑦ ✆ 62 34 53 90
RENAULT Pyrénées-Autom., rte de Lourdes à Odos par ⑥ ✆ 62 34 38 83 N ✆ 62 36 15 92

Ⓟ Germa, 2 av. des Sports à Aureilhan ✆ 62 36 61 52

TARDETS-SORHOLUS 64470 Pyr.-Atl. 85 ⑤ – 787 h. alt. 216.
Paris 822 – Mauléon-Licharre 13 – Oloron-Ste-Marie 27 – Pau 60 – St-Jean-Pied-de-Port 53.

Gave, ✆ 59 28 53 67, ≤ – ⇔wc ⋒wc ☎ P. AE E VISA
fermé 15 au 30 nov., 4 janv. à fin fév., dim. soir et lundi – SC : **R** 60/120 – ☕ 17 – **12 ch** 94/204 – P 169/223.

XX **Pont d'Abense** ⑤ avec ch, à Abense-de-Haut ✆ 59 28 54 60, ☂, « jardin fleuri » – ⇔wc P. ✗
fermé 15 nov. au 10 janv. et vend. hors sais. – SC : **R** 45/120 ♂ – ☕ 14 – **12 ch** 90/180 – P 160/180.

TARGASSONNE 66 Pyr.-Or. 86 ⑯ – rattaché à Font-Romeu.

TARN (Gorges du) ★★★ 48 Lozère 80 ⑤ **G. Causses.**

TARNAC 19 Corrèze 72 ⑳ **G. Périgord** – 472 h. alt. 700 – ✉ **19170** Bugeat.
Paris 429 – Aubusson 49 – Bourganeuf 54 – Eymoutiers 24 – ♦Limoges 69 – Tulle 72 – Ussel 47.

Voyageurs ⑤, ✆ 55 95 53 12 – ⇔wc ⋒wc ☎. VISA. ✗ rest
fermé 10 janv. au 15 fév., lundi (sauf hôtel) et dim. soir du 15 oct. au 1er juin sauf vacances scol. et fêtes – SC : **R** 65/135 – ☕ 20 – **17 ch** 92/165 – P 154/198.

TARTAS 40400 Landes 78 ⑥ – 2 976 h. alt. 52.
Paris 727 – Arcachon 132 – ♦Bordeaux 135 – Dax 25 – Mont-de-Marsan 27 – Orthez 43 – Pau 100.

L'Aub. à Bros, à Bégaar O : 2 km N 124 ✆ 58 73 41 67 – ⋒ ⇔ P. ✗ ch
fermé 1er janv. au 8 fév., sam. soir et dim. soir sauf hôtel du 1er mai au 30 nov. – **R** carte 75 à 95 – ☕ 12 – **10 ch** 70/200.

TASSIN-LA-DEMI-LUNE 69 Rhône 73 ⑳ – rattaché à Lyon.

TAULÉ 29231 Finistère 58 ⑥ – 2 722 h. alt. 90.
Paris 544 – ♦Brest 57 – Morlaix 7 – Quimper 83 – St-Pol-de-Léon 14.

Relais des Primeurs, à la gare N : 1,5 km ✆ 98 67 11 03, ☂ – ⋒wc ☎ P
fermé sept., vend. soir et sam. midi sauf juil.-août – SC : **R** 50/147 ♂ – ☕ 15 – **16 ch** 80/122 – P 165.

TAUSSAT-LES-BAINS 33148 Gironde 78 ②
Paris 628 – Andernos-les-Bains 4,5 – Arcachon 36 – ♦Bordeaux 48.

Plage ⑤, ✆ 56 82 06 01, ☂ – ⇔wc ⋒wc P
fermé 5 au 20 oct., lundi sauf de juin à sept. et sans rest d'oct. à Pâques – SC : **R** 55/75 – ☕ 22 – **15 ch** 130/200 – P 180/220.

TAVEL 30126 Gard 81 ⑪ – 1 383 h. alt. 80.
Paris 678 – Alès 67 – Avignon 14 – Nîmes 39 – Orange 20 – Pont-St-Esprit 33 – Roquemaure 8,5.

XXX ✿ **Aub. de Tavel** (Bonnevaux) M avec ch, ✆ 66 50 03 41, ☂, ⛱ – TV ⇔wc ⋒wc ☎ – 🏛 30. AE ⓞ E VISA
fermé fév., 1er au 15 mars et lundi hors sais. – SC : **R** 102/247 – ☕ 29 – **11 ch** 218/311 – P 345/528
Spéc. Salade de langoustines, Caneton au coulis d'orange et miel, Feuilleté d'agneau au foie gras. **Vins** Tavel, Lirac.

XX **Host. du Seigneur** avec ch, ✆ 66 50 04 26, tableaux – E. ✗ ch
fermé 1er déc. au 15 janv. et jeudi – SC : **R** 62/95 – ☕ 15 – **7 ch** 84/150 – P 220/260.

TAVERS 45 Loiret 64 ⑧ – rattaché à Beaugency.

Le TEIL 07 Ardèche 80 ⑩ **G. Vallée du Rhône** – 8 352 h. alt. 73 – ✉ **07400** Le Teil-d'Ardèche.
Voir Baptistère ★ de l'église de Mélas.
i Office de Tourisme pl. P.-Sémard "Les Sablons" ✆ 75 49 10 46.
Paris 610 – Aubenas 37 – Montélimar 6 – Privas 28.

XX **L'Ardéchois,** ✆ 75 49 21 39 – AE VISA
fermé juil., vacances de fév., sam. midi, dim. soir et lundi – SC : **R** 95/190.

X **Coissieux,** ✆ 75 49 06 83 – AE ⓞ VISA
fermé 1er au 15 juil., mardi soir et merc. – **R** 70/140.

Le TEILLEUL 50640 Manche 59 ⑨ – 1 542 h. alt. 70.
Paris 272 – Avranches 46 – Domfront 19 – Fougères 38 – Mayenne 38 – St-Lô 77.

Clé des Champs, E : 1 km sur N 176 ✆ 33 59 42 27 – ⋒wc ☎ ⇔ P. AE ⓞ E VISA
fermé 27 janv. au 1er mars et dim. soir du 1er oct. au 1er avril – SC : **R** 54/105 ♂ – ☕ 13,50 – **20 ch** 90/198 – P 160/251.

PEUGEOT-TALBOT Gar. Lemonnier, ✆ 33 59 40 20
RENAULT Gar. Bonsens, ✆ 33 59 40 28 N

TELGRUC-SUR-MER 29 Finistère 58 ⑭ – 1 844 h. alt. 80 – ✉ 29127 Plomodiern.
Paris 573 – Châteaulin 23 – Douarnenez 33 – Quimper 42.

✕✕ **Aub. du Gerdann,** E : 2 km sur D 887 ✆ 98 27 78 67 – ℗. E
fermé 15 au 30 oct., en fév., lundi soir sauf juil.-août et mardi – SC : **R** 60/210.

TEMPLERIE 35 I.-et-V. 59 ⑲ – rattaché à Fougères.

TENCE 43190 H.-Loire 76 ⑧ **G. Vallée du Rhône** – 2 733 h. alt. 840.
ℹ Syndicat d'Initiative 2 r. St-Agrève (fermé après-midi hors sais.) ✆ 71 59 81 99.
Paris 559 – Le Chambon-sur-Lignon 8,5 – Lamastre 41 – Le Puy 46 – ♦St-Étienne 53 – Yssingeaux 19.

Le Gd Hôtel (Placide), ✆ 71 59 82 76, parc – wc wc ☎. rest
1er fév.-30 nov. et fermé dim. soir et lundi d'oct. à mai – SC : **R** 115/320 – 26 – **17 ch** 200/300 – P 300/350
Spéc. Foie gras poêlé au coulis de cèpes. Vins St-Joseph, Côtes-du-Rhône.

Gouit, pl. Chatiague ✆ 71 59 82 39 –
fermé janv., dim. soir et lundi sauf juil.-août – SC : **R** 45/150 – 12 – **22 ch** 56/95 – P 125/130.

PEUGEOT-TALBOT Gar. Bachelard, ✆ 71 59 80 20 N ✆ 71 59 83 30

TENDE 06430 Alpes-Mar. 84 ⑳ **G. Côte d'Azur** – 2 045 h. alt. 816.
Paris 861 – Cuneo 45 – Menton 57 – ♦Nice 83 – Sospel 40.

Centre sans rest, 12 pl. République ✆ 93 04 62 19 – wc wc. E VISA
fermé 15 fév. au 15 mars – SC : 16 – **17 ch** 80/115.

TERMIGNON 73 Savoie 77 ⑧ **G. Alpes** – 344 h. alt. 1 300 – ✉ 73500 Modane.
Paris 641 – Chambéry 120 – Col du Lautaret 75 – Modane 17 – St-Jean-de-Maurienne 48.

Doron, ✆ 79 20 50 44 – ℗. rest
20 juin-10 sept., 1er au 7 mars et vacances scolaires – SC : **R** 56/62 – 15 – **16 ch** 80/90 – P 145/150.

TERRASSON-LA-VILLEDIEU 24120 Dordogne 75 ⑦ **G. Périgord** – 6 309 h. alt. 90.
ℹ Syndicat d'Initiative pl. Martyrs (1er juin-30 sept.) ✆ 53 50 37 56 et à la Mairie ✆ 53 50 22 51.
Paris 510 – Brive-la-Gaillarde 21 – Périgueux 52 – Sarlat-la-Canéda 42.

Rush H., 91 av. V.-Hugo ✆ 53 50 03 74, – wc ℗.
48 ch.

CITROEN Excelsior Gge, ✆ 53 50 11 57
FORD Gauthier, ✆ 53 50 07 44 N
RENAULT Sierra, N. 89 ✆ 53 50 00 69 N

La TERRIÈRE 85 Vendée 71 ⑪ – rattaché à La Tranche-sur-Mer.

TERTENOZ 74 H.-Savoie 74 ⑰ – rattaché à Faverges.

TESSÉ-LA-MADELEINE 61 Orne 60 ① – rattaché à Bagnoles-de-l'Orne.

TESSY-SUR-VIRE 50420 Manche 54 ⑬ – 1 531 h. alt. 47.
Paris 306 – Avranches 47 – ♦Caen 61 – Granville 45 – St-Lô 18 – Villedieu-les-Poêles 25 – Vire 24.

France, ✆ 33 56 30 01, – ℗. E VISA
fermé dim. soir du 1er oct. au 31 mars – SC : **R** 40/128 – 13,50 – **15 ch** 55/117 – P 110/150.

CITROEN Burnouf, ✆ 33 56 30 15 N ✆ 33 56 33 13
PEUGEOT-TALBOT Lefranc, ✆ 33 56 30 11

La TESTE 33260 Gironde 78 ②⑫ – 19 030 h.
18 ✆ 56 54 44 00, O : 2 km.
ℹ Office de Tourisme pl. J.-Hameau (fermé après-midi hors sais.) ✆ 56 66 45 59.
Paris 646 – Andernos-les-Bains 35 – Arcachon 4 – Belin-Beliet 39 – Biscarrosse 34 – ♦Bordeaux 59.

France sans rest, **35 r. Port ✆ 56 66 27 69** – ☎.
fermé 12 oct. au 12 nov. – SC : 19 – **15 ch** 131/200.

FIAT-LANCIA-AUTOBIANCHI Auto-Port, Parc Ind., rte Cazaux ✆ 56 54 12 13
PEUGEOT-TALBOT Estrade, Zone Ind., bd Industrie ✆ 56 54 14 69
RENAULT Arc-Auto, Zone Ind. ✆ 56 54 14 50 N ✆ 56 22 41 10
RENAULT Gar. de la Côte, 36 av. Gén.-de-Gaulle ✆ 56 66 31 98
Lascaray, 53 av. Gén.-de-Gaulle ✆ 56 66 27 22

TÉTEGHEM 59 Nord 51 ④ – rattaché à Dunkerque.

Le TEULET 19 Corrèze 75 ⑳ – ✉ 19430 Mercoeur.

Paris 538 – Argentat 24 – Aurillac 30.

Relais du Teulet, ✆ 55 28 71 09 – Ⓟ. ✖ ch
fermé sam. du 1er nov. à Pâques – SC : **R** 44/78 ₰ – ☕ 11 – **10 ch** 61/92 – P 141.

TEYSSET 47 Lot-et-Gar. 79 ⑤ – rattaché à Ste-Livrade-sur-Lot.

THANN ⟨SP⟩ 68800 H.-Rhin 66 ⑨ **G. Alsace et Lorraine** (plan) – 7 788 h. alt. 340.

Voir Collégiale St-Thiébaut★★.

Office de Tourisme 6 pl. Joffre (vacances scolaires de fév., Pâques et 1er juin-30 sept.) ✆ 89 37 96 20.

Paris 448 – Belfort 42 – Colmar 44 – Épinal 88 – Guebwiller 25 – ♦Mulhouse 22.

FIAT, LANCIA Boeglin, 64 rte Mulhouse, Vieux-Thann ✆ 89 37 04 03

PEUGEOT-TALBOT Jeker, 16 rte de Roderen par D 103 et D 35 ✆ 89 37 81 72

THANNENKIRCH 68 H.-Rhin 62 ⑲ **G. Alsace et Lorraine** – 367 h. alt. 510 – ✉ **68590** St-Hippolyte.

Voir Route★ de Schaentzel (D 48 1) N : 3 km.

Paris 427 – Colmar 21 – St-Dié 39 – Sélestat 15.

Touring, ✆ 89 73 10 01, ≤ – |♦| ⇔wc ⋔wc ☎ Ⓟ. ✖ rest
Pâques-1er nov. – SC : **R** 63/136 ₰ – ☕ 25 – **31 ch** 168/197, 3 appartements 252 – P 209/230.

Taennchel ⛰, ✆ 89 73 10 15, 🏞 – ⋔wc Ⓟ. VISA. ✖ ch
15 mars-15 nov., fermé lundi soir et mardi hors sais. – SC : **R** 65/150 ₰ – ☕ 17 – **15 ch** 70/150 – P 175/200.

THAON 14610 Calvados 54 ⑮ **G. Normandie** – 1 146 h. alt. 29.

Voir Ancienne église★ – Paris 253 – Bayeux 20 – ♦Caen 12 – Courseulles-sur-Mer 10.

XX **Aub. de la Mue,** ✆ 31 80 01 47, 🏕 – Ⓟ. VISA
fermé en fév. et merc. – SC : **R** 53/140.

CITROEN Gar. Goumault, ✆ 31 80 03 03 🅽 ✆ 31 80 01 83

Le THEIL 15 Cantal 76 ② – rattaché à Salers.

THEIX 56 Morbihan 63 ③ – rattaché à Vannes.

THEIZÉ 69 Rhône 73 ⑨ – 944 h. alt. 490 – ✉ **69620** Le Bois-d'Oingt.

Paris 445 – Chauffailles 51 – ♦Lyon 34 – Tarare 23 – Villefranche-sur-Saône 12.

Espérance ⛰, près Église ✆ 74 71 22 26, ≤ – ⋔. AE ⓓ E VISA
fermé 20 sept. au 20 oct., mardi soir et merc. – SC : **R** 68/100 – ☕ 16 – **9 ch** 75/106.

RENAULT Gar. Mazallon, ✆ 74 71 22 40 🅽 ✆ 74 71 25 14

THEL 69 Rhône 73 ⑧ – rattaché à Cours.

THÈMES 89 Yonne 61 ⑭ – ✉ **89410** Cézy.

Paris 137 – Auxerre 36 – La Celle-St-Cyr 4 – Joigny 8,5 – Montargis 50 – Sens 27.

XX **P'tit Claridge** avec ch, ✆ 86 63 10 92, 🏕, 🏞 – ⇔ Ⓟ. E VISA
fermé fév. – SC : **R** *(fermé lundi hors sais.)* 58/135 ₰ – ☕ 19 – **13 ch** 95/155 – P 170/200.

THENISY 77 S.-et-M. 61 ③④ – 156 h. alt. 71 – ✉ **77520** Donnemarie-Dontilly.

Paris 84 – Coulommiers 42 – Melun 46 – Montereau-faut-Yonne 21 – Provins 15 – Sens 38.

X **Aub. Fleurie,** ✆ (1) 60 67 33 02 – Ⓟ. E VISA
fermé fév. et merc. – **R** (dîner prévenir) carte 95 à 130 ₰.

THÉOULE-SUR-MER 06590 Alpes-Mar. 84 ⑧, 195 ㉞ **G. Côte d'Azur** – 1 010 h. alt. 4 à 155.

Office de Tourisme pl. Gén.-Bertrand ✆ 93 49 28 28.

Paris 900 – Cannes 10 – Draguignan 57 – ♦Nice 41 – St-Raphaël 36.

Gd Hôtel sans rest, ✆ 93 49 96 04 – ⋔wc ☎ 🚗
1er avril-30 sept. – SC : ☕ 22 – **24 ch** 130/250.

à la Galère S : 1,8 km par N 98 – ✉ **06590** Théoule :

Villa Anna Guerguy "La Galère" ⛰, ✆ 93 75 44 54, 🏕, « **Jardins en terrasses,** ≤ **littoral et les îles** » – 📺 ☎ Ⓟ. ✖
début fév.-nov. – **R** *(fermé le midi du 10 juil. à fin août et merc.)* (nombre de couverts limité - prévenir) carte 220 à 300 – ☕ 45 – **14 ch** 520/700.

Voir aussi ressources hôtelières de *Miramar* S : 6 km

THÉRONDELS 12 Aveyron 76 ⑬ – 606 h. alt. 960 – ✉ **12600** Mur-de-Barrez.

Paris 546 – Aurillac 49 – Chaudes-Aigues 54 – Espalion 68 – Murat 59 – Rodez 88 – St-Flour 57.

Miquel, ℘ 65 66 02 72 – wc 🅿
fermé 1er au 15 oct. et 2 janv. au 1er fév. – SC : **R** 42/65 – 14 – **22 ch** 80/100 – P 107/129.

THÉSÉE 41 L.-et-Ch. 64 ⑰ **G. Châteaux de la Loire** – 1 157 h. alt. 68 – ✉ **41140** Noyers-sur-Cher.

Syndicat d'Initiative pl. Gare ℘ 54 71 42 54.

Paris 221 – Blois 34 – Châteauroux 77 – Montrichard 9,5 – Romorantin-Lanthenay 40 – Vierzon 64.

Host. Moulin de la Renne, ℘ 54 71 41 56, ≤, – wc 🅿
fermé 10 janv. au 10 mars, mardi soir et merc. – SC : **R** 60/140 – 19 – **15 ch** 105/160 – P 215/260.

La Mansio avec ch, ℘ **54 71 40 07** – 🅿. AE VISA
fermé 2 janv. au 8 fév., mardi soir et merc. d'oct. à avril – SC : **R** 50/130 – 14 – **9 ch** 90 – P 130/150.

THIBERVILLE **27230** Eure 55 ⑭ – 1 657 h. alt. 169.

Paris 158 – Bernay 13 – Brionne 23 – Évreux 56 – Lisieux 17 – Orbec 16 – Pont-Audemer 27.

Levrette, ℘ 32 46 80 22 – 🅿. VISA
fermé vacances de fév., dim. soir et jeudi – SC : **R** 60/90 – 15 – **5 ch** 60/100 – P 150.

THIÉBLEMONT-FARÉMONT 51 Marne 61 ⑨ – rattaché à Vitry-le-François.

THIERS SP **63300** P.-de-D. 73 ⑯ **G. Auvergne** – 16 820 h. alt. 436.

Voir Site★★ – Le Vieux Thiers★ : Maison du Pirou★ B – Terrasse du Rempart ★ – Rocher de Borbes ≤★ S : 3,5 km par D 102 – Office de Tourisme pl. du Pirou (fermé après-midi hors sais.) ℘ 73 80 10 74 et pl. Mutualité (1er juil.-30 sept.).

Paris 385 ③ – Bourg-en-Bresse 182 ① – Chalon-sur-Saône 231 ① – ♦Clermont-Ferrand 45 ② – Issoire 56 ② – ♦Lyon 136 ① – Le Puy 126 ② – Roanne 59 ① – ♦St-Étienne 107 ① – Vichy 36 ③.

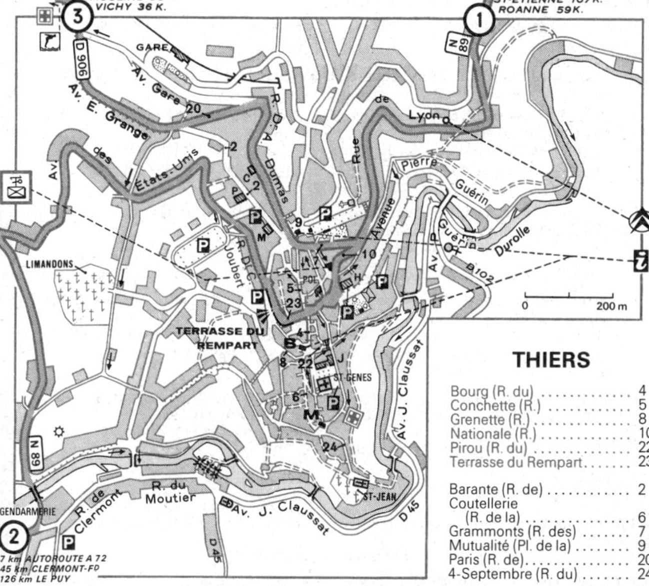

THIERS

rte de Clermont par ② : 5 km sur N 89 – ✉ **63300** Thiers :

Fimotel M, ℘ **73 80 64 40, Télex 392000** – TV wc 🅿 – 30. AE VISA
SC : **R** 45/130 – 17,50 – **42 ch** 199/209 – P 250/330.

Voir aussi ressources hôtelières de ***Pont-de-Dore*** par ② : 6 km

CITROEN Sauvagnat, 90 r. de Lyon ✆ 73 80 03 74
FORD Dugat, 50 av. Léo-Lagrange ✆ 73 80 50 22
PEUGEOT-TALBOT Thiers-Autom., 52 av. L.-Lagrange par ② ✆ 73 80 57 54
RENAULT S.A.R.A.C Zone Ind. du Felet par ② ✆ 73 80 55 10

V.A.G. Gar. Perron, 79 av. L.-Lagrange ✆ 73 80 20 49

Estager-Pneu, Zone des Molles, av. L.-Lagrange ✆ 73 80 15 97

THIÉZAC 15450 Cantal 76 ⑫⑬ **G. Auvergne** – 742 h. alt. 805.

Voir Pas de Compaing★ NE : 3 km – Syndicat d'Initiative à l'Hôtel de Ville ✆ 71 47 01 21.

Paris 517 – Aurillac 27 – Murat 24 – Vic-sur-Cère 6.

Casteltinet M, ✆ 71 47 00 60, ←, – wc ✆ P. E VISA. rest
fermé 1er au 7 mai et 1er oct. au 20 déc. – SC : **R** 62/175 – 16 – **23 ch** 139/160 – P 175/182.

Elancèze M (annexe **Belle vallée**), ✆ 71 47 00 22, ←, – wc wc ✆ P. AE E
fermé 15 nov. au 15 déc. – SC : **R** 50/115 – 15 – **31 ch** 70/135 – P 125/170.

Commerce, ✆ 71 47 01 67 – . AE E VISA. rest
SC : **R** 70/150 – 13 – **35 ch** 75/150 – P 125/160.

Le THILLOT 88160 Vosges 66 ⑧ **G. Alsace et Lorraine** – 4 867 h. alt. 500.

Paris 410 – Belfort 44 – Colmar 81 – Épinal 50 – ♦Mulhouse 59 – St-Dié 63 – Vesoul 63.

au Menil NE : 3,5 km par D 486 – alt. 515 – ✉ **88160** Le Thillot :

Les Sapins, ✆ 29 25 02 46, ←, – wc wc ✆ P. VISA. rest
fermé 15 nov. au 15 déc. – SC : **R** 60/110 – 18 – **23 ch** 145/163 – P 193/215.

au col des Croix SO : 4 km par D 486 – alt. 678 – ✉ **88160** Le Thillot :

Perce-Neige, ✆ 29 25 02 63 – wc wc ✆ P. AE
fermé 10 nov. au 20 déc. – SC : **R** 58/120 – 18 – **20 ch** 90/160 – P 180/200.

THIONVILLE SP 57100 Moselle 57 ③④ **G. Alsace et Lorraine** – 41 448 h. alt. 155.

Voir Château de la Grange★ par ① : 2 km.

Office de Tourisme 16 r. Vieux-Collège ✆ 82 53 33 18.

Paris 340 ③ – Luxembourg 35 ⑥ – ♦Metz 29 ③ – ♦Nancy 83 ③ – Trier 70 ② – Verdun 87 ③.

Plan page ci-contre

Parc sans rest, 10 pl. République ✆ 82 53 71 80 – wc wc ✆. AE VISA
SC : 22 – **42 ch** 160/250. AZ **e**

Aux Portes de France sans rest, 1 pl. Gén.-Patton ✆ 82 53 30 01 – wc wc ✆. AE VISA. BY **v**
fermé 2 au 25 août et 24 déc. au 2 janv. – SC : 20 – **21 ch** 95/190.

Beffroi sans rest, 2 r. Mersch ✆ 82 53 31 30 – wc ✆. VISA. BY **u**
fermé 4 au 29 juil. – SC : 15 – **24 ch** 70/170.

XXX **Concorde** avec ch, 6 pl. Luxembourg ✆ 82 53 83 18, Télex 861338, Thionville – TV wc wc ✆. AE E VISA BY **a**
R 140/230 – 25 – **25 ch** 195/250.

au NO par allée de la Libération et allée Bel Air - AY : 3 km – ✉ **57100** Thionville :

Horizon, 50 rte Crève-Coeur ✆ 82 88 53 65, ←, , – wc ✆ P – 25. AE VISA
mi-fév.-mi-déc. – SC : **R** *(fermé sam. midi)* 170/280 – 39 – **10 ch** 280/500.

XX **Aub. Crève-Coeur,** ✆ 82 88 50 52, – P. AE E VISA
fermé dim. soir et lundi – SC : **R** 90/200 .

AUSTIN, LANCIA-AUTOBIANCHI, ROVER Gar. du Fort, rte de Yutz, Percée Sud ✆ 82 56 11 74
CITROEN Gar. Moderne Thionville Florange, 36 rte d'Esch-sur-Alzette par ⑥ ✆ 82 88 10 15 N ✆ 82 53 32 46
FIAT Gar. du Centre, 50 av. de Guise ✆ 82 53 27 13
FORD Central Auto, 1 rte de la Digue ✆ 82 88 55 48

PEUGEOT-TALBOT Gar. Moderne, 10 av. Douai ✆ 82 53 30 08 N
V.A.G. Gar. Diettert, 39 av. Clemenceau ✆ 82 53 26 04 N ✆ 82 53 10 98
VOLVO Gar. Vaillant, 18 r. de Verdun ✆ 82 88 58 81

Leclerc-Pneu, boucle du Ferronnier Zone Ind. du Linkling 2 ✆ 82 88 43 28

Périphérie et environs

BMW Gar. Burlet, 27 rte de Verdun à Terville ✆ 82 88 58 83
PEUGEOT-TALBOT Gar. de la Fensch, 14 r. Verdun à Florange par ⑤ ✆ 82 58 46 21 N
RENAULT Gd Gar. de la Moselle, 25 r. de Verdun à Terville par ⑤ ✆ 82 88 49 60 N
V.A.G. Gar. Diettert, 4 r. de la République à Hettange-Grande ✆ 82 53 10 98 N

Becker Pneus, 22 rte de Metz à Florange ✆ 82 88 45 45
Terville-Pneus, Zone Ind. boucle Ferronnier à Terville ✆ 82 88 44 89

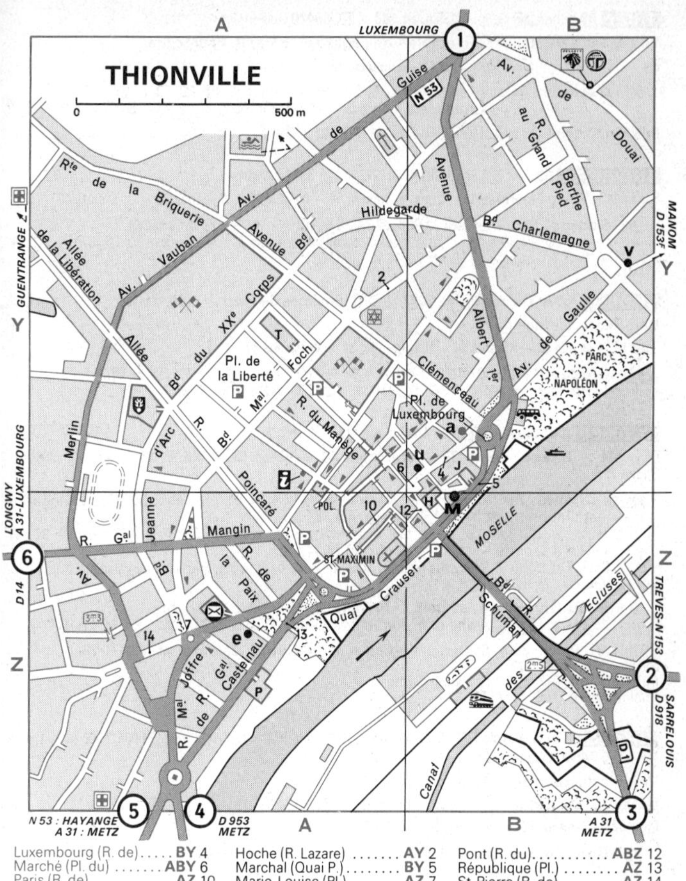

Luxembourg (R. de) . . . . . BY 4
Marché (Pl. du) . . . . ABY 6
Paris (R. de) . . . . AZ 10
Hoche (R. Lazare) . . . . AY 2
Marchal (Quai P.) . . . . BY 5
Marie-Louise (Pl.) . . . . AZ 7
Pont (R. du) . . . . ABZ 12
République (Pl.) . . . . AZ 13
St-Pierre (R. de) . . . . AZ 14

Plans de ville : *Les rues sont sélectionnées en fonction de leur importance pour la circulation et le repérage des établissements cités. Les rues secondaires ne sont qu'amorcées.*

THIRON **28480** E.-et-L. 60 ⑯ **G. Normandie** – 1 019 h. alt. 241.

Paris 130 – Chartres 41 – Châteaudun 41 – La Loupe 22 – Nogent-le-Rotrou 14 – Verneuil-sur-Avre 56.

XX **Aub. Abbaye** avec ch, r. Commerce ✆ 37 49 54 18, – P. VISA
fermé dim. soir et lundi midi – SC : **R** 56/145 – ☕ 28 – **10 ch** 80/105 – P 150/170.

THIVARS **28** E.-et-L. 60 ⑰, 196 ㊲ – rattaché à Chartres.

THIVIERS **24800** Dordogne 75 ⑥ **G. Périgord** – 4 215 h. alt. 253.

Syndicat d'Initiative pl. Mar.-Foch ✆ 53 55 12 50.

Paris 461 – Brive-la-Gaillarde 82 – ♦Limoges 64 – Nontron 32 – Périgueux 37 – St-Yrieix-la-Perche 31.

France et Russie M sans rest, **51 r. Gén.-Lamy** ✆ **53 55 17 80,** – wc
SC : ☕ 25 – **11 ch** 145/250.

CITROEN Beaufils, ✆ 53 55 00 74
PEUGEOT-TALBOT Boucher, ✆ 53 55 00 86
PEUGEOT-TALBOT Gar. Moderne, ✆ 53 55 00 46
RENAULT Gar. Joussely, ✆ 53 55 01 24
Maury-Pneus, ✆ 53 55 17 11

THIZY 89 Yonne 65 ⑥⑦ – 135 h. alt. 303 – ✉ 89420 Guillon.

Voir Montréal : stalles★ et retable★ de l'église S : 5 km, G. Bourgogne.

Paris 219 – Avallon 17 – Montbard 37 – Tonnerre 45.

- **L'Atelier** avec ch, ☎ 86 32 11 92, – wc. AE ⓓ E VISA.
  21 mars-11 nov., fermé merc. et jeudi – SC : **R** 80/160 – 27 – **8 ch** 110/220.

RENAULT Cervo, à l'Isle sur Serein ☎ 86 33 84 87 N

THOIRETTE 39 Jura 70 ⑭ – 293 h. alt. 292 – ✉ 39240 Arinthod.

Paris 444 – Bourg-en-Bresse 33 – Lons-le-Saunier 54 – Nantua 20 – Oyonnax 16 – St-Claude 40.

- **Source,** SO : 1 km sur D 936 ☎ 74 76 80 42, ←, –
  fermé 15 au 30 oct., 2 au 22 janv., dim. soir et lundi du 15 sept. au 15 juin – SC : **R** 40/110 – 13 – **10 ch** 77/113 – P 120/135.

THOIRY 78770 Yvelines 55 ⑲, 196 ⑮⑯ G. Environs de Paris – 713 h. alt. 160.

Voir Réserve africaine★.

Paris 51 – Dreux 46 – Mantes 24 – Rambouillet 31 – Versailles 30.

- **Étoile,** ☎ (1) 34 87 40 21, – TV wc – 50. AE ⓓ E VISA. ch
  fermé janv. et lundi – SC : **R** 64/100 – 27 – **12 ch** 155/256.

THOISSEY 01140 Ain 74 ① – 1 481 h. alt. 175.

Paris 414 – Bourg-en-Bresse 37 – Chauffailles 53 – ♦Lyon 56 – Mâcon 16 – Villefranche-sur-Saône 29.

- ❀ **Chapon Fin et rest. P. Blanc** , ☎ 74 04 04 74, Télex 305728, « Élégante installation », – TV . ⓓ VISA
  fermé début janv. à début fév. et mardi sauf le soir du 15 juin au 23 sept. – SC : **R** 170/350 et carte – 35 – **25 ch** 190/500
  Spéc. Cassolette d'écrevisses (saison), Assiette de la basse-cour, Fricassée de volaille aux morilles. Vins Fleurie, St-Véran.
- **Beau Rivage** , au port ☎ 74 04 01 66, ← – wc . ch
  15 mars-15 oct., fermé dim. soir et lundi – SC : **R** 64/125 – 17 – **10 ch** 94/140.

CITROEN Delorme, à St-Didier-sur-Chalaronne ☎ 74 04 03 26 N
PEUGEOT-TALBOT Berry, à St-Didier-sur-Chalaronne ☎ 74 04 04 68 N
RENAULT Chevrolat, ☎ 74 04 02 25

THOLLON 74 H.-Savoie 70 ⑱ G. Alpes – 416 h. alt. 992 – Sports d'hiver : 1 035/2 000 m 1 14 – ✉ 74500 Évian-les-Bains.

Voir Pic de Mémise ★★ 30 mn.

Syndicat d'Initiative (fermé matin hors sais.) ☎ 50 70 90 01.

Paris 577 – Annecy 95 – Évian-les-Bains 11 – Thonon-les-Bains 20.

- **Bon Séjour** , ☎ 50 70 92 65, , – wc wc . E VISA
  fermé 16 nov. au 18 déc. – SC : **R** 75/160 – 25 – **22 ch** 135/185 – P 215/225.
- **Les Gentianes** , au télécabine E : 2 km ☎ 50 70 92 39, ← lac et montagnes – wc wc . VISA
  31 mai-21 sept. et 19 déc.-20 avril – SC : **R** 48/150 – 19 – **22 ch** 164/180, (en sais. pension seul.) – P 209/310.
- **Bellevue,** ☎ 50 70 92 79, ←, , – . VISA
  fermé 25 avril au 8 mai et nov. – SC : **R** 57/100 – 15 – **20 ch** 93/118 – P 178/201.

Le THOLY 88530 Vosges 62 ⑰ – 1 583 h. alt. 600.

Voir Grande Cascade de Tendon★ NO : 5 km, G. Alsace et Lorraine.

Syndicat d'Initiative à la Mairie ☎ 29 61 81 18.

Paris 393 – Bruyères 21 – Épinal 30 – Gérardmer 10 – Remiremont 18 – St-Amé 10 – St-Dié 40.

- **Gérard,** ☎ 29 61 81 07, ←, , – wc wc . AE ⓓ E VISA
  fermé 26 sept. au 30 oct. – SC : **R** 50/90 – 19 – **20 ch** 140/200 – P 185/200.
- **Grande Cascade,** NO : 5 km sur D 11 ☎ 29 33 21 08, ← – wc . AE ⓓ VISA. rest
  fermé fin oct. à début déc. – SC : **R** 53/150 – 16,50 – **20 ch** 72/150 – P 135/176.

THONES 74230 H.-Savoie 74 ⑦ G. Alpes – 4 461 h. alt. 626.

Voir Vallée de Manigod★★ S : 3 km – Morette-Glières (cimetière militaire de Morette) NO : 3 km.

Office de Tourisme 1 pl. Avet ☎ 50 02 00 26.

Paris 553 – Albertville 36 – Annecy 20 – Bonneville 32 – Faverges 20 – Megève 41.

Nouvel H. Commerce, r. Clefs ✆ 50 02 13 66 – |♦| ⌂wc ⋒wc ☎ ⇔ – 🏃 45. E VISA. ✗ rest
fermé 14 au 25 avril et 21 oct. au 6 déc. – SC : **R** *(fermé lundi hors sais.)* 52/150 – ☐ 22 – **25 ch** 145/221 – P 227/248.

Gd H. Central sans rest, 1 r. Clefs ✆ 50 02 00 04, ⇔ – ⌂wc ☎ **P**. E VISA
1er mai-20 sept., 20 oct.-20 avril et fermé lundi – SC : ☐ 20 – **16 ch** 135/170.

Hermitage, av. Vieux-Pont ✆ 50 02 00 31 – ⌂wc ⋒wc ☎ **P**. E VISA. ✗ ch
fermé 20 oct. au 15 nov. – SC : **R** *(fermé vend. soir)* 42/90 ♁ – ☐ 13 – **40 ch** 60/135 – P 125/155.

Midi, pl. Hôtel de Ville ✆ 50 02 00 44 – ⌂wc ⋒ ☎. VISA
fermé 15 au 24 sept., 15 nov. au 15 déc. et mardi – SC : **R** 60/84 ♁ – ☐ 20 – **22 ch** 95/170 – P 120/185.

à la Vacherie : 3 km par D909 alt. 650 – ✉ **74230** Thônes :

Le Fournil Ⓜ, ✆ 50 02 98 65, ≤ – TV ⌂wc ☎ **P** – 🏃 50. AE ⓓ VISA. ✗ rest
fermé 30 avril au 6 mai, oct. et lundi sauf vacances scolaires – SC : **R** 48/215 ♁ – ☐ 22 – **20 ch** 195/380 – P 211/218.

THONON-LES-BAINS

SP **74200** H.-Savoie **70** ⑰ **G. Alpes** – 25 894 h. alt. 426 – Stat. therm. (6 janv.-22 déc.) – **Voir Les Belvédères**★★ ABY – **Chemin de Croix**★ **de la Basilique** AY **D** – **Voûtes**★ **de l'église St-Hippolyte** AY **E** – **Château de Ripaille**★ **N : 2 km** BY.

Office de Tourisme pl. Hôtel de Ville ✆ 50 71 00 51.

Paris 546 ④ – Annecy 73 ③ – Chamonix 100 ③ – ♦Genève 33 ④.

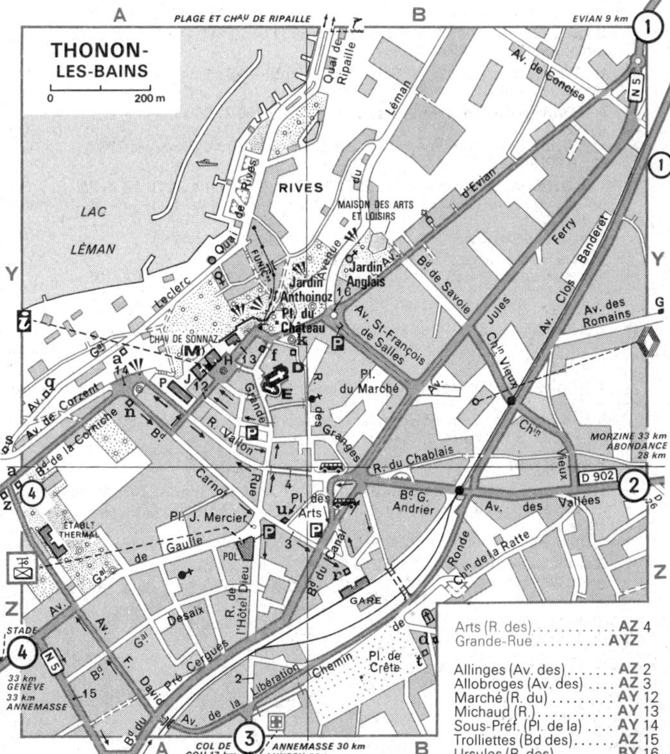

Savoie et Léman (École hôtelière), 2 bd Corniche ✆ 50 71 13 80, Télex 385905, ≤, ⇔ – |♦| ♿ **P** – 🏃 50. AE ⓓ E VISA. ✗ rest AY **n**
fermé sept., vacances de Toussaint, de Noël, de fév., de Pâques, sam. soir et dim. sauf juil.-août – SC : **R** 100/148 – **31 ch** ☐ 154/317, 4 appartements 416 – P 342/496.

tourner →

Rénovation M, 4 pl. Château ☎ 50 26 44 66 – ascenseur TV ⇔wc ☎ ♿ – 🏆 30. AE ⓓ E VISA — AY k
SC : **R** *(fermé dim. soir et lundi)* 63/120 🍷 – ☕ 20 – **23 ch** 130/215, 3 appartements 412.

Duché de Savoy, av. Gén.-Leclerc ☎ 50 71 40 07, 🌳 – ⇔wc ⋒wc ☎ 🚗. VISA. ✻ ch — AY a
mi mars-début nov. – SC : **R** *(fermé lundi hors sais.)* 67/140 – ☕ 19,50 – **17 ch** 145/190 – P 244/260.

Clos Savoyard, 50 av. Genève par ④ : 2 km ☎ 50 71 03 91, 🌳, 🌲 – ⇔wc ⋒wc ☎ P. AE ⓓ VISA
fermé déc. et janv. – SC : **R** *(fermé dim. soir et lundi sauf juin, juil. et août)* 90/140 – ☕ 25 – **17 ch** 175/225 – P 302/320.

Alpazur H. sans rest, 8 av. Gén.-Leclerc ☎ 50 71 37 25, ←, 🌲 – ascenseur ⋒wc ☎. ✻
1er avril-15 oct. – SC : ☕ 20 – **26 ch** 100/190. — AY q

Corniche, 24 bd Corniche ☎ 50 71 10 73, ←, 🌳, 🏊 – ⋒wc ☎ P – **23 ch**. — AZ a

Trianon du Léman 🐦, av. Corzent ☎ 50 71 25 78, ←, 🌳, 🌲, 🎾 – ⇔wc ⋒wc P. VISA. ✻ ch — AY s
30 mars-30 sept. – SC : **R** 64/190 – ☕ 21 – **17 ch** 99/198 – P 200/320.

Ma Campagne 🐦, av. Allinges par ③ ☎ 50 71 58 24 – ⇔wc ⋒wc ☎ P. VISA. ✻
Pâques-mi-sept., fermé dim. soir et lundi du 30 mars au 15 mai – SC : **R** 68/115 – ☕ 21 – **22 ch** 105/210 – P 185/230.

Villa des Fleurs 🐦 sans rest, 4 av. Jardins ☎ 50 71 11 38, 🌲 – ⇔wc ⋒wc ☎ P. ✻ — BZ d
Pâques-fin sept. et vacances de fév. – SC : ☕ 17,50 – **11 ch** 110/188.

Bocage H. sans rest, 38 bd Corniche ☎ 50 71 01 20, 🌲 – ⇔wc ⋒wc P — AZ z
fermé 4 au 30 nov. – SC : ☕ 20 – **7 ch** 235.

H. Terminus sans rest, pl. Gare ☎ 50 71 25 69 – ascenseur ⇔wc ☎ P. AE. ✻ — BZ r
fermé oct. – SC : ☕ 17 – **41 ch** 75/135.

A l'Ombre des Marronniers, 17 pl. Crête ☎ 50 71 26 18, 🌲 – ⇔wc ⋒wc ☎ P. ✻ — BZ t
fermé nov. – SC : **R** *(fermé dim. soir et lundi sauf de mai à sept.)* 60/120 🍷 – ☕ 16 – **22 ch** 90/160.

XX ✿ **Le Prieuré,** 68 Grande rue ☎ 50 71 31 89, « Décor 17e s. ». AE ⓓ E VISA — AY f
fermé lundi sauf le soir en juil.-août, mardi midi et dim. soir – SC : **R** (1er étage) 150/250
Spéc. Ravioles de truite, Pigeon aux échalotes, Nougat glacé sauce caramel.

X **Victoria,** 5 pl. Arts ☎ 50 71 02 82 – AE ⓓ E VISA — AZ u
fermé 15 au 30 juin, 23 déc. au 15 janv. et vend. hors sais. – SC : **R** 70/106.

à Armoy SE : 7 km par D 26 - BZ – alt. 620 – ✉ **74200** Thonon-les-Bains :

Carlina M 🐦, ☎ 50 73 94 94, ←, 🌳, 🌲 – ⇔wc ☎ P – 🏆 60. ✻ rest
1er mars-1er nov., fermé dim. soir et lundi hors sais. – SC : **R** 95/135 – ☕ 30 – **16 ch** 155/175 – P 195/200.

A l'Écho des Montagnes 🐦 (annexe M ascenseur ⇔wc ☎), ☎ 50 71 32 01, 🌲 – P. ✻ ch
fermé 1er déc. à vacances de fév. et mardi du 1er oct. au 1er mai – SC : **R** 55/130 – ☕ 20 – **56 ch** 90/165 – P 135/200.

à Bonnatrait par ④ : 9 km G. Alpes – ✉ **74140** Douvaine :

Hôtellerie Château de Coudrée 🐦, ☎ 50 72 62 33, Télex 309047, 🌳, « Château médiéval dans un parc au bord du lac », 🏊, ⛵, 🎾 – ☎ P – 🏆 40 à 100. AE ⓓ E VISA
30 avril-31 oct. – SC : **R** 175/280 – ☕ 45 – **20 ch** 520/820 – P 620/820.

Relais Savoyard, N 5 ☎ 50 72 60 06, 🌲 – ⋒wc ☎ P
fermé début sept. à début oct., mardi soir et merc. sauf juil.-août – SC : **R** 75/200 – ☕ 20 – **26 ch** 95/200 – P 175/240.

ALFA-ROMEO, LANCIA-AUTOBIANCHI Gar. Grillet, av. de Senevulaz ☎ 50 71 37 43
AUSTIN, ROVER, MITSUBISHI Gar. de la Source, 5 chemin de Morcy ☎ 50 71 39 78
FIAT Tailliez Autom., 10 av. Gén.-de-Gaulle ☎ 50 71 32 92
FORD Gar. de Thuyset, 16 av. des Prés-Verts ☎ 50 71 31 50
MAZDA, VOLVO Millet, N 202, Direction Morzine ☎ 50 71 23 35
OPEL Gar. Ricaud, av. des Abattoirs ☎ 50 71 02 11
RENAULT Degenève, av. J.-Ferry ☎ 50 71 00 74 N ☎ 50 71 78 83

Pneus-Service, av. du Clos de la Forge, Tully ☎ 50 71 45 23
Quiblier-Pneus, r. du Commerce ☎ 50 71 38 72

THORAME-HAUTE-GARE 04 Alpes-de-H.-P. 81 ⑱ – alt. 1 135 – ✉ 04170 St-André-les-Alpes.

Paris 796 – Beauvezer 11 – Castellane 32 – Colmars 17 – Digne 54 – Manosque 95 – Puget-Th. 56.

Gare, ☎ 92 89 02 54, ←, 🌲 – ⇔wc ⋒wc. VISA
1er mars-30 oct. et vacances scolaires – **R** 61/94 – ☕ 17 – **15 ch** 47/198 – P 164/201.

THORENC 06 Alpes-Mar. **81** ⑲, **195** ㉓ **G. Côte d'Azur** – alt. 1 250 – ✉ **06750** Caille.
Voir Col de Bleine ≤** N : 4 km.
Paris 831 – Castellane 35 – Draguignan 65 – Grasse 40 – •Nice 79 – Vence 42.

- **Voyageurs** ⛰, ✆ 93 60 00 18, ≤, 🏠, 🍴 – ⋒wc 🚗 Ⓟ
  15 fév.-15 oct. – SC : **R** 65/94 – ☕ 24 – **15 ch** 79/191 – P 228/260.

THORIGNÉ-SUR-DUÉ 72 Sarthe **60** ⑭ – rattaché à Connerré.

THORIGNY-SUR-MARNE 77 S.-et-M. **56** ⑫, **196** ㉑㉒, **101** ⑳ – rattaché à Lagny.

Le THORONET 83 Var **84** ⑥ – 819 h. alt. 142 – ✉ **83340** Le Luc.
Voir Abbaye du Thoronet★ O : 4,5 km, **G. Côte d'Azur.**
Paris 843 – Brignoles 25 – Draguignan 22 – St-Raphaël 47 – •Toulon 64.

- XX **Relais de l'Abbaye** ⛰ avec ch, NO : 3 km par D 84 ✆ 94 73 87 59, ≤, 🍴 – ⋒wc ☎ Ⓟ
  R *(fermé mardi et lundi sauf le midi en sais.)* 115/130 – ☕ 35 – **5 ch** 120/280.

THOUARS 79100 Deux-Sèvres **67** ⑧ **G. Châteaux de la Loire** – 11 913 h. alt. 87.
Voir Façade★★ **de l'église St-Médard**★ – **Site**★ – **Maisons anciennes**★ **D, E.**
ℹ Office de Tourisme avec A.C. 17 pl. St-Médard ✆ 49 66 17 65.
Paris 327 ② – Bressuire 29 ④ – Châtellerault 69 ③ – Cholet 58 ⑤ – La Roche-sur-Yon 111 ⑤.

- **Château** Ⓜ, rte de Parthenay **(a)** ✆ 49 66 18 52, ≤ – ⌂wc ⋒ ☎ Ⓟ. E VISA. ✗ ch
  fermé dim. soir – SC : **R** 50/168 🍷 – ☕ 17 – **20 ch** 104/136.
- **Le Relais** Ⓜ sans rest, **par ① : 3 km rte Saumur** ✆ **49 66 29 45** – ⌂wc ⋒wc ☎ Ⓟ. ✗
  SC : ☕ 14 – **15 ch** 97/120.

CITROEN Papin, 56 av. V.-Leclerc ✆ 49 66 21 45
PEUGEOT-TALBOT Géront-Chauvin, ZI rte de Saumur à Louzy par ① ✆ 49 68 08 22
RENAULT Salvra, 41 bd P.-Curie ✆ 49 66 21 78

Ⓜ Thouars-Pneus, 24-26 pl. Lavault ✆ 49 66 06 52

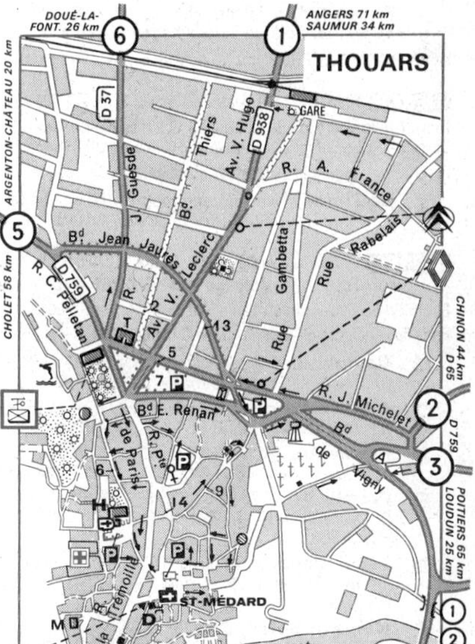

THOUARS

Bergeon (Bd)	2	Drouineau-de-Brie (R.)	6
Château (R. du)	3	Lavault (Pl.)	7
Curie (Bd Pierre)	5	Porte-au-Prévost (R.)	9
		Porte-Maillot (R.)	10
		République (Bd de la)	13
		St-Médard (R.)	14

THUEYTS 07330 Ardèche **76** ⑱ **G. Vallée du Rhône** (plan) – 1 013 h. alt. 462.
Voir Coulée basaltique★.
ℹ Syndicat d'Initiative pl. Champ de Mars (juin-sept.).
Paris 648 – Privas 50 – Le Puy 72.

- **Nord,** N 102 ✆ 75 36 40 38, 🍴 – ⌂wc ⋒ ☎
  Pâques-oct. et fermé mardi de Pâques au 15 juin – SC : **R** 59/89 – ☕ 28 – **18 ch** 90/176.
- **Platanes,** N 102 ✆ 75 93 78 66, 🍴 – |$| ▤ rest ⌂wc ⋒wc ☎ 🚗 Ⓟ
  6 fév.-3 nov. – SC : **R** 50/130 🍷 – ☕ 16,50 – **30 ch** 90/180 – P 160/230.
- **Marronniers,** ✆ 75 36 40 16, 🏠, 🍴 – ⌂wc ⋒wc ☎ Ⓟ. VISA. ✗
  5 mars-20 déc. et fermé lundi hors sais. – SC : **R** 55/130 – ☕ 17 – **19 ch** 72/190 – P 167/210.

THURY-HARCOURT 14220 Calvados 55 ⑪ G. Normandie – 1 615 h. alt. 46.

Voir Parc du château★ – Boucle du Hom★ NO : 3 km.

Office de Tourisme pl. St-Sauveur (matin seul. hors sais.) ✆ 31 79 70 45.

Paris 264 – ♦Caen 26 – Condé-sur-Noireau 19 – Falaise 26 – Flers 31 – St-Lô 53 – Vire 45.

XX **Relais de la Poste** avec ch, rte Caen ✆ 31 79 72 12, – wc ℗. AE ⓓ E VISA
1er mars-20 déc. – SC : **R** 95/180 – 25 – **10 ch** 150/220 – P 295/465.

à Goupillières N : 8,5 km par D 6 et D 212 – ✉ 14210 Evrecy :

XX **Aub. du Pont de Brie** avec ch, Halte de Grimbosq E : 1,5 km par D 171 ✆ 31 79 37 84, <, – wc ℗. E VISA.
fermé du 18 août au 1er sept., du 1er au 15 fév. et merc. du 1er sept. au 1er juin – SC : **R** 56/180 – 18 – **8 ch** 68/98.

CITROEN Hébert et Mariette, ✆ 31 79 70 74

THYEZ 74 H.-Savoie 74 ⑦ – 3 117 h. alt. 497 – ✉ 74300 Cluses.

Paris 552 – Annecy 49 – Bonneville 11 – Chamonix 49 – Cluses 7 – Megève 35 – Morzine 34.

Savoyard, ✆ 50 98 60 54, <, – ℗.
SC : **R** *(fermé sam. hors sais.)* 62/95 – 10 – **25 ch** 90/115 – P 180.

ALFA-ROMEO, MERCEDES Gar. Vallée de L'Arve, ✆ 50 98 41 16

TIERCÉ 49 M.-et-L. 64 ① – 2 627 h. alt. 31 – ✉ 49125 Seiches-sur-le-Loir.

Env. Plafond★★ de la salle des Gardes du château★ de Plessis-Bourré, G. Châteaux de la Loire – Syndicat d'Initiative à l'Hôtel de Ville (15 mai-15 sept.) ✆ 41 42 62 18.

Paris 275 – Angers 21 – Château-Gontier 36 – Château-la-Vallière 63 – La Flèche 34 – Saumur 56.

Le Tiercé, 19 r. de Longchamp ✆ 41 42 64 02 – ℗. E VISA
fermé janv. – SC : **R** *(fermé vend.)* 79/115 – 15 – **18 ch** 79/126 – P 178/199.

TIGNES 73320 Savoie 74 ⑲ G. Alpes – 1 486 h. alt. 2 100 – Sports d'hiver : 1 550/3 500 m 7 45 – Voir Site★★ – Barrage★★ NE : 5 km – 9 ✆ 79 06 37 42 S : 2 km.

Office de Tourisme au Lac ✆ 79 06 15 55, Télex 980030.

Paris 655 – Bourg-St-Maurice 30 – Chambéry 131 – Val d'Isère 13.

Campanules M , ✆ 79 06 34 36, < – TV wc wc. VISA.
juil.-août et 1er-déc.-3 mai – SC : **R** 85/100 – 31 – **36 ch** 308/330 – P 300/350.

Aiguille Percée, ✆ 79 06 52 22, < – TV wc wc. VISA. rest
fin oct.-4 mai – SC : **R** 85 – 30 – **38 ch** 360 – P 300/350.

Pramecou , ✆ 79 06 36 33, < – wc wc.
15 déc.-1er mai – SC : **R** 80/85 – 35 – **32 ch** 180/360 – P 260/350.

Paquis , ✆ 79 06 37 33, < – wc wc. rest
1er juil.-25 août et 25 oct.-15 avril – SC : **R** 80/85 – 35 – **32 ch** 180/360 – P 260/360.

Terril Blanc, ✆ 79 06 32 87, <, – wc ℗. VISA
1er juil.-30 août et 24 déc.-1er mai – SC : **R** 62/85 – 30 – **18 ch** 290/305 – P 300/315.

Neige et Soleil, ✆ 79 06 32 94, < – wc wc. VISA
27 oct.- 2 mai – SC : **R** 86/100 – 28 – **29 ch** 170/350 – P 220/350.

Gentiana , ✆ 79 06 52 46, < – wc wc. rest
28 juin-31 août et 31 oct.-5 mai – SC : **R** 58/135 – 25 – **18 ch** 165/290 – P 295/315.

Alpaka , ✆ 79 06 32 58, < – wc wc – **14 ch**.

Lo Terrachu , ✆ 79 06 31 37, < – wc – **14 ch**.

au Val Claret SO : 2 km – ✉ 73320 Tignes :

Ski d'Or M , ✆ 79 06 51 60, < –
15 déc.-1er mai – SC : **R** carte 155 à 255 – **22 ch** (1/2 pens., seul.) – 1/2 p 500/550.

Curling M sans rest, ✆ 79 06 34 34, Télex 309605, < – TV . AE ⓓ E VISA
1er juil.-31 août et 24 oct.-3 mai – SC : **35 ch** 450/560.

Vanoise , ✆ 79 06 31 90, <, – wc wc. rest
28 juin-30 août, et 28 oct.-10 mai – SC : **R** 75/100 – 27 – **21 ch** 260/350 – P 280/330.

aux Boisses NE : 5 km – alt. 1 810 – ✉ 73320 Tignes :

Mélèzes, ✆ 79 06 40 02, < – wc wc ℗.
15 déc.-30 avril – SC : **R** 65/75 – 34 – **18 ch** 140/220 – P 197/235.

TIL-CHÂTEL 21 Côte-d'Or 66 ⑫ G. Bourgogne – 755 h. alt. 284 – ✉ 21120 Is-sur-Tille.

Paris 338 – Châtillon-sur-Seine 76 – ♦Dijon 26 – Dole 65 – Gray 42 – Langres 42.

Poste, ✆ 80 95 03 53 – . ch
fermé vacances de nov., de Noël, de fév., dim. soir et sam. du 1er oct. au 31 mai – SC : **R** *(fermé sam. et dim. en déc. et janv.)* 46/97 – 12,50 – **12 ch** 55/100.

TILLÉ 60 Oise 52 ⑰ – rattaché à Beauvais.

TILLY-SUR-SEULLES 14250 Calvados 54 ⑮ – 1 092 h. alt. 60.

Paris 261 – Balleroy 17 – Bayeux 12 – ♦Caen 20 – St-Lô 38 – Vire 47.

Jeanne d'Arc, ✆ 31 80 80 13 – ⋒ ⇔. E VISA. ✂ ch
fermé 15 janv. au 15 fév., dim. soir et lundi hors sais. – SC : **R** 52/160 – ☕ 19,50 – **14 ch** 74/140 – P 195/260.

CITROEN Onfray, ✆ 31 80 80 14

TILQUES 62 P.-de-C. 51 ③ – rattaché à St-Omer.

Les TINES 74 H.-Savoie 74 ⑧⑨ – rattaché à Chamonix.

TINTÉNIAC 35190 I.-et-V. 59 ⑯ G. Bretagne – 2 598 h. alt. 56.

Voir Château de Montmuran★ et église des Iffs★ SO : 5 km.

Paris 373 – Avranches 63 – Dinan 24 – Dol-de-Bretagne 30 – Fougères 60 – ♦Rennes 27 – St-Malo 42.

Voyageurs avec ch, ✆ 99 68 02 21, ⚘ – ⊟wc ⋒wc ☎ Ⓟ. AE ⓓ E. ✂ ch
fermé 15 déc. au 15 janv., dim. soir et lundi sauf juil.-août – SC : **R** 58/140 – ☕ 18,50 – **16 ch** 130/220 – P 190/220.

RENAULT Gar. Loze, ✆ 99 68 01 03 N

TOCQUEVILLE-SUR-EU 76 S.-Mar. 52 ⑤ 146 h. alt. 84 – ✉ 76910 Criel-sur-Mer.

Paris 178 – Dieppe 20 – Eu 13 – Neufchâtel-en-Bray 44 – ♦ Rouen 81 – Le Tréport 12.

✿ **Le Quatre Pain** (Brachais), près Église ✆ 35 86 75 40 – AE ⓓ VISA
fermé fév., dim. soir et lundi – SC : **R** (nombre de couverts limité - prévenir) carte 105 à 170
Spéc. Terrine de canard, Suprême de barbue, Feuillantine glacée sauce chocolat.

TONNAY-BOUTONNE 17380 Char.-Mar. 71 ③ G. Côte de l'Atlantique – 1 059 h. alt. 24.

Paris 450 – Niort 52 – Rochefort 21 – Saintes 31 – St-Jean-d'Angély 18.

Le Prieuré M ⛰, ✆ 46 33 20 18, ⚘ – ⊟wc ⋒wc ☎ Ⓟ. VISA
fermé 23 déc. au 3 janv. – SC : **R** (dîner seul.) 90 – ☕ 25 – **14 ch** 170/190.

Beau Rivage, ✆ 46 33 20 01 – ⊟wc ⋒
fermé 20 sept. au 12 oct. et lundi hors sais. – SC : **R** *(fermé lundi midi)* 56/136 ⅋ – ☕ 14,50 – **7 ch** 102/160 – P 152/210.

TONNEINS 47400 L.-et-G. 79 ④ – 9 366 h. alt. 39.

ℹ Syndicat d'Initiative bd Ch.-de-Gaulle (15 juin-15 sept.) ✆ 53 79 22 79.

Paris 616 ⑤ – Agen 41 ③ – ♦Bordeaux 107 ⑤ – Nérac 37 ③ – Villeneuve-sur-Lot 36 ②.

Host. du Parc M ⛰, rte Marmande ✆ 53 79 30 30, parc, ⚘ – ⊟wc ⋒wc ☎ Ⓟ. AE ⓓ VISA. ✂ rest
fermé sam. soir et dim. – SC : **R** 79/185 – ☕ 24 – **17 ch** 170/250.

Fleurs sans rest, **(e)** ✆ 53 79 10 47, ⚘ – ⊟wc ⋒ ☎ Ⓟ
fermé dim. – ☕ 15 – **12 ch** 67/95.

CITROEN Baudrin, rte de Bordeaux ✆ 53 79 02 16
PEUGEOT-TALBOT Garonne-Auto, rte de Bordeaux par ⑤ ✆ 53 79 14 75 N
RENAULT Dupouy, rte de Bordeaux ✆ 53 84 50 84

Ⓜ Delapierre, 46 bd Marx-Dormoy ✆ 53 79 02 85

TONNEINS

Badie (Allée Maxime) . . 2
Bellevue (R.) 3
Gardolle (Bd de la) . . 4
Gaulle (Bd Ch.-de) . . . 6
Jaurès (Pl. Jean) . 7
Joffre (R. Mar.) . . 8
Pont (Av. du) 10
St-Pierre (Espl.) . 12

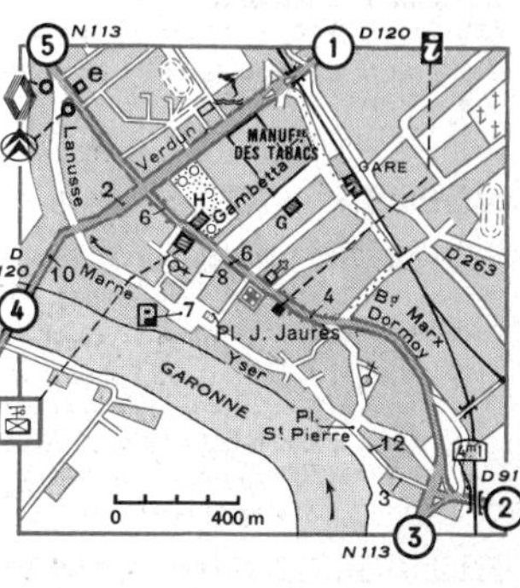

TONNERRE 89700 Yonne 65 ⑥ G. Bourgogne – 6 181 h. alt. 145.

Voir Ancien hôpital : charpente★ et Mise au tombeau★.

Env. Château★★ de Tanlay 8,5 km par ②.

ℹ Office de Tourisme pl. Marguerite de Bourgogne (1er avril-30 sept.) ✆ 86 55 14 48.

Paris 198 ③ – Auxerre 35 ③ – Châtillon-sur-S. 49 ② – Joigny 54 ① – Montbard 46 ② – Troyes 57 ①.

TONNERRE

Hôpital (R. de l') 9
Hôtel-de-Ville (R. de l') 12
St-Pierre (R.) 23

Campenon (R. Gén.) 2
Colin (R. Armand)............ 3
Fontenilles (R. des) 4
Fosse-Dionne (R. de la)....... 6
Garnier (R. Jean)............. 7
Pompidou (Av. G.) 14
Pont (R. du) 16
République (Pl. de la)......... 17
St-Michel (R.) 18
St-Nicolas (R.)............... 20

Dans la liste des rues des plans de ville, les noms en rouge indiquent les principales voies commerçantes.

Les plans de villes sont orientés le Nord en haut.

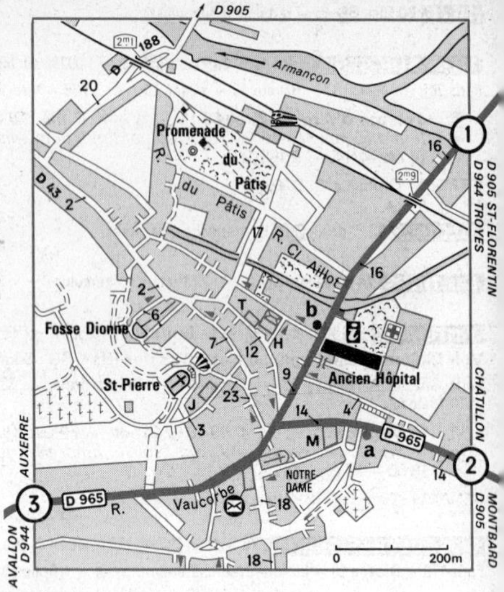

Centre, 63 r. Hôpital **(b)** ✆ 86 55 10 56 – wc ☎
fermé 24 déc. au 25 janv. – SC : **R** 40/120 – ☕ 14 – **30 ch** 50/150 – P 110/130.

XXX ❀ **Abbaye St-Michel** (Cussac) avec ch, r. St-Michel, sud du plan, ✆ 86 55 05 99, ←, « Parc fleuri », – TV wc ☎ P. AE ① VISA
fermé 20 déc. au 31 janv., dim. soir et lundi du 1er oct. au 31 mai – SC : **R** 250/350 et carte – ☕ 46 – **7 ch** 470/700, 4 appartements 1 160
Spéc. Soupe de coquillages et langoustines, Marinade de sandre au chou vert, Tête de veau. **Vins** Irancy, Epineuil.

X **Bonne Auberge,** 2 av. G.-Pompidou **(a)** ✆ 86 55 12 84,
fermé 5 au 29 sept., vacances de fév., dim. soir et lundi – SC : **R** 41/130.

CITROEN Gar. Viard, rte de Paris par ① ✆ 86 55 08 12 N ✆ 86 70 02 96
OPEL Gar. Sud-Autom., r. G.-Pompidou ✆ 86 55 08 80
PEUGEOT-TALBOT Hérault-Autos, 22 r. Chevalier d'Éon par ① ✆ 86 55 08 98
PEUGEOT-TALBOT Gar. Maupois, 86 bis r. G.-Pompidou par ② ✆ 86 55 14 11
RENAULT Perrot, rte de Paris par ① ✆ 86 55 15 89
SOVIC, quai du Canal ✆ 86 55 16 29

TORCY 71 S.-et-L. 69 ⑧ – rattaché au Creusot.

TORIGNI-SUR-VIRE 50160 Manche 54 ⑭ **G. Normandie** – 2 967 h. alt. 89.
Paris 293 – ♦Caen 51 – St-Lô 13 – Villedieu-les-Poêles 35 – Vire 26.

X **Aub. Orangerie** avec ch, ✆ 33 56 70 64 – TV. E VISA
fermé fév., dim. soir et lundi – SC : **R** 59/125 – ☕ 12 – **7 ch** 135/150 – P 231/250.

CITROEN Lemoine, ✆ 33 56 71 53 N
RENAULT Pagnon, à St-Amand ✆ 33 56 72 46

TORNAC 30 Gard 80 ⑰ – rattaché à Anduze.

TOUCY 89130 Yonne 65 ④ **G. Bourgogne** – 2 865 h. alt. 202.
Syndicat d'Initiative pl. Frères-Genet (15 juin-1er sept.) ✆ 86 44 20 44.
Paris 160 – Auxerre 24 – Avallon 67 – Clamecy 44 – Cosne-sur-Loire 50 – Joigny 30 – Montargis 60.

XX **Ville d'Auxerre,** bd P.-Larousse ✆ 86 44 02 77 – P. VISA
fermé 1er au 10 janv., dim. soir et lundi – SC : **R** 57/155.

X **Lion d'Or,** r. L.-Cormier ✆ 86 44 00 76 – VISA
fermé 1er au 15 déc., 3 au 20 fév., lundi soir et mardi – SC : **R** 64/107.

CITROEN Ragon, ✆ 86 44 11 99
Gar. Clère, ✆ 86 44 12 17

TOUËT-SUR-VAR 06 Alpes-Mar. 81 ⑲⑳, 195 ⑭ **G. Côte d'Azur** – 320 h. alt. 350 – ✉ 06710 Villars-sur-Var – **Env.** Villars-sur-Var : mise au tombeau★, retables du maître-autel★, de l'Annonciation★ dans l'Église E : 8,5 km.
Paris 840 – ♦Nice 55 – Puget-Théniers 10 – St-Étienne-de-Tinée 70 – St-Martin-Vésubie 63.

Poste, ✆ 93 05 71 03 – wc
fermé 1er déc. au 15 janv. et merc. sauf 1er juil. au 30 sept. – SC : **R** 55/90 – ☕ 12 – **10 ch** 60/170.

TOUGUES 74 H.-Savoie 70 ⑯ – rattaché à Douvaine.

TOUL <SP> **54200** M.-et-M. 62 ④ **G. Alsace et Lorraine** – 17 752 h. alt. 220.

Voir Ancienne cathédrale St-Étienne★★ et cloître★ BZ – **Église St-Gengoult★ et cloître★★** BZ.

ℹ Syndicat d'Initiative parvis Cathédrale (1er avril-30 sept. et après-midi hors sais.) ✆ 83 64 11 69 – A.C. 7 r. Michatel ✆ 83 43 08 27.

Paris 283 ⑤ – Bar-le-Duc 61 ⑤ – ♦Metz 64 ① – ♦Nancy 23 ② – St-Dizier 77 ⑤ – Verdun 81 ①.

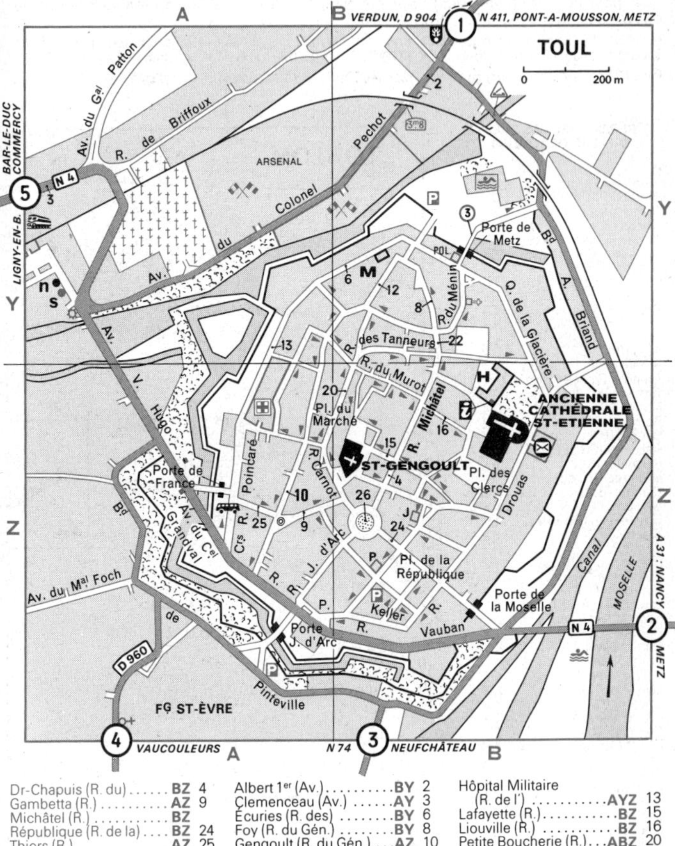

Dr-Chapuis (R. du) . . . . . . **BZ** 4
Gambetta (R.) . . . . **AZ** 9
Michâtel (R.) . . . . **BZ**
République (R. de la) . . . . **BZ** 24
Thiers (R.) . . . . **AZ** 25
3-Évêchés (Pl. des) . . . . . **BZ** 26

Albert 1er (Av.) . . . . **BY** 2
Clemenceau (Av.) . . . . . . **AY** 3
Écuries (R. des) . . . . **BY** 6
Foy (R. du Gén.) . . . . **BY** 8
Gengoult (R. du Gén.) . . . **AZ** 10
Gouvion St-Cyr (R.) . . . . . **BY** 12

Hôpital Militaire (R. de l') . . . . **AYZ** 13
Lafayette (R.) . . . . **BZ** 15
Liouville (R.) . . . . **BZ** 16
Petite Boucherie (R.) . . . **ABZ** 20
Porte des Cordeliers (R.) . **BY** 22

🏠 **Europe** sans rest, **35 av. V.-Hugo** ✆ **83 43 00 10** – wc wc ☎ 🚗 AY **n**
fermé 1er au 15 fév. – **SC** : ☕ 22 – **23 ch** 100/210.

✕✕ **La Belle Époque, 31 av. V.-Hugo** ✆ **83 43 23 71** – E VISA. ✻ AY **s**
fermé 10 août au 5 sept., 15 au 28 fév., dim. soir et lundi – **SC** : **R** (nombre de couverts limité, prévenir) 98 bc/168 🍷.

à la ZI Croix de Metz par ① et rte Villey-St-Etienne : 6 km – ✉ **54200** Toul :

✕✕ **Le Dauphin,** ✆ **83 43 13 46,** 🌳 – ℗. AE E VISA
fermé 1er au 15 août, 15 au 30 janv., dim. soir et lundi – **SC** : **R** 80/180.

CITROEN Michel, N 411 Z.I Croix d'Argent par ① ✆ 83 43 08 61
PEUGEOT-TALBOT Mathiot-Meny, av. 1re Armée Française, rte de Troyes par ④ ✆ 83 43 00 74

RENAULT Simard, 22 av. Gén.-Leclerc à Dommartin par ② ✆ 83 43 02 53

TOULON Ⓟ 83000 Var 84 ⑮ G. Côte d'Azur – 181 405 h.

Voir Rade★★ – Corniche du Mont Faron★★ : <★ BCU – Vieille ville★ EY : Atlantes★ de l'ancien hôtel de ville EY **F**, Musée de la Marine★ DY **M** – Port★ – Cap Brun★ SE : 4,5 km CV.

Env. Tour Beaumont (Mémorial du Débarquement★ et ☼★★★) au Nord accès par téléphérique – Circuit du Faron★★★ N : 18 km par D 46 et V 40 BU – Baou de 4 Oures <★★ NO : 7 km par D 62 AU et D 262 – Mont Caume ☼★★ NO : 15 km par D 62 AU – Fort de la Croix-Faron <★ N : 7 km CU – Gorges d'Ollioules★ par ⑤ : 10 km.

de Toulon-Hyères : ℘ 94 57 41 41 par ① : 21 km – ℘ 94 91 50 50.

pour la Corse (juin à oct.) : Société Nationale Maritime Corse-Méditerranée 61 bd des Dames (Marseille) ℘ 91 56 32 00 EZ **B**.

Office de Tourisme et Accueil de France (Informations et réservations d'hôtels, pas plus de 5 jours à l'avance), 8 av. Colbert ℘ 94 22 08 22, Télex 400479 - A.C. 17 r. Mirabeau ℘ 94 93 01 18.

Paris 837 ④ – Aix-en-Provence 81 ④ – Cannes 124 ① – ♦Marseille 64 ④ – ♦Nice 154 ①.

RÉPERTOIRE DES RUES DU PLAN DE TOULON

Alger (R. d') .... **EY**
Audéoud (R.) .... **CV** 4
Clemenceau (Av. G.) ... **EXY**
Hoche (R.) .... **EY**
Jaurès (R. Jean) .... **DEX**
Lafayette (Cours) .... **EY**
Landrin (R. P.) .... **EXY**
Pastoureau (R. H.) ...... **EX** 55
Seillon (R. H.) .... **EY** 74
Strasbourg (Bd de) ...... **EX**
XVe-Corps (Av. du) ...... **AV** 85

Abel (Bd J.-B.) .... **CV**
Albert-1er (Pl.) .... **DX**
Anatole-France (R.) ... **DXY**
Armaris (Bd des) .... **CV**
Armes (Pl. d') .... **DX**
Baron (R. M.) .... **EZ**
Baudin (R.) .... **EY**
Bazeilles (Bd de) .... **BV** 6
Berthelot (R.) .... **EX** 7
Besagne (Av. de) .... **EY**
Bianchi (Bd) .... **AU**
Bidouré (Pl. M.) .... **AV** 8
Bir-Hakeim (Rd-Pt) ...... **EY**
Blache (Pl. N.) .... **EX**
Blum (Pl. L.) .... **DX**
Bonaparte (Rd-Pt) .... **EZ**
Boucheries (R. des) ..... **EY** 10
Bozzo (Av. L.) .... **EX**
Briand (Av. A.) .... **AV**
Brosset (Bd Gén.) .... **AV** 11
Brunetière (R. F.) .... **EY** 12
Carnot (Av. L.) .... **DX**
Cathédrale (Traverse de la) .... **EY** 13
Chalucet (R.) .... **DX**
Charcot (Q. J.) .... **AV** 14
Churchill (Av. W.) .... **DX** 15
Clappier (R. V.) .... **EX**
Claret (Av. de) .... **AU** 16
Colbert (Av.) .... **EX**
Collet (Av. Amiral) ...... **DX**
Corderie (R. de la) ..... **DXY**
Cuzin (Av. F.) .... **CV** 19
Dardanelles (Av. des) ... **DX**
Daudet (R. Alphonse) ... **EY** 20
Delpech (R.) .... **EX**
Démocratie (Bd de la) .... **EX**
Dr-Barrois (R.) .... **CU**
Dr-Fontan (R.) .... **AU** 21
Dutasta (Bd) .... **EY**
Escartefigue (Bd M.) .. **BCU**
Esclangeon (R. V.) .... **BCU** 22
Estienne-d'Orves (Av. d') .. **AV, DX** 23
Eygoutier (Quai de l') .... **EZ**
Fabié (R. F.) .... **EX**
Faron (Bd du) .... **BU**
Farrère (Av. Cl) .... **CV** 24
Foch (Av. Mar.) .... **DX**
Forbin (Av.) .... **CV** 25
Forgentier (Ch. de) ..... **AU**
Fort-Rouge (Ch. du) .... **AU** 26
Gambetta (Pl.) .... **EY** 27
Garibaldi (R.) .... **EY** 28
Gasquet (Av. J.) .... **CV**
Gouraud (Av. Gén.) ..... **AU** 30
Grenier (Q. E.) .... **AU** 31

Grignan (Bd) .... **BV**
Guillemard (R. R.) .... **DX**
Herriot (Av. E.) .... **AV** 32
Huile (Pl. à l') .... **EY** 35
Inf.-de-Marine (Av. de l') .. **EZ**
Infernet (R. Cdt) .... **EZ**
Jacquemin (Bd E.) .... **AU** 36
Jaujard (R. Amiral) ...... **EZ**
Joffre (Bd Mar.) .... **CV**
Juin (Av. Mar.) .... **CV**
Kléber (R.) .... **CV** 37
Laminois (R.) .... **EY**
Lattre-de-T. (Av. Mar.) .... **EZ**
Le-Chatelier (Av. A.) ..... **AU**
Lebon (R. Ph.) .... **EX**
Leclerc (Bd Gén.) .... **DX**
Le Bellegou (Av. E.) ..... **EZ**
Lesseps (Bd F. de) ...... **EX**

Liberté (Pl. de la) .... **EX**
Lices (Ch. des) .... **EX**
Lorgues (R. de) .... **EXY**
Loti (Av. P.) .... **CV**
Loubière (Ch. de la) ..... **EX**
Louis-Blanc (Pl.) .... **EY** 39
Louvois (Bd) .... **DEY**
Lyautey (Av. Mar.) ...... **DX**
Macé (Pl.) .... **AU** 40
Marceau (Av.) .... **CV**
Marchant (Av. Cdt) ...... **EX**
Méridienne (R.) .... **EY** 41
Michelet (Bd J.) .... **CV** 42
Micholet (Av. V.) .... **DEY** 43
Mistral (Littoral F.) ..... **CV** 44
Monsenergue (Pl. Ingénieur-gén.) ... **DY** 45
Moulin (Av. J.) .... **DX** 48

Frantel M, au pied du téléphérique du Mont-Faron ☎ 94 24 41 57, Télex 400347, ≤ Toulon et la rade, – 80 à 300. AE E VISA BU **a**
SC : rest. **La Tour Blanche** *(fermé sam. midi et dim. midi)* **R** carte 140 à 220 – ☐ 33 – **93 ch** 300/420 – P 550/700.

Gd Hôtel sans rest, **4 pl. Liberté** ☎ **94 22 59 50, Télex 430048** – AE E VISA EX **k**
SC : ☐ 40 – **45 ch** 265/340.

Nouvel H. sans rest, **224 bd Tessé** ☎ **94 89 04 22** – wc wc ☎
fermé 17 déc. au 15 janv. – **SC** : ☐ 17 – **29 ch** 113/215. EX **f**

Dauphiné, 10 r. Berthelot ☎ 94 92 20 28, – wc wc ☎ – 25. AE VISA EX **s**
R *(fermé dim. et fériés)* 70/200 – ☐ 17 – **57 ch** 156/200 – P 250/325.

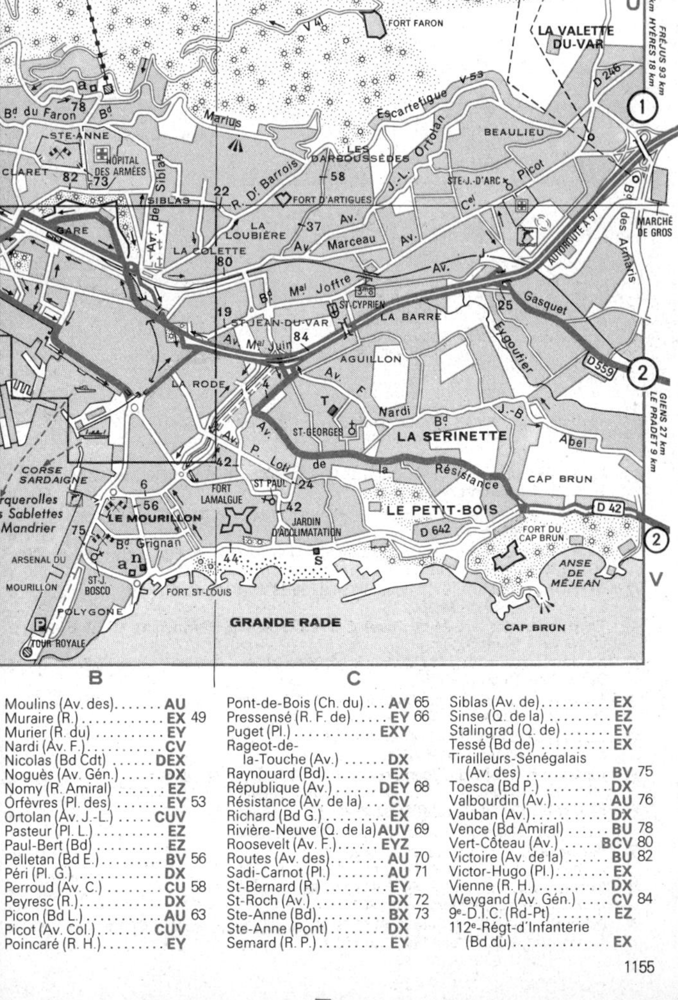

Alger (R. d') . . . . EY
Clemenceau (Av. G.) . . . EXY
Hoche (R.) . . . . EY
Jaurès (R. Jean) . . . . DEX
Lafayette (Cours) . . . . EY
Landrin (R. P.) . . . . EXY
Pastoureau (R. H.) . . . . . . EX 55
Seillon (R. H.) . . . . EY 74
Strasbourg (Bd de) . . . . . . EX

Berthelot (R.) . . . . EX 7
Boucheries (R. des) . . . . . EY 10
Brunetière (R. F.) . . . . EY 12
Cathédrale (Traverse de la) . . . . EY 13
Churchill (Av. W.) . . . . DX 15
Daudet (R. Alphonse) . . . EY 20
Estienne-d'Orves (Av.) . . DX 23
Gambetta (Pl.) . . . . EY 27
Garibaldi (R.) . . . . EY 28
Huile (Pl. à l') . . . . EY 35
Louis-Blanc (Pl.) . . . . EY 39
Méridienne (R.) . . . . EY 41
Micholet (Av. V.) . . . . . . DEY 43
Monsenergue (Pl. Ingénieur-Gén.) . . . DY 45
Moulin (Av. J.) . . . . DX 48
Muraire (R.) . . . . EX 49
Orfèvres (Pl. des) . . . . EY 53
Pressensé (R. F. de) . . . . . EY 66
République (Av.) . . . . . . DEY 68
St-Roch (Av.) . . . . DX 72

Amirauté sans rest, 4 r. A.-Guiol ✆ 94 22 19 67 – wc wc ☎. AE ⓓ E VISA — DX **d**
SC : ☐ 17,50 – **64 ch** 74/234.

Moderne sans rest, 21 av. Colbert ✆ 94 22 29 84 – TV wc wc ☎. VISA — EX **u**
SC : ☐ 16 – **39 ch** 86/145.

La Résidence sans rest, 18 r. Gimelli ✆ 94 92 92 81 – wc wc ☎. ⓓ VISA — DX **r**
SC : ☐ 17,50 – **27 ch** 90/210.

Maritima sans rest, 9 r. Gimelli ✆ 94 92 39 33 – wc wc ☎ — DX **b**
SC : ☐ 15,50 – **50 ch** 74/150.

Terminus sans rest, 14 bd Tessé ✆ 94 89 23 54 – wc ☎. AE ⓓ E — DX **a**
SC : ☐ 17 – **40 ch** 80/165.

Le Jaurès sans rest, 11 r. J. Jaurès ✆ 94 92 83 04 – wc wc ☎. VISA — DX **f**
SC : ☐ 14 – **16 ch** 100/135.

Europe sans rest, 7 bis r. Chabannes ✆ 94 92 37 44 – wc ☎. ⓓ VISA — EX **e**
SC : ☐ 21 – **30 ch** 135/170.

XX **La Ferme,** 6 pl. L.-Blanc ✆ 94 41 43 74 – ▤ — EY **u**
fermé août et dim. – **R** 90/180.

XX **Le Dauphin,** 21 bis r. Jean-Jaurès ✆ 94 93 12 07 – ▤. VISA. — DX **e**
fermé juil., vacances de fév., sam. midi, dim. et fériés – SC : **R** 112/170.

XX **Melodia,** 12 r. Molière ✆ 94 92 25 43, – AE ⓓ VISA — EX **w**
fermé dim. soir et sam. d'oct. à mai – SC : **R** 80/200.

X **Au Sourd,** 10 r. Molière ✆ 94 92 28 52, — EX **w**
fermé 1er juil. au 1er août, dim. et lundi – SC : **R** 100.

X **Madeleine,** 7 r. Tombades ✆ 94 92 67 85 – ⓓ VISA — EY **r**
fermé mardi soir et merc. – SC : **R** 78.

X **Pascal,** square L.-Verane ✆ 94 92 79 60, cuisine tunisienne – AE ⓓ — EY **z**
fermé lundi – SC : **R** carte environ 120.

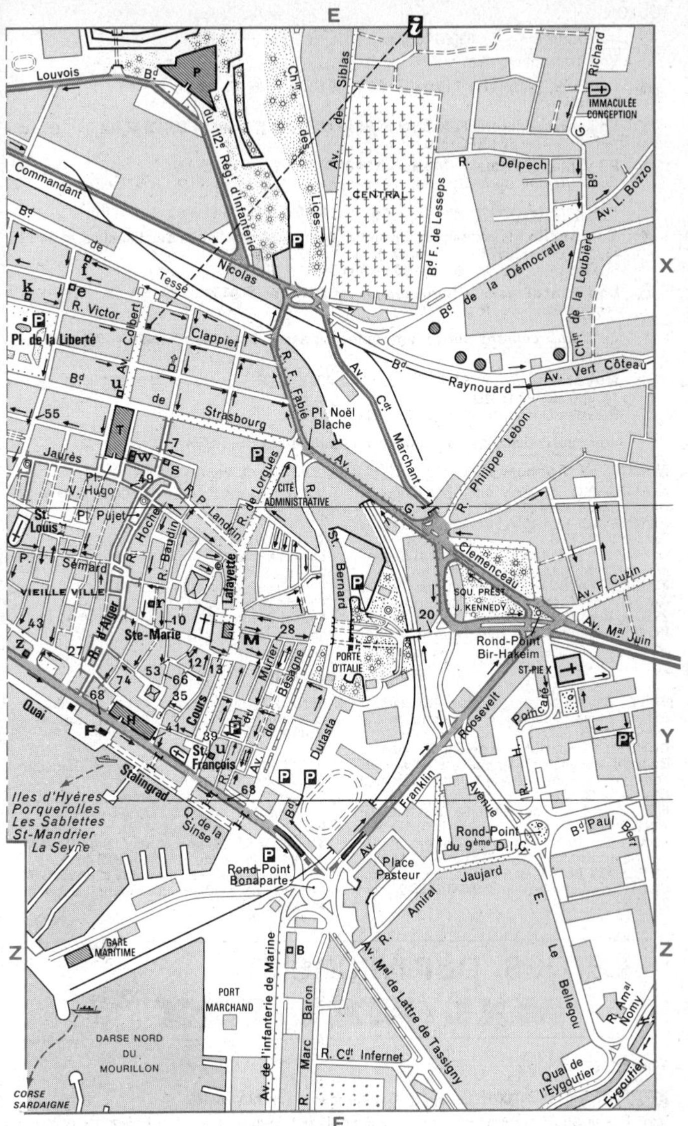

Michelin Green Guides in English

Paris	Austria	New York City
Brittany	Canada	Portugal
Châteaux of the Loire	England : The West Country	Rome
Dordogne	Germany	Scotland
French Riviera	Italy	Spain
Normandy	London	Switzerland
Provence	New England	

au Mourillon – ✉ **83000** Toulon :

Voir Tour royale ✻★.

Corniche, 1 littoral F.-Mistral ✆ 94 41 39 53, ≤ – |¢| TV. ✻ ch BV a
18 ch, 4 appartements.

XXX **Le Lutrin,** 8 littoral F.-Mistral ✆ 94 42 43 43, ≤, ☂, ✱ – AE ⓓ E VISA BV n
fermé sam. – SC : **R** 93/300.

XX **La Vigie,** 57 littoral F.-Mistral ✆ 94 41 37 92, ≤, ☂ Ⓟ. E VISA CV s
fermé 10 janv. au 10 fév., dim. soir sauf juil.-août et merc. – SC : **R** 80 (sauf fêtes).

à la Valette-du-Var par ① : 7 km – ✉ **83160** La Valette-du-Var :

Campanile M, échangeur Lavalette Nord, zone d'activités des Espalins ✆ 94 21 13 01, Télex 430978 – ⊟wc ☎ ♿ Ⓟ – 🎪 30. VISA
SC : **R** 61 bc/82 bc – ☕ 23 – **50 ch** 194/215.

XX **Lou Pantaï,** parking Barnéoud par rte d'Hyères ✆ 94 21 03 39, ☂, ✱ – Ⓟ. VISA
fermé dim. – SC : **R** 115/200.

Le Camp Laurent par ④ autoroute A50 sortie Ollioules : 7,5 km – ✉ **83500** La Seyne :

Novotel M ⛰, ✆ 94 63 09 50, Télex 400759, ☂, 🏊, ✱ – |¢| ▤ TV ☎ ♿ Ⓟ – 🎪 200. AE ⓓ E VISA
R carte environ 100 ♂ – ☕ 32 – **86 ch** 283/309.

Voir aussi ressource hôtelière de *La Pauline* par ① : 10 km

MICHELIN, Agence, 1824 av. du Col.-Picot à la Valette du Var CU ✆ **94 27 01 67**

ALFA-ROMEO St-Roch-auto-Sport, 8 av. du Gén.-Pruneau ✆ 94 42 53 08
AUTOBIANCHI-LANCIA Gar. Cuzin, 69 bd de Paris ✆ 94 89 46 67
OPEL Champ-de-Mars Autom., Palais Réaltor, pl. Champ-de-Mars ✆ 94 41 74 21
PEUGEOT-TALBOT Gds Gar. du Var, bd des Armaris Ste-Musse Aut. Toulon-Est CU ✆ 94 23 90 55 N ✆ 94 27 25 56
ROVER Autorex, 13 av. Gén.-Pruneau ✆ 94 41 18 14

V.A.G. S.A.V.A.R., 402 av. F.-Cuzin ✆ 94 41 27 55

Ⓜ Aude, chem. Belle-Visto ✆ 94 24 27 60
Escoffier-Pneus, 704 av. Col. Picot ✆ 94 20 20 63
Pneu-Leca, bd Cdt-Nicolas ✆ 94 93 04 51 et pl. Pasteur ✆ 94 41 42 87
Marcel-Pneus, 126 r. du Dr-Gibert ✆ 94 42 41 42

Périphérie et environs

BMW Bavaria-Motors, av. de l'Université, Zone Ind. les Espaluns à La Valette du Var ✆ 94 75 36 60
CITROEN Succursale, rte de Sanary, quartier Berthe à la Seyne sur Mer par ③ ✆ 94 94 71 90 Zone Ind. les Espaluns à la Valette du Var par ① ✆ 94 21 90 90
FIAT D.I.A.T., La Coupiane à La Valette du Var ✆ 94 27 17 41
FORD Gar. d'Azur, av. de l'Université à la Valette du Var ✆ 94 21 04 00 N ✆ 94 21 11 83
MERCEDES-BENZ Gar. Foch, Domaine Ste-Claire à La Valette-du-Var ✆ 94 23 24 66 N ✆ 94 27 25 56

RENAULT Succursale, Z.A.C. les Espaluns à la Valette du Var par ① ✆ 94 27 90 10 N ✆ 94 20 40 90

Ⓜ Costa-Pneus, Centre Commercial Barnéoud à la Valette du Var ✆ 94 21 03 35
Guillamon, 80 av. Char.-Verdun à La Valette-du-Var ✆ 94 27 36 31
Piot-Pneu, chemin Tombouctou, l'Escaillon ✆ 94 22 44 82 et Domaine Ste-Claire, r. P. et M. Curie à la Valette du Var ✆ 94 23 23 46
Pneu-Leca, Zone Ind. à La Garde ✆ 94 75 83 97
Mendez-Pneus, 101 av. Ed.-Herriot, L'Escaillon ✆ 94 24 54 25

TOULOUSE P **31000** H.-Gar. 82 ⑧ **G. Pyrénées** – 354 289 h. alt. 146.

Voir Basilique St-Sernin*** FX – **Les Jacobins** (église)** FY – **Capitole*** FY – **Hôtel d'Assézat*** FY **B** – **Cathédrale*** GY – **Musées : Augustins** (sculptures***)** GY **M1**, **Histoire naturelle**** GZ **M2**, **Paul Dupuy*** GZ **M4**.

⛳ ✆ 61 73 45 48, S : 10 km par D 4 BV ; **⛳ de Palmola Country Club ✆ 61 84 20 50 par ③ : 24 km.**

✈ de Toulouse-Blagnac : ✆ 61 71 11 14 - AT.

🚗 ✆ 61 62 50 50.

ℹ Office de Tourisme et Accueil de France (Informations et réservations d'hôtels, pas plus de 5 jours à l'avance), Donjon du Capitole ✆ 61 23 32 00, Télex 531508 et Gare Matabiau ✆ 61 63 11 88 – A.C. 17 allées Jean-Jaurès ✆ 61 62 76 21 -.

Paris 705 ① – Barcelona 387 ⑦ – ♦Bordeaux 244 ① – ♦Lyon 534 ⑦ – ♦Marseille 404 ⑦.

Plans : Toulouse p. 2 à 5

Le Concorde M, 16 bd Bonrepos ✆ 61 62 48 60, Télex 531686 – ☎ – 40 à 220. AE ① E VISA GX **z**
SC : **R** *(fermé juil., sam., dim. et fériés)* 100 – **97 ch** 350/510.

Gd H. de l'Opéra M, 1 pl. Capitole ✆ 61 21 82 66, Télex 521998 – TV ☎ – 100. AE ① E VISA FY **q**
SC : **R** voir Rest. **Les Jardins de l'Opéra** – 45 – **46 ch** 330/880, 3 appartements 1 000.

Frantel-Wilson M sans rest, 7 r. Labéda ✆ 61 21 21 75, Télex 530550 – TV ☎ – 50. AE ① E VISA GY **y**
SC : 42 – **91 ch** 435/555, 4 appartements 650.

d'Occitanie (École hôtelière) M, 5 r. Labéda ✆ 61 21 15 92 – TV ☎. AE. rest GY **y**
fermé vacances scolaires – SC : **R** *(fermé samedi soir, dim. et fériés)* 95/125 – **17 ch** 130/295, 3 appartements 395.

Victoria sans rest, 76 r. Bayard ✆ 61 62 50 90, Télex 521748 – TV ☎ – 30. AE ① VISA GX **s**
fermé 24 déc. au 2 janv. – SC : 20 – **78 ch** 230/300.

Caravelle M sans rest, 62 r. Raymond-IV ✆ 61 62 70 65, Télex 530438 – TV ☎ – 25. AE ① E VISA GX **m**
SC : 28 – **30 ch** 285/350.

Mercure M, r. St-Jérome (pl. Occitane) ✆ 61 23 11 77, Télex 520760 – TV ☎ – 25 à 250. AE ① E VISA GY **s**
R carte environ 120 – 35 – **170 ch** 357/446.

Orsay M sans rest, 8 bd Bon repos ✆ 61 62 71 61 – TV wc wc ☎. AE ① E VISA GX **n**
SC : 18 – **40 ch** 185/215.

Royal sans rest, 6 r. Labéda ✆ 61 23 38 70 – wc wc ☎ – 25. VISA GY **h**
SC : 25 – **25 ch** 220/360.

Inter Hôtel Voyageurs sans rest, 11 bd Bonrepos ✆ 61 62 89 79 – TV wc wc ☎. AE ① E VISA GX **n**
SC : 17,50 – **34 ch** 145/187.

Albion M sans rest, ✆ 61 63 60 36 – wc wc ☎. AE ① VISA GY **a**
fermé août – SC : 20 – **27 ch** 170/180.

Touristic H. sans rest, 25 pl. V.-Hugo ✆ 61 23 14 55 – TV wc wc ☎ GY **u**
SC : 17 – **38 ch** 167/210.

Raymond IV sans rest, 16 r. Raymond-IV ✆ 61 62 89 41 – TV wc wc ☎. AE ① E VISA GX **d**
fermé 20 déc. au 5 janv. – SC : 21 – **41 ch** 220/290.

Progrès sans rest, 10 r. Rivals ✆ 61 23 21 28 – wc wc ☎. VISA FY **n**
SC : 17 – **33 ch** 109/207.

Terminus M sans rest, 13 bd Bonrepos ✆ 61 62 44 78, Télex 531593 – TV wc ☎. AE ① E VISA GX **s**
SC : 20 – **64 ch** 198/261.

Ours Blanc sans rest, 2 r. V.-Hugo ✆ 61 21 62 40 – TV wc wc ☎. VISA GY **m**
SC : 18 – **37 ch** 113/210.

Gascogne sans rest, 25 allées Ch.-de-Fitte ✉ 31300 ✆ 61 59 27 44, Télex 521090 – TV wc wc ☎. AE ① VISA EZ **k**
SC : 22 – **50 ch** 184/250.

Taur sans rest, 2 r. Taur ✆ 61 21 17 54 – wc wc ☎ FY **a**
SC : 15 – **41 ch** 141/200.

Prado sans rest, 26 r. Prado par rte de St-Simon ✉ 31100 ✆ 61 40 49 29 – wc ☎. VISA. AU **f**
fermé août – SC : 14,50 – **22 ch** 131/181.

Gds Boulevards sans rest, 12 r. Austerlitz ✆ 61 21 67 57 – wc wc ☎. AE E VISA. GY **t**
fermé 1er au 28 août et 25 déc. au 1er janv. – SC : 16,50 – **30 ch** 78/170.

Star sans rest, 17 r. Baqué ✆ 61 47 45 15 – wc ☎. VISA BT **e**
SC : 17 – **17 ch** 147/191.

Riquet sans rest, 92 r. Riquet ✆ 61 62 55 96 – wc wc ☎. VISA HX **x**
SC : 15 – **74 ch** 72/140.

XXX ✿✿ **Vanel,** 22 r. M.-Fontvieille ✆ 61 21 51 82 – AE E GY **e**
fermé 2 août au 2 sept., lundi midi, dim. et fêtes – SC : **R** carte 200 à 280
Spéc. Pigeon, Agneau, Millefeuille.

XXX ✿ **Darroze,** 19 r. Castellane ✆ 61 62 34 70 – AE ① VISA. GY **v**
fermé sam. midi, dim. et fériés – SC : **R** carte 145 à 255
Spéc. Terrine de foie gras de canard, Produits de la mer, Grand dessert.

XXX ✿ **Les Jardins de l'Opéra** (Toulousy), 1 pl. Capitole ✆ 61 23 07 76, – AE ① E VISA FY **q**
fermé 10 au 17 août, dim. et fériés – **R** 140/180
Spéc. Ravioli de foie gras frais, Rognons de veau au madère et au gingembre, Feuilleté au chocolat et écorces d'oranges confites.

RÉPERTOIRE DES RUES DU PLAN DE TOULOUSE

Rue	Page	Carreau	N°
Alsace-Lorr. (R. d')	p. 5	**FY**	2
Capitole (Pl. du)	p. 5	**FY**	25
Lafayette (R.)	p. 5	**GY**	83
Metz (R. de)	p. 5	**GY**	
Rémusat (R. de)	p. 5	**FY**	
St-Antoine du T. (R.)	p. 5	**GY**	132
Saint-Rome (R.)	p. 5	**FY**	
Wilson (Pl.)	p. 5	**GY**	

Rue	Page	Carreau	N°
Agde (Rte d')	p. 3	**CT**	
Albi (Rte d')	p. 3	**CT**	
Alsace-Lorr. (R. d')	p. 5	**FY**	2
Arcole (Bd)	p. 5	**FX**	
Arcs St-Cypr. (R.)	p. 4	**EZ**	
Arènes Rom. (Av.)	p. 2	**AU**	3
Arnaud-Bern. (Pl.)	p. 5	**FX**	
Arnaud-Bern. (R.)	p. 5	**FX**	4
Barcelone (Allée)	p. 4	**EY**	
Barrière de Paris	p. 3	**BT**	10
Bayard (R. de)	p. 5	**GX**	
Bayonne (Rte de)	p. 2	**AU**	
Béarnais (R. du)	p. 4	**EX**	
Billières (Av. E.)	p. 4	**EZ**	
Bonnefoy (R. Fg)	p. 3	**BT**	15
Bonrepos (Bd)	p. 5	**GX**	16
Boulbonne (R.)	p. 5	**GY**	18
Bourrassol (R.)	p. 4	**DY**	
Brienne (Allée de)	p. 4	**EY**	
Brunaud (Av.)	p. 3	**CU**	
Brunhes (Bd J.)	p. 4	**DY**	
Busca (Pl. du)	p. 5	**GZ**	
Capitole (Pl. du)	p. 5	**FY**	25
Castres (Av. de)	p. 3	**CU**	27
Chaîne (R. de la)	p. 5	**FX**	
Changes (R. des)	p. 5	**FY**	32
Chaubet (Av. Jean)	p. 3	**CU**	
Chaussas (R. de)	p. 4	**EX**	
Coll (R. Adolphe)	p. 4	**DY**	
Collignon (Av.)	p. 5	**FX**	
Concorde (R. de la)	p. 5	**GX**	
Corps Franc Pomiès (Av. du)	p. 2	**AV**	33
Coubertin (Pt P. de)	p. 3	**BV**	35
Cugnaux (R. de)	p. 4	**EZ**	
Daurade (Pl. de la)	p. 5	**FY**	37
Delacourtie (Bd)	p. 3	**BV**	40
Demoiselles (Allée)	p. 5	**HZ**	
Déodat de Sév. (Bd)	p. 3	**BV**	43
Desbals (R. H.)	p. 3	**BV**	45
Dillon (Cours)	p. 4	**EZ**	
Dr-Baylac (Pl. du)	p. 2	**AU**	47
Duméril (R. Alfred)	p. 5	**GZ**	
Duportal (Bd A.)	p. 4	**EX**	
Dupuy (Pl.)	p. 5	**HY**	49
Embouchure (Bd)	p. 4	**EX**	
Embouchure (Port)	p. 3	**BU**	53
Espagne (Rte d')	p. 3	**BV**	
Esquirol (Pl.)	p. 5	**FY**	
États-Unis (Av. des)	p. 3	**BT**	55
Fer-à-Cheval (Pl.)	p. 4	**EZ**	
Feuga (Allée P.)	p. 5	**FZ**	57
Fitte (Allée Ch. de)	p. 4	**EZ**	
Fontaines (R. des)	p. 4	**DY**	
Frères Lion (R. des)	p. 5	**GY**	62
Frizac (Av.)	p. 5	**GZ**	
Fronton (Av. de)	p. 3	**BT**	
Gambetta (R.)	p. 5	**FY**	64
Gare (Bd de la)	p. 5	**HY**	
Garigliano (Pt du)	p. 3	**BV**	66
Genève (Bd de)	p. 4	**DX**	
Gloire (Av. de la)	p. 3	**CU**	
Gde-Bretagne (Av.)	p. 2	**AU**	67
Grand Rond	p. 5	**GZ**	
Gde R. St-Michel	p. 5	**FZ**	
Griffoul Dor. (Bd)	p. 5	**HZ**	72
Guesde (Allée J.)	p. 5	**GZ**	73
Hauriou (Av. M.)	p. 5	**FZ**	75
Jaurès (Allées J.)	p. 5	**GX**	
Jeanne-d'Arc (Pl.)	p. 5	**GX**	
Julien (Av. Jules)	p. 3	**BV**	80
Kœnigs (Bd G.)	p. 4	**DZ**	
Lafayette (R.)	p. 5	**GY**	83
Lafourcade (Pl. A.)	p. 5	**FZ**	
Laganne (R.)	p. 4	**EZ**	
Langer (Av. M.)	p. 3	**BV**	84
Languedoc (R. du)	p. 5	**GY**	
Lardenne (Av. de)	p. 2	**AU**	
Lascrosses (Bd)	p. 4	**EX**	
Laz.-Carnot (Bd)	p. 5	**GY**	
Lois (R. des)	p. 5	**FY**	
Lombez (Av. de)	p. 3	**BU**	88
Lyon (Av. de)	p. 5	**GX**	
Male (Pl. E.)	p. 4	**DZ**	
Marengo (Allée)	p. 5	**HX**	
Marquette (Bd)	p. 4	**EX**	
Matabiau (Bd)	p. 5	**GX**	
Matabiau (R.)	p. 5	**GX**	
Mendelssohn (Bd)	p. 4	**DX**	
Metz (R. de)	p. 5	**FY**	
Minimes (Av. des)	p. 3	**BT**	104
Minimes (Bd des)	p. 3	**GX**	
Mistral (Allées F.)	p. 5	**GZ**	
Muret (Av. de)	p. 3	**BV**	107
Narbonne (Rte de)	p. 3	**CV**	
Ozenne (R.)	p. 5	**GZ**	
Pargaminières (R.)	p. 5	**FY**	109
Patte d'Oie (Pl.)	p. 4	**DZ**	
Péri (R. Gabriel)	p. 5	**HY**	
Pt Guilheméry (R.)	p. 5	**HY**	119
Pujol (Av. C.)	p. 3	**CU**	121
Ravelin (Pl. du)	p. 4	**EY**	
Recollets (Bd)	p. 3	**BV**	123
Rémusat (R. de)	p. 5	**FY**	
République (R.)	p. 4	**EY**	
Revel (Rte de)	p. 3	**CV**	125
Rieux (Av. J.)	p. 3	**CV**	
Riquet (Bd)	p. 5	**HY**	
Riquet (R.)	p. 5	**HY**	
Romiguières (R.)	p. 5	**FY**	129
Sabatier (Allées)	p. 5	**HZ**	131
St-Antoine du T. (R.)	p. 5	**GY**	132
St-Étienne (Port)	p. 5	**HY**	133
Saint-Exupéry (Av.)	p. 3	**CV**	
St-Pierre (Pl.)	p. 4	**EY**	
Saint-Rome (R.)	p. 5	**FY**	
St-Sauveur (Port)	p. 5	**HZ**	135
St-Sernin (Pl.)	p. 5	**FX**	
St-Simon (Rte de)	p. 2	**AV**	136
Ste-Lucie (R.)	p. 4	**EZ**	
Salin (Pl. du)	p. 5	**FZ**	
Sarraut (Allée M.)	p. 4	**DZ**	
Ségoffin (Av. V.)	p. 3	**BV**	140
Séjourné (Av. P.)	p. 4	**EY**	
Sémard (Bd P.)	p. 5	**GX**	142
Serres (Av. H.)	p. 4	**EX**	
Seysses (Rte de)	p. 2	**AV**	
Strasbourg (Bd)	p. 5	**GY**	
Suau (R. J.)	p. 5	**FY**	146
Suisse (Bd de)	p. 3	**BT**	
Tounis (Quai de)	p. 5	**FZ**	
Trentin (Bd Silvio)	p. 3	**BT**	148
URSS (Av. de l')	p. 3	**BV**	154
Verdier (Allées F.)	p. 5	**GZ**	
Wilson (Pl.)	p. 5	**GY**	

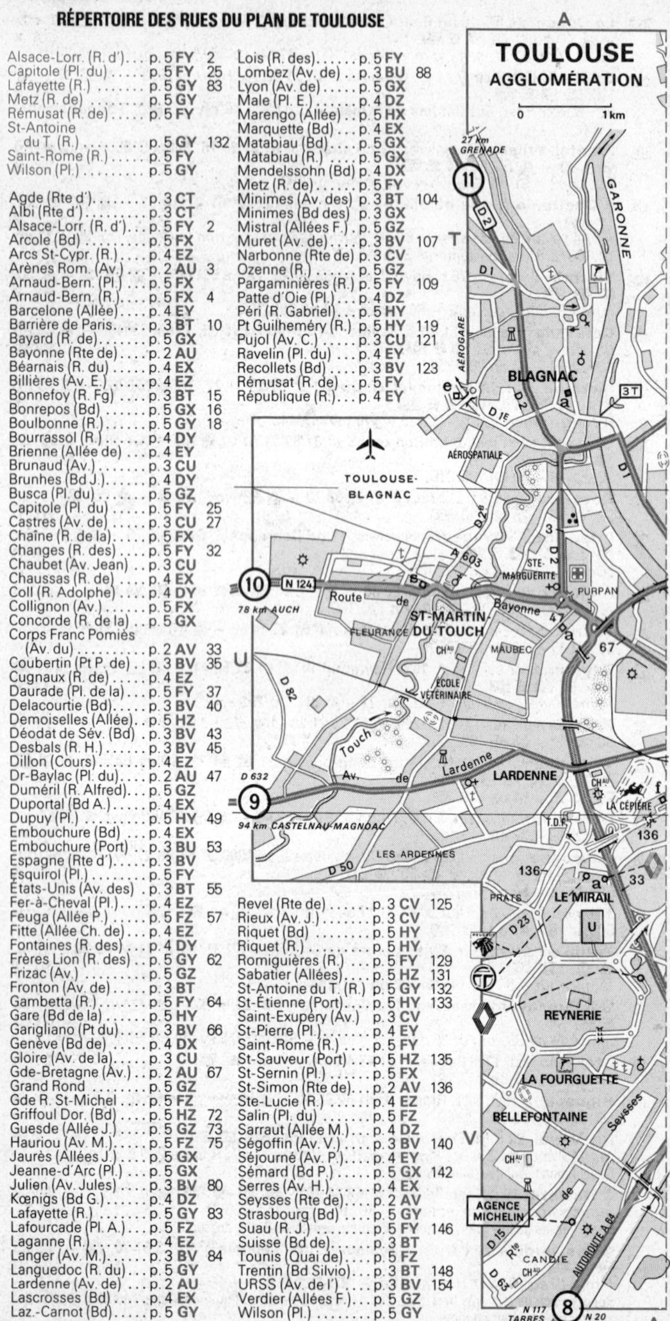

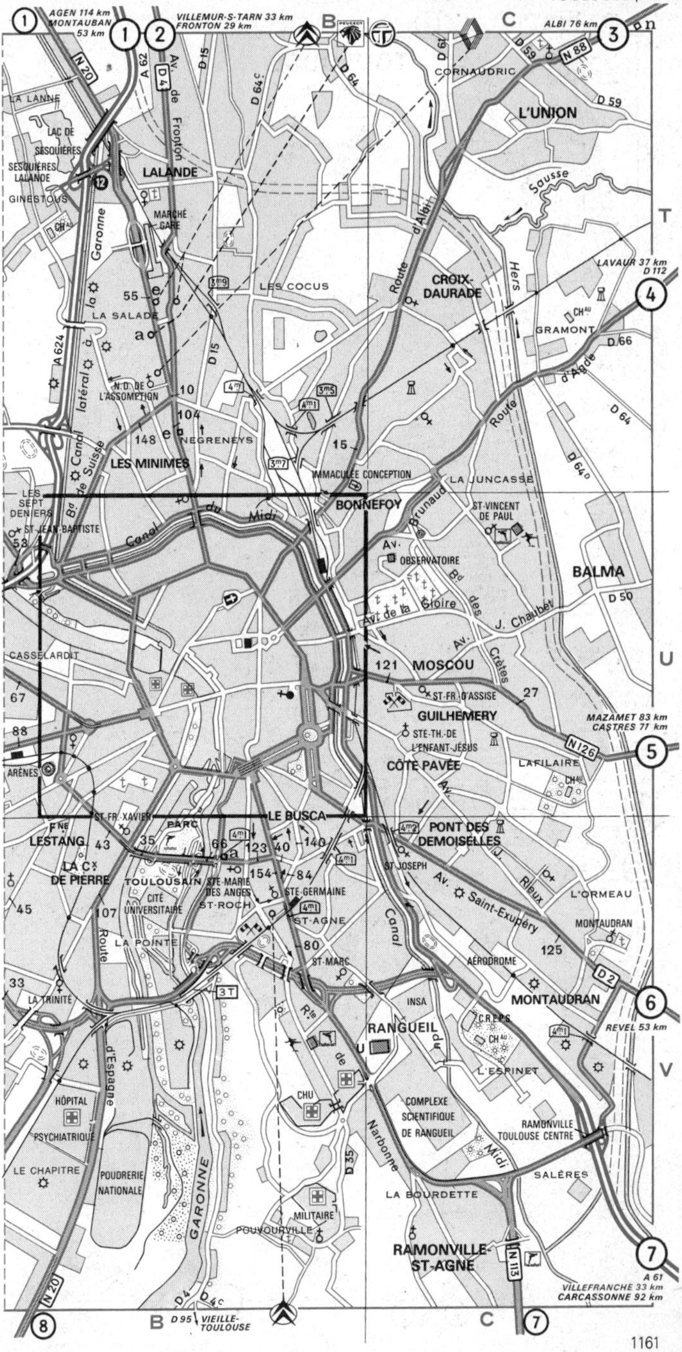

AGEN 114 km
MONTAUBAN 53 km
VILLEMUR-S-TARN 33 km
FRONTON 29 km
ALBI 76 km
N 20
A 62
D 4
Av. de Fronton
D 15
D 64c
D 64
D 61
D 59
N 88
CORNAUDRIC
D 59
L'UNION
LA LANNE
LAC DE SESQUIÈRES
SESQUIÈRES LALANDE
GINESTOUS
LALANDE
MARCHÉ GARE
Sausse
Garonne
Route d'Albi
Hers
LES COCUS
CROIX-DAURADE
LAVAUR 37 km
D 112
GRAMONT
D 66
55
LA SALADE
A 624
latéral à la
Canal
N.D. DE L'ASSOMPTION
10
104
148
NEGRENEYS
LES MINIMES
D 15
Route d'Agde
D 64
15
IMMACULÉE CONCEPTION
LA JUNCASSE
D 64D
LES SEPT DENIERS
Bd de Suisse
BONNEFOY
ST-VINCENT DE PAUL
ST-JEAN-BAPTISTE
53
Canal du Midi
Av. Brunaud
OBSERVATOIRE
BALMA
Bd des Crêtes
Av. de la Gloire
Av. J. Chaubet
D 50
CASSELARDIT
121
MOSCOU
ST-FR. D'ASSISE
27
67
GUILHEMERY
STE-TH.-DE L'ENFANT-JÉSUS
MAZAMET 83 km
CASTRES 71 km
88
N 126
ARÈNES
CÔTE PAVÉE
LAFILAIRE
ST-FR. XAVIER
LE BUSCA
Fne LESTANG
43
PARC
35
66
123
40
140
PONT DES DEMOISELLES
LA Cx DE PIERRE
TOULOUSAIN
154
84
ST-JOSEPH
J. Rieux
L'ORMEAU
45
107
CITÉ UNIVERSITAIRE
STE-MARIE DES ANGES
ST-ROCH
STE-GERMAINE
ST-AGNE
Av. Saint-Exupéry
MONTAUDRAN
Route
LA POINTE
80
Canal
125
33
ST-MARC
AÉRODROME
LA TRINITÉ
INSA
MONTAUDRAN
D 2
Rte de
RANGUEIL
du
C.R.E.P.S.
REVEL 53 km
d'Espagne
L'ESPINET
HÔPITAL PSYCHIATRIQUE
CHU
COMPLEXE SCIENTIFIQUE DE RANGUEIL
RAMONVILLE TOULOUSE CENTRE
LE CHAPITRE
POUDRERIE NATIONALE
GARONNE
Narbonne
D 35
Midi
SALÈRES
LA BOURDETTE
MILITAIRE
POUVOURVILLE
RAMONVILLE-ST-AGNE
N 113
A 61
VILLEFRANCHE 33 km
CARCASSONNE 92 km
N 20
D 4
D 4c
D 95
VIEILLE-TOULOUSE

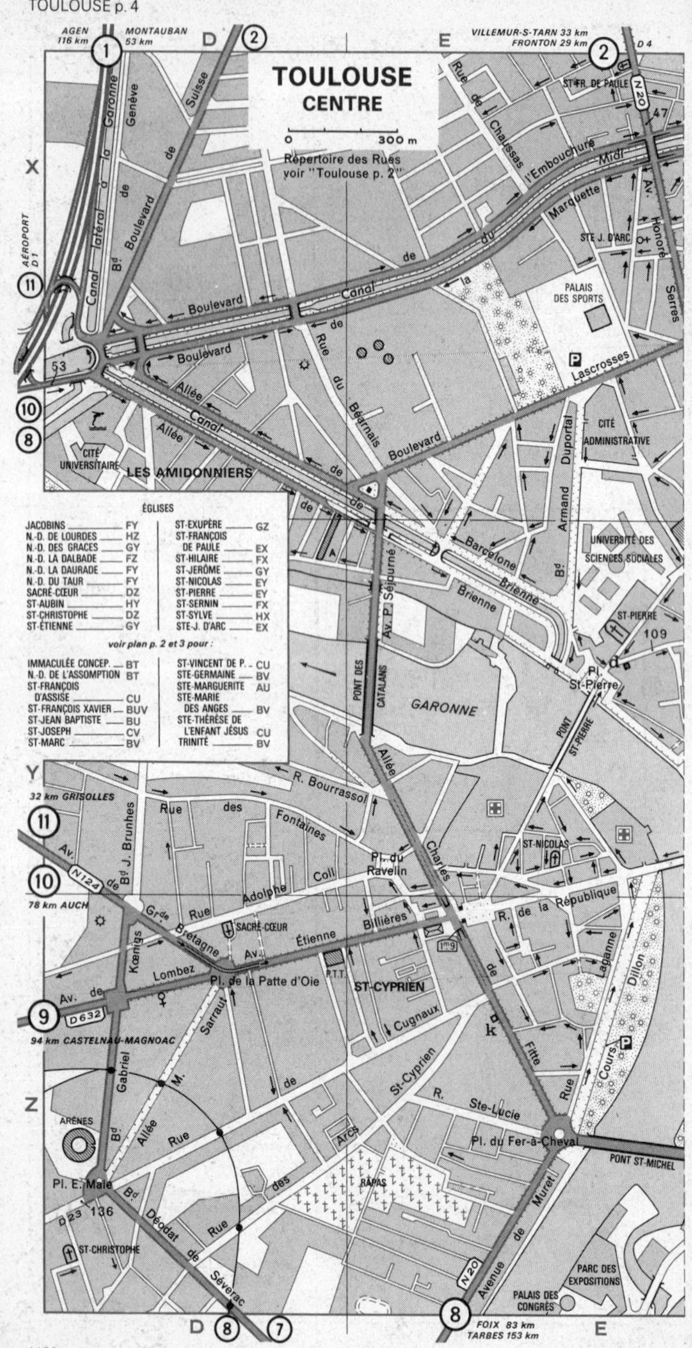
TOULOUSE
CENTRE
0 300 m
Répertoire des Rues voir "Toulouse p. 2"
AGEN 116 km
MONTAUBAN 53 km
VILLEMUR-S-TARN 33 km
FRONTON 29 km
D 4
AÉROPORT D 1
32 km GRISOLLES
78 km AUCH
94 km CASTELNAU-MAGNOAC
FOIX 83 km
TARBES 153 km
ÉGLISES
JACOBINS FY
N.-D. DE LOURDES HZ
N.-D. DES GRACES GY
N.-D. LA DALBADE FZ
N.-D. LA DAURADE FY
N.-D. DU TAUR FY
SACRÉ-CŒUR DZ
ST-AUBIN HY
ST-CHRISTOPHE DZ
ST-ÉTIENNE GY
ST-EXUPÈRE GZ
ST-FRANÇOIS DE PAULE EX
ST-HILAIRE FX
ST-JERÔME GY
ST-NICOLAS EY
ST-PIERRE EY
ST-SERNIN FX
ST-SYLVE HX
STE-J. D'ARC EX
voir plan p. 2 et 3 pour :
IMMACULÉE CONCEP. BT
N.-D. DE L'ASSOMPTION BT
ST-FRANÇOIS D'ASSISE CU
ST-FRANÇOIS XAVIER BUV
ST-JEAN BAPTISTE BU
ST-JOSEPH CV
ST-MARC BV
ST-VINCENT DE P. CU
STE-GERMAINE BV
STE-MARGUERITE AU
STE-MARIE DES ANGES BV
STE-THÉRÈSE DE L'ENFANT JÉSUS CU
TRINITÉ BV
Canal latéral à la Garonne
Bd de Genève
Bd de Suisse
Boulevard de l'Embouchure
Rue de Chaussas
ST-FR. DE PAULE
N 20
Av. Honoré Serres
Boulevard de la Marquette
Canal du Midi
STE J. D'ARC
PALAIS DES SPORTS
Bd Lascrosses
Rue du Béarnais
CITÉ ADMINISTRATIVE
Bd Armand Duportal
Allée de Barcelone
Allée de Brienne
Canal de Brienne
CITÉ UNIVERSITAIRE
LES AMIDONNIERS
UNIVERSITÉ DES SCIENCES SOCIALES
ST-PIERRE
Pl. St-Pierre
PONT ST-PIERRE
Av. P. Séjourné
PONT DES CATALANS
GARONNE
R. Bourrassol
Rue des Fontaines
Allée Charles de Fitte
Pl. du Ravelin
ST-NICOLAS
R. de la République
Bd J. Brunhes
Av. de Grde Bretagne
N 124
Rue Adolphe Coll
SACRÉ-CŒUR
Av. Étienne Billières
Allée de Kœnigs
Av. de Lombez
D 632
Pl. de la Patte d'Oie
P.T.T.
ST-CYPRIEN
Rue Laganne
Cours Dillon
Rue Sarrault
Rue de Cugnaux
Rue St-Cyprien
R. Ste-Lucie
Bd Gabriel
Allée M.
ARÈNES
Rue des Arcs
Pl. du Fer-à-Cheval
PONT ST-MICHEL
RAPAS
Pl. E. Male
D 23
ST-CHRISTOPHE
Bd Déodat de Séverac
Avenue de Muret
N 20
PARC DES EXPOSITIONS
PALAIS DES CONGRÈS

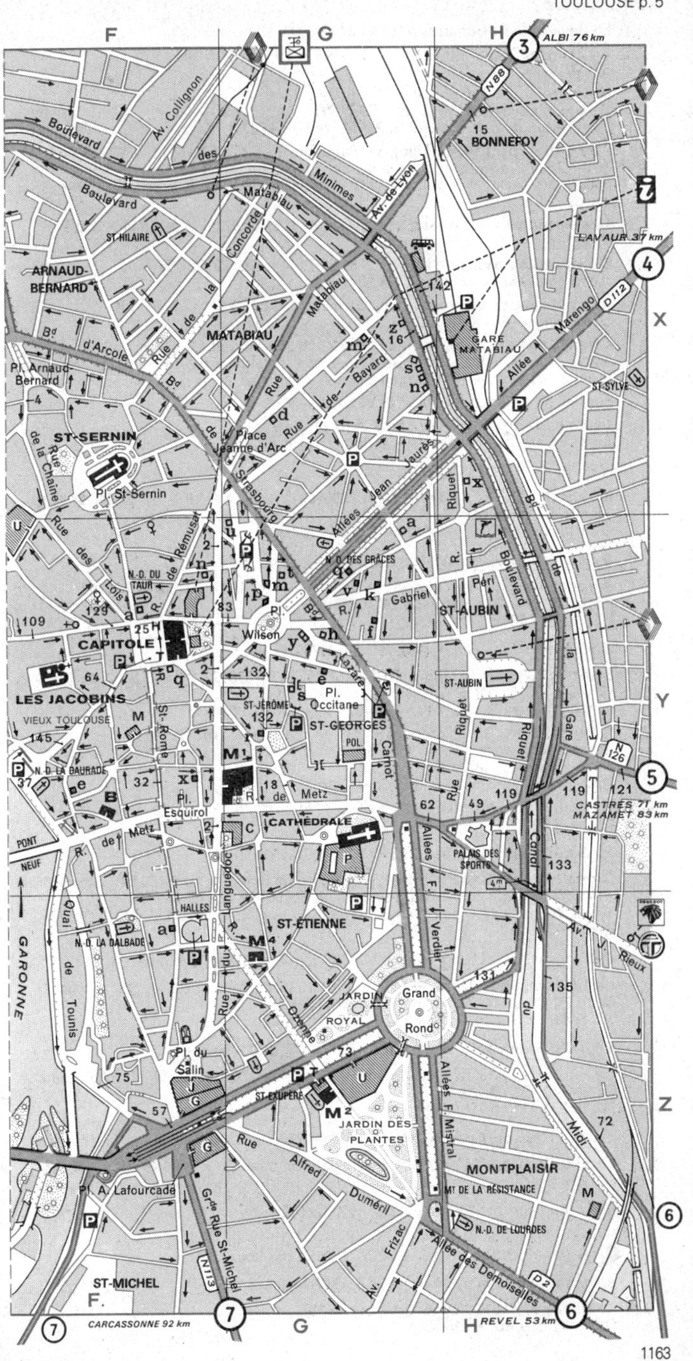
ALBI 76 km
BONNEFOY
LAVAUR 37 km
ARNAUD-BERNARD
MATABIAU
GARE MATABIAU
ST-SERNIN
Pl. St-Sernin
Place Jeanne d'Arc
N.-D. DES GRÂCES
ST-AUBIN
CAPITOLE
Pl. Wilson
LES JACOBINS
VIEUX TOULOUSE
ST-JÉRÔME
Pl. Occitane
ST-GEORGES
N.-D. LA DAURADE
Pl. Esquirol
CATHÉDRALE
PALAIS DES SPORTS
CASTRES 71 km
MAZAMET 83 km
PONT NEUF
GARONNE
HALLES
N.-D. LA DALBADE
ST-ÉTIENNE
JARDIN ROYAL
Grand Rond
Pl. du Salin
ST-EXUPÉRY
JARDIN DES PLANTES
MONTPLAISIR
Mt DE LA RÉSISTANCE
N.-D. DE LOURDES
Pl. A. Lafourcade
ST-MICHEL
CARCASSONNE 92 km
REVEL 53 km
Allée des Demoiselles
Gde Rue St-Michel
Allées F. Mistral
Allées F. Verdier
Canal du Midi
Boulevard de Strasbourg
Allées Jean Jaurès
Rue de Bayard
Rue de Metz
Quai de Tounis
Rue Alfred Duméril
Bd Lazare Carnot
Rue de la Concorde
Rue de Rémusat
Rue St-Rome
Rue du Languedoc
Rue Ozenne
Av. Frizac
Av. de Lyon
Allée Marengo
Boulevard des Minimes
Bd d'Arcole
Av. Collignon
Rue des Lois
Rue de la Chaîne
Boulevard Riquet
R. Gabriel Péri
Bd de la Gare
Av. J. Rieux

XXX Le Séville, 45 r. Tourneurs ☎ 61 21 37 97 – ▤ FY x

XXX **La Frégate,** 16 pl. Wilson ☎ 61 21 59 61 – ▤. AE ⓞ E VISA GY p
SC : **R** 70/135.

XXX **Belvédère,** 11 bd Recollets (8e étage) ✉ 31400 ☎ 61 52 63 73, ≤ Garonne, Toulouse et environs – ▤ Ⓟ. AE ⓞ VISA BV a
fermé août, dim. et fêtes – SC : **R** *(déj. seul.)* 85/120 ⅋.

XX ✿ **La Belle Époque** (Roudgé), 3 r. Pargaminières ☎ 61 23 22 12 – ▤. AE ⓞ VISA
fermé 29 déc. au 4 janv., sam. midi, dim. et fériés – SC : **R** 130/220 EY d
Spéc. Petits tastous, Foie gras de canard à l'artichaut, Millefeuille au pralin. **Vins** Gaillac, Côtes-du-Frontonnais.

XX **Orsi Bouchon Lyonnais,** 13 r. Industrie ☎ 61 62 97 43 – ▤. AE ⓞ E VISA
R 82/115. GY f

XX **Dominique Laval,** 9 r. G.-Péri ☎ 61 62 70 44 – ▤. AE ⓞ VISA GY k
fermé sam. midi et dim. – SC : **R** 80.

XX **Rôtisserie des Carmes,** 11 pl. Carmes ☎ 61 52 73 82 – AE ⓞ VISA FZ a
fermé sam. – SC : **R** 58/120.

XX **Chez Emile,** 13 pl. St-Georges ☎ 61 21 05 56 – ▤. AE ⓞ E VISA GY r
fermé 11 au 31 août, 22 déc. au 4 janv., dim. et lundi – **rez-de-chaussée** (poissons) **R** carte 140 à 165 ⅋ – **1er étage** (viandes) **R** carte 125 à 165 ⅋.

X Fournil, 36 allées J. Jaurès ☎ 61 62 66 19 – ▤ GY q

X **Le Cassoulet,** 40 r. Peyrolières ☎ 61 21 18 99 FY e
fermé 1er au 10 janv. et lundi – **R** carte environ 80.

à Purpan - AU – ✉ **31300** Toulouse :

Novotel Ⓜ, ☎ 61 49 34 10, Télex 520640, ☂, ⛱, ⛟, ✂ – ▤ ▤ TV ☎ ♿ Ⓟ – 🏛 400. AE ⓞ E VISA AU a
R carte environ 115 ⅋ – ☕ 34 – **123 ch** 320/336.

à St-Martin-du-Touch AU – ✉ **31300** Toulouse :

Airport H. Ⓜ sans rest, 176 rte Bayonne ☎ 61 49 68 78, Télex 521752 – ▤ TV ⛾wc ☎ 🚗 Ⓟ – 🏛 25. AE ⓞ E VISA AU s
SC : ☕ 22 – **48 ch** 216/247.

à Blagnac : 7 km - AT – 14 942 h. – ✉ **31700** Blagnac :

Sofitel Ⓜ, accès aéroport ☎ 61 71 11 25, Télex 520178, ⛱, ✂ – ▤ ▤ TV ☎ ♿ Ⓟ – 🏛 300. AE ⓞ E VISA AT e
rest. **La Caouec R** carte 140 à 210 – ☕ 43 – **100 ch** 500/600.

XXX ✿ **Pujol,** 21 av. Gén.-Compans ☎ 61 71 13 58, parc – Ⓟ. ⓞ VISA AT a
fermé 9 au 31 août, vacances de fév., dim. soir et sam. – SC : **R** (nombre de couverts limité - prévenir) carte 185 à 260
Spéc. Foie de canard froid ou chaud, Confit, Cassoulet.

XXX **Horizon,** à l'Aéroport par D 1 E - AT - ☎ 61 30 02 75, ≤ – ▤ Ⓟ. AE ⓞ VISA
R 90.

au Sud-Ouest : 8 km par D 23 - AV – ✉ **31100** Le Mirail :

Diane et rest. Saint-Simon Ⓜ ⛰, 3 rte St-Simon ☎ 61 07 59 52, Télex 530518, parc, ☂, ⛱, ✂ – ▤ rest TV ☎ Ⓟ – 🏛 30. AE ⓞ E VISA. ✂ rest
SC : **R** *(fermé sam. midi, dim. et fêtes)* 120 bc/145 – ☕ 25 – **32 ch** 265/350 – P 425/540.

à Ramonville-St-Agne : 8 km CV – 10 912 h. – ✉ **31520** Ramonville-St-Agne :

La Chaumière, 102 av. Tolosane ☎ 61 73 02 02, Télex 520646, ☂, ⛱, ⛟ – ▤ ▤ ch TV ☎ ♿ 🚗 Ⓟ – 🏛 150. AE ⓞ E VISA
SC : **R** 65/135 – ☕ 25 – **43 ch** 260/290 – P 325/445.

à Vieille Toulouse S : 9 km par D 4 - BV – ✉ **31320** Castenet :

La Flânerie ⛰ sans rest, rte Lacroix-Falgarde ☎ 61 73 39 12, ≤ vallée, parc – TV 🚗 Ⓟ. AE ⓞ VISA
SC : ☕ 28 – **12 ch** 153/350.

à Lacourtensourt par ① : 8 km – ✉ **31140** Aucamville :

XXX **La Feuilleraie,** ☎ 61 70 16 01, ☂, « dans un parc, ⛱ » – ▤ Ⓟ. AE ⓞ E VISA
SC : **R** 90/130.

à St-Jean par ③ : 9 km – 6 512 h. – ✉ **31240** L'Union :

Horizon 88 Ⓜ, ☎ 61 74 34 15, ⛱, ⛟ – ▤ TV 🚗 Ⓟ – 🏛 30. ⓞ VISA CT n
SC : **R** *(fermé dim.)* 63/185 ⅋ – ☕ 26 – **38 ch** 182/265.

à Fonsegrives par ⑤ : 8 km – ✉ **31130** Fonsegrives :

XX **La Grange,** ☎ 61 24 00 55, ☂ – Ⓟ. E VISA
fermé lundi – SC : **R** 82/130.

à *Vigoulet-Auzil* par ⑦ sortie Ramonville et D 35 : 12 km – ✉ **31320** Castanet :

XXX ✿ **Aub. de Tournebride** (Nony), ✆ **61 73 34 49**, – **P**. AE ⓓ
fermé 10 au 30 août, vacances de fév., dim. soir et lundi – **SC** : **R** carte 165 à 245
Spéc. Petite marmite des pêcheurs, Steack au pot, Emincé de veau aux pâtes fraîches et foie frais.
Vins Pacherenc, Madiran.

à *Villeneuve-Tolosane* par ⑧ et D 15 : 13 km – 6 438 h. – ✉ **31270** Cugnaux :

Promenade, 22 allée Platanes ✆ **61 92 04 45**, – wc. AE VISA
fermé merc. du 15 janv. au 30 avril – **R** 65/130 – 13 – **10 ch** 77/88 – P 174/189.

à *Tournefeuille* par ⑨ : 8,5 km – 8 541 h. – ✉ **31170** Tournefeuille :

Les Chanterelles M sans rest, S : 1 km par D 63 ✆ **61 86 21 86**, « Pavillons dans un jardin fleuri et ombragé » – TV wc **P**.
SC : 20 – **10 ch** 250/300.

à *Colomiers* par ⑩ : 12 km – 23 583 h. – ✉ **31770** Colomiers :

Castella et rest. Le Columerin, près Église ✆ **61 78 68 68**, Télex 530893 – wc ☎ **P**. VISA
SC : **R** *(fermé août, dim. soir et lundi)* 54/160 – 18 – **33 ch** 180.

MICHELIN, Agence régionale, Z.I., 30 bd de Thibaud AV ✆ **61 41 11 54**

ALFA ROMEO Arquier, rte Castres, Lasbordes ✆ 61 24 05 92 N ✆ 61 42 99 11
ALFA-ROMEO-FERRARI Autorama, 103-115 rte Espagne ✆ 61 44 69 44
AUTOBIANCHI-LANCIA, DATSUN, NISSAN Languedoc Autos, 24 bd Matabiau ✆ 61 62 86 48
BMW Pelras, 145 r. Nicolas Vauquelin ✆ 61 41 53 53
BMW Soulié, 15 Gde-Rue-St-Michel ✆ 61 52 93 75
CITROEN Succursale, 142 av. des Etats-Unis BT e ✆ 61 47 67 01 N
CITROEN France Auto, 2 av. des Crêtes à Ramonville St-Agne par N 113 CV ✆ 61 73 81 73
CITROEN Samazan, 29 av. du 14-R.I. BV ✆ 61 52 90 17
CITROEN Carrière, rte Castres à Lasbordes par ⑤ ✆ 61 24 24 27
FIAT, LANCIA-AUTOBIANCHI S.O.M.E.D.A. 58 rte Bayonne ✆ 61 49 11 12
FIAT, LANCIA-AUTOBIANCHI S.O.M.E.D.A. 127 av. États-Unis ✆ 61 49 11 12
FORD Auto-Services, 134 rte de Revel ✆ 61 54 52 29
FORD S.L.A.D.A., 83 bd Silvio-Trentin ✆ 61 47 24 24
HONDA-SEAT Mondial Auto, 109 av. des Etats-Unis ✆ 61 57 40 52
LADA-SKODA Castel-Auto, 35 Ch. Lapujade ✆ 61 48 82 01
MERCEDES-BENZ Jour et Nuit, 37 av. H.-Serres ✆ 61 23 11 78
OPEL Général Autom., 16 allée Ch.-de-Fitte ✆ 61 42 91 36
PEUGEOT-TALBOT Ramonville Auto, 9 av. des Crêtes à Ramonville-St-Agne par N 113 CV ✆ 61 73 23 21
PEUGEOT-TALBOT S.I.A.L., 105 av. États-Unis BT a ✆ 61 47 67 67 N ✆ 61 52 63 60
PEUGEOT-TALBOT S.I.A.L., 23 av. J.-Rieux HZ ✆ 61 54 52 52
PEUGEOT-TALBOT S.I.A.L., rue L.-N. Vauquelin AV ✆ 61 41 23 33
PORSCHE-MITSUBISHI Europ-Auto, 10 bd d'Arcole ✆ 61 62 03 25 N ✆ 61 52 39 07

RENAULT Renault St Aubin, 32 r. Riquet HY ✆ 61 62 62 21
RENAULT Succursale, 75 av. États-Unis BT ✆ 61 47 79 09
RENAULT Succursale, r. L.-M.-Vauquelin AV a ✆ 61 41 11 44
RENAULT Succursale, ZA r. Branly à Ramonville St-Agne par ⑦ ✆ 61 73 81 81
RENAULT Gar. Bonnefoy, 22 fg Bonnefoy HX ✆ 61 48 84 82
RENAULT Puel, 2 r. J.-Babinet AV ✆ 61 40 41 40
TOYOTA Laville, 55 Gde Rue St-Michel ✆ 61 53 04 26
TOYOTA, VOLVO Autos 31, 166 av. de Muret ✆ 61 42 91 50
V.A.G. Centre Mirail Auto, r. Babinet, la Reynerie ✆ 61 44 44 44
V.A.G. Ets Gauch, à Labège ✆ 61 20 05 52
V.A.G. S.C.A.U., 71 av. Toulouse à l'Union ✆ 61 74 14 45
V.A.G. Toulouse-Automobile, 34 Gde r. St-Michel ✆ 61 52 64 08

Ⓜ Bellet-Pneus, 26 allées Ch.-de-Fitte ✆ 61 42 56 56
Central-Pneu av. E.-Serres à Colomiers ✆ 61 78 15 50
Central-Pneu, 24 r. G.-Péri ✆ 61 62 70 90, ZI 19 av. Thibaut Mirail ✆ 61 40 28 72 et 71 bd Marquette ✆ 61 21 68 13
Central-Pneu, 336 av. de Fronton ✆ 61 47 59 59
L'Eclair Pneus 1 rte de Bessières à l'Union ✆ 61 74 02 96
Escoffier-Pneus, 205 av. États-Unis ✆ 61 47 80 80
Toulouse-Pneu, Zone Ind. de Prat-Gimont, Balma ✆ 61 48 61 76
Roudez, 15 av. Camille-Pujol ✆ 61 80 88 46
Solapneu, 82 r. N-Vauquelin ✆ 61 40 36 86
Solapneu, 85 bd Suisse ✆ 61 47 61 90
Solapneu, 211 rte Narbonne ✆ 61 52 11 89
Stand du Pneu, 25 allées F.-Verdier ✆ 61 52 06 54

TOUQUES 14 Calvados 55 ③ – rattaché à Deauville.

Le TOUQUET-PARIS-PLAGE 62520 P.-de-C. 51 ⑪ **G. Flandres, Artois, Picardie** – 5 425 h.
– Casinos : La Forêt BZ, Quatre saisons AY.

Voir Phare ✶★★ BY **R** – Vallée de la Canche★ par ①.

18 18 9 ✆ **21 05 20 22, S : 2,5 km par ②.**

i Office de Tourisme Palais de l'Europe ✆ 21 05 21 65.

Par ① : Paris 220 – Abbeville 58 – Arras 99 – Boulogne-sur-Mer 32 – ♦Lille 132 – St-Omer 70.

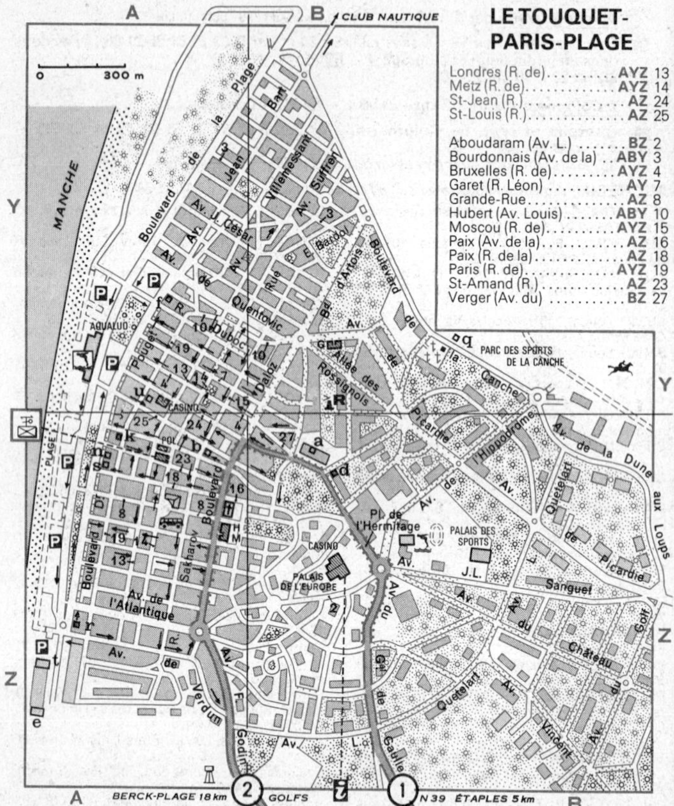

Westminster, av. Verger ✆ 21 05 19 66, Télex 160439 – 🛗 TV ☎ P – 🏛 30 à 150. AE ⓓ E VISA — BZ **a**
25 mars-12 nov. – **R** *(fermé lundi soir et mardi)* 140/180 – **143 ch** ☐ 438/685.

Manoir H. 🌿, aux Golfs par ② : 2,5 km ✆ 21 05 20 22, Télex 135565, ✶, 🌳, 🏊, ⛱, 🎾 – TV ☎ P – 🏛 40. AE E VISA. ✻
14 mars-12 nov. – SC : **R** *(fermé le midi sauf dim. du 15 mars au 1er juil. et du 1er oct. au 11 nov.)* 130/170 – **44 ch** ☐ 365/620 – P 900/1 130 (pour 2 pers.).

Novotel-Thalamer M 🌿, sur la plage ✆ 21 05 24 00, Télex 160480, ✶ mer et plage, 🏊, ⛱ – 🛗 TV ☎ ♿ P – 🏛 60 à 120. AE ⓓ E VISA — AZ **e**
R carte environ 115 🍷 – ☐ 39 – **104 ch** 459/498.

Côte d'Opale, 99 bd Dr J.-Pouget ✆ 21 05 08 11, ✶, « Terrasse fleurie » – ▤ rest 🛁wc 🚿. AE ⓓ E VISA — AZ **n**
15 mars-15 nov. ; sans rest : les week-ends de mi-nov. à fin déc. et vacances de Noël – SC : **R** 106/275 – ☐ 29 – **28 ch** 151/319 – P 319/417.

Loisirotel M 🌿, bd Canche ✆ 21 84 55 11, ⛱, 🎾 – 🛗 cuisinette TV 🛁wc ☎ ✈ ♿ P – 🏛 100. AE ⓓ VISA — BY **q**
fermé déc. et janv. – SC : **R** 57 bc/96 – ☐ 23 – **130 ch** 305/315.

Ibis M, sur la plage ✆ 21 05 36 90, Télex 134273, ←, – 🛗 📺 wc ☎ ♿ 🅿 – 50. VISA. rest — AZ t
SC : **R** carte environ 85 – 24 – **71 ch** 292/326.

Plage sans rest, bd Dr J.-Pouget ✆ 21 05 03 22, ← – wc wc. E VISA. — AZ s
15 mars-15 nov. – SC : 20 – **26 ch** 133/233.

Nouvel H. sans rest, 89 r. Paris ✆ 21 84 55 61 – wc wc ☎ — AY u
1er mars-30 nov. – SC : 18 – **20 ch** 94/230.

Forêt sans rest, 73 r. Moscou ✆ 21 05 09 88 – wc. AE VISA. — AZ b
SC : 18 – **10 ch** 150/175.

XXXX ❀ **Flavio-Club de la Forêt,** av. Verger ✆ 21 05 10 22 – AE E VISA — BZ d
1er mars-16 nov. et week-ends de nov. ; fermé merc. sauf du 15 juin au 15 sept. – **R** 180 (sauf sam. soir)/350
Spéc. Foie gras frais de canard, Carte des homards, Coquillages et crustacés.

XXX **Georges II,** bd Dr. J.-Pouget ✆ 21 05 00 68 – — AZ r
1er juin-30 sept. et hors sais. ouvert week-end et le midi en sem. sauf merc. – SC : **R** 250/350.

XX **Chalut,** 7 bd Dr J.-Pouget ✆ 21 05 22 55 – E VISA — AY f
fermé 15 déc. au 1er fév., mardi soir de sept. à juin et merc. – SC : **R** 100/180.

X **Diamant Rose,** 110 r. Paris ✆ 21 05 38 10. VISA — AZ k
fermé 6 au 20 oct., 31 déc. au 1er fév., mardi soir sauf juil.-août et merc. – SC : **R** 52/110.

à l'Aéroport E : 2,5 km BZ :

XX **L'Escale,** ✆ 21 05 23 22 – 🅿. AE VISA
fermé jeudi soir en hiver – SC : **R** carte 135 à 220.

à Stella-Plage par ② : 7 km – ✉ **62780** Cucq :

Dell'Hôtel M, bd E.-Labrasse ✆ 21 94 60 86 – 🛗 wc wc 🅿 – 30. VISA. rest
mars-sept. et fermé merc. de juin à août – SC : **R** 58/88 – 16 – **31 ch** 88/205 – P 215/334.

RENAULT G.C.R., ZAE av. de Trépied ✆ 21 94 91 00

TOURCOING 59200 Nord 51 ⑥ G. Flandres, Artois, Picardie – 97 121 h. alt. 42.

Voir Château du Vert-Bois* SO : 5 km par D 952.

9 des Flandres ✆ 20 72 20 74 par ① : 9,5 km ; 18 du Sart ✆ 20 72 02 51 par ① : 12 km ; 9 9 9 de Bondues ✆ 20 37 80 03, SO : 7 km.

Syndicat d'Initiative Grand'Place ✆ 20 26 89 03 - A.C. 13 r. Desurmont ✆ 20 26 56 35.

Paris 234 ⑧ – Kortrijk 19 ⑥ – Gent 61 ⑥ – ♦Lille 13 ⑧ – Oostende 66 ⑦ – Roubaix 4 ②.

Accès et Sorties : Voir à Lille

Plans pages suivantes

Novotel M, au Nord près échangeur de Neuville-en-Ferrain ✉ 59960 Neuville-en-Ferrain ✆ 20 94 07 70, Télex 131656, – 🛗 rest 📺 ☎ ♿ 🅿 – 30 à 300. AE E VISA — plan Lille JKR
R snack carte environ 100 – 32 – **107 ch** 291/323.

Ibis M, r. Carnot ✆ 20 24 84 58, Télex 132695 – 🛗 📺 wc ☎ – 25. E VISA — CY a
SC : **R** carte environ 85 – 20 – **102 ch** 174/221.

XXX **La Saucière,** 189 bd Gambetta ✆ 20 26 67 90 – VISA — CZ s
fermé août, vacances de fév., sam. midi et dim. – **R** carte 185 à 230.

XXX **P'tit Bedon,** 5 bd Égalité ✆ 20 25 00 51 – AE VISA — DY k
fermé 15 au 30 juil., 1er au 15 sept. et lundi – **R** 120/250.

XX **Le Plessy,** 31 av. Lefrançois ✆ 20 25 07 73 – VISA — DZ d
fermé août, dim. soir et lundi – **R** carte 135 à 195.

X **Milano,** 66 r. Haze ✆ 20 26 43 08 – VISA — CY r
fermé août et sam. – SC : **R** carte 105 à 180.

X Enrico, 5 r. Thiers ✆ 20 25 32 79 — CZ v

AUSTIN-ROVER Gar. Devernay, 203 r. de Dunkerque ✆ 20 26 80 28
CITROEN Gar. Corselle, 4 r. F.-Roosevelt CY ✆ 20 01 55 51
CITROEN Vigneau et Delehaye, 135 r. Nationale BY ✆ 20 26 68 71
FIAT Promo-Pneus, 486 r. du Blanc Seau ✆ 20 36 43 58
FORD Gar. Ponthieux, 75 r. de Roubaix ✆ 20 26 67 05
PEUGEOT Gar. de L'Autoroute, 13 r. du Dronckaert à Roncq par ⑦ ✆ 20 37 89 15

RENAULT D.I.A.N.O.R., 53 r. du Dronckaert à Roncq par ⑦ ✆ 20 94 01 35
RENAULT Guilbert, 95 r. du Tilleul DZ ✆ 20 26 74 18 N ✆ 20 75 40 03
RENAULT Gar. du Nord, 4 av. Lefrançois CZ ✆ 20 01 46 11
RENAULT Ropital, 19 quai Cherbourg BZ ✆ 20 26 61 94
V.A.G. Beulque, 20 r. du Tilleul ✆ 20 24 36 45

Nord-Pneu, 9 bis r. F.-Buisson ✆ 20 25 31 78

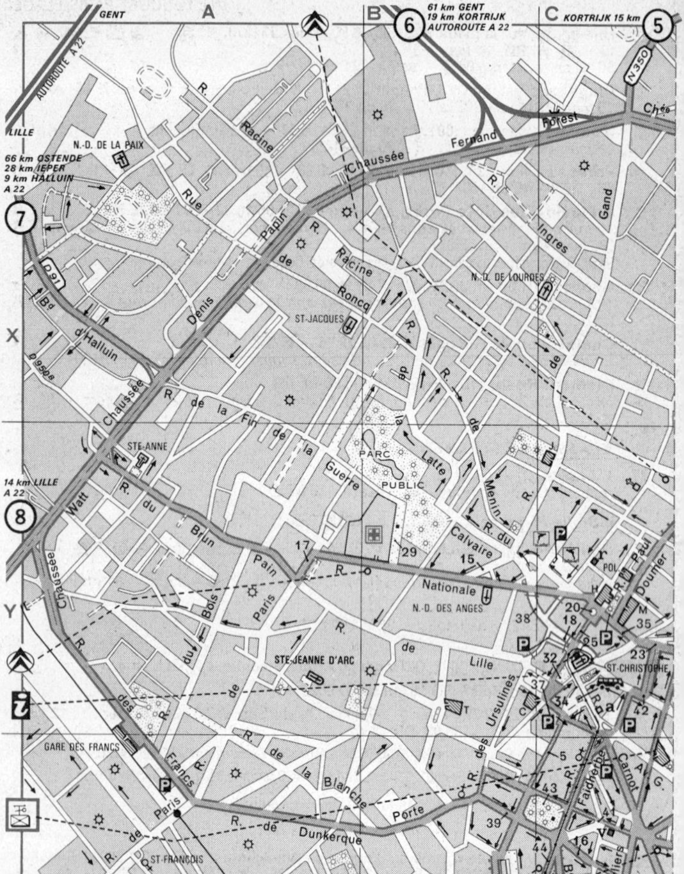

au-dessous, voir plan de Roubaix

In this guide,
a symbol or a character,
printed in red or black, in light or **bold** type,
does not have the same meaning.
Please read the explanatory pages carefully
(pp. 24 to 31).

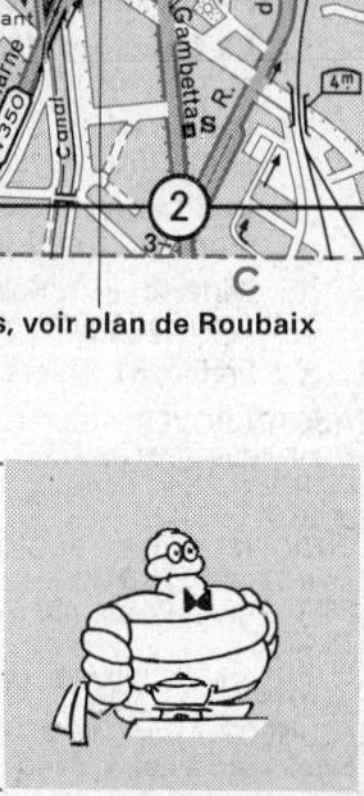

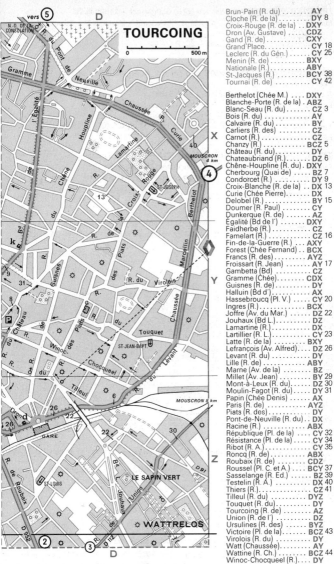

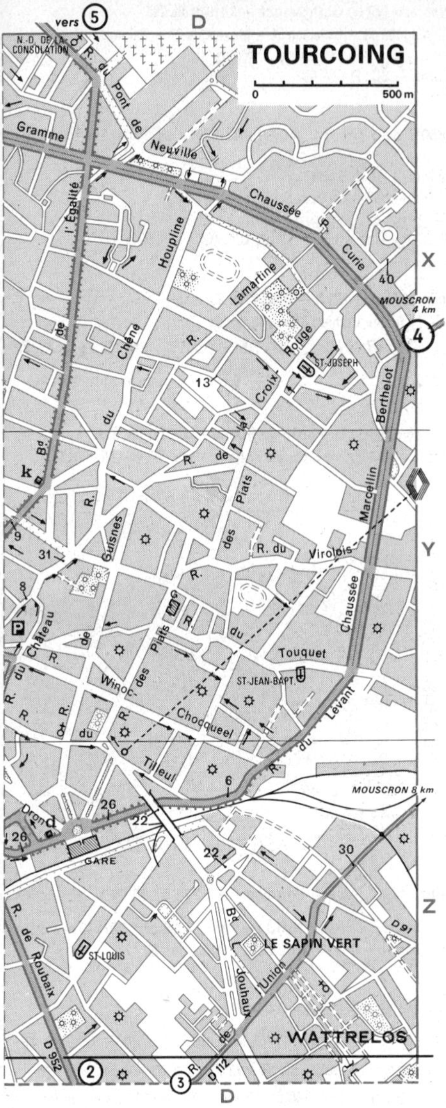

TOURCOING

Brun-Pain (R. du) . . . . AY
Cloche (R. de la) . . . . DY 8
Croix-Rouge (R. de la) . . DXY
Dron (Av. Gustave) . . . . . CDZ
Gand (R. de) . . . . CXY
Grand'Place . . . . CY 18
Leclerc (R. du Gén.) . . . . . . CY 25
Menin (R. de) . . . . BXY
Nationale (R.) . . . . ABY
St-Jacques (R.) . . . . BCY 38
Tournai (R. de) . . . . CY 42

Berthelot (Chée M.) . . . . DXY
Blanche-Porte (R. de la) . ABZ
Blanc-Seau (R. du) . . . . CZ 3
Bois (R. du) . . . . AY
Calvaire (R. du) . . . . BY
Carliers (R. des) . . . . CZ
Carnot (R.) . . . . CZ
Chanzy (R.) . . . . BCZ 5
Château (R. du) . . . . DY
Chateaubriand (R.) . . . . DZ 6
Chêne-Houpline (R. du) . DXY
Cherbourg (Quai de) . . . . . BZ 7
Condorcet (R.) . . . . DY 9
Croix-Blanche (R. de la) . . DX 13
Curie (Chée Pierre) . . . . DX
Delobel (R.) . . . . BY 15
Doumer (R. Paul) . . . . CY
Dunkerque (R. de) . . . . AZ
Égalité (Bd de l') . . . . DXY
Faidherbe (R.) . . . . CZ
Famelart (R.) . . . . CZ 16
Fin-de-la-Guerre (R.) . . . AXY
Forest (Chée Fernand) . . BCX
Francs (R. des) . . . . AYZ
Froissart (R. Jean) . . . . AY 17
Gambetta (Bd) . . . . CZ
Gramme (Chée) . . . . CDX
Guisnes (R. de) . . . . DY
Halluin (Bd d') . . . . AX
Hassebroucq (Pl. V.) . . . . . CY 20
Ingres (R.) . . . . BCX
Joffre (Av. du Mar.) . . . . . . DZ 22
Jouhaux (Bd L.) . . . . DZ
Lamartine (R.) . . . . DX
Lartillier (R. L.) . . . . CY 23
Latte (R. de la) . . . . BXY
Lefrançois (Av. Alfred) . . . . DZ 26
Levant (R. du) . . . . DY
Lille (R. de) . . . . ABY
Marne (Av. de la) . . . . BZ
Millet (Av. Jean) . . . . BY 29
Mont-à-Leux (R. du) . . . . . . DZ 30
Moulin-Fagot (R. du) . . . . . DY 31
Papin (Chée Denis) . . . . . . AX
Paris (R. de) . . . . AYZ
Piats (R. des) . . . . DY
Pont-de-Neuville (R. du) . . DX
Racine (R.) . . . . ABX
République (Pl. de la) . . . . CY 32
Résistance (Pl. de la) . . . . CY 34
Ribot (R. A.) . . . . CY 35
Roncq (R. de) . . . . ABX
Roubaix (R. de) . . . . CDZ
Roussel (Pl. C. et A.) . . . . BCY 37
Sasselange (R. Ed.) . . . . . . BZ 39
Testelin (R. A.) . . . . DX 40
Thiers (R.) . . . . CZ 41
Tilleul (R. du) . . . . DYZ
Touquet (R. du) . . . . DY
Tourcoing (R. de) . . . . AZ
Union (R. de l') . . . . DZ
Ursulines (R. des) . . . . . . BYZ
Victoire (Pl. de la) . . . . BCZ 43
Virolois (R. du) . . . . DY
Watt (Chaussée) . . . . AY
Wattine (R. Ch.) . . . . BCZ 44
Winoc-Chocqueel (R.) . . . . DY

Die im Michelin-Führer

verwendeten Zeichen und Symbole haben – dünn oder **fett** gedruckt, in rot oder schwarz – jeweils eine andere Bedeutung.

Lesen Sie daher die Erklärungen (S. 40 - 47) aufmerksam durch.

La TOUR-D'AIGUES **84240** Vaucluse **84** ③ **G. Provence** – 2 479 h. alt. 268.
Paris 755 – Aix-en-Pr. 26 – Apt 41 – Avignon 83 – Cavaillon 51 – Manosque 27 – Salon-de-Pr. 47.

XX **Host. du Château,** (1er étage) ☎ 90 77 43 55 – AE ⓓ
fermé juin, dim. soir et lundi – SC : **R** 58/140.

RENAULT Felines, ☎ 90 77 40 47 N ☎ 90 77 45 19

La TOUR-D'AUVERGNE **63680** P.-de-D. **73** ⑬ **G. Auvergne** – 900 h. alt. 990 – Sports d'hiver : 1 200/1 400 m 3.

Syndicat d'Initiative à l'Hôtel de Ville ☎ 73 21 54 80.
Paris 443 – •Clermont-Ferrand 60 – Mauriac 57 – Le Mont-Dore 17 – Ussel 60.

Lac, rte de Bort ☎ 73 21 52 19, ≤ – wc ⓟ. rest
15 déc.-30 sept. – SC : **R** 50/90 – 13,50 – **12 ch** 100/160 – P 150/220.

RENAULT Gar. Maillard, ☎ 73 21 50 43

Le TOUR-DU-PARC **56** Morbihan **63** ⑬ – 571 h. – ✉ **56370** Sarzeau.
Paris 475 – Muzillac 22 – Redon 59 – La Roche-Bernard 37 – Vannes 22.

La Croix du Sud M, ☎ **97 67 30 20**, , , – TV wc ☎ ⓟ – 30. AE ⓓ E VISA
SC : **R** *(fermé dim. soir et lundi)* 122/183 – 20 – **16 ch** 195, 8 appartements 212 – P 290/308.

La TOUR-DU-PIN **38110** Isère **74** ⑭ **G. Vallée du Rhône** – 7 037 h. alt. 339.
Paris 495 ④ – Aix-les-B. 53 ① – Chambéry 47 ④ – •Grenoble 67 ④ – •Lyon 55 ④ – Vienne 53 ④.

LA TOUR-DU-PIN

Billard (R. Marius)	4
Briand (R. Aristide)	5
Bruyères (R. des)	7
Contamin (R. Claude)	8
Dubost (Pl. Antonin)	9
Jaurès (R. Jean)	13
Lescure (R. Jean)	15
Nation (Pl. de la)	16
Pasteur (R.)	17
Paul-Bert (R.)	18
Recollets (R. des)	20
République (R. de la)	21
Sage (R. Paul)	23
Savoyat (R. Joseph)	24
Thevenon (Pl. Albert)	25
Viricel (R.)	29

Les plans de villes sont orientés le Nord en haut.

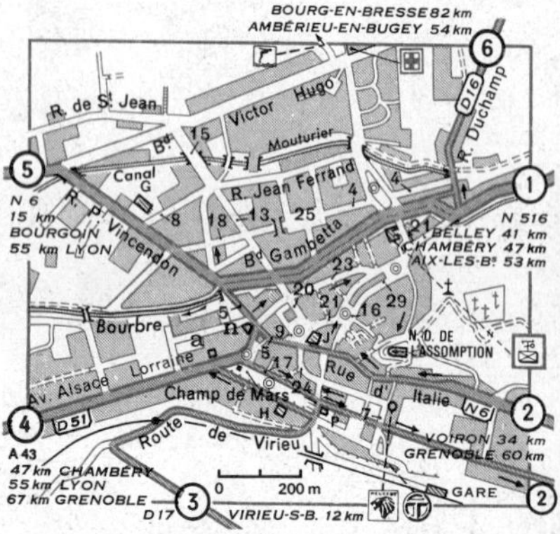

France et rest. Bec Fin, 12 av. Alsace-Lorraine **(a)** ☎ **74 97 00 08** – wc ☎ , VISA
SC : **R** *(fermé 22 déc. au 2 janv. et dim. soir)* 55/130 – 20 – **30 ch** 100/170 – P 215.

Dauphiné Savoie, r. A.-Briand **(n)** ☎ **74 97 03 87** – wc ☎. E
fermé 15 oct. au 1er nov., 1er au 7 mars et lundi midi – SC : **R** 55/130 – 17 – **12 ch** 78/140 – P 155/175.

à Cessieu par ⑤ : 6 km – ✉ **38110** La Tour-du-Pin :

XX **La Gentilhommière** avec ch, ☎ **74 88 30 09**, , parc – wc wc ☎ ⓟ. AE ⓓ E VISA
fermé 15 nov. au 5 déc., dim. soir et lundi – SC : **R** 90/220 – 16 – **6 ch** 110/169.

à Faverges-de-la-Tour par ①, N 75 et D 145 E : 10 km – ✉ **38110** La-Tour-du-Pin :

❀ **Château de Faverges** , ☎ 74 97 42 52, Télex 300372, ≤, parc, « Très beaux aménagements intérieurs », , – TV ☎ ⓟ – 100. AE ⓓ VISA. rest
8 mai-19 oct. – SC : **R** *(fermé lundi)* carte 200 à 300 – 55 – **41 ch** 385/1 110, 3 appartements 1 450
Spéc. Fricassée de sole et langoustines, Blanc de volaille de Bresse aux truffes et aux ravioles, Gigot de volaille en gelée. **Vins** Seyssel, Chignin.

CITROEN Gar. Vial, N 6 Zone Ind. à St-Jean-de-Soudain par ⑤ ☎ 74 97 30 34
CITROEN Monin, à St-Clair de la Tour par ① ☎ 74 97 10 82
PEUGEOT-TALBOT Brochier, 9 r. Bruyères ☎ 74 97 03 68
RENAULT Tour-Autos, Zone Ind. à St-Jean-de-Soudain par r. St-Jean ☎ 74 97 25 63

V.A.G. Alp'Gar. 23 r. Pasteur ☎ 74 97 09 84
Gar. du Centre, 1 r. Pierre Vincendon ☎ 74 97 04 57

Bargeon-Pneus, 58 av. Alsace Lorraine ☎ 74 97 32 05

TOURMALET (Col du) 65 H.-Pyr. 85 ⑱ **G. Pyrénées** – alt. 2 114 – **Voir** ☼★★.
Paris 840 – Luz-St-Sauveur 18 – La Mongie 4.

TOURNAN-EN-BRIE **77220** S.-et-M. 61 ② – 4 851 h alt. 98.
Paris 44 – Brie-Comte-Robert 14 – Meaux 34 – Melun 28 – Provins 49.

XX **Aub. La Tourelle,** 1 r. Melun ☎ (1) 64 25 32 23. VISA
fermé 6 au 28 août, vacances de fév. et mardi – SC : **R** (déj. seul) carte 110 à 160.

PEUGEOT-TALBOT Gar. de la Sécurité, ☎ 74 07 04 06

TOURNEFEUILLE 31 H.-Gar. 82 ⑦ – rattaché à Toulouse.

TOURNON SP 07 Ardèche 77 ① – rattaché à Tain-Tournon.

TOURNON-D'AGENAIS **47370** L.-et-G. 79 ⑥ **G. Périgord** – 921 h. alt. 167.
Voir Site★.
Syndicat d'Initiative pl. Hôtel de Ville (10 juil.-25 août) ☎ 53 71 70 19.
Paris 604 – Agen 42 – Cahors 46 – Castelsarrasin 56 – Montauban 63 – Villeneuve-sur-Lot 26.

Midi, ☎ 53 71 70 08, – wc
fermé 1er au 22 sept. et sam. sauf juil.-août – SC : **R** 45/90 – 16 – **12 ch** 65/150 – P 160/180.

RENAULT Gar. Mirabel, ☎ 53 71 72 07 N ☎ 53 71 73 79

TOURNUS **71700** S.-et-L. 69 ⑳ **G. Bourgogne** – 6 704 h. alt. 193.
Voir Ancienne abbaye★ : église St-Philibert★★.
Office de Tourisme pl. Carnot (1er mars-31 oct.) ☎ 85 51 13 10.
Paris 362 ① – Bourg-en-Bresse 51 ② – Chalon-sur-Saône 27 ① – Charolles 63 ③ – Lons-le-Saunier 56 ② – Louhans 29 ② – ♦ Lyon 102 ② – Mâcon 31 ② – Montceau-les-Mines 65 ①.

✿ **Le Rempart** M, 2 av. Gambetta **(x)** ☎ 85 51 10 56, Télex 351019 – AE E VISA
SC : **R** 130/270 – 32 – **28 ch** 380/500 – P 380/500
Spéc. Foie gras frais de canard, Turbot au sabayon de poivre rose, Pigeonneau de Bresse à l'ail doux. **Vins** Mâcon blanc et rouge.

Le Sauvage, pl. Champ-de-Mars **(u)** ☎ 85 51 14 45, Télex 800726, – wc wc – 30. AE E VISA
fermé 15 nov. au 15 déc. – SC : **R** 80/176 – 25 – **31 ch** 194/218.

Motel Clos Mouron M sans rest, par ① : 0,5 km ☎ 85 51 23 86 – wc AE E VISA
fermé 28 déc. au 4 janv. et dim. d'oct. à avril – SC : 18 – **20 ch** 146/175.

Paix, 9 r. J.-Jaurès **(k)** ☎ 85 51 01 85 – wc wc AE E VISA
fermé 3 au 11 mai, 18 au 26 oct., 10 au 31 janv., merc. midi et mardi du 15 sept. au 30 juin – SC : **R** 62/130 – 19 – **19 ch** 100/225 – P 170/250.

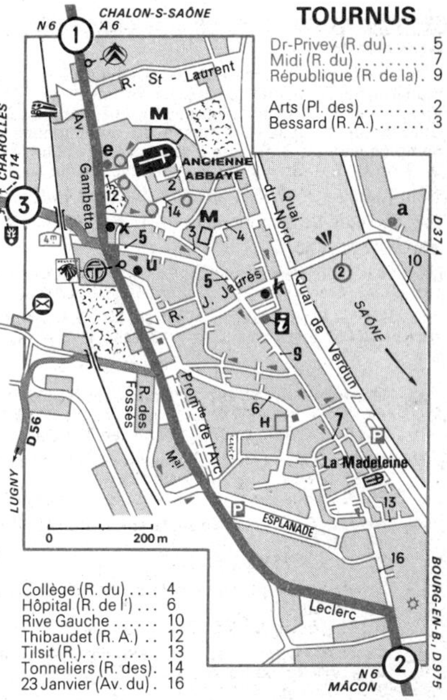

XXX ✿✿ **Greuze** (Ducloux), 1 r. A.-Thibaudet **(e)** ☎ 85 51 13 52 – AE VISA
fermé 15 nov. au 15 déc. et jeudi soir sauf fériés – **R** 190/300 et carte
Spéc. Gratin de queues d'écrevisses, Quenelles de brochet, Entrecôte à la Charolles. **Vins** Beaujolais, Mâcon.

X **Nouvel Hôtel** avec ch, 1 bis av. Alpes **(a)** ☎ 85 51 04 25 – E VISA
fermé 2 au 9 juin, 26 nov. au 29 déc., merc. et dim. soir sauf en juil.-août – SC : **R** 59/125 – 14,50 – **6 ch** 84/140.

à Martailly-lès-Brancion par ③ et D 14 : 12 km – ✉ **71700** Tournus :

✕ **Relais de Martailly,** ✆ 85 51 19 56 – Ⓟ. E
1er mars-15 oct. et fermé lundi sauf le soir du 14 juil. au 15 sept. – SC : **R** 42/113 ₰.

à Brancion par ③ D 14 : 14 km – ✉ **71700** Tournus.
Voir Donjon du château ≤★.

Montagne de Brancion Ⓜ sans rest, au col de Brancion ✆ 85 51 12 40, ≤, – wc wc ☎ Ⓟ – 50
fermé 1er déc. au 31 janv. – SC : ☕ 18 – **20 ch** 126/231.

CITROEN Gar. Guillemaut, 4 av. Pasteur ✆ 85 51 03 17
FORD Gar. Pagneux, 3 av. Gambetta ✆ 85 51 06 45
PEUGEOT-TALBOT Tournus-Pneus, 16 pl. du Champ-de-Mars N 6 ✆ 85 51 07 58
RENAULT Pageaud, 3 rte de Paris par ① ✆ 85 51 07 05
FIAT, LANCIA-AUTOBIANCHI Gar. Roussel, N 12 à Ste-Anne ✆ 85 25 73 41 N
PEUGEOT-TALBOT Toussaint, ✆ 85 25 70 02
RENAULT Chardon, ✆ 85 25 73 12

TOURRETTE-SUR-LOUP 06 Alpes-Mar. 84 ⑨, 195 ㉕ **G. Côte d'Azur** – 2 727 h. alt. 400 – ✉ **06140** Vence.

Voir Vieux village★.

Paris 933 – Grasse 21 – ♦Nice 28 – Vence 6.

Aub. Belles Terrasses, rte Vence : 1 km ✆ 93 59 30 03, ≤ – wc wc Ⓟ. AE
SC : **R** *(fermé 12 nov. à début déc.)* 55/85 ₰ – ☕ 16,50 – **16 ch** 140/160 – P 398 (pour 2 pers.).

Grive Dorée, rte Grasse ✆ 93 59 30 05, ≤ – wc
SC : **R** 75/135 – ☕ 20 – **14 ch** 130/195 – P 220/235.

✕✕ **Chantecler,** rte Vence ✆ 93 59 34 22, ≤ – AE
fermé 2 au 12 juin, 25 nov. au 23 déc.,le soir sauf juil.-août et lundi – SC : **R** 77/150.

TOURS P 37000 I.-et-L. 64 ⑮ **G. Châteaux de la Loire** – 136 483 h. communauté urbaine 251 320 h. alt. 48.

Voir Quartier de la cathédrale★★ : Cathédrale★★ EX, musée des beaux-Arts★★ EXY **M2**, Historial de Touraine★ EX **M6**, La Psalette★ EX **F**, Place Grégoire de Tours★ EX47 – Vieux Tours★★ : Place Plumereau★ CY **67**, hôtel Gouin★ CX **M4**, rue Briçonnet★ CX **15** – Quartier de St-Julien★ : musée du Compagnonnage★★ DX **M5**, Jardin de Beaune-Semblançay★ DX **B**, Rampe d'escalier★ de l'hôtel Mame DY **D** – Prieuré de St-Cosme★ O : 3 km AV **E** – Grange de Meslay★ NE : 10 km AU **S**.

18 de Touraine ✆ 47 53 20 28 ; domaine de la Touche à Ballan-Miré par ⑪ : 14 km.

✈ de Tours-St-Symphorien : T.A.T. ✆ 47 54 21 45 NE : 7 km AU.

✆ 47 20 23 43.

Office de Tourisme et Accueil de France (Informations, change et réservations d'hôtels, pas plus de 5 jours à l'avance), pl. Gare ✆ 47 05 58 08, Télex 750008 – A.C.O. 4 pl. J.-Jaurès ✆ 47 05 50 19.

Paris 234 ③ – Angers 106 ⑬ – ♦Bordeaux 345 ⑩ – Chartres 140 ② – ♦Clermont-Ferrand 299 ⑦ – ♦Limoges 204 ⑩ – ♦Le Mans 82 ⑮ – ♦Orléans 112 ③ – ♦Rennes 236 ⑮ – ♦St-Étienne 424 ⑦.

Plans pages suivantes

Méridien Ⓜ, 292 av. Grammont ✉ 37200 ✆ 47 28 00 80, Télex 750922, ≤, , , – ☎ Ⓟ – 40 à 200. AE ⓓ E VISA AV **s**
SC : **R** 105/150 – ☕ 37 – **119 ch** 355/530, 6 appartements – P 657/772.

Univers et rest. La Touraine, 5 bd Heurteloup ✆ 47 05 37 12, Télex 751460 – ☎ – 30. AE ⓓ E VISA DY **u**
SC : **R** *(fermé sam.)* 105/140 – ☕ 33 – **88 ch** 254/357, 3 appartements 570.

Royal Ⓜ sans rest, 65 av. Grammont ✆ 47 64 71 78, Télex 752006 – . AE ⓓ VISA. DZ **s**
SC : ☕ 26 – **35 ch** 236/272.

Bordeaux, 3 pl. Mar.-Leclerc ✆ 47 05 40 32, Télex 750414 – ☎. AE ⓓ E VISA. ch DY **t**
R 120 – **52 ch** ☕ 265/300 – P 370/540.

Central H. sans rest, 21 r. Berthelot ✆ 47 05 46 44, Télex 751173 – wc wc ☎ Ⓟ. AE ⓓ E VISA DY **k**
SC : ☕ 25 – **42 ch** 150/290.

Criden Ⓜ sans rest, 65 bd Heurteloup ✆ 47 20 81 14 – wc ☎ . AE ⓓ E VISA EY **g**
SC : ☕ 20 – **32 ch** 235/350.

des Châteaux de la Loire sans rest, 12 r. Gambetta ✆ 47 05 10 05 – wc wc . AE ⓓ E VISA DY **x**
fermé 20 déc. au 20 janv., sam. et dim. du 1er nov. au 15 mars – SC : ☕ 18 – **32 ch** 129/214.

TOURS

Alouette (Av. de l') . . . . . . AV 2
Bordeaux (Av. de) . . . . . . AV 6
Bordiers (R. des) . . . . AU 10
Brulon (R. Léon) . . . . AV 17
Chantepie (R. de) . . . . AV 21
Chanterie (R. de la) . . . . . AU 23
Chevalerie (R. de la) . . . . AU 24
Christ-Roi (⊞) . . . . AU 25
Churchill (Bd Winston) . . AV 26
Delaroche (R.) . . . . AU 32
Eiffel (Av. Gustave) . . . . . AU 36
Grammont (Av. de) . . . . . AV 39
Jaurès
(Bd et R. Jean) . . . . AV 48
Larçay (R. de) . . . . AV 53
Moulin (R. Jean) . . . . AV 59
N.-D. de la Paix (⊞) . . . . AV 61
Paul-Bert (Quai) . . . . AU 64
Portillon (Quai de) . . . . . . AU 72
Proudhon (Av.) . . . . AV 73
St-Avertin (Rte de) . . . . . . AV 77
St-Cosme (⊞) . . . . AV E
St-Jean (⊞) . . . . AV 81
St-Pierre (⊞) . . . . AU 84
St-Symphorien (⊞) . . . . AU 85
Ste-Radegonde (⊞) . . . AU 87
Ste-Thérèse (⊞) . . . . AV 88
Savonnières (Rte de) . . . . AV 89
Tranchée (Av. de la) . . . . . AU 95
Wagner (Bd Richard) . . . . AV 98

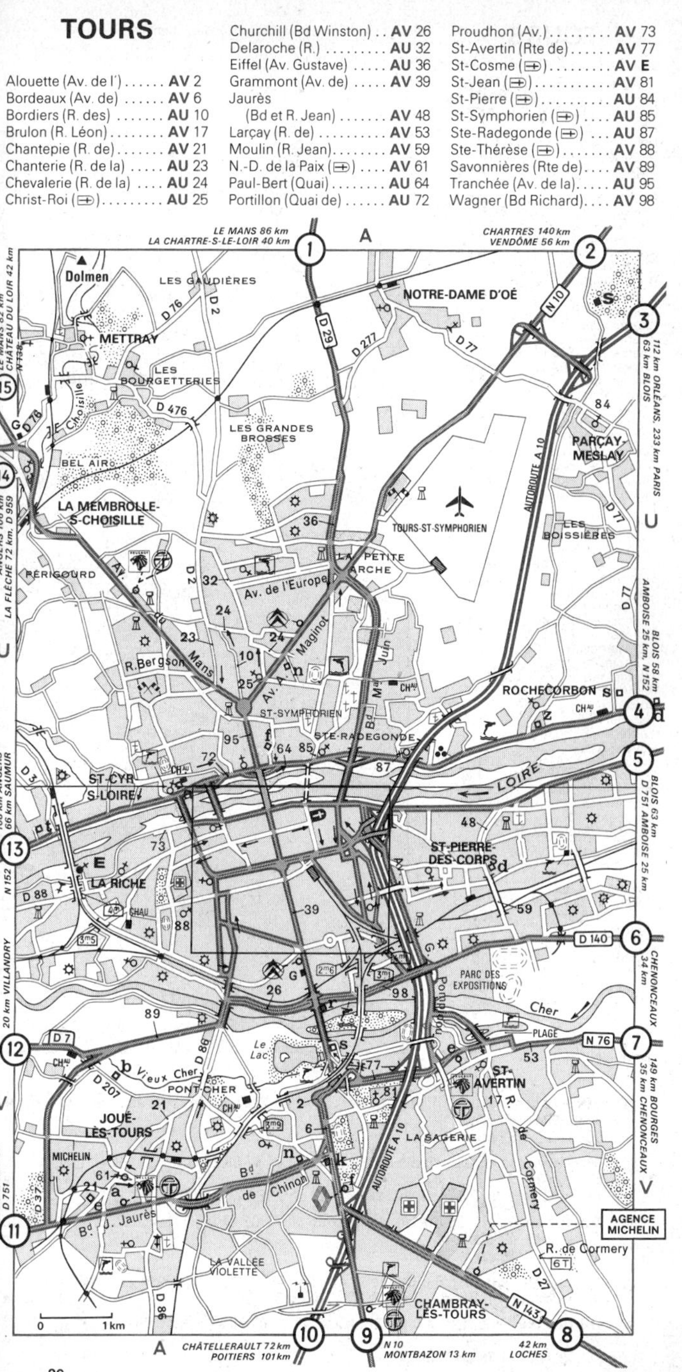

TOURS

Bordeaux (R. de). . . . . **DY** 8
Commerce (R. du). . . . . . **CDX** 28
Grammont (Av. de) . . . . . **DEZ**
Halles (Pl. et R.). . . . . **CY**
Marceau (R.) . . . . **CDY**
Nationale (R.). . . . . **DXY**
Scellerie (R. de la) . . . . **DY** 91

Anatole-France (Pl.). . . . . . **DX** 4
Béranger (Bd) . . . . **BCDY**
Blanqui (R. A.). . . . . **EFX**
Boisdenier (R. de) . . . . . . **CDZ**
Boyer (R. Léon) . . . . **BY**
Bretonneau (R.) . . . . **CXY**
Briçonnet (R.) . . . . **CX** 15
Buffon (R.) . . . . **DY**
Cathédrale (Pl.) . . . . **EX** 18
Chanoineau (R.) . . . . **CY** 20
Chanzy (R. du Gén.) . . . . . . **BY**
Charpentier (R. J.) . . . . . . **BCY**
Chevallier (R. A.) . . . . **BCZ**
Colbert (R.) . . . . **DX**
Constantine (R.) . . . . **CX** 29
Corneille (R.) . . . . **DY** 30
Courteline (R. G.) . . . . **BY**
Descartes (R.) . . . . **CY** 33
Desmoulins (R. C.) . . . . . . **EFY**
Dr-Fournier (R. du) . . . . **FZ**
Docks (R. des). . . . . **EFY**
Entraigues (R. d') . . . . . **BCYZ**
Foire-le-Roi (Pl.) . . . . **DX** 38
Fouquet (R. Jehan) . . . . . **CYZ**
Fuye (R. de la) . . . . **FYZ**
Galpin-Thiou (R.) . . . . **DEZ**
Gaulle (Av. Gén.-de) . . . . . **EFZ**
George Sand (R.) . . . . **DYZ**
Gille (R. Charles). . . . . **DY**
Giraudeau (R.) . . . . **BYZ**
Grandière (R. de la) . . . . . . **CY** 41
Gd-Marché (Pl.) . . . . **CY** 42
Gd-Marché (R.). . . . . **CY** 44
Grégoire-de-Tours (Pl.) . . . **EX** 47
Heurteloup (Bd) . . . . **EFY**
Jaurès (Pl. Jean). . . . . **DY**
Jolivet (R.). . . . . **FZ**
Lakanal (R.) . . . . **CZ**
Lattre-de-T. (Bd de) . . . . . . **EZ**
Lavoisier (R.) . . . . **DEX** 54
Leclerc (Pl. du Mar.) . . . . . . **EY**
Lobin (R.) . . . . **FX**
Meusnier (R. du Gén.) . . . **EXY** 57
Michelet (R.). . . . . **DYZ**
Mirabeau (R.) . . . . **FXY**
Néricault-Destouches (R.) . . . . **CDY** 60
N.-D. de la Riche (⊞) . . . . **BY**
Orléans (Quai d') . . . . **DEX**
Paillhou (Pl. Gaston) . . . . . **CY**
Palissy (R. Bernard) . . . . **EY**
Pascal (R. Blaise) . . . . **EYZ**
Petit-Pré (R. du). . . . . **EY**
Plantin (R.) . . . . **FY** 66
Plat-d'Etain (R. du) . . . . **BZ**
Plumereau (Pl.). . . . . **CY** 67
Pompidou (Av. G.) . . . . . . **FXY** 69
Pont-Neuf (Q. du) . . . . . . **BCX** 70
Preuilly (Bd). . . . . **BY**
Proudhon (Av.) . . . . **BX** 73
Rabelais (Pl.) . . . . **BZ**
Rempart (R. du). . . . . **FY** 74
Renault (R. du Gén.) . . . **BCZ**
Résistance (Pl. de la) . . . . **DY** 75
Rouget-de-Lisle (R.). . . . . **BY**
Sacré-Cœur (⊞). . . . . **FZ**
St-Étienne (⊞) . . . . **DY** 80
St-Gatien (Cathédrale) . . . . **EX**
St-Julien (⊞). . . . . **DX X**
St-Martin (⊞) . . . . **CY W**
St-Paul (⊞). . . . . **EZ** 83

[hotel] **Europe** sans rest, 12 pl. Mar.-Leclerc ✆ 47 05 42 07, « Meubles anciens, tableaux » – [lift] [bath]wc [shower]wc [phone] EY **m**
SC : [breakfast] 17 – **53 ch** 140/220.

[hotel] **Mirabeau** sans rest, 89 bis bd Heurteloup ✆ 47 05 24 60 – [lift] [bath]wc [shower]wc [phone]. AE E VISA. [no dogs] EY **e**
fermé 20 déc. au 2 janv. – SC : [breakfast] 20 – **25 ch** 205/253.

[hotel] **Armor** sans rest, 26 bis bd Heurteloup ✆ 47 05 24 37, Télex 752020 – [lift] [bath]wc [shower]wc [phone] [parking]. AE [Diners] E VISA EY **s**
SC : [breakfast] 21 – **50 ch** 125/250.

[hotel] **Cygne** [quiet] sans rest, 6 r. Cygne ✆ 47 66 66 41 – [bath]wc [shower]wc [phone] [garage]. VISA. [no dogs]
fermé 15 déc. au 7 janv. – SC : [breakfast] 20 – **20 ch** 85/260. DX **a**

[hotel] **Gambetta** sans rest, 7 r. Gambetta ✆ 47 05 08 35 – [bath]wc [shower]wc [phone] – [meeting room] 70. AE VISA DY **e**
SC : [breakfast] 18,50 – **39 ch** 105/253.

St-Pierre (⊞) .... **FX**
St-Saturnin (⊞)........ **CX**
Ste-Jeanne d'Arc (⊞) .. **CZ**
Salengro (R. Roger) ... **CDZ**
Sicard (Pl. François)..... **EY** 92
Simon (R. Jules) .... **EY**
Tanneurs (R. des)....... **BX** 94
Thiers (Bd et Pl.) ...... **CDZ**
Thomas (R. A.) .... **EX**
Ursulines (R. des) ..... **EXY**
Vaillant (R. E.)........ **EFYZ**
Victoire (R. de la)...... **BXY**
Victor-Hugo (R.) ...... **BCY**
Voltaire (R.) .... **DXY** 96
Zola (R. Émile) .... **DY**

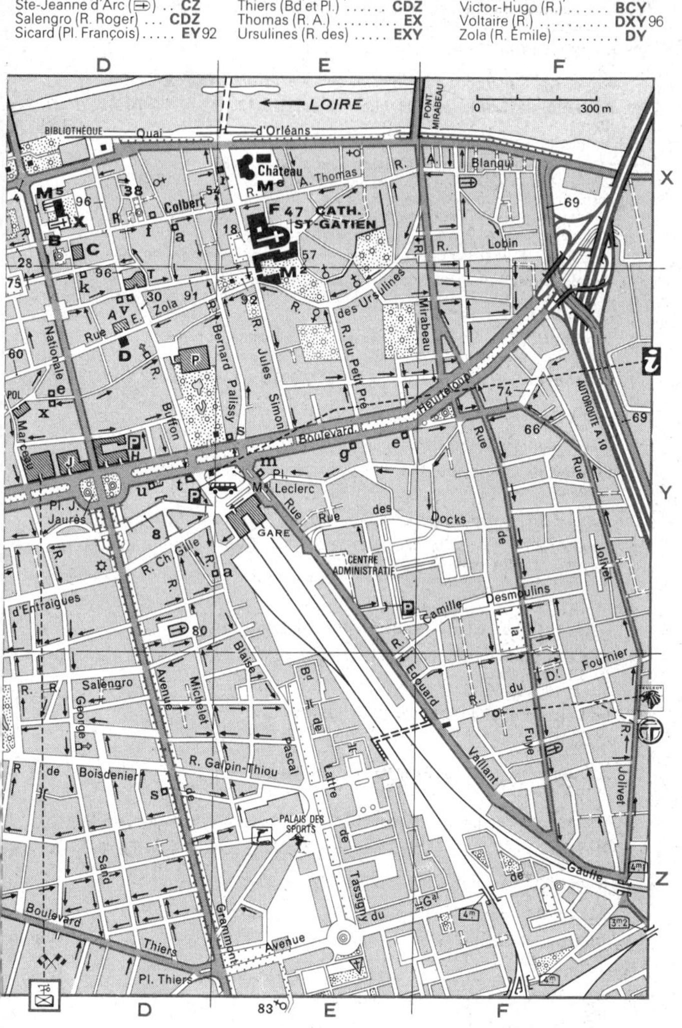

🏨 **Balzac** sans rest, **47 r. Scellerie** ✆ **47 05 40 87** – ⌂wc ⋔wc ☎. AE ⊙ E VISA
SC : ☐ 17 – **18 ch** 91/190. DY **v**

🏨 **Italia** sans rest, **19 r. Devilde** ✉ **37100** ✆ **47 54 43 01** – ⌂wc ⋔wc ☎ Ⓟ. VISA. ✻
fermé 1er au 15 sept. – SC : ☐ 20 – **20 ch** 95/173. AU **n**

🏨 **Théâtre** sans rest, **57 r. Scellerie** ✆ **47 05 31 29** – TV ⌂wc ⋔wc ☎. AE ⊙ E VISA
SC : ☐ 18 – **14 ch** 145/210. DY **v**

🏨 **Akilène** sans rest, **22 r. Gd Marché** ✆ **47 61 46 04** – |♦| ⌂wc ⋔wc ☎. VISA CY **v**
SC : ☐ 17 – **20 ch** 100/194.

🏨 **Rosny** sans rest, **19 r. B. Pascal** ✆ **47 05 23 54** – ⌂wc ⋔wc ☎ Ⓟ. VISA DEY **a**
fermé 20 déc. au 7 janv. – SC : ☐ 17,50 – **22 ch** 83/220.

🏨 **Colbert** sans rest, **78 r. Colbert** ✆ **47 66 61 56** – ⌂wc ⋔ ☎. AE ⊙ E VISA DX **f**
SC : ☐ 18,50 – **18 ch** 100/210.

🏨 **Foch** sans rest, **20 r. Mar.-Foch** ✆ **47 05 70 59** – ⌂ ⋔wc ☎. AE VISA CY **q**
SC : ☐ 17 – **16 ch** 100/215.

XXX **Les Jardins du Castel,** 10 r. Groison ✆ 47 41 94 40, ☂, ⌂ – AE AU **f**
fermé janv., dim. soir et lundi – **R** 145 bc/180 bc.

XXX **La Rôtisserie Tourangelle,** 23 r. Commerce ✆ 47 05 71 21, ☂ – AE ⓓ VISA CX **z**
fermé 14 juil. au 5 août, 2 au 16 mars, dim. soir et lundi – SC : **R** 135/260.

XXX **Au Gué de Louis XI,** 36 quai Loire ✉ 37100 ✆ 47 54 00 43 – AE ⓓ VISA AUV **a**
fermé dim. soir et lundi – **R** 75/165.

XX ✿ **Les Tuffeaux** (Devaux), 19 r. Lavoisier ✆ 47 47 19 89 EX **r**
fermé 12 au 27 août, 4 au 26 janv., dim. et lundi – SC : **R** carte 175 à 240
Spéc. Bouilleture de poissons blancs au Chinon, Noisettes de lapereau aux pruneaux (1er mars au 30 sept.), Nougat glacé. **Vins** Chinon, Vouvray.

XX **Coq d'Or,** 272 av. Grammont ✆ 47 20 39 51 – VISA AV **r**
fermé 5 au 25 août, 6 au 12 janv., sam. midi, dim. soir et lundi – SC : **R** 110 bc/85.

XX **Relais Buré,** 1 pl. Résistance ✆ 47 05 67 74 – AE VISA CXY **w**
fermé lundi – SC : **R** (1er étage) 90/110 (rez de chaussée snack) **R** carte environ 120 ♨.

XX **L'Atlantic,** 59 r. Commerce ✆ 47 64 78 41, poissons et fruits de mer CX **t**
fermé août, dim. soir et lundi – SC : **R** carte 120 à 200.

XX **Le Ronsard,** 47 av. Bordeaux (N 10) ✉ 37300 Joué-les-Tours ✆ 47 25 13 44 – Ⓟ ⊗ AV **k**
fermé mardi soir et merc. – SC : **R** 115/145.

à La Guignière O : rte de Saumur - AV – ✉ **37230** Luynes :

⌂ **Le Manoir** sans rest, ✆ 47 42 04 02, ≤ – ⇔wc ⋒ ☎ ⇐. VISA AV **t**
fermé dim. du 1er janv. au 15 mars – SC : ☐ 16 – **16 ch** 95/160.

à Saint-Pierre des Corps E : 3,5 km - AV – ✉ **37700** Saint-Pierre-des-Corps :

⌂ ✈ **Dancotel** Ⓜ, 10 r. J.-Moulin ✆ 47 44 44 67 – |‡| ☰ rest ⇔wc ⋒wc ☎ Ⓟ – ⚲ 25 à 100. AE ⓓ E VISA AV **d**
SC : **R** snack *(fermé dim. soir en hiver)* 52 bc/120 – ☐ 21 – **32 ch** 180/200 – P 280/360.

à Rochecorbon NE : rte de Blois - AU – ✉ **37210** Vouvray :

⌂ **Les Fontaines** sans rest, 6 quai Loire ✆ 47 52 52 86, ≤, parc – ⇔wc ⋒wc ☎ Ⓟ. AE ⓓ E VISA AU **z**
SC : ☐ 16 – **15 ch** 127/230.

XX ✈ **La Lanterne,** ✆ 47 52 50 02, ☂ – Ⓟ. VISA AU **d**
fermé 25 au 30 août, janv., fév., dim. soir hors sais. et lundi sauf fériés – SC : **R** 55/125.

XX **L'Oubliette,** ✆ 47 52 50 49, ☂ – Ⓟ. E VISA AU **s**
fermé 15 au 30 nov., 1er au 20 fév., dim. soir et lundi – SC : **R** 90/152.

rte de Poitiers : par ⑩ échangeur Tours Sud – ✉ **37170** Chambray-les-Tours :

⌂ **Novotel** Ⓜ, ✆ 47 27 41 38, Télex 751206, ☂, ♒, ⌂ – |‡| ☰ TV ☎ ♿ Ⓟ – ⚲ 200. AE ⓓ E VISA
R snack carte environ 100 ♨ – ☐ 35 – **125 ch** 298/344.

à Joué-lès-Tours SO : 5 km par D 86 - AV – ✉ **37300** Joué-les-Tours :

⌂ **Château de Beaulieu** ⊗, rte Villandry ✆ 47 53 20 26, ≤, parc – ⇔wc ⋒ ☎ Ⓟ – ⚲ 50. VISA AV **b**
SC : **R** 142/260 – ☐ 28 – **17 ch** 230/400 – P 400/480.

⌂ **Parc** Ⓜ sans rest, 17 bd Chinon ✆ 47 25 15 38 – |‡| ⇔wc ⋒wc ☎ Ⓟ. E VISA AV **n**
SC : ☐ 20 – **30 ch** 175/230.

⌂ **Chantepie** Ⓜ ⊗ sans rest, r. Chantepie ✆ 47 53 06 09 – ⇔wc ☎ Ⓟ. E VISA AV **e**
fermé 26 déc. au 16 janv. – SC : ☐ 19 – **20 ch** 87/200.

rte de Savonnières par ⑫ : 10 km sur D 7 – ✉ **37510** Joué-les-Tours :

⌂ **Cèdres** ⊗ sans rest, ✆ 47 53 00 28, Télex 752074, parc, ♒ – |‡| ⇔wc ⋒wc ☎ Ⓟ. E VISA
fermé fév. – SC : ☐ 35 – **35 ch** 220/325.

XX **Rest. des Cèdres,** ✆ 47 53 37 58 – Ⓟ. VISA
SC : **R** carte 210 à 320.

Voir aussi ressources hôtelières de *Luynes* par ⑬ : 13 km, de *Montbazon* par ⑨ : 13 km

MICHELIN, Agence régionale, Zone Ind. Chambray-lès-Tours AV ✆ 47 28 60 59

ALFA-ROMEO L.O.V.A., 20-28 r. d'Entraigues ✆ 47 05 21 68
AUSTIN-ROVER Gar. Gauron, 24 r. Gutenberg à Joué-les-Tours ✆ 47 53 83 45
CITROEN SELTA, 194 av. Maginot AU ✆ 47 54 04 00
CITROEN SELTA, 157 av. de Grammont AV ✆ 47 64 04 00
DATSUN S.D.A., 73 av. de Grammont ✆ 47 05 17 72
FIAT, LANCIA-AUTOBIANCHI Gd. Gar. Ouest, 150 bd Thiers ✆ 47 38 57 10
FORD Leu Autom., 260 av. Maginot ✆ 47 54 51 54
FORD Gar. Pont, Z.I. Menneton ✆ 47 39 25 33
INNOCENTI, MAZDA Gar. Nouveau Tours, 181 bd Thiers ✆ 47 37 96 51
LADA-SKODA SEMVIT, 68 r. Salengro ✆ 47 61 02 88
PEUGEOT-TALBOT Gar. de la Passerelle, 17 r. Dr.-Fournier FZ ✆ 47 46 15 93
RENAULT Succursale, N 10 à Chambray-les-Tours AV **f** ✆ 47 28 02 37
SEAT Autoccasion Gar. Eveno, 228-230 av. Maginot ✆ 47 51 53 27
VOLVO Autos-Services, 131 quai Paul-Bert ✆ 47 54 21 66
Gar. Thiers, 187 bd Thiers ✆ 47 20 61 47

Nourry Pneus, 276 av. Maginot ✆ 47 54 19 92
Perry-Pneus, 74 av. de Grammont ✆ 47 05 11 55
Super-Pneus, 55 r. Voltaire ✆ 47 05 74 83
Tours-Pneus, 145 av. Maginot, N 10 ✆ 47 54 57 50 et 20 r. E. Vaillant ✆ 47 05 41 29

Périphérie et environs

BMW Gar. St-Simon, av. des Fontaines à St Avertin ✆ 47 27 28 24
OPEL-GM Gar. Colin, 151 bd Chinon à Joué-les-Tours ✆ 47 67 35 83
PEUGEOT-TALBOT Gds Gar. de Touraine, 207 av. du Mans à St-Cyr AU ✆ 47 51 52 53 **N** ✆ 47 41 15 15 et 13 rte de Bordeaux à Chambray les Tours AV ✆ 47 27 66 66 **N** ✆ 47 41 15 15
PEUGEOT-TALBOT Gar. Gayout, Zone Ind. n° 2, 13 r. Prony à Joué-lès-Tours par ⑪ ✆ 47 53 84 53
PEUGEOT-TALBOT Gar. Gazin, 31 r. Grandmont à St-Avertin AV **e** ✆ 47 27 02 44
PEUGEOT-TALBOT Gayout, 153-155 bd J-Jaurès à Joué les Tours AV **a** ✆ 47 67 04 34
V.A.G. Busker, rte Mont-Louis à St-Pierre-des-Corps ✆ 47 44 02 67
V.A.G. Gar. Intersport, av. Pompidou, les Granges Galand à St-Avertin ✆ 47 28 02 56

La Maison du Pneu, 55 bd de Chinon à Joué-lès-Tours ✆ 47 25 13 66
Perry Pneus, 14 r. Jean-Perrin à Chambray-les-Tours ✆ 47 28 18 55
Tours-Pneus, 83 rte de Bordeaux, Chambray-lès-Tours ✆ 47 28 25 89

TOURS-SUR-MARNE **51150** Marne **56** ⑯⑰ – **1 207 h. alt. 985.**
Paris 154 – Châlons-sur-Marne 22 – Épernay 13 – •Reims 27.

Touraine Champenoise, r. du Pont ✆ **26 59 91 93** – wc. E VISA
SC : **R** 51/167 – 20 – **9 ch** 76/145.

RENAULT Gar. Croizy-Floquet, ✆ 26 59 90 99

TOURTOIRAC **24** Dordogne **75** ⑥⑦ **G. Périgord** – 756 h. alt. 140 – ✉ **24390** Hautefort.
Voir Château de Hautefort : charpente** de la tour du Sud-Ouest E : 9,5 km.**
Paris 472 – Brive-la-Gaillarde 55 – Lanouaille 20 – •Limoges 76 – Périgueux 37 – Uzerche 67.

Voyageurs, ✆ **53 51 12 29,** – wc wc. ch
fermé janv. – SC : **R** 56/84 – 14 – **11 ch** 80/170 – P 130/170.

CITROEN Bourrou, ✆ 53 51 12 16

TOURTOUR **83** Var **84** ⑥ **G. Côte d'Azur** – 384 h. alt. 633 – ✉ **83690** Salernes.
Voir Église *.
Paris 846 – Aups 10 – Draguignan 20 – Salernes 11.

La Bastide de Tourtour M, rte Draguignan ✆ **94 70 57 30, Télex 970827,** < massif des Maures, parc, – – 30. AE VISA
15 fév.-15 nov. – SC : **R** *(fermé lundi hors sais. et mardi midi)* 190/270 – 45 – **26 ch** 460/900 – P 580/800
Spéc. Grillade de St-Pierre aux poireaux, Filet de boeuf au foie gras, Selle d'agneau rôtie. **Vins** Les Arcs, Villecroze.

Aub. St-Pierre , E : 3 km par D 51 et VO ✆ **94 70 57 17,** <, parc, – wc wc
1er avril-15 oct. – SC : **R** *(fermé jeudi)* (dîner résidents seul.) 130/170 – 29 – **15 ch** 230/260 – P 295/310.

Petite Auberge , S : 1,5 km par D 77 ✆ **94 70 57 16,** < massif des Maures, – wc wc. E VISA
1er mars-22 déc. et fermé mardi – SC : **R** 75/110 – 23 – **11 ch** 185.

Chênes Verts (Bajade), O : 2 km sur rte Villecroze ✆ **94 70 55 06** –
fermé 1er janv. au 15 fév., dim. soir et lundi – SC : **R** (nombre de couverts limité - prévenir) 220 bc/320 bc
Spéc. Truffes du pays (1er déc.-31 mars), Gratin de queues d'écrevisses (15 juin-31 déc.), Gratin de fraises (mai-nov.). **Vins** Bandol, Rians.

Campers...
Use the current Michelin Guide
Camping Caravaning France.

TOURVES 83650 Var 84 ⑮ – 2 137 h. alt. 290.

Paris 802 – Aix-en-Pr. 47 – Aubagne 35 – Brignoles 12 – Draguignan 65 – Rians 30 – ♦Toulon 47.

XX **Lou Paradou** avec ch, E : 2 km sur N 7 ℘ 94 78 70 39, ☂, ⛱ – ⋒wc ℗. E VISA
fermé dim. soir et lundi – SC : **R** 91/133 – ☕ 16 – **6 ch** 94/120 – P 207/223.

TOURY 28390 E.-et-L. 60 ⑲ – 2 493 h. alt. 134.

Paris 100 – Chartres 48 – Châteaudun 51 – Étampes 33 – ♦Orléans 34 – Pithiviers 26 – Voves 30.

Parc, ℘ 37 90 50 06, ☂, ⛱ – 🚗
fermé 1er au 15 sept., vacances de fév. et merc. hors sais. – SC : **R** 48/85 🍷 – ☕ 20 – **8 ch** 80/150.

CITROEN Denizet, ℘ 37 90 50 25 N ℘ 37 21 94 39
FIAT Denizet, à Janville ℘ 37 90 22 57 N ℘ 37 21 94 39
RENAULT Gar. Georges, ℘ 37 90 50 35
La Centrale du Pneu, ℘ 37 90 51 61

La TOUSSUIRE 73 Savoie 77 ⑥⑦ **G. Alpes** – alt. 1 690 – Sports d'hiver : 1 800/2 400 m ⛷18 – ✉ **73300** St-Jean-de-Maurienne.

Voir Route d'accès★.

Office de Tourisme ℘ 79 56 70 15.

Paris 613 – Chambéry 89 – St-Jean-de-Maurienne 18.

Les Airelles ⛰, ℘ 79 56 75 88, ≤ – |‡| ⌂wc ⋒wc ☎ ℗. ⚘ rest
30 juin-6 sept. et Noël - Pâques – SC : **R** 58/155 – ☕ 20 – **31 ch** 110/150 – P 158/273.

Les Soldanelles ⛰, ℘ 79 56 75 29, ≤, ⛱ – ⌂wc ⋒wc ☎ ℗. VISA. ⚘ rest
juil.-août et 15 déc.-20 avril – SC : **R** 57/150 – ☕ 21 – **22 ch** 99/148 – P 152/225.

La Ruade, ℘ 79 56 74 93, ≤ – |‡| ⌂wc ⋒wc ☎ ℗. AE. ⚘ rest
15 déc.-15 avril – SC : **R** 70/75 – ☕ 23 – **28 ch** 160/200 – P 195/250.

TOUTEVOIE 60 Oise 56 ⑪, 196 ⑦⑧ – rattaché à Chantilly.

TOUZAC 46 Lot 79 ⑥ – rattaché à Fumel (L.-et-G.).

TRACY-LE-MONT 60 Oise 56 ③ – 1 547 h. – ✉ **60170** Ribecourt-Dreslincourt.

Paris 99 – Compiègne 18 – Noyon 15 – Soissons 32.

XX **Aub. de Quennevières,** à Ollencourt NO : 2 km par D 16 et D 40 ℘ 44 75 28 57, ☂ – ℗. AE ⓓ E VISA
fermé 16 au 31 août, 15 au 28 fév., dim. soir, lundi soir et mardi – SC : **R** 140 bc.

TRAENHEIM 67 B.-Rhin 62 ⑨ – 477 h. alt. 200 – ✉ **67310** Wasselonne.

Paris 469 – Haguenau 41 – Molsheim 7 – Saverne 20 – ♦Strasbourg 27 – Wasselonne 6.

XX **Zuem Loejelgücker,** ℘ 88 50 38 19, « Vieille demeure alsacienne » – AE ⓓ E VISA
fermé fév. et mardi – SC : **R** 70/140 🍷.

TRAÏNEL 10 Aube 61 ④ – rattaché à Nogent-sur-Seine.

La TRANCHE-SUR-MER 85360 Vendée 71 ⑪ **G. Côte de l'Atlantique** – 2 071 h.

Office de Tourisme pl. Liberté ℘ 51 30 33 96.

Paris 507 – Luçon 32 – Niort 93 – La Rochelle 61 – La Roche-sur-Yon 40 – Les Sables-d'Olonne 38.

Carvor, ℘ 51 30 38 26 – ⌂wc ⋒wc ☎. AE VISA. ⚘ rest
avril-15 sept. – SC : **R** 65/90 – ☕ 20 – **23 ch** 167 – P 240.

Le Rêve ⛰, ℘ 51 30 34 06, ≤, ⛱, ⛱ – ⋒wc ☎ ℗ – 🏛 30
15 mars-5 nov. – SC : **R** 65/120 – ☕ 22 – **43 ch** 89/161 – P 165/236.

Océan ⛰, ℘ 51 30 30 09, ≤, ⛱ – ⋒wc ℗. AE E VISA. ⚘ rest
1er avril-25 sept. – SC : **R** 66/130 – ☕ 17 – **31 ch** 60/160.

XX **Milouin,** ℘ 51 30 37 05 – AE ⓓ E VISA
fermé 22 au 29 avril, 28 sept. au 15 mars et mardi sauf le soir en juil.-août – SC : **R** 75 bc/110 🍷.

à la Grière E : 2 km par D 46 – ✉ **85360** La Tranche-sur-Mer :

Cols Verts, ℘ 51 30 35 06 – |‡| ⌂wc ⋒wc ☎. E. ⚘ ch
avril-nov. et fermé lundi sauf vacances scolaires – SC : **R** 78/165 – ☕ 18 – **34 ch** 140/237 – P 200/262.

Mer, ℘ 51 30 30 37 – ⋒ ℗
1er juin-20 sept. – SC : **R** 49/132 – ☕ 18 – **40 ch** 79/150 – P 155/203.

à la Terrière NO : 3 km par D 105 – ✉ **85360** La Tranche-sur-Mer :

Côte de Lumière, ℘ 51 30 30 35 – ⋒wc ☎ ♿ ℗. AE E VISA
20 mars-30 sept. – SC : **R** 52/120 – ☕ 16 – **27 ch** 96/130 – P 146/185.

à Angles au Nord, par D 747 et D 46 rte des Conches – ✉ **85750** Angles :

XX **Aub. de la Gravelle,** ✆ 51 97 51 25, ⛱, ⛱ – **P**. ⓓ E
fermé fin sept. à début oct. et merc. du 15 sept. au 15 juin – SC : **R** carte 140 à 195.

CITROEN Gar. du Château d'Eau, ✆ 51 97 53 34 **N**
PEUGEOT-TALBOT Gar. Vrignaud, rte de la Tranche à Angles ✆ 51 97 52 27
RENAULT Gar. Byrotheau, à Angles ✆ 51 97 50 57
V.A.G. Gar. du Maupas, ✆ 51 30 38 43

TRANS-EN-PROVENCE 83720 Var **84** ⑦ – 3 159 h. alt. 146.

Paris 855 – Brignoles 54 – Draguignan 4,5 – St-Raphaël 28 – Ste-Maxime 32.

Commerce, ✆ 94 70 80 04 – ⛋wc ⛋. VISA. ✻ ch
15 mars-1er oct. et fermé vend. – SC : **R** 60/150 – ☕ 18 – **16 ch** 55/150.

Le TRAYAS 83113 Var **84** ⑧, **195** ㉞ G. Côte d'Azur – alt. 1 à 200.

Voir Pointe de l'Observatoire ⋞★ S : 2 km – Rocher de St-Barthélemy ⋞★★ SO : 4 km puis 30 mn.

Paris 894 – Cannes 20 – Draguignan 52 – St-Raphaël 20.

Relais des Calanques, Corniche de l'Esterel ✉ 83700 St-Raphaël ✆ 94 44 14 06, ⋞, ⛱, ⛱, ⛱ – TV ⛋wc ⛋wc ☎ **P**
fermé 1er nov. au 31 déc. – SC : **R** *(fermé merc. midi de sept. à juin sauf fériés)* 100/185 – ☕ 30 – **10 ch** 180/460 – P 360/480.

TREBEURDEN 22560 C.-du-N. **59** ① G. Bretagne – 3 228 h. alt. 80.

Voir Le Castel ⋞★ – Pointe de Bihit ⋞★ SO : 2 km.

⛳18 de St-Samson ✆ 96 23 87 34, NE : 7 km.

ℹ Office de Tourisme pl. Crech'Héry (fermé nov.-déc.) ✆ 96 23 51 64.

Paris 524 – Lannion 9 – Perros-Guirec 13 – St-Brieuc 72.

Ti al-Lannec M ⛱, ✆ 96 23 57 26, Télex 740656, ⋞ parc – ⛋wc ☎ **P** – ⛱ 25. AE VISA. ✻ rest
15 mars-12 nov. – SC : **R** *(fermé lundi midi)* 135/240 – ☕ 33 – **23 ch** 250/415 – P 415/500.

✿ **Manoir de Lan-Kerellec** ⛱, ✆ 96 23 50 09, ⋞, ⛱ – TV ⛋wc ☎ **P**. AE ⓓ VISA
15 mars-15 nov. – SC : **R** *(fermé lundi sauf du 15 juin au 15 sept.)* 150/220 – ☕ 44 – **12 ch** 380/550
Spéc. Civet d'oeufs de caille et d'huîtres, Turbot à la mousse de homard, Homard braisé.

Family, ✆ 96 23 50 31 – ⛋wc ⛋wc ☎ **P**. AE ⓓ VISA. ✻ rest
SC : **R** *(1er avril-1er oct. et fermé lundi en avril-mai)* 82/190 ♨ – ☕ 25 – **25 ch** 125/250 – P 250/290.

Ker-an-Nod, ✆ 96 23 50 21, ⋞ – ⛋wc ⛋wc ☎. ⓓ E VISA. ✻ rest
mars-nov. – SC : **R** carte environ 105 – ☕ 29 – **21 ch** 140/230.

XX **Glann Ar Mor,** 12 r. Kerariou ✆ 96 23 50 81 – **P**
fermé 15 au 31 mars, 1er au 15 oct. et merc. – SC : **R** 55/98.

TRÉGASTEL-PLAGE 22730 C.-du-N. **59** ① G. Bretagne (plan) – 2 063 h.

Voir Rochers★★ – Ile Renote★★ NE – Table d'Orientation ⋞★.

⛳18 de St-Samson ✆ 96 23 87 34, S : 3 km.

ℹ Office de Tourisme pl. Ste-Anne ✆ 96 23 88 67.

Paris 528 – Lannion 13 – Perros-Guirec 7 – St-Brieuc 76 – Trébeurden 11 – Tréguier 27.

Belle Vue ⛱, ✆ 96 23 88 18, ⋞, « Jardin fleuri » – **P**. E VISA. ✻ rest
1er mai-30 sept. – SC : **R** (dîner seul.) 97/245 – ☕ 28 – **33 ch** 215/302.

Armoric, ✆ 96 23 88 16, ⋞, ✻ – ⛋ ☎ ♿ **P**. AE ⓓ E VISA. ✻ rest
10 mai-25 sept. – SC : **R** 90/250 – ☕ 25 – **52 ch** 280/350 – P 260/350.

Gd. H. Mer et Plage, ✆ 96 23 88 03, ⋞ – ⛋wc ⛋wc ☎ **P**. AE E VISA. ✻ rest
1er mai-30 sept. – SC : **R** 66/250 – ☕ 25 – **38 ch** 120/240 – P 240/290.

Beau Séjour, ✆ 96 23 88 02, ⋞ – TV ⛋wc ☎ **P**. AE ⓓ E VISA
22 mars-30 sept. – SC : **R** 78/130 – ☕ 24 – **18 ch** 110/230 – P 230/300.

Grève Blanche ⛱, ✆ 96 23 88 27, ⋞ mer et rochers – ⛋wc ⛋wc ☎ **P**. VISA. ✻ rest
27 mars-29 sept. – SC : **R** 120/250 – ☕ 25 – **28 ch** 99/225.

Corniche, ✆ 96 23 88 15 – ⛋wc. ✻ rest
1er juin-15 sept. – SC : **R** (en sem. dîner seul.) 58/99 ♨ – ☕ 15,50 – **20 ch** 68/121.

Garage de la Corniche, ✆ 96 23 88 70

TRÉGUIER 22220 C.-du-N. 59 ② G. Bretagne – 3 400 h. alt. 46.
Voir Cathédrale St-Tugdual★★.
Env. chapelle St-Gonéry★ N : 6 km – Le Gouffre★ N : 10 km puis 15 mn.
Syndicat d'Initiative à la Mairie (Pâques, Pentecôte, 15 juin-15 sept.) ☎ 96 92 30 19.
Paris 510 ① – Guingamp 30 ② – Lannion 18 ③ – Paimpol 15 ① – St-Brieuc 60 ①.

TRÉGUIER

Martray (Pl. du)

Chantrerie (R. de la) 2
Gambetta (R.) 3
Gaulle (Pl. Gén.-de) 4
La Chalotais (R.) 5
Le Braz (Bd A.) 6
Le Peltier (R.) 8

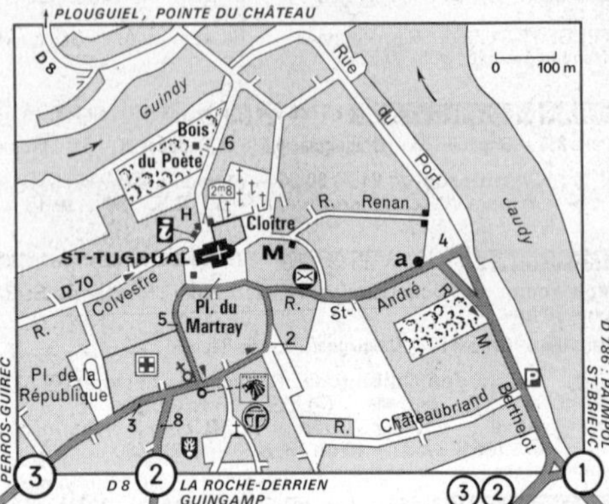

Les plans de villes sont orientés le Nord en haut

Pour bien lire les plans de villes, voir signes et abréviations p. 23.

Kastell Dinec'h ⛺, rte de Lannion et VO : 2 km ☎ 96 92 49 39, – wc ☎ P. VISA. rest
8 mars-17 oct., 29 oct.-31 déc., mardi soir et merc. hors sais. – SC : **R** 62/150 – ☕ 25 – **15 ch** 165/205.

Estuaire, pl. Gén.-de-Gaulle **(a)** ☎ 96 92 30 25 – wc wc. E VISA. ch
fermé dim. soir et lundi sauf juil.-août – SC : **R** 57/145 – ☕ 16 – **15 ch** 70/190 – P 165/240.

PEUGEOT-TALBOT Sté de Vente Automobile du Trégor 1 r. Gambetta ☎ 96 92 32 52

TRÉGUNC 29128 Finistère 58 ⑪⑯ – 5 919 h. alt. 41.
Paris 533 – Concarneau 6,5 – Pont-Aven 8,5 – Quimper 28 – Quimperlé 26.

Aub. Les Gdes Roches ⛺, NE : 0,6 km par V 3 ☎ 98 97 62 97, « Fermes aménagées dans un parc fleuri » – wc wc ☎ P – 30. E. ch
15 mars-15 nov. et fermé lundi (sauf hôtel en sais.) – SC : **R** 55/210 – ☕ 18 – **19 ch** 150/260 – P 150/282.

Le Menhir, ☎ 98 97 62 35 – wc wc ☎ P. ch
1er avril-1er oct. et fermé dim. soir et lundi sauf juil.-août – SC : **R** 65/260 – ☕ 18 – **28 ch** 85/230 – P 180/225.

RENAULT Gar. Le Goarant, ☎ 98 97 62 29

TRELLY 50 Manche 54 ⑫ – ✉ **50660** Quettreville.
Paris 335 – Avranches 39 – Bréhal 13 – Coutances 12 – Granville 23 – St-Lô 39 – Villedieu-les-P. 24.

Verte Campagne ⛺ avec ch, au hameau Chevalier SE : 1,5 km par D 539 et VO ☎ 33 47 65 33, « Ferme normande ancienne », – wc ☎ P. VISA. ch
fermé 16 nov. au 9 déc., 26 janv. au 10 fév., dim. soir et lundi du 15 sept. au 15 avril – SC : **R** 60/250 – ☕ 19 – **8 ch** 110/250 – P 290/420.

TREMBLAY 35 I.-et-V. 59 ⑰ G. Bretagne – 1 653 h. alt. 82 – ✉ **35460** St-Brice-en-Cogles.
Paris 346 – Combourg 23 – Fougères 23 – ♦ Rennes 42.

Roc-Land, ☎ 99 98 20 46, parc, – wc wc ☎ P – 30. VISA. ch
fermé 20 oct. au 2 nov., 4 au 18 fév., sam. et lundi – SC : **R** 70/180 – ☕ 22 – **19 ch** 165/235 – P 225/260.

Le TREMBLAY-SUR-MAULDRE 78 Yvelines 60 ⑨, 196 ㉘ – 798 h. – ✉ **78490** Montfort-L'Amaury – Paris 43 – Houdan 24 – Mantes 34 – Rambouillet 18 – Versailles 22.

La Gentilhommière, ☎ (1) 34 87 80 96 – AE ⦿ VISA
fermé août, vacances de fév., dim. soir et lundi – SC : **R** 120/250.

TRÉMINIS 38 Isère 77 ⑮ G. Alpes – 191 h. alt. 959 – ✉ **38710** Mens – **Voir** Site★.
Paris 637 – Gap 74 – ♦Grenoble 74 – Monestier-de-Clermont 41 – La Mure 31 – Serres 57.

Alpes ⛺, à Château-Bas ☎ 76 34 72 94, – P. rest
fermé nov. – SC : **R** 43/67 – ☕ 13 – **13 ch** 60/73 – P 130/140.

TRÉMOLAT 24 Dordogne 75 ⑯ **G. Périgord** – 543 h. alt. 52 – ✉ **24510** Ste-Alvère.

Paris 548 – Bergerac 34 – Brive-la-Gaillarde 86 – Périgueux 54 – Sarlat-la-Canéda 45.

Vieux Logis 🔇, ☎ **53 22 80 06, Télex 541025**, ≤, 🌳, « Jardin fleuri ouvert sur la campagne » – 📺 ☎ ♿ 🚗 **P** – 🏊 25. AE ⓓ E VISA
R 85/180 – ☕ 45 – **17 ch** 410/495, 5 appartements 640.

rte du Cingle de Trémolat NO : 2,5 km par D 31 – ✉ **24510** Ste-Alvère.

Voir Cingle★★ : ✵★★.

Le Panoramic M 🔇, ☎ **53 22 80 42**, ≤ – 🛁wc ☎ **P**. E
fermé janv. et fév. – SC : **R** carte 120 à 200 – ☕ 19 – **23 ch** 114/180.

sur route de Limeuil : 6 km – ✉ **24510** Ste-Alvère :

XX **Terrasses de Beauregard** 🔇 avec ch, ☎ **53 22 03 15**, ≤, 🌳 – 🚿wc ☎ **P**. AE ⓓ VISA
1er juin-28 sept. et fermé le midi sauf dim. et fêtes – SC : **R** 80/250 – ☕ 23 – **8 ch** 170/180.

CITROEN Gar. Imbert, rte du Cingle ☎ 53 22 80 10

TRÉMONT-SUR-SAULX 55 Meuse 61 ⑩ – rattaché à Bar-le-Duc.

TREMUSON 22 C.-du-N. 59 ③ – rattaché à St-Brieuc.

TRÉPASSÉS (Baie des) 29 Finistère 58 ⑬ – rattaché à Pointe-du-Raz.

Le TRÉPORT 76470 S.-Mar 52 ⑤ **G. Normandie** – 6 555 h. – Casino Z

Voir Calvaire des Terrasses ≤★ Z **E**.

ℹ Office de Tourisme Esplanade plage (hors saison fermé matin) ☎ 35 86 05 69.

Paris 170 ① – Abbeville 37 ① – Beauvais 94 ① – Blangy 26 ① – Dieppe 30 ③ – ♦Rouen 91 ③.

LE TRÉPORT MERS-LES-BAINS

MERS

Barni (R. Jules)	Y	
Curie (Av. P.-et-M.)	Y	16
Foch (Av. du Mar.)	Y	
Salengro (Pl. R.)	Y	35
Carnot (R. Sadi)	Y	8
Charlemagne (R.)	Y	12
Doumer (R. Paul)	Y	17
Lebeuf (R. Henri)	Y	22
Verne (R. Jules)	Y	36

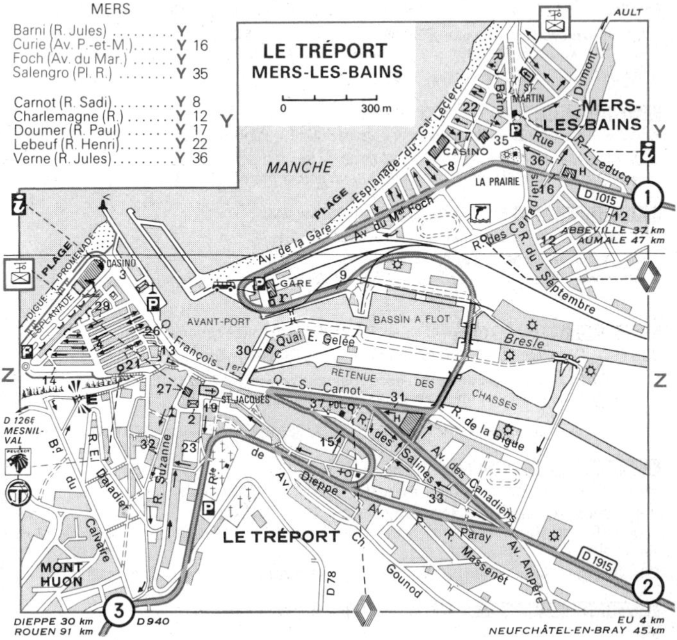

LE TRÉPORT

Abbé-Vincheneux (R.)	Z	2
Commerce (R. du)	Z	13
François-1er (Quai)	Z	
Notre-Dame (Pl.)	Z	26
Paris (R. de)	Z	27
Batterie (Pl. de la)	Z	3
Brasseur (R. Charles)	Z	4
Cauët (Quai Albert)	Z	9
Courbet (R. Amiral)	Z	14
Dieppe (R. de)	Z	15
Église (Pl. de l')	Z	19
Gambetta (R.)	Z	21
Moines (R. des)	Z	23
Rade (R. de la)	Z	29
République (Quai)	Z	30
Retenue (Quai de la)	Z	31
St-Michel (R.)	Z	32
St-Nicolas (R.)	Z	33
Victor-Hugo (R.)	Z	37

Picardie, pl. P.-Sémard ✆ 35 86 02 22 – wc wc ☎. E VISA. rest Z r
fermé 8 déc. au 21 janv., dim. soir et lundi du 30 sept. au 7 juin – SC : **R** 80/195 – 21 – **30 ch** 100/200 – P 204/350.

PEUGEOT-TALBOT Gar. Lemercier, 23 r. Falaise ✆ 35 86 30 67

RENAULT Gar. Moderne, 9 quai S.-Carnot ✆ 35 86 13 90 N

TRETS 13530 B.-du-R. 84 ④ – 4 735 h. alt. 242 – Office de Tourisme à la Mairie ✆ 42 29 22 22.

Paris 778 – Aix-en-Provence 23 – Brignoles 38 – ♦Marseille 44 – ♦Toulon 72.

Vallée de l'Arc sans rest, 1 av. Jean Jaurès ✆ 91 61 46 33 – wc. AE E VISA
25 – **13 ch** 105/190.

FIAT Gar. Icardi, av. du Gén.-de-Gaulle ✆ 91 29 20 36
FORD Gar. Ferretti, Zone Ind. 4 Chemins ✆ 91 29 20 34
OPEL Trêts-Pneus, 17 av. J.-Jaurès ✆ 91 29 36 30

PEUGEOT-TALBOT Gar. Arnaud et Mège, 15 bis av. Mirabeau ✆ 91 29 20 23
RENAULT Gar. Barra, Zone Ind. ✆ 91 61 50 63

TRÉVEZEL (Roc) 29 Finistère 58 ⑥ G. Bretagne – **Voir** ✻★★ **du D 785 : 30 mn.**

Env. Église★ de Commana O : 6 km – Allée Couverte★ de Mougau-Bian O : 6 km.

Paris 535 – Huelgoat 16.

TRÉVOU-TRÉGUIGNEC 22 C.-du-N. 59 ① – 1 312 h. – ✉ **22660** Trélévern.

Paris 518 – Guingamp 37 – Lannion 14 – Paimpol 29 – Perros-Guirec 12 – Tréguier 14.

Ker Bugalic , ✆ 96 23 72 15, ←, – wc . rest
fin mars-fin sept. – SC : **R** 51/198 – 22 – **18 ch** 145/197 – P 217/237.

Trestel-Bellevue , ✆ 96 23 71 44, ←, – wc . rest
Pâques-fin sept. – SC : **R** 60/150 – 17 – **14 ch** 100/160 – P 180/220.

TRÉVOUX 01600 Ain 74 ① G. Vallée du Rhône (plan) – 5 055 h. alt. 179.

Paris 440 – L'Arbresle 27 – Bourg-en-Bresse 51 – ♦Lyon 27 – Mâcon 48 – Villefranche-sur-Saône 11.

XX **Gare** avec ch, rte Lyon ✆ 74 00 12 42, – . AE E.
fermé juil., lundi (sauf rest.) et mardi – SC : **R** 44/167 – 12,50 – **5 ch** 55/125.

RENAULT Gar. du Midi, ✆ 74 00 21 82 N

La TRICHERIE 86490 Vienne 68 ④ – alt. 150.

Paris 316 – Bressuire 80 – Châtellerault 14 – Jaunay-Clan 7 – Parthenay 58 – Poitiers 20 – Thouars 66.

XX **Relais du Clain,** N 10 ✆ 49 85 50 36 –
fermé 1er au 15 juin, 1er au 15 oct., lundi soir et mardi – SC : **R** 38/120 .

TRIE-SUR-BAÏSE 65220 H.-Pyr. 85 ⑨ – 1 075 h. alt. 240.

Paris 798 – Auch 48 – Lannemezan 29 – Mirande 24 – Tarbes 30.

Tour, ✆ 62 35 52 12, – wc wc . VISA
fermé 1er au 10 mai et 1er au 11 oct. – SC : **R** *(fermé lundi midi)* 45/100 – 16,50 – **11 ch** 90/158 – P 144/180.

TRIGANCE 83 Var 84 ⑥⑦ – 122 h. alt. 734 – ✉ **83840** Comps-sur-Artuby.

Paris 816 – Castellane 20 – Comps-sur-Artuby 12 – Draguignan 44 – Grasse 72 – Manosque 91.

Château de Trigance , accès par voie privée ✆ 94 76 91 18, « Cadre médiéval, terrasse avec vue étendue sur vallée et montagnes » – TV wc . AE E VISA
22 mars-2 nov. et fermé merc. hors sais. – SC : **R** 130/220 – 30 – **7 ch** 220/385.

La TRIMOUILLE 86290 Vienne 68 ⑯ – 1 245 h. alt. 113.

Paris 319 – Argenton-sur-Creuse 51 – Bellac 41 – Le Blanc 20 – Châteauroux 71 – Poitiers 62.

Paix, rte Journet ✆ 49 91 60 50 – wc wc . VISA
15 mars-31 oct. et fermé mardi sauf juil.-août – SC : **R** 45/178 – 17 – **12 ch** 85/172.

CITROEN Gar. Pailler, ✆ 49 91 60 23

RENAULT Gar. Foulon, ✆ 49 91 60 56 N

La TRINITÉ-SUR-MER 56470 Morbihan 63 ⑫ G. Bretagne – 1 478 h.

Voir Pont de Kerisper ←★.

Syndicat d'Initiative Cours des quais (fermé matin hors sais.) ✆ 97 55 72 21.

Paris 485 – Auray 12 – Carnac 4,5 – Lorient 41 – Quiberon 22 – Quimperlé 58 – Vannes 30.

Le Rouzic, ✆ 97 55 72 06, ← – wc wc ☎. AE E VISA
fermé 15 nov. au 15 déc. – SC : **R** *(fermé lundi soir et dim. du 15 sept. au 31 mai)* 71/88 – 25 – **32 ch** 126/214.

XXX **L'Azimut,** ✆ 97 55 71 88, – VISA
fermé déc., janv., dim. soir et lundi sauf juil.-août – SC : **R** carte 140 à 220.

XX **Les Hortensias,** ✆ 97 55 73 69, ←, – AE E VISA
1er mars-30 nov. et fermé merc. et jeudi hors sais. – SC : **R** 98/165.

XX **Ostréa** avec ch, ✆ 97 55 73 23, ← – VISA.
1er avril-20 sept. et fermé mardi – SC : **R** 86/134 – 18 – **12 ch** 97/145.

à St-Philibert E : 2,5 km par D 781 – ✉ **56470** La Trinité-sur-Mer :

Panorama, ✆ 97 55 00 56, « Jardin fleuri » – wc wc. rest
fin mars-fin sept. – SC : **R** 65/85 – 16 – **25 ch** 130/175 – P 175/230.

RENAULT Le Naviel, ✆ 97 55 72 53

La TRIQUE 85 Vendée 67 ⑤ – rattaché à St. Laurent-sur-Sèvre.

TRIZAC 15 Cantal 76 – 921 h alt. 935 – ✉ **15400** Riom-ès-Montagnes.

Office de Tourisme à l' Hôtel de Ville ✆ 71 78 60 37.

Paris 491 – Aurillac 78 – ♦Clermond-Ferrand 105 – Mauriac 23 – Murat 52.

Les Cimes, ✆ 71 78 60 30, –
fermé dim. hors sais. sauf vacances scolaires – SC : **R** 40/75 – 13,50 – **14 ch** 54/89 – P 110/115.

Les TROIS-ÉPIS 68410 H.-Rhin 62 ⑱ **G. Alsace et Lorraine** – alt. 658.

Syndicat d'Initiative (1er avril-15 nov.) ✆ 89 49 80 56.

Paris 442 – Ammerschwihr 7,5 – Colmar 12 – Gérardmer 50 – Munster 17 – Orbey 12 – Turkheim 8,5.

Gd Hôtel, ✆ 89 49 80 65, Télex 880229, ← forêt vosgienne et plaine d'Alsace, , parc, – TV – 80. AE E VISA
R carte 190 à 245 – 45 – **49 ch** 500/650 – P 650/925.

Marchal, ✆ 89 49 81 61, ← forêt vosgienne et plaine d'Alsace, parc – TV – 30. VISA.
fermé 5 déc. au 15 janv. – SC : **R** 80/180 – 25 – **40 ch** 200/370 – P 260/355.

La Chêneraie, ✆ 89 49 82 34, parc – wc wc.
fermé 20 déc. au 1er fév. et merc. – SC : **R** 60/150 – 17,50 – **25 ch** 120/250 – P 185/245.

Croix d'Or, ✆ 89 49 83 55, ← forêt vosgienne, – wc – 25
fermé 5 janv. au 5 fév. – SC : **R** *(fermé merc.)* 60/150 – 20 – **12 ch** 105/175 – P 175/210.

Villa Rosa, ✆ 89 49 81 19, ← – wc wc. rest
fermé 12 nov. au 30 janv. – SC : **R** *(fermé jeudi et le midi sauf dim.)* 60/130 – 18 – **8 ch** 148/160.

XX **L'Auberge,** ✆ 89 49 80 65, ← forêt vosgienne et plaine d'Alsace, , parc –
SC : **R** 65/165, dîner à la carte.

TROISGOTS 50420 Manche 54 ⑬ **G. Normandie** – 366 h alt. 128.

Voir Roches de Ham ←** NE : 5 km puis 15 mn.

Paris 302 – Avranches 54 – ♦ Caen 60 – St Lô 15 – Vire 31.

XX **Aub. de la Chapelle-sur-Vire,** à la Chapelle-sur-Vire SE : 2 km ✆ 33 56 32 83 – E
fermé lundi – **R** 42/120.

TRONÇAIS 03 Allier 69 ⑫ – ✉ **03360** St-Bonnet-Tronçais.

Voir Forêt de Tronçais*** – Étang de St-Bonnet* NO : 4 km – Étang de Saloup* S : 5 km, **G. Auvergne.**

Paris 292 – Bourges 61 – Montluçon 43 – St-Amand-Montrond 24.

Le Troncais, ✆ 70 06 11 95, parc, – wc wc – 35. rest
mars-nov. et fermé dim. soir et lundi hors sais. – SC : **R** 84/140 – 17 – **12 ch** 108/199 – P 161/206.

La TRONCHE 38 Isère 77 ⑤ – rattaché à Grenoble.

Le TRONCHET 35 I.-et-V. 59 ⑯ – 827 h. alt. 46 – ✉ **35540** Miniac-Morvan.

Paris 378 – Dinan 19 – ♦Rennes 50 – St-Malo 27.

Host. l'Abbatiale, ✆ 99 58 93 21, parc, , – wc – 30. AE VISA. rest
fermé janv., dim. soir et lundi du 15 oct. au 1er avril – SC : **R** 65/140 – 20 – **78 ch** 173/226 – P 253/313.

TROO 41 L.-et-Ch. 64 ⑤ G. Châteaux de la Loire – 337 h. alt. 65 – ✉ 41800 Montoire.

Voir La "butte" ☼ ★ – St-Jacques des Guérets : peintures murales★ de l'église S : 1 km.

ℹ Syndicat d'Initiative ☏ 54 85 08 74.

Paris 203 – Château-du-Loir 33 – ♦Le Mans 62 – ♦Tours 48 – Vendôme 25.

✗ **Cheval Blanc,** r. A.-Arnault ☏ 54 85 08 22, ☂ – VISA
fermé 15 au 31 oct., vacances de fév., lundi soir et mardi – SC : **R** 80/200.

TROSLY-BREUIL 60 Oise 56 ③, 196 ⑪ – rattaché à Compiègne.

TROUVILLE-SUR-MER 14360 Calvados 55 ③ G. Normandie – 6 012 h. – Casino AY.

Voir Corniche ≤★ BX.

✈ de Deauville-St-Gatien : Air Limousin ☏ 31 88 31 28 par D 74 : 7 km BZ.

ℹ Office de Tourisme 32 bd F.-Moureaux ☏ 31 88 36 19 et pl. Mar.-Foch (1er juil.-31 août).

Paris 206 ② – ♦Caen 43 ③ – ♦Le Havre 74 ② – Lisieux 28 ② – Pont-L'évêque 11 ②.

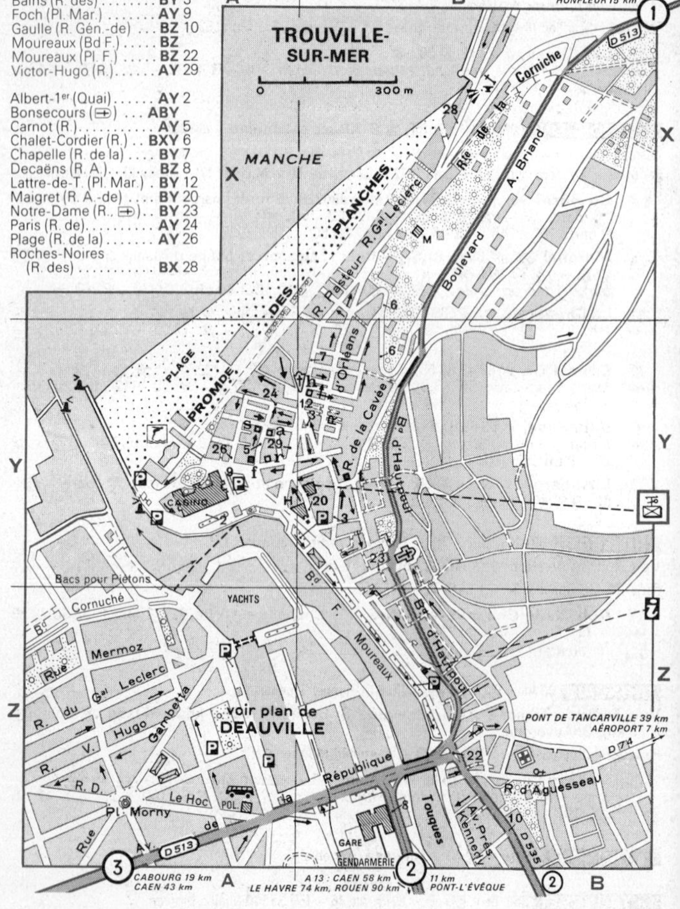

🏠 **Reynita** sans rest, 29 r. Carnot ☏ 31 88 15 13 – TV ⛀wc ⛆wc ☎. AE ⓓ E VISA. ✻ AY **s**
fermé janv. – SC : ☕ 16 – **25 ch** 109/190.

🏠 **Les Sablettes** sans rest, 15 r. P.-Besson ☏ 31 88 10 66 – ⛀wc ⛆wc ☎ AY **r**
fermé 15 nov. au 1er fév. – SC : ☕ 15 – **17 ch** 108/192.

Maison Normande sans rest, 4 pl. Mar.-de-Lattre-de-Tassigny ✆ 31 88 12 25 – wc. BY **h**
fermé déc., janv. et mardi hors sais. – SC : 20 – **20 ch** 170/325.

Carmen, 24 r. Carnot ✆ 31 88 35 43 – TV wc. AE E VISA. AY **a**
fermé janv. – SC : **R** *(fermé lundi soir et mardi)* 55/130 – 16 – **15 ch** 94/240 – P 210/345.

La Petite Auberge, 7 r. Carnot ✆ 31 88 11 07 AY **f**
fermé 15 nov. au 15 janv., mardi et merc. hors sais. – SC : **R** (prévenir) 52/96.

Chez Maria, 7 r. Dr-Leneveu ✆ 31 88 36 45 – AE E VISA BY **t**
fermé 4 au 17 oct., merc. et jeudi sauf du 1er juil. au 15 sept. – SC : **R** 50/86.

*Demandez chez le libraire le catalogue des **cartes et guides Michelin***

TROYES

P 10000 Aube 61 ⑯⑰ G. Champagne, Ardennes – 64 769 h. alt. 113.

Voir Cathédrale★★ : trésor★ CY – Le vieux Troyes★★ BZ – Jubé★★ de l'église Ste-Madeleine★ BZ **D** – Basiliqe St-Urbain★ BYZ **B** – Église St-Pantaléon★ BZ **E** – Pharmacie★ de l'Hôtel-Dieu CY **M4** – Musées : Art Moderne★★ CY **M5**, Historique de Troyes et Champagne★ dans l'hôtel de Vauluisant★ BZ **M1**, Beaux-Arts et archéologie★ CY **M3**, Maison de l'Outil et de la Pensée ouvrière★ dans l'hôtel de Mauroy★ BZ **M2.**

18 du château de la Cordelière, près Chaource ✆ 25 40 11 05 ; par ④ : 31 km.

Office de Tourisme 16 bd Carnot ✆ 25 73 00 36, Télex 840216 et 24 quai Dampierre (sais.) ✆ 25 73 36 88 A.C. 36 bd Carnot ✆ 25 73 42 28.

Paris 162 ⑦ – ♦Amiens 275 ⑦ – ♦Dijon 152 ④ – ♦Metz 233 ① – ♦Nancy 184 ②.

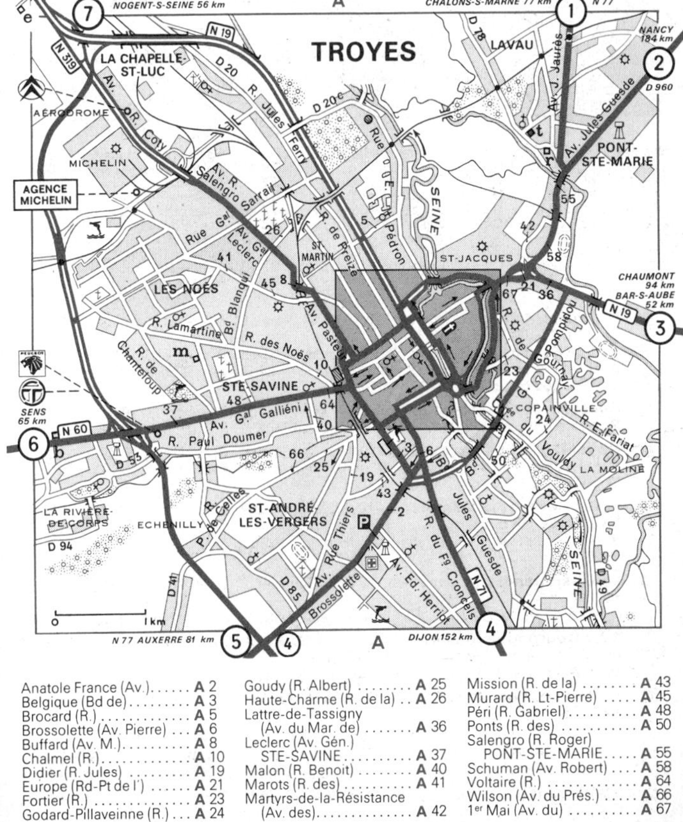

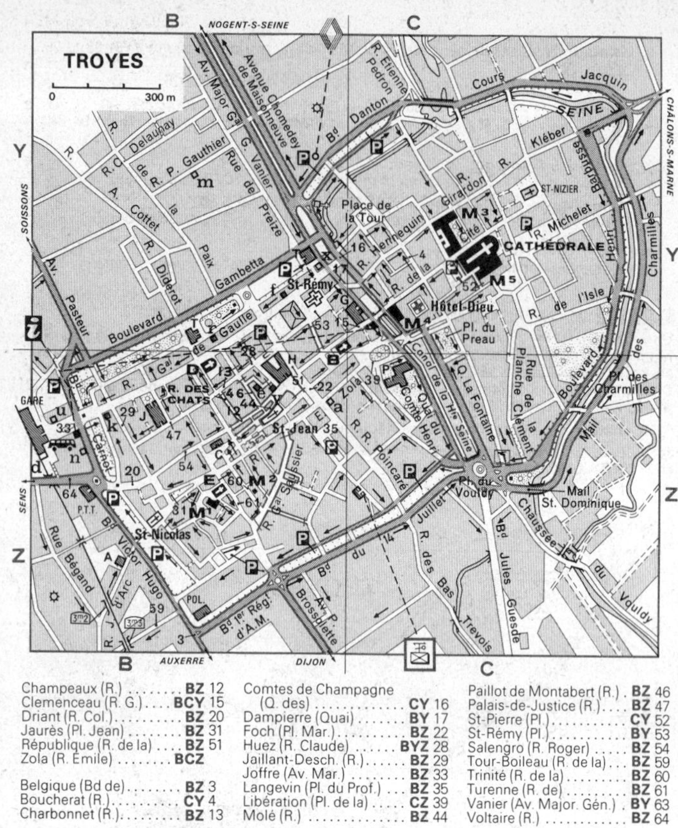

Champeaux (R.) . . . . BZ 12
Clemenceau (R. G.) . . . . BCY 15
Driant (R. Col.) . . . . BZ 20
Jaurès (Pl. Jean) . . . . BZ 31
République (R. de la) . . . . BZ 51
Zola (R. Émile) . . . . BCZ

Belgique (Bd de) . . . . BZ 3
Boucherat (R.) . . . . CY 4
Charbonnet (R.) . . . . BZ 13

Comtes de Champagne (Q. des) . . . . CY 16
Dampierre (Quai) . . . . BY 17
Foch (Pl. Mar.) . . . . BZ 22
Huez (R. Claude) . . . . . . BYZ 28
Jaillant-Desch. (R.) . . . . . . BZ 29
Joffre (Av. Mar.) . . . . BZ 33
Langevin (Pl. du Prof.) . . . BZ 35
Libération (Pl. de la) . . . . . CZ 39
Molé (R.) . . . . BZ 44

Paillot de Montabert (R.) . BZ 46
Palais-de-Justice (R.) . . . . BZ 47
St-Pierre (Pl.) . . . . CY 52
St-Rémy (Pl.) . . . . BY 53
Salengro (R. Roger) . . . . . BZ 54
Tour-Boileau (R. de la) . . . BZ 59
Trinité (R. de la) . . . . BZ 60
Turenne (R. de) . . . . BZ 61
Vanier (Av. Major. Gén.) . BY 63
Voltaire (R.) . . . . BZ 64

Gd Hôtel, 4 av. Mar.-Joffre ✆ **25 79 90 90, Télex 840582** – cuisinette TV ☎ – 80 à 180. AE ⓓ E VISA — BZ **u**
rest. **Le Champagne R** 115 bc/180 – **Brasserie Croco R** carte environ 110 – **Grill Jardin de la Louisiane R** carte environ 125 – **Le Brasero R** carte environ 140 – ▭ 25 – **100 ch** 250/280 – P 305/425.

Poste M, 35 r. E.-Zola ✆ **25 73 05 05** – rest TV wc ☎. AE VISA — BZ **a**
R *(fermé dim. soir)* 120/190 – **Le Cintra** (pizzeria) **R** 55 – ▭ 20 – **34 ch** 140/260.

Royal H., 22 bd Carnot ✆ **25 73 19 99** – wc wc ☎. AE ⓓ E VISA — BZ **n**
fermé 15 déc. au 5 janv. – SC : **R** *(fermé dim. soir et lundi midi)* 65/140 – ▭ 22 – **37 ch** 112/210.

France et rest le Dampierre, 18 quai Dampierre ✆ **25 73 11 95** – TV wc wc ☎. AE ⓓ E VISA — BY **x**
R *(fermé dim. soir du 1er janv. au 15 mars)* 55/95 – ▭ 19 – **60 ch** 85/250 – P 235/305.

Le Champenois sans rest, **15 r. P.-Gauthier** ✆ **25 76 16 05** – wc ☎ Ⓟ. VISA. — BY **m**
fermé 2 au 24 août, 20 déc. au 4 janv. et dim. – SC : ▭ 15,50 – **26 ch** 70/180.

XXX ✿ **Le Bourgogne** (Dubois), **40 r. Gén.-de-Gaulle** ✆ **25 73 02 67** – — BY **f**
fermé août, lundi soir et dim. – SC : **R** carte 130 à 210
Spéc. Mousseline de brochet, Aiguillettes de canard au Bouzy, Gibier (en sais.).

XX **Valentino,** Cour de la Rencontre (près H. de Ville) ✆ **25 73 14 14,** – ▤. AE ⓓ E VISA — BZ **e**
fermé 17 août au 9 sept., 5 au 18 janv., dim. soir et lundi – **R** 98/210.

XX **Lion de Belfort** (1er étage), **109 r. Gén.-de-Gaulle** ✆ **25 73 15 96** – AE ⓓ E VISA
fermé 15 au 31 août, vacances de fév., dim. soir et lundi – SC : **R** 70/110. — BZ **k**

XX **St-Vincent** (Buffet Gare), ✆ **25 73 16 02** – AE ⓓ E VISA — BZ **d**
R 47/160.

✕ **Théâtre** avec ch, 35 r. J.-Lebocey ✆ 25 73 18 47 – 🛁 🚿 – 🏔 40 BY r
fermé 2 août au 1er sept., 23 fév. au 2 mars, dim. soir et lundi – SC : **R** 40/135 🍷 – ☕ 17 – **12 ch** 65/165 – P 160/202.

✕ **Gd Café** (1er étage), 4 r. Champeaux ✆ 25 73 25 60 – VISA BZ v
fermé mardi soir – **R** carte 105 à 155.

à Pont-Ste-Marie N : 3 km par N 77 - A – 5 136 h. – ✉ **10150** Pont-Sainte-Marie :

H. Ste-Marie et Rôt. des Tonnelles, 51 r. Roger Salengro ✆ 25 81 04 65, – ▤ rest 🚿wc ☎ Ⓟ – 🏔 40. ⓓ E VISA A r
SC : **R** *(fermé lundi)* 56/160 – ☕ 18,50 – **26 ch** 98/161 – P 210.

✕✕✕ ✿ **Host. Pont Ste-Marie** (Roger), près église ✆ 25 81 13 09, – AE ⓓ E VISA
fermé 21 janv. au 18 fév., dim. soir et lundi – **R** 250/280 A t
Spéc. Pâté chaud de caille au foie gras d'oie, Turbot rôti, Canette de Bresse rôtie aux pêches. **Vins** Les Riceys.

à Ste-Savine O : 3 km par N 60 - A – 9 694 h. – ✉ **10300** Ste-Savine :

Chantereigne Ⓜ sans rest, N 60 ✆ 25 74 89 35, Télex 841096 – TV 🛁wc 🚿wc ☎ ♿ Ⓟ. VISA A b
SC : ☕ 18 – **30 ch** 167/199.

Motel Savinien Ⓜ, 87 r. La Fontaine ✆ 25 79 24 90 – TV 🛁wc 🚿wc ☎ ♿ Ⓟ – 🏔 30. rest A m
R 56/80 🍷 – ☕ 16 – **90 ch** 150/185.

à Bréviandes par ④ : 5 km – ✉ **10800** St-Julien-les-Villas :

✕✕ **Pan de Bois,** ✆ 25 83 02 31, – Ⓟ. VISA
fermé dim. soir hors sais. et lundi – SC : **R** 70/130 🍷.

à Buchères par ④ – ✉ **10800** St-Julien-les-Villas :

Campanile Ⓜ, ✆ 25 49 67 67, Télex 840840, – TV 🛁wc ☎ ♿ Ⓟ. VISA
SC : **R** 58 bc/78 bc – ☕ 22 – **38 ch** 185/205.

à Clérey-Sud par ④ : 15 km – ✉ **10390** Clérey :

✕ **L'Escapade,** rte de St-Parres-lès-Vaudes ✆ 25 46 00 30 – Ⓟ. AE ⓓ E VISA
fermé lundi – SC : **R** 42/150 🍷.

à St-André-les-Vergers par ⑤ : 5 km – ✉ **10120** St-André-les-Vergers :

Les Épingliers Ⓜ sans rest, 180 rte d'Auxerre ✆ 25 83 05 99 – 🛁wc ☎ Ⓟ. VISA
SC : ☕ 12,50 – **15 ch** 121/153.

✕✕ **La Gentilhommière,** 180 rte d'Auxerre ✆ 25 82 13 96 – Ⓟ. VISA
fermé août, dim. soir et lundi – SC : **R** 46/170 🍷.

à Barberey St-Sulpice par ⑦ : 5 km – ✉ **10600** La Chapelle-St-Luc :

Novotel Ⓜ, ✆ 25 74 59 95, Télex 840759, – ▤ rest TV ☎ ♿ Ⓟ – 🏔 100. AE ⓓ E VISA A e
R snack carte environ 100 🍷 – ☕ 35 – **84 ch** 270/304.

MICHELIN, Agence, r. G.-Bizet, la Chapelle-St-Luc A ✆ **25 74 40 13**

FORD Est-Autos, 19 bd Danton ✆ 25 80 02 70
RENAULT Contant-Autom., 15 bd Danton ✆ 25 80 02 87 🅽
V.A.G. Champagne Autom., 2 bd Georges Pompidou ✆ 25 81 36 30 🅽

Devliegher, 8 bd V.-Hugo ✆ 25 73 19 94
Lohly Pneus, 71 av. P.-Brossolette ✆ 25 73 19 23
Rémy, 94 Mail Charmilles ✆ 25 81 04 10

Ⓜ La Centrale du pneu, 11 r. Paix ✆ 25 73 35 24

Périphérie et environs

ALFA-ROMEO-HONDA Chanteclerc Autom., 1 r. Chanteclerc à St-Julien-les-Villas ✆ 25 49 62 78
AUSTIN, ROVER Gar. Juszak, 37 rte Auxerre à St-André-les-Vergers ✆ 25 82 56 87
BMW Gar. Sud-Autom., 132 bd de Dijon à St-Julien-les-Villas ✆ 25 82 03 76
CITROEN La Cité de l'Auto, N 19 à La Chapelle-St-Luc ✆ 25 74 46 98 🅽
DATSUN-NISSAN-MERCEDES-BENZ Ets Craeye, 50 av. Martyrs du 24 août à Buchères ✆ 25 82 38 78
LANCIA-AUTOBIANCHI, PORSCHE, MITSUBISHI Gar. Industriel, Zone Ind. r. Verdier à Pont-Ste-Marie ✆ 25 81 18 67

OPEL Girost, N 60 à Pont-Ste-Marie ✆ 25 81 26 26
PEUGEOT-TALBOT Gds Gar. de l'Aube, 35 av. du Gén.-Leclerc à Ste-Savine ✆ 25 79 09 56
RENAULT Contant Autos, 114 rte Auxerre à St-André-les-Vergers par ⑤ ✆ 25 82 37 34 🅽
SEAT Gar. Bruillon, 46-48 av. des Tilleuls à St-André-les-Vergers ✆ 25 49 19 38
VOLVO Sélection-Autos, 43 bd de Dijon à St-Julien-les-Villas ✆ 25 82 58 12

Ⓜ Barniche-Pneus, 61 av. Gén.-Leclerc à La Rivière-de-Corps ✆ 25 79 36 09
Lohly Pneus, N 77 à St Germain ✆ 25 82 06 89

TULLE 🅿 **19000** Corrèze **75** ⑨ **G. Périgord** – **20 642** h. alt. **212**.

Voir Maison de Loyac★ BB – Clocher★ de la cathédrale BD.

Env. Ste-Fortunade : chef reliquaire★ dans l'église 9 km par ④.

ℹ Office de Tourisme avec A.C. quai Baluze ✆ 55 26 59 61.

Paris 485 ① – Albi 209 ③ – Aurillac 82 ③ – Brive-la-Gaillarde 29 ⑤ – ♦ Clermont-Ferrand 147 ② – Guéret 137 ① – ♦Limoges 88 ① – Montluçon 171 ② – Périgueux 102 ⑤ – Rodez 166 ③.

TULLE

Baluze (Quai) . . . . B
Gambetta (Pl.) . . . . B 8
Gaulle (Av. Ch.-de) . . . . B
Jaurès (R. Jean) . . . . B
République (Quai de la) . . . . B 15
Victor-Hugo (Av.) . . . . A 22
Zola (Pl. Émile) . . . . B 24

Briand (Quai A.) . . . . B 2
Brigouleix (Pl. Martial) . . . . . B 3
Chammard (Quai A.-de) . . . . B 4
Chivallier (R. R.) . . . . A 5
Dunant (R. Henri) . . . . A 6
Faucher (Pl. Albert) . . . . A 7

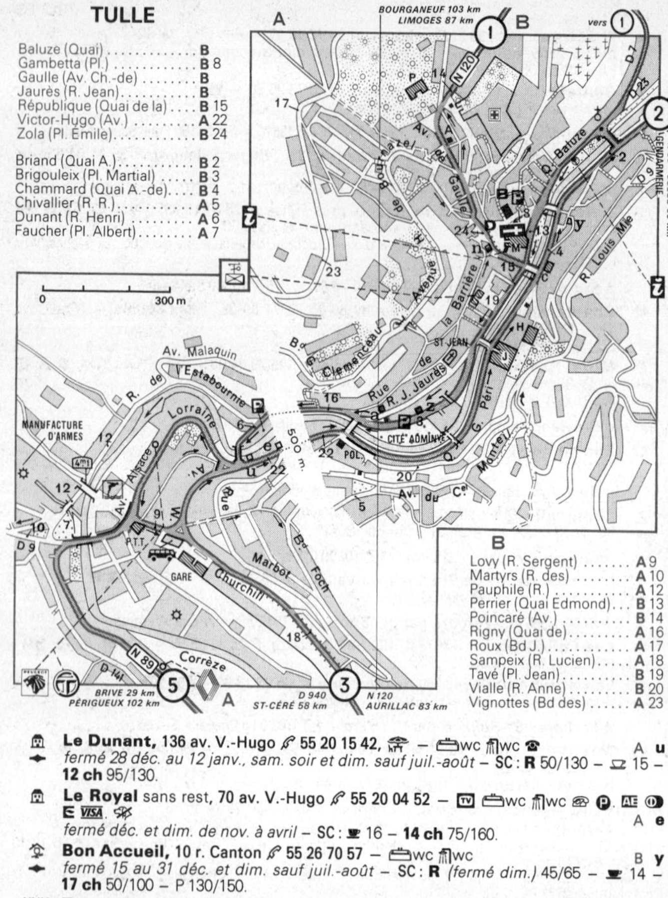

B

Lovy (R. Sergent) . . . . A 9
Martyrs (R. des) . . . . A 10
Pauphile (R.) . . . . A 12
Perrier (Quai Edmond) . . . B 13
Poincaré (Av.) . . . . B 14
Rigny (Quai de) . . . . A 16
Roux (Bd J.) . . . . A 17
Sampeix (R. Lucien) . . . . . A 18
Tavé (Pl. Jean) . . . . B 19
Vialle (R. Anne) . . . . B 20
Vignottes (Bd des) . . . . . . A 23

Le Dunant, 136 av. V.-Hugo ✆ **55 20 15 42,** – wc wc ☎ — A **u**
fermé 28 déc. au 12 janv., sam. soir et dim. sauf juil.-août – **SC : R** 50/130 – 15 – **12 ch** 95/130.

Le Royal sans rest, 70 av. V.-Hugo ✆ **55 20 04 52** – TV wc wc ☎ P. AE ⓓ E VISA. — A **e**
fermé déc. et dim. de nov. à avril – **SC :** 16 – **14 ch** 75/160.

Bon Accueil, 10 r. Canton ✆ **55 26 70 57** – wc wc — B **y**
fermé 15 au 31 déc. et dim. sauf juil.-août – **SC : R** *(fermé dim.)* 45/65 – 14 – **17 ch** 50/100 – P 130/150.

XXX **Toque Blanche** avec ch, pl. M. Brigouleix ✆ **55 26 75 41** – rest wc ☎. AE VISA — B **z**
fermé 10 au 30 janv. et dim. soir sauf fêtes et sais. – **SC : R** 65/188 – 18 – **10 ch** 98/165 – P 240/270.

XX **Central,** 32 r. J.-Jaurès (1er étage) ✆ **55 26 24 46** – . VISA — AB **a**
fermé 21 juil. au 18 août, dim. soir et sam. – **SC : R** 80/200.

XX **L'Esculnou,** 17 pl. Cathédrale (2e étage) ✆ **55 26 54 48** – AE ⓓ E VISA — B **n**
fermé 1er au 15 oct. et lundi hors sais. – **SC : R** 52/140.

à Naves 6 km par ① – ✉ **19460** Naves :

Aub. de la Route, N 120 ✆ **55 26 62 02** – wc ☎ P. AE ⓓ E VISA
fermé 1er au 19 janv. et dim. soir sauf de Pâques à mi-oct. – **SC : R** 50/110 – 16,50 – **21 ch** 110/190 – P 230.

CITROEN Bru, 31 av. de Ventadour par ② ✆ 55 26 18 82
FIAT, LANCIA-AUTOBIANCHI Veyres-Périé, 17 quai G.-Péri ✆ 55 20 15 22
FORD Ets Carles, rte de Brive-Mulatet, ✆ 55 20 08 05 N ✆ 55 20 39 02
MERCEDES-BENZ, OPEL Gar. de l'Oasis rte de Brive ✆ 55 20 10 61
PEUGEOT-TALBOT Gar. Bigeargeas, rte de Limoges par ① ✆ 55 20 22 18
PEUGEOT-TALBOT Diederichs, av. Alsace-Lorraine ✆ 55 20 10 93
RENAULT SACOR, 43 r. du Dr.-Valette ✆ 55 20 00 55
V.A.G. Gar. de St-Abrian, Z.I. Est ✆ 55 20 03 31 N

Cammas, 3 av. Alsace-Lorraine ✆ 55 20 06 48
Peuch, 3 av. W.-Churchill ✆ 55 20 12 28

TULLINS 38210 Isère 77 ④ – 6 106 h. alt. 201.

Syndicat d'Initiative à l'Hôtel de Ville ✆ 76 07 00 05.

Paris 545 – Bourgoin-Jallieu 44 – La Côte-St-André 27 – ♦Grenoble 32 – St-Marcellin 23 – Voiron 13.

- **Malatras,** S : 2 km sur N 92 ✆ 76 07 02 30, – wc wc – 30. VISA
  fermé 26 oct. au 7 nov., vacances de fév. – SC : **R** *(fermé merc. midi sauf de juin à sept.)* 110/320 – 28 – **23 ch** 145/210 – P 290/350.

CITROEN Roudet, ✆ 76 07 03 40
PEUGEOT-TALBOT Bourguignon, ✆ 76 07 01 48
PEUGEOT-TALBOT Gar. Penon, ✆ 76 07 01 25
RENAULT Baboulin, ✆ 76 07 02 74

La TURBALLE 44420 Loire-Atl. 63 ⑭ **G. Bretagne** – 3 276 h.

Office de Tourisme pl. de Gaulle ✆ 40 23 32 01.

Paris 457 – La Baule 13 – Guérande 7 – ♦Nantes 85 – La Roche-Bernard 32 – St-Nazaire 27.

- **Terminus,** quai St-Paul ✆ 40 23 30 29, ← – E VISA.
  fermé 15 déc. au 15 janv., mardi soir et merc. – SC : **R** 90/250.

La TURBIE 06 Alpes-Mar. 84 ⑩, 195 ㉗ **G. Côte d'Azur** (plan) – 1 969 h. alt. 480 – ✉ **06320** Cap-d'Ail.

Voir Trophée des Alpes★ : ✻★★★ – Intérieur★ de l'église St-Michel-Archange – Place Catherine-Davis ←★.

Paris 948 – Eze 4,5 – Menton 13 – Monte-Carlo 8 – ♦Nice 18 – Roquebrune-Cap-Martin 7.

- **Le Napoléon** M, ✆ 93 41 00 54, – wc . AE E VISA. ch
  fermé 25 fév. au 23 mars – SC : **R** *(fermé mardi hors sais.)* 90/200 – 20 – **24 ch** 220 – P 250.
- **France,** ✆ 93 41 09 54, – wc
  fermé 1er nov. au 15 déc. – SC : **R** *(fermé merc. sauf le soir en juil.-août)* 70/120 – 20 – **17 ch** 105/220.
- **Moulin d'Alsace,** NO : 1,5 km par D 2 204 A ✉ 06340 Laghet ✆ 93 41 11 60, –
  fermé jeudi – SC : **R** (déj. seul.) 60/120.

TURCKHEIM 68230 H.-Rhin 62 ⑱⑲ **G. Alsace et Lorraine** (plan) – 3 510 h. alt. 225.

Paris 443 – Colmar 6,5 – Gérardmer 45 – Munster 12 – St-Dié 55 – le Thillot 65.

- **Berceau du Vigneron** M sans rest, pl. Turenne ✆ 89 27 23 55 – wc wc .
  1er mars-31 oct. – SC : 16 – **16 ch** 141/184.
- **Vosges,** pl. République ✆ 89 27 02 37, – wc wc . VISA
  1er avril-30 nov. – SC : **R** 63/155 – 17,50 – **32 ch** 130/250 – P 245.

PEUGEOT-TALBOT Bertrand, ✆ 89 27 00 56

TURINI (Col de) 06 Alpes-Mar. 84 ⑲, 195 ⑰ – rattaché à Peira-Cava.

TURQUESTEIN-BLANCRUPT 57 Moselle 62 ⑧ – 25 h. – ✉ **57560** Abreschviller.

Paris 393 – Lunéville 56 – ♦Metz 107 – Sarrebourg 25 – Saverne 49 – ♦Strasbourg 73.

- **Aub. du Kiboki** , sur D 993 ✆ 87 08 60 65, ←, , parc, – wc wc .
  fermé fév. et mardi – **R** carte 100 à 180 – 17,50 – **15 ch** 135/280.

TURRIERS 04 Alpes de H.-Pr 81 ⑥ – 286 h. alt. 1 040 – ✉ **04250** La Motte du Caire.

Paris 702 – Digne 76 – Gap 35 – Sisteron 63.

- **Roche Cline** M, ✆ 92 54 41 38, ←, , – wc wc . E.
  fermé 20 fév. au 3 mars – SC : **R** *(fermé lundi)* 50/80 – 17 – **14 ch** 95/120 – P 165/180.

Gar. Taranger, ✆ 92 55 44 66

TY-SANQUER 29 Finistère 58 ⑮ – rattaché à Quimper.

UFFHOLTZ 68 H.-Rhin 66 ⑨ – rattaché à Cernay.

UHART-CIZE 64 Pyr.-Atl. 85 ③ – rattaché à St-Jean-Pied-de-Port.

Les ULIS 91 Essonne 60 ⑩, 101 ㉝ – voir à Paris, environs.

UNAC 09 Ariège 86 ⑮ – rattaché à Ax-les-Thermes.

UNTERMUHLTHAL 57 Moselle 57 ⑱ – rattaché à Niederbronn-les-Bains.

URCAY 03 Allier 69 ⑪⑫ – 324 h. alt. 169 – ✉ **03360** St-Bonnet-Tronçais.

Paris 296 – La Châtre 58 – Montluçon 34 – Moulins 67 – St-Amand-Montrond 15.

- X **Étoile d'Or** avec ch, ☎ 70 06 92 66, – Ⓟ. ch
fermé oct., dim. soir et merc. – SC : **R** 50/120 – 15 – **6 ch** 75/117 – P 160.
- X **Lion d'Or,** ☎ 70 06 92 04
fermé nov. et mardi – SC : **R** 45/130 ₰.

URCEL 02 Aisne 56 ⑤ – 470 h. alt. 88 – ✉ **02000** Laon.

Paris 124 – Fère-en-Tardenois 41 – Laon 13 – ♦Reims 58 – Soissons 22 – Vailly-sur-Aisne 12.

- XX **Host. de France,** rte Nationale ☎ 23 21 60 08, – Ⓟ. VISA
fermé 18 août au 5 sept., vacances de fév. et jeudi – SC : **R** 55/160.

URDOS 64 Pyr.-Atl. 85 ⑯ – 162 h. alt. 760 – ✉ **64490** Bedous.

Env. Col du Somport★★ SE : 14 km, G. Pyrénées.

Paris 863 – Jaca 46 – Oloron-Ste-Marie 41 – Pau 74.

- **Voyageurs-Somport,** ☎ 59 34 88 05, – wc wc – 60. VISA
fermé 15 au 30 nov. – SC : **R** 55/82 – 14 – **41 ch** 73/165 – P 130/175.

URIAGE-LES-BAINS 38410 Isère 77 ⑤ G. Alpes – alt. 414 – Stat. therm. (1er avril-30 oct.).

Voir Forêt de Prémol★ SE : 5 km par D 111.

Syndicat d'Initiative Gare V.F.D. (cars) (1er avril-26 oct.) ☎ 76 89 10 27.

Paris 574 – ♦Grenoble 10 – Vizille 9.

- **Gd Hôtel,** ☎ 76 89 10 80, parc, – wc Ⓟ.
1er mai-fin sept. – SC : **R** 90/120 – 22 – **51 ch** 140/206 – P 215/270.
- **Mésanges** , par rte St-Martin-d'Uriage et rte du Bouloud : 3 km ☎ 76 89 70 69, <, , – wc Ⓟ. E.
1er mai-30 sept. et week-ends en fév. et mars – SC : **R** 58/90 ₰ – 16 – **40 ch** 72/160 – P 145/185.
- **Le Manoir,** ☎ 76 89 10 88, – wc wc Ⓟ
fermé 20 nov. au 12 déc., 4 au 20 janv., dim. soir et lundi hors sais. – SC : **R** 55/150 ₰ – 15 – **18 ch** 67/220 – P 160/260.

à St-Martin-d'Uriage NE : 3 km par D 280 – alt. 680 – ✉ **38410** Uriage :

- **Belvédère,** ☎ 76 89 70 47, <, – wc Ⓟ
1er juin-21 sept. – SC : **R** 40/130 – 20 – **30 ch** 85/200 – P 175/250.

URMATT 67 B.-Rhin 62 ⑧⑨ – 1 121 h. alt. 240 – ✉ **67190** Mutzig.

Voir Église★ de Niederhaslach NE : 3 km, G. Alsace et Lorraine.

Paris 423 – Molsheim 17 – Saverne 36 – Sélestat 46 – ♦Strasbourg 39 – Wasselonne 22.

- **Poste,** ☎ 88 97 40 55, – wc wc ☎ Ⓟ. AE ⓓ VISA. ch
fermé 10 au 24 mars, 23 juin au 1er juil., 17 nov. au 2 déc. et lundi sauf fériés – SC : **R** 55/270 ₰ – 16,50 – **13 ch** 100/200.
- **Chez Jacques,** ☎ 88 97 41 35, – wc wc ☎ Ⓟ. AE ⓓ E VISA. rest
fermé 12 janv. au 12 fév. – SC : **R** *(fermé lundi)* 42/97 ₰ – 17 – **10 ch** 100/164 – P 165/182.

URT 64 Pyr.-Atl. 78 ⑱ – 1 120 h. alt. 42 – ✉ **64240** Hasparren.

Paris 761 – ♦Bayonne 14 – Cambo-les-Bains 28 – Pau 97 – Peyrehorade 25 – Sauveterre-de-Béarn 42.

- XX **Aub. Galupe,** au Port de l'Adour ☎ 59 56 21 84
fermé fév., mardi soir et merc. – SC : **R** 59/120.

URVILLE-NACQUEVILLE 50 Manche 54 ① – 1 280 h. alt. 14 – ✉ **50460** Querqueville.

Voir Château de Nacqueville : parc★ – <★ du rocher du Castel-Vendon NO : 5 km puis 15 mn, G. Normandie.

Paris 371 – Barneville-Carteret 43 – Bricquebec 33 – Cherbourg 11 – St-Lô 89.

- **Beaurivage,** ☎ 33 03 52 40, – .
fermé sam. midi et vend. du 15 sept. au 1er avril – **R** 38/120 – 13 – **19 ch** 63/120 – P 129/160.

URY 77 S.-et-M. 61 ⑪⑫ – rattaché à Fontainebleau.

USSAC 19 Corrèze 75 ⑧ – rattaché à Brive-La-Gaillarde.

USSEL <SP> **19200** Corrèze **73**
⑪ **G. Périgord** – **11 989 h. alt. 631.**

🅸 Office de Tourisme pl. Voltaire ✆ 55 72 11 50 et 3 bd Prade ✆ 55 96 11 32.

Paris 439 ① – Aurillac 104 ③ – ♦Clermont-Ferrand 86 ② – Guéret 101 ① – ♦Limoges 114 ④ – Tulle 61 ④.

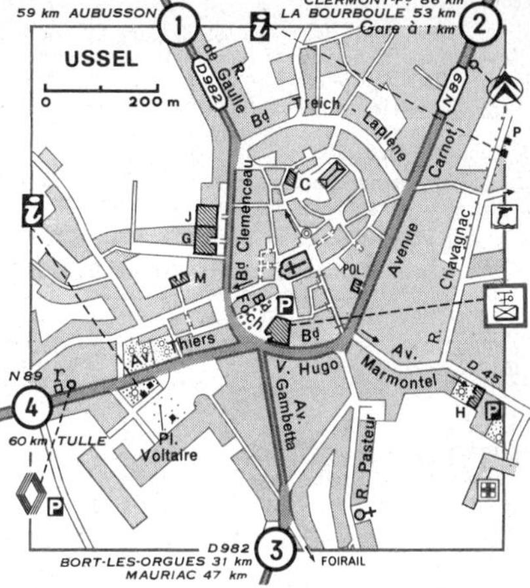

🏨 **Les Gravades** Ⓜ 🐦, à St-Dézery par ② : 4 km ✉ 19200 Ussel ✆ **55 72 21 53,** ≤, 🌳 – TV ⌂wc ⋔wc ☎ Ⓟ. VISA
SC : **R** *(fermé vend. soir et sam. midi hors sais.)* 70/150 🍷 – ☕ 22 – **20 ch** 190/300.

🏨 **Gd Hôtel Mabru,** av. P.-Sémard par ② (près gare) ✆ **55 72 25 98** – TV ⌂wc ⋔wc ☎ Ⓟ. VISA. ✂ rest
fermé 1er au 15 janv. et sam. du 1er nov. au 31 mars – SC : **R** 40/120 – ☕ 20 – **31 ch** 160/195 – P 176/203.

🏨 **Teillard** sans rest, **26 av. Thiers (r)** ✆ **55 72 12 54** – ⋔ Ⓟ. ✂
Pâques-1er nov. – SC : ☕ 15 – **26 ch** 57/140.

CITROEN Fraisse, 70 av. Carnot ✆ 55 72 17 81
FIAT, LANCIA Gar. du Centre, 5 r. A.-Chavagnac ✆ 55 72 11 54
OPEL Gar. Barbier, 20 bd Dr.Goudounèche ✆ 55 96 23 59
PEUGEOT-TALBOT Gar. du Collège, rte de Clermont par ② ✆ 55 96 10 68 🅽 ✆ 55 72 19 95
RENAULT Gar. Thiers, 20 av. Thiers ✆ 55 96 11 01 🅽 ✆ 55 96 14 59

V.A.G. Gar. du Stade, 23 bd Dr. Goudounèche ✆ 55 72 12 66
Gar. Salagnac, 56 av. Gén.-Leclerc ✆ 55 96 23 23

⊛ Estager Pneu, 61 av. Gén.-Leclerc ✆ 55 72 15 83

USSON-EN-FOREZ **42550** Loire **76** ⑦ **G. Vallée du Rhône** – **1 358 h. alt. 910.**

Paris 473 – Ambert 39 – Montbrison 50 – Le Puy 51 – St-Bonnet-le-Château 14 – ♦St-Étienne 47.

🏨 **Rival,** ✆ **77 50 63 65** – ⌂wc ⋔wc ☎. ⓓ VISA
fermé 15 au 30 juin et lundi de sept. à juin – SC : **R** 42/125 – ☕ 14,50 – **13 ch** 81/208 – P 165/215.

🏠 **Gd H. Aubert,** ✆ **77 50 63 42** – 🚗. VISA. ✂ ch
fermé 15 déc. au 15 janv. et lundi sauf juil.-août – SC : **R** 50/120 🍷 – ☕ 16 – **16 ch** 65/130 – P 150/185.

CITROEN Gar. Gardon, Le Pin Mallet ✆ 77 50 62 15
PEUGEOT-TALBOT Gar. Maitrias, ✆ 77 50 63 27
RENAULT Gar. Colombet, ✆ 77 50 60 53

USTARITZ **64480** Pyr.-Atl. **85** ② – **3 814 h. alt. 14.**

🅸 Syndicat d'Initiative à la Mairie (1er juil.-31 août) ✆ 59 93 00 44.

Paris 783 – ♦Bayonne 12 – Cambo-les Bains 7 – Pau 119 – St-Jean-de-Luz 25.

🏠 **Arretz** sans rest, ✆ **59 93 00 25** – ⋔. ✂
avril-15 oct. – SC : ☕ 13,50 – **8 ch** 65/100.

✕✕ **La Patoula** 🐦 avec ch, ✆ **59 93 00 56,** ≤, 🌳, 🌳 – ⌂wc ⋔wc ☎ ♿ Ⓟ. AE VISA
hôtel : ouvert mars-oct. et fermé lundi sauf du 1/5 au 30/9 ; rest. : fermé nov., dim. soir sauf juil.-août et lundi – SC : **R** carte 145 à 205 – ☕ 30 – **9 ch** 200/300.

CITROEN Gar. Iharour, à Larressore ✆ 59 31 01 79
RENAULT Gar. Etchegaray, à Larressore ✆ 59 93 04 37 🅽 ✆ 59 29 80 02

UTELLE **06** Alpes-Mar. **84** ⑲, **195** ⑯ **G. Côte d'Azur** – **398 h. alt. 800** – ✉ **06450** Lantosque.

Voir Retable★ de l'église.

Env. Madone d'Utelle ✻★★★ SO : 6 km.

UZERCHE **19140** Corrèze **75** ⑧ **G. Périgord** (plan) – **3 185 h. alt. 333.**

Voir Ste-Eulalie ≤★ E : 1 km.

🅸 Office de Tourisme pl. Lunade (1er avril-30 sept.) ✆ 55 73 15 71.

Paris 453 – Aubusson 102 – Bourganeuf 85 – Brive-la-Gaillarde 35 – ♦Limoges 56 – Périgueux 93 – Tulle 31.

Ambroise, av. Paris ℰ 55 73 10 08, ≡, ≡ – ⇔wc ⋒wc ☎
fermé 15 nov. au 15 déc., sam. et dim. sauf juil.-août – SC : **R** 42/98 🍷 – ☐ 15 – **20 ch** 80/130.

Teyssier, r. Pont Turgot ℰ 55 73 10 05 – ⇔wc ⋒wc ☎ **P**. VISA
23 mars-15 nov. et fermé merc. sauf le soir en août et sept. – SC : **R** 80/200 – ☐ 19 – **17 ch** 85/200.

Moderne sans rest, av. Paris ℰ 55 73 12 23 – ⋒wc ☎ 🚗
fermé fév. et merc. – SC : ☐ 16 – **8 ch** 100/150.

à Vigeois SO : 9 km par N 20 et D 3 – ✉ **19410** Vigeois :

Les Semailles avec ch, rte Brive ℰ 55 98 93 69 – ⇔wc ☎. ✂ ch
fermé déc., dim. soir et lundi hors sais. – SC : **R** 73/130 🍷 – ☐ 17 – **7 ch** 90/150 – P 137/179.

CITROEN Gar. Chauffour, ℰ 55 73 12 05 **N** ℰ 55 73 22 19
PEUGEOT-TALBOT Gar. Mériguet, ℰ 55 73 26 35
RENAULT Gar. Bachellerie, ℰ 55 73 15 75 **N** ℰ 55 73 16 51
RENAULT Gar. Hochscheid à Vigeois, ℰ 55 98 92 59

UZÈS **30700** Gard **80** ⑲ **G. Provence** – 7 826 h. alt. 138 – **Voir Duché**★ : ≤★ **de la Tour Bermonde** A – **Orgues**★ **de la Cathédrale** B **V** – **Tour Fenestrelle**★ B **W.**

i Office de Tourisme av. Libération ℰ 66 22 68 88.

Paris 685 ② – Alès 33 ④ – Arles 61 ② – Avignon 38 ② – Montélimar 81 ① – Nîmes 25 ②.

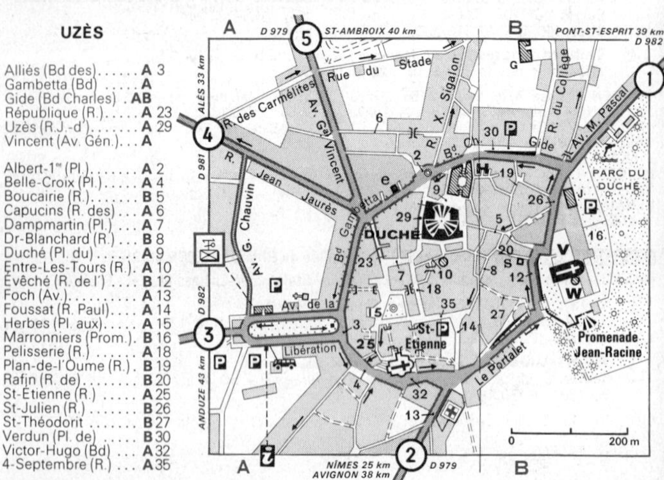

Entraigues ⛰, pl. Évêché ℰ 66 22 32 68, ≡ – ⇔wc ☎. **⊙** VISA B **s**
fermé janv. – SC : **R** Grill *(fermé mardi et merc. midi)* 65/95 🍷 – ☐ 25 – **18 ch** 231/294 – P 303/334.

St-Géniès ⛰ sans rest, rte St-Ambroix par ⑤ ℰ 66 22 29 99 – ⇔wc ⋒wc ☎ **P**. ✂ – ☐ 21 – **15 ch** 145/190.

L' Alexandry, 6 bd Gambetta ℰ 66 22 27 82 A **e**
fermé mi-janv. à fin fév. et lundi – SC : **R** 82.

à St-Maximin par ② : 5,5 km – ✉ **30700** Uzès :

Aub. St-Maximim, ℰ 66 22 26 41, ≡ – AE **⊙** E VISA
fermé 16 nov. au 3 déc., fév., mardi hors sais. et lundi – SC : **R** 90/250.

à Arpaillargues par ③ : 4,5 km – ✉ **30700** Uzès :

H. d'Agoult, Château d'Arpaillargues ⛰, ℰ 66 22 14 48, Télex 490415, ≡, « Demeure du 18e s., parc, 🎾, ⛱ » – ☎ **P** – 🏛 50. AE **⊙** E VISA. ✂ rest
mi-mars-fin oct. – SC : **R** *(fermé merc. hors sais.)* 155 – ☐ 35 – **25 ch** 360/500 – P 490/660.

CITROEN Gar. Mandon, Champs-de-Mars par ② ℰ 66 22 22 64 **N** ℰ 66 22 20 71
PEUGEOT-TALBOT Laborie, av. de la Gare par ③ ℰ 66 22 59 01
RENAULT SUVRA, rte d'Alès par ④ ℰ 66 22 60 99
⊛ Casellas-Pneus, 30 bd C.-Gide ℰ 66 22 26 65

La VACHERIE 74 H.-Savoie **74** ⑦ – rattaché à Thônes.

VACQUIERS 31 H.-Garonne 82 ⑧ – 736 h. alt. 230 – ✉ **31340** Villemur-sur-Tarn.
Paris 686 – Albi 67 – Castres 75 – Montauban 35 – ♦Toulouse 26.

Villa des Pins 🙣, O : 2 km par D 30 ✆ 61 84 96 04, ≤, parc – wc ☎ P – 50. AE ⓞ. ch
fermé dim. soir et lundi – SC : **R** 55/165 – 18 – **15 ch** 90/170 – P 230/300.

VAIGES **53480** Mayenne 60 ⑪ – 969 h. alt. 91.
Paris 253 – Château-Gontier 37 – Laval 22 – ♦Le Mans 53 – Mayenne 32.

Commerce M, ✆ 43 01 20 07, – wc ☎ P – 80. ⓞ VISA.
fermé 29 sept. au 6 oct., 9 fév. au 2 mars, dim. soir et lundi – SC : **R** 80/170 – 20 – **34 ch** 150/240 – P 180/240.

CITROEN Gar. de la Charnie, ✆ 43 01 20 05

VAILLY-SUR-AISNE **02370** Aisne 56 ④⑤ – 1 883 h. alt. 48.
Paris 119 – Fère-en-Tardenois 29 – Laon 24 – ♦Reims 49 – Soissons 18.

Cheval d'Or, ✆ 23 54 70 56 – P. E VISA
fermé 15 déc. au 15 janv. – SC : **R** 44/130 – 12,50 – **21 ch** 52/85 – P 120.

VAILLY-SUR-SAULDRE **18260** Cher 65 ⑫ – 875 h. alt. 200 m.
Paris 182 – Aubigny-sur-Nère 17 – Bourges 53 – Cosne-sur-Loire 24 – Gien 37 – Sancerre 26.

Aub. Lièvre Gourmand, ✆ 48 73 80 23
fermé dim. soir et merc. – SC : **R** (nombre de couverts limité - prévenir) 90/175.

VAISON-LA-ROMAINE **84110** Vaucluse 81 ②③ **G. Provence** – 5 864 h. alt. 200.
Voir Les ruines romaines★★ Y – Cloitre★, Maître-autel★ de l'ancienne cathédrale N.-Dame Y **B** – Chapelle de St-Quenin★ Y **D** – Musée (statue de l'empereur cuirassé★) Y **M** – Office de Tourisme pl. Chanoine Sautel ✆ 90 36 02 11.
Paris 669 ④ – Avignon 47 ③ – Carpentras 28 ② – Montélimar 65 ④ – Pont-St-Esprit 41 ④.

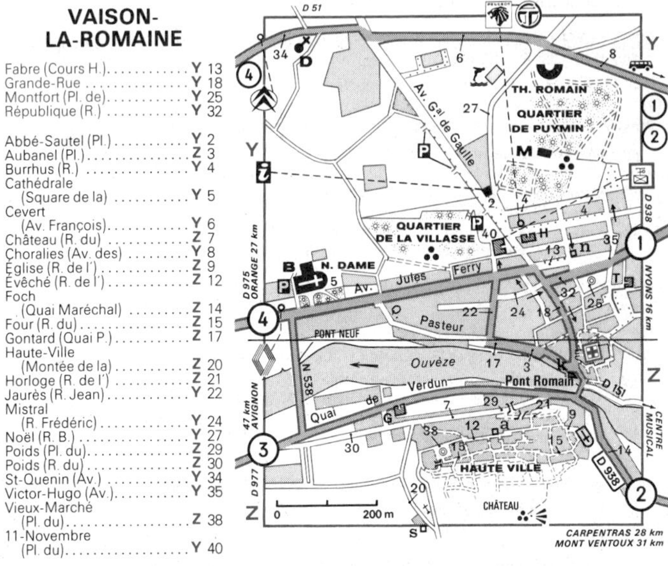

Le Beffroi 🙣, Haute Ville ✆ 90 36 04 71, – TV wc ☎ P – 30. AE ⓞ E VISA. rest Z **a**
15 mars-12 nov. et 12 déc.-5 janv. – SC : **R** *(fermé mardi midi et lundi sauf fêtes)* 86/148 – 28 – **20 ch** 106/315 – P 275/501.

Logis du Château M 🙣, Les Hauts de Vaison ✆ 90 36 09 98, Télex 431389, ≤, parc, – rest wc P – 30. AE ⓞ E VISA Z **s**
15 mars-31 oct. – SC : **R** 87/150 – 22 – **40 ch** 220/320 – P 310/345.

Burrhus M, 2 pl. Montfort ✆ 90 36 00 11 – wc wc ☎. AE ⓞ VISA Y **n**
fermé nov. – SC : **R** (dîner seul. table d'hôtes) 60 bc – 20 – **14 ch** 165/250.

Le Bateleur, pl. Th.-Aubanel ✆ 90 36 28 04 Z **k**
fermé 10 au 20 juin, 23 sept. au 31 oct., dim. soir et lundi – SC : **R** (prévenir) 66/120.

à Seguret par ③ et D 88 : 9,5 km – ✉ **84110** Vaison-La-Romaine :

XXX ❀ **La Table du Comtat** (Gomez) ⋟ avec ch, ✆ **90 46 91 49**, ≤ **plaine**, ⛱ – ▤ rest ⇔wc ⋒wc ☎ Ⓟ. AE ⓞ E VISA. ✻ rest
fermé 15 au 30 nov., fév., mardi soir et merc. sauf juil.-août et fêtes – SC : **R** (nombre de couverts limité - prévenir) 160/270 – ☕ 35 – **8 ch** 230/300
Spéc. Truffe en chemise, Escalope de bar à la crème de favouilles, Pot au feu de pigeon. Vins Seguret, Camaret-sur-Aigues.

à Rasteau par ④ et D 69 : 9 km – ✉ **84110** Vaison-la-Romaine :

⌂ **Bellerive** Ⓜ ⋟, sur D 69 ✆ 90 46 10 20, ≤, ⛱, ⛱ – ⇔wc ☎ Ⓟ
fermé janv. et fév. – SC : **R** 85/210 – ☕ 22 – **20 ch** 220/250.

CITROEN Gar. de France, la Rocade ✆ 90 36 10 90
FIAT Peyrol, Quart. St-Laurent ✆ 90 36 00 08
PEUGEOT-TALBOT De Luca, rte de Nyons par ① ✆ 90 36 24 33 N
PEUGEOT-TALBOT Adage, 7 cours Taulignan ✆ 90 36 01 50
RENAULT Auto-Vaisonnaise, rte d'Orange ✆ 90 36 07 63
RENAULT Gar. Baffie, ZA de l'Ouvèze par ③ ✆ 90 36 36 38
RENAULT Gar. Digonnet à Rasteau ✆ 90 46 10 53

VALADY 12 Aveyron **80** ② – 957 h. alt. 340 – ✉ **12330** Marcillac-Vallon.
Paris 626 – Decazeville 19 – Rodez 18.

⌂ **Combes** ⋟, ✆ 65 72 70 24, ⛱ – ⇔wc ⋒wc. ✻
fermé fév. – SC : **R** *(fermé lundi du 15 sept. au 30 juil.)* 52/90 ♂ – ☕ 15,50 – **14 ch** 75/158 – P 138/170.

à Nuces SE : 2,5 km – ✉ **12330** Marcillac-Vallon :

XX **Gare,** ✆ 65 72 60 20, ⛱ – Ⓟ. AE ⓞ E VISA
fermé fév. et dim. soir – SC : **R** 53/160 ♂.

Le VAL-ANDRÉ 22 C.-du-N. **59** ④ – voir à Pléneuf-Val-André.

VALBERG 06 Alpes-Mar. **81** ⑨⑲, **195** ④ **G. Côte d'Azur** – alt. 1 669 – Sports d'hiver : 1 650/2 025 m ⛷25, ⛷ – ✉ **06470** Guillaumes.

Voir Intérieur★ de la chapelle N.-D.-des-Neiges.

ℹ Office de Tourisme ✆ 93 02 52 54, Télex 461002.

Paris 851 – Barcelonnette 77 – Castellane 71 – Digne 109 – ♦Nice 85 – St-Martin-Vésubie 59.

⌂ **Adrech de Lagas** Ⓜ, ✆ 93 02 51 64, ≤ – ⫼ ▭. AE ⓞ E VISA. ✻ rest
1er juil.-30 sept. et 20 déc-15 avril – SC : **R** 130/190 – ☕ 25 – **22 ch** 290 – P 340/368.

⌂ **Chalet Suisse,** ✆ 93 02 50 09, ⛱, ⛱ – ⇔wc ⋒wc ☎ ⛟. E VISA
10 juil.-15 sept. et 20 déc.-15 avril – SC : **R** 80/100 – ☕ 25 – **23 ch** 145/275.

⌂ **La Clé des Champs** ⋟, ✆ 93 02 51 45, ≤, ⛱ – ⋒wc ☎ ⛟ Ⓟ. ✻ ch
1er juil.-20 sept. et 20 déc.-20 avril – SC : **R** (résidents seul.) – ☕ 18 – **19 ch** 185.

VALBONNE 06560 Alpes-Mar. **84** ⑨, **195** ㉔㉕ **G. Côte d'Azur** – 4 032 h. alt. 202.

⛳18 ✆ **93 42 00 08 NE : 2 km.**

ℹ Office de Tourisme bd Gambetta ✆ 93 42 04 16.

Paris 911 – Antibes 17 – Cannes 13 – Grasse 9 – Mougins 6,5 – ♦Nice 30 – Vence 21.

XX **Caves St-Bernardin,** ✆ 93 42 03 88
fermé 1er déc. au 15 janv., dim. et lundi – SC : **R** (nombre de couverts limité - prévenir) 87/107.

XX **Bistro de Valbonne,** ✆ 93 42 05 59
fermé 1er au 21 nov., 1er au 15 mars, dim. et lundi – SC : **R** 105/149.

au Val de Cuberte SO : 1,5 km sur D 3 – ✉ **06560** Valbonne :

XX **Val de Cuberte,** ✆ 93 42 01 82, ⛱ – Ⓟ. VISA
fermé 12 nov. au 20 déc., le soir sauf sam. en hiver, mardi en sais. et lundi – SC : **R** 135.

XX **Aub. Fleurie** avec ch, ✆ 93 42 02 80, ⛱, ⛱ – ⇔wc ⋒wc Ⓟ
fermé 15 déc. au 1er fév. – SC : **R** *(fermé merc.)* 71/128 ♂ – ☕ 15 – **10 ch** 111/163.

RENAULT Gar. Cuberte, ✆ 93 42 02 24

VALCEBOLLÈRE 66340 Pyr.-Or. **86** ⑯
Paris 890 – Bourg-Madame 9 – ♦Perpignan 105 – Prades 62.

⌂ **Les Ecureuils** ⋟, ✆ 68 04 52 03 – ⋒wc ☎
15 juin-30 sept., 20 déc.-5 janv. et vacances scolaires – SC : **R** 79/155 – ☕ 17 – **9 ch** 114/147 – P 153/178.

VAL CLARET 73 Savoie **74** ⑲ – rattaché à Tignes.

VALDAHON 25800 Doubs 66 ⑯ – 4 472 h. alt. 649.

Paris 444 – ♦Besançon 31 – Morteau 33 – Pontarlier 32.

Relais de Franche Comté M ⛰, ☎ 81 56 23 18, ≤, – ⛀wc ☎ P – 🏔 30. AE ⓓ E VISA
fermé 20 déc. au 15 janv., vend. soir et sam. midi (sauf en juil.-août et vacances de fév.) – SC : **R** 48/170 ♖ – ☕ 16,50 – **20 ch** 147/195 – P 175/225.

CITROEN Gar. Pétot, ☎ 81 56 27 12 N ☎ 81 56 26 19

Le VAL-D'AJOL 88340 Vosges 62 ⑯ G. Alsace et Lorraine – 5 293 h. alt. 346.

Office de Tourisme 93 Grande-Rue (15 juin-15 sept.) ☎ 29 30 66 69 et 2 r. Devau ☎ 29 30 66 30.

Paris 373 – Épinal 44 – Luxeuil-les-Bains 16 – Plombières-les-Bains 9 – Remiremont 17 – Vittel 75.

Résidence, r. Mousses ☎ 29 30 68 52, « Parc » – ⛀wc ⛆wc ☎ P – 🏔 100. AE ⓓ E VISA. ⚔ rest
fermé 15 nov. au 15 déc. – SC : **R** 50/170 ♖ – ☕ 18,50 – **60 ch** 80/180 – P 183/235.

VALDEBLORE (Commune de) 06 Alpes-Mar. 84 ⑱⑲, 195 ⑥ G. Côte d'Azur – 599 h. – Sports d'hiver à la Colmiane : 1 420/1 800 m ⛷10 – ✉ 06420 St-Sauveur-sur-Tinée.

Paris 900 – Cannes 91 – ♦Nice 73 – St-Étienne-de-Tinée 46 – St-Martin-Vésubie 11.

à La Bolline – alt. 1 000 – ✉ 06420 St-Sauveur-sur-Tinée.
Voir Rimplas : site★, ≤★ de la chapelle Ste-Madeleine SO : 4 km.

Valdeblore sans rest., ☎ 93 02 81 05, ≤ – ⛀wc ☎
15 juin-15 sept. – SC : ☕ 16 – **17 ch** 100/180.

à St-Dalmas-Valdeblore – alt. 1 300 – ✉ 06420 St-Sauveur-sur-Tinée.
Voir Pic de Colmiane ✵★★ E : 4,5 km.

Aub. des Murès ⛰, ☎ 93 02 80 11, ≤, – ⛀wc ⛆wc ☎ P
1er juin-3 nov. et 26 déc.-30 avril – SC : **R** 85/156 – ☕ 19 – **9 ch** 183/223 – P 244/265.

Lou Mercantour ⛰, ☎ 93 02 80 21, ≤ – ⛀wc ⛆wc ☎ P. ⚔ rest
1er juin-1er oct. et vacances scol. sauf Noël – SC : **R** 80/95 – ☕ 15 – **22 ch** 100/230 – P 175/250.

Host. des Colmianes ⛰, ☎ 93 02 83 36, ≤ – ⛀wc ⛆wc ☎ P. ⚔ rest
1er juin-20 sept. et 20 déc.-20 avril – **R** (résidents seul.) – ☕ 20 – **15 ch** 150/250.

VAL-DE-LA-HAYE 76 S.-Mar. 55 ⑥ – rattaché à Rouen.

VAL DE VILLÉ 67 Bas-Rhin 62 ⑲ – rattaché à Sélestat.

VAL-D'ISÈRE 73150 Savoie 74 ⑲ G. Alpes – 1 637 h. alt. 1 840 – Sports d'hiver : 1 850/3 300 m ⛰6 ⛷47 – Voir Rocher de Bellevarde ✵★★★ par téléphérique – Tête du Solaise ✵★★ SE par téléphérique.

Altiport de Tovière NO : 5 km.

Office de Tourisme Maison de Val d'Isère (27 oct.-4 mai) ☎ 79 06 10 83 avec Val Hôtel (Réservations d'hôtels) ☎ 79 06 18 90, Télex 980077 et Antenne de la Daille (15 déc.-15 avril) ☎ 79 06 14 93.

Paris 656 – Albertville 85 – Briançon 158 – Chambéry 132.

Sofitel M ⛰, ☎ 79 06 08 30, Télex 980558, ≤, ⛱ – ⛓ TV ☎ ⛟ P – 🏔 70. AE ⓓ E VISA
28 juin-25 août et 29 nov.-3 mai – SC : **R** carte 230 à 320 – ☕ 55 – **51 ch** 530/980 – P 840/860.

Christiania ⛰, ☎ 79 06 08 25, ≤ – ⛓ ☎ P. ⚔ rest
1er déc.-2 mai – SC : **R** (dîner seul.) 190 – **43 ch** ☕ 760/1 270.

Gd Paradis M ⛰, ☎ 79 06 11 73, ≤, ⚔ – ⛓ ☎ ⛟. AE ⓓ E VISA. ⚔ rest
juil.-août et déc.-avril – SC : ☕ 38 – **42 ch** 275/745, 4 appartements 840.

La Savoyarde M ⛰, ☎ 79 06 01 55, Télex 980342, ≤ – ⛓ ☎ P. AE ⓓ E VISA
1er déc.-5 mai – SC : **R** 128/138 – ☕ 51 – **44 ch** 636 – P 470/850.

Tsanteleina, ☎ 79 06 12 13, Télex 980175, ≤, ⚔ – ⛓ ☎ P. AE E VISA. ⚔ rest
28 juin-24 août et 30 nov.-1er mai – SC : **R** 80/145 – ☕ 35 – **61 ch** 235/450 – P 310/460.

Blizzard M, ☎ 79 06 02 07, ≤ – ⛓ TV ☎. AE ⓓ VISA. ⚔ rest
17 déc.-4 mai – SC : **R** *(fermé le midi hors sais.)* 110 – ☕ 35 – **70 ch** 285/380.

Altitude M ⛰, ☎ 79 06 12 55, ≤, ⛱ – ⛓ ⛀wc ⛆wc ☎ P. VISA. ⚔
1er juil.-30 août et 1er déc.-1er mai – SC : **R** 90 – **30 ch** ☕ 240/480 – P 250/380.

Danival M ⛰ sans rest, ☎ 79 06 00 65, ≤ – ⛀wc ☎ ⛟
20 déc.-1er mai – SC : **18 ch** ☕ 230/350.

Bellier ⛰, ☎ 79 06 03 77, ≤ – cuisinette ⛀wc ⛆ ☎ P. AE ⓓ VISA
1er déc.-1er mai – SC : **R** (dîner seul.) carte environ 140 – ☕ 30 – **21 ch** 160/360.

Santons ⛰ sans rest, ☎ 79 06 03 67, ≤ – ⛀wc ⛆wc ☎
1er déc.-fin avril – **26 ch** 220/550.

H. Oreiller ⑤ sans rest, ☎ 79 06 08 45, ← – ⇔wc ☎
sais. – **23 ch**.

L'Avancher ⑤, rte Fornet ☎ 79 06 02 00, ←, ⊥ – ⇔wc ☎
1er juil.-31 août et 1er déc.-5 mai – SC : **R** (dîner seul.) 89/110 – ☕ 27 – **17 ch** 152/277.

Vieux Village, ☎ 79 06 03 79, ← – ⇔wc ⋒wc ☎
juil.-août (sans rest.) et déc.-avril (1/2 pens. seul.) – SC : ☕ 28 – **24 ch** 155/210 – 1/2 p 230/280.

La Galise, ☎ 79 06 05 04 – ⇔wc ⋒wc ☎. ✻ rest
15 déc.-15 avril – SC : **R** 70/110 – ☕ 21 – **37 ch** 115/295 – P 220/295.

Chamois d'Or ⑤, ☎ 79 06 00 44, ← – ⇔wc ⋒ ☎ Ⓟ. ✻
1er juil.-31 août et 13 déc.-3 mai – SC : **R** 80 ⅓ – **23 ch** (pens. seul.) – P 209/300.

XX **Goitschel's Lodge,** ☎ 79 06 02 01 – AE ⓓ VISA
1er juil.-25 août et 1er déc.-1er mai – SC : **R** 170/230.

à la Daille NO : 2 km – ✉ **73150** Val-d'Isère :

Samovar, ☎ 79 06 13 51, ← – ⇔wc ⋒wc ☎. VISA. ✻ rest
1er déc.-début mai – SC : **R** 115 – ☕ 28 – **16 ch** 357/420 – P 373/430.

La Tovière, ☎ 79 06 06 57, ← – ⇔wc ⋒ ☎ Ⓟ. ✻ rest
28 juin-24 août et 1er déc.-1er mai – SC : **R** 50/75 ⅓ – ☕ 21 – **26 ch** 238/320 – P 211/250.

BLF, CITROEN Gar. Galise et Iseran, ☎ 79 06 03 76
RENAULT Gar. Bozzetto, ☎ 79 06 01 70

VALDOIE **90** Ter.-de-Belf. **66** ⑧ – rattaché à Belfort.

VALENÇAY **36600** Indre **64** ⑱ **G. Châteaux de la Loire** – 3 139 h. alt. 140.

Voir Château★★.

Office de Tourisme av. de la Résistance (15 juin-15 sept.) ☎ 54 00 04 42 et à l'Hôtel de Ville ☎ 54 00 14 33.

Paris 235 ⑤ – **Blois 55** ⑤ – **Bourges 74** ② – **Châteauroux 43** ③ – **Loches 48** ④ – **Vierzon 49** ①.

VALENÇAY

République (R.) 10

Blois (R. de) 2
Châtaigniers (R.) 3
Château (R. du) 4
Hymans (R. M.) 5
Manufacture (R. de la) 6
Marnières (R. des) 7
Nationale (R.) 8
Pinard-Pinon (R.) 9
Résistance (Av.) 12
St-Maurice (R.) 13
Talleyrand (R.) 15
Tourne-Bride (R.) 16

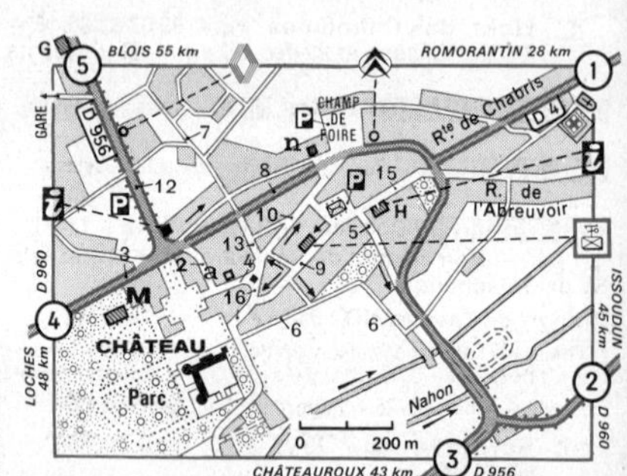

✿ **Espagne** (Fourré) ⑤, 9 r. Château **(a)** ☎ 54 00 00 02, Télex 751675, « Terrasse fleurie » – TV ☎ Ⓟ. AE VISA
15 mars-15 nov. – SC : **R** (nombre de couverts limité - prévenir) 160/250 – ☕ 50 – **11 ch** 300/500, 6 appartements 800/900 – P 700/900
Spéc. Salade impromptue, Ris de veau "Baronnie d'Aignan", Bolet de gâtine. **Vins** Sauvignon, Gamay.

X **Chêne Vert, (n)** ☎ 54 00 06 54,
fermé 9 au 29 juin, 8 déc. au 12 janv., dim. soir et sam. hors sais. – **R** 42/115 ⅓.

CITROEN Huard, ☎ 54 00 05 35
PEUGEOT-TALBOT Debrais, par ③ ☎ 54 00 17 99
RENAULT Caisel, ☎ 54 00 02 24

VALENCE Ⓟ **26000** Drôme **77** ⑫ **G. Vallée du Rhône** – 68 157 h. alt. 123.

Voir Maison des Têtes★ AYB – Intérieur★ de la cathédrale AZD – Champ de Mars ←★ AZ – Sanguines de Hubert Robert★★ au musée AZ **M1**.

Env. St-Marcel-lès-Valence : Musée de l'Automobile★ : 7 km par ②.

✈ de Valence-Chabeuil : ☎ 75 85 28 63, par D 68 : 5 km - BYZ.

Office de Tourisme pl. Leclerc ☎ 75 43 04 88, Télex 345265, Déviation N 7 Ile Girodet ☎ 75 43 04 88, Télex 343265 et A.C. 33 bis av. Felix-Faure ☎ 75 43 61 07.

Paris 560 ① – **Aix-en-Provence 196** ⑤ – **Avignon 126** ⑤ – ♦**Clermont-Ferrand 241** ① – ♦**Grenoble 99** ② – ♦**Lyon 99** ① – ♦**Marseille 216** ⑤ – **Nîmes 150** ⑤ – **Le Puy 113** ⑦ – ♦**St-Étienne 92** ①.

VALENCE

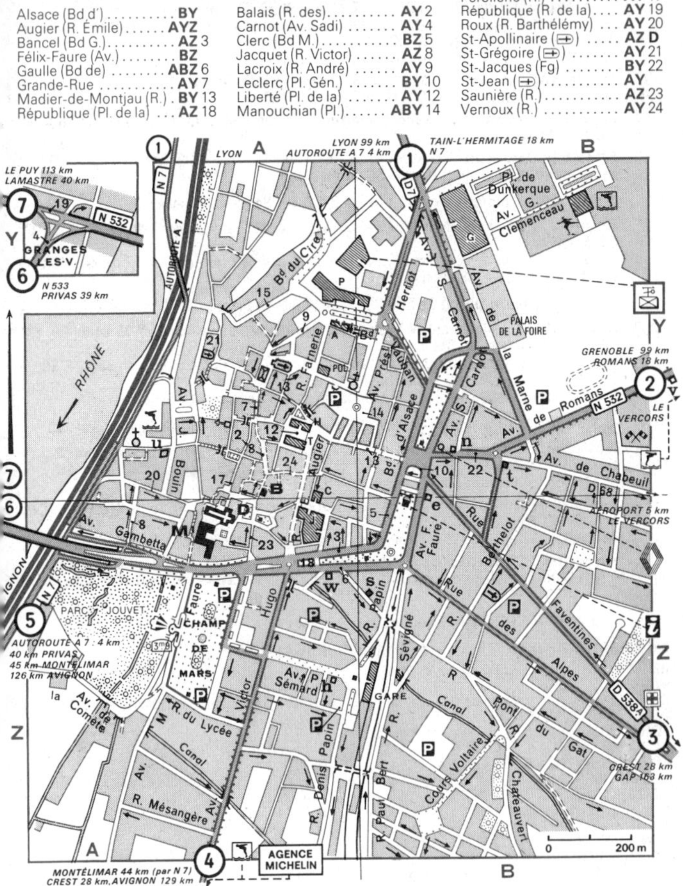

Hôtel 2000 Ⓜ sans rest., rte Grenoble ☎ 75 43 73 01, Télex 345873, – 🛗 TV ☎ Ⓟ – 25. AE ⓓ E VISA — BY **v**
SC : **R** *(fermé dim. midi)* 60/90 – ☕ 29 – **31 ch** 250/380.

Novotel Ⓜ, 217 av. Provence par ⑤ près échangeur Valence-Sud ☎ 75 42 20 15, Télex 345823, 🏊, – 🛗 ▤ TV ☎ ♿ Ⓟ – 25 à 300. AE ⓓ E VISA
R snack carte environ 100 🍷 – ☕ 32 – **107 ch** 283/309.

France Ⓜ sans rest, 16 bd Ch.-de-Gaulle ☎ 75 43 00 87 – 🛗 ▤ wc wc ☎ – 25. AE ⓓ E VISA — AZ **w**
SC : ☕ 25 – **34 ch** 198/268.

Park-H. sans rest, 22 r. J.-Bouin ☎ 75 43 37 06 – wc wc ☎ Ⓟ AE ⓓ VISA — AY **u**
SC : ☕ 18 – **21 ch** 155/215.

Gd St-Jacques, 9 fg St-Jacques ☎ 75 42 44 60 – 🛗 wc wc ☎ — BY **n**
SC : **R** *(fermé 24 déc. au 30 janv. et dim.)* 53/168 🍷 – ☕ 16,50 – **32 ch** 90/200 – P 225/325.

Europe sans rest, 15 av. F.-Faure ☎ 75 43 02 16 – wc wc ☎ VISA — BYZ **e**
SC : ☕ 16 – **26 ch** 85/220.

Voyageurs sans rest, 30 av. P.-Sémard ☎ 75 44 02 83 – 🛗 wc wc ☎. AE ⓓ E VISA — AZ **h**
SC : ☕ 17 – **40 ch** 110/185.

XXXX ✿✿✿ **Pic** avec ch, 285 av. Victor-Hugo, sortie autoroute Valence-Sud ✆ 75 44 15 32, « Jardin ombragé » – ▤ rest TV ⌂wc ☎ P. AE ①
fermé 4 au 27 août, vacances de fév., dim. soir et merc. – SC : **R** (dim. prévenir) 320/400 – ☕ 40 – **5 ch** 350/750
Spéc. Menu Rabelais. Vins Crozes-Hermitage, St-Péray.

XX **La Licorne,** 13 r. Chalamet ✆ 75 43 76 83 – ▤. AE ① VISA BZ **s**
fermé sam. midi et dim. – SC : **R** (prévenir) 48/152.

XX Le Nautic, au Port de Plaisance, quartier de l'Épervière, par ⑤ : 2,5 km ✆ 75 43 42 13, ≤ – ▤ P.

X **La Petite Auberge,** 1 r. Athènes ✆ 75 43 20 30, 🏠 – AE E VISA BY **t**
fermé août, merc. soir et dim. – SC : **R** 71/141.

à Bourg-lès-Valence par ① : 1 km – ✉ **26500** Bourg-lès-Valence :

Seyvet, 24 av. Marc-Urtin ✆ 75 43 26 51 – |$| ▤ rest ⌂wc ⌂ ☎ P – 🏛 35. AE ① E VISA
fermé 9 janv. au 2 mars (sauf hôtel) et dim. soir du 25 nov. au 13 mars – SC : **R** 60/180 ♂ – ☕ 22 – **33 ch** 150/260.

à Pont de l'Isère par ① : 9 km – ✉ **26600** Tain-l'Hermitage :

XXX ✿✿ **Chabran** M avec ch, N 7, sortie autoroute Valence-Nord ✆ 75 84 60 09, 🏠 – ▤ TV ⌂wc ☎ P. VISA
fermé dim. soir et lundi hors sais. sauf fériés ; mardi midi et lundi en sais. – SC : **R** 180/360 et carte – ☕ 40 – **12 ch** 220/400
Spéc. Filets de rouget tièdes, Saumon rôti, Canette rôtie. Vins Hermitage, St-Joseph.

à Granges-lès-Valence (Ardèche) par ⑥ : 3 km – ✉ **07500** Granges-lès-Valence :

National, SO : 2 km rte Nimes ✆ 75 41 65 33, Télex 345744 – ⌂wc ⌂wc ☎ 🚗 P – 🏛 30 à 200. VISA. ✱ rest
SC : **R** grill (dîner seul.) 60/77 – ☕ 20 – **52 ch** 145/170.

Alpes-Cévennes sans rest, 641 av. République ✆ 75 44 61 34 – |$| ⌂wc ⌂wc ☎ 🚗. AE VISA
fermé 4 au 21 août, 29 déc. au 4 janv. – SC : ☕ 17 – **28 ch** 133/173.

XX **Aub. des 3 Canards,** 565 av. République ✆ 75 44 43 24 – P. AE ① E VISA
fermé 3 au 25 août, sam. soir, dim. soir et lundi – SC : **R** 90/185 – **Bistrot Vivarois R** 60 bc.

Voir aussi à *St-Péray* (Ardèche) par ⑦ : 5 km

MICHELIN, Agence, 368 av. V.-Hugo par ④ ✆ **75 41 30 66**

BMW Fourel, 37 av. de Marseille ✆ 75 44 20 97
CITROEN Minodier, 126 rte de Beauvallon par ④ ✆ 75 44 31 24 N ✆ 75 57 23 43
FORD Valence-Autom., 287 av. de Romans ✆ 75 42 54 44
MERCEDES-BENZ Royal-Gar., av. de Provence ✆ 75 42 12 00
PEUGEOT-TALBOT SOVACA, 125 av. M.-Faure AZ et 268 av. V.-Hugo par ④ ✆ 75 44 11 66
RENAULT Succursale, 105 av. Sadi-Carnot ✆ 75 43 93 23
V.A.G. Clauzier et Genin, 269 av. Victor-Hugo ✆ 75 44 45 45
V.A.G. Gar. J.-Jaurès, 410-416 av. de Chabeuil ✆ 75 42 12 66

Ⓜ Barrial-Pneus, 106 av. Victor-Hugo ✆ 75 44 24 43
Dorcier, 15 à 17 av. des Beaumes ✆ 75 44 11 40
Piot-Pneu, av. de Provence, Pont-des-Anglais ✆ 75 44 13 40

Périphérie et environs

CITROEN Gar. Pélissier, 82 av. J.-Jaurès à Porte-lès-Valence par ④ ✆ 75 57 30 00 N
LADA, SKODA Gar. Moulin, 508 av. République à Guilherand (07) ✆ 75 44 44 90
PEUGEOT-TALBOT Vinson et Verd, 35 r. de la Cartoucherie à Bourg-lès-Valence par ① ✆ 75 43 01 92
RENAULT Succursale, rte de Lyon à Bourg-lès-Valence par ① ✆ 75 43 93 23

VALENCE 82400 T.-et-G. 79 ⑯ – 4 734 h. alt. 69.
Paris 668 – Agen 26 – Cahors 66 – Castelsarrasin 25 – Moissac 17 – Montauban 46.

Tout va bien, 35 r. République ✆ 63 39 54 83 – ⌂wc ⌂wc ☎ – 🏛 25. AE
fermé janv. – SC : **R** *(fermé lundi)* 67/160 – ☕ 21 – **22 ch** 95/160 – P 236/280.

XX **La Campagnette,** NE : 2 km par rte Cahors (D 953) ✆ 63 39 65 97, 🏠, 🌳 – P
fermé 26 mai au 7 juin, 15 au 30 sept., dim. soir et lundi hors sais. – SC : **R** 75/175.

PEUGEOT-TALBOT Maggiori, ✆ 63 39 50 60
RENAULT Mosconi, ✆ 63 39 52 42
RENAULT Semenadisse, ✆ 63 29 03 03 N

VALENCE-EN-BRIE 77830 S.-et-M. 61 ②③, 196 ㊼ – 495 h. alt. 108.
Paris 71 – Fontainebleau 16 – Melun 21 – Montereau-Faut-Yonne 8,5.

Aub. St-Georges, 1 pl. Église ✆ (1) 64 31 81 12 – ⌂wc ⌂wc ☎. VISA
fermé 20 déc. au 20 janv., lundi soir et mardi – SC : **R** 51/76 – ☕ 14,50 – **10 ch** 101/133.

à Pamfou NO : 2,5 km – ✉ **77830** Valence-en-Brie :

Le Relais, ✆ (1) 64 31 81 88 – ☎ Ⓟ – 🏛 30
fermé 20 déc. au 20 janv., dim. soir, lundi (sauf hôtel) et vend. – SC : **R** 46/105 – ☕ 18 – **17 ch** 166 – P 156/200.

VALENCE-SUR-BAÏSE 32310 Gers 82 ④ – 1 218 h. alt. 110.

Voir Abbaye de Flaran★ NO : 2 km, G. Pyrénées.

Paris 682 – Agen 49 – Auch 35 – Condom 9.

Ferme de Flaran Ⓜ, rte Condom ✆ 62 28 58 22, ☂, ⛱, 🐎 – ⇔wc ☎ Ⓟ – 🏛 30. AE ⓓ E VISA. ✻ rest
fermé 12 au 28 nov., dim. soir et lundi du 15 sept. au 15 juin – SC : **R** 80/200 🍷 – ☕ 20 – **15 ch** 170/200 – P 300.

VALENCIENNES ⟨SP⟩ 59300 Nord 53 ④⑤ G. Flandres, Artois, Picardie – 40 881 h. alt. 22.

Voir Musée des Beaux-Arts★ BYM – ⛳ ✆ 27 46 30 10 E : 1,5 km - CV.

🅘 Office de Tourisme 1 r. Askièvre (après-midi seul.) ✆ 27 46 22 99 - A.C. 2 r. Mons ✆ 27 46 34 32.

Paris 207 ⑥ – ♦Amiens 108 ⑥ – Arras 71 ⑥ – Beauvais 163 ⑥ – Bruxelles 104 ② – Charleroi 84 ② – Charleville-Mézières 130 ③ – ♦Lille 50 ⑦ – ♦Reims 151 ③ – St-Quentin 79 ⑥.

Plan page suivante

Gd Hôtel, 8 pl. Gare ✆ 27 46 32 01, Télex 110701 – 🛗 📺 ☎ – 🏛 25 à 150. AE ⓓ E VISA AX **d**
R 73/147 – ☕ 26 – **90 ch** 227/284, 6 appartements 312/333.

Notre-Dame 🌿 sans rest, 1 pl. Abbé-Thellier-de-Poncheville ✆ 27 42 30 00 – ⇔wc ⫪wc ☎. ✻ BY **s**
SC : ☕ 17,50 – **40 ch** 70/158.

Bristol sans rest, 2 av. de Lattre-de-Tassigny ✆ 27 46 58 88 – 🛗 ⇔wc ⫪ ☎
SC : ☕ 15,50 – **20 ch** 92/165. AX **u**

H. La Coupole sans rest, pl. Gare ✆ 27 46 37 12 – 🛗 ⇔wc ⫪ ☎. E VISA AX **e**
SC : ☕ 17 – **38 ch** 147/160.

Modern'H sans rest, 92 r. Lille ✆ 27 46 20 70 – ⇔wc ⫪wc ☎ 🚗 AX **n**
fermé août – SC : ☕ 15,50 – **32 ch** 91/160.

✿ **L'Alberoi** (Buffet-Gare), ✆ 27 46 86 30 – ▤. AE ⓓ E VISA AX
fermé dim. soir et fériés le soir – **R** Carte 160 à 260
Spéc. Langue Lucullus, Turbot au crémant de Cramant, Rouelle de rognon de veau au genièvre.

par l'échangeur Valenciennes-Ouest, Z.I. de Prouvy-Rouvignies, sorties ⑤ ou ⑥ – ✉ **59300** Valenciennes :

Novotel Ⓜ, SO : 5 km par N 30 ✆ 27 44 20 80, Télex 120970, ☂, ⛱ – ▤ 📺 ☎ ♿ Ⓟ – 🏛 25 à 200. AE ⓓ E VISA
R snack carte environ 100 🍷 – ☕ 32 – **75 ch** 291/323.

à Raismes NO : 5 km par D 169 - AV – 15 623 h – ✉ **59590** Raismes :

La Grignotière, ✆ 27 36 91 99 – ⓓ VISA
fermé août, dim. soir et lundi sauf fériés le midi – SC : **R** 90/110.

à Sebourg par ③ : 11 km par D 934 et D 250 – ✉ **59990** Saultain :

Jardin Fleuri 🌿 avec ch, D 250 ✆ 27 26 53 44, « Jardin » – ⇔ ⫪wc ☎ Ⓟ. VISA. ✻ ch
fermé 16 août au 7 sept. et 25 janv. au 5 fév. – SC : **R** *(fermé dim. soir)* 50/99 🍷 – ☕ 11 – **12 ch** 85/150 – P 140/180.

à Quievrechain par ② : 12 km – 7 190 h. – ✉ **59920** Quievrechain :

Petit Restaurant, 182 r. J.-Jaurès ✆ 27 45 43 10 – Ⓟ. E VISA
fermé août et lundi – **R** 56/89 🍷.

MICHELIN, Agence, Z.I. N° 2, N 29 Prouvy par ⑤ ✆ 27 44 02 35

ALFA-ROMEO Gar. du Parc, 38 av. Verdun ✆ 27 46 77 78
AUSTIN-ROVER Service Auto Européen, Z.I. de St-Saulve à St-Saulve ✆ 27 33 08 96
BMW Gar. Deligne, r. 19 Mars 1962 à Marly ✆ 27 33 41 33
CITROEN D.V.A., 3 bd Eisen ✆ 27 46 56 80 🅽
FIAT Gar. du Hainaut, voie express de Lille à Petite Forêt ✆ 27 46 82 36
FORD N.V.A., 51 av. A.-France, Croix d'Anzin à Anzin ✆ 27 33 19 55
LANCIA-AUTOBIANCHI Gar. du Centre, 147 av. de liège ✆ 27 46 09 92
MERCEDES-BENZ Marty et Lecourt, 10 bd Saly ✆ 27 46 34 71
PEUGEOT-TALBOT Caffeau et Ruffin, 136 à 162 r. J.-Jaurès à Anzin ✆ 27 46 02 03
PORSCHE-MITSUBISHI Gar. Pietrzack, 29 bd Carpeaux ✆ 27 29 65 65
RENAULT Succursale, 20 av. Denain ✆ 27 30 92 05 🅽
V.A.G. S.A.D.I.A.V., 114 rte Nationale à Aulnoy ✆ 27 33 03 03

Ⓜ Hainaut-Pneu, 11 quai des Mines ✆ 27 33 33 06
Lotterie, 4 bd Saly ✆ 27 46 41 06
Pneus et Services D.K., 317 av. Dampierre ✆ 27 46 47 03
Rénova-Pneu, Zone Ind. N° 2 Rouvignies ✆ 27 32 02 54 et 85 bd Saly ✆ 27 46 34 70
Thurotte, 46 av. St-Amand ✆ 27 42 57 57

VALENCIENNES

Albert-1er (Av.)	BY	2
Amsterdam (Av. d')	BY	5
Armes (Pl. d')	AY	
Famars (R. de)	AYZ	
Lille (R. de)	AX	
Paix (R. de la)	BY	50
Paris (R. de)	AY	53
St-Géry (R.)	BY	59
Barbusse (R. H.) ST-SAULVE	CV	8
Bourgeois (Ch. des)	BV	9
Cairns (Av. Sergt)	AZ	13
Capucins (R. des)	BY	15
Cardon (Pl.)	BZ	16
Charles-Quint (R.)	CV	17
Clemenceau (Av. G.)	AX	18
Desandrouins (Av.)	BV	20
Digue (R. de la)	AZ	22
Duchesnois (Av.)	CV	23
Dunkerque (Av. de)	AX	25
Faidherbe (Av.)	BV	26
Fg de Cambrai (R.)	BV	29
Fg de Paris (R. du)	BV	30
Ferrand (R.)	AY	33
Foch (Av. Mar.)	AX	34
Gare de Marly (R.)	CV	35
Gaulle (Pl. Gén. de)	BY	36
Glacis (R. des)	CV	37
Jacob (Pont)	AX	38
Jean-Jaurès (R.)	BV	39
Juin (Av. du Mar.)	AX	40
Lattre-de-Tassigny (Av. Mar. de)	AX	42
Leclerc (Av. Mar.)	AX	43
Liège (Av. de)	BX	44
Marquis (R. du)	CV	48
Perdrix (R. J.)	CV	53
Pompidou (Av. G.)	AZ	54
Reims (Av. de)	BZ	56
St-Amand (Av. de)	BV	58
Sénateur-Girard (Av.)	AX	63
Tholozé (R.)	AX	65
Vaillant-Couturier (R. Paul)	BV	67
Vauban (Av.)	BV	68
Verdun (Av. de)	BZ	69
Vieille-Poissonnerie (R.)	AY	73
Villars (Av.)	AY	74

VALENSOLE 04210 Alpes-de-H.-P. 81 ⑯ G. Côte d'Azur – 1 944 h. alt. 569.

Paris 758 – Brignoles 71 – Castellane 77 – Digne 47 – Forcalquier 30 – Manosque 21 – Salernes 58.

Piès, près piscine ✆ 92 74 83 13, ←, – wc ☎ Ⓟ. E VISA
fermé 6 janv. au 6 fév. et merc. du 15 oct. au 15 mars – SC : **R** 60/145 – 17,50 – **16 ch** 160/170 – P 175/190.

CITROEN Tardieu, ✆ 92 74 80 43
PEUGEOT Meyer, ✆ 92 74 83 65
RENAULT Taix, ✆ 92 74 80 15

VALENTIGNEY 25700 Doubs 66 ⑱ – 14 370 h. alt. 340.

Paris 485 – ♦Bâle 69 – Belfort 23 – ♦Besançon 82 – Montbéliard 9 – Morteau 67.

Voir plan de Montbéliard agglomération

OPEL S.A.C.M.A., rte de Belchamp ✆ 81 30 66 11

CONSTRUCTEUR : S.A. des Cycles Peugeot, à Beaulieu CZ ✆ **81 91 83 21**

La VALETTE-DU-VAR 83 Var 84 ⑮ – rattaché à Toulon.

VALFLEURY 42 Loire 73 ⑲ – 446 h. alt. 720 – ✉ **42320** La Grand'Croix.

Paris 510 – ♦Lyon 53 – Montbrison 58 – Roanne 99 – St-Chamond 10 – ♦St-Étienne 22.

de la Vallée, ✆ 77 20 85 72, ← – Ⓟ. ch
fermé vacances de Noël, de fév., merc. soir et jeudi sauf juil.-août – SC : **R** 50/100 – 15 – **5 ch** 80/130 – P 160.

VALGORGE 07 Ardèche 80 ⑧ G. Vallée du Rhône – 433 h. alt. 561 – ✉ **07110** Largentière.

Paris 668 – Alès 86 – Aubenas 38 – Langogne 52 – Privas 68 – Le Puy 85 – Vallon-Pont-d'Arc 43.

Le Tanargue Ⓜ, ✆ 75 93 68 88, ←, parc – wc wc ☎ Ⓟ – 30. E
fermé janv. et fév. – SC : **R** (en saison prévenir) 78/140 – 20 – **25 ch** 178/260 – P 220/260.

VALLAURIS 06220 Alpes-Mar. 84 ⑨, 195 ㉟㊴ G. Côte d'Azur – 21 217 h. alt. 122.

Voir Musée National "La Guerre et la Paix"★ (Château) V **D.**

Syndicat d'Initiative av. Martyrs de la Résistance ✆ 93 63 82 58.

Paris 912 – Antibes 7,5 – Cannes 6 – Le Cannet 4,5 – Grasse 18 – ♦Nice 31.

Voir plan de Cannes-le Cannet-Vallauris

Gousse d'Ail, 11 av. Grasse ✆ 93 64 10 71 – VISA V **y**
fermé 3 nov. au 10 déc., lundi soir d'oct. à juin et mardi – SC : **R** 74/87.

VALLERAUGUE 30570 Gard 80 ⑯ G. Causses – 1 041 h. alt. 438.

Paris 781 – Mende 105 – Millau 94 – Nîmes 91 – Le Vigan 22.

Petit Luxembourg, ✆ 67 82 20 44 – wc . E VISA
fermé 15 nov. au 15 janv. – SC : **R** 45/93 – 18 – **12 ch** 87/175 – P 150/170.

VALLOIRE 73450 Savoie 77 ⑦ G. Alpes – 943 h. alt. 1 430 – Sports d'hiver : 1 430/2 550 m 1 30, .

Voir Col du Télégraphe ←★ N : 5 km.

Altiport de Bonnenuit ✆ **79 59 02 00.**

Office de Tourisme ✆ 79 59 03 96, Télex 980553.

Paris 624 – Chambéry 101 – Lanslebourg 57 – Col du Lautaret 24 – St-Jean-de-Maurienne 31.

Gd Hôtel Valloire et Galibier, ✆ 79 59 00 95, ←, – wc wc Ⓟ – 40. AE
15 juin-15 sept. et 20 déc.-15 avril – SC : **R** 79/210 – 27 – **43 ch** 223/305, 4 appartements 659 – P 235/357.

La Sétaz, ✆ 79 59 01 03, ←, – wc wc ☎ Ⓟ. rest
1er juin-21 sept. et 20 déc.-15 avril – SC : **R** 68/125 – 18 – **22 ch** 170/183 – P 208/275.

Club les Carrettes Ⓜ, ✆ 79 59 00 99, ←, – wc ☎ Ⓟ. ch
15 juin-15 sept. et 20 déc.-10 avril – SC : **R** 62/120 – 26 – **30 ch** 200/220 – P 236/315.

Christiania, ✆ 79 59 00 57 – wc wc ☎. E VISA. rest
25 juin-10 sept. et 15 déc.-15 avril – SC : **R** 53/92 – 18 – **25 ch** 130/180 – P 170/265.

Centre, ✆ 79 59 00 83, – wc wc . VISA
20 juin-1er oct. et 15 déc.-20 avril – SC : **R** 65/105 – 17 – **38 ch** 98/180 – P 160/250.

Gentianes, ✆ 79 59 03 66, – wc Ⓟ. rest
5 juil.-22 sept. et 21 déc.-15 avril – SC : **R** 55/85 – 17 – **25 ch** 85/170 – P 145/195.

aux Verneys S : 2 km – ✉ **73450** Valloire :

Relais du Galibier, ✆ 79 59 00 45, ←, – ⇔wc ⋒wc ☎ **P**. E VISA. ✻ rest
1er juil.-15 sept. et 20 déc.-20 avril – SC : **R** 53/110 – ☐ 20 – **26 ch** 94/200 – P 175/230.

Gar. Bouvet, ✆ 79 59 02 40

VALLON-EN-SULLY 03 Allier 69 ⑪⑫ – 1 775 h. alt. 193 – ✉ **03190** Hérisson.
Paris 304 – Cérilly 29 – La Châtre 52 – Montluçon 24 – Moulins 64 – St-Amand-Montrond 27.

Le Lichou avec ch, N 144 ✆ 70 06 50 43 – ⋒wc **P**
fermé nov. et vend. hors sais. – SC : **R** 35/100 ⅌ – ☐ 13 – **10 ch** 62/100 – P 140/160.

CITROEN Gar. Lachassagne, ✆ 70 06 51 85 N RENAULT Gar. Renard, ✆ 70 06 50 26

VALLON-PONT-D'ARC 07150 Ardèche 80 ⑨ **G. Vallée du Rhône** – 1 823 h. alt. 118.
Voir Gorges de l'Ardèche*** au SE.
Paris 663 – Alès 51 – Aubenas 33 – Avignon 79 – Carpentras 95 – Mende 119 – Montélimar 57.

Tourisme, ✆ 75 88 02 12 – |♦| ⇔wc ⋒wc ☎ **P**. ⓓ VISA. ✻ rest
fermé 15 déc. au 15 janv. et lundi du 1er oct. au 30 mars – SC : **R** 50/90 – ☐ 18,50 – **26 ch** 168/205 – P 205/236.

Parc, ✆ 75 88 02 17 – ⋒. ✻ ch
fermé 4 janv. au 2 fév. et vend. du 1er oct. au 1er juin – SC : **R** 50/110 – ☐ 16 – **20 ch** 95/120 – P 165/185.

CITROEN Bonnaud, ✆ 75 88 02 25 PEUGEOT-TALBOT Rel. Pont d'Arc, ✆ 75 88 02 26

VALLORCINE 74660 H.-Savoie 74 ⑨ **G. Alpes** – 303 h. alt. 1 261 – Sports d'hiver : 1 360/1 605 m ⛷3. ℹ Syndicat d'Initiative pl. Gare (sais.) ✆ 50 54 60 71. Paris 597 – Annecy 112 – Chamonix 16.

Ermitage ⛰, au Buet SO : 2 km par N 506 et VO ✆ 50 54 60 09, ←, ⛱, – ⇔ **P**. ✻ rest
15-20 mai, 14 juin-15 sept. et 20 déc.-mi avril – SC : **R** 70/85 – ☐ 20 – **14 ch** 76/186 – P 160/220.

Buet et Gare, au Buet SO : 2 km par N 506 ✆ 50 54 60 05, ←, – ⇔wc ⋒ **P**. VISA
15 juin-20 sept. et 20 déc.-20 avril – SC : **R** 58/72 ⅌ – ☐ 18 – **35 ch** 65/180 – P 165/190.

Mont-Blanc, ✆ 50 54 60 02, ←, – ⇔wc **P**. ✻ rest
7 juin-21 sept., vacances scolaires de Noël, 23 janv.-23 mars et vacances scolaires de printemps – SC : **R** 54/85 – ☐ 17,50 – **24 ch** 150 – P 157/190.

VALLOUISE 05290 H.-Alpes 77 ⑰ **G. Alpes** – 512 h.
Paris 703 – L'Argentière-la-Bessée 10 – Briançon 25 – Gap 82.

Les Vallois Ⓜ, ✆ 92 23 33 10, ←, ⛱, ⛸, – ⇔wc ☎. AE ⓓ VISA. ✻ rest
1er juin-30 sept. et 1er déc.-20 avril – SC : **R** 57/96 ⅌ – ☐ 19,50 – **15 ch** 185/201 – P 253/299.

VALLOUX 89 Yonne 65 ⑯ – rattaché à Avallon.

VALMOREL 73 Savoie 74 ⑰ – alt. 1 400 – Sports d'hiver : 1 250/2 400 m ⛷2 ⛷26 – ✉ **73260** Aigueblanche – Paris 611 – Albertville 40 – Chambery 87 – Moutiers 19.

Fontaine Ⓜ ⛰, ✆ 79 09 87 77, ←, ⛱ – |♦| ⇔wc ☎ – *sais.* – **40 ch**.

H. du Bourg Ⓜ ⛰ sans rest, ✆ 79 09 86 66, ← – ⇔wc ☎. AE ⓓ E VISA
☐ 22 – **53 ch** 230/350.

VALOGNES 50700 Manche 54 ② **G. Normandie** – 6 963 h. alt. 35.
⛳9 de Fontenay-sur-Mer ✆ 33 21 44 27 par ② : 11 km.
✈ de Cherbourg-Maupertus : ✆ 33 22 91 32 par ① : 18 km par D 24.
ℹ Syndicat d'Initiative pl. Château (début mai-fin sept.) ✆ 33 40 11 55.
Paris 340 ② – •Caen 100 ② – Cherbourg 20 ⑤ – Coutances 55 ③ – St-Lô 58 ②.

Plan page ci-contre

Haut Gallion, rte Cherbourg ✆ 33 40 40 00 – TV ⇔wc ☎ ♿ **P**. AE E VISA
fermé 20 déc. au 4 janv. – SC : **R** *(fermé vend. soir et sam. midi d'oct. à mars)* 51/133 – ☐ 20 – **40 ch** 212.

St Malo sans rest, 7 r. St-Malo **(u)** ✆ 33 40 03 24 – ⋒wc. VISA
SC : ☐ 14 – **17 ch** 67/149.

Louvre, 28 r. Religieuses **(e)** ✆ 33 40 00 07 – ⇔ ⋒wc ☎ 🚗 **P**. ✻
fermé 1er déc. au 5 janv. – SC : **R** *(fermé sam.)* 42/65 – ☐ 13,50 – **20 ch** 58/135 – P 150/180.

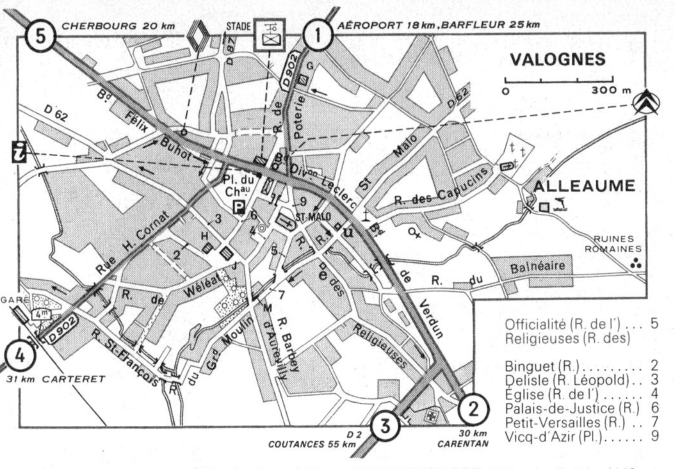

CITROEN Auto-Service, bd Div.-Leclerc ✆ 33 40 17 59
FORD Gar. Valognais 80 r. Religieuses ✆ 33 40 01 30
OPEL Gge Luce, Tapotin à Yvetot-Bocage ✆ 33 40 29 09
PEUGEOT-TALBOT Valognes Autom. N 13 par ② ✆ 33 40 09 38
RENAULT Gar. Mangon, 10 r. F.-Buhot ✆ 33 40 18 32

VALRAS-PLAGE **34350** Hérault **83** ⑮ **G. Causses** – **2 590 h.** – **Casino.**

Office de Tourisme pl. R.-Cassin ✆ 67 32 36 04.

Paris 828 – **Agde 26** – **Béziers 15** – ♦**Montpellier 72.**

Plage Sauvi, ✆ **67 32 08 37** – wc wc. VISA
SC : **R** *(fermé le soir sauf week-end du 2 nov. au 28 fév.)* 57/165 – 18 – **21 ch** 120/220 – P 195/213.

Mira-Mar, ✆ **67 32 00 31,** ← – wc wc. AE E VISA. rest
mars-fin sept. – SC : **R** 68/160 – 22 – **52 ch** 89/315 – P 210/315.

Moderne, ✆ **67 32 25 86** – wc wc. AE E VISA. rest
25 mai-25 sept. – SC : **R** 44/130 – 19,50 – **30 ch** 165/235 – P 216/247.

La Chaumière, ✆ **67 32 04 78** – E VISA
fermé janv. – SC : **R** 50/165.

VALRÉAS **84600** Vaucluse **81** ② **G. Provence** (plan) – **8 796 h. alt. 270.**

Office de Tourisme, pl. A.-Briand (fermé matin hors sais.) ✆ 90 35 04 71.

Paris 641 – **Avignon 65** – **Crest 56** – **Montélimar 37** – **Nyons 14** – **Orange 35** – **Pont-St-Esprit 38.**

Gd Hôtel, 28 av. Gén.-de-Gaulle ✆ **90 35 00 26,** – wc
fermé 20 déc. au 20 janv., sam. soir hors sais. et dim. – SC : **R** 66/170 – 16 – **18 ch** 85/220 – P 250/290.

CITROEN Gar. Giai, rte d'Orange ✆ 90 35 14 60
PEUGEOT-TALBOT Ginoux, 61 cours V.-Hugo ✆ 90 35 01 53
Pneumatique-Sce, Chemin de Marie-Vierge ✆ 90 35 19 08

VALROS **34** Hérault **83** ⑮ – **753 h. alt. 75** – ✉ **34290** Servian.

Paris 814 – **Agde 15** – **Béziers 16** – ♦**Montpellier 62** – **Pézenas 7.**

Aub. de la Tour, N 113 ✆ **67 98 52 01** – wc wc. E VISA
fermé 1er nov. au 15 janv. et merc. hors sais. – **R** 65 bc/170 – 18 – **14 ch** 110/150 – P 258/298.

Gar. de la Tour, ✆ 67 98 35 42

VALS-LES-BAINS **07600** Ardèche **76** ⑲ **G. Vallée du Rhône** – **3 976 h. alt. 248** – **Stat. therm.** – **Casino.**

Syndicat d'Initiative 12 av. Farincourt ✆ 75 37 42 34 - A.C. 7 av. C.-Expilly ✆ 75 37 42 19.

Paris 634 ② – **Aubenas 6** ③ – **Langogne 58** ④ – **Privas 34** ② – **Le Puy 87** ④.

Gd H. des Bains ⛰, **(a)** ✆ 75 94 65 55, parc – 🛗 ☎ Ⓟ. AE ⓓ VISA
15 mai-30 oct. – SC : **R** 125/190 – ☕ 27 – **54 ch** 170/350 – P 285/390.

Vivarais, av. C.-Expilly **(e)** ✆ 75 94 65 85, Télex 345866, – 🛗 TV wc wc ☎ Ⓟ. AE ⓓ E VISA. rest
fermé 15 nov. au 31 déc. – SC : **R** 85/150 – ☕ 25 – **40 ch** 210/300 – P 300/410.

Europe, r. J.-Jaurès **(r)** ✆ 75 37 43 94, Télex 346256 – 🛗 wc wc ☎. AE ⓓ E VISA. rest
10 avril-10 oct. – SC : **R** (en sais. prévenir) 74/135 – ☕ 19 – **35 ch** 96/210 – P 200/300.

Lyon, av. Farincourt **(s)** ✆ 75 37 43 70 – 🛗 wc wc ☎. AE ⓓ VISA
28 mars-1er oct. – SC : **R** 77/140 – ☕ 21 – **35 ch** 170/235 – P 230/300.

St-Jean ⛰, **(u)** ✆ 75 37 42 50 – 🛗 wc wc ☎ Ⓟ. AE ⓓ E VISA. rest
Pâques-30 sept. – SC : **R** 65/120 – ☕ 18 – **32 ch** 89/200 – P 200/300.

à Labégude par ③ : 1 km – ✉ **07200** Aubenas :

Sabaton, ✆ 75 37 40 37 – wc wc ☎. E. rest
SC : **R** *(fermé sam.)* 52/110 🍷 – ☕ 16 – **16 ch** 94/185 – P 170/200.

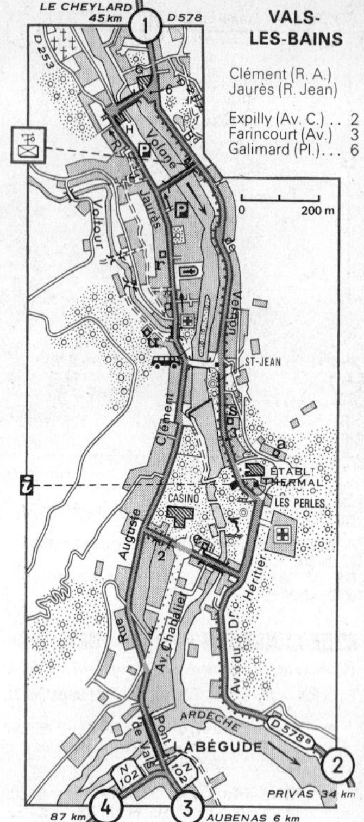

VAL-SUZON

21 Côte-d'Or 66 ⑪ G. Bourgogne – 178 h. alt. 363 – ✉ **21121** Fontaine-lès-Dijon.

Paris 297 – Auxerre 144 – Avallon 100 – Châtillon-sur-S. 67 – ♦Dijon 16 – Montbard 58 – Saulieu 68.

Le Chalet de la Fontaine aux Geais ⛰ sans rest, ✆ 80 35 61 19, **« Jardin fleuri »** – wc wc ☎ Ⓟ. VISA.
15 mars-15 nov. et fermé merc. – SC : ☕ 25 – **10 ch** 140/250.

Host. Val-Suzon ⛰ avec ch, N 71 ✆ 80 35 60 15, **« Jardin fleuri avec volière »** – wc wc ☎ Ⓟ. AE ⓓ E VISA. rest
fermé janv. et merc. – SC : **R** (nombre de couverts limité - prévenir) 125 bc/220 – ☕ 25 – **8 ch** 120/210.

VAL-THORENS

73 Savoie 77 ⑧ – Sports d'hiver : 2 300/3 200 m 4 26 – ✉ **73440** St-Martin-de-Belleville – Office de Tourisme ✆ 79 00 08 08, Télex 980572.

Paris 633 – Chambéry 109 – Moûtiers 36.

Val Chavière M ⛰, ✆ 79 00 00 33, ← – 🛗 wc ☎. AE. rest
10 nov.-5 mai et juil. – SC : **R** 90 – ☕ 24 – **42 ch** 200/350 – P 352/405.

Le Sherpa M ⛰, ✆ 79 00 00 70, ← – 🛗 wc ☎ Ⓟ. rest
déc.-1er mai – SC : **R** 100 – ☕ 30 – **40 ch** (pens. seul.) – P 282/393.

Corotel ⛰, ✆ 79 00 02 70, Télex 309607, ←, – wc ☎ Ⓟ. AE ⓓ E VISA. rest
1er juil.-31 août et 30 oct.-5 mai – **R** carte 115 à 180 – **27 ch** ☕ 185, (en hiver pension seul.).

La Marmotte ⛰, ✆ 79 00 00 07 – wc ☎
1er déc.-3 mai – SC : **R** carte environ 130 – **20 ch**, (pension seul.) – P 300/340.

Trois Vallées M ⛰, ✆ 79 00 01 86, ← – TV wc wc ☎. E VISA. rest
fermé 20 mai au 20 juin et 1er sept. au 20 oct. – SC : **R** 95 – ☕ 25 – **28 ch** 325 – P 320.

Le VALTIN

88 Vosges 62 ⑱ – 87 h. alt. 760 – ✉ **88230** Fraize.

Paris 416 – Colmar 40 – Épinal 54 – Guebwiller 52 – St-Dié 28 – Col de la Schlucht 8,5.

Aub. Val Joli ⛰ avec ch, ✆ 29 50 31 37, – wc ☎ Ⓟ. AE ⓓ E VISA
fermé 15 nov. au 15 déc., dim. soir et lundi sauf vacances scolaires – SC : **R** 38/120 🍷 – ☕ 18 – **10 ch** 100/163 – P 231/267.

VANNES 🅿 **56000** Morbihan **63** ③ **G. Bretagne** – 45 397 h. alt. 22.

Voir Vieille ville★ AZ : Place Henri-IV★ AZ 10, Cathédrale★ AZ B, Remparts★, Promenade de la Garenne <★★ BZ – Musée archéologique★ dans le château Gaillard AZ **M** – Golfe du Morbihan★★ en bateau.

ℹ Office de Tourisme et A.C.O. Morbihan 29 r. Thiers ☎ 97 47 24 34 et au Port (juil.-août).

Paris 456 ② – Quimper 115 ④ – ♦Rennes 107 ② – St-Brieuc 106 ① – St-Nazaire 76 ③.

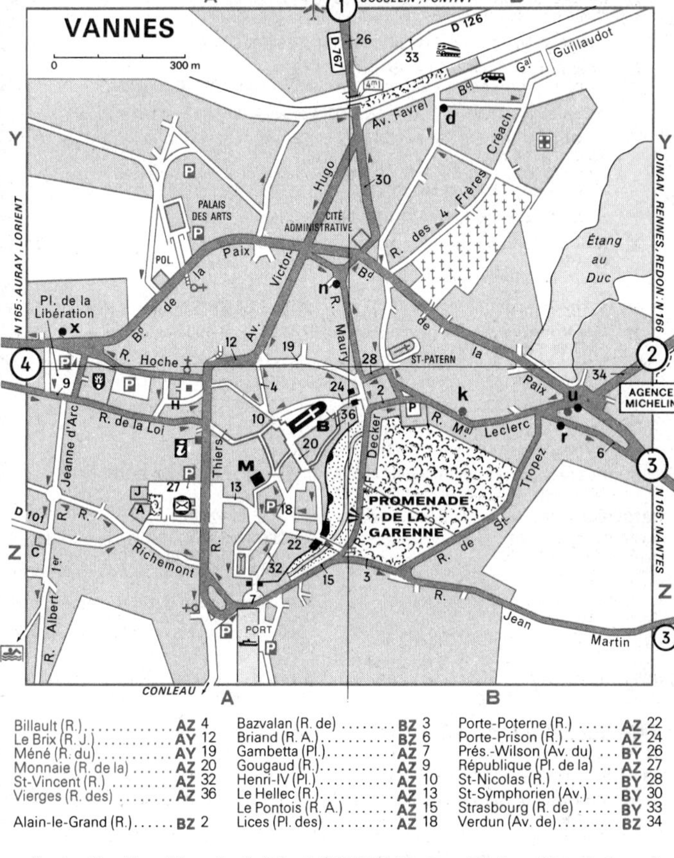

🏨 **La Marébaudière,** 4 r. A.-Briand ☎ 97 47 34 29, 🌳 – TV ⇔wc ⋔wc ☎ 🅿 – 🏟 150. AE ⓓ E VISA — BZ **r**
fermé 20 déc. au 7 janv. et dim. soir du 11 nov. au 23 mars – SC : **R** voir rest. **Marée Bleue** – ☕ 25 – **40 ch** 195/255 – P 250/360.

🏨 **Manche Océan** Ⓜ sans rest, 31 r. lieut. col. Maury ☎ 97 47 26 46 – 🛗 TV ⇔wc ⋔wc ☎ 🚗. AE ⓓ VISA — AY **n**
SC : ☕ 21 – **42 ch** 160/230.

🏨 **Image Ste-Anne,** 8 pl. Libération ☎ 97 63 27 36, Télex 950352 – 🛗 TV ⇔wc ⋔wc ☎ 🅿. E VISA — AY **x**
R 58/202 – ☕ 19,50 – **32 ch** 126/215.

🏨 **Ibis** Ⓜ, Z.U.P de Ménimur (r. E.-Jourdan) par rte Locminé ☎ 97 63 61 11, Télex 950521 – TV ⇔wc ☎ 🅿 – 🏟 50. E VISA
SC : **R** carte environ 85 🍷 – ☕ 19,50 – **59 ch** 173/220.

🏨 **Anne de Bretagne** sans rest, 42 r. O. de Clisson ☎ 97 54 22 19, Télex 950608 – TV ⇔wc ⋔wc ☎ 🚗. AE ⓓ E VISA — BY **d**
fermé 23 déc. au 15 janv. – SC : ☕ 17,50 – **20 ch** 72/230.

🏨 **Verdun** sans rest, 10 av. Verdun ☎ 97 47 21 23 – ⋔wc ☎ — BZ **u**
fermé début déc. à mi-janv. et dim. hors sais. – SC : ☕ 19 – **24 ch** 90/180.

XXX **Dauphin,** à l'Aquarium, SO rte Conleau : 1,8 km ☎ 97 40 68 08 – ▤ Ⓟ. AE ⓓ E VISA
SC : **R** 80/190.

XX **Marée Bleue** avec ch, 8 pl. Bir-Hakeim ☎ 97 47 24 29 – ⋔ Ⓟ. AE ⓓ E VISA
fermé 20 déc. au 7 janv. et dim. soir du 11 nov. au 23 mars – SC : **R** 63/215 ♁ – ☐ 17,50 – **16 ch** 85/132 – P 180/270. BZ **u**

XX **Le Lys,** 51 r. Mar.-Leclerc ☎ 97 47 29 30 – AE ⓓ E VISA BZ **k**
fermé dim. soir (hors sais.) et lundi – SC : **R** 85/180.

à St-Avé NE : 4 km par D 126 – 6 618 h – ✉ **56890** St-Avé :

XX **Pressoir,** ☎ 97 60 87 63 – Ⓟ. E VISA
fermé 1er au 15 oct., 1er au 15 mars, dim. soir et lundi – SC : **R** 90/230.

à Conleau SO : 4,5 km - AZ – ✉ **56000** Vannes – **Voir Ile Conleau★ 30 mn.**

XX **Le Roof** ⛰ avec ch, ☎ **97 63 47 47,** ←, 🏖, 🌳 – ⌂wc ☎ Ⓟ – 🎤 50 à 100. AE ⓓ E VISA. ✻ ch
fermé 10 janv. au 10 fév. – SC : **R** *(fermé lundi d'oct. à mars sauf vacances scolaires)* 72/275 – ☐ 17,50 – **11 ch** 155/210.

au NE 5 km par D 126 et VO – ✉ **56890** St-Avé :

🏠 **Moulin de Lesnuhé** Ⓜ ⛰ sans rest, ☎ **97 60 77 77,** ←, 🌳 – ⌂wc ⋔wc ☎ ♿ Ⓟ. VISA
SC : ☐ 16 – **10 ch** 159/180.

à Arradon par ④ : 7 km ou D 101 AZ – 3 935 h. – ✉ **56610** Arradon – **Voir** ←★.

🏨 **Les Vénètes** ⛰, à la pointe : 2 km ☎ **97 44 03 11,** ← golfe et les îles – TV ⌂wc ⋔wc ☎. ✻
hôtel : 4 mars-4 nov., rest. : 25 mars-30 sept. – SC : **R** *(fermé dim. soir et lundi sauf juil.-août)* 84/180 – ☐ 23 – **12 ch** 205/300 – P 390/540.

🏨 **Le Guippe** Ⓜ ⛰, au bourg ☎ **97 44 03 15,** 🏖, 🌳 – ⌂wc ⋔wc ☎ Ⓟ – 🎤 35
◆ SC : **R** *(fermé 1er au 21 oct.)* 55/95 ♁ – ☐ 17 – **43 ch** 135/155 – P 200/220.

à Theix par ③ : 9,5 km – 3 523 h. – ✉ **56450** Theix :

🏠 **Poste** sans rest, centre bourg ☎ **97 43 01 18** – ⋔wc ☎. AE ⓓ E. ✻
fermé janv. – SC : ☐ 18 – **17 ch** 86/180.

MICHELIN, Agence, r. du Général-Weygand par ② ☎ **97 47 26 41**

ALFA-ROMEO, FIAT Le Poulichet, 13 r. A.-Briand ☎ 97 47 45 46
BMW Auto-Diffusion, Parc Lann, ☎ 97 40 74 75 🅽 ☎ 97 63 31 96
CITROEN S.A.V.V.A., rte de Nantes, St-Laurent-Séné par ③ ☎ 97 54 22 74
CITROEN Gar. Borgat, rte de Pontivy par ① ☎ 97 47 43 77
FORD Autorep, 41 r. du Vincin ☎ 97 63 10 35
OPEL Gar. Mahéo, rte d'Auray Kerthomas ☎ 97 40 78 78 🅽 ☎ 97 63 23 45
PEUGEOT-TALBOT Gar. Lainé, 9 av. Marne par ④ ☎ 97 63 27 27 🅽 ☎ 97 63 13 76
RENAULT S V D A 95 av. Éd-Herriot par ③ ☎ 97 54 20 70
SEAT Gar. autom. du Pont d'Argent 6 av. Georges-Pompidou ☎ 97 42 74 64
V.A.G. auto-Golfe, 8 Bd de Montsabert ☎ 97 63 49 14

Ⓜ Foucaud, 1 pl. J.-Le-Brix ☎ 97 47 12 91
Jahier, 2 r. du 65-R.I. ☎ 97 47 18 50

Les VANS 07140 Ardèche 80 ⑧ G. Vallée du Rhône – 2 098 h. alt. 175.

ℹ Syndicat d'Initiative pl. Ollier (juil.-août) ☎ 75 37 24 48.

Paris 666 – Alès 43 – Aubenas 36 – Pont-St-Esprit 65 – Privas 66 – Villefort 24.

🏨 **Château le Scipionnet,** NE : 3 km par D 104 A ☎ **75 37 23 84,** ←, « ⛰ dans un parc », 🏊, 🎾 – ⌂wc ⋔wc ☎ Ⓟ – 🎤 25. E. ✻ rest
15 mars-30 sept. – SC : **R** 125/160 – **23 ch** ☐ 385, 3 appartements 475 – P 330/380.

🏠 **Cévennes,** ☎ **75 37 23 09,** 🌳 – Ⓟ. AE. ✻ rest
◆ *fermé 15 au 30 oct., 15 janv. au 15 fév. et lundi* – SC : **R** (dim. prévenir) 54/110 – **15 ch** ☐ 65/90 – P 170.

CITROEN Brueyre et Volle, ☎ 75 37 22 39 🅽 ☎ 75 37 35 76
PEUGEOT-TALBOT Boissin, ☎ 75 37 21 41

VARCES 38 Isère 77 ④ – rattaché à Grenoble.

VARENGEVILLE-SUR-MER 76119 S.-Mar. 52 ④ G. Normandie – 1 048 h. alt. 83.

Voir Site★ de l'église – Parc des Moustiers★ – Manoir d'Ango★ S : 1 km – Ste-Marguerite : arcades★ de l'église O : 4,5 km – Phare d'Ailly ✳★ NO : 4 km.

Paris 201 – Dieppe 8 – Fécamp 57 – Fontaine-le-Dun 17 – ◆Rouen 63 – St-Valéry-en-Caux 25.

🏠 **La Terrasse** ⛰, à Vasterival NO : 3 km par D 75 et VO 13 ☎ **35 85 12 54,** ←, 🌳,
◆ 🎾 – ⌂wc ⋔wc ☎ Ⓟ. E. ✻ rest
15 mars-5 oct. – SC : **R** 60/120 – ☐ 18 – **28 ch** 65/200 – P 165/216.

🏠 **Sapins** ⛰, à Ste-Marguerite-sur-Mer O : 3 km par D 75 ☎ **35 85 11 45,** « parc
◆ fleuri » – ⋔ Ⓟ. ✻ rest
fermé déc. et janv. – SC : **R** 54/65 – ☐ 17,50 – **25 ch** 85/90 – P 145/160.

La VARENNE-ST-HILAIRE 94 Val-de-Marne 61 ①, 101 ㉘ – voir à Paris, Environs.

VARENNES-EN-ARGONNE 55270 Meuse 56 ⑩⑳ **G. Champagne, Ardennes** – 700 h. alt. 155 – ℹ Syndicat d'Initiative à la Mairie ✆ 29 80 71 01.
Paris 251 – Bar-le-Duc 64 – Dun-sur-Meuse 25 – Ste-Menehould 30 – Verdun 37 – Vouziers 39.

Gd Monarque, ✆ 29 80 71 09 – ⋔. ✻ ch
fermé oct. et lundi – SC : **R** (dîner seul.) 40/70 ⅄ – ☕ 13 – **10 ch** 70/90.

RENAULT Gar. Flamand, ✆ 29 80 71 35 N

VARENNES-JARCY 91 Essonne 61 ①, 196 ㉜㉝, 101 ㊳ – 1 243 h. alt. 55 – ✉ **91480** Quincy-sous-Sénart – Paris 40 – Brunoy 8,5 – Évry 13 – Melun 20.

XX **Moulin de Jarcy** ⛰ avec ch, au NO ✆ (1) 69 00 89 20, ≤, ⛱, « Fraîche terrasse au bord de l'eau » – P. VISA. ✻ ch
fermé 30 juil. au 21 août, 24 déc. au 15 janv., mardi (sauf rest.), merc. et jeudi – **R** (dim. prévenir) 60/80 – ☕ 18 – **5 ch** 120/140.

XX **Host. de Varennes,** 12 r. Mandres ✆ (1) 69 00 97 03 – P. AE ⓓ VISA
fermé août, mardi soir et merc. – **R** 75, carte le dim.

VARENNES-SUR-ALLIER 03150 Allier 69 ⑭ – 4 917 h. alt. 248.
ℹ Syndicat d'Initiative à l'Hôtel de Ville ✆ 70 45 00 29.
Paris 322 – Digoin 58 – Lapalisse 20 – Moulins 30 – St-Pourçain-sur-Sioule 11 – Vichy 27.

Aub. de l'Orisse ⛰, SE : 2 km sur N 7 ✉ 03150 Varennes-sur-Allier ✆ 70 45 05 60, ≤, ⛱, ⛺, ✂ – TV ☎ P – 🏛 50. AE ⓓ E VISA
fermé 24 nov. au 8 déc., 2 au 17 janv., dim. soir et lundi midi du 1er nov. au 31 mars – SC : **R** 88/250 – ☕ 27 – **23 ch** 172/246 – P 314/366.

XX **Dauphin,** r. Hôtel de Ville ✆ 70 45 01 03, ⛱ – ▤. AE ⓓ E VISA
fermé 15 nov. au 1er déc., vacances de fév. et merc. de fin sept. à début juil. – SC : **R** 53/200 ⅄.

XX **Central,** pl. de la Mairie ✆ 70 45 05 07 – AE ⓓ E VISA
fermé 1er au 15 juil., 1er au 15 nov. et dim. soir – SC : **R** 52/160 ⅄.

à St-Loup N : 5,5 km sur N 7 – ✉ **03150** Varennes-sur-Allier :

Route Bleue, ✆ 70 45 07 73 – ⌂wc ⋔wc ☎ P – 🏛 60. AE ⓓ E VISA
15 mars-2 nov. – SC : **R** 49/150 – ☕ 17 – **22 ch** 88/210 – P 320 (pour 2 pers.).

XX **La Locaterie,** N : 1 km par N 7 ✆ 70 45 13 90, « auberge rustique » – P. ⓓ
fermé 1er au 30 déc., mardi soir et merc. – **R** 95/220.

CITROEN Muet, 37 av. de Lyon ✆ 70 45 00 19 N
PEUGEOT-TALBOT Central Gar., 26 r. 4-Septembre ✆ 70 45 05 02 N
RENAULT Sabot, 13 r. Hôtel-de-Ville ✆ 70 45 05 23
V.A.G. Mantin, 58 av. de Chazeuil ✆ 70 45 06 08

VARETZ 19 Corrèze 75 ⑧ – rattaché à Brive-la-Gaillarde.

VARILHES 09120 Ariège 86 ⑤ – 2 007 h. alt. 330.
Paris 775 – Carcassonne 71 – Foix 9,5 – Pamiers 9 – St-Girons 53 – ♦Toulouse 72.

XX **Relais d'Esclarmonde,** 7 av. Pamiers ✆ 61 60 70 08 – AE
fermé fév., sam. midi, dim. soir et lundi – SC : **R** 120.

VARREDDES 77 S.-et-M. 56 ⑬, 196 ㉓ – rattaché à Meaux.

VARS 05560 H.-Alpes 77 ⑱ **G. Alpes** – 897 h. alt. 1 639.
De Ste-Marie-de-Vars : Paris 732 – Barcelonnette 37 – Briançon 47 – Digne 124 – Gap 72.

à Ste-Marie-de-Vars – alt. 1 658 – ✉ **05560** Vars :

Le Vallon ⛰, ✆ 92 45 54 72, ≤ – ⌂wc ⋔wc ☎ P – 🏛 40. AE E. ✻
1er juil.-25 août et 22 déc.-8 avril – SC : **R** 65/110 – ☕ 22 – **33 ch** 200/230 – P 237/264.

de la Mayt ⛰, ✆ 92 45 50 07, ≤ – ⌂wc ⋔wc ☎ P. E VISA. ✻ rest
1er juil.-31 août et 20 déc.-10 avril – SC : **R** 62/88 – ☕ 20 – **21 ch** 140/210 – P 190/265.

aux Claux – alt. 1 900 – Sports d'hiver : 1 650/2 578 m ⛷29 – ✉ **05560** Vars.
ℹ Office de Tourisme cours Fontanarosa ✆ 92 45 51 31, Télex 420671.

Caribou M ⛰, ✆ 92 45 50 43, ≤ – ⇅ TV ☎ ⛟ P. E
20 déc.-10 avril – SC : **R** 160/210 – ☕ 38 – **35 ch** 440 – P 410/490.

Les Escondus, ✆ 92 45 50 35, ≤, ⛱, ⛺, ✂ – ⌂wc ⋔wc ☎ P. E VISA. ✻ rest
1er juil.-31 août et 15 déc.-15 avril – SC : **R** 63/115 – ☕ 26 – **22 ch** 198/224 – P 205/300.

L'Écureuil M ⛰ sans rest, ✆ 92 45 50 72, ≤ – TV ⌂wc ⋔wc ☎ P. E VISA
1er juil.-31 août et 15 déc.-15 avril – SC : ☕ 21 – **17 ch** 180/276.

X **Chez Plumot,** ✆ 92 45 52 12, ⛱ – VISA
15 déc.-20 avril – SC : **R** 100/170.

à St-Marcellin-de-Vars – ✉ 05560 Vars :

Le Paneyron, ✆ 92 45 50 04 – wc ⋔ . rest
1er juin-15 sept. et 1er déc.-5 mai – SC : **R** 60 – 20 – **11 ch** 77/127 – P 168/193.

VARZY 58210 Nièvre 65 ⑭ **G. Bourgogne** – 1 595 h. alt. 229.
Syndicat d'Initiative à l'Hôtel de Ville ✆ 86 29 43 73.
Paris 213 – La Charité-sur-Loire 36 – Clamecy 16 – Cosne-sur-Loire 42 – Nevers 53.

H. Poste sans rest, fg de Marcy ✆ 86 29 41 89 – wc Ⓟ
fermé 1er au 15 déc., 1er au 15 fév. et dim. du 15 sept. au 15 juin sauf fêtes – SC : 17 – **10 ch** 80/170.

XX **Aub. de la Poste,** ✆ 86 29 41 72 – AE VISA
fermé fév., dim. soir et lundi sauf juil.-août – SC : **R** 63/170.

CITROEN Gar. Noel ✆ 86 29 43 41
PEUGEOT-TALBOT Gar. Marchand-Delin, ✆ 86 29 42 60
RENAULT Gar. Moreau, ✆ 86 29 42 10

VASSIVIÈRE (Lac de) 87 H.-Vienne 72 ⑲ – rattaché à Peyrat-le-Château.

VASTÉRIVAL 76 S.-Mar. 52 ④ – rattaché à Varengeville.

VATAN 36150 Indre 68 ⑧⑨ **G. Périgord** – 2 052 h. alt. 132.
Paris 237 – Blois 78 – Bourges 50 – Châteauroux 31 – Issoudun 21 – Vierzon 27.

XX **France** avec ch, ✆ 54 49 74 11, – ⋔ Ⓟ
fermé 10 au 18 sept., 7 janv. au 7 fév., mardi soir et merc. sauf fêtes – **R** 90/170 – 22 – **12 ch** 80/180.

CITROEN Thibault, ✆ 54 49 75 27
PEUGEOT-TALBOT Gar. Rault, ✆ 54 49 76 58
Leseche, ✆ 54 49 74 02

VAUCHOUX 70 H.-Saône 66 ⑤ – rattaché à Port-sur-Saône.

VAUCIENNES-LA-CHAUSSÉE 51 Marne 56 ⑯ – rattaché à Épernay.

VAUCOULEURS 55140 Meuse 62 ③ **G. Alsace et Lorraine** – 2 511 h. alt. 254
A.C. 23 r. Jeanne d'Arc ✆ 29 89 42 23.
Paris 270 – Bar-le-Duc 49 – Commercy 20 – ♦Nancy 46 – Neufchateau 31.

XX **Relais de la Poste** avec ch, ✆ 29 89 40 01 – wc .
fermé janv., dim. soir et lundi – SC : **R** (prévenir) 54/110 – 15,50 – **11 ch** 79/125 – P 163/195.

VAUCRESSON 92 Hauts-de-Seine 60 ⑩, 101 ㉓ – voir à Paris, Environs.

VAUDEURS 89 Yonne 61 ⑮ – 438 h. alt. 160 – ✉ **89320** Cerisiers.
Paris 143 – Auxerre 42 – Sens 24 – Troyes 55.

XX **La Vaudeurinoise** avec ch, ✆ 86 96 28 00, – wc Ⓟ
fermé 1er au 15 oct., fév., mardi soir et merc. – SC : **R** (prévenir) 115/180 – 21 – **7 ch** 160/200 – P 225.

VAUDRAMPONT (Carrefour de) 60 Oise 56 ②, 196 ⑩ – alt. 81 – ✉ **60127** Morienval.
Voir Église★ de Morienval SE : 5 km – Les Grands Monts★ SO : 4 km puis 30 mn, G. Flandres, Artois, Picardie.
Paris 80 – Beauvais 67 – Compiègne 10 – Crépy-en-Valois 14 – Senlis 33 – Villers-Cotterêts 23.

XX **Bon Accueil** avec ch, sur D 332 ✆ 44 42 84 04, ≤, – ⋔ Ⓟ. VISA
fermé 15 janv. au 1er mars, lundi soir et mardi – SC : **R** 126/231 – 24 – **7 ch** 134/231.

VAUGNERAY 69670 Rhône 73 ⑲ – 3 318 h. alt. 430.
Paris 465 – L'Arbresle 18 – ♦Lyon 17 – Montbrison 59 – Roanne 88 – Thiers 118.

XX **Au Petit Malval,** au Col de Malval alt. 732 O : 7 km par D 50 ✆ 78 45 82 66, ≤, , « jardin » – Ⓟ.
fermé août, lundi et mardi – SC : **R** 90/300 .

VAUJANY 38 Isère 77 ⑥ **G. Alpes** – 419 h. alt. 1 253 – ✉ **38114** Allemond.
Voir Site★ – Cascade de la Fare★ E : 1 km – Collet de Vaujany ≤★★ NO : 5 km.
Paris 615 – Allemond 8 – Le Bourg-d'Oisans 18 – ♦Grenoble 53 – Vizille 36.

du Rissiou , ✆ 76 80 71 00, ≤, – ⋔wc Ⓟ. AE E. rest
mai-15 sept. et vacances scolaires de Noël, fév. et Pâques – SC : **R** 55/100 – 16 – **15 ch** 100/130 – P 150/170.

Le VAULMIER 15 Cantal 76 ② – 148 h. alt. 840 – ✉ **15380** Anglards-de-Salers.
Voir Vallée du Falgoux★ E et O – Gorge de St-Vincent★ O : 3 km, G. Auvergne.
Paris 508 – Aurillac 70 – Mauriac 22 – Murat 42 – Salers 24.

Aub. du Mars, ✆ 71 69 50 54, ←, 🌳 – ⋔. AE E
SC : **R** 39/100 – ☕ 17 – **16 ch** 56/138 – P 112/181.

VAUVENARGUES 13126 B.-du-R. 84 ③④ **G. Provence** – 640 h. alt. 432.
Paris 770 – Aix-en-Provence 14 – Brignoles 51 – Manosque 49 – ♦Marseille 45 – Rians 20.

Au Moulin de Provence ⛰, ✆ 42 24 93 11, ←, 🏞 – ⊏wc ⋔wc Ⓟ. ✂ rest
fermé 3 janv. au 1er mars et lundi (sauf hôtel de mars à oct.) – SC : **R** 93/200 – ☕ 20 – **12 ch** 120/210 – P 200/260.

VAUX 89 Yonne 65 ⑤ – rattaché à Auxerre.

VAUX (Monts de) 39 Jura 70 ④ – rattaché à Poligny.

VAUX-LE-PÉNIL 77 S.-et-M. 61 ②, 196 ⑤ – rattaché à Melun.

VAUX-LE-VICOMTE (Château de) 77 S.-et-M. 61 ②, 196 ㉝㉞ **G. Environs de Paris** – ✉ **77950** Maincy – **Voir** Château★★ et jardins★★★.
Env. Église★ de Champeaux NE : 7 km.

VAUX-SUR-MER 17 Char.-Mar. 71 ⑮ – rattaché à Royan.

VEAUCHE 42340 Loire 73 ⑱ **G. Vallée du Rhône** – 5 707 h. alt. 387.
Voir Bras reliquaire★ dans l'église.
Paris 507 – ♦Lyon 76 – Montbrison 23 – Roanne 61 – ♦St-Étienne 16.

XX **Relais de l'Etrier,** N 82 ✆ 77 54 60 11 – Ⓟ. AE VISA
fermé 4 au 25 août et 10 au 24 fév., dim. soir et lundi – SC : **R** 80/200.

VEILLAC 19 Corrèze 76 ② – rattaché à Bort-les-Orgues.

VELARS-SUR-OUCHE 21 Côte-d'Or 66 ⑪ – 1 313 h. alt. 284 – ✉ **21370** Plombières-lès-Dijon.
Paris 302 – Autun 74 – Avallon 94 – Beaune 44 – ♦Dijon 12 – Montbard 70 – Saulieu 62.

XXX ✿ **Aub. Gourmande** (Barbier), ✆ 80 33 62 51, 🏞 – Ⓟ. VISA
fermé 15 au 30 nov., dim. soir et lundi hors sais. – SC : **R** 80/150
Spéc. Coq au vin, Nougat glacé.

VELIZY-VILLACOUBLAY 78 Yvelines 60 ⑩, 101 ㉓ – voir à Paris, Environs.

VELLUIRE 85 Vendée 71 ⑪ – rattaché à Fontenay-le-Comte.

VENASQUE 84 Vaucluse 81 ⑬ **G. Provence** – 656 h. – ✉ **84210** Pernes-les-Fontaines.
Voir Baptistère★ – Gorges★ E : 5 km par D 4.
Paris 705 – Apt 33 – Avignon 35 – Carpentras 12 – Cavaillon 32 – Orange 35.

X **Aub. de la Fontaine,** ✆ 90 66 02 96
fermé 15 nov. au 15 déc., merc. et midi sauf dim. et fêtes – SC : **R** 140.

VENCE 06140 Alpes-Mar. 84 ⑨, 195 ㉕ **G. Côte d'Azur** – 13 428 h. alt. 325.
Voir Chapelle du Rosaire★ (chapelle Matisse) A – Place du Peyra★ B **13** – Stalles★ de la cathédrale BE.
Env. Col de Vence ✲★★ NO : 10 km par D 2 A.
ℹ Office de Tourisme pl. Gd-Jardin ✆ 93 58 06 38.
Paris 928 ① – Antibes 19 ① – Cannes 30 ① – Grasse 25 ② – ♦Nice 22 ①.

Plan page suivante

✿ **Château du Domaine St-Martin** Ⓜ ⛰, N : 2,5 km rte Coursegoules par D 2 - A - ✆ 93 58 02 02, Télex 470282, ← Vence et littoral, parc, 🏞, ⛱, 🎾 – TV ☎ ♿ 🚗 Ⓟ – 🏛 50. AE ⓓ E VISA
début mars-20 nov. – **R** *(fermé merc. hors sais.)* 300/350 – ☕ 65 – **15 ch** 1 100/1 650, 10 villas et bastides
Spéc. Ragoût de pâtes fraîches aux truffes, Filets de rougets verdurette, Carré d'agneau provençale. Vins Bellet, Cassis.

Floréal Ⓜ sans rest, 440 av. Rhin et Danube par ② ✆ 93 58 64 40, Télex 461613, ⛱, 🌳 – |\$| ☎ Ⓟ – 🏛 30. VISA
fermé janv. et fév. – SC : ☕ 30 – **43 ch** 350.

Diana Ⓜ sans rest, av. Poilus ✆ 93 58 28 56 – |\$| cuisinette 🚗. ⓓ VISA. ✂
SC : ☕ 25 – **25 ch** 230/250. A **a**

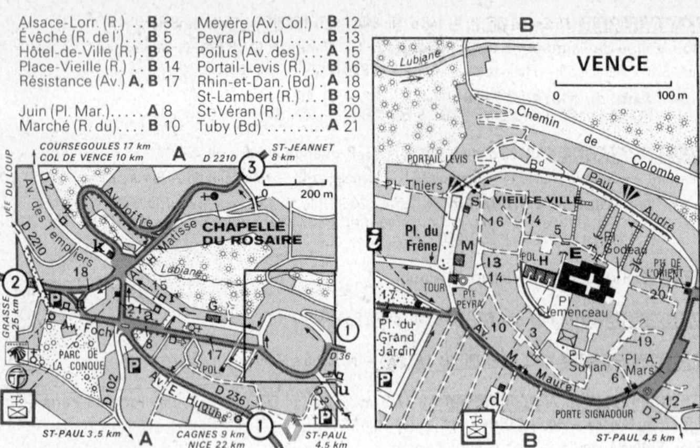

Miramar sans rest, plateau St-Michel ☏ 93 58 01 32, ←, – wc wc ☎ P. AE VISA — A u
10 janv.-31 oct. – SC : ☕ 18 – **17 ch** 183/286.

Parc H. sans rest, 50 av. Foch ☏ 93 58 27 27, – wc. E VISA — A n
15 mars-15 oct. – SC : ☕ 18 – **13 ch** 174/254.

Val d'Azur sans rest, 10 av. Poilus ☏ 93 58 07 02, – wc — A r
fermé nov. – SC : **16 ch** ☕ 90/190.

La Roseraie, rte de Coursegoules ☏ 93 58 02 20, – wc wc P — A x
fermé janv. – SC : **R** *(fermé mardi et merc.)* 100/150 – ☕ 28 – **9 ch** 200/280.

Aub. des Seigneurs avec ch, pl. Frêne ☏ 93 58 04 24, Auberge provençale – wc — B s
fermé 15 oct. au 1er déc., dim. soir hors sais. et lundi – SC : **R** 120/140 – ☕ 20 – **10 ch** 200/220.

Aub. des Templiers, 39 av. Joffre ☏ 93 58 06 05, — A k
fermé 1er au 10 juil., 20 déc. au 20 janv., dim. soir et lundi – SC : **R** carte 155 à 210.

Closerie des Genets avec ch, 4 imp. M. Maurel ☏ 93 58 33 25, – wc. AE E VISA — B d
SC : **R** *(fermé 10 nov. au 20 déc., dim. soir et lundi sauf juil.-août)* 70/90 – ☕ 15 – **10 ch** 90/250.

MERCEDES-BENZ, PEUGEOT TALBOT Gar. Simondi, 39 av. Foch ☏ 93 58 01 21 N

RENAULT Gar. de la Rocade, 840 av. E. Hugues, la Rocade ☏ 93 58 00 29

VENDEUIL 02 Aisne 53 ⑭ – rattaché à la Fère.

VENDÔME SP 41100 L.-et-Ch. 64 ⑥ G. Châteaux de la Loire – 18 218 h. alt. 82.

Voir Anc. abbaye de la Trinité★ : église abbatiale★★ A – Musée★ dans les bâtiments conventuels A M – Château : terrasses ←★ A.

Office de Tourisme 45 r. Poterie ☏ 54 77 05 07.

Paris 171 ① – Blois 32 ③ – Lisieux 185 ① – ◆Le Mans 77 ⑥ – ◆Orléans 74 ① – ◆Tours 56 ④.

Plan page ci-contre

Vendôme, 15 fg Chartrain ☏ 54 77 02 88, Télex 750383 – TV wc wc ☎. E VISA — A a
fermé 20 déc. au 3 janv. – SC : **R** 80 bc/220 bc – ☕ 23 – **35 ch** 180/275 – P 290.

Gd. H. St-Georges, 14 r. Poterie ☏ 54 77 25 42 – TV wc wc ☎. AE E VISA — A n
SC : **R** *(fermé 15 au 30 janv., sam. midi et dim. soir)* 66/205 – ☕ 22 – **37 ch** 185/270 – P 250/400.

Moderne, face gare ☏ 54 80 27 00, – . VISA — B e
fermé 4 au 24 août et vacances scolaires de Noël – SC : **R** *(fermé dim. midi et sam.)* 58/129 – ☕ 18 – **16 ch** 83/160.

Petit Bilboquet, rte Tours par ④ ☏ 54 77 16 60, – P. AE E VISA
fermé août, dim. soir et lundi – SC : **R** 75/137.

Le Paris, 1 r. Darreau ☏ 54 77 02 71 – VISA — B z
fermé 15 au 31 juil., dim. soir et lundi – SC : **R** 56/160.

Le Daumier, 17 pl. République ☏ 54 77 70 15 – AE E VISA — A s
fermé janv., dim. soir et lundi – SC : **R** 80/190.

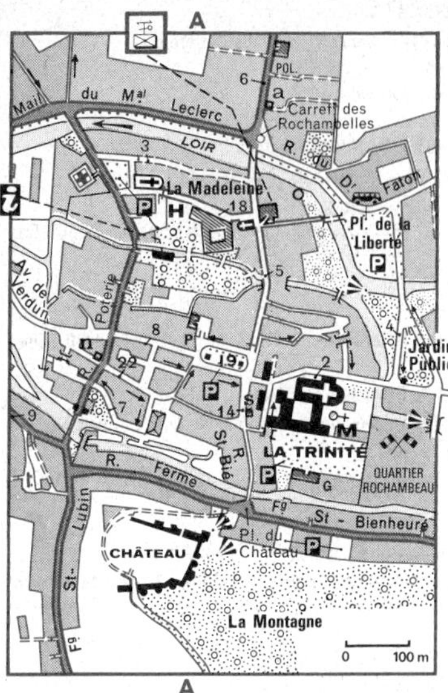

VENDÔME

Change (R. du) **A** 5
Poterie (R.) . . . . **A**
République (Pl) **A** 14
St-Martin (Pl.) **A** 19
Saulnerie (R.) **A** 22

Abbaye (R.) . . . **A** 2
Béguines (R.) . **A** 3
Bourbon (R. A.) **A** 4

Chartrain (Fg) . **AB** 6
Chevallier (R.) . . **A** 7
Gaulle (R. de) . . . **A** 8
Grève (R.) . . . . **AB** 9
Kennedy (Bd) . . **B** 10
Quatre-Huyes (R.) . . . . **B** 12
Rochambeau (R. du Mar. de) **B** 15
St-Jacques (R.) . . . . **A** 18

CITROEN Gar. Granger, N 10, St-Ouen par ① ✆ 54 77 13 06
FORD Coutrey, rte de Paris, St-Ouen par ① ✆ 54 77 14 40
PEUGEOT-TALBOT Automobile-Vendômoise, 33 rte de Paris, St-Ouen par ① ✆ 54 77 13 50

RENAULT Bruère, N 10 Les Grouets à St Ouen par ①, ✆ 54 77 15 94

Moreau, 192 fg Chartrain ✆ 54 77 58 04
Perry-Pneus, 28 fg Chartrain ✆ 54 77 77 35

VENEUX-LES-SABLONS 77 S.-et-M. **61** ⑫, **196** ㊻ – rattaché à Moret-sur-Loing.

VENIZY 89 Yonne **61** ⑮ – rattaché à St-Florentin.

VENTABREN 13122 B.-du-R. **84** ② **G. Provence** – 2 717 h. alt. 218.
Voir ≤★ des ruines du Château.
Paris 749 – Aix-en-Provence 15 – ♦Marseille 32 – Salon-de-Provence 25.

XX **La Petite Auberge,** ✆ 42 28 80 01, ≤,
fermé 1er au 15 sept., 15 au 31 janv., lundi et dim. sauf le soir de sept. à juin – SC : **R** 120.

VENTAVON 05 H.-Alpes **81** ⑤ **G. Alpes** – 362 h. – ✉ **05300** Laragne.
Paris 697 – Gap 29 – Serres 28 – Sisteron 23.

Beau Site ✆ 92 66 40 33, ≤, – . AE E. rest
juin à sept. – SC : **R** 55/99 – 21 – **10 ch** 100/110 – P 145/160.

VENTOUX (Mont) 84 Vaucluse **81** ③ **G. Provence** – alt. 1 912.
Voir ★★★.

VENTRON 88 Vosges **62** ⑰ – 970 h. alt. 680 – ✉ **88310** Cornimont.
Env. Grand Ventron ★★ NE : 7 km, **G. Alsace et Lorraine.**
Paris 417 – Épinal 57 – Gérardmer 26 – Remiremont 30 – Thann 30 – Le Thillot 13.

X **Frère Joseph** avec ch, pl. Église ✆ 29 24 18 23
SC : **R** 53/100 – 12,50 – **11 ch** 74 – P 149.

à l'Ermitage du Frère Joseph S : 5 km par D 43 et D 43E – alt. 850 – Sports d'hiver : 900/1 100 m 6 – ✉ **88310** Cornimont :

Les Buttes M ✆ 29 24 18 09, ≤, – TV – 30. VISA. rest
fermé 15 nov. au 20 déc. – SC : **R** 95/180 – 26 – **30 ch** 140/260 – P 280/320.

Ermitage ✆ 29 24 18 29, ≤, – cuisinette TV wc – 80 à 250. E VISA
fermé 15 oct. au 15 nov. – SC : **R** 65/90 – 27 – **60 ch** 130/280 – P 200/283.

VERBERIE 60410 Oise 56 ②, 196 ⑩ – 2 298 h. alt. 33.

Paris 66 – Beauvais 61 – Clermont 35 – Compiègne 14 – Senlis 18 – Villers-Cotterêts 30.

X **Normandie,** ✆ 44 40 92 33 – Ⓟ
fermé 31 juil. au 27 août, 24 au 31 déc., dim. soir et merc. – **R** 60/100.

VERCHAIX 74 H.-Savoie 74 ⑧ – 296 h. alt. 787 – ✉ **74440** Taninges.

Paris 565 – Annecy 85 – Bonneville 33 – Chamonix 60 – ♦Genève 63 – Megève 46 – Morzine 27.

Chalet Fleuri, ✆ 50 90 10 11, ←, – rest
1er juin-30 sept. et 20 déc.-15 avril – SC : **R** 52/95 – 15 – **28 ch** 76/97 – P 135/155.

VERCHIZEUIL 71 S.-et-L. 69 ⑲ – rattaché à Verzé.

VERDELAIS 33 Gironde 79 ② **G. Côte de l'Atlantique** – 880 h. alt. 34 – ✉ **33490** Saint-Macaire.

Voir Calvaire ←★ – Ste-Croix-du-Mont : ←★, grottes★ O : 3 km.

Paris 622 – ♦Bordeaux 48 – Cadillac 10 – Langon 5,5 – Libourne 50 – Marmande 37 – La Réole 18.

St-Pierre, ✆ 56 62 02 03, , parc –
fermé vacances scolaires de fév., dim. soir et lundi sauf juil.-août – SC : **R** 54/160 – 10,50 – **9 ch** 56/100 – P 150.

VERDON (Grand Canyon du) ★★★ 04 Alpes-de-H.-Pr 81 ⑰ **G. Côte d'Azur.**

Ressources hôtelières : voir à ***Aiguines, Cavaliers (Falaise des), Trigance, Point Sublime, La Palud-sur-Verdon.***

Per i grandi viaggi d'affari o di turismo,
Guida MICHELIN rossa : Main Cities EUROPE.

Le VERDON-SUR-MER 33123 Gironde 71 ⑮ **G. Côte de l'Atlantique** – 1 616 h.

Voir Pointe de Grave : dune ←★ N : 4 km.

Bac de la Pointe de Grave : renseignements ✆ 56 09 60 84.

Syndicat d'Initiative r. F.-Lebreton (15 juin-15 sept.) ✆ 56 09 61 78.

Paris (Bac) 508 – Arcachon 142 – ♦Bordeaux 98 – lesparre-Médoc 34 – Royan (bac) 4.

XX **Côte d'Argent,** ✆ 56 09 60 45, – Ⓟ. AE ⓓ VISA
fermé janv. et le soir (sauf les vend., sam. et dim.) du 1er oct. au 30 avril – SC : **R** 60/180 ⅓.

CITROEN Daniel, ✆ 56 09 60 28
RENAULT Hertmanni, ✆ 56 09 61 47

VERDUN 55100 Meuse 57 ⑪ **G. Alsace et Lorraine** – 24 120 h. alt. 199.

Voir Ville Haute★ : Cathédrale★ (cloître★) ZE – Palais Episcopal★ ZR – Les champs de bataille par ②.

Office de Tourisme pl. Nation ✆ 29 84 18 85, Télex 860464 – A.C. 17 pl. A.-Maginot ✆ 29 86 06 56.

Paris 262 ⑤ – Châlons-sur-M. 87 ⑤ – ♦Metz 66 ③ – ♦Nancy 110 ③ – ♦Reims 119 ⑤.

Plan page ci-contre

Bellevue, rond-point de-Lattre-de-Tassigny ✆ 29 84 39 41, Télex 860464 – TV Ⓟ – 100 à 500. AE ⓓ VISA — Y **a**
1er avril-15 oct. – SC : **R** (dîner seul. pour résidents) 70/95 – **72 ch** 125/380.

✿ **Host. Coq Hardi,** 8 av. Victoire ✆ 29 86 00 68, Télex 860464 – TV – 40. AE ⓓ — Y **v**
fermé 25 déc. au 31 janv. – **R** *(fermé merc. sauf fériés)* 135/270 – **40 ch** 125/295, 3 appartements 500
Spéc. Salade Coq Hardi, Canard au vinaigre de framboises, Mirabelles flambées. **Vins** Bouzy, Chardonnay.

St-Paul, 12 r. Gén.-Sarrail ✆ 29 86 02 16 – wc — Y **r**
fermé 25 déc. au 1er janv. et sam. en déc. et janv. – SC : **R** 60/120 – 16 – **31 ch** 72/165 – P 220.

Montaulbain sans rest, 4 r. Vieille-Prison ✆ 29 86 00 47 – TV wc.
SC : 19 – **10 ch** 101/167. — Z **e**

MICHELIN, Entrepôt, 3 av. J.-Jaurès X ✆ 29 86 11 47

CITROEN Gd Gar. de la Meuse, av. Col.-Driant ✆ 29 86 44 05
FIAT Gar. du Rozelier, bd de l'Europe à Haudainville par ③ ✆ 29 84 33 47 N
FORD Rochette-Auto, 22 r. V.-Schleiter ✆ 29 86 50 49
PEUGEOT-TALBOT Verdun Auto Loisirs, 2 av. de la 42e Division ✆ 29 84 32 63
RENAULT Friob, av. d'Etain ✆ 29 84 40 72 N
V.A.G. Gar. Voie Sacrée, N3 Regret ✆ 29 86 04 51

Frattini 21 av. Douaumont ✆ 29 86 04 36
Leclerc-Pneu, 13 av. Col.-Driant ✆ 29 86 29 55

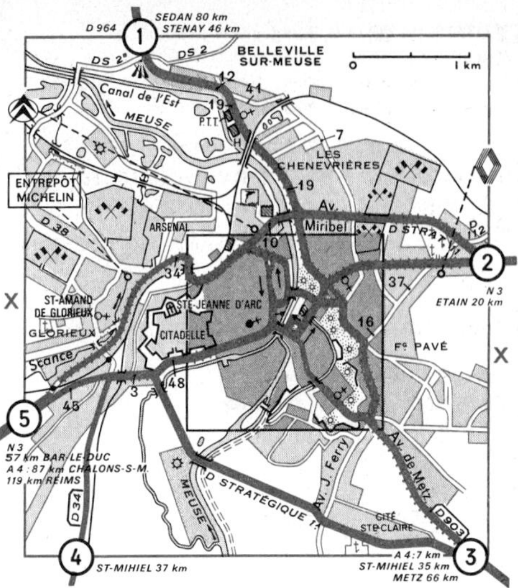

VERDUN

Foch (Pl. Mar.) . . . . Z 15
Mazel (R.) . . . . Y 29

Belle-Vierge (R.) . . . . Y 2
Boichut (Av. du Gén.) . . . X 3
Boulhaut (R. Frères) . . . . Y 5
Chaussée (R. et P.) . . . . . Y 6
Demenois (Av. G.) . . . . . X 7
Douaumont (Av. de) . . YZ 8
Driant (Av. du Col.) . . . XY 10
Driant (R. du Col.) . . . . . . X 12
Fort-de-Vaux (R. du) . . XZ 16
Gaulle (R. du Gén.-de) . . . . . X 19
Jeanne-d'Arc (Pl.) . . . . . . Y 22
Lattre-de-T. (R. de) . . . . . Y 24
Legay (Pont-F.) . . . . Z 25
Mautroté (R.) . . . . YZ 27
Montgaud (R.) . . . . YZ 33
Mort-Homme (R. du) . . . X 34
Pont Lilette (R. du) . . . . . Z 35
Prés.-Poincaré (R. du) . . Z 36
Raynal (Av. du Cdt) . . . . X 37
République (Quai) . . . . YZ 39
République (R. de la) . . . X 41
St-Paul (R.) . . . . Y 42
Vancassel (R.) . . . . X 45
Victoire (Av. de la) . . . . . Y 47
5e-R.A.P. (R. du) . . . . . . XZ 48
7e-Div.-Blindée-U.S.A. (R. de la) . . . . Y 50

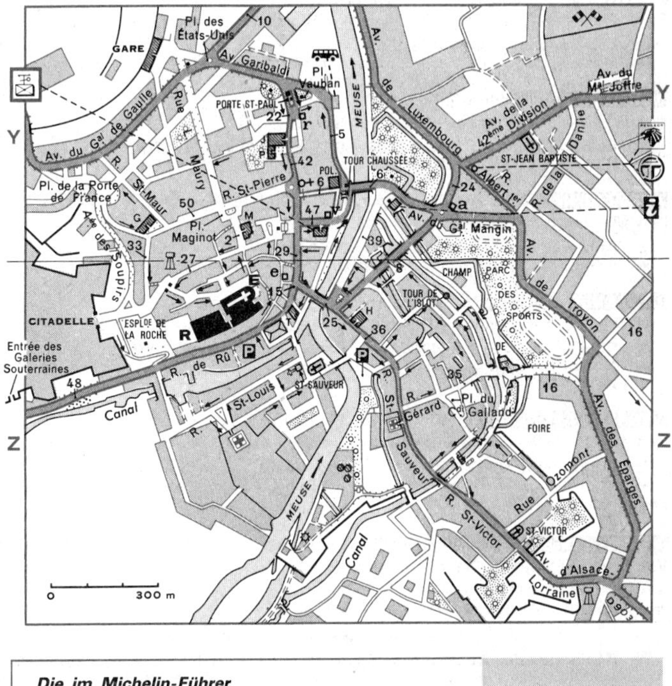

Die im Michelin-Führer

verwendeten Zeichen und Symbole haben – dünn oder **fett** gedruckt, in rot oder schwarz – jeweils eine andere Bedeutung.
Lesen Sie daher die Erklärungen (S. 40 - 47) aufmerksam durch.

VERDUN-SUR-LE-DOUBS 71350 S.-et-L. 70 ② G. Bourgogne – 1 139 h. alt. 180.

Syndicat d'Initiative (1er juil.-31 août) ☎ 85 91 87 52.

Paris 331 – Beaune 22 – Chagny 24 – Chalon-sur-S. 22 – Dole 48 – Lons-le-Saunier 55 – Mâcon 80.

XXX **Host. Bourguignonne** avec ch, rte Ciel ☎ 85 91 51 45, – wc wc ☎ Ⓟ. AE ⓓ VISA
fermé mardi hors sais. et merc. – SC : **R** 110/300 – 38 – **14 ch** 170/320.

à Chaublanc NO : 10 km par D 184 et D 183 – ✉ **71350** Verdun-sur-le-Doubs :

Moulin d'Hauterive , ☎ 85 91 55 56, parc, , « meubles anciens », , – TV wc wc ☎ Ⓟ. AE ⓓ E VISA. rest
1er mars-30 nov. et fermé dim. soir et lundi sauf de juin à sept. – SC : **R** 120/210 – 30 – **16 ch** 290/440 – P 400/450.

CITROEN Gar. Guenot, ☎ 85 91 51 70

VÉRETZ 37 I.-et-L. 64 ⑮ G. Châteaux de la Loire – 2 379 h. alt. 45 – ✉ **37270** Montlouis-sur-Loire.

Paris 244 – Bléré 15 – Blois 52 – Chinon 52 – Montrichard 32 – ♦Tours 10.

XX **St-Honoré** avec ch, ☎ 47 50 30 06 – wc . AE ⓓ VISA
SC : **R** 54/156 – 15 – **9 ch** 92/162 – P 153/271.

VERGÈZE 30310 Gard 83 ⑧ – 2 563 h. alt. 20.

Paris 728 – ♦Montpellier 36 – Nîmes 19.

Passiflore sans rest, ☎ 66 35 00 00 – wc ☎. AE
1er avril-30 sept. – SC : 22 – **9 ch** 155/220.

PEUGEOT-TALBOT Gar. Valladier, ☎ 66 35 04 33

VERGT 24380 Dordogne 75 ⑤⑮ – 1 419 h. alt. 213.

Paris 550 – Bergerac 32 – Le Bugue 30 – Lalinde 31 – Périgueux 21 – Sarlat-la-Canéda 54.

XX **Lou Cantou,** ☎ 53 54 91 89
fermé fév., lundi et le soir en hiver sauf sam. et dim. – SC : **R** 40/150.

VERMELLES 62980 P.-de-C. 53 ② – 4 339 h.

Paris 206 – Arras 27 – Bethune 10 – Lens 10 – ♦Lille 32.

XXX **Le Socrate** avec ch, N43 ☎ 21 26 24 63 – wc ☎ Ⓟ. AE E VISA
R 66/240 – 25 – **25 ch** 220/320.

VERMENTON 89270 Yonne 65 ⑤ G. Bourgogne – 1 166 h. alt. 125.

Paris 189 – Auxerre 24 – Avallon 28 – Vézelay 28.

X **Aub. Espérance,** ☎ 86 53 50 42 – AE ⓓ VISA
fermé lundi (sauf le midi en sais.) et dim. soir – SC : **R** 58/200.

Le VERNET 31 H.-Gar. 82 ⑱ – 1 715 h. alt. 167 – ✉ **31810** Venerque.

Paris 725 – Auch 85 – Auterive 11 – Pamiers 42 – St-Gaudens 79 – ♦Toulouse 22.

Clair Logis, N 20 ☎ 61 08 50 44, , – wc Ⓟ. AE VISA
fermé 15 au 30 janv. – SC : **R** *(fermé merc. et dim. soir)* 38/132 – 17 – **16 ch** 58/126 – P 160/200.

VERNET-LA-VARENNE 63580 P.-de-D. 73 ⑮ – 734 h. alt. 817.

Paris 440 – Ambert 38 – Brioude 38 – ♦Clermont-Ferrand 58 – Issoire 22 – Le Puy 77 – Thiers 82.

Commerce, ☎ 73 71 31 73, – Ⓟ. ⓓ VISA
fermé lundi – SC : **R** 35/180 – 18 – **18 ch** 70/120 – P 130/150.

RENAULT Faye, ☎ 73 71 32 23 Gar. Bourgne, ☎ 73 71 30 97

VERNET-LES-BAINS 66820 Pyr.-Or. 86 ⑰ G. Pyrénées – 1 442 h. alt. 650 – Stat. therm.

Voir Site★ – Église★ de Corneilla-de-Conflent 2,5 km par ①.

Office de Tourisme pl. Mairie ☎ 68 05 55 35.

Par ① : Paris 964 – Montlouis 36 – ♦Perpignan 55 – Prades 12.

Plan page ci-contre

Résidence des Baüs et Mas Fleuri M sans rest, bd Clemenceau **(a)** ☎ 68 05 51 94, « Parc ombragé », – wc wc ☎ Ⓟ. AE ⓓ VISA.
Pâques-1er nov. – SC : 27 – **39 ch** 109/295.

Princess sans rest, r. Lavandières **(k)** ☎ 68 05 56 22 – wc . VISA
1er avril-31 oct. – SC : 15,50 – **23 ch** 109/179.

Angleterre, av. Burnay **(f)** ☎ 68 05 50 58, – wc . ch
2 mai-26 oct. – SC : **R** 70 – 13 – **20 ch** 70/120 – P 136/163.

Eden, prom. Cady **(n)** ☎ 68 05 54 09 – wc ☎ Ⓟ. E VISA
23 mars-1er nov. – SC : **R** 100 bc/54 – 17 – **11 ch** 110/150 – P 150/250.

XXX **Comte Guifred de Conflent** (collège d'application hôt.) M avec ch, av. Thermes **(u)** ✆ 68 05 51 37, ⛱, 🪑 – 🛗 ⛾wc ☎ **P**. ⓓ VISA
fermé 1er nov. au 15 déc. – SC : **R** 70/150 – ☕ 20 – **8 ch** 210/240 – P 357/410.

XX **Rest. Thalassa H. des Deux Lions** avec ch, **(r)** ✆ 68 05 55 42, ⛱ – ⛾ 🚿 **P**. AE ⓓ E VISA. ✗ rest
fermé 1er nov. au 23 déc. – SC : **R** 70/170 – ☕ 13 – **12 ch** 85/170 – P 155/220.

*à **Casteil*** S : 2 km par D 116 – alt. 730 – ✉ **66820** Vernet-les-Bains :

Molière ⛰, ✆ 68 05 50 97, ⛱, 🪑 – 🚿wc **P**. VISA. ✗ ch
fermé vacances de nov., 5 au 20 janv. et merc. hors sais. – SC : **R** 52/130 – ☕ 13 – **12 ch** 110/125 – P 155/185.

*à **Sahorre*** SO : 3,5 km par D 27 – ✉ **66360** Olette :

Châtaigneraie ⛰, ✆ 68 05 51 04, ≤, 🪑 – 🚿wc **P**. ✗ ch
15 mai-15 oct. – SC : **R** 55/85 – ☕ 14 – **10 ch** 86/155 – P 133/160.

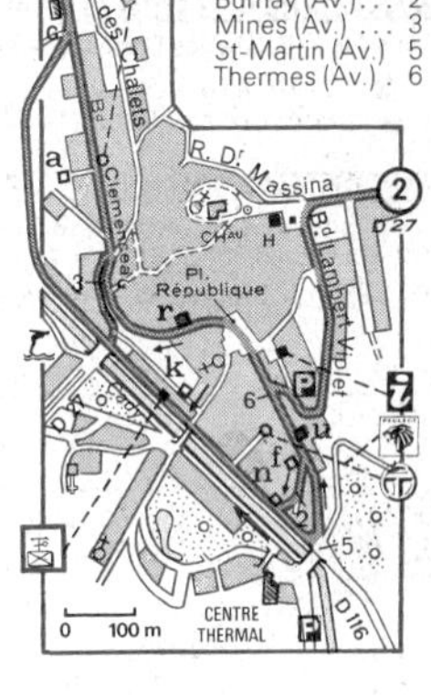

PEUGEOT-TALBOT Gar. Villacèque, ✆ 68 05 51 14
RENAULT Gar. Pous, ✆ 68 05 52 81

VERNEUIL-EN-HALATTE **60550** Oise 56 ① – 3 463 h. alt. 35.

Paris 62 – Beauvais 45 – Clermont 19 – Compiègne 34 – Creil 4,5 – Roye 62 – Senlis 13.

X Aub. du Marronnier, r. Professeur-Calmette ✆ 44 25 10 10.

VERNEUIL-SUR-AVRE **27130** Eure 60 ⑥ **G. Normandie** – 6 926 h. alt. 175.

Voir Église de la Madeleine★ E – Statues★ de l'église N.-Dame D.

ℹ Syndicat d'Initiative pl. Madeleine ✆ 32 32 17 17.

Paris 116 ③ – Alençon 75 ⑥ – Argentan 77 ⑦ – Chartres 56 ④ – Dreux 35 ③ – Évreux 39 ①.

Host. du Clos ⛰, 98 r. Ferté-Vidame **(n)** ✆ 32 32 21 81, Télex 172770, ≤, ⛱, 🪑 – TV ☎ ♿ **P**. AE ⓓ E VISA
fermé mi-déc. à mi-fév. et lundi (sauf hôtel) d'oct. à Pâques – SC : **R** 125 – ☕ 30 – **9 ch** 380/450.

Saumon (annexe M ⛰ TV), 89 pl. Madeleine **(a)** ✆ 32 32 02 36 – ⛾wc 🚿wc ☎ ♿. E VISA
SC : **R** 44/68 – ☕ 16 – **22 ch** 85/210.

Gare-Pavillon Bleu, pl. Gare **(r)** ✆ 32 32 12 72, 🪑 – 🚿
fermé lundi midi en hiver – SC : **R** 57/78 🍷 – ☕ 17 – **11 ch** 79/140.

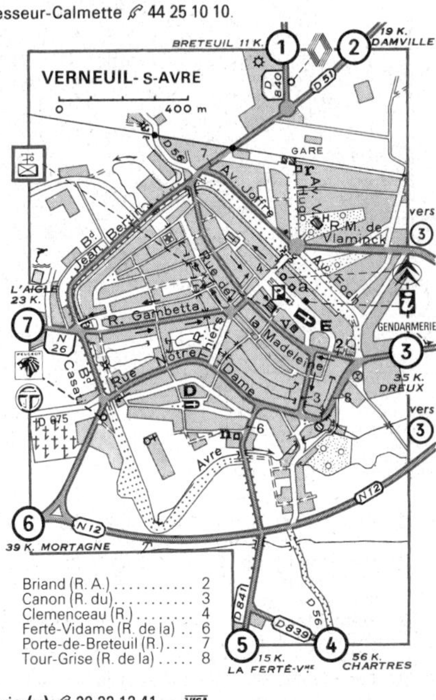

Briand (R. A.) 2
Canon (R. du) 3
Clemenceau (R.) 4
Ferté-Vidame (R. de la) . . 6
Porte-de-Breteuil (R.) 7
Tour-Grise (R. de la) 8

XX **Gd Sultan,** 30 r. Poissonnerie **(v)** ✆ 32 32 13 41 – VISA
fermé août, 25 déc. au 2 janv. et lundi – SC : **R** (déj. seul.) 43/69 🍷.

CITROEN Gar. de la Madeleine, 27 pl. de la Madeleine ✆ 32 32 16 18
CITROEN Heurtaux, rte de Paris par ③ ✆ 32 32 14 83
PEUGEOT-TALBOT Gar. Martin, Porte Mortagne ✆ 32 32 13 27
PEUGEOT-TALBOT Gar. Dore, 679 av. Gén.-de-Gaulle par ③ ✆ 32 32 16 90
RENAULT Huillery, 228 av. R. Zaigue ✆ 32 32 17 54
VOLKSWAGEN, **VOLVO** Gar. Moderne, rte de Paris ✆ 32 32 00 45

Les VERNEYS 73 Savoie **77** ⑦ – rattaché à Valloire.

VERNIERFONTAINE 25 Doubs **66** ⑯ – 308 h. alt. 730 – ⊠ **25580** Nods.

Paris 446 – Baume-les-Dames 37 – ♦Besançon 32 – Morteau 43 – Pontarlier 27.

Chez Ninie ✆ 81 60 04 64, – wc wc ☎ **P**. E.
fermé 1er au 20 sept. – SC : **R** 44/98 – 16 – **10 ch** 92/197 – P 144/203.

VERNON 27200 Eure **55** ⑰⑱, **196** ①② G. Normandie – 23 464 h. alt. 16.

Voir Église N.-Dame★ BYE – Côte St-Michel ≤★ BX – Giverny : propriété Claude Monet★ E : 5 km par D 5 – Syndicat d'Initiative passage Pasteur ✆ 32 51 39 60.

Paris 82 ② – Beauvais 66 ⑥ – Évreux 31 ③ – Mantes-la-Jolie 25 ② – ♦Rouen 63 ③.

Albuféra (R. d') .... **ABY**	Écuries-des-Gardes (R.). **AY** 4	Pied (R. Benjamin)..... **BYZ** 20
Carnot (R.)............. **BY** 3	Évreux (Pl. d') .... **AY** 5	République (Pl. de la).... **BZ** 23
Gaulle (Pl. Charles-de) .... **BY** 7	Gambetta (Av.) .... **AY** 6	St-Jacques (R.)........... **BY** 24
Ste-Geneviève (R.)...... **BY** 25	Leclerc (Av. du Mar.) .... **BY** 9	Soret (R. Jules) .... **BX** 26
	Paris (Pl. de) .... **BY** 12	Steiner (R. E.) .... **AY** 27

Évreux, 7 pl. Évreux ✆ 32 21 16 12 – TV wc wc ☎ **P**. AE E VISA — AY **s**
fermé dim. – SC : **R** carte 115 à 205 – 23 – **20 ch** 150/290.

Strasbourg, 6 pl. Évreux ✆ 32 51 23 12 – wc wc ☎ **P**. E VISA — AY **u**
fermé 23 déc. au 10 janv. – SC : **R** *(fermé dim. soir et lundi)* 86 – 18,50 – **23 ch** 68/170.

Haut Marais M sans rest, 2 rte Rouen à St-Marcel par ④ ⊠ 27950 St-Marcel ✆ 32 51 41 30 – wc ☎ **P**
SC : 13 – **28 ch** 67/150.

Les Fleurs, 71 r. Carnot ✆ 32 51 16 80 – VISA. — BY **a**
fermé 20 août au 10 sept., dim. soir et lundi – SC : **R** 100 bc/160 bc.

Beau Rivage, 13 av. Mar.-Leclerc ✆ 32 51 17 27 – AE E VISA — BY **e**
fermé 1er au 15 oct. et vacances de fév. – SC : **R** 66/135.

à Port-Villez par ② : 4 km – ⊠ **78270** Bonnières-sur-Seine.
Voir N.-D. de la mer ≤★ S : 2 km – Signal des Coutumes ≤★ S : 3 km.

La Gueulardière, ✆ (1) 34 76 22 12, **P**
fermé 1er au 28 juil., dim. soir et lundi – SC : **R** carte 145 à 210.

CITROEN S.C.A.E., N 15 à St-Just par ④ ✆ 32 51 74 51 🅽 ✆ 32 51 40 24
FIAT-LANCIA COVERPNEU, 11 bd Isambard ✆ 32 51 08 95
FORD Auto-Normandie, r. de l'Industrie, Zone Ind. ✆ 32 51 59 39
PEUGEOT-TALBOT Gervilliers, 10 av. Paris par ② ✆ 32 51 50 14

VOLVO Gar. des Sports, 5 r. de l'Artisanat ✆ 32 51 17 41

Marsat-Vernon-Pneus, 121 r. Carnot ✆ 32 21 26 52

VERNOUILLET **78540** Yvelines 55 ⑲ **G. Environs de Paris** – 6 424 h. alt. 39.
Voir Clocher★ de l'église.
Paris 43 – Mantes-la-Jolie 26 – Pontoise 19 – Rambouillet 52 – St-Germain-en-Laye 14 – Versailles 26.

XX **Aub. les Charmilles** avec ch, 38 r. P.-Doumer ✆ **(1) 39 71 64 02**, – wc
P. VISA
SC : **R** 110 – **10 ch** 150/300.

VERNOU-SUR-BRENNE **37** I.-et-L. 64 ⑮ – 2 050 h. alt. 48 – ✉ **37210** Vouvray.
Paris 229 – Amboise 12 – ♦Tours 14 – Vendôme 49.

Host. Perce Neige, r. A.-France ✆ **47 52 10 04, parc,** – wc wc P –
60. AE E VISA
fermé fév., dim. soir et lundi hors saison – SC : **R** 72/175 – 19 – **15 ch** 130/215.

CITROEN Hurson, ✆ 47 52 10 61
RENAULT Huguet, ✆ 47 52 10 78

VERQUIÈRES **13** B.-du-R. 84 ① – rattaché à St-Rémy-de-Provence.

La VERRIE **85** Vendée 67 ⑤ – 3 306 h. alt. 125 – ✉ **85130** La Gaubretière.
Paris 365 – Bressuire 46 – Cholet 16 – ♦Nantes 59 – La Roche-sur-Yon 52.

X **La Malle Poste** pl. Ch.-de-Gaulle, ✆ **51 91 56 14** – P. AE E VISA
fermé 25 juil. au 15 août et lundi – SC : **R** 50/109.

VERRIÈRES-LE-BUISSON **91** Essonne 60 ⑩, 101 ㉔ – voir à Paris, Environs.

VERSAILLES **78** Yvelines 60 ⑨⑩, 101 ㉒ – voir à Paris, Environs.

VERS-EN-MONTAGNE **39** Jura 70 ⑤ – 217 h. alt. 610 – ✉ **39300** Champagnole.
Paris 424 – Arbois 21 – Champagnole 9,5 – Lons-le-Saunier 44 – Pontarlier 44 – Salins-les-Bains 16.

Le Clavelin, ✆ **84 51 44 25,** – wc. VISA
fermé 26 août au 10 sept., 1er au 15 janv. et merc. – SC : **R** 51/98 – 17 – **7 ch** 120/145 – P 172/230.

VER-SUR-MER **14** Calvados 54 ⑮ – rattaché à Courseulles-sur-Mer.

VERT-BOIS (Plage du) **17** Char.-Mar. 71 ⑭ – voir à Ile d'Oléron.

VERTES FEUILLES **02** Aisne 56 ③ ④ – rattaché à Villers-Cotterêts.

VERTEUIL-SUR-CHARENTE **16** Charente 72 ④ – rattaché à Ruffec.

VERTOLAYE **63480** P.-de-D. 73 ⑯ – 623 h. alt. 512.
Paris 422 – Ambert 14 – ♦Clermont-Ferrand 76 – Cunlhat 27 – Feurs 65 – Issoire 67 – Thiers 41.

Voyageurs, près gare ✆ **73 95 20 16,** – wc wc. VISA. rest
fermé oct., vend. soir et sam. hors sais. – SC : **R** 50/120 – 16 – **28 ch** 70/155 – P 140/180.

VERTOU **44** Loire-Atl. 67 ③ ④ – rattaché à Nantes.

VERT-ST-DENIS **77** S.-et-M. 61 ②, 196 ㉝㊺ – rattaché à Melun.

VERTUS **51130** Marne 56 ⑯ **G. Champagne, Ardennes** – 2 870 h..
Voir Mont Aimé★ S : 5 km.
Paris 138 – Châlons-sur-Marne 30 – Épernay 20 – Fère Champenoise 17 – Montmirail 38.

Host. Reine Blanche Ⓜ, av. Louis Lenoir ✆ **26 52 20 76** – wc P –
50. AE E VISA
SC : **R** 120/180 – **23 ch** 195/270 – P 340/360.

Commerce, r. Chalons ✆ **26 52 12 20** – 80. E
R 35/65 – 15,50 – **11 ch** 71/110.

à Bergères-les-Vertus S : 3,5 km par D 9 – ✉ **51130** Vertus :

Mont-Aimé , ✆ **26 52 21 31,** – wc wc P. AE E VISA
fermé dim. soir – SC : **R** 90/200 – 18 – **22 ch** 100/180 – P 180/195.

Les VERTUS 76 S.-Mar. 52 ④ – rattaché à Dieppe.

VERVINS <SP> 02140 Aisne 53 ⑯ **G. Flandres, Artois, Picardie** – 2 989 h. alt. 174.

Office de Tourisme pl. Gén.-de-Gaulle (15 avril-15 oct. matin seul.) ℘ 23 98 11 98.

Paris 173 – Charleville-Mézières 69 – Laon 36 – ♦Reims 71 – St-Quentin 50 – Valenciennes 79.

Tour du Roy (Mme Desvignes), ℘ 23 98 00 11, – TV wc wc ☎ P. AE ① E VISA
fermé 15 janv. au 15 fév. et dim. soir – SC : **R** *(fermé lundi midi)* (dim. et fêtes prévenir) 120/250 – 35 – **15 ch** 140/350 – P 350/500
Spéc. Turbot au fumet de truffes, Baron de lapereau au cidre, Palette des gourmandises.

CITROEN Gar. Carlier, La Chaussée de Fontaine ℘ 23 98 00 08

VERZÉ 71 S.-et-L. 69 ⑲ – 579 h. – ✉ **71960** Pierreclos.

Paris 396 – Charolles 49 – Cluny 11 – ♦Lyon 82 – Mâcon 14 – Tournus 33.

Rest. de Verchizeuil, E : 4 km par D 434 et D 134 ℘ 85 33 32 12, – P. VISA
fermé 1er août au 1er sept., jeudi soir et vend. – SC : **R** 52/95 ⅓.

Le VÉSINET 78 Yvelines 55 ⑳, 101 ⑬ – voir à Paris, Environs.

VESONNE 74 H.-Savoie 74 ⑯ – rattaché à Faverges.

VESOUL P **70000** H.-Saône 66 ⑤⑥ **G. Jura** – 20 269 h. alt. 220.

Voir Colline de la Motte ✻★ 30 mn AY.

Office de Tourisme r. Bains ℘ 84 75 43 66, Télex 361250 - A.C. 1 quai Yves Barbier ℘ 84 76 08 23.

Paris 375 ⑥ – Belfort 64 ③ – ♦Besançon 48 ④ – ♦Dijon 113 ⑥ – Dole 96 ① – Épinal 84 ② – Langres 75 ⑥ – Neufchâteau 103 ⑥ – St-Dié 112 ② – Vittel 85 ⑥.

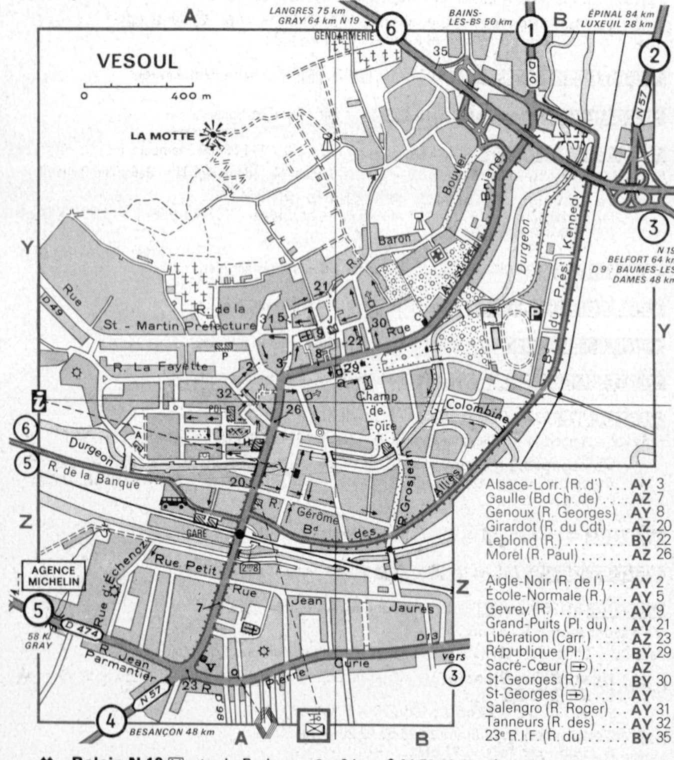

Relais N 19 M, rte de Paris par ⑥ : 3 km ℘ 84 76 42 42, – TV wc wc ☎ P. AE ① E VISA
fermé 20 déc. au 11 janv., sam. et dim. en hiver – SC : **R** 60/165 ⅓ – 25 – **26 ch** 155/250 – P 240/270.

Vendanges de Bourgogne, 49 bd Ch.-de-Gaulle ✆ **84 75 12 09** – wc ☎ Ⓟ. AE ⓓ E VISA AZ **v**
SC : **R** 52/140 🍷 – ☕ 16 – **30 ch** 85/180.

Lion Ⓜ sans rest, **4 pl. République** ✆ **84 76 54 44** – 🛗 TV wc ⋒wc ☎ Ⓟ. E VISA BY **a**
SC : ☕ 16,50 – **19 ch** 113/185.

MICHELIN, Agence, Z.I. Noidans-lès-Vesoul, par ⑤ ✆ **84 76 24 22**

AUTOBIANCHI-LANCIA Goudey, 1 r. Gén.-Lelerc à Navenne ✆ 84 75 21 79
BMW-FIAT Larue, 90 bd des Alliés ✆ 84 75 34 03
CITROEN Gd Gar. de Vesoul, 6 av. de la Mairie à Frotey-lès-Vesoul par ③ ✆ 84 75 76 77 **N** ✆ 84 05 24 24
FORD Dormoy, rte Paris ✆ 84 75 46 34
MERCEDES Gar. Lamboley, à Quincey ✆ 84 75 64 44
OPEL Gar. de la Rocade, 69 av. A.-Briand ✆ 84 75 53 30
RENAULT Bloch, 70 r. Pierre Curie ✆ 84 76 21 44
RENAULT Gar. Bougueret, ZI à Noidans-les-Vesoul par ⑤ ✆ 84 76 27 11

Hyper-Pneus, av. de la gare ✆ 84 76 46 47
Pneus-Est, 22 bd Charles-de-Gaulle ✆ 84 75 34 32
Pneus et Services D.K. 33 r. P.-Curie à Navenne ✆ 84 75 23 29

VEULES-LES-ROSES

76980 S.-Mar. **52** ③ **G. Normandie – 686 h. alt. 42 – Casino.**
Syndicat d'Initiative (1er juil.-31 août) ✆ 35 97 63 05 et à l'Hôtel de Ville ✆ 35 97 64 11.
Paris 196 – Dieppe 24 – Fontaine-le-Dun 8 – ♦Rouen 57 – St-Valéry-en-Caux 8.

XXX ✿ **Les Galets** (Plaisance), à la plage ✆ **35 97 61 33** – ▤. VISA
fermé 1er au 23 fév., mardi soir et merc. – SC : **R** (nombre de couverts limité - prévenir) 190/280
Spéc. Homard aux pâtes fraîches, Tian de St Jacques au beurre acidulé, Tronçon de turbot à la vapeur.

PEUGEOT-TALBOT Gar. Bruban, ✆ 35 97 63 66

VEULETTES-SUR-MER

76 S.-Mar. **52** ②③ **G. Normandie – 404 h. – Casino –** ✉ **76450** Cany-Barville – Syndicat d'Initiative Esplanade du Casino (1er juil.-10 sept.) ✆ 35 97 51 33.
Paris 210 – Fécamp 26 – ♦Rouen 66 – Yvetot 33.

XX **Les Frégates** avec ch, ✆ **35 97 51 22,** ≤ – ⇔ ⋒wc ☎ – 🏛 25. ⓓ E VISA
fermé 22 déc. au 15 janv. – SC : **R** *(fermé dim. soir et lundi midi du 1er oct. à Pâques)* carte 110 à 200 🍷 – ☕ 17 – **16 ch** 123/144 – P 200/273.

Le VEURDRE

03 Allier **69** ③ **G. Auvergne – 651 h. alt. 190 –** ✉ **03320** Lurcy-Levis.
Paris 269 – Bourges 65 – Montluçon 68 – Moulins 34 – Nevers 31 – St-Amand-Montrond 52.

Pont-Neuf, ✆ **70 66 40 12,** parc, 🌳 – ⇔wc ⋒wc ☎ Ⓟ – 🏛 35. AE ⓓ E VISA
SC : **R** 60/170 🍷 – ☕ 16,50 – **25 ch** 83/170.

VEYNES

05400 H.-Alpes **81** ⑤ – 3 278 h. alt. 824.
Paris 661 – Clelles 49 – Die 69 – Gap 26 – La Mure 71 – Serres 16.

Terminus, pl. Gare ✆ **92 58 00 11** – ⋒ Ⓟ
SC : **R** *(fermé lundi hors sais.)* 47/100 🍷 – ☕ 16 – **11 ch** 58/100 – P 130/150.

CITROEN Gar. Ribeiro, ✆ 92 58 01 41
PEUGEOT-TALBOT Gar. Hubaud, ✆ 92 58 18 30
RENAULT Gar. Central, ✆ 92 58 01 39

VEYRIER-DU-LAC

74290 H.-Savoie **74** ⑥ – 1 770 h. alt. 504.
Voir Mt Veyrier ✲★★ **NE par téléphérique, G. Alpes.**
Syndicat d'Initiative pl. Mairie (1er juin-30 sept.) ✆ 50 60 22 71.
Paris 538 – Albertville 40 – Annecy 5,5 – Megève 55 – Thônes 15.

La Chaumière, ✆ **50 60 10 06,** 🌳 – ⇔wc ⋒ ☎ 🚗. ✻ rest
1er mai.-1er oct. – SC : **R** 80/150 – ☕ 20 – **37 ch** 110/210 – P 160/215.

XX **Aub. du Colvert** avec ch, ✆ **50 60 10 23,** ≤, 🌳, 🌳 – ⇔wc ☎ Ⓟ. E VISA
22 mars-16 nov. – SC : **R** *(fermé lundi du 1er avril au 30 juin et du 1er sept. au 10 nov.)* 210/300 – ☕ 35 – **10 ch** 250/300 – P 330/380.

VÉZAC

24 Dordogne **75** ⑰ – rattaché à Beynac et Cazenac.

VÉZELAY

89450 Yonne **65** ⑮ **G. Bourgogne** (plan) – 582 h. alt. 302 – Pèlerinage (22 juil.).
Voir Basilique Ste-Madeleine★★★ **: tour** ✲★.
Env. Site★ **de Pierre-Perthuis SE : 6 km.**
Syndicat d'Initiative r. St-Pierre (Pâques-30 sept.) ✆ 86 33 23 69.
Paris 217 – Auxerre 51 – Avallon 15 – Château-Chinon 60 – Clamecy 23.

Poste et Lion d'Or, ✆ **86 33 21 23,** Télex 800949, 🌳 – VISA
29 mars-3 nov. – **R** 112/221 – ☕ 32 – **43 ch** 216/505, 3 appartements 620.

à St-Père SE : 3 km par D 957 – alt. 148 – ✉ 89450 Vézelay.
Voir Église N.-Dame★.

Espérance (Meneau), ✆ 86 33 20 45, Télex 800005, ←, « jardin dans la campagne » – TV P. AE ① VISA
fermé début janv. à début fév. et 23 au 27 juin – **R** *(fermé merc. midi et mardi)* (prévenir) 190 (déj. seul.)/400 et carte – 65 – **17 ch** 450/800, 4 appartements
Spéc. Cromesquis de foie gras, Turbot rôti au jus de viande, Salmigondis de pigeon au cresson. **Vins** Chablis, Irancy.

VEZELS-ROUSSY 15 Cantal 76 ⑫ – 124 h. alt. 630 – ✉ 15130 Arpajon-sur-Cère.
Paris 586 – Aurillac 21 – Entraygues-sur-Truyère 49.

La Bergerie, ✆ 71 62 42 90, ← – P
SC : **R** 45/60 – 12 – **13 ch** 65/75 – P 120.

VIA 66 Pyr.-Or. 86 ⑯ – rattaché à Font-Romeu.

VIALAS 48 Lozère 80 ⑦ – 421 h. alt. 607 – ✉ 48220 Le Pont-de-Montvert.
Syndicat d'Initiative à la Mairie ✆ 66 61 00 05.
Paris 620 – Alès 41 – Florac 40 – Mende 77.

Chantoiseau avec ch, ✆ 66 41 00 02, – wc. AE E.
fermé janv. et merc. – SC : **R** 75/420 – 20 – **15 ch** 130/250 – P 180/250.

VIAUR (Viaduc du) ★ 12 Aveyron 80 ⑪ **G. Causses** - NE de Carmaux 27 km – alt. 500 – ✉ 12800 Naucelle.
Paris 664 – Albi 37 – Millau 96 – Rodez 41 – St-Affrique 78 – Villefranche-de-Rouergue 65.

Host. du Viaduc du Viaur, par D 574 ✆ 65 69 23 86, ← viaduc et vallée, – wc P. AE ① E VISA
1er mai-1er oct. – SC : **R** 75/140 – 20 – **10 ch** 100/200 – P 210/270.

VIBRAC 16 Charente 72 ⑬ – 232 h. alt. 100 – ✉ 16120 Châteauneuf-sur-Charente.
Voir Abbaye de Bassac : église★ NO : 4 km, **G. Côte de l'Atlantique.**
Paris 463 – Angoulême 22 – ♦Bordeaux 107 – Cognac 31 – Jonzac 43.

Ombrages, rte d'Angeac ✆ 45 97 32 33, – wc wc P. E.
fermé 26 oct. au 6 nov., 20 déc. au 5 janv., 15 fév. au 1er mars lundi en hiver et dim. soir – SC : **R** 60/110 – 16 – **10 ch** 100/160 – P 140/200.

VIBRAYE 72320 Sarthe 60 ⑯ – 2 593 h. alt. 124.
Paris 169 – Brou 40 – Châteaudun 55 – Mamers 47 – ♦Le Mans 45 – Nogent-le-R. 37 – St-Calais 16.

Chapeau Rouge, pl. Hôtel-de-Ville ✆ 43 93 60 02 – P – 50. E VISA. ch
fermé 15 au 30 août, fév., dim. soir et lundi – SC : **R** 58/180 – 16 – **12 ch** 70/135.

CITROEN Guillard, ✆ 43 93 60 22 N ✆ 43 93 74 25
OPEL-VOLVO Bienvenu, ✆ 43 93 60 21 N

VIC-EN-BIGORRE 65500 H.-Pyr. 85 ⑧ – 5 064 h. alt. 215.
Paris 773 – Aire-sur-l'Adour 52 – Auch 62 – Mirande 37 – Pau 42 – Tarbes 17.

Le Tivoli, pl. Gambetta ✆ 62 96 70 39, – wc – 50. VISA
SC : **R** *(fermé 5 au 20 sept., 5 au 20 janv. et lundi)* 42/140 – 15 – **24 ch** 62/160 – P 160/255.

VIC-FÉZENSAC 32190 Gers 82 ④ – 3 851 h. alt. 110.
Paris 741 – Agen 68 – Auch 30 – Mont-de-Marsan 74 – Tarbes 82 – ♦ Toulouse 108.

Le d'Artagnan, 3 cours Delom ✆ 62 06 31 37 –
fermé lundi – SC : **R** 42/130 – 14 – **10 ch** 51/95 – P 130/150.

Relais de Postes avec ch, 23 r. Raynal ✆ 62 06 44 22 – wc
fermé 1er au 15 fév. et mardi midi – SC : **R** 45/150 – 15 – **10 ch** 75/150 – P 150/180.

VICHY SP 03200 Allier 73 ⑤ **G. Auvergne** – 30 554 h. alt. 264 – Stat. therm. (1er mars-21 déc.) – Casinos : Élysée Palace BX **r**, Grand Casino AY – **Voir** Parc des Sources★ AY – Parcs de l'Allier★ ABZ – Site des Hurlevents ←★ 4,5 km par ②.
18 ✆ 70 32 39 11 par ④ : 2 km.
de Vichy-Charmeil ✆ 70 32 34 09 par ⑤ : 6 km.
Office de Tourisme et de Thermalisme et Accueil de France (Informations, change et réservations d'hôtels, pas plus de 5 jours à l'avance), 19 r. Parc ✆ 70 98 71 94, Télex 213545.
Paris 349 ① – Chalon-sur-Saône 160 ① – ♦Clermont-Ferrand 54 ③ – ♦Limoges 214 ④ – ♦Lyon 160 ① – Mâcon 151 ① – Montluçon 86 ⑤ – Moulins 57 ① – Roanne 74 ① – ♦St-Étienne 142 ②.

VICHY

Clemenceau (Av. G.) .... **BY** 5
Hôtel-des-Postes (R.) ... **BY** 15
Lucas (R.) .... **ABX** 20
Paris (R. de)............ **BX** 22
Prés.-Wilson (R. du) .... **AY** 24

Bordeaux (R. de) .... **CX** 2
Briand (Av. A.) .... **AY** 3
Casino (R. du)........... **AY** 4
Croix-St-Martin (Av.).... **CZ** 6
Eisenhower (Av.) .... **AX** 7
Foch (R. du Mar.) .... **BY** 8
Gaulle (Pl. Ch. de)....... **BY** 10
Gramont (Av. de) .... **CX** 12
Hôtel-de-Ville (Pl.) ..... **BY** 13
Jeanne-d'Arc (⊞)...... **BV**
Léger (Pl. P.-V.).......... **BV** 16

Parc (R. du) .... **AY** 21
Petit (R.).................. **AX** 23
Russie (Bd de) .... **AY** 25
St-Blaise (⊞).......... **BZ**
St-Louis (⊞) .... **BY**
Salignat (R.) .... **BY** 26
Source-Hôpital (R.) ..... **BY** 27
Victoire (Pl. de la)...... **BYZ** 28
Victor-Hugo (Pl.) .... **BY** 30
8-Mai 1945 (Pl. du)...... **BX** 33

Pavillon Sévigné, 10 pl. Sévigné ☏ 70 32 16 22, ≤, « dans un jardin à la française, ancienne demeure de Madame de Sévigné » – ⧉ TV ☎ ♿ P – 🏛 30. AE ⦿ E VISA — AZ **s**
R *(fermé dim. soir et lundi du 1er oct. au 1er avril)* 160 bc/280 – ☕ 40 – **37 ch** 540/690.

Europ H. Queen's, 113 bd Etats-Unis ☏ 70 31 40 22, ≤ – ⧉ ≡ ch TV ☎ — AX **d**
rest **L'Orée du Bois - Orphée** – **105 ch**, 7 appartements.

Régina, 4 av. Thermale ☏ 70 98 20 95, 🪑 – ⧉. VISA — AX **v**
2 mai-1er oct. – SC : **R** 100/135 – ☕ 25 – **90 ch** 170/350 – P 250/480.

Aletti Thermal Palace sans rest, 3 pl. J.-Aletti ☏ 70 31 78 77 – ⧉ TV ☎. ⦿ E
mai-sept. – SC : ☕ 35 – **54 ch** 340/454, 3 appartements 535. — AY **n**

Thermalia Novotel M, 1 av. Thermale ☏ 70 31 04 39, Télex 990547, ⛱, 🏊, 🪑 – ⧉ ≡ TV ☎ ♿ P – 🏛 250. AE ⦿ E VISA — AX **q**
R snack carte environ 100 🍷 – ☕ 31 – **128 ch** 335/370 – P 525.

Magenta, 23 av. Walter-Stucki ☏ 70 31 80 99, 🪑 – ⧉. ⦿. ✗ rest — AX **r**
2 mai-30 sept. – SC : **R** 100/140 – ☕ 24 – **62 ch** 230/280 – P 240/420.

tourner →

Paix, 13 r. Parc ✆ 70 98 20 56, – |‡|. VISA. ✻ rest — AY **u**
fin avril-début oct. – SC : **R** 105/120 – ☕ 20 – **80 ch** 145/250 – P 260/395.

Albert 1er, av. Prés.-Doumer ✆ 70 31 92 45 – |‡| TV. AE ⓓ E VISA — BY **a**
15 mars-15 nov. – SC : ☕ 25 – **35 ch** 140/330.

Portugal, 121 bd États-Unis ✆ 70 31 90 66 – |‡| wc wc ☎. ✻ rest — AX **t**
1er mai-30 sept. – SC : **R** 100/125 – ☕ 25 – **50 ch** 155/295 – P 260/410.

Pavillon d'Enghien, 32 r. Callou ✆ 70 98 33 30, – wc ☎. AE E VISA
fermé 24 déc. au 15 janv. – SC : **R** *(fermé sam. soir et dim. du 1er nov. au 1er mars)* 65/110 – ☕ 25 – **20 ch** 80/305 – P 195/385. — AX **b**

Chambord Ⓜ, 82 r. Paris ✆ 70 31 22 88 – |‡| wc wc ☎. E VISA — CX **e**
fermé 21 déc. au 21 janv., 22 juin au 1er juil., sam. et dim. hors sais. – SC : **R** voir rest. **Escargot qui tète** – ☕ 16,50 – **32 ch** 120/200 – P 200/240.

Mimosa, 25 r. Beauparlant ✆ 70 98 30 48 – wc wc ☎ – 30. E VISA. ✻
fermé vacances scolaires de nov., Noël et fév. – SC : **R** *(fermé sam. du 1er déc. au 31 janv.)* 60/95 – ☕ 18 – **27 ch** 120/160 – P 260/310. — BX **a**

Royal sans rest, 12 r. Prés.-Wilson ✆ 70 98 62 14 – |‡| wc wc ☎. AE E VISA
fermé 15 janv. au 1er mars – SC : ☕ 17 – **53 ch** 95/215. — ABY **m**

Séville et Lisbonne, 9 bd Russie ✆ 70 98 23 41 – |‡| wc wc ☎. ✻ rest
1er mai-30 sept. **64 ch.** — AY **z**

Moderne, 8 r. Dr-M.-Durand-Fardel ✆ 70 31 20 21 – |‡| wc wc ☎. ✻
7 mai-5 oct. – SC : **R** 70 – **32 ch** ☕ 135/250 – P 190/320. — AX **s**

Bourbonnais, 38 pl. J.-Epinat ✆ 70 31 32 82, Télex 990493 – |‡| wc wc ☎ – 30. AE ⓓ E VISA — BV **n**
SC : **R** *(fermé fév., dim. soir et lundi du 1er oct. au 30 avril)* 60/175 – ☕ 20 – **41 ch** 88/242 – P 242/315.

Amérique, 1 r. Petit ✆ 70 31 88 88 – |‡| wc wc ☎. AE ⓓ VISA. ✻ rest
20 avril-5 oct. – SC : **R** 57/88 – ☕ 19 – **48 ch** 115/190 – P 260/295. — AX **e**

Cloche d'Argent, 2 r. Angleterre ✆ 70 98 22 88 – |‡| wc ☎. E VISA. ✻ rest
mi-avril-mi-oct. – SC : **R** 68/80 – ☕ 15 – **55 ch** 95/162 – P 180/270. — AY **y**

Louvre, 15 r. Intendance ✆ 70 98 27 71 – |‡| wc wc ☎. AE ⓓ. ✻ rest
1er mai-30 sept. – SC : **R** 75/150 – ☕ 18 – **45 ch** 155/219 – P 266/305. — AX **n**

Fréjus ⛰, 4 r. Presbytère ✆ 70 32 17 22 – |‡| wc wc ☎ ♿. AE ⓓ E VISA. ✻ rest — BZ **t**
1er mai-30 sept. – SC : **R** 75/80 – ☕ 18 – **31 ch** 105/185 – P 160/260.

Le Carnot, 24 bd Carnot ✆ 70 98 36 98 – |‡| wc ☎. ✻ — BY **p**
2 mai-25 sept. – SC : **R** 70/160 – ☕ 18 – **28 ch** 127/179 – P 190/260.

Tiffany, 59 av. P.-Doumer ✆ 70 31 82 99 – wc wc ☎. AE ⓓ E VISA. ✻ ch
fermé 15 au 30 juin, 26 oct. au 17 nov. et dim. de nov. à mai – SC : **R** 58/135 – ☕ 19 – **10 ch** 105/210 – P 215/265. — CX **n**

Venise sans rest, 25 av. A.-Briand ✆ 70 31 83 23 – wc wc ☎ — AY **e**
21 ch.

Trianon sans rest, 9 r. Desbrest ✆ 70 98 46 88 – |‡| wc wc ☎. AE ⓓ E VISA
SC : ☕ 16 – **24 ch** 77/164. — BX **b**

Londres sans rest, 7 bd Russie ✆ 70 98 28 27 – wc wc ☎ — AY **z**
avril-11 oct. – SC : ☕ 18 – **20 ch** 92/180.

Beau Souvenir sans rest, 11 bis r. Desbrest ✆ 70 98 28 70 — BX **u**
25 ch.

XXX ✿ **Violon d'Ingres** (Muller), r. Casino ✆ 70 98 97 70 – AE ⓓ E VISA — AY **k**
fermé mardi – SC : **R** (nombre de couverts limité -prévenir) carte 200 à 335
Spéc. Petits choux farcis aux langoustines, Cailles à l'ivrogne, Gargouillau auvergnat. **Vins** St-Pourçain.

XXX **La Grillade Strauss,** 5 pl. J.-Aletti ✆ 70 98 56 74 – AE ⓓ E VISA — AY **n**
fermé dim. soir et lundi d'oct. à Pâques – SC : **R** 120/180.

XXX **La Rotonde du Lac,** bd de-Lattre-de-Tassigny, au "Yacht Club" ✆ 70 98 72 46, ≤ plan d'eau – ▤. AE ⓓ E VISA — AX
fermé fév. et mardi – SC : **R** 165/300.

XX **Escargot qui tète,** 84 r. Paris ✆ 70 31 22 88 – E VISA — CX **e**
fermé 22 juin au 1er juil., 21 déc. au 21 janv., dim. soir et sam. hors saison – SC : **R** 65/165.

X **Nièvre** avec ch, 17 av. Gramont ✆ 70 31 82 77 – ☎. E VISA — CX **s**
fermé oct., vend. soir et dim. soir – SC : **R** 65/180 – ☕ 24 – **21 ch** 130/245 – P 185/245.

à Bellerive-sur-Allier : rive gauche - AZ – 8 535 h. – ✉ **03700** Bellerive :

Marcotel et rest. Chateaubriand Ⓜ ⛰, ✆ 70 32 34 00, Télex 990665, ≤, – |‡| ▤ rest TV ☎ Ⓟ – 40 à 180. ⓓ E VISA — AZ **x**
fermé 13 au 29 déc., dim. soir et lundi midi du 15 oct. au 15 avril – SC : **R** 85/198 🍷 – ☕ 20 – **38 ch** 221/315, 3 appartements 470 – P 335/390.

Résidence M sans rest, **rte Hauterive** ✆ **70 32 37 11,** ← – ⧉ cuisinette ⊟wc ☎ Ⓟ – 150 AZ **k**
SC : ☕ 18 – **102 ch** 155/185, 12 appartements 220.

Allier et Golf, 1 av. **République** ✆ **70 32 29 22** – ⋒wc Ⓟ AZ **u**
1er avril-30 sept. – SC : **R** 59/137 – ☕ 16,50 – **18 ch** 93/157 – P 180/205.

Chez Mémère avec ch, **Chemin de Halage** ✆ **70 32 35 22,** ← – ⋒wc Ⓟ
5 mai-10 sept. – SC : **R** (dîner seul. en sem.) 120 – ☕ 20 – **10 ch** 90/170. AZ **n**

à Abrest par ② : 4 km – ✉ 03200 Vichy :

La Colombière avec ch, **SE : 1 km sur D 906** ✆ **70 98 69 15,** ←, **« Jardin ombragé en terrasses »** – ⊟wc ⋒wc ☎ Ⓟ. AE ⓓ VISA
fermé mi-janv. à mi-fév., dim. soir et lundi d'oct. à Pâques – SC : **R** (nombre de couverts limité - prévenir) 68/125 – ☕ 16,50 – **4 ch** 97/180.

à Vichy-Rhue par ⑤ : 5 km – ✉ 03300 Cusset :

La Fontaine, ✆ **70 31 37 45,** – Ⓟ. AE ⓓ E VISA
fermé 24 déc. au 15 fév., mardi soir et merc. – SC : **R** 115/189.

à Charmeil par ⑤, D 6E et D 6 : 6 km – ✉ 03110 Escurolles :

La Musarde, ✆ **70 32 09 76** – Ⓟ
fermé 20 juin au 4 juil., 26 oct. au 7 nov. et lundi – SC : **R** 85/170.

MICHELIN, Agence, 16 av. La Croix-St-Martin CZ ✆ **70 32 34 35**

ALFA-ROMEO, MAZDA Vichy Automobile, 6 r. de Paris ✆ 70 98 62 73
AUSTIN-ROVER Gar. St-Blaise, 2 r. de Lisbonne ✆ 70 98 63 71 N ✆ 70 98 15 44
BMW, DATSUN Auto-Contrôle, Zone Ind. Vichy Rhue à Creuzier le Vieux ✆ 70 98 65 80
FIAT Gar. Moderne, 63 r. J.-Jaurès ✆ 70 98 48 86
FORD Gar. Impérial, 59 av. Thermale ✆ 70 98 67 71
LANCIA-AUTOBIANCHI, MERCEDES-BENZ Perfect-Gar., rte de l'Aéroport à Charmeil ✆ 70 32 51 34
V.A.G. Vichy Auto Sport, 53 r. de Vingré ✆ 70 31 05 75

Auto-Pneu-Service, 46 bd Gambetta ✆ 70 31 18 41
Gar. Bourdin, 69 r. de Vingre ✆ 70 31 70 58
Briday-Pneus, 40 bd de l'Hôpital ✆ 70 98 10 69
Pneu-Service, 31 r. J.-B. Bru à Cusset ✆ 70 97 66 96

VIC-LE-COMTE 63270 P.-de-D. 73 ⑮ G. Auvergne – 3 787 h. alt. 473.

Voir Ste-Chapelle★ – Paris 407 – Ambert 57 – •Clermont-Ferrand 23 – Issoire 17 – Thiers 39.

à Longues NO : 4 km par D225 – ✉ 63270 Vic-le-Comte :

Le Comté, ✆ **73 39 90 31,** – Ⓟ. E VISA
fermé 1er au 14 sept., fév., lundi soir et mardi – SC : **R** 72/211.

à Parent-Gare 50 : 5 km – ✉ 63290 Vic-le-Comte :

Mon Auberge, ✆ **73 96 62 06** – ⊟wc ⋒wc ☎. E
fermé lundi – SC : **R** 70/160 – ☕ 18 – **7 ch** 75/180 – P 200/220.

RENAULT Gar. de la Comté, rte d'Issoire ✆ 73 69 01 07 N

VIC-SUR-AISNE 02290 Aisne 56 ③ – 1 685 h. alt. 50.

Paris 105 – Compiègne 23 – Laon 52 – Noyon 27 – Soissons 17.

Lion d'Or avec ch, ✆ **23 55 50 20** – ⊟wc ⋒wc ☎. E VISA
fermé dim. soir et lundi soir – SC : **R** 80/150 – ☕ 18 – **11 ch** 170/240 – P 240/320.

RENAULT Leroux, av. de la Gare ✆ 23 55 50 60

VIC-SUR-CÈRE 15800 Cantal 76 ⑫ G. Auvergne (plan) – 2 113 h. alt. 681 – Casino.

Env. Rocher des Pendus ✻★★ SE : 6,5 km puis 30 mn.

Office de Tourisme, av. Mercier ✆ 71 47 50 68.

Paris 523 – Aurillac 21 – Murat 30.

Vialette, ✆ **71 47 50 22,** – ⧉ ⊟wc ☎. AE E. ⚹
1er mai-1er oct. et vacances scolaires d'hiver – SC : **R** 60/120 – ☕ 18 – **50 ch** 160/240 – P 180/250.

Bains , ✆ **71 47 50 16,** ←, , – ⊟wc ⋒wc ☎ Ⓟ – 40. E
mai-oct. et vacances scolaires d'hiver – SC : **R** 62/74 – ☕ 19 – **38 ch** 145/200 – P 190/240.

Beauséjour, ✆ **71 47 50 27,** parc – ⧉ ⊟wc ⋒wc ☎ Ⓟ. E. ⚹ rest
1er mai-1er oct. – SC : **R** 60/85 – ☕ 16 – **75 ch** 95/220 – P 135/220.

Bel Horizon, ✆ **71 47 50 06,** ←, – ⊟wc ⋒wc ☎ Ⓟ. ⚹ rest
fermé 1er nov. au 10 déc. – SC : **R** 49/185 – ☕ 16,50 – **30 ch** 90/140 – P 130/180.

Family H., ✆ **71 47 50 49,** ←, parc, – ⧉ ⋒wc ☎ Ⓟ. AE ⓓ E VISA. ⚹ rest
Pâques-1er oct., vacances scolaires et week-ends d'hiver – SC : **R** 55/75 – ☕ 17,50 – **39 ch** 93/157 – P 135/195.

au Col de Curebourse SE : 6 km par D 54 – ✉ 15800 Vic-sur-Cère :

Aub. des Monts, ℘ 71 47 51 71, ≤ montagne et vallée, – wc wc ☎ P
27 ch.

Voir aussi ressources hôtelières de *Thiézac* NE : 6 km

CITROEN Gar. Borel, ℘ 71 47 50 53 N — RENAULT Dameron, ℘ 71 47 50 32
PEUGEOT-TALBOT Gar. Lours, ℘ 71 47 50 71

VIDAUBAN 83550 Var 84 ⑦ – 3 811 h. alt. 56.

Syndicat d'Initiative à la Mairie (1er juil.-15 sept.) ℘ 94 73 00 07.

Paris 843 – Cannes 65 – Draguignan 17 – Fréjus 29 – ♦Toulon 64.

Concorde, pl. G.-Clemenceau ℘ 94 73 01 19, – AE E
fermé merc. hors saison – SC : **R** 87/119.

VIEIL ARMAND 68 H.-Rhin 66 ⑨ **G. Alsace et Lorraine** – alt. 956.

Voir Monument national près D 431 puis ※★★ (1 h).

Paris 457 – Guebwiller 20.

VIEILLE-TOULOUSE 31 H.-Gar. 82 ⑱ – rattaché à Toulouse.

VIEILLEVIE 15 Cantal 76 ⑫ – 197 h. alt. 212 – ✉ 15120 Montsalvy.

Paris 617 – Aurillac 51 – Entraygues-sur-Truyère 15 – Figeac 57 – Montsalvy 13 – Rodez 50.

Terrasse (annexe M ≤ ♿ 15 ch), ℘ **71 49 94 00**, – wc wc P
fermé dim. de Noël à fin mars – SC : **R** 37/153 – 13,50 – **35 ch** 65/137 – P 123/166.

VIENNE <SP> 38200 Isère 74 ⑪⑫ **G. Vallée du Rhône** – 29 050 h. alt. 158.

Voir Site★ – Cathédrale St-Maurice★★ AY **– Temple d'Auguste et de Livie★★** AY **– Théâtre romain★** BY**D – Église★ et cloître★ St-André-le-Bas** AY**E – Esplanade du Mont Pipet** ≤★ BY **– Anc. église St-Pierre★ : musée lapidaire★** AZ**F – Groupe sculpté★ de l'église de Ste-Colombe** AY **B.**

Office de Tourisme avec A.C. 3 cours Brillier ℘ 74 85 12 62.

Paris 490 ⑧ – Chambéry 96 ② – ♦Grenoble 90 ② – ♦Lyon 30 ⑧ – Le Puy 123 ⑧ – Roanne 112 ⑧ – ♦St-Étienne 49 ⑧ – Valence 71 ⑤ – Vichy 192 ⑧.

Plan page ci-contre

La Résidence de la Pyramide sans rest, 41 quai Riondet ℘ 74 53 16 46, – wc wc ☎ P. AE — AZ **e**
fermé 1er au 15 nov. et fév. – SC : 21 – **15 ch** 140/270.

Central sans rest, 7 r. Archevêché ℘ 74 85 18 38 – TV wc wc ☎ ♿. AE VISA — AY **u**
SC : 19,50 – **27 ch** 165/225.

Gd. H. Nord, 9 pl. Miremont ℘ 74 85 77 11, Télex 305551 – wc wc ☎. AE ① E VISA — AYZ **k**
SC : **R** *(fermé dim.)* (dîner seul.) carte environ 100 – 21 – **43 ch** 175/250.

Gd H. Poste, 47 cours Romestang ℘ 74 85 02 04 – wc wc ☎. AE ① VISA — AZ **v**
SC : **R** *(fermé 15 nov. au 15 déc. et sam. du 1er nov. au 28 fév.)* 54/120 – 17 – **42 ch** 103/180.

XXXX ✿✿✿ **Pyramide** (Mme Point), bd F.-Point ℘ 74 53 01 96, « Jardin fleuri » – P. AE ① — AZ **a**
fermé fév., lundi soir et mardi – **R** (nombre de couverts limité - prévenir) 340/400 et carte
Spéc. Assiette de marée, Filet de turbot au champagne. Vins Condrieu, Côte Rôtie.

XXX ✿ **Magnard** (Janonat), 45 cours Brillier ℘ 74 85 10 43, – AE ① VISA
fermé 5 au 22 août, vacances de fév., mardi soir et merc. – **R** (dim. prévenir) 100/200 — AZ **x**
Spéc. Flan de courgettes au foie gras, Saumon frais Amandine, Cuisse de canard aux mousserons. Vins Viognier, Côte rôtie.

XX **Molière,** 11 r. Molière ℘ 74 53 08 41 – AE ① E VISA — AZ **s**
fermé 27 avril au 18 mai, sam. midi et dim. – SC : **R** 91 (sauf fêtes)/182.

XX **Bec Fin,** 7 pl. St-Maurice ℘ 74 85 76 72 – AE ① E VISA — AY **r**
fermé vacances de fév., dim. soir et lundi – **R** 69/200.

à Seyssuel par ① et D 4E : 4,5 km – ✉ 38200 Vienne :

Château des 7 Fontaines, ℘ 74 85 25 70, – wc wc ☎ P – 40. AE ① VISA. rest
fermé 24 déc. au 1er fév. – SC : **R** *(fermé lundi)* 85/130 – 22 – **15 ch** 180/220.

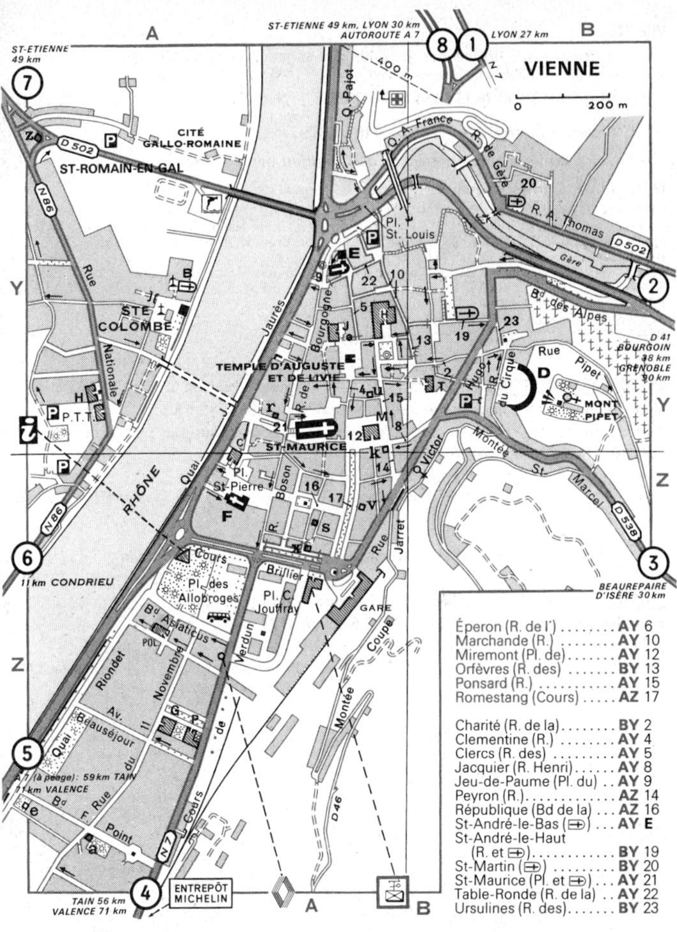

à St-Romain-en-Gal (69 Rhône) - AY – ✉ **69560** Ste-Colombe-lès-Vienne :
Voir Cité gallo-romaine★ AY.

XX **Chez René,** rive droite ✆ 74 53 19 72 – ▤ Ⓟ. AE ⓞ VISA — AY **z**
fermé 5 au 25 août, 4 au 17 mars, dim. soir et lundi sauf fériés – **R** 75/150.

à Pont-Évêque par ② : 4 km – 5 542 h. – ✉ **38780** Pont-Évêque :

Midi sans rest, pl. Église ✆ 74 85 90 11, – wc wc Ⓟ. AE ⓞ VISA
fermé janv. – SC : ☕ 21 – **16 ch** 175/245.

à Estrablin par ② : 9 km – ✉ **38780** Pont-Évêque :

La Gabetière sans rest, sur D 502 ✆ 74 58 01 31, parc – wc wc Ⓟ – 40. AE ⓞ
SC : ☕ 19 – **11 ch** 105/205.

à Chonas l'Amballan au Sud par ④ et N 7 : 9 km – ✉ **38121** Reventin-Vaugris :

Host. Marais St Jean Ⓜ, ✆ 74 58 83 28, , – ☎ Ⓟ – 40. AE ⓞ VISA
fermé 17 au 23 août, 28 janv. au 1er mars, mardi soir et merc. – SC : **R** 95/250 – ☕ 35 – **10 ch** 350.

Domaine de Clairefontaine , ✆ 74 58 81 52, ≤, parc, – wc wc Ⓟ – 30. VISA. rest
fermé 10 déc. au 1er fév. et dim. soir hors sais. – SC : **R** *(fermé lundi midi hors sais.)* 57/115 – ☕ 15 – **18 ch** 90/210.

à Chasse-sur-Rhône par ⑧ : 8 km (Échangeur A7 - sortie Chasse-sur-Rhône) – 4 414 h. – ✉ **38670** Chasse-sur-Rhône

Mercure Ⓜ, ✆ 78 73 13 94, Télex 300625 – 🛗 ▤ 📺 ☎ Ⓟ – 🏊 80 à 180. AE ⓓ E VISA
R carte environ 120 🍷 – ☕ 32 – **115 ch** 235/275.

Voir aussi ressources hôtelières de ***Condrieu*** par ⑥ : 11 km

MICHELIN, Entrepôt, quartier St-Alban-les-Vignes par ④ ✆ **74 53 08 31**

CITROEN Gévaudan et Dumond, 163 av. Gén.-Leclerc par ④ ✆ 74 53 16 07
FIAT, LANCIA-AUTOBIANCHI, MERCEDES BENZ R.V.L. 27 quai Riondet ✆ 74 53 05 54
FORD Gar. Central, 76 av. Gén.-Leclerc ✆ 74 53 13 44
PEUGEOT-TALBOT Barbier Automobile, 140 av. Gén.-Leclerc par ④ ✆ 74 53 22 75
RENAULT Gar. du Rhône, 4 cours Verdun ✆ 74 53 42 23
RENAULT Rostan, 72 rte Nationale à St-Romain-en-Gal (Rhône) par ⑦ ✆ 74 53 29 15
Gar. Brussoz, 22 bd République ✆ 74 85 08 70

Ⓜ Delphis, 4-6 av. Beauséjour ✆ 74 53 23 05
Tessaro-Pneus, 93 av. Gén.-Leclerc ✆ 74 53 19 17

VIERVILLE-SUR-MER

VIERVILLE-SUR-MER 14 Calvados 54 ④ **G. Normandie** – 292 h. alt. 39 – ✉ **14710** Trévières.
Voir Omaha Beach : plage du débarquement du 6 juin 1944 E : 2,5 km.
Env. Pointe du Hoc★★ O : 7,5 km – Cimetière de St-Laurent-sur-Mer E : 7,5 km.
Paris 289 – Bayeux 22 – ♦Caen 50 – Carentan 32 – St-Lô 40.

Casino 🌿, ✆ 31 22 41 02, ≤ – 🍴 ☎ Ⓟ. VISA
fermé 1er janv. au 4 fév. et jeudi hors sais. sauf vacances scolaires et fêtes – SC : **R** 60/154 – ☕ 18 – **13 ch** 93/113 – P 186/218.

Richiedete nelle librerie il catalogo delle pubblicazioni Michelin

VIERZON

VIERZON ⟨SP⟩ **18100** Cher 64 ⑲⑳ **G. Périgord** – 34 886 h. alt. 122.
Env. Brinay : fresques★ de l'église SE : 7,5 km par D 27 B.
🅘 Office de Tourisme pl. M. Thorez ✆ 48 75 20 03.
Paris 210 ① – Auxerre 141 ② – Blois 74 ⑥ – Bourges 33 ③ – Châteauroux 58 ⑤ – Châtellerault 143 ⑤ – Guéret 141 ⑤ – Montargis 112 ② – ♦Orléans 79 ① – ♦Tours 114 ⑥.

Le Sologne ⑤, rte Châteauroux par ⑤ : 2 km ✉ 18100 Vierzon ✆ 48 75 15 20, « Beau mobilier », – wc wc ☎ Ⓟ B a
SC : ☕ 22 – **24 ch** 150/225.

Continental Ⓜ, rte Paris par ① ✆ 48 75 35 22 – wc wc ☎ Ⓟ – 35. VISA. rest
SC : **R** snack *(fermé août, 10 au 17 mars, sam., dim. et fêtes)* (dîner seul.) carte environ 55 – ☕ 20 – **36 ch** 145/245.

XX **Grange des Epinettes,** 40 r. des Epinettes ✆ 48 71 68 81, – Ⓟ. AE E VISA
fermé dim. soir et lundi du 1er nov. à Pâques – SC : **R** 42/160 . B e

CITROEN Gén. Autom. du Berry, 47 av. du 14-Juillet ✆ 48 71 43 22
FIAT Vierzon Centre Auto, 37 av. République ✆ 48 71 70 61
FORD Gar. Delouche 50 r. Breton ✆ 48 71 00 32
PEUGEOT Paris-Gar., 6 av. Ed.-Vaillant par ① ✆ 48 71 23 56
RENAULT Gar. du Centre, 41 r. Gourdon ✆ 48 71 03 33 N ✆ 48 75 57 57

Estager-Pneu, 24 r. Pasteur ✆ 48 75 15 02
Pneus Europe Service, 29 av. du 14 Juillet ✆ 48 75 06 34

VIEUX-BOUCAU-LES-BAINS 40480 Landes 78 ⑯ G. Côte de l'Atlantique – 1 151 h.

Office de Tourisme ✆ 58 48 13 47.

Paris 745 – ♦Bayonne 38 – Castets 31 – Dax 36 – Mimizan 55 – Mont-de-Marsan 84.

Côte d'Argent, ✆ 58 48 13 17 – wc Ⓟ. ch
fermé 1er oct. au 15 nov. et lundi hors sais. – SC : **R** 65/200 – ☕ 16 – **47 ch** 75/200 – P 176/200.

La Maremne, ✆ 58 48 12 70 – wc wc Ⓟ. VISA. ch
15 mars-31 oct. et fermé lundi du 15 mars au 1er juin – SC : **R** 62/130 – ☕ 12 – **38 ch** 60/150 – P 145/208.

Centre, ✆ 58 48 10 33 – . ch
1er avril-30 sept. et fermé merc. – SC : **R** 65/128 – ☕ 15 – **35 ch** 65/100 – P 135/160.

CITROEN Duchon, ✆ 58 48 10 42
PEUGEOT-TALBOT Gar. Lafarie, ✆ 58 48 10 82
RENAULT Gar. Canicas, ✆ 58 48 15 31

VIEUX-BOURG-DE-PLÉHÉREL (Plage) 22 C.-du-N. 59 ⑫ – rattaché à Sables-d'Or-les-Pins.

VIEUX-MAREUIL 24 Dordogne 75 ⑤ G. Périgord – 395 h. alt. 125 – ✉ 24340 Mareuil.

Paris 487 – Angoulême 43 – Brantôme 15 – ♦Limoges 91 – Périgueux 42 – Ribérac 31.

XX **L'Étang Bleu** avec ch, ✆ 53 60 92 63, ≤, parc, , – wc wc Ⓟ – 80. AE E VISA
15 mai-15 nov. et fermé dim. soir et lundi sauf du 1er juin au 30 sept. – SC : **R** 78/240 – ☕ 23 – **11 ch** 175/180 – P 295/370.

VIEUX-MOULIN 60 Oise 56 ③, 196 ⑪ G. Environs de Paris – 418 h. alt. 49 – ✉ 60350 Cuise-la-Motte.

Voir Mont St- Marc★ N : 2 km.

Env. Les Beaux Monts★★ : ≤★ NO : 7 km.

Paris 91 – Beauvais 67 – Compiègne 9,5 – Soissons 32 – Villers-Cotterêts 23.

XXX **Aub. du Daguet,** ✆ 44 85 60 72
fermé 1er au 15 juil., vacances de fév. et merc. – SC : **R** 75/134.

Le VIGAN 30120 Gard 80 ⑯ G. Causses (plan) – 4 593 h. alt. 231.

Syndicat d'Initiative pl. Marché ✆ 67 81 01 72.

Paris 772 – Alès 65 – Lodève 52 – Mende 112 – Millau 72 – ♦Montpellier 62 – Nîmes 80.

Commerce sans rest, 26 r. des Barris ✆ 67 81 03 28 – wc wc Ⓟ.
fermé oct. et dim. hors sais. – SC : ☕ 13 – **14 ch** 43/132.

au Rey E : 5 km par D 999 – ✉ **30115** Pont d'Hérault :

Château du Rey , ✆ 67 82 40 06, parc – wc Ⓟ. VISA
1er avril-30 nov. – SC : **R** voir rest. **L'Abeuradou** – ☕ 24 – **12 ch** 235/280.

XX **L'Abeuradou,** ✆ 67 82 43 08, , parc – Ⓟ. VISA
1er mars-30 oct. et fermé dim.-soir de sept. à juin et lundi sauf le soir en juil.-août – **R** 90/160.

à Pont d'Hérault E : 6 km par D 999 – ✉ **30570** Valleraugue :

Maurice, ✆ 67 82 40 02, ≤, , , – wc ☎ Ⓟ – 30. VISA. ch
fermé 20 déc. au 31 janv. – **R** 90/160 – ☕ 22 – **18 ch** 140/220 – P 240/260.

à Aulas NO : 7 km par D 48 et D 190 – ✉ **30120** Le Vigan :

Mas Quayrol Ⓜ , ✆ 67 81 12 38, ≤, – wc ☎ Ⓟ.
22 mars-30 sept. – SC : **R** 90/180 – ☕ 25 – **16 ch** 210/270.

CITROEN Gar. Teissonnière, ✆ 67 81 03 11
PEUGEOT-TALBOT Gar. Arnal, ✆ 67 81 03 77

VIGEOIS 19 Corrèze 75 ⑧ – rattaché à Uzerche.

Les VIGNES 48 Lozère 80 ⑤ **G. Causses** – 107 h. alt. 420 – ✉ **48210** Ste-Enimie.

Voir Pas du Souci★ N : 2 km puis 15 mn.

Env. Roc des Hourtous ≤★★ NE : 8 km puis 30 mn.

Paris 618 – Florac 52 – La Malène 12 – Mende 53 – Millau 31 – Sévérac-le-Château 21 – Le Vigan 88.

Gévaudan, ✆ 66 48 81 55, ≤ – ⇔wc ⋒wc ☎ ⇔
1er juil.-15 sept. – SC : **R** *(dîner seul. et fermé dim.)* 83 – ☕ 22 – **12 ch** 135/210.

Parisien, ✆ 66 48 81 51, ≤ – ⋒. E
mai-fin sept. – SC : **R** 45/70 – ☕ 14 – **11 ch** 56/89 – P 144/150.

VIGOULET-AUZIL 31 H.-Gar. 82 ⑱ – rattaché à Toulouse.

VILLAGE-NEUF 68 H.-Rhin 66 ⑩ – rattaché à St-Louis.

VILLANDRAUT 33730 Gironde 79 ① **G. Côte de l'Atlantique** – 914 h. alt. 31.

Voir Château★ – Église d'Uzeste★ SE : 5 km.

Paris 642 – Arcachon 79 – Bazas 14 – ♦ Bordeaux 64 – Langon 17.

Goth, ✆ 56 25 31 25, ⛱ – ⇔wc ⋒wc
fermé vacances de nov., de fév. et merc. – SC : **R** 45/100 – ☕ 18 – **9 ch** 90/165 – P 145/180.

VILLANDRY 37 I.-et-L. 64 ⑭ – 742 h. alt. 94 – ✉ **37510** Joué-lès-Tours.

Voir Château : jardins★★★, **G. Châteaux de la Loire.**

Paris 252 – Azay-le-Rideau 10 – Chinon 31 – Langeais 13 – Saumur 52 – ♦Tours 20.

❀ **Cheval Rouge,** ✆ 47 50 02 07 – ▤ rest ⇔wc ⋒ ☎ P. VISA
mars-fin oct. et fermé lundi sauf du 1er mai au 31 août – SC : **R** 108/210 – ☕ 21 – **20 ch** 172/250 – P 370/420
Spéc. Terrine de foie gras, Navarin de la mer, Magret de canard aux morilles. **Vins** Vouvray, Chinon.

VILLAR-D'ARÈNE 05480 H.-Alpes 77 ⑦ – 184 h. alt. 1 650 – ✪ (Bourg-d'Oisans).

Paris 642 – Le Bourg-d'Oisans 31 – Gap 123 – La Grave 3 – ♦Grenoble 80 – Col du Lautaret 8.

Le Faranchin, N 91 ✆ 76 79 90 01, ≤, ⛱ – ⇔wc ⋒wc P. VISA
14 juin-3 nov. et 15 déc.-20 mai – SC : **R** 45/110 ♨ – ☕ 18 – **39 ch** 75/147 – P 127/182.

VILLARD-DE-LANS 38250 Isère 77 ④ **G. Alpes** – 3 320 h. alt. 1 023 – Sports d'hiver : 1 050/2 170 m ⛷2 ⛷35 ⛷.

Voir Gorges de la Bourne★★★ – Gorges de Méaudre★ NO : 4 km – Côte 2000 ≤★ SE : 4,5 km puis télécabine.

Env. Route★ de Valchevrière : calvaire ≤★ O : 8 km.

ℹ Office de Tourisme pl. Mure-Ravaud ✆ 76 95 10 38, Télex 320125.

Paris 586 ① – Die 68 ② – ♦Grenoble 34 ① – ♦Lyon 125 ① – Valence 69 ② – Voiron 48 ①.

VILLARD-DE-LANS

Adret (Av. de l') 2
Breux (R. des) 3
Chabert (Pl. P.) 4
Chapelle-en-Vercors (Av.) 5
Dr-Lefrançois (Av.) 6
Francs-Tireurs (Av. des) 8
Galizon (R. de) 9
Gambetta (R.) 10
Libération (Pl. de la) 12
Liberté (R. de la) 13
Lycée Polonais (R. du) 14
Martyrs (Pl. des) 16
Mure-Ravaud (Pl. R.) 17
Pouteil-Noble (R. P.) 19
Prof. Nobecourt (Av.) 20
République (R. de la) 22
Roux-Fouillet (R. A.) 23
St-Nizier (Av. de) 25
Victor-Hugo (R.) 26

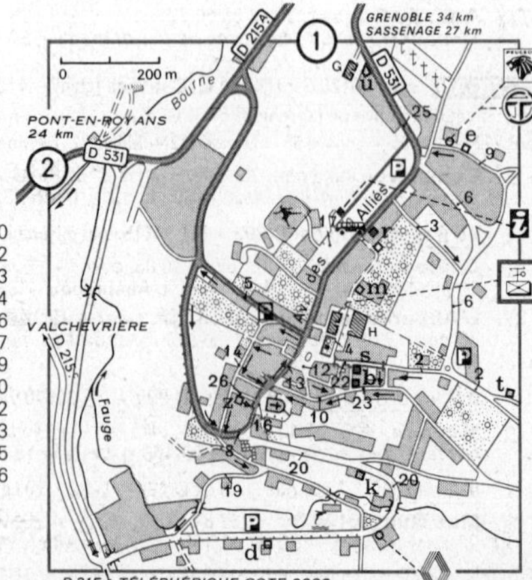

Les plans de villes sont orientés le Nord en haut.

Eterlou ⛰, **(e)** ✆ 76 95 17 65, ←, 🏊, 🌳, 🎾 – 📺 ☎ 🅿. AE ⓓ E VISA. ✖ rest
14 juin-7 sept. et 20 déc.-10 avril – SC : **R** 110/220 – ☕ 25 – **20 ch** 210/360 – P 350/400.

Christiania, av. prof.-Nobecourt **(k)** ✆ 76 95 12 51, ←, ⛱, 🏊, 🌳 – 🛗. AE E VISA. ✖ rest
mi-mars-fin-sept. et début déc.-Pâques – SC : **R** 100/220 – ☕ 29 – **26 ch** 210/360 – P 300/360.

Paris ⛰, **(m)** ✆ 76 95 10 06, Télex 308448, ←, parc, 🎾 – 🛗 📺 ☎ 🅿 – 🏛 80. AE ⓓ E VISA. ✖ rest
5 mai-25 oct. et 15 déc.-Pâques – SC : **R** 120 bc/175 – ☕ 45 – **65 ch** 225/300 – P 325/380.

Pré Fleuri Ⓜ ⛰, rte des Cochettes **(t)** ✆ 76 95 10 96, ←, 🌳 – 🛁wc ☎ 🚗 🅿. E. ✖
15 mai-5 oct. et 15 déc.-30 mars – SC : **R** 74/78 – ☕ 23 – **18 ch** 215/242 – P 235/260.

H. Le Dauphin, av. Alliés **(r)** ✆ 76 95 11 43 – 🛗 📺 🛁wc 🚿wc ☎ 🅿. AE ⓓ E VISA
fermé 15 avril au 15 mai – SC : **R** voir rest. **Le Dauphin** – ☕ 30 – **21 ch** 310/380.

La Roche de Colombier ⛰, rte Valchevrière par D 215C : 1 km ✆ 76 95 10 26, ←, ⛱, 🌳 – 🛁wc 🚿wc ☎ 🅿. ✖ rest
1er juin-15 sept. et 20 déc.-20 avril – SC : **R** 75/120 – ☕ 22 – **27 ch** 200/250 – P 210/250.

Georges, av. St-Nizier **(u)** ✆ 76 95 11 75, 🏊, 🎾 – 📺 🛁wc 🚿wc ☎ 🅿. VISA. ✖ rest
1er juin-30 sept. et 15 déc.-29 avril – SC : **R** 60/75 – ☕ 25 – **20 ch** 120/230 – P 200/250.

Villa Primerose, Quartier des Bains **(d)** ✆ 76 95 13 17, ←, 🌳 – 🚿wc ☎ 🅿. ⓓ VISA
20 juin-20 sept. et 20 déc.-15 avril – SC : **R** (dîner seul. pour résidents) 65 – ☕ 28 – **18 ch** 105/180.

Lilas, r. Lycée Polonais **(z)** ✆ 76 95 14 14, ←, ⛱, 🌳 – 🚿wc ☎ 🅿. ✖ rest
15 juin-20 sept., vacances de Toussaint, week-end 11 nov. et 20 déc.-30 mai – SC : **R** 49/100 – ☕ 18,50 – **17 ch** 101/154 – P 184/240.

Rest. Le Dauphin, av. Alliés **(r)** ✆ 76 95 15 56, ⛱ – 🅿. AE ⓓ E VISA
fermé 26 mai au 14 juin et 6 au 18 oct. – SC : **R** 50/300.

Petite Auberge, (b) ✆ 76 95 11 53
1er juil.-25 oct., 20 déc.-20 mai et fermé merc. sauf fériés – SC : **R** 46/110 🍷.

Le Grillon, r. République **(s)** ✆ 76 95 14 18
1er juil.-30 oct., 20 déc.-20 mai et fermé lundi – SC : **R** 43/105 🍷.

au Balcon de Villard SE : 4 km par D 215 et D 215B – ✉ **38250** Villard de Lans :

Playes ⛰, ✆ 76 95 14 42, ←, ⛱, 🎾 – 🚿wc ☎ 🅿. ✖
20 juin-15 sept. et 20 déc.-20 avril – SC : **R** 55/110 – ☕ 22 – **20 ch** 160/200 – P 210/230.

PEUGEOT-TALBOT Rolland, à la Conterie ✆ 76 95 12 69

RENAULT Chavernoz, les Bains ✆ 76 95 15 61

VILLARD-ST-SAUVEUR 39 Jura 70 ⑮ – rattaché à St-Claude.

VILLARS-LES-DOMBES 01330 Ain 74 ② G. Vallée du Rhône – 2 832 h. alt. 286.

Voir Vierge à l'Enfant* dans l'église – Parc ornithologique* S : 1 km.

Paris 433 – Bourg-en-Bresse 28 – ♦Lyon 34 – Villefranche-sur-Saône 27.

de la Tour, ✆ 74 98 03 21 – E VISA. ✖
fermé 14 au 27 déc., vacances de fév., merc. soir et jeudi – SC : **R** 72/160.

à Bouligneux NO : 4 km par D 2 – ✉ **01330** Villars-les-Dombes :

✿ **Aub. des Chasseurs** (Dubreuil), ✆ 74 98 10 02, 🌳 – 🅿. E VISA
fermé 15 au 31 août, fév., mardi soir et merc. – SC : **R** (nombre de couverts limité - prévenir) 100/220
Spéc. Petites salades aux filets de pigeonneau et foie gras poëlé, Filets de sole et lotte au beurre blanc, Col-vert rôti aux petits navets (15 oct.-30 janv.). **Vins** Beaujolais blanc, Bugey pétillant.

au Plantay NE : 5 km par N 83 et D 70 – ✉ **01330** Villars-les-Dombes :

Table des Étangs, ✆ 74 98 15 31. E
fermé 17 janv. au 6 fév. et lundi – SC : **R** 90/180.

VILLARS-SOUS-DAMPJOUX 25 Doubs 66 ⑱ – 393 h. alt. 363 – ✉ **25190** St-Hippolyte-sur-le-Doubs.

Paris 500 – Baume-les-Dames 45 – ♦Besançon 74 – Montbéliard 23 – Morteau 48.

Sur les Rives du Doubs, à Dampjoux S : 1 km ✆ 81 96 93 82, ← – 🅿. ✖
fermé 15 déc. au 15 janv., mardi soir et merc. – SC : **R** carte 100 à 150 🍷.

VILLÉ 67220 B.-Rhin 62 ⑧⑨ **G. Alsace et Lorraine** – 1 616 h. alt. 260.

ℹ Ofice de Tourisme à l'Hôtel de Ville ℰ 88 57 11 57.

Paris 418 – Lunéville 80 – St-Dié 36 – Ste-Marie-aux-Mines 25 – Sélestat 15 – ♦Strasbourg 54.

- **Bonne Franquette,** 6 pl. Marché ℰ 88 57 14 25 – ⋔wc ☎. ✻
  fermé 24 déc. au 3 janv., 8 fév. au 25 mars, merc. soir et jeudi – SC : **R** 35/120 – ☕ 20 – **10 ch** 130/170.
- **Ville de Nancy,** ℰ 88 57 10 10 – Ⓟ. ✻
  fermé oct., dim. soir et lundi – SC : **R** 36/95 – ☕ 14,50 – **20 ch** 55/100 – P 115/130.

CITROEN Gar. Jost, ℰ 88 57 15 44

La VILLE-AUX-CLERCS 41 L.-et-Ch. 64 ⑥ – 969 h. alt. 143 – ✉ **41160** Morée.

Paris 167 – Brou 40 – Châteaudun 34 – ♦Le Mans 73 – ♦Orléans 68 – Vendôme 16.

- **Manoir de la Forêt** 🔇, à Fort-Girard E : 1,5 km par VO ℰ **54 80 62 83**, ⋞, parc, ⛱ – 📺 ⛀wc ⋔ ☎ Ⓟ – 🏃 60. **E** VISA
  fermé dim. soir et lundi du 1er oct. au 31 mars – SC : **R** 110/200 – ☕ 24 – **22 ch** 110/300 – P 260/380.

Aimer la nature,

c'est respecter la pureté des sources, la propreté des rivières, des forêts, des montagnes...

c'est laisser les emplacements nets de toute trace de passage.

VILLEBON-SUR-YVETTE 91 Essonne 60 ⑩, 101 ㉞ – voir à Paris, Environs.

VILLECROZE 83 Var 84 ⑥ **G. Côte d'Azur** – 867 h. alt. 350 – ✉ **83690** Salernes.

Voir Belvédère★ N : 1 km.

ℹ Bureau d'Accueil et d'Information Touristique (sais.) ℰ 94 70 63 06.

Paris 840 – Aups 8 – Brignoles 41 – Draguignan 21.

- **Le Vieux Moulin** 🔇 sans rest, ℰ **94 70 63 35,** ⛱ – ⛀wc ⋔wc ☎ Ⓟ. AE. ✻
  1er avril-30 sept. – SC : ☕ 20 – **10 ch** 140/170.
- ✗✗ **Marmite du Colombier,** rte de Draguignan ℰ **94 70 63 23,** ⛱ – Ⓟ
  fermé 10 janv. au 10 fév. et mardi – SC : **R** (nombre de couverts limité, prévenir) 60/200.

au SE 3,5 km par D 557 et VO – ✉ **83690** Salernes :

- ✗ **Bien Etre,** ℰ 94 70 67 57, ⛱ – Ⓟ
  fermé 15 nov. au 10 déc., dim. soir et merc. – SC : **R** 79/168.

VILLE-D'AVRAY 92 Hauts-de-Seine 60 ⑩, 101 ㉓ – voir à Paris, Environs.

VILLEDIEU-LES-POÊLES 50800 Manche 59 ⑧ **G. Normandie** – 4 971 h. alt. 103.

ℹ Office de Tourisme pl. Costils (1er juil.-14 sept.) ℰ 33 61 05 69 et à la Mairie ℰ 33 61 00 16.

Paris 319 ② – Alençon 134 ④ – Avranches 22 ⑤ – ♦Caen 78 ② – Flers 59 ③ – St-Lô 34 ①.

VILLEDIEU-LES-POÊLES

flèche rouge : sens unique le mardi

République (Pl. de la) 15

Bourg-l'Abbesse (R. du) 2
Carnot (R.) 3
Chignon (R. du Pont) 4
Costils (Pl. des) 5
Dr-Havard (R. du) 6
Flandres Dunkerque (R.) 7
Gasté (R. Jean) 8
Gaulle (R. Gén. de) 9
Leclerc (Bd Mar.) 13
Tetrel (R. Jules) 17

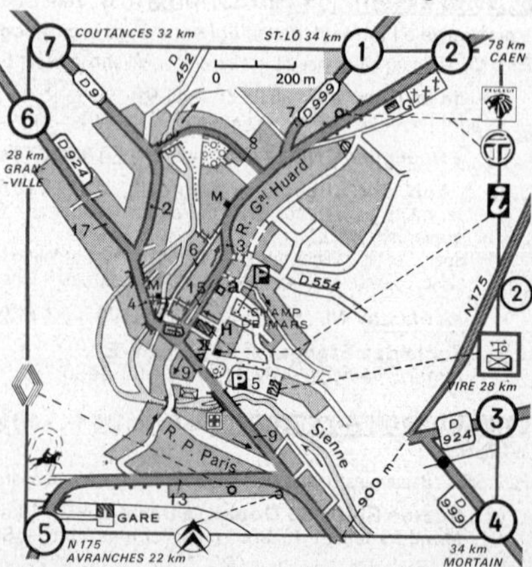

Allacciate le cinture di sicurezza sia in viaggio sia in città.

Nelle piante di città il Nord è sempre in alto.

Le Fruitier, r. Gén.-de-Gaulle **(x)** ✆ 33 51 14 24 – wc wc ☎ . VISA. ch
fermé vacances de fév. – SC : **R** 43/94 – 15 – **16 ch** 110/190.

St-Pierre et St-Michel, pl. République **(a)** ✆ 33 61 00 11 – wc wc ☎ . ch
fermé 26 déc. au 10 janv. et vend. en nov., déc., janv. et mars – SC : **R** 40/100 – 14 – **24 ch** 75/192.

Manoir de l'Acherie, à l'Acherie E : 3,5 km par D 554 ✆ 33 51 13 87 – P
fermé 30 juin au 15 juil. et lundi – SC : **R** 44/139.

CITROEN Pichon, ✆ 33 61 06 20
PEUGEOT-TALBOT Auto-Normandie, ✆ 33 61 00 33
RENAULT Loreille, ✆ 33 61 00 70

VILLE-EN-TARDENOIS 51 Marne 56 ⑮ G. Champagne, Ardennes – 332 h. alt. 147 – ✉ **51170** Fismes – Paris 125 – Châlons-sur-Marne 58 – Château-Thierry 42 – Épernay 25 – Fère-en-Tardenois 25 – ♦Reims 20 – Soissons 52.

Le Postillon, D 380 ✆ 26 61 83 67
fermé mars et merc. – SC : **R** 39 bc/110.

VILLEFORT 48800 Lozère 80 ⑦ G. Vallée du Rhône – 791 h. alt. 605.
Env. Belvédère du Chassezac★★ N : 8 km puis 15 mn.
Office de Tourisme r. Église ✆ 66 46 87 30.
Paris 594 – Alès 55 – Aubenas 60 – Florac 67 – Mende 59 – Pont-St-Esprit 89 – Le Puy 91.

Balme, ✆ 66 46 80 14 – wc ☎ . AE ⓓ E
fermé 1er au 5 oct., 11 nov. au 31 janv., dim. soir et lundi hors sais. – SC : **R** 60/140 – 16 – **23 ch** 60/170 – P 140/195.

à la Garde-Guérin N : 8 km par D 906 – ✉ **48800** Villefort :

Aub. Regordanz , ✆ 66 46 82 88, – wc. VISA
Pâques et 10 mai-1er oct. – SC : **R** 67/87 – 13,50 – **16 ch** 79/120 – P 150/182.

CITROEN Bedos, ✆ 66 46 80 07 N ✆ 66 46 80 06
RENAULT Boulat et Michel, ✆ 66 46 80 18

VILLEFRANCHE 06230 Alpes-Mar. 84 ⑨⑩, 195 ㉗ G. Côte d'Azur – 7 411 h.
Voir Rade★★ – Vieille ville★ – Chapelle St-Pierre★ B – Musée Volti★ M.
Office de Tourisme square F.-Binon ✆ 93 01 73 68.
Paris 937 ③ – Beaulieu-sur-Mer 4 ④ – ♦Nice 6 ③.

Plan page suivante

Welcome et rest. St-Pierre, 1 q. Courbet **(n)** ✆ 93 55 27 27, Télex 470281, ≤, – ☎. AE ⓓ E VISA. rest
fermé 15 nov. au 18 déc. – SC : **R** 350 bc/150 – **35 ch** 350/560 – P 400/500.

Versailles, av. Princesse-Grace **(k)** ✆ 93 01 89 56, Télex 970433, ≤ rade, , – TV ☎ P. AE ⓓ VISA
fermé 20 oct. au 20 déc. – SC : **R** 134/193 – 31 – **43 ch** 300/467, 3 appartements 526 – P 380/500.

Olivettes sans rest, av. Léopold II par ④ ✆ 93 01 03 69, ≤ rade, – TV wc wc ☎ P. AE ⓓ VISA
SC : 22 – **17 ch** 175/395.

Vauban sans rest, 11 av. Gén.-de-Gaulle **(v)** ✆ 93 01 71 20, « Décor Louis XV, Jardin » – wc wc ☎.
15 fév.-15 nov. – SC : 24 – **12 ch** 150/340.

Provençal, 4 av. Mar.-Joffre **(d)** ✆ 93 01 71 42, ≤, – rest wc wc ☎. AE ⓓ E VISA. rest
SC : **R** *(fermé 4 nov. au 15 déc.)* 65/90 – 15 – **45 ch** 160/200 – P 175/250.

St-Estève M sans rest, r. Duhamel **(s)** ✆ 93 01 72 59 – wc wc ☎ . AE ⓓ E.
fermé 1er nov. au 15 déc. – SC : 18 – **17 ch** 190/240.

La Flore, av. Princesse-Grace **(r)** ✆ 93 56 80 29, ≤ rade, , – wc wc ☎ P
fermé 30 oct. au 30 nov. (hôtel) au 15 déc. (rest.) – SC : **R** 58/116 – **18 ch** 167/281 – P 187/252.

Le Massoury, av. Léopold II par ④ ✆ 93 01 03 66, ≤ rade, – P. AE ⓓ VISA.
fermé 15 déc. au 15 janv. et merc. (sauf le soir) du 1er juin au 15 sept. – SC : **R** 175/275.

Mère Germaine, quai Courbet **(a)** ✆ 93 01 71 39, ≤, – AE VISA
fermé 15 nov. au 15 déc., et merc. d'oct. à fin avril – SC : **R** 200/300.

La Campanette, 2 r. Baron de Brès **(u)** ✆ 93 01 79 98 – AE VISA
fermé 29 oct. au 12 nov. et dim. – SC : **R** (dîner seul.) 95/135.

VILLEFRANCHE (ALPES-MAR.)

Cauvin (Av.) 2
Corderie (Quai de la) 3
Corne-d'Or (Bd de la) 5
Courbet (Quai) 6
Église (R. de l') 7
Gallieni (Av. Général) 9
Gaulle (Av. Général de) 10
Grande-Bretagne (Av. de) 12
Joffre (Av. du Maréchal) 14
Leclerc (Av. Général) 15
Marinières (Promenade des) 16
May (R. de) 18
Obscure (R.) 19
Paix (Pl. de la) 20
Poilu (R. du) 22
Pollonais (Pl.) 24
Ponchardier (Quai Amiral) 25
Poullan (Pl.) 26
Sadi-Carnot (Av.) 28
St-Michel (⊞) . . . . E
Settimelli-Lazare (Bd) 30
Verdun (Av. de) 32
Victoire (R. de la) 34
Wilson (Pl.) 35

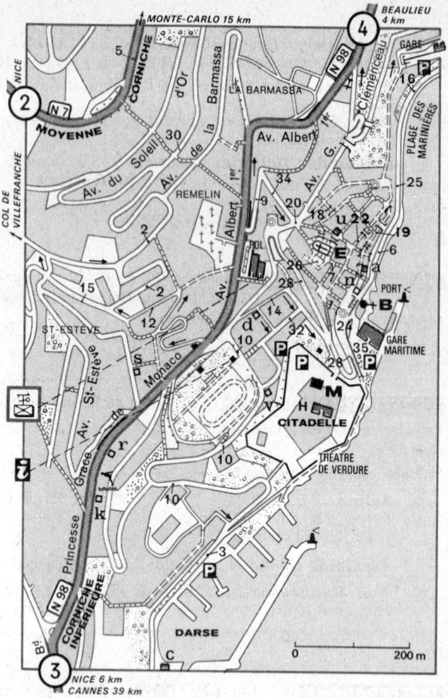

*To go a long way quickly, use **Michelin maps** at a scale of 1 : 1 000 000.*

VILLEFRANCHE-DE-CONFLENT 66 Pyr.-Or. 86 ⑰ **G. Pyrénées** – 294 h. alt. 432 – ✉ **66500** Prades – **Voir Ville forte★.**

ℹ Office de Tourisme pl. Église (hors saison après-midi seul.) ✆ 68 96 22 96.

Paris 959 – Mont-Louis 30 – Olette 10 – ♦Perpignan 49 – Prades 6 – Vernet 5,5.

- **Vauban** sans rest, 5 pl. Église ✆ 68 96 18 03 – ⊟wc ⋔wc ☎. AE E VISA
  SC : ☕ 15 – **16 ch** 120/130.
- **Au Grill,** r. St-Jean ✆ 68 96 17 65, exposition de peintures – E VISA
  fermé 11 nov. au 10 janv. et lundi hors sais. – SC : **R** 57/78.

VILLEFRANCHE-DE-LAURAGAIS 31290 H.-Gar. 82 ⑲ – 3 127 h. alt. 175.

Paris 738 – Auterive 26 – Castelnaudary 22 – Castres 56 – Gaillac 67 – Pamiers 40 – ♦Toulouse 33.

- **France,** r. République ✆ 61 81 62 17 – ⊟wc ⋔ ☎ 🚗 – 🏛 70. AE ⦿ E
  fermé 7 au 28 juil., 19 janv. au 2 fév. et lundi – SC : **R** 48 bc/140 – ☕ 15 – **19 ch** 70/137 – P 170/200.

PEUGEOT-TALBOT Gar. Moderne, ✆ 61 81 60 41

VILLEFRANCHE-DE-ROUERGUE ⟨SP⟩ **12200** Aveyron 79 ⑳ **G. Causses** – 13 869 h. alt. 254 – **Voir La Bastide★** B – **Ancienne chartreuse St-Sauveur★** AB – **Place Notre-Dame★** B – **Église Notre-Dame★** B **E.**

ℹ Office de Tourisme Promenade Guiraudet ✆ 65 45 13 18, Télex 530315.

Paris 615 ⑥ – Albi 72 ③ – Aurillac 106 ⑥ – Cahors 61 ④ – Montauban 73 ④ – Rodez 56 ⑥.

Plan page ci-contre

- **Lagarrigue** ⛭, pl. B.-Lhez ✆ 65 45 01 12 – TV ⊟wc ⋔wc ☎. E. ✻ — B u
  25 mars-15 déc. et fermé dim. sauf juil.-août – SC : **R** 58/130 🌡 – ☕ 22 – **20 ch** 90/225.
- **Poste,** 45 r. Gén.-Prestat ✆ 65 45 13 91 – ⊟wc ⋔wc — B a
  fermé dim. sauf de mai à oct. – SC : **R** 54/64 🌡 – ☕ 15 – **20 ch** 67/130 – P 125/155.
- **Univers** (1er étage) avec ch (Annexe 🏨 M - 15 ch), pl. République ✆ 65 45 15 63 – ⧉ ⊟wc ⋔wc ☎. E — B s
  SC : **R** *(fermé 17 au 31 oct., 27 fév. au 14 mars, vend. soir et sam. sauf du 8 juil. au 8 sept.)* 45/200 🌡 – ☕ 18 – **32 ch** 85/200 – P 155/200.

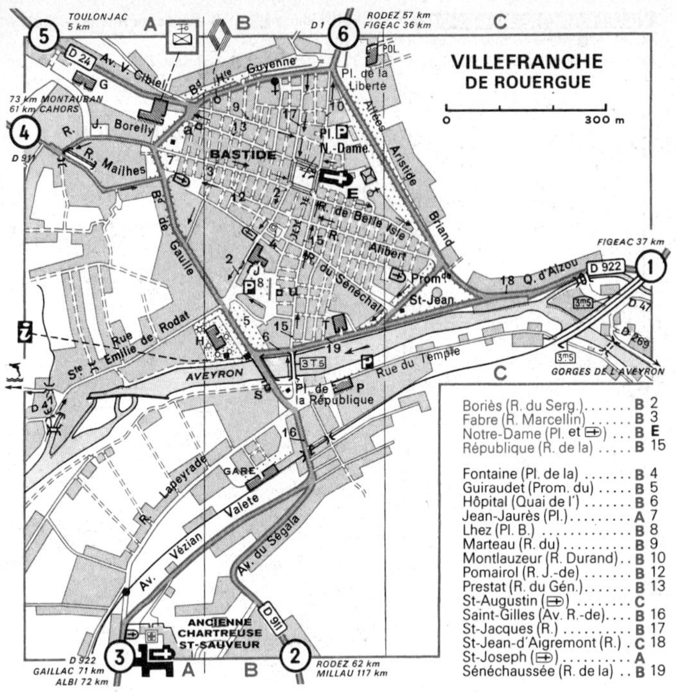

<u>*au Farrou*</u> par ⑥ : 4 km ou par ① : 5 km – ✉ **12200** Villefranche-de-Rouergue :

XX **Relais de Farrou** avec ch, ✆ **65 45 18 11**, 余, 🚗 – TV ⇔wc ⋒ ☎ **P**. **E**
fermé 1er au 8 oct., 12 au 26 déc., 1er au 8 mars, dim. soir (hors saison) et lundi (sauf hôtel en saison) – SC : **R** 45/140 ⅄ – ☕ 19 – **19 ch** 85/260 – P 165/265.

<u>*à Martiel*</u> par ④ : 10 km rte de Cahors – ✉ **12200** Villefranche-de-Rouergue :

Dolmens M ⛰, ✆ **65 45 12 52**, 余, 🚗 – ⇔wc ⋒wc ☎ **P**
sais. – **23 ch**.

BMW-FIAT-LANCIA-AUTOBIANCHI Gaubert Ch., rte de Montauban ✆ 65 45 19 65 **N**
CITROEN Lizouret, rte de Toulonjac par ⑤ ✆ 65 45 01 74
RENAULT Trebosc-Gaubert, rte de Cahors par ④ ✆ 65 45 21 83
RENAULT Gar. du Languedoc, 45 bd de Haute-Guyenne ✆ 65 45 22 27

Ⓜ Central-Pneu, Les Plantades, rte Hte du Farrou ✆ 65 45 24 64
La Maison du Pneu, 23 av. Vézian-Valette ✆ 65 45 14 67

VILLEFRANCHE-DU-PÉRIGORD **24550** Dordogne **75** ⑰ **G. Périgord** – **800 h. alt. 270.**

i Syndicat d'Initiative à l'Hôtel de Ville (15 juin-15 sept.) ✆ 53 29 97 38.

Paris 575 – Bergerac 65 – Cahors 40 – Périgueux 85 – Sarlat-la-Canéda 45 – Villeneuve-sur-Lot 49.

Commerce, ✆ **53 29 90 11**, 余 – ⇔wc ⋒wc ☎
1er mars-15 nov. – SC : **R** 78/190 – ☕ 18,50 – **28 ch** 120/200 – P 160/180.

Les Bruyères, rte Cahors ✆ **53 29 97 97**, 余, 🚗 – ⇔wc ⋒wc. **AE** **E** **VISA**
SC : **R** *(fermé sam. midi)* 55/160 ⅄ – ☕ 20 – **10 ch** 130/160 – P 190/205.

VILLEFRANCHE-SUR-CHER **41** L.-et-Ch. **64** ⑱ **G. Châteaux de la Loire** – **2 064 h. alt. 98** – ✉ **41200** Romorantin-Lanthenay.

Paris 207 – Blois 49 – Châteauroux 58 – Montrichard 48 – Romorantin-Lanthenay 8 – Vierzon 25.

XX **Croissant** avec ch, ✆ **54 96 41 18** – ⇔wc ☎. **VISA**. ⛒
fermé 15 au 24 sept., 1er janv. au 1er fév., dim. soir et lundi – SC : **R** 47/113 – ☕ 16 – **9 ch** 114/160.

X **Les Deux Pierrots,** à **St-Julien-sur-Cher** au S : 1 km par D 922 ✉ **41320** Mennetou-sur-Cher ✆ **54 96 40 07** – **VISA**
fermé 23 au 30 sept., fév., lundi soir et mardi – SC : **R** 50/125.

RENAULT Gar. du Cher, ✆ 54 96 42 29

VILLEFRANCHE-SUR-SAÔNE ⟨SP⟩ **69400** Rhône **74** ① **G. Vallée du Rhône** – 29 066 h.
alt. 191 – **i** Office de Tourisme et A.C. 290 rte Thizy ☎ 74 68 05 18.
Paris 429 ③ – Bourg-en-Bresse 51 ② – ♦Lyon 31 ③ – Mâcon 41 ③ – Roanne 73 ⑤.

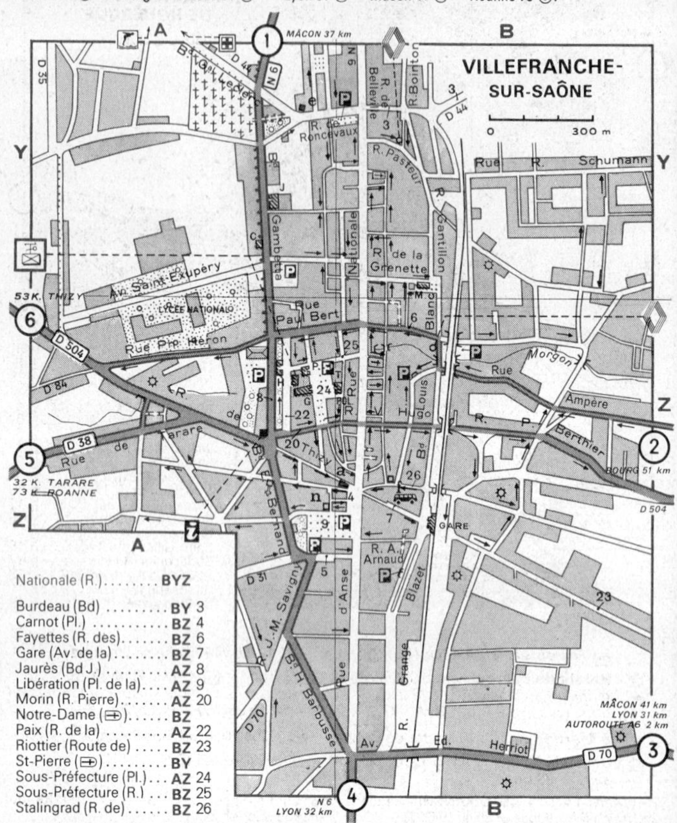

Plaisance, 96 av. Libération ☎ 74 65 33 52 – 🛗 TV ☎ 🚗 **P** – 🏔 50. AE ⓓ E VISA — AZ **n**
fermé 24 déc. au 2 janv. – SC : **R** voir rest. **La Fontaine Bleue** – ☕ 23 – **68 ch** 180/255.

Newport M, av. de l'Europe par ② et contournement, sur D 70 ☎ 74 68 75 59 – 🛁wc ☎ ♿ **P** – 🏔 50. AE VISA
SC : **R** *(fermé dim. sauf le soir en juil.-août et sam. midi)* 56/101 🍷 – ☕ 20 – **30 ch** 169/193.

Ibis M, par ③ échangeur A 6 (péage Villefranche) ☎ 74 68 22 23, Télex 370777, 🍽 – 🛗 🛁wc ☎ **P** – 🏔 25 à 80. E VISA
SC : **R** carte environ 85 🍷 – ☕ 20 – **113 ch** 175/215.

Bourgogne, 91 r. Stalingrad ☎ 74 65 06 42 – 🛁wc ☎. VISA — BZ **f**
SC : **R** voir rest. **Potinière** – ☕ 12 – **22 ch** 65/125.

XXX ✿ **Aub. Faisan-Doré** (Cruz), au Pont de Beauregard NE : 2,5 km par bd. Burdeau D 44 - BY- ☎ 74 65 01 66, 🍽, 🌳 – **P**. AE ⓓ VISA
fermé août, dim. soir et lundi sauf fériés le midi – SC : **R** 160/280
Spéc. Cassolette de ris de veau, Assiette de poissons, Pavé de charolais. **Vins** Mâcon Viré, Beaujolais.

XX **La Fontaine Bleue,** 18 r. Jean Moulin ☎ 74 68 10 37 – **P**. AE VISA. 🐕 — AZ **n**
fermé déc. et dim. – SC : **R** 72/300.

X **La Colonne** avec ch, 6 pl.Carnot ☎ 74 65 43 69 – 🛁. E VISA — BZ **a**
fermé 4 au 25 oct., 23 au 31 déc. et sam. – SC : **R** 42/82 🍷 – ☕ 13 – **14 ch** 57/120.

X **Le Cèdre,** 196 r. Roncevaux ☎ 74 68 03 69. VISA — AY **e**
fermé 28 juil. au 31 août, mardi soir et dim. – SC : **R** 66/127 🍷.

X **Potinière,** 79 r. Stalingrad ☎ 74 65 37 09 – VISA — BZ **f**
fermé vend. soir du 15 oct. au 1er avril – **R** 48/78 🍷.

<u>*à Chervinges*</u> par ⑤ : 3 km – ✉ **69400** Villefranche-sur-Saône :

Château de Chervinges ⛰, ☎ 74 65 29 76, Télex 380772, ←, parc, ⛱, 🎾 – |‡| TV ☎ P. AE ⓓ E VISA. ⚜
fermé 2 janv. au 28 fév., dim. soir et lundi sauf hôtel – SC : **R** 150/250 dîner à la carte – **11 ch** ☕ 550/850, 6 appartements 950/1 350.

<u>*à Beauregard*</u> NE : 3 km par D 44 - BY – ✉ **01480** Jassans Riottier.
Voir Château de Fléchères★ N : 3,5 km.

XX **Aub. Bressane,** ☎ 74 60 93 92, 🏖 – P. VISA
fermé 25 nov. au 18 déc., mardi soir et merc. – SC : **R** 59/180.

<u>*à Fareins*</u> NE : 4 km par D 44 - BY- et D 933 – ✉ **01480** Jassans-Riottier :

XXX ✿ **Jean Fouillet,** sur D 933 ☎ 74 67 91 94, 🏖 – ▤ P. AE ⓓ VISA. ⚜
fermé lundi soir et mardi – **R** 100/250
Spéc. Choux de langoustines au beurre de Sauternes, Pigeon rôti au miel, Marquise au chocolat.

Voir aussi ressources hôtelières de ***Salles Arbuissonas*** NO : 11 km par D 35 - AY

ALFA-ROMEO, MAZDA, LADA Devaux, 361 r. d'Anse ☎ 74 65 12 00
BMW Gar. Benoit, 996 r. Ampère ☎ 74 65 04 69
CITROEN Gar. Thivolle, 695 av. Th.-Braun par ③ ☎ 74 65 26 09 N ☎ 74 65 27 10
DATSUN-NISSAN Technic'Auto, 176 bd L.-Blanc ☎ 74 68 05 83
FORD Gar. Gambetta, 595 av. Th.-Braun ☎ 74 65 04 06
OPEL Brun-Autom., 246 r. V.-Hugo ☎ 74 65 51 30
PEUGEOT-TALBOT Nomblot, 1193 av. de l'Europe par D 44 BY ☎ 74 65 22 50
RENAULT Longin, 15 r. Bointon ☎ 74 65 25 66 N
SEAT J.-B.-Autom., 494 rte de Frans ☎ 74 62 81 55
TOYOTA Gar. Ferry, 113 av. de la Gare ☎ 74 65 41 75
Gar. Momet, 1254 de rte Tarare à Gleizé ☎ 74 65 26 74
Gar. du Nord, 83 r. Alger ☎ 74 65 42 09

Métifiot, av. de Joux, Zone Ind. Nord à Arnas ☎ 74 65 21 92
Piot-Pneu, Zone Ind., av. E.-Herriot ☎ 74 65 29 75
Tessaro-Pneus, 629 r. d'Anse ☎ 74 65 41 98

VILLEMAGNE 11 Aude 82 ⑳ – 260 h. alt. 450 – ✉ **11310** Saissac.
Paris 776 – Carcassonne 31 – Castelnaudery 16 – Mazamet 44 – ♦Toulouse 75.

Castel de Villemagne ⛰, ☎ 68 60 22 95, parc – ⌂wc ⌂wc ☎. VISA
fermé 1er nov. au 1er déc. – **R** 72/130 – ☕ 27 – **7 ch** 135/285 – P 320/450.

VILLEMOMBLE 93 Seine-St-Denis 56 ⑪, 101 ⑱ – voir à Paris, Environs.

VILLEMUR-SUR-TARN 31340 H.-Gar. 82 ⑧ **G. Périgord** – 4 456 h. alt. 99.
Paris 677 – Albi 62 – Castres 73 – Montauban 26 – ♦Toulouse 33.

XX **La Ferme de Bernadou,** rte Toulouse ☎ 61 09 02 38, ←, parc, 🏖 – P. VISA
fermé 3 fév. au 4 mars., dim. soir, lundi et mardi – SC : **R** 68/128.

XX **Aub. de la Braise,** S : 5 km par D14 et VO ☎ 61 35 35 64, 🏖 – P. AE ⓓ E
fermé 15 juil. au 14 août, 15 janv. au 1er fév. dim. soir, lundi et mardi – SC : **R** 95.

CITROEN Vacquie, ☎ 61 09 01 60
PEUGEOT-TALBOT Terral, à Pechnauquié ☎ 61 09 00 70

VILLENEUVE 01 Ain 74 ① – 733 h. alt. 269 – ✉ **01480** Jassans Riottier.
Paris 442 – Bourg-en-Bresse 38 – ♦Lyon 40 – Meximieux 42 – Villefranche-sur-Saône 13.

X Barberis, ☎ 74 00 71 05 – P.

VILLENEUVE 04 Alpes-de-H.-P. 81 ⑮ – rattaché à Manosque.

VILLENEUVE 12260 Aveyron 79 ⑩ **G. Périgord** – 1 649 h. alt. 421.
Paris 604 – Cahors 63 – Figeac 25 – Rodez 53 – Villefranche-de-Rouergue 11.

Poste, ☎ 65 45 62 13 – ⌂wc ⌂ 🚗
fermé 15 déc. au 15 janv. – SC : **R** 45 bc/80 bc – ☕ 15 – **14 ch** 65/130 – P 135/170.

RENAULT Lagriffoul-Ortalo, ☎ 65 45 61 11

La VILLENEUVE 23 Creuse 73 ② – 117 h. alt. 705 – ✉ **23260** Crocq.
Paris 401 – Aubusson 24 – ♦Clermont-Ferrand 68 – Guéret 63 – Montluçon 62 – Ussel 55.

Relais Marchois, ☎ 55 67 23 17 – ⌂. VISA. ⚜ ch
fermé lundi de sept. à juil. – SC : **R** 50/100 ♂ – ☕ 17 – **9 ch** 55/120 – P 150.

VILLENEUVE D'ASCQ 59 Nord 51 ⑯ – rattaché à Lille.

VILLENEUVE-DE-BERG 07170 Ardèche 80 ⑨ G. Vallée du Rhône – 2 083 h. alt. 320.

Env. Mirabel : ✻★★, promenade★ au Bomier 30 mn N : 7 km.

Syndicat d'Initiative (juil.-août) ✆ 75 94 83 96.

Paris 631 – Aubenas 16 – Montélimar 27 – Pont-St-Esprit 54 – Privas 46.

XX **Aub. de Montfleury** avec ch, à la gare O : 4 km par rte Aubenas ✆ 75 94 82 73, – ⓟ. AE E
fermé 11 au 19 mars, 3 nov. au 6 déc., mardi soir et merc. sauf juil.-août – **R** 62/160 – 14 – **5 ch** 91.

CITROEN Decosne, ✆ 75 94 81 32 N   PEUGEOT-TALBOT Gabriel, ✆ 75 94 81 50 N

VILLENEUVE-DE-MARSAN 40190 Landes 82 ①② – 2 035 h. alt. 90.

Paris 700 – Aire-sur-l'Adour 21 – Auch 87 – Condom 64 – Mont-de-Marsan 17 – Roquefort 16.

❀ **Darroze,** ✆ 58 45 20 07, – ⓟ – 25. AE ⓓ VISA. rest
fermé 15 au 31 janv., dim. soir et lundi sauf de juil. à sept. – SC : **R** 110/240 – 35 – **35 ch** 120/300 – P 260/500
Spéc. Ballotin de chou aux queues d'écrevisses ou langoustines, Pithiviers de pigeonneau, Foie de canard frais aux pommes. Vins Tursan, Madiran.

❀ **Europe** (Garrapit), ✆ 58 45 20 08, – wc wc ☎ ⓟ – 100. VISA
SC : **R** 75/200 – 20 – **18 ch** 85/190 – P 200/220
Spéc. Salade de cèpes aux filets d'oie grillés, Foie gras chaud aux pêches, Baba à l'Armagnac. Vins Tursan, Madiran.

CITROEN Roumégoux, ✆ 58 45 22 05   RENAULT Avezac, ✆ 58 75 80 39

VILLENEUVE-DE-RIVIÈRE 31 H.-Gar. 86 ⑩ – rattaché à St-Gaudens.

VILLENEUVE-DES-ESCALDES 66760 Pyr.-Or. 86 ⑯ – 457 h. alt. 1 300.

Paris 880 – Ax-les-Thermes 54 – Bourg-Madame 6 – Perpignan 102 – Prades 59.

Relais du Belloch, ✆ 68 30 07 24, ≤, – wc ⓟ
fermé 8 nov. au 20 déc. – SC : **R** 52/95 – 13 – **24 ch** 70/125 – P 170/180.

VILLENEUVE-LA-SALLE 05 H.-Alpes 77 ⑧⑱ – voir à Serre-Chevalier.

VILLENEUVE-LE-COMTE 77174 S.-et-M. 61 ②, 196 ㉒ – 1 181 h. alt. 126.

Paris 40 – Lagny-sur-Marne 13 – Meaux 21 – Melun 39.

XX **Bonne Marmite,** av. Gén. de Gaulle ✆ (1) 60 25 00 10, – AE ⓓ VISA
fermé 16 août au 6 sept., vacances de fév., mardi et merc. – SC : **R** 93/136.

X **La Vieille Auberge,** av. Gén.-de-Gaulle ✆ (1) 60 25 00 35
fermé vacances de Noël, lundi soir et mardi – SC : **R** 86/125.

VILLENEUVE-LÈS-AVIGNON 30400 Gard 81 ⑪⑫ G. Provence (plan) – 9 535 h. alt. 24.

Voir Fort St-André★ : ≤★★ X – Tour Philippe-le-Bel ≤★★ X F – Vierge en ivoire★★ dans la sacristie de l'église X D – Couronnement de la Vierge★★ au musée municipal X M – Chartreuse du Val-de-Bénédiction★ XR – Abbaye St-André : ≤★ de la terrasse X.

Office de Tourisme, 1 pl. Ch.-David ✆ 90 25 61 33.

Paris 683 ② – Avignon 3 – Nîmes 44 ⑥ – Orange 24 ⑦ – Pont-St-Esprit 43 ⑥.

Plan : voir à Avignon

❀ **Le Prieuré** , pl. du Chapitre ✆ 90 25 18 20, Télex 431042, , parc, « Sous les ombrages d'un vieux prieuré », , – ☎ ⓟ – 50. AE ⓓ E VISA
15 mars-9 nov. – SC : **R** 220 – 50 – **26 ch** 900, 9 appartements 900/1400 X t
Spéc. Piccata de lotte au pistou, Corolle d'agneau rôtie. Vins Tavel, Cairanne.

La Magnaneraie M , 37 r. Camp-de-Bataille ✆ 90 25 11 11, , , , – wc wc ☎ ⓟ – 30. AE ⓓ E VISA X b
SC : **R** 130/180 – 30 – **21 ch** 200/450.

Atelier sans rest, 5 r. Foire ✆ 90 25 01 84, « Maison 16e s., patio » – wc wc ☎. AE ⓓ E VISA X e
fermé 1er déc. au 1er fév. – SC : 17 – **19 ch** 125/198.

Résidence Les Cèdres , à Bellevue, 39 bd Pasteur ✉ 30400 Villeneuve-lès-Avignon ✆ 90 25 43 92, , , – wc wc ☎ ⓟ. VISA X a
SC : **R** Grill 56/75 – 17 – **25 ch** 183/220.

VILLENEUVE-LOUBET 06270 Alpes-Mar. 84 ⑨, 195 ㉕ G. Côte d'Azur – 8 210 h.

Voir Musée de l'Art culinaire★ (fondation Auguste Escoffier) YM2 – Paris 922 ⑤ – Antibes 12 ④ – Cagnes-sur-Mer 3 – Cannes 23 ⑤ – Grasse 23 ⑥ – ♦Nice 16 ③ – Vence 12 ①.

Voir plan de Cagnes-sur-Mer-Villeneuve-Loubet-Haut de Cagnes

X **Mail-Post,** 12 av. Libération ✆ 93 20 89 53. E Y u
fermé 25 sept. au 30 oct. et mardi – SC : **R** 75/105.

MERCEDES-BENZ Succursale, av. des Baumettes, N 7 ✆ 93 73 06 11

à Villeneuve-Loubet-Plage :

Bahia [M] sans rest, rte bord de mer ✆ 93 20 21 21, Télex 970922, ≤, ⛱, ☘ – |‡| ▤ [TV] ☎ 🚗 Ⓟ. AE ⓓ E VISA — Z a
SC : ☕ 30 – **46 ch** 346/440.

Baie des Anges, av. de la Batterie ✆ 93 20 08 54, ≤, 🏠, ⛱ – cuisinette [TV] 🛁wc ☏ Ⓟ. AE ⓓ VISA — Z t
SC : **R** 70/136 🍷 – ☕ 15 – **28 ch** 185/280 – P 205/260.

Syracuse [M] sans rest, chemin de la Batterie ✆ 93 20 45 09, ≤, ⛱ – |‡| cuisinette 🛁wc 🚿wc ☎ Ⓟ. ✻ — Z x
fermé déc. – SC : ☕ 23 – **27 ch** 215/305.

Pétanque sans rest, N 98 ✆ 93 20 07 05 – cuisinette 🛁wc 🚿wc ☏ Ⓟ — Z w
30 ch.

Palerme sans rest, av. de la Batterie ✆ 93 20 16 07, ☘ – cuisinette 🚿wc ☏ Ⓟ VISA — Z d
SC : ☕ 20 – **34 ch** 140/370.

Baléares sans rest, sur N 7 ✆ 93 20 91 07 – cuisinette 🚿wc Ⓟ. VISA — Z k
fermé 15 au 30 nov. – SC : ☕ 16,50 – **18 ch** 150/210.

XX **Singe Nu,** chemin Batterie ✆ 93 20 40 53, ≤, 🏠, ⛱ – ▤ Ⓟ — Z x
1ᵉʳ avril-30 sept. et fermé mardi du 1ᵉʳ avril au 31 mai – **R** 50/100.

VILLENEUVE-SOUS-CHARIGNY 21 Côte-d'Or 65 ⑱ – rattaché à Semur-en-Auxois.

VILLENEUVE-SUR-LOT ◇SP◇ 47300 L.-et-G. 79 ⑤ **G. Périgord** – 23 730 h. alt. 55.

ℹ Office de Tourisme Théâtre G. Leygues (1ᵉʳ avril-30 sept.) ✆ 53 70 31 37.

Paris 613 ① – Agen 29 ⑤ – Bergerac 60 ① – ♦Bordeaux 143 ⑥ – Brive-la-Gaillarde 144 ③ – Cahors 75 ③ – Libourne 110 ⑥ – Mont-de-Marsan 123 ⑥ – Pau 183 ⑥.

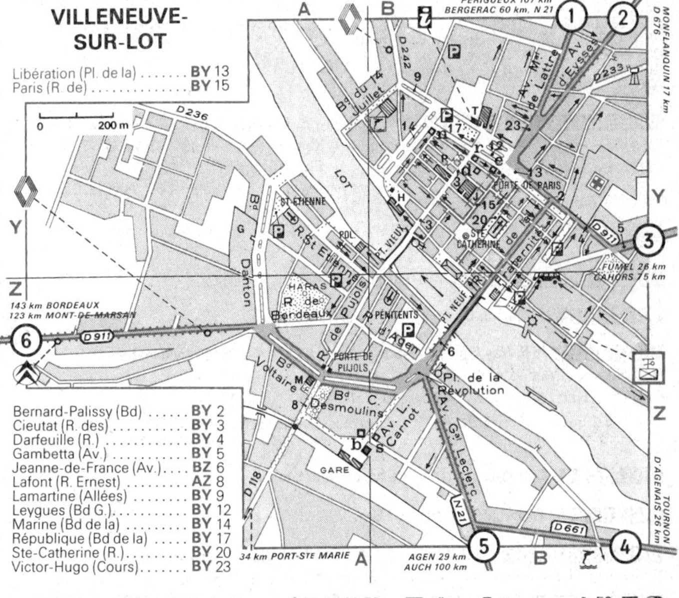

Prune d'Or, 29 av. L. Carnot ✆ 53 49 00 50 – [TV] 🛁wc 🚿 ☎ 🚗 – 🏛 50. AE ⓓ E VISA — AZ b
fermé 15 oct. au 15 nov., vend. soir et dim. soir – SC : **R** 65/180 🍷 – ☕ 20 – **16 ch** 60/130 – P 180.

La Résidence 🐚 sans rest, 17 av. L.-Carnot ✆ 53 70 17 03, ☘ – 🛁wc 🚿wc ☎ 🚗 — BZ s
fermé 10 déc. au 15 janv. – SC : ☕ 15 – **18 ch** 62/130.

Le Glacier sans rest, 23 bd G.-Leygues ✆ 53 70 70 14 – |‡| ▤ 🛁wc ☎ — BY r
12 ch.

Le Glacier 🐚 sans rest, 23 r. A.-Daubasse ✆ 53 70 50 61 – 🚿wc ☏ — BY d
SC : ☕ 14 – **18 ch** 65/140.

Les Platanes sans rest, 40 bd Marine ☎ 53 70 01 29 – wc. VISA — BY n
fermé 24 déc. au 2 janv. – SC : 16 – **22 ch** 70/150.

Terminus, pl. Gare ☎ 53 70 30 87 – . VISA — AZ b
fermé 2 au 31 janv., dim. soir (sauf hôtel) et lundi – SC : **R** 49/80 – 15,50 – **19 ch** 57/89.

Tortoni sans rest, 3 bd G.-Leygues ☎ 53 70 04 02 – — BY e
SC : 14 – **10 ch** 74/95.

Host. du Rooy, chemin de Labourdette par ④ ☎ 53 70 48 48, parc, – **P**. AE E VISA
fermé 15 au 31 juil., vacances de fév., dim. soir et merc. – **R** 80/240.

à Pujols SO : 4 km par D 118 et CC 207 - AZ – ✉ **47300** Villeneuve-sur-Lot :

Chênes M sans rest, ☎ 53 49 04 55, ← – TV ☎ **P**. AE E VISA
fermé 23 juin au 3 juil., 24 nov. au 3 déc. et vacances de fév. – SC : 27 – **20 ch** 140/270.

✿ **La Toque Blanche** (Lebrun), ☎ 53 49 00 30, ←, – **P**. AE E VISA.
fermé 23 juin au 7 juil., 24 nov. au 3 déc., vacances de fév., lundi hors sais. et dim. soir – SC : **R** 95/295
Spéc. Foie gras de canard, Escalope de lotte aux cèpes, Pigeon en cocotte. Vins Côtes de Buzet, Duras.

Aub. Lou Calel, ☎ 53 70 46 14, ← Villeneuve – **P**. E VISA
fermé 2 au 9 avril, 23 juil. au 6 août, 8 au 17 déc., dim. soir et merc. – SC : **R** (prévenir) 85/250.

BMW Lompech, 29-31 bd Voltaire ☎ 53 70 88 22 N
CITROEN S.E.D.E.A.C., av. Bordeaux ☎ 53 49 17 17
PEUGEOT-TALBOT Gar. de Bordeaux, rte Bordeaux à Bias par ⑥ ☎ 53 70 01 04
RENAULT Villeneuve-Auto, 33 av. d'Agen par ⑤ ☎ 53 70 32 87
RENAULT Gar. Central Villeneuvois, 7 rte de Casseneuil ☎ 53 70 00 50
RENAULT Gouillon, 19 av. de Bordeaux ☎ 53 70 03 03
TOYOTA, VOLVO Gar. Franco, 68 av. de Fumel ☎ 53 70 14 54

Socavi, 28 bd Voltaire ☎ 53 70 12 48
Solapneu, 41 av. Bordeaux ☎ 53 70 12 57
Stat. Moderne du Pneu, 7 av. de Bordeaux ☎ 53 70 65 75
Villeneuve Pneus, rte Bordeaux à Bias ☎ 53 70 13 54

VILLENEUVE-SUR-YONNE **89500** Yonne 61 ⑭ **G. Bourgogne** (plan) – 4 980 h. alt. 74.
Paris 133 – Auxerre 44 – Joigny 17 – Montargis 45 – Nemours 57 – Sens 13 – Troyes 72.

Le Dauphin avec ch, ☎ 86 87 18 55 – wc **P**.
fermé vacances de nov., de Noël, de fév. et merc. hors sais. – SC : **R** 62/210 – 20 – **8 ch** 96/209 – P 265/331.

PEUGEOT-TALBOT Lesellier, 23 fg St-Nicolas ☎ 86 87 04 24
RENAULT Paille, rte de Sens ☎ 86 87 02 23

VILLENEUVE-TOLOSANE **31** H.-Gar. 82 ⑰ – rattaché à Toulouse.

VILLEPINTE **93** Seine-St-Denis 56 ⑪ – voir à Paris, Environs.

VILLEQUIER **76** S.-Mar. 55 ⑤ **G. Normandie** – 769 h. – ✉ **76490** Caudebec-en-Caux.
Voir Site★ – Musée Victor-Hugo★.
Paris 171 – Bourg-Achard 27 – Lillebonne 16 – ♦Rouen 41 – Yvetot 17.

Gd Sapin, ☎ 35 56 78 73, , « Terrasse au bord de Seine », – **P**. VISA
fermé 15 au 30 nov., 15 janv. au 10 fév., mardi soir et merc. d'oct. à avril.

VILLERAY **61** Orne 60 ⑮ – rattaché à Nogent-le-Rotrou.

VILLEROY **89** Yonne 61 ⑬ – rattaché à Sens.

VILLERS-BOCAGE **14310** Calvados 54 ⑮ **G. Normandie** – 2 623 h. alt. 140.
Syndicat d'Initiative pl. Gén.-de-Gaulle (15 juin-15 sept.) ☎ 31 77 16 14.
Paris 266 – Argentan 70 – Avranches 75 – Bayeux 25 – ♦Caen 26 – Flers 43 – St-Lô 35 – Vire 34.

Trois Rois, rte Vire ☎ 31 77 00 32, – wc ☎ **P**. AE E VISA
fermé 22 au 29 juin, fév., dim. soir sauf juil.-août et lundi. – SC : **R** 72/140 – 17,50 – **15 ch** 90/220.

PEUGEOT-TALBOT Gar. Duthé, ☎ 31 77 00 81 N
PEUGEOT-TALBOT David, ☎ 31 77 00 33

VILLERS-BRETONNEUX **80380** Somme 53 ⑪ **G. Flandres, Artois, Picardie** – 3 347 h. alt. 91 – Paris 137 – ♦Amiens 17 – Arras 68 – St-Quentin 57.

Victoria, 5 rte Péronne ☎ 22 48 02 00 – TV wc wc ☎ **P**. AE E VISA
fermé dim. – SC : **R** grill 52 bc/75 – 15,50 – **18 ch** 132/165.

VILLERS-COTTERÊTS 02600 Aisne 56 ③ ⑬ **G. Flandres, Artois, Picardie** – 8 402 h. alt. 133.

Voir Grand escalier★ du château – Forêt de Retz★ par ②.

Syndicat d'Initiatice, pl. A.-Briand (fermé matin) ✆ 23 96 30 03.

Paris 78 ④ – Compiègne 29 ① – Laon 58 ② – Meaux 42 ③ – Senlis 38 ④ – Soissons 23 ②.

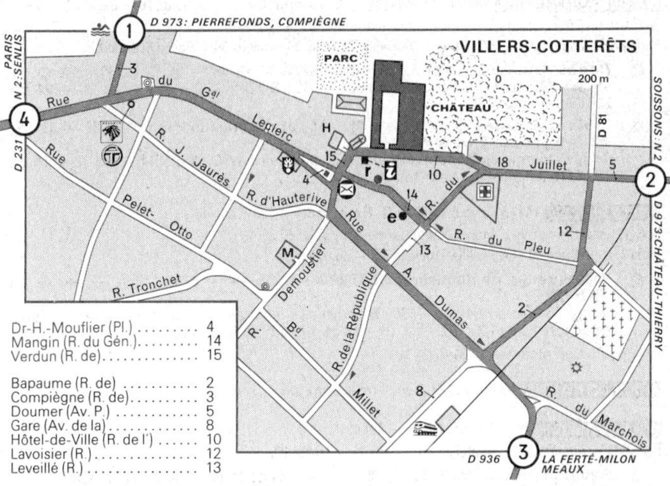

Régent sans rest, 26 r. Gén.-Mangin **(e)** ✆ 23 96 01 46, Télex 150747 – TV ☎ . AE ⓓ VISA
SC : 24 – **16 ch** 130/250.

Commerce, 17 r. Gén.-Mangin **(r)** ✆ 23 96 19 97, – E VISA.
fermé 15 janv. au 15 fév., lundi (sauf hôtel), dim. soir et fériés le soir – SC : **R** (dim. prévenir) 75/95.

aux Vertes Feuilles par ② : 11 km – ✉ **02600** Villers-Cotterêts :

Le Retz, ✆ 23 96 01 42, ← – Ⓟ. VISA
fermé lundi soir et mardi – SC : **R** 130 et carte.

à Longpont par ② et D 17 : 12 km – ✉ **02600** Villers-Cotterêts :

Abbaye, ✆ 23 96 02 44 – wc wc . E VISA
SC : **R** 75/175 – 28 – **11 ch** 125/250 – P 260/350.

CITROEN Gar. des Sablons, 52 av. de la Ferté-Milon par ③ ✆ 23 96 04 96
PEUGEOT-TALBOT Féry, 75 r. Gén.-Leclerc ✆ 23 96 19 64 N
V.A.G. Vag France Services, rte de la Ferté Milon ✆ 23 96 19 03

Fischbach-Pneu, 6 r. Victor-Hugo ✆ 23 96 13 64
Hurand-Pneus, av. de la Ferté-Milon ✆ 23 96 13 84

CONSTRUCTEUR : V.A.G.-France, à Pisseleux, par av. de la Gare (S du plan) ✆ **23 96 08 03**

VILLERSEXEL 70110 H.-Saône 66 ⑥⑦ – 1 675 h. alt. 265.

Paris 465 – Belfort 40 – ◆Besançon 61 – Lure 18 – Montbéliard 37 – Vesoul 26.

Terrasse, rte Lure ✆ 84 20 52 11, , – wc wc ☎ Ⓟ. E VISA
fermé 19 déc. au 2 janv., 30 janv. au 8 fév., vend. soir et dim. soir hors sais. – SC : **R** 45/180 – 16,50 – **17 ch** 75/140 – P 120/170.

Commerce avec ch, ✆ 84 20 50 50 – wc Ⓟ. ⓓ E VISA
fermé 6 au 19 oct., 1er au 14 janv. et lundi soir – **R** 38/165 – 18 – **15 ch** 70/102 – P 125/150.

VILLERS-LE-LAC 25130 Doubs 70 ⑦ **G. Jura** – 4 142 h. alt. 746.

Voir Saut du Doubs★★★ – Lac de Chaillexon★★ – Syndicat d'Initiative r. Berçot (15 juin-15 sept.) ✆ 81 68 00 98 et r. Leclerc ✆ 81 68 02 81 (matin seul.).

Paris 486 – ◆Bâle 122 – ◆Besançon 73 – La Chaux-de-Fonds 16 – Morteau 6 – Pontarlier 37.

France, Pl. Nationale ✆ **81 68 00 06, Collection de montres anciennes** – wc . AE ⓓ E
1er fév.-31 oct. – SC : **R** *(fermé dim. soir et lundi)* 96/120 – 23 – **14 ch** 165/200 – P 240.

PEUGEOT-TALBOT Gar. Franco-Suisse, les Terres Rouges ✆ 81 68 03 47 N

VILLERS-LES-POTS 21 Côte-d'Or 66 ⑬ – rattaché à Auxonne.

VILLERS-SEMEUSE 08 Ardennes 53 ⑲ – rattaché à Charleville-Mézières.

VILLERS-SUR-MER 14640 Calvados 55 ③ **G. Normandie** – 1 853 h. alt. 38 – Casino.
Office de Tourisme pl. Mermoz (fin mars-mi-nov.) ☎ 31 87 01 18.
Paris 214 – Cabourg 11 – ♦Caen 35 – Deauville-Trouville 8 – Lisieux 30 – Pont-l'Évêque 19.

Bonne Auberge, r. Mar.-Leclerc ☎ 31 87 04 64, ←, – wc wc ☎ *1er avril-30 sept. et week-ends d'oct.* – SC : **R** carte 140 à 200 – 30 – **24 ch** 225/315 – P 305/360.

Frais Ombrages (annexe M), 38 av. Brigade Piron ☎ 31 87 40 38, , – TV wc wc ☎ *1er fév.-15 nov. et fermé mardi et merc. hors sais.* – SC : **R** 82/125 – 18 – **14 ch** 120/230, (en sais. pension seul.) – P 220/285.

VILLERVILLE 14113 Calvados 55 ③ **G. Normandie** – 733 h. alt. 45.
Syndicat d'Initiative r. Mar.-Leclerc (fermé oct.) ☎ 31 87 21 49.
Paris 211 – ♦Caen 49 – Deauville-Trouville 5,5 – Honfleur 9,5.

Bellevue , rte Honfleur ☎ 31 87 20 22, ←, , – wc wc ☎ . AE E VISA
fermé 15 nov. au 24 déc. – SC : **R** *(ouvert 15 mars au 11 nov. ; fermé merc. et jeudi midi hors sais.)* 125/187 – 18 – **18 ch** 140/245 – P 205/255.

RENAULT Gar. Moderne, ☎ 31 87 21 13

VILLEURBANNE 69 Rhône 74 ⑪⑫ – rattaché à Lyon.

VILLEVALLIER 89127 Yonne 61 ⑭ – 421 h.
Paris 133 – Auxerre 36 – Montargis 46 – Sens 21 – Troyes 80.

Pavillon Bleu, ☎ 86 91 12 17, – wc wc ☎ – 30 à 150. VISA
fermé 2 au 20 janv., dim. soir et lundi du 20 sept. au 15 mars – SC : **R** 45/125 – 17 – **25 ch** 95/180 – P 150/185.

VILLIÉ-MORGON 69910 Rhône 74 ① – 1 592 h. alt. 290.
Paris 418 – ♦ Lyon 55 – Mâcon 23 – Villefranche-sur-Saône 27.

Parc sans rest, ☎ 74 04 22 54 – SC : 15 – **7 ch** 100/120.

PEUGEOT-TALBOT Granger, ☎ 74 04 23 24 N
RENAULT Anère, ☎ 74 04 20 91

VILLIERS-LE-BACLE 91 Essonne 60 ⑩, 101 ㉝ – voir à Paris, Environs.

VIMOUTIERS 61120 Orne 55 ⑬ **G. Normandie** – 5 063 h. alt. 100.
Syndicat d'Initiative à la Mairie ☎ 33 39 09 10.
Paris 182 – L'Aigle 43 – Alençon 63 – Argentan 31 – Bernay 38 – ♦Caen 56 – Falaise 37 – Lisieux 27.

Hôtel Escale du Vitou M sans rest, **Centre de Loisirs, rte Argentan : 2 km par D 916** ☎ 33 39 12 04, ←, parc, – cuisinette wc wc ☎ – 80. E VISA
SC : 20 – **17 ch** 150/240 – P 270/460.

Soleil d'Or, 16 pl. Mackau ☎ 33 39 07 15 – . AE E VISA
fermé 1er fév. au 9 mars – SC : **R** *(fermé mardi hors sais.)* 39/130 – 16 – **18 ch** 70/140 – P 160/220.

Rest. Escale du Vitou, Centre de Loisirs, rte Argentan : 2 km par D 916 ☎ 33 39 12 37, ← – . VISA
fermé dim. soir et lundi du 1er sept. au 1er juin – SC : **R** 41 (sauf sam. soir)/160.

CITROEN Goubin, 8 av. Foch ☎ 33 39 01 95
PEUGEOT Noël-Gérard, 15 av. Dr-Dentu ☎ 33 39 00 27
RENAULT Letourneur, 17 r. Argentan ☎ 33 39 03 65

VINAY 51 Marne 56 ⑯ – rattaché à Épernay.

VINCENNES 94 Val-de-Marne 56 ⑪, 101 ⑰ – voir à Paris, Environs.

VINCEY 88 Vosges 62 ⑮ – rattaché à Charmes.

VINON-SUR-VERDON 83 Var 84 ④ – 2 196 h. alt. 284 – ✉ **83560** Rians.
Paris 777 – Aix-en-Provence 43 – Brignoles 57 – Castellane 88 – Cavaillon 75 – Draguignan 75.

Olivier M sans rest, **rte aérodrôme** ☎ 92 78 86 99, ←, , , – TV wc ☎ . E VISA
fermé 20 déc. au 10 janv. – SC : 19 – **20 ch** 225/250.

RENAULT Gar. Ramu, ☎ 92 78 80 35

VIOLAY 42780 Loire 73 ⑱ – 1 380 h. alt. 820.

Paris 483 – ♦Lyon 54 – Montbrison 54 – Roanne 43 – ♦St-Étienne 67 – Thiers 82.

- **Perrier,** pl. Église ✆ 74 63 91 01 – wc wc – 30. E VISA.
  SC : **R** 57/160 – 17 – **15 ch** 90/160 – P 150/175.

RENAULT Blein, ✆ 74 63 90 62 N

VIOLÈS 84 Vaucluse 81 ② – 1 198 h. – ✉ **84150** Jonquières.

Paris 672 – Avignon 31 – Carpentras 17 – Nyons 32 – Orange 13 – Vaison-la-Romaine 16.

- **Mas de Bouvau,** N : 2 km rte de Cairanne ✆ **90 70 94 08,** , – . VISA
  fermé 28 juin au 4 juil., 23 au 30 déc., vacances de fév. et le soir hors sais. – SC : **R** 86/145 .

FIAT-LANCIA-AUTOBIANCHI Gar. des Bourgades, ✆ 90 70 90 74

VIRE <SP> **14500** Calvados 59 ⑨ **G. Normandie** – 13 827 h. alt. 134.

Office de Tourisme square Résistance (hors saison après-midi seul.) ✆ 31 68 00 05.

Paris 300 ④ – ♦Caen 60 ① – Flers 31 ④ – Fougères 67 ⑤ – Laval 101 ⑤ – St-Lô 39 ①.

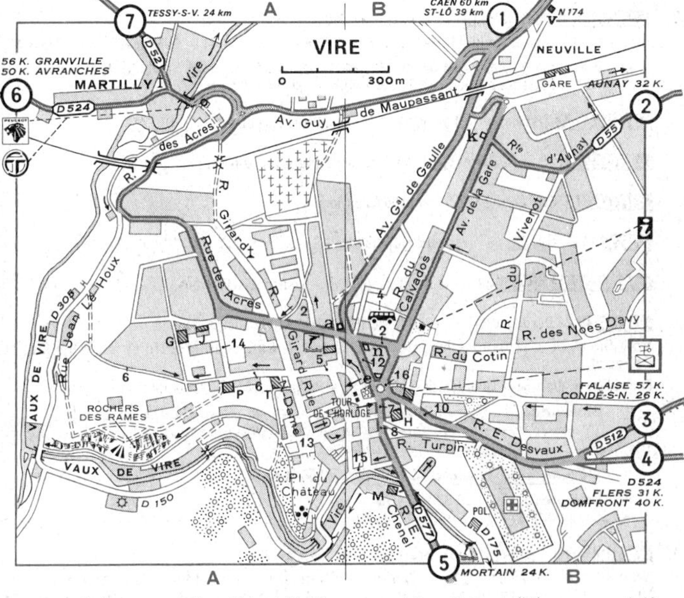

Deslongrais (R.) .... **B** 7	Chênedollé (R.) .... **A** 5	Nationale (Pl.) .... **A** 13
6-Juin (Pl. du) .... **B** 16	Cordeliers (R. des) .... **A** 6	Notre-Dame (⊞) .... **A**
	Gasté (R. Armand) .... **B** 8	Ste-Anne (⊞) .... **B**
Aignaux (R. d') .... **AB** 2	Haut-Chemin (R. du) ..... **B** 10	Sous-Préfecture (R. de la) . **A** 14
Champ de Foire (Pl.) ...... **B** 4	Leclerc (R. Gén.) .... **B** 12	Valhérel (R. du) .... **B** 15

- **France,** 4 r. Aignaux ✆ 31 68 00 35 – rest wc wc – 50. E VISA — A **a**
  fermé vacances de fév. – SC : **R** 45/150 – 18 – **20 ch** 110/190.
- **Cheval Blanc,** 2 pl. du 6-Juin-1944 ✆ 31 68 00 21, exposition de tableaux – TV wc AE E VISA — B **e**
  fermé 20 déc. au 20 janv. – SC : **R** *(fermé vend. soir et sam. midi hors sais.)* 75/200 – 19 – **23 ch** 95/200 – P 330/400.
- **St-Pierre** sans rest, 20 r. Gén.-Leclerc ✆ 31 68 05 82 – wc . VISA
  fermé 1er janv. au 28 fév. – SC : 18 – **30 ch** 83/160. — B **n**
- **Voyageurs,** av. Gare ✆ 31 68 01 16 – wc . AE VISA — B **k**
  SC : **R** 50/150 – 17 – **12 ch** 70/144 – P 150/200.
- **Aub. Pomme d'Or,** par ④ : 3 km ✆ 31 68 07 71 – . AE E VISA
  fermé 3 au 19 août, 18 fév. au 13 mars, dim. soir et lundi – SC : **R** 70/210.
- **Roger** avec ch, rte Caen ✆ 31 68 01 25 – . E VISA — B **v**
  fermé août, dim. (sauf hôtel) et sam. – SC : **R** 47/130 – 15,50 – **8 ch** 73/127.

à St-Germain-de-Tallevende par ⑤ : 5 km – ✉ **14500** Vire :

✗ **Aub. St.-Germain** avec ch, ✆ 31 68 24 13 – AE E VISA
fermé août, dim. soir et lundi – SC : **R** 38/120 – 15 – **3 ch** 72.

FIAT Onésime, 1 rte de Caen ✆ 31 68 09 98
FORD Gar. Thibaut, rte de Caen ✆ 31 68 01 59
PEUGEOT-TALBOT Gournay, 19 rte de Granville ✆ 31 68 11 86
RENAULT Guilbert, rte de Caen par ① ✆ 31 68 02 33
V.A.G. Gar. Lemauviel, 12 r. d'Aunay ✆ 31 68 00 78
Gar. Duchemin, 1 r. E.-Desvaux ✆ 31 68 01 46
Gar. Prunier, rte de Caen ✆ 31 68 33 87 N

Colin-Pneus, Rue de Paris ✆ 31 68 38 65
Vire-Pneus, 28 rte d'Aunay ✆ 31 68 26 75

VIRIEU-LE-GRAND 01510 Ain 74 ④ – 920 h. alt. 267.

Paris 483 – Aix-les-Bains 39 – Annecy 67 – Belley 12 – Bourg-en-B. 70 – Meximieux 55 – Nantua 52.

Michallet, ✆ 79 87 80 97 – wc ☎ . E VISA. ch
fermé 20 au 28 juin, 8 au 29 sept., vacances de fév. et vend. de sept. à juin – SC : **R** 55/160 – 25 – **10 ch** 86/150 – P 152/174.

PEUGEOT-TALBOT Belmondy, ✆ 79 87 82 76 N

VIRIVILLE 38980 Isère 77 ③ – 1 223 h. alt. 360.

Paris 534 – La Côte-St-André 13 – ♦Grenoble 54 – Romans-sur-Isère 44 – St-Marcellin 28 – Vienne 43.

Bonnoit , ✆ 74 54 02 18, , – wc wc – 30. E VISA.
fermé vacances de fév. – SC : **R** 70/300 – 18 – **17 ch** 120/200 – P 220/280.

VIROFLAY 78 Yvelines 60 ⑩, 196 ⑯ – voir à Paris, Environs.

VIROLLET 79 Deux-Sèvres 72 ①② – rattaché à Beauvoir-sur-Niort.

VIRONVAY 27 Eure 55 ⑰ – rattaché à Louviers.

VIRY 71 S.-et-L. 69 ⑱ – rattaché à Charolles.

VIRY-CHATILLON 91 Essonne 61 ①, 101 ㊱ – voir à Paris, Environs.

VITRAC 24 Dordogne 75 ⑰ – 631 h. alt. 150 – ✉ **24200** Sarlat-la-Canéda.

Voir Site★ du château de Montfort NE : 2 km – Cingle de Montfort★ NE : 3,5 km, G. Périgord.

Paris 547 – Cahors 54 – Gourdon 22 – Lalinde 52 – Périgueux 76 – Sarlat-la-Canéda 7.

Plaisance, au port ✆ 53 28 33 04, ←, , – wc wc ☎ . VISA
1er fév.-23 nov. – SC : **R** *(fermé vend. de fév. à Pâques et du 15 oct au 23 nov.)* 50/160 – 17 – **38 ch** 110/200 – P 175/205.

à Caudon-de-Vitrac E : 3 km – ✉ **24200** Sarlat :

✗ **La Ferme,** ✆ 53 28 33 35 –
fermé oct. et lundi – SC : **R** 55/130.

VITRÉ 35500 I.-et-V. 59 ⑱ **G. Bretagne** – 13 491 h. alt. 90.

Voir ←★★ du D178 et ←★★ du D857 A – Château★★ : tour de Montalifant ←★ A – La Ville★ : rue Beaudrairie★★ A, remparts★ B, église Notre-Dame★ B – Tertres noirs ←★★ par ⑤ – Jardin public★ par ④.

Env. Château des Rochers-Sévigné★ 6,5 km par ③ – Champeaux : place★, stalles★ et vitraux★ de l'église 9 km par ⑤.

Office de Tourisme pl. St-Yves ✆ 90 75 04 46.

Paris 310 ② – Châteaubriant 51 ④ – Fougères 30 ⑥ – Laval 37 ② – ♦Rennes 37 ⑤.

Plan page ci-contre

Petit-Billot, 5 pl. Mar.-Leclerc ✆ 99 75 02 10 – TV wc wc ☎ . E.
fermé 15 déc. au 15 janv., vend. soir et sam. (sauf le soir en sais.) – SC : **R** 54/94 – 20 – **22 ch** 100/200. B **t**

Chêne Vert, pl. Gén.-de-Gaulle ✆ 99 75 00 58 – wc . ch B **a**
fermé 22 sept. au 22 oct., vacances de fév., vend. soir hors sais. et sam. – SC : **R** 52/103 – 17,50 – **22 ch** 61/190.

✗✗ **Le Pichet,** 17 bd Laval par ② ✆ 99 75 24 09 – VISA
fermé 4 au 18 août, vacances de fév. et le soir sauf jeudi, vend. et sam. – SC : **R** 75/185 .

CITROEN Gar. Pinel, rte de Laval par ② ✆ 99 75 06 52
PEUGEOT-TALBOT Gar. Gendry, Av. d'Helmstedt par ③ ✆ 99 75 00 57
V.A.G. Mouton, Rte de la Guerche ✆ 99 74 54 00

Jollive, 4 bd Chateaubriand ✆ 99 75 17 75

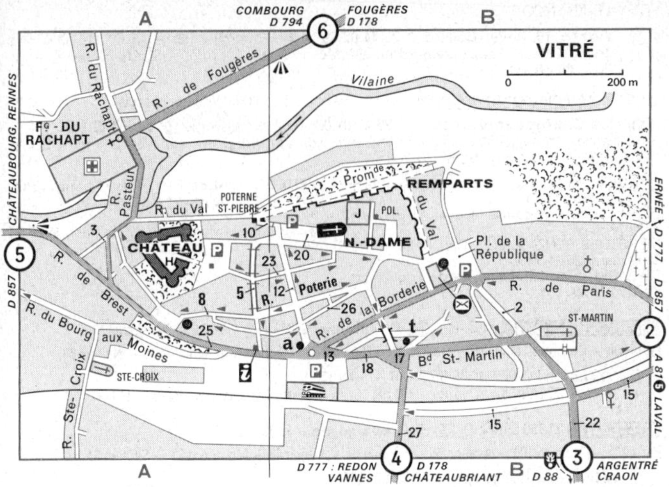

VITRÉ

Argentré (R. B.-d') .... B 2
Augustins (R. des) .... A 3
Borderie (R. de la) .... B
Embas (R. d') .... A 8
Garangeot (R.) .... B 12
Notre-Dame (Pl. et R.) .... B 20
Paris (R. de) .... B
Pasteur (R.) .... A
Poterie (R.) .... B

Beaudrairie (R.) .... A 5
Four (R. du) .... A 10
Gaulle (Pl. Gén.-de) ...... B 13
Jacobins (Bd des) .... B 15
Leclerc (Pl. Mar.) .... B 17
Liberté (R. de la) .... B 18
Rochers (Bd des) .... B 22
St-Louis (R.) .... AB 23
St-Yves (Prom.) .... A 25
Sévigné (R.) .... B 26
70e-R.I. (R. du) .... B 27

VITROLLES 13 B.-du-R. 84 ② – rattaché à Marignane.

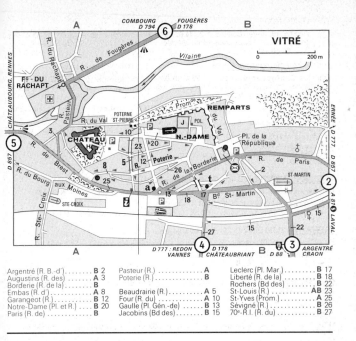

VITRY-LE-FRANÇOIS SP **51300** Marne 61 ⑧ **G. Champagne, Ardennes** – 18 829 h. alt. 105.

Office de Tourisme pl. Giraud ✆ 26 74 45 30.

Paris 176 ⑤ – **Châlons-sur-Marne 32** ① – **Meaux 144** ⑤ – **Melun 154** ⑤ – **St-Dizier 29** ③ – **Sens 140** ⑤ – **Troyes 78** ⑤ – **Verdun 94** ②.

VITRY-LE-FRANÇOIS

Armes (Pl. d') .... ABY
Briand (R. Aristide) ...... AZ
Gde-Rue-de-Vaux ...... BY
Leclerc (Pl. Mar.) .... BY 23
Pont (R. du) .... AY

Arquebuse (R. de l') ..... BZ 2
Bac (Rue du) .... BY 3
Beaux-Anges (R. des) ... BZ 4
Bourgeois (Fg. Léon) .... BZ 8
Chêne-Vert (R. du) ...... BY 9
Dominé (Bd du Col.) .... AZ 10
Dominé-de-Verzé (R.) ... BZ 13
Guesde (R. Jules) .... AZ 14
Hauts-Pas (R. des) ...... AZ 16
Hôtel-de-Ville (R. de l') .. BZ 19
Jaurès (R. Jean) .... BZ 20
Joffre (Pl. Mar.) .... BZ 21
Minimes (R. des) .... AY 24
Moll (Av. du Col.) .... AZ 25
Paris (Av. de) .... AY 26
Petit-Denier (R. du) ...... AY 28
Petite-Rue-de-Vaux ...... BY 29
Petite-Sainte (R. de la) ... BZ 30
République (Av. de la) ... BZ 33
Royer-Collard (Pl.) ...... BZ 34
St-Éloi (Rue de) .... BY 35
St-Michel (Rue) .... ABY 37
Sœurs (R. des) .... AY 38
Tour (R. de la) .... AY 39
Vieux-Port (Rue du) ..... BZ 41
Vitry-le-Brûlé (Fg de) .... BY 42

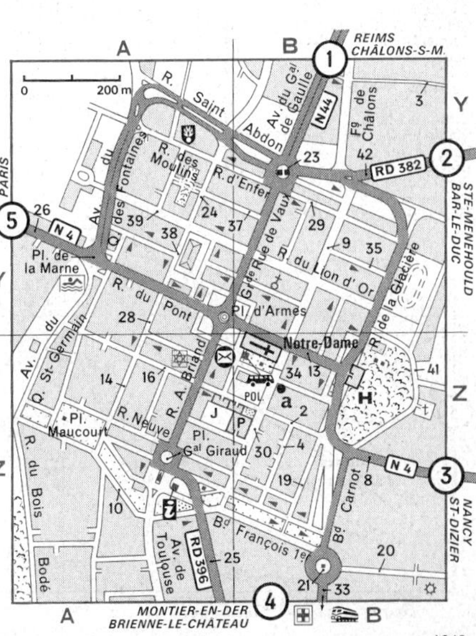

Poste, pl. Royer-Collard ✆ 26 74 02 65 – wc wc ☎ – 60. AE ⓓ E VISA
fermé 1er au 24 août (sauf hôtel), 24 déc. au 2 janv. et dim. – SC : **R** 70/140 – 20 – **30 ch** 120/230. BZ **a**

à Thiéblemont-Farémont par ③ : 10 km – ✉ **51300** Vitry-le-François :

XX **Le Champenois** avec ch, ✆ 26 41 81 03 – wc wc ☎ Ⓟ. AE ⓓ E VISA
fermé 1er au 15 oct., 15 au 28 fév., dim. soir et lundi du 1er sept. au 1er mai – SC : **R** 112/200 – 17 – **9 ch** 130/200.

CITROEN Blacy Auto., rte Nationale 4 à Blacy par ⑤ ✆ 26 74 15 29
FORD Dynamic Motors, 4 quai St-Germain ✆ 26 74 35 04
MERCEDES-BENZ, V.A.G. Gar. Ruffo, 10 fg St-Dizier ✆ 26 74 39 33
OPEL-GM Gar. Labroche, rte de Frignicourt ✆ 26 74 13 58

PEUGEOT-TALBOT Vitry-Champagne-Autom., 2 av. de Paris par ⑤ ✆ 26 74 11 47

Auto-Pneu-Marché, 14 av. de Paris ✆ 26 74 04 14

VITRY-SUR-LOIRE 71 S.-et-L. 69 ⑮ – 515 h. alt. 240 – ✉ **71140** Bourbon-Lancy.
Paris 300 – Bourbon-Lancy 9,5 – Decize 29 – Digoin 37 – Mâcon 119 – Moulins 39 – Nevers 63.

Acacias, D 979 ✆ 85 89 71 36 – Ⓟ.
fermé 20 déc. au 10 janv. – SC : **R** 55/75 – 15 – **10 ch** 58/78 – P 150.

VITTEAUX 21350 Côte-d'Or 65 ⑱ **G. Bourgogne** – 1 138 h. alt. 325.
Paris 261 – Auxerre 100 – Avallon 56 – Beaune 67 – ♦Dijon 48 – Montbard 33 – Saulieu 34.

X **Vieille Auberge,** ✆ 80 49 60 88. VISA
fermé merc. – SC : **R** 60/105.

VITTEL 88800 Vosges 62 ⑭ **G. Alsace et Lorraine** – 6 440 h. alt. 324 – Stat. therm. (2 janv.-24 déc.) – Casino ABY.

Voir Parc★ BY.

9 18 ✆ 29 08 18 80, N du plan.

Syndicat d'Initiative Palais des Congrès (1er mai-30 sept.) ✆ 29 08 12 72 et r. de Verdun ✆ 29 08 42 03.

Paris 345 ② – Belfort 123 ① – Chaumont 82 ② – Épinal 43 ① – Langres 72 ② – ♦Nancy 70 ①.

VITTEL

Bouloumié (Av. A.) . AY 3
Verdun (R. de) ..... BZ 26

Belgique (Av. de) ... AZ 2
Dames (R. des) .... BZ 5
Div.-Leclerc (R.) .... BZ 7
Flers (Av. R.-de) .... BZ 8
Garnier (Av.) .... BY 9
Gaulle (Pl. Général-de) .. BZ 10
Gérémoy (Allée de) AY 12
Jeanne-d'Arc (R.) .. BZ 13
Joffre (R. Mar.) .... BZ 15
Marne (Pl. de la) ... AZ 17
Paris (R. de) .... BZ 18
St-Nicolas (R.) ..... BY 19
Sœur-Catherine (R.) BZ 20
Soulier (R. M.) .... BYZ 22
Tilleuls (Av. des) ... AY 24

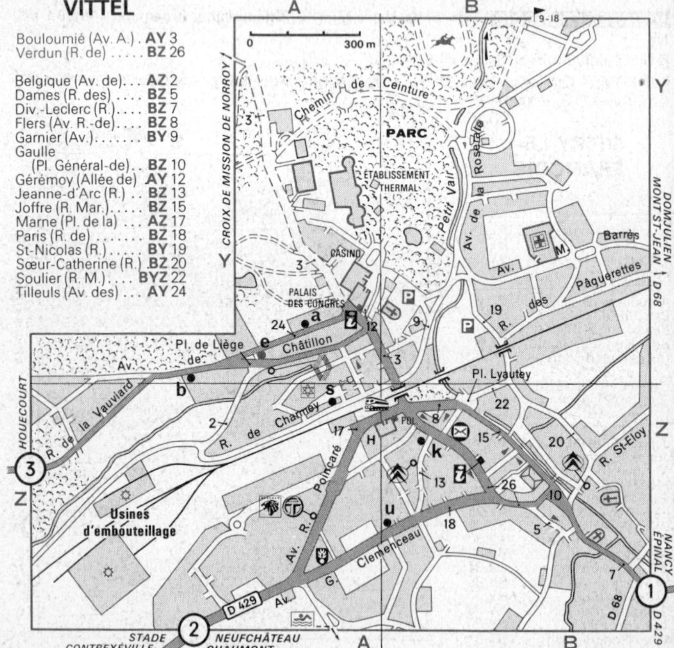

Angleterre, r. Charmey ✆ 29 08 08 42, – wc wc – 60. AE VISA. rest AZ **s**
fermé 15 déc. au 15 janv. – SC : **R** 95/150 – 22 – **62 ch** 158/273 – P 226/400.

Bellevue, 503 av. Châtillon ✆ 29 08 07 98, – wc wc . AE VISA. rest AYZ **b**
avril-oct. – SC : **R** 84/147 – 19,50 – **39 ch** 90/240 – P 204/357.

Beauséjour, 160 av. Tilleuls ✆ 29 08 09 34 – wc wc . E AY **a**
2 mai-30 sept. – SC : **R** 73/98 – 19 – **37 ch** 110/247 – P 175/355.

Castel Fleuri, 2 r. Jeanne d'Arc ✆ 29 08 05 20, – wc wc BZ **k**
17 mai-21 sept. – SC : **R** 78 – 16 – **45 ch** 80/242 – P 170/247.

Le Chalet, 70 av. G.-Clemenceau ✆ 29 08 07 21 – wc wc VISA BZ **u**
fermé merc. du 15 sept. au 15 juin – SC : **R** 67/130 – 18 – **10 ch** 103/218 – P 229/288.

L'Aubergade, 265 av. des Tilleuls ✆ 29 08 04 39 – AE VISA AY **e**
fermé 1er au 15 mars, 15 au 30 oct., dim. soir et lundi – SC : **R** 130/270.

par ③ : 3 km rte Hippodrome – ✉ **88800** Vittel :

Orée du Bois, ✆ 29 08 13 51, ←, , , – wc – 50. AE VISA. ch
SC : **R** 49/136 – 17 – **38 ch** 83/189 – P 216/316.

CITROEN Muller, 36.40 r. St-Eloy ✆ 29 08 05 65
CITROEN Villeminot, 106 av. Jeanne d'Arc ✆ 29 08 19 44
PEUGEOT-TALBOT Rambaud, 288 av. Poincaré ✆ 29 08 05 24
RENAULT Ets Leterme, av. Châtillon ✆ 29 08 07 09

VIVÈS 66 Pyr.-Or. 86 ⑲ – rattaché au Boulou.

VIVIERS 07220 Ardèche 80 ⑩ **G. Vallée du Rhône** (plan) – 3 287 h. alt. 71.

Voir Vieille ville* – Défilé de Donzère** au S.

Paris 619 – Aubenas 41 – Montélimar 11 – Pont-St-Esprit 29 – Privas 41 – Vallon-Pont-d'Arc 44.

Relais du Vivarais avec ch, NO : 2 km sur N 86 ✆ 75 52 60 41, , –
fermé 20 déc. au 20 janv. et merc. sauf juil.-août – SC : **R** (prévenir) 45/108 – 14 – **10 ch** 45/90 – P 190.

PEUGEOT-TALBOT Sabadel, ✆ 75 52 62 70 N

VIVIERS-DU-LAC 73 Savoie 74 ⑮ – rattaché à Aix-les-Bains.

Le VIVIER-SUR-MER 35960 Ille-et-V. 59 ⑥ – 914 h.

Paris 382 – Dinan 34 – Dol-de-Bretagne 8 – Fougères 59 – Le Mont-St-Michel 31 – St-Malo 21.

Bretagne, ✆ 99 48 91 74, ← – wc wc . AE E VISA
15 mars-15 nov. et fermé dim. soir et lundi sauf du 15 juin au 15 sept. – SC : **R** 70/170 – 21 – **20 ch** 100/170 – P 200/280.

VIVONNE 86370 Vienne 68 ⑬ **G. Côte de l'Atlantique** – 2 817 h. alt. 83.

Paris 353 – Angoulême 90 – Confolens 61 – Niort 63 – Poitiers 19 – St-Jean-d'Angély 89.

La Treille avec ch, av. Bordeaux ✆ 49 43 41 13 – AE E VISA
fermé 10 au 25 janv. et merc. – SC : **R** 62/167 – 14,50 – **4 ch** 65/125 – P 160/170.

PEUGEOT-TALBOT Babeau, ✆ 49 43 41 29 N

VOGELGRUN 68 H.-Rhin 62 ⑳ – 420 h. alt. 192 – rattaché à Neuf-Brisach.

VOGLANS 73 Savoie 74 ⑮ – rattaché à Chambéry.

VOIRON 38500 Isère 77 ④ G. Alpes – 19 658 h. alt. 290.

Office de Tourisme (fermé matin hors saison) avec A.C. pl. République ☎ 76 05 00 38.

Paris 521 ④ – Bourg-en-Bresse 108 ① – Chambéry 44 ② – ♦Grenoble 27 ④ – ♦Lyon 88 ④ – Le Puy 171 ④ – Romans-sur-Isère 62 ④ – ♦St-Étienne 121 ④ – Valence 80 ④ – Vienne 71 ④.

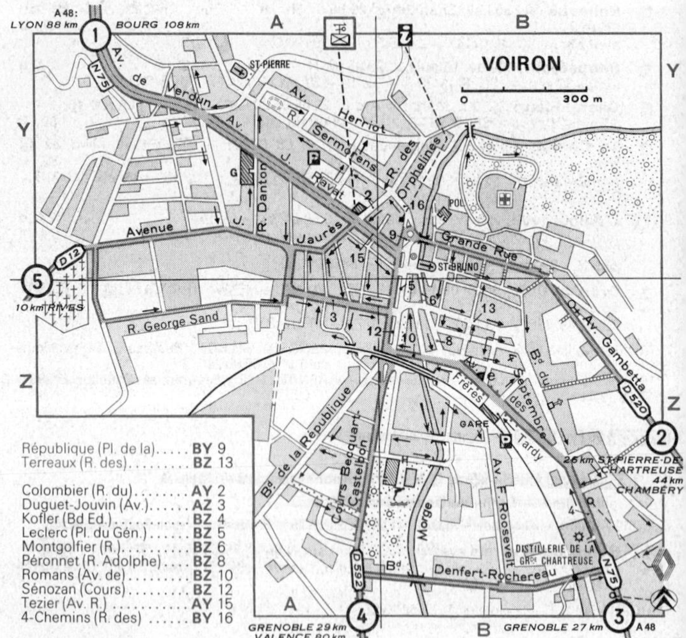

Castel Anne M, par ④ : 2 km ☎ 76 05 86 00, parc – TV ☎ P – 50. AE VISA
fermé vacances de fév. – SC : **R** 95/135 – 20 – **18 ch** 230/280.

La Chaumière, r. Chaumière (par bd République - AZ) ☎ 76 05 16 24 – wc wc P.
fermé 22 déc. au 4 janv., sam. soir et dim. midi – SC : **R** 58/150 – 15 – **25 ch** 110/175.

Baron de Cheny, ☎ 76 05 29 88 – AE E VISA — BZ **e**
15 sept.-15 mai et fermé dim. soir et lundi – SC : **R** carte 115 à 155.

Eden, par ② : 1 km ☎ 76 05 17 40, ←, – P. AE E VISA
fermé nov., dim. soir et lundi – SC : **R** 56/146.

CITROEN Gar. de Chartreuse, 22 bd E.-Kofler ☎ 76 05 03 16
FIAT Strada, 7 r. Faige Blanc ☎ 76 75 78 04
FORD Gauduel-Voiron, Zone Ind. des Blanchisseries, rte de Bourg ☎ 76 05 06 99
OPEL GM Gar. de la Gare, 5 bis av. Tardy ☎ 76 05 03 49

PEUGEOT-TALBOT Ets Parendel, Zone Ind. des Blanchisseries, N 75 par ① ☎ 76 05 85 33
RENAULT Autom. Voironnaise, 7 bd Edgar-Kofler ☎ 76 05 91 61
Brun-Pneus, bd Denfert-Rochereau ☎ 76 05 06 39

VOISINS-LE-BRETONNEUX 78 Yvelines 60 ⑨, 196 ㉙, 101 ㉑ – 5 234 h. alt. 165 – ✉ **78180** Montigny-le-Bretonneux.

Voir Ancienne abbaye de Port-Royal-des-Champs★ SO : 4 km, **G. Environs de Paris.**

Paris 35 – Chevreuse 12 – Rambouillet 27 – Versailles 9.

Port Royal M sans rest, 20 r. H.-Boucher ☎ (1) 30 44 16 27, – wc ☎ P. E VISA
SC : 16,50 – **28 ch** 115/180.

VOLLORE-MONTAGNE 63 P.-de-D. 73 ⑯ – 450 h. alt. 840 – ✉ **63120** Courpière.

Paris 421 – Ambert 45 – L'Arbresle 98 – ♦Clermont-Fd 63 – Montbrison 54 – Roanne 57 – Thiers 21.

Touristes, ☎ 73 53 77 50, ←, – P. E VISA
fermé 16 au 24 juin, janv., mardi soir et merc. sauf juil.-août – SC : **R** 60/125 – 15 – **12 ch** 80/188 – P 156/177.

VOLONNE 04290 Alpes-de-H.-P. 81 ⑯ G. Côte d'Azur – 1 309 h. alt. 500.
Syndicat d'Initiative à l'Hôtel de Ville ✆ 92 64 07 57.
Paris 716 – Digne 28 – Forcalquier 33 – Manosque 42 – Sault 77 – Sisteron 13.

Modern sans rest, r. République ✆ **92 64 07 56** –
1er avril-15 sept. – SC : 15 – **10 ch** 90/100.

RENAULT Delaby, ✆ 92 64 05 23

VOLVIC 63530 P.-de-D. 73 ⑭ G. Auvergne – 3 936 h.
Voir Coulée de lave ★ dans la maison de la Pierre – Ruines du château de tournoël ★★ ☼ ★ 1,5 km au N.
Paris 380 – Aubusson 85 – ♦ Clermont-Ferrand 21 – Riom 7.

Optim'Hôtel, 3 pl. Eglise ✆ **73 33 60 64** – wc ☎. rest
fermé janv. et dim. soir – SC : **R** 65/110 – 20 – **21 ch** 150/180.

CITROEN Gar. Dechavanne, ✆ 73 33 51 63
RENAULT Gar. Veautier, ✆ 73 33 51 78
Gar. Demossier, ✆ 73 33 65 34

VONNAS 01540 Ain 74 ② – 2 505 h. alt. 189.
Paris 409 – Bourg-en-Bresse 24 – ♦Lyon 66 – Mâcon 19 – Villefranche-sur-Saône 39.

❀❀❀ **Georges Blanc** M, ✆ **74 50 00 10, Télex 380776,** – rest TV ☎ P. AE VISA
fermé 2 janv. au 10 fév. – **R** *(fermé jeudi sauf le soir du 15 juin au 15 sept. et merc. sauf fériés)* (nombre de couverts limité - prévenir) 240/360 et carte – 46 – **24 ch** 460/1 100, 6 appartements
Spéc. Crêpe parmentière au saumon et caviar, Bar à la marinière, Poularde de Bresse aux gousses d'ail et au foie gras. **Vins** Mâcon blanc, Chiroubles.

CITROEN Ferrand, ✆ 74 50 00 27
PEUGEOT-TALBOT Mousset, ✆ 74 50 06 02
RENAULT Gautret, ✆ 74 50 02 41 N
RENAULT Morel, ✆ 74 50 15 66

VOUGEOT 21640 Côte-d'Or 66 ⑫ – 197 h.
Voir Château du Clos de Sougeot ★ O, G. Bourgogne.
Paris 328 – Beaune 23 – ♦ Dijon 18.

XX **Au Gastronome,** N74 ✆ **80 62 85 10,** – P. AE E VISA
fermé 15 janv. au 1er mars, lundi soir et mardi hors sais. – SC : **R** 74/210.

VOUILLÉ 86190 Vienne 68 ⑬ – 2 499 h. alt. 107.
Paris 340 – Châtellerault 39 – Parthenay 33 – Poitiers 17 – Saumur 84 – Thouars 52.

Cheval Blanc, ✆ **49 51 81 46** – P – 60 à 100. E VISA.
SC : **R** 45/110 – 18 – **12 ch** 65/110 – P 150/170.
Le Clovis ( ) M sans rest., ✆ **49 51 81 46** – TV wc ☎ P. E VISA.
SC : 18 – **11 ch** 150/180.

RENAULT Gge du Coquet, ✆ 49 51 80 04 N

La VOULTE-SUR-RHÔNE 07800 Ardèche 77 ⑪ G. Vallée du Rhône – 5 301 h. alt. 92.
Voir Corniche de l'Eyrieux★★★ NO : 4,5 km – Plan d'eau du Rhône★.
Paris 583 – Crest 23 – Montélimar 33 – Privas 20 – Valence 19.

Musée, pl. 4-Septembre ✆ **75 62 40 19,** – wc wc. E VISA
fermé 1er fév. au 1er mars et sam. de sept. à mars – SC : **R** 55/165 – 17 – **15 ch** 110/185 – P 170/200.

Vallée, quai A.-France ✆ **75 62 41 10,** ←, – wc P. AE E VISA
fermé janv. et sam. sauf vacances scolaires – SC : **R** 42/160 – 15 – **18 ch** 80/160 – P 160/190.

CITROEN Gar. Coutton, ✆ 75 62 00 82
Plantin Pneus, ✆ 75 62 44 46

VOUTENAY-SUR-CURE 89 Yonne 65 ⑥⑯ G. Bourgogne – 193 h. alt. 133 – ✉ **89270** Vermenton.
Paris 202 – Auxerre 37 – Avallon 14 – Clamecy 37 – Vézelay 14.

XX **Aub. le Voutenay** avec ch, N 6 ✆ **86 33 41 94,** , parc, – wc P. AE
fermé du 15 nov. au 1er fév. et lundi – SC : **R** 67/144 – 19 – **10 ch** 92/194.

VOUVANT 85 Vendée 67 ⑯ G. Côte de l' Atlantique – 798 h. alt. 70 – ✉ **85120** La Châtaigneraie.
Voir Eglise ★ - Château : tour Mélusine ★ (☼ ★).
Paris 401 – Bressuire 43 – Fontenay-le-Comte 15 – Parthenay 53 – La Roche-sur-Yon 62.

Aub. Maître Pannetier ✆ **51 00 80 12** – wc wc. E VISA
fermé 1er au 15 oct. et lundi sauf juil.-août – SC : **R** 39/130 – 15,50 **7 ch** 120/147 – P 173/196.

VOUVRAY 37210 I.-et-L. 64 ⑮ G. Châteaux de la Loire – 2 598 h. alt. 60.
Paris 233 – Amboise 16 – Blois 49 – Château-Renault 26 – ♦Tours 10.

XX **Aub. Gd Vatel** avec ch, av. Brûlé ✆ 47 52 70 32, 🏵 – ⇔wc ⋔ ☎ Ⓟ. AE ⓓ VISA. ✻ ch
fermé déc., dim. soir du 1er oct. au 31 mars et lundi – SC : **R** 78/175 – ☐ 23 – **7 ch** 115/197, (en sais. pension seul.).

RENAULT Gar. des Sports, ✆ 47 52 73 36

VOUZERON 18 Cher 64 ⑳ – 394 h. alt. 226 – ✉ **18330** Neuvy-sur-Barangeon.
Paris 213 – Bourges 32 – Gien 61 – ♦Orléans 83 – Vierzon 13.

🏨 **Relais de Vouzeron** 🐦, ✆ 48 51 61 38, 🏵, « Bel intérieur » – ⇔wc ☎. AE ⓓ VISA
fermé 1er août au 1er sept., dim. soir et lundi – SC : **R** carte environ 190 – ☐ 26 – **9 ch** 280/310.

RENAULT Gar. de Vouzeron, ✆ 48 51 62 01 N

VOVES 28150 E.-et-L. 60 ⑱ – 2 853 h. alt. 145.
Paris 97 – Ablis 34 – Bonneval 22 – Chartres 24 – Châteaudun 36 – Étampes 52 – ♦Orléans 58.

🏠 **Mairie**, ✆ 37 99 01 65 – ⋔wc. E. ✻
fermé 15 déc. au 15 janv. et lundi – SC : **R** 65/120 – ☐ 18 – **12 ch** 69/130.

XX **Aux Trois Rois** avec ch, ✆ 37 99 00 88 – VISA. ✻ ch
fermé 21 août au 4 sept., 8 au 15 janv., 5 au 12 mars, mardi soir et merc. – SC : **R** 65/120 – ☐ 14 – **7 ch** 77/92.

CITROEN Jeannot, ✆ 37 99 01 70 N
PEUGEOT-TALBOT Poupaux, ✆ 37 99 10 55
RENAULT Nadler, ✆ 37 99 17 82

La VRINE 25 Doubs 70 ⑥ – alt. 836 – ✉ **25520** Goux-lès-Usiers.
Paris 462 – ♦Besançon 49 – Morteau 36 – Mouthier-Hte-Pierre 11 – Pontarlier 9 – Salins-les-Bains 42.

🏨 **Ferme H.**, ✆ 81 39 47 74 – ⇔wc ☎ 🚗 Ⓟ
◆ SC : **R** 60/120 🍷 – ☐ 18 – **41 ch** 140/160 – P 200.

VUILLAFANS 25840 Doubs 70 ⑥ G. Jura – 600 h. alt. 360.
Paris 446 – ♦Besançon 33 – Levier 22 – Ornans 7 – Pontarlier 27 – Salins-les-Bains 45.

🏠 **Villa sans Façon** 🐦, ✆ 81 60 90 79, parc – Ⓟ. ✻ rest
◆ *1er mars-30 nov.* – SC : **R** 34/70 🍷 – ☐ 11 – **12 ch** 64/84 – P 135.

VULAINES-SUR-SEINE 77870 S.-et-M. 61 ②, 196 ㊻ – 1 687 h. alt. 29.
Paris 63 – Fontainebleau 5 – Melun 16 – Montereau-faut-Yonne 17 – Provins 48.

XX **Aub. de la Source**, carrefour D 210 et D 227 ✆ (1) 64 23 71 51, 🏵 – AE E VISA
fermé 15 au 31 août, 15 au 28 déc., mardi soir et merc. – SC : **R** 85/145 🍷.

WANGENBOURG 67710 B.-Rhin 62 ⑧⑨ G. Alsace et Lorraine – 224 h. alt. 452.
Voir Site★.
ℹ Syndicat d'Initiative rte du Gén.-de-Gaulle (juil.-août) ✆ 88 87 32 44 et à la Mairie ✆ 88 87 31 46.
Paris 467 – Molsheim 29 – Sarrebourg 38 – Saverne 20 – Sélestat 62 – ♦Strasbourg 41.

🏨 **Parc H.** 🐦, ✆ 88 87 31 72, ≤, « parc ombragé », 🏊, 🎾 – 🛗 ⇔wc ⋔wc ☎ Ⓟ – 🔔 50. ⓓ. ✻
fermé 4 nov. au 22 déc. et merc. en hiver – SC : **R** 67/131 🍷 – ☐ 21 – **33 ch** 99/200 – P 167/225.

🏨 **Scheidecker-Fruhauff**, ✆ 88 87 30 89, 🌳 – Ⓟ – 🔔 30
◆ *fermé 12 nov. au 20 déc., lundi soir (sauf rest.) et mardi hors sais.* – SC : **R** 50/130 🍷 – ☐ 18 – **27 ch** 90/170 – P 130/190.

à Engenthal le Bas N : 2 km carrefour D 218 - D 224 – ✉ **67710** Wangenbourg :

XX **des Vosges** 🐦 avec ch, ✆ 88 87 30 35, ≤, 🏵, 🌳 – ⇔wc ⋔wc ☎ Ⓟ. ⓓ
fermé mardi soir et merc. hors sais. – SC : **R** 76/150 🍷 – ☐ 16 – **15 ch** 75/190 – P 135/185.

au NE 5 km sur D 224 – ✉ **67710** Wangenbourg :

🏨 **Freudeneck** M 🐦, ✆ 88 87 32 91, ≤, 🏵, 🌳 – TV ⇔wc ☎ Ⓟ
fermé jeudi d'oct. à mars – SC : **R** 77/170 🍷 – ☐ 19 – **10 ch** 230 – P 175/210.

La WANTZENAU 67 B.-Rhin 62 ⑩ – rattaché à Strasbourg.

WASSELONNE 67310 B.-Rhin 62 ⑨ G. Alsace et Lorraine – 4 862 h. alt. 200.
Syndicat d'Initiative pl. Gén.-Leclerc ✆ 88 87 17 22.
Paris 461 – Haguenau 39 – Molsheim 13 – Saverne 14 – Sélestat 46 – ♦Strasbourg 25.

XX **Au Saumon** avec ch, r. Gén.-de-Gaulle ✆ **88 87 01 83**, – wc wc . AE E VISA
fermé 2 au 31 janv., dim. soir du 15 oct. au 15 mars et lundi sauf fériés – **18 ch**.

CITROEN Gar. Bohnert, ✆ 88 87 03 72
PEUGEOT-TALBOT Gar. du Centre, ✆ 88 87 06 68 N ✆ 88 87 06 44
RENAULT Gar. Kern, ✆ 88 87 01 92

WESTHALTEN 68111 H.-Rhin 62 ⑱ G. Alsace et Lorraine – 745 h.
Paris 462 – Colmar 21 – Guebwiller 11 – ♦Mulhouse 29 – Thann 29.

XXX **Aub. Cheval blanc,** 20 r. Rouffach ✆ 89 47 01 16 – . VISA
fermé 30 juin au 11 juil., 5 au 27 janv., dim. soir et lundi – SC : **R** 80/200 ⅄.

PEUGEOT-TALBOT Gar. Karch, ✆ 89 47 00 52

WETTOLSHEIM 68 H.-Rhin 62 ⑲ – rattaché à Colmar.

WIHR-AU-VAL 68 H.-Rhin 62 ⑱ – 1 051 h. alt. 320 – ✉ 68230 Turckeim.
Paris 450 – Colmar 15 – Gérardmer 38 – Guebwiller 34 – Munster 5.

sur D 417 E : 2 km – ✉ **68230** Turckheim :

Motel la Prairie, ✆ 89 71 10 00 – wc wc . AE VISA
fermé 4 janv. au 5 fév. – SC : **R** *(fermé lundi)* (dîner seul.) 85/123 ⅄ – 19,50 – **20 ch** 168/199.

RENAULT Meyer et Philippe, ✆ 89 71 11 09

WIMEREUX 62930 P.-de-C. 51 ① G. Flandres, Artois, Picardie – 7 023 h.
18 ✆ 21 32 43 20, N : 2 km.
Paris 249 – Arras 121 – Boulogne-sur-Mer 6,5 – ♦Calais 31 – Marquise 10.

Centre, 78 r. Carnot ✆ 21 32 41 08, – wc wc . E VISA.
fermé 2 au 16 juin, 21 déc. au 15 janv. – SC : **R** *(fermé lundi)* 60/120 ⅄ – 16 – **25 ch** 121/215.

Paul et Virginie, 19 r. Gén. de Gaulle ✆ 21 32 42 12, – wc . AE E VISA. ch
fermé 14 déc. au 19 janv. – SC : **R** *(fermé dim. et lundi du 18 nov. au 15 mars)* 65/150 ⅄ – 19 – **18 ch** 145/225.

Aramis sans rest, 1 r. Romain ✆ 21 32 40 15 – wc . VISA
fermé 20 déc. au 15 janv., vacances de fév. et dim. d'oct. à mars – SC : 17 – **16 ch** 95/168.

XXX **Atlantic H.** avec ch, digue de mer ✆ 21 32 41 01, ← – wc wc – 40 à 90. VISA
fermé fév., dim. soir et lundi d'oct. à mars – **R** carte 170 à 250 – 25 – **11 ch** 200/240.

RENAULT Coquart, 5 pl. O.-Dewavrin ✆ 21 32 40 02

WINGEN-SUR-MODER 67290 B.-Rhin 57 ⑱ – 1 550 h. alt. 220.
Paris 437 – Bitche 20 – Haguenau 35 – Sarreguemines 42 – Saverne 31 – ♦Strasbourg 57.

Wenk, ✆ 88 89 71 01, – wc wc . E VISA. rest
fermé 2 janv. au 6 fév. – **R** *(fermé mardi soir et merc.)* 42/190 ⅄ – 15,50 – **19 ch** 56/148 – P 163.

WINTZENHEIM 68 H.-Rhin 62 ⑱⑲ – rattaché à Colmar.

WISEMBACH 88 Vosges 62 ⑱ – 356 h. alt. 475 – ✉ **88520** Ban-de-Laveline.
Paris 402 – Colmar 44 – Épinal 64 – St-Dié 14 – Ste-Marie-aux-Mines 10 – Sélestat 32.

XX **Blanc Ru** avec ch, ✆ 29 57 78 51, , – wc . VISA
fermé 15 au 25 sept., fév., dim. soir et lundi – SC : **R** 72/150 ⅄ – 15,50 – **7 ch** 88/180 – P 170/205.

WISSEMBOURG <SP> 67160 B.-Rhin 57 ⑲ **G. Alsace et Lorraine** – 6 536 h. alt. 160.

Voir Vieille ville★ : église St-Pierre et St-Paul★ A E – Col du Pigeonnier ≤★ 5 km par ④.

Env. Village★★ d'Hunspach par ② 11 km.

Office de Tourisme à l'Hôtel de Ville ✆ 88 94 10 11.

Paris 509 ② – Haguenau 32 ② – Karlsruhe 42 ② – Sarreguemines 81 ④ – ♦Strasbourg 61 ②.

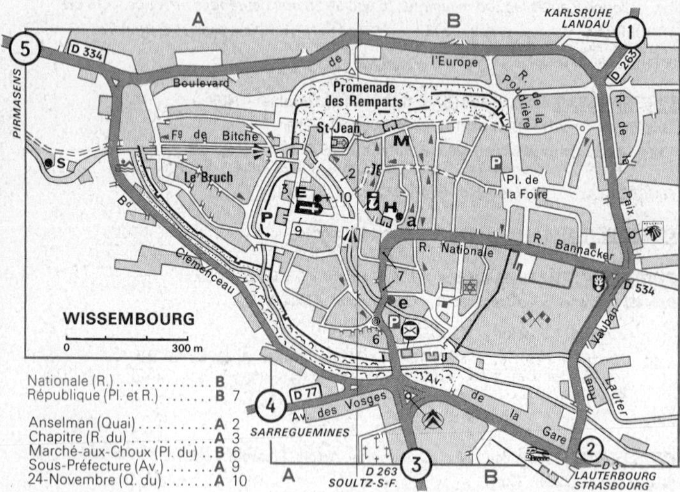

Nationale (R.) . . . . B
République (Pl. et R.) . . . . B 7

Anselman (Quai) . . . . A 2
Chapitre (R. du) . . . . A 3
Marché-aux-Choux (Pl. du) . . B 6
Sous-Préfecture (Av.) . . . . A 9
24-Novembre (Q. du) . . . . A 10

Cygne, 3 r. Sel ✆ 88 94 00 16 – wc wc ☎ Ⓟ. E VISA. ch — B a
fermé 20 juil. au 10 août, fév., jeudi midi et merc. – SC : **R** carte 110 à 170 – ☕ 15 – **16 ch** 95/200.

Walck M, ✆ 88 94 06 44, – wc wc ☎ Ⓟ – 40. E VISA. ch
fermé 15 au 30 juin et 15 au 31 janv. – SC : **R** *(fermé dim. soir et lundi)* carte 100 à 170 – ☕ 16,50 – **15 ch** 145/155. — A s

XX **Ange** avec ch, r. République ✆ 88 94 12 11, « Maison du 16e s. » – wc wc ☎. AE VISA. ch — B e
fermé 15 janv. au 15 fév., dim. soir et lundi – SC : **R** 60/200 – ☕ 15 – **8 ch** 95/144.

à Altenstadt par ② : 2 km – ✉ 67160 Wissembourg :

XX **Rôtisserie Belle Vue,** ✆ 88 94 02 30 – E VISA
fermé 1er au 21 août, 15 fév. au 1er mars, lundi soir et mardi – SC : **R** 57/128.

CITROEN Gar. Badina, ✆ 88 94 00 25
PEUGEOT Gar. Arbogast, 4 r. de la Paix ✆ 88 94 97 30
RENAULT Gar. Grasser, allée des Peupliers par ② ✆ 88 94 96 00 N

WITTERSDORF 68 H.-Rhin 66 ⑨ – rattaché à Altkirch.

XONRUPT-LONGEMER 88 Vosges 62 ⑰ – rattaché à Gérardmer.

Le YAUDET 22 C.-du-N. 58 ⑦ – rattaché à Lannion.

YENNE 73170 Savoie 74 ⑮ **G. Alpes** – 2 359 h. alt. 231.

Office de Tourisme rte Lurey ✆ 79 36 71 54.

Paris 500 – Aix-les-B. 22 – Bellegarde-sur-Valserine 55 – Belley 12 – Chambéry 24 – La Tour-du-Pin 35.

XX **La Diligence,** r. A.-Laurent ✆ 79 36 80 78 – AE E VISA
fermé 20 au 30 nov., 20 au 31 janv. et lundi – SC : **R** 55/180.

X **Fer à cheval** avec ch, r. des Prêtres ✆ 79 36 70 33, – wc ☎
fermé merc. sauf juil.-août – SC : **R** 48/120 – ☕ 17 – **13 ch** 100/165 – P 150/160.

RENAULT Gar. Clément, ✆ 79 36 72 32 N ✆ 79 36 86 83

YEU (Ile d') ★★ 85350 Vendée 67 ⑪ **G. Côte de l'Atlantique** – 4 896 h.

Accès : Transports maritimes, pour **Port-Joinville** (retenir passage autos très longtemps à l'avance, surtout pour juil.-août) écrire Gare de Port-Joinville ou ✆ 51 58 36 66.

depuis **Fromentine.** En 1985 : du 15 juin au 15 sept., 2 à 4 services quotidiens ; hors saison, 1 à 2 services quotidiens - Traversée 1 h 10 – Voyageurs 84 F (AR), autos de 227 à 315 F par Régie Départementale des Passages d'Eau ✆ 51 68 52 32.

Port-Joinville.

Voir Vieux Château* : < SO : 3,5 km – Grand Phare <* SO : 3 km.**

🅸 Syndicat d'Initiative r. G.-de-Gaulle (hors saison matin seul.) ✆ 51 58 32 58.

Flux H. sans rest., **27 r. P.-Henry ✆ 51 58 36 25,** <, – wc ☎ P
1er mars-31 oct. – **SC :** 20 – **15 ch** 161/209.

Grand Large sans rest, **1 r. Courseau ✆ 51 58 36 77** – wc wc ☎. E VISA
fermé 15 nov. au 15 fév. – **SC : 22 ch** 149/225.

Clipper, 10 r. Gén.-de-Gaulle ✆ 51 58 71 82.

RENAULT Gar. Cantin 55 Rue de la Saulzaie ✆ 51 58 33 80 N ✆ 51 58 54 24

Le Port de la Meule.

Voir Côte Sauvage : <** E et O – Pointe de la Tranche* SE.**

YFFINIAC **22** C.-du-N. **59** ③ – rattaché à St-Brieuc.

YSSINGEAUX **43200** H.-Loire **76** ⑧ **G. Vallée du Rhône** – **6 718 h. alt. 860.**

Paris 560 ① – Ambert 72 ④ – Privas 112 ② – Le Puy 27 ③ – ♦St-Étienne 51 ① – Valence 100 ②.

H. Cygne, 8 r. Alsace-Lorraine **(u)** ✆ **71 59 01 87,** – wc wc ☎. VISA.
fermé 1er sept. au 5 oct., 20 déc. au 10 janv., dim. soir et lundi – **SC : R** voir rest. **Le Cygne** – 16 – **18 ch** 110/150 – P 236/276.

Voyageurs et rest. Bourbon, 5 pl. Victoire **(e)** ✆ **71 59 06 54** – wc ☎. AE E VISA. rest
fermé 3 au 28 oct., 1er au 15 mars, jeudi soir et vend. du 3 oct. au 30 juin – **SC : R** 50/150 – 17 – **11 ch** 85/150 – P 160/190.

YSSINGEAUX

Alsace-Lorraine (R.) .. 2
Fayolle (R. du Mar.) .. 3
H. de Ville (Pl. de) 4
Marne (Av. de la) 5
St-Pierre (Bd) 6

Cygne, 8 r. Alsace-Lorraine **(n)** ✆ **71 59 01 87** – VISA.
fermé 1er sept. au 5 oct., 20 déc. au 10 janv., dim. soir et lundi – **SC : R** 55/130 .

CITROEN Gar. de Bellevue, rte de Retournac par ④ ✆ 71 59 00 68 N
PEUGEOT-TALBOT Gar. Berlier, rte de Saint-Etienne par ① ✆ 71 59 06 65 N
PEUGEOT-TALBOT Chapuis, av. Mar.-de-Vaux ✆ 71 59 05 24 N
RENAULT Renault Yssingeaux, La Guide par ① ✆ 71 59 13 31
RENAULT Gar. Sagnard, ZI La Guide par ① ✆ 71 59 03 39

YVETOT **76190** S.-Mar. **52** ⑬ **G. Normandie** – **10 895 h. alt. 144.**

Voir Verrières de l'église E.**

🅸 Syndicat d'Initiative pl. V.-Hugo (15 juin-15 sept.) ✆ 35 95 08 40 et à l'Hôtel de Ville ✆ 35 95 14 54.

Paris 176 ② – Dieppe 53 ② – Fécamp 34 ⑤ – ♦Le Havre 51 ⑤ – Lisieux 85 ⑤ – ♦Rouen 36 ②.

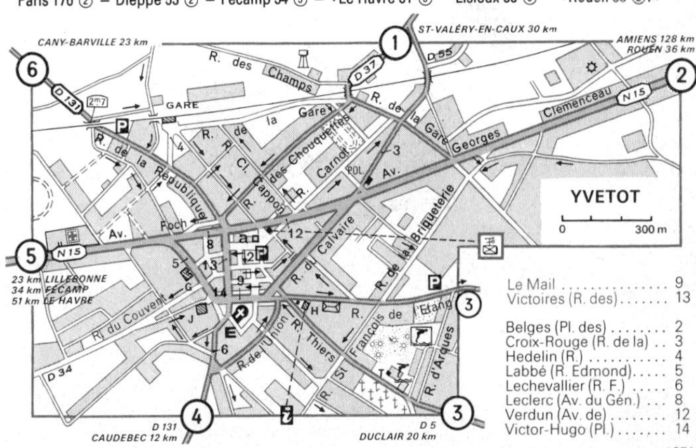

Havre, pl. Belges (a) ✆ 35 95 16 77 – wc wc ☎ ⇔ P. E VISA
SC : **R** *(fermé 20 déc. au 19 janv., vend. soir du 1er sept. au 30 juin et dim. sauf fériés)* 67/150 ♂ – 18 – **43 ch** 108/206.

à Croix-Mare par ② N 15 : 8 km – ✉ **76190** Yvetot :

XX **Aub. de la Forge,** ✆ 35 91 25 94, – P. AE
fermé 15 août au 7 sept., mardi soir et merc. – SC : **R** 106 bc/78.

FIAT, LANCIA-AUTOBIANCHI Vasselin, Zone Ind. d'Yvetot à Ste Marie des champs ✆ 35 95 18 44
FORD Lethuillier, av. Gén.-Leclerc ✆ 35 95 12 99
OPEL Gar. Perchey, av. G.-Clemenceau ✆ 35 95 01 75
PEUGEOT-TALBOT Leroux N 15 bis à Valliquerville par ⑤ ✆ 35 95 16 66
RENAULT Roussel Autom., rte N 15 par ⑤ ✆ 35 95 00 88

Aubé, Zone Ind. ✆ 35 56 89 89

YVOIRE 74 H.-Savoie 70 ⑯⑰ **G. Alpes** – 357 h. alt. 390 – ✉ **74140** Douvaine.
Syndicat d'Initiative pl. Mairie (sais.) ✆ 50 72 80 21.
Paris 542 – Annecy 71 – Bonneville 40 – •Genève 26 – Thonon-les-Bains 16.

Pré de la Cure M, ✆ 50 72 83 58, ←, , – wc wc ☎ P. E VISA. ch
22 mars-31 oct. et fermé merc. hors sais. – SC : **R** 64/165 – 24 – **20 ch** 200/240.

Vieux Logis, ✆ 50 72 80 24, – wc. AE E VISA
Pâques-fin oct. et fermé lundi – SC : **R** 60/190 – 22 – **12 ch** 90/190.

XX **Flots Bleus** avec ch, ✆ 50 72 80 08, ←, , « Terrasse ombragée face au port » – wc ☎ P. E VISA.
16 mai-20 sept. – SC : **R** 62/152 – 19 – **8 ch** 135/230.

XX **Port** avec ch, ✆ 50 72 80 17, ←, , « Terrasse dominant le lac » – wc wc ☎. E VISA. ch
8 mai-30 sept. et fermé mardi soir en sept., (sauf hôtel), jeudi midi en mai et juin et merc. sauf juil.-août – SC : **R** 120/150 – 18,50 – **8 ch** 130/250.

X **Aub. Porte d'Yvoire,** face poste ✆ 50 72 80 14, ←, , « Façade fleurie »
25 mars-1er nov. et fermé lundi – SC : **R** 70/180.

YZEURES-SUR-CREUSE 37 Indre-et-Loire 68 ⑤ – 1 820 h. alt. 80 – ✉ **37290** Preuilly-sur-Claise.
Paris 315 – Chateauroux 71 – Chatellerault 29 – Poitiers 54 – •Tours 90.

XX **La Promenade** M avec ch, ✆ 47 94 55 21 – wc wc ☎.
fermé 1er au 25 oct., 1er au 25 fév. et lundi – SC : **R** 70/220 – 28 – **8 ch** 120/150 – P 195/220.

INDEX DES LOCALITÉS classées par départements

Ces localités sont toutes repérées sur la Carte Michelin par un souligné rouge. Voir les numéros de carte et de pli au texte de chaque localité. Les symboles 🛏 et ✕ indiquent que vous trouverez un hôtel ou un restaurant dans ces localités.

A LIST OF LOCALITIES by « département »

On Michelin Maps all localities in the Guide are underlined in red. The entry of each locality gives the map number and fold. The symbols 🛏 and ✕ indicate that you will find a hotel or a restaurant in these towns.

ORTSVERZEICHNIS nach Départements geordnet

Diese Orte sind auf den Michelin-Karten angegeben und rot unterstrichen. Nummer und Falte der entsprechenden Karte ersehen Sie aus dem jeweiligen Ortstext. Die Symbole 🛏 und ✕ zeigen an, daß es in diesen Orten ein Hotel oder Restaurant gibt.

INDICE DELLE LOCALITÀ suddivise per dipartimento

Queste località sono tutte sottolineate in rosso sulla carta Michelin. Il numero della carta e della piega è riportato nel testo di ciascuna località. I simboli 🛏 e ✕ indicano che troverete in questa località un albergo o un ristorante.

ÍNDICE DE LOCALIDADES por departamentos

Todas las localidades están subrayadas en el mapa Michelin en color rojo. Ver los números de mapa y pliego en el texto de cada localidad. Los simbolos 🛏 y ✕ indican que encontrará en estas localidades un hotel o un restaurante.

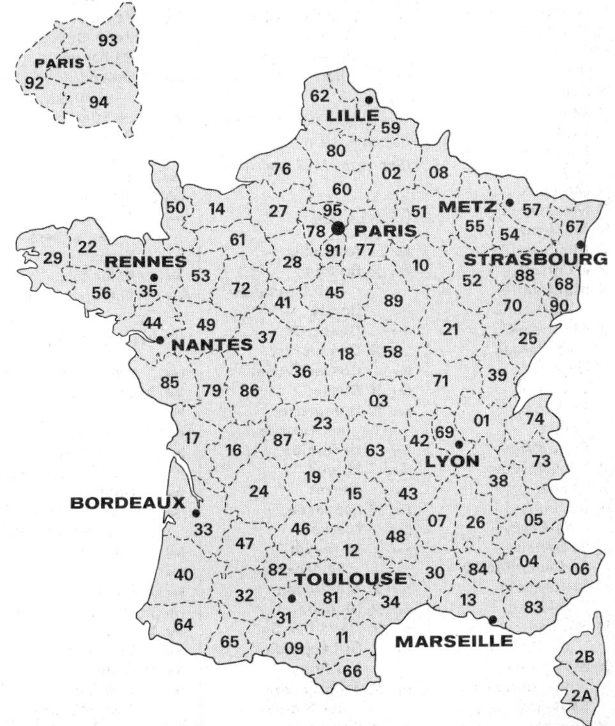

01 AIN

- 🛏 Ambérieu-en-Bugey
- 🛏 Ambérieux-en-Dombes
- 🛏 Ars-sur-Formans
- 🛏 Artemare
- 🍴 Attignat
- 🛏 Bellegarde-sur-Valserine
- 🍴 Bénonces
- 🛏 🍴 Bourg-en-Bresse
- 🍴 Ceignes
- 🛏 Cerdon
- 🛏 🍴 Ceyzériat
- 🍴 Chalamont
- 🛏 🍴 Châtillon-sur-Chalaronne
- 🛏 Chézery-Forens
- 🛏 🍴 Coligny
- 🛏 🍴 Divonne-les-Bains
- 🍴 Dompierre-sur-Veyle
- 🛏 🍴 Échallon
- 🍴 Les Échets
- 🛏 La Faucille (Col de)
- 🛏 🍴 Ferney-Voltaire
- 🍴 Flévieu
- 🛏 🍴 Gex
- 🍴 Groslée
- 🛏 🍴 Hauteville-Lompnes
- 🛏 Izernore
- 🍴 Jujurieux
- 🛏 Lelex
- 🛏 🍴 Logis Neuf
- 🛏 Lompnieu
- 🍴 Loyettes
- 🍴 Marlieux
- 🍴 Meximieux
- 🍴 Mézériat
- 🍴 Mionnay
- 🛏 🍴 Montluel
- 🛏 🍴 Montmerle-sur-Saône
- 🍴 Montrevel-en-Bresse
- 🛏 🍴 Nantua
- 🛏 🍴 Oyonnax
- 🛏 Pérouges
- 🛏 🍴 Polliat
- 🛏 Pont-d'Ain
- 🍴 Pont-de-Vaux
- 🍴 Rancé
- 🛏 🍴 St-André-de-Corcy
- 🍴 St-Benoit
- 🛏 St-Genis-Pouilly
- 🛏 St-Germain-de-Joux
- 🍴 St-Jean-de-Gonville
- 🍴 St-Maurice-de-Gourdans
- 🛏 Sauverny
- 🛏 🍴 Seyssel
- 🛏 Thoissey
- 🍴 Trévoux
- 🍴 Villars-les-Dombes
- 🍴 Villeneuve
- 🛏 Virieu-le-Grand
- 🛏 Vonnas

02 AISNE

- 🍴 Berry-au-Bac
- 🛏 Blérancourt
- 🛏 Brunehamel
- 🍴 La Capelle
- 🍴 Le Catelet
- 🛏 🍴 Château-Thierry
- 🍴 Chauny
- 🍴 Etréaupont
- 🍴 La Fère
- 🛏 🍴 Fère-en-Tardenois
- 🛏 🍴 Guise
- 🛏 🍴 Hirson
- 🛏 🍴 Laon
- 🛏 Marle
- 🛏 Le Nouvion-en-Thiérache
- 🍴 Reuilly-Sauvigny
- 🍴 St-Gobain
- 🛏 🍴 St-Quentin
- 🛏 🍴 Soissons
- 🍴 Urcel
- 🛏 Vailly-sur-Aisne
- 🛏 Vervins
- 🍴 Vic-sur-Aisne
- 🛏 🍴 Villers-Cotterêts

Une voiture bien équipée possède à son bord des cartes Michelin à jour

03 ALLIER

- 🛏 Arfeuilles
- 🛏 🍴 Bourbon-l'Archambault
- 🛏 Cérilly
- 🛏 Chantelle
- 🛏 🍴 Commentry
- 🛏 Cosne-d'Allier
- 🛏 🍴 Cusset
- 🛏 🍴 Dompierre-sur-Besbre
- 🛏 Le Donjon
- 🛏 Ébreuil
- 🛏 Jenzat
- 🛏 🍴 Lapalisse
- 🛏 Mariol
- 🛏 Le Mayet-de-Montagne
- 🛏 🍴 Montluçon
- 🛏 🍴 Moulins
- 🛏 🍴 Néris-Les-Bains
- 🛏 St-Léopardin-d'Augy
- 🛏 🍴 St-Pourçain-sur-Sioule
- 🍴 Souvigny
- 🛏 Tronçais
- 🍴 Urcay
- 🍴 Vallon-en-Sully
- 🛏 🍴 Varennes-sur-Allier
- 🛏 Le Veurdre
- 🛏 🍴 Vichy

04 ALPES-DE-HTE-PR.

- 🛏 Allos
- 🛏 Annot
- 🛏 🍴 Barcelonnette
- 🛏 Barrême
- 🛏 Beauvezer
- 🛏 🍴 Castellane
- 🛏 Chabriéres
- 🛏 🍴 Château-Arnoux
- 🛏 Colmars
- 🛏 🍴 Digne
- 🍴 Forcalquier
- 🍴 La Fuste
- 🛏 Gréoux-Les-Bains
- 🛏 Jausiers
- 🛏 Larche
- 🛏 🍴 Manosque
- 🛏 🍴 Moustiers-Ste-Marie
- 🛏 La Palud-sur-Verdon
- 🛏 Peyruis
- 🍴 Point-Sublime
- 🍴 Reillanne
- 🛏 🍴 St-André-les-Alpes
- 🛏 St-Étienne
- 🛏 St-Julien-du-Verdon
- 🛏 Seyne
- 🛏 Sisteron
- 🛏 Thorame-Haute-Gare
- 🛏 Turriers
- 🛏 Valensole
- 🛏 Volonne

05 HTES-ALPES

- 🛏 Aspres-sur-Buëch
- 🛏 🍴 Briançon
- 🛏 Ceillac
- 🛏 Chaillol
- 🛏 La Chapelle-en-Valgaudemar
- 🛏 Château-Ville-Vieille (Commune de)
- 🛏 Chorges
- 🛏 Crevoux
- 🛏 🍴 Embrun
- 🛏 La Freissinouse
- 🛏 🍴 Gap
- 🛏 La Grave
- 🛏 🍴 Guillestre
- 🛏 Laragne-Montéglin
- 🛏 Lautaret (Col du)

🛏 Molines-en-Queyras
🛏 Montgenèvre
🛏 Orcières
🛏 Les Orres
🛏 Pelvoux (Commune de)
🍴 Le Poët
🛏 Puy-St-Vincent
🛏 La Roche-des-Arnauds
🛏 St-Bonnet
🛏 St-Disdier
🛏 St-Firmin
🛏 St-Julien-en-Champsaur
🛏 St-Véran
🛏 🍴 Savines-le-Lac
🛏 🍴 Serre-Chevalier
🛏 Serres
🛏 Vallouise
🛏 🍴 Vars
🛏 Ventavon
🛏 Veynes
🛏 Villar-d'Arène

06 ALPES-MAR.

🛏 Andon
🛏 🍴 Antibes
🍴 Auribeau-sur-Siagne
🛏 Auron
🛏 🍴 Beaulieu-sur-Mer
🛏 🍴 Beuil
🍴 Bézaudun-les-Alpes
🍴 Biot
🛏 La Bollène-Vésubie
🛏 Breil-sur-Roya
🛏 La Brigue
🍴 Le Broc
🛏 🍴 Cagnes-sur-Mer
🛏 🍴 Cannes
🛏 🍴 Le Cannet
🛏 Cap d'Ail
🛏 🍴 Castagniers
🛏 🍴 La Colle-sur-Loup
🛏 Colomars
🍴 Contes
🍴 L'Escarène
🛏 Esteng
🛏 🍴 Èze
🛏 🍴 Èze-Bord-de-Mer
🍴 Falicon
🛏 🍴 Gattières
🍴 La Gaude
🛏 🍴 Golfe-Juan
🛏 🍴 Grasse
🛏 Gréolières
🛏 Gréolières-les-Neiges
🛏 Guillaumes
🛏 Isola 2000
🛏 🍴 Juan-les-Pins
🍴 Lantosque
🛏 🍴 Levens
🛏 🍴 Mandelieu
🛏 🍴 Menton
🛏 🍴 Miramar
🍴 Mouans-Sartoux
🛏 🍴 Mougins
🛏 🍴 La Napoule-Plage
🛏 🍴 Nice
🛏 🍴 Pégomas
🍴 Peille
🛏 Peillon
🛏 Peira-Cava
🛏 Plan-du-Var
🛏 Pont-du-Loup
🍴 Puget-Théniers
🛏 Roquebillière
🛏 🍴 Roquebrune-Cap-Martin
🍴 Roquefort-les-Pins
🛏 St-Dalmas-de-Tende
🛏 St-Etienne-de-Tinée
🛏 🍴 St-Jean-Cap-Ferrat
🍴 St-Jean-la-Rivière
🍴 St-Jeannet
🛏 St-Laurent-du-Var
🍴 St-Martin-du-Var
🛏 St-Martin-Vésubie
🛏 St-Paul
🛏 St-Vallier-de-Thiey
🛏 Sospel
🛏 Le Suquet
🛏 Tende
🛏 Théoule-sur-Mer
🛏 Thorenc
🛏 Touët-sur-Var
🛏 🍴 Tourrette-sur-Loup
🛏 🍴 La Turbie
🛏 Valberg
🍴 Valbonne
🛏 Valdeblore (Commune de)
🍴 Vallauris
🛏 🍴 Vence
🛏 🍴 Villefranche
🛏 🍴 Villeneuve-Loubet

07 ARDÈCHE

🛏 🍴 Annonay
🍴 Antraigues
🛏 Arcens
🛏 🍴 Aubenas
🛏 Baix
🍴 Bidon
🛏 Bourg-St-Andéol
🍴 Charmes-sur-Rhône
🍴 Châteaubourg
🛏 Coucouron
🛏 Joyeuse
🛏 Lablachère
🛏 Lalouvesc
🛏 Lamastre
🛏 Largentière
🛏 Laviolle
🛏 Mézilhac
🛏 Neyrac-les-Bains
🍴 Les Ollières-sur-Eyrieux
🛏 Orgnac-l'Aven
🛏 Le Pouzin
🛏 Privas
🛏 Ruoms
🛏 St-Agrève
🛏 St-Marcel-d'Ardèche
🛏 St-Martin-de-Valamas
🍴 St-Paul-le-Jeune
🛏 🍴 St-Péray
🍴 Saint-Remèze
🛏 Sarras
🛏 Satillieu
🍴 Serrières
🛏 🍴 Tournon
🍴 Le Teil
🛏 Thueyts
🛏 🍴 Tournon
🛏 Valgorge
🛏 Vallon-Pont-d'Arc
🛏 Vals-les-Bains
🛏 Les Vans
🍴 Villeneuve-de-Berg
🍴 Viviers
🛏 La Voulte-sur-Rhône

08 ARDENNES

🍴 Aubrives
🍴 Auvillers-les-Forges
🍴 Biévres
🛏 Bogny-sur-Meuse
🛏 🍴 Charleville-Mézières
🛏 Le Chesne
🍴 Givet
🍴 Les Hautes-Rivières
🛏 🍴 Haybes
🛏 Neuville-aux-Tourneurs
🍴 Nouzonville
🛏 Rethel
🛏 🍴 Revin
🛏 Rocroi
🛏 🍴 Sedan
🛏 Signy-l'Abbaye

09 ARIÈGE

🛏 Argein
🛏 Aulus-les-Bains
🛏 Ax-les-Thermes
🍴 La Bastide-de-Sérou
🛏 Les Cabannes
🛏 🍴 Foix
🛏 L'Hospitalet

- 🛏 Lavelanet
- 🛏 Mirepoix
- 🛏 Oust
- 🛏 Pamiers
- 🛏 St-Girons
- 🍴 Seix
- 🛏 Tarascon-sur-Ariège
- 🍴 Varilhes

10 AUBE

- 🛏 Aix-en-Othe
- 🍴 Arcis-sur-Aube
- 🛏 Bar-sur-Aube
- 🛏 Bar-sur-Seine
- 🛏 🍴 Brévonnes
- 🛏 🍴 Brienne-le-Château
- 🍴 Gyé-sur-Seine
- 🍴 Lesmont
- 🛏 Méry-sur-Seine
- 🛏 Mesnil-St-Père
- 🍴 Nogent-sur-Aube
- 🛏 🍴 Nogent-sur-Seine
- 🛏 Romilly-sur-Seine
- 🛏 🍴 Troyes

11 AUDE

- 🍴 Belcaire
- 🛏 Capendu
- 🛏 🍴 Carcassonne
- 🛏 🍴 Castelnaudary
- 🍴 Chalabre
- 🍴 Cucugnan
- 🛏 La Franqui
- 🛏 🍴 Gruissan
- 🍴 Leucate
- 🛏 Lézignan-Corbières
- 🛏 🍴 Limoux
- 🛏 🍴 Narbonne
- 🛏 Peyriac-Minervois
- 🛏 Port-la-Nouvelle
- 🛏 🍴 Quillan
- 🍴 Rieux-Minervois
- 🛏 Villemagne

12 AVEYRON

- 🛏 Aguessac
- 🛏 Les Albres
- 🛏 Aubrac
- 🛏 Baraqueville
- 🛏 Beetholène
- 🛏 Bois-du-Four
- 🛏 🍴 Bozouls
- 🛏 Broquiès
- 🛏 Brousse-le-Château
- 🛏 Brusque
- 🛏 Camarès
- 🛏 Conques
- 🛏 Coupiac
- 🛏 Cransac
- 🛏 Decazeville
- 🛏 Entraygues-sur-Truyère
- 🛏 🍴 Espalion
- 🛏 Estaing
- 🛏 Gabriac
- 🛏 Grand-Vabre
- 🛏 🍴 Laguiole
- 🛏 🍴 Millau
- 🛏 Montbazens
- 🛏 Mur de Barrez
- 🛏 Najac
- 🛏 🍴 Naucelle
- 🛏 Palmas
- 🍴 Plaisance
- 🛏 Pont-de-Salars
- 🛏 Rieupeyroux
- 🛏 Rignac
- 🛏 Rivière-sur-Tarn
- 🛏 🍴 Rodez
- 🛏 Roquefort-sur-Soulzon
- 🛏 St-Affrique
- 🛏 St-Chély-d'Aubrac
- 🛏 St-Geniez-d'Olt
- 🛏 St-Jean-du-Bruel
- 🛏 St-Rome-de-Cernon
- 🛏 St-Sernin-sur-Rance
- 🛏 Ste-Geneviève-sur-Argence
- 🛏 Salles-Curan
- 🛏 Salmiech
- 🛏 Sauveterre-de-Rouergue
- 🛏 Sévérac-le-Château
- 🛏 Thérondels
- 🛏 🍴 Valady
- 🛏 Viaur (Viaduc du)
- 🛏 🍴 Villefranche-de-Rouergue
- 🛏 Villeneuve

13 B.-DU-RHÔNE

- 🛏 🍴 Aix-en-Provence
- 🛏 🍴 Arles
- 🛏 Aubagne
- 🛏 Auriol
- 🛏 Barbentane
- 🛏 🍴 Les Baux-de-Provence
- 🛏 🍴 Beaurecueil
- 🍴 Calas
- 🛏 🍴 Carry-le-Rouet
- 🛏 🍴 Cassis
- 🛏 Châteauneuf-le-Rouge
- 🛏 🍴 Châteaurenard
- 🛏 🍴 La Ciotat
- 🛏 🍴 Eygalières
- 🛏 🍴 Fontvieille
- 🛏 🍴 Fos-sur-Mer
- 🍴 Fuveau
- 🛏 🍴 Gémenos
- 🍴 Grans
- 🛏 Graveson
- 🛏 🍴 Istres
- 🍴 Lambesc
- 🛏 Marignane
- 🛏 🍴 Marseille
- 🛏 🍴 Martigues
- 🛏 🍴 Maussane-les-Alpilles
- 🍴 Meyrargues
- 🍴 Mimet
- 🛏 🍴 Miramas
- 🛏 Mouriès
- 🛏 Noves
- 🍴 Orgon
- 🛏 Plan-d'Orgon
- 🛏 Port-St-Louis-du-Rhône
- 🛏 🍴 Rognac
- 🍴 Rognes
- 🛏 Roquefavour
- 🍴 St-Cannat
- 🛏 St-Martin-de-Crau
- 🍴 St-Paul-lez-Durance
- 🛏 🍴 St-Rémy-de-Provence
- 🛏 🍴 Stes-Maries-de-la-Mer
- 🛏 🍴 Salon-de-Provence
- 🍴 Sausset-les-Pins
- 🛏 🍴 Sénas
- 🛏 Tarascon
- 🛏 Trets
- 🛏 Vauvenargues
- 🍴 Ventabren

14 CALVADOS

- 🍴 Annebault
- 🛏 Arromanches-les-Bains
- 🍴 Aunay-sur-Odon
- 🍴 Balleroy
- 🛏 🍴 Bayeux
- 🍴 Beaumont-en-Auge
- 🍴 Bénouville
- 🍴 Beuvron-en-Auge
- 🛏 Blonville-sur-Mer
- 🍴 Le Breuil-en-Auge
- 🛏 🍴 Cabourg
- 🛏 🍴 Caen
- 🛏 🍴 Clécy
- 🍴 Condé-sur-Noireau
- 🛏 🍴 Courseulles-sur-Mer
- 🍴 Crévecoeur-en-Auge
- 🛏 🍴 Deauville
- 🛏 🍴 Falaise
- 🛏 Grandcamp-Maisy
- 🛏 🍴 Honfleur
- 🛏 🍴 Houlgate
- 🛏 Isigny-sur-Mer
- 🛏 Langrune-sur-Mer
- 🛏 Lion-sur-Mer
- 🛏 🍴 Lisieux
- 🛏 Livarot
- 🛏 Luc-sur-Mer

🍴 Merville-Franceville-Plage
🍴 Mery-Corbon
🛏 Le Molay-Littry
🛏 🍴 Orbec
🛏 🍴 Ouistreham
🛏 🍴 Pont-d'Ouilly
🍴 Pont-Farcy
🛏 🍴 Pont-l'Évèque
🍴 Port-en-Bessin
🛏 St-Aubin-sur-Mer
🍴 St-Sylvain
🍴 Thaon
🍴 Thury-Harcourt
🛏 Tilly-sur-Seulles
🛏 🍴 Trouville-sur-Mer
🛏 Vierville-sur-Mer
🛏 Villers-Bocage
🛏 Villers-sur-Mer
🛏 Villerville
🛏 🍴 Vire

15 CANTAL

🛏 Allanche
🛏 🍴 Aurillac
🛏 Boisset
🛏 Calvinet
🛏 Cayrols
🛏 Champs-sur-Tarentaine
🛏 🍴 Chaudes-Aigues
🛏 Cheylade
🛏 Le Claux
🛏 Dienne
🛏 Le Falgoux
🛏 Garabit (Viaduc de)
🛏 Lacapelle-Barrès
🛏 Laveissière
🛏 🍴 Le Lioran
🛏 Massiac
🛏 Mauriac
🛏 Maurs
🛏 Montsalvy
🛏 🍴 Murat
🛏 Neuvéglise
🛏 Pailherols
🍴 Pleaux
🛏 Polminhac
🛏 Riom-ès-Montagnes
🛏 Le Rouget
🛏 Ruynes-en-Margeride
🛏 Saignes
🛏 St-Cernin
🛏 St-Cirgues-de-Jordanne
🛏 St-Étienne-Cantalès
🛏 St-Étienne-de-Chomeil
🛏 St-Flour
🛏 St-Jacques-des-Blats
🛏 St-Julien-de-Jordanne
🛏 St-Paul-des-Landes
🛏 St-Projet-de-Cassaniouze
🛏 Salers
🛏 Ségur-les-Villas
🛏 Thiézac
🛏 Trizac
🛏 Le Vaulmier
🛏 Vezels-Roussy
🛏 Vic-sur-Cère
🛏 Vieillevie

16 CHARENTE

🛏 🍴 Angoulême
🛏 🍴 Barbezieux
🛏 Chabanais
🍴 Chasseneuil-sur-Bonnieure
🛏 🍴 Cognac
🛏 🍴 Confolens
🛏 🍴 Jarnac
🛏 Mansle
🛏 Montignac-Charente
🛏 Nieuil
🛏 La Rochefoucauld
🍴 Rouillac
🛏 Roumazières-Loubert
🛏 Ruffec
🛏 Vibrac

17 CHARENTE-MARITIME

🛏 Arvert
🍴 Boutenac-Touvent
🛏 Chaillevette
🛏 🍴 Châtelaillon-Plage
🍴 Chevanceaux
🛏 🍴 Esnandes
🛏 Fouras
🛏 🍴 Jonzac
🛏 🍴 La Laigne
🛏 Marennes
🍴 Meschers-sur-Gironde
🛏 Montguyon
🍴 Mornac-sur-Seudre
🛏 🍴 Mortagne-sur-Gironde
🛏 🍴 Oléron (Ile d')
🍴 La Palmyre
🛏 🍴 Pons
🛏 🍴 Ré (Ile de)
🛏 🍴 Rochefort
🛏 🍴 La Rochelle
🛏 🍴 Royan
🛏 St-Aigulin
🛏 St-Georges-de-Didonne
🛏 St-Jean-d'Angély
🛏 🍴 St-Palais-sur-Mer
🍴 St-Savinien
🛏 🍴 Saintes
🛏 Saujon
🛏 Surgères
🍴 Talmont
🛏 Tonnay-Boutonne

18 CHER

🛏 Ainay-le-Vieil
🍴 Argent-sur-Sauldre
🛏 Aubigny-sur-Nère
🍴 Bannegon
🛏 🍴 Bourges
🛏 🍴 Brinon-sur-Sauldre
🍴 Concressault
🛏 Culan
🍴 Le Guétin
🛏 Mehun-sur-Yèvre
🍴 Menetou-Ratel
🍴 Nançay
🛏 🍴 St-Amand-Montrond
🍴 St-Martin-d'Auxigny
🛏 🍴 Sancerre
🛏 Sancoins
🍴 Vailly-sur-Sauldre
🛏 🍴 Vierzon
🛏 Vouzeron

19 CORRÈZE

🛏 Allassac
🛏 Argentat
🛏 Arnac-Pompadour
🛏 Aubazines
🛏 Beaulieu-sur-Dordogne
🛏 Beynat
🛏 Bort-les-Orgues
🛏 🍴 Brive-la-Gaillarde
🍴 Camps
🛏 Chamboulive
🛏 La Chapelle
🛏 Clergoux
🛏 Collonges-la-Rouge
🛏 Donzenac
🛏 Égletons
🛏 Lapleau
🛏 Larche
🍴 Lostanges
🛏 Lubersac
🍴 Marcillac-la-Croisille
🛏 Meymac
🍴 Meyssac
🛏 Neuvic
🛏 🍴 Objat
🛏 Quatre Routes d'Albussac
🛏 La Roche-Canillac
🛏 St-Cirgues-la-Loutre

🛏 St-Martin-la-Méanne
🛏 St-Pardoux-la-Croisille
🛏 🍴 Seilhac
🛏 Tarnac
🛏 Le Teulet
🛏 🍴 Tulle
🛏 Ussel
🛏 🍴 Uzerche
🛏 Varetz

2A CORSE-DU-SUD

🛏 🍴 Ajaccio
🍴 Aullène
🛏 🍴 Bastelica
🍴 Bavella (col de)
🛏 Bocognano
🛏 🍴 Bonifacio
🛏 Cargèse
🍴 Cauro
🛏 Evisa
🛏 Favone
🛏 🍴 Golfe de la Liscia
🍴 Petreto-Bicchisano
🛏 Piana
🛏 🍴 Pinarello
🛏 🍴 Porticcio
🛏 Porto
🛏 Porto-Pollo
🛏 🍴 Porto-Vecchio
🛏 🍴 Propriano
🛏 Quenza
🍴 Sagone
🛏 Santa-Maria-Sicché
🛏 🍴 Sartène
🛏 Soccia
🛏 Solenzara
🍴 Vero
🛏 Vico
🛏 Zicavo
🛏 🍴 Zonza

2B HTE-CORSE

🛏 Algajola
🛏 Asco
🛏 Barcaggio
🛏 🍴 Bastia
🛏 Calenzana
🛏 🍴 Calvi
🛏 Centuri-Port
🛏 Corte
🛏 Feliceto
🛏 🍴 Galéria
🛏 🍴 L'Ile-Rousse
🛏 Porticciolo
🛏 🍴 St-Florent
🛏 San Pellegrino
🛏 Speloncato
🛏 Venaco
🛏 Vizzavona (Col de)

21 CÔTE-D'OR

🛏 Aisey-sur-Seine
🛏 🍴 Arnay-le-Duc
🍴 Auxey-Duresses
🛏 Auxonne
🛏 🍴 Beaune
🍴 Bligny-sur-Ouche
🍴 Bouilland
🛏 Chateauneuf
🛏 Châtillon-sur-Seine
🛏 🍴 Dijon
🍴 Fixin
🛏 🍴 Genlis
🛏 🍴 Gevrey-Chambertin
🍴 Laignes
🛏 Les Laumes
🍴 Meloisey
🛏 🍴 Meursault
🛏 🍴 Mirebeau
🍴 Moloy
🛏 🍴 Montbard
🛏 Nolay
🛏 🍴 Nuits-St-Georges
🍴 Pont-de-Pany
🛏 Pouilly-en-Auxois
🛏 Puligny Montrachet
🛏 St-Jean-de-Losne
🛏 Santenay
🛏 🍴 Saulieu
🛏 Savigny-lès-Beaune
🛏 🍴 Semur-en-Auxois
🛏 Seurre
🛏 Til-châtel
🛏 🍴 Val-Suzon
🍴 Velars-sur-Ouche
🍴 Vitteaux
🍴 Vougeot

22 CÔTES-DU-NORD

🍴 Belle-Isle-en-Terre
🛏 Bréhat (Ile de)
🍴 Callac
🛏 Cap Frehel
🛏 Créhen
🛏 🍴 Dinan
🛏 Erquy
🍴 Étables-sur-Mer
🛏 Gouarec
🛏 🍴 Guingamp
🛏 Lamballe
🛏 Lancieux
🛏 🍴 Lannion
🛏 🍴 Lézardrieux
🛏 Louargat
🛏 Loudéac
🛏 Matignon
🛏 Merdrignac
🍴 Mur-de-Bretagne
🛏 🍴 Paimpol
🍴 Pédernec
🍴 Penvénan
🛏 🍴 Perros-Guirec
🍴 Plancoët
🛏 🍴 Pléneuf-Val-André
🛏 Plestin-les-Grèves
🛏 Pléven
🛏 Ploeuc-sur-Lié
🍴 Plounérin
🍴 Les Ponts-Neufs
🛏 Port-Blanc
🛏 Quintin
🛏 Sables-d'Or-les-Pins
🛏 🍴 St-Brieuc
🛏 🍴 St-Cast-le-Guildo
🛏 🍴 St-Jacut-de-la-Mer
🛏 St-Michel-en-Grève
🛏 St-Quay-Portrieux
🛏 Trebeurden
🛏 Trégastel-Plage
🛏 Tréguier
🛏 Trévou-Tréguignec

23 CREUSE

🛏 Aubusson
🛏 Bourganeuf
🍴 Boussac
🍴 Busseau
🛏 Chambon-sur-Voueize
🍴 Chenerailles
🛏 🍴 Crozant
🛏 Dun-le-Palestel
🍴 Felletin
🛏 Genouillac
🛏 Gouzon
🛏 🍴 Guéret
🛏 Lavaveix-les-Mines
🛏 Pontarion
🛏 St-Georges-la-Pouge
🛏 St-Hilaire-le-Château
🛏 La Souterraine
🛏 La Villeneuve

24 DORDOGNE

🛏 Badefols-sur-Dordogne
🍴 Beaumont
🛏 🍴 Bergerac
🛏 🍴 Beynac et Cazenac
🍴 Bouniagues
🛏 🍴 Brantôme
🛏 🍴 Le Bugue
🛏 Champagnac-de-Belair
🛏 La Chapelle-Aubareil
🛏 La Coquille
🛏 Domme
🛏 Excideuil

Eymet
Les Eyzies-de-Tayac
Groléjac
Lalinde
Le Lardin-st-Lazare
Maison-Jeannette
Manzac-sur-Vern
Mauzac
Monpazier
Montignac
Montpon-Ménesterol
Mouleydier
Mussidan
Nontron
Périgueux
Ribérac
La Roque-Gageac
Rouffillac
St-Cybranet
St-Cyprien
St-Geniès
St-Saud-Lacoussière
Sarlat-la-Canéda
Sarliac-sur-l'Isle
Saussignac
Siorac-en-Périgord
Sorges
Tamniès
Terrasson-la-Villedieu
Thiviers
Tourtoirac
Trémolat
Vergt
Vieux-Mareuil
Villefranche-du-Périgord
Vitrac

25 DOUBS

Audincourt
Baume-les-Dames
Besançon
Charquemont
Consolation (Cirque de)
Cour-St-Maurice
Damprichard
Goumois
Les Grangettes
Hérimoncourt
Les Hôpitaux-Neufs
Jougne
Levier
Lods
Maîche
Malbuisson
Mathay
Montbéliard
Montbenoit
Morteau
Mouthier-Haute-Pierre
Nans-sous-Ste-Anne
Orchamps-Vennes
Ornans
Ouhans
Oye-et-Pallet
Pierrefontaine-les-Varans
Pontarlier
Pont-de-Roide
Rang
St-Hippolyte
St-Vit
Sochaux
Valdahon
Vernierfontaine
Villars-sous-Dampjoux
Villers-le-Lac
La Vrine
Vuillafans

Pas de publicité payée dans ce guide

26 DRÔME

Les Barraques-en-Vercors
Bourdeaux
Buis-les-Baronnies
Chabeuil
La Chapelle-en-Vercors
Crest
Die
Dieulefit
Donzère
Étoile-sur-Rhône
Grane
Grignan
Hauterives
Luc-en-Diois
Mollans-sur-Ouvèze
Montélimar
Montmeyran
Montmiral
Les Nonières
Nyons
Pierrelatte
Le Poët-Laval
Pont-de-l'Isère
Rémuzat
Rochegude
Romans-sur-Isère
St-Jean-en-Royans
St-Laurent-en-Royans
St-Nazaire-en-Royans
St-Rambert-d'Albon
St-Restitut
St-Vallier
Saulce-sur-Rhône
Solérieux
Suze-la-Rousse
Tain-l'Hermitage
Valence

27 EURE

Les Andelys
Beaumesnil
Beaumont-le-Roger
Le Bec-Hellouin
Bernay
Beuzeville
Bourgtheroulde-Infreville
Bourth
Breteuil
Brionne
Broglie
Chambray
Charleval
Conches-en-Ouche
Connelles
Conteville
Évreux
La Ferriere-sur-Risle
Gisors
Illiers-l'Évêque
Ivry-la-Bataille
Lieurey
Louviers
Lyons-la-Forêt
Montreuil-l'Argillé
Nonancourt
Pacy-sur-Eure
Pont-Audemer
Pont-de-l'Arche
Pont-St-Pierre
Port-Mort
La Rivière-Thibouville
Routot
St-Maclou
St-Samson-de-la-Roque
Ste-Colombe-la-Commanderie
Thiberville
Verneuil-sur-Avre
Vernon

28 EURE-ET-LOIR

Anet
Brezolles
Brou
Chartres
Châteaudun
Châteauneuf-en-Thymerais
Cloyes-sur-le-Loir
Dreux

✕ Gallardon
🛏 Illiers-Combray
✕ Logron
🛏 La Loupe
✕ Montigny-sur-Avre
✕ Nogent-le-Roi
🛏 ✕ Nogent-le-Rotrou
✕ Thiron
🛏 Toury
🛏 ✕ Voves

29 FINISTÈRE

🛏 L'Aber-Wrac'h
🛏 Audierne
🛏 Beg-Meil
🛏 ✕ Bénodet
✕ Berven
🛏 ✕ Brest
🛏 Briec
🛏 Brignogan-Plages
🛏 Camaret-sur-Mer
🛏 Carantec
🛏 ✕ Carhaix-Plouguer
🛏 ✕ Châteaulin
🛏 Châteauneuf-du-Faou
✕ Cléden-Cap-Sizun
✕ Cléder
✕ Clohars-Carnoët
🛏 ✕ Concarneau
🛏 ✕ Le Conquet
🛏 Crozon
🛏 Douarnenez
🛏 Le Faou
🛏 ✕ La Forêt-Fouesnant
🛏 ✕ Fouesnant
🛏 Gouesnach
🛏 Guerlesquin
🛏 ✕ Le Guilvinec
🛏 Hôpital-Camfrout
🛏 ✕ Huelgoat
✕ Lampaul-Plouarzel
🛏 ✕ Landerneau
🛏 Landévennec
🛏 ✕ Landivisiau
✕ Lannilis
🛏 Lesconil
🛏 Lesneven
🛏 Locquirec
🛏 ✕ Locronan
🛏 Loctudy
🛏 Moëlan-sur-Mer
🛏 ✕ Morgat
🛏 ✕ Morlaix
✕ Ouessant (Ile d')
✕ Plobannalec
🛏 Plogoff
🛏 ✕ Plomeur
🛏 Plomodiern
🛏 Plonéour-Lanvern
🛏 Ploudalmézeau
🛏 ✕ Plouescat
🛏 Plougasnou
🛏 ✕ Plougastel-Daoulas
🛏 Plouguerneau
🛏 Plouhinec
✕ Plouider
✕ Plouigneau
✕ Pont-Aven
🛏 ✕ Pont-l'Abbé
🛏 Pont-Manech
🛏 Pouldreuzic
🛏 Le Pouldu
🛏 Poullaouen
🛏 ✕ Quimper
🛏 ✕ Quimperlé
🛏 Raguenès-Plage
🛏 Raz (Pointe du)
✕ Riec-sur-Bélon
🛏 Roscoff
🛏 Rosporden
✕ St-Évarzec
🛏 St-Guénolé
🛏 St-Jean-du-Doigt
✕ St-Thégonnec
🛏 Ste-Anne-la-Palud (Chapelle de)
✕ Ste-Marine
🛏 Scaer
✕ Sein (Ile de)
🛏 Sizun
🛏 Taulé
✕ Telgruc-sur-Mer
🛏 Trégunc

30 GARD

🛏 ✕ Aigues-Mortes
🛏 ✕ Alès
🛏 Anduze
🛏 ✕ Les Angles
🛏 ✕ Bagnols-sur-Cèze
🛏 Beaucaire
🛏 Le Cailar
🛏 Castillon-du-Gard
✕ Chamborigaud
🛏 Concoules
✕ Durfort
🛏 L'Espérou
🛏 Génolhac
🛏 La Grand-Combe
🛏 ✕ Le Grau-du-Roi
🛏 Lasalle
🛏 Montfrin
✕ Mus
🛏 ✕ Nimes
🛏 Pont-du-Gard
🛏 Pont-st-Esprit
🛏 ✕ Remoulins
🛏 Rochefort-du-Gard
🛏 Roquemaure
🛏 ✕ St-Ambroix
🛏 ✕ St-Gilles
🛏 ✕ St-Jean-du-Gard
🛏 ✕ Sauveterre
🛏 ✕ Sommières
✕ Tavel
🛏 ✕ Uzès
🛏 Valleraugue
🛏 Vergèze
🛏 ✕ Le Vigan
🛏 Villeneuve-lès-Avignon

31 HAUTE-GARONNE

🛏 Antichan-de-Frontignes
🛏 Aurignac
🛏 Auterive
🛏 Barbazan
🛏 Bourg-d'Oueil
🛏 Boussens
🛏 ✕ Cierp-Gaud
✕ Encausse-les-Thermes
🛏 Le Fousseret
🛏 Labarthe-Inard
✕ Labarthe-sur-Lèze
✕ Labastide-Beauvoir
🛏 Luchon
🛏 Mane
🛏 Martres-Tolosane
✕ Montaigut-sur-Save
🛏 Montastruc-la-Conseillère
🛏 ✕ Montréjeau
🛏 Muret
🛏 ✕ Revel
🛏 Rieumes
🛏 St-Bertrand-de-Comminges
🛏 St-Félix-Lauragais
🛏 St-Gaudens
✕ St-Martory
✕ St-Sulpice-sur-Lèze
🛏 Salies-du-Salat
🛏 Sauveterre-de-Comminges
🛏 ✕ Toulouse
🛏 Vacquiers
🛏 Le Vernet
🛏 Villefranche-de-Lauragais
✕ Villemur-sur-Tarn

32 GERS

🛏 ✕ Auch
🛏 Barbotan-les-Thermes
✕ Bassoues
🛏 ✕ Castéra-Verduzan
✕ Condom
✕ Eauze
🛏 Fleurance
🛏 ✕ Gimont
✕ Isle-de-Noé
🛏 L'Isle-Jourdain
✕ Laguian
✕ Lectoure
✕ Luppé-Violles

✕ Mauvezin
🛏 Mirande
✕ Montréal
🛏 Nogaro
🛏 Plaisance
🛏 Riscle
🛏 St-Jean-Poutge
🛏 Samatan
🛏 Segos
🛏 Valence-sur-Baïse
🛏 ✕ Vic-Fézensac

33 GIRONDE

🛏 L'Alouette
🛏 Andernos-les-Bains
🛏 ✕ Arcachon
✕ Le Barp
✕ Barsac
🛏 ✕ Bazas
✕ Beaulac
🛏 Belin-Béliet
🛏 Blaye
🛏 ✕ Bordeaux
🛏 Branne
✕ Cambes
🛏 ✕ Cap Ferret
✕ Castillon-la-Bataille
🛏 Cavignac
🛏 Cérons
✕ Claouey
🛏 ✕ Coutras
🛏 Guîtres
🛏 ✕ Gujan-Mestras
🛏 Hourtin
🛏 Lacanau-Océan
🛏 ✕ Langon
🛏 Lavagnac
✕ Lesparre-Médoc
🛏 ✕ Libourne
✕ Listrac-Médoc
🛏 Lugos
✕ Margaux
🛏 Maubuisson
🛏 Monségur
🛏 ✕ Montalivet les Bains
🛏 Le Pontet D'Eyrans
✕ Le Porge
🛏 ✕ Pyla-sur-Mer
🛏 Queyrac
✕ Quinsac
✕ Rauzan
🛏 La Réole
✕ St-André-de-Cubzac
🛏 ✕ St-Émilion
✕ St-Laurent-et-Bénon
✕ St-Louis-de-Montferrand
🛏 ✕ Ste-Foy-la-Grande
🛏 Soulac-sur-Mer
🛏 Taussat-les-Bains
🛏 La Teste
🛏 Verdelais
✕ Le Verdon-sur-Mer
🛏 Villandraut

34 HERAULT

🛏 ✕ Agde
🛏 ✕ Balaruc-les-Bains
🛏 Bédarieux
🛏 ✕ Béziers
🛏 Capestang
✕ Castries
🛏 Le Caylar
🛏 Clermont-l'Hérault
✕ Colombières-sur-Orb
🛏 Florensac
🛏 Fraïsse-sur-Agout
🛏 ✕ Frontignan
🛏 ✕ Ganges
🛏 ✕ Gignac
🛏 ✕ La Grande-Motte
🛏 ✕ Lamalou-les-Bains
🛏 ✕ Lodève
🛏 Lunel
🛏 ✕ Mèze
✕ Minerve
🛏 ✕ Montpellier
🛏 Mourèze
🛏 Nissan-lez-Ensérune
🛏 Olargues
🛏 ✕ Palavas-les-Flots
🛏 Pézenas
✕ Roquebrun
✕ St-Martin-de-Londres
🛏 St-Pons-de-Thomières
✕ Le Soulié
🛏 ✕ Valras-Plage
🛏 Valros

35 I.-ET-VILAINE

🛏 Bain-de-Bretagne
🛏 Bédée
🛏 ✕ Cancale
🛏 Châteaubourg
🛏 ✕ Châteaugiron
🛏 Combourg
🛏 ✕ Dinard
🛏 ✕ Dol-de-Bretagne
🛏 ✕ Fougères
🛏 La Gouesnière
🛏 La Guerche-de-Bretagne
🛏 Guichen
✕ Hédé
✕ Janzé
🛏 ✕ Liffré
🛏 Louvigné-du-Désert
🛏 Maure-de-Bretagne
✕ Messac
🛏 Montfort
🛏 ✕ Paimpont
🛏 Paramé
🛏 ✕ Plélan-le-Grand
🛏 Pleurtuit
🛏 Quédillac
🛏 ✕ Redon
🛏 ✕ Rennes
🛏 St-Briac-sur-Mer
🛏 ✕ St-Malo
🛏 Paramé
🛏 ✕ St-Servan-sur-Mer
✕ Tinténiac
🛏 Tremblay
🛏 Le Tronchet
🛏 ✕ Vitré
🛏 Le Vivier-sur-Mer

36 INDRE

🛏 ✕ Aigurande
✕ Ambrault
🛏 ✕ Ardentes
🛏 ✕ Argenton-sur-Creuse
✕ Bélâbre
🛏 Le Blanc
✕ Celon
🛏 ✕ Châteauroux
✕ Châtillon-sur-Indre
🛏 ✕ La Châtre
🛏 Éguzon
🛏 Gargilesse-Dampierre
🛏 ✕ Issoudun
🛏 Levroux
🛏 Pellevoisin
🛏 St-Christophe-en-Boucherie
✕ Ste-Sévère-sur-Indre
🛏 ✕ Valencay
✕ Vatan

37 INDRE-ET-LOIRE

🛏 Azay-le-Rideau
🛏 ✕ Bléré
🛏 ✕ Bourgueil
🛏 ✕ Château-Renault
🛏 ✕ Chenonceaux
🛏 ✕ Chinon
🛏 Descartes
🛏 Genillé
🛏 ✕ Le Grand-Pressigny
🛏 Langeais
🛏 ✕ Ligueil
🛏 Loches
🛏 Luynes
🛏 Manthelan
🛏 Marçay
✕ Monnaie
🛏 ✕ Montbazon

- 🛏 ✕ Montlouis-sur-Loire
- ✕ Monts
- ✕ Neuillé-le-Lierre
- ✕ Ports-sur-Vienne
- ✕ Preuilly-sur-Claise
- 🛏 Richelieu
- ✕ St-Martin-le-Beau
- 🛏 ✕ Ste-Maure-de-Touraine
- 🛏 Semblançay
- 🛏 ✕ Tours
- ✕ Véretz
- 🛏 Vernou-sur-Brenne
- 🛏 Villandry
- ✕ Vouvray

38 ISÈRE

- 🛏 ✕ Les Abrets
- 🛏 Allemond
- 🛏 Allevard
- 🛏 ✕ L'Alpe d'Huez
- 🛏 ✕ Aoste
- 🛏 Autrans
- 🛏 Les Avenières
- ✕ Beaurepaire
- 🛏 Le Bourg-d'Oisans
- 🛏 ✕ Bourgoin-Jallieu
- ✕ Bresson
- 🛏 Chamrousse
- 🛏 Charavines
- 🛏 Château-Bernard
- 🛏 Clelles
- 🛏 ✕ Corps
- 🛏 Corrençon-en-Vercors
- ✕ La Côte-St-André
- 🛏 ✕ Crémieu
- 🛏 Le Curtillard
- 🛏 Les Deux-Alpes
- 🛏 Domène
- 🛏 Faverges-de-la-Tour
- 🛏 Le Freney-d'Oisans
- ✕ Goncelin
- 🛏 ✕ Grenoble
- 🛏 Gresse-en-Vercors
- ✕ Hières-sur-Amby
- ✕ Laffrey
- 🛏 Lans-en-Vercors
- 🛏 Malville
- ✕ Miribel-les-Échelles
- ✕ Moirans
- 🛏 Monestier-de-Clermont
- 🛏 ✕ Morestel
- ✕ Le Mottier
- 🛏 Le Péage-de-Roussillon
- 🛏 Pontcharra
- 🛏 ✕ Le Pont-de-Beauvoisin
- 🛏 Pont-de-Cheruy
- 🛏 Pont-en-Royans
- 🛏 Rencurel
- 🛏 Les Roches-de-Condrieu
- ✕ St-Antoine
- 🛏 St-Geoire-en-Valdaine
- ✕ St-Hilaire-du-Rosier
- 🛏 ✕ St-Lattier
- 🛏 St-Laurent-du-Pont
- 🛏 St-Marcellin
- 🛏 St-Maurice-en-Trièves
- 🛏 St-Nizier-du-Moucherotte
- 🛏 ✕ St-Pierre-de-Chartreuse
- 🛏 St-Pierre-d'Entremont
- 🛏 St-Vincent-de-Mercuze
- 🛏 ✕ Le Sappey-en-Chartreuse
- 🛏 Sinard
- 🛏 ✕ La Tour-du-Pin
- 🛏 Tréminis
- 🛏 Tullins
- 🛏 Uriage-les-Bains
- 🛏 Vaujany
- 🛏 ✕ Vienne
- 🛏 ✕ Villard-de-Lans
- 🛏 Viriville
- 🛏 ✕ Voiron

39 JURA

- 🛏 Andelot-en-Montagne
- 🛏 ✕ Arbois
- 🛏 Arinthod
- ✕ Baume-les-Messieurs
- 🛏 Bletterans
- 🛏 ✕ Bonlieu
- 🛏 ✕ Champagnole
- ✕ Châtillon
- 🛏 Chaussin
- ✕ Chaux-des-Prés
- 🛏 Clairvaux-les-Lacs
- 🛏 ✕ Dole
- ✕ Doucier
- 🛏 Ilay
- 🛏 Lamoura
- ✕ Maisod
- ✕ Mont-sous-Vaudrey
- 🛏 Morez
- ✕ Mouchard
- 🛏 Orgelet
- 🛏 Poligny
- 🛏 Pont-de-la-Chaux
- 🛏 Pont-de-Poitte
- 🛏 ✕ Les Rousses
- 🛏 St-Amour
- 🛏 St-Claude
- 🛏 ✕ St-Laurent-en-Grandvaux
- ✕ Salins-les-Bains
- 🛏 Thoirette
- 🛏 Vers-en-Montagne

40 LANDES

- 🛏 ✕ Aire-sur-l'Adour
- 🛏 Amou
- 🛏 Benesse-Maremne
- 🛏 Biscarrosse
- 🛏 Cagnotte
- 🛏 ✕ Capbreton
- 🛏 Castets
- 🛏 Contis-Plage
- 🛏 ✕ Dax
- 🛏 Eugénie-les-Bains
- 🛏 Grenade-sur-l'Adour
- ✕ Hagetmau
- 🛏 Herm
- 🛏 ✕ Hossegor
- 🛏 ✕ Labatut
- 🛏 Labouheyre
- ✕ Lapeyrade
- 🛏 Léon
- 🛏 Lubbon
- ✕ Luxey
- 🛏 ✕ Magescq
- 🛏 Mano
- ✕ Mézos
- 🛏 ✕ Mimizan
- 🛏 ✕ Mont-de-Marsan
- 🛏 Montfort-en-Chalosse
- 🛏 Morcenx
- 🛏 ✕ Parentis-en-Born
- 🛏 ✕ Peyrehorade
- ✕ Port-de-Lanne
- ✕ Pouillon
- 🛏 Retjons
- 🛏 Rion-des-Landes
- 🛏 Roquefort
- 🛏 Sabres
- ✕ St-Geours-de-Maremne
- 🛏 St-Jean-de-Lier
- 🛏 St-Justin
- 🛏 St-Paul-en-Born
- 🛏 St-Sever
- 🛏 ✕ St-Vincent-de-Tyrosse
- 🛏 Ste-Marie-de-Gosse
- 🛏 Sanguinet
- ✕ Seignosse
- 🛏 Le Souquet
- 🛏 ✕ Soustons
- 🛏 Tartas
- 🛏 Vieux-Boucau-les-Bains
- 🛏 Villeneuve-de-Marsan

41 LOIR-ET-CHER

Blois
Bracieux
Candé-sur-Beuvron
Chambord
La Chapelle-Vendomoise
Chaumont-sur-Loire
Chaumont-sur-Tharonne
Chitenay
Contres
Cour-Cheverny
Dhuizon
La Ferté-Imbault
La Ferté-St-Cyr
Herbault
Lamotte-Beuvron
Mennetou-sur-Cher
Mondoubleau
Montoire-sur-le-Loir
Montrichard
Nouan-le-Fuzelier
Onzain
Ouchamps
Oucques
Pontlevoy
Rilly-sur-Loire
Romorantin-Lanthenay
St-Aignan
St-Dyé-sur-Loire
Salbris
Santenay
Selles-St-Denis
Souesmes
Souvigny-en-Sologne
Thésée
Troo
Vendôme
La Ville-aux-Clercs
Villefranche-sur-Cher

42 LOIRE

Andrézieux-Bouthéon
Balbigny
Le Bessat
Bonson
Bourg-Argental
Le Cergne
Chalmazel
Charlieu
Chavanay
Feurs
Firminy
L'Hôpital-sur-Rhins
Montbrison
Montrond-les-Bains
Noailly
Noirétable
La Pacaudière
Panissières
Pouilly-sous-Charlieu
Renaison
Rive-de-Gier
Roanne
St-Alban-les-Eaux
St-André-d'Apchon
St-Chamond
St-Étienne
St-Galmier
St-Germain-Laval
St-Just-en-Chevalet
St-Pierre-de-Boeuf
St-Symphorien-de-Lay
Usson-en-Forez
Valfleury
Veauche
Violay

43 HTE-LOIRE

Allègre
Arlempdes
Aurec-sur-Loire
Blesle
Brioude
La Chaise-Dieu
Le Chambon-sur-Lignon
Costaros
Fay-sur-Lignon
Langeac
Lapte
Lavoûte-sur-Loire
Mazet-St-Voy
Monistrol-sur-Loire
Moudeyres
Paulhaguet
Pontempeyrat
Pont-Salomon
Pradelles
Prades
Le Puy
Retournac
Riotord
St-Bonnet-le-Froid
St-Didier-en-Velay
St-Étienne-de-Mont-Luc
St-Privat-d'Allier
Saugues
La Séauve-sur-Semène
Tence
Yssingeaux

44 LOIRE-ATL.

Ancenis
Batz-sur-Mer
La Baule
Bouaye
Châteaubriant
Clisson
Le Croisic
Donges
Fresnay-en-Retz
Guémené-Penfao
Guenrouet
Guérande
Legé
Missillac
Les Moûtiers-en-Retz
Nantes
Nort-sur-Erdre
Nozay
Passay
Paulx
Piriac-sur-Mer
La Plaine-sur-Mer
Pornic
Pornichet
Le Pouliguen
Préfailles
Rougé
St-Brévin-les-Pins
St-Joachim
St-Lyphard
St-Marc-sur-Mer
St-Mars-la-Jaille
St-Nazaire
La Turballe

45 LOIRET

Autry-le-Châtel
Batilly-en-Puisaye
Beaugency
Bellegarde
Les Bézards
Bonny-sur-Loire
Briare
Châteauneuf-sur-Loire
Châteaurenard
Chatillon-sur-Loire
Chilleurs-aux-Bois
Combreux
Courtenay
Dordives
La Ferté-Saint-Aubin
Gien
Jargeau
Ladon
Lorris
Loury
Malesherbes
Meung-sur-Loire
Montargis
Nogent-sur-Vernisson

🛏 ✕ Olivet
🛏 ✕ Orléans
✕ Ousson-sur-Loire
🛏 ✕ Pithiviers
🛏 St-Benoit-sur-Loire
🛏 ✕ Sully-sur-Loire

46 LOT

🛏 ✕ Alvignac
🛏 Bretenoux
🛏 Cabrerets
🛏 ✕ Cahors
🛏 Caillac
🛏 ✕ Cajarc
🛏 Calès
🛏 Carennac
✕ Catus
🛏 ✕ Cressensac
🛏 ✕ Figeac
🛏 ✕ Gourdon
🛏 ✕ Gramat
🛏 Labastide-Murat
🛏 Lacapelle-Marival
🛏 ✕ Lacave
🛏 Latronquière
🛏 Martel
🛏 Prayssac
🛏 Puy-l'Évêque
🛏 ✕ Rocamadour
🛏 St-Céré
🛏 ✕ St-Cirq-Lapopie
🛏 ✕ Souillac
🛏 Sousceyrac

47 LOT-ET-GAR.

🛏 ✕ Agen
🛏 Aiguillon
🛏 Cancon
🛏 ✕ Casteljaloux
🛏 Damazan
🛏 Duras
🛏 Fumel
✕ Lagarrigue
🛏 Lavardac
🛏 ✕ Marmande
🛏 Moncrabeau
🛏 ✕ Nérac
✕ Poudenas
✕ Puymirol
🛏 ✕ Ste-Livrade-sur-Lot
🛏 Tonneins
🛏 Tournon-d'Agenais
🛏 ✕ Villeneuve-sur-Lot

48 LOZÈRE

🛏 Aumont-Aubrac
🛏 Auroux
🛏 Bagnols-les-Bains
🛏 Barjac
🛏 La Canourgue
🛏 La Caze (Château de)
🛏 Chanac
🛏 Chapeauroux
🛏 Chasserades
🛏 Florac
🛏 Ispagnac
🛏 Langogne
🛏 La Malène
🛏 Le Malzieu-Ville
🛏 Marvejols
🛏 ✕ Mende
🛏 Meyrueis
🛏 Nasbinals
🛏 Rieutort-de-Randon
🛏 Le Rozier
🛏 St-Alban-sur-Limagnole
🛏 St-Chély-d'Apcher
🛏 Ste-Énimie
✕ Vialas
🛏 Les Vignes
🛏 Villefort

49 MAINE-ET-LOIRE

✕ Andard
🛏 ✕ Angers
🛏 Baugé
🛏 Beaupréau
🛏 Brissac-Quincé
🛏 Chalonnes-sur-Loire
🛏 ✕ Champtoceaux
🛏 ✕ Châteauneuf-sur-Sarthe
🛏 Chavagnes
🛏 Cheffes
🛏 Chênehutte-les-Tuffeaux
🛏 ✕ Cholet
🛏 Doué-la-Fontaine
✕ Durtal
🛏 ✕ Fontevraud-l'Abbaye
🛏 ✕ Gennes
✕ Ingrandes
🛏 Jallais
🛏 Le Lion d'Angers
🛏 ✕ Montreuil-Bellay
🛏 ✕ Montsoreau
✕ Pellouailles-les-Vignes
🛏 Pouancé
🛏 Rochefort-sur-Loire
🛏 ✕ Les Rosiers
✕ St-Clément-des-Levées
🛏 St-Florent-le-Vieil
✕ St-Georges-sur-Loire
🛏 St-Macaire-en-Mauges
✕ St-Martin-de-la-Place
✕ St-Mathurin-sur-Loire
🛏 ✕ Saumur
🛏 Seiches-sur-le-Loir
🛏 Tiercé

50 MANCHE

🛏 Avranches
🛏 Barfleur
🛏 ✕ Barneville-Carteret
✕ Beauchamps
🛏 Bréhal
🛏 Bricquebec
✕ Buais
✕ Carentan
🛏 Carolles
🛏 Chef-du-Pont
🛏 ✕ Cherbourg
🛏 ✕ Coutainville
🛏 ✕ Coutances
🛏 Ducey
🛏 ✕ Granville
✕ Hambye
🛏 La Haye-du-Puits
🛏 Jullouville
✕ Marigny
🛏 Montmartin-sur-Mer
🛏 Montpinchon
🛏 ✕ Le Mont-Saint-Michel
🛏 Mortain
✕ Omonville-la-Rogue
🛏 Pontaubault
🛏 Pontorson
🛏 Portbail
🛏 Quinéville
🛏 Réville
🛏 St-Hilaire-du-Harcouët
🛏 St-James
🛏 St-Jean-le-Thomas
🛏 ✕ St-Lô
🛏 St-Pair-sur-Mer
🛏 St-Vaast-la-Hougue
✕ Sourdeval
🛏 Le Teilleul
🛏 Tessy-sur-Vire
✕ Torigni-sur-Vire
✕ Trelly
✕ Troisgots
🛏 Urville-Nacqueville
🛏 Valognes
🛏 ✕ Villedieu-les-Poêles

En mars 1987, ce guide ne sera plus valable. Achetez le guide de l'année !

51 MARNE

🛏 Ambonnay
🛏 Beaumont-sur-Vesle
🛏 ✕ Châlons-sur-Marne
✕ Champillon
✕ Dormans
✕ Drosnay
🛏 ✕ Épernay
🛏 Fère-Champenoise
✕ Fismes
🛏 Givry-en-Argonne
✕ Le Mesnil-sur-Oger
✕ Montchenot
✕ Montmort
🛏 ✕ Reims
🛏 ✕ Ste-Menehould
🛏 Sept-Saulx
🛏 ✕ Sézanne
🛏 Tours-sur-Marne
🛏 ✕ Vertus
✕ Ville-en-Tardenois
🛏 ✕ Vitry-le-François

52 HTE-MARNE

🛏 Arc-en-Barrois
🛏 Bourbonne-les-Bains
🛏 ✕ Chaumont
🛏 ✕ Colombey-les-Deux-Églises
🛏 Doulaincourt
✕ Fayl-Billot
✕ Foulain
🛏 ✕ Joinville
🛏 ✕ Langres
✕ Marnay-sur-Marne
🛏 Montigny-le-Roi
🛏 Nogent-en-Bassigny
✕ Perthes
🛏 ✕ St-Dizier

53 MAYENNE

🛏 Ambrières-le-Grand
🛏 ✕ Château-Gontier
✕ Craon
🛏 ✕ Ernée
✕ Évron
✕ Gorron
✕ Javron
🛏 ✕ Laval
🛏 ✕ Mayenne
🛏 Neau
✕ St-Denis-d'Anjou
✕ St-Pierre-des-Nids
🛏 Saulges
🛏 Vaiges

54 MEURTHE-ET-MOSELLE

✕ Azerailles
🛏 Baccarat
✕ Belleville
🛏 Custines
✕ Lanfroicourt
✕ Liverdun
🛏 ✕ Longuyon
🛏 ✕ Longwy
🛏 ✕ Lunéville
✕ Malaucène
🛏 ✕ Nancy
✕ Pont-a-Mousson
🛏 Sion
🛏 ✕ Toul

55 MEUSE

🛏 Aubreville
🛏 ✕ Bar-le-Duc
🛏 Beaulieu-en-Argonne
✕ Bouconville-sur-Madt
🛏 ✕ Commercy
🛏 Damvillers
🛏 Étain
✕ Futeau
✕ Houdelaincourt
🛏 Inor
✕ Issoncourt
🛏 ✕ Ligny-en-Barrois
🛏 Montmédy
✕ Romagne-sous-Montfaucon
🛏 St-Mihiel
✕ Stainville
🛏 Varennes-en-Argonne
✕ Vaucouleurs
🛏 Verdun

56 MORBIHAN

✕ Arz (Ile d')
🛏 ✕ Auray
🛏 ✕ Belle-Ile-en-Mer
🛏 Bubry
🛏 Camors
🛏 ✕ Carnac
🛏 Colpo
✕ Concoret
🛏 Damgan
🛏 Erdeven
🛏 La Gacilly
🛏 Gourin
✕ Groix (Ile de)
🛏 ✕ Guidel
🛏 Guilliers
🛏 Hennebont
🛏 ✕ Houat (Ile de)
🛏 ✕ Josselin
✕ Landevant
🛏 Larmor-Plage
✕ Limerzel
🛏 Locmariaquer
🛏 Locminé
🛏 ✕ Lorient
🛏 Mauron
✕ Moines (Ile aux)
🛏 ✕ Muzillac
✕ Néant-sur-Yvel
🛏 Péaule
🛏 Peillac
🛏 ✕ Ploërmel
🛏 Plumelec
✕ Pluvigner
🛏 ✕ Pontivy
🛏 Port-Louis
✕ Questembert
🛏 ✕ Quiberon
🛏 ✕ La Roche-Bernard
✕ Rochefort-en-Terre
🛏 St-Nicolas-des-Eaux
🛏 ✕ Ste-Anne-d'Auray
🛏 ✕ Sarzeau
🛏 Le Tour-du-Parc
🛏 ✕ La Trinité-sur-Mer
🛏 ✕ Vannes

57 MOSELLE

🛏 Audun-le-Tiche
✕ Bitche
🛏 Bouzonville
✕ Carling
✕ Corny-sur-Moselle
✕ Creutzwald
🛏 Dabo
🛏 Delme
🛏 ✕ Forbach
🛏 ✕ Freyming-Merlebach
✕ Gorze
✕ Liocourt
✕ Longeville-lès-St-Avold
🛏 Lutzelbourg
🛏 ✕ Metz
✕ Mittersheim
🛏 ✕ Phalsbourg
✕ Philippsbourg
✕ Richemont
🛏 Rombas
🛏 ✕ St-Avold
🛏 ✕ Sarrebourg
🛏 ✕ Sarreguemines
✕ Sierck-les-Bains
🛏 ✕ Thionville
🛏 Turquestein-Blancrupt

58 NIÈVRE

✕ Alligny-en-Morvan
✕ La Celle-sur-Loire
🛏 ✕ La Charité-sur-Loire
🛏 Château-Chinon
🛏 ✕ Clamecy
🛏 Corvol-l'Orgueilleux

- 🛏 🍴 Cosne-sur-Loire
- 🛏 Decize
- 🛏 🍴 Donzy
- 🍴 Dornes
- 🍴 Imphy
- 🛏 🍴 Luzy
- 🍴 Magny-Cours
- 🍴 La Marche
- 🍴 Monceaux-le-Comte
- 🍴 Montigny-aux-Amognes
- 🛏 Montsauche
- 🛏 Moulins-Engilbert
- 🛏 Moux
- 🛏 🍴 Nevers
- 🛏 🍴 Pougues-les-Eaux
- 🛏 🍴 Pouilly-sur-Loire
- 🍴 Prémery
- 🛏 St-Honoré-les-Bains
- 🛏 🍴 St-Pierre-le-Moutier
- 🛏 🍴 Varzy

59 NORD

- 🛏 🍴 Armentières
- 🍴 Avesnes-sur-Helpe
- 🍴 Bailleul
- 🍴 Bavay
- 🛏 🍴 Bergues
- 🛏 Bollezeele
- 🍴 Bourbourg
- 🛏 🍴 Cambrai
- 🍴 Le Cateau-Cambrésis
- 🍴 Condé-sur-l'Escaut
- 🛏 🍴 Douai
- 🍴 Dourlers
- 🛏 🍴 Dunkerque
- 🍴 Eppe-Sauvage
- 🍴 Flêtre
- 🛏 🍴 Fourmies
- 🍴 Hazebrouck
- 🛏 Liessies
- 🛏 🍴 Lille
- 🍴 Locquignol
- 🛏 Maubeuge
- 🍴 Orchies
- 🍴 Le Quesnoy
- 🛏 🍴 Roubaix
- 🍴 Sains-du-Nord
- 🛏 🍴 St-Amand-les-Eaux
- 🛏 🍴 Sars-Poteries
- 🍴 Solre-le-Château
- 🛏 🍴 Tourcoing
- 🛏 🍴 Valenciennes

Les localités citées dans le guide Michelin sont soulignées de rouge sur les cartes Michelin à 1/200 000.

60 OISE

- 🛏 🍴 Beauvais
- 🍴 Boran-sur-Oise
- 🛏 🍴 Breteuil
- 🍴 Chambly
- 🛏 🍴 Chantilly
- 🍴 Chaumont-en-Vexin
- 🛏 Clermont
- 🛏 🍴 Compiègne
- 🛏 🍴 Creil
- 🍴 Crillon
- 🛏 Elincourt-Ste-Marguerite
- 🛏 🍴 Ermenonville
- 🍴 Fleurines
- 🍴 Fontaine-Chaalis
- 🍴 Hondainville
- 🛏 🍴 Liancourt
- 🍴 La Mare d'Ovillers
- 🍴 Nanteuil-le-Haudouin
- 🛏 Neuilly-en-Thelle
- 🍴 Noailles
- 🛏 🍴 Noyon
- 🛏 Pierrefonds
- 🍴 Pont-Ste-Maxence
- 🍴 St-Germer-de-Fly
- 🍴 St-Jean-aux-Bois
- 🍴 St-Omer-en-Chaussée
- 🛏 🍴 Senlis
- 🍴 Tracy-le-Mont
- 🍴 Vaudrampont (Carrefour de)
- 🍴 Verberie
- 🛏 Verneuil-en-Halatte
- 🍴 Vieux-Moulin

61 ORNE

- 🛏 🍴 L'Aigle
- 🛏 🍴 Alençon
- 🛏 🍴 Argentan
- 🛏 🍴 Bagnoles-de-l'Orne
- 🍴 Bellême
- 🍴 Carrouges
- 🛏 Domfront
- 🍴 Ecouché
- 🛏 🍴 La Ferté-Macé
- 🛏 🍴 Flers
- 🛏 Gacé
- 🛏 🍴 Juvigny-sous-Andaine
- 🍴 Lalacelle
- 🍴 Longny-au-Perche
- 🛏 Le Mêle-sur-Sarthe
- 🛏 🍴 Mortagne-au-Perche
- 🍴 Moulin-la-Marche
- 🛏 Putanges-Pont-Ecrepin
- 🛏 St-Denis-sur-Sarthon
- 🍴 St-Maurice-les-Charencey
- 🛏 Sées
- 🛏 🍴 Vimoutiers

62 PAS-DE-CALAIS

- 🛏 🍴 Aire-sur-la-Lys
- 🛏 🍴 Ardres
- 🛏 🍴 Arras
- 🍴 Audresselles
- 🛏 Bapaume
- 🍴 Beaurainville
- 🛏 🍴 Berck-Plage
- 🛏 Béthune
- 🛏 🍴 Boulogne-sur-Mer
- 🛏 🍴 Bruay-en-Artois
- 🛏 Bully-les-Mines
- 🛏 🍴 Calais
- 🛏 🍴 Cap Gris-Nez
- 🛏 🍴 Fresnes-lès-Montauban
- 🍴 Frévent
- 🛏 🍴 Hardelot-Plage
- 🛏 Henin-Beaumont
- 🛏 🍴 Hesdin
- 🛏 🍴 Lens
- 🍴 Lumbres
- 🍴 Marquise
- 🛏 🍴 Montreuil
- 🛏 🍴 Noeux-les-Mines
- 🛏 Pas-en-Artois
- 🛏 🍴 St-Omer
- 🛏 St-Pol-sur-Ternoise
- 🍴 Saulchoy
- 🛏 🍴 Le Touquet-Paris-Plage
- 🍴 Vermelles
- 🛏 🍴 Wimereux

63 PUY-DE-DÔME

- 🛏 Aigueperse
- 🛏 Ambert
- 🛏 Les Ancizes-Comps
- 🍴 Aubusson d'Auvergne
- 🛏 Bagnols
- 🛏 Besse-en-Chandesse
- 🛏 Billom
- 🛏 La Bourboule
- 🛏 Brassac-les-Mines
- 🛏 Le Brugeron
- 🛏 🍴 Ceyrat
- 🛏 Chabreloche
- 🛏 Chambon (Lac)
- 🍴 Champeix
- 🛏 Charbonniéres-les-Vieilles
- 🛏 Châteauneuf-les-Bains

- 🛏 🍴 Châtelguyon
- 🛏 La Chaulme
- 🛏 Le Cheix
- 🛏 🍴 Clermont-Ferrand
- 🛏 Cournon-d'Auvergne
- 🍴 Courpiére
- 🛏 Égliseneuve-d'Entraigues
- 🛏 Giat
- 🛏 Herment
- 🛏 🍴 Issoire
- 🛏 Job
- 🛏 🍴 Laqueuille
- 🛏 🍴 Lezoux
- 🛏 Manzat
- 🍴 Maringues
- 🛏 🍴 Le Mont-Dore
- 🍴 Montpeyroux
- 🛏 Murol
- 🛏 Orcival
- 🛏 Picherande
- 🛏 Pionsat
- 🛏 Pontaumur
- 🛏 🍴 Pont-de-Dore
- 🍴 Pont-de-Menat
- 🛏 Pont-du-Bouchet
- 🛏 Pontgibaud
- 🛏 🍴 Randan
- 🛏 🍴 Riom
- 🛏 Rochefort-Montagne
- 🛏 🍴 Royat
- 🛏 St-Anthème
- 🍴 St-Dier d'Auvergne
- 🛏 Saint-Éloy-les-Mines
- 🛏 St-Germain-Lembron
- 🛏 St-Germain-l'Herm
- 🛏 St-Gervais-d'Auvergne
- 🛏 🍴 St-Nectaire
- 🛏 St-Pardoux
- 🍴 St-Rémy-sur-Durolle
- 🛏 Thiers
- 🛏 La Tour-d'Auvergne
- 🛏 Vernet-la-Varenne
- 🛏 Vertolaye
- 🛏 🍴 Vic-le-Comte
- 🛏 Vollore-Montagne
- 🛏 Volvic

64 PYRÉNÉES-ATLANTIQUES

- 🛏 Ainhoa
- 🛏 🍴 Anglet
- 🍴 Artiguelouve
- 🛏 Arudy
- 🛏 Ascain
- 🍴 Barcus
- 🛏 🍴 Bayonne
- 🛏 🍴 Biarritz
- 🛏 Bidarray
- 🛏 🍴 Bidart
- 🍴 Brindos (Lac de)
- 🛏 Cambo-les-Bains
- 🍴 Ciboure
- 🛏 Eaux-Bonnes
- 🍴 Escos
- 🛏 Espelette
- 🛏 Etsaut
- 🛏 Gabas
- 🛏 Gourette
- 🛏 🍴 Guéthary
- 🛏 Hasparren
- 🛏 🍴 Hendaye
- 🛏 L'Hôpital-St-Blaise
- 🛏 Itxassou
- 🛏 Larceveau
- 🛏 Larrau
- 🛏 🍴 Laruns
- 🛏 Lescun
- 🛏 🍴 Lestelle-Bétharram
- 🛏 Licq-Athérey
- 🛏 Louvie-Juzon
- 🛏 Lurbe-St-Christau
- 🛏 Mauléon-Licharre
- 🛏 🍴 Morlaas
- 🛏 Navarrenx
- 🛏 Nay
- 🛏 🍴 Oloron-Ste-Marie
- 🛏 🍴 Orthez
- 🛏 Osquich (Col d')
- 🛏 Ossès
- 🛏 🍴 Pau
- 🛏 Pontacq
- 🛏 Puyoo
- 🛏 St-Étienne-de-Baïgorry
- 🛏 🍴 St-Jean-de-Luz
- 🍴 Ciboure
- 🛏 🍴 St-Jean-Pied-de-Port
- 🛏 St-Palais
- 🛏 St-Pée-sur-Nivelle
- 🛏 🍴 Salies-de-Béarn
- 🛏 Sare
- 🛏 Sauveterre-de-Béarn
- 🛏 Soumoulou
- 🛏 🍴 Tardets-Sorholus
- 🛏 Urdos
- 🍴 Urt
- 🛏 🍴 Ustaritz

65 HAUTES-PYRÉNÉES

- 🛏 🍴 Argelès-Gazost
- 🛏 Arreau
- 🛏 Arrens-Marsous
- 🛏 🍴 Bagnères-de-Bigorre
- 🛏 Barèges
- 🍴 Beyrède (Col de)
- 🛏 🍴 Capvern-les-Bains
- 🛏 Castelnau-Magnoac
- 🛏 🍴 Cauterets
- 🍴 Estaing
- 🛏 🍴 Gavarnie
- 🛏 Guchan
- 🛏 Lannemezan
- 🛏 🍴 Lourdes
- 🛏 Loures-Barousse
- 🛏 Luz-St-Sauveur
- 🛏 La Mongie
- 🛏 Montgaillard
- 🛏 🍴 Rabastens-de-Bigorre
- 🛏 St-Lary-Soulan
- 🛏 St-Pé-de-Bigorre
- 🛏 Ste-Marie-de-Campan
- 🛏 🍴 Tarbes
- 🛏 Trie-sur-Baïse
- 🛏 Vic-en-Bigorre

66 PYRÉNÉES-OR.

- 🛏 🍴 Amélie-les-Bains-Palalda
- 🛏 🍴 Les Angles
- 🛏 Argelès-sur-Mer
- 🛏 Arles-sur-Tech
- 🛏 🍴 Banyuls-sur-Mer
- 🛏 🍴 Le Barcarès
- 🛏 Le Boulou
- 🛏 Bourg-Madame
- 🛏 🍴 Canet-Plage
- 🍴 Castelnou
- 🛏 Cerbère
- 🛏 Céret
- 🛏 🍴 Collioure
- 🛏 Dorres
- 🛏 Elne
- 🛏 🍴 Enveitg
- 🛏 🍴 Font-Romeu
- 🍴 Latour-de-Carol
- 🍴 Maureillas-Las-Illas
- 🛏 Molitg-les-Bains
- 🛏 Mont-Louis
- 🍴 Olette
- 🛏 🍴 Perpignan
- 🛏 🍴 Port-Vendres
- 🛏 Prades
- 🛏 🍴 Prats-de-Mollo-la-Preste
- 🛏 Rivesaltes
- 🛏 Saillagouse
- 🛏 St-Cyprien
- 🛏 St-Laurent-de-la-Salanque
- 🛏 Valcebollère
- 🛏 🍴 Vernet-les-Bains
- 🛏 🍴 Villefranche-de-Conflent
- 🛏 Villeneuve-des-Escaldes

67 BAS-RHIN

- 🛏 🍴 Andlau
- 🛏 Barembach
- 🛏 Barr
- 🍴 Blaesheim
- 🛏 Bouxwiller
- 🛏 🍴 Brumath
- 🛏 🍴 Climbach
- 🛏 Colroy-la-Roche
- 🍴 Dachsteim
- 🛏 Dambach-la-Ville
- 🛏 Donon (Col du)
- 🍴 Drusenheim
- 🍴 Duttlenheim
- 🛏 Erstein
- 🛏 Fouday
- 🛏 Grendelbruch
- 🍴 Gundershoffen
- 🛏 🍴 Haguenau
- 🍴 Hinsingen
- 🛏 Le Hohwald
- 🛏 Innenheim
- 🛏 Itterswiller
- 🍴 Landersheim
- 🍴 Lauterbourg
- 🛏 🍴 Lembach
- 🛏 Marckolsheim
- 🛏 🍴 Marlenheim
- 🍴 Marmoutier
- 🍴 Merkwiller-Pechelbronn
- 🍴 Mittelbergheim
- 🛏 Mollkirch
- 🛏 🍴 Molsheim
- 🛏 🍴 Mutzig
- 🛏 Natzwiller
- 🛏 🍴 Niederbronn-les-Bains
- 🛏 Niederhaslach
- 🍴 Niederschaeffolsheim
- 🛏 Niedersteinbach
- 🍴 Obenheim
- 🛏 Oberhaslach
- 🛏 🍴 Obernai
- 🛏 Obersteigen
- 🍴 Obersteinbach
- 🍴 Offendorf
- 🛏 La Petite-Pierre
- 🍴 Pfaffenhoffen
- 🍴 Quatzenheim
- 🛏 Les Quelles
- 🛏 Ranrupt
- 🛏 Reichsfeld
- 🛏 🍴 Rhinau
- 🍴 Rosheim
- 🛏 Saales
- 🛏 Sand
- 🛏 Sarre-Union
- 🛏 Saverne
- 🛏 Schirmeck
- 🛏 🍴 Sélestat
- 🛏 🍴 Strasbourg
- 🍴 Traenheim
- 🛏 Urmatt
- 🛏 Villé
- 🛏 🍴 Wangenbourg
- 🍴 Wasselonne
- 🛏 Wingen-sur-Moder
- 🛏 🍴 Wissembourg

68 HAUT-RHIN

- 🛏 🍴 Altkirch
- 🛏 🍴 Ammerschwihr
- 🍴 Artzenheim
- 🍴 Bartenheim
- 🍴 Bergheim
- 🍴 Blodelsheim
- 🛏 Le Bonhomme
- 🛏 🍴 Cernay
- 🛏 🍴 Colmar
- 🍴 Dannemarie
- 🍴 Diefmatten
- 🛏 🍴 Eguisheim
- 🍴 Ensisheim
- 🛏 🍴 Ferrette
- 🛏 Fréland
- 🛏 Goldbach
- 🛏 Le Grand Ballon
- 🛏 Gueberschwihr
- 🛏 🍴 Guebwiller
- 🍴 Hagenthal-le-Bas
- 🛏 Hohrodberg
- 🛏 🍴 Illhaeusern
- 🛏 🍴 Kaysersberg
- 🍴 Kiffis
- 🛏 Kruth
- 🛏 Labaroche
- 🛏 Lapoutroie
- 🍴 Lautenbach
- 🛏 🍴 Lièpvre
- 🛏 Linthal
- 🍴 Masevaux
- 🛏 🍴 Metzeral
- 🍴 Moosch
- 🛏 Muhlbach
- 🛏 🍴 Mulhouse
- 🛏 🍴 Munster
- 🛏 Neuf-Brisach
- 🛏 Orbey
- 🛏 🍴 Ribeauvillé
- 🛏 Rimbach-près-Guebwiller
- 🛏 🍴 Riquewihr
- 🍴 Roppentzwiller
- 🛏 🍴 Rouffach
- 🛏 St-Hippolyte
- 🛏 🍴 St-Louis
- 🍴 Ste-Croix-aux-Mines
- 🛏 Sewen
- 🛏 Soultzeren
- 🛏 Thannenkirch
- 🛏 🍴 Les Trois-Épis
- 🛏 Turckheim
- 🍴 Westhalten
- 🛏 Wihr-au-Val

Une réservation confirmée par écrit est toujours plus sûre

69 RHÔNE

- 🍴 Alix
- 🛏 Anse
- 🍴 L'Arbresle
- 🍴 Beaujeu
- 🛏 🍴 Belleville
- 🍴 Bessenay
- 🍴 Blaceret
- 🍴 Chasselay
- 🍴 Chénas
- 🍴 Les Chères
- 🍴 Collonges-au-Mont-d'Or
- 🛏 Condrieu
- 🍴 Cours
- 🍴 Fleurie
- 🍴 Givors
- 🍴 Juliénas
- 🛏 🍴 Lamure-sur-Azergues
- 🍴 Le Tilly
- 🍴 Limonest
- 🛏 🍴 Lyon
- 🍴 Mions
- 🛏 🍴 Mornant
- 🍴 Pollionnay
- 🛏 Quincié-en-Beaujolais
- 🛏 🍴 St-Georges-de-Reneins
- 🍴 St-Lager
- 🛏 St-Laurent-de-Mure
- 🍴 St-Martin-en-Ht.
- 🍴 Salles-Arbuissonnas-en-Beaujolais
- 🛏 Serezin-du-Rhône
- 🛏 🍴 Tarare
- 🛏 Theizé
- 🍴 Vaugneray
- 🛏 🍴 Villefranche-sur-Saône
- 🛏 Villié-Morgon

70 HTE-SAÔNE

- 🛏 Combeaufontaine
- 🍴 Étuz
- 🍴 Fougerolles
- 🛏 🍴 Gray
- 🛏 🍴 Lure
- 🛏 🍴 Luxeuil-les-Bains
- 🍴 Port-sur-Saône
- 🛏 Rioz
- 🛏 🍴 Ronchamp
- 🛏 St-Loup-sur-Semouse
- 🛏 Vesoul
- 🛏 🍴 Villersexel

71 SAÔNE-ET-LOIRE

- 🍴 Anost
- 🛏 🍴 Autun
- 🍴 Azé
- 🛏 🍴 Bourbon-Lancy

Bussières
Chagny
Chalon-sur-Saône
Charolles
La Clayette
Cluny
Couches
Le Creusot
La Croix-Blanche
Cuiseaux
Cuisery
Digoin
Étang-sur-Arroux
Fleurville
Fuissé
Givry
Grury
Gueugnon
Igé
Issy-l'Évèque
Louhans
Mâcon
Marcigny
Marmagne
Massilly
Mercurey
Montceau-les-Mines
Paray-le-Monial
Pierre-de-Bresse
Romanèche-Thorins
Romenay
St-Amour-Bellevue
St-Bonnet-de-Joux
St-Germain-du-Bois
St-Germain-du-Plain
St-Martin-en-Bresse
St-Symphorien-de-Marmagne
Salornay-sur-Guye
Solutré
Tournus
Verdun-sur-le-Doubs
Verzé
Vitry-sur-Loire

72 SARTHE

Bazouges-sur-le-Loir
Beaumont-sur-Sarthe
La Chartre-sur-le-Loir
Château-du-Loir
Connerré
Domfront-en-Champagne
Écommoy
La Ferté-Bernard
La Flèche
Fresnay-sur-Sarthe
Guécélard
Loué
Luché-Pringé
Le Lude
Mamers
Le Mans
Mayet
Sablé-sur-Sarthe
St-Calais
St-Léonard-des-Bois
Sceaux-sur-Huisne
Vibraye

73 SAVOIE

Aiguebelette (lac d')
Aiguebelle
Aime
Aix-les-Bains
Albens
Albertville
Albiez-le-Jeune
Albiez-le-Vieux
Les Arcs
Arvillard
Aussois
Beaufort
Bellentre
Bessans
Bonneval-sur-Arc
Le Bourget-du-Lac
Bourg-st-Maurice
Brides-les-Bains
Celliers
Challes-les-Eaux
Chambéry
Champagny-en-Vanoise
Chindrieux
Courchevel
Crest-Voland
La Féclaz
Flumet
La Giettaz
Grésy-sur-Isère
Lanslebourg-Mont-Cenis
Lanslevillard
La Léchère
Lescheraines
Les Menuires
Méribel-les-Allues
Modane
Montmélian
Moûtiers
Notre-Dame-de-Bellecombe
Peisey-Nancroix
La Plagne
Pralognan-la-Vanoise
Pussy
Revard (mont)
La Rochette
La Rosière
Ruffieux
St-Béron
St-François-Longchamp
St-Jean-d'Arvey
St-Jean-de-Chevelu
St-Jean-de-Maurienne
St-Martin-de-Belleville
St-Michel-de-Maurienne
St-Sorlin-d'Arves
Ste-Foy-Tarentaise
Séez
Termignon
Tignes
La Toussuire
Val-d'Isère
Valloire
Valmorel
Val-Thorens
Yenne

74 HTE-SAVOIE

Abondance
Allonzier-la-Caille
Amphion-les-Bains
Annecy
Annemasse
Aravis (col des)
Argentière
Assy (plateau d')
La Balme-de-Sillingy
Bellevaux
Bernex
Le Biot
Boëge
Bonne
Bonneville
Bons-en-Chablais
Bout-du-Lac
Brédannaz
Les Carroz-d'Arâches
Chamonix-Mont-Blanc
La Chapelle-d'Abondance
Châtel
La Clusaz
Cluses
Combloux
Les Contamines-Montjoie
Contamine-sur-Arve
Cruseilles
Douvaine
Duingt

🛏 ✕ Évian-les-Bains
🛏 Excenevex
🛏 Faverges
🛏 Flaine
🛏 Les Gets
🛏 ✕ Le Grand-Bornand
🛏 Habère-Lullin
🛏 ✕ Habère-Poche
🛏 Les Houches
🛏 Lugrin
🛏 Lullin
🛏 Manigod
✕ Marignier
🛏 ✕ Megève
🛏 Menthon-st-Bernard
🛏 Messery
🛏 Mieussy
🛏 Monnetier-Mornex
🛏 Mont-Saxonnex
🛏 ✕ Morzine
🛏 ✕ La Roche-sur-Foron
🛏 Rumilly
🛏 ✕ St-Cergues
🛏 ✕ St-Félix
🛏 St-Gervais-les-B.
🛏 Le Fayet
🛏 St-Gingolph
🛏 St-Jean-de-Sixt
🛏 St-Jeoire
🛏 ✕ St-Jorioz
🛏 ✕ St-Julien-en-Genevois
🛏 St-Paul-en-Chablais
🛏 Salève (mont)
🛏 ✕ Sallanches
🛏 Samoëns
🛏 Le Semnoz
🛏 Serraval
🛏 Servoz
🛏 Sévrier
🛏 ✕ Talloires
✕ Taninges
🛏 Thollon
🛏 Thones
🛏 ✕ Thonon-les-Bains
🛏 Thyez
🛏 Vallorcine
🛏 Verchaix
🛏 ✕ Veyrier-du-Lac
🛏 ✕ Yvoire

76 SEINE-MAR.

✕ Arques-la-Bataille
🛏 ✕ Aumale
✕ Auzouville-sur-Saône
✕ Barentin
✕ Blangy-sur-Bresle
🛏 Bolbec
✕ La Bouille
✕ Buchy
🛏 ✕ Caudebec-en-Caux
🛏 ✕ Dieppe
✕ Duclair
🛏 ✕ Elbeuf
✕ Envermeu
🛏 ✕ Étretat
🛏 Eu
🛏 ✕ Fécamp
✕ Fontaine-le-Dun
🛏 ✕ Forges-les-Eaux
🛏 Gournay-en-Bray
🛏 ✕ Le Havre
🛏 ✕ Lillebonne
✕ Londiniéres
🛏 Mesnil-Val
✕ Neufchatel-en-Bray
✕ Neuf-Marché
✕ Pavilly
✕ Pourville-sur-Mer
🛏 Quiberville
🛏 ✕ Rouen
✕ Ry
🛏 ✕ St-Valéry-en-Caux
✕ St-Wandrille-Rançon
✕ Sassetot-le-Mauconduit
✕ Tocqueville-sur-Eu
🛏 Le Tréport
🛏 Varengeville-sur-Mer
✕ Veules-les-Roses
✕ Veulettes-sur-Mer
✕ Villequier
🛏 ✕ Yvetot

77 SEINE-ET-M.

✕ Arbonne-la-Forêt
🛏 ✕ Barbizon
✕ Beton-Bazoches
✕ Brie-Comte-Robert
✕ Chailly-en-Bière
✕ Châtillon-la-Borde
✕ Chelles
✕ Claye-Souilly
✕ Coubert
🛏 ✕ Coulommiers
✕ Croissy-Beaubourg
✕ Esbly
🛏 ✕ La Ferté-sous-Jouarre
🛏 ✕ Fontainebleau
🛏 ✕ Fontenay-Trésigny
✕ Glandelles
✕ Lagny-sur-Marne
✕ Lorrez-le-Bocage
🛏 Marne-la-Vallée
🛏 ✕ Meaux
🛏 ✕ Melun
✕ Misy-sur-Yonne
✕ Montereau-Fault-Yonne
✕ Moret-sur-Loing
✕ Nangis
🛏 ✕ Nemours
🛏 Noisiel
✕ Ozoir-la-Ferrière
✕ Ponthierry
🛏 ✕ Provins
✕ Quincy-Voisins
✕ Rosay-en-Brie
✕ St-Cyr-sur-Morin
🛏 Samois-sur-seine
✕ Sivry-Courtry
🛏 Souppes-sur-loing
✕ Thenisy
✕ Tournan-en-brie
🛏 Valence-en-Brie
✕ Villeneuve-le-Comte
✕ Vulaines-sur-Seine

78 YVELINES

🛏 ✕ Ablis
✕ Bonnières-sur-Seine
✕ Bougival
✕ La Celle-st-Cloud
✕ Châteaufort
✕ Chaufour-lès-Bonnières
✕ Chevreuse
✕ Coignières
✕ Conflans-Ste-Honorine
✕ Dampierre-en-Yvelines
✕ Houdan
✕ Houilles
✕ Louveciennes
✕ Maisons-Laffitte
✕ Mantes-la-Jolie
🛏 Marly-le-Roi
🛏 Maurepas
✕ Les Mesnuls
✕ Meulan
✕ Millemont
✕ Montfort-l'Amaury
✕ Neauphle-le-Château
🛏 Orgeval
✕ Le Perray-en-Yvelines
✕ Poissy
✕ Pontchartrain
🛏 ✕ Rambouillet
✕ Rochefort-en-Yvelines
🛏 Rolleboise
✕ St-Arnoult-en-Yvelines
🛏 St-Cyr-l'École
🛏 ✕ St-Germain-en-Laye
🛏 St-Léger-en-Yvelines
✕ St-Rémy-lés-Chevreuse
✕ Senlisse

- 🛏 Thoiry
- 🍴 Le Tremblay-sur-Mauldre
- 🛏 Vélizy-Villacoublay
- 🍴 Vernouillet
- 🍴 Viroflay
- 🛏 🍴 Versailles
- 🍴 Le Vésinet
- 🛏 Voisins-le-Bretonneux

79 DEUX-SÈVRES

- 🍴 Argenton-l'Église
- 🍴 Beauvoir-sur-Niort
- 🛏 Bressuire
- 🛏 Cerizay
- 🍴 Coulon
- 🍴 Forêt-sur-Sèvre
- 🛏 Mauléon
- 🛏 Mauzé-sur-le-Mignon
- 🛏 Melle
- 🛏 🍴 Niort
- 🛏 Oiron
- 🛏 Olbreuse
- 🛏 🍴 Parthenay
- 🛏 St-Maixent-l'École
- 🍴 St-Pardoux
- 🛏 Secondigny
- 🛏 Thouars

80 SOMME

- 🛏 🍴 Abbeville
- 🍴 Airaines
- 🛏 🍴 Amiens
- 🛏 Ault
- 🛏 Crécy-en-Ponthieu
- 🍴 Le Crotoy
- 🍴 Doullens
- 🛏 🍴 Fort-Mahon-Plage
- 🛏 Ham
- 🍴 Le Hourdel
- 🛏 Montdidier
- 🍴 Nampty
- 🍴 Péronne
- 🛏 🍴 Poix-de-Picardie
- 🛏 🍴 Roye
- 🛏 Villers-Bretonneux

81 TARN

- 🛏 Alban
- 🛏 🍴 Albi
- 🛏 Ambialet
- 🍴 Les Cammazes
- 🛏 Carmaux
- 🛏 🍴 Castres
- 🛏 🍴 Cordes
- 🛏 🍴 Gaillac
- 🛏 🍴 Graulhet
- 🛏 Lacaune
- 🛏 Lacrouzette
- 🛏 🍴 Lavaur
- 🛏 🍴 Lisle-sur-Tarn
- 🛏 🍴 Mazamet
- 🛏 Montredon-Labessonnie
- 🛏 Puylaurens
- 🛏 Rabastens
- 🛏 Réalmont
- 🛏 St-Amans-Soult
- 🍴 St-Sulpice
- 🍴 Tanus

82 TARN-ET-GAR.

- 🛏 Beaumont-de-Lomagne
- 🛏 Caussade
- 🛏 Caylus
- 🛏 Cazès-Mondenard
- 🍴 Dunes
- 🛏 Grisolles
- 🛏 🍴 Moissac
- 🍴 Montaigu-de-Quercy
- 🛏 🍴 Montauban
- 🛏 Montech
- 🛏 Montpezat-de-Quercy
- 🛏 Montricoux
- 🛏 🍴 Valence

83 VAR

- 🍴 Les Adrets-de-l'Estérel
- 🛏 🍴 Agay
- 🛏 🍴 Aiguebelle
- 🍴 Aiguines
- 🛏 Anthéor
- 🍴 Les Arcs
- 🛏 Aups
- 🛏 🍴 Bandol
- 🍴 Bargemon
- 🛏 Barjols
- 🛏 La Bastide
- 🛏 Bauduen
- 🛏 🍴 Le Beausset
- 🛏 Beauvallon
- 🛏 🍴 Bormes-les-Mimosas
- 🍴 Bras
- 🛏 🍴 Brignoles
- 🍴 Le Brusc
- 🛏 La Cadière-d'Azur
- 🛏 🍴 Canadel-sur-Mer
- 🛏 Le Cannet-des-Maures
- 🛏 Carcès
- 🛏 🍴 Carqueiranne
- 🛏 🍴 Le Castellet
- 🛏 Cavalaire-sur-Mer
- 🛏 Cavalière
- 🛏 Cavaliers (falaises des)
- 🛏 🍴 Cogolin
- 🛏 Comps-sur-Artuby
- 🛏 🍴 Cotignac
- 🛏 🍴 La Croix-Valmer
- 🛏 🍴 Draguignan
- 🛏 🍴 Fayence
- 🍴 Fréjus
- 🍴 La Garde-Freinet
- 🍴 Gassin
- 🛏 🍴 Giens
- 🛏 Ginasservis
- 🛏 🍴 Grimaud
- 🛏 🍴 Hyères
- 🛏 🍴 Les Issambres
- 🛏 🍴 Le Lavandou
- 🛏 🍴 Les Lecques
- 🛏 La Londe-les-Maures
- 🍴 Lorgues
- 🍴 Le Luc
- 🛏 Méounes-les-Montrieux
- 🍴 Mons
- 🛏 🍴 Montauroux
- 🍴 Montferrat
- 🍴 La Motte
- 🛏 Le Muy
- 🛏 Nans-les-Pins
- 🍴 La Pauline
- 🛏 🍴 Plan-de-la-Tour
- 🛏 🍴 Porquerolles (ile de)
- 🛏 Port-Cros (ile de)
- 🛏 🍴 Port Grimaud
- 🛏 🍴 Le Pradet
- 🛏 Ramatuelle
- 🛏 Rians
- 🛏 🍴 St-Aygulf
- 🍴 St-Maximin-la-Ste-Baume
- 🛏 🍴 St-Raphaël
- 🛏 🍴 St-Tropez
- 🛏 🍴 Ste-Maxime
- 🛏 Salernes
- 🛏 Les Salles-sur-Verdon
- 🛏 🍴 Sanary-sur-Mer
- 🛏 🍴 Seillans
- 🛏 🍴 La Seyne-sur-Mer
- 🛏 🍴 Six-Fours-les-Plages
- 🍴 Solliès-Toucas
- 🍴 Le Thoronet
- 🛏 🍴 Toulon
- 🛏 🍴 Tourtour
- 🍴 Tourves
- 🛏 Trans-en-Provence
- 🛏 Le Trayas
- 🛏 Trigance
- 🍴 Vidauban
- 🛏 🍴 Villecroze
- 🛏 Vinon-sur-Verdon

84 VAUCLUSE

- 🛏 🍴 Apt
- 🛏 🍴 Avignon
- 🍴 La Bastide-des-Jourdans
- 🛏 Beaumettes
- 🛏 🍴 Bédoin
- 🍴 Bollène

- 🛏 Bonnieux
- 🍴 Cadenet
- 🛏 Caromb
- 🛏 🍴 Carpentras
- 🛏 🍴 Cavaillon
- 🛏 🍴 Châteauneuf-du-Pape
- 🍴 Coustellet
- 🛏 Cucuron
- 🍴 Entrechaux
- 🍴 Fontaine-de-Vaucluse
- 🛏 Gigondas
- 🛏 Gordes
- 🍴 Grambois
- 🛏 L'Isle-sur-la-Sorgue
- 🛏 Joucas
- 🍴 Lauris
- 🛏 Lourmarin
- 🛏 Ménerbes
- 🍴 Methamis
- 🛏 Mornas
- 🍴 La Motte d'Aigues
- 🛏 🍴 Orange
- 🛏 🍴 Pertuis
- 🛏 🍴 Roussillon
- 🛏 🍴 St-Saturnin-d'Apt
- 🍴 Ste-Cécile-les-Vignes
- 🛏 Sault
- 🍴 Séguret
- 🛏 Sorgues
- 🍴 La Tour-d'Aigues
- 🛏 🍴 Vaison-la-Romaine
- 🛏 Valréas
- 🍴 Venasque
- 🍴 Violès

85 VENDÉE

- 🛏 L'Aiguillon-sur-Mer
- 🍴 Avrillé
- 🛏 Beauvoir-sur-Mer
- 🍴 Bouin
- 🛏 Le Boupère
- 🛏 🍴 Challans
- 🛏 Chantonnay
- 🛏 🍴 Fontenay-le-Comte
- 🛏 Fromentine
- 🛏 🍴 Les Herbiers
- 🛏 Longeville-sur-Mer
- 🛏 🍴 Luçon
- 🛏 Maillezais
- 🛏 Montaigu
- 🛏 Montagne-sur-Sèvre
- 🛏 🍴 Noirmoutier (ile de)
- 🛏 🍴 Notre-Dame-de-Monts
- 🛏 Le Poiré-sur-Vie
- 🛏 Pouzauges
- 🛏 🍴 La Roche-sur-Yon
- 🛏 🍴 Les Sables-d'Olonne
- 🍴 St-Cyr-en-Talmondais
- 🛏 🍴 St-Gilles-Croix-de-Vie
- 🛏 🍴 St-Jean-de-Monts
- 🛏 🍴 St-Laurent-sur-Sèvre
- 🛏 St-Michel-en-l'Herm
- 🍴 St-Michel-Mont-Mercure
- 🛏 St-Philbert-de-Bouaine
- 🍴 St-Vincent-Sterlanges
- 🛏 🍴 St-Vincent-sur-Jard
- 🛏 Ste-Hermine
- 🍴 Soullans
- 🛏 🍴 La Tranche-sur-Mer
- 🍴 La Verrie
- 🛏 Vouvant
- 🛏 🍴 Yeu (ile d')

86 VIENNE

- 🛏 🍴 Châtellerault
- 🛏 Chauvigny
- 🍴 Civray
- 🛏 Couhé
- 🍴 Dangé-st-Romain
- 🛏 Gençay
- 🛏 L'Isle-Jourdain
- 🛏 Jaunay-Clan
- 🛏 Latillé
- 🛏 Loudun
- 🛏 🍴 Lussac-les-Châteaux
- 🛏 Montmorillon
- 🛏 🍴 Poitiers
- 🛏 La Roche-Posay
- 🛏 St-Savin
- 🍴 La Tricherie
- 🛏 La Trimouille
- 🍴 Vivonne
- 🛏 Vouillé

87 HTE-VIENNE

- 🍴 Aixe-sur-Vienne
- 🛏 Bellac
- 🛏 🍴 Bessines-sur-Gartempe
- 🛏 Boisseuil
- 🛏 Bujaleuf
- 🛏 Bussière-Poitevine
- 🍴 Coussac-Bonneval
- 🛏 🍴 Le Dorat
- 🛏 🍴 Limoges
- 🛏 🍴 Magnac-Bourg
- 🍴 Mortemart
- 🍴 Oradour-sur-Glane
- 🛏 Peyrat-le-Château
- 🛏 Pont-du-Dognon
- 🍴 Rancon
- 🛏 Razès
- 🛏 🍴 St-Junien
- 🛏 St-Léonard-de-Noblat
- 🍴 St-Martin-du-Fault
- 🛏 St-Priest-Taurion
- 🛏 🍴 St-Yrieix-la-Perche
- 🛏 🍴 Sereilhac

88 VOSGES

- 🛏 Bains-les-Bains
- 🛏 La Bresse
- 🛏 🍴 Bruyères
- 🛏 Bussang
- 🛏 🍴 Charmes
- 🛏 Contrexéville
- 🍴 Dommartin les Remiremont
- 🍴 Dompaire
- 🛏 🍴 Épinal
- 🛏 🍴 Gérardmer
- 🍴 Monthureux-sur-Saône
- 🛏 Moyenmoutier
- 🛏 🍴 Neufchâteau
- 🛏 Plainfaing
- 🛏 Plombières-les-Bains
- 🛏 Provenchères-sur-Fave
- 🛏 🍴 Raon-l'Étape
- 🛏 🍴 Remiremont
- 🍴 Rouvres-en-Xaintois
- 🍴 Rupt-sur-Moselle
- 🛏 🍴 St-Dié
- 🛏 St-Maurice-sur-Moselle
- 🛏 La Schlucht (col de)
- 🛏 Le Thillot
- 🛏 Le Tholy
- 🛏 Le Val-d'Ajol
- 🍴 Le Valtin
- 🛏 🍴 Ventron
- 🛏 🍴 Vittel
- 🍴 Wisembach

89 YONNE

- 🍴 Appoigny
- 🍴 Arcy-sur-Cure
- 🛏 🍴 Auxerre
- 🛏 🍴 Avallon
- 🍴 Les Baudières
- 🍴 Bléneau
- 🍴 La Celle-st-Cyr
- 🍴 Chablis
- 🍴 Champigny
- 🛏 Charny
- 🍴 Chéroy

- 🛏 Coulanges-sur-Yonne
- 🛏 Cousin (vallée du)
- 🛏 Druyes-les-Belles-Fontaines
- 🛏 🍴 Joigny
- 🍴 Leugny
- 🍴 Ligny-le-Châtel
- 🛏 Mailly-le-Château
- 🍴 Migennes
- 🍴 Montigny-la-Resle
- 🍴 Pontigny
- 🛏 🍴 Pont-sur-Yonne
- 🛏 Quarré-les-Tombes
- 🍴 Rogny
- 🍴 St-Fargeau
- 🛏 🍴 St-Florentin
- 🍴 St-Père
- 🍴 St-Valérien
- 🛏 Seignelay
- 🛏 🍴 Sens
- 🍴 Thêmes
- 🍴 Thizy
- 🛏 🍴 Tonnerre
- 🍴 Toucy
- 🍴 Vaudeurs
- 🍴 Vermenton
- 🛏 Vézelay
- 🍴 Villeneuve-sur-Yonne
- 🛏 Villevallier
- 🍴 Voutenay-sur-Cure

90 TER.-DE-BELFORT

- 🛏 🍴 Belfort
- 🍴 Delle
- 🍴 Giromagny

91 ESSONNE

- 🛏 🍴 Angerville
- 🍴 Brunoy
- 🍴 Champrosay
- 🛏 🍴 Dourdan
- 🛏 Draveil
- 🛏 🍴 Étampes
- 🛏 🍴 Corbeil-Essonnes
- 🛏 Évry
- 🍴 Gometz-le-Chatel
- 🍴 Grigny
- 🍴 Itteville
- 🛏 Juvisy-sur-Orge
- 🛏 🍴 Lardy
- 🛏 Longjumeau
- 🍴 Milly-la-Forêt
- 🛏 Montgeron
- 🛏 🍴 Morangis
- 🍴 Morsang-sur-Orge
- 🛏 Palaiseau
- 🛏 Saclay
- 🍴 St-Michel-sur-Orge
- 🍴 St-Vrain
- 🛏 Savigny-sur-Orge
- 🛏 Les Ulis
- 🍴 Varennes-Jarcy
- 🍴 Verrières-le-Buisson
- 🍴 Villebon-sur-Yvette
- 🍴 Villiers-le-Bâcle
- 🍴 Viry-Châtillon

92 HTS-DE-SEINE

- 🛏 🍴 Asnières
- 🛏 🍴 Boulogne-Billancourt
- 🍴 Clamart
- 🛏 🍴 Clichy
- 🛏 🍴 Courbevoie
- 🛏 🍴 La Garenne-Colombes
- 🍴 Gennevilliers
- 🍴 Levallois-Perret
- 🛏 🍴 Meudon
- 🛏 Montrouge
- 🛏 🍴 Neuilly-sur-Seine
- 🍴 Petit-Clamart
- 🍴 Puteaux
- 🛏 🍴 Rueil-Malmaison
- 🛏 🍴 St-Cloud
- 🍴 Sèvres
- 🍴 Vaucresson

93 SEINE-ST-DENIS

- 🛏 🍴 Aulnay-sous-Bois
- 🛏 Bagnolet
- 🛏 Le Bourget
- 🍴 Livry-Gargan
- 🛏 🍴 Montreuil
- 🛏 Noisy-le-Grand
- 🛏 Pantin
- 🍴 Le Pré st-Gervais
- 🍴 Le Raincy
- 🍴 Romainville
- 🍴 St-Denis
- 🛏 🍴 St-Ouen
- 🍴 Stains
- 🍴 Villemomble
- 🛏 Villepinte

Dans votre intérêt, lisez les pages explicatives du début du guide.

94 VAL-DE-MARNE

- 🛏 Alfortville
- 🛏 Bonneuil-sur-Marne
- 🛏 🍴 Chennevières-sur-Marne
- 🛏 🍴 Créteil
- 🍴 Joinville-le-Pont
- 🛏 Le Kremlin-Bicêtre
- 🛏 Maisons-Alfort
- 🛏 Nogent-sur-Marne
- 🛏 Orly (aéroport de Paris)
- 🍴 Le Perreux
- 🛏 🍴 La Queue-en-Brie
- 🛏 🍴 Rungis
- 🍴 St-Mandé
- 🛏 🍴 St-Maurice
- 🍴 Sucy-en-Brie
- 🛏 🍴 La Varenne-St-Hilaire
- 🛏 🍴 Vincennes

95 VAL-D'OISE

- 🍴 Argenteuil
- 🍴 Auvers-sur-Oise
- 🍴 Beaumont-sur-Oise
- 🍴 Boisemont
- 🛏 🍴 Cergy-Pontoise
- 🍴 Champagne-sur-Oise
- 🍴 Cormeilles-en-Parisis
- 🍴 Cormeilles-en-Vexin
- 🛏 🍴 Enghien-les-Bains
- 🍴 L'Isle-Adam
- 🛏 Luzarches
- 🛏 Maffliers
- 🍴 Magny-en-Vexin
- 🍴 Osny
- 🛏 La Roche-Guyon
- 🛏 🍴 Roissy-en-France
- 🍴 St-Ouen-l'Aumône
- 🛏 Survilliers-St-Witz

ANDORRE (principauté d')

🛏 🍴

MONACO (principauté de)

🛏 🍴

SUISSE

- 🛏 🍴 Bâle
- 🛏 🍴 Genève

D'OU VIENT CETTE AUTO ?

Voitures françaises :

Le régime normal d'immatriculation en vigueur comporte :
- un numéro d'ordre dans la série (1 à 3 ou 4 chiffres) ;
- une, deux ou trois lettres de série (1re série : A, 2e série : B,... puis AA, AB,... BA,...) ;
- un numéro représentant l'indicatif du département d'immatriculation.

Exemples : 854 BFK **75** : Paris – 127 HL **63** : Puy-de-Dôme.

Voici les numéros correspondant à chaque département :

01 Ain
02 Aisne
03 Allier
04 Alpes-de-H.-Pr.
05 Alpes (Hautes)
06 Alpes-Mar.
07 Ardèche
08 Ardennes
09 Ariège
10 Aube
11 Aude
12 Aveyron
13 B.-du-Rhône
14 Calvados
15 Cantal
16 Charente
17 Charente-Mar.
18 Cher
19 Corrèze
2A Corse-du-Sud
2B Hte-Corse
21 Côte-d'Or
22 Côtes-du-Nord
23 Creuse
24 Dordogne
25 Doubs
26 Drôme
27 Eure
28 Eure-et-Loir
29 Finistère
30 Gard
31 Garonne (Hte)
32 Gers
33 Gironde
34 Hérault
35 Ille-et-Vilaine
36 Indre
37 Indre-et-Loire
38 Isère
39 Jura
40 Landes
41 Loir-et-Cher
42 Loire
43 Loire (Hte)
44 Loire-Atl.
45 Loiret
46 Lot
47 Lot-et-Gar.
48 Lozère
49 Maine-et-Loire
50 Manche
51 Marne
52 Marne (Hte)
53 Mayenne
54 Meurthe-et-M.
55 Meuse
56 Morbihan
57 Moselle
58 Nièvre
59 Nord
60 Oise
61 Orne
62 Pas-de-Calais
63 Puy-de-Dôme
64 Pyrénées-Atl.
65 Pyrénées (Htes)
66 Pyrénées-Or.
67 Rhin (Bas)
68 Rhin (Haut)
69 Rhône
70 Saône (Hte)
71 Saône-et-Loire
72 Sarthe
73 Savoie
74 Savoie (Hte)
75 Paris
76 Seine-Mar.
77 Seine-et-M.
78 Yvelines
79 Sèvres (Deux)
80 Somme
81 Tarn
82 Tarn-et-Gar.
83 Var
84 Vaucluse
85 Vendée
86 Vienne
87 Vienne (Hte)
88 Vosges
89 Yonne
90 Belfort (Ter.-de)
91 Essonne
92 Hauts-de-Seine
93 Seine-St-Denis
94 Val-de-Marne
95 Val-d'Oise

Voitures étrangères :

Des lettres distinctives variant avec le pays d'origine, sur plaque ovale placée à l'arrière du véhicule, sont obligatoires (F pour les voitures françaises circulant à l'étranger).

A Autriche
AND Andorre
AUS Australie
B Belgique
BR Brésil
CDN Canada
CH Suisse
CS Tchécoslovaquie
D Allemagne Féd.
DDR Rép. Dém. d'Allemagne
DK Danemark
DZ Algérie
E Espagne
FL Liechtenstein
GB Gde-Bretagne
GR Grèce
H Hongrie
I Italie
IL Israël
IR Iran
IRL Irlande
L Luxembourg
MA Maroc
MC Monaco
MEX Mexique
N Norvège
NL Pays-Bas
P Portugal
PE Pérou
PL Pologne
RO Roumanie
RA Argentine
RCH Chili
RL Liban
ROU Uruguay
S Suède
SF Finlande
SU U.R.S.S.
TN Tunisie
TR Turquie
USA États-Unis d'Amérique
YU Yougoslavie

Immatriculations spéciales :

CMD Chef de mission diplomatique (orange sur fond vert)
CD Corps diplomatique ou assimilé (orange sur fond vert)
D Véhicules des Domaines
C Corps consulaire (blanc sur fond vert)
K Personnel d'ambassade ou de consulat ou d'organismes internationaux (blanc sur fond vert)
TT Transit temporaire (blanc sur fond rouge)
W Véhicules en vente ou en réparation
WW Immatriculation de livraison

Rheims 31.23.
62.12

355 50104 842
288

26
290

NOTES

Petrol. £20. F213 F150. F130
F213 F154. F230. F184
F249.

Leaving St. Cyr. 1542

MANUFACTURE FRANÇAISE DES PNEUMATIQUES MICHELIN
Société en commandite par actions au capital de 700 000 000 de francs.
Place des Carmes-Déchaux - 63 Clermont-Ferrand (France)
R.C.S. Clermont-Fd B 855 200 507

Dépôt légal : 3-86 – ISBN 2 06 006 466 X

Printed in France – 1-86-68260

Plans de Bâle et Genève, avec l'autorisation de la Direction fédérale des mensurations cadastrales du 2/1/1986

Photocomposition : S.C.I.A., La Chapelle d'Armentières
Impression : Plusieurs imprimeurs

1275

Cartes France

Plans

10 Plan de Paris
12 Plan de Paris
Répertoire des rues
11 Paris-Atlas
Renseignements pratiques
14 Plan de Paris-Atlas
17 Banlieue Nord-Ouest
18 Banlieue Nord-Ouest
avec Répertoire des rues.
19 Banlieue Nord-Est
20 Banlieue Nord-Est
avec Répertoire des rues
*21 Banlieue Sud-Ouest
*22 Banlieue Sud-Ouest
Répertoire des rues

*En préparation

grandes routes

400 Autoroutes
Atlas détaillé - Péages

910 Départements - régions
911 Grands Itinéraires
Autoroutes et dégagements
915 En Atlas
916 Recto-verso
989 En une feuille
998 Moitié Nord
999 Moitié Sud

locales

101 Banlieue de Paris
170 Environs de Paris
Sports et loisirs
de plein air
195 Côte d'Azur
Alpes maritimes
196 Environs de Paris

régionales

230 Bretagne
231 Normandie
232 Pays de Loire
233 Poitou-Charentes
234 Aquitaine
235 Midi-Pyrénées
236 Nord de la France
237 Ile de France
238 Centre
239 Auvergne-Limousin
240 Languedoc-Roussillon
241 Champagne-Ardennes
242 Alsace et Lorraine
243 Bourgogne-
Franche-Comté
244 Rhône-Alpes
245 Provence
246 Vallée du Rhône

détaillées

40 cartes à 1/200.000
51 à 92

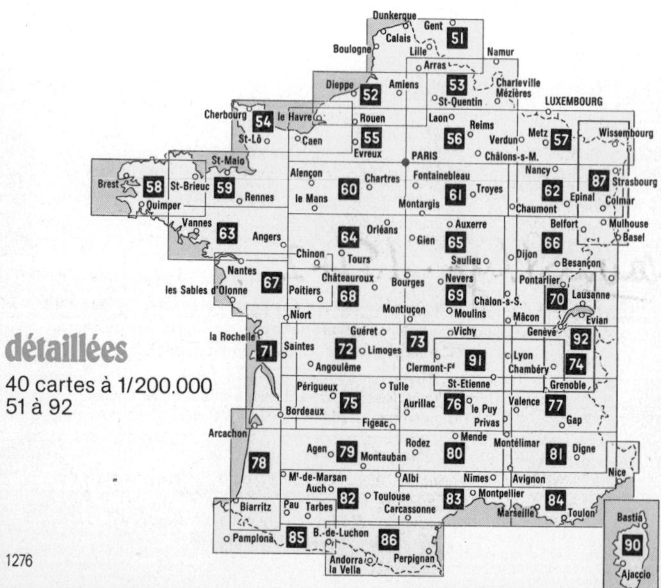

Cartes Europe
détaillées

Benelux

210 Groningen-Alkmaar
211 Amsterdam-Nijmegen
212 Antwerpen-Rotterdam
213 Oostende-Bruxelles-Liège
214 Mons-Luxembourg

Suisse

216 Bâle-St Gall
217 Genève-Berne
218 Andermatt-Bolzano
219 Martigny-Milan

pays et grandes routes

Espagne-Portugal

37 Portugal
42 Burgos-St Sebastián
43 Zaragoza-Barcelona
441 Espagne Nord-Ouest
444 Espagne Centre
445 Espagne Centre Est
446 Espagne Sud
447 Espagne Centre Ouest

* En préparation
*442 Espagne Nord
*443 Espagne Nord-Est

Allemagne

*413 Allemagne Sud

Autriche

426 Autriche

Suisse

427 Suisse

Benelux

408 Pays-Bas
409 Belgique Luxembourg

Grande-Bretagne - Irlande

401 Ecosse
402 Midlands-Angleterre Nord
403 Pays de Galles - Sud-Ouest et Midlands Angleterre
404 Sud-Est et Midlands Angleterre
405 Irlande

920 **Europe**
Tourisme - Routes - Relief
Répertoire des Noms
980 **Grèce**
986 **Grande-Bretagne, Irlande**
987 **Allemagne, Autriche, Benelux**
988 **Italie**
990 **Espagne, Portugal**
991 **Yougoslavie**

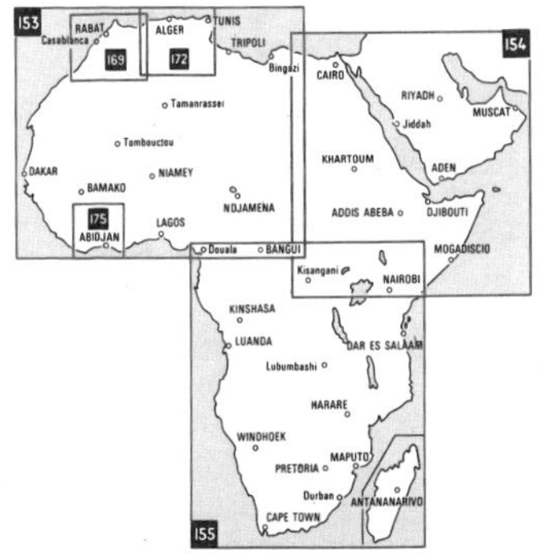

Cartes Afrique

153 **Afrique Nord et Ouest**
154 **Afrique Nord-Est-Arabie**
155 **Afrique Centre et Sud**
*169 **Maroc**
172 **Algérie, Tunisie**
175 **Côte d'Ivoire**

* Non disponible

Guides verts touristiques

En français

Londres
New York
Paris
Rome

Allemagne
Autriche
Belgique-Luxembourg
Canada
Espagne
Grèce
Hollande
Italie
Maroc
Nouvelle Angleterre (U.S.A.)
Portugal
Suisse

Alpes
Alsace et Lorraine
Auvergne
Bourgogne
Bretagne
Causses
Champagne-Ardennes
Châteaux de la Loire
Corse
Côte d'Azur
Côte de l'Atlantique
Environs de Paris
Flandres-Artois-Picardie
Jura
Normandie
Périgord
Provence
Pyrénées
Vallée du Rhône

En anglais

London
New York City
Paris
*Rome

Austria
Canada
England: The West Country
Germany
Italy
New England
Portugal
*Scotland
Spain
Switzerland

Brittany
Châteaux of the Loire
Dordogne
French Riviera
Normandy
Provence

En allemand

Paris

Italien
Spanien
Bretagne
Côte d'Azur-Französische Riviera
Elsaß-Vogesen-Champagne
*Korsika
Provence
Schlösser an der Loire

En espagnol

España

En italien

Italia

En néerlandais

België-Luxemburg
Nederland

*Nouveautés